WIELKI SŁOWNIK
angielsko-polski

THE GREAT
English-Polish
DICTIONARY

JAN STANISŁAWSKI

WIELKI SŁOWNIK angielsko-polski

THE GREAT English-Polish DICTIONARY

Z SUPLEMENTEM

Philip Wilson

A-N

Współpraca autorska

MAŁGORZATA SZERCHA

Okładka i karty tytułowe Liliana Soja/DIRECT DESIGN

Wydawnictwo Philip Wilson, Warszawa
01-217 Warszawa, ul. Kolejowa 21, tel.: 862 56 89, fax: 631 20 29
e-mail: pwilson@pol.pl

Druk i oprawa: Drukarnia Naukowo-Techniczna S.A.
Warszawa, ul. Mińska 65, tel. 810-50-71, fax 810-85-93
e-mail: dnt@pol.pl

ISBN 83-7236-048-0

Przedmowa

Ojciec mój, Jan Stanisławski, działalność leksykograficzną rozpoczął w latach dwudziestych. Wtedy to powstał Jego pierwszy *Słownik polsko-angielski i angielsko-polski*, który doczekał przed wojną, w czasie wojny i po wojnie wielu wydań w Polsce i na zachodzie.

W latach 1955 - 1964 Ojciec mój napisał niniejszy *Wielki słownik polsko-angielski i angielsko-polski*, w którym zawarł ponad 200 000 wyrazów i zwrotów frazeologicznych z obu języków. Słownik został opatrzony w latach siedemdziesiątych suplementami obejmującymi między innymi nowe słownictwo angielskie i polskie.

Przystoi odnotować, że Ojciec mój podczas swej pracy korzystał z porad wielu wybitnych specjalistów. Szczególnie cenną pomoc okazali botanicy - prof. Władysław Szafer i prof. Jadwiga Dyakowska, zoolog - prof. Roman Wojtusiak, językoznawcy- prof. Zenon Klemensiewicz, prof. Tadeusz Grzebieniowski, prof. Wiktor Jassem, prawnik - prof. Ludwik Ehrlich, matematyk - prof. Tadeusz Ważewski, geograf - prof. Jan Flis, znawczyni angielszczyzny potocznej - pani Constancia Strelley Waligórska-Acheson.

Preface

My father's interest in lexicography dates back to the twenties. It was then that his *Polish-English and English-Polish Dictionary* was first published. It had several printings – before the war and afterwards, both in Poland and in the West.

In 1955-1964, Jan Stanisławski wrote his *Great Polish-English and English-Polish Dictionary* which included over 200 000 words and phrases in both languages. In the seventies, the dictionary received a supplement covering many then new words in English and Polish.

I should add that my father was assisted in his work by many prominent specialist. Among those whose help was invaluable were Professor Władysław Szafer and Professor Jadwiga Dyakowska, botanists; Professor Roman Wojtusiak, zoologist; Professor Zenon Klemensiewicz, Professor Tadeusz Grzebieniowski, Professor Wiktor Jassem, linguists; Professor Ludwik Ehrlich, lawyer; Professor Tadeusz Ważewski, mathematician; Professor Jan Flis, geographer; and last but not least, Mrs. Constancia Strelley Waligórska-Acheson, an expert on everyday spoken English.

SPIS TREŚCI – CONTENTS

TOM I – VOLUME I

TOM II – VOLUME II

WSKAZÓWKI DLA KORZYSTAJĄCYCH ZE SŁOWNIKA

1. PORZĄDEK ALFABETYCZNY

Wyrazy hasłowe podano pismem półgrubym w ścisłym porządku alfabetycznym. Wyraz hasłowy jest z reguły pojedynczym wyrazem lub złożeniem zaznaczonym w pisowni łącznikiem.

Złożeń pisanych oddzielnie należy szukać pod ich poszczególnymi członami. I tak złożenie **bomb-shell** zostało umieszczone w porządku alfabetycznym, natomiast złożenia **bomb bay** należy szukać pod pierwszym członem złożenia, w tym wypadku pod **bomb** *attr*. Wyjątkiem od tej reguły są słowa zapożyczone z innych języków np. **terza rima**, które podano w miejscach określonych porządkiem alfabetycznym. W kolejności alfabetycznej podano także formy nieregularne i oboczne wyrazów z odesłaniem do hasła, w którym formy te objaśniono.

2. PISOWNIA

W *Słowniku* stosowano konsekwentnie brytyjską pisownię wyrazów. Najważniejszymi odchyleniami pisowni amerykańskiej od brytyjskiej są:

a) przestawienie lub zmiany liter w końcówce oraz uproszczenie końcówek

DIRECTIONS FOR THE USE OF THE DICTIONARY

1. ALPHABETICAL ORDER

The catchwords are printed in bold-face in strictly alphabetical order. As a rule the catchword is a single word or a hyphened compound.

Compounds given as two words may appear under either element. Thus the catchword **bomb--shell** has its place according to the alphabetical order, whereas **bomb bay** will be found under the first element of the compound, namely **bomb** *attr*. The only exception to this rule are loan-words from foreign languages such as **terza rima.** These appear in the alphabetical order dictated by the first element. Irregular forms and variants likewise appear where they belong alphabetically with a reference to the entry containing the necessary explanation.

2. SPELLING

The spelling used all along in the *Dictionary* is that of the leading English dictionaries. The main deviations of the American spelling are as follows —

a) letters in the endings of words are reversed or altered and endings are simplified

końcówki endings		przykłady examples	
brytyjskie British	amerykańskie American	brytyjskie British	amerykańskie American
-our	*-or*	**col*our***	**col*or***
-or	*-er*	**conquer*or***	**conquer*er***
-re	*-er*	**cent*re***	**cent*er***
-ce	*-se*	**licen*ce***	**licen*se***

b) redukcja dwóch spółgłosek do jednej w niektórych wyrazach i formach gramatycznych po zgłosce nieakcentowanej, np. **travelling,** amerykańskie **traveling.**

c) łączna pisownia niektórych wyrazów złożonych, np. **heavy-hearted,** amerykańskie **heavyhearted.**

b) double consonants are reduced to single in some words and grammatical forms after a non-stressed syllable, e.g. **travelling,** American: **traveling.**

c) some compounds are spelt without a hyphen such as **heavy-hearted,** American **heavyhearted.**

3. HOMONIMY

Hononimy oznaczono kolejnymi cyframi arabskimi. Przykładem są hasła: **bound**[1], **bound**[2], **bound**[3], **bound**[4].

3. HOMONYMS

Homonyms are given with the addition of ordinal numbers. Cf **bound**[1], **bound**[2], **bound**[3], **bound**[4].

4. RZECZOWNIKI

Formy liczby mnogiej tworzone regularnie w języku angielskim przez dodanie **-s** lub **-es** oraz liczba mnoga rzeczowników zakończonych na **-y** zostały pominięte. Formy nieregularne lub takie, które mogłyby nasuwać wątpliwości zostały zamieszczone w nawiasach okrągłych. Np.:

4. SUBSTANTIVES

Plurals formed regularly by the addition of **-s** or **-es** and those ending in **-y** are omitted, while irregular plurals and such as might give cause for doubt are given in round brackets. Cf.

alga ['ælgə] *s* (*pl* **algae** ['ældʒi:])...
bravado [brə'vɑ:dou] *s* (*pl* **~es**, **~s**) ...

5. CZASOWNIKI

Pominięto formy podstawowe czasowników, które tworzy się regularnie przez dodanie końcówki **-ed** lub **-d**.

Nieregularne formy czasowników podano jako objaśnienie w nawiasie okrągłym, przy czym kolejno na pierwszym miejscu podano formę czasu przeszłego (*past*), na drugim imiesłów czasu przeszłego (*past participle*).

Po średniku podano formę imiesłowu czasu teraźniejszego (*present participle*) w wypadkach mogących budzić wątpliwości, np.:

5. VERBS

The endings of weak verbs are omitted, while those of strong verbs are given in round brackets in the following order:

1) the past
2) the past participle
3) the present participle if the user is likely to be in doubt as to its spelling.

begin [bi'gin] *v* (**began** [bi'gæn], **begun** [bi'gʌn]; **beginning** [bi'giniŋ]) ...
shy² [ʃai] *v* (**shied** [ʃaid], **shied**; **shying** ['ʃaiiŋ]) ...

Jeżeli czasownik posiada więcej niż jedną formę czasu przeszłego lub imiesłowu czasu przeszłego, oddzielono je kwalifikatorami *praet* (czas przeszły) i *pp* (imiesłów czasu przeszłego), np.:

If the verb has more forms than one for the past or the past participle, these are separated by the use of the qualifying additions: *praet* (past tense) and *pp* (past participle), e.g.

bereave [bi'ri:v] *vt* (*praet* **bereft** [bi'reft], *pp* **bereft, bereaved** [bi'ri:vd]) ...

Niektóre czasowniki regularne podwajają końcową spółgłoskę podczas tworzenia form pochodnych. Podano je w następujący sposób:

Verbs which double a final single consonant are given as follows:

bob¹ [bɔb] □ *vt* (**-bb-**) ...

co oznacza, że formy czasu przeszłego i imiesłowów tworzy się przez dodanie odpowiednich końcówek (**-ed**, **-d**; **-ing**) przy równoczesnym podwojeniu końcowej spółgłoski wyrazu: **bobbed, bobbed; bobbing.**

W wypadku podwójnej pisowni zaznaczono obie możliwości, np.:

which means that the past and the participles are formed by the addition of the endings (**-ed**, **-d**; **-ing**) after the final consonant has been doubled: **bobbed, bobbed; bobbing.**

In cases where two spellings are admissible this is indicated as in the following example:

blue-pencil ['blu:,pensl] *vt* (**-l-**, **-ll-**) ...

6. PRZYMIOTNIKI I PRZYSŁÓWKI

Przy przymiotnikach i przysłówkach stopniowanych nieregularnie podano formy stopnia wyższego i najwyższego. Zasadą tą objęto także przymiotniki zakończone na **-y**

6. ADJECTIVES AND ADVERBS

When the degrees of comparison of an adjective or adverb are irregular these are given in round brackets and the same applies to the degrees of comparison of adjectives ending in **-y**.

7. TRANSKRYPCJA

Przy każdym haśle angielskim podano w nawiasie kwadratowym jego transkrypcję fonetyczną.

7. PHONETIC TRANSCRIPTION

The phonetic transcription in square brackets follows each catchword. The symbols used are

Zastosowano symbole ogólnie przyjętej transkrypcji międzynarodowej z uwzględnieniem nowych teorii dotyczących sposobu akcentowania wyrazu. Wprowadzono dwa rodzaje akcentów:

a) akcent główny

those of the International Phonetic Association. In accordance with the latest theories relating to word-stress two stress signs are used:

a) the main stress

licence ['laisəns] ...

b) akcent poboczny

b) one or more signs of secondary stress

liberalism ['libərə,lizəm] ...

Przy podawaniu transkrypcji nie uwzględniono wymowy alternatywnej ani odmian amerykańskich.

In cases where variant pronunciations exist these are not given, and likewise American pronunciations are omitted.

8. KWALIFIKATORY

Wyrazy hasłowe objaśniono odpowiednimi skrótami (kwalifikatorami gramatycznymi) sygnalizującymi ich przynależność do poszczególnych kategorii gramatycznych, np.: *s*, *vt*, *vi* itd. Są to skróty łacińskich terminów gramatycznych.

Słowa należące do poszczególnych dziedzin nauki, techniki itd. zaopatrzono w skróty objaśniające ich przynależność do danej dziedziny (tzw. kwalifikatory rzeczowe), np.:

8. QUALIFYING ABBREVIATIONS

Each catchword is qualified by means of an abbreviation indicating the grammatical category to which it belongs, e.g. *s*, *vt*, *vi* etc. These are abbreviations of the respective Latin grammatical terms.

Words belonging to the different branches of learning, technology etc. are accompanied by abbreviations denoting such branches, cf.

clip [klip] ... *s* 1. *techn* uchwyt, zacisk 2. *biur* spinacz 3. *med* klamerka 4. *wojsk* magazynek 5. klips (ozdoba stroju kobiecego)

Jeżeli kwalifikator rzeczowy znajduje się tuż po kwalifikatorze gramatycznym oznacza to, że odnosi się on do wszystkich kolejnych (oznaczonych cyframi arabskimi) tłumaczeń wyrazu hasłowego, np.:

If this latter abbreviation is placed immediately after the one indicating the grammatical category to which the word belongs it refers to all the successive renderings of the catchword classified by means of Arabic numerals, e.g.

oriole ['ɔ:ri,oul] *s zoo* 1. wilga 2. *am* kacyk (ptak)

Wyrazy nie używane w ramach *Standard English* zaopatrzono w kwalifikatory oznaczające ich potoczność, wulgarność lub gwarowość (*pot*, *wulg*, *gw*, *sl*); wyodrębniono również przenośny, literacki lub wyszukany (*przen*, *lit*, *poet*) charakter wyrazów.

W hasłach tych na pierwszym miejscu starano się podać odpowiednik polski dostosowany charakterem do angielskiego wyrazu hasłowego:

Words not comprised in *Standard English* are accompanied by abbreviations indicating that they are colloquial, vulgar, dialectal or slang. Figurative, purely literary or poetic usages have also been appropriately indicated.

In entries of this kind the first Polish rendering is usually adapted in character to the English catchword:

bunned [bʌnd] *adj am pot* urżnięty, pijany

9. ODPOWIEDNIKI

Polskie odpowiedniki angielskich wyrazów, wyrażeń i zwrotów drukowane są jasną czcionką.

Rzeczowniki polskie podano w formie męskiej i żeńskiej (o ile ją posiadają).

Przymiotniki polskie podano w formie męskiej z wyjątkiem tych, które mogą występować wyłącznie w formie żeńskiej, np.: szczenna, prośna itd.

Czasowniki polskie podano w aspektach: dokonanym i niedokonanym. Zastosowano tu mechaniczny podział wyrazu, np.: nada-ć/wać, poda-ć/wać, prze-jść/chodzić, co należy czytać: nadać lub nadawać, podać lub podawać, przejść lub przechodzić.

9. THE RENDERINGS

The Polish renderings of the English words, phrases and expressions are printed in light type.

The Polish substantives are given in both the masculine and feminine genders when the latter exists.

The Polish adjectives are given in the masculine gender with the exception of those used only in the feminine, such as: szczenna, prośna etc.

The Polish verbs are given in both the perfective and imperfective aspects, the division in each case being purely mechanical, e.g. nada-ć/wać, poda-ć/wać, prze-jść/chodzić, which should read nadać or nadawać; podać or podawać, przejść or przechodzić.

10. OBJAŚNIENIA DOTYCZĄCE SKŁADNI

W wypadkach, gdy składnia polska różni się od angielskiej, podano je obie w nawiasie okrągłym po odpowiedniku polskim wyrazu hasłowego, np.:

10. SYNTACTIC EXPLANATIONS

The Polish rendering of English verbs and substantives is followed where necessary by syntactic explanations in round brackets, cf.

view [vju:] [I] *s* 1. spojrzenie (**of sth** na coś) ...
warn [wɔ:n] *vt* 1. ostrze-c/gać (**sb of a danger** kogoś przed niebezpieczeństwem; **sb against sth** kogoś przed czymś) ...

11. OBJAŚNIENIA DOTYCZĄCE ZAKRESU UŻYCIA WYRAZU

Przed odpowiednikiem polskim umieszczono objaśnienia dotyczące zakresu użycia wyrazu. Są one drukowane kursywą i zamknięte w nawiasie okrągłym, np.: (*o człowieku*), (*o liczbie*) itd.

W wypadku rzeczowników są one drukowane jasną czcionką i mają formę: (człowiek), (maszyna) itd., co oznacza, że wyraz hasłowy może określać człowieka, maszynę itd.

Przy czasownikach objaśnienie takie połączone bywa z objaśnieniem gramatycznym. Podany przykład objaśnia wówczas zarówno składnię, jak i zakres użycia wyrazu hasłowego, np.:

11. INFORMATION REGARDING THE SCOPE OF WORD USAGE

Polish renderings are often preceded by information regarding the scope of usage of the rendering. This information is in italics and round brackets, e.g.: (*o człowieku* — of a person), (*o liczbie* — of a number) etc.

When accompanying substantives this information is in light type, e.g.: (człowiek), (maszyna) etc., which means that the catchword may denote a person, a machine etc.

When such information accompanies a verb it may be connected with a grammatical note. In such cases quoted examples indicate both the syntax and the scope of usage of the catchword, e.g.:

connive [kə'naiv] *vi* 1. pobłażać; tolerować; patrzeć przez palce (**at an abuse etc.** na nadużycie itd.) ...; współdziałać (**at a crime etc.** w zbrodni itd.)

W wypadku przysłówków i przyimków objaśnienia umieszczono w nawiasach okrągłych przed lub po tłumaczeniu polskim, np.:

In the case of adverbs and prepositions the additional information is in round brackets and either precedes or follows the Polish rendering e.g.:

blindfold ... 3. (iść itd.) po omacku ...

12. ZWROTY ILUSTRUJĄCE UŻYCIE WYRAZU

W przypadku, gdy użycie odpowiednika polskiego może nasuwać wątpliwości, zaraz po tłumaczeniu polskim następuje przykład ilustrujący zastosowanie go w zdaniu lub frazie, np.:

12. EXPRESSIONS ILLUSTRATIVE OF WORD USAGE

When doubts may arise as to the usage of a Polish rendering, the word in question is immediately followed by an example illustrative of its use in a sentence or expression —

by [bai] [I] *praep* ... 2. *przy określaniu marszruty*: a) przez <via> (daną miejscowość, kraj itd.); **~ Canada etc.** przez Kanadę itd. ...

13. WYRAŻENIA IDIOMATYCZNE

Wyrażenia idiomatyczne podano po każdym odpowiedniku, lub grupie odpowiedników polskich (w obrębie cyfry arabskiej), z którymi łączą się one znaczeniowo lub od którego pochodzą.

Wyrażenia idiomatyczne nie związane z żadnym odpowiednikiem polskim umieszczono na końcu artykułu hasłowego — ale w obrębie tej samej kategorii gramatycznej — i oddzielono dwiema kreskami pionowymi.

13. IDIOMS

Idioms are entered after each Polish rendering or group of renderings within the compass of the different Arabic numerals to which they belong in respect of meaning or origin.

Such idioms as are not connected with any of the Polish renderings are placed at the end of the entry — but within the limits of the same grammatical class — with an intervening double vertical line.

14. PODHASŁA CZASOWNIKOWE

Czasowniki z przyimkami pełniącymi funkcję przysłówka (np. **come in, come down, come up, get on, get off** etc.) wyróżniono jako odrębne podhasła wcięte w tekście i umieszczono po czasowniku lub po grupie czasownikowej *vt, vr, vi*.

14. VERBAL SUB-ENTRIES

Verb phrases in which prepositions have an adverbial function (**come in, come down, come up, get on, get off** etc.) form separate indented sub-entries at the end of a verb or verbal group: *vt, vr, vi*.

15. ODSYŁACZE

Odsyłacz *zob* jest używany dla odesłania czytelnika do hasła zawierającego poszukiwaną formę oboczną lub nieregularną z jej transkrypcją fonetyczną, np.:

15. CROSS REFERENCES

The cross reference *zob* is used for the purpose of referring the reader to an entry containing the desired word with a possible different spelling, and the phonetic transcription. Cf.

cayman *zob* **caiman**
caiman, cayman ['keimən] *s zoo* kajman
begirt *zob* **begird**
begird [bi'gə:d] *vt* (**begirt** [bi'gə:t], **begirt**) ...

Ponadto zasadą jest wzajemne odsyłanie pochodnych form czasownika ze względu na pełnioną przez nie funkcję przymiotnika lub rzeczownika, np.:

It is also used in the case of verbs where participles may assume separate substantival or adjectival functions:

benumb [bi'nʌm] *vt* ... *zob* **benumbed**
benumbed [bi'nʌmd] [I] *zob* **benumb** *v* [II] *adj* ...

W takich wypadkach hasło będące formą pochodną podzielono na części oznaczone kolejnymi cyframi rzymskimi [I], [II] itd. Część [I] zawiera odsyłacz, który oznacza, że wyraz może być użyty jako imiesłów lub rzeczownik odsłowny we wszystkich znaczeniach podanych w haśle podstawowym, podczas gdy część [II] i ewentualne następne zawierają dodatkowe znaczenia i funkcje pełnione przez formę pochodną.

Znak równania (=) zastosowano w wypadkach gdy hasła mają to samo znaczenie, a hasło odsyłane różni się od hasła, do którego odsyłamy, zarówno pod względem pisowni, jak i wymowy, np.:

In such cases the entry referred to is divided into sections numbered [I] and [II]. Section [I] contains the cross reference which indicates that the word may be used as a participle or gerund in all the meanings given in the verb entry, while section [II] and such as may follow contain the additional functions and meanings that the word may assume.

The sign of equality is used when two catchwords have one meaning but a different spelling and/or pronunciation.

joky ['dʒouki] = **jocular**
jocular ['dʒɔkjulə] *adj* żartobliwy ...

SKRÓTY I ZNAKI OBJAŚNIAJĄCE
ABBREVIATIONS AND EXPLANATORY SIGNS

acc	— accusativus, biernik	— accusative
adj	— adiectivum, przymiotnik	— adjective
admin	— administracja	— administration
adv	— adverbium, przysłówek	— adverb
am	— amerykański	— American
anat	— anatomia	— anatomy
ang	— angielski	— English
antr	— antropologia	— anthropology
arch	— architektura	— architecture
archeol	— archeologia	— archaeology
art	— articulus, rodzajnik	— article
artyl	— artyleria	— artillery
astr	— astronomia	— astronomy
atom	— atomistyka, energia atomowa	— atomic physics
attr	— attributivum, forma atrybutywna	— attribute
austral	— australijski	— Australian
auto	— automobilizm	— motoring

bank	— bankowość	— banking
bedn	— bednarstwo	— coopery
bibl	— biblijny	— biblical
bil	— bilard	— billiards
biol	— biologia	— biology
biur	— biurowy	— office
blach	— blacharstwo	— tinsmithing
boks	— boks, pięściarstwo	— boxing
bot	— botanika	— botany
brow	— browarnictwo	— brewing
bud	— budownictwo	— house-building
cer	— ceramika	— ceramics
chem	— chemia	— chemistry
chir	— chirurgia	— surgery
chor	— choreografia	— choreography
comp	— (gradus) comparativus, stopień wyższy	— comparative degre
conj	— coniunctio, spójnik	— conjunction
dat	— dativus, celownik	— dative
demonstr	— demonstrativum, wskazujący	— demonstrative
dent	— dentystyka	— dentistry
dial	— dialektalny, gwarowy	— dialect
dosł	— dosłownie	— literally
druk	— drukarstwo	— printing
dypl	— dyplomacja	— diplomacy
dziec	— mowa dziecinna	— children's speech
dzien	— dziennikarstwo	— journalism
dziew	— dziewiarstwo	— hosiery
ekon	— ekonomia	— economy
elektr	— elektryczność	— electricity
emf	— emfatyczny	— emphatic
etc	— et cetera, i tak dalej	— and so on, etc.
etn	— etnografia	— ethnography
eufem	— eufemizm	— euphemism
f	— (genus) femininum, rodzaj żeński	— feminine gender
fam	— familiarny, poufały	— familiar
farm	— farmaceutyka	— pharmacy
feud	— feudalizm	— feudalism
filat	— filatelistyka	— philately
film	— film	— film
filoz	— filozofia	— philosophy
fin	— finanse	— finances
fiz	— fizyka	— physics
fizj	— fizjologia	— physiology
fonet	— fonetyka	— phonetics
fort	— fortyfikacja	— fortification
fot	— fotografia	— photography
fr	— francuski	— French
garb	— garbarstwo	— tannery
genit	— genetivus, dopełniacz	— genitive
geod	— geodezja	— geodesy
geogr	— geografia	— geography
geol	— geologia	— geology
geom	— geometria	— geometry
germ	— germański	— German
giełd	— giełda	— Stock Exchange
gimn	— gimnastyka	— gymnastics
górn	— górnictwo	— mining
gr	— grecki	— Greek
gram	— gramatyka	— grammar
gw	— gwarowy	— dialectal
handl	— handel	— commerce, trade
herald	— heraldyka	— heraldry
hig	— higiena	— hygienics
hist	— historia	— history
hut	— hutnictwo	— iron-smelting
hydro	— hydromechanika	— hydromechanics
imp	— impersonale, forma nieosobowa	— impersonal form

imper	— imperativus, tryb rozkazujący	— imperative
inf	— infinitivus, bezokolicznik	— infinitive
interj	— interiectio, wykrzyknik	— interjection
interrog	— interrogatio, forma pytająca	— interrogative form
introl	— introligatorstwo	— bookbinding
irl	— irlandzki	— Irish
iron	— ironiczny	— ironic
itd	— i tak dalej	— and so forth
itp	— i temu podobne	— and the like
jęz	— językoznawstwo	— linguistics
jub	— jubilerstwo	— jewellery
karc	— (wyrażenie) karciane	— cards
kino	— kinematografia	— cinematography
kolej	— kolejnictwo	— railways
koron	— koronkarstwo	— lace making
kosmet	— kosmetyka	— cosmetics
kosz	— koszykarstwo	— basketry
kość	— kościelny	— ecclesiastical
kraw	— krawiectwo	— tailoring
księgar	— księgarstwo	— bookselling
księgow	— księgowość	— bookkeeping
kulin	— kulinarny	— cooking
lit	— wyrażenie literackie, wytworne	— literary use
liturg	— liturgia	— liturgy
leśn	— leśnictwo	— forestry
log	— logika	— logic
lotn	— lotnictwo	— aviation
lud	— ludowy	— popular
łac	— łaciński	— Latin
m	— (genus) masculinum, rodzaj męski	— musculine gender
mal	— malarstwo	— painting
mar	— marynistyka, morski	— nautical
mat	— matematyka	— mathematics
mech	— mechanika	— mechanics
med	— medycyna	— medicine
metalurg	— metalurgia	— metallurgy
meteor	— meteorologia	— meteorology
miern	— miernictwo	— surveying
miner	— mineralogia	— mineralogy
mitol	— mitologia	— mythology
muz	— muzyka	— music
myśl	— myślistwo	— hunting, game shooting
n	— (genus) neutrum, rodzaj nijaki	— neuter gender
nom	— nominativus, mianownik	— nominative
np	— na przykład	— for example
num	— numerale, liczebnik	— numeral
obelż	— obelżywy	— abusive
oceanogr	— oceanografia	— oceanography
ogr	— ogrodnictwo	— gardening
opt	— optyka	— optics
paleont	— paleontologia	— paleontology
pap	— (przemysł) papierniczy	— papermaking
parl	— parlamentaryzm	— parliamentary
pat	— patologia	— pathology
pers	— persona, osoba	— person
pieszcz	— pieszczotliwy	— term of endearment
pir	— pirotechnika	— pyrotechnics
pkt	— punkt/y (w drukarstwie)	— point/s (in printing)
pl	— (numerus) pluralis, liczba mnoga	— plural
plast	— plastyka	— fine arts
plt	— plurale tantum, używane tylko w l. mn.	— plural only
płd afr	— południowoafrykański	— South African
poet	— poetycki	— poetical
pog	— pogardliwy	— contemptuous
polit	— polityka	— politics
pot	— potoczny	— colloquial
pp	— participium perfecti, imiesłów bierny	— past participle

ppraes	— participium praesentis, imiesłów współczesny	— present participle
praed	— praedicativum, forma orzecznikowa	— predicative
praef	— praefix, przedrostek	— prefix
praep	— praepositio, przyimek	— preposition
praes	— praesens, czas teraźniejszy	— present tense
praet	— praeteritum, czas przeszły	— preterite
prawn	— prawo	— law
pron	— pronomen, zaimek	— pronoun
prozod	— prozodia	— prosody
przen	— przenośny	— figurative
przysł	— przysłowie	— proverb
psych	— psychologia	— psychology
pszcz	— pszczelarstwo	— bee-keeping
radio	— radio	— radio
reg	— regionalizm	— regional
rel	— religia	— religion
relat	— relativum, względny	— relative
ret	— retoryka	— rhetoric
roln	— rolnictwo	— agriculture
ryb	— rybołówstwo	— fishing
rz	— rzadko używany	— rare
rzem	— rzemiosło	— handicrafts
rzeźb	— rzeźbiarstwo	— sculpture
s	— substantivum, rzeczownik	— substantive
sąd	— sądownictwo	— jurisprudence
sb	— ktoś, kogoś, komuś itd.	— somebody
sb's	— czyjś	— somebody's
sing	— (numerus) singularis, liczba pojedyncza	— singular
singt	— singulare tantum, używany tylko w l. poj.	— singular only
skr	— skrót	— abbreviation
sl	— slang (wyrażenie żargonowe)	— slang
spl	— substantivum plurale, rzeczownik w l. mn.	— plural noun
sport	— sport	— sports
spr	— substantivum proprium, rzeczownik własny	— proper noun
staroż	— starożytność	— antiquity
statyst	— statystyka	— statistics
sth	— coś, czegoś, czemuś itd.	— something
stol	— stolarstwo	— joinery
suf	— suffixus, przyrostek	— suffix
sup	— (gradus) superlativus, stopień najwyższy	— superlative (degree)
szach	— szachy	— chess
szerm	— szermierka	— fencing
szew	— szewstwo	— shoemaking
szk	— (wyraz) szkolny	— school word
szkoc	— szkocki	— Scottish
teatr	— teatr	— theatre
techn	— technika	— technology
tekst	— tekstylny	— textile
telef	— telefon	— telephone
telegr	— telegraf	— telegraph
tenis	— tenis	— tennis
teol	— teologia	— theology
tk	— tkactwo	— weaving
tok	— tokarstwo	— turnery
tv	— telewizja	— television
uj	— ujemny	— pejorative
uniw	— uniwersytet	— university
v	— verbum, czasownik	— verb
v aux	— verbum auxiliarum, czasownik posiłkowy	— auxiliary verb
vi	— verbum intransitivum, czasownik nieprzechodni	— intransitive verb
v imp	— verbum impersonale, czasownik nieosobowy	— impersonal verb
vr	— verbum reflexivum, czasownik zwrotny	— reflexive verb
vt	— verbum transitivum, czasownik przechodni	— transitive verb
wet	— weterynaria	— veterinary
wędk	— wędkarstwo	— angling
wiośl	— wioślarstwo	— rowing

wojsk	— wojskowy	— military
wulg	— wulgarny	— vulgar
zbior	— rzeczownik zbiorowy	— collective noun
zeg	— zegarmistrzostwo	— watch-making
zob	— zobacz	— see, cf.
zoo	— zoologia	— zoology
zw	— zwykle	— usually
żart	— żartobliwy	— jocular
żegl	— żeglarstwo	— sailing

ˈ Kreska u góry (w formie transkrybowanej hasła) oznacza, że akcent pada na zgłoskę po niej następującą.

This mark, placed above, denotes the strong (or primary) stress of the following syllable.

ˌ Kreska u dołu oznacza, że wyraz posiada obok głównego akcent poboczny (zazwyczaj słabszy).

This mark, placed below, denotes the weak (or secondary) stress of the following syllable.

† Krzyżykiem oznaczono wyrazy przestarzałe. Znak ten umieszczony po transkrypcji oznacza, że angielski wyraz hasłowy jest wyrazem przestarzałym, obecnie nie używanym i spotyka się go wyłącznie w starych tekstach literackich lub we współczesnej literaturze archaizowanej. Ten sam znak umieszczony przed jednym z odpowiedników polskich kwalifikuje słowo jako archaizm.

Archaism.
This sign when placed after the phonetic transcription means that the English catchword is archaic, has passed out of the present-day language, and only occurs in old literary texts or in modern archaizing literature. When placed before one of the Polish renderings it means that the word in question is archaic.

~ W złożeniach i zwrotach umieszczonych wewnątrz artykułu hasłowego, wyraz hasłowy zastąpiono tyldą. Użyto jej również w przypadku podawania w przykładzie formy pochodnej (np. regularnej liczby mnogiej rzeczownika, form imiesłowowych czasownika, stopnia wyższego i najwyższego przymiotnika itd.), np.:

In compounds and expressions used within the framework of an entry the catchword is replaced by the tilde sign (swung dash). It also replaces the catchword in derivatives (such as the regular form of the plural in substantives, the participial forms of verbs, the comparative and superlative degrees of adjectives etc.) —

boil² [bɔil] *vi* gotować się; wrzeć; kipieć; **to keep the pot ~ing** a) pogotować (jakiś czas) b) *przen* pokrywać wydatki domowe; ...

Jeżeli forma pochodna różni się pisownią od wyrazu hasłowego, została ona zamieszczona w przykładzie lub zwrocie w pełnym brzmieniu. Np.:

If the derivative differs from the catchword in spelling it appears in the example or expression in full, as in:

come [kʌm] *v* (**came** [keim], **come**) [I] *vi* 1. ... 2. iść; **here he ~s** (oto) idzie; o wilku mowa, a wilk tuż; **I'm coming!** już idę!; ...

[I] Cyframi rzymskimi ujętymi w ramki oddzielono różne kategorie gramatyczne w wypadkach, gdy wyraz angielski może spełniać funkcję kilku części mowy, np.:

Square-framed Roman numerals divide the grammatical sections of an entry in cases where the English catchword assumes the functions of several parts of speech, cf.

vegetarian [ˌvedʒiˈteəriən] [I] *adj* wegetariański, jarski [II] *s* wegetarianin, jarosz

1..., 2... Kolejnymi cyframi arabskimi oddzielono odpowiedniki o całkowicie różnym znaczeniu, np.:

Successive Arabic numerals separate renderings with entirely different meanings such as:

clement [ˈklemənt] *adj* 1. łaskawy 2. łagodny

; Tłumaczenia bliskie znaczeniowo, lecz nie synonimiczne oddzielono średnikami, np.:

Renderings which are related in meaning but not strictly synonymous are separated by semicolons, for example:

condolatory [kənˈdoulətəri] *adj* kondolencyjny; ubolewający

Średnik oddziela także związki frazeologiczne oraz objaśnienia gramatyczne.

The semicolon is also used for the separation of quotations and grammatical explanations.

Tłumaczenia synonimiczne oddzielono przecinkami, np.:

Synonymous renderings are separated by commas, e.g.

automobile ['ɔ:təmə,bi:l] *s am* samochód, auto

a)... b)... Małe litery — a) ... b) ... itd. — oznaczają różnice znaczeniowe zwrotów i złożeń umieszczonych w obrębie artykułu hasłowego, np.:

Small letters — a) ... b) ... etc. — mark differences in meaning between expressions and compounds included within the framework of one and the same entry such as:

commission ... *s* ... 2. *sąd* władza; **on the ~** a) upoważniony do działania b) urzędujący (sędzia itd.)

[ ] W nawiasie kwadratowym umieszczona jest transkrypcja fonetyczna hasła.

Square brackets enclose the phonetic transcription of the catchword.

( ) W nawiasie okrągłym zawarto a) wszystkie objaśnienia b) wyrazy, które mogą być opuszczone, np.: **wag^2 ... to play (the) ~** ...; można powiedzieć: **"to play wag"** lub **"to play the wag"**; **waking** ... *adj* ... (będący) na jawie; można powiedzieć: „będący na jawie" lub też: „na jawie", jak w podanym przykładzie **~ dream** sen na jawie.

Round brackets enclose a) explanatory information b) words which may be omitted e.g.: **wag^2 ... to play (the) ~** ...; should read either: **"to play wag"** or: **"to play the wag"**; **waking** ... *adj* ... (będący) na jawie; should read either: "będący na jawie" or: "na jawie", as in the example **~ dream** sen na jawie.

< > W nawiasy trójkątne ujęto wymienne wyrazy i zwroty frazeologiczne.

Angular brackets enclose words and expressions which are interchangeable.

surrender [sə'rendə] [I] *vt* ... 2. zrze-c/kać <wyrze-c/kać> się (**sth** czegoś) ...

co należy czytać: "zrzec się" lub "zrzekać się" (**sth** czegoś) albo: "wyrzec się" lub "wyrzekać się" (**sth** czegoś).

which should read: "zrzec się" or "zrzekać się" (**sth** czegoś) or else: "wyrzec się" or "wyrzekać się" (**sth** czegoś).

surprise [sə'praiz] ... [III] *vt* ... 2. ... **I'd <I wouldn't> be ~d if** __ zdziwiłbym się <nie zdziwiłbym się> gdyby ...

co należy czytać: **I'd be surprised if** __ albo **I wouldn't be surprised if** __, i odpowiednio tłumaczenia polskie: "zdziwiłbym się, gdyby ..." albo "nie zdziwiłbym się, gdyby ..."

which should read: **I'd be surprised if** __ or **I wouldn't be surprised if** __, as the case may be, while the Polish translation should read: "zdziwiłbym się, gdyby ..." or "nie zdziwiłbym się, gdyby ...", as the case may be.

† Strzałka poprzedzająca hasło w *Słowniku* odsyła czytelnika do haseł uzupełnionych i poprawionych, zamieszczonych w *Suplemencie*. Strzałka umieszczona w *Suplemencie*, w środku lub na końcu hasła, odsyła czytelnika do hasła znajdującego się również w *Suplemencie*, np.

The arrow preceding the catchword in the *Dictionary* refers the reader to revised entries in the *Supplement*.
The arrow placed within an entry in the *Supplement* refers the reader to the entry listed also in the *Supplement*, e.g.

linac ['lainək] *s nukl* akcelerator liniowy
† **linear** *adj* 2. ... **~ accelerator = linac** †

A

A, a[1] [ei] [I] *s* (*pl* **as, a's, aes** [eiz]) 1. *litera* a; **it is spelt with two a's** to się pisze przez dwa a 2. *muz* a; **a flat** as; **a sharp** ais [II] *adj mar* **A 1** ['ei'wʌn] a) (*o ubezpieczeniu*) kategorii pierwszej b) *przen* pierwszorzędny

a[2] [ə, ei] *przedimek* (*rodzajnik*) *nieokreślony bez odpowiednika w mowie polskiej; przed samogłoską*: **an** [ən, æn] 1. *w przypadkach oznaczania nieokreśloności*: jakiś; pewien; **a man** jakiś mężczyzna; **a man I know** pewien mój znajomy 2. *przy imionach własnych*: niejaki; **a Mr. Smith** niejaki pan Smith 3. wszyscy; **to a man** co do jednego; do ostatniego człowieka 4. *w zaprzeczeniu*: ani jeden, ani jednego; **I haven't a penny in my pocket** nie mam ani (jednego) pensa w kieszeni 5. jeden *w sensie:* a) jeden i ten sam, jednakowy; **all of a size** tego samego rozmiaru; **birds of a feather** ptaki o jednakowym upierzeniu b) jedyny, tylko jeden 6. *rozdzielczo:* za; od; na; **a shilling a yard** po szylingu od jarda <za jard>; **twenty miles an hour** dwadzieścia mil na godzinę

aback [ə'bæk] *adv mar* wstecz; w tył; **to brace ~** brasować (statek) do cofania się ‖ *przen* **to be taken ~** być zaskoczonym; *pot* zapomnieć języka w gębie

abacus [ə'bækəs] *s* (*pl* **abaci** [ə'bæsai]) 1. *arch* abak, abakus 2. liczydło

abaft [ə'bɑ:ft] *adv mar* 1. na rufie; ku rufie; na rufę 2. za (trawersem itp.)

abandon [ə'bændən] [I] *vt* 1. opu-ścić/szczać <porzuc-ić/ać> (**sb, sth** kogoś, coś) 2. zaniechać (**sth** czegoś); zarzuc-ić/ać (plan itp.) 3. z/rezygnować (**sth** z czegoś) [II] *vr* **~ oneself** podda-ć/wać się (**to sth** czemuś — rozpaczy itp.); odda-ć/wać się (**to sth** czemuś — smutkowi itp.) *zob* **abandoned** [III] *s* 1. poddanie się (jakimś uczuciom); **with ~** a) z całkowitym poddaniem się; bezwolnie b) niepohamowanie; żywiołowo 2. brak powściągliwości; brak hamulców

abandoned [ə'bændənd] [I] *zob* **abandon** *v* [II] *adj* (*o człowieku*) zepsuty; zdeprawowany

abandonment [ə'bændənmənt] *s* 1. opuszczenie; porzucenie 2. zarzucenie (**of sth** czegoś); zrezygnowanie (**of sth** z czegoś) 3. brak pohamowania

abase [ə'beis] [I] *vt* 1. poniż-yć/ać; upok-orzyć/arzać 2. obniż-yć/ać (rangę itp.) [II] *vr* **~ oneself** poniż-yć/ać <upok-orzyć/arzać> się

abasement [ə'beismənt] *s* 1. poniżenie; upokorzenie 2. obniżenie (rangi itp.)

abash [ə'bæʃ] *vt* z/mieszać; s/konfundować; s/peszyć; **nothing will ~ him** nic go nie zbije z tropu *zob* **abashed**

abashed [ə'bæʃt] [I] *zob* **abash** [II] *adj* speszony <zmieszany> (**at sth** czymś)

abashment [ə'bæʃmənt] *s* zmieszanie; zakłopotanie

abate [ə'beit] [I] *vt* 1. zmniejsz-yć/ać; osłabi-ć/ać; z/mitygować; od-jąć/ejmować (odwagę itd.); ostudz-ić/ać (zapał itp.); ucisz-yć/ać (hałas); obniż-yć/ać (cenę, temperaturę itp.) 2. *prawn* anulować; zn-ieść/osić [II] *vi* 1. o/słabnąć; s/tracić na sile; opa-ść/dać; o/stygnąć; ucisz-yć/ać się 2. (*o cenach*) spa-ść/dać 3. *prawn* wygas-nąć/ać; s/tracić ważność

abatement [ə'beitmənt] *s* 1. słabnięcie; obniż-enie/anie się; obniżka; opadanie; ucisz-enie/anie się 2. rabat 3. spadek (cen itd.) 4. *prawn* anulowanie 5. *prawn* wygaśnięcie

abatis ['æbətis], **abattis** [ə'bætis] *s* zasiek, zasieka

abb [æb] *s tekst* wątek

abbacy ['æbəsi] *s* 1. opactwo 2. stanowisko <godność> opata

abbess ['æbis] *s* matka przełożona; ksieni

abbey ['æbi] *s* opactwo; **the Abbey** opactwo westminsterskie

abbot ['æbət] *s* opat

abbreviate [ə'bri:vi,eit] *vt* skr-ócić/acać

abbreviation [ə,bri:vi'eiʃən] *s* 1. skrót 2. skr-ócenie/acanie

ABC, abc ['eibi:'si:] *s* 1. a-b-c; alfabet 2. początki (nauki itp.) 3. elementarz 4. *kolej* alfabetyczny rozkład jazdy

abdicate ['æbdi,keit] [I] *vt* zrze-c/kać się (**sth** czegoś — tytułu, stanowiska itp.) [II] *vi* abdykować

abdication [,æbdi'keiʃən] *s* 1. abdykacja; ustąpienie (z tronu) 2. zrzeczenie się (tytułu, stanowiska)

abdomen ['æbdə,men] *s* 1. brzuch 2. (*u owada*) odwłok

abdominal [æb'dɔminl] *adj* 1. brzuszny 2. *zoo* (*o rybie*) z płetwami na brzuchu

abdominous [æb'dɔminəs] *adj* otyły; brzuchaty

abducent [æb'dju:sənt] *adj anat* (*o mięśniu*) odwodzący

abduct [æb'dʌkt] *vt* uprowadz-ić/ać <por-wać/ywać> (kogoś)

abduction [æb'dʌkʃən] *s* 1. uprowadzenie; porwanie 2. *med* odwodzenie, abdukcja

abductor [æb'dʌktə] *s* 1. spraw-ca/czyni porwania; porywacz/ka (dzieci itp.) 2. *anat* mięsień odwodzący

abeam [ə'bi:m] *adv mar* na trawersie

abecedarian [,eibi:si:'dɛəriən] *s* 1. żak; ucze-ń/nnica 2. *am* początkując-y/a (uczeń itp.)

abed [ə'bed] *adv* w łóżku; **she was brought ~** rodziła; była w połogu; **to be ~** być obłożnie chorym; **to lie ~** wylegiwać się

abele [ə'bi:l] *s bot* białodrzew (gatunek topoli)

aberration [,æbə'reiʃən] *s* 1. odchylenie; zboczenie z (właściwej) drogi 2. naruszenie zasad <prze-

pisów> 3. *biol* anormalność 4. *med* aberracja; **mental ~** zaburzenie umysłowe

abet [ə'bet] *vt* (**-tt-**) pobudz-ić/ać (do złego czynu); **to aid and ~ sth** być współsprawcą czegoś (przestępstwa itp.)

abetment [ə'betmənt] *s* 1. namowa; podszept 2. współudział (w przestępstwie)

abetter, abettor [ə'betə] *s prawn* współspraw-ca/czyni; współwinowaj-ca/czyni; podżegacz/ka

abeyance [ə'beiəns] *s* 1. stan zawieszenia; (*o prawie, ustawie*) **to be in <fall into> ~** być <zostać> zawieszonym 2. wakowanie (stanowiska)

abhor [əb'hɔ:] *vt* (**-rr-**) mieć <czuć> odrazę <wstręt> (**sb, sth** do kogoś, czegoś)

abhorrence [əb'hɔrəns] *s* 1. wstręt; odraza 2. przedmiot nienawiści <odrazy, wstrętu>; **it is my ~** nie znoszę <nie cierpię> tego

abhorrent [əb'hɔrənt] *adj* 1. wstrętny; odrażający; obrzydliwy 2. nienawistny (**to sb** dla kogoś) 3. niezgodny (**from sth** z czymś)

abidance [ə'baidəns] *s* 1. trwanie 2. mieszkanie, stały pobyt 3. przestrzeganie (**by the rules etc.** przepisów itp.)

abidden *zob* **abide**

abide [ə'baid] *v* (*praet* **abided** [ə'baidid], **abode** [ə'boud], *pp* **abided, abode, abidden** [ə'bidn]) I *vt* 1. wytrzym-ać/ywać (próbę) 2. czekać (**sth** na coś — sposobność itp.) 3. *z zaprzeczeniem:* (nie) zn-ieść/osić; **he can't ~ her** on nie może jej znieść <ścierpieć> II *vi* 1. mieszkać <przebywać> (**at <in> a place** gdzieś) 2. dotrzym-ać/ywać (**by sth** czegoś — obietnicy, warunków umowy itd.); obstawać <trwać> (**by sth** przy czymś — zamiarze itp.) 3. (*o zarządzeniu itp*) trwać, pozosta-ć/wać w mocy *zob* **abiding**

abiding [ə'baidiŋ] I *zob* **abide** II *adj* trwały; stały

abietic [,æbi'etik], **abietinic** [,æbie'tinik] *adj chem* abietynowy

abigail ['æbi,geil] *s* pokojówka; służąca

ability [ə'biliti] *s* 1. zdolność; możność; **to the best of one's ~** jak najlepiej; w miarę możności 2. *prawn* kompetencja; zdolność (prawna) 3. zręczność; dar 4. *pl* **abilities** zdolności (umysłowe); **a boy of abilities** zdolny chłopiec

abject ['æbdʒekt] *adj* 1. nikczemny; nędzny 2. (*o nędzy itp*) skrajny 3. podły

abjection [æb'dʒekʃən] *s* 1. znikczemnienie; upodlenie 2. nędza

abjuration [,æbdʒuə'reiʃən] *s* odwołanie przysięgi; wyparcie <wyrzeczenie> się

abjure [əb'dʒuə] *vt* odwoł-ać/ywać przysięgę; wyp-rzeć/ierać <wyrze-c/kać> się (**sth** czegoś)

ablactation [,æblæk'teiʃən] *s* odstawienie (niemowlęcia) od piersi

ablation [æb'leiʃən] *s* 1. *med* odjęcie; oderwanie 2. *geol* ablacja

ablative ['æblətiv] *s gram* narzędnik

ablaut ['æblaut] *s jęz* apofonia; zmiana <alternacja> samogłoski rdzennej

ablaze [ə'bleiz] I *adv* w ogniu; w płomieniach II *adj praed* płonący; **to be ~** a) płonąć b) świecić; *dosł i przen* **to set ~** rozpal-ić/ać; **~ with anger** pałający <unoszący się> gniewem

able[1] ['eibl] *adj* 1. zdolny; utalentowany 2. (*o utworze itp*) wykazujący talent; **an ~ piece of work** dzieło wielkiego talentu 3. zdatny; **to be ~ to do sth** móc <być w stanie, zdołać, potrafić> coś zrobić; *prawn* **~ in body and mind** a) zdolny do działań prawnych b) poczytalny

-able[2] [-əbl] *końcówka przymiotników:* a) -alny b) nadający się do ... c) możliwy do ...

able-bodied ['eibl'bɔdid] *adj* 1. *wojsk* zdolny do służby 2. mocny; krzepki

ablet ['æblit] *s zoo* ukleja (ryba)

abloom [ə'blu:m] I *adv* w kwiatach, w kwieciu II *adj praed* kwitnący; **to be ~** kwitnąć

ablush [ə'blʌʃ] I *adv* w pąsach II *adj praed* zarumieniony; z rumieńcem na twarzy; **to be ~** rumienić się

ablution [ə'blu:ʃən] *s* ablucja, obmycie rytualne

ably ['eibli] *adv* mądrze; zręcznie; z talentem

abnegate ['æbni,geit] *vt* wyrze-c/kać się (**sth** czegoś)

abnegation [,æbni'geiʃən] *s* 1. abnegacja 2. zaparcie <wyrzeczenie> się

↑**abnormal** [æb'nɔ:məl] *adj* anormalny; nieprawidłowy

abnormality [,æbnɔ:'mæliti], **abnormity** [æb'nɔ:miti] *s* 1. anormalność; nieprawidłowość; wybryk (natury) 2. potworność

aboard [ə'bɔ:d] I *adv* na statku; na okręcie; **to go ~** wsi-ąść/adać na statek; zaokrętować się; **all ~!** a) wszyscy na pokład! b) *am* (*na kolei itp*) zająć miejsca!; proszę wsiadać!; **close <hard> ~** burta przy burcie; (*o dwóch statkach*) **to fall ~** zderz-yć/ać się II *praep* 1. na (pokładzie statku) 2. *am* w (pociągu, tramwaju itp.)

abode[1] [ə'boud] *s* mieszkanie; siedziba; miejsce stałego pobytu; **to make <take up> one's ~** osiedl-ić/ać się; zamieszkać

abode[2] *zob* **abide**

aboil [ə'bɔil] *adj praed dosł i przen* kipiący; **to be ~** kipieć

abolish [ə'bɔliʃ] *vt* 1. zn-ieść/osić (zwyczaj itd.) 2. obal-ić/ać (ustawę itd.)

abolishment [ə'bɔliʃmənt], **abolition** [,æbə'liʃən] *s* 1. zniesienie (zwyczaju itd.) 2. obalenie ustawy itd.)

abolitionist [,æbə'liʃənist] *s* zwolenni-k/czka zniesienia niewolnictwa (w St. Zjedn.)

A-bomb ['ei,bɔm] *s* bomba atomowa

abominable [ə'bɔminəbl] *adj* obrzydliwy; wstrętny; ohydny

abominate [ə'bɔmi,neit] *vt* mieć <czuć> wstręt (**sb, sth** do kogoś, czegoś); nienawidzić <nie znosić> (**sb, sth** kogoś, czegoś; **doing sth** robienia czegoś)

abomination [ə,bɔmi'neiʃən] *s* 1. wstręt; obrzydzenie; odraza; **it is an ~** to budzi wstręt <obrzydzenie, odrazę>; **to hold sb <sth> in ~** mieć <czuć> wstręt do kogoś, czegoś; brzydzić się kimś, czymś 2. szkarada; obrzydliwość; paskudztwo

aboriginal [,æbə'ridʒənl] *adj* (*o ludności*) pierwotny; tubylczy; rdzenny

aborigines [,æbə'ridʒi,ni:z] *spl* tubylcy; autochtoni

abort [ə'bɔ:t] *vi* 1. po/ronić 2. nie rozwi-nąć/jać się 3. zosta-ć/wać bezpłodnym 4. (*o zamiarze itp*) nie uda-ć/wać się

abortifacient [,æbɔ:ti'feiʃənt] I *adj* (*o środku*) wywołujący poronienie II *s* środek wywołujący poronienie

abortion [ə'bɔ:ʃən] *s* 1. poronienie 2. przerwanie ciąży 3. poroniony pomysł; nieudany twór

abortionist [ə'bɔ:ʃənist] *s* osoba trudniąca się przerywaniem ciąży

↑**abortive** [ə'bɔ:tiv] *adj* poroniony; nieudany; **to prove ~** nie udać <nie powieść> się; skończyć się fiaskiem

abound [ə'baund] *vi* 1. obfitować (**with** <**in**> **sth** w coś) 2. znajdować się w obfitości *zob* **abounding**

abounding [ə'baundiŋ] [I] *zob* **abound** [II] *adj* 1. obfity 2. obfitujący <bogaty> (**in** <**with**> **sth w** coś)

↑**about** [ə'baut] [I] *praep* 1. dookoła (kogoś, czegoś) 2. po (czymś — ścianie, podłodze itd.) 3. o (kimś, czymś); wobec (kogoś, czegoś); **how ~ my hat?** co (słychać) z moim kapeluszem?; **what ~ a game of poker** może byśmy zagrali w pokera; **what ~ it?** co ty na to?; **while we're ~ it** przy tej sposobności 4. przy (sobie); **to have sth ~ one** mieć coś przy sobie 5. u (kogoś); w (kimś, czymś); **there's sth ~ the man** jest w tym człowieku coś (niezwykłego itd.) [II] *adv* 1. dookoła, wokoło, naokoło; **~ here** w tych stronach; u nas; **all ~** wszędzie dookoła 2. mniej więcej; około; **you're ~ right** jesteś/cie blis-ki/cy prawdy 3. kolejno; **to do sth turn (and turn) ~** kolejno coś robić 4. w drugą stronę; na wszystkie strony; *wojsk* **~ turn!** w tył zwrot!; **to turn ~** odwrócić się; **to turn sth ~** obracać coś (w rękach itp.) 5. tu i tam; wszędzie; **don't follow me ~** nie chodź/cie wszędzie za mną; **to be ~** a) (*o pogłosce itp*) krążyć b) (*o chorobie*) grasować; panować; srożyć się c) (*o człowieku po chorobie itd*) chodzić, być na nogach; **a man ~ town** człowiek ruchliwy <czynny>; znana w mieście postać 6. *w zwrocie*: **to be ~ to do sth** mieć właśnie coś zrobić; **he is ~ to leave** ma właśnie wyjechać 7. *w zwrotach*: **to be ~ sth** a) robić coś b) myśleć o czymś; **what is he** <**are you**> **~?** a) co on <ty, wy> robi <robi-sz/cie>? b) o czym on <ty, wy> myśli <myśli-sz/cie>?; **he never minds what he is ~** on nigdy nie uważa, co robi <nie myśli o tym co robi> *Uwaga: nadaje czasownikom specyficzne znaczenie (przy nich podane)*

above [ə'bʌv] [I] *praep* 1. ponad, nad; powyżej (czegoś); **~ all** nade wszystko; przede wszystkim; **he is ~ nothing** on jest zdolny do wszystkiego; nie ma podłości, której by się nie dopuścił; **she is ~ telling a lie** ona by się nie poniżyła do kłamstwa; **to be ~ ground** a) *dosł* wznosić się ponad ziemię b) *przen* jeszcze być przy życiu; **to be ~ sb's understanding** przechodzić czyjeś pojęcie; **over and ~** ponad; oprócz; poza (czymś); 2. (*przy liczbie, ilości*) ponad, przeszło; **~ fifty** ponad <przeszło> pięćdziesiąt [II] *adv* 1. wyżej; powyżej (*także* w książce itp.); nad (nami, nimi itd.); na górze; **from ~** z góry; **the flat ~** mieszkanie nad nami <nad nimi itd.>; **the powers ~** siły <moce> niebieskie [III] *adj* powyższy; wyżej wymieniony

above-board [ə'bʌv'bɔ:d] [I] *adj praed* uczciwy; szczery; otwarty [II] *adv* uczciwie; szczerze; otwarcie

above-ground [ə'bʌv'graund] [I] *adj praed* nadziemny [II] *adv* nad ziemią

above-mentioned [ə'bʌv'menʃənd] *adj* wyżej wymieniony, wspomniany

abracadabra [ˌæbrəkə'dæbrə] *s* zaklęcie; abrakadabra

abrade [ə'breid] [I] *vt* otrzeć/ocierać; prze-trzeć/cierać; wy-trzeć/cierać [II] *vi* prze-trzeć/cierać się

abrasion [ə'breiʒən] *s* 1. otarcie (skóry) 2. *med* wyskrobanie, wyłyżeczkowanie; abrazja; *pot* skrobanka 3. przetarcie; wytarcie; starcie

abrasive [ə'breisiv] *s techn* ścierniwo

abreast [ə'brest] *adv* ramię przy ramieniu; pierś w pierś; **three** <**four etc.**> **~** po trzech <po czterech itd.> w rzędzie; **to be ~ of** <**with**> **the times** iść z postępem <z duchem czasu>; **to keep ~** dotrzymać kroku (**of sb** komuś); nie pozostawać w tyle (**of sb, sth** za kimś, czymś); **to keep ~ of the times** być zorientowanym w aktualnych sprawach; wiedzieć, co się w świecie dzieje

abridge [ə'bridʒ] *vt* 1. skr-ócić/acać 2. ogranicz-yć/ać

abridg(e)ment [ə'bridʒmənt] *s* 1. skr-ócenie/acanie 2. skrót 3. ogranicz-enie/anie

abroach [ə'broutʃ] [I] *adj praed* napoczęty [II] *adv w zwrocie*: **to set ~** odszpuntow-ać/ywać; napocz-ąć/ynać (beczkę itd.)

abroad [ə'brɔ:d] *adv* 1. za granicą; za granicę; **from ~** z zagranicy 2. w dal; na wszystkie strony; **such news soon get ~** taka wiadomość momentalnie się rozchodzi; **there is a report ~** krąży pogłoska (jakoby ...) 3. w błędzie; **to be all ~** nie orientować się; mylić się 4. na otwartym <wolnym> powietrzu; na dworze; poza domem

↑**abrogate** ['æbrəˌgeit] *vt* odwoł-ać/ywać <zn-ieść/nosić> (ustawę itp.)

abrogation [ˌæbrə'geiʃən] *s* odwołanie <zniesienie> (ustawy itp.)

abrupt [ə'brʌpt] *adj* 1. nagły (ruch itp.) 2. *bot* urwany 3. (*o czyichś poczynaniach*) ostry; obcesowy 4. (*o tonie*) szorstki; ostry; oschły 5. (*o sposobie mówienia*) nie powiązany; urywany 6. (*o stylu*) lapidarny; dosadny 7. (*o wzniesieniu*) stromy

abruption [ə'brʌpʃən] *s* oderwanie się

abruptness [ə'brʌptnis] *s* 1. nagłość (ruchu itp.) 2. obcesowość 3. szorstkość; ostrość; oschłość (w odezwaniu się) 4. lapidarność; dosadność (stylu) 5. stromość (wzniesienia)

abscess ['æbsis] *s* ropień; wrzód

abscissa [æb'sisə] *s* (*pl* **abscissae** [æb'sisi:], **~s**) *mat* odcięta; **on the ~** na osi odciętych

abscission [æb'siʒən] *s* odcięcie

abscond [əb'skɔnd] *vi* zbie-c/gać; um-knąć/ykać; ujść/uchodzić (sprawiedliwości); wym-knąć/ykać się *zob* **absconding**

absconder [əb'skɔndə] *s* zbieg

absconding [əb'skɔndiŋ] [I] *zob* **abscond** [II] *s* ucieczka

absence ['æbsəns] *s* 1. nieobecność; **in sb's ~** pod czyjąś nieobecność; **leave of ~** urlop 2. brak; **in the ~ of sth** z <wobec> braku czegoś 3. niestawiennictwo; **sentenced in ~** skazany zaocznie 4. **~ of mind** roztargnienie

absent[1] ['æbsənt] *adj* nieobecny; brakujący; **to be ~** brakować

absent[2] [æb'sent] *vr* **~ oneself** 1. być nieobecnym 2. nie stawić się (na żądanie władz itp.)

↑**absentee** [ˌæbsən'ti:] *s* (człowiek) nieobecny

absenteeism [ˌæbsən'ti:izəm] *s* 1. absencja; uchylanie się od pracy; *pot* bumelanctwo 2. *hist* przebywanie z dala od miejsca, z którego się czerpie dochody

absent-minded ['æbsənt'maindid] *adj* roztargniony

absent-mindedness ['æbsənt'maindidnis] *s* roztargnienie

absinth ['æbsinθ] *s* absynt

↑**absolute** ['æbsəˌlu:t] [I] *adj* 1. absolutny; (*o alko-*

holu itp) czysty; (*o skandalu itp*) prawdziwy; (*o fakcie*) stwierdzony; (*o łajdaku itp*) skończony 2. (*o potrzebie itp*) bezwzględny; nieodparty 3. całkowity, zupełny 4. nieodwołalny 5. arbitralny; kategoryczny; apodyktyczny [II] *s filoz* absolut

absolutely ['æbsə,lu:tli] [I] *adv zob* **absolute** *adj* [II] *interj* ['æbsə'lu:tli] oczywiście!; bezwzględnie!

absolution [,æbsə'lu:ʃən] *s* 1. *rel* rozgrzeszenie; od-puszcz-enie/anie (grzechów) 2. *prawn* uwolnienie od winy i kary; przebaczenie

absolutism ['æbsə,lu:tizəm] *s* absolutyzm

absolutist ['æbsə,lu:tist] *s* absolutysta

absolve [əb'zɔlv] *vt* 1. *rel* rozgrzesz-yć/ać 2. uw-olnić/alniać <zw-olnić/alniać> (**from sth** od czegoś, z czegoś); oczy-ścić/szczać (**from sth** z czegoś)

absonant ['æbsənənt] *adj* niezgodny (**from sth** z czymś; przeciwny (**from sth** czemuś)

absorb [əb'sɔ:b] *vt* 1. za/absorbować; wchł-onąć/aniać; pochł-onąć/aniać; **~ed in thought** zamyślony 2. s/tłumić (głos itp.) 3. z/łagodzić (uderzenie itp.) *zob* **absorbing**

absorbent [əb'sɔ:bənt] [I] *adj* (*o środku*) wchłaniający <chłonący, chłonny> [II] *s* środek wchłaniający <chłonący, chłonny>

absorber [əb'sɔ:bə] *s* 1. pochłaniacz 2. tłumik 3. amortyzator 4. zderzak

↑ **absorbing** [əb'sɔ:biŋ] [I] *zob* **absorb** [II] *adj* absorbujący; pochłaniający; (*o lekturze itp*) pasjonujący

↑ **absorption** [əb'sɔ:pʃən] *s* 1. absorpcja; absorbowanie; wchłanianie; 2. zaabsorbowanie; pochłonięcie (umysłu itd. czymś) 3. tłumienie (głosu itp.) 4. złagodzenie (uderzeń itp.)

absorptive [əb'sɔ:ptiv] *adj* chłonny

abstain [əb'stein] *vi* 1. powstrzym-ać/ywać się (**from sth** od czegoś); **to ~ from meat** nie jadać mięsa; *rel* pościć 2. być abstynentem

abstainer [əb'steinə] *s* 1. abstynent/ka; **total ~** abstynent (nie używający alkoholu pod żadną postacią) 2. powstrzymujący się od głosowania <od głosu>

abstemious [æb'sti:mjəs] *adj* wstrzemięźliwy; (*o posiłku*) skromny

abstemiousness [æb'sti:mjəsnis] *s* wstrzemięźliwość; skromność (posiłku)

abstention [əb'stenʃən] *s* 1. wstrzym-anie/ywanie <powstrzym-anie/ywanie> się (**from sth** od czegoś) 2. *polit* wstrzymanie się od głosu; **with** *x* **~s** przy *x* wstrzymujących się (od głosu)

abstergent [əb'stə:dʒənt] [I] *adj chem med* czyszczący [II] *s* 1. środek do czyszczenia 2. *med* środek przeczyszczający

abstersion [əb'stə:ʃən] *s chem med* czyszczenie

abstinence ['æbstinəns] *s* abstynencja; wstrzemięźliwość; powstrzymywanie się (**from sth** od czegoś); **total ~** abstynencja całkowita

abstinent ['æbstinənt] *s* abstynent/ka

↑ **abstract** [æb'strækt] [I] *vt* 1. sprząt-nąć/ać; usu-nąć/wać; u/kraść (**sth from sb** coś komuś) 2. odwr-ócić/acać (**sb's attention from sth** czyjąś uwagę od czegoś) 3. rozważać (coś) w oderwaniu 4. stre-ścić/szczać 5. wydoby-ć/wać; wy/destylować 6. wy/abstrahować *zob* **abstracted** [II] *s* ['æbstrækt] 1. abstrakcja; pojęcie oderwane; **to know sth in the ~** znać coś teoretycznie 2. streszczenie; kwintesencja [III] *adj* ['æbstrækt] 1. (*o pojęciu, malarstwie itd*) abstrakcyjny 2. (*o nauce, liczbie itd*) oderwany

abstracted [æb'stræktid] [I] *zob* **abstract** *v* [II] *adj* roztargniony

abstractedly [æb'stræktidli] *adv* 1. oderwanie, w oderwaniu 2. z roztargnieniem, w roztargnieniu; nieuważnie

↑ **abstraction** [æb'strækʃən] *s* 1. usunięcie; sprzątnięcie; kradzież 2. abstrahowanie 3. pojęcie oderwane 4. roztargnienie; nieuwaga; brak skupienia 5. obraz abstrakcyjny

abstruse [æb'stru:s] *adj* zawiły; ciemny; głęboki; niezrozumiały

abstruseness [æb'stru:snis] *s* zawiły <niejasny> charakter (**of sth** czegoś); niezrozumiałość

absurd [əb'sə:d] *adj* 1. (*o czymś*) niedorzeczny; absurdalny; bezsensowny; **it's ~!** (ależ) to nonsens! 2. *przen żart* (*o człowieku*) niepoczytalny; **he is ~** on mówi od rzeczy; *pot* głupstwa gada

absurdity [əb'sə:diti] *s* niedorzeczność; absurdalność; nonsens

↑ **abundance** [ə'bʌndəns] *s* 1. obfitość; dostatek; zasobność; **in ~** pod dostatkiem 2. znaczna ilość

abundant [ə'bʌndənt] *adj* obfity; liczny; bogaty <zasobny> (**in sth** w coś); płodny; **to be ~** znajdować się w obfitości

abuse [ə'bju:z] [I] *vt* 1. nadużyć/wać (**sth** czegoś); z/robić niewłaściwy użytek (**sth** z czegoś) 2. lżyć; obrzuc-ić/ać (**sb** kogoś) obelgami <przekleństwami>; kląć (**sb, sth** na kogoś, coś) [II] *s* [ə'bju:s] 1. nadużycie; nadużywanie 2. obraźliwe <obelżywe> słowa; obrzucanie obelgami <przekleństwami>; złorzeczenie (**of sb** komuś); ze/lżenie

abusive [ə'bju:siv] *adj* 1. (*o stosowaniu wyrazu*) niewłaściwy 2. (*o słowach, odezwaniu się*) obelżywy; znieważający

abusiveness [ə'bju:sivnis] *s* 1. lżenie, złorzeczenie; przeklinanie 2. grubiaństwo

abut [ə'bʌt] *vi* (**-tt-**) 1. stykać się <graniczyć> (**on sth** z czymś); **their estates ~** ich majątki graniczą z sobą 2. opierać się (**on <against> sth** o coś, na czymś); spoczywać (**on <against> sth** na czymś)

abutment [ə'bʌtmənt] *s* 1. *bud* wspornik; podpora; *arch* wezgłowie sklepienia 2. miejsce styku 3. skarpa, szkarpa

abysmal [ə'bizməl] *adj* bezdenny; przepastny

abyss [ə'bis] *s* 1. otchłań; przepaść; głębia 2. pierwotny chaos

↑ **abyssal** [ə'bisl] *adj* 1. niezgłębiony 2. *oceanogr geol* (*o skałach*) głębinowy

Abyssinian [,æbi'sinjən] [I] *s* Abisy-ńczyk/nka [II] *adj* abisyński

acacia [ə'keiʃə] *s* akacja

academic [,ækə'demik] [I] *adj* 1. akademicki 2. (*o sporze, dyskusji itp*) bezpłodny; jałowy; akademicki [II] *s* 1. uczon-y/a 2. student/ka

academical [,ækə'demikəl] [I] *adj* akademicki; uniwersytecki [II] *spl* **~s** strój <szaty> akademicki/e

academician [ə,kædə'miʃən] *s* członek akademii; **royal ~** członek Królewskiej Akademii Sztuk Pięknych (w Londynie)

academy [ə'kædəmi] *s* 1. akademia 2. zakład naukowy; wyższa uczelnia 3. (*o szkole, lekceważąco lub pretensjonalnie*) uczelnia 4. doroczna wystawa Królewskiej Akademii Sztuk Pięknych (w Londynie) 5. *am* pensjonat; internat 6. *am* **Military Academy** szkoła oficerska <podchorążych>

acanthus [ə'kænθəs] *s* 1. *bot* rożdżeniec 2. *arch* akant

acarpous [ei'ka:pəs] *adj bot* bezowocowy

acaulous [ə'kɔ:ləs] *adj bot* bezłodygowy

accede [æk'si:d] *vi* 1. ob-jąć/ejmować (**to an office** urząd) 2. wst-ąpić/ępować (**to the throne** na tron) 3. przyst-ąpić/ępować <zgł-osić/aszać akces> (do partii, przymierza) 4. wyra-zić/żać zgodę (**to sth** na coś), przychyl-ić/ać się (do prośby)

↑ **accelerate** [æk'selə,reit] *vt* przyśpiesz-yć/ać

↑ **acceleration** [æk,selə'reiʃən] *s* przyśpieszenie

↑ **accelerator** [æk'selə,reitə] *s* 1. akcelerator; przyśpieszacz 2. *auto* przyśpiesznik 3. *chem* katalizator; *fot* substancja chemiczna przyśpieszająca proces wywoływania

accent ['æksənt] [I] *s* 1. akcent (wyrazowy itp.) 2. nacisk 3. *jęz* znak diakrytyczny; *druk* akcent graficzny 4. akcent (w wymowie) 5. *pl* **~s** słowa; głos [II] *vt* [æk'sent] 1. za/akcentować (zgłoskę itd.) 2. znakować (litery) 3. za/akcentować (słowa, zdania itd.); uwydatni-ć/ać; podkreśl-ić/ać

accentuate [æk'sentju,eit] *vt* 1. za/akcentować (zgłoskę itp.) 2. znakować (literę) 3. za/akcentować (słowo, zdanie itp.); położyć/kłaść nacisk (**sth** na czymś, na coś); uwydatni-ć/ać, podkreśl-ić/ać

accentuation [æk,sentju'eiʃən] *s* za/akcentowanie; nacisk

accept [ək'sept] [I] *vt* 1. przyj-ąć/mować; **to ~ a fact** pogodzić się z faktem; uznać fakt 2. za/akceptować (weksel itd.) [II] *vi* zechcieć (łaskawie) przyjąć (**of sth** coś)

acceptable [ək'septəbl] *adj* 1. możliwy do przyjęcia 2. mile widziany

acceptance [ək'septəns] *s* 1. przyjęcie; odbiór (towaru itd.) 2. zgoda 3. akcept 4. **~ of persons** stronniczość; faworytyzm

acceptation [,æksep'teiʃən] *s* przyjęte znaczenie (wyrazu)

↑ **accepter, acceptor** [ək'septə] *s* akceptant

↑ **access** ['ækses] *s* 1. przystęp; dostęp; dojście; dojazd; **easy <difficult> of ~** łatwo <trudno> dostępny; (*o drzwiach*) **to give ~ to —** prowadzić do ... 2. wzrost; przyrost 3. przystęp <napad, atak> (gorączki, złości itp.); poryw (radości)

accessary [ək'sesəri] [I] *s prawn* współsprawca (**to a crime** przestępstwa) [II] *adj* = **accessory** *adj*

accessible [æk'sesəbl] *adj* 1. dostępny 2. przystępny

↑ **accession** [æk'seʃən] *s* 1. objęcie (**to sth** czegoś — urzędu, własności) 2. dojście (do pełnoletności itd.) 3. wzrost; przyrost (**to sth** czegoś) 4. wstąpienie (**to the throne** na tron) 5. przystąpienie (do partii, przymierza itd.) 6. dostęp (**of sth** czegoś — światła, powietrza itd.)

↑ **accessory** [æk'sesəri] [I] *adj* dodatkowy; uboczny; pomocniczy; **to be ~ to sth** brać udział w czymś; być współsprawcą czegoś [II] *s* 1. dodatek 2. *pl* **accessories** przybory; akcesoria; rekwizyty

accidence ['æksidəns] *s* 1. *gram* odmiennia, fleksja 2. początki (nauki)

↑ **accident** ['æksidənt] *s* 1. przypadek; traf; **by ~** przypadkowo, przypadkiem 2. (nieszczęśliwy) wypadek; katastrofa 3. awaria 4. nierówność (terenu) 5. rzecz uboczna

accidental [,æksi'dentl] [I] *adj* 1. przypadkowy 2. uboczny [II] *s* 1. cecha uboczna; akcydens 2. *muz* znak chromatyczny

accipitral [æk'sipitrl] *adj* jastrzębi; sokoli

↑ **acclaim** [ə'kleim] *vt* 1. oklaskiwać 2. przyj-ąć/mować (kogoś, coś) hucznymi oklaskami 3. obwoł-ać/ywać; okrzyknąć

acclamation [,æklə'meiʃən] *s* aklamacja; oklaski; brawa

acclimatization [ə,klaimətai'zeiʃən] *s* aklimatyzacja

acclimatize [ə'klaimə,taiz] *vt* za/aklimatyzować; **to get <become> ~d** za/aklimatyzować się

acclivity [ə'kliviti] *s* wzniesienie terenu

accolade [,ækə'leid] *s* 1. pasowanie na rycerza; 2. *muz* akolada; klamra

accommodate [ə'kɔmə,deit] *vt* 1. przystosow-ać/ywać 2. za/łagodzić (spór) 3. po/godzić (poważnione strony) 4. wygodzić <wyświadczyć przysługę> (**sb** komuś); **to ~ sb with a loan etc.** udziel-ić/ać komuś pożyczki itd. 5. u/lokować <pomie-ścić/szczać>(**sb** kogoś); da-ć/wać nocleg <mieszkanie> (**sb** komuś) *zob* **accommodating**

accommodating [ə'kɔmə,deitiŋ] [I] *zob* **accommodate** [II] *adj* 1. usłużny; uprzejmy; **to be ~** iść na rękę 2. nie wymagający

accommodation [ə,kɔmə'deiʃən] *s* 1. przystosowanie; akomodacja (wzroku) 2. załagodzenie (sporu); ugoda; pogodzenie (się); kompromis 3. wygoda; wygodzenie (**to sb** komuś); usługa; usłużność; dogodność 4. mieszkanie; nocleg/i; miejsce; pomieszczenie; **~ unit** mieszkanie 5. pożyczka

accommodation-bill [ə,kɔmə'deiʃən,bil] *s* weksel grzecznościowy

accommodation-ladder [ə,kɔmə'deiʃən,lædə] *s mar* trap; schodnia

accommodation-train [ə,kɔmə'deiʃən,trein] *s* pociąg osobowo-towarowy

accompaniment [ə'kʌmpənimənt] *s* 1. towarzyszenie 2. *zbior* dodatki; akcesoria 3. *muz* akompaniament

accompanist [ə'kʌmpənist] *s muz* akompaniator/ka

accompany [ə'kʌmpəni] *vt* (**accompanied** [ə'kʌmpənid], **accompanied; accompanying** [ə'kʌmpəniiŋ]) 1. towarzyszyć (**sb, sth** komuś, czemuś); dotrzymywać towarzystwa (**sb** komuś); **accompanied by sb** w czyimś towarzystwie; **to be accompanied by <with> sth** być połączonym z czymś; **to ~ one thing with another** doda-ć/wać coś do czegoś 2. odprowadz-ić/ać (**sb** kogoś) 3. *muz* akompaniować (**sb** komuś)

accomplice [ə'kɔmplis] *s* współsprawca (przestępstwa); współwinny

accomplish [ə'kɔmpliʃ] *vt* 1. dokon-ać/ywać (**sth** czegoś); spełni-ć/ać; osiąg-nąć/ać (cel); wykon-ać/ywać (plan); z/realizować (projekt) 2. da-ć/wać polor (**sb, sth** komuś, czemuś); udoskonal-ić/ać *zob* **accomplished**

accomplished [ə'kɔmpliʃt] [I] *zob* **accomplish** *v* [II] *adj* 1. znakomity; skończony (artysta itp.) 2. utalentowany 3. (*o człowieku*) z ogładą

accomplishment [ə'kɔmpliʃmənt] *s* 1. dokonanie; spełnienie; osiągnięcie (celu); wykonanie (planu); realizacja (projektu) 2. *pl* **~s** talenty; uzdolnienia 3. *pl* **~s** polor; ogłada

accord [ə'kɔ:d] [I] *vi* 1. harmonizować; z/harmonizować się 2. zgadzać się (**with sb, sth** z kimś, czymś); być zgodnym <w zgodzie> (**with sth** z czymś); licować (**with sth** z czymś); być stosownym (with sth do czegoś); harmonizować (with sth z czymś); *z zaprzeczeniem*: (*o kolorach, tonach itd*) kłócić się [II] *vt* 1. przyzna-ć/wać (sth to sb coś komuś); przyzw-olić/alać (sth na coś); 2. udziel-ić/ać (sth to sb czegoś komuś); z/gotować (komuś przyjęcie itp.) 3. *lit* pogodzić (osoby poważnione, fakty) *zob* **according** [III] *s* 1. zgoda; **in ~ with sth** w zgodzie z czymś; **to be in ~ with sth** być zgodnym z czymś; **out of ~ with sth** w sprzeczności z czymś; **to be out of ~ with sth** być niezgodnym z czymś <nie dobranym do czegoś>; nie harmonizować z czymś; **with one ~** jednomyślnie 2. przyzwolenie; **of one's own ~** z własnej woli; spontanicznie; samorzutnie 3. *muz* akord; współbrzmienie

accordance [ə'kɔ:dəns] *s* zgoda; zgodność; **in ~ with** zgodnie z; stosownie do; według; **out of ~ with sth** niezgodny z czymś; niezgodnie z czymś; **to be in ~ with sth** być zgodnym z czymś

accordant [ə'kɔ:dənt] *adj* 1. zgodny 2. dostrojony; dobrany; harmonizujący

according [ə'kɔ:diŋ] [I] *zob* **accord** *v* [II] *conj w zwrocie*: **~ as** stosownie do tego (czy, kto, jak itd.) [III] *praep w zwrocie*: **~ to sth** stosownie do <według, zależnie od> czegoś

accordingly [ə'kɔ:diŋli] *adv* 1. przeto; skutkiem tego 2. stosownie do tego; odpowiednio

accordion [ə'kɔ:diən] *s* akordeon

accost [ə'kɔst] *vt* przyst-ąpić/ępować (sb do kogoś); zagad-nąć/ywać <zaczepi-ć/ać> (sb kogoś)

account [ə'kaunt] [I] *vt* 1. uważać (**sb <oneself> to be wise etc.** kogoś <siebie> za mądrego itd.; **sb to be a hero etc.** kogoś za bohatera itd.) 2. oceni-ć/ać; oblicz-yć/ać [II] *vi* 1. wylicz-yć/ać się (**for money** z pieniędzy) 2. wy/tłumaczyć (**for sth** coś — swe postępowanie itd.); **there is no ~ing for tastes** są gusta i guściki 3. odpowiadać <być odpowiedzialnym> (**for sth** za coś) [III] *s* 1. rachunek (bankowy, firmowy); *pl* **~s** księgi (rachunkowe); księgowość; **payment on ~** zaliczka; zadatek; **to pay on ~** zadatkować; wpłacić zaliczkę; *przen* **on one's own ~** z własnej inicjatywy; na własny rachunek; na własną rękę 2. obliczenie; zestawienie (wydatków, kosztów) 3. *pl* **~s** porachunki; **to settle <to square> ~s with sb** a) *dosł* rozlicz-yć/ać się z kimś b) *przen* załatwi-ć/ać z kimś porachunki 4. korzyść; zysk; **to turn <put> sth to good ~** (dobrze) coś wykorzystać <wyzyskać> 5. relacja; sprawozdanie; wyjaśnienia; **by all ~s** według relacji; z tego co ludzie mówią; **by their own ~** według ich własnych słów; **to call sb to ~ for sth** pociągnąć kogoś do odpowiedzialności za coś; żądać od kogoś wytłumaczenia <wyjaśnień co do> czegoś; **to give a good ~ of oneself** dobrze się sprawić; wyjść (z czegoś) z honorem; **to go to one's ~** stanąć przed boskim sądem; **the great ~** sąd ostateczny 6. znaczenie; waga; (*o człowieku*) **of no ~** bez znaczenia; **of some ~** mający pewne znaczenie; **to make much ~ of sth** przypis-ać/ywać czemuś wielką wagę <duże znaczenie> 7. rachuba; uwzględnienie; **to take into ~** wziąć/brać w rachubę <pod uwagę>; uwzględni-ć/ać; **to leave sth out of ~, to take no ~ of sth** nie brać czegoś w rachubę <pod uwagę>; pomi-nąć/jać coś 8. racja; **on ~ of** z powodu (kogoś, czegoś); przez (kogoś, coś); na skutek, wskutek; z racji (czegoś); **on no ~** pod żadnym warunkiem <pozorem>; **on sb's ~** z uwagi na kogoś; **I am anxious on his ~** boję się o niego; jestem o niego niespokojny

accountable [ə'kauntəbl] *adj* 1. odpowiedzialny; **to be ~ for sth** odpowiadać za coś 2. (*o fakcie itd*) dający się wytłumaczyć; możliwy do wytłumaczenia

accountancy [ə'kauntənsi] *s* księgowość, rachunkowość

accountant [ə'kauntənt] *s* 1. księgowy; **chartered ~** rewident ksiąg 2. *prawn* pozwany w sprawach księgowości

accoutre [ə'ku:tə] *vt* 1. *lit* odzi-ać/ewać 2. uzbr-oić/ajać (**with sth** w coś)

accoutrement [ə'ku:təmənt] *s* 1. rząd (konia) 2. *pl* **~s** ekwipunek (żołnierza)

accredit [ə'kredit] *vt* 1. akredytować (**sb to a government** kogoś przy rządzie) 2. przypis-ać/ywać (**sth to sb, sb with sth** coś komuś) 3. przysp-orzyć/arzać uznania (**sb** komuś) *zob* **accredited**

accredited [ə'kreditid] [I] *zob* **accredit** [II] *adj* 1. (*o poglądzie*) ogólnie przyjęty 2. (*o pogłosce*) uznany za prawdziwy

accrete [ə'kri:t] *vi* 1. zr-osnąć/astać się (**to sth** z czymś) 2. przyr-osnąć/astać (**to sth** do czegoś) 3. nar-osnąć/astać

accretion [ə'kri:ʃən] *s* 1. przyrost 2. zrośnięcie 3. narastanie

accrue [ə'kru:] *vi* 1. (*o dochodach itp*) nar-osnąć/astać; **~d interests** narosłe odsetki 2. płynąć <pochodzić> (**from sth** z czegoś) 3. przypa-ść/dać (**to sb** na kogoś)

accumulate [ə'kju:mju,leit] [I] *vt* z/gromadzić; zebrać/zbierać; s/piętrzyć [II] *vi* z/gromadzić <zebrać/zbierać, s/piętrzyć> się; nar-osnąć/astać

accumulation [ə,kju:mju'leiʃən] *s* 1. na/gromadzenie; zbieranie; zbiór 2. gromadzenie <piętrzenie, zbieranie> się; narastanie; akumulacja 3. masa

accumulative [ə'kju:mjulətiv] *adj* 1. skumulowany 2. rosnący; narastający 3. (*o człowieku*) zachłanny

accumulator [ə'kju:mju,leitə] *s* 1. akumulator 2. człowiek gromadzący bogactwa, ciułacz

accuracy ['ækjurəsi] *s* 1. dokładność; ścisłość 2. celność (strzału itp.)

accurate ['ækjurit] *adj* 1. dokładny; ścisły; **to be ~** ściśle mówiąc 2. (*o pamięci*) wierny 3. (*o strzale itp*) celny

accursed [ə'kə:sid], **accurst** [ə'kə:st] *adj* przeklęty

accusal [ə'kju:zəl], **accusation** [,ækju'zeiʃən] *s* oskarżenie; **to bring an ~ against sb** oskarż-yć/ać <zaskarż-yć/ać> kogoś

accusative [ə'kju:zətiv] *s gram* biernik

accuse [ə'kju:z] *vt* 1. oskarż-yć/ać; zarzuc-ić/ać (**sb of a crime <of committing a crime>** komuś przestępstwo) 2. winić (**the times etc. for sth** czasy itd. za coś) *zob* **accused**

accused [ə'kju:zd] [I] *zob* **accuse** [II] *s* **the ~** oskarżon-y/a

accustom [ə'kʌstəm] *vt* 1. przyzwycza-ić/jać (**sb to sth** kogoś do czegoś) 2. za/hartować (**sb to sth** kogoś na coś) *zob* **accustomed**

accustomed [ə'kʌstəmd] [I] *zob* **accustom; to be ~ to do sth** mieć zwyczaj coś robić; **to be ~ to doing sth** być przyzwyczajonym do robienia czegoś <do tego, że się coś robi>; **to get ~ to**

sth przyzwyczaj-ić/jać się do czegoś [III] *adj* zwykły; zwyczajny

↑**ace** [eis] *s* 1. *dosł i przen* as 2. (*w grach*) oczko; **within an ~ of sth** o włos od czegoś

acephalous [ei'sefələs] *adj* 1. (*o społeczeństwie itd*) bez wodza 2. nie uznający władzy 3. *zoo bot* acefaliczny; bez głowy

acerbity [ə'sə:biti] *s* cierpkość; zgryźliwość

acescence [ə'sesns] *s chem* kiśnienie, kwaśnienie

acescent [ə'sesnt] [I] *adj* 1. łatwo kwaśniejący 2. kwaskowy [II] *s* 1. substancja kwaśniejąca 2. środek kiszący

acetabulum [æsi'tæbjuləm] *s* (*pl* **acetabula** [æsi'tæbjulə]) *anat* panewka (udowa)

acetate ['æsitit] *s chem* octan

acetic [ə'si:tik] *adj chem* octowy

acetify [ə'seti,fai] *v* (**acetified** [ə'seti,faid], **acetified; acetifying** [ə'seti,faiiŋ]) [I] *vt* zakwa-sić/szać [II] *vi* s/kwasić się na **ocet**

acetone ['æsi,toun] *s* aceton

acetous ['æsitəs] *adj* kwaśny; octowy

acetylene [ə'seti,li:n] [I] *s* acetylen [II] *attr* **~ lamp** lampa karbidowa; *pot* karbidówka

ache¹ [eitʃ] = **aitch**

ache² [eik] [I] *s* ból [II] *vi* boleć; **he was aching all over** wszystko go bolało; **my teeth ~** zęby mnie bolą; *przen* **my heart ~s** serce mi się kraje *zob* **aching**

Achean ['eikiən] [I] *s* Achaj-czyk/ka [II] *adj* achajski

achieve [ə'tʃi:v] *vt* 1. dokon-ać/ywać <dokaz-ać/ywać> (**sth** czegoś) 2. zdoby-ć/wać (sławę, uznanie itp.) 3. osiąg-nąć/ać (cel, zwycięstwo itp.); do-jść/chodzić (**sth** do czegoś)

achievement [ə'tʃi:vmənt] *s* 1. dokonanie 2. zdobycz; osiągnięcie 3. wyczyn 4. czyn bohaterski

aching ['eikiŋ] [I] *zob* **ache²** *v* [II] *adj* 1. bolesny 2. *przen* (*o sercu*) zbolały; zraniony; krwawiący

achromatic [,ækrə'mætik] *adj opt* achromatyczny

achy ['eiki] *adj* bolesny; **to feel ~** mieć bóle w całym ciele

↑**acid** ['æsid] [I] *adj* kwaśny; **~ drops** landrynki [II] *s* kwas [III] *attr* **~ test** próba (metalu) na kamieniu probierczym; *przen* probierz

acidify [ə'sidi,fai] *vt* (**acidified** [ə'sidi,faid], **acidified; acidifying** [ə'sidi,faiiŋ]) zakwa-sić/szać

acidity [ə'siditi] *s* 1. kwaśność 2. *chem* kwasowość; kwasota 3. cierpkość (wypowiedzi itd.)

acidize ['æsi,daiz] = **acidify**

acidulated [ə'sidju,leitid], **acidulous** [ə'sidjuləs] *adj* zakwaszony; podkwaszony; kwaskowaty

acinus ['æsinəs] *s* (*pl* **acini** ['æsi,nai]) *bot* gronko

ack [æk] *sl w określeniu:* **~ emma** ['æk'emə] a) *radio* = a. m. b) *pot* = **air mechanic** *zob* **air** *attr*

ack-ack ['æk'æk] *adj sl* przeciwlotniczy

acknowledge [ək'nɔlidʒ] *vt* 1. uzna-ć/wać <wyzna-ć/wać> (winę, błąd itd.); przyzna-ć/wać się (**sth** do czegoś); **to ~ having done sth** przyznać się, że się coś zrobiło 2. uzna-ć/wać (**sb as ...** kogoś za ...; **sb <sth> to be ...** że ktoś <coś> jest ...) 3. potwierdz-ić/ać (odbiór czegoś); **to ~ sb's greeting** odkłonić się komuś 4. nagr-odzić/adzać (przysługę itp.); wyra-zić/żać uznanie (**sth** za coś)

acknowledgment [ək'nɔlidʒmənt] *s* 1. przyznanie się (**of one's guilt** do winy) 2. uznanie; dowód uznania <wdzięczności> 3. odwzajemnienie się (ukłonem itp.) 4. potwierdzenie (odbioru) 5. *pl* **~s** podziękowani-e/a

aclinic [ə'klinik] *adj geogr* akliniczny; **~ line** aklina

acme ['ækmi] *s* szczyt (doskonałości itp.); punkt szczytowy

acne ['ækni] *s med* pryszczyk; trądzik

acock¹ [ə'kɔk] *adv* na bakier; **with his hat ~** z kapeluszem na bakier

acock² [ə'kɔk] *adj* baczny; czujny

acolyte ['ækə,lait] *s* 1. *kośc* akolita 2. pomocnik; nowicjusz

aconite ['ækə,nait] *s bot* tojad

↑**acorn** ['eikɔ:n] *s* żołądź

acotyledon [æ, kɔti'li:dən] *adj bot* bezliścieniowy

acoustic(al) [ə'ku:stik(l)] *adj* akustyczny; *anat* **~ duct** przewód słuchowy; **~ mine** mina akustyczna

acoustics [ə'ku:stiks] *s* akustyka

acquaint [ə'kweint] *vt* 1. zaznaj-omić/amiać <zapozna-ć/wać> (**sb with sth** kogoś z czymś); **to be ~ed with sb, sth** znać kogoś, coś; **to be ~ed with sth** być obeznanym z **czymś; to become <make oneself> ~ed with sb, sth** pozna-ć/wać kogoś, coś; zapozna-ć/wać się z kimś, czymś 2. zawiad-omić/amiać <poucz-yć/ać> (**sb with sth** kogoś o czymś)

acquaintance [ə'kweintəns] *s* 1. znajomość; **to make sb's ~** zaw-rzeć/ierać z kimś znajomość; pozna-ć/wać **kogoś; upon further ~** przy bliższej znajomości; po bliższym zaznajomieniu się 2. znajom-y/a 3. grono (osób) znajomych

acquaintanceship [ə'kweintənʃip] *s* stosunki (z ludźmi); **wide ~** rozległe znajomości <stosunki>

acquest [ə'kwest] *s prawn* własność nabyta

acquiesce [,ækwi'es] *vi* 1. zg-odzić/adzać się; przyzw-olić/alać (**in sth** na coś) 2. przychyl-ić/ać się (**in a request** do prośby)

acquiescence [,ækwi'esns] *s* 1. zgoda; przyzwolenie (**in sth** na coś) 2. przychylenie się (**in a request** do prośby)

acquiescent [,ækwi'esnt] *adj* zgodny; przyzwalający; przychylny

acquire [ə'kwaiə] *vt* 1. naby-ć/wać 2. zdoby-ć/wać (wiedzę, majątek itd.) 3. przysw-oić/ajać sobie 4. nab-rać/ierać (**a taste for sth** smaku do czegoś; **a habit of sth** przyzwyczajenia do czegoś); **to ~ a (bad) habit** popaść w nałóg

acquirement [ə'kwaiəmənt] *s* 1. nabycie (**of sth** czegoś) 2. (nabyta) umiejętność 3. *pl* **~s** (zdobyta) wiedza; (nabyte) wiadomości

acquisition [,ækwi'ziʃən] *s* 1. naby-cie/wanie; zdoby-cie/wanie 2. nabytek; zdobycz

acquisitive [ə'kwizitiv] *adj* żądny zysku; zachłanny

acquit [ə'kwit] *v* (-**tt**-) [I] *vt* 1. ui-ścić/szczać; spłac-ić/ać (dług) 2. uniewinni-ć/ać (**sb of sth** kogoś od czegoś) [II] *vr* **~ oneself** wywiąz-ać/ywać się (**of a task etc.** z zadania itp.); **he has ~ted himself well** sprawił się dobrze; dzielnie się spisał; wyszedł (z tego) z honorem; **to ~ oneself ill** źle się sprawi-ć/ać

acquittal [ə'kwitl], **acquittance** [ə'kwitəns] *s* 1. uiszczenie (długu) 2. *prawn* uniewinnienie 3. wywiązanie się (**of a task etc.** z zadania itp.)

acre ['eikə] *s* 1. pole; **God's ~** miejsce wiecznego spoczynku 2. *pl* **~s** włości 3. akr (= 0,4 ha)

acreage ['eikəridʒ] *s* areał; powierzchnia

acrid ['ækrid] *adj* 1. cierpki 2. (*o smaku*) kwaskowaty 3. (*o dymie*) gryzący 4. (*o zapachu*) drażniący 5. (*o człowieku*) kostyczny; uszczypliwy; zjadliwy

acridity [æ'kriditi] *s* 1. cierpkość 2. kwaskowatość 3. gryzące <drażniące> działanie 4. kostyczność; uszczypliwość; zjadliwość

acrimonious [ˌækri'mounjəs] *adj* tetryczny; zgorzkniały; zjadliwy

acrimony ['ækriməni] *s* tetryczność; gorycz; *przen* żółć; zjadliwość

acrobat ['ækrəˌbæt] *s* akrobat-a/ka; linoskoczek

acrobatic [ˌækrə'bætik] *adj* akrobatyczny

acrobatics [ˌækrə'bætiks] *s* akrobatyka

acromegaly [ˌækrou'megəli] *s med* akromegalia (nadmierny rozrost pewnych części ciała)

acrophobia [ˌækrə'foubiə] *s med* lęk wysokości

acropolis [ə'krɔpəlis] *s* (*u staroż. Greków*) akropol

across [ə'krɔs] [I] *adv* 1. na krzyż; w poprzek 2. wszerz; na szerokość; na grubość; **the valley is ten miles ~** dolina ma dziesięć mil szerokości 3. po drugiej stronie; **the distance ~** szerokość; **they are ~** już są po tamtej stronie. *Uwaga: nadaje czasownikom specyficzne znaczenie* (*przy nich podane*) [II] *praep* przez (ulicę, pokój itd.); na <po> drugiej stronie (czegoś); **~ country** na przełaj

acrostic [ə'krɔstik] *s* akrostych

↑**act** [ækt] [I] *vi* 1. (*o człowieku*) czynić 2. (*o człowieku, maszynie itd*) działać 3. przyst-ąpić/ępować do działania <do czynu, akcji> 4. (*o człowieku*) post-ąpić/ępować, zachow-ać/ywać się; **to ~ up to sth** post-ąpić/ępować zgodnie z czymś 5. spełni-ć/ać funkcje (**as secretary etc.** sekretarza itd.); (*o przedmiocie*) działać jako... (hamulec, grzejnik itd.) 6. grać (na scenie, w filmie itd.) [II] *vt* 1. za/grać <od-egrać/grywać> (rolę); przedstawi-ć/ać (postać itp.) 2. uda-ć/wać (głupiego itd.); **to ~ the part of** __ post-ąpić/ępować jak ... 3. popełni-ć/ać (potworności itd.) *zob* **acting** [III] *s* 1. czyn; **an ~ of God** dopust boży 2. akt (skruchy, sprawiedliwości, ułaskawienia, wiary itd.) 3. uczynek; **an ~ of kindness** dobry uczynek; **as an ~ of politeness** przez grzeczność; z grzeczności; **in the very ~** na gorącym uczynku 4. akt (utworu scenicznego) 5. występ sceniczny 6. uchwała parlamentu; ustawa 7. dokument; **I deliver this as my ~ and deed** niniejsze podpisałem własnoręcznie 8. czynność (chodzenia, jedzenia itd.); **in the ~ of doing sth** w trakcie <w momencie, podczas> robienia czegoś 9. *pl* **~s** dzieje (apostolskie itd.)

acting ['æktiŋ] [I] *zob* **act** *v* [II] *s* 1. działanie 2. gra (artysty) 3. wystawienie (sztuki); **~ over** powtórzenie <ponowne wystawienie> (sztuki); **~ play** sztuka przeznaczona do wystawienia na scenie 4. wykonanie (sztuki) 5. udawanie; *przen* komedia 6. występowanie na scenie; **he went in for ~** a) wstąpił na scenę; obrał karierę sceniczną b) występował na scenie [III] *adj* 1. *z rzeczownikiem:* pełniący obowiązki (czyjeś); tymczasowy (kierownik itd.); (działający) w zastępstwie; **~ manager** zastępca kierownika 2. (*o zespole*) teatralny

actinism ['æktiˌnizəm] *s* aktywność promieni

actinograph [æk'tinəˌgrɑ:f] *s* aktynograf

actinomycosis [ˌæktinoumi'kousis] *s med* promienica

↑**action** ['ækʃən] [I] *s* 1. czyn; akcja; ruch; **out of ~** a) (*o przedmiocie*) uszkodzony; nieczynny b) (*o człowieku*) niezdolny do czynu; unieszkodliwiony; **to put in ~** wprawi-ć/ać w ruch; **to put into ~** a) wprowadz-ić/ać w życie b) zastosować w praktyce; **to suit the ~ to the word** poprzeć słowa czynem; *teatr* **the scene of ~ is** __ rzecz dzieje się w... 2. działanie (człowieka, maszyny, środka chem. itd.) 3. ruchy (aktora) 4. mechanizm (zegarka, przyrządu itd.) 5. *prawn* proces; **to take <bring an>~ against sb** wytoczyć komuś proces 6. *wojsk* bitwa; starcie; akcja; **~ stations** stanowiska bojowe; **killed in ~** poległ na polu chwały 7. środki zapobiegawcze <zaradcze>; **to take prompt ~ against sth** przedsię-wziąć/brać energiczne środki przeciwko czemuś [II] *attr* czynnościowy

actionable ['ækʃənəbl] *adj prawn* zaskarżalny

↑**activate** ['æktiˌveit] *vt* 1. przyśpiesz-yć/ać 2. ożywi-ć/ać 3. *fiz chem* aktywować 4. *med* uczynni-ć/ać

activator ['æktiˌveitə] *s chem* aktywator (polimeryzacji itd.)

active ['æktiv] *adj* 1. czynny; ożywiony; żywy; pełen wigoru; obrotny; rzutki; (*o człowieku, ustawie, prawach przyrody itd*) **to be ~** działać 2. *gram* czynny 3. *handl* (*o popycie*) wzmożony; duży 4. (*o wyobraźni*) bujny 5. *wojsk* (*o służbie*) czynny; **on the ~ list** w służbie czynnej 6. *wojsk* (*o służbie*) liniowy

activity [æk'tiviti] *s* 1. działalność; czynność; żywość; ożywienie; ruch (wielkiego miasta itd.) 2. *pl* **activities** zakres działania; kompetencje (urzędnika itd.)

actor ['æktə] *s* aktor

actress ['æktris] *s* aktorka

actual ['æktʃuəl] *adj* 1. faktyczny; istotny; rzeczywisty; **an ~ case** konkretny wypadek; **an ~ fact** fakt niezaprzeczony; **in ~ fact** w rzeczywistości; faktycznie 2. obecny; bieżący

actuality [ˌæktʃu'æliti] *s* 1. rzeczywistość 2. realizm 3. *pl* **actualities** obecna rzeczywistość 4. *pl* **actualities** rzeczywiste stosunki <okoliczności>

actualize ['æktʃuəˌlaiz] *vt* 1. wprowadz-ić/ać w czyn; z/realizować 2. opis-ać/ywać realistycznie 3. z/aktualizować

actually ['æktʃuəli] *adv* 1. faktycznie; istotnie; rzeczywiście; nawet 2. *wyraża zdziwienie, zdumienie:* wyobraź/cie sobie; rzecz nie do wiary; aż; **he ~ swore** on aż zaklął 3. obecnie; w obecnej chwili

actuary ['æktʃuəri] *s* znawca ubezpieczeniowy

actuate ['æktʃuˌeit] *vt* 1. porusz-yć/ać; wprawi-ć/ać w ruch (maszynę itp.) 2. pobudz-ić/ać (**sb to sth** kogoś do czegoś); przyświecać (**sb** komuś); **to be ~d by (love, jealousy etc.)** działać <post-ąpić/ępować> pod wpływem (miłości, zazdrości itp.)

acuity [ə'kjuiti] *s* ostrość (czubka, bólu, wzroku itd.)

aculeate [ə'kju:liit] *adj* 1. *bot* kolący; ciernisty 2. *zoo* wyposażony w żądło

acumen [ə'kju:men] *s* bystrość (rozumu); wnikliwość; orientacja

acuminate [ə'kju:minit] *adj* spiczasty; ostry

acupuncture [ˌækju:'pʌŋktʃə] *s med* akupunktura (chiński sposób leczenia za pomocą nakłuć)

↑**acute** [ə'kju:t] *adj* 1. (*o czubku, kącie, bólu itd*) ostry 2. (*o wzroku*) bystry 3. (*o umyśle*) przenikliwy; wnikliwy 4. (*o krzyku, bólu*) przeszywający 5. (*o żalu*) gorzki 6. (*o słuchu*) czuły

acuteness [ə'kju:tnis] *s* 1. ostrość <intensywność> (bólu); ostry charakter (choroby); ostry stan 2. wnikliwość (umysłu) 3. bystrość (wzroku)

ad [æd] *pot* = **advertisement**

adage ['ædidʒ] *s* powiedzenie; przysłowie

Adam ['ædəm] *spr* **~'s apple** grdyka, jabłko Adama

adamant ['ædəmənt] *s* diament; **to be ~** być twardym <nieugiętym>

adamantine [,ædə'mæntain] *adj* twardy; nieugięty

adapt [ə'dæpt] *vt* przystosow-ać/ywać; dostosow-ać/ywać; dostr-oić/ajać; **to be ~ed to sth** być do czegoś przystosowanym; nada-ć/wać się do czegoś; (*o utworze literackim*) **~ed from —** przeróbka z ...

adaptability [ə,dæptə'biliti] *s* możliwość przystosowania; umiejętność przystosowywania się

adaptable [ə'dæptəbl] *adj* 1. (*o człowieku*) *w zwrocie:* **to be (very) ~** łatwo się przystosowywać do otoczenia 2. (*o przedmiocie*) dający się dostosować (do potrzeb) 3. (*o umyśle*) giętki

adaptation [,ædəp'teiʃən] *s* 1. adaptacja 2. przystosowanie <dostosowanie> (do potrzeb, celów itd.); dostrojenie 3. przeróbka literacka (na scenę itp.)

adapter [ə'dæptə] *s* 1. autor/ka przeróbki literackiej 2. *elektr* łącznik, *pot* złodziej 3. *techn* nasadka <przedłużacz> (chłodnicy itd.)

add [æd] I *vt* 1. doda-ć/wać; dołącz-yć/ać; dolicz-yć/ać 2. (*także* **~ up**) doda-ć/wać (cyfry, liczby); z/sumować II *vi* 1. (*o wyniku obliczeń*) wynosić (**to a figure** daną sumę) 2. dorzuc-ić/ać (uwagę w rozmowie itp.) 3. doda-ć/wać (**to the charm <joy, misfortunes etc.>** uroku <radości, przykrości itd.>); powiększ-yć/ać <podn-ieść/osić> (**to sth** coś); **to ~ to my misfortunes** na domiar złego; a w dodatku; a ponadto 4. powiększ-yć/ać (**to one's possessions** stan posiadania); **to ~ to a building** dobudować || **~ed to which —** a w dodatku ... *zob* **added, adding**

added ['ædid] I *zob* **add** II *adj* dodatkowy, dalszy

addendum [ə'dendəm] *s* (*pl* **addenda** [ə'dendə]) dodatek (w publikacji); uzupełnienie

adder ['ædə] *s zoo* żmija

adder's-tongue ['ædez,tʌŋ] *s bot* języcznik, nasięźrzał pospolity

adder-wort ['ædə,wə:t] *s bot* rdest wężownik

addict [ə'dikt] I *vr vt* **to ~ oneself <be ~ed> to —** a) nałogowo robić... (coś); być ofiarą... (narkomanii itp.) b) poświęcać się... (nauce itd.) II *s* ['ædikt] ofiara nałogu; nałogowiec; **morphia <cocaine etc.> ~** morfinist-a/ka <kokainist-a/ka itd.>

addiction [ə'dikʃən] *s* 1. poświęc-enie/anie się (**to good** czemuś chwalebnemu) 2. nałóg; uprawianie (**to evil** czegoś złego)

adding ['ædiŋ] I *zob* **add** II *s* dodawanie III *attr* **~ machine** maszyna do dodawania

Addison ['ædisn] *spr med* **~'s disease** choroba Addisona, cisawica

addition [ə'diʃn] *s* 1. dodatek (**to sth** do czegoś); powiększenie (**of sth** czegoś) 2. dodawanie; **in ~** w dodatku, na dodatek; ponadto

additional [ə'diʃənḷ] *adj* dodatkowy; dalszy

addle ['ædl] I *adj* 1. (*o jaju*) zepsuty; nieświeży 2. (*o umyśle*) mętny II *vt* 1. zepsuć (jaja) 2. otumanić III *vi* 1. (*o jaju*) zepsuć się 2. (*o umyśle*) zmętnieć

addle-brain ['ædl,brein], **addle-head** ['ædl,hed], **addle-pate** ['ædl,peit] *s* głupiec; *pot* tuman

addle-brained ['ædl'breind], **addle-headed** ['ædl'hedid], **addle-pated** ['ædl'peitid] *adj* głupi; *pot* stumaniały

address [ə'dres] I *vt* 1. za/adresować 2. s/kierować prośbę (**sb** do kogoś) 3. zwr-ócić/acać się (**sb** do kogoś); przem-ówić/awiać (**sb, a crowd etc.** do kogoś, do tłumu itd.) II *vr* **~ oneself** 1. zwr-ócić/acać się <przem-ówić/awiać> (**to sb** do kogoś) 2. przy-łożyć/kładać się (**to sth** do czegoś) III *s* 1. adres (na liście itd.); **a letter to sb's ~** list zaadresowany do kogoś 2. zręczność; zgrabność 3. obejście (człowieka); **a man of pleasing ~** miły <układny> człowiek 4. przemówienie, mowa; **to have an ~** wygł-osić/aszać przemówienie; przem-ówić/awiać 5. *pl* **~es** emablowanie <zabawianie> kogoś; **to pay one's ~es to a lady** emablować <zabawiać> panią; zalecać się do pani 6. adres (do władz itp.) || **form of ~** sposób tytułowania

addressee [,ædre'si:] *s* adresat/ka

addressograph [ə'dresə,gra:f] *s* maszyna do adresowania kopert

adduce [ə'dju:s] *vt* 1. przyt-oczyć/aczać; za/cytować; powoł-ać/ywać się (**a source etc.** na źródło itp.) 2. dostarcz-yć/ać (dowodów)

adduct [ə'dʌkt] *vt fizj* przywodzić

adduction [ə'dʌkʃən] *s* przyt-oczenie/aczanie (źródła itd.); powoł-anie/ywanie się (**of sth** na coś)

adenoids ['ædi,nɔidz] *spl med* wyrośle adenoidalne; trzeci migdałek

adenoma [,ædi'noumə] *s med* gruczolak

adept ['ædept] I *adj* biegły (**in sth** w czymś) II *s* adept (**in sth** czegoś)

adequacy ['ædikwəsi] *s* właściwość; stosowność; odpowiedniość; dostateczność; trafność

adequate ['ædikwit] *adj* 1. właściwy; stosowny; odpowiedni; należyty; dostateczny; trafny 2. na wysokości zadania; kompetentny 3. (*o środkach itp*) wystarczający; dostateczny

adhere [əd'hiə] *vi* 1. lgnąć <przyl-gnąć/egać> (**to sth** do czegoś); czepi-ć/ać się (**to sth** czegoś); przyw-rzeć/ierać (**to sth** do czegoś) 2. należeć (do partii itp.) 3. dotrzym-ać/ywać (**to sth** czegoś — umowy, warunków); stosować się (do reguł itp.); trzymać się (**to sth** czegoś — przepisów itp.) 4. obstawać (**to sth** przy czymś)

adherence [əd'hiərəns] *s* 1. lgnięcie; przyleganie; przyw-arcie/ieranie (**to sth** do czegoś) 2. przynależność (partyjna itd.) 3. dotrzymanie umowy; stosowanie się (do przepisów itp.); trzymanie się (reguł itp.) 4. obstawanie (**to sth** przy czymś)

adherent [əd'hiərənt] I *adj* 1. lgnący; przylegający; przywierający (**to sth** do czegoś) 2. przynależny (**to sth** do czegoś) II *s* adherent/ka; stronni-k/czka; poplecznik-k/czka

adhesion [əd'hi:ʒən] *s* 1. lgnięcie; przyleganie; przyw-arcie/ieranie (**to sth** do czegoś) 2. przynależność 3. przystąpienie (do partii itp.) 4. poparcie; aprobata 5. *pl* **~s** *med* zrosty

adhesive [əd'hi:siv] *adj* 1. lepki; lgnący; przylegający 2. (*o kopercie itd*) podklejany; podgumowany; **~ tape** przylepiec; plaster

adhibit [əd'hibit] *vt* 1. wpu-ścić/szczać; wprowadz-

-ić/ać 2. przy-łożyć/kładać (plaster itd.) 3. za/stosować (lekarstwo)

adhibition [ˌædhiˈbiʃən] *s* 1. wpuszcz-enie/anie; wprowadz-enie/anie 2. przy-łożenie/kładanie 3. za/stosowanie (lekarstwa)

adieu [əˈdjuː] *s* pożegnanie; **I must make** <**take**> **my ~s, I must bid ~** muszę się pożegnać

ad interim [ædˈintərim] I *adj* tymczasowy; chwilowy II *adv* tymczasowo; chwilowo

adipocere [ˌædipouˈsiə] *s chem* tłuszczowosk

adipose [ˈædiˌpous] I *adj* tłusty; tłuszczowy II *s* tłuszcz zwierzęcy

adiposity [ædiˈpɔsiti] *s* otyłość

adit [ˈædit] *s* 1. dostęp 2. *górn* sztolnia

adjacency [əˈdʒeisənsi] *s* graniczenie <styczność> (**to sth** z czymś); przyleganie (**to sth** do czegoś); bezpośrednie sąsiedztwo

adjacent [əˈdʒeisənt] *adj* graniczący <styczny> (**to sth** z czymś); przyległy (**to sth** do czegoś); sąsiedni; sąsiadujący

adjectival [ˌædʒekˈtaivəl] *adj* przymiotnikowy

adjective [ˈædʒiktiv] I *adj* dodatkowy; pomocniczy II *s gram* przymiotnik

↑**adjoin** [əˈdʒɔin] I *vt* dołącz-yć/ać; przyłącz-yć/ać II *vi* stykać się; (*o dwóch domach itd*) sąsiadować z sobą *zob* **adjoining**

adjoining [əˈdʒɔiniŋ] I *zob* **adjoin** II *adj* sąsiedni; sąsiadujący (**sth** z czymś); przyległy

adjourn [əˈdʒəːn] I *vt* odr-oczyć/aczać; przesu-nąć/wać (na późniejszy termin) II *vi* 1. (*o zgromadzeniu*) zakończyć (obrady) 2. uda-ć/wać się (do innego pokoju itd.)

adjournment [əˈdʒəːnmənt] *s* 1. odroczenie; przesunięcie (na późniejszy termin) 2. przerwa w obradach 3. zamknięcie posiedzenia; zakończenie obrad 4. przeniesienie się (do innego pokoju itd.)

adjudge [əˈdʒʌdʒ] *vt* 1. rozstrzyg-nąć/ać (spór) 2. uzna-ć/wać (**sb to be guilty etc.** kogoś winnym itd.) 3. zasądz-ić/ać (**sb to a penalty** kogoś na karę) 4. przyzna-ć/wać (**a prize** <**damages etc**> **to sb** komuś nagrodę <odszkodowanie itd.>)

adjudicate [əˈdʒuːdiˌkeit] I *vt* 1. rozstrzyg-nąć/ać (spór) 2. orze-c/kać (**sb to be guilty etc.** że ktoś jest winien itd.) 3. przyzna-ć/wać (komuś nagrodę itd.) II *vi* 1. wyda-ć/wać wyrok (**upon a question** w jakiejś sprawie) 2. rozsądz-ić/ać (**upon a question** sprawę)

adjudication [əˌdʒuːdiˈkeiʃən] *s* 1. sąd 2. wyrok

adjudicator [əˈdʒuːdiˌkeitə] *s* 1. sędzia 2. (*w konkursie itd*) członek jury

adjunct [ˈædʒʌŋkt] *s* 1. pomocni-k/ca 2. dodatek 3. *gram* dopełnienie 4. *gram* określenie 5. *gram* przydawka

adjure [əˈdʒuə] *vt* zaklinać (**sb to do sth** kogoś, żeby coś uczynił)

adjust [əˈdʒʌst] I *vt* 1. rozsądz-ić/ać (spór); po/godzić (poważnione strony) 2. dostosow-ać/ywać <przystosow-ać/ywać, dostr-oić/ajać> (**sth to sth** coś do czegoś) 3. na/regulować <wyregulować> (zegarek itp.); nastawi-ć/ać (na ostrość itp.) 4. z/montować (aparat itp.) 5. naprostować (kapelusz itp.) poprawi-ć/ać (coś na sobie) II *vr* ~ **oneself** 1. dostosow-ać/ywać <przystosow-ać/ywać, dostr-oić/ajać> się 2. poprawi-ć/ać ubranie na sobie

↑**adjustment** [əˈdʒʌstmənt] *s* 1. rozstrzygnięcie (sporu); pogodzenie (stron) 2. dostosowanie; przystosowanie; dostrojenie 3. naregulowanie <wyregulowanie> (zegarka itd.); nastawienie (na ostrość itp.) 4. zmontowanie (aparatu itd.) 5. naprostowanie (kapelusza itp.); poprawienie (czegoś na sobie) 6. regulacja 7. poprawka

adjutage [ˈædʒutidʒ] *s techn* dysza; przystawka (przy otworze przypływowym rury)

adjutancy [ˈædʒutənsi] *s* stanowisko adiutanta

↑**adjutant** [ˈædʒutənt] *s* 1. adiutant 2. *zoo* argala (olbrzymi bocian indyjski)

adjuvant [ˈædʒuvənt] I *adj* pomocniczy II *s* pomocni-k/ca

ad-lib [ædˈlib] *vi* (**-bb-**) *pot* improwizować

adman [ˈædˈmæn] *s* (*pl* **admen** [ˈædˈmen]) *am sl* spec od reklamy

administer [ədˈministə], *am* **administrate** [ədˈminisˌtreit] I *vt* 1. zarządzać (**sth** czymś); sprawować rządy (**sth** w czymś — kraju, prowincji itp.) 2. udziel-ić/ać (**sth** czegoś — pomocy itp.) 3. wymierz-yć/ać (sprawiedliwość) 4. udziel-ić/ać (**a sacrament** sakramentu); da-ć/wać (lekarstwo) 5. *w zwrocie*: **to ~ an oath to sb** zaprzysi-ąc/ęgać kogoś II *vi* 1. sprawować rządy (w kraju, prowincji itd.) 2. przyczyni-ć/ać się (**to sth** do czegoś); powiększ-yć/ać <podn-ieść/osić> (**to one's comfort etc.** wygodę itd.)

administrate *zob* **administer**

administration [ədˌminisˈtreiʃən] *s* 1. administracja; zarząd 2. *am* rząd 3. *am* ministerstwo 4. kierowanie; sprawowanie rządów 5. udziel-enie/anie (sakramentu) 6. podawanie (lekarstwa) 7. wymierz-enie/anie; wymiar (sprawiedliwości) 8. *w zwrocie*: **~ of an oath to sb** zaprzysię-żenie/ganie kogoś

administrative [ədˈministrətiv] *adj* administracyjny; natury administracyjnej; (*o wydatkach itp*) na administrację

administrator [ədˈminisˌtreitə] *s* 1. administrator; zarządca; rządca 2. organizator 3. opiekun (małoletniego)

admirable [ˈædmərəbl] *adj* cudowny; wspaniały; zachwycający; godny podziwu

admiral [ˈædmərəl] *s mar zoo* admirał

admiralty [ˈædmərəlti] *s* admiralicja; ministerstwo marynarki wojennej; **First Lord of the Admiralty** minister marynarki wojennej

admiration [ˈædməˈreiʃən] *s* 1. podziw; zachwyt; **to ~** nad podziw 2. przedmiot zachwytu

admire [ədˈmaiə] *vt* 1. podziwiać; zachwyc-ić/ać się (**sb, sth** kimś, czymś); uwielbiać 2. *am sl* bardzo chcieć <pragnąć> (**sth** czegoś) *zob* **admiring**

admirer [ədˈmaiərə] *s* wielbiciel/ka

admiring [ədˈmaiəriŋ] I *zob* **admire** II *adj* pełen podziwu <zachwytu>; zachwycony

admiringly [ədˈmaiəriŋli] *adj* z podziwem; z zachwytem

admissible [ədˈmisəbl] *adj* dopuszczalny

admission [ədˈmiʃən] *s* 1. wstęp; dostęp; **~ fee** opłata za wstęp 2. dopuszczenie; przyjęcie (do związku itd.) 3. przyjęcie; uznanie (**of sth as** <**to be**> **important** <**fair etc.**> czegoś za ważne <słuszne itd.>) 4. przyznanie się (**of guilt etc.** do winy itd.) 5. *techn* zasilenie; dopływ; **~ valve** zawór wlotowy <dolotowy>

admit [ədˈmit] *v* (**-tt-**) I *vt* 1. przyj-ąć/mować <dopu-ścić/szczać, wpu-ścić/szczać> (**sb** <**sth**> **to sth** kogoś <coś> do czegoś) 2. przyj-ąć/mować

<uzna-ć/wać> (**a principle etc.** zasadę itp.; **sth to be** <**that sth is**> **good etc.** coś za dobre itd.) 3. przyzna-ć/wać się (**one's guilt etc.** do winy itd.) 4. (*o pomieszczeniu*) mieć miejsce (**sth** na coś); po/mieścić (w sobie); **the room won't ~ twenty people** dwadzieścia osób nie zmieści się w tym pokoju [II] *vi* 1. dopu-ścić/szczać <umożliwi-ć/ać wstęp> (**to a room etc.** do pokoju itd.) 2. dopu-ścić/szczać <umożliwi-ć/ać> (**of sth** coś); *z zaprzeczeniem*: nie znosić (zwłoki itd.); **to ~ of no excuse** nie dać się niczym usprawiedliwić 3. uzna-ć/wać; przyzna-ć/wać (się); **I was wrong, I ~** pomyliłem się, uznaję to <przyznaję się do tego> *zob* **admitted**

admittance [əd'mitəns] *s* 1. wstęp; **no ~** wstęp zabroniony; **to give sb ~ to —** wpuścić kogoś do ... 2. dopuszczenie; **to gain** <**be refused**> **~** zostać <nie zostać> dopuszczonym <przyjętym>

admitted [əd'mitid] [I] *zob* **admit**; **it must be ~ that —** przyznać trzeba, że ...; **let it be ~** przyznajmy [II] *adj* 1. uznany 2. wierutny (kłamca itd.); jawny (złodziej itd.) 3. (*o prawdzie itp*) dowiedziony

admittedly [əd'mitidli] *adv* nic nie ukrywając; według powszechnej opinii; zdaniem wszystkich; **it was ~ a good show** trzeba przyznać, że przedstawienie było dobre

admix [əd'miks] *vt vi* po/mieszać (się)

admixture [əd'mikstʃə] *s* domieszka

admonish [əd'mɔniʃ] *vt* 1. upom-nieć/inać; strofować 2. nam-ówić/awiać <zachęc-ić/ać> (**sb to do sth** <**that he should do sth**> kogoś do zrobienia czegoś) 3. przestrze-c/gać <ostrze-c/gać> (**sb of** <**against**> **sth** kogoś przed czymś)

admonishment [əd'mɔniʃmənt], **admonition** [ˌædmə'niʃən] *s* 1. upom-nienie/inanie; strofowanie 2. namawianie <zachęcanie> (**to do sth** do zrobienia czegoś) 3. przestrzeganie <ostrzeżenie> (**of** <**against**> **sth** przed czymś)

admonitory [əd'mɔnitəri] *adj* 1. upominający; **~ letter** upomnienie (listowne) 2. ostrzegawczy

adnate ['ædneit] *adj biol* przyrosły, zrosły

ado [ə'du:] *s* 1. korowody; ceregiele; **without further** <**any more**> **~** bez dalszych ceregieli; bez zbytnich ceremonii 2. trudności; kłopot; **much ~** wiele zachodu 3. hałas <szum> (**about sth** wokół czegoś, o coś); **much ~ about nothing** wiele hałasu o nic

↑**adobe** [ə'doubi] *s* 1. cegła suszona na słońcu 2. budynek z cegły suszonej na słońcu

adolescence [ˌædə'lesns] *s* wiek młodzieńczy (14—25 lat, dla kobiet 12—21 lat); wiek dojrzewania

adolescent [ˌædə'lesnt] [I] *adj* dorastający; młodociany [II] *s* młodzieniec; dziewczyna

adopt [ə'dɔpt] *vt* 1. za/adoptować, usynowić 2. ob-rać/ierać (linię postępowania itp.) 3. przyb-rać/ierać (minę, ton itd.); **~ed country** przybrana ojczyzna 4. przysw-oić/ajać sobie; za/stosować (cudzy pomysł itp.) 5. przyj-ąć/mować (taktykę itp.)

adoption [ə'dɔpʃən] *s* 1. adoptacja; usynowienie 2. obranie; wybór 3. zastosowanie (pomysłu itp.) 4. przyjęcie (taktyki itp.)

adoptive [ə'dɔptiv] *adj* 1. przybrany 2. skłonny do przyswajania sobie (czegoś cudzego); przyjmujący z łatwością

adorable [ə'dɔ:rəbl] *adj* godny podziwu; cudowny

adoration [ˌædɔ:'reiʃən] *s* 1. adoracja; cześć (boska) 2. u/wielbienie (**of sb, sth** kogoś, czegoś)

adore [ə'dɔ:] *vt* 1. odda-ć/wać cześć boską (**sb, sth** komuś, czemuś); czcić; wielbić 2. uwielbiać, adorować

adorer [ə'dɔ:rə] *s* wielbiciel/ka

adorn [ə'dɔ:n] *vt* 1. ozd-obić/abiać; przystr-oić/ajać 2. być ozdobą (**a company etc.** towarzystwa itd.)

adornment [ə'dɔ:nmənt] *s* ozdoba; przybranie (stroju itd.); upiększenie

adrenal [æd'ri:nəl] *adj anat* nadnerczowy

adrenalin [ə'drenəlin] *s fizj farm* adrenalina

adrift [ə'drift] *adv* na łasce fal; (unoszony) na fali; **to be ~** a) *dosł i przen* być zdanym na łaskę fal; płynąć bez steru b) *mar* dryfować; **to go ~** a) *dosł i przen* po/płynąć z prądem <bez steru> b) *mar* dryfować; **to cut the boat ~** przeciąć cumę; *przen* **he cut himself ~ from us** zerwał z nami; **his father turned him ~** ojciec pozostawił go własnemu losowi <wyrzucił go na bruk, wygnał go z domu>; **to be all ~** całkowicie stracić orientację

adroit [ə'drɔit] *adj* 1. zręczny 2. pomysłowy

adroitness [ə'drɔitnis] *s* 1. zręczność; zgrabność 2. pomysłowość

adscititious [ˌædsi'tiʃəs] *adj* dodatkowy; uzupełniający

↑**adsorbate** [æd'sɔ:beit] *s chem* adsorbat

adulate ['ædjuˌleit] *vt* 1. schlebi-ć/ać (**sb** komuś); przypochlebi-ć/ać się (**sb** komuś) 2. płaszczyć się (**sb** przed kimś)

adulation [ˌædju'leiʃən] *s* 1. pochlebstwa; schlebianie; przypochlebianie się 2. płaszczenie się (**of sb** przed kimś)

adulator ['ædjuˌleitə] *s* pochlebca

adulatory ['ædjuˌleitəri] *adj* schlebiający; pochlebczy

adult ['ædʌlt] [I] *adj* dorosły; (*o człowieku*) dojrzały [II] *s* człowiek dorosły <dojrzały>

adulterate[1] [ə'dʌltəˌreit] *vt* s/fałszować (pieniądze, żywność itd.)

adulterate[2] [ə'dʌltərit] *adj* 1. (*o dziecku*) nieślubny 2. cudzołożny 3. (*o towarze itp*) sfałszowany

adulteration [əˌdʌltə'reiʃən] *s* fałszowanie

adulterer [ə'dʌltərə] *s* cudzołożnik

adulteress [ə'dʌltəris] *s* cudzołożnica

adulterine [ə'dʌltəˌrain] *adj* 1. (*o dziecku*) z nieprawego łoża 2. (*o towarze itd*) sfałszowany

adultery [ə'dʌltəri] *s* cudzołóstwo; **to commit ~** cudzołożyć

adumbrate ['ædʌmˌbreit] *vt* 1. na/szkicować 2. zapow-iedzieć/iadać; być zapowiedzią (**sth** czegoś) 3. *lit* zaciemni-ć/ać; rzuc-ić/ać cień (**sth** na coś)

adumbration [ˌædʌm'breiʃən] *s* 1. szkic 2. zapowiedź (wydarzeń itd.) 3. przeczucie 4. *lit* zaciemni-enie/anie

adust [ə'dʌst] *adj praed* spalony (na słońcu); spieczony

ad valorem ['æd-və'lɔ:rem] *adv adj w określeniach*: **~ duty** <**tariff**> cło <taryfa> od wartości (towaru); **~ freight** fracht płatny od wartości (ładunku)

advance [əd'va:ns] [I] *vt* 1. posu-nąć/wać naprzód 2. przyśpiesz-yć/ać 3. przed-łożyć/kładać; pod-da-ć/wać (opinię, pogląd, projekt itd.) 4. promować; udziel-ić/ać awansu (**sb** komuś) 5. pop-rzeć/

ierać (naukę itd.) 6. podn-ieść/osić <podwyższ-yć/ać> (cenę) 7. wypłac-ić/ać (zaliczkę, zadatek); udziel-ić/ać (pożyczki) [II] *vi* 1. posu-nąć/wać się naprzód; na-trzeć/cierać (**on sb** na kogoś) 2. po-st-ąpić/ępować, z/robić postępy 3. awansować; otrzym-ać/ywać promocję 4. (*o towarze itp*) po/drożeć 5. *biol* rozwi-nąć/jać się *zob* **advanced** [III] *s* 1. posuwanie się <marsz> naprzód; natarcie; **an ~ towards —** krok naprzód w kierunku ... (czegoś); **in ~** a) przed (**of the others etc.** innymi itd.) b) (być itd.) na przedzie; przed (**of sb** kimś) c) (uczynić coś) zawczasu <wcześniej, z góry, uprzednio> d) (patrzyć itd.) przed siebie <naprzód> e) (kupować bilety) w przedsprzedaży; *wojsk* **~ party** oddział czołowy; czołówka 2. postęp (nauki, cywilizacji itd.) 3 awans (służbowy) 4. pierwsze kroki (w kierunku porozumienia); **to make ~s** a) poczynić pierwsze kroki; wyciągnąć rękę (w celu porozumienia); wyjść naprzeciw (**to sb** komuś) b) (*o kobiecie w stosunku do mężczyzny*) prowokować; robić awanse (**to sb** komuś) 5. zaliczka; zadatek 6. pożyczka (**on sth** pod zastaw czegoś) 7. podwyżka (cen); podrożenie (towaru)

advanced [əd'vɑ:nst] [I] *zob* **advance** *v* [II] *adj* 1. (naprzód) wysunięty; czołowy 2. cywilizowany; umysłowo rozwinięty; światły 3. (*o poglądach itp*) postępowy 4. zaawansowany (w nauce itd.) 5. (*o matematyce itd*) wyższy 6. (*o wieku*) późny; podeszły; (*o porze dnia, roku*) późny 7. podniesiony; podwyższony; **the ~ cost of maintenance** zwiększone koszty utrzymania

advance-guard [əd'vɑ:ns,gɑ:d] *s wojsk i przen* straż przednia, awangarda

advancement [əd'vɑ:nsmənt] *s* 1. posunięcie (się) naprzód 2. awans 3. pop-arcie/ieranie (nauk itd.) 4. *biol* rozwój 5. postęp

advantage [əd'vɑ:ntidʒ] [I] *s* 1. przewaga (**of** <**over**> **sb, sth** nad kimś, czymś); **to have the ~ of —** górować nad ...; **you have the ~ of me, sir** z kim mam przyjemność (mówić)? 2. korzyść; pożytek; **to (sb's) ~** z korzyścią <z pożytkiem> (dla kogoś); korzystnie; **to the best ~** jak najkorzystniej; **to take ~ of sth** a) s/korzystać z czegoś b) wykorzystać <wyzyskać> coś; **to take ~ of sb** oszuk-ać/iwać kogoś; **to turn sth to ~** wykorzystać <wyzyskać> coś; **to take sb at ~** zaskoczyć kogoś (**with sth** czymś) 3. zaleta <dodatnia strona> (przyrządu, wynalazku itd.) 4. *tenis* przewaga [II] *vt* 1. faworyzować <protegować> (**sb** kogoś) 2. przyn-ieść/osić korzyść (**sb** komuś)

advantageous [,ædvən'teidʒəs] *adj* korzystny

↑**advent** ['ædvent] *s* 1. *kośc* **Advent** adwent 2. nastanie; ukazanie się; **the ~ of the motor car** nastanie ery automobilizmu

↑**adventitious** [,ædven'tiʃəs] *adj* 1. przygodny; przypadkowy 2. uboczny 3. nieoczekiwany; niezwykły

adventure [əd'ventʃə] [I] *s* 1. przygoda; **a life of ~** życie pełne przygód <burzliwe, urozmaicone> 2. ryzykowne przedsięwzięcie; spekulacja [II] *vt* za/ryzykować (**sth** coś); nara-zić/żać (**sb, sth** kogoś, coś) na niebezpieczeństwo; **to ~ an argument** zaryzykować twierdzenie [III] *vi* odważ-yć/ać się (**upon sth** na coś; **to do sth** coś zrobić)

adventurer [əd'ventʃərə] *s* poszukiwacz przygód; niebieski ptak

adventuresome [əd'ventʃəsəm] *adj* ryzykancki

adventuress [əd'ventʃəris] *s* awanturnica

adventurous [əd'ventʃərəs] *adj* 1. (*o przedsięwzięciu itd*) ryzykowny; hazardowy 2. (*o życiu*) wypełniony przygodami; awanturniczy 3. (*o człowieku*) śmiały; nie bojący się ryzyka; **an ~ man** ryzykant

adverb ['ædvə:b] *s gram* przysłówek

adverbial [əd'və:biəl] *adj gram* przysłówkowy

↑**adversary** ['ædvəsəri] *s* przeciwni-k/czka

adversative [əd'və:sətiv] *adj gram* wyrażający przeciwieństwo; przeciwstawny

adverse ['ædvə:s] *adj* 1. przeciwny; niepomyślny; niechętny 2. przeciwległy

adversity [əd'və:siti] *s* przeciwność losu; niepomyślność; nieszczęście

advert [əd'və:t] *vi lit* nadmieni-ć/ać; wzmiankować (**to sth** o czymś)

advertence [əd'və:təns], **advertency** [əd'və:tənsi] *s lit* uwaga; rozważanie

advertise ['ædvə,taiz] [I] *vt* 1. za/reklamować; ogł-osić/aszać; obwie-ścić/szczać 2. ostrze-c/gać (**sb of sth** kogoś przed czymś); uprzedz-ić/ać (**sb of sth** kogoś o czymś) [II] *vi* ogł-osić/aszać, że się poszukuje (**for sth** czegoś) *zob* **advertising**

advertisement [əd'və:tismənt] *s* reklama; ogłoszenie; obwieszczenie; inserat; anons

advertiser ['ædvə,taizə] *s* 1. (człowiek) ogłaszający <reklamujący> 2. gazeta poświęcona reklamie

advertising ['ædvə,taiziŋ] [I] *zob* **advertise** [II] *s* reklama; inserat; **~ medium** środek reklamowy

advice [əd'vais] *s* 1. (*także* **a piece of ~**) rada; porada; (udzielane komuś) rady; **at** <**by, on, under**> **sb's ~** za czyjąś poradą; za czyimś podszeptem; **to take ~** zasięgnąć porady 2. awizo, zawiadomienie 3. *pl* **~s** informacje; doniesienia

advice-boat [əd'vais,bout] *s mar* awizo (mały, szybki statek do przewożenia rozkazów itp.)

advisability [əd,vaizə'biliti] *s* 1. celowość <słuszność> (posunięcia) 2. roztropność (postanowienia itp.)

advisable [əd'vaizəbl] *adj* 1. celowy; słuszny; wskazany 2. (*o posunięciu itp*) rozsądny; roztropny

advise [əd'vaiz] [I] *vt* 1. po/radzić; doradz-ić/ać (**sb** komuś); **to ~ sb against sth** odradzać komuś coś <czegoś> 2. powiad-omić/amiać; uprzedz-ić/ać [II] *vi* po/radzić się (**with sb** kogoś) *zob* **advised**

advised [əd'vaizd] [I] *zob* **advise** [II] *adj* 1. rozmyślny; przemyślany 2. roztropny <mądry> (czyn itp.)

advisedly [əd'vaizidli] *adv* 1. rozmyślnie 2. roztropnie; mądrze

advisedness [əd'vaizidnis] *s* roztropność (czynu)

adviser [əd'vaizə] *s* dorad-ca/czyni; **spiritual ~** spowiednik

advisory [əd'vaizəri] *adj* doradczy

advocacy ['ædvəkəsi] *s* 1. adwokatura 2. rzecznictwo; obrona (sprawy); **to speak in ~ of sth** orędować <przemawiać> za czymś

advocate ['ædvəkit] [I] *s* 1. adwokat/ka 2. rzeczni-k/czka; orędowni-k/czka; *szkoc* **Lord Advocate** prokurator generalny [II] *vt* ['ædvə,keit] zalec-ić/ać; orędować (**sth** za czymś); być zwolennikiem (**sb, sth** kogoś, czegoś)

advowson [əd'vauzən] *s* prawo nominacji na urząd kościelny

adze [ædz] *s* topór ciesielski

Aegean [i:'dʒiən] *adj geogr* egejski
aeger ['i:dʒə] [I] *s szk* zwolnienie z powodu choroby [II] *adj* chory
aegis ['i:dʒis] *s* egida
aegrotat ['i:grou,tæt] *s* świadectwo zwalniające studenta od egzaminu z powodu choroby
Aeolian [i:'ouliən] *adj* eolski
aeon ['i:ən] *s* eon; wieki; wieczność
aerate ['εəreit] *vt* 1. wietrzyć 2. gazować (wodę itp.) 3. mechanicznie spulchniać (chleb) powietrzem
aerial ['εəriəl] [I] *adj* 1. powietrzny; **~ mine** bomba lotnicza na spadochronie 2. (*o kolei itp*) napowietrzny 3. (*o zdjęciu itp*) lotniczy 4. eteryczny 5. nierealny; fikcyjny 6. *radio* antenowy [II] *s* antena
aerie, aery ['εəri] *s* 1. orle gniazdo 2. wyląg (ptaków drapieżnych) 3. siedziba ludzka wysoko w górach
aeriform ['εəri,fɔ:m] *adj* 1. gazowy 2. eteryczny
aerobatics [,εərə'bætiks] *s lotn* ewolucje; akrobatyka
aerobe ['εəroub] *s biol* aerob, tlenowiec, bakteria tlenowa
aerobomb ['εərə,bɔm] *s* bomba lotnicza
aerodrome ['εərə,droum] *s* lotnisko
aerodynamics ['εəroudai'næmiks] *s* aerodynamika
aerofoil ['εərə,fɔil] *s* skrzydło (samolotu); profil skrzydła; powierzchnia nośna
aerogram ['εərə,græm] *s* radiotelegram
aerolite ['εərə,lait], **aerolith** ['εərəliθ] *s* aerolit
aeronautics [,εərə'nɔ:tiks] *s* aeronautyka
aerophotography ['εəroufə'tɔgrəfi] *s* 1. fotografowanie z powietrza 2. *fot* zdjęcia z powietrza <lotnicze>
aerosol ['εərou,sɔl] *s chem* aerozol
aerostat ['εərə,stæt] *s* aerostat
aerostatics [,εərou'stætiks] *s* aerostatyka
aeruginous [iə'ru:dʒinəs] *adj* grynszpanowy
aery *zob* **aerie**
aesthete ['i:sθi:t] *s* esteta
aesthetic [i:s'θetik] *adj* estetyczny
aesthetics [i:s'θetiks] *s* estetyka
aestival [i:s'taivəl] *adj bot* letni
afar [ə'fɑ:] *adv w zwrotach*: **~ off** w oddali; **from ~** z dala; z daleka
affability [,æfə'biliti] *s* uprzejmość <grzeczność> (**towards sb** dla <wobec> kogoś)
affable ['æfəbl] *adj* uprzejmy <grzeczny> (**to** <**with**> **sb** dla <wobec> kogoś); przystępny
affair [ə'fεə] *s* 1. sprawa; interes; kwestia; impreza; przedsięwzięcie; **a gorgeous** <**poor**> **~** coś wspaniałego <nędznego>; **a love ~** sprawa <przygoda> miłosna <sercowa>; romans 2. *pl* **~s** sprawy (państwowe, zagraniczne, wewnętrzne itd.)
affect[1] [ə'fekt] *vt* 1. uda-ć/wać (kogoś — artystę, wolnomyśliciela itp.; coś — obojętność, zakochanie itp.); **to ~ to do** <**to feel etc.**> **sth** uda-ć/wać, że się coś robi <czuje itp.>; symulować 2. pozować (**sb, sth** na kogoś, coś) 3. przyj-ąć/mować (kształt, postać itp.) 4. (*o zwierzętach*) poszukiwać (**certain regions** pewnych okolic) *zob* **affected**[1]
affect[2] [ə'fekt] *vt* 1. oddział-ać/ywać; <wpły-nąć/wać> (**sb, sth** na kogoś, coś) 2. wzrusz-yć/ać; podziałać (**sb** na kogoś) 3. dot-knąć/ykać; dotyczyć (**sb, sth** kogoś, czegoś); ob-ejść/chodzić (**sb** kogoś) 4. (*o chorobie*) dot-knąć/ykać; atakować (pewne organy itp.) *zob* **affected**[2], **affecting**
affectation [,æfek'teiʃən] *s* 1. afektacja; sztuczność; poza 2. udawanie; symulowanie 3. *wojsk* przydział służbowy
affected[1] [ə'fektid] [I] *zob* **affect**[1] [II] *adj* afektowany; sztuczny
affected[2] [ə'fektid] [I] *zob* **affect**[2] [II] *adj* 1. usposobiony (**well** <**ill**> **towards sb** dobrze <źle> dla kogoś) 2. zaatakowany (**with a disease** chorobą) 3. (*o człowieku*) wzruszony, przejęty
affectedness [ə'fektidnis] *s* afektacja
affecting [ə'fektiŋ] [I] *zob* **affect**[2] [II] *adj* wzruszający
affection [ə'fekʃən] *s* 1. uczucie; afekt; miłość (**for sb** do kogoś) 2. przywiązanie; słabość (**towards sb** do kogoś) 3. schorzenie 4. *pl* **~s** uczucia miłości
affectional [ə'fekʃənl] *adj* emocjonalny
affectionate [ə'fekʃnit] *adj* kochający; przywiązany; czuły; tkliwy
affectionately [ə'fekʃnitli] *adv* z miłością; czule; tkliwie; (*w listach*) **Yours ~** kochający; szczerze oddany
afferent ['æfərənt] *adj fizj* dośrodkowy
affiance [ə'faiəns] *vt lit* zaręcz-yć/ać (**sb to sb** kogoś z kimś) *zob* **affianced**
affianced [ə'faiənst] [I] *zob* **affiance** [II] *adj* zaręczony; **~ bride** narzeczona; **the ~ couple** narzeczeni
affidavit [,æfi'deivit] *s* oświadczenie złożone pod przysięgą
affiliate [ə'fili,eit] [I] *vt* 1. przyj-ąć/mować w poczet członków (**sb** kogoś) 2. wpis-ać/ywać (do koła, klubu itp.) 3. *prawn* ustal-ić/ać ojcostwo (**to sb** czyjeś) [II] *vr* **~ oneself** wst-ąpić/ępować <wpis-ać/ywać się> (**to** <**with**> **_** do ... **—** koła, klubu itd.) [III] *vi am* nawiąz-ać/ywać stosunki (**with sb** z kimś)
affiliation [ə,fili'eiʃən] *s* 1. przynależność (partyjna itd.) 2. związek (z organizacją) 3. usynowienie 4. *prawn* ustalenie ojcostwa
affined [ə'faind] *adj* pokrewny
affinity [ə'finiti] *s* 1. pokrewieństwo <koligacja> (**with** <**to**> **sb** z kimś) 2. przyciąganie 3. *chem* powinowactwo
affirm [ə'fə:m] *vt* 1. twierdzić; utrzym-ać/ywać 2. zaręcz-yć/ać (**sb that _** komuś, że ...); zapewni-ć/ać 3. zatwierdz-ić/ać (wyrok)
affirmation [,æfə:'meiʃən] *s* 1. twierdzenie 2. oświadczenie 3. zatwierdzenie (wyroku)
affirmative [ə'fə:mətiv] [I] *adj* twierdzący [II] *s w zwrocie*: **in the ~** twierdząco; potakująco
affix [ə'fiks] [I] *vt* 1. doda-ć/wać; dołącz-yć/ać 2. przymocow-ać/ywać; przywiąz-ać/ywać 3. przybi-ć/jać (pieczęć); nalepi-ć/ać (znaczek, nalepkę itp.) [II] *s* ['æfiks] 1. dodatek 2. *gram* afiks (przedrostek lub przyrostek)
afflatus [ə'fleitəs] *s* natchnienie; tchnienie (geniuszu itp.)
afflict [ə'flikt] *vt* dot-knąć/ykać <obarcz-yć/ać> (chorobą, nieszczęściem itp.); zesłać/zsyłać (nieszczęście) (**sb** na kogoś) *zob* **afflicted, afflicting**
afflicted [ə'fliktid] [I] *zob* **afflict** [II] *adj* chory; cierpiący (**with sth** na coś); dotknięty (nieszczęściem, chorobą itp.) [III] *spl* **the ~** w smutku pogrążeni

afflicting [ə'fliktiŋ] [I] *zob* **afflict** [II] *adj* zasmucający; bolesny
affliction [ə'flikʃən] *s* 1. nieszczęście; utrapienie 2. schorzenie
afflictive [ə'fliktiv] *adj* trapiący
affluence ['æfluəns] *s* 1. zgromadzenie 2. obfitość; natłok 3. dostatek; bogactwo
affluent ['æfluənt] [I] *adj* 1. zasobny (**in sth** w coś) 2. zamożny; dostatni; **in ~ circumstances** w dostatku [II] *s* dopływ (rzeki)
afflux ['æflʌks] *s* 1. przypływ (krwi itd.) 2. napływ (ludzi); zbiegowisko
afford [ə'fɔ:d] *vt* 1. dostarcz-yć/ać (**sth** czegoś); da-ć/wać (przyjemność, pożytek itd.) 2. (*zw z* **can**) pozw-olić/alać sobie (**sth** <**to do sth**> na coś <na to, żeby coś zrobić>); **I can ~ it** stać mnie na to; mogę sobie na to pozwolić; **I can't ~ the time** nie mam na tyle wolnego czasu; **I couldn't ~ to wait** nie mogłem czekać 3. *pot* śmieć; **I can't ~ to displease him** nie śmiem się narazić na jego niezadowolenie
afforest [æ'fɔrist] *vt* zalesi-ć/ać
afforestation [æ'fɔris'teiʃən] *s* zalesi-enie/anie
affranchise [æ'fræntʃaiz] *vt* wyzw-olić/alać; uwłaszcz-yć/ać
affranchisement [æ'fræntʃizmənt] *s* wyzwolenie (niewolnika); uwłaszczenie (kogoś)
affray [ə'frei] *s* awantura; burda
affreightment [ə'freitmənt] *s* zafrachtowanie
affricate ['æfrikit] [I] *s fonet* afrykata, spółgłoska zwartoszczelinowa [II] *adj fonet* zwartoszczelinowy
affricative [ə'frikətiv] *adj* = **affricate** *adj*
affright [ə'frait] [I] *vt* przera-zić/żać [II] *s poet* przerażenie
affront [ə'frʌnt] [I] *vt* 1. z/robić afront (**sb** komuś); znieważ-yć/ać (**sb** kogoś) 2. zawstydz-ić/ać 3. *lit* z/lekceważyć (śmierć itp.) [II] *s* zniewaga; obraza; afront; **to offer an ~ to sb** z/robić komuś afront
affusion [ə'fju:ʒən] *s med* zlewanie wodą (gorączkującego pacjenta)
Afghan ['æfgæn] [I] *s* 1. Afga-ńczyk/nka 2. **afghan** dziany szal wełniany [II] *adj* afgański
afield [ə'fi:ld] *adv* w polu; na polu; **to go ~** a) ruszyć w pole b) zboczyć
afire [ə'faiə], **aflame** [ə'fleim] *adv adj praed* płonący; w ogniu; w płomieniach; **to be ~ with colour** jarzyć się barwami; jaskrawić się; **to be ~ with desire etc.** płonąć pożądaniem itp.
afloat [ə'flout] [I] *adj* 1. (będący, znajdujący się) na morzu <na wodzie> 2. (*o człowieku*) w marynarce wojennej 3. (*o statku itd*) zatopiony [II] *adv w zwrotach:* **to be ~** a) płynąć; unosić się na wodzie b) (*o pogłosce itp*) krążyć; **to keep ~** utrzym-ać/ywać (się) na powierzchni (wody); **to set ~** a) spu-ścić/szczać (statek) na wodę b) puścić/szczać (pogłosk-ę/i); rozpu-ścić/szczać (plotki)
afoot [ə'fut] *adv adj* 1. pieszo, piechotą 2. na nogach 3. *w zwrotach*: **a scheme is ~** a) rozważa się projekt b) realizuje się plan; **there is sth ~** coś się święci <kroi, knuje>; zanosi się na coś; **I knew there was mischief ~** wiedziałem, że coś się knuje
afore [ə'fɔ:] *adv mar* na dziobie (statku)
afore-going [ə'fɔ:,gouiŋ] *adj* powyższy; wyżej wymieniony
afore-said [ə'fɔ:,sed], **afore-named** [ə'fɔ:,neimd] *adj* wyżej wymieniony
afore-thought [ə'fɔ:,θɔ:t] *adj* 1. *prawn* popełniony z premedytacją 2. ukartowany
aforetime [ə'fɔ:,taim] *adv* niegdyś, ongiś
afraid [ə'freid] *adj praed* przestraszony; w strachu; **to be ~** bać <obawiać, lękać> się (**of sth** czegoś; **of doing sth, to do sth** coś zrobić); **I am ~ so** <**not**> obawiam się, że tak <nie>; niestety tak <nie>; chyba tak <nie>; **to make sb ~** przestraszyć <nastraszyć> kogoś
afresh [ə'freʃ] *adv* na nowo
Africaans [,æfri'kɑ:ns] = **taal** 2.
African ['æfrikən] [I] *adj* afrykański [II] *s* Afrykan-in/ka
Africander, Afrikander [,æfri'kændə] *s* potomek osadników (najczęściej holenderskich) w Afryce Południowej
aft [ɑ:ft] *adv mar* na rufie; ku rufie; **fore and ~** na dziobie i na rufie; *przen* na przodzie i w tyle
after[1] ['ɑ:ftə] [I] *praep* 1. po (kimś, czymś); za (kimś, czymś); **~ all** ostatecznie; jednak; przecież; mimo wszystko; **~ hours** po godzinach urzędowych; **~ you** proszę bardzo; proszę najpierw (wziąć sobie, przejść itp.); **day ~ day** dzień za dniem; **time ~ time** raz za razem 2. według (kogoś, czegoś); **~ a manner, ~ a fashion** poniekąd; w pewnej mierze; do pewnego stopnia [II] *adv* 1. potem; później; od tego (już) czasu; **the night** <**week**> **~** następne-j/go nocy <tygodnia> 2. z tyłu; za (**me, him etc.** mną, nim itd.) [III] *adj* 1. późniejszy; **~ days** <**years**> późniejsze czasy <lata>; potomność 2. *mar* tylny; (znajdujący się) na rufie [IV] *conj* gdy (już); **we came ~ they had gone** przyszliśmy, gdy oni już poszli
after-[2] ['ɑ:ftə] *przedrostek odpowiadający polskiemu* po-: **~-dinner nap** drzemka poobiednia; **~-school course** pozaszkolna nauka uzupełniająca itp.
afterbirth ['ɑ:ftə,bə:θ] *s* łożysko i błony płodowe
after-cabin ['ɑ:ftə,kæbin] *s mar* kajuta na rufie
after-care ['ɑ:ftə,kεə] *s* 1. pielęgnacja pochorobowa 2. nadzór (nad nieletnim przestępcą) po odsiedzeniu kary
afterclap ['ɑ:ftə,klæp] *s* 1. oddźwięk; pogłos 2. *przen* następstwo
aftercrop ['ɑftə,krɔp] *s roln* poplon
after-damp ['ɑ:ftə,dæmp] *s górn* czad
after-deck ['ɑ:ftə,dek] *s mar* rufa
after-dinner ['ɑ:ftə'dinə] *adj* poobiedni
after-effects ['ɑ:ftər-i'fekts] *spl* 1. następstwa; pozostałość 2. *med* objawy pochorobowe
afterglow ['ɑ:ftə,glou] *s* poświata
after-grass ['ɑ:ftə,grɑ:s] *s roln* potraw, druga trawa
after-life ['ɑ:ftə,laif] *s* 1. życie pozagrobowe 2. późniejsze życie (po danym wydarzeniu itp.)
aftermath ['ɑ:ftə,mæθ] *s* 1. *roln* potraw 2. *przen* następstwa; pozostałość
after-mentioned ['ɑ:ftə'menʃənd] *adj* niżej wymieniony; podany poniżej
aftermost ['ɑ:ftə,moust] *adj* najbardziej w tyle położony; ostatni
afternoon ['ɑ:ftə'nu:n] *s* popołudnie; **good ~** dzień dobry; dobry wieczór; **in the ~** po południu; **this ~** dzisiaj po południu
after-pains ['ɑ:ftə,peinz] *spl* bóle poporodowe
afterpiece ['ɑ:ftə,pi:s] *s* jednoaktówka grana po właściwym przedstawieniu
after-taste ['ɑ:ftə,teist] *s* posmak

afterthought ['ɑ:ftə,θɔ:t] *s* namysł; zastanowienie się po fakcie; refleksja
after-treatment ['ɑ:ftə'tri:tmənt] *s* pielęgnacja pochorobowa
afterwards ['ɑ:ftəwədz] *adv* później; potem; następnie; (*w bajkach*) **ever ~** przez długie lata
after-wisdom ['ɑ:ftə'wizdəm] *s* mądrość po szkodzie
again [ə'gen] *adv* 1. znowu; na nowo; ponownie; jeszcze raz; **~ and ~** wciąż; raz za razem; wielokrotnie; **as much ~** drugie tyle; **half as much ~** o połowę więcej; **now and ~** od czasu do czasu 2. *po zaprzeczeniu*: więcej (nie); **never ~** nigdy więcej; już nigdy 3. nadto, ponadto; **(and) ~** a) ... i jeszcze jedno b) ... ale z drugiej strony; **then ~** a) poza tym b) z drugiej zaś strony ... 4. *przy czasownikach oznacza ponowne wykonanie czynności, jak polski przedrostek* prze-: **to write <draw, pack, sow> ~** przepisać <przerysować, przepakować, przeszyć>
against [ə'genst] *praep* 1. przeciw (komuś, czemuś); **claims ~ sb** pretensje do kogoś; **to fight ~ sb, sth** walczyć z kimś, czymś; zwalczać kogoś, coś; **to warn ~ sth** ostrzegać przed czymś 2. wbrew (czemuś); **to be ~ sb, sth** być przeciwnym komuś, czemuś 3. o (coś — podłogę, ścianę itd.) 4. na wypadek (czegoś — choroby, deszczu itd.); na (coś — na starość, na zimę itd.) 5. (*także* **as ~**) w porównaniu do <z>; **three this year as ~ six last year** w tym roku trzy — w porównaniu do sześciu <z sześcioma> w ubiegłym roku 6. pod (coś — światło, włos itd.) 7. na (kogoś, coś); **to come <run> up ~ sb** natknąć się na kogoś; **to dash etc. ~ a wall** wpaść <najechać itd.> na mur 8. na; **~ a background of _** na tle ... (**sth** czegoś)
agamic [ə'gæmik], **agamous** ['ægəməs] *adj* bezpłciowy
agape [ə'geip] *adv adj praed* 1. z otwartymi ustami; *pot* z rozdziawioną gębą 2. (*o oczach*) wytrzeszczony; wybałuszony
agaric ['ægərik] *s bot* bedłka
agate ['ægit] *s* 1. *miner* agat 2. *am druk* czcionka $5^1/_2$-punktowa
agave [ə'geivi] *s bot* agawa
agaze [ə'geiz] *adv* zagapiwszy się
↑**age** [eidʒ] [I] *s* 1. wiek; **old ~** starość; podeszły wiek; **ten years of ~** w wieku lat dziesięciu; **of ~** pełnoletni; **under ~** niepełnoletni; **what is your ~?** ile masz lat?; **(at) your ~** w twoim <waszym> wieku 2. stulecie; wiek; czasy; **for ~s** a) od wieków; od dawna b) bez końca c) już dawno; **in his <our etc.> ~** w jego <naszych, dzisiejszych itd.> czasach 3. *geol* epoka; era 4. starość [II] *vi* (**aged** [eidʒd], **aged; ageing, aging** ['eidʒiŋ]) ze/starzeć się [III] *vt* (**aged** [eidʒd], **aged; ageing, aging** ['eidʒiŋ]) postarz-yć/ać (**sb** kogoś) *zob* **aged, ageing**
aged [eidʒd] [I] *zob* **age** *v*; **~ ten years** w wieku lat dziesięciu [II] *adj* ['eidʒid] w podeszłym wieku; wiekowy; sędziwy
ageing ['eidʒiŋ] [I] *zob* **age** *v* [II] *adj* podstarzały [III] *s* starzenie się
ageless ['eidʒlis] *adj* 1. wiecznie młody 2. wieczny
agelong ['eidʒ,lɔŋ] *adj* odwieczny; z wiekową tradycją
agency ['eidʒənsi] *s* 1. *chem* działanie 2. pośrednictwo; **through the ~ of _** za pośrednictwem ... 3. agencja 4. filia; oddział
agenda [ə'dʒendə] *s* 1. porządek dzienny (zebrania); program; **on the ~** a) na porządku dziennym b) przewidziany w programie 2. raptularz; agenda
↑**agent** ['eidʒənt] *s* 1. przedstawiciel/ka 2. pośredni-k/czka 3. agent/ka; *am* **road ~** rozbójnik; *am* **station ~** naczelnik stacji 4. czynnik
agent-general ['eidʒənt'dʒenərəl] *s* (*pl* **agents-general** ['eidʒənts'dʒenərəl]) pełnomocnik kolonii w Londynie
agglomerate [ə'glɔmə,reit] [I] *vt* skupi-ć/ać; na/gromadzić [II] *vi* skupi-ć/ać <na/gromadzić> się [III] *s* [ə'glɔmərit] aglomerat
agglomeration [ə,glɔmə'reiʃən] *s* skupienie; na/gromadzenie; skupisko; zlepek; aglomeracja
agglutinate [ə'glu:ti,neit] [I] *vt* zlepi-ć/ać; kleić, skle-ić/jać; z/łączyć [II] *vi* zlepi-ć/ać <skle-ić/jać, z/łączyć> się
agglutination [ə,glu:ti'neiʃən] *s* 1. zlepianie (się) 2. zlepek 3. *jęz med* aglutynacja; *med* **~ test** odczyn zlepny <aglutynacyjny>
agglutinative [ə'glu:tinətiv] *adj jęz* aglutynacyjny
agglutinin [ə'glu:tinin] *s med* zlepnik, aglutynina
aggrandize ['ægræn,daiz] *vt* 1. powiększ-yć/ać; podn-ieść/osić 2. koloryzować; przesadz-ić/ać
aggrandizement [ə'grændizmənt] *s* 1. powiększenie; podniesienie 2. koloryzowanie; przesadzanie; przesada
aggravate ['ægrə,veit] *vt* 1. pog-orszyć/arszać 2. roz/jątrzyć 3. wzm-óc/agać 4. z/denerwować; po/działać na nerwy *zob* **aggravating**
aggravating ['ægrə,veitiŋ] [I] *zob* **aggravate** [II] *adj* 1. pogarszający 2. (*o okolicznościach itp*) obciążający 3. przykry; nieznośny; denerwujący
aggravation [,ægrə'veiʃən] *s* 1. pogorszenie 2. rozjątrzenie (rany itp.) 3. wzmożenie 4. zdenerwowanie 5. okoliczność obciążająca
aggregate ['ægri,geit] [I] *vt* 1. zebrać/zbierać; po/łączyć (w jedną całość) 2. przyłączyć (kogoś do zespołu) 3. wynosić (liczebnie); liczyć (w sumie) [II] *vi* zebrać/zbierać <z/grupować> się [III] *adj* ['ægrigit] globalny; sumaryczny; ogólny [IV] *s* ['ægrigit] agregat; suma; masa; ogół; **in the ~** sumarycznie; w sumie; w całości; ogółem wziąwszy <biorąc>
aggregation [,ægri'geiʃən] *s* 1. skupienie; skupisko; agregat 2. przyłączenie (kogoś do zespołu)
aggression [ə'greʃən] *s* agresja, napaść
aggressive [ə'gresiv] [I] *adj* agresywny; napastliwy; napastniczy [II] *s w zwrocie*: **to assume the ~** przejść do ofensywy
aggressor [ə'gresə] *s* agresor, napastnik
aggrieve [ə'gri:v] *vt* zasmuc-ić/ać; s/krzywdzić; (boleśnie) dot-knąć/ykać
aghast [ə'gɑ:st] *adj praed* skonsternowany; przerażony; zdumiony; osłupiały; (stojący) jak wryty
agile ['ædʒail] *adj* zwinny; zręczny; ruchliwy
agility [ə'dʒiliti] *s* zwinność; zręczność; ruchliwość
aging ['eidʒiŋ] = **ageing**
agio ['eidʒi,ou] *s giełd* ażio
agiotage ['ædʒətidʒ] *s giełd* ażiotaż; spekulacja giełdowa
agist [ə'dʒist] *vt* brać na wypas (bydło na własne pastwisko za wynagrodzeniem)
agitate ['ædʒi,teit] [I] *vt* 1. porusz-yć/ać; potrząs-

-nąć/ać (**sth** czymś); wstrząs-nąć/ać (**sth** coś, czymś) 2. wzrusz-yć/ać (**sb** kogoś), wstrząs-nąć/ać (zebranymi, czyimś umysłem) 3. roztrząs-ać/nąć (sprawę) [II] *vi* agitować (**for sb, sth** za kimś, czymś) *zob* **agitated, agitating**

agitated ['ædʒi,teitid] [I] *zob* **agitate** [II] *adj* 1. wzruszony; wstrząśnięty; poruszony 2. podniecony

agitating ['ædʒi,teitiŋ] [I] *zob* **agitate** [II] *adj* 1. wzruszający; emocjonujący; podniecający 2. wstrząsający

agitation [,ædʒi'teiʃən] *s* 1. poruszenie 2. ruch 3. wzruszenie; podniecenie 4. roztrząsanie (sprawy) 5. niepokój; niepokoje (społeczne) 6. agitacja, agitowanie

agitator ['ædʒi,teitə] *s* 1. agitator/ka 2. trząśnica <trzęsarka> (maszyna)

agitprop [,ædʒit'prɔp] *s* agitator/ka propagandzist-a/ka

aglet ['æglit] *s* 1. bazia <kotka> (brzozy itp.) 2. skuwka (sznurowadła itp.) 3. akselbant

aglow [ə'glou] *adv adj praed* 1. płonący; w ogniu; rozpalony; **to be ~** a) *dosł i przen* jarzyć się b) czerwienić się 2. promieniejący; *przen* **~ with health** tryskający zdrowiem

agnail ['ægneil] *s med* zanokcica

agnate ['ægneit] *adj* 1. krewn-y/a w linii męskiej <po mieczu> 2. *przen* pokrewny

agnomen [æg'noumen] *s* przydomek

agnostic [æg'nɔstik] *s filoz* agnostyk

agnosticism [æg'nɔsti,sizəm] *s filoz* agnostycyzm

ago [ə'gou] *adv w okolicznikach czasu*: ... temu; przed; **a week ~** tydzień temu; przed tygodniem; **how long ~?** a) odkąd? b) jak dawno temu?

agog [ə'gɔg] *adv adj praed* w napięciu; **to be ~ for sth** oczekiwać czegoś w napięciu; **to set ~** z/elektryzować (miasto itd.), wprawi-ć/ać w stan wielkiego podniecenia

agoing [ə'gouiŋ] *adv adj praed* w ruchu; **to set ~** puścić w ruch

agonic [ə'gɔnik] *adj geogr* **~ line** linia agoniczna

agonistic [,ægə'nistik] *adj* 1. zapaśniczy 2. *przen* polemiczny

agonize ['ægə,naiz] [I] *vi* cierpieć męczarnie <katusze> [II] *vt* dręczyć; męczyć; być męczarnią <śmiertelną udręką> (**sb** dla kogoś) *zob* **agonizing**

agonizing ['ægə,naiziŋ] [I] *zob* **agonize** [II] *adj* dręczący; bolesny; rozdzierający

agony ['ægəni] *s* 1. agonia; (*w gazecie*) **~ column** lista ofiar (katastrofy, wojny itp.) 2. śmiertelna udręka; męczarnia; katusze 3. (*także* **an ~ of pain**) ból nie do zniesienia 4. paroksyzm; spazm

agoraphobia [,ægərə'foubiə] *s med* lęk przestrzeni, agorafobia

agraffe [ə'græf] *s med* klamra

agrarian [æ'greəriən] [I] *adj* agrarny [II] *s* 1. agrariusz 2. stronni-k/czka reform agrarnych

agree [ə'gri:] [I] *vi* 1. zg-odzić/adzać się <wyra-zić/żać zgodę> (**to sth** na coś); **to ~ with sb's opinion** podzielać czyjeś zdanie; **we ~d to differ** każdy z nas pozostał przy swoim zdaniu 2. uzg-odnić/adniać (**about sth** coś) 3. porozumie-ć/wać się (**upon** <**as to**> **sth** co do czegoś); wspólnie ustal-ić/ać (warunki itp.) 4. (*o rzeczach*) zgadzać się (**with sth** z czymś); odpowiadać (**with sth** czemuś) 5. *gram* zgadzać się 6. (*o potrawach, klimacie itd*) służyć (**with sb** komuś); **it did not ~ with me** (to) zaszkodziło mi; **the climate does not ~ with me** ten klimat mi nie służy <szkodzi mi> [II] *vt* uzg-odnić/adniać (rachunki itp.) *zob* **agreed**

agreeable [ə'griəbl] *adj* 1. miły; sympatyczny 2. zgodny; **to be ~ to sth** zgadzać się na coś; **to be ~ to sb** odpowiadać komuś 3. (*o czymś*) zgodny (**to sth** z czymś)

agreeableness [ə'griəblnis] *s* 1. uprzejmość; przyjemne <sympatyczne> cechy 2. zalety 3. zgodność (**to** <**with**> **sth** z czymś)

agreed [ə'gri:d] [I] *zob* **agree** [II] *adj* 1. (*o grupie osób*) zgodni; jednomyślni; **to be ~ with sb on** <**about**> **sth** zgadzać się z kimś w jakiejś sprawie 2. **~ upon** uzgodniony; postanowiony 3. (*o wniosku itp*) przyjęty [III] *interj* (*także* **that's ~!**) zgoda!

agreement [ə'gri:mənt] *s* 1. porozumienie; układ; umowa 2. zgoda; **in ~** zgodny; **to act in ~** działać zgodnie 3. ugoda 4. zgodność

agrestic [ə'grestik] *adj* 1. wiejski 2. nieokrzesany

agricultural [,ægri'kʌltʃurəl] *adj* rolniczy; **~ engineer** inżynier rolnik

agriculture [,ægri'kʌltʃə] *s* rolnictwo; uprawa ziemi

agrimony ['ægriməni] *s bot* rzepik; parzydło

agrimotor ['ægri,moutə] *s* traktor, ciągnik

agronomic [,ægrə'nɔmik] *adj* rolniczy

agronomist [ə'grɔnəmist] *s* agronom

agronomy [ə'grɔnəmi] *s* agronomia

aground [ə'graund] *adv* na mieliźnie; **to run ~** osiąść na mieliźnie

ague ['eigju:] *s med* malaria, zimnica

ague-cake ['eigju:,keik] *s med* powiększenie śledziony

aguish ['eigjuiʃ] *adj* 1. (*o stanie*) gorączkowy 2. (*o klimacie*) malaryczny 3. (*o człowieku*) cierpiący na malarię

ah [ɑ:] *interj* ach!; **~ me!** biada mi!

↑**ahead** [ə'hed] *adv* 1. na przodzie; z przodu 2. na przedzie; na czele 3. *mar* na dziobie 4. (posuwać się) naprzód; **look** <**see**> **~** a) *dosł i przen* patrzeć naprzód b) być przewidującym; **to go ~** a) robić postępy b) mówić <robić> coś dalej 5. przed (**of sb, sth** kimś, czymś); **to get ~ of sb, sth** wyprzedzić <zdystansować> kogoś

aheap [ə'hi:p] *adv* w gromadzie; jeden na drugim

ahoy [ə'hɔi] *interj mar* halo tam!

ahull [ə'hʌl] *adv mar* ze zwiniętymi żaglami

↑**aid** [eid] [I] *vt* 1. pom-óc/agać (**sb** komuś) 2. wspom-óc/agać; subwencjonować [II] *s* 1. pomoc; **with** <**by**> **the ~ of sth** za pomocą czegoś; **to come to sb's ~** przyjść komuś z pomocą 2. wsparcie; **in ~ of a hospital etc.** na rzecz szpitala itp. 3. pomocni-k/ca 4. *pl* **~s** poradnik (lekarski, ogrodniczy itd.) 5. *pl* **~s** *hist* danina; pożyczka (udzielona skarbowi państwa); **~s and appliances** środki pieniężne

aide-de-camp ['eiddə'kɔ̃:ŋ] *s* (*pl* **aides-de-camp** ['eidzdə'kɔ̃:ŋ]) *s* adiutant

aide-mémoire ['eid,memwɑ:] *s* (*pl* **aides-mémoire** ['eidz,memwɑ:]) *dypl* aide-mémoire

aigrette ['eigret] *s* 1. *zoo* biała czapla 2. (*w kapeluszu itp*) egreta

aiguille ['eigwi:l] *s* iglica (skała)

ail [eil] [I] *vt* dolegać (**sb** komuś); boleć [II] *vi* (*także* **to be ~ing**) chorować
aileron ['eilə,rɔn] *s lotn* lotka
ailment ['eilmənt] *s* dolegliwość
aim [eim] [I] *vt* 1. celować <wy/mierzyć> (**a gun etc. at sb** do kogoś z rewolweru itd.); **to ~ a blow at sb** wymierzyć komuś cios 2. rzucić <cisnąć> (**a stone at sb, sth** kamieniem w kogoś, coś) 3. s/kierować (uwagę itp.) (**at sb** pod czyimś adresem); **to be ~ed against sb, sth** godzić w kogoś, coś [II] *vi* 1. celować <wy/mierzyć> (**at sb <sth> with a gun** do kogoś <czegoś> z broni palnej) 2. dążyć <zmierzać> (**at sth, at being <becoming> sth** do czegoś; *am* **to be <become> sth** do czegoś); mieć na celu (**at sth** coś) [III] *s* 1. cel, **to miss one's ~** nie trafić, chybić; **to take ~ at sb** wziąć/brać kogoś na cel 2. dążenie; **with the ~ of —** w celu ...
aimless ['eimlis] *adj* bezcelowy; bez celu
aimlessly ['eimlisli] *adv* bez celu
ain't [eint] *sl* = **is <are, am, have> not** *zob* **be**
air[1] [εə] [I] *s* powietrze; **by ~** drogą powietrzną; samolotem; **castles in the ~** zamki na lodzie; **it's all in the ~** to jeszcze wisi w powietrzu; **there are rumours in the ~** krążą pogłoski; **to clear the ~** uzdrowić atmosferę; **to live on ~** żyć powietrzem <z powietrza>; **to take the ~** przewietrzyć <przejść> się; **to vanish <melt> into thin ~** zniknąć, ulotnić się; **to walk <tread> on ~** nie posiadać się z radości; być wniebowziętym; *radio* **to be on the ~** a) (*o rozgłośni*) nadawać; transmitować; **we shall be on the ~** będziemy nadawali; usłyszą nas państwo b) (*o prelegencie itd*) przem-ówić/awiać c) (*o programie itd*) być nadawanym; **is on the ~** transmituje się [II] *attr* powietrzny; lotniczy; **Air Chief Marshal** pierwszy marszałek lotnictwa; **Air Commodore** komodor (generał brygady lotn. ang.); **~ conveyance** przewóz drogą powietrzną; **~ crew** a) załoga samolotu b) kwalifikowany lotnik; **~ eliminator** odpowietrznik; **Air Force** lotnictwo (wojskowe w Anglii); **Air Marshal** marszałek lotnictwa (generał broni lotn. ang.); **~ mechanic** mechanik w lotnictwie; **~ raid** nalot; **~ rank** oficer wyższego dowództwa lotnictwa; **~ superiority** przewaga lotnicza; **~ train** szybowiec ciągnięty na linie przez samolot [III] *vt* 1. prze/wietrzyć 2. prze/wentylować (kwestię itp.); wyciąg-nąć/ać (bolączki) na jaw 3. popis-ać/ywać się (**sth** czymś — wiedzą, postępowymi poglądami itp.) *zob* **airing**
air[2] [εə] *s muz* aria; melodia
air[3] [εə] *s* 1. mina; postawa; **to give oneself ~s** zadzierać nosa; pysznić <nadymać> się 2. wygląd; powierzchowność 3. (wywierane) wrażenie 4. atmosfera; nastrój
air-base ['εə,beis] *s* baza lotnicza
air-bed ['εə,bed] *s* materac nadmuchiwany
air-bladder ['εə'blædə] *s* pęcherzyk
air-blast ['εə,bla:st] *s* prąd powietrza
air-bone ['εə,boun] *s zoo* kość pneumatyczna
airborne ['εə,bɔ:n] *adj* przewieziony drogą lotniczą
air-brake ['εə,breik] *s* hamulec pneumatyczny
air-brick ['εə,brik] *s* pustak (cegła)
air-bump ['εə,bʌmp] *s lotn* próżnia; dziura powietrzna
air-cell ['εə,sel] = **air-bladder**
air-chamber ['εə,tʃeimbə] *s* 1. dętka (rowerowa itp.) 2. komora powietrzna
air-conditioning ['εə-kən,diʃəniŋ] *s* klimatyzacja
air-cooled ['εə,ku:ld] *adj* chłodzony powietrzem
aircraft ['εə,kra:ft] *s* 1. (*pl* **aircraft**) samolot; **~ carrier** lotniskowiec 2. lotnictwo (wiedza oraz flota powietrzna)
aircraftman ['εə,kra:ftmən] *s* (*pl* **aircraftmen** ['εə ,kra:ftmən]) mechanik lotniczy
air-cushion ['εə'kuʃin] *s* poduszka nadmuchiwana
air-drill ['εə,dril] *s* świder pneumatyczny
airedale ['εə,deil] *s zoo* airedale terier
air-exhauster ['εər-ig,zɔ:stə] *s techn* ekshauster powietrzny
airfield ['εə,fi:ld] *s* lotnisko
air-gas ['εə,gæs] *s* gaz powietrzny <generatorowy, *hutn* czadnicowy>
air-gun ['εə,gʌn] *s* wiatrówka (strzelba)
air-hole ['εə,houl] *s* 1. otwór wentylacyjny 2. przerębla 3. pęcherzyk (w metalu)
air-hostess ['εə,houstis] *s* stewardessa (w samolocie)
airily ['εərili] *adv* 1. impertynencko 2. lekko; niedbale; beztrosko
airiness ['εərinis] *s* 1. dobra wentylacja; dobre powietrze 2. trzpiotowatość; sowizdrzalstwo 3. beztroska; niedbałość; obojętność
airing ['εəriŋ] [I] *zob* **air**[1] *v* [II] *s* 1. wietrzenie; wentylacja 2. przechadzka; **I'll take an ~** pójdę się przewietrzyć
air-jacket ['εə,dʒækit] *s mar* kamizelka ratunkowa
airless ['εəlis] *adj* 1. bez powietrza; nie wietrzony; duszny 2. bezwietrzny
air-lift ['εə,lift] *s* most lotniczy; operacja lotnicza
air-line ['εə,lain] *s* 1. linia lotnicza 2. *am* linia powietrzna <prosta>
air-lock ['εə,lɔk] *s* 1. zator powietrzny 2. komora powietrzna
air-mail ['εə,meil] [I] *s* poczta lotnicza [II] *attr* **~ edition** wydanie gazety w celu dostarczenia drogą powietrzną
airman ['εəmən] *s* (*pl* **airmen** ['εəmən]) lotnik
air-mass ['εə,mæs] *s meteor* masa powietrza
air-minded ['εə,maindid] *adj* (*o społeczeństwie*) rozumiejący doniosłość lotnictwa
air-passages ['εə'pæsidʒiz] *spl* drogi oddechowe
air-plane ['εə,plein] *s* samolot
air-pocket ['εə,pɔkit] *s lotn* próżnia; dziura powietrzna
air-port ['εə,pɔ:t] *s* lotnisko; aeroport
air-pressure ['εə,preʃə] *s meteor* ciśnienie atmosferyczne
air-pump ['εə,pʌmp] *s* pompa pneumatyczna <do nadymania dętek>
air-raid ['εə,reid] *attr* 1. (*o alarmie*) lotniczy 2. (*o obronie*) przeciwlotniczy; **~ shelter** schron przeciwlotniczy; **~ warning** alarm przeciwlotniczy
air-route ['εə,ru:t] *s* linia lotnicza
air-screw ['εə,skru:] *s* śmigło
air-shaft ['εə,ʃa:ft] *s* szyb wentylacyjny
air-shed ['εə,ʃed] *s* hangar
air-ship ['εə,ʃip] *s* statek powietrzny
air-sickness ['εə,siknis] *s* choroba powietrzna (w czasie lotu)
air-silencer ['εə,sailənsə] *s* tłumik (przy motorze)
air-space ['εə,speis] *s* kubatura

air-strip ['ɛə,strip] *s* 1. pas startowy 2. lądowisko, lotnisko (prowizoryczne)

air-tight ['ɛə,tait] *adj* hermetyczny

air-trap ['ɛə,træp] *s* syfon (hydrauliczny)

air-truck ['ɛə,trʌk] *s* samolot towarowy

airway ['ɛə,wei] *s* 1. trasa lotnicza 2. *górn* szyb wentylacyjny

air-worthy ['ɛə,wə:ði] *adj* (*o samolocie*) kwalifikujący się do latania

airy ['ɛəri] *adj* (**airier** ['ɛəriə], **airiest** [,ɛəriist]) 1. przewiewny; z dobrą wentylacją 2. *poet* wzniosły 3. (*o kroku kobiety itp*) lekki 4. (*o materiałach*) powiewny 5. (*o zachowaniu się*) trzpiotowaty; sowizdrzalski; niedbały; beztroski 6. impertynencki.

aisle [ail] *s* 1. nawa boczna (w kościele) 2. przejście między ławkami (w kościele; *am* w szkole, między krzesłami w kinie itp.)

ait [eit] *s* wysepka (na rzece)

aitch [eitʃ] *s* 1. *litera* h 2. *głoska* h; **to drop one's ~es** a) pomijać głoskę h w wymowie b) *przen* mieć wymowę gwarową; wykazywać brak wykształcenia

aitchbone ['eitʃ,boun] *s* 1. kość krzyżowa 2. krzyżówka (mięso)

ajar [ə'dʒɑ:] *adv adj praed* (*o drzwiach*) uchylony

akimbo [ə'kimbou] *adv w zwrocie*: **with arms ~** podparłszy <wziąwszy> się pod boki

akin [ə'kin] *adj praed* pokrewny (**to sb, sth** komuś, czemuś)

akinesia [,æki'ni:siə] *s med* bezruch, akineza

alabaster ['ælə,bɑ:stə] *s* alabaster

alack [ə'læk] † *interj* niestety!

alacrity [ə'lækriti] *s* gotowość; skwapliwość; **with ~** skwapliwie; ochoczo

alar ['eilə] *adj* 1. skrzydłowaty; skrzydłowy 2. *anat* pachowy

alarm [ə'lɑ:m] [I] *s* 1. alarm; trwoga; **in ~** a) w trwodze b) zaalarmowany; zatrwożony; **to give the ~** za/alarmować; **to take (the) ~** za/trwożyć się 2. sygnał ostrzegawczy; **to sound <ring> the ~** uderzyć <za/dzwonić> na alarm 3. urządzenie alarmujące <alarmowe> 4. pobudka; capstrzyk [II] *vt* za/alarmować; za/trwożyć; s/płoszyć; **to be ~ed at sth** za/trwożyć <za/niepokoić> się czymś *zob* **alarming**

alarm-clock [ə'lɑ:m,klɔk] *s* (*także* **alarum-clock**) budzik

alarming [ə'lɑ:miŋ] [I] *zob* **alarm** *v* [II] *adj* zatrważający

alarmist [ə'lɑ:mist] *s* panika-rz/rka

alarm-post [ə'lɑ:m,poust] *s wojsk* plac alarmowy

alarum [ə'lɛərəm] *s* 1. mechanizm sygnalizujący 2. budzik 3. dzwonek budzika

alas [ə'læs] *interj* niestety!; **~ the day!** o dniu nieszczęsny!

alated ['eileitid] *adj* skrzydlaty

alb [ælb] *s kośc* komża

Albanian [æl'beinjən] [I] *s* Alba-ńczyk/nka [II] *adj* albański

albatross ['ælbə,trɔs] *s zoo* albatros

albeit [ɔ:l'bi:it] *conj lit* chociaż; aczkolwiek

Albert ['ælbət] *spr* **~ chain** rodzaj łańcuszka do zegarka; **~ Hall** nazwa sali koncertowej w Londynie

albescent [æl'besənt] *adj* bielejący

albinism ['ælbi,nizəm] *s* albinizm, bielactwo

albino [æl'bi:nou] *s* albinos/ka

album ['ælbəm] *s* album; pamiętnik

albumen, albumin ['ælbjumin] *s chem* albumina, białko

albuminoid [æl'bju:mi,nɔid] *s biol chem* albuminoid

albuminous [æl'bju:minəs] *adj* białkowy

albuminuria [æl,bju:mi'njuəriə] *s med* białkomocz

alburnum [æl'bə:nəm] *s bot* biel (u drzewa)

alchemic [æl'kemik] *adj* alchemiczny

alchemist ['ælkimist] *s* alchemik

alchemy ['ælkimi] *s* alchemia

alcohol ['ælkə,hɔl] *s* alkohol; spirytus

alcoholic [,ælkə'hɔlik] [I] *adj* alkoholowy; spirytusowy; wyskokowy [II] *s* alkoholi-k/czka

alcoholism ['ælkəhɔ,lizəm] *s* alkoholizm

alcoholize ['ælkəhɔ,laiz] *vt* moczyć w spirytusie; alkoholizować

Alcoran [,ælkɔ'rɑ:n] *s* Koran

alcove ['ælkouv] *s* 1. alkowa 2. nisza 3. altanka

aldehyde ['ældi,haid] *s chem* aldehyd

alder ['ɔ:ldə] *s bot* olcha

alderman ['ɔ:ldəmən] *s* (*pl* **aldermen** ['ɔ:ldəmən]) radny miejski

aldermanry ['ɔ:ldəmənri] *s* 1. dzielnica miasta 2. godność radnego miejskiego

ale [eil] *s* piwo angielskie; **pale <brown> ~** jasne <ciemne> piwo angielskie

aleatory ['eiliətəri] *adj* przypadkowy; zależny od szczęścia

alee [ə'li:] *adv mar* po stronie odwietrznej; pod wiatr

alehouse ['eil,haus] *s* piwiarnia

alembic [ə'lembik] *s* alembik

↑**alert** [ə'lə:t] [I] *adj* 1. raźny; żwawy 2. czujny [II] *s* alarm; pogotowie; **on the ~** na baczności; w pogotowiu

alertness [ə'lə:tnis] *s* 1. raźność; żwawość 2. czujność

alewife ['eil,waif] *s* (*pl* **alewives** ['eil,waivz]) 1. karczmarka 2. *zoo* śledziowata ryba północnoamerykańska

alexandrine [,ælig'zændrain] *s prozod* aleksandryn

alfa(-grass) ['ælfə(,grɑ:s)] *s bot* ostnica

alfalfa [æl'fælfə] *s bot* lucerna

alfresco [æl'freskou] [I] *adv* na świeżym powietrzu [II] *adj* (*o posiłku itp*) na świeżym powietrzu

alga ['ælgə] *s* (*pl* **algae** ['ældʒi:]) alga, wodorost, glon

algebra ['ældʒibrə] *s* algebra

algebraic(al) [,ældʒi'breiik(əl)] *adj* algebraiczny

Algerian [æl'dʒiəriən] [I] *adj* algierski [II] *s* Algier-czyk/ka

algid ['ældʒid] *adj med* zimny; skostniały

algorism ['ælgə,rizəm], **algorithm** ['ælgə,riðəm] *s mat* algorytm

alias ['eili,æs] [I] *adv* inaczej (zwany); vel [II] *s* pseudonim

alibi ['æli,bai] [I] *s* 1. alibi 2. *sl* wymówka [II] *vi sl* tłumaczyć <usprawiedliwi-ć/ać> się

alidade ['æli,deid] *s miern* alidada, celownica

alien ['eiliən] [I] *adj* 1. cudzoziemski; obcej narodowości 2. obcy (**to sb, sth** komuś, czemuś) 3. odmienny (**from sb, sth** od kogoś, czegoś) 4. wstrętny (**to sb** komuś) 5. przeciwny (**to <from> sth** czemuś); niezgodny (**to sth** z czymś) [II] *s* cudzoziem-iec/ka

alienable ['eiliənəbl] *adj* (*o majątku*) przenośny

alienate ['eiliəˌneit] *vt* 1. przen-ieść/osić (majątek na kogoś) 2. zra-zić/żać (**sb from sb** kogoś do kogoś); odstręcz-yć/ać (**sb from sb** kogoś od kogoś)
alienation [ˌeiliə'neiʃən] *s* 1. *prawn* przeniesienie (własności); alienacja 2. zrażenie; odstręczenie 3. (*także* **mental ~, ~ of mind**) obłęd; obłąkanie
alien-enemy ['eiliən'enimi] *s* obywatel/ka wrogiego kraju
alien-friend ['eiliən'frend] *s* obywatel/ka kraju zaprzyjaźnionego
alienism ['eiljəˌnizəm] *s med* psychiatria
alienist ['eiliənist] *s* psychiatra, alienista
alight[1] [ə'lait] *vi* 1. zsi-ąść/adać (z konia itd.); wysi-ąść/adać (z pociągu itp.); zesk-oczyć/akiwać; skoczyć na ziemię 2. (*o ptaku*) si-ąść/adać 3. (*o samolocie*) wylądować
alight[2] [ə'lait] *adj praed* 1. zapalony; płonący 2. zaświecony; **to be ~** a) świecić się b) palić się
align [ə'lain] [I] *vt* 1. wyrówn-ać/ywać 2. ustawi-ć/ać w szeregu <w prostej linii> 3. wyprostować [II] *vi* 1. sta-nąć/wać w szeregu 2. wyrówn-ać/ywać szereg
alignment [ə'lainmənt] *s* 1. wyrównanie; **in ~** wyrównany; **out of ~** nie wyrównany 2. ustawienie (się) w szeregu <w prostej linii> 3. wyprostowanie
alike [ə'laik] [I] *adj praed przy rzeczowniku w pl:* podobn-i/e; jednakow-i/e [II] *adv* 1. podobnie; jednakowo 2. zarówno; także; tak samo; **winter and summer ~** zarówno w zimie, jak i w lecie
aliment ['ælimənt] *s* pokarm; pożywienie
↑**alimentary** [ˌæli'mentəri] *adj* 1. pożywny; odżywczy 2. *anat* **the ~ canal** przewód pokarmowy
alimentation [ˌælimen'teiʃən] *s* 1. pożywienie 2. wyżywienie
alimony ['æliməni] *s* 1. alimenta, alimenty 2. alimentacja
aline [ə'lain] = **align**
alinement [ə'lainmənt] = **alignment**
aliquot ['æliˌkwɔt] [I] *adj mat* mieszczący się bez reszty [II] *s mat* podzielnik
alive [ə'laiv] *adj praed* 1. żyjący; żywy; **burnt <buried> ~** spalony <pogrzebany> żywcem; **to be ~** żyć; **to keep ~** a) utrzym-ać/ywać przy życiu b) zachow-ać/ywać (zwyczaj itp.) c) czcić (pamięć czyjąś, czegoś) d) podtrzym-ać/ywać <podsyc-ić/ać> (ogień, uczucia); **while ~** za życia; **any man ~** ktokolwiek na świecie; **man ~!** człowiecze!; **the best man ~** najlepszy w świecie człowiek 2. *w zwrocie*: **to be ~ to sth** zda-ć/wać sobie sprawę z czegoś; doceni-ć/ać coś 3. pełen życia <wigoru>; **look ~!** pośpieszyć tam!; prędzej!; żywiej! 4. *w zwrocie*: **to be ~ with** — roić się od ... 5. *elektr* pod napięciem; pod prądem
alizarin [ə'lizərin] *s chem* alizaryna
alkalescent [ˌælkə'lesnt] *adj chem* alkalizujący
alkali ['ælkəˌlai] *s* (*pl* **~s, ~es**) *chem* zasada; ługowiec; alkalia
alkaline ['ælkəˌlain] *adj chem* zasadowy, alkaliczny
alkalize ['ælkəˌlaiz] *vt chem* alkalizować
alkaloid ['ælkəˌlɔid] *s chem* alkaloid
↑**all** [ɔ:l] [I] *adj* 1. wszystek; wszystko; wszyscy; **after ~** a jednak; ostatecznie; mimo wszystko; **~ of us <you, them>** my <wy, oni, one> wszys-cy/tkie; **~ together, ~ in ~** wszystko <wszys-cy/tkie> razem; razem wziąwszy; ogółem; **and ~ that** ... i nie wiem, co tam jeszcze; ... i tak dalej; **as ... as ~ that** aż taki... (zły, dobry itd.); **for ~ times** po wszystkie czasy; na zawsze; **for good and ~** na dobre; ostatecznie; (**frame, baby, harness etc.**) **and ~** ... razem z (ramą — mówiąc o obrazie; dzieckiem — mówiąc o wózku, kołysce itp.; uprzężą — mówiąc o koniu itd.); **most of ~** a) najbardziej ze wszystkiego b) najwięcej c) przede wszystkim; **once for ~** raz na zawsze; **that's about ~** to chyba wszystko; **twenty etc. in ~** wszystkiego <ogółem> dwadzieścia itd.; razem dwadzieścia (sztuk) itd. 2. cały; **~ the way** a) przez całą drogę b) do końca trasy; **for ~** a) mimo (całego jego bogactwa itd., wszystkiego, co powiecie itd.) b) jeżeli chodzi o; o ile; **for ~ I care** jeżeli o mnie chodzi; **for ~ I know** o ile wiem; **for ~ that** mimo wszystko; **with ~ speed <diligence, cordiality etc.>** jak najszybciej <najpilniej, najserdeczniej itd.> 3. każdy; **at ~ hours** o każdej porze; *sport* **5 <20 etc.> ~** po 5 <20 itd.> (dla każdej strony) 4. **at ~** wcale; w ogóle; **not at ~** a) bynajmniej; wcale; ani trochę b) *odpowiadając na podziękowanie*: proszę bardzo 5. **~ but** o mało nie; prawie że [II] *s* wszystko (co ktoś posiada); **it's my ~** to cały mój majątek; **he is my ~** on jest dla mnie wszystkim [III] *adv* 1. całkiem; zupełnie; **~ alone** zupełnie sam; **~ at once** nagle 2. *w zwrocie*: **~ the better <the worse, the quicker, the slower etc.>** tym lepiej, tym lepszy <gorzej, gorszy; szybciej, szybszy; wolniej, wolniejszy itd.> 3. *w zwrotach*: **to be ~ ears** zamienić się w słuch; **to be ~ impatience** płonąć niecierpliwością; **he was ~ blood and dust** cały był we krwi i w kurzu 4. **~ along** od początku (wiedziałem, czułem itd.) 5. *w zwrotach*: **~ right** dobrze; **to be ~ right** być zdrowym; **I'm ~ right** nic mi nie brakuje; nic mi nie jest 6. *w zwrocie*: **~ the same** a) wszystko jedno b) niemniej jednak c) mimo wszystko 7. *w zwrocie*: **to be ~ for sth** a) gorąco coś popierać b) niczego bardziej nie pragnąć niż...
allantois [ˌælən'tɔis] *s anat* omocznia
all-around ['ɔ:lə'raund] *am* = **all-round**
allay [ə'lei] *vt* 1. uśmierz-yć/ać (ból itp.) 2. ucisz-yć/ać (kogoś, coś) 3. uspok-oić/ajać (gniew, obawy itp.) 4. rozpr-oszyć/aszać (podejrzenia itp.) 5. zaspok-oić/ajać (głód itp.) 6. przy/tłumić (zapał itp.)
all-conquering ['ɔ:l'kɔŋkəriŋ] *adj* wszechmocny
allegation [ˌæle'geiʃən] *s* twierdzenie (jakoby ...); zarzut
allege [ə'ledʒ] *vt* 1. twierdzić (**that** — jakoby ...) 2. powoł-ać/ywać się (**sb, sth** na kogoś, coś) 3. wym-ówić/awiać się (**sth** czymś) *zob* **alleged**
alleged [ə'ledʒd] [I] *zob* **allege** [II] *adj* 1. rzekomy 2. przypuszczalny; domniemany
allegiance [ə'li:dʒəns] *s* 1. wierność; posłuszeństwo 2. *hist* hołd; poddaństwo
allegoric(al) [ˌæle'gɔrik(əl)] *adj* alegoryczny
allegory ['æligəri] *s* alegoria
all-embracing [ˌɔ:l-im'breisiŋ] *adj* 1. (*o wiedzy*) wszechstronny 2. (*o miłości*) bezgraniczny 3. (*o geście*) szeroki 4. (*o rozprawie*) obszerny; wyczerpujący
allergic [ə'lə:dʒik] *adj* alergiczny, uczulony (**to sth** na coś)

allergy ['ælədʒi] *s* alergia, uczulenie (**to sth** na coś)
alleviate [ə'li:vi,eit] *vt* 1. ulżyć <przynieść ulgę> (**sb's pain etc.** komuś w bólu itp.) 2. zaspok-oić/ajać (pragnienie itp.)
alleviation [ə,li:vi'eiʃən] *s* 1. ulga (**of pain etc.** w bólu itd.); złagodzenie (bólu itp.) 2. zaspokojenie (pragnienia itp.)
alley ['æli] *s* 1. aleja 2. *am* uliczka (w mieście); boczna ulica; zaułek; **blind ~** ślepa ulica 3. ścieżka (w ogrodzie)
alley-way ['æli,wei] *s* 1. *am* boczna uliczka 2. przejście; pasaż
All-Fools'-Day ['ɔ:l'fu:lz,dei] s prima aprilis
all-fours ['ɔ:l'fɔ:z] *s w zwrocie:* **on ~** na czworakach
All-Hallows-Day ['ɔ:l'hælouz,dei] *s* dzień Wszystkich Świętych
alliaceous [,æli'eiʃəs] *adj bot* czosnkowy; cebulowy
alliance [ə'laiəns] *s* 1. przymierze; sojusz; alians 2. skoligacenie
allice, allis ['ælis], **allice-shad** ['ælis,ʃæd] *s zoo* aloza, złotośledź
allied [ə'laid] [I] *zob* **ally[1]** *v* [II] *adj* ['ælaid] 1. sprzymierzony 2. pokrewny
↑**alligator** ['æli,geitə] *s zoo* aligator; krokodyl; *techn* **~ wrench** klucz do rur
alligator-pear ['æli,geitə'pɛə] *s bot* grusza adwokacka
all-important ['ɔ:l-im'pɔ:tənt] *adj* największej wagi <doniosłości>; nader ważny
all-in [ɔ:l'in] *adj* ogólny; łączny; globalny; **~ policy** polisa ubezpieczeniowa od wszelkiego ryzyka; **~ wrestling** walka zapaśnicza w wolnym stylu; *pot* wolnoamerykanka
allis *zob* **allice**
alliteration [ə,litə'reiʃən] *s prozod* aliteracja
alliterative [ə'litə,reitiv] *adj prozod* aliteracyjny
all-mains ['ɔ:l'meinz] *attr* (*o radioodbiorniku*) na wszystkie napięcia
all-night ['ɔ:l'nait] *adj* całonocny; **~ pass** przepustka na całą noc
allocate ['ælə,keit] *vt* 1. wy/asygnować <przeznacz-yć/ać> (kwotę na coś); wyznacz-yć/ać (komuś funkcję); rozdziel-ić/ać (kwotę) 2. umie-ścić/szczać
allocation [,ælə'keiʃən] *s* 1. przeznaczenie (funduszów na coś); podział (wydatków itp.) 2. przydział (pieniędzy); kredyty; fundusze 3. umieszczenie 4. przydział (żywności itd.)
allocution [,ælə'kju:ʃən] *s* przemówienie
allodium [ə'loudiəm] *s* majątek dziedziczny
allonge [ə'lɔ̃:ʒ] *s handl* alonż, alonżka, przedłużka
allopathy [ə'lɔpəθi] *s med* alopatia
allot [ə'lɔt] *vt* (-tt-) 1. wyznacz-yć/ać; przeznacz-yć/ać 2. po/dzielić; rozdziel-ić/ać 3. wy/asygnować (pieniądze)
allotment [ə'lɔtmənt] *s* 1. przydział 2. podział 3. przydzielona część (czegoś) 4. wyasygnowane pieniądze 5. działka 6. *pl* **~s** ogródki działkowe
allotropy [ə'lɔtrəpi] *s chem* alotropia
all-out ['ɔ:l'aut] [I] *adj* 1. całkowity; totalny 2. zdecydowany; rozpaczliwy (czyn itp.) [II] *adv* z całych sił; przy użyciu wszystkich rozporządzalnych środków
all-overish [ɔ:l'ouvəriʃ] *adj w zwrocie*: **to feel ~** być ogólnie niedysponowanym; mieć bóle w całym ciele; **I feel ~** wszystko mnie boli; czuję się rozbity
allow [ə'lau] [I] *vt* 1. pozw-olić/alać (**sb sth** komuś na coś, **sb to do sth** komuś coś zrobić); pozw-olić/alać (**sth** na coś); dopu-ścić/szczać (**sth** do czegoś — dyskusji, żartów itd.); *w stronie biernej*: **I was <you were etc.> ~ed (to enter etc.)** pozwolono mi <ci itd.> (wejść itd.); **you are not ~ed to smoke** nie wolno palić; **no dogs ~ed** psów wprowadzać nie wolno 2. przyzna-ć/wać (**sb, sth to be <that sb, sth is> —** że ktoś, coś jest...) 3. przeznacz-yć/ać <wy/asygnować> (pieniądze na jakiś cel) 4. da-ć/wać (**sb time for sth** komuś czas na coś); udziel-ić/ać (**sth** czegoś — zniżki, rabatu itp.) 5. zna-leźć/jdować (**space etc. for sth** miejsce itd. na coś) [II] *vi* 1. *najczęściej z zaprzeczeniem:* (nie) zn-ieść/osić <dopu-ścić/szczać> (**of an excuse <familiarity, delay etc.>** wymówki <poufałości, zwłoki itd.>) 2. *w zwrocie*: **to ~ for sth** a) zważać na coś; wziąć/brać coś w rachubę; uwzględni-ć/ać coś; liczyć się z czymś b) odlicz-yć/ać <potrąc-ić/ać> coś (z wypłaty itp.)
allowable [ə'lauəbl] *adj* dozwolony; dopuszczalny
allowance [ə'lauəns] [I] *s* 1. tolerowanie (nadużycia itp.) 2. asygnowanie (funduszów) 3. asygnowane fundusze 4. dodatek (do pensji itd.) 5. pensja (wypłacana przez rodziców dzieciom itp.); kieszonkowe 6. przydział (czasu itd. na coś) 7. dozwolona ilość (bagażu na kolei itd., czasu na coś itd.) 8. potrącenie (z ceny) 9. *w zwrocie*: **to make ~s for sth** wziąć/brać coś w rachubę; uwzględni-ć/ać coś (młody wiek, chorobę itp.) 10. *sport* for [II] *vt* 1. przyzna-ć/wać <wydziel-ić/ać> (**sb sth** coś komuś) 2. racjonować <wydziel-ić/ać> (żywność itp.)
allowedly [ə'laudli] = **admittedly**
alloy ['ælɔi] [I] *s* stop (metali) [II] *vt* [ə'lɔi] 1. st-opić/apiać (metal) 2. zakłóc-ić/ać <z/mącić> (szczęście itp.) [III] *vi* [ə'lɔi] (*o metalach*) stapiać się
all-powerful ['ɔ:l'pauəful] *adj* wszechmocny
all-purpose ['ɔ:l'pə:pəs] *adj* uniwersalny
all-red ['ɔ:l'red] *adj* znajdujący się wyłącznie na terytoriach brytyjskich
all-round ['ɔ:l'raund] *adj* 1. uniwersalny 2. wszechstronny
all-spice ['ɔ:l'spais] *s* indyjska przyprawa do potraw
allude [ə'lu:d] *vi* napom-knąć/ykać <wspom-nieć/inać> (**to sb, sth** o kimś, o czymś); u/czynić aluzje (**to sth** do czegoś)
allure [ə'ljuə] *vt* z/wabić; z/nęcić *zob* **alluring**
allurement [ə'ljuəmənt] *s* 1. wabienie; nęcenie 2. powab; ponęta 3. *pl* **~s** wdzięki (kobiece)
alluring [ə'ljuəriŋ] [I] *zob* **allure** [II] *adj* nęcący; ponętny
allusion [ə'lu:ʒən] *s* aluzja; napomknienie; przytyk; przymówka; **in ~ to —** w odniesieniu do ...
allusive [ə'lu:siv] *adj* napomykający; zawierający wzmiankę <aluzję>
alluvial [ə'lu:viəl] *adj geol* aluwialny; napływowy
alluvion [ə'lu:viən] *s* namuł
alluvium [ə'lu:viəm] *s* (*pl* **alluvia** [ə'lu:viə]) *geol* holocen; aluwium
ally[1] [ə'lai] *v* (**allied** [ə'laid], **allied; allying** [ə'laiiŋ]) [I] *vt* po/łączyć; s/koligacić (**sb to <with> sb** kogoś z kimś) [II] *vi* sprzymierz-yć/ać się (**to <with> sb** z kimś) *zob* **allied** [III] *s* ['ælai] sprzymierzeniec; sojusznik

ally² ['æli] *s* większa kulka kamienna (do zabaw chłopięcych)

almanac ['ɔ:lmənæk] *s* almanach

almighty [ɔ:l'maiti] [I] *adj* 1. wszechmocny 2. *sl* ogromny; straszliwy [II] *s* **the Almighty** (Bóg) Wszechmocny

almond ['a:mənd] *s* 1. *bot* migdał 2. *anat* migdałek

almond-cake ['a:mənd,keik] *s* wytłoczyny z migdałów

almond-icing ['a:mənd'aisiŋ] *s* masa migdałowa

almond-oil ['a:mənd,ɔil] *s* olejek migdałowy

almond-willow ['a:mənd'wilou] *s bot* wierzba migdałowa; mlekita

almoner ['a:mənə] *s* jałmużnik; **lady ~** opiekunka (w szpitalu)

almost ['ɔ:lmoust] *adv* prawie (że); niemal; blisko; jak gdyby; o mało <ledwo> nie ...; **he is ~ nothing now** on już jest właściwie niczym; **I ~ killed myself** o mało się nie zabiłem; niewiele brakowało, żebym się zabił; byłbym się zabił; *am* **~ never** rzadko kiedy; prawie nigdy

alms [a:mz] *s* (*także pl* **alms**) jałmużna

alms-box ['a:mz,bɔks] *s* puszka (na datki)

alms-giving ['a:mz,giviŋ] *s* rozdawanie jałmużny

almshouse ['a:mz,haus] *s* przytułek

almsman ['a:mzmən] *s* (*pl* **almsmen** ['a:mzmən]) mieszkaniec przytułku

almswoman ['a:mz,wumən] *s* (*pl* **almswomen** ['a:mz,wimin]) mieszkanka przytułku

aloe ['ælou] *s* 1. *bot* aloes 2. *farm* alona

aloetic [,ælou'etik] *adj* aloesowy

aloft [ə'lɔft] *adv* w górę; do góry; w górze; wysoko; hen

alone [ə'loun] [I] *adj praed* sam; w pojedynkę, jedyny; sam jeden; **to leave** <**let**> **sb, sth ~** a) *dosł i przen* nie (do)tykać kogoś, czegoś b) da-ć/wać komuś, czemuś spokój; **let ~ —** nie mówiąc już o ...; a co dopiero ... [II] *adv* tylko; jedynie

along [ə'lɔŋ] [I] *adv* 1. *w zwrocie*: **all ~** a) od (samego) początku b) (przez) cały czas 2. *przy czasowniku*: naprzód; dalej; **we are getting ~** idziemy naprzód; robimy postępy; **to shuffle ~** iść naprzód szurając nogami 3. z sobą; **take that ~** weź to z sobą [II] *praep* 1. wzdłuż; po (czymś — murze, podłodze itd.); **all ~ the road** wzdłuż całej drogi; **~ the street** <**the pavement, the coast etc.**> ulicą <chodnikiem, wybrzeżem itd.> 2. *w zwrotach*: **~ with sb, sth** razem z kimś, czymś; **~ with all that —** do tego wszystkiego jeszcze ... 3. *pot* przez (kogoś); **it's all ~ of him** to wszystko przez niego

alongshore [ə'lɔŋ'ʃɔ:] *adv* wzdłuż brzegu <wybrzeża>, wybrzeżem

alongside [ə'lɔŋ'said] [I] *praep* obok (kogoś, czegoś); przy (molu, burcie itd.) [II] *adv* wzdłuż; obok; **~ of sth** wzdłuż czegoś; **to come ~ of a ship** podpły-nąć/wać do statku

aloof [ə'lu:f] *adv* z dala; z daleka; na boku; **to hold oneself ~** a) stać na uboczu b) trzymać się z rezerwą c) nie udzielać się

aloofness [ə'lu:fnis] *s* rezerwa; powściągliwość

alopecia [,ælə'pi:ʃiə] *s med* wyłysienie

aloud [ə'laud] *adv* na głos; głośno

↑**alp** [ælp] *s* 1. turnia 2. hala (górska)

alpaca [æl'pækə] *s* 1. *zoo* alpaka 2. alpaga, alpaka (materiał)

alpenstock ['ælpin,stɔk] *s* długa okuta laska

↑**alpha** ['ælfə] [I] *s gr litera* alfa [II] *attr* **~ rays** promienie alfa

alphabet ['ælfəbit] *s* alfabet, abecadło

alphabetic(al) [,ælfə'betik(əl)] *adj* alfabetyczny

alpine ['ælpain] *adj* alpejski; górski

alpinist ['ælpinist] *s* alpinist-a/ka

already [ɔ:l'redi] *adv* już; poprzednio, uprzednio

Alsatia [æl'seiʃiə] *spr* dzielnica Londynu mająca ongiś prawo udzielania przestępcom azylu

Alsatian [æl'seiʃjən] [I] *adj* alzacki [II] *s* 1. Alzatczyk/ka 2. wilczur

also ['ɔ:lsou] *adv* też, także; również

alt [ælt] *s muz* rejestr altowy; **in ~** a) w rejestrze altowym b) altem c) *przen* podniecony

Altaic [æl'teiik] *adj geogr* ałtajski

altar ['ɔ:ltə] *s* ołtarz

altar-cloth ['ɔ:ltə,klɔθ] *s* obrus kościelny

altar-piece ['ɔ:ltə,pi:s] *s* rzeźba <obraz> nad ołtarzem

altar-rail ['ɔ:ltə,reil] *s* balaski przed ołtarzem

altar-screen ['ɔ:ltə,skri:n] = **altar-piece**

alter ['ɔ:ltə] [I] *vt* zmieni-ć/ać; odmieni-ć/ać; przemieni-ć/ać; przer-obić/abiać; **that ~s everything** to zmienia postać rzeczy; **circumstances ~ cases** ocena zależy od okoliczności [II] *vi* zmieni-ć/ać <odmieni-ć/ać, przemieni-ć/ać> się

alteration [,ɔ:ltə'reiʃən] *s* zmiana; odmiana; przemiana

alterative ['ɔ:ltərətiv] *adj* (*o leku*) przestrajający

altercate ['ɔ:ltə,keit] *vi* po/kłócić się

altercation [,ɔ:ltə:'keiʃən] *s* sprzeczka; zwada; kłótnia

alternant [ɔ:l'tə:nənt] *adj przy rzeczowniku w pl*: zmienny; występujący na przemian

↑**alternate** ['ɔ:ltə,neit] [I] *vt* zmieni-ć/ać kolejno; brać <stosować, używać> kolejno [II] *vi* następować <występować, zmieniać się> kolejno <na przemian> *zob* **alternating** [III] *adj* ['ɔ:l'tə:nit] *przy rzeczowniku w pl*: zmienny; kolejny; występujący na przemian; *mat* przeciwległy; **on ~ days** co drugi dzień

alternately [ɔ:l'tə:nitli] *adv* kolejno; na przemian

↑**alternating** ['ɔ:ltə:,neitiŋ] [I] *zob* **alternate** *v* [II] *adj* kolejny; zmienny; występujący na przemian; co drugi; *elektr* **~ current** prąd zmienny [III] *s am* zastępca delegata

↑**alternation** [,ɔ:ltə:'neiʃən] *s* 1. kolejne następstwo 2. ruch wahadłowy

alternative [ɔ:l'tə:nətiv] [I] *s* alternatywa; wybór [II] *adj* 1. alternatywny; wzajemnie się wykluczający 2. inny (do wyboru)

alternator ['ɔltə:,neitə] *s elektr* prądnica prądu zmiennego, alternator

although [ɔ:l'ðou] *conj* chociaż, choć; aczkolwiek; mimo że

altimeter [æl'timitə] *s* wysokościomierz, altymetr

altitude ['ælti,tju:d] *s* 1. wysokość (nad poziomem morza); **at high ~s** na dużych wysokościach 2. wzniesienie 3. wyżyna

alto ['æltou] [I] *s* 1. alt (śpiewak i głos) 2. alt; kontralt (śpiewaczka i głos) 3. alt (rodzaj skrzypiec) 4. altówka (instrument muzyczny) [II] *attr* altowy; **~ clef** klucz altowy

altogether [,ɔ:ltə'geðə] [I] *adv* 1. zupełnie; całkowicie; całkiem 2. razem; ogółem; **taking things**

~ wszystko razem wziąwszy [II] *s* 1. całość 2. *pot plast* **the ~** akt 3. *pl* **~s** trykoty

altruism ['æltru,izəm] *s* altruizm

altruist ['æltruist] *s* altruist-a/ka

altruistic [,æltru'istik] *adj* altruistyczny

alum ['æləm] [I] *s chem* ałun [II] *vt* (-mm-) ałunować

alumina [ə'lju:minə] *s chem* tlenek glinowy

aluminate[1] [ə'lju:minit] *s chem* glinian

aluminate[2] [ə'lu:mi,neit] *vt* ałunować

aluminium [,ælju'minjəm], *am* **aluminum** [ə'lu:mi nəm] [I] *s chem* aluminium [II] *attr* aluminiowy

alumnus [ə'lʌmnəs] *s* (*pl* **alumni** [ə'lʌmnai]) wychowaniec; wychowanek (uniwersytetu; *am* także innych szkół)

alunite ['ælju,nait] *s miner* ałunit

alveolar [æl'viələ] *adj* 1. zębodołowy 2. przegródkowy 3. (*o głosce*) dziąsłowy 4. (*o oddechu*) pęcherzykowy

alveolate [æl'viəlit] *adj bot* komórkowy

alveolus [æl'viələs] *s* (*pl* **alveoli** [æl'viə,lai]) 1. dół; komórka; wgłębienie; zębodół 2. pęcherzyk (płucny)

always ['ɔ:lwəz] *adv* zawsze; stale; ciągle; wciąż

am *zob* **be**

a. m. ['ei'em] *skr łac* **ante meridiem** rano; przed południem

amain [ə'mein] *adv poet* 1. z całych sił 2. pędem

amalgam [ə'mælgəm] *s* amalgamat

amalgamate [ə'mælgə,meit] [I] *vt* z/amalgamować; po/łączyć [II] *vi* z/amalgamować <po/łączyć> się

amalgamation [ə,mælgə'meiʃən] *s* 1. połączenie; fuzja 2. *am* mieszanie rasy białej z czarną

amanita [,æmə'naitə] *s bot* muchomór

amanuensis [ə,mænju'ensis] *s* (*pl* **amanuenses** [ə,mænju'ensi:z]) sekreta-rz/rka piszący-y/a pod dyktando

amaranth ['æmə,rænθ] *s* amarant

amaranthine [,æmə'rænθain] *adj* 1. amarantowy 2. *lit* nieśmiertelny

amaryllis [,æmə'rilis] *s bot* amarylis, amarylek, amarylka

amass [ə'mæs] *vt* na/gromadzić

amateur ['æmə,tə:] *s* 1. amator/ka; miłośni-k/czka 2. dyletant/ka

amateurish [,æmə'tə:riʃ] *adj* 1. amatorski 2. dyletancki

amateurishness [,æmə'tə:riʃnis] *s* 1. amatorstwo 2. dyletantyzm

amative ['æmətiv] *adj* kochliwy

amatol ['æmə,tɔl] *s* amatol (środek wybuchowy)

amatory ['æmətəri] *adj* (*o liście, poemacie itp*) miłosny

amaurosis [,æmɔ:'rousis] *s med* jasna ślepota, porażenie nerwu wzrokowego

amaze [ə'meiz] *vt* wprawi-ć/ać w zdumienie, zdumiewać; **to be ~d at sth** być zdumionym czymś; **I am ~d at him** nie mogę mu się nadziwić; zdumiewa mnie *zob* **amazing**

amazement [ə'meizmənt] *s* zdumienie; osłupienie

amazing [ə'meiziŋ] [I] *zob* **amaze** [II] *adj* zdumiewający

Amazon ['æməzən] *s mitol* Amazonka

ambages [æm'beidʒi:z] *spl lit* dwuznaczności; **without ~** bez ogródek

ambassador [æm'bæsədə] *s* ambasador; poseł (**to** <**in**> **a country** w kraju; **in** <**at**> **a capital** w stolicy)

ambassadorial [æm,bæsə'dɔ:riəl] *adj* poselski; należący do ambasady

ambassadress [æm'bæsədris] *s* 1. ambasadorka 2. ambasadorowa

amber ['æmbə] [I] *s* bursztyn [II] *adj* (*o kolorze itd*) bursztynowy

ambergris ['æmbə,gris] *s* ambra

ambidexter ['æmbi'dekstə] *adj* 1. oburęczny; władający z jednakową wprawą obiema rękami 2. obłudny

ambiency ['æmbiənsi] *s* atmosfera (otaczająca kogoś, coś)

ambient ['æmbiənt] *adj* otaczający

ambiguity [,æmbi'gjuiti] *s* 1. dwuznaczność 2. niejasność 3. zagadkowość

ambiguous [æm'bigjuəs] *adj* 1. dwuznaczny 2. niejasny; mętny 3. zagadkowy

ambit ['æmbit] *s* 1. obwód; okręg; obręb 2. granice 3. zasięg

ambition [æm'biʃən] *s* ambicja; **great ~s** wysokie aspiracje

ambitious [æm'biʃəs] *adj* 1. ambitny; **to be ~ to do sth** mieć ambicję dokonania <zrobienia> czegoś 2. żądny (**of sth** czegoś)

ambivalence [æm'bivələns] *s psych* ambiwalencja, dwuwartościowość uczuć

ambivalent [æm'bivələnt] *adj psych* (*o uczuciu, stanie uczuciowym*) ambiwalentny, dwuwartościowy

amble ['æmbl] [I] *vi* 1. (*o koniu*) kłusować 2. (*o człowieku*) iść spokojnym krokiem [II] *s* 1. wolny kłus 2. (*u człowieka*) spokojny krok

ambler ['æmblə] *s* jednochodziec (koń)

ambrosia [æm'brouziə] *s* ambrozja

ambs-ace ['eimz,eis] *s* 1. dwie jedynki (w grze w kości) 2. *przen* pech 3. rzecz bezwartościowa

ambulance ['æmbjuləns] [I] *s* 1. ambulans 2. karetka pogotowia ratunkowego; sanitarka [II] *attr* (*o pociągu, samolocie itd*) sanitarny

ambulatory ['æmbjulətəri] [I] *adj* 1. wędrowny 2. (*o pacjencie*) zdolny do wykonywania pracy zawodowej [II] *s* krużganki; arkady klasztorne

ambuscade [,æmbəs'keid] = **ambush**

ambush ['æmbuʃ] [I] *s* zasadzka; czaty; **in ~** na czatach; zaczajony; **to lay an ~** urządzić zasadzkę; **to lie in ~** czaić się; czatować [II] *vt* wciąg-nąć/ać w zasadzkę [III] *vi* za/czaić się; czatować

ameer, amir [ə'miə] *s* emir

ameliorate [ə'mi:liə,reit] [I] *vt* ulepsz-yć/ać; udoskonal-ić/ać [II] *vi* polepsz-yć/ać <udoskonal-ić/ać> się

amelioration [ə,mi:liə'reiʃən] *s* ulepszenie; polepszenie; udoskonalenie; poprawa

amen ['ei:'men] *interj* amen; oby się tak stało; **to say ~ to sth** życzyć, by się coś spełniło

amenability [ə,mi:nə'biliti] *s prawn* odpowiedzialność (**to law** wobec prawa)

amenable [ə'mi:nəbl] *adj* 1. odpowiedzialny (**to sb** wobec kogoś) 2. podlegający (**to sth** czemuś — kompetencji sądu itp.); **~ to a fine etc.** podlegający karze grzywny itd. 3. posłuszny; uległy 4. wrażliwy (na dobre traktowanie itp.); **~ to common sense** rozsądny; skłonny do słuchania głosu rozsądku

amenableness [ə'mi:nəblnis] *s* 1. odpowiedzialność (**to sb** wobec kogoś) 2. podleganie (**to sth** czemuś — kompetencji sądu, karze itp.) 3. uległość 4. wrażliwość (**to sth** na coś)

amend [ə'mend] I *vt* 1. wn-ieść/osić poprawki (**sth** do czegoś) 2. poprawi-ć/ać; naprawi-ć/ać II *vi* 1. poprawi-ć/ać <naprawi-ć/ać> się 2. poprawi-ć/ać swe postępowanie

↑ **amendment** [ə'mendmənt] *s* 1. poprawka 2. poprawa <naprawa> (błędu itp.)

amends [ə'mendz] *s* odszkodowanie; kompensacja; rekompensata; **to make ~ for an injury** naprawi-ć/ać <wynagr-odzić/adzać> szkodę

↑ **amenity** [ə'mi:niti] *s* 1. urok <powab> (miejscowości itd.) 2. uprzejmość; grzeczność 3. *pl* **amenities** ułatwienia 4 *pl* **amenities** przyjemności; rozkosze

amenorrh(o)ea [ei,menə'riə] *s med* brak menstruacji <miesiączki>

ament [ə'ment] *s* bazia <kotka> (brzozy itp.)

amentia [ə'menʃiə] *s med* wrodzone matołectwo

amerce [ə'mə:s] *vt* 1. u/karać grzywną 2. s/konfiskować

↑ **American** [ə'merikən] I *adj* amerykański II *s* Amerykan-in/ka

Americanism [ə'merikə,nizəm] *s* amerykanizm

Americanize [ə'merikə,naiz] I *vt* z/amerykanizować; nada-ć/wać obywatelstwo amerykańskie (**sb** komuś) II *vi* używać amerykanizmów; operować amerykanizmami

amethyst ['æmiθist] *s* ametyst

amiability [,eimjə'biliti] *s* uprzejmość (**to sb** dla <wobec> kogoś); grzeczne słowa

amiable ['eimjəbl] *adj* 1. uprzejmy (**to sb** dla <wobec> kogoś) 2. miły; sympatyczny

amianthus [,æmi'ænθəs] *s miner* amiant

amicable ['æmikəbl] *adj* 1. przyjacielski; przyjazny 2. polubowny 3. *mat* (*o liczbach*) zaprzyjaźniony

amice[1] ['æmis] *s kośc* kapturek (mnicha); czapeczka (kanonika)

amice[2] ['æmis] *s kośc* humerał

amid [ə'mid] = **amidst**

amide ['æmaid] *s chem* amid

amidships [ə'midʃips] *adv mar* w śródokręciu

amidst [ə'midst] *praep* wśród, pośród; między, pomiędzy

amine [ə'main] *s chem* amina

amir *zob* **ameer**

amiss [ə'mis] *adv* 1. źle; na opak; **not ~** nie od rzeczy; **to be ~** być nie w porządku; szwankować; **to take ~** wziąć za złe 2. niepomyślnie; niefortunnie

amity ['æmiti] *s* dobre <przyjazne> stosunki; zgoda

ammeter ['æmitə] *s elektr* amperomierz

ammo ['æmou] *s sl* amunicja

ammonia [ə'mouniə] *s chem* amoniak

ammoniac [ə'mouni,æk] *adj chem* amoniakalny; **sal ~** salmiak

ammoniated [ə'mouni,eitid] *adj chem* amonizowany

↑ **ammonium** [ə'mounjəm] I *s chem* amon II *attr chem* amonowy

ammunition [,æmju'niʃən] I *s* amunicja II *attr* (*w wojsku*) skarbowy; *pot* fasowany

amnesia [æm'ni:ziə] *s* amnezja, utrata pamięci

amnesty ['æmnesti] I *s* amnestia II *vt* (**amnestied** ['æmnestid], **amnestied; amnestying** ['æmnestiiŋ]) udziel-ić/ać amnestii (**sb** komuś)

amnion ['æmniən] *s anat* owodnia

amniotic [,æmni'ɔtik] *adj med* owodniowy

amoeba [ə'mi:bə] *s* (*pl* **~s, amoebae** [ə'mi:bi:]) *zoo* ameba, pełzak

amok [ə'mʌk] *adv w zwrocie*: **to run ~** a) wpaść w szał b) całkowicie stracić panowanie nad sobą; *pot* wyjść z siebie

among(st) [ə'mʌŋ(st)] *praep* 1. wśród, pośród; między, pomiędzy; **from ~** spomiędzy; **to count** <**number**> **sb ~ _** zalicz-yć/ać kogoś do ... 2. u (ludzi, zwierząt itd.)

amoral [æ'mɔrəl] *adj* amoralny

amorous ['æmərəs] *adj* 1. zakochany (**of sb** w kimś) 2. kochliwy 3. (*o wierszu itp*) miłosny

amorousness ['æmərəsnis] *s* kochliwe usposobienie

amorphism [ə'mɔ:fizəm] *s* amorfizm, bezpostaciowość

amorphous [æ'mɔ:fəs] *adj* 1. bezpostaciowy; bezkształtny; amorficzny 2. niewyraźny

amortization [ə,mɔ:ti'zeiʃən] *s* 1. amortyzacja; umorzenie (długu itp.) 2. *prawn* przejęcie na rzecz państwa (dóbr martwej ręki)

amortize [ə'mɔ:taiz] *vt* 1. z/amortyzować; um-orzyć/arzać 2. przej-ąć/mować na rzecz państwa (dobra martwej ręki)

amount [ə'maunt] I *vi* 1. (*o liczbach, kwotach itp*) wynosić (**to _** tyle to) 2. równać się (**to sth** czemuś); być równoznacznym (**to sth** z czymś); oznaczać (**to sth** coś) ‖ (*o człowieku*) **he won't ~ to much** nie będzie z niego wielkiej pociechy; prochu nie wynajdzie II *s* 1. kwota; ilość; liczba; suma; **a large ~ of _** dużo ...; **any ~** nieprzebrane ilości; mnóstwo; **to the ~ of _** do wysokości <do kwoty> ... 2. znaczenie; **of little ~** małego znaczenia, o małym znaczeniu

amour [ə'muə] *s* romans; miłostka

amour-propre ['æmuə'prɔpr] *s* miłość własna; zarozumiałość; próżność

amperage ['æmpəridʒ] *s elektr* natężenie w amperach

ampère ['æmpεə] *s elektr* amper

ampersand ['æmpəs,ænd] *s* znak & = i

amphibia [æm'fibiə] *spl* gady

amphibian [æm'fibiən] I *adj* = **amphibious; an ~ tank** czołg amfibia II *s* zwierzę ziemnowodne

amphibious [æm'fibiəs] *adj* ziemnowodny

amphibology [,æmfi'bɔlədʒi] *s* dwuznaczność; dwuznacznik

amphibrach ['æmfi,bræk] *s prozod* amfibrach

amphigory ['æmfigəri], **amphigouri** [,æmfi'guəri] *s* wiersz bez sensu

amphitheatre [,æmfi'θiətə] *s* 1. amfiteatr 2. półkole 3. *teatr* balkon pierwszego piętra

amphora ['æmfərə] *s* (*pl* **amphorae** ['æmfə,ri:]) amfora

ample ['æmpl] *adj* obszerny; obfity; hojny, suty; dostatni, wystarczający; **we have ~ time** mamy aż nadto <w nadmiarze> czasu

ampleness ['æmplnis] *s* 1. obszerność 2. obfitość; sutość; dostatniość

amplification [,æmplifi'keiʃən] *s* 1. rozszerzenie; rozwinięcie (tematu itp.) 2. *elektr* wzmocnienie

↑ **amplifier** ['æmpli,faiə] *s elektr* wzmacniacz; amplifikator

amplify ['æmpli,fai] *vt* (**amplified** ['æmpli,faid], **amplified; amplifying** ['æmpli,faiiŋ]) 1. rozszerz-yć/ać; rozwi-nąć/jać 2. rozwodzić się (**sth** nad czymś) 3. przesadz-ić/ać; rozdmuch-ać/iwać 4. *elektr* wzm-ocnić/acniać

↑**amplitude** ['æmpli,tju:d] *s* 1. *fiz mat* amplituda 2. obszerność 3. obfitość 4. daleki zasięg

ampoule ['æmpu:l] *s* ampułka (do leku)

ampulla [æm'pulə] *s* (*pl* **ampullae** [æm'puli:]) *kość biol* ampułka

amputate ['æmpju,teit] *vt* z/amputować; odci-ąć/nać

amputation [,æmpju'teiʃən] *s* amputacja

amuck [ə'mʌk] = **amok**

amulet ['æmjulit] *s* amulet

amuse [ə'mju:z] *vt* u/bawić; zabawi-ć/ać; rozerwać; rozwesel-ić/ać; rozśmiesz-yć/ać; **to be ~d at** <by> **sth** u/bawić się czymś; **to keep people ~d** bawić towarzystwo <innych> *zob* **amusing**

amusement [ə'mju:zmənt] [I] *s* 1. zabawa; rozrywka 2. *pl* **~s** (drobne) przyjemności [II] *attr* (*o lokalu itp*) rozrywkowy; **~ park** wesołe miasteczko; lunapark

amusing [ə'mju:ziŋ] [I] *zob* **amuse** [II] *adj* zabawny

amygdaline [ə'migdə,lain] *adj med* migdałowy

amylaceous [,æmi'leiʃəs] *adj chem* skrobiowy

amyloid ['æmi,lɔid] *adj chem* skrobiowaty

an *zob* **a**[2]

ana ['ɑ:nə] *s* zbiór anegdot <powiedzeń, wspomnień>

anabolism [ə'næbə,lizəm] *s biol* anabolizm

anachronism [ə'nækrə,nizəm] *s* anachronizm

anacoluthon [,ænəkə'lu:θən] *s* (*pl* **anacolutha** [,ænəkə'lu:θə]) *jęz* anakolut

anaconda [,ænə'kɔndə] *s zoo* anakonda (wąż)

anacreontic [,ænəkri'ɔntik] *s* anakreontyk (utwór poetycki)

anacrusis [,ænə'kru:sis] *s prozod* anakruza

anaemia [ə'ni:miə] *s* anemia

anaemic [ə'ni:mik] *adj* anemiczny

anaerobe [ə'nɛəroub] *s biol* beztlenowiec

anaerobic [,ænɛə'roubik] *adj* beztlenowy

anaesthesia [,ænis'θi:ziə] *s med* narkoza

anaesthetic [,ænis'θetik] [I] *adj* znieczulający [II] *s* środek znieczulający; narkoza

anaesthetist [æ'ni:sθitist] *s* anestetyst-a/ka, narkotyzer/ka

anaesthetization [æ,ni:sθitai'zeiʃən] *s* podawanie narkozy; usypianie (do zabiegu); znieczulanie

anaesthetize [æ'ni:sθi,taiz] *vt* uśpić/usypiać; da-ć/wać narkozę (**sb** komuś); znieczul-ić/ać

anagram ['ænə,græm] *s* anagram

analecta [,ænə'lektə], **analects** ['ænə,lekts] *spl* analekta, wybrane fragmenty (z pism)

analeptic [,ænə'leptik] *s farm* lek orzeźwiający <krzepiący, pobudzający>

analgesic [,ænæl'dʒesik] *adj* przeciwbólowy; uśmierzający ból

analogical [,ænə'lɔdʒikəl] *adj* analogiczny

analogize [ə'nælə,dʒaiz] [I] *vt* objaśni-ć/ać <przedstawi-ć/ać> przez analogię [II] *vi* 1. rozumować przez analogię 2. przedstawi-ć/ać analogię (**with sth** do czegoś)

analogous [ə'næləgəs] *adj* 1. analogiczny 2. zbieżny (**to** <**with**> **sth** z czymś)

↑**analogy** [ə'nælədʒi] *s* analogia

analyse ['ænə,laiz] *vt* 1. z/analizować; z/robić analizę (chem. itd.) (**sth** czegoś) 2. *gram* z/robić rozbiór (**a sentence** zdania)

analysis [ə'næləsis] *s* (*pl* **analyses** [ə'nælə,si:z]) analiza; rozbiór

↑**analytical** [,ænə'litikəl] *adj* analityczny

anamnesis [,ænəm'ni:sis] *s med* anamneza, wywiad chorobowy

anamorphosis [,ænəmɔ:'fousis] *s opt* anamorfoza

anandrous [ə'nændrəs] *adj bot* bezpręcikowy

anapaest ['ænə,pi:st] *s prozod* anapest

anarchic(al) [ə'nɑ:kik(əl)] *adj* anarchiczny

anarchism ['ænə,kizəm] *s* anarchizm

anarchist ['ænəkist] *s* anarchist-a/ka

anarchy ['ænəki] *s dosł i przen* anarchia

anastigmat [ə'næstig,mæt] *s opt fot* anastygmat

anastomosis [,ænəstə'mousis] *s* (*pl* **anastomoses** [,ænəstə'mousi:z]) 1. *med* anastomoza 2. zespolenie; krzyżowanie się

anastrophe [ə'næstrəfi] *s gram* anastrofa

anathema [ə'næθimə] *s* klątwa

anathematize [ə'næθimə,taiz] *vt* rzuc-ić/ać klątwę (**sb** na kogoś); wykl-ąć/inać

anatomic(al) [,ænə'tɔmik(əl)] *adj* anatomiczny

anatomize [ə'nætə,maiz] *vt* 1. z/robić sekcję (**sth** czegoś) 2. z/analizować; z/badać

anatomy [ə'nætəmi] *s* 1. anatomia 2. *pot* szkielet; *żart* ciało

anbury ['ænbəri] *s* 1. (*u koni, bydła*) czyrak 2. (*u roślin*) kiła kapuściana

ancestor ['ænsistə] *s* przodek, antenat

ancestral [æn'sestrəl] *adj* rodowy; dziedziczny; odziedziczony po przodkach

ancestry ['ænsistri] *s* 1. *zbior* przodkowie, antenaci 2. ród; pochodzenie

anchor ['æŋkə] [I] *s* 1. kotwica; **at ~** na kotwicy; zakotwiczony; **~ dues** (opłaty) kotwiczne; **~ watch** wachta <warta, straż> na statku na redzie 2. *przen* źródło ufności; opoka 3. *bud* kotew [II] *vt* zakotwicz-yć/ać [III] *vi* 1. zarzuc-ić/ać kotwicę 2. *przen* uczepić <czepiać> się 3. *przen* zakorzeni-ć/ać się

anchorage ['æŋkəridʒ] *s* 1. *mar* miejsce zakotwiczenia 2. kotwiczne (opłata) 3. *przen* deska ratunku

anchoress ['æŋkəris] *s* pustelnica, anachoretka

anchoret ['æŋkə,ret], **anchorite** ['æŋkə,rait] *s* 1. pustelnik, anachoreta 2. *przen* odludek

anchovy ['æntʃəvi] *s zoo kulin* sardela

anchylose ['æŋki,lous] *vi* z/drętwieć

anchylosis [,æŋki'lousis] *s* zdrętwienie

ancient ['einʃənt] [I] *adj* 1. (*o historii itd*) starożytny 2. (*o zwyczajach, rodzie itp*) starodawny 3. (*o człowieku*) wiekowy; sędziwy [II] *spl* **the ~s** (ludzie) starożytni

ancillary [æn'siləri] *adj* 1. podrzędny; podporządkowany; podwładny 2. pomocniczy

ancon ['æŋkən] *s* (*pl* **~es** [æŋ'kouni:z]) *bud* 1. wspornik (gzymsu) 2. występ (architrawu itd.)

and [ænd, ənd] *conj* 1. i; **both ... ~ —** tak ..., jak i ... 2. a; **I am going, ~ you?** ja idę, a ty? 3. *po niektórych czasownikach przed bezokolicznikiem*: **come ~ have a game of —** chodź zagrać w ...; **go ~ see** idź popatrzeć 4. (*w zwrotach*) z ; **bread ~ butter** chleb z masłem; **carriage ~ pair** powóz dwukonny; **coffee ~ milk** biała kawa; **watch ~ chain** zegarek z łańcuszkiem 5. coraz; **better ~**

better coraz lepiej <lepszy> || **two ~ two, three ~ three** parami, trójkami
Andalusian [ˌændə'lu:zjən] [I] *s* Andaluzyj-czyk/ka [II] *adj* andaluzyjski
andiron ['ændˌaiən] *s* wilk (u kominka)
androgynous [æn'drɔdʒinəs] *adj bot* dwupłciowy
anecdotage ['ænekˌdoutidʒ] *s* 1. zbiór anegdot 2. gadatliwa starość
anecdotal [ˌænek'doutl] *adj* anegdotyczny
anecdote ['ænekˌdout] *s* anegdota
anemia [ə'ni:miə] = **anaemia**
anemometer [ˌæni'mɔmitə] *s* anemometr, wiatromierz
anemone [ə'neməni] *s bot* anemon, zawilec
anemophilous [ˌæni'mɔfiləs] *adj bot* wiatropylny
anent [ə'nent] † *praep szkoc* co do; co się tyczy
↑**aneroid** ['ænəˌrɔid] *s meteor* aneroid
aneurin ['ænjuərin] *s chem* aneuryna, witamina B_1
aneurism, aneurysm ['ænjuəˌrizəm] *s med* anewryzm, tętniak
anew [ə'nju:] *adv* znowu; na nowo; jeszcze raz; od nowa; od początku
anfractuosity [ˌænfræktju'ɔsiti] *s* kołowanie; zawiłość
angel ['eindʒəl] [I] *s* 1. anioł; **an ~ of a girl** <**boy etc.**> anioł nie dziewczyna <nie chłopiec itd.> 2. złota moneta dziesięcioszylingowa 3. *pot* człowiek finansujący przedsięwzięcie [II] *attr* (*o twarzy itd*) anielski
angel-fish ['eindʒəlˌfiʃ] *s zoo* anioł morski (rekin)
angelic [æn'dʒelik] *adj* anielski
angelica [æn'dʒelikə] *s bot* dzięgiel
angelus ['ændʒiləs] *s kośc* Anioł Pański
anger ['æŋgə] [I] *s* gniew; złość [II] *vt* z/gniewać; rozgniewać; roz/złościć; z/irytować
↑**angina** [æn'dʒainə] *s med* angina; **~ of effort** dusznica bolesna powysiłkowa
angiospermous [ˌændʒiə'spə:məs] *adj bot* okrytozalążkowy; okrytonasienny
↑**angle**[1] ['æŋgl] *s* 1. *geom* kąt; **at an ~** pod kątem; pochylony 2. punkt widzenia; **from all ~s** ze wszystkich stron (rozpatrzyć sprawę itp.)
angle[2] ['æŋgl] [I] *s* haczyk do łowienia ryb [II] *vi* łowić (na wędkę); uprawiać wędkarstwo; być wędkarzem; *przen* polować (**for sth** na coś — męża, komplementy itp.); **to ~ for trout** łowić <chodzić na> pstrągi *zob* **angling**
angle[3] ['æŋgl] *vt* podawać tendencyjnie (wiadomość prasową)
angle-iron ['æŋglˌaiən] *s techn* kątówka
angler ['æŋglə] *s* wędkarz
anglesite ['æŋgliˌsait] *s miner* anglezyt, siarczan ołowiu, ruda ołowiana
Anglican ['æŋglikən] *adj* 1. anglikański 2. *am* angielski
anglicist ['æŋglisist] *s* anglist-a/ka
angling ['æŋgliŋ] [I] *zob* **angle**[2] *v* [II] *s* wędkarstwo
anglistics [ˌæŋ'glistiks] *s* anglistyka
Anglo-Catholic ['æŋglou'kæθəlik] *s* wyznaw-ca/czyni katolickości kościoła anglikańskiego
Anglo-Indian ['æŋglou'indiən] *s* 1. mieszaniec — potomek rodziców, z których jedno jest pochodzenia angielskiego, drugie hinduskiego 2. Ang-lik/ielka urodzon-y/a w Indiach
anglophile ['æŋglouˌfail] *s* anglofil/ka
Anglo-Saxon ['æŋglou'sæksən] [I] *s* 1. Anglosas 2. język anglosaski [II] *adj* anglosaski

↑**angora** [æŋ'gɔ:rə] *s tekst zoo* angora
angrily ['æŋgrili] *adv* gniewnie; w gniewie, w złości; ze złością
angry ['æŋgri] *adj* (**angrier** ['æŋgriə], **angriest** ['æŋgriist]) 1. gniewny; zły; rozzłoszczony; zagniewany; **to be** <**get**> **~ with sb at** <**about**> **sth** roz/złościć <roz/gniewać> się na kogoś o coś; **to make ~** roz/gniewać, roz/złościć 2. (*o ranie itp*) zaogniony
anguish ['æŋgwiʃ] *s* udręczenie; boleść; udręka; ból; **I was in ~** cierpiałem; znosiłem katusze <męczarnie>
↑**angular** ['æŋgjulə] *adj* 1. *dosł i przen* kanciasty 2. narożny 3. *mat* kątowy
angularity [ˌæŋgju'læriti] *s* kanciastość
anhydride [æn'haidraid] *s chem* bezwodnik
anhydrite [æn'haidrait] *s miner* anhydryt
anigh [ə'nai] *adv lit* blisko
anil ['ænil] *s bot* indygowiec
anile ['ænail] *adj* głupi; starobabski
↑**aniline** ['æniˌlain] *s chem* anilina
anility [æ'niliti] *s* starcza utrata władz umysłowych
animadversion [ˌænimәd'və:ʃən] *s* krytyka
animadvert [ˌænimәd'və:t] *vi* s/krytykować <z/ganić> (**on sb, sth** kogoś, coś)
↑**animal** ['æniməl] [I] *s* zwierzę [II] *adj* zwierzęcy; (odnoszący się do) zwierząt
animalcula [ˌæni'mælkjulə] *spl* drobnoustroje
animality [ˌæni'mæliti] *s* zwierzęcość
animalize ['ænimәˌlaiz] *vt fizj* z/asymilować (pokarm)
animate ['æniˌmeit] [I] *vt* 1. ożywi-ć/ać 2. pobudz-ić/ać (**sth** do czegoś) *zob* **animated** [II] *adj* ['ænimit] ożywiony; żywy
animated ['æniˌmeitid] [I] *zob* **animate** *v* [II] *adj* ożywiony (**by sth** czymś); **~ cartoons** <**pictures**> film/y rysunkow-y/e
↑**animation** [ˌæni'meiʃən] *s* 1. ożywienie 2. pobudka
animosty [ˌæni'mɔsiti] *s* animozja; uraza <złość> (**against sb** do kogoś)
anise ['ænis] *s* anyż (roślina)
aniseed ['æniˌsi:d] *s* anyż (nasienie)
ankle ['æŋkl] *s anat* kostka; **~ deep** po kostki; **~ sock** krótka skarpetka po kostkę <do kostki>
↑**anklet** ['æŋklit] *s* obrączka na nóżkę (ptaka)
anna ['ænə] *s* (*w Indiach*) anna (moneta = $^1/_{16}$ rupii)
annalist ['ænəlist] *s* kronikarz
annals ['ænlz] *spl* kronika
anneal [ə'ni:l] *vt metal* żarzyć, wyżarzać
annelida [æ'nelidə] *spl zoo* pierścienice
annex[1] ['æneks] = **annexe**
annex[2] [ə'neks] *vt* 1. za/anektować 2. przyłącz-yć/ać; dołącz-yć/ać
annexation [ˌænek'seiʃən] *s* aneksja; zaanektowanie; zabór
annexe ['æneks] *s* 1. załącznik; dodatek 2. pawilon; oficyna
annihilate [ə'naiəˌleit] *vt* z/niszczyć; unicestwi-ć/ać; z/niweczyć
↑**annihilation** [əˌnaiə'leiʃən] *s* 1. zniszczenie; unicestwienie; zniweczenie 2. sczeznięcie
anniversary [ˌæni'və:səri] *s* rocznica
Anno Domini ['ænou'dɔmiˌnai] [I] *adv* w roku Pańskim; roku Pańskiego; naszej ery; po Chrystusie [II] *s pot* podeszłe lata; starość; **~ is the trouble** starość nie radość

annotate [ˈænouˌteit] *vt* zaopat-rzyć/rywać (książkę) w adnotacje <w przypisy>; komentować (autora)
annotation [ˌænouˈteiʃən] *s* adnotacja; przypis
announce [əˈnauns] *vt* zawiad-omić/amiać; oznajmi-ć/ać; ogł-osić/aszać; zapowi-edzieć/adać
announcement [əˈnaunsmənt] *s* zawiadomienie; oznajmienie; ogłoszenie; zapowiedź
announcer [əˈnaunsə] *s* 1. *radio tv* spiker/ka 2. *teatr* konferansjer
annoy [əˈnɔi] *vt* 1. dokucz-yć/ać (**sb** komuś); z/martwić; s/trapić; sprawi-ć/ać przykrość (**sb** komuś) 2. naprzykrzać się (**sb** komuś); za/niepokoić; z/nękać (nieprzyjaciela itd.) 3. z/irytować *zob* **annoyed, annoying**
annoyance [əˈnɔiəns] *s* 1. strapienie; kłopot; zmartwienie; przykrość; dokuczanie 2. irytacja; **a look of ~** a) strapiona <zmartwiona> mina b) zirytowana mina
annoyed [əˈnɔid] [I] *zob* **annoy** [II] *adj* 1. strapiony; zmartwiony 2. zirytowany; **to be ~ with sb** być złym na kogoś; **to get ~ at sth** strapić <zmartwić, zirytować> się czymś
annoying [əˈnɔiiŋ] [I] *zob* **annoy** [II] *adj* przykry; dokuczliwy; nieznośny; irytujący; **how ~!** jakież to nieznośne!; co za przykrość!
annual [ˈænjuəl] [I] *adj* 1. roczny; doroczny; coroczny 2. *bot* jednoroczny [II] *s* jednoroczna roślina
annuitant [əˈnjuitənt] *s* rencist-a/ka; człowiek pozostający na dożywociu
annuity [əˈnjuiti] *s* renta; dożywocie
annul [əˈnʌl] *vt* (**-ll-**) anulować; unieważni-ć/ać; s/kasować
annular [ˈænjulə] *adj* 1. (*o palcu*) serdeczny 2. obrączkowaty 3. *astr* pierścieniowy
annulet [ˈænjulit] *s arch* rzemyk (kolumny doryckiej)
annulment [əˈnʌlmənt] *s* anulowanie; unieważnienie; s/kasowanie
annunciation [əˌnʌnsiˈeiʃən] *s* 1. oznajmienie; † zwiastowanie 2. *rel* **Annunciation** Zwiastowanie
anode [ˈænoud] *s fiz* anoda
anodyne [ˈænəˌdain] *adj fiz med* anodynowy; łagodzący
anoint [əˈnɔint] *vt* nama-ścić/szczać (olejami); pomazać (króla) *zob* **anointed, anointing**
anointed [əˈnɔintid] [I] *zob* **anoint** [II] *s* pomazaniec
anointing [əˈnɔintiŋ] [I] *zob* **anoint** [II] *s* namaszczenie (olejami); pomazanie (króla)
anomalous [əˈnɔmələs] *adj* nieprawidłowy, anomalny; nienormalny
anomaly [əˈnɔməli] *s* anomalia, nieprawidłowość
anon [əˈnɔn] *adv lit* niebawem; wkrótce; zaraz; **ever and ~** co pewien czas; ustawicznie
anonym [ˈænənim] *s* 1. (*tylko o człowieku*) anonim 2. pseudonim
anonymity [ˌænəˈnimiti] *s* anonimowość
anonymous [əˈnɔniməs] *adj* anonimowy; **the author remains ~** autor zachowuje anonimowość <nie wyjawia swego nazwiska>
another [əˈnʌðə] *adj pron* 1. inny; **~ thing** coś innego; **in ~ way** inaczej; **one way or ~** w taki czy inny sposób; tak czy owak; **taking one thing with ~** zważywszy <wziąwszy> jedno i drugie 2. jeszcze jeden 3. jeszcze (pięć minut, godzinę, tydzień itd.); dalszy (dziesiątek lat itd.); **I shall wait ~ five minutes** zaczekam jeszcze pięć minut; **many ~** niejeden jeszcze 4. **one ~** się; nawzajem
anourous [əˈnauərəs] *adj zoo* bezogonowy
anserine [ˈænsəˌrain] *adj* 1. gęsi 2. głupi
answer [ˈɑːnsə] [I] *s* 1. odpowiedź 2. rozwiązanie (zagadki) 3. *muz prawn* replika [II] *vt* 1. odpowi-edzieć/adać (**sb** komuś; **sth** na coś) 2. od-ezwać/zywać się (przy apelu itp.); **to ~ the door** otw-orzyć/ierać drzwi (na czyjś dzwonek, pukanie) 3. zgadzać się (**sth** z czymś — z rysopisem, opisem itp.); odpowiadać (**sth** czemuś — opisowi, celowi itp.) 4. wysłuchać (**sth** czegoś — prośby itp.); spełni-ć/ać (prośbę itp.) [III] *vi* 1. odpowiadać <ręczyć> (**for sb, sth** za kogoś, coś) 2. odpowiadać (**for sth to sb** za coś przed kimś) 3. *w zwrocie*: **to ~ to a name** nazywać <zwać> się 4. odpowi-edzieć/adać (na list, zarzut itd.) 5. odpowiadać (celowi, opisowi itd.)
~ back *vi* odpowiadać niegrzecznie (przełożonemu); odcinać się
answerable [ˈɑːnsərəbl] *adj* odpowiedzialny (**to sb for sth** wobec kogoś za coś)
ant [ænt] *s zoo* mrówka
antacid [ˈæntˈæsid] *s chem* środek zobojętniający kwas
antagonism [ænˈtægəˌnizəm] *s* antagonizm
antagonist [ænˈtægənist] *s* przeciwni-k/czka
antagonistic [ænˌtægəˈnistik] *adj* nieprzyjazny; wrogi
antagonize [ænˈtægəˌnaiz] *vt* 1. sprzeciwi-ć/ać się (**sb, sth** komuś, czemuś) 2. wzbudz-ić/ać wrogość (**sb** u kogoś); zra-zić/żać sobie (**sb** kogoś)
antalkali [ænˈtælkəˌlai] *s chem* neutralizator zasad
antalkaline [ænˈtælkəˌlain] *adj chem* przeciwzasadowy, przeciwalkaliczny
antarctic [æntˈɑːktik] [I] *adj* antarktyczny [II] *spr* **the Antarctic** Antarktyda
ant-bear [ˈæntˈbɛə] *s zoo* mrówkojad południowoamerykański
ant-eater [ˈæntˌiːtə] *s zoo* mrówkojad (zwierzę mrówkożerne)
antecedence [ˌæntiˈsiːdəns] *s* pierwszeństwo; starszeństwo
antecedent [ˌæntiˈsiːdənt] [I] *adj* poprzedni; uprzedni [II] *s* 1. *mat gram* poprzednik 2. *pl* **~s** antecedencje; przeszłość
antecessor [ˌæntiˈsesə] *s* poprzednik
antechamber [ˈæntiˌtʃeimbə] *s* przedpokój; poczekalnia
antedate [ˈæntiˈdeit] *vt* 1. antydatować 2. poprzedz-ić/ać
antediluvian [ˈæntidiˈluːvjən] *adj* przedpotopowy
antelope [ˈæntiˌloup] *s zoo* antylopa; *am* **the Antelope State** stan Nebraska
antemeridian [ˌæntimiˈridiən] *adj* przedpołudniowy
antenatal [ˈæntiˈneitl] *adj* przednarodzinowy; przedporodowy
antenna [ænˈtenə] *s* (*pl* **antennae** [ænˈteniː]) 1. (*u owadów*) macka; rożek; czułek 2. *radio* antena
antenuptial [ˈæntiˈnʌpʃəl] *adj* przedślubny
antepenult [ˈæntipiˈnʌlt] [I] *s gram* trzecia zgłoska od końca [II] *adj* trzeci od końca
anterior [ænˈtiəriə] *adj* poprzedni; uprzedni; wcześniejszy
anteriority [ˌæntiəriˈɔriti] *s* pierwszeństwo
anteroom [ˈæntiˌruːm] *s* przedpokój; poczekalnia

ant-fly ['ænt,flai] *s zoo* latająca mrówka

anthem ['ænθəm] *s* 1. *kośc* antyfona 2. hymn (narodowy)

anther ['ænθə] *s bot* pylnik

anthill ['ænt,hil] *s* mrowisko

anthology [æn'θɔlədʒi] *s* antologia

Anthony ['æntəni] *spr med* **(St) ~'s fire** róża

anthracite ['ænθrə,sait] *s* antracyt

anthrax ['ænθræks] *s med* karbunkuł; wrzód

anthropological [,ænθrəpə'lɔdʒikəl] *adj* antropologiczny

anthropology [,ænθrə'pɔlədʒi] *s* antropologia

anthropometry [,ænθrə'pɔmitri] *s* antropometria

anthropophagi [,ænθrə'pɔfə,dʒai] *spl* ludożercy

anthropophagy [,ænθrə'pɔfədʒi] *s* ludożerstwo

anti-aircraft ['ænti'εə,kra:ft] *adj* przeciwlotniczy

antibiotics ['æntibai'ɔtiks] *spl* antybiotyki

antibody ['ænti,bɔdi] *s fizj* przeciwciało

↑**antic** ['æntik] *s* błazeństwo

Antichrist ['ænti,kraist] *s* antychryst

anticipate [æn'tisi,peit] *vt* 1. wyprzedz-ić/ać (wypadki itd.); antycypować 2. przesądzać <uważać za pewne> (coś, co ma nastąpić) 3. cieszyć się (**sth** na coś) 4. odgad-nąć/ywać <uprzedz-ić/ać> (czyjeś życzenia, rozkazy itp.) 5. przyśpiesz-yć/ać (płatność, przyjazd itd.) 6. przewi-dzieć/dywać; oczekiwać (**sth** czegoś)

anticipation [æn,tisi'peiʃən] *s* 1. uprzedzenie; **in ~** z góry; naprzód 2. przesądzenie 3. cieszenie się (**of sth** na coś) 4. przyśpieszenie 5. przewidywanie; oczekiwanie 6. antycypacja

anticipative [æn'tisi,peitiv], **anticipatory** [æn'tisipətəri] *adj* wyczekujący; (*o nastroju itd*) wyczekiwania, oczekiwania

anticlerical ['ænti'klerikl] *adj* antyklerykalny

anticlimax ['ænti'klaimæks] *s* (przykry) kontrast; przeskok (od nastroju wzniosłego do przyziemnego); rozczarowanie; zawód

anticline ['ænti,klain] *s geol* siodło

anticonstitutional ['ænti,kɔnsti'tju:ʃənəl] *adj* antykonstytucyjny; sprzeczny z konstytucją

anticyclone ['ænti'saikloun] *s meteor* antycyklon

anti-dazzle ['ænti'dæzl] *adj* przeciwodblaskowy

antidote ['ænti,dout] *s* odtrutka, antidotum

anti-freeze [,ænti'fri:z] *s* substancja zapobiegająca zamarzaniu

antimacassar ['ænti-mə'kæsə] *s* pokrowiec (na meble)

antimony ['æntiməni] [I] *s chem* antymon [II] *attr* antymonowy

antinomy [æn'tinəmi] *s* antynomia, sprzeczność

antipathy [æn'tipəθi] *s* antypatia <niechęć> (**to** <**against**> **sb** do kogoś)

antiphlogistic ['æntiflɔ'dʒistik] *adj* przeciwzapalny

antiphon ['ænti,fɔn] *s kośc* antyfona

antipode ['ænti,poud] *s* 1. diametralne przeciwieństwo (**of** <**to**> **sb, sth** czyjeś, czegoś) 2. *pl* **~s** [æn'tipə,di:z] *geogr* antypody

antipoison ['ænti'pɔizn] *s* odtrutka

antipole ['ænti,poul] *s* 1. biegun przeciwny 2. *przen* diametralne przeciwieństwo

antipyrine ['ænti'paiərin] *s farm* antypiryna

antiquarian [,ænti'kwεəriən] *adj* antykwarski

antiquary ['æntikwəri] *s* antykwariusz; zbieracz starożytności <antyków>

antiquated ['ænti,kweitid] *adj* 1. przestarzały; staroświecki; **to become ~** wyjść z użycia 2. (*o człowieku*) o przestarzałych poglądach <zwyczajach>; starej daty

antique [æn'ti:k] [I] *adj* starożytny, antyczny [II] *s* 1. antyk, zabytek 2. sztuka antyczna 3. *druk* antykwa [III] *attr* antykwarski; **~ dealer** antykwariusz; **~ shop** antykwariat; skład starożytności

antiquity [æn'tikwiti] *s* 1. starożytność 2. *pl* **antiquities** starożytności

antirrhinum [,ænti'rainəm] *s bot* lwia paszcza; wyżlin

anti-Semite [,ænti'si:mait] *s* antysemit-a/ka

anti-Semitic [,ænti-si'mitik] *adj* antysemicki

antisepsis [,ænti'sepsis] *s med* antyseptyka

antiseptic [,ænti'septik] [I] *adj* antyseptyczny [II] *s* antyseptyk

antiserum ['ænti'siərəm] *s fizj* antyserum, przeciwsurowica

antispasmodic ['æntispæz'mɔdik] *adj med* przeciwskurczowy

anti-tank ['ænti'tæŋk] *adj* przeciwczołgowy

antithesis [æn'tiθəsis] *s* (*pl* **antitheses** [æn'tiθə,si:z]) antyteza (**to** <**of**> **sth** czegoś)

antitoxic ['ænti'tɔksik] *adj* antytoksyczny

antitoxin ['ænti'tɔksin] *s* antytoksyna

antivivisectionist ['æntivivi'sekʃənist] *s* przeciwnik wiwisekcji

antler ['æntlə] *s* róg jeleni

antonym ['æntə,nim] *s jęz* antonim, przeciwieństwo

antrum ['æntrəm] *s* (*pl* **~s, antra** ['æntrə]) *med* jama; zatoka

anus ['einəs] *s anat* odbytnica

anvil ['ænvil] *s* 1. kowadło; *przen* **on the ~** na warsztacie; w robocie 2. *anat* kowadełko

anxiety [æŋ'zaiəti] *s* 1. niepokój; trwoga; obawa; lęk 2. troska (**for sth** o coś) 3. pragnienie <pożądanie> (**for sth** czegoś) 4. usilne dążenie (**to do sth** do uczynienia czegoś)

anxious ['æŋkʃəs] *adj* 1. niespokojny <pełen niepokoju> (**about** <**for**> **sb, sth** o kogoś, coś) 2. (*o czasie, wydarzeniu itd*) niepokojący; niespokojny; pełen trwogi <napięcia, niepokoju>; budzący obawy 3. *praed* pragnący; **to be ~ to do sth** a) pragnąć coś zrobić b) palić się do czegoś; **I am ~ to _** zależy mi na tym, żeby ...; *iron* **I was not very ~ to _** nie miałem wielkiej ochoty ... 4. *am kośc* **the ~ bench** ława pokutujących; *przen* **to be on the ~ seat** być niespokojnym; być jak na mękach

anxiously ['æŋkʃəsli] *adv* 1. z niepokojem; z lękiem; z obawą; z trwogą 2. z zatroskaniem 3. z niecierpliwością

any ['eni] [I] *pron często bez odpowiednika polskiego w zdaniach pytających i przeczących* 1. *w zdaniach przeczących*: żaden; **you haven't ~ reason to be proud** nie masz (żadnego) powodu do dumy; *przen* **I am not taking ~!** ani mi się śni! 2. jakiś; taki; jakikolwiek; **is there ~ Englishman who _?** czy jest jakiś <taki> Anglik, który by ...?; **few, if ~ know him** niewielu jest takich, którzy go znają, jeśli w ogóle są tacy 3. *w zdaniach twierdzących*: a) każdy; lada b) którykolwiek c) byle który, pierwszy lepszy; **~ day** każdego dnia; lada dzień; **at ~ hour** o każdej porze; **~ old thing** byle co 4. *przed* **of**: którykolwiek; **~ of these pictures** którykolwiek z tych obrazów [II] *adv* 1. *przy zaprzeczeniu*: wcale; ani trochę; nic a nic; bynajmniej; **the patient**

isn't ~ better pacjentowi ani trochę nie jest lepiej 2. choć trochę; chociażby troszeczkę; **are you ~ better?** czy czujesz się choć trochę lepiej?

anybody ['eni,bɔdi], **anyone** ['eni,wʌn] *pron* 1. ktoś; ktokolwiek; **is he ~?** czy to jakaś ważna osoba? 2. *w zdaniach twierdzących:* każdy; **~ but —** każdy oprócz ...; każdy, tylko nie ...; **~ will tell you** każdy ci powie 3. *z przeczeniem:* nikt; **hardly ~** prawie nikt; mało kto

anyhow ['eni,hau], **anyway** ['eni,wei] [I] *adv* byle jak [II] *conj* w każdym razie; tak czy owak; **you can try ~** w każdym razie może-sz/cie spróbować

anyone *zob* **anybody**

anything ['eni,θiŋ] *pron* 1. coś 2. *z przeczeniem:* nic; **hardly <scarcely> ~** prawie nic; mało co; **she does not do ~** ona nic nie robi 3. *w zdaniach twierdzących:* wszystko; cokolwiek; **~ you like** wszystko, co chce-sz/cie; co tylko zechce-sz/cie 4. *w zwrocie:* **~ but —** a) *przed rzeczownikami:* wszystko oprócz ...; wszystko tylko nie ...; **he is ~ but a scholar** on jest wszystkim, tylko nie uczonym b) *w zdaniach przeczących:* nic z wyjątkiem <tylko> ...; **I could not see ~ but smoke** nic nie widziałem, tylko dym c) *przed przymiotnikami:* bynajmniej nie ...; daleki od tego, żeby być ...; **it is ~ but pleasant** to bynajmniej nie jest przyjemne 5. *w zwrocie:* **like ~** szalenie; ogromnie; nadzwyczajnie; *pot* wściekle; jak wszyscy diabli 6. *w zwrocie:* **as ... as ~** naj- ... w świecie; **as easy as ~** najłatwiejsze w świecie

anyway *zob* **anyhow**

anywhere ['eni,wɛə] *adv* 1. gdziekolwiek 2. byle gdzie 3. *z przeczeniem:* nigdzie; **hardly <scarcely> ~** prawie nigdzie; mało gdzie

anywise ['eni,waiz] *adv* jakkolwiek; jakoś; w jakikolwiek <w jakiś> sposób; *z zaprzeczeniem:* w żaden sposób

aorist ['ɛərist] *s gram* aoryst

aorta [ei'ɔ:tə] *s anat* aorta

apace [ə'peis] *adv lit* szybko, prędko; żwawo; szybkimi krokami; co żywo

apache [ə'pɑ:ʃ] *s* 1. apasz; chuligan 2. **Apache** [ə'pætʃi] Apasz/ka (Indian-in/ka); *am* **the Apache State** stan Arizona

apanage ['æpənidʒ] *s zbior* apanaże (panującego itp.)

apart [ə'pɑ:t] *adv* 1. na boku; **na osobności;** osobno; **a category <class etc.> ~** osobna kategoria <klasa itd.>; **~ from** poza; oprócz, prócz 2. na bok (wziąć kogoś, odłożyć coś itd.); **joking ~** żarty na bok; bez żartów; **to set ~** a) od-łożyć/kładać na bok b) przeznacz-yć/ać (**for a purpose** na jakiś cel) 3. (*o osobach i rzeczach rozstawionych w pewnych odstępach*) oddal-eni/one (o *x* m itp.) od siebie; **wide ~** szeroko rozstawi-eni/one; daleko od siebie 4. *przy czasownikach zawierających pojęcie rozdzielania:* od siebie; jedno od drugiego; **to tear <break, get> two things ~** oderwać <odłamać, oddzielić> dwie rzeczy od siebie <jedną od drugiej>; **to take a watch <machine> ~** rozebrać zegarek <maszynę> na części; **to tell two persons ~** odróżnić jedną osobę od drugiej

apartment [ə'pɑ:tmənt] *s* 1. apartament; izba; pokój; **~ house** kamienica czynszowa 2. *pl* **~s** pokoje; *am* mieszkanie; **to take ~s** wynająć mieszkanie

apathetic [,æpə'θetik] *adj* apatyczny

apathy ['æpəθi] *s* apatia

apatite ['æpə,tait] *s miner* apatyt

ape [eip] [I] *s zoo* małpa (bezogonowa); **to play the ~** błaznować [II] *vt* małpować, naśladować

apeak [ə'pi:k] *adv mar* pionowo

aperient [ə'piəriənt] [I] *s med* środek na przeczyszczenie [II] *adj med* (*o środku*) przeczyszczający

aperture ['æpə,tjuə] *s* 1. otwór, otworek 2. szczelina, szczelinka

apery ['eipəri] *s* małpowanie; błazeństwa

apetalous [ei'petələs] *adj bot* bezpłatkowy

apex ['eipeks] *s* (*pl* **~es, apices** ['eipi,si:z]) wierzchołek; szczyt

aphasia [æ'feiziə] *s med* afazja

aphis ['eifis] *s* (*pl* **aphides** ['eifi,di:z]) *zoo* mszyca

aphonia [æ'founjə] *s med* afonia, utrata głosu

aphorism ['æfə,rizəm] *s* aforyzm

aphrodisiac [,æfrou'dizi,æk] *s* środek zwiększający popęd płciowy

aphtha ['æfθə] *s med* pleśniawka

apiarist ['eipiərist] *s* pszczelarz

apiary ['eipiəri] *s* pasieka

apices *zob* **apex**

apiculture ['eipi,kʌltʃə] *s* pszczelarstwo

apiece [ə'pi:s] *adv* 1. (*przy oznaczaniu ceny, kosztu itp*) za sztukę; po (*x* £ itp.) 2. (*o osobach przy podziale, zapłacie itp*) każdy; na osobę

apish ['eipiʃ] *adj* małpi

apishness ['eipiʃnis] *s* małpowanie; małpie zachowanie (się)

aplomb ['æplɔ̃:] *s* pewność siebie; zimna krew

apnoea [æ'pni:ə] *s med* bezdech

apocalypse [ə'pɔkəlips] *s* apokalipsa

apocalyptic [ə,pɔkə'liptik] *adj* apokaliptyczny

apocope [ə'pɔkəpi] *s jęz* apokopa

apocryphal [ə'pɔkrifəl] *adj* apokryficzny

apod [æ'pɔd] *adj zoo* (*o płazie itd*) beznogi; (*o rybie*) niedopłetwa

apodosis [ə'pɔdəsis] *s* (*pl* **apodoses** [ə'pɔdə,si:z]) *gram* następnik <zdanie następne> (w okresie warunkowym)

apogee ['æpə,dʒi:] *s* 1. *astr* apogeum 2. *przen* szczyt; zenit; punkt kulminacyjny

apologetic [ə,pɔlə'dʒetik] *adj* 1. przepraszający; skruszony; pokorny; **to be ~** przepraszać; usprawiedliwi-ć/ać się 2. (*o piśmie itd*) apologetyczny

apologize [ə'pɔlə,dʒaiz] *vi* przepr-osić/aszać (**to sb for sth** kogoś za coś)

apologue ['æpə,lɔg] *s* bajka umoralniająca; apolog

apology [ə'pɔlədʒi] *s* 1. przeproszenie, przeprosiny; zadośćuczynienie; **to make <offer> an ~** przepr-osić/aszać 2. *przen* namiastka; parodia; **an ~ for a dinner <letter etc.>** niby to <nędzny> obiad <list itd.>

apophthegm ['æpə,θem] *s* apoftegmat; sentencja

apoplectic [,æpə'plektik] *adj* apoplektyczny

apoplexy ['æpə,pleksi] *s* apopleksja, udar

apostasy [ə'pɔstəsi] *s* odstępstwo (od wiary); odszczepieństwo

apostate [ə'pɔstit] *s* apostata, odstępca (od wiary)

↑**apostle** [ə'pɔsl] *s* 1. apostoł 2. orędownik; wyznawca

↑**apostolic(al)** [,æpəs'tɔlik(əl)] *adj* apostolski

apostrophe [ə'pɔstrəfi] *s* 1. apostrof 2. *ret* apostrofa

apothecary [ə'pɔθikəri] *s* aptekarz

apotheosis [ə,pɔθi'ousis] *s* (*pl* **apotheoses** [ə,pɔθi'ousi:z] apoteoza

appal [ə'pɔ:l] *vt* (**-ll-**) przera-zić/żać; za/trwożyć; *zob* **appalling**

appalling [ə'pɔ:liŋ] [I] *zob* **appal** [II] *adj* przerażający; zatrważający

appanage ['æpənidʒ] = **apanage**

apparatus [,æpə'reitəs] *s* (*pl* **apparatus, ~es,** *także* **pieces of ~**) 1. aparat; przyrząd 2. *fizj* narząd; organ 3. *zbior* przybory; narzędzia; **~ criticus** ['kritikəs] materiał do badań (krytycznych)

apparel [ə'pærəl] *s* strój; szaty 2. *zbior* ozdoby; ornamenty

apparent [ə'pærənt] *adj* 1. oczywisty; jawny; widoczny; **heir ~** prawowity następca (tronu) 2. pozorny

apparently [ə'pærəntli] *adv* 1. widocznie; najwidoczniej; najwyraźniej 2. pozornie, na pozór

apparition [,æpə'riʃən] *s* 1. ukazanie <pojawienie> się 2. widmo; zjawa; duch; widziadło

apparitor [ə'pæritɔ:] *s* pedel; woźny

appeal [ə'pi:l] [I] *vi* 1. ucie-c/kać się (**to the sword etc.** do siły zbrojnej itd.) 2. *sąd* apelować 3. odwoł-ać/ywać się <apelować, zwr-ócić/acać się z apelem> (**to sb, sth** do kogoś, czegoś) 4. s/podobać się (**to sb** komuś); przyciągać (**to sb** kogoś); wywierać urok (**to sb** na kogoś) 5. przem-ówić/awiać (do uczuć, wyobraźni itp.) *zob* **appealing** [II] *s* 1. uciekanie się (do broni, różnych środków itp.) 2. (*także sąd*) apelacja; **without ~** bezapelacyjnie; **Court of Appeal** sąd apelacyjny 3. apel; wezwanie; apelowanie <odwoływanie się> (do społeczeństwa, rozumu itp.) 4. siła przyciągająca; urok; zew (morza, krwi itd.); **sex ~** urok <powab> kobiecy <męski>; zew płci 5. błaganie

appealing [ə'pi:liŋ] [I] *zob* **appeal** *v* [II] *adj* 1. (*o spojrzeniu itd*) błagalny 2. (*o mowie itp*) wzruszający 3. (*o człowieku*) sympatyczny; pociągający

appear [ə'piə] *vi* 1. ukaz-ać/ywać <pokaz-ać/ywać, zjawi-ć/ać, objawi-ć/ać> się; sta-nąć/wać (przed sądem); **to ~ for sb** zast-ąpić/ępować kogoś 2. wyda-ć/wać się; z/robić wrażenie (czegoś; jak gdyby...); mieć wygląd <minę> (smutn-y/ą, wesoł-y/ą itp.); **you ~ to hesitate** mam wrażenie, że się wahasz <jesteś niezdecydowany>; **you ~ to know all about it** mam wrażenie, że wszystko wiesz 3. okaz-ać/ywać się; sta-ć/wać się zrozumiałym; wy-jść/chodzić na jaw

appearance [ə'piərəns] *s* 1. zjawienie <pojawienie> się; **to make one's ~** ukaz-ać/ywać się; **to put in an ~** pokaz-ać/ywać się (w towarzystwie, na zebraniu itp.) 2. wygląd; powierzchowność (człowieka); **to have a pleasant ~** przyjemnie się przedstawiać; z/robić przyjemne wrażenie 3. widok; **at first ~** na pierwszy rzut oka 4. zjawisko; zjawa 5. *pl* **~s** (*także sing*) pozory; **by <to> all ~(s)** sądząc z pozorów; **for the sake of ~s, for ~'s sake** dla pozoru

appease [ə'pi:z] *vt* 1. ucisz-yć/ać; uspok-oić/ajać 2. ugłaskać (ustępstwami itp.) 3. zaspok-oić/ajać (głód, pragnienie itp.) 4. u/koić <z/łagodzić> (ból itp.)

appeasement [ə'pi:zmənt] *s* 1. uciszenie; uspokojenie 2. ugłaskanie (w drodze ustępstw itp.) 3. zaspokojenie (głodu itp.) 4. złagodzenie (bólu itp.) 5. pacyfikacja

appellant [ə'pelənt] *s* apelujący; *sąd* wnoszący apelację

appellate [ə'pelit] *adj sąd* apelacyjny

appellation [,æpə'leiʃən] *s* 1. nazwa 2. określenie 3. termin

appellative [ə'pelətiv] *s* imię pospolite; nazwa

append [ə'pend] *vt* 1. doda-ć/wać 2. dołącz-yć/ać 3. zawie-sić/szać (kotarę itd.)

appendage [ə'pendidʒ] *s* 1. dodatek 2. *pl* **~s** akcesoria 3. przydatki

appendectomy [,æpən'dektəmi] *s med* usunięcie wyrostka robaczkowego

appendices *zob* **appendix**

appendicitis [ə,pendi'saitis] *s med* zapalenie wyrostka robaczkowego <ślepej kiszki>

appendix [ə'pendiks] *s* (*pl* **~es, appendices** [ə'pendi,si:z]) 1. *anat* wyrostek robaczkowy, *pot* ślepa kiszka; przydatek 2. dodatek (do książki itp.)

apperception [,æpə'sepʃən] *s* percepcja; s/postrzeganie

appertain [,æpə'tein] *vi* 1. należeć (**to sb, sth** do kogoś, czegoś) 2. odnosić się (**to sb, sth** do kogoś, czegoś) 3. być stosownym (**to sb, sth** dla kogoś, do czegoś)

appetence ['æpitəns], **appetency** ['æpitənsi] *s* pożądanie <żądza> (**of <for, after> sth** czegoś)

appetite ['æpi,tait] *s* 1. apetyt 2. *przen* żądza (zemsty itp.)

appetizer ['æpi,taizə] *s* środek na pobudzenie apetytu

appetizing ['æpi,taiziŋ] *adj* apetyczny; smakowity

applaud [ə'plɔ:d] [I] *vt* 1. oklaskiwać; **to be ~ed** a) zbierać oklaski b) zdobyć poklask 2. przyklasnąć (**sb, sth** komuś, czemuś) [II] *vi* klaskać; bić brawo

applause [ə'plɔ:z] *s* 1. oklaski; poklask 2. pochwała; aprobata

apple ['æpl] *s* jabłko; **the ~ of the eye** a) źrenica b) *przen* oczko w głowie

apple-brandy ['æpl'brændi] *s* rodzaj wódki z jabłek

apple-cart ['æpl,ka:t] *s* wózek ręczny (stragania-rza/rki); *przen* **to upset sb's ~** a) pokrzyżować czyjeś plany b) narobić komuś bigosu <kramu>

apple-cheeked ['æpl,tʃi:kt] *adj* rumiany i pyzaty

apple-core ['æpl,kɔ:] *s* 1. *bot* owocnia 2. ogryzek

apple-jack ['æpl,dʒæk] *am* = **apple-brandy**

apple-pie ['æpl'pai] *s* szarlotka; **in ~ order** we wzorowym porządku; **~ bed** łóżko zasłane tak, aby kładącego się spotkała przykra niespodzianka (psikus żakowski)

apple-sauce ['æpl'sɔ:s] *s* 1. kompot z jabłek 2. *am przen* fałszywe pochlebstwa

apple-tart ['æpl,ta:t] *s* szarlotka

apple-tree ['æpl,tri:] *s bot* jabłoń

appliance [ə'plaiəns] *s* 1. przyrząd; urządzenie 2. *pl* **~s** przybory; akcesoria; konieczne dodatki 3. za/stosowanie <przy-łożenie/kładanie> (maści itp.)

applicable ['æplikəbl] *adj* odpowiedni; dający się zastosować; **to be ~ to sth** stosować się do <mieć zastosowanie w wypadku> czegoś

applicant ['æplikənt] *s* zgłaszający się (**for sth** w sprawie czegoś); reflektant (**for sth** na coś); kandydat (**for sth** do czegoś)

application [ˌæpliˈkeiʃən] *s* 1. za/stosowanie; użytek 2. przy-łożenie/kładanie (**of sth to sth** czegoś na coś); smarowanie (jodyną, maścią itp.) 3. pilność; przykładanie się (do pracy itp.) 4. zgłoszenie się; prośba; podanie (**for a post etc.** o zajęcie itp.); **to make <put in > an ~** wnieść podanie; **on ~** na życzenie; na żądanie; **~ form** formularz zgłoszeniowy; zgłoszenie; druk

applied [əˈplaid] [I] *zob* **apply** [II] *adj* (*o naukach, sztuce itd*) stosowany

appliqué [æˈpli:kei] *s* aplikacja

apply [əˈplai] *v* (**applied** [əˈplaid], **applied**; **applying** [əˈplaiiŋ]) [I] *vt* 1. przy-łożyć/kładać; za/stosować; nacis-nąć/kać (hamulec) 2. po/smarować (jodyną, maścią itd.) [II] *vr* **~ oneself** przy-łożyć/kładać się (do pracy itd.) [III] *vi* 1. (*o regule, przepisie itd*) mieć zastosowanie 2. (*o człowieku*) zwr-ócić/acać <zgł-osić/aszać> się (**to sb for sth** do kogoś o coś); **~ within** tu udziela się informacji; **to ~ for a post <employment, a position etc.>** wn-ieść/osić podanie <starać się> o posadę; zgłosić kandydaturę na stanowisko *zob* **applied**

appoint [əˈpɔint] *vt* 1. za/mianować <ob-rać/ierać> (**sb to be secretary etc.** kogoś sekretarzem itd.; **sb to a post** kogoś na jakieś stanowisko) 2. ustan-owić/awiać (**sb as heir etc.** kogoś spadkobiercą itd.) 3. wyznacz-yć/ać (**sb <a committee etc.> to do sth** kogoś <komitet itd.> do zrobienia czegoś) 4. oznacz-yć/ać <ustal-ić/ać> (porę, dzień itd.) 5. zarządz-ić/ać (**that sth shall be done etc.** że coś ma być zrobione itd.) *zob* **appointed**

appointed [əˈpɔintid] [I] *zob* **appoint** [II] *adj* 1. ustalony; uzgodniony; wyznaczony 2. (*o domu itd*) urządzony; (*o samochodzie itd*) wyposażony; (*o wojsku*) wyekwipowany

appointment [əˈpɔintmənt] *s* 1. umówiony termin; spotkanie; **to have an ~** być zamówionym <mieć umówiony termin> (na konferencję z kimś itd.); **to make <fix> an ~** ustalić termin spotkania; umówić się (na dany termin itp.); **by ~** a) według umowy <porozumienia> b) na zamówienie; za zgłoszeniem (w urzędzie, biurze itp.) 2. mianowanie; wyznaczenie; wybór na stanowisko; **purveyor by special ~** nadworny dostawca 3. stanowisko; posada 4. *pl* **~s** urządzenie; wyposażenie; wyekwipowanie

apportion [əˈpɔ:ʃən] *vt* 1. wyznacz-yć/ać (**sth to sb** coś komuś) 2. roz-łożyć/kładać (wydatki itp.) 3. (*także* **~ out**) po/dzielić (coś między kogoś)

apportionment [əˈpɔ:ʃənmənt] *s* 1. wyznaczenie 2. rozłożenie (wydatków itp.) 3. podział

apposite [ˈæpəzit] *adj* stosowny; trafny; właściwy

appositeness [ˈæpəzitnis] *s* stosowność; trafność

apposition [ˌæpəˈziʃən] *s* 1. przyłożenie (pieczęci itp.) 2. *gram* przydawka rzeczownikowa, apozycja 3. *med w zwrocie*: **to bring into ~** zestawić <złożyć> (złamane kości)

appraisal [əˈpreizəl], **appraisement** [əˈpreizmənt] *s* oszacowanie; ocena

appraise [əˈpreiz] *vt* oceni-ć/ać; o/szacować

appraisement *zob* **appraisal**

appraiser [əˈpreizə] *s* taksator; rzeczoznawca

appreciable [əˈpri:ʃəbl] *adj* 1. dostrzegalny 2. znaczny; pokaźny

appreciate [əˈpri:ʃiˌeit] [I] *vt* 1. oceni-ć/ać; o/szacować (wartość czegoś) 2. wysoko sobie cenić (przysługę itp.) 3. zda-ć/wać sobie sprawę (**sth** z czegoś); uzna-ć/wać wartość <znaczenie, donioslość> (**sth** czegoś); doceni-ć/ać 4. podwyższ-yć/ać wartość (**money etc.** pieniądza itd.) [II] *vi* (*o towarach*) podrożeć

appreciation [əˌpri:ʃiˈeiʃən] *s* 1. ocena; oszacowanie 2. uznanie; wyrazy uznania 3. zrozumienie (wartości czegoś) 4. podwyżka (wartości, ceny)

appreciative [əˈpri:ʃiətiv] *adj* 1. pochwalny 2. mający zrozumienie (**of sth** dla czegoś) 3. doceniający (przysługę itp.); **to be ~ of sth** doceniać <uznawać, wysoko cenić> coś

appreciator [əˈpri:ʃiˌeitə] *s* taksator

apprehend [ˌæpriˈhend] *vt* 1. za/aresztować; przytrzym-ać/ywać 2. z/rozumieć <uchwycić> sens (**sth** czegoś) 3. *lit* obawiać <bać> się (**sth** czegoś); przeczuwać

apprehensible [ˌæpriˈhensəbl] *adj* dostrzegalny (**to <by> the senses** dla zmysłów)

apprehension [ˌæpriˈhenʃən] *s* 1. aresztowanie; przytrzymanie 2. zrozumienie; percepcja; **dull of ~** tępy; **quick of ~** bystry, rozgarnięty 3. chwytanie (dźwięków itp.) 4. obawa; lęk (**for <about> sb, sth** o kogoś, coś; **of sth** czegoś, przed czymś; **that sth might <lest sth should> happen** żeby się coś nie stało)

apprehensive [ˌæpriˈhensiv] *adj* 1. spostrzegawczy; **the ~ faculty** zdolność postrzegania; percepcja 2. lękliwy; **to be ~** bać <obawiać, lękać> się

apprentice [əˈprentis] [I] *s* terminator; ucze-ń/nnica [II] *vt* odda-ć/wać (kogoś) do terminu

apprenticeship [əˈprentiʃip] *s* 1. termin; nauka rzemiosła 2. praktyka (w zawodzie)

apprise [əˈpraiz] *vt lit* zawiad-omić/amiać; **to be ~d of sth** być powiadomionym <wiedzieć> o czymś

apprize [əˈpraiz] *vt* oceni-ć/ać; o/szacować

appro. [ˈæprou] *handl* = **approbation, approval**

approach [əˈproutʃ] [I] *vt* 1. zbliż-yć/ać się (**sb, sth** do kogoś, czegoś); **to ~ a problem** pod-ejść/chodzić do zagadnienia 2. przyst-ąpić/ępować (**sb, sth** do kogoś, czegoś); zagad-nąć/ywać (**sb** kogoś); zwr-ócić/acać się (**sb** do kogoś) 3. przybliż-yć/ać (**sth** coś) [II] *vi* 1. zbliżać się; nadchodzić; nadciągać; **easy <difficult> to ~** przystępny <nieprzystępny> (człowiek) 2. być bliskim (prawdy, doskonałości itd.) [III] *s* 1. zbliżanie się; bliskość 2. przystępność (człowieka); **easy of ~** przystępny 3. dostęp 4. podejście (do zagadnienia itd.); sposób podejścia (**to sth** do czegoś) 5. *pl* **~s** awanse; zachęta (do pertraktacji itp.)

approachable [əˈproutʃəbl] *adj* 1. dostępny 2. przystępny

approbation [ˌæprəˈbeiʃən] *s* aprobata; pochwała; **goods on ~ <on appro.>** towar (wysłany) bez obowiązku kupna

appropriate [əˈproupriˌeit] [I] *vt* 1. przywłaszcz-yć/ać sobie 2. przeznacz-yć/ać <wy/asygnować> (**to <for> a purpose** na jakiś cel); poświęc-ić/ać (**to <for> a purpose** jakiemuś celowi) [II] *adj* [əˈprou priit] stosowny <odpowiedni, właściwy> (**to <for> sb, sth** dla kogoś, czegoś); należyty

appropriateness [əˈproupriitnis] *s* stosowność; właściwość; odpowiedniość; **with ~** stosownie; właściwie; trafnie

appropriation [əˌproupriˈeiʃən] *s* 1. przywłaszczenie sobie 2. przeznaczenie (**of sth, to <for> a purpose**

czegoś na jakiś cel); kredyty (**to** <**for**> **a purpose** na coś)

approval [ə'pru:vl] *s* 1. aprobata; pochwała 2. zatwierdzenie; **goods on ~ = goods on approbation** *zob* **approbation**

approve [ə'pru:v] I *vt* 1. zatwierdz-ić/ać 2. pochwal-ić/ać 3. wykaz-ać/ywać (swą wartość itp.) II *vr* **~ oneself** okazać się (**sth** czymś) III *vi* za/aprobować <pochwal-ić/ać> (**of sth** coś)

approvingly [ə'pru:viŋli] *adv* z aprobatą; na znak aprobaty; pochwalająco

approximate [ə'prɔksimit] I *adj* zbliżony; przybliżony II *vt* [ə'prɔksi,meit] zbliż-yć/ać III *vi* 1. zbliż-yć/ać <przybliż-yć/ać> się (**to sth** do czegoś); być bliskim (**to sth** czegoś); być zbliżonym (**to sth** do czegoś) 2. (*o liczbach, ilościach itp*) wynosić w przybliżeniu (*x* jednostek)

approximation [ə,prɔksi'meiʃən] *s* 1. bliskość (**to sth** czegoś) 2. coś zbliżonego (**to sth** do czegoś) 3. obliczenie przybliżone

approximative [ə'prɔksimətiv] *adj* przybliżony

appui [æ'pwi:] *s wojsk* oparcie

appurtenance [ə'pə:tinəns] *s* 1. przynależność 2. *pl* **~s** akcesoria; przynależności

appurtenant [ə'pə:tinənt] *adj* 1. przynależny (**to sb, sth** komuś, czemuś) 2. zależny (**to sb, sth** od kogoś, czegoś) 3. właściwy (**to sb, sth** komuś, czemuś)

apricot ['eipri,kɔt] *s* morela (owoc)

apricot-tree ['eiprikɔt,tri:] *s* morela (drzewo)

April ['eiprəl] I *s* kwiecień II *attr* kwietniowy

April-fool-day ['eiprəl'fu:l,dei] *s* prima aprilis

a priori ['ei-prai'ɔ:rai] I *adv* z góry; apriorycznie II *adj* aprioryczny

apron ['eiprən] *s* 1. fartuszek; fartuch (kobiecy, roboczy, przy pojeździe itd.); **tied to mother's ~ strings** trzymający się maminej spódnicy 2. *lotn* przedpole hangaru 3. *teatr* proscenium 4. *techn* skrzynka suportowa (tokarki)

aproned ['eiprənd] *adj* w fartuchu

apropos ['æprə,pou] I *adv* co do <odnośnie> (**of sb, sth** kogoś, czegoś); **~ of nothing in particular** ni stąd, ni zowąd II *adj* trafny; stosowny; dorzeczny; szczęśliwy III *s* stosowność; trafność; **with ~** trafnie (coś zauważyć)

apse [æps] *s arch* absyda, apsyda

apt [æpt] *adj* 1. (*o wyrazie itp*) trafny; szczęśliwie dobrany 2. (*o człowieku*) skłonny <*pot* lubiący> (**to do sth** coś robić); **to be ~ to do sth** mieć skłonność do robienia czegoś; często coś robić; lubić coś robić; **I am ~ to forget** często zapominam; lubię zapomnieć; **he is ~ to be late** on się lubi spóźniać 3. zdolny <uzdolniony> (**at sth** do czegoś) 4. (*o rzeczach*) łatwo ulegający (zepsuciu itd.); **it is ~ to crack** to często pęka; *pot* to lubi pęknąć 5. nadający się (**for sth** do czegoś)

apterous ['æptərəs] *adj zoo* bezskrzydły

aptitude ['æpti,tju:d] *s* uzdolnienie (**for sth** do czegoś)

aptly ['æptli] *adv* 1. trafnie; stosownie; szczęśliwie 2. zręcznie; zgrabnie

aptness ['æptnis] *s* 1. stosowność; trafność 2. skłonność (**to do sth** do czegoś) 3. uzdolnienie (**for sth** do czegoś) 4. (*u rzeczy*) łatwość (**to do sth, to go wrong etc.** do czegoś, do psucia się itd.)

aquafortist ['ækwə'fɔ:tist] *s plast* akwaforcista

aquamarine ['ækwəmə'ri:n] *s miner* akwamaryna

aqua regia ['ækwə'ri:dʒjə] *s chem* woda królewska

aquarium [ə'kwɛəriəm] *s* akwarium

aquatic [ə'kwætik] I *adj* wodny II *spl* **~s** sporty wodne

aquatint ['ækwə,tint] *s plast* akwatinta

aqueduct ['ækwi,dʌkt] *s* akwedukt

aqueous ['eikwiəs] *adj* 1. wodny; wodnisty 2. *geol* osadowy

aquiline ['ækwi,lain] *adj* orli

Arab ['ærəb] *s* 1. Arab/ka 2. arab (koń); **a street arab** bezdomne dziecko; ulicznik

arabesque [,ærə'besk] *s* arabeska

Arabian [ə'reibjən] *adj* arabski; **the ~ Nights** baśnie z „Tysiąca i jednej nocy"

Arabic ['ærəbik] I *adj* arabski II *s* język arabski

arable ['ærəbl] *adj* orny

arachnid [ə'ræknid] *s* (*pl* **~a** [ə'ræknidə]) *zoo* pajęczak (owad)

araucaria [,ærɔ:'kɛəriə] *s bot* araukaria

arbalest ['a:bəlist] *s* kusza

arbiter ['a:bitə] *s* arbiter; sędzia

arbitrage ['a:bitridʒ] *s* arbitraż

arbitral ['a:bitrəl] *adj* arbitrażowy; polubowny

arbitrament [a:'bitrəmənt] *s* sąd rozjemczy

arbitrary ['a:bitrəri] *adj* arbitralny; samowolny

arbitrate ['a:bi,treit] I *vi* sądzić; być sędzią II *vt* rozsądz-ić/ać; rozstrzyg-nąć/ać

arbitration [,a:bi'treiʃən] *s* arbitraż; sąd rozjemczy

arbitrator ['a:bi,treitə] *s* sędzia rozjemczy; arbiter

arbor[1] ['a:bə] *s* oś <wał> (maszyny)

arbor[2] ['a:bɔ:] *s* (*w nazwach bot.*) drzewo; *am* **Arbor Day** dzień, w którym każdy obywatel ma zasadzić jedno drzewko; *bot* **~ vitae** ['vaiti] tuja

arboreal [a:'bɔ:riəl] *adj* drzewny

arboreous [a:'bɔ:riəs] *adj* 1. zalesiony; porosły drzewami 2. drzewny 3. drzewiasty

arborescent [,a:bə'resnt] *adj* drzewiasty; rozgałęziony

arboretum [,a:bə'ri:təm] *s* (*pl* **arboreta** [,a:bə'ri:tə]) 1. kolekcja drzew, arboretum 2. szkółka drzew

arboriculture ['a:bəri,kʌltʃə] *s* uprawa drzew

arbour ['a:bə] *s* altana

arbutus [a:'bju:təs] *s bot* mącznik

arc [a:k] *s* łuk

arcade [a:'keid] *s* arkada

arcaded [a:'keidid] *adj* (*o pasażu itd*) arkadowy; (*o budynku itd*) z arkadami

arcana [a:'keinə] *spl lit* arkana; tajemnice

arch[1] [a:tʃ] I *s* 1. *bud* sklepienie łukowe 2. łuk; **~ of the instep** podbicie (stopy) II *vt* 1. *bud* zasklepi-ć/ać; da-ć/wać sklepienie 2. wygi-ąć/nać w łuk III *vi* wygi-ąć/nać się w łuk; u/tworzyć łuk

arch[2] [a:tʃ] *adj* figlarny, łobuzerski

arch-[3] [a:tʃ-] *przedrostek* arcy-, archi-; **archknave** arcyłotr; **archdiocese** archidiecezja

archaeological [,a:kiə'lɔdʒikəl] *adj* archeologiczny

archaeologist [,a:ki'ɔlədʒist] *s* archeolog

archaeology [,a:ki'ɔlədʒi] *s* archeologia

archaic [a:'keiik] *adj* archaiczny

archaism ['a:kei,izəm] *s* archaizm

archangel ['a:k,eindʒəl] *s* 1. archanioł 2. *bot* głucha pokrzywa 3. *zoo* rodzaj gołębia

archbishop ['a:tʃ'biʃəp] *s* arcybiskup

archbishopric [a:tʃ'biʃəprik] *s* arcybiskupstwo

archdeacon ['a:tʃ'di:kən] *s* archidiakon

archduchess ['a:tʃ'dʌtʃis] *s* arcyksiężna

archduke ['a:tʃ'dju:k] *s* arcyksiążę

arch-enemy [ˈɑːtʃˈenimi] *s* 1. najgorszy wróg; wróg numer jeden 2. szatan
archer [ˈɑːtʃə] *s* łuczni-k/czka; *astr* **the Archer** Strzelec
archery [ˈɑːtʃəri] *s* łucznictwo
archetype [ˈɑːkiˌtaip] *s* pierwowzór; prototyp
arch-fiend [ˈɑːtʃˈfiːnd] *s* szatan
archie [ˈɑːtʃi] *s sl* działo przeciwlotnicze
archiepiscopal [ˌɑːkiiˈpiskəpəl] *adj* arcybiskupi
Archimedean [ˌɑːkiˈmiːdjən] *adj* (*o prawie, śrubie*) Archimedesa
archipelago [ˌɑːkiˈpeliˌgou] *s* archipelag
architect [ˈɑːkiˌtekt] *s* architekt; budowniczy; twórca; **~ of one's own fortunes** kowal własnego losu
architectonic [ˌɑːkitekˈtɔnik], **architectural** [ˌɑːkiˈtektʃərəl] *adj* architektoniczny; budowlany
architecture [ˈɑːkiˌtektʃə] *s* architektura
architrave [ˈɑːkiˌtreiv] *s* 1. *arch* architraw 2. *bud* ościeżnica (okna, drzwi)
archives [ˈɑːkaivz] *spl* archiw-um/a
archivist [ˈɑːkivist] *s* archiwista
archly [ˈɑːtʃli] *adv* figlarnie; łobuzersko
archness [ˈɑːtʃnis] *s* figlarność; figlarne usposobienie; łobuzerstwo
archon [ˈɑːkɔn] *s* (*w staroż. Grecji*) archont
archpriest [ˈɑːtʃˈpriːst] *s* arcykapłan
archway [ˈɑːtʃwei] *s* 1. brama 2. sklepione przejście
arc-lamp [ˈɑːkˌlæmp] *s* lampa łukowa
arctic [ˈɑːktik] I *adj* arktyczny II *spl* **~s** *am* buty nieprzemakalne do wypraw polarnych
arcuate [ˈɑːkjuit] *adj* wygięty w łuk; łukowaty; kabłąkowaty
ardency [ˈɑːdənsi] *s* żar; zapał
ardent [ˈɑːdənt] *adj* 1. płonący; gorejący; płomienny; ognisty; **~ spirits** napoje alkoholowe 2. zapalony; gorliwy; żarliwy
ardour [ˈɑːdə] *s* 1. żar; ogień 2. zapał; żarliwość; gorliwość
arduous [ˈɑːdjuəs] *adj* 1. (*o drodze itp*) ciężki; stromy; żmudny 2. (*o pracy itp*) żmudny; wytężony; ciężki
arduousness [ˈɑːdjuəsnis] *s* 1. uciążliwość 2. żmudna praca
are *zob* **be**
area [ˈɛəriə] *s* 1. pusty <nie zabudowany> teren; parcela 2. powierzchnia; obszar; pole; teren 3. okolica; okręg 4. rejon; strefa 5. *bud* odgrodzona przestrzeń między chodnikiem i frontem domu 6. zejście do suteren (od ulicy)
areca [ˈærikə] *s bot* areka (gatunek palmy azjatyckiej)
arena [əˈriːnə] *s* 1. arena; *przen* **the ~ of war** strefa wojenna; teren walk 2. dziedzina
arenaceous [ˌæriˈneiʃəs] *adj* piaszczysty
aren't [ɑːnt] = **are not** *zob* **be**
areola [æˈriələ] *s* (*pl* **areolae** [æˈriəˌliː]) *anat* otoczka; areola
Areopagus [ˌæriˈɔpəgəs] *s* areopag
arête [əˈreit] *s* grań
argent [ˈɑːdʒənt] *adj poet herald* srebrzysty; srebrny
argentine [ˈɑːdʒənˌtain] I *adj* srebrny; srebrzysty II *s* 1. *zoo* srebrzyk (ryba) 2. *miner* selenit 3. *pl* **the Argentines** Argentyńczycy
Argentinean [ˌɑːdʒənˈtiniən] I *adj* argentyński II *s* Argenty-ńczyk/nka
argil [ˈɑːdʒil] *s* glinka biała
argillaceous [ˌɑːdʒiˈleiʃəs] *adj* gliniasty
argle-bargle [ˈɑːglˈbɑːgl] *vi* dyskutować; debatować; *pot* przelewać z pustego w próżne
argon [ˈɑːgɔn] I *s chem* argon II *attr* argonowy
argosy [ˈɑːgəsi] *s poet* okręt; flota
arguable [ˈɑːgjuəbl] *adj* sporny
argue [ˈɑːgjuː] I *vt* 1. dow-ieść/odzić (**sth** czegoś); udow-odnić/adniać; **to ~ sb <sth> to be —** dowodzić <być dowodem> że ktoś <coś> jest ...; **this ~s him (to be) a rogue** to dowodzi, że on jest łajdakiem; **it ~s roguery in him** to jest dowodem jego łajdactwa 2. dowodzić <utrzymywać> (**that —** że ...) 3. spierać się (**sth** o coś); kwestionować 4. perswadować (**sb into doing sth** komuś, żeby coś zrobił; **sb out of doing sth** komuś, żeby czegoś zaniechał); przekon-ać/ywać 5. wm-ówić/awiać (**sth into sb** komuś coś) 6. wyperswadować (**sth out of sb** komuś coś) II *vi* 1. argumentować; dyskutować; dowodzić; wysu-nąć/wać argumenty (**for sth** za czymś; **against sth** przeciw czemuś) 2. być dowodem (**for sth** czegoś) 3. wy/wnioskować (**from sth** z czegoś)
~ away *vt* dow-ieść/odzić niesłuszności (**an objection etc.** obiekcji, zastrzeżenia itp.)
~ down *vt* pokon-ać/ywać argumentami
~ out *vt* wyczerpać wszystkie argumenty (**a matter** dotyczące sprawy)
argufy [ˈɑːgjuˌfai] *vi* (**argufied** [ˈɑːgjuˌfaid], **argufied; argufying** [ˈɑːgjuˌfaiiŋ]) warcholić; spierać się o głupstwa
argument [ˈɑːgjumənt] *s* 1. argument; dowód; dowodzenie 2. dyskusja; debata; spór; **a matter of ~** kwestia <sprawa> sporna; **to be beyond ~** nie podlegać dyskusji 3. teza 4. streszczenie 5. *mat* argument
argumentation [ˌɑːgjumenˈteiʃən] *s* 1. argumentowanie; dowodzenie 2. dowody
argumentative [ˌɑːgjuˈmentətiv] *adj* 1. (*o pracy*) rzeczowy; przemyślany 2. (*o człowieku*) lubiący dyskutować; mający zamiłowanie do prowadzenia dysput
argus-eyed [ˈɑːgəsˌaid] *adj* czujny
argute [ɑːˈgjuːt] *adj* 1. (*o umyśle itp*) przenikliwy 2. (*o dźwięku*) przeszywający; ostry
argyria [ɑːˈdʒiəriə] *s med* srebrzyca (zatrucie związkami srebra)
aria [ˈɑːriə] *s muz* aria
arid [ˈærid] *adj* 1. wypalony; spieczony 2. jałowy
aridity [æˈriditi] *s* 1. brak wody 2. jałowość
Aries [ˈɛəriˌiːz] *s astr* Baran
aright [əˈrait] *adv* dobrze; słusznie; właściwie; poprawnie
aril [ˈæril], **arillus** [əˈriləs] *s bot* osłonka
arise [əˈraiz] *vi* (**arose** [əˈrouz], **arisen** [əˈrizn]) 1. powsta-ć/wać <pochodzić> (**from sth** z czegoś) 2. pojawi-ć/ać <ukaz-ać/ywać> się; *pot* wziąć/brać się (**from sth** skądś) 3. nadarz-yć/ać się; **if the occasion ~s** jeżeli się nadarzy sposobność; *pot* w razie czego 4. wynik-nąć/ać (**from sth** z czegoś)
arisen *zob* **arise**
arista [əˈristə] *s* (*pl* **aristae** [əˈristiː]) *bot* ość
aristate [ˈærisˌteit] *adj bot* ościsty
aristocracy [ˌærisˈtɔkrəsi] *s* arystokracja
aristocrat [ˈæristəˌkræt] *s* arystokrat-a/ka
aristocratic [ˌæristəˈkrætik] *adj* arystokratyczny
Aristotelean [ˌæristouˈtiːljən] *adj* arystotelesowy; (*o doktrynie itd*) Arystotelesa
arithmetic [əˈriθmətik] *s* arytmetyka; rachunki

arithmetical [ˌæriθ'metikəl] *adj* arytmetyczny
arithmometer [ˌæriθ'mɔmitə] *s* arytmometr; maszyna do liczenia
ark [a:k] *s* 1. arka; **Noah's ~** arka Noego (*także* zabawka) 2. *am* barka rzeczna
arm[1] [a:m] *s* 1. ręka; ramię; **an infant in ~s** niemowlę; **~ in ~ with sb** pod rękę z kimś; **at ~'s length** a) na wyciągniętej ręce b) na długość ręki; **to keep sb at ~'s length** trzymać kogoś na dystans; unikać z kimś poufałości; **under one's ~** pod pachą (nieść, trzymać itd.); **~ of the sea** odnoga morska; **the secular ~** ramię sprawiedliwości 2. (*u wagi*) ramię 3. (*u fotela*) poręcz 4. (*u zwierzęcia*) przednia łapa 5. konar
arm[2] [a:m] I *s* (*zw pl*) broń; **in ~s** uzbrojony; **to ~s!** do broni!; **to take up ~s** chwycić za broń; **under ~s** pod bronią; z bronią u nogi; **the fourth ~** lotnictwo II *vt* uzbr-oić/ajać III *vi* 1. uzbr-oić/ajać się (**with sth** w coś) 2. zbroić się *zob* **armed**
armada [a:'ma:də] *s hist* armada; flota (wojenna)
armadillo [ˌa:mə'dilou] *s zoo* armadyl, pancernik
armament ['a:məmənt] *s* 1. uzbrojenie 2. *pl* **~s** zbrojenia; **~s race** wyścig zbrojeń
armature ['a:məˌtjuə] *s* 1. *biol* pancerz 2. *elektr* twornik 3. *bud* uzbrojenie; armatura
arm-badge ['a:mˌbædʒ] *s* oznaka władzy (noszona na ręce)
arm-band ['a:mˌbænd] *s* opaska
armchair ['a:m'tʃɛə] *s* fotel
armed [a:md] I *zob* **arm**[2] *v* II *adj* uzbrojony <zbrojny> (**with sth** w coś); **~ demonstration** zbrojna demonstracja; **~ peace** pokój zbrojny
Armenian [a:'mi:njən] I *adj* ormiański II *s* Ormian-in/ka
armful ['a:mful] *s* naręcze
armhole ['a:mˌhoul] *s* pacha (u płaszcza itp.)
armistice ['a:mistis] *s* zawieszenie broni; rozejm; **Armistice Day** rocznica zawieszenia broni po I wojnie światowej (11.XI.1918)
armless ['a:mlis] *adj* 1. (*o kalece*) bez ręki 2. nie uzbrojony; bez broni
armlet ['a:mlit] *s* 1. naramiennik 2. opaska 3. *geogr* odnoga (morska i rzeczna)
armorial [a:'mɔ:riəl] I *adj* herbowy; **~ bearings** herb II *s* herbarz
armour ['a:mə] *s* 1. zbroja 2. pancerz (rycerza); **in full ~** *dosł* w pełnej zbroi; *przen* uzbrojony od stóp do głów 3. opancerzenie (pociągu, okrętu itd.) 4. *wojsk* wojska <pojazdy> pancerne
armour-bearer ['a:məˌbɛərə] *s hist* giermek
armour-clad ['a:məˌklæd], **armoured** ['a:məd] *adj* pancerny; opancerzony
armourer ['a:mərə] *s* zbrojmistrz; *hist* płatnerz
armour-plate ['a:məˌpleit] *s* płyta pancerna
armour-plated ['a:məˌpleitid] *adj* pancerny; opancerzony
armour-plating ['a:məˌpleitiŋ] *s* opancerzenie
armoury ['a:məri] *s* 1. zbrojownia 2. *am* fabryka broni
armpit ['a:mˌpit] *s anat* pacha
arms [a:mz] *spl* herb
army ['a:mi] *s* armia; wojsko; **to be in the ~** służyć w wojsku; **to go into <to enter, to join> the ~** wstąpić do wojska; **the Salvation Army** Armia Zbawienia (organizacja religijna)
army-corps ['a:miˌkɔ:] *s* (*pl* **army-corps** ['a:miˌkɔ:z]) *wojsk* korpus (związek taktyczny)
army-list ['a:miˌlist] *s* urzędowy wykaz korpusu oficerskiego; korpus oficerski
arnica ['a:nikə] *s* 1. *bot* arnika, pomornik 2. *farm* pomornik (wyciąg)
aroma [ə'roumə] *s* aromat; woń; zapach
aromatic [ˌærə'mætik] *adj* aromatyczny
aromatize [ə'roumәˌtaiz] *vt* zaprawi-ć/ać (coś) zapachem; perfumować (mydło)
arose *zob* **arise**
around [ə'raund] I *praep* 1. dokoła (kogoś, czegoś) 2. *am z określeniem czasu*: około; **~ two o'clock** około godziny drugiej 3. *am* po całym (kraju, okręgu, mieście itp.) II *adv* wokoło, naokoło, dokoła; tu i tam; na wszystkie strony
arouse [ə'rauz] *vt* 1. o/budzić (ze snu) 2. pobudz-ić/ać (**sb to do sth** kogoś do zrobienia czegoś) 3. wzbudz-ić/ać <wzniec-ić/ać> (uczucia itp.)
arrack ['ærək] *s* arak
arraign [ə'rein] *vt* 1. postawić w stan oskarżenia 2. za/atakować (pogląd itp.); napa-ść/dać (**sb** na kogoś)
arraignment [ə'reinmənt] *s* 1. postawienie w stan oskarżenia 2. napaść; ostra krytyka
arrange [ə'reindʒ] I *vt* 1. rozmie-ścić/szczać; ustawi-ć/ać; ułożyć/układać; u/porządkować 2. u/planować; ustal-ić/ać; **to ~ sth with sb** ułożyć/układać <um-ówić/awiać> się z kimś co do czegoś 3. załagodzić (spór) 4. za/adaptować (utwór literacki dla sceny itp.); przer-obić/abiać (utwór muzyczny) II *vi* 1. um-ówić/awiać <ułożyć/układać> się (**with sb about sth** z kimś w jakiejś sprawie) 2. zarządz-ić/ać (**for sth to be done** żeby coś zostało zrobione) 3. postarać się (**to do sth** coś zrobić; **for sth to be done** żeby coś zostało zrobione)
arrangement [ə'reindʒmənt] *s* 1. rozmieszczenie; ustawienie; ułożenie; układ; uporządkowanie; porządek; szyk 2. *pl* **~s** zarządzenia; przygotowania; **I made ~s to send the books <for the books to be sent>** zarządziłem <poczyniłem kroki>, aby książki zostały wysłane 3. układ; umowa; porozumienie 4. załatwienie; załagodzenie (sporu) 5. adaptacja (utworu lit.); przeróbka (utworu muz.)
arrant ['ærənt] *adj* notoryczny; skończony; wierutny; **an ~ dunce** zakuty łeb; skończony dureń
arras ['ærəs] *s* arras; gobelin
array [ə'rei] I *s* 1. szeregi; **close ~** zwarte szeregi 2. szyk; **battle ~** szyk bojowy 3. procesja 4. wystawa 5. *poet* strój 6. *sąd* sędziowie przysięgli II *vt* 1. u/szykować; ustawi-ć/ać (wojsko); *prawn* **to ~ a panel** sporządz-ić/ać listę przysięgłych 2. *poet* u/stroić (**in sth** w coś); ozd-obić/abiać (**in sth** czymś)
arrear [ə'riə] *s* zaległość; **to be in ~(s)** mieć zaległości; zalegać (z robotą, płatnościami itd.); **payment in ~** zalegająca wpłata
arrearage [ə'riəridʒ] *s* 1. zaległość 2. *pl* **~s** *am* zaległe płatności; salda kontowe
arrest [ə'rest] I *vt* 1. za/aresztować 2. przyciąg-nąć/ać (uwagę, wzrok) 3. wstrzym-ać/ywać <zatrzym-ać/ywać> (ruch, postęp itd.); **to ~ judgement** wstrzym-ać/ywać wykonanie wyroku *zob* **arresting** II *s* 1. areszt; aresztowanie; **under ~** aresztowany 2. wstrzymanie <zatrzymanie> (ruchu, postępu itp.)

arresting [ə'restiŋ] [I] *zob* **arrest** *v* [II] *adj* 1. frapujący; uderzający; przyciągający uwagę 2. (*o urządzeniu techn*) zatrzymujący <hamujący> (ruch maszyny itp.)
arrhythmia [ə'riθmiə], **arrhythmy** ['æriθmi] *s med* arytmia
arrière-pensée ['æriɛə'pã:sei] *s* uboczna myśl
arris ['æris] *s* krawędź; kant
arrival [ə'raivəl] *s* 1. przybycie; przyjście; nadejście; przyjazd 2. transport <partia> (towarów) 3. przybysz; nowo przybyły (gość); *żart* noworodek
arrive [ə'raiv] *vi* 1. przyby-ć/wać; przyje-chać/żdżać; przy-jść/chodzić; **to ~ at a <the> conclusion** do-jść/chodzić do wniosku; wy/wnioskować 2. (*o towarze*) nad-ejść/chodzić 3. (*o czasie*) nasta-ć/wać 4. (*o wypadku*) wydarz-yć/ać <zdarz-yć/ać> się 5. wspólnie ustal-ić/ać (**at a price etc.** cenę itd.)
arrogance ['ærəgəns] *s* arogancja; wyniosłość; buta
arrogant ['ærəgənt] *adj* arogancki; wyniosły; butny
arrogate ['ærə,geit] *vt* 1. rościć (**sth to oneself** sobie prawo do czegoś) 2. przypis-ać/ywać (**sth to sb** coś komuś)
↑**arrow** ['ærou] *s* strzała; strzałka; **broad ~** pieczęć oznaczająca własność państwową
arrow-head ['ærou,hed] *s* 1. ostrze <grot> strzały 2. *bot* uszyca, strzałka wodna
arrow-headed ['ærou,hedid] *adj* (*o piśmie itd*) klinowy
arrowroot ['ærə,ru:t] *s* 1. *bot* maranta 2. *farm* mąka ararutowa
arse [ɑ:s] *s wulg* dupa
arsenal ['ɑ:sinl] *s* arsenał, zbrojownia
arsenate ['ɑ:sinit] *s chem* arsenian
arsenic ['ɑ:snik] [I] *s chem* arsen; **white ~** arszenik [II] *attr chem* arsenowy [III] *adj* [ɑ:'senik] *chem* arsenowy
arsenious [ɑ:'si:njəs] *adj chem* arsenowy
arsine ['ɑ:si:n] *s chem* arsenowodór, arseniak
arsis ['ɑ:sis] *s* (*pl* **arses** ['ɑ:si:z]) 1. *muz* akcent 2. *prozod* akcentowana zgłoska
arson ['ɑ:sn] *s* podpal-enie/anie
art[1] [ɑ:t] † *2 pers sing praes od* **be**
art[2] [ɑ:t] [I] *s* 1. sztuka; **fine ~s** sztuki piękne 2. sztuka; umiejętność; rzemiosło; **the ~ of war** sztuka wojenna 3. *pl* **~s** nauki humanistyczne; *uniw* **faculty of ~s** wydział humanistyczny; **the liberal ~s** nauki <sztuki> wyzwolone 4. zręczność 5. fortel 6. *w zwrocie*: **to be <have> ~ and part in sth** brać w czymś udział [II] *attr* **~ exhibition** wystawa sztuki; **~ school** szkoła sztuk plastycznych
arterial [ɑ:'tiəriəl] *adj anat* tętnicowy; tętniczy; **~ line** magistrala kolejowa; **~ road** główna szosa; magistrala
arterialize [ɑ:'tiəriə,laiz] *vt* utleniać (krew żylną)
arteriotomy [ɑ:,tiəri'ɔtəmi] *s med* arteriotomia; przecięcie <wycięcie> tętnicy
artery ['ɑ:təri] *s anat* arteria, tętnica; *przen* arteria (ruchu)
artesian [ɑ:'ti:zjən] *adj* artezyjski
artful ['ɑ:tful] *adj* 1. zręczny 2. chytry; przebiegły 3. (*o rzeczy*) pomysłowy; dowcipny
artfulness ['ɑ:tfulnis] *s* 1. zręczność 2. chytrość; przebiegłość
arthritic [ɑ:'θritik] *adj* artretyczny
arthritis [ɑ:'θraitis] *s* artretyzm
arthropod ['ɑ:θrə,pɔd] *s* (*pl* **~s, ~a** [ɑ:'θrɔpədə]) *zoo* stawonóg
artichoke ['ɑ:ti,tʃouk] *s bot* karczoch
article ['ɑ:tikl] [I] *s* 1. paragraf; punkt (umowy itp.) 2. artykuł (w gazecie itp. oraz w handlu); towar 3. przedmiot (bagażu itd.); **an ~ of clothing** część garderoby 4. *pl* **~s** przybory (toaletowe itd.) 5. *gram* przedimek, rodzajnik 6. temat; rubryka ‖ **in the ~ of death** w obliczu <na łożu> śmierci [II] *vt* 1. *prawn* ustal-ić/ać punkty (**sth** czegoś — umowy itp.) 2. *prawn* oskarż-yć/ać 3. odda-ć/wać do terminu <na naukę, na praktykę> [III] *vi* sporządz-ić/ać akt oskarżenia (**against sb** przeciwko komuś)
articulate [ɑ:'tikjulit] [I] *adj* 1. *zoo* stawowy 2. (*o mowie*) wyraźny; artykułowany [II] *vt* [ɑ:'tikju,leit] 1. *anat* po/łączyć za pomocą stawów 2. *jęz* artykułować; wyraźnie wymawiać
articulation [ɑ:,tikju'leiʃən] *s jęz* artykulacja 2. *anat* staw
artifice ['ɑ:tifis] *s* sztuczka; podstęp; fortel
artificer [ɑ:'tifisə] *s* 1. rzemieślnik 2. wynalazca 3. twórca; sprawca
↑**artificial** [,ɑ:ti'fiʃəl] *adj* 1. sztuczny 2. symulowany, udany
artificiality [,ɑ:tifiʃi'æliti] *s* sztuczność
artillery [ɑ:'tiləri] *s* artyleria
artillery-man [ɑ:'tilərimən] *s* (*pl* **artillery-men** [ɑ:'tilərimən]) artylerzysta
artillery-waggon [ɑ:'tiləri,wægən] *s* laweta
artisan [,ɑ:ti'zæn] *s* rzemieślnik
artist ['ɑ:tist] *s* artyst-a/ka
artiste [ɑ:'ti:st] *s* artyst-a/ka (estradow-y/a)
artistic [ɑ:'tistik] *adj* artystyczny
artistry ['ɑ:tistri] *s* sztuka; mistrzostwo
artless ['ɑ:tlis] *adj* naturalny; szczery; otwarty
artlessness ['ɑ:tlisnis] *s* naturalność; szczerość; otwartość
artocarpad [,ɑ:tou'kɑ:pæd] *s bot* drzewo chlebowe
arty ['ɑ:ti] *adj* (**artier** ['ɑ:tiə], **artiest** ['ɑ:tiist]) 1. (*o człowieku*) pozujący na artystę 2. (*o urządzeniu mieszkania*) pretensjonalny; sadzący się na wygląd artystyczny
arum ['ɛərəm] *s bot* arum, obrazkowiec
Aryan ['ɛəriən] [I] *adj* aryjski [II] *s* Aryj-czyk/ka
arytenoid [,æri'ti:nɔid] *adj anat* nalewkowaty, nalewkowy
as [əz] [I] *adv* 1. równie <tak samo> (dobry, wielki itd.); **~ long <big etc.> ~ —** taki długi <wielki itd.> jak ... 2. jak; tak jak; **~ usual** jak zwykle; **~ yet** (jak) na razie, dotychczas 3. *po* **so**: **so ~** tak (a)żeby; aby 4. *w zwrotach*: **~ regards, ~ for, ~ to** co do, co się tyczy 5. jako; za; **dressed ~ a footman** ubrany za lokaja; **to act ~ intermediary** występować jako pośrednik [II] *conj* 1. ponieważ, jako że, skoro 2. gdy, kiedy; **he arrived ~ we were leaving** przyszedł, gdy <kiedy> myśmy odchodzili 3. jak; **~ if <though>** jak gdyby; **~ I said before** jak przedtem mówiłem; **do ~ I do** rób/cie tak, jak ja robię 4. również; **all the Dominions were represented ~ was India** wszystkie dominia były reprezentowane, również i Indie; **~ it is** a) i tak b) w rzeczywistości; **he is poor enough ~ it is** on jest i tak dość biedny; **~ it were** niejako; do pewnego stopnia [III] *pron* który; co i; **such people**

~ know him ci ludzie, którzy go znają; **the same ~ yesterday** ten sam, co i wczoraj
asafoetida [ˌæsə'fetidə] *s* asafetyda (rodzaj żywicy)
asbestine [æz'bestin] *adj* azbestowy
asbestos [æz'bestəs] *s miner* azbest
ascarides [æs'kæriˌdi:z] *spl zoo* askarydy, glisty
ascend [ə'send] [I] *vi* pójść/iść w górę; podn-ieść/osić <wzn-ieść/osić> się; wspi-ąć/nać się [II] *vt* 1. wst-ąpić/ępować (**the throne** na tron) 2. po/płynąć w górę (**a river** rzeki)
ascendancy, ascendency [ə'sendənsi] *s* panowanie; przewaga; wpływ
ascendant, ascendent [ə'sendənt] [I] *s w zwrocie*: **to be in the ~** a) wschodzić b) przeważać; mieć przewagę [II] *adj* 1. wschodzący 2. przeważający; panujący
ascension [ə'senʃən] *s* 1. *am* = **ascent** 1. 2. wschodzenie; podniesienie; podnoszenie się 3. *kośc* **Ascension (Day)** Wniebowstąpienie
ascent [ə'sent] *s* 1. wspinanie się; wejście/wchodzenie (na szczyt); zdobycie szczytu górskiego 2. wchodzenie na górę (po schodach itd.) 3. wzniesienie (terenu)
ascertain [ˌæsə'tein] *vt* 1. stwierdz-ić/ać; s/konstatować 2. upewni-ć/ać się (**sth** co do czegoś); sprawdz-ić/ać (coś)
ascertainment [ˌæsə'teinmənt] *s* 1. stwierdzenie; skonstatowanie 2. upewnienie się; sprawdzenie
ascetic [ə'setik] [I] *s* ascet-a/ka [II] *adj* ascetyczny
asceticism [ə'setiˌsizəm] *s* asceza
ascidium [ə'sidiəm] *s* 1. *bot* morska pochwa 2. *zoo* żuchwa
ascorbic [ə'skɔ:bik] *adj farm* askorbinowy; **~ acid** kwas askorbinowy, witamina C, cebion
Ascot ['æskət] *spr* 1. miejscowość znana z wyścigów konnych 2. wyścigi konne w Ascot; **~ tie** krawat fularowy wiązany w charakterystyczny sposób
ascribe [əs'kraib] *vt* przypis-ać/ywać (coś komuś)
ascription [əs'kripʃən] *s* przypis-anie/ywanie (**of sth to sb** czegoś komuś)
aseptic [æ'septik] *adj* aseptyczny
asexual [æ'seksjuəl] *adj* bezpłciowy
ash[1] [æʃ] *s bot* jesion
ash[2] [æʃ] *s* 1. popiół 2. *pl* **~es** *dosł i przen* popioły; **to reduce to ~es** obr-ócić/acać w perzynę; (*w krykiecie*) **to retain** <**bring back**> **the ~es** zachować <odzyskać> przewagę
ashamed [ə'ʃeimd] *adj praed* zawstydzony; **to be ~ of sb, sth** wstydzić się kogoś, czegoś; **I am ~ of you** wstyd mi za ciebie; **he ought to be ~ of himself** powinien się wstydzić; **to make sb feel ~** a) zawstydzać kogoś b) przynosić komuś wstyd
ash-bin ['æʃˌbin], **ash-can** ['æʃˌkæn] *s* skrzynia na popiół <na śmieci>
ashen[1] ['æʃn] *adj* jesionowy
ashen[2] ['æʃn] *adj* popielaty; szary
ashlar ['æʃlə] *s* kamień ciosowy
ashore [ə'ʃɔ:] *adv* na ląd; na brzeg; **to go ~** zejść na ląd <na brzeg>; **to set passengers ~** wysadzić pasażerów na ląd <na brzeg>
ash-pan [æʃˌpæn] *s* popielnik
ash-pit ['æʃˌpit] *s* dół na popiół
ash-tray ['æʃˌtrei] *s* popielniczka
Ash-Wednesday ['æʃ'wenzdi] *s* środa popielcowa, Popielec
ashy ['æʃi] *adj* (**ashier** ['æʃiə], **ashiest** ['æʃiist]) 1. posypany popiołem 2. szary; **~ pale** blady jak ściana
Asiatic [ˌeiʃi'ætik] [I] *adj* azjatycki [II] *s* Azjat-a/ka
aside [ə'said] [I] *adv* 1. na bok; na boku; na uboczu; **to draw ~** a) odsunąć (kotarę itp.) b) odciągnąć (kogoś) na bok; **to put sth ~** od-łożyć/kładać coś na bok; **putting that ~** pomijając to; abstrahując od tego 2. *w zwrocie:* **~ from** poza; prócz, oprócz [II] *s* **an ~** słowa wypowiadane przez aktora na stronie; sceniczny szept
asinine ['æsiˌnain] *adj* ośli; głupi; idiotyczny
ask [ɑ:sk] [I] *vt* 1. zapyt-ać/ywać (się); **to ~ sb a question** zada-ć/wać komuś pytanie; **to ~ the way** <**the time**> pytać o drogę <o czas>; **to be ~ing for trouble** szukać nieszczęścia; **he has been ~ing for it** sam tego chciał 2. po/prosić (**sth** o coś); **to ~ sb a favour, to ~ a favour of sb** zwrócić się do kogoś z prośbą; **to ~ sb's pardon** przepr-osić/aszać kogoś; **to ~ sb to do sth** po/prosić kogoś, żeby coś zrobił 3. za/żądać (**sth of** <**from**> **sb** czegoś od kogoś); **~ a high** <**low etc.**> **price for sth** postawić wysoką <niską itd.> cenę na coś 4. zapr-osić/aszać || **to ~ the banns** ogł-osić/aszać zapowiedzi; *pot* **to be ~ed in church** spaść z ambony [II] *vi* 1. po/prosić (**for sb, sth** o kogoś, coś); po/prosić (**for sb** kogoś); za/żądać (**for sb** kogoś, widzenia się z kimś) 2. dowi-edzieć/adywać się (**about sb, sth** o kogoś, coś) 3. dopytywać <informować> się (**after sb** <**sb's health etc.**> o kogoś <o czyjeś zdrowie itd.>)
~ back *vt* 1. *w zwrocie*: **to ~ for sth back** za/żądać zwrotu czegoś 2. *w zwrocie*: **to ~ sb back** odwzajemni-ć/ać czyjeś zaproszenie
~ in *vt w zwrocie:* **to ~ sb in** po/prosić kogoś, żeby wszedł
~ out *vt w zwrocie*: **to ~ sb out** po/prosić kogoś, żeby wyszedł
~ up *vt w zwrocie*: **to ~ sb up** po/prosić kogoś, żeby wszedł na górę
zob **asking**
askance [əs'kæns] *adv* ukośnie; spode łba <krzywo> (na kogoś popatrzeć)
askew [əs'kju:] *adv* krzywo; **her nose was ~** miała krzywy nos
asking ['ɑ:skiŋ] [I] *zob* **ask** [II] *s w zwrotach:* **it's yours for the ~, you may have it for the ~** a) chcesz, to ci to dam b) można to mieć za darmo; to nic nie kosztuje
aslant [ə'slɑ:nt] [I] *adv* na ukos; ukośnie [II] *praep* w poprzek <na skos, w skos> (czegoś)
asleep [ə'sli:p] *adv adj praed* we śnie; śpiąc; **to be ~** spać; **to fall ~** zasnąć; **my arm** <**foot, leg**> **is ~** ręka <stopa, noga> mi zdrętwiała <ścierpła>
aslope [ə'sloup] [I] *adv* pochyło [II] *adj praed* pochyły
asocial [ei'souʃəl] *adj* aspołeczny
asp[1] [æsp] *s bot* osika
asp[2] [æsp] *s zoo* żmija
asparagus [əs'pærəgəs] *s bot* szparag; **~ bed** szparagarnia
aspect ['æspekt] *s* 1. mina; wygląd 2. postać (sprawy itd.); aspekt; przejaw; **a thing in its true ~** coś widziane z właściwej strony <we właściwym świetle> 3. wystawa (budynku) 4. *gram* aspekt; postać (czasownika)
aspen ['æspən] [I] *s bot* osika [II] *adj* osikowy

aspergillum [ˌæspəˈdʒiləm] *s kośc* kropidło
aspergillus [ˌæspəˈdʒiləs] *s bot* kropidlak
asperity [æsˈperiti] *s* 1. ostrość <surowość> (klimatu itd.) 2. szorstkość <cierpkość, opryskliwość> (usposobienia, wypowiedzi itp.) 3. chropowatość (powierzchni) 4. chrapliwość (głosu itp.) 5. *pl* **asperities** przykre <ostre> słowa
asperse [əsˈpə:s] *vt* 1. obryzg-ać/iwać; po/kropić 2. obm-ówić/awiać; oczerni-ć/ać; zniesławi-ć/ać
aspersion [əsˈpə:ʃən] *s* 1. obryzganie; pokropienie 2. obmowa; oszczerstwo; potwarz; kalumnia
asphalt [ˈæsfælt] I *s* asfalt II *vt* wy/asfaltować
asphodel [ˈæsfəˌdel] *s bot* złotogłów, asfodel
asphyxia [æsˈfiksiə] *s* uduszenie (się)
asphyxiant [æsˈfiksiənt] *s* gaz duszący
asphyxiate [æsˈfiksiˌeit] *vt* u/dusić
aspic[1] [ˈæspik] *s kulin* auszpik; galareta
aspic[2] [ˈæspik] *s zoo* żmija
aspic[3] [ˈæspik] *s bot* gatunek lawendy
aspidistra [ˌæspiˈdistrə] *s bot* aspidistra; żelazne liście
aspirant [əsˈpaiərənt] I *s* aspirant/ka; kandydat/ka II *adj* starający <ubiegający> się (**after** <**for**> **sth** o coś; **to do sth** o zrobienie czegoś)
aspirate [ˈæspəˌreit] I *vt* 1. *fonet* wymawiać z przydechem, aspirować 2. wdychać II *adj* [ˈæs pərit], **aspirated** [ˈæspəˌreitid] przydechowy; wymawiany z przydechem
aspiration [ˌæspəˈreiʃən] *s* 1. wysysanie (płynu); wdychanie (powietrza) 2. aspiracja; pragnienie; dążenie (**after** <**for**> **sth** do czegoś) 3. *fonet* przydech, aspiracja
aspirator [ˈæspəˌreitə] *s techn* aspirator; pochłaniacz
aspire [əsˈpaiə] *vi* mieć aspiracje (**to** <**after, at**> **sth, to do sth** do czegoś)
aspirin [ˈæspərin] *s* aspiryna
asquint [əˈskwint] I *adv* (patrzeć) zezem <z ukosa> II *adj praed* (*o oku*) krzywy, skrzywiony; **his right** <**left**> **eye is ~** (on) ma zeza w prawym <lewym> oku
ass [æs] *s dosł i przen* osioł; **young ~** oślę; **a perfect ~** skończony osioł; **to make an ~ of oneself** a) robić z siebie osła <błazna> b) zbłaźnić się
assagai [ˈæsəˌgai] = **assegai**
assail [əˈseil] *vt* 1. napa-ść/dać <uderz-yć/ać, rzuc-ić/ać się> (**sb, sth** na kogoś, coś); za/atakować 2. zab-rać/ierać się energicznie <z zapałem> (**sth** do czegoś — jakiejś pracy itp.) 3. zasyp-ać/ywać (kogoś pytaniami itp.)
assailant [əˈseilənt] *s* napastnik
assart [əˈsɑ:t] *vt* wy/karczować
assassin [əˈsæsin] *s* morder-ca/czyni; zamachowiec
assassinate [əˈsæsiˌneit] *vt* 1. za/mordować 2. dokon-ać/ywać zamachu (**sb** na kogoś)
assassination [əˌsæsiˈneiʃən] *s* 1. zamordowanie; morderstwo 2. zamach
assault [əˈsɔ:lt] I *s* 1. *wojsk* szturm 2. *przen* atak; napaść 3. *prawn* **~ and battery** naruszenie nietykalności osobistej; pobicie; poturbowanie; czynne znieważenie II *vt* 1. *wojsk* przypu-ścić/szczać szturm (**a fortress etc.** do fortecy itp.) 2. za/atakować; napa-ść/dać <dokon-ać/ywać napadu> (**sb, sth** na kogoś, coś) 3. po/bić; poturbować; czynnie znieważ-yć/ać 4. zab-rać/ierać się energicznie <z zapałem> (**sth** do czegoś — **zadania,** pracy itp.)
assaulter [əˈsɔ:ltə] *s* napastnik
assay [əˈsei] I *vt* 1. oznacz-yć/ać próbę (**a metal** metalu) 2. s/próbować (**to do sth** coś zrobić) 3. z/analizować II *s* 1. probierstwo 2. próba (metalu) 3. analiza
assegai [ˈæsiˌgai] *s* włócznia; dzida
assemblage [əˈsemblidʒ] *s* 1. zgromadzenie (osób); nagromadzenie (rzeczy) 2. z/montowanie (maszyny); składanie/złożenie (zegarka itp.)
assemble [əˈsembl] I *vt* 1. zebrać/zbierać; z/gromadzić, nagromadzić 2. z/montować (maszynę itp.); złożyć/składać (zegarek itp.) II *vi* zebrać/zbierać <z/gromadzić> się
assembly [əˈsembli] I *s* 1. zgromadzenie; zebranie 2. *wojsk* apel; zbiórka 3. z/montowanie <montaż> (maszyny itp.); składanie/złożenie (części zegarka itp.) II *attr* **~ line** linia <taśma> montażowa; **~ shop** montownia
assent [əˈsent] I *vi* 1. wyra-zić/żać zgodę <da-ć/wać sankcję> (**to sth** na coś); u/sankcjonować (**to sth** coś) 2. uzna-ć/wać (**to sth** coś) II *s* zatwierdzenie; akceptacja; zgoda; u/sankcjonowanie; **with one ~** jednomyślnie; jednogłośnie; **the royal ~** sankcja królewska
assert [əˈsə:t] I *vt* 1. zapewni-ć/ać (**sth** o czymś); dow-ieść/odzić (**sth** czegoś); twierdzić <utrzym-ać/ywać> (że ...) 2. domagać się uznania <dochodzić> (**sth** czegoś — praw itp.) II *vr* **~ oneself** 1. (*o kimś*) ostro się stawi-ć/ać; domagać się należnego szacunku <uznania>; nie da-ć/wać innym przewodzić nad sobą; *pot* nie da-ć/wać się wodzić za nos 2. (*o czymś*) ukaz-ać/ywać <przejawi-ć/ać> się
assertion [əˈsə:ʃən] *s* 1. twierdzenie; zapewnienie (**of sth** o czymś) 2. domaganie się uznania <dochodzenie> (praw itd.)
assertive [əˈsə:tiv] *adj* (*o tonie itp*) stanowczy; apodyktyczny; nie znoszący sprzeciwu
assertiveness [əˈsə:tivnis] *s* pewność siebie; apodyktyczność
assess [əˈses] *vt* 1. o/taksować; o/szacować 2. wymierz-yć/ać (daninę itd.); na-łożyć/kładać (podatek itd.)
assessment [əˈsesmənt] *s* 1. oszacowanie; otaksowanie 2. opodatkowanie; wymierzenie (podatku, daniny) 3. wymiar <wysokość> (podatku, daniny) 4. podatek; danina
assessor [əˈsesə] *s* 1. taksator 2. (*także* **~ of taxes**) kierownik urzędu podatkowego
asset [ˈæset] *s* 1. cenny **nabytek**; wartościow-y/a pracowni-k/czka 2. rzecz wartościowa <cenna> 3. *pl* **~s** aktywa; majątek
asseverate [əˈsevəˌreit] *vt* oświadczy-yć/ać (że...); zapewni-ć/ać (**sth** o czymś)
asseveration [əˌsevəˈreiʃən] *s* oświadczenie; zapewnienie
assiduity [ˌæsiˈdjuiti] *s* 1. wytrwałość; pracowitość; wysiłki 2. *pl* **assiduities** dbanie o czyjąś wygodę 3. *pl* **assiduities** zaloty
assiduous [əˈsidjuəs] *adj* wytrwały; pilny; pracowity
assign [əˈsain] *vt* 1. wyznacz-yć/ać; wydziel-ić/ać; przydziel-ić/ać 2. oznacz-yć/ać <ustal-ić/ać> (czas, miejsce itp.) 3. przeznacz-yć/ać (**sth to a purpose** coś na jakiś cel) 4. przyt-oczyć/aczać (**a reason**

for sth powód <przyczynę> czegoś) 5. przen-ieść/osić (**property to sb** własność na kogoś)

assignation [ˌæsigˈneiʃən] *s* 1. wyznaczenie; wydzielenie; przydział; podział 2. oznaczenie <ustalenie> (czasu, miejsca itp.); umówione spotkanie 3. przeniesienie własności

assignee [ˌæsiˈniː] *s* 1. beneficjant 2. mandatariusz

assignment [əˈsainmənt] *s* 1. wyznaczenie; wydzielenie; przydział; podział 2. oznaczenie <ustalenie> (czasu, miejsca itp.); umówione spotkanie 3. przeznączenie (czegoś na jakiś cel) 4. przytoczenie (powodów czegoś) 5. przeniesienie własności <prawa> 6. *am szk* wyznaczone zadanie (do spełnienia) 7. *am* przeznaczenie (kogoś na stanowisko)

assimilate [əˈsimiˌleit] [I] *vt* 1. z/asymilować; przysw-oić/ajać sobie 2. upod-obnić/abniać 3. porówn-ać/ywać [II] *vi* z/asymilować się (**to** <**with**> **sth** z czymś)

assimilation [əˌsimiˈleiʃən] *s* 1. asymilacja; przysw-ojenie/ajanie sobie 2. upod-obnienie/abnianie 3. porównywanie

assimilative [əˈsimilətiv] *adj* asymilacyjny

assist [əˈsist] [I] *vt* 1. pom-óc/agać (**sb in sth** komuś w czymś; **in doing sth, to do sth** coś robić) 2. wspom-óc/agać; wesprzeć/wspierać 3. odprowa-dz-ić/ać (kogoś do drzwi) [II] *vi* 1. być obecnym (**at a ceremony etc.** na uroczystości itd.) 2. wziąć/brać udział (**in sth** w czymś)

assistance [əˈsistəns] *s* 1. pomoc; **with the ~ of sb, sth** przy pomocy czyjejś, za pomocą czegoś; **of ~** pomocny; pożyteczny 2. wsparcie; **to come to sb's ~** przyjść komuś z pomocą; wesprzeć kogoś

assistant [əˈsistənt] [I] *adj* pomocniczy; **~ manager** wicedyrektor; **~ professor** docent [II] *s* 1. pomocni-k/ca; zastęp-ca/czyni 2. asystent/ka; **laboratory ~** laborant/ka 3. *handl* pomocni-k/ca sklepow-y/a; ekspedient/ka

assize [əˈsaiz] *s* 1. cena urzędowa 2. *sąd* sąd przysięgłych 3. *pl* **~s** *sąd* sąd na sesji wyjazdowej

associate [əˈsouʃiˌeit] [I] *vt* po/łączyć; s/kojarzyć; z/wiązać [II] *vi* 1. obcować 2. współdziałać; dołączyć <przyłącz-yć/ać> się (**with others** do innych) [III] *adj* towarzyszący; **~ judge** asesor; **~ member** członek korespondent (akademii); *am* **~ professor** profesor przy katedrze; profesor nadzwyczajny [IV] *s* [əˈsouʃiit] współpracowni-k/czka; kole-ga/żanka; towarzysz/ka; **~ in crime** współsprawca zbrodni

association [əˌsousiˈeiʃən] [I] *s* 1. połączenie; skojarzenie; asocjacja 2. związek; stowarzyszenie; zjednoczenie 3. obcowanie 4. *pl* **~s** wspomnienia (historyczne itd.); związki (z historią miejscowości itp.) [II] *attr* **~ football** piłka nożna (gra piłką okrągłą) *zob* **rugby**

associative [əˈsouʃjətiv] *adj* asocjacyjny; skojarzeniowy

assonance [ˈæsənəns] *s* asonans

assonant [ˈæsənənt] *adj prozod* asonansowy

assort [əˈsɔːt] [I] *vt* 1. dob-rać/ierać (**sth with sth** coś do czegoś); s/klasyfikować; roz/segregować 2. zaopat-rzyć/rywać (**a shop with goods** sklep w asortyment towarów) [II] *vi w zwrotach*: **to ~ ill with sth** nie harmonizować <kłócić się> z czymś (pod względem barwy itp.); być źle dobranym do czegoś; **to ~ well with sth** harmonizować (pod względem barwy itp.) z czymś; być dobrze dobranym do czegoś

assortment [əˈsɔːtmənt] *s* 1. asortyment; **dobór**; wybór 2. dobieranie (barwy itp.)

assuage [əˈsweidʒ] *vt* 1. uśmierz-yć/ać; z/łagodzić; uspok-oić/ajać 2. zaspok-oić/ajać (apetyt itp.)

assuagement [əˈsweidʒmənt] *s* 1. uśmierzenie <złagodzenie, uspokojenie> (bólu itp.) 2. zaspokojenie (apetytu itp.)

assumable [əˈsjuːməbl] *adj* przypuszczalny; **it is ~** można przypuścić (że...)

assume [əˈsjuːm] *vt* 1. przyb-rać/ierać <przyj-ąć/mować> (kształt, minę, pozę, charakter itd.) 2 wziąć/brać na siebie (odpowiedzialność, obowiązki itp.) 3. wdzi-ać/ewać (szaty); za-łożyć/kładać (okulary itp.) 4. ob-jąć/ejmować (władzę, majątek w posiadanie itd.) 5. uda-ć/wać (**generosity etc.** hojność itd.); przyb-rać/ierać pozory (**sth** czegoś) 6. przypu-ścić/szczać; zakładać <przyj-ąć/mować> (że ...); **I ~ that to be the truth** to jest chyba prawda *zob* **assuming**

assuming [əˈsjuːmiŋ] [I] *zob* **assume** [II] *adj* zarozumiały

assumption [əˈsʌmpʃən] *s* 1. przyb-ranie/ieranie (postaci, miny, pozy, charakteru, nazwiska itd.) 2. objęcie (władzy); wzięcie (czegoś w posiadanie) 3. udawanie; symulowanie 4. przypuszczenie; założenie 5. zarozumiałość 6. *kośc* **Assumption** Wniebowzięcie

assumptive [əˈsʌmptiv] *adj* 1. przypuszczalny; hipotetyczny 2. zarozumiały

assurance [əˈʃuərəns] *s* 1. pewność; upewnienie się 2. zapewnienie (**of sth** o czymś) 3. ubezpieczenie 4. pewność siebie; tupet; czelność

assure [əˈʃuə] *vt* 1. zabezpiecz-yć/ać 2. ubezpiecz-yć/ać 3. zapewni-ć/ać (**sth to sb** komuś coś; **sb of sth** kogoś o czymś); za/gwarantować; **rest ~d that** _ bądź pewny, że...

assuredly [əˈʃuəridli] *adv* zapewne; z pewnością; niechybnie; niezawodnie

Assyrian [əˈsiriən] [I] *adj* asyryjski [II] *s* Asyryj-czyk/ka

astatic [æˈstætik] *adj fiz* astatyczny; chwiejny

aster [ˈæstə] *s bot* aster

asterisk [ˈæstərisk] *s druk* gwiazdka, odsyłacz

astern [əsˈtəːn] *adv mar* 1. na rufie 2. w tyle <z tyłu> (statku) 3. w tył; wstecz

asteroid [ˈæstəˌrɔid] [I] *s astr* asteroida [II] *adj* gwieździsty

asthenia [æsˈθiːnjə] *s med* astenia, niemoc

asthma [ˈæsmə] *s med* astma, dychawica

asthmatic [æsˈmætik] *adj* astmatyczny

astigmatism [æsˈtigməˌtizəm] *s fiz med* astygmatyzm

astir [əˈstəː] *adv adj praed* 1. w ruchu; **to set ~** pu-ścić/szczać w ruch; uruch-omić/amiać 2. ożywiony 3. poruszony; podniecony; **to be ~** a) ruszać się b) być na nogach c) być podnieconym <ożywionym>

astonish [əsˈtɔniʃ] *vt* z/dziwić; zadziwi-ć/ać; **to be ~ed at sb** <**sth**> dziwić się komuś <czemuś> *zob* **astonishing**

astonishing [əsˈtɔniʃiŋ] [I] *zob* **astonish** [II] *adj* zadziwiający

astonishment [əsˈtɔniʃmənt] *s* zdziwienie; **in ~** zdziwiony

astound [əsˈtaund] *vt* zdumie-ć/wać *zob* **astounding**

astounding [əsˈtaundiŋ] [I] *zob* **astound** [II] *adj* zdumiewający

astraddle [əsˈtrædl] *adv adj praed* okrakiem

astragal ['æstrəgəl] *s arch* astragal, wałek <obrączka> kolumny

astragalus [əs'trægələs] *s* 1. *anat* astragal, kość nadpiętowa 2. *bot* astragalus, traganek

astrakhan [,æstrə'kæn] *s* baranek astrachański; karakuł

astral ['æstrəl] *adj* (*o ciele, świetle itp*) astralny

astray [ə'strei] *adv adj praed w zwrotach*: **to go ~** zabłąkać się; zabłądzić; zgubić się; (*o liście*) zaginąć; **to lead sb ~** a) sprowadzić kogoś z właściwej drogi <na manowce> b) wprowadzić kogoś w błąd

astrict [ə'strikt] *vt* zmu-sić/szać; zniew-olić/alać

astrictive [ə'striktiv] *adj* 1. zniewalający 2. *farm* (*o leku*) ściągający

astride [ə'straid] [I] *adv praed* okrakiem [II] *adj praed* rozkraczony

astringent [əs'trindʒənt] [I] *adj farm* (*o środku*) ściągający; wstrzymujący [II] *s farm* środek ściągający <wstrzymujący>

astrolabe ['æstrə,leib] *s astr* astrolabium (przyrząd)

astrologer [əs'trɔlədʒə] *s* astrolog

astrologic(al) [,æstrə'lɔdʒik(əl)] *adj* astrologiczny

astrology [əs'trɔlədʒi] *s* astrologia

astronomer [əs'trɔnəmə] *s* astronom

astronomic(al) [,æstrə'nɔmik(əl)] *adj* astronomiczny

astronomy [əs'trɔnəmi] *s* astronomia

astute [əs'tju:t] *adj* 1. bystry; wnikliwy 2. przebiegły

astuteness [əs'tju:tnis] *s* 1. bystrość; wnikliwość 2. przebiegłość

asunder [ə'sʌndə] *adv* (*o dwóch jednostkach*) jedno od drugiego; od siebie; w oddaleniu — jedno od drugiego; **to come ~** rozpaść się na części; oderwać się od siebie; **to tear ~** oderwać jedno od drugiego <od siebie>; rozdzielić; rozerwać

asylum [ə'sailəm] *s* 1. azyl (polityczny itp.) 2. schronienie 3. przytułek; **lunatic ~** zakład dla obłąkanych

asymmetric(al) [,æsi'metrik(əl)] *adj* asymetryczny

asymmetry [æ'simitri] *s* asymetria

asymptote ['æsimp,tout] *s mat* asymptota; niemal-styczna

at [æt] *praep* 1. *określenie miejsca, położenia*: przy (czymś); w (czymś); na (czymś); u (kogoś, czegoś); **~ the table <the window, the breast>** przy stole <oknie, piersi>; **~ church <school, the theatre>** w kościele <szkole, teatrze>; **~ the centre <top, bottom>** w <na> środku <górze, dole>; u góry <dołu>; **~ the concert <lecture, performance>** na koncercie <wykładzie, przedstawieniu>; **~ the baker's <the butcher's, my friends'>** u piekarza <rzeźnika, moich znajomych> 2. *określenie celu, dążenia*: za (coś); do (czegoś); w (coś); **to catch <snatch> ~ sth** chwytać <łapać> za coś; **to aim <throw, fire> ~ sth** celować <rzucić, strzelić> do czegoś <w coś>; **~ him!** łap go!; *wojsk* **~ them!** na nich!; do ataku! 3. *określenie zajęcia*: przy (czymś); **~ work <dinner, one's lessons>** przy robocie <obiedzie, lekcjach>; **while we are ~ it** a) skoro o tym mowa; à propos b) skorośmy się już do tego zabrali c) za jednym zamachem (zróbmy itd.) 4. *określenie czasu*: o (godzinie...); na (początku, końcu); w (chwili, momencie, danym czasie): **~ five p. m.** o piątej po południu 5. *przy oznaczaniu ceny*: po (*x* £ itd.); za (*x* £ itd.); **~ two shillings a pound** po dwa szylingi za funt 6. w stanie (wojny, pokoju); **~ war** w stanie wojny

at-a-boy ['ætə,bɔi] = **attaboy**

ataman ['ætə,mæn] *s* ataman

ataraxy ['ætəræksi] *s filoz* ataraksja, niewzruszoność wobec cierpień i namiętności

atavism ['ætə,vizəm] *s* atawizm

atavistic [,ætə'vistik] *adj* atawistyczny

ataxy [ə'tæksi] *s med* bezład ruchowy; ataksja

ate *zob* **eat** *v*

atelier ['ætə,liei] *s* 1. warsztat 2. pracownia (malarska)

atheism ['eiθi,izəm] *s* ateizm

atheist ['eiθiist] *s* ateist-a/ka

atheistic [,eiθi'istik] *adj* ateistyczny

Athenaeum [,æθi'niəm] *spr* londyński klub naukowo-literacki

Athenian [ə'θi:njən] [I] *adj* ateński [II] *s* Ate-ńczyk/nka

atheroma [æθə'roumə] *s med* kaszak

athirst [ə'θə:st] *adj praed* spragniony (**for sth** czegoś)

athlete ['æθli:t] *s* 1. atleta; siłacz 2. sportowiec

athletic [æθ'letik] [I] *adj* 1. gimnastyczny 2. (*o sportach itp*) lekkoatletyczny 3. (*o klubie*) sportowy 4. (*o człowieku*) atletycznie zbudowany [II] *s pl* **~s** 1. atletyka 2. lekka atletyka 3. wychowanie fizyczne 4. sporty

at-home [ət'houm] *s* dzień przyjęć, jour fixe

athwart [ə'θwɔ:t] *adv* 1. w poprzek; poprzecznie; *mar* (*także* **athwartship(s)**) na trawersie 2. przeciwnie

atilt [ə'tilt] *adv* 1. ukośnie; **to run ~** pędzić z nachyloną kopią (**at sb** na kogoś) 2. (*o kapeluszu itp*) na bakier

atlantes *zob* **atlas** 3.

Atlantic [ət'læntik] *adj* atlantycki; (*o statku*) transatlantycki

atlas ['ætləs] *s* 1. (*pl* **~es**) atlas (szkolny itd.) 2. (*pl* **~es**) *anat* kręg szczytowy 3. (*pl* **atlantes** [ət'lænti:z]) *arch* atlant

atmosphere ['ætməs,fiə] *s* 1. *fiz mech* atmosfera 2. *przen* otoczenie 3. *przen* nastrój

atmospheric(al) [,ætməs'ferik(əl)] *adj* atmosferyczny

atmospherics [,ætməs'feriks] *spl radio* przeszkody atmosferyczne

atoll ['ætɔl] *s geogr* atol

atom ['ætəm] *s chem fiz* atom; *przen* odrobina; **not an ~ of truth <common sense etc.>** ani odrobiny <krzty> prawdy <zdrowego rozsądku itd.>; **smashed to ~s** rozbity na drobne cząsteczki <kawałki>; **~ bomb <age>** bomba <era> atomowa

atomic [ə'tɔmik] *adj* atomowy; **~ pile** reaktor atomowy

atomization [,ætəmai'zeiʃən] *s* atomizacja; drobiazgowa analiza

atomize ['ætə,maiz] *vt* rozpyl-ić/ać

atomizer ['ætə,maizə] *s* rozpylacz

atomy ['ætəmi] *s pot* szkielet; skóra i kości

atonal [æ'tounl] *adj muz* atonalny

atone [ə'toun] *vi* pokutować (**for sth** za coś); odpokutować (**for sth** coś)

atonement [ə'tounmənt] *s* pokutowanie; pokuta; **to make ~ for sth** odpokutować <pokutować za> coś

atonic [æ'tɔnik] *adj* 1. *med* atoniczny 2. (*o zgłosce itp*) nie akcentowany

atony ['ætəni] *s med* atonia, niedowład

atop [ə'tɔp] [I] *adv* na szczycie; na wierzchu; **~ of sth** na czymś [II] *praep* na (**a cliff etc.** urwisku itp.)

atrabilious [,ætrə'biljəs] *adj* hipochondryczny; śledzienniczy; tetryczny

atrocious [ə'trouʃəs] *adj* okropny; ohydny; skandaliczny; okrutny (czyn itp.)

atrociousness [ə'trouʃəsnis], **atrocity** [ə'trɔsiti] *s* 1. okrucieństwo 2. okropność; ohyda; rzecz skandaliczna 3. *pl* **atrocities** okrucieństwa, nieludzkie czyny

atrophy ['ætrəfi] [I] *s med* atrofia; zanik; zanikanie [II] *vt* (**atrophied** ['ætrəfid], **atrophied; atrophying** ['ætrəfiiŋ]) s/powodować zanikanie [III] *vi* (**atrophied** ['ætrəfid], **atrophied; atrophying** ['ætrəfiiŋ]) zanikać

atropine ['ætrəpin] *s farm* atropina

attaboy ['ætə,bɔi] *interj* brawo!; to ci zuch!

attach [ə'tætʃ] [I] *vt* 1. przymocow-ać/ywać; przyczepi-ć/ać 2. przywiąz-ać/ywać (**sth to sth** coś do czegoś; **sb to oneself** kogoś do siebie; **importance to sth** wagę do czegoś); **to ~ credence to sth** da-ć/wać wiarę czemuś 3. dołącz-yć/ać; przybi-ć/jać (pieczęć); nalepi-ć/ać (znaczek itp.) 4. *prawn* dokon-ać/ywać zajęcia (**sb's property** czyjejś własności) [II] *vr w zwrocie*: **to ~ oneself to sb, sth** a) przywiąz-ać/ywać się do kogoś, czegoś b) towarzyszyć komuś, czemuś c) przyłącz-yć/ać się do kogoś, czegoś [III] *vi* z/wiązać się <być związanym> (**to sth** z czymś); towarzyszyć (**to sth** czemuś) *zob* **attached**

attaché [ə'tæʃei,] *s* attaché

attaché-case [ə'tæʃi,keis] *s* 1. walizeczka; skórzany kuferek 2. teczka (skórzana)

attached [ə'tætʃt] [I] *zob* **attach** [II] *adj* 1. przywiązany (**to sb, sth** do kogoś, czegoś); **to be ~** być przywiązanym <mieć sentyment> (**to sb, sth** do kogoś, czegoś) 2. zatrudniony 3. (chwilowo) przeniesiony <przydzielony> (do urzędu, szkoły itp.); *wojsk* odkomenderowany 4. (*o pensji itd*) przywiązany (do stanowiska)

attachment [ə'tætʃmənt] *s* 1. więź; wiązanie; uwiązanie; przyrząd do przymocowania; sprzęgło 2. dodatek, przybory; uzupełnienie (maszyny) 3. przywiązanie (**for sb** do kogoś) 4. *prawn* zajęcie (majątku)

attack [ə'tæk] [I] *vt* 1. za/atakować: na-trzeć/cierać <napa-ść/dać> (**sb** na kogoś) 2. ostro zakwestionować (czyjeś prawa itp.) 3. zab-rać/ierać się energicznie (**a piece of work etc.** do jakiejś pracy) 4. (*o chorobie*) za/atakować; rzuc-ić/ać się (**the liver etc.** na wątrobę itd.); (*o kwasach*) działać (**iron etc.** na żelazo itd.) [II] *vi* za/atakować przeciwnika; napa-ść/dać na nieprzyjaciela; prze/prowadzić <rozpocz-ąć/ynać> ofensywę [III] *s* 1. atak; natarcie; szturm; ofensywa 2. napaść <zamach> (na kogoś, coś) 3. atak <napad> (choroby)

attain [ə'tein] [I] *vt* 1. przyby-ć/wać <do-trzeć/cierać> (**one's aim** <**purpose**> do celu); osiąg-nąć/ać (cel) 2. zdoby-ć/wać; dopi-ąć/nać (**sth** czegoś) [II] *vi* osiąg-nąć/ać (**to perfection etc.** doskonałość itd.); do-jść/chodzić (**power etc.** do władzy itd.)

attainable [ə'teinəbl] *adj* osiągalny

attainder [ə'teində] *s prawn* utrata praw

attainment [ə'teinmənt] *s* 1. osiągnięcie; zdobycie; dotarcie (**of one's aim etc.** do celu itd.); dopięcie; easy <**difficult**> **of ~** łatwo <trudno> dostępny; **impossible of ~** nieosiągalny

attaint [ə'teint] *vt* 1. skaz-ać/ywać na utratę praw 2. (*o chorobach itp*) rzuc-ić/ać się (**sth** na coś — pewne organy) 3. skazić; † kazić

attar ['ætə] *s* olejek (różany itp.)

attemper [ə'tempə] *vt* 1. rozpu-ścić/szczać (płyn) 2. z/łagodzić 3. zmiękcz-yć/ać 4. dostr-oić/ajać 5. za/hartować (metal)

attempt [ə'tempt] [I] *vt* 1. s/próbować (**sth** czegoś); usiłować (**to do sth** zrobić coś); z/robić próbę (**sth** czegoś) 2. po/kusić się (**sth** o coś) 3. *w zwrocie*: **to ~ sb's life** zrobić zamach <dokonać zamachu> na kogoś [II] *s* 1. próba; usiłowanie; **to make an ~ at sth** spróbować czegoś; starać się <usiłować> coś zrobić 2. zamach; **an ~ on sb's life** <**against liberty**> zamach na kogoś <na wolność>

attend [ə'tend] [I] *vt* 1. towarzyszyć (**sb, sth** komuś, czemuś) 2. służyć (**sb** komuś); obsłu-żyć/giwać (**sb** kogoś — pasażerów w samolocie, gości w restauracji itd.) 3. (*o lekarzu*) leczyć (**sb** kogoś) 4. chodzić (**school, church etc.** do szkoły, kościoła itp.) 5. uczęszczać (**courses, concerts etc.** na kursy, koncerty itd.) 6. być obecnym (**sth** na czymś) [II] *vi* 1. zaj-ąć/mować się (**to sb, sth** kimś, czymś) 2. służyć (**to sb** komuś); **I shall ~ to you immediately** zaraz ci będę służył <będę do twej dyspozycji> 3. uważać (**to sth** na coś); posłuchać (**to sb** kogoś) 4. obsługiwać (**to an engine etc.** maszynę itp.) 5. towarzyszyć <dotrzym-ać/ywać towarzystwa> (**on** <**upon**> **sb** komuś) 6. służyć (**on** <**upon**> **sb** komuś); obsługiwać (**on** <**upon**> **sb** kogoś — gości w kawiarni, restauracji itd.) 7. pełnić <spełniać> (**to one's duties** obowiązki)

attendance [ə'tendəns] *s* 1. obsługa; dozorowanie, dozór; **to dance ~ on sb** nadskakiwać komuś 2. usługi (lekarza itd.) (**on sb** dla kogoś) 3. orszak (króla itp.) 4. obecność 5. publiczność; audytorium 6. frekwencja (**at a meeting etc.** na zebraniu itp.) 7. uczęszczanie (**at sth** na coś)

attendant [ə'tendənt] [I] *adj* towarzyszący [II] *s* 1. obsługujący; dozorujący 2. (*w teatrze, kinie itd*) bileter/ka 3. *pl* **~s** personel 4. *pl* **~s** orszak (króla itp.)

attention [ə'tenʃən] *s* 1. uwaga; **to pay ~ to sth** uważać na coś; **I am all ~** zamieniam się w słuch 2. *wojsk* baczność! (komenda); **at ~** na baczność 3. opieka; troska; dbałość 4. *pl* **~s** grzeczności; uprzejmości 5. *pl* **~s** zalecanie się, zaloty

attentive [ə'tentiv] *adj* 1. uważny; pilny 2. dbały (**to sb, sth** o kogoś, coś) 3. ugrzeczniony <uprzedzająco grzeczny> (**to sb** dla kogoś)

attentiveness [ə'tentivnis] *s* 1. uwaga; pilność 2. dbałość 3. ugrzecznienie; uprzedzająca grzeczność (**to sb** dla kogoś)

attenuate [ə'tenju,eit] [I] *vt* 1. osłabi-ć/ać 2. rozcieńcz-yć/ać 3. rozrzedz-ić/ać [II] *vi* 1. o/słabnąć 2. z/rzednieć *zob* **attenuating**

attenuating [ə'tenju,eitiŋ] [I] *zob* **attenuate** [II] *adj* **~ circumstances** okoliczności łagodzące

attest [ə'test] [I] *vt* 1. zaświadcz-yć/ać, poświadcz-yć/ać; za/legalizować 2. zaprzysi-ąc/ęgać (**sb** kogoś) [II] *vt* 1. świadczyć (**to sth** o czymś) 2. złożyć/składać przysięgę

attestation [,ætes'teiʃən] *s* 1. zaświadczenie; zalegalizowanie 2. świadectwo (czegoś); zaświadczenie <zeznanie> (o czymś) 3. zaprzysiężenie (urzędnika itd.) 4. złożenie przysięgi

Attic[1] ['ætik] *adj* attycki; **~ salt** sól attycka

attic[2] ['ætik] *s* 1. poddasze; strych 2. *arch* attyka

attire [ə'taiə] [I] *vt* ub-rać/ierać; u/stroić *zob* **attired** [II] *s* ubiór; szaty; strój

attired [ə'taiəd] [I] *zob* **attire** *v* [II] *adj* (*o jeleniu itp*) rogaty

↑**attitude** ['æti,tju:d] *s* 1. poza <postawa> (jaką ktoś przybiera) 2. (*także* **~ of mind**) nastawienie; ustosunkowanie się; stanowisko (życzliwe, wrogie itd.) 3. *w zwrocie*: **~ of affairs** stan spraw

attitudinize [,æti'tju:di,naiz] *vi* pozować; zachow-ać/ywać się nienaturalnie <z afektacją>

attorney [ə'tə:ni] *s* 1. adwokat 2. (prawny) przedstawiciel; pełnomocnik; **letter <power, warrant> of ~** pełnomocnictwo; **~ general** prokurator królewski 3. *am* prawnik

attract [ə'trækt] *vt* 1. przyciąg-nąć/ać; **to ~ sb's attention** s/kierować na siebie czyjąś uwagę 2. z/wabić; pociąg-nąć/ać; być pociągającym <ponętnym>; **to feel ~ed to sb** czuć dla kogoś sympatię

attraction [ə'trækʃən] *s* 1. siła przyciągania; przyciąganie 2. powab; urok; czar 3. *pl* **~s** wdzięki kobiece 4. atrakcja (zabawy itp.)

↑**attractive** [ə'træktiv] *adj* 1. przyciągający 2. atrakcyjny; pociągający; ponętny; sympatyczny; powabny; miły; przyjemny

attractiveness [ə'træktivnis] *s* 1. siła przyciągania 2. atrakcyjność; powab; czar; urok

attribute [ə'tribju:t] [I] *vt* przypis-ać/ywać **(sth to sb, sth** coś komuś, czemuś) [II] *s* ['ætri,bju:t] 1. atrybut; przymiot; własność; właściwość; cecha 2. *gram* określenie wyrazu; przydawka

attribution [,ætri'bju:ʃən] *s* 1. przypisywanie **(of sth to sb, sth** czegoś komuś, czemuś) 2. przynależne prawo, atrybucja; zakres (władzy itd.); kompetencja

attributive [ə'tribjutiv] [I] *adj* (*o wyrazie*) określający [II] *s gram* przydawka

attrition [ə'triʃən] *s* 1. tarcie; wytarcie; starcie; ścieranie się (czegoś); otarcie skóry; **war of ~** wojna na wyczerpanie 2. *teol* skrucha

attune [ə'tju:n] *vt* 1. na/stroić (instrument) 2. dostr-oić/ajać; dob-rać/ierać; z/harmonizować

atypical [æ'tipikəl] *adj* nietypowy

aubergine [,oubə'dʒi:n] *s bot* oberżyna, gruszka miłosna

auburn ['ɔ:bən] *adj* kasztanowaty

auction ['ɔ:kʃən] [I] *s* licytacja; **to put sth up to ~** wystawi-ć/ać coś na licytację; **to sell by ~** <*am* **at ~**> sprzeda-ć/wać z licytacji [II] *vt* z/licytować; sprzeda-ć/wać z licytacji

auctioneer [,ɔ:kʃə'niə] *s* licytator

audacious [ɔ:'deiʃəs] *adj* 1. śmiały; zuchwały 2. bezczelny, czelny

audacity [ɔ:'dæsiti] *s* 1. śmiałość; zuchwalstwo 2. bezczelność, czelność

audibility [,ɔ:di'biliti] *s* możność usłyszenia; dosłyszalność

audible ['ɔ:dəbl] *adj* dosłyszalny; uchwytny dla ucha; **his lecture was scarcely ~** ledwo było słychać <z trudnością słyszało się> jego odczyt

audibly ['ɔ:dəbli] *adv* wyraźnie; donośnym głosem; na głos; głośnym szeptem

audience ['ɔ:djəns] *s* 1. audiencja; posłuchanie; **to give sb an ~** udzielić komuś audiencji <posłuchania>; **to give ~** posłuchać 2. audytorium; publiczność; *teatr* widzowie; widownia

audile ['ɔ:dail] [I] *adj* (*o wrażeniach*) odbierany narządem słuchu [II] *s* człowiek czuły na wrażenia słuchowe; słuchowiec

audiovisual ['ɔ:diou'viʒuəl] *adj w zwrocie:* **~ aids** słuchowo-wzrokowe pomoce naukowe (płyty, zdjęcia itd.)

audit ['ɔ:dit] [I] *s* rewizja ksiąg; **~ ale** piwo warzone na specjalne okazje na uniwersytetach ang. [II] *vt* rewidować (księgi); sprawdz-ić/ać (rachunki)

audition [ɔ:'diʃən] *s* 1. słuch 2. próba (głosu itd.)

auditor ['ɔ:ditə] *s* 1. rewident księgowy 2. słuchacz/ka; słuchający-y/a

auditorium [,ɔ:di'tɔ:riəm] *s* 1. sala zebrań 2. (*w klasztorze*) rozmównica

auditory ['ɔ:ditəri] *adj* słuchowy

Augean [ɔ:'dʒiən] *adj* **~ stables** stajnie Augiasza

↑**auger** ['ɔ:gə] *s* świder

aught [ɔ:t] *s lit* coś; cokolwiek; **for ~ I care** jeżeli o mnie chodzi; **for ~ I know** o ile wiem

↑**augment** [ɔ:g'ment] [I] *vt* powiększ-yć/ać **(with <by> sth** o coś); pomn-ożyć/ażać; zasil-ić/ać [II] *vi* wzr-osnąć/astać; powiększ-yć/ać <pomn-ożyć/ażać> się

augmentation [,ɔ:gmen'teiʃən] *s* powiększenie <pomnożenie> (się); wzrost

augmentative [ɔ:g'mentətiv] [I] *adj* 1. powiększający 2. wzmacniający 3. *jęz* zgrubiały [II] *s jęz* zgrubiały wyraz; forma zgrubiała

augur ['ɔ:gə] [I] *s* augur; wróżbita [II] *vi* wy/wróżyć; przepowi-edzieć/adać; zapowi-edzieć/adać; **to ~ well <ill>** być dobrą <złą> wróżbą

augury ['ɔ:gjuri] *s* zapowiedź; wróżba

august[1] [ɔ:'gʌst] *adj* czcigodny; dostojny; majestatyczny

August[2] ['ɔ:gəst] [I] *s* sierpień [II] *attr* sierpniowy

Augustan [ɔ:'gʌstən] *adj* **the ~ age** epoka szczytowego rozkwitu literatury; (*w literaturze ang.*) epoka królowej Anny

auk [ɔ:k] *s zoo* alka (ptak)

auld [ɔ:ld] *szkoc* = **old; ~ lang syne** dawne dobre czasy (pierwsze słowa pieśni popularnej w Anglii)

aulic ['ɔ:lik] *adj* dworski; **Aulic Council** Rada Dworu

aunt [ɑ:nt] *s* ciotka; **Aunt Sally** kukła, w którą rzuca się kule drewniane w celu zdobycia nagród na jarmarkach <na wentach itp.>

auntie, aunty ['ɑ:nti] *s* ciocia, cioteczka

aura ['ɔ:rə] *s* emanacja

aural ['ɔ:rəl] *adj* uszny; słuchowy; **~ surgeon** otolog, specjalista chorób usznych

aureola [ɔ:'riələ], **aureole** ['ɔ:ri,oul] *s* aureola

aureomycin [,ɔ:riou'maisin] *s farm* aureomycyna

au revoir ['ou rə'vwɑ:] *interj* do zobaczenia!

auric ['ɔ:rik] *adj chem* złotawy

auricle ['ɔ:rikl] *s anat* 1. małżowina uszna 2. przedsionek serca

auricula [ə'rikjulə] *s bot* aurykuł, niedźwiedzie ucho

auricular [ɔ:'rikjulə] *adj* uszny; słuchowy; **~ confession** spowiedź katolicka (tajna)

auriferous [ɔ:'rifərəs] *adj* złotodajny

aurist ['ɔ:rist] *s med* otolog, specjalista chorób usznych

aurochs ['ɔ:rɔks] *s zoo* żubr

aurora [ɔ:'rɔ:rə] *s* jutrzenka; zorza; **~ borealis** zorza polarna

aurous ['ɔ:rəs] *adj chem* złotawy

auscultation [,ɔ:skəl'teiʃən] *s med* auskultacja; osłuchiwanie

auspices ['ɔ:spisiz] *spl* auspicje; **under the ~ of sb** pod patronatem czyimś

auspicious [ɔ:s'piʃəs] *adj* pomyślny; dobrze wróżący

auspiciousness [ɔ:s'piʃəsnis] *s* 1. pomyślność 2. dobra wróżba; dobry omen

austere [ɔ:s'tiə] *adj* 1. surowy; srogi 2. (*o posiłku*) skromny 3. (*o towarach*) prosty; czysto użytkowy

austereness [ɔ:s'tiənis], **austerity** [ɔ:s'teriti] *s* 1. surowość; srogość 2. (*w towarach*) prostota; charakter czysto użytkowy

austral ['ɔ:strəl] *adj* południowy

Australian [ɔ:s'treiljən] [I] *adj* australijski [II] *s* Australij-czyk/ka

Austrian ['ɔ:striən] [I] *adj* austriacki [II] *s* Austria-k/czka

Austro-Hungarian ['ɔ:strou-hʌŋ'gɛəriən] *adj* austro-węgierski

autarchy[1] ['ɔ:tɑ:ki] *s* samowładztwo

autarchy[2], **autarky** ['ɔ:tɑ:ki] *s ekon* autarkia

authentic [ɔ:'θentik] *adj* autentyczny

authenticate [ɔ:'θenti,keit] *vt* poświadcz-yć/ać; za/legalizować; nada-ć/wać ważność (**sth** czemuś)

authentication [ɔ:,θenti'keiʃən] *s* poświadczenie; zalegalizowanie, legalizacja; nadanie ważności

authenticity [,ɔ:θen'tisiti] *s* autentyczność

author ['ɔ:θə] *s* autor

authoress ['ɔ:θəris] *s* autorka

authoritative [ɔ:'θɔritətiv] *adj* 1. autorytatywny; miarodajny 2. apodyktyczny; rozkazujący

authority [ɔ:'θɔriti] *s* 1. autorytet; powaga; znaczenie 2. władza; moc rozkazywania; **to be in ~** mieć władzę; rozkazywać; kierować; **to be under sb's ~** podlegać komuś; być pod czyimiś rozkazami 3. pełnomocnictwo; upoważnienie 4. powaga (w jakiejś dziedzinie) 5. świadectwo; źródło wiadomości <informacji>; **on good ~** z dobrego <poważnego> źródła; **on the ~ of —** opierając się na ... (źródle, wiadomości itd.) 6. *pl* **authorities** władze

authorization [,ɔ:θərai'zeiʃən] *s* autoryzacja; uprawnienie; upoważnienie (**to do sth** do robienia czegoś)

authorize ['ɔ:θə,raiz] *vt* 1. upoważni-ć/ać (**to do sth** do czegoś) 2. u/sankcjonować; za/aprobować

authorship ['ɔ:θəʃip] *s* 1. autorstwo 2. zawód pisarza

auto ['ɔ:tou] *s am* samochód; wóz; auto

autobiographer [,ɔ:təbai'ɔgrəfə] *s* autobiograf

autobiographic(al) [,ɔ:tə,baiɔ'græfik(əl)] *adj* autobiograficzny

autobiography [,ɔ:təbai'ɔgrəfi] *s* autobiografia

autocade ['ɔ:tə,keid] *s am* sznur samochodów

autocar ['ɔ:tə,kɑ:] *s* 1. samochód, automobil 2. autokar

autochthon [ɔ:'tɔkθən] *s* autochton/ka; tubylec

autochthonous [ɔ:'tɔkθənəs] *adj etn* autochtoński; tubylczy

autoclave ['ɔ:tə,kleiv] *s techn* autoklaw

autocracy [ɔ:'tɔkrəsi] *s* autokracja

autocrat ['ɔ:tə,kræt] *s* autokrat-a/ka, samowładca

autocratic ['ɔ:tə'krætik] *adj* autokratyczny

auto-da-fé ['ɔ:toudɑ:'fei] *s* 1. autodafe; wyrok inkwizycji 2. spalenie na stosie

autodidact [,ɔ:toudi'dækt] *s* samouk, † autodydakta

autograph ['ɔ:te'grɑ:f] [I] *s* 1. autograf 2. rękopis autorski [II] *vt* 1. własnoręcznie napisać 2. własnoręcznie podpisać

autography [ɔ:'tɔgrəfi] *s* 1. pisanie własnoręczne 2. *druk* autografia

autogyro ['ɔ:tou'dʒaiərou] *s* autożyro, helikopter

auto-ignition ['ɔ:tou-ig'niʃən] *s techn* samozapłon

auto-intoxication ['ɔ:tou-in,tɔksi'keiʃən] *s med* samozatrucie

autolysis [ɔ:'tɔlisis] *s biol* autoliza, samotrawienie

automat ['ɔ:tə,mæt] *s am* bar automatyczny

automatic [,ɔ:tə'mætik] [I] *adj* automatyczny; mechaniczny; (*o ruchu*) machinalny; **~ machine** automat (maszyna) [II] *s* rewolwer (samoczynny); karabin maszynowy

automation [,ɔ:tə'meiʃən] *s* automatyzacja

automatism [ɔ:'tɔmə,tizəm] *s* automatyzm

automaton [ɔ:'tɔmətən] *s* (*pl* **automata** [ɔ:'tɔmətə]) *dosł i przen* automat

automobile ['ɔ:təmə,bi:l] *s am* samochód, auto

autonomous [ɔ:'tɔnəməs] *adj* autonomiczny

autonomy [ɔ:'tɔnəmi] *s* autonomia; samorząd

autoplasty ['ɔ:tə,plæsti] *s med* autoplastyka

autopsy ['ɔ:təpsi] *s* autopsja; sekcja zwłok

autotoxin [,ɔ:tou'tɔksin] *s med* trucizna wewnątrzustrojowa

autotype ['ɔ:tə,taip] *s* fototypia, światłodruk

autovac ['ɔ:tə,væk] *s techn* urządzenie podciśnieniowe do zasilania paliwem; *pot* mamka

autumn ['ɔ:təm] [I] *s* jesień [II] *attr* jesienny

autumnal [ɔ:'tʌmnəl] *adj* jesienny

auxiliary [ɔ:g'ziljəri] [I] *adj* pomocniczy; **~ verb** słowo posiłkowe [II] *spl* **auxiliaries** *wojsk* wojska <oddziały> posiłkowe

avail [ə'veil] [I] *vt* pom-óc/agać (**sb, sth** komuś, czemuś); przyn-ieść/osić korzyść <pożytek> (**sb, sth** komuś, czemuś) [II] *vr* **~ oneself** skorzystać (**of sth** z czegoś) [III] *vi am* posłu-żyć/giwać się (**of sth** czymś) [IV] *s* 1. pożytek; korzyść; **it is of little ~** mały z tego pożytek; **it was of no ~** było to daremne <bezcelowe>; na nic się to nie zdało; **to no ~** daremnie; bez pożytku; bez rezultatu 2. *pl* **~s** dochód

availability [ə,veilə'biliti] *s* 1. możność znalezienia <otrzymania, nabycia>; dostępność 2. *am* ważność (biletu kolejowego itd.)

available [ə'veiləbl] *adj* 1. dostępny; osiągalny; (będący) do dyspozycji (czyjejś); rozporządzalny 2. (*o artykule w handlu*) do nabycia; **the book <the product etc.> is not ~** tej książki <tego towaru itd.> brak 3. (*o gotówce*) płynny 4. *am* (*o bilecie*) ważny 5. *am* (*o rękopisie itd*) nadający się do druku

avalanche ['ævə,lɑ:nʃ] *s dosł i przen* lawina

avarice ['ævəris] *s* skąpstwo

avaricious [,ævə'riʃəs] *adj* skąpy

avast [ə'vɑ:st] *interj mar* dosyć!; stój!; stać!; basta!

avatar [,ævə'tɑ:] *s* awatara, wcielenie (bóstwa hinduskiego)

avaunt [ə'vɔ:nt] *interj lit* precz!

avenge [ə'vendʒ] *vt* pomścić; wziąć odwet (**sth** za

coś); **~ oneself** zemścić się (**on sb** na kimś); **I shall be ~d** zemszczę się; wywrę zemstę; *zob* **avenging**

avenger [ə'vendʒə] *s* mściciel/ka

avenging [ə'vendʒiŋ] [I] *zob* **avenge** [II] *adj* mszczący; **the ~ angel** anioł zemsty

avens ['ævenz] *s bot* kuklik; **mountain ~** dębik

avenue ['ævi,nju:] *s* 1. ulica 2. aleja 3. droga; *przen* droga (wiodąca do sławy itp.) 4. dostęp; dojazd; dojście

aver [ə'və:] *vt* (**-rr-**) 1. zaręcz-yć/ać; twierdzić <oświadczyć> (że ...); poświadcz-yć/ać (coś) 2. *prawn* udow-odnić/adniać

average ['ævəridʒ] [I] *s* 1. przeciętna; średnia; **on an ~** przeciętnie; średnio 2. odszkodowanie awaryjne [II] *adj* przeciętny; średni [III] *vt* 1. oblicz-yć/ać przeciętną <średnią> (**sth** czegoś) 2. osiąg-ać/nąć przeciętnie <średnio> (daną kwotę, liczbę itp.) 3. pracować <ćwiczyć itd.> przeciętnie <średnio> (pewną ilość czasu); **I ~ 6 hours' work a day** przeciętnie pracuję 6 godzin dziennie [IV] *vi* wyn-ieść/osić przeciętnie <średnio> (*x* czasu); wahać się między (jedną a drugą liczbą)

averment [ə'və:mənt] *s* 1. twierdzenie; oświadczenie; dowodzenie 2. *prawn* dowód; udowodnienie

averruncator [,ævə'rʌŋkeitə] *s* sekator <nożyce ogrodowe> na drążku

averse [ə'və:s] *adj* przeciwny; niechętny; **to be ~ to sth** sprzeciwiać się czemuś; mieć <czuć> niechęć <wstręt> do czegoś; niechętnie <ze wstrętem> coś zrobić

averseness [ə'və:snis], **aversion** [ə'və:ʃən] *s* 1. niechęć <odraza, awersja, wstręt> (**to** <**for**> **sb** do kogoś; **to** <**from**> **sth** do czegoś) 2. przedmiot niechęci; **my pet ~** to, czego najbardziej nienawidzę

avert [ə'və:t] *vt* 1. odwr-ócić/acać (oczy, głowę) 2. odwr-ócić/acać <odsu-nąć/wać, oddal-ić/ać> (niebezpieczeństwo, cios, podejrzenia)

aviary ['eivjəri] *s* ptaszarnia

↑ **aviation** [,eivi'eiʃən] *s* lotnictwo

↑ **aviator** ['eivi,eitə] *s* lotni-k/czka

avid ['ævid] *adj* chciwy (**of** <**for**> **sth** czegoś)

avidity [ə'viditi] *s* chciwość (**for sth** czegoś)

aviso [ə'vaizou] = **advice-boat**

avitaminosis [ei,vaitəmi'nousis] *s med* awitaminoza

avocado [,ævə'ka:dou] *s bot* gruszka adwokacka

avocation [,ævou'keiʃən] *s* 1. rozrywka 2. zajęcie uboczne 3. zawód

avocet ['ævou,set] *s zoo* szablodziób

avoid [ə'vɔid] *vt* 1. unik-nąć/ać (**sb, sth** kogoś, czegoś); stronić (**sb, sth** od kogoś, czegoś); kryć się (**sb, sth** przed kimś, czymś) 2. uchylać się (**sth** od czegoś) 3. *prawn* uchyl-ić/ać (wyrok); unieważni-ć/ać (**sth** coś)

avoidance [ə'vɔidəns] *s* 1. unikanie; stronienie (**of sb, sth** od kogoś, czegoś) 2. uchylanie się (**of sth** od czegoś) 3. *prawn* uchylenie, unieważnienie

avoirdupois [,ævədə'pɔiz] *s* 1. angielski system wag handlowych 2. *am* waga; ciężar; tusza

avouch [ə'vautʃ] [I] *vt* 1. ręczyć (**sb, sth** za kogoś, coś); twierdzić 2. wyzna-ć/wać; zezna-ć/wać [II] *vi* po/ręczyć (**for sb** za kogoś)

avow [ə'vau] *vt* wyzna-ć/wać, przyzna-ć/wać się (**sth** do czegoś); oświadcz-yć/ać; **to ~ oneself (to be)** ― przyzna-ć/wać się <wyzna-ć/wać>, że się jest... *zob* **avowed**

avowal [ə'vauəl] *s* przyznanie się (**of sth** do czegoś); wyznanie (winy itd.); zeznanie; **to make an ~** przyzna-ć/wać się (do winy itp.)

avowed [ə'vaud] [I] *zob* **avow** [II] *adj* 1. notoryczny (wróg itd.) 2. ujawniony (autor, sprawca itd.); **he is the ~ author** jak (to) wynika z jego własnych słów, (on) jest autorem

avowedly [ə'vauidli] *adv* jawnie; otwarcie

avulsion [ə'vʌlʃən] *s* oderwanie

avuncular [ə'vʌnkjulə] *adj* (*o minie, zachowaniu się itp*) dobrego wujaszka; dobrotliwy; dobroduszny

await [ə'weit] *vt* za/czekać (**sb, sth** na kogoś, coś); oczekiwać <być w oczekiwaniu> (**sth** czegoś)

awake [ə'weik] *v* (*praet* **awoke** [ə'wouk], † **awaked** [ə'weikt], *pp* **awoke, awaked**) [I] *vt* 1. o/budzić, zbudzić 2. wzbudz-ić/ać <o/budzić> (podejrzenia, ciekawość itd.) [II] *vi* 1. o/budzić <zbudzić, przebudzić> się 2. *przen* ocknąć się 3. zdać sobie sprawę (**to sth** z czegoś) [III] *adj praed* 1. przebudzony; czuwający: **to be ~** nie spać; czuwać; **to keep sb ~** nie da-ć/wać komuś spać 2. czujny; **to be ~ to sth** zda-ć/wać sobie sprawę z <być świadomym> czegoś; **wide ~** a) całkowicie przytomny b) bystry; rozgarnięty

awaked *zob* **awake** *v*

awaken [ə'weikən] [I] *vt* 1. = **awake** *vt* 2. *w zwrocie:* **to ~ sb to a sense of sth** a) otworzyć komuś oczy na coś b) wzbudz-ić/ać w kimś poczucie czegoś [II] *vi* = **awake** *vi zob* **awakening**

awakening [ə'weikəniŋ] [I] *zob* **awaken** [II] *adj* budzący się (talent, namiętność itp.) [III] *s* przebudzenie (się); ocknięcie się; **a rude ~** przykre przebudzenie; gorzkie rozczarowanie

award [ə'wɔ:d] [I] *vt* 1. przyzna-ć/wać (nagrodę); przysądz-ić/ać (odszkodowanie itd.) 2. powoł-ać/ywać (**sb a post etc.** kogoś na stanowisko itd.) [II] *s* 1. wyrok; decyzja; uchwała; **to make an ~** zawyrokować; postanowić 2. (nałożona) kara, grzywna 3. odszkodowanie 4. (przyznana) nagroda; **list of ~s** lista nagrodzonych

aware [ə'wɛə] *adj* 1. świadomy (**of sth** czegoś) 2. powiadomiony <poinformowany> (**of sth** o czymś); **to be ~ of sth** a) wiedzieć o czymś b) zdawać sobie sprawę z czegoś; **not that I am ~ of** nic o tym nie wiem; **to become ~ of sth** a) dowiedzieć się o czymś b) zdać sobie sprawę z czegoś c) poczuć coś (zapach, ból itp.); **before I became ~ of it, it was all over** nim to doszło do mej świadomości, było już po wszystkim

awareness [ə'wɛənis] *s* świadomość (**of sth** czegoś; **that ―** tego, że ...)

awash [ə'wɔʃ] *adv adj praed* 1. (*o skałach itd*) tuż pod powierzchnią <na równi z lustrem> wody 2. (*o różnych przedmiotach*) unosząc <unoszący> się na powierzchni wody 3. (*o ulicy itp — w czasie powodzi itp*) zalany wodą

away [ə'wei] *adv* 1. *oznacza oddalanie się*: **to go** <**ride, fly etc.**> **~** odejść <odjechać, odlecieć itd.> 2. *wykrzyknikowo*: precz! (ze strachem, wojną itd.); **one, two, three and ~!** raz, dwa, trzy i wio! 3. *oznacza ochocze, trwałe, uparte, zawzięte wykonywanie czynności*: **sing ~!** śpiewajcie ochoczo!; **to eat ~** zajadać; **to work ~** zawzięcie pracować 4. z dala (od domu, rodziny itd.); na uboczu; **to be ~** nie być w domu; być poza domem; być w podróży <w terenie>; **to keep ~** trzymać się na uboczu; nie zbliżać się 5. w oddaleniu; w odległości (*x* mil itp.); **two miles ~** w odległości dwóch mil; o dwie mile || **far ~** daleko; hen; bardzo daleko; **right ~** zaraz, natychmiast, bezzwłocznie, już. *Uwaga: nadaje czasownikom specyficzne znaczenie (przy nich podane)*

awe [ɔ:] [I] *s* groza; strach; lęk; **to keep sb in ~** trzymać kogoś w strachu; **to stand in ~ of sb** lękać się kogoś; *pot* mieć stracha przed kimś; **to strike sb with ~** wzbudzić grozę w kimś; przejąć kogoś grozą [II] *vt* wzbudz-ić/ać strach (**sb** w kimś); s/terroryzować; **to ~ sb into obedience** <**silence etc.**> terrorem zmusić kogoś do posłuszeństwa <milczenia itd.>; wymusić na kimś posłuszeństwo <milczenie itd.>

awesome ['ɔ:səm] *adj* wzbudzający grozę; straszliwy; przeraźliwy

awe-stricken ['ɔ:ˌstrikən], **awe-struck** ['ɔ:ˌstrʌk] *adj* przejęty grozą; przerażony

awful ['ɔ:ful] [I] *adj* straszny; straszliwy; okropny; **sth ~** coś strasznego [II] *adv* [ɔ:fl] *sl* straszliwie

awfully ['ɔ:fuli] *adv* 1. strasznie; straszliwie; okropnie 2. *pot* ['ɔ:fli] **thanks ~!** serdecznie dziękuję!; dziękuję bardzo!

awhile [ə'wail] *adv* chwilę, króciutko; **not yet ~** nie tak prędko; jeszcze nieprędko

awkward ['ɔ:kwəd] *adj* 1. niezgrabny; niezdarny; niezręczny; **the ~ age** niewdzięczny wiek; *wojsk* **the ~ squad** rekruci 2. skrępowany; zakłopotany; zażenowany 3. (*o sytuacji, pytaniu, momencie itd*) niefortunny; krępujący 4. (*o narzędziu pracy itd*) niewygodny 5. (*o położeniu, zakręcie drogi itd*) trudny 6. (*o kliencie*) grymaśny; trudny do zadowolenia

awkwardly ['ɔ:kwədli] *adv* 1. niezgrabnie; niezdarnie; niezręcznie 2. (powiedzieć coś) tonem człowieka zakłopotanego; z zakłopotaniem 3. (uczynić coś) w sposób krępujący 4. niefortunnie; ni w pięć, ni w dziewięć 5. niewygodnie; **to be ~ situated** znaleźć się w niewygodnym położeniu

awkwardness ['ɔ:kwədnis] *s* 1. niezgrabność; niezdarność 2. zakłopotanie; skrępowanie 3. kłopot; niewygoda

awl ['ɔ:l] *s* szydło

awn [ɔ:n] *s* wąs (u kłosa jęczmienia itd.)

awning ['ɔ:niŋ] *s* markiza; zasłona; stora

awoke *zob* **awake** *v*

awry [ə'rai] [I] *adj praed* krzywy; opaczny [II] *adv* krzywo; opacznie; na opak

axe [æks] [I] *s* 1. siekiera; topór 2. *przen* cięcia budżetowe; redukcje (płac, personelu); *przen* **to apply the ~** przeprowadzić redukcje <cięcia budżetowe>; *przen* **to have an ~ to grind** chcieć upiec własną pieczeń przy cudzym ogniu; mieć osobiste zainteresowanie (w jakiejś sprawie) [II] *vt* 1. obci-ąć/nać (kredyty itp.) 2. z/redukować (personel)

axes *pl od* **axe** *i* **axis**

axial ['æksiəl] *adj* osiowy

axil ['æksil] *s bot* pachwina (kąt między liściem i gałązką lub między gałęzią a pniem)

axilla [æk'silə] *s* 1. *anat* pacha 2. = **axil**

axillary [æk'siləri] *adj anat* pachowy

axiom ['æksiəm] *s* aksjomat; pewnik

axiomatic(al) [ˌæksiə'mætik(əl)] *adj* aksjomatyczny; oczywisty

axis ['æksis] *s* (*pl* **axes** ['æksi:z]) *mat polit* oś

axle ['æksl] *s* oś (koła)

axle-tree ['ækslˌtri:] *s* oś (wozu)

Axminster ['æksminstə] *spr* **~ carpet** rodzaj dywanu tkanego ręcznie

ay [ai] [I] *interj* tak! [II] *s parl w zwrocie:* **the ~es have it!** wniosek przyjęty

aye [ei] *adv lit* zawsze; **for ~** na zawsze

aye-aye ['aiai] *s zoo* aj-aj (lemur)

azalea [ə'zeiljə] *s bot* azalia

azimuth ['æziməθ] *s* azymut

azobenzene [ˌæzɔ'benzi:n] *s chem* azobenzen

azoic [ə'zouik] *adj geol* (*o erze, formacjach*) azoiczny

azote ['æzout] *s chem* azot

azure ['æʒə] [I] *adj* lazurowy; błękitny [II] *s* lazur; błękit

azyme ['æzaim] *s rel* maca

azymic ['æzimik] *adj* nie wywołujący fermentacji

azymous ['æziməs] *adj* nie sfermentowany

B

B, b [bi:] *s* (*pl* **bs, b's, bees** [bi:z]) 1. *litera* b; **b and s** = **brandy and soda** *zob* **brandy; he doesn't know b from a bull's foot** trzech zliczyć nie umie 2. *muz* **b natural** h; **b sharp** his; **b flat** a) *muz* b b) *żart* = **bug** 1.

B. A. ['bi:'ei] = **Bachelor of Arts** *zob* **bachelor** 2.; **~ degree** stopień naukowy uzyskiwany po ukończeniu wyższych studiów humanistycznych

baa [bɑ:] [I] *s* beczenie, bek [II] *vi* beczeć

baa-lamb ['bɑ:ˌlæm] *s* jagniątko; baranek; owieczka

babbitt ['bæbit] *s* kołtun; filister

babbitting ['bæbitiŋ] *s metalurg* wylewanie panewek stopem łożyskowym

babbitt-metal ['bæbitˌmetl] *s metalurg* stop łożyskowy, babbitt *zob* **babbitting**

babbittry ['bæbitri] *s* kołtuneria; filisterstwo

babble ['bæbl] [I] *vi* 1. paplać 2. (*o strumyku*) szemrać [II] *vt* (*także* **~ out**) wy/paplać (prawdę, tajemnicę itp.) [III] *s* 1. paplanina 2. szemranie (strumyka)

babbler ['bæblə] *s* 1. gaduła 2. *zoo* tropikalny drozd długonogi

babe [beib] *s* niemowlę; dziecko; *przen* naiwniaczek; prostaczek

babel ['beibəl] *s* wieża Babel; *przen* harmider

babir(o)ussa [ˌbæbi'ru:sə] *s zoo* babirusa, jeleniošwiń

baboo ['bɑ:bu:] *s* (*u Hindusów*) pan; *iron* Hindus zasymilowany do kultury angielskiej

baboon [bə'bu:n] *s zoo* pawian

babouche [bə'bu:ʃ] *s* pantofel wschodni

babushka ['bæbuʃkə] *s* 1. babcia 2. chustka na głowę

baby ['beibi] [I] *s* 1. niemowlę; dziecko; (*zwracając się do kobiety*) ~! dziecino!; **from a ~** od dzieciństwa; **that's his new ~** to jego najnowszy konik <bzik>; **to carry the ~** być obarczonym całą pracą i odpowiedzialnością (w instytucji itp.); **to throw out the ~ with the bath water** wylać dziecko razem z kąpielą 2. beniaminek [II] *attr sl* (*o dziewczynce*) **~ blimp** tłuścioszek; **~ car** mikrosamochód; **~ grand** krótki fortepian; **to plead the ~ act** zasłaniać się brakiem doświadczenia <niewiedzą>

baby-farm ['beibi,fa:m] *s* żłobek (prowadzony prywatnie jako przedsiębiorstwo dochodowe)

babyhood ['beibi,hud] *s* niemowlęctwo

babyish ['beibiiʃ] *adj* dziecinny

baby-linen ['beibi,linin] *s* wyprawka

baby-sitter ['beibi,sitə] *s* kobieta dochodząca do pilnowania dziecka

baccalaureate [,bækə'lɔ:riit] *s* 1. = **B.A.** 2. *am* zakończenie studiów 3. *am* przemówienie do absolwentów

baccarat ['bækə,ra:] *s karc* bakarat

baccate ['bækeit] *adj bot* 1. jagodowy; obfitujący w jagody 2. jagodowaty

Bacchanal ['bækənl] [I] *s* bachant/ka; birbant/ka [II] *adj* bachiczny

Bacchanalia [,bækə'neiliə] *spl* bachanalie

bacciferous [bæk'sifərəs] *adj* obfitujący w jagody; jagodonośny

baccivorous [bæk'sivərəs] *adj* jagodożerny

baccy ['bæki] *pot* = **tobacco**

bach [bætʃ] [I] *s am* kawaler; **to keep ~** żyć po kawalersku [II] *vi* być kawalerem; żyć po kawalersku

bachelor ['bætʃələ] [I] *s* 1. kawaler; człowiek nieżonaty 2. posiadacz stopnia naukowego B. A. *zob* **B. A.** [II] *attr* (*o mieszkaniu itd*) kawalerski

bachelorhood ['bætʃlə,hud] *s* kawalerstwo; stan kawalerski

bacilliform [bə'sili,fɔ:m] *adj med* pałeczkowaty

bacillus [bə'siləs] *s* (*pl* **bacilli** [bə'silai]) bakcyl, zarazek

back [bæk] [I] *s* 1. plecy; grzbiet; **~ to ~** plecami do siebie; **~ to front** plecami do przodu; na odwrót; **to put one's ~ into sth** natęż-yć/ać się; nie szczędzić wysiłku; *przen* **with one's ~ to the wall** przyparty do muru 2. krzyż; **to break one's ~** przetrącić sobie krzyż 3. grzbiet (zwierzęcia i różnych przedmiotów — noża, książki itd.) 4. odwrotna strona (kartki, medalu itp.); lewa strona (materiału, ubrania); przeciwna strona (góry) 5. tył (głowy, domu itd.); **at the ~** z tyłu; *przen* **to be at the ~ of** __ poruszać sprężyny... 6. wierzch (ręki) 7. głąb <głębia> (szafy, sali itd.); **at the very ~** na samym końcu (sali itp.); **the idea at the ~ of one's mind** ukryta myśl 8. (tylne) oparcie (fotela, krzesła) 9. *pl* **~s** obrona (w piłce nożnej) [II] *adj* tylny; **a ~ room** pokój od tyłu <od podwórza>; **a ~ number, a ~ issue** dawniejszy <nieaktualny> numer (gazety itd.) [III] *adv* 1. w tył; do tyłu; za siebie; wstecz; w tyle; **far ~** daleko w tyle (za nami, wami itd.); **to look ~** obejrzeć/oglądać się za siebie; **to step ~** cof-nąć/ać się 2. wstecz (w czasie);... temu; **two months ~** przed dwoma miesiącami; dwa miesiące temu 3. z powrotem; **~ and forth** tam i z powrotem; **to go ~** pójść/iść z powrotem; wr-ócić/acać 4. *oznacza odwzajemnienie czynności*: **to give sb a bit of his own ~** odpłac-ić/ać komuś pięknym za nadobne; **to hit ~** odda-ć/wać (cios, uderzenie itp.); **to write ~** odpis-ać/ywać [IV] *vt* 1. pop-rzeć/ierać (pieniężnie itd.) 2. pod-eprzeć/pierać; wzm-ocnić/acniać 3. (*na wyścigach itp*) postawić/stawiać (na konia, zawodnika itd.); *przen* **to ~ the wrong horse** postawić/stawiać na przegrywającego konia; nie mieć nosa; po/mylić się w obliczeniach 4. cof-nąć/ać (konia, auto itd.) [V] *vi* cof-nąć/ać się

~ down *vi* 1. zejść/schodzić z drabiny tyłem 2. wycof-ać/ywać się (z pretensji, roszczeń); spu-ścić/szczać z tonu

~ out *vi* 1. cof-nąć/ać się 2. wycof-ać/ywać się (ze swego stanowiska) 3. nie dotrzym-ać/ywać słowa

~ up *vt* udziel-ić/ać poparcia (**sb** komuś), pop-rzeć/ierać (kogoś)

zob **backing**

backache ['bæk,eik] *s* ból w krzyżu

backband ['bæk,bænd] *s* rzemień krzyżowy (w zaprzęgu)

back-bencher ['bæk,bentʃə] *s* poseł w parlamencie siedzący w tyle sali (w przednich ławkach siedzą ministrowie i byli ministrowie)

backbite ['bæk,bait] *vt* obm-ówić/awiać

backbiter ['bæk,baitə] *s* obmówca; oszczerca

backbiting ['bæk,baitiŋ] *s* obmowa; oszczerstw-o/a

backboard ['bæk,bɔ:d] *s* 1. oparcie (w wozie, ławki itd.) 2. deska ortopedyczna do prostowania dziecku kręgosłupa

backbone ['bæk,boun] *s* 1. kręgosłup; stos pacierzowy; *przen* **to the ~** a) gruntownie b) do szpiku kości 2. *przen* mocny charakter 3. *przen* ostoja

back-breaking ['bæk,breikiŋ] *adj* (*o pracy*) wyczerpujący

back-chat ['bæk,tʃæt] *s* impertynencja (w słowach); impertynenckie odezwanie się

back-door ['bæk,dɔ:] [I] *s* tylne wejście (do mieszkania itd.) [II] *adj* zakulisowy; potajemny

back-drop ['bæk,drɔp] *s teatr* zasłona <kotara> (dekoracja)

back-end ['bæk,end] *s* późna jesień

backer ['bækə] *s* 1. stawiający (na konia w wyścigach) 2. *polit* zwolenni-k/czka

back-fire ['bæk'faiə] *s auto* przedwczesny zapłon; strzał w gaźnik

backgammon [,bæk'gæmən] *s* trik-trak (gra przy użyciu warcabów i kości)

back-garden ['bæk,ga:dn] *s* ogródek za domem

background ['bæk,graund] *s* 1. tło; dalszy plan (obrazu itp.); **against a ~ of** __ na tle ...; **in the ~** na dalszym planie; *przen* **to keep in the ~** a) pozosta-ć/wać w tyle b) pozosta-ć/wać w cieniu 2. tło muzyczne (filmu itp.); 3. przeszłość (człowieka)

backhand ['bæk'hænd] *s* 1. pismo pochylone do tyłu 2. uderzenie na odlew <od lewa>; *sport* bekhend (w tenisie, ping-pongu)

backhanded ['bæk'hændid] *adj* 1. (*o piśmie*) pochylony do tyłu 2. (*o uderzeniu*) na odlew 3. *przen* niesprawiedliwy 4. *przen* nierzetelny 5. *przen* dwuznaczny

backhander ['bæk'hændə] *s* 1. uderzenie na odlew;

sport bekhend 2. *przen* niespodziewana przykra wiadomość 3. kieliszek wypity poza kolejką

back-house ['bæk,haus] *s am* 1. oficyna 2. ustęp za domem

backing ['bækiŋ] [I] *zob* **back** *v* [II] *s* 1. poparcie 2. pokrycie (pieniędzy papierowych itp.) 3. jazda do tyłu; cofanie (samochodu itp.)

back-kick ['bæk,kik] *s auto* kopnięcie (silnika przy zapuszczaniu)

↑**back-lash** ['bæk,læʃ] *s techn* 1. luz międzyzębny (w przekładni zębatej) 2. (*przy wybuchu gazu*) podmuch powrotny

↑**back-log** ['bæk,lɔg] *s* zaległości (w pracy)

back-number ['bæk'nʌmbə] *s* stary numer (czasopisma, gazety)

back-pay ['bæk'pei] *s* zaległe pobory

back-pedal ['bek'pedl] *s vi* (**-ll-**) za/hamować (hamulcem na osi roweru); **~ling brake** hamulec na osi (roweru)

back-scratching ['bæk'skrætʃiŋ] *s* wzajemne wyświadczanie sobie usług; popieranie się wzajemne; *pot* kumoterstwo

back-seat ['bæk'si:t] *s* (siedzące) miejsce z tyłu <w tyle>

back-set ['bæk,set] *s* 1. prąd wsteczny 2. niepowodzenie

backsheesh ['bækʃi:ʃ] = **baksheesh**

backside ['bæk'said] *s* siedzenie; *pot* tyłek; zadek

back-sight ['bæk,sait] *s* (*u broni palnej*) celownik

back-slapping ['bæk,slæpiŋ] *s* poklepywanie (się nawzajem) po plecach

backslide ['bæk'slaid] *vi* 1. powr-ócić/acać do (dawnego) nałogu 2. *przen* zejść/schodzić na złą drogę 3. odstąpić od swej religii; stać się renegatem

backslider ['bæk,slaidə] *s* odstępca; renegat

back-space ['bæk,speis] *s* (*u maszyny do pisania*) cofacz

back-stage ['bæk'steidʒ] [I] *adj* zakulisowy [II] *adv* za kulisami

backstairs ['bæk'stɛəz] [I] *spl* tylne schody [II] *adj* (zrobiony, powiedziany itd.) w tajemnicy <poza czyimiś plecami>

backstitch ['bæk,stitʃ] *s kraw* ścieg wsteczny

back-street ['bæk,stri:t] *s* cicha uliczka

back-stroke ['bæk,strouk] *s* 1. *sport* uderzenie (piłki) od lewa, bekhend 2. (*w pływaniu*) styl grzbietowy

back-sword ['bæk,sɔ:d] *s szerm* 1. szabla 2. palcat

back-track ['bæk,træk] *vi am* wr-ócić/acać (do domu itd.)

backward ['bækwəd] *adj* 1. wsteczny (ruch itp.) 2. spóźniony (w czasie, nauce itd.); **to be ~** mieć braki w nauce 3. zacofany 4. (*o dziecku*) spóźniony w rozwoju; zaniedbany; niedorozwinięty 5. ociągający się; niechętny; **to be ~ in doing sth** nie śpieszyć <nie kwapić> się do czegoś; ociągać się ze zrobieniem czegoś

backwardation [,bækwə'deiʃən] *s giełd* transakcja deportowa, deport

backwardness ['bækwədnis] *s* 1. spóźniony stan (zbiorów itp.) 2. zacofanie 3. spóźnienie w rozwoju; zaniedbanie 4. niechęć (do zrobienia czegoś)

backwards ['bækwədz] *adv* wstecz, w tył; **~ and forwards** tam i z powrotem; w jedną i drugą stronę

backwash ['bæk,wɔʃ] *s* wir wodny za płynąc-ym/ą statkiem <łodzią>

backwater ['bæk,wɔ:tə] [I] *s* 1. przeciwny prąd 2. woda stojąca <martwa> (w rzece) 3. *przen* zaułek; cichy zakątek; oaza [II] *vi wiośl* kontrować

backwoods ['bæk,wudz] *s* matecznik; ostępy

backwoodsman ['bæk,wudzmən] *s* (*pl* **backwoodsmen** ['bæk,wudzmən]) *dosł i przen* człowiek z lasu

bacon ['beikən] *s* boczek (wieprzowy); bekon; **eggs and ~** jajka smażone na boczku; **to save one's ~** ocalić własną skórę

bacteriologist [bæk,tiəri'ɔlədʒist] *s* bakteriolog

bacteriology [bæk,tiəri'ɔlədʒi] *s* bakteriologia

bacterium [bæk'tiəriəm] *s* (*pl* **bacteria** [bæk'tiəriə]) bakteria; zarazek

↑**bad** [bæd] [I] *adj* (**worse** [wə:s], **worst** [wə:st]) 1. zły; kiepski; niedobry; lichy; marny; (*o mięsie, potrawach, człowieku*) zepsuty; **a ~ hat** <**egg, lot**> łotr; niegodziwiec; nicpoń; **to go ~** a) (*o potrawach*) ze/psuć się b) (*o człowieku*) zejść na złą drogę; **from ~ to worse** coraz gorszy <gorzej>; **to go from ~ to worse** coraz bardziej <stale> się pogarszać; **it isn't half ~** to wcale niezłe; to jest świetne; **it wouldn't be a ~ thing** nieźle by było; przydało by się; **to look ~** źle <kiepsko, marnie> się zapowiadać 2. (*o językach obcych*) kiepski; łamany; niepoprawny; niegramatyczny; **to speak ~ English** <**French etc.**> kiepsko <źle> mówić po angielsku <francusku itp.> 3. (*o położeniu człowieka, zdarzeniu itd*) niefortunny, nieszczęśliwy; nieprzyjemny; przykry; **to be in a ~ plight** <**way**> a) być w kłopotach finansowych b) źle się mieć c) być na złej drodze; **to come to a ~ end** źle się s/kończyć 4. (*o regule, nauce, prawie, historii itp*) przekręcony; sfałszowany; źle zrozumiany; niewłaściwy 5. (*o pieniądzach itd*) fałszywy; **a ~ coin** fałszywa moneta; *przen* (*także* **a ~ penny**) zły szeląg 6. (*o zaziębieniu, katarze itp*) silny; ostry; przykry 7. (*o dolegliwościach*) bolesny; ciężki; dotkliwy; ostry; **I have a ~ finger** boli mnie palec; **my ~ leg** moja chora <ranna> noga; (*o pacjencie*) **to be ~** mieć się źle; **to be taken ~** zachorować; poczuć się niedobrze; **to feel ~** a) czuć się źle b) mieć nudności 8. (*o nieszczęśliwym wypadku, błędzie*) poważny, fatalny 9. (*o zapachu, usposobieniu człowieka, pogodzie*) przykry; nieznośny; **a ~ smell** smród; **~ weather** niepogoda; słota 10. (*o losie człowieka itd*) niepomyślny; zły; **~ fortune** <**luck**> pech; zły los 11. (*o tłumaczeniu*) niewłaściwy 12. (*o czynie*) zdrożny 13. (*o zdrowiu*) słaby 14. *w zwrotach*: **a ~ name** a) zła <kiepska, zaszargana, zepsuta> reputacja b) przezwisko; **to call sb ~ names** przezywać kogoś; **to be on ~ terms with sb** być z kimś na stopie wojennej; niedobrze z kimś żyć; żyć z kimś w niezgodzie; **to have a ~ time** a) mieć <przeżywać> przykre chwile b) źle <kiepsko> się bawić; wcale się nie bawić; **to be ~ for sb** a) za/szkodzić komuś (czyjemuś zdrowiu) b) być niewskazanym dla kogoś; **it's too ~!** jakże mi żal!; wielka szkoda!; **it's too ~ of you** to nieładnie z twojej strony *zob* **badness** [II] *s* złe, zło; **one has to take the ~ with the good** trzeba pogodzić się z niestałością losu <szczęścia>; **to go to the ~** zejść/schodzić na złą drogę; **I am 5 pounds**

to the ~ straciłem na tym <jestem stratny, kosztuje mnie to> 5 funtów

baddish [ˈbædiʃ] *adj* lichy

bade *zob* **bid** *v*

badge [bædʒ] *s* 1. odznaka (partyjna, klubowa itp.); rozetka (członka komitetu organizującego imprezę itp.); numer (bagażowego, dorożkarza itp.) 2. symbol

badger [ˈbædʒə] [I] *s* 1. *zoo* borsuk 2. pędzel borsuczy [II] *vt* zadręcz-yć/ać

badger-baiting [ˈbædʒəˌbeitiŋ] *s* szczucie psów na borsuka

badger-legged [ˈbædʒəˈlegd] *adj* kulawy

badigeon [bəˈdidʒən] *s* kit (rzeźbiarski, stolarski)

badinage [ˈbædiˌnɑ:ʒ] *s* żarty; przekomarzanie się; pokpiwanie; docinki; dogadywanie wzajemne

bad-looking [ˈbædˈlukiŋ] *adj* brzydki

badly [ˈbædli] *adv* 1. źle; niedobrze; kiepsko; licho; marnie; przykro; w przykry sposób; **he is doing ~** źle mu się powodzi; sprawy jego źle stoją; **to take sth ~** bardzo się czymś przejąć; wziąć coś do serca 2. dotkliwie; poważnie; niebezpiecznie; boleśnie; nieznośnie; fatalnie; **to be ~ beaten** ponieść sromotną klęskę; **to be ~ wounded** a) odnieść poważne rany; być niebezpiecznie rannym b) być silnie potłuczonym 3. intensywnie; silnie; **to want sth ~** bardzo czegoś potrzebować <chcieć>; silnie odczuwać brak czegoś 4. (*mówić itp*) niepoprawnie; niegramatycznie; błędnie; z błędami 5. (*wypowiedzieć się, rozumować*) niewłaściwie; fałszywie

badminton [ˈbædmintn] *s* gra w wolanta

badness [ˈbædnis] *s* 1. lichość; kiepski <marny> gatunek (towaru itd.); zły stan (pogody itp.) 2. zły charakter; niegodziwość *zob* **bad**

bad-tempered [ˈbædˈtempəd] *adj* przykry; zrzędny; gderliwy; skory do gniewu

Baedeker [ˈbeidikə] *spr* **~ raid** nalot na miasto zabytkowe

↑**baffle** [ˈbæfl] [I] *vt* 1. s/konfundować; z/mieszać; zbić z tropu 2. zaw-ieść/odzić (nadzieje itp.); udaremni-ć/ać; z/niweczyć; po/krzyżować (plany) 3. ujść/uchodzić (**sb's vigilance** czyjejś czujności) 4. urągać (**sth** czemuś); **it ~s definition** tego się nie da opisać 5. *techn* zastawiać; przegradzać *zob* **baffling** [II] *s techn* przegroda

baffling [ˈbæfliŋ] [I] *zob* **baffle** *v* [II] *adj* kłopotliwy; wprawiający w zakłopotanie; (*o problemie itp*) zaskakujący; (*o sprawie*) nie do rozwiązania; **~ winds** zmienne wiatry

baffling-plate [ˈbæfliŋˌpleit] *s techn* płyta regulująca przepływ cieczy

baffy [ˈbæfi] *s* jeden z kijów używanych do gry w golfa

bag [bæg] [I] *s* 1. worek; wór; torba (myśliwska itp.); torebka (papierowa); **~ of bones** skóra i kości; **the whole ~ of tricks** a) wszystkie możliwości b) wszystko bez reszty; **to let the cat out of the ~** wydać tajemnicę; **to pack up ~ and baggage** zebrać manatki; *przen* **in the ~** w kieszeni 2. torebka (damska) 3. upolowana zwierzyna; zdobycz 4. *biol anat* woreczek; torba; torebka; **~s under the eyes** worki pod oczami 5. wymię 6. *pl* **~s** bogactwo 7. *pl* **~s** *sl* portki 8. *pl* **~s** *sl* masa, mnóstwo [II] *vi* (**-gg-**) wyd-ąć/ymać <wzd-ąć/ymać> się [III] *vt* (**-gg-**) 1. wziąć/brać do torby <do worka, kieszeni>; położyć/kłaść łapę (**sth** na czymś); u/kraść 2. *sl szk* chcieć <żądać> (**sth** czegoś) 3. upolować 4. żąć (sierpem) *zob* **bagging**

bagasse [bəˈgæs] *s* wytłoczyny z trzciny cukrowej

bagatelle [ˌbægəˈtel] *s* bagatela; drobiazg

bagful [ˈbægful] *s* (pełny) wór <worek>; (pełna) torba <torebka>

baggage [ˈbægidʒ] [I] *s* 1. bagaż 2. *żart* łobuziak (dziewczyna); bałamutka [II] *attr* bagażowy; *am* **~ check** kwit bagażowy; **~ room** przechowalnia bagażu

bagging [ˈbægiŋ] [I] *zob* **bag** *v* [II] *adj* = **baggy**

baggy [ˈbægi] *adj* (**baggier** [ˈbægiə], **baggiest** [ˈbægiist]) luźny; workowaty

bagman [ˈbægmən] *s* (*pl* **bagmen** [ˈbægmən]) podróżujący agent handlowy; komiwojażer

bagnio [ˈbɑ:niˌou] *s* 1. łaźnia 2. dom publiczny 3. więzienie tureckie

bagpipe [ˈbægˌpaip] *s muz* dudy; *pot* (*niewłaściwie*) kobza

bag-sleeve [ˈbægˌsli:v] *s* bufiasty rękaw

bah [bɑ:] *interj lekceważąco*: phi!

Bahadur [bəˈhɑ:də] *s* 1. (*w Indiach*) wielmożny pan 2. *sl* ważniak

bail[1] [beil] [I] *s* 1. kaucja; gwarancja 2. poręczyciel; **to go ~ for sb** ręczyć <złożyć kaucję> za kogoś; **to forfeit one's ~** nie stanąwszy przed sądem stracić złożoną kaucję; **to save one's ~** stanąwszy przed sądem uratować złożoną kaucję [II] *vt* dostarcz-yć/ać towar **za** poręczeniem

~ out *vt* uzyskać uwolnienie (kogoś) z więzienia przez złożenie kaucji

bail[2] [beil] [I] *s* 1. kabłąk; obłąk 2. *austral* przyrząd do trzymania łba krowy w czasie dojenia [II] *vt* (*także* **~ up**) w celach rabunkowych zmu-sić/szać (kogoś) do trzymania podniesionych rąk [III] *vi* trzymać ręce podniesione (pod groźbą rewolweru itp.)

~ up *vt* unieruch-omić/amiać łeb w czasie dojenia (**a cow** krowie)

bail[3] [beil] *s* 1. palisada; mur obronny 2. przewora (drążek oddzielający konie w stajni) 3. pałeczka leżąca na słupkach krykietowych, której strącenie decyduje o przegranej obrońcy

bail[4] [beil] [I] *s* czerpak [II] *vt* (*także* **~ out**) wyczerp-ać/ywać wodę (**a boat** z łodzi) [III] *vi* wyczerp-ać/ywać wodę

bail[5] [beil] *vi w zwrocie*: **to ~ out** = **to bale out** *zob* **bale**[3]

bailey[1] [ˈbeili] *s* zewnętrzny mur obronny; **the Old Bailey** główne więzienie karne w Londynie

Bailey[2] [ˈbeili] *spr* **~ bridge** most do szybkiego zmontowania w razie nagłej potrzeby

bailie [ˈbeili] *s* (*w Szkocji*) urzędnik miejski; (*w Anglii*) radny miejski

bailiff [ˈbeilif] *s* 1. przedstawiciel władzy królewskiej 2. pomocnik szeryfa dokonujący aresztowań 3. rządca (majątku)

bailiwick [ˈbeiliˌwik] *s* obszar podległy „bailiffowi"

bailment [ˈbeilmənt] *s* 1. dostarczenie towaru za poręczeniem 2. uwolnienie więźnia za kaucją

bairn [ˈbɛərn] *s szkoc* dziecko

↑**bait** [beit] [I] *s* 1. przynęta; wabik 2. popas; postój [II] *vt* 1. szczuć (psy) na uwiązane zwierzę (na byka, niedźwiedzia) *zob* **bear-baiting** 2. dręczyć 3. za-łożyć/kładać (przynętę) na wędkę [III] *vi* popasać

baize [beiz] *s* ryps (materiał wełniany)
bake [beik] [I] *vt* 1. u/piec; wypie-c/kać 2. wypalać (cegły itd.) [II] *vi* 1. piec się 2. prażyć się (na słońcu) *zob* **baking**
bakehouse ['beik,haus] *s* piekarnia
bakelite ['beikə,lait] *s* bakelit
baker ['beikə] *s* piekarz; **~'s man** piekarczyk; **~'s dozen** trzynaście
bakery ['beikəri] *s* piekarnia
bakhshish *zob* **baksheesh**
↑ **baking** ['beikiŋ] [I] *zob* **bake** [II] *s* 1. wypiekanie; wypiek; pieczenie 2. pieczenie się
baking-powder ['beikiŋ,paudə] *s* proszek do pieczenia; suche drożdże
baksheesh, bakhshish ['bækʃi:ʃ] *s* 1. bakszysz, napiwek 2. łapówka
Balaclava [,bælə'klɑ:və] *spr* **~ helmet** <**cap**> kominiarka (ciepłe nakrycie głowy)
balance ['bæləns] [I] *s* 1. waga; **his fate is in the ~** jego losy się ważą; **to turn the ~** zaważyć na szali 2. równowaga; **his mind is off its ~** brak mu równowagi umysłu; **the ~ of power** równowaga sił 3. saldo; reszta; pozostałość; **~ due** saldo do wyrównania; **~ in hand** saldo kasowe; czysty zysk 4. bilans; **~ of trade** bilans handlowy; **to strike a ~** zestawi-ć/ać bilans 5. *astr* **the Balance** Waga [II] *vt* 1. z/ważyć (skutki czegoś itp.) 2. utrzym-ać/ywać w równowadze 3. stanowić równowagę <przeciwwagę> (**sth** dla czegoś); wyrówn-ać/ywać; s/kompensować 4. saldować (rachunki); wyrówn-ać/ywać (budżet) [III] *vi* 1. być w równowadze 2. (*o rachunkach*) zg-odzić/adzać się 3. (*o człowieku*) wahać się; być niezdecydowanym 4. balansować *zob* **balanced, balancing**
balanced ['bælənst] [I] *zob* **balance** *v* [II] *adj* zrównoważony; (*o dwóch siłach itp*) równy
balance-sheet ['bæləns,ʃi:t] *s* zestawienie bilansowe; bilans
balance-wheel ['bæləns,wi:l] *s techn* balansjer
balancing ['bælənsiŋ] [I] *zob* **balance** *v* [II] *adj* 1. (*o ruchu*) wahadłowy 2. (*o człowieku*) chwiejny; niezdecydowany 3. (*o sile*) kompensacyjny [III] *s* 1. wyrównanie; kompensowanie 2. wahanie się 3. saldowanie (rachunków) 4. sporządzanie bilansu
balancing-pole ['bælənsiŋ,poul] *s* balans (linoskoczka)
balas ['bæləs] *s miner* balas, rubin winny
balcony ['bælkəni] *s* 1. balkon 2. *teatr* balkon drugiego piętra
↑ **bald** [bɔ:ld] *adj* 1. łysy 2. (*o stylu*) suchy; nudny 3. (*o koniu*) ze strzałką 4. (*o krajobrazie*) bezdrzewny 5. (*o drzewach*) nagi; bezlistny 6. (*o faktach, twierdzeniach itp*) jawny; nie ukryty; nie zamaskowany
baldachin ['bɔ:ldəkin] *s* baldachim
balderdash ['bɔ:ldə,dæʃ] *s* brednie, banialuki, duby smalone
baldhead ['bɔ:ld,hed] *s* łysa głowa; *pot* łysa pała
bald-headed ['bɔ:ld'hedid] *adj* łysy
baldicoot ['bɔ:ldi,ku:t] *s zoo* łyska (ptak)
baldly ['bɔ:ldli] *adv* bez ogródek
baldness ['bɔ:ldnis] *s* 1. łysina 2. nagość (krajobrazu) 3. suchość (stylu) 4. jawność <otwartość> (wypowiedzi itp.)
baldric ['bɔ:ldrik] *s* pendent (szabli, szpady)
bale[1] [beil] *s* bela (papieru, sukna itd.)
bale[2] [beil] *s* nieszczęście; niedola
bale[3] [beil] *vi w zwrocie*: **to ~ out** a) wyskoczyć (z samolotu) na spadochronie b) *sl* wywinąć się z trudnej sytuacji
baleen [bə'li:n] *s* fiszbin
balefire ['beil,faiə] *s* ognisko; stos
baleful ['beilful] *adj* nieszczęsny; zgubny
balk[1] [bɔ:k] *s* 1. miedza 2. zawada 3. belka
balk[2] [bɔ:k] [I] *vt* 1. udaremni-ć/ać <unicestwi-ć/ać> (czyjeś plany) 2. przeszk-odzić/adzać (**sth** czemuś) 3. przepu-ścić/szczać (sposobność) 4. uchyl-ić/ać się (**sth** od czegoś — spełnienia obowiązku itd.) 5. unik-nąć/ać (**sth** czegoś) [II] *vi* (*o koniu*) z/narowić się; *przen* **to ~ at sth** a) sta-nąć/wać okoniem; sprzeciwi-ć/ać się b) za/wahać się
Balkan ['bɔ:lkən] *adj* bałkański
↑ **ball**[1] [bɔ:l] [I] *s* 1. *sport* piłka 2. kula (do gier oraz do broni palnej); gałka; *bil* bila; **the three ~s** trzy (złote) kule (godło lombardu); **to have the ~ at one's feet** a) mieć wspaniałą okazję popisania się b) mieć wszystkie atuty w rękach; **to keep the ~ rolling** podtrzym-ać/ywać rozmowę; **to set the ~ rolling** dać dobry początek rozmowie (towarzyskiej); rozwiąz-ać/ywać języki 3. motek <kłębek> (wełny itp.) 4. gałka (oczna) 5. poduszeczka <brzusiec> kciuka <dużego palca u nogi> 6. *pl* **~s** *wulg* jaja (jądra) [II] *vt* 1. zwi-nąć/jać w kulę 2. *am sl* **to ~ up** po/mieszać; zabałagani-ć/ać [III] *vi* (*o śniegu*) zbijać się (pod stopami)
ball[2] [bɔ:l] *s* bal; zabawa taneczna
ballad ['bæləd] *s poet muz* ballada
ballade [bæ'lɑ:d] *s poet* ballada
ball-and-socket [,bɔ:lənd'sɔkit] *attr anat* **~ joint** staw panewkowy
↑ **ballast** ['bæləst] [I] *s* 1. balast 2. równowaga umysłu 3. podkład (toru, gościńca itp.) [II] *vt* 1. doprowadz-ić/ać do równowagi; utrzym-ać/ywać w równowadze 2. da-ć/wać podkład (pod tor, gościniec itp.)
ball-bearings ['bɔ:l'bɛəriŋz] *spl* łożysko kulkowe
ball-cartridge ['bɔ:l'kɑ:tridʒ] *s* ostry nabój
ballerina [,bælə'ri:nə] *s* balerina
ballet ['bælei] *s* balet
ballet-dancer ['bælei,dɑ:nsə] *s* baletni-k/ca
balletomane ['bælitə,mein] *s* miłośni-k/czka baletu
ball-firing ['bɔ:l,faiəriŋ] *s* ostre strzelanie
ballistic [bə'listik] *adj* balistyczny
ballistics [bə'listiks] *s* balistyka
ballon d'essai ['bælɔ̃:'desei] *s* balon <balonik> próbny
↑ **balloon** [bə'lu:n] [I] *s* 1. balon 2. słowa wychodzące z ust postaci na rycinie [II] *attr* balonowy; **~ barrage** zapora z balonów
balloon-tyre [bə'lu:n,taiə] *s* guma balonowa (przy rowerze)
↑ **ballot** ['bælət] [I] *s* balotowanie; tajne głosowanie [II] *vi* balotować (**for** <**against**> **sb, sth** za kimś, czymś <przeciw komuś, czemuś>) [III] *vt w zwrocie*: **to ~ workmen etc. on a question** zażądać od robotników itd. głosowania nad czymś
ballotage ['bælətidʒ] *s* balotaż
ballot-box ['bælət,bɔks] *s* urna (wyborcza)
ballot-paper ['bælət,peipə] *s* kartka do głosowania
ball-point ['bɔ:l,pɔint] *attr* **~ pen** długopis
ball-room ['bɔ:lrum] *s* sala balowa
ball-shaped ['bɔ:l,ʃeipt] *adj* kulisty
ball-tap ['bɔ:l,tæp] *s techn* zawór kulowy

bally ['bæli] [I] *adj sl* diabelski; wstrętny [II] *adv sl* diabelnie

ballyhoo ['bæli,hu:] [I] *s am sl* 1. przesadna reklama 2. naciąganie (ludzi) [II] *vt* 1. za/agitować (kogoś) 3. narobić szumu <z/robić szum> (**sb, sth** dokoła kogoś, czegoś)

ballyrag ['bæli,ræg] *vt* (**-gg-**) *sl* dokucz-yć/ać złośliwymi psotami (**sb** komuś)

balm [ba:m] *s* 1. balsam; ukojenie; **~ of Gilead** balsam Mekka 2. *bot* melisa lekarska

Balmoral [bæl'mɔrəl] *spr* **~ boot** sznurowany bucik należący do stroju szkockiego; **~ cap** beret szkocki; **~ petticoat** barwna spódniczka szkocka

balmy ['ba:mi] *adj* (**balmier** ['ba:miə], **balmiest** ['ba:miist]) 1. balsamiczny; kojący 2. *sl* zbzikowany

balneology [bælni'ɔlədʒi] *s* balneologia

baloney [bə'louni] *s* 1. *pot* głupie gadanie 2. tandeta

↑ **balsam** ['bɔ:lsəm] *s* 1. balsam 2. *bot* balsamina, niecierpek

balsamic [bɔ:l'sæmik] *adj* balsamiczny

Baltic ['bɔ:ltik] *adj geogr* bałtycki

baluster ['bæləstə] *s* balas; słupek w balustradzie

balustrade ['bæləs,treid] *s* balustrada

↑ **bamboo** [bæm'bu:] *s* bambus

bamboozle [bæm'bu:zl], **bamfoozle** [bæm'fu:zl] *vt* oszukać; okpi-ć/wać; *pot* kiw-nąć/ać

ban [bæn] [I] *s* 1. wyjęcie spod prawa; pozbawienie praw 2. banicja 3. zakaz 4. *kośc* interdykt; klątwa 5. *w zwrocie*: **the ~ of public opinion** pręgierz opinii publicznej [II] *vt* (**-nn-**) 1. wykl-ąć/inać 2. zakaz-ać/ywać (**sth** czegoś)

banal [bə'næl] *adj* banalny

banality [bə'næliti] *s* 1. banalność 2. komunał

↑ **banana** [bə'na:nə] *s* banan (owoc)

Banbury-cake ['bænbəri'keik] *s* ciastko z rodzynkami i przyprawą korzenną

↑ **band[1]** [bænd] [I] *s* 1. taśma (żelazna, papierowa itd.); **elastic ~** gumka (do obwiązywania słoików w aptece itd.) 2. obręcz (beczki itd.) 3. rafa (koła) 4. opaska 5. wstążka (kapelusza); wstęga; pasek; pas (ziemi, trawnika itd.) 6. obwódka; obrączka; szlaczek 7. rzemień; pas (transmisyjny itd.) 8. *elektr* pasmo (częstotliwości) 9. *pl* **~s** kołnierz (sutanny i togi) [II] *vt* obwiąz-ać/ywać <z/wiązać> taśmą <opaską, wstęgą itp.>

↑ **band[2]** [bænd] [I] *s* 1. banda; szajka; zgraja 2. towarzystwo; **Band of Hope** liga antyalkoholowa 3. orkiestra; **brass ~** orkiestra dęta; **string ~** orkiestra smyczkowa; **~ wagon** wóz z orkiestrą jadący na czele kawalkady; **to get into the ~ wagon** a) sta-nąć/ć na czele ruchu b) sta-nąć/ć po stronie przyszłych zwycięzców [II] *vi* zrzesz-yć/ać <zesp-olić/alać> się

bandage ['bændidʒ] [I] *s* 1. bandaż 2. opaska (na oczy); **swathed in ~s** obandażowany [II] *vt* o/bandażować

bandan(n)a [bæn'dænə] *s* barwna chustka

bandbox ['bæn,bɔks] *s* pudło modniarskie; **as if out of a ~** jak spod igły

bandbrake ['bænd,breik] *s mech* hamulec taśmowy

↑ **banderole** ['bændə,roul] *s* banderola

bandicoot ['bændi,ku:t] *s* 1. *zoo* australijski torbacz owadożerny 2. *zoo* duży indyjski szczur jadalny

bandit ['bændit] *s* (*pl* **~s, banditti** [bæn'diti]) bandyta

banditti [bæn'diti] *s zbior* szajka bandycka

bandmaster ['bænd,ma:stə] *s* kapelmistrz

bandog ['bæn,dɔg] *s* pies łańcuchowy; brytan

bandoleer, bandolier [,bændə'liə] *s* 1. † bandolier 2. ładownica noszona na kształt bandoliera

bandoline ['bændə,li:n] *s* fiksatuar, pomada do włosów i wąsów

bandsaw ['bænd,sɔ:] *s* piła taśmowa

band-shell ['bænd,ʃel] *s* muszla dla orkiestry na wolnym powietrzu

bandsman ['bændzmən] *s* (*pl* **bandsmen** ['bændzmən]) muzykant

bandstand ['bænd,stænd] *s* estrada

bandy[1] ['bændi] *vt* (**bandied** ['bændid], **bandied**; **bandying** ['bændiiŋ]) rzucać i odbijać (piłkę) z jednej strony siatki na drugą; *przen* (*o towarzystwie*) prześcigać <licytować> się (**jokes, stories etc.** w żartach, docinkach, dykteryjkach itd.); **to ~ words** dogadywać <docinać> sobie; **to ~ blows** okładać się (pięściami itp.)

bandy[2] ['bændi] *s* kij do hokeja

bandy[3] ['bændi] *adj* (**bandier** ['bændiə], **bandiest** ['bændiist]) (*o nogach*) krzywy, pałąkowaty

bandy-legged ['bændi,legd] *adj* krzywonogi; koślawy

bane [bein] *s* 1. jad 2. zguba; nieszczęście; zmora; plaga; zakała

baneberry ['beinbəri] *s bot* czerniec gronkowy

baneful ['beinful] *adj* zgubny; fatalny

banewort ['bein,wə:t] *s bot* 1. pokrzyk, wilcza jagoda 2. jaskier płomiennik

bang[1] [bæŋ] [I] *s* huk; trzask; łoskot [II] *vt* zatrzasnąć (drzwi); (*także* **~ down**) zatrzasnąć (pokrywkę itp.) [III] *vi* 1. (*o drzwiach*) trzas-nąć/kać 2. wal-nąć/ić (**at** <**on**> **the door** <**the table**> w drzwi <w stół>) *zob* **banging** [IV] *interj* buch! [V] *adv w zwrocie*: **to go ~** a) wybuchnąć b) pęknąć

bang[2] [bæŋ] [I] *s* grzywka [II] *vt* przyci-ąć/nać (włosy) w grzywkę

Bangalore ['bæŋgə,lɔ:] *spr* **~ torpedo** ładunek wybuchowy w rurze metalowej do wysadzania przeszkód z drutu kolczastego

banging ['bæŋiŋ] [I] *zob* **bang[1]** *v* [II] *s* 1. trzaskanie; za/trzaśnięcie 2. walenie; huki

↑ **bangle** ['bæŋgl] *s* bransoleta

bang-up ['bæŋ'ʌp] *adj am sl* byczy; świetny; klawy

banian ['bænjən] *s* 1. (*w Indiach*) kupiec; handlarz 2. indyjski szlafrok 3. = **banian-tree**

banian-day ['bænjən,dei] *s mar* dzień bezmięsny

banian-hospital ['bænjən'hɔspitl] *s* klinika dla zwierząt

banian-tree ['bænjən,tri] *s* indyjskie drzewo figowe

banish ['bæniʃ] *vt* 1. wyg-nać/aniać; wypędz-ić/ać; odpędz-ić/ać 2. skaz-ać/ywać na banicję

banishment ['bæniʃmənt] *s* banicja; wygnanie

banister ['bænistə] *s* 1. balas; słupek w balustradzie 2. poręcz

banjo ['bændʒou] *s* (*pl* **~s, ~es**) 1. *muz* banjo 2. *techn* karter dyferencjału

bank[1] ['bæŋk] [I] *s* 1. nasyp; wał 2. ławica piaszczysta 3. brzeg (rzeki, jeziora); *górn* nadszybie; wieniec szybu 4. nachylenie toru (na zakręcie) 5. **a ~ of flowers** kwietnik; klomb 6. wał (chmur) 7. zaspa (śnieżna) [II] *vt* 1. obwałować 2. podnieść (tor) z jednej strony (na zakręcie) 3. dosyp-ać/ywać świeżego węgla (**a fire** do ogniska) [III] *vi* (*także* **~ up**) 1. (*o śniegu, chmurach itp*) gromadzić <piętrzyć> się 2. (*o samolocie*) przechyl-ić/ać się (przy skręcie)

bank² ['bæŋk] [I] *s* 1. bank 2. (*w grach hazardowych*) bank; pula; **to break the ~** rozbi-ć/jać bank 3. skład zapasów rezerwowych 4. zapas rezerwowy [II] *attr* bankowy; **~ account** konto w banku; **~ clerk** urzędnik bankowy; **~ holiday** święto zwyczajowe; **~ night** seans kinowy połączony z loterią, w której losami są bilety wstępu; **~ rate** stopa dyskontowa [III] *vt* 1. złożyć/składać (pieniądze) w banku [IV] *vi* 1. mieć rachunek (**with** — w ... — określonym banku); pracować (z określonym bankiem) 2. (*w grach hazardowych*) trzymać bank 3. liczyć <postawić/stawiać> (na kogoś, coś); po-łożyć/kładać nadzieje (**on sb, sth** w kimś, czymś) *zob* **banking**

bank³ ['bæŋk] *s* 1. ławka (wioślarza) 2. rząd (wioślarzy) 3. *muz* klawiatura organów

bankable ['bæŋkəbl] *adj* 1. nadający się do obrotu bankowego 2. (*o wekslu*) dobry do dyskonta

bank-bill ['bæŋk,bil] *s* weksel ciągniony; trata bankowa

bank-book ['bæŋk,buk] *s* książeczka bankowa

banker¹ ['bæŋkə] *s* bankier

banker² ['bæŋkə] *s* kuter do połowu dorsza przy brzegach Nowej Fundlandii

banket ['bæŋkit] *s geol* 1. konglomerat złotonośny 2. zbity zlepieniec kwarcowy

banking ['bæŋkiŋ] [I] *zob* **bank²** *v* [II] *s* bankowość

bank-messenger ['bæŋk'mesindʒə] *s bank* inkasent

banknote ['bæŋk,nout] *s* banknot

bankrupt ['bæŋkrʌpt] [I] *s dosł i przen* bankrut/ka; **to go ~** z/bankrutować [II] *vt* doprowadz-ić/ać do bankructwa

bankruptcy ['bæŋkrəptsi] *s* bankructwo, upadłość

banner ['bænə] [I] *s* chorągiew; sztandar; transparent [II] *attr am* znakomity; szczytowy; pierwszorzędny; **~ head** nagłówek na całą szerokość strony w gazecie

banner-screen ['bænə,skri:n] *s* parawanik przed kominkiem

bannock ['bænək] *s szkoc* płaski, okrągły bochenek bezdrożdżowego chleba

banns [bænz] *spl* zapowiedzi (ślubne); **to forbid the ~** zgłosić przeszkodę do zawarcia ślubu

banquet ['bæŋkwit] [I] *s* bankiet; uczta [II] *vt* pod-jąć/ejmować (kogoś) ucztą <bankietem> [III] *vi* ucztować

banqueter ['bæŋkwitə] *s* biesiadnik; ucztujący

banquet(ing)-hall ['bæŋkwit(iŋ),hɔ:l] *s* sala bankietowa

banquette [bæŋ'ket] *s* 1. stopień strzelecki (w okopach itp.) 2. chodnik na moście

banshee ['bænʃi:] *s irl szkoc* zjawa zwiastująca śmierć

bant [bænt] *vi* za/stosować kurację odtłuszczającą *zob* **banting**

bantam ['bæntəm] [I] *s* 1. karłowat-y/a kogut <kura> 2. *przen* człowiek skory do bójki 3. *pl* **the ~s** (*także* **~ battalion**) oddział żołnierzy małego wzrostu [II] *attr* (*o wadze w boksie*) koguci

banter ['bæntə] [I] *vi* za/żartować; za/kpić; pokpiwać; przekomarzać się [II] *s* żarty; żartowanie; przekomarzanie się; kpiny; wzajemne pokpiwanie

banting ['bæntiŋ] [I] *zob* **bant** [II] *s* leczenie otyłości dietą; kuracja odtłuszczająca

bantling ['bæntliŋ] *s* berbeć; bachor, bachorek; brzdąc

banyan ['bænjən] = **banian**

baobab ['beiə,bæb] *s bot* baobab

bap [bæp] *s szkoc* 1. bochenek 2. bułka

baptism ['bæptizəm] *s* chrzest; chrzciny; **~ of blood** męczeństwo; śmierć męczeńska; **~ of fire** chrzest bojowy

baptismal [bæp'tizml] *adj* chrzestny; (*o świadectwie*) chrztu; **~ certificate** metryka chrztu; **~ font** chrzcielnica

baptist ['bæptist] *s rel* 1. chrzciciel 2. baptysta; anabaptysta

baptist(e)ry ['bæptistri] *s kośc* 1. baptysterium 2. chrzcielnica

baptize [bæp'taiz] *vt* o/chrzcić

bar¹ [ba:] [I] *s* 1. sztaba (metalu); sztabka; laska <laseczka> (mydła itd.); baton <batonik> (czekolady); poprzeczka na wstążce orderu (dodatkowe odznaczenie); zasuwa <rygiel> (u drzwi); *gimn* **horizontal ~s** drążek, rek; *gimn* **parallel ~s** poręcze 2. poprzeczka; pręga; pasek; paseczek; słupek (ozdobny, barwny, nałożony, przyszyty itp.) 3. *pl* **~s** krata; **behind ~s** za kratkami; w więzieniu 4. *pl* **~s** ruszt 5. rogatka 6. ława piaszczysta 7. przegroda; zagrodzenie; szlaban 8. przeszkoda; **the colour ~** segregacja rasowa 9. *sąd* ława oskarżonych; *przen* pręgierz; **at the ~ of public opinion** pod pręgierzem opinii publicznej; **the prisoner at the ~** oskarżon-y/a 10. rejestr adwokatów; adwokatura; **to be called to the ~** zostać przyjętym w poczet adwokatów; **to go to the ~** zostać adwokatem; **to read for the ~** studiować prawo (ze specjalizacją w obronie) 11. bar; szynkwas 12. *muz* przedziałka taktowa 13. *muz* takt 14. bar (jednostka ciśnienia atmosf.) [II] *vt* (**-rr-**) 1. zasu-nąć/wać; za/ryglować (drzwi itp.); **to ~ oneself in** za/barykadować się 2. okratować (okno itp.) 3. zagr-odzić/adzać (komuś drogę) 4. zakaz-ać/ywać (**sth** czegoś); sprzeciwi-ć/ać się (**sth** czemuś); **to ~ sb from doing sth** przeszk-odzić/adzać komuś w zrobieniu czegoś 5. po/kratkować 6. *pot* nie cierpieć <nie znosić> (**sb, sth** kogoś, czegoś);

~ out *vt* nie wpu-ścić/szczać do domu (**sb** kogoś)

zob **barred, barring** [III] *praep* z wyjątkiem; **~ none** nikogo nie wykluczając <nie wyłączając>

bar² [ba:] *s zoo* umbryna (ryba morska)

barb¹ [ba:b] *s* 1. wąs (haczyka wędki) 2. wąsy (ryb itd.) 3. (*w odlewie*) skaza; szew 4. (*u pióra ptaka*) chorągiewka

barb² [ba:b] *s zoo* koń berberyjski

barbarian [ba:'beəriən] *s* barbarzyńca

barbaric [ba:'bærik] *adj* barbarzyński

barbarism ['ba:bə,rizəm] *s* barbaryzm

barbarity [ba:'bæriti] *s* barbarzyństwo

barbarous ['ba:bərəs] *adj* barbarzyński

barbate ['ba:beit] *adj* 1. *zoo* włochaty; wąsaty 2. *bot* ciernisty

barbecue ['ba:bi,kju] *s* 1. rożen 2. wieprz w całości upieczony 3. zabawa ludowa, na której piecze się wieprza lub wołu w całości 4. klepisko do suszenia kawy

barbed ['ba:bd] *adj* haczykowaty; **~ wire** drut kolczasty

barbel ['bɑ:bl] *s* 1. *zoo* brzana (ryba) 2. *pl* **~s** wąsy (ryby)

bar-bell ['bɑ:'bel] *s sport* sztanga

barber ['bɑ:bə] *s* fryzjer; *żart* golibroda; *med* **~'s itch** <**rash**> figówka (uporczywe zapalenie skóry); **~'s pole** godło zakładu fryzjerskiego

barberry ['bɑ:bəri] *s bot* berberys pospolity

barbet ['bɑ:bit] *s zoo* 1. pudel 2. brodacz (ptak tropikalny)

barbican ['bɑ:bikən] *s* barbakan

barbitone ['bɑ:bi,toun] *s farm* barbiton, weronal

barbule ['bɑ:bju:l] *s zoo* promyk (u chorągiewki pióra ptasiego)

barcarole ['bɑ:kə,roul] *s muz* barkarola

bard[1] [bɑ:d] *s* zbroja na konia

bard[2] [bɑ:d] I *s* słonina (do szpikowania) II *vt* na/szpikować (drób itp.)

bard[3] [bɑ:d] *s* bard; poeta; wieszcz; śpiewak walijski

bardic ['bɑ:dik] *adj* (*o poezji*) bardów, liryczny

↑**bare** [bɛə] I *adj* 1. *dosł i przen* (*o drzewach w zimie, o prawdzie itd*) nagi; (*o deskach do spania, o asie, królu przy grze itd*) goły; ogołocony (**of sth** z czegoś); (*o nogach*) bosy; (*o głowie*) odkryty; **~ trees** drzewa nagie <ogołocone z liści>; **to lay ~** a) obnażyć (kogoś, coś) b) wyjawić (tajemnicę) c) ogołocić (**sth from sth** coś z czegoś — drzewo z liści itd.) 2. sam; **a ~ thank you** samo „dziękuję"; **I earn a ~ living** ledwo zarabiam na życie; **the ~ thought of such a misfortune** sama myśl o takim nieszczęściu; **to believe on sb's ~ word** u/wierzyć komuś na słowo II *vt* obnaż-yć/ać; odsł-onić/aniać; ogoł-ocić/acać; odkry-ć/wać

bare-back ['bɛə,bæk] *adv* na oklep

barebacked ['bɛə,bækt] *adj* z odsłoniętymi plecami; z nagim grzbietem; nie mając czym pleców okryć

barebones ['bɛə,bounz] *s* chudzielec

barefaced ['bɛə,feist] *adj* 1. bez zarostu 2. z odsłoniętą twarzą; ze zdjętą maską 3. bezczelny; z wytartym czołem

barefacedly ['bɛə,feisidli] *adv* bezczelnie

barefoot ['bɛə,fut] *adv* boso

barefooted ['bɛə'futid] *adj* bosy

bare-headed ['bɛə'hedid] *adj* z gołą <odkrytą, obnażoną> głową, bez nakrycia głowy

bare-legged ['bɛə'legd] *adj* z gołymi nogami; bez pończoch

barely ['bɛəli] *adv* 1. ledwo; zaledwie 2. otwarcie (coś powiedzieć) 3. ubogo (umeblować)

bareness ['bɛənis] *s* 1. nagość 2. ubóstwo 3. suchość <jałowość> (stylu)

baresark ['bɛə,sɑ:k] I *s* wojownik skandynawski II *adv* (walczyć itd.) bez zbroi

barfly ['bɑ:,flai] *s* bywalec barów <piwiarni>

bargain ['bɑ:gin] I *s* 1. targ; interes; transakcja; **a ~'s a ~** słowo się rzekło; **(something) into the ~** (coś) na dodatek; **that's a ~!** załatwione!; zgoda!; **to get the best of the ~** zyskać <najlepiej wyjść> na (jakimś) interesie; **to make the best of a bad ~** nadrabiać miną; po/godzić się z losem; **to strike a ~** dobić targu; ubić interes 2. okazja II *attr* okazyjny; **~ basement** <**counter**> dział wyprzedaży; **~ prices** ceny okazyjne III *vi* 1. targować się (**with sb for sth** z kimś o coś) 2. ułożyć/układać się (**with sb for sth** z kimś o coś) 3. liczyć (**for sth** na coś); być przygotowanym (**for sth** na coś); spodziewać się <oczekiwać> (**for sth** czegoś); **that's more than I ~ed for** a) tak wiele się nie spodziewałem; to jest więcej niż się spodziewałem b) na to nie byłem przygotowany

~ away *vt* 1. odstąpić (coś komuś) 2. oddać (coś) za byle co

bargainer ['bɑ:ginə] *s* człowiek umiejący korzystnie kupić <wytargować> coś

bargain-hunter ['bɑ:gin,hʌntə] *s* człowiek polujący na okazję korzystnego kupna

barge [bɑ:dʒ] I *s* 1. galar; berlinka; szkuta; łódź rzeczna; barka 2. łódź mieszkalna 3. rzeczny statek wycieczkowy; **admiral's ~** szalupa admiralska; **State ~** łódź do uroczystych wystąpień król-a/owej 4. *sl* ostra wymiana zdań II *vi pot* pakować <pchać, rozpychać> się

~ in *vi* 1. *pot* wpakować <wepchnąć/wpychać> się 2. wtrąc-ić/ać się

bargee [bɑ:'dʒi], **bargeman** ['bɑ:dʒmən] *s* (*pl* **bargemen** ['bɑ:dʒmən]) flisak; *przen* zawiadaka; **to swear like a ~** kląć jak szewc

barge-master ['bɑ:dʒ,mɑ:stə] *s* człowiek sprawujący nadzór na barce rzecznej

barge-pole ['bɑ:dʒ,poul] *s* drąg do popychania i kierowania barką rzeczną; **I wouldn't touch it** <**him**> **with a ~** nawet bym się nie zbliżył do tego <do niego>

baric[1] ['bærik] *adj chem* barowy

baric[2] ['bærik] *adj* barometryczny

baritone ['bæri,toun] = **barytone**

barium ['bɛəriəm] I *s chem* bar (pierwiastek) II *attr* barowy

↑**bark**[1] [bɑ:k] I *s* 1. kora; **inner ~** łyko; *am* **with the ~ on** (człowiek) nieokrzesany 2. (*także* **Peruvian** <**Jesuits'**> **~**) chinina 3. *sl* skóra II *vt* zedrzeć/zdzierać korę; o/korować; **to ~ one's skin** otrzeć sobie skórę

bark[2] [bɑ:k] I *s* 1. szczekanie 2. *med* kaszel szczekający II *vi* 1. za/szczekać (**at sb** na kogoś) 2. *sl* za/kaszleć III *vt pot* wyszczekać; warkliwie powiedzieć

bark[3], **barque** [bɑ:k] *s mar* barkentyna

bar-keeper ['bɑ:,kipə] *s* właściciel/ka baru; szynka-rz/rka

↑**barker** ['bɑ:kə] *s* 1. *pog* (*o człowieku*) szczekacz 2. *iron* (*o broni palnej*) szczekaczka

bark-tree ['bɑ:k,tri:] *s bot* drzewo chinowe

barley ['bɑ:li] *s bot* jęczmień; **hulled ~** pęcak, pęczak; **pearl ~** perłówka, kasza perłowa

barley-corn ['bɑ:li,kɔ:n] *s* ziarno jęczmienia; **John Barleycorn** = **whisky**

barley-sugar ['bɑ:li'ʃugə] *s* pałeczki (cukierki)

barley-water ['bɑ:li,wɔ:tə] *s* kleik jęczmienny

barlow ['bɑ:lou] *s am* scyzoryk

barm [bɑ:m] *s* drożdże piwne

barmaid ['bɑ:,meid] *s* szynkarka; bufetowa; barmanka; dziewczyna zza szynkwasu

barman ['bɑ:mən] *s* (*pl* **barmen** ['bɑ:mən]) barman; szynkarz; bufetowy

barmy ['bɑ:mi] *adj* (**barmier** ['bɑ:miə], **barmiest** ['bɑ:miist]) 1. pieniący się 2. *sl* zbzikowany; zwariowany; **he's ~** on ma fioła

↑**barn** [bɑ:n] *s* 1. stodoła 2. *am* stajnia 3. *am* remiza

barnacle ['bɑ:nəkl] *s* 1. *zoo* barnakla (gęś) 2. *zoo* pąkla (skorupiak) 3. biurokrata 4. natręt

barnacles ['bɑ:nəklz] *spl* 1. kleszcze do ściskania nozdrzy niespokojnego konia w czasie kucia 2. *sl* okulary
barn-floor ['bɑ:n,flɔ:] *s* klepisko
barn-owl ['bɑ:n,aul] *s zoo* sowa płomykówka
barnstorm ['bɑ:n,stɔ:m] *vi* 1. *am* objeżdżać kraj 2. wygłaszać przemówienia przedwyborcze
barnstormer ['bɑ:n,stɔ:mə] *s* wędrowny aktor
barn-yard ['bɑ:n,jɑ:d] *s* podwórze gospodarskie
barograph ['bæro,grɑ:f] *s* barograf
barology [bæ'rɔlədʒi] *s fiz* barologia, nauka o ciężkości
barometer [bə'rɔmitə] *s* barometr
barometric(al) [,bærə'metrik(l)] *adj* barometryczny
baron ['bærən] *s* 1. baron 2. *dosł i przen* magnat; *kulin* ~ **of beef** krzyżówka (wołowa)
baronage ['bærənidʒ] *s* 1. magnateria 2. szlachta 3. herbarz
baroness ['bærənis] *s* 1. baronowa 2. kobieta, której nadano tytuł szlachecki
baronet ['bærənit] [I] *s* 1. baronet 2. mężczyzna, któremu nadano tytuł szlachecki [II] *vt* nadać tytuł baroneta (**sb** komuś)
baronetage ['bærənitidʒ] *s zbior* baroneci
baronetcy ['bærənitsi] *s* tytuł <godność> baroneta
baronial [bə'rounjəl] *adj* wielkopański; magnacki
barony ['bærəni] *s* 1. (*w Anglii i Szkocji*) siedziba i włości magnackie 2. (*w Irlandii*) okręg administracyjny
baroque [bə'rouk] [I] *s* barok [II] *adj* 1. barokowy 2. dziwaczny
barouche [bə'ru:ʃ] *s* powozik
barque *zob* **bark**[3]
barrack[1] ['bærək] *vt* wygwizd-ać/ywać (graczy, zawodników)
barrack[2] ['bærək] [I] *s* (*zw pl*) 1. koszary; **confinement to ~s** areszt koszarowy 2. budynek koszarowy 3. barak [II] *attr* (*o izbie, placu, języku itd*) koszarowy
barracoon [,bærə'ku:n] *s* (*w Afryce*) baraki dla niewolników <dla aresztantów>
↑ **barrage** ['bærɑ:ʒ] *s wojsk* 1. zapora (z balonów itd.) 2. ogień zaporowy
barrator, barrater ['bærətə] *s* 1. pieniacz 2. warchoł; wichrzyciel
barratry ['bærətri] *s* 1. *mar* barateria 2. pieniactwo
↑ **barred** ['bɑ:d] [I] *zob* **bar**[1] *v* [II] *adj* 1. okratowany 2. w paski; w pasy, pasiasty
↑ **barrel** ['bærəl] [I] *s* 1. baryłka; beczka, beczułka; barrel (miara objętości) 2. lufa; rura 3. zbiorniczek pióra wiecznego 4. dudka (ptasiego pióra) 5. cylinder; walec 6. bęben; bębenek 7. brzuch (zwierzęcia) [II] *vt* za/ładować do beczek (śledzie itp.); wl-ać/ewać do beczek (wino itd.)
barrel-bulk ['bærəl,bʌlk] *s* jednostka miary (= 5 stóp sześciennych)
barrel-head ['bærl,hed] *s* dno beczki
barrel-house ['bærəl,haus] *s am* podrzędny kabaret
barrel-organ ['bærl,ɔ:gn] *s* katarynka
barrel-vault ['bærl,vɔ:lt] *s bud* sklepienie beczkowe
barren ['bærən] [I] *adj* jałowy; nieurodzajny; *lit* ~ **of sth** pozbawiony czegoś [II] *s* pustkowie; nieużytki; nieurodzajny obszar ziemi
barrenness ['bærənnis] *s* jałowość; nieurodzajność
barrenwort ['bærən,wə:t] *s bot* bezkwiat, mitra
barret ['bærət] *s* 1. biret 2. *wojsk* czapka
barrette [bə'ret] *s* 1. garda (u szpady) 2. wsuwka <spinka> (do włosów)
barricade [,bæri'keid] [I] *s* barykada [II] *vt* za/barykadować
↑ **barrier** ['bæriə] [I] *s* 1. bariera; ogrodzenie; zapora; szlaban; rogatka; granica 2. zawada; przeszkoda [II] *vt w zwrocie*: **to ~ in** <**off**> odgr-odzić/adzać
barring ['bɑ:riŋ] [I] *zob* **bar**[1] *v* [II] *praep* wyjąwszy; z wyjątkiem; prócz, oprócz; ~ **accidents** chyba żeby się zdarzył jakiś wypadek; ~ **none** bez wyjątku
barring-engine ['bɑ:riŋ,endʒin] *s* silnik rozruchowy
barrister ['bæristə] *s* adwokat/ka; obroń-ca/czyni; **revising** ~ komisarz wyborczy
bar-room ['bɑ:,ru:m] *s* bar; bufet
barrow[1] ['bærou] *s* niemowlęca sukienka flanelowa bez rękawów
barrow[2] ['bærou] *s* kopiec; kurhan; wzgórek
barrow[3] ['bærou] *s* 1. (*także* **hand** ~) nosze (do noszenia towarów) 2. (*także* **wheel** ~) taczki; **coster's** ~ wózek ręczny
barrow[4] ['bærou] *s dial* kastrowany wieprz
bartender ['bɑ:,tendə] *s am* kelner/ka (w barze); barman/ka; bufetow-y/a
barter ['bɑ:tə] [I] *vt* wymieni-ć/ać (towar na inny towar) [II] *vi* po/prowadzić handel wymienny
~ **away** *vt* przefrymarczyć; przehandlować
~ **down** *vt* utargować (coś z ceny)
[III] *s* handel wymienny; frymarczenie
bartizan ['bɑ:ti,zæn] *s arch* wieżyczka wykuszowa u szczytu baszty
barton ['bɑ:tn] *s* podwórze gospodarskie
barwood ['bɑ:,wu:d] *s* afrykańskie drzewo farbiarskie
barycentric [,bæri'sentrik] *adj fiz* barycentryczny
↑ **baryta** [bə'raitə] *s miner* baryt
barytes [bə'raiti:z] *s miner* siarczan barytu, szpat ciężki
barytone ['bæri,toun] *s muz gram* baryton
↑ **basal** ['beisl] *adj* podstawowy
basalt ['bæsɔ:lt] *s* bazalt
bascule ['bæskju:l] *s* podnoszące urządzenie dźwigniowe z przeciwciężarem; ~ **bridge** most zwodzony
↑ **base**[1] [beis] [I] *s* 1. baza; podłoże; podstawa 2. *chem* zasada 3. *wojsk* baza; ~ **of operation** baza operacyjna 4. (*u żarówki*) obsadka [II] *vt* op-rzeć/ierać; osadz-ić/ać; u/gruntować; zasadz-ić/ać (**sth on sth** coś na czymś); **to ~ taxation on income** wziąć/brać dochód za podstawę opodatkowania
base[2] [beis] *adj* 1. podły; nikczemny; niegodziwy; niski 2. (*o metalu*) nieszlachetny 3. (*o pieniądzu*) fałszywy
base-ball ['beis,bɔ:l] *s* base-ball (sport narodowy w St. Zjedn., rodzaj palanta)
base-born ['beis,bɔ:n] *adj* niskiego pochodzenia
base-court ['beis,kɔ:t] *s* podwórze gospodarskie
baseless ['beislis] *adj* bezpodstawny
baselessness ['beislisnis] *s* bezpodstawność
basement ['beismənt] *s* suterena ~ **house** dom z kuchnią w suterenie
baseness ['beisnis] *s* podłość; nikczemność; niegodziwość
bash ['bæʃ] *vt* wal-nąć/ić <uderz-yć/ać, grzmotnąć> (**sth** w coś)

~ **in** *vt* 1. wygiąć (metalowe naczynie itp.) przez uderzenie; obijać 2. wybić otwór (**a box** w wieku skrzyni)

bashaw ['bæʃɔ:] *s* pasza (turecki itd.)

bashful ['bæʃful] *adj* nieśmiały; trwożliwy; lękliwy; wstydliwy

bashfulness ['bæʃfulnis] *s* nieśmiałość; trwożliwość; lękliwość; wstydliwość

↑**basic** ['beisik] *adj* 1. podstawowy, zasadniczy; **Basic English** uproszczona angielszczyzna operująca 850 wyrazami 2. *chem* zasadowy

basically ['beisikəli] *adv* gruntownie; fundamentalnie; z gruntu

basicity [bei'sisiti] *s chem* zasadowość

basil^{1} ['bæzil] *s bot* bazylia

basil^{2} ['bæzil] *s* skóra barania (do oprawy książek); zamsz

basilar ['bæsilə] *adj anat* (*o kości, arterii*) podstawny, podstawowy

basilica [bə'zilikə] *s* bazylika

basilisk ['bæzilisk] *s* bazyliszek; ~ **glance** bazyliszkowe spojrzenie

basin ['beisn] *s* 1. miska, miseczka 2. miednica 3. basen 4. dorzecze 5. zagłębie (węglowe itp.)

basis ['beisis] *s* (*pl* **bases** ['beisi:z]) podstawa; podłoże; baza; zasada; grunt

bask [bɑ:sk] *vi* 1. wygrzewać <grzać> się; wylegiwać się (w słońcu) 2. rozkoszować się (**in sth** czymś); pławić się

↑**basket** ['bɑ:skit] [I] *s* kosz, koszyk; *przen* **the pick of the** ~ śmietanka; elita; wybrane okazy <jednostki> [II] *vt* wrzuc-ić/ać do kosza

basket-ball ['bɑ:skit,bɔ:l] *s* koszykówka

basket-chair ['bɑ:skit,tʃɛə] *s* plecione krzesło

basketful ['bɑ:skitful] *s* (pełny) kosz (czegoś)

basket-hilt ['bɑ:skit,hilt] *s* garda (u szpady)

basket-maker ['bɑ:skit,meikə] *s* koszykarz

basketry ['bɑ:skitri] *s* koszykarstwo; wyroby koszykarskie

basket-work ['bɑ:skit,wə:k] [I] *s* = **basketry** [II] *adj* pleciony; koszykowy

Basque [bæsk] [I] *s* Bask/ijka [II] *adj* baskijski

bas(s)-relief ['bæs-ri,li:f] *s* płaskorzeźba

↑**bass**^{1} [beis] [I] *s* bas; basista [II] *adj* basowy

bass^{2} [bæs] *s zoo* okoń

bass^{3} [bæs] *s* łyko lipowe

basset^{1} ['bæsit] *s* dawna gra w karty

basset^{2} ['bæsit] *s geol* wychodnia pokładu, odsłonięcie

basset^{3} ['bæsit] *s zoo* jamnik, taks

basset-horn ['bæsit,hɔ:n] *s muz* altowa odmiana klarnetu; basetorn

bassinet [,bæsi'net] *s* 1. kołyska pleciona 2. wózek dziecinny

basso ['bæsou] [I] *s muz* bas (śpiewak) [II] *adj* basowy

bassoon [bə'su:n] *s muz* fagot

bass-viol ['beis,vaiəl] *s muz* wiolonczela

bass-wood ['bæs,wud] *s bot* lipa amerykańska

bast [bæst] *s* łyko

↑**bastard** ['bæstəd] [I] *s* bastard; bękart, nieślubne dziecko; *bot* ~ **slip** pijawka [II] *adj* 1. nieślubny; nieprawy 2. fałszywy 3. mieszany 4. nienormalny 5. nie znormalizowany

bastardize ['bæstə,daiz] *vt* uzna-ć/wać (dziecko) za nieślubne

bastardy ['bæstədi] *s* pochodzenie z nieślubnego związku

baste^{1} [beist] [I] *vt* przy/fastrygować [II] *s* fastryga; fastrygowanie

baste^{2} [beist] *vt* pol-ać/ewać (pieczeń) tłuszczem

baste^{3} [beist] *vt* o/bić; wy/łoić; wy/grzmocić

bastille [bæs'ti:l] *s* twierdza

bastinado [,bæsti'neidou] *s* (*pl* ~**es**) bastonada (kara cielesna)

bastion ['bæstiən] *s* bastion

bat^{1} [bæt] *s zoo* nietoperz, gacek; **he has** ~**s in the belfry** on nie ma dobrze w głowie; brak mu piątej klepki

bat^{2} [bæt] [I] *s* 1. palant; kij (do gry w krykieta, base-ball itp.); **to carry one's** ~ nie zostać spalonym do końca gry; *przen* **off the** ~ bez namysłu; **to do sth off one's own** ~ z/robić coś na własną rękę 2. kijanka (do prania) 3. = **brick-bat** [II] *vi* (**-tt-**) bić <wywijać> palantem

bat^{3} [bæt] *s* 1. tempo; **at a rare** ~ (ruszyć) z kopyta; (polecieć) pędem 2. *am pot* hulanka; biba; popijawa

bat^{4} [bæt] *vt* (**-tt-**) *am w zwrocie*: **to** ~ **the eyes** mrugać; **he never** ~**ted an eyelid** <**eyelash**> nawet nie mrugnął

~ **round** *vi* hulać

bat^{5} [bæt] *s* (*w Indiach*) język tubylców; *sl* **to sling the** ~ mówić językiem tubylców

batata [bə'tɑ:tə] *s bot* batat, patat, słodki ziemniak

batch [bætʃ] *s* 1. wypiek (chleba) 2. plik (listów itp.) 3. paczka; garść (gazet itp.) 4. partia (towaru) 5. grupa (osób)

bate^{1} [beit] *s sl* gniew; wściekłość; **he was in an awful** ~ okropnie się wściekał

bate^{2} [beit] *vt* 1. od-jąć/ejmować; umniejsz-yć/ać; osłabi-ć/ać (czyjeś nadzieje itp.) 2. powstrzym-ać/ywać; **with** ~**d breath** z zapartym oddechem 3. opu-ścić/szczać; potrąc-ić/ać; darować; **I won't** ~ **a jot of it** ani odrobiny <ani grosza itp.> nie daruję <nie opuszczę, nie potrącę> *zob* **bating**

bate^{3} [beit] *s* bejca (garbarska)

bath [bɑ:θ] [I] *s* 1. kąpiel (w wannie); **a** ~ **of blood** rzeź; **swimming** ~ pływalnia; **to have a** ~ wy/kąpać się 2. wanna 3. *fot* miska 4. **the Order of the Bath** Order Łaźni 5. *pl* ~**s** łaźnia; zakład kąpielowy; **Turkish** ~**s** łaźnia turecka; parówka [II] *vt* wy/kąpać (kogoś)

bath-brick ['bɑ:θ,brik] *s* preparat do czyszczenia metali

bath-chair ['bɑ:θ,tʃɛə] *s* wózek do wożenia chorego

bathe [beið] [I] *vt* 1. wy/kąpać (ranę, chorą rękę itp.); przemy-ć/wać (oczy) 2. *dosł i przen* oblewać; **to be** ~**d in tears** oblewać się łzami; (*o twarzy*) ~**d in tears** zalany łzami; ~**d in light** w potokach <w powodzi> światła [II] *vi* wy/kąpać się (w morzu, rzece itp.) *zob* **bathing** [III] *s* kąpiel (na powietrzu); **to have a** ~ wy/kąpać się

bather ['beiðə] *s* kąpiąc-y/a się; kuracjusz/ka

bath-house ['bɑ:θ,haus] *s* 1. łaźnia 2. rozbieralnia w miejscu kąpielowym

↑**bathing** ['beiðiŋ] [I] *zob* **bathe** *v* [II] *s* kąpiel; wy/kąpanie się [III] *attr* (*o miejscowości, kostiumie, majtkach itd*) kąpielowy

bat-horse ['bæt,hɔ:s] *s* koń do przewozu bagażów oficerskich (w czasie kampanii)

bathos ['beiθɔs] *s* przeskok od rzeczy wzniosłych do przyziemnych

bath-robe ['bɑ:θ,roub] *s* płaszcz kąpielowy

bathroom ['bɑ:θ,rum] *s* łazienka

bath-tub ['bɑ:θ,tʌb] *s* wanna

bathyscaph ['bæθi,skæf] *s fiz* batyskaf

bathysphere ['bæθi,sfiə] *s* batysfera (do badania głębin morskich)

batik ['bætik] *s* batik (sposób malowania tkanin)

bating ['beitiŋ] [I] *zob* **bate²** [II] *praep* z wyjątkiem; wyjąwszy

batiste [bæ'ti:st] *s* batyst

batman ['bætmən] *s* (*pl* **batmen** ['bætmən]) ordynans

baton ['bætən] *s* 1. batuta <pałeczka> (dyrygenta) 2. buława (marszałkowska) 3. pałka gumowa (policjanta)

batrachian [bə'treikiən] *s zoo* płaz

batsman ['bætsmən] *s* (*pl* **batsmen** ['bætsmən]) *sport* (*w krykiecie itd*) gracz, na którego przyszła kolej bronić barw drużyny

battalion [bə'tæliən] *s* batalion; **God is for the big ~s** Bóg jest po stronie silniejszego

battels ['bætlz] *spl* rachunek za wydatki uczelniane (na uniwersytecie oksfordzkim)

batten¹ ['bætn] [I] *s* 1. deska podłogowa 2. listwa, listewka [II] *vt* za/łatać; uszczelni-ć/ać łatami; **to ~ down the hatches** uszczelni-ć/ać luki (statku)

batten² ['bætn] *vi* 1. obj-eść/adać <op-chać/ychać> się (**on sth** czymś) 2. u/tuczyć się (**on sth** czymś)

batter¹ ['bætə] *s* 1. zbi-cie/janie <zuży-cie/wanie> się czcionek 2. *kulin* rzadkie ciasto

batter² ['bætə] [I] *vt* 1. walić; grzmocić; gruchotać; łomotać 2. ostrzel-ać/iwać z armat; z/bombardować 3. (*także* **~ about**) niemiłosiernie ob-ejść/chodzić się (**sb, sth** z kimś, czymś); z/maltretować; s/poniewierać [II] *vi* walić (**at the door** w drzwi)
 ~ about *vt zob* **batter²** *vt* 3.
 ~ down *vt* rozwal-ić/ać; z/demolować
 ~ in *vt* wywal-ić/ać (drzwi itp.); rozwal-ić/ać <rozbi-ć/jać> (komuś czaszkę itp.)
 zob **battered**

batter³ ['bætə] *s* 1. skarpa, szkarpa 2. zwężenie się ku górze (muru, nasypu itp.)

battered ['bætəd] [I] *zob* **batter²** [II] *adj* 1. zmaltretowany; sponiewierany 2. (*o naczyniu metalowym itp*) poobijany; powyginany

battering-ram ['bætəriŋ,ræm] *s* taran

battery ['bætəri] *s* 1. *wojsk elektr i przen* bateria 2. pobicie; uderzenie; *prawn* naruszenie nietykalności osobistej przez pobicie

batting ['bætiŋ] *s* wata do kołder

battle ['bætl] [I] *s* bitwa; walka; bój; **to do ~** s/toczyć walkę; kruszyć kopie; **that's half the ~** to jest połowa wygranej [II] *attr* (*o szyku itd*) bojowy; polowy, liniowy, frontowy; *sl* **~ bowler** hełm [III] *vi* walczyć; toczyć boje <mocować się> (**with** <**against**> **sb, sth** z kimś, czymś) [IV] *vt am* zwalcz-yć/ać (doktrynę itd.)

battle-axe ['bætl,æks] *s* berdysz

battle-cruiser ['bætl,kru:zə] *s* krążownik

battle-cry ['bætl,krai] *s* hasło bojowe

battledore ['bætl,dɔ:] *s* 1. kijanka (do prania) 2. łopata (piekarska) 3. rakieta do gry w wolanta; **~ and shuttle-cock** gra w wolanta

battle-dress ['bætl,dres] *s* mundur polowy

battle-field ['bætl,fi:ld] *s* pole walki

battlements ['bætlments] *spl* blanki (murów obronnych)

battle-piece ['bætl,pi:s] *s plast* scena batalistyczna; obraz batalistyczny

battle-plane ['bætl,plein] *s wojsk* samolot bojowy

battle-scarred ['bætl,skɑ:d] *adj* noszący na sobie ślady przebytych walk

battle-ship ['bætl,ʃip] *s* okręt wojenny

battue [bæ'tu:] *s myśl* nagonka

batty ['bæti] *adj* zwariowany; **to be ~** mieć źle w głowie

bauble ['bɔ:bl] *s* 1. berło błazeńskie 2. bawidełko 3. błahostka

baulk [bɔ:k] = **balk¹·²**

bauxite ['bɔ:ksait] *s miner* bauksyt, boksyt

bawbee [bɔ:'bi:] *s szkoc* pół pensa; *przen* grosz

bawd [bɔ:d] *s* 1. stręczycielka; rajfurka 2. *zbior* sprośności

bawdy ['bɔ:di] [I] *adj* sprośny [II] *s* sprośne rozmowy; sprośności

bawdy-house ['bɔ:di,haus] *s* dom publiczny, *wulg* burdel

bawl [bɔ:l] [I] *vt* wywrzaskiwać (**abuse at** <**against**> **sb** obelgi <przekleństwa> na kogoś) [II] *vi* (*także* **~ out**) wrz-asnąć/eszczeć <krzy-knąć/czeć> (**at** <**against**> **sb, sth** na kogoś, coś)
 ~ out *vt* wykrzyczeć; zwymyślać; krzyczeć (**sb** na kogoś)

bay¹ [bei] [I] *s bot* laur, wawrzyn [II] *attr* (*o wieńcu*) laurowy; **~ rum** płyn aromatyczny na włosy

bay² [bei] *s* 1. zatoka; *am* **the Bay State** stan Massachusetts 2. *przen* wysepka <oaza> (pól otoczonych lasami); enklawa

bay³ [bei] *s* 1. przęsło 2. wnęka 3. wykusz

bay⁴ [bei] [I] *s* ujadanie; **to be at ~** być osaczonym; **to drive to ~** osaczyć; **to stand to ~** stawi-ć/ać czoło napastnikom [II] *vi* ujadać; **to ~ at the moon** wyć do księżyca [III] *vt w zwrocie*: **to ~ the moon** = **to ~ at the moon**

bay⁵ [bei] *adj* (*o koniu*) gniady

bayadere [,bæjə'diə] *s* bajadera (tancerka oraz tkanina)

bayberry ['beibəri] *s bot* 1. jagoda wawrzynu 2. woskownica

bay-line ['bei,lain] *s kolej* boczny tor

bayonet ['beiənit] [I] *s* bagnet [II] *vt* przebi-ć/jać bagnetem; **they ~ed us into consent** siłą bagnetów wymusili naszą zgodę

bayou ['baiu:] *s am* zalewisko

bay-salt ['bei'sɔ:lt] *s* gruba sól osadowa

bay-tree ['bei,tri:] *s bot* laur, wawrzyn

bay-window ['bei'windou] *s* okno wykuszowe

bay-wood ['bei,wud] *s bot* kampesz

bazaar [bə'zɑ:] *s* 1. wschodni jarmark 2. bazar 3. wenta dobroczynna

bazooka [bə'zu:kə] *s wojsk* działko przeciwczołgowe

be [bi:] *vi* (**am** [æm, əm], **is** [iz], **are** [ɑ:]; **was** [wɔz, wəz], **were** [wə:, wə]; **been** [bi:n]; **being** ['bi:iŋ]) 1. być; **I am not young** nie jestem młody; **you are welcome here** jesteś/cie tutaj mile widzian-y/i; witaj/cie!; **he is a good boy** on jest grzecznym chłopcem; to <z niego jest> grzeczny chłopiec; **they are all students** oni są wszyscy studentami; to sami studenci; **I don't know where I am** a) nie wiem, gdzie jestem b) nie wiem, czego się trzymać; **you never know where you are with him** a) z nim nigdy nic nie wiadomo b) nigdy nie wiadomo, czego się po nim spodziewać; **he is not what he was** to nie ten sam człowiek; **business is not what it was** nie ma już takiej koniunktury jak dawniej; nie pracuje się tak, jak przedtem; nie robimy już tych interesów, co dawniej 2. *bezosobowo*: **how far is it to London?** jak daleko jest stąd do Londynu?; **how is it that _?** jak to się dzieje, że...?; jakim sposobem...?; **I thought it was Mary, and Mary it was** myślałem, że to Marysia i rzeczywiście to była ona; **it is hot <cold, warm>** jest gorąco <zimno, ciepło>; **it is one <two, three etc.> o'clock** jest pierwsza <druga, trzecia itd.> godzina; **it was rainy <frosty, windy>** był deszcz <mróz, wiatr>; **(we are late etc.) as it is** i tak (jesteśmy spóźnieni itd.); **what is it?** a) o co chodzi? b) czego chcesz? c) co się stało?; **will you have tea? — all right, tea it is** napijesz się herbaty? — dobrze, niech będzie herbata; *z przymiotnikiem i bezokolicznikiem*: **it is easy to do** to się łatwo robi; **it is hard to understand** trudno to zrozumieć; **it is pleasant to hear** to przyjemnie słyszeć 3. *rozkazująco*: **~ quiet** uspokój/cie się; **don't ~ a fool!** nie bądź głupi!; **don't ~ long** nie bądź/cie długo; wracaj/cie szybko; pośpiesz/cie się 4. *przyzwalająco*: **~ it as it may** mniejsza o to, jak tam było; **~ it said _** trzeba powiedzieć... ; **~ it so** niech tak będzie; **however that may ~** bez względu na to, jak tam było; jak (tam) było, tak (tam) było; faktem jest, że...; **that may ~** może być (i tak) 5. to (jest, są); **seeing is believing** ujrzeć to uwierzyć; **ten yards is a lot** dziesięć jardów to dużo <niemało, nie fraszka, nie byle co>; **time is money** czas to pieniądz 6. odbywać się; mieć miejsce; **when is the concert?** kiedy się koncert odbędzie? 7. kosztować; **how much are these apples?** ile kosztują <po ile są> te jabłka? 8. *przed bezokolicznikiem z* **to**: mieć; **we are to leave** mamy wyjechać; **what was I to do?** co miałem zrobić? 9. *przed bezokolicznikiem w stronie biernej*: a) trzeba, należy; **he is to ~ pitied** trzeba <należy> go żałować; **he is to ~ told what to say** trzeba mu powiedzieć, co ma mówić; **what is to ~ done?** co należy zrobić?; co robić? b) być do... (*z rzeczownikiem odsłownym*); **to ~ had** do nabycia; **it is no longer to ~ had** już nie można tego kupić; **to ~ let** do wynajęcia; **to ~ sold** do sprzedania; **words not to ~ repeated** słowa nie do powtórzenia 10. być, istnieć; **the greatest genius that ever was** największy geniusz, jaki istniał; **to ~ or not to ~** być albo nie być 11. *przy datach i innych określeniach czasu*: a) **to-morrow is Friday** jutro mamy piątek; **what date is it to-day?** którego dzisiaj mamy?; **when is your birthday?** kiedy masz urodziny? b) wypadać; **Christmas is on Sunday this year** w tym roku Boże Narodzenie wypada w niedzielę 12. mieć <czuć> się; **he is very poorly** on ma się bardzo źle; **how are you?** jak się masz? 13. *połączone z niektórymi przymiotnikami tłumaczy się odpowiednim czasownikiem*: **~ afraid** bać się; **~ angry** po/gniewać się; **~ ashamed** wstydzić się; **~ early** za wcześnie przyjść; **~ late** spóźnić się; **~ long** zwlekać; **~ quick** śpieszyć się 14. *z przysłówkiem* **there**: być, bywać; istnieć; znajdować się; **then there is <are> _** mamy ponadto... ; **the year is divided into four seasons, then there are the months and the weeks** rok dzieli się na cztery pory, ponadto mamy miesiące i tygodnie; **there are geese on the meadow** na łące są gęsi; **there are no pens in the box — there should <must> ~** nie ma piór w pudełku — powinny <muszą> być; **there are white, black and red cows** są <bywają, istnieją> białe, czarne i czerwone krowy; **there were a dozen of us** było nas dwunastu 15. *w zwrotach typu*: **it is <was> ... that <who, which> _ to ...** właśnie; **is it here that we get off?** czy to tu wysiadamy?; **it is for her to decide** to ona decyduje; **it is to-morrow that they are coming and not to-day** to oni jutro przyjeżdżają, a nie dzisiaj; **it was your friend who told me** właśnie <nikt inny tylko> tw-ój/oja przyjaci-el/ółka mi to mówił/a; *niekiedy zwroty te oddajemy stosując odpowiednią składnię*: **it is not by words that it will be achieved but by deeds** nie przez słowa się to osiągnie, lecz przez czyny; **it is on me that the blame would fall** mnie by za to potępiono; **it is peace that we want** my chcemy pokoju 16. *w zdaniach eliptycznych potwierdzająco i zaprzeczająco*: **are you angry? — no, I am not — oh, but you are** czy się gniewasz? — nie, nie gniewam się — ależ tak, gniewasz się; **are they happy? — they are** czy są szczęśliwi? — owszem; **is your book published? — it is** czy ukazała się twoja książka? — owszem, ukazała się; **were you listening? _ no, I wasn't** czy słuchałeś? — nie, nie słuchałem 17. *w trybie łączącym*: **as it were** jak gdyby; niejako; że tak powiem; **if I were there** gdybym tam był; **if I were you** gdybym był na twoim <waszym> miejscu; **were it not for you** gdyby nie ty <wy> 18. **let ... ~** zostawić...; **let me <him, them etc.> ~** zostaw/cie mnie <go, ich itd.>; daj/cie mi <mu, im itd.> spokój!; **let that ~** zostaw/cie to 19. *w zwrocie*: **... that is to ~** przyszły; **his wife to ~** jego przyszła żona 20. *lit przy niektórych czasownikach nieprzechodnich zamiast słowa posiłkowego* **have** *w czasie przeszłym*: **the guests are gone** goście poszli; **the sun is set** słońce zaszło 21. *jako słowo posiłkowe przy formie ciągłej*: **I am just thinking** zastanawiam się; **what were you doing?** co robi-łeś/liście? *zob* **being**

beach [bi:tʃ] [I] *s* plaża [II] *vt* 1. osadz-ić/ać (statek) na mieliźnie 2. wyciąg-nąć/ać (łódź) na brzeg

beach-comber ['bi:tʃ,koumə] *s* 1. fala morska zalewająca brzeg 2. człowiek żyjący z tego, co morze wyrzuca na brzeg (na wyspach Pacyfiku)

beachhead ['bi:tʃ,hed] *s wojsk* przyczółek

beach-la-mar [,bi:tʃla:'ma:] *s* żargon angielski używany na Zachodnim Pacyfiku

beach-master ['bi:tʃ,ma:stə] *s* oficer mający nadzór nad lądowaniem wojsk

beacon ['bi:kən] [I] *s* 1. latarnia morska; boja świetlna 2. światło przewodnie <ostrzegawcze> dla żeglarzy 3. radiolatarnia 4. nazwa wielu wzniesień terenowych [II] *vt* 1. oświetl-ić/ać 2. prowadzić; być drogowskazem (**sb** dla kogoś); świecić <przyświecać> (**sb** komuś) 3. oświetl-ić/ać (wybrzeże itd.) latarniami morskimi

beaconage ['bi:kənidʒ] *s* opłata za światło i boje

bead [bi:d] [I] *s* 1. paciorek; wisiorek 2. kropla (rosy itp.) 3. bańka powietrzna 4. *arch* perełka 5. (*u opony*) listwa 6. (*u strzelby*) muszka; **to**

draw a ~ on sb wziąć kogoś na muszkę 7. *pl* **~s** różaniec; **to tell one's ~s** odm-ówić/awiać różaniec [II] *vt* 1. o/zdobić paciorkami <perełkami> [III] *vi* (*o szampanie itp*) perlić się *zob* **beaded**

beaded ['bi:did] [I] *zob* **bead** *v* [II] *adj* 1. perlisty 2. zroszony <okryty> (potem itp.)

beadle ['bi:dl] *s* woźny; pedel; urzędnik parafialny

beadledom ['bi:dldəm] *s* przybieranie pozorów ważności przez drobnego urzędnika; *pot* ważniactwo

beady ['bi:di] *adj* (**beadier** ['bi:diə], **beadiest** ['bi:diist]) (*o oczach*) jak paciorki

beagle ['bi:gl] *s dosł i przen* pies gończy

beak[1] [bi:k] *s* 1. dziób 2. haczykowaty nos 3. dziób retorty

beak[2] [bi:k] *s sl* 1. sędzia (w komisariacie); policjant 2. belfer, nauczyciel, profesor

beaker ['bi:kə] *s* 1. puchar 2. *chem* zlewka

be-all ['bi:ɔ:l] *s* 1. istota (czegoś) 2. całość

beam [bi:m] [I] *s* 1. belka 2. ramię wagi 3. *techn* balansjer (maszyny parowej) 4. dyszel 5. pokładnica (statku); (*o statku*) **on her ~ ends** przechylony; w wielkim niebezpieczeństwie; (*o człowieku*) **on his ~ ends** w trudnej sytuacji; w położeniu bez wyjścia; w wielkich tarapatach 6. wał tkacki 7. promień (światła) 8. snop (światła, iskier itp.) [II] *attr radio* kierunkowy [III] *vt* 1. (*o słońcu itp*) wysyłać (promienie) 2. (*o radiostacji*) nadawać na antenie kierunkowej [IV] *vi* 1. promieniować 2. rozpromieni-ć/ać się *zob* **beaming**

beam-aerial ['bi:m,εəriəl] *s radio* antena kierunkowa

beam-compass ['bi:m,kʌmpəs] *s* cyrkiel drążkowy

beaming ['bi:miŋ] [I] *zob* **beam** *v* [II] *adj* promieniejący; rozpromieniony; promienny

beam-wireless [bi:m'waiəlis] *s radio* nadawanie kierunkowe

beamy ['bi:mi] *adj* 1. promienny 2. *poet* olbrzymi 3. (*o statku*) szeroki

bean [bi:n] *s* 1. ziarnko (grochu, kawy itd.); **broad ~s** bób; **French ~s** fasola; *przen* **to be full of ~s** być pełnym animuszu; **to give sb ~s** zadać komuś bobu; **to know how many ~s make five** być spryciarzem; słyszeć jak trawa rośnie; **to spill the ~s** wygadać się; wydać tajemnicę 2. *am* łeb

beanery ['bi:nəri] *s am* jadłodajnia

bean-feast ['bi:n,fi:st] *s* 1. doroczna zabawa urządzana przez pracodawcę dla robotników 2. *pot* uciecha

bean-goose ['bi:n,gu:s] *s* (*pl* **bean-geese** ['bi:n,gi:s]) *zoo* gęś polna

beano ['bi:nou] = **bean-feast**

bean-pod ['bi:n,pɔd] *s* strąk fasoli

bean-stalk ['bi:n,stɔ:k] *s* łodyga fasoli

beany ['bi:ni] *adj am sl* dobrze odżywiony; wypasiony

bear[1] [bεə] *s* 1. *dosł i przen* niedźwiedź; **the Great <Little> Bear** Wielka <Mała> Niedźwiedzica 2. *giełd* giełdziarz spekulujący na zniżkę 3. *metal* narost <wilk> w piecu

bear[2] [bεə] *v* (*praet* **bore** [bɔ:], *pp* **borne** [bɔ:n], **born** [bɔ:n]) [I] *vt* 1. po/nieść, nosić; dźwig-nąć/ać 2. zn-ieść/osić (ból itp.); **I cannot ~ such people** nie znoszę <nie mogę znieść> takich ludzi 3. pon-ieść/osić (koszty) 4. (*pp* **born**) u/rodzić (potomstwo, owoce) 5. żywić (uczucia) 6. (*o lodzie itp*) unieść, utrzymać; wytrzymać (ciężar) 7. (*o dokumentach itp*) mieć (podpis itd.); być zaopatrzonym (**a stamp etc.** w pieczątkę itd.) [II] *vr* **~ oneself** 1. zachowywać <nosić> się 2. mieć się (dobrze, źle itp.) 3. *najczęściej z zaprzeczeniem*: nadawać się (**sth** do czegoś); **it won't ~ repeating** to nie nadaje się do powtórzenia [III] *vi* 1. dotyczyć (**on** <**upon**> **sth** czegoś); odnosić się (**on** <**upon**> **sth** do czegoś); wiązać się <mieć związek> (**on** <**upon**> **sth** z czymś); spoczywać <opierać się, ciążyć> (**on** <**upon**> **sth** na czymś); obciążać (**on** <**upon**> **sth** coś); nacis-nąć/kać (**on** <**upon**> **sth** na coś) 2. mieć znaczenie (**on** <**upon**> **sth** dla czegoś) 3. trzymać się (**to the right** <**left**> prawej <lewej> strony); iść <kierować się> bardziej (**to the right** <**left**> w prawo <lewo>) 4. zn-ieść/osić cierpliwie <pogodnie> (**with sth** coś)

~ away *vt* zdoby-ć/wać (nagrodę itp.)

~ down [I] *vt* zn-ieść/osić (wroga) [II] *vi* 1. runąć; z/walić się (na kogoś, coś) 2. *mar* zbliż-yć/ać się pod rozwiniętymi żaglami

~ off *vi* oddal-ić/ać się

~ out *vt* 1. potwierdz-ić/ać; **to ~ sb out** potwierdzić, co ktoś mówi <powiedział> 2. wyn-ieść/osić (trupa itd.)

~ up [I] *vt* podtrzym-ać/ywać; dźwig-nąć/ać [II] *vi* trzymać głowę do góry; nie tracić ducha; **to ~ up against sth** zn-ieść/osić coś; nie podda-ć/wać się czemuś 2. *mar w zwrocie*: **to ~ up for —** wziąć kurs na...

zob **bearing, born, borne**

bearable ['bεərəbl] *adj* znośny; możliwy do zniesienia

bear-baiting ['bεə,beitiŋ] *s* szczucie psów na uwiązanego niedźwiedzia (popularne widowisko średniowieczne)

bearberry ['bεə,beri] *s bot* mącznica lekarska

bearbind ['bεəbaind] *s bot* gatunek powoju

beard [biəd] [I] *s* 1. broda; zarost; **a man with a ~** brodacz; **with a week's ~** nie ogolony od tygodnia; z tygodniowym zarostem; **to have a ~** mieć <nosić> brodę; **to laugh in one's ~** uśmiech-nąć/ać się do siebie 2. wąsy (kłosa, strzały itp.) [II] *vt* 1. wyz-wać/ywać (kogoś); urągać (**sb** komuś); stawi-ć/ać czoło (**sb, sth** komuś, czemuś); *przen* **to ~ the lion in his den** szukać lwa w jego jaskini; leźć lwu w paszczę 2. ocios-ać/ywać (krawędź deski) *zob* **bearded**

bearded ['biədid] [I] *zob* **beard** *v* [II] *adj* brodaty

beardless ['biədlis] *adj* bez zarostu; młodzieńczy; **a ~ youth** młodzik; młokos; żółtodziób

bearer ['bεərə] *s* 1. okaziciel/ka (czeku itp.) 2. właściciel/ka <posiadacz/ka> (paszportu itp.) 3. zwiastun/ka (dobrych <złych> wieści) 4. karawaniarz 5. rodne drzewo owocowe 6. *techn* wspornik; łożysko (kotła itd.)

bear-garden ['bεə,ga:dn] *s* 1. miejsce, gdzie szczuto psy na uwiązanego niedźwiedzia *zob* **bear-baiting** 2. *przen* wieża Babel; *pot* potworny bałagan

bearing ['bεəriŋ] [I] *zob* **bear**[2] [II] *s* 1. zachowanie (się); postawa (skromna, żołnierska itd.) 2. *bud* powierzchnia oparcia (belki itp.) 3. wytrzymałość; **it's beyond ~** to przechodzi ludzką wytrzymałość 4. związek (ze sprawą, tematem); **what is the ~ of this on the argument?** jaki to ma związek z tematem? 5. strona <aspekt> (sprawy); **consider the matter in all its ~s** rozpatrz/cie sprawę wszechstronnie 6. *pl* **~s** położenie <sytuacja, sze-

rokość> geograficzn-e/a; **to take one's ~s** a) ustalić położenie <szerokość geograficzną> (statku) b) *przen* zorientować się; **I've lost my ~s** straciłem orientację; jestem zdezorientowany 7. *pl* **~s** łożysko; **ball ~s** łożysko kulkowe 8. *pl* **~s** herb; **armorial ~s** tarcza herbowa 9. rodzenie (potomstwa, owoców) [III] *attr* (dotyczący) nośności; **~ capacity** nośność [IV] *adj* 1. dźwigający 2. nośny

bearish ['bεəriʃ] *adj* niedźwiedzi; nieokrzesany; gburowaty

bear-leader ['bεə,li:də] *s* 1. właściciel tresowanego niedźwiedzia 2. guwerner, wychowawca

bear's-breech ['bεəz,bri:tʃ] *s bot* akant

bear's-ear ['bεəz,iə] *s bot* pierwiosnek; zarzyczka górska

bear's-foot ['bεəz,fut] *s bot* ciemiernik

bear's-grease ['bεəz,gri:s] *s* pomada (do włosów)

bearskin ['bεə,skin] *s* 1. skóra niedźwiedzia 2. gruby materiał płaszczowy 3. futrzana czapka żołnierzy gwardii królewskiej

beast [bi:st] *s* zwierzę; zwierz; bydlę; bestia

beastliness ['bi:stlinis] *s* 1. zwierzęcość; zezwierzęcenie 2. ohyda

beastly ['bi:stli] [I] *adj* (**beastlier** ['bi:stliə], **beastliest** ['bi:stliist]) 1. zwierzęcy; nieludzki 2. wstrętny; ohydny [II] *adv* straszliwie; okropnie; okrutnie

beat [bi:t] *v* (**beat, beaten** ['bi:tn]) [I] *vt* 1. po/bić; po/tłuc; zbić; **to ~ one's breast** bić się w piersi; **to ~ sb black and blue** potłuc <zbić> kogoś na kwaśne jabłko; *przen* **to ~ the air** męczyć się na próżno 2. u/torować <udept-ać/ywać> drogę 3. wybi-ć/jać (takt) 4. za/trzepotać (**wings** skrzydłami) 5. po/bić (wroga, rekord itd.); odn-ieść/osić zwycięstwo (**an opponent** nad przeciwnikiem); przezwycięż-yć/ać 6. wy/trzepać (dywany itp.) 7. kuć (metal) 8. naganiać (zwierzynę) 9. *am pot* **~ it!** wynoś/cie się!; wyrywaj/cie!; szuraj/cie! 10. przechodzić, prześcigać; **that ~s everything** to szczyt wszystkiego; to przechodzi wszelkie pojęcie; **that ~s me** to przechodzi moje pojęcie; ja tego nie rozumiem 11. bębnić; *wojsk* dać sygnał; **to ~ a retreat** a) *dosł* dać sygnał do odwrotu b) *przen* dokonać odwrotu; wycofać się [II] *vi* 1. walić (**at the door** w drzwi); dobijać się (**at the door** do drzwi) 2. (*o sercu, wietrze itd*) walić; tłuc się; łomotać 3. (*o pulsie*) bić 4. *mar* lawirować; **to ~ about the bush** mówić ogródkami; owijać (słowa) w bawełnę; **not to ~ about the bush** mówić bez ogródek <prosto z mostu>

~ about *vi* 1. rzucać się; biegać na wszystkie strony szukając ucieczki 2. *mar* lawirować

~ back *vt* od-epchnąć/pychać; od-eprzeć/pierać; **to ~ back the flames** opanować ogień <pożar>

~ down [I] *vt* 1. położyć/kłaść (zboże) 2. obniż-yć/ać (cenę) [II] *vi* (*o słońcu*) operować; prażyć

~ in *vt* 1. wywal-ić/ać (drzwi itp.) 2. wybi-ć/jać otwór (**a can etc.** w puszce itd.)

~ off *vt* od-eprzeć/pierać (napaść itp.)

~ out *vt* 1. udept-ać/ywać (ścieżkę itp.) 2. wy/kuć (metal)

~ up [I] *vt* 1. ubi-ć/jać (pianę, żółtko itp.) 2. naganiać (zwierzynę, klientów) 3. rekrutować [II] *vi mar* lawirować

zob **beaten, beating** [III] *s* 1. uderzenie 2. pulsowanie; bicie (serca itp.) 3. uderzenie <bicie> (w bębny) 4. dudnienie 5. wybijanie taktu; takt 6. obwód; rewir 7. obchód (wartownika itp.) 8. *am* okręg wyborczy 9. *am sl* heca; **I never heard the ~ of that** nie słyszałem lepszej hecy 10. *am* włóczęga

beaten ['bi:tn] [I] *zob* **beat** *v* [II] *adj* bity; wydeptany; utarty; **the ~ track** utarta <udeptana> droga; bity trakt; *przen* **off the ~ track** z drogi; na uboczu

beater ['bi:tə] *s* 1. naganiacz 2. kijanka (do prania)

beatific [,biə'tifik] *adj* uszczęśliwiający

beatification [bi,ætifi'keiʃən] *s rel* beatyfikacja

beatify [bi'æti,fai] *vt* (**beatified** [bi'æti,faid], **beatified; beatifying** [bi'æti,faiiŋ]) 1. *rel* beatyfikować 2. uszczęśliwi-ć/ać

beating ['bi:tiŋ] [I] *zob* **beat** *v* [II] *s* 1. pobicie; (sprawione komuś) lanie 2. porażka; klęska 3. bicie (serca) 4. trzepotanie (skrzydłami)

beatitude [bi'æti,tju:d] *s* 1. *rel* błogosławieństwo 2. błogość; szczęśliwość

beau [bou] *s* (*pl* **~x** [bouz]) 1. elegant; piękniś 2. kawaler; adorator; *sl* sympatia (panienki)

beaumontag(u)e [,boumɔn'teig] *s* kit (stolarski)

beaut [bju:t] *s am pot* coś ślicznego; **it's a ~** to cacko <istne cudo>

beauteous ['bju:tiəs] *poet* = **beautiful**

beautician [bju'tiʃən] *s am* znawca kosmetyków

beautiful ['bju:təful] *adj* 1. piękny; śliczny; cudny 2. wspaniały; świetny

beautify ['bju:ti,fai] *vt* (**beautified** ['bju:ti,faid], **beautified; beautifying** ['bju:ti,faiiŋ]) upiększ-yć/ać

beauty ['bju:ti] [I] *s* 1. piękno; uroda 2. piękność (piękna kobieta); **the Sleeping Beauty** śpiąca królewna 3. zaleta; dobra strona; urok (**of sb, sth** czyjś, czegoś) [II] *attr* (dotyczący) piękności <urody>; **~ parlour** salon kosmetyczny

beauty-spot ['bju:ti,spɔt] *s* 1. pieprzyk (na twarzy) 2. uroczy zakątek

beaver[1] ['bi:və] *s zoo* bóbr

beaver[2] ['bi:və] *s* przyłbica

beaverboard ['bi:və,bɔ:d] *s am* płyta pilśniowa

beaver-rat ['bi:və,ræt] *s zoo* piżmak

bebop ['bi:bɔp] *s muz* bebop

becalm [bi'kɑ:m] *vt* osłonić przed wiatrem; (*o żaglowcu*) **to be ~ed** być pozbawionym wiatru <unieruchomionym przez ciszę>

became *zob* **become**

because [bi'kɔz] [I] *conj* ponieważ; dlatego, że; gdyż; bowiem; albowiem [II] *praep w zwrocie*: **~ of _** z powodu ...; **~ of him** przez niego; z jego powodu

bechance [bi'tʃɑ:ns] [I] *vt* przydarzyć się (**sb** komuś) [II] *vi* stać się

bechamel ['beʃə,mel] *s kulin* beszamel (sos)

beche-de-mer [,beʃdə'mεə] *s* 1. *zoo* strzykwa 2. **~ English** = **beach-la-mar**

beck[1] [bek] *s* potoczek

beck[2] [bek] *s* skinienie; kiwnięcie; **to be at sb's ~ and cell** być do czyichś usług <gotowym do usług na każde zawołanie>

becket ['bekit] *s mar* uchwyt (do luźnych lin, ref i innych części takielunku)

beckon ['bekn] *vi* skinąć (**to sb** na kogoś), kiw-nąć/ać (**to sb** komuś)

~ in *vt* przywoł-ać/ywać <zapr-osić/aszać> (kogoś) znakiem ręki <głowy> by wszedł

becloud [bi'klaud] *vt lit* pokry-ć/wać chmurami; zachmurz-yć/ać; zaciemni-ć/ać

become [bi'kʌm] *v* (**became** [bi'keim], **become** [bi'kʌm]) [I] *vi* sta-ć/wać się; zosta-ć/wać (**sth** czymś); **what has ~ of him?** co się z nim stało?; co z nim słychać?; *z przymiotnikiem lub imiesłowem biernym:* **to ~ accustomed** przyzwyczaić się; **to ~ attached** przywiązać się; **to ~ ill** zachorować; **to ~ interested** za/interesować się; **to ~ known** sta-ć/wać się sławnym <głośnym>; **to ~ old** ze/starzeć się; **to ~ thin** s/chudnąć [II] *vt* 1. być do twarzy (**sb** komuś); **the hat does not ~ you** nie do twarzy <niedobrze> ci w tym kapeluszu 2. *bezosobowo:* wypadać; **it ~s me <us etc.> to ...** przystoi <wypada> mi <nam itd.>, żebym <żebyśmy itd.> ... *zob* **becoming**

becoming [bi'kʌmiŋ] [I] *zob* **become** [II] *adj* 1. stosowny; właściwy; przyzwoity 2. twarzowy; dobrze dobrany; **she had a ~ dress on** miała na sobie sukienkę, w której było jej do twarzy <w której korzystnie wyglądała>

↑**bed** [bed] [I] *s* 1. łóżko; łoże (małżeńskie itd.); *przen* **a ~ of roses** życie usłane różami; *przen* **a ~ of thorns** droga cierniowa; **as you make your ~ so you must lie in it** jak sobie pościelesz, tak się wyśpisz; **to be brought to ~ of ...** urodzić ...; **to keep to one's ~** chorować; **to make the ~** po/słać łóżko; **to put a child to ~** położyć/kłaść dziecko spać; **to take to one's ~** zachorować 2. mieszkanie; nocleg; przenocowanie; **~ and breakfast** nocleg i śniadanie 3. koryto (rzeki) 4. kwietnik; klomb; rabata 5. podstawa (maszyny itp.) 6. podkład (toru, szosy itp.) 7. *geol* pokład [II] *vt* (**-dd-**) 1. (*także* **~ up** <**down**>) po/słać (**the horses etc.** koniom itd.) 2. wmurow-ać/ywać (belkę itd.); położyć/kłaść (fundamenty) [III] *vi* (*o budynku*) osi-ąść/adać
 ~ in *vt* pikować (sadzonki)
 ~ out *vt* przesadz-ić/ać (rośliny)
zob **bedding**

bedabble [bi'dæbl] *vt* obryzg-ać/iwać; po/plamić

bedaub [bi'dɔ:b] *vt* za/bazgrać

bed-bug ['bed,bʌg] *s* pluskwa

bed-chamber ['bed,tʃeimbə] *s* sypialnia; **Gentleman of the ~** szambelan

bed-clothes ['bed,klouz] *spl* pościel

bed-cover ['bed,kʌvə] *s* narzutka na łóżko, kapa

bedder ['bedə] *s* 1. dolny kamień młyński 2. roślina kwietnikowa

bedding ['bediŋ] [I] *zob* **bed** *v* [II] *s* 1. pościel 2. podłoże; podkład 3. podściółka; ściółka 4. *elektr* odzież (juta lub papier pod pancerzem kabla)

bedeck [bə'dek] *vt* o/zdobić; przy/stroić

↑**bedevil** [bi'devl] *vt* (**-ll-**, **-l-**) 1. sponiewierać (**sb** kogoś); poniewierać (**sb** kimś); dokucz-yć/ać (**sb** komuś) 2. o/czarować (**sb** kogoś) 3. urzec

bedew [bi'dju:] *vt* zr-osić/aszać

bedfellow ['bed,felou] *s* 1. małżon-ek/ka 2. towarzysz/ka wspólnego łoża

bedframe ['bed,freim] *s* łóżko (bez materaca i pościeli)

bedight [bi'dait] *vt* (**bedight, bedight**) *poet* ozd-obić/abiać; przystr-oić/ajać

bedim [bi'dim] *vt* (**-mm-**) przyciemni-ć/ać; zamglić

bedizen [bi'dizn] *vt* wy/stroić

bedlam ['bedləm] *s* 1. *dosł i przen* dom wariatów 2. wrzawa; harmider

bedlamite ['bedlə,mait] *s* wariat/ka; szaleniec

bed-linen ['bed,linin] *s* bielizna pościelowa

bedouin ['beduin] *s* Beduin/ka

↑**bed-pan** ['bed,pæn] *s* basen (dla chorego)

bed-plate ['bed,pleit] *s* płyta podkładowa (maszyny)

bed-post ['bed,poust] *s* słupek baldachimu staromodnego łóżka; **between you and me and the ~** ściśle między nami; mówiąc w największym zaufaniu

bedrabbled [bi'dræbld] *adj* ubłocony; zaszargany; przemoczony

bedraggle [bi'drægl] *vt* zaszargać; przemoczyć

bedridden ['bed,ridn] *adj* złożony chorobą

bed-rock ['bed,rɔk] *s* 1. *geol* podłoże skalne 2. *przen* sedno rzeczy; **~ price** ostatnia <najniższa> cena

bedroom ['bed,rum] *s* sypialnia

bed-side ['bed,said] *s* łoże boleści; **at sb's ~** przy chorym; **~ manners** podejście (lekarza) do chorego

bed-sore ['bed,sɔə] *s* odleżyna

bed-spread ['bed,spred] *s* narzutka

bed-stead ['bed,sted] = **bedframe**

bedstraw ['bed,strɔ:] *s bot* przytulia wiosenna

bedtick ['bed,tik] *s* wsypa (na poduszkę itp.)

bed-time ['bed,taim] *s* pora snu; **~ stories** opowiadania dla dzieci przed spaniem; **it's past your ~** powin-ieneś/niście (już dawno) być w łóżku

bed-warmer ['bed,wɔ:mə] *s* staroświecki przyrząd do ogrzewania łóżka

↑**bee** [bi:] *s* 1. pszczoła; **to have ~s <a ~> in one's bonnet** mieć bzika; być maniakiem 2. *am* zebranie się dla wspólnej pracy połączonej z zabawą

beebread ['bi:,bred] *s* pyłek kwiatowy

↑**beech** [bi:tʃ] *s bot* buk; **copper ~** czerwony buk

beechmast ['bi:tʃ,ma:st] *s* orzeszek bukowy

bee-eater ['bi:,i:tə] *s zoo* żołna (ptak)

↑**beef** [bi:f] *s* 1. wołowina, mięso wołowe; **roast ~** rostbef 2. *am* (*pl* **beeves** [bi:vz]) wół; krowa 3. *przen* siła; krzepkość

beefeater ['bi:f,i:tə] *s* halabardnik pełniący straż na zamku londyńskim

beefsteak ['bi:f'steik] *s* befsztyk

beef-tea ['bi:f'ti:] *s* 1. *kulin* bulion 2. *przen* siła; krzepkość

beefy ['bi:fi] *adj* (**beefier** ['bi:fiə], **beefiest** ['bi:f iist]) silny; muskularny

bee-garden ['bi:,ga:dn] *s* pasieka

bee-hawk ['bi:,hɔ:k] *s zoo* pszczołojad (ptak)

↑**bee-hive** ['bi:,haiv] *s* ul

bee-line ['bi:,lain] *s* linia powietrzna; **to make a ~ for a place** polecieć <pójść, pobiec> dokądś w linii prostej

bee-master ['bi:,ma:stə] *s* pszczelarz

been *zob* **be**

bee-orchis ['bi:,ɔ:kis] *s bot* dwulistnik z rodziny storczykowatych

↑**beer** [biə] *s* piwo; **to be in ~** być podchmielonym; **small ~** a) *dosł* cienkie piwo b) *przen* drobiazgi; byle co; **to think no small ~ of ...** wysoko cenić...

beer-house ['biə,haus] *s* piwiarnia

beer-pull ['biə,pul] *s* kurek urządzenia do nalewania piwa

beery ['biəri] *adj* (**beerier** ['biəriə], **beeriest** ['biər iist]) 1. (*o powietrzu*) pachnący knajpą 2. (*o człowieku*) podchmielony 3. (*o głosie*) przepity

beestings ['bi:stiŋz] *spl* siara

beeswax ['bi:z,wæks] *s* 1. wosk 2. wosk do podłóg

beeswing ['bi:zˌwiŋ] *s* 1. winnik (osad w winie) 2. porto, portwajn

beet [bi:t] *s* burak; **red ~** burak ćwikłowy; **white ~** burak cukrowy

↑**beetle**[1] ['bi:tl] *s zoo* chrząszcz; żuk, żuczek; *pot* robak; **black ~** karaluch

beetle[2] ['bi:tl] [I] *s* młot drewniany; baba; kafar; ubijak [II] *vt* ubijać kafarem

beetle[3] ['bi:tl] *adj* 1. (*o skale*) wystający, wysunięty 2. (*o brwiach*) krzaczasty 3. (*o czole*) wypukły

beetle[4] ['bi:tl] *vi* wystawać; zwisać

beetle-brain ['bi:tlˌbrein] *s* tuman, jołop

beetle-browed ['bi:tlˌbraud] *adj* (*o człowieku*) z krzaczastymi brwiami

beetle-crusher ['bi:tlˌkrʌʃə] *s pot* bucior

beetling ['bi:tliŋ] *adj* zawrotny

beetroot ['bi:tˌrut] *s* burak ćwikłowy

beeves [bi:vz] *spl* 1. sztuki <połówki> wołowe 2. *am* bydło *zob* **beef**

befall [bi'fɔ:l] *vi* (**befell** [bi'fel], **befallen** [bi'fɔ:lən]) zdarz-yć/ać <wydarz-yć/ać; przytrafi-ć/ać> się

befallen *zob* **befall**

befell *zob* **befall**

befit [bi'fit] *vi* (**-tt-**) licować; wypadać; być stosownym

befog [bi'fɔg] *vt* (**-gg-**) 1. ot-oczyć/aczać mgłą 2. zaciemni-ć/ać; przytępi-ć/ać (pamięć, zmysły)

befool [bi'fu:l] *vt* okpi-ć/wać; oszuk-ać/iwać

before [bi'fɔ:] [I] *praep* przed; **~ everything else** przede wszystkim; nade wszystko; **~ me** przede mną; **~ my very eyes** na moich oczach; **~ now** już (przedtem); **~ one's time** przed czasem; za wcześnie; **the one ~ last** przedostatni [II] *adv* 1. na przedzie; naprzód; **to go on ~** a) iść na przedzie b) przejść naprzód c) mieć pierwszeństwo 2. przedtem; poprzednio; **two days ~** dwa dni przedtem <wcześniej> 3. poprzedni; **the day <year etc.> ~** poprzedniego dnia <roku itd.>; **this one and the one ~** ten i poprzedni [III] *conj* 1. zanim; nim; **~ you leave** zanim pójdzie-sz/cie; *pot* **~ I forget** żebym nie zapomniał 2. *w zwrocie*: **not ~ _** dopiero gdy... ; nie wcześniej aż ...; **do not come ~ I call you** przyjdź/cie dopiero, gdy cię <was> zawołam 3. raczej, niż ...; **I will die ~ I yield** raczej skonam niż ustąpię

beforehand [bi'fɔ:ˌhænd] *adv* przedtem, uprzednio; najprzód, najpierw; z góry; **to be ~ with sb** wyprzedz-ić/ać kogoś; **to be ~ with sth** zrobić coś przed terminem; **to pay ~** zapłacić z góry

befoul [bi'faul] *vt* s/plugawić; s/kalać; zanieczy-ścić/szczać

befriend [bi'frend] *vt* przy-jść/chodzić z pomocą (**sb** komuś); okazać się przyjacielem (**sb** czyimś); okaz-ać/ywać przyjaźń (**sb** komuś)

befuddle [bi'fʌdl] *vt* zamroczyć (alkoholem)

beg [beg] *v* (**-gg-**) [I] *vi* 1. (*także* **to ~ for alms**) żebrać 2. usilnie prosić; błagać (**for sth** o coś); **I ~ of you <not> to do that** błagam cię, żebyś to zrobił <tego nie robił>; **I ~ to be excused** proszę mi wybaczyć; proszę mnie wytłumaczyć <usprawiedliwić> 3. (*o psie*) służyć; prosić 4. pozw-olić/alać sobie (coś zrobić); **I ~ to differ** pozwolę sobie być innego zdania; **I ~ to say** pozwolę sobie powiedzieć <zaznaczyć>; **we ~ to inform you that _** mamy zaszczyt poinformować, że ... [II] *vt* 1. błagać; usilnie prosić; **I ~ you to do it** błagam cię, żebyś to zrobił; **to ~ sb's pardon** przeprosić kogoś 2. prosić (**a favour of sb** kogoś o przysługę) ‖ **to ~ the question** uznać zakwestionowaną sprawę za słuszną; przesądzać sprawę *zob* **begging**

begad [bi'gæd] *interj* na Boga!

began *zob* **begin**

beget [bi'get] *vt* (**begot** [bi'gɔt], **begotten** [bi'gɔtn]; **begetting** [bi'getiŋ]) 1. z/rodzić 2. wywoł-ać/ywać; s/powodować

begetter [bi'getə] *s* 1. rodzic 2. spraw-ca/czyni

↑**beggar** ['begə] [I] *s* żebra-k/czka 2. *pot* gość; facet/ka; **a funny little ~** śmieszny mały człowieczek; **a lucky ~** szczęściarz; **poor ~** biedaczysko; *przen* **a ~ on horseback** parweniusz ‖ **~s cannot <must not> be choosers** darowanemu koniowi nie zagląda się w zęby; **he is a ~ for work** on jest niebywale pracowity [II] *vt* 1. doprowadz-ić/ać (kogoś) do nędzy 2. zaćmi-ć/ewać; **it ~s description** to <tego> się nie da opisać

beggarly ['begəli] *adj* nędzny; **a ~ wage** głodowa pensja

beggary ['begəri] *s* skrajna nędza; *przen* kij żebraczy

begging ['begiŋ] [I] *zob* **beg** [II] *s* żebranie [III] *adj* żebrzący; **~ friars** zakon żebrzący

begin [bi'gin] *v* (**began** [bi'gæn], **begun** [bi'gʌn]; **beginning** [bi'giniŋ]) [I] *vi* 1. zacz-ąć/ynać się; mieć początek 2. zacz-ąć/ynać; przyst-ąpić/ępować do pracy; **to ~ with** najpierw; przede wszystkim; **to ~ on sth** zabierać się do czegoś; **to ~ by doing <saying etc.>** zacz-ąć/ynać od tego, że się robi <mówi itd.>; przede wszystkim zrobić <powiedzieć itd.> [II] *vt* zacz-ąć/ynać (**to do sth, doing sth** coś robić); rozpocz-ąć/ynać; zapoczątkow-ać/ywać; **to ~ on sth** zab-rać/ierać się do czegoś ‖ **well begun is half done** dobry początek to połowa roboty *zob* **beginning**

beginner [bi'ginə] *s* początkujący

beginning [bi'giniŋ] [I] *zob* **begin** [II] *s* początek; rozpoczęcie; **a good ~ is half the battle** dobry początek to połowa wygranej

begird [bi'gə:d] *vt* (**begirt** [bi'gə:t], **begirt**) opas-ać/ywać; ot-oczyć/aczać

begirt *zob* **begird**

begone [bi'gɔn] *interj* precz!; **~ with you!** wynoś/cie się!; zabieraj/cie się stąd!

begonia [bi'gouniə] *s bot* begonia

begot *zob* **beget**

begotten *zob* **beget**

begrime [bi'graim] *vt* s/plamić; (bardzo) zabrudzić; u/babrać

begrudge [bi'grʌdʒ] *vt* po/żałować <po/zazdrościć> (**sb sth** komuś czegoś)

begrudgingly [bi'grʌdʒiŋli] *adv* niechętnie; z żalem

beguile [bi'gail] *vt* 1. omami-ć/ać; oszuk-ać/iwać; **to ~ sb into doing sth** omamić kogoś tak, żeby coś uczynił; **to ~ sb out of sth** wyłudzić coś od kogoś 2. oczarować 3. rozerwać; u/bawić; **to ~ the time** skracać czas

beguilement [bi'gailmənt] *s* 1. oszukanie 2. czarowanie

beguiler [bi'gailə] *s* 1. uwodziciel/ka 2. oszust/ka

begum ['beigəm] *s* (*w Indiach*) wielka pani; księżna

begun *zob* **begin**

behalf [bi'hɑ:f] *s tylko w zwrocie*: **on ~ of sb** a) z czyjegoś ramienia; w czyimś imieniu b) na czyjś rachunek c) w czyjejś sprawie d) (*także* **in sb's ~**) za kogoś (prosić itd.) e) z powodu kogoś; o kogoś; **we were uneasy on your ~** niepokoiliśmy się z twojego <waszego> powodu; byliśmy niespokojni o ciebie <was>

behave [bi'heiv] [I] *vi* 1. zachow-ać/ywać <prowadzić> się; post-ąpić/ępować (**towards sb** wobec <w stosunku do> kogoś); **~ yourself** (*do dziecka*) bądź grzeczny!; (*do dorosłego*) zachowuj się przyzwoicie! 2. (*o maszynie*) działać, chodzić [II] *vr* **~ oneself** dobrze się sprawować <zachowywać>

behaviour [bi'heivjə] *s* zachowanie; prowadzenie się; postępowanie (**towards sb** w stosunku do kogoś) **good ~ certificate** świadectwo niekaralności; **to be on one's best ~** pamiętać o dobrych manierach; zachow-ać/ywać się przyzwoicie

behaviourism [bi'heivjə,rizəm] *s psych* behawioryzm

behead [bi'hed] *vt* ściąć głowę (**sb** komuś); stracić (kogoś) przez ścięcie

beheld *zob* **behold**

behemoth [bi'hi:mɔθ] *s* ogromny zwierz; potwór

behest [bi'hest] *s poet* rozkaz; żądanie

behind [bi'haind] [I] *praep* z tyłu (czegoś); za (kimś, czymś); **~ one's back** za czyimiś plecami; **~ the times** a) zacofany b) przestarzały; **~ time** opóźniony; **to be ~ one's time** spóźnić się; **to go ~ sb's words** nie wziąć/brać czyichś słów za dobrą monetę; nie dowierzać komuś; szukać u kogoś ukrytej myśli [II] *adv* 1. z tyłu; w tyle; **to be ~ with sth** spóźni-ć/ać się <zalegać> z czymś; **to fall ~** pozosta-ć/wać w tyle 2. za siebie (obejrzeć się, rzucić coś itd.); **to look ~** spoglądać za siebie; odwracać głowę [III] *s* pośladek; siedzenie; **to kick sb's ~** kopnąć kogoś w siedzenie

behindhand [bi'haind,hænd] [I] *adv* 1. z tyłu; w tyle 2. poniewczasie [II] *attr* zalegający; spóźniony; **to be ~ with sth** zalegać z czymś; **not to be ~ in sth** nie ujawniać braku czegoś; nie ustępować (komuś, nikomu) pod względem czegoś

behold [bi'hould] *vt* (**beheld** [bi'held], **beheld**) *lit* zobaczyć; widzieć; ujrzeć; spostrzec; **and ~!** i oto!

beholden [bi'houldən] *adj* zobowiązany; dłużny

behoof [bi'hu:f] *s* korzyść; pożytek; użytek; **for one's own ~** na pożytek własny; dla własnego użytku; **to <for, on> sb's ~** na czyjąś korzyść; komuś na pożytek

behove [bi'houv] *vt imp* wypadać; być stosownym; **it ~s you to say that** wypada ci <wam> tak mówić

beige [beiʒ] [I] *s* materiał z surowej nie farbowanej wełny [II] *adj* beżowy

being ['bi:iŋ] [I] *zob* **be** [II] *s* 1. istota; **a human ~** istota ludzka; człowiek; **a restless ~** niespokojny duch 2. natura (ludzka) 3. istnienie; **to bring sth into ~** powołać coś do życia; **to come into ~** zaistnieć; powstać 4. przebywanie [III] *adj* trwający; **for the time ~** na razie; chwilowo

bejewelled [bi'dʒuəld] *adj* 1. ozdobiony klejnotami 2. (*o kobiecie*) cała w klejnotach

bel [bel] *s fiz* bel

belabour [bi'leibə] *vt* wymłócić <wytłuc> (kogoś)

belated [bi'leitid] *adj* spóźniony; przybyły poniewczasie; **we were ~** noc nas zaskoczyła

belaud [bi'lɔ:d] *vt lit* wychwalać; chwalić

↑**belay** [bi'lei] *vt* 1. *mar* przy/cumować 2. (*we wspinaczce*) za/asekurować

belch [beltʃ] [I] *vi* 1. czk-nąć/ać; **he ~ed** czknął; odbiło mu się 2. (*o ogniu, dymie itp*) buch-nąć/ać [II] *vt* (*także* **~ out** <**forth**>) miotać <wyrzucać z siebie> (ogień, dym, przekleństwa itp.); (*o wulkanie, kominie itd*) miotać (ogniem, lawą, dymem)

belcher ['beltʃə] *s* szalik kolorowy

beldam(e) ['beldəm] *s lit* 1. megiera 2. starucha

beleaguer [bi'li:gə] *vt* oble-c/gać

belfry ['belfri] *s* dzwonnica

Belgian ['beldʒən] [I] *adj* belgijski [II] *s* Belg/ijka

Belgravia [bel'greivjə] *spr* dzielnica Londynu zamieszkała przez sfery zamożne

Belgravian [bel'greivjən] *s* człowiek należący do wytwornego towarzystwa (Londynu)

Belial ['bi:liəl] *spr bibl* zły duch; **sons of ~** nikczemnicy

belie [bi'lai] *vt* (**belied** [bi'laid], **belied; belying** [bi'laiiŋ]) 1. zada-ć/wać kłam (**sth** czemuś) 2. nie dotrzym-ać/ywać (**sth** czegoś — obietnicy itp.) 3. zaw-ieść/odzić (nadzieje) 4. z/dementować

belief [bi'li:f] *s* 1. wiara (**in sb, sth** w kogoś, coś); **past (all) ~** niewiarygodny; **to the best of my ~** o ile mi wiadomo 2. przekonanie (**in sb, sth** do kogoś, czegoś) 3. wierzenie 4. zaufanie (**in sb, sth** do kogoś, czegoś)

believable [bi'li:vəbl] *adj* wiarygodny

believe [bi'li:v] [I] *vt* wierzyć (**sb, sth** komuś, czemuś); u/wierzyć (**sb, sth** w kogoś, coś); **to ~ sb <sth> to be _** u/wierzyć, że ktoś <coś> jest ... [II] *vi* 1. u/wierzyć (**in sb, sth** komuś, czemuś; w kogoś, coś); dawać wiarę (**in sb, sth** komuś, czemuś) 2. mieć zaufanie (**in sb, sth** do kogoś, czegoś) 3. sądzić; przypuszczać; **I ~ (that) I am right** sądzę <przypuszczam>, że mam rację; mam chyba rację; (*w odpowiedzi na pytanie*) **I ~ so <not>** chyba tak <nie> 4. być zwolennikiem (**in sth** czegoś); być za (**in sth** czymś); **to ~ in total abstinence** być zwolennikiem całkowitej abstynencji; być za całkowitą abstynencją 5. *w zwrocie*: **to make ~** udawać; pozorować

believer [bi'li:və] *s* 1. wierny 2. człowiek wierzący (**in sth** w coś) 3. zwolenni-k/czka (**in sth** czegoś)

belike [bi'laik] † *adv* być może

Belisha-beacon [bə'li:ʃə'bi:kn] *s* słupek z żółtą kulą oznaczający przejście przez jezdnię

belittle [bi'litl] *vt* umniejsz-yć/ać; nie doceni-ć/ać (**sb, sth** kogoś, czegoś); z/bagatelizować

↑**bell**[1] [bel] [I] *s* 1. dzwon; dzwonek; **to ring the ~** za/dzwonić 2. dzwon okrętowy do wybijania szklanek (sygnałów czasu) 3. kielich (kwiatu itp.) [II] *vi* (*także* **~ out**) (*o sukni itp*) wyd-ąć/ymać się [III] *vt* (*o myszach*) przywiązać dzwonek do ogona (**the cat** kotu) (wg bajki); *przen* **to ~ the cat** wziąć na siebie ryzyko

bell[2] [bel] [I] *vi* (*o jeleniu w czasie bekowiska*) ryczeć [II] *s* ryk (jelenia w czasie bekowiska)

belladonna [,belə'dɔnə] *s bot farm* belladona

bell-boy ['bel,bɔi] *s* goniec hotelowy

bell-buoy ['bel,bɔi] *s mar* boja <pława> dzwonowa

belle [bel] *s* (*o kobiecie*) piękność; **the ~ of the ball** królowa balu

belles-lettres ['bel'letr] *s* literatura piękna
belletrist ['bel'letrist] *s* autor dzieł literatury pięknej
belletristic ['belle'tristik] *adj* (dotyczący) literatury pięknej
bell-flower ['bel,flauə] *s bot* dzwonek; kampanula
bell-founder ['bel,faundə] *s* ludwisarz
bell-foundry ['bel,faundri] *s* ludwisarnia, odlewnia dzwonów
bell-glass ['bel,glɑ:s] *s* klosz; dzwon (do przykrywania roślin)
bell-handle ['bel,hændl] *s* rączka (dzwonka)
bell-hop ['bel,hɔp] *s am* goniec hotelowy
bellicose ['beli,kous] *adj* wojowniczy
bellicosity [,beli'kɔsiti] *s* wojowniczość
bellied ['belid] I *zob* **belly** *v* II *adj* wybrzuszony
belligerent [bi'lidʒərənt] I *adj* walczący, wojujący II *s* strona walcząca <wojująca>
bellman ['belmən] *s* (*pl* **bellmen** ['belmən]) obwoływacz miejski; herold
bell-mouthed ['bel,mauðd] *adj* lejowaty, lejkowaty
bellow ['belou] *vi* ry-knąć/czeć; za/wyć; wydzierać się; wrz-asnąć/eszczeć
bellows ['belouz] *spl* 1. miech (kowalski itd.); miechy; dmuchawka 2. *iron* (*o płucach*) miechy
bell-pull ['bel,pul] *s* sznurek <taśma> do dzwonka
bell-punch ['bel,pʌntʃ] *s* dziurkacz z dzwonkiem
bell-push ['bel,puʃ] *s* przycisk dzwonkowy
bell-ringer ['bel,riŋer] *s* dzwonnik
bellwether ['bel,weðə] *s* 1. baran z uwiązanym u szyi dzwonkiem, prowadzący stado 2. *przen* wodzirej; herszt
belly ['beli] I *s* 1. brzuch; **a hungry ~ has no ears** słowami nikt się nie naje; **his eyes are bigger than his ~** z niego straszny żarłok 2. wybrzuszenie 3. wklęsłość 4. brzusiec (mięśnia) 5. *przen* żarłoczność 6. *muz* pudło skrzypiec; rezonator II *vi* (**bellied** ['belid], **bellied; bellying** ['beliiŋ]) (*o żaglach, sukni itp*) wyd-ąć/ymać się *zob* **bellied**
belly-ache ['beli,eik] *s* ból brzucha; kolka
belly-band ['beli,bænd] *s* popręg
bellyful ['beliful] *s* 1. pełny brzuch 2. *dosł i przen* nasycenie; sytość; **I have had a ~ of fighting** nawojowałem się do syta <do diabła i trochę>
belly-pinched ['beli,pintʃt] *adj* głodny; zgłodniały
belly-worship ['beli,wə:ʃip] *s* obżarstwo; kult brzucha
belong [bi'lɔŋ] *vi* 1. (*o własności, obowiązkach itp*) należeć 2. być właściwym <stosownym, odpowiednim> (**to sb, sth** dla kogoś, czegoś); **it ~s to me to** — moją rzeczą jest ... 3. być przynależnym; przynależeć; **go where you ~** wynoś/cie się; nic tu po tobie <was>; nie ma-sz/cie tu nic do roboty; **I don't ~ here** jestem nietutejszy 4. *w zwrocie*: **to ~ in** <**under**> **a category etc.** należeć do (pewnej) kategorii itd. 5. *w zwrotach*: (*o dwóch lub więcej rzeczach, osobach*) **to ~ together** stanowić całość <zespół>; iść razem; (*o pończochach, bucikach itd*) **they (don't) ~ together** (nie) są (dobrane) do pary
belongings [bi'lɔŋiŋz] *spl* ruchomości; *pot* rzeczy; mienie; dobytek
beloved [bi'lʌvid] I *adj* ukochany; kochany II *adj praed* [bi'lʌvd] **(to be) ~ by all** (być) przez wszystkich kochany(m); **~ of the gods** miły bogom

below [bi'lou] I *praep* pod (czymś); poniżej (czegoś); **~ the average** poniżej przeciętnej <przeciętności>; **temperature ~ normal** temperatura niżej normalnej; **to be ~ sb** ustępować komuś (pod względem czegoś); **it would be ~ me** ubliżałoby mi to II *adv* 1. poniżej; pod spodem; na dole; na dół; *mar* **all hands ~!** wszyscy na dół <pod pokład>!; **here ~** tu na dole; na tym padole; **the flat ~** mieszkanie pod nami 2. (*w książce itp*) poniżej 3. w niższej instancji (sądu)
belt [belt] I *s* 1. pas (skórzany itd.); pasek, pasek; rzemień 2. pas; strefa, zona 3. *wojsk* taśma z nabojami 4. opancerzenie okrętu poniżej linii zanurzenia II *vt* 1. opas-ać/ywać 2. pasować na rycerza 3. wy/łoić skórę pasem (**sb** komuś) *zob* **belting**
beltane ['beltein] *s* starodawny celtycki obchód 1 maja
belting ['beltiŋ] I *zob* **belt** *v* II *s* 1. opasanie 2. pasowanie (na rycerza) 3. materiał <skóra> na pasy transmisyjne 4. pasy transmisyjne; transmisja 5. wyłojenie pasem (kogoś)
belt-line ['belt,lain] *s* okólna <okrężna> linia tramwajowa <kolejowa>
belvedere ['belvidiə] *s* belweder
bemire [bi'maiə] *vt* ubłocić; **to be ~d** ugrzęznąć w błocie
bemoan [bi'moun] *vt* opłakiwać; żałować (**sb, sth** kogoś, czegoś)
bemuse [bi'mju:z] *vt* ogłupić; otumanić; zamroczyć
ben[1] [ben] I *adv szkoc* wewnątrz II *s szkoc* pokój mieszkalny dwuizbowej chaty; **but and ~** (zająć itd.) zarówno kuchnię jak i pokój <całą chatę>
ben[2] [ben] *s bot* 1. starzec jakubek 2. lepnica rozdęta
bench [bentʃ] I *s* 1. ława, ławka 2. sądownictwo; sąd; **King's Bench** dział karny sądu najwyższego w Londynie 3. warsztat (stolarski itd.) 4. stopień (w nasypie itp.) II *vt* wystawi-ć/ać (psa) na pokaz
bencher ['bentʃə] *s* adwokat należący do seniorów izby adwokackiej
bench-warrant ['bentʃ,wɔrənt] *s* nakaz aresztowania
bend[1] [bend] *s* 1. węzeł żeglarski 2. pas (w herbie) 3. *garb* półkrupon
bend[2] [bend] I *s* 1. zakręt 2. wygięcie; skręt; **to give a ~ to sth** przygi-ąć/nać <zagi-ąć/nać> coś 3. *techn* krzywak rurowy 4. *mar* wręga II *vt* (**bent** [bent], **bent**) 1. skręc-ić/ać; zgi-ąć/nać; przegi-ąć/nać; wygi-ąć/nać 2. schyl-ić/ać; nachyl-ić/ać, pochyl-ić/ać 3. skierow-ać/ywać kroki <wzrok> (**on sth** ku czemuś) 4. *mar* z/wiązać; uwiąz-ać/ywać 5. załam-ać/ywać (linię, promień) 6. ściąg-nąć/ać (brwi) III *vi* (**bent** [bent], **bent**) 1. (*o drodze, rzece itp*) kręcić <wić> się 2. schyl-ić/ać się; być pochylonym 3. ugi-ąć/nać się (pod ciężarem, naporem)
~ back *vt vi* przechyl-ić/ać (się) ku tyłowi
~ down I *vt* przechyl-ić/ać; ściąg-nąć/ać <przyciąg-nąć/ać> (gałąź itp.) II *vi* schyl-ić/ać się
~ forward *vt vi* pochyl-ić/ać (się) ku przodowi
~ over *vt vi* przychyl-ić/ać (się)
~ round *vt* zakręc-ić/ać
zob **bent**[2]
bender ['bendə] *s* 1. *sl* moneta sześciopensowa 2. *techn* giętarka 3. *am sl* popijawa; pijatyka

bend-leather ['bend'leðə] *s* skóra podeszwowa
beneaped [bi'ni:pt] *adj mar* osadzony na mieliźnie wskutek odpływu
beneath [bi'ni:θ] [I] *adv* poniżej; pod spodem; na dole; na dół [II] *praep* pod (czymś); poniżej (czegoś); **it is ~ contempt** to nawet na pogardę nie zasługuje; **it is ~ him <his dignity>** to jest poniżej jego godności; on by się do tego nie zniżył
benedick ['benedik] *s* świeżo ożeniony stary kawaler
benedictine [ˌbeni'diktain] *s* 1. benedyktyn 2. [ˌbeni'dikti:n] benedyktynka (likier)
benediction [ˌbeni'dikʃən] *s* błogosławieństwo
benefaction [ˌbeni'fækʃən] *s* dobrodziejstwo
benefactor [ˌbeni'fæktə] *s* dobrodziej; dobroczyńca
benefactress [ˌbeni'fæktris] *s* dobrodziejka
benefice ['benifis] *s* prebenda, beneficjum
beneficence [bi'nefisəns] *s* dobroczynność
beneficent [bi'nefisənt] *adj* dobroczynny
beneficial [ˌbeni'fiʃəl] *adj* korzystny; dobroczynny; zbawienny
beneficiary [ˌbeni'fiʃəri] *s* 1. beneficjant 2. obdarzony
benefit ['benifit] [I] *s* 1. korzyść; pożytek; **for the ~ of** ___ na rzecz... (ubogich, sierocińca itd.); **to give sb the ~ of the doubt** w sytuacji wątpliwej przechylić szalę raczej na korzyść strony zainteresowanej niż na jej niekorzyść; **to reap ~ from sth** dobrze na czymś wy-jść/chodzić 2. dobro; dobrodziejstwo 3. benefis 4. zasiłek (dla bezrobotnych, macierzyński itd.); **~ club <society>** towarzystwo wzajemnej pomocy [II] *vt* 1. przyn-ieść/osić korzyść (**sb** komuś); **to be ~ed by sth** = **~** *vi* 2. wyświadcz-yć/ać dobrodziejstw-o/a (**sb** komuś); dog-odzić/adzać (**sb** komuś); pójść/iść na rękę (**sb** komuś) [III] *vi* s/korzystać (**by sth** na czymś); odnieść <mieć> korzyść (**by sth** z czegoś)
benevolence [bi'nevələns] *s* 1. życzliwość; łaskawość 2. dobrodziejstwo; dar; łaska; dobry uczynek 3. *hist* danina
benevolent [bi'nevələnt] *adj* 1. życzliwy; łaskawy 2. dobroczynny; **~ society** towarzystwo dobroczynne <dobroczynności>
Bengal ['beŋgɔ:l] *attr* **~ light** ogień bengalski
Bengali [beŋ'gɔ:li] [I] *s* 1. Bengal-czyk/ka 2. język bengalski [II] *adj* bengalski
benighted [bi'naitid] *adj* 1. zaskoczony przez noc; **we were ~** zaskoczyła nas noc 2. (*o umyśle*) zamroczony 3. ciemny; nieoświecony; pogrążony w mrokach barbarzyństwa
benign [bi'nain] *adj* 1. życzliwy; łaskawy; dobrotliwy; łagodny 2. *med* łagodny <dobrotliwy> (nowotwór itp.)
benignant [bi'nignənt] *adj* łaskawy; życzliwy
benignity [bi'nigniti] *s* 1. łaskawość; dobrotliwość; łagodność (klimatu itp.) 2. *med* łagodny przebieg (choroby)
benjamin[1] ['bendʒəmin] *s* beniaminek (rodziny)
benjamin[2] ['bendʒəmin] = **benzoin**
benjamin-tree ['bendʒəmin'tri:] *s bot* drzewo wydzielające benzoes
bennet ['benit] *s bot* kuklik pospolity
bent[1] [bent] *s* 1. *bot* mietlica 2. pastwisko porosłe mietlicą
bent[2] [bent] [I] *zob* **bend**[2] *v*; **as the twig is ~ the tree is inclined** czym skorupka za młodu nasiąknie, tym na starość trąci [II] *adj* 1. zgięty; wygięty; wykrzywiony 2. schylony, pochylony 3. zdecydowany; uparty; **to be ~ on doing sth** up-rzeć/ierać <zawziąć> się, że się coś zrobi <żeby coś zrobić>; koniecznie chcieć <musieć> coś zrobić; **to be ~ on sth** szukać <poszukiwać, pożądać> czegoś (zysku, przyjemności itd.); mieć na uwadze; szukać okazji <sposobności> (do psoty itd.) 4. *w zwrocie*: **to be (homeward etc.) ~** iść <jechać> (do domu itd.) [III] *s* skłonność <inklinacja, żyłka, pociąg> (**for sth** do czegoś); słabość (**towards sth** do czegoś)
bent-grass ['bentˌgrɑ:s] *s bot* mietlica
Benthamism ['benθəˌmizəm] *s* filozofia Benthama
benthos ['benθɔs] *s biol* bentos (flora i fauna denna naturalnych zbiorników wód)
benumb [bi'nʌm] *vt* 1. odrętwi-ć/ać 2. s/paraliżować (umysł, działanie) *zob* **benumbed**
benumbed [bi'nʌmd] [I] *zob* **benumb** *v* [II] *adj* odrętwiały; ścierpnięty
benzene ['benzi:n] *s chem* benzen
benzine ['benzi:n] *s* benzyna (czysta)
benzoin ['benzouin] *s* benzoes; **~ gum** żywica benzoesowa
benzol ['benzɔl] *s* benzol
bequeath [bi'kwi:ð] *vt* 1. zapisać (komuś coś) w testamencie 2. przekaz-ać/ywać potomności
bequest [bi'kwest] *s* zapis; legat; spuścizna; spadek
berate [bi'reit] *vt* s/krzyczeć; z/wymyślać
berberry ['bə:bəri] = **barberry**
bereave [bi'ri:v] *vt* (*praet* **bereft** [bi'reft], *pp* **bereft, bereaved** [bi'ri:vd]) 1. pozbawi-ć/ać (**sb of sth** kogoś czegoś); wyzu-ć/wać (**sb of sth** kogoś z czegoś) 2. osierocić (kogoś); pozbawi-ć/ać (kogoś — męża, dziecka itd.); porwać <zabrać> (**sb of his <her, its> father etc.** komuś ojca itd.) *zob* **bereaved**
bereaved [bi'ri:vd] [I] *zob* **bereave** *v* [II] *spl* **the ~** pogrążeni w smutku
bereavement [bi'ri:vmənt] *s* 1. osierocenie 2. (bolesna) strata (osoby) 3. żałoba
bereft *zob* **bereave**
beret ['berit] *s* beret
bergamot[1] ['bə:gəˌmɔt] *s* bergamota (gatunek drzewa cytrusowego)
bergamot[2] ['bə:gəˌmɔt] *s* bergamota (gatunek gruszki)
beriberi ['beri'beri] *s med* beri-beri (choroba)
berlin ['bə:lin] [I] *s* powozik [II] *attr* **~ black** lakier na żelazo; **~ gloves** włóczkowe rękawiczki; **~ iron** żelazo odlewnicze; **~ warehouse** skład włóczek
berm [bə:m] *s fort* ławka
Bermudian [bə:'mju:diən] [I] *adj* bermudzki [II] *s* mieszkaniec wysp bermudzkich
Bernardine ['bə:nɑ:ˌdi:n] [I] *adj* bernardyński [II] *s* bernardyn/ka
berry ['beri] [I] *s* 1. jagoda 2. ikra (ryby) [II] *vi* (**berried** ['berid], **berried; berrying** ['beriiŋ]) okry-ć/wać się jagodami; **to go ~ing** iść na jagody
berserk(er) ['bə:sə:k(ə)] *s* walczący z szaloną odwagą wojownik skandynawski; **to go ~** wpa-ść/dać w szał
berth [bə:θ] [I] *s* 1. koja (na statku); łóżko; miejsce do spania (na pryczy, w wagonie sypialnym itp.) 2. *mar* miejsce postoju 3. miejsce przeznaczone na jakikolwiek przedmiot 4. ominięcie; uniknięcie;

to give sb a wide ~ omi-nąć/jać kogoś z daleka 5. stanowisko; zajęcie; posada [II] *vt* 1. *mar* wy-znacz-yć/ać miejsce postoju (**a ship** dla statku) w porcie 2. przy/cumować 3. da-ć/wać (**sb** komuś) miejsce do spania (na statku) [III] *vi* (*o statku*) być przycumowanym

bertha [ˈbəːθə], **berthe** [bəːθ] *s* 1. kołnierz koronkowy 2. **big Bertha** gruba Berta (dalekosiężne działo niemieckie)

beryl [ˈberil] *s miner* beryl

beseech [biˈsiːtʃ] *vt* (**besought** [biˈsɔːt], **besought**) błagać; zaklinać *zob* **beseeching**

beseeching [biˈsiːtʃiŋ] [I] *zob* **beseech** *v* [II] *adj* błagalny

beseem [biˈsiːm] *vt imp* wypadać, być stosownym *zob* **beseeming**

beseeming [biˈsiːmiŋ] [I] *zob* **beseem** *v* [II] *adj* stosowny

beset [biˈset] [I] *vt* (**beset** [biˈset], **beset; besetting** [biˈsetiŋ]) 1. ot-oczyć/aczać; okrąż-yć/ać 2. oble-c/gać 3. napastować; nagabywać; nie da-ć/wać spokoju (**sb** komuś) 4. (*o nieszczęściach*) sypać się (**sb, sth** na kogoś, coś) 5. zagr-odzić/adzać (drogę itp.) *zob* **besetting** [II] *adj* 1. otoczony 2. napastowany; nagabywany 3. oblężony 4. najeżony (trudnościami, niebezpieczeństwami)

besetment [biˈsetmənt] *s* 1. obsesja 2. otoczenie; okrążenie; oblężenie

besetting [biˈsetiŋ] [I] *zob* **beset** *v* [II] *adj* dręczący; nie dający spokoju; uprzykrzony

beshrew [biˈʃruː] † *interj* a bodaj (**you, him etc.** cię, go itd.)!

beside [biˈsaid] *praep* 1. obok; przy; **it is ~ the purpose** to się mija z celem; **that is ~ the question** <**the point**> nie o to chodzi; nie w tym rzecz; to nie ma (żadnego) związku ze sprawą; to jest rzecz uboczna; **you are ~ the mark** nie trafi-łeś/liście; nie zgad-łeś/liście; nie o to chodzi; nie w tym rzecz 2. w porównaniu z <do> ... 3. na równi z ... 4. oprócz; poza 5. *w zwrocie*: **to be ~ oneself with joy** <**fury**> nie posiadać się z radości <z wściekłości>

besides [biˈsaidz] [I] *adv* prócz tego; poza tym; ponadto; w dodatku; **nothing ~** więcej nic; nic poza tym [II] *praep* oprócz (czegoś); poza (czymś)

besiege [biˈsiːdʒ] *vt* 1. oble-c/gać 2. napastować; nagabywać; nie dawać spokoju (**sb** komuś) 3. zasyp-ać/ywać (kogoś prośbami itp.)

besieger [biˈsiːdʒə] *s* oblegający

beslaver [biˈslævə] *vt* 1. oślini-ć/ać 2. *przen* pochlebi-ć/ać (**sb** komuś)

beslobber [biˈslɔbə] *vt* oślini-ć/ać

beslubber [biˈslʌbə] *vt* za/paćkać

besmear [biˈsmiə] *vt* 1. po/smarować <powle-c/kać> (czymś) 2. po/walać

besmirch [biˈsməːtʃ] *vt* 1. po/plamić; za/brudzić; s/kalać 2. oczerni-ć/ać; rzuc-ić/ać cień (**sb, sth** na kogoś, coś)

besom [ˈbiːzəm] [I] *s* miotła [II] *vt* zami-eść/atać miotłą

besot [biˈsɔt] *vt* (**-tt-**) ogłupi-ć/ać; zamroczyć

besought *zob* **beseech**

bespangle [biˈspæŋgl] *vt* o/zdobić <usiać> błyskotkami

bespatter [biˈspætə] *vt* obryzgać

bespeak [biˈspiːk] *vt* (*praet* **bespoke** [biˈspouk], *pp* **bespoken** [biˈspoukn], **bespoke**) 1. zam-ówić/awiać 2. świadczyć (**sth** o czymś) *zob* **bespoke**

bespectacled [biˈspektəkld] *adj* (*o człowieku*) w okularach; z okularami na nosie

bespoke [biˈspouk] [I] *zob* **bespeak** *v* [II] *adj* zrobiony na zamówienie; **~ shoemaker** szewc robiący obuwie na zamówienie

bespoken *zob* **bespeak**

besprent [biˈsprent] *adj poet* 1. zroszony 2. usiany (kwiatami itd.)

besprinkle [biˈspriŋkl] *vt* 1. po/kropić 2. rozsyp-ać/ywać 3. posyp-ać/ywać (coś czymś)

Bessarabian [ˌbesəˈreibiən] *adj* besarabski

Bessemer [ˈbesimə] *spr hut* **~ converter** konwertor besemerowski; gruszka Bessemera; **~ process** besemerowanie; **~ steel** besemerowska stal

best[1] [best] *zob* **good** [I] *adj* najlepszy; **the ~ part of sth** a) najlepsza część czegoś b) przeważająca <największa> część czegoś; **bad is the ~** w każdym wypadku musi być źle; **~ girl** luba; narzeczona; **~ man** drużba; **what is ~ for sb** to, co najbardziej człowiekowi pomoże <będzie odpowiadać, będzie służyć> [II] *s* (to co) najlepsze; coś najlepszego; **at the ~** a) w najlepszym wypadku b) jak najkorzystniej (sprzedać itd.); **for the ~** w najlepszej intencji; **he can sing etc. with the ~** w śpiewie itd. może iść w zawody z każdym <może się z każdym zmierzyć>; **in one's ~** w odświętnym ubraniu; odświętnie ubrany; **to act for the ~** z/robić to, co się uważa za najsłuszniejsze; **to be at one's ~** być w najlepszej formie; przedstawiać się jak najkorzystniej; być u szczytu (kariery itp.); **to do** <**try**> **one's ~** a) do-łożyć/kładać wszelkich starań b) starać się ze wszystkich sił; z/robić co (tylko) można; **to look one's ~** wyglądać szczególnie dobrze; **to make the ~ of a bad job** a) robić dobrą minę do złej gry b) starać się wybrnąć z trudnej sytuacji; **to make the ~ of sth** zrobić jak najlepszy użytek z czegoś; **to the ~ of my knowledge** o ile wiem [III] *adv* najlepiej; **as ~ I could** jak najlepiej; jak umiałem <mogłem> najlepiej; **at ~** w najlepszym wypadku <razie>; **to come off ~** odnieść największą korzyść; **you had ~** (**do etc. sth**) powinieneś <radziłbym ci> (coś zrobić, począć itd.)

best[2] [best] *vt pot* okpi-ć/wać; wyprowadz-ić/ać w pole

bestead [biˈsted] [I] *vt* (*praet* **besteaded** [biˈstedid], *pp* **bestead, bested** [biˈsted]) pom-óc/agać (**sb** komuś) [II] *adj* umieszczony; położony; usytuowany

bested [biˈsted] *adj* otoczony (**by enemies etc.** wrogami itp.); najeżony (niebezpieczeństwami); **ill** <**hard, sore**> **~** w (ciężkich) opałach; w trudnej sytuacji

bestial [ˈbestjəl] *adj* bestialski; zezwierzęcony

bestiality [ˌbestiˈæliti] *s* bestialstwo; zezwierzęcenie

bestir [biˈstəː] *v* (**-rr-**) [I] *vt* rozruszać; rusz-yć/ać z miejsca [II] *vr* **~ oneself** rusz-yć/ać <porusz-yć/ać> się

bestow [biˈstou] *vt* nada-ć/wać (**sth on** <**upon**> **sb** coś komuś); użycz-yć/ać (**sth on** <**upon**> **sb** czegoś komuś); obdarz-yć/ać <darzyć> (**sth on sb** kogoś czymś); **to ~ a favour on sb** wyświadczyć komuś przysługę; **to ~ one's hand on sb** oddać komuś rękę; **to ~ sth somewhere** złożyć/składać coś gdzieś

bestowal [bi'stouəl] *s* nadanie; użyczenie (**of sth on sb** czegoś komuś); obdarzenie (**of sth on sb** kogoś czymś)

bestrew [bi'stru:] *vt* (*praet* **bestrewed** [bi'stru:d], *pp* **bestrewed, bestrewn** [bi'stru:n]) obsyp-ać/ywać; posyp-ać/ywać; u/słać (coś czymś)

bestrewed *zob* **bestrew**

bestrewn *zob* **bestrew**

bestridden *zob* **bestride**

bestride [bi'straid] *vt* (**bestrode** [bi'stroud], **bestridden** [bi'stridn]) 1. si-ąść/edzieć okrakiem (**sth** na czymś) 2. siąść na <dosiąść> (konia) 3. przekr-oczyć/aczać (rów itp.) 4. sta-nąć/wać z rozkraczonymi nogami (**sth** nad czymś). 5. (*o tęczy itp*) obejmować (przestrzeń); sięgać z jednej strony (**a river etc.** rzeki itp.) do drugiej

bestrode *zob* **bestride**

best-seller ['best,selə] *s* (najbardziej) poczytna książka

bestudded [bi'stʌdid] *adj* usiany <upstrzony> (czymś)

bet [bet] [I] *s* zakład; **to make a ~** założyć się; pójść o zakład; **to take (up) a ~** przyjąć zakład [II] *vt* (**-tt-**) za-łożyć/kładać się (**sb a shilling etc.** z kimś o szylinga itd.); iść o zakład (**sb** z kimś); **you ~!** jeszcze jak!; a pewnie!; możesz się (o to) założyć *zob* **betting**

beta ['bi:tə] *s gr litera* beta

betake [bi'teik] *vr* (**betook** [bi'tuk], **betaken** [bi'teikn]) **~ oneself** 1. ucie-c/kać się (**to sth** do czegoś); jąć/imać się (czegoś) 2. uda-ć/wać się (**to a place** dokądś); **to ~ oneself to one's heels** wziąć/brać nogi za pas

betaken *zob* **betake**

beta-rays ['bi:tə'reiz] *spl* promienie beta

betel ['bi:təl] *s bot* betel

betel-nuts ['bi:tl,nʌts] *spl bot* nasiona areki

Bethel ['beθəl], **Bethesda** [be'θezdə] *s* dom modlitwy; zbór

bethink [bi'θiŋk] *vr* (**bethought** [bi'θɔ:t], **bethought**) **~ oneself** 1. zastan-owić/awiać się; **to ~ oneself to do sth** wpa-ść/dać na pomysł zrobienia czegoś 2. przypom-nieć/inać sobie

bethought *zob* **bethink**

betide [bi'taid] [I] *vi tylko w 3 pers sing praes subj lit* zdarz-yć/ać <sta-ć/wać> się; **whate'er ~** cokolwiek się stanie [II] *vt tylko w 3 pers sing praes subj* **woe ~ him who _** biada temu, kto ...

betimes [bi'taimz] *adv lit* rychło; zawczasu; wcześnie

betoken [bi'toukən] *vi* 1. wskaz-ać/ywać (**sth** na coś); świadczyć (**sb, sth** o kimś, czymś) 2. rokować; zapowiadać; wróżyć

beton ['betən] *s* beton

betony ['betəni] *s bot* bukwica

betook *zob* **betake**

betray [bi'trei] *vt* 1. zdradz-ić/ać (kogoś, coś — kraj, tajemnicę itd.) 2. zdradz-ić/ać (coś); świadczyć (**sb, sth** o kimś, czymś); da-ć/wać dowód (**sth** czegoś); wykaz-ać/ywać (coś) 3. wyda-ć/wać (**sb into the hands of sb** kogoś w czyjeś ręce) 4. oszuk-ać/iwać; uw-ieść/odzić (kobietę)

betrayal [bi'treiəl] *s* zdrada

betroth [bi'trouð] *vt* zaręczyć (**sb to sb** kogoś z kimś) *zob* **betrothed**

betrothal [bi'trouðəl] *s* zaręczyny; † zrękowiny

betrothed [bi'trouðd] [I] *zob* **betroth** *v* [II] *s* narzeczon-y/a

better[1] ['betə] *s* (*o człowieku*) zakładający się; stawiający (na konia itd.)

better[2] ['betə] *zob* **good** [I] *adj* 1. lepszy; **that's ~** a) to jest lepsze b) *zwrot wykrzyknikowy*: brawo!; to się chwali!; **the ~ hand** przewaga; **the ~ part of sth** a) lepsza część czegoś b) większa część <większość> czegoś; **to be ~ than one's word** zrobić więcej, niż się przyrzekło; **to get <be, grow> ~** poprawi-ć/ać się; **to have seen ~ days** pamiętać lepsze czasy; **to be ~ off** być lepiej sytuowanym; **he is ~ off** lepiej mu się powodzi; **I am all the ~ for it** wyszło mi to na zdrowie; przydało mi się to; dobrze na tym wyszedłem 2. zdrowszy; **to be ~** mieć <czuć> się lepiej [II] *adv* lepiej; **all <so much> the ~** tym lepiej; **I like her <him etc.> the ~ for it** tym więcej ją <jego itd.> lubię; **~ and ~** coraz lepiej; **~ so** tak jest <będzie> lepiej; **he knows ~** on wie, co robi; **to go one ~ than sb** prześcignąć <przelicytować> kogoś; **to think ~ of it** namyślić się; zmienić zdanie; **what had I ~ do? — you had ~ stay** co mi radzi-sz/cie robić? <co mam robić?> — radz-ę/imy ci zostać; **you should <ought to> know ~** powin-ieneś/niście mieć więcej rozumu w głowie; nie bądź/cie ta-ki/cy niemąd-ry/rzy [III] *s* 1. lepsze; coś lepszego; **a change for the ~** zwrot na lepsze; **for ~ for worse** na dolę i niedolę; **to get the ~ of _** a) otrzymać <zdobyć> przewagę nad... b) pokonać <przemóc> ... (trudności, swój gniew itd.) 2. *pl* **one's ~s** nasi zwierzchnicy; ludzie wyżej od nas stojący [IV] *vt* 1. poprawi-ć/ać; **striving to ~ oft we mar what's well** chcąc coś poprawić, nieraz psujemy to, co było dobre; lepsze jest wrogiem dobrego 2. prześcig-nąć/ać [V] *vr* **~ oneself** poprawić swą sytuację materialną

betterment ['betəmənt] *s* poprawa; polepszenie

betting ['betiŋ] [I] *zob* **bet** *v* [II] *s* zakładanie się (**on sth** o coś); zakłady

between [bi'twi:n] [I] *praep* 1. między, pomiędzy; **~ ourselves** między nami (mówiąc); w zaufaniu 2. od (...do); **~ 20 and 30** od 20 do 30; **I won't stand ~ them** a) nie chcę stawać między nimi b) nie chcę mieszać się do ich spraw; **no one can stand ~ us** nikt nas nie poróżni 3. **~ us <them etc.>** razem; na spółkę; wspólnymi siłami; **they have two pounds ~ them** oni razem (we dwójkę, trójkę itd.) mają dwa funty; **we bought this ~ us** kupiliśmy to na spółkę <wspólnymi siłami> [II] *adv* 1. pośrodku; między jednym a drugim 2. w środek; między jedno a drugie; **I rushed ~** rzuciłem się między nich <walczących>

between-maid [bi'twi:n,meid] *s* pomocnica do sprzątania i gotowania

between-whiles [bi'twi:n,wailz] *adv* 1. w przerwach 2. w międzyczasie; w tym samym czasie 3. od czasu do czasu

betwixt [bi'twikst] [I] *praep* = **between** *praep* [II] *adv w zwrocie:* **~ and between** w środku (między jednym a drugim)

bevel ['bevəl] [I] *s* 1. węgielnica 2. ukos; kant 3. stożek [II] *vt* (**-ll-**) *stol* kantować

~ away <off> *vt* ści-ąć/nać ukośnie

bevel-gear ['bevəl,giə] *s mech* 1. stożkowe koła zębate 2. stożkowa przekładnia zębata
bevel-wheel ['bevəl,wi:l] *s* koło stożkowe
beverage ['bevəridʒ] *s* napój
bevy ['bevi] *s* 1. (*o osobach*) grono; towarzystwo 2. (*o zwierzętach*) stado
bewail [bi'weil] *vt* opłakiwać (**sb, sth** kogoś, coś); wdzi-ać/ewać żałobę (**sb** po kimś); lamentować (**sth** nad czymś)
beware [bi'wεə] *vi* 1. strzec <wystrzegać> się (**of sb, sth** kogoś, czegoś); **~ of the dog!** uwaga! zły pies! 2. *w trybie rozkazującym*: ostrzega się (**of sb, sth** przed kimś, czymś; **of doing sth** przed robieniem czegoś); **~ lest** _ uważaj/cie, żebyś/cie nie...
bewilder [bi'wildə] *vt* osz-ołomić/ałamiać; z/dezorientować; wprawi-ć/ać w zakłopotanie; **I am ~ed** a) nie mogę się (w tym) połapać <wyznać> b) mam chaos w głowie *zob* **bewildering**
bewildering [bi'wildəriŋ] [I] *zob* **bewilder** *v* [II] *adj* oszałamiający
bewilderment [bi'wildəmənt] *s* 1. oszołomienie 2. dezorientacja 3. zakłopotanie 4. zamęt <chaos> w głowie
bewitch [bi'witʃ] *vt* za/czarować; oczarować; uj-ąć/mować (kogoś czymś) *zob* **bewitching**
bewitching [bi'witʃiŋ] [I] *zob* **bewitch** *v* [II] *adj* czarujący; czarowny
bewray [bi'rei] † *vt* wyjawi-ć/ać; zdradz-ić/ać
bey [bei] *s* bej (tytuł turecki)
beylic ['beilik] *s* prowincja podległa bejowi
beyond [bi'jɔnd] [I] *praep* 1. za; poza; *przen* **~ the pale** poza nawiasem, poza nawias 2. nad, ponad; **~ measure** nad miarę 3. *z czasownikami* **go, reach, be, stay etc.**: przekraczać (coś, granice czegoś); **he went ~ his powers** przekroczył granice swojej władzy; **this is ~ me** to przekracza moje siły <moje środki, mój rozum> 4. *w zwrotach z rzeczownikiem*: a) nie do -enia, -ania; **~ belief** nie do uwierzenia; **~ recall** nie do odwołania; **~ recovery** nie do wyleczenia b) bez-, nie-; **~ compare** niezrównany, niezrównanie; **~ doubt** niewątpliwy, niewątpliwie; **~ hope** beznadziejny, beznadziejnie [II] *adv* dalej (położony itp.); **the forest and the fields ~** las i pola za nim (położone) [III] *s* **the ~** życie pozagrobowe; **at the back of ~** na końcu świata
bezel ['bezl] *s* 1. ukos; kant; ścięcie 2. wycięcie na szkiełko w zegarku
bezique [bi'zi:k] *s* bezik (gra w karty)
bias ['baiəs] [I] *s* 1. ukos; **on the ~** ukośnie 2. odchylenie (odśrodkowe) 3. *w zwrocie*: **a ~ against sb, sth** uprzedzenie <niechęć, nieprzychylne nastawienie> do kogoś, czegoś 4. *w zwrocie*: **a ~ towards sb, sth** przychylne nastawienie <inklinacja, pociąg, słabość> do kogoś, czegoś [II] *vt* (**-s-, -ss-**) 1. ści-ąć/nać <s/kroić> ukośnie 2. uprzedz-ić/ać <źle uspos-obić/abiać> (**against sb, sth** do kogoś, czegoś) 3. przychylnie <stronniczo> uspos-obić/abiać (**towards sb, sth** do kogoś, czegoś) *zob* **bia(s)sed**
bia(s)sed ['baiəst] [I] *zob* **bias** *v* [II] *adj* 1. uprzedzony 2. stronniczy; **to be ~** być pod wpływem (**by sb, sth** czyimś, czegoś); mieć życzliwe <nieżyczliwe> nastawienie; nie być bezstronnym
biatomic [,baiə'tɔmik] *adj* dwuatomowy
biaxial [bai'æksiəl] *adj* dwuosiowy
bib¹ [bib] *s* śliniaczek; *przen* **to put on one's best ~ and tucker** wdziać odświętne ubranie
bib² [bib] *vi* (**-bb-**) pić; popijać; zaglądać do kieliszka
bibasic [bai'beisik] *adj chem* dwuzasadowy
bibber ['bibə] *s* bibosz
Bible ['baibl] *s* Biblia
biblical ['biblikəl] *adj* biblijny
bibliographer [,bibli'ɔgrəfə] *s* bibliograf
bibliographic(al) [,bibliə'græfik(l)] *adj* bibliograficzny
bibliography [,bibli'ɔgrəfi] *s* bibliografia
bibliomaniac [,bibliou'meini,æk] *s* biblioman
bibliophile ['bibliə,fail] *s* bibliofil
bibulous ['bibjuləs] *adj* 1. chłonny 2. pijacki
bicameral [bai'kæmərl] *adj* dwuizbowy
bicapsular [bai'kæpsjulə] *adj bot* dwukomorowy
bicarbonate [bai'kɑ:bənit] *s chem* dwuwęglan
bice [bais] *s* kobalt (barwnik)
bicentenary [,baisen'ti:nəri] [I] *adj* dwóchsetletni [II] *s* dwóchsetlecie; dwóchsetna rocznica
bicephalous [bai'sefələs] *adj* dwugłowy
biceps ['baiseps] *s* biceps
bichloride ['bai'klɔ:raid] *s chem* dwuchlorek
bichromate ['bai'kroumit] *s chem* dwuchromian
bicker ['bikə] [I] *vi* 1. wadzić <kłócić> się; dogadywać sobie 2. (*o potoku*) szemrać 3. (*o deszczu*) kapać 4. (*o ogniu*) trzaskać [II] *s* kłótnia; sprzeczka
bicoloured ['bai'kʌləd] *adj* dwubarwny
biconcave [bai'kɔŋkeiv] *adj* dwuwklęsły
biconvex [bai'kɔnveks] *adj* dwuwypukły
bicuspid [bai'kʌspid] *s* dwuguzkowiec (ząb)
bicycle ['baisikl] [I] *s* rower [II] *vi* jechać <jeździć> na rowerze
bicyclist ['baisiklist] *s* rowerzysta; kolarz
†**bid** [bid] *v* (*praet* **bade** [bæd, beid], *pp* **bidden** [bidn], **bid; bidding** ['bidiŋ]) [I] *vt* 1. kazać; rozkaz-ać/ywać; **do as you are ~** rób/cie to, co ci <wam> każą 2. zapr-osić/aszać 3. za/licytować 4. za/ofiarować (cenę); złożyć/składać ofertę (**sth** na coś); da-ć/wać (*x* szyl.) 5. *karc* zapowi-edzieć/adać <za/licytować> (piki, karo itd.) 6. powiedzieć/mówić; **to ~ sb farewell <good-bye>** po/żegnać kogoś; **to ~ sb joy <good speed>** życzyć komuś szczęścia; **to ~ sb welcome** po/witać kogoś [II] *vi* 1. za/ofiarować cenę (na licytacji) 2. *w zwrocie*: **to ~ fair** zapowiadać się; **the weather ~s fair to be fine** pogoda zapowiada się piękna *zob* **bidden, bidding** [III] *s* 1. ofiarowana cena (przy licytacji); oferta; **to make a ~ for a property** zgłosić się jako reflektant <złożyć ofertę> na kupno realności; zgłosić chęć kupienia realności 2. stawka 3. *karc* licytacja; odzywka; zapowiedź; **no ~** pas; **what was your ~?** co pan/i zapowiedział/a <zalicytował/a>?; **whose ~ is it?** kto zapowiada <licytuje>? 4. *w zwrocie*: **to make a ~ for (power etc.)** pokusić się o (władzę itp.) 5. *am* zaproszenie
biddable ['bidəbl] *adj* 1. posłuszny 2. *karc* nadający się do zalicytowania
bidden *zob* **bid** *v*; **the ~ guests** zaproszeni goście
bidder ['bidə] *s* 1. licytujący 2. oferent; **the highest ~** osoba oferująca najwyższą stawkę (na licytacji)
bidding ['bidiŋ] [I] *zob* **bid** *v* [II] *s* 1. rozkaz; **to be at sb's ~** słuchać czyichś rozkazów 2. zaproszenie 3. *karc* licytacja

bide [baid] *vt* (*praet* **bided** ['baidid], **bode** [boud], *pp* **bided**) *lit w zwrocie*: **to ~ one's time** czekać stosownej chwili; uzbroić się w cierpliwość
bidet [bi'det] *s* bidet
biennial [bai'enjəl] I *adj* dwuroczny; dwuletni II *s* roślina dwuletnia
bier [biə] *s* mary
bifarious [bai'fɛəriəs] *adj bot* dwurzędowy
biff [bif] *sl* I *s* szturchaniec II *vt* szturch-nąć/ać
biffin ['bifin] *s* gatunek czerwonego jabłka kompotowego
bifid ['baifid] *adj* dwudzielny; rozdzielony na dwie części
bifocal ['bai'foukəl] *adj fiz* dwuogniskowy
bifoliate ['bai'fouliət] *adj bot* dwulistny
biforked ['baifɔ:kt] *adj* rozwidlony
bifurcate [bai'fə:kit] I *adj* rozwidlający się II *vi* ['baifə:,keit] rozwidlać się
bifurcation [,baifə:'keiʃən] *s* rozwidlenie; **~ of the roads** rozstaje
big [big] (**-gg-**) I *adj* 1. wielki; duży; **Big Ben** wielki dzwon na wieży zegarowej parlamentu londyńskiego wybijający godziny; **to get too ~ for one's boots** dmuchać wyżej dziurek od nosa; **~ words** przechwałki; górnolotne słowa 2. gruby; tęgi; **a ~ fat fellow** wielki grubas 3. znaczny; poważny; **a ~ difference** znaczna różnica; **a ~ drop in prices** poważny spadek cen 4. (*o kobiecie*) brzemienna; **a woman ~ with child** kobieta ciężarna <brzemienna>; *przen* **~ with consequences** brzemienny w następstwa; **~ with expectation** pełen nadziei 5. *zoo* cielna; źrebna; prośna; kotna; szczenna 6. (*o ludziach w ich środowisku, o państwach w polityce itd*) ważny; wielki; **~ bug** <**gun, wig**> gruba ryba; ważna osoba; **the Big 3** <**4, 5**> Wielka Trójka <Czwórka, Piątka> II *adv w zwrotach*: **to look ~** chodzić z zadartym nosem; pozować na wielkiego człowieka; **to talk ~** a) rzucać wielkie słowa; mówić górnolotnie b) udawać ważnego; robić się ważnym
bigamist ['bigəmist] *s* bigamist-a/ka
bigamous ['bigəməs] *adj* bigamiczny
bigamy ['bigəmi] *s* bigamia, dwużeństwo
bigaroon [,bigə'ru:n] *s bot* wiśnia-łutówka
big-bellied [big'belid] *adj* brzuchaty
bigeminal [bai'dʒeminl] *adj* dwuparzysty
bight [bait] *s* 1. skręt (sznura itp.) 2. zatoka
bigness ['bignis] *s* 1. wielkość; duży rozmiar 2. grubość
bignonia [big'nouniə] *s bot* surma, trąbka
bigot ['bigət] *s* 1. bigot/ka; świętosz-ek/ka 2. fanaty-k/czka; zapaleniec
bigoted ['bigətid] *adj* zajadły; sfanatyzowany
bigotry ['bigətri] *s* zajadłość; fanatyzm
bigwig ['bigwig] *s pot* gruba ryba; człowiek ważny; ważna osoba
bijou ['bi:ʒu:] I *s* klejnot II *adj* śliczny
bike [baik] *s pot* = **bicycle** *s*
bikini [bi'ki:ni:] *s* bikini (kostium kąpielowy)
bilabial [bai'leibiəl] *adj* (*o głosce*) dwuwargowy, bilabialny
bilabiate [bai'leibiət] *adj bot* dwuwargowy
bilateral [bai'lætərəl] *adj* obustronny
bilberry ['bilbəri] *s bot* borówka czarna, czarna jagoda, czernica
bilbo ['bilbou] † *s* szpada
bilboes ['bilbouz] *spl* kajdany na nogi
bile [bail] *s* 1. żółć 2. *przen* tetryczność; zgorzkniałość
bile-stone ['bail,stoun] *s* kamień żółciowy
bilge [bildʒ] I *s* 1. wybrzuszenie beczki 2. dno statku 3. ściek okrętowy; **to talk ~** bredzić; pleść duby smalone II *vt* 1. wyd-ąć/ymać 2. przedziurawić dno (**a ship** statku) III *vi* 1. (*o statku*) uszkodzić sobie dno 2. wyd-ąć/ymać się
bilge-water ['bildʒ,wɔ:tə] *s* 1. *mar* zęza (ścieki na dnie statku) 2. *przen* brednie; duby smalone
bilharzia [bil'hɑ:ziə] *s med* motylica
biliary ['biljəri] *adj* żółciowy
bilingual [bai'lingwəl] *adj* dwujęzyczny
bilious ['biljəs] *adj* 1. żółciowy; **~ attack** atak żółciowy 2. (*o usposobieniu*) tetryczny; zrzędny 3. popędliwy; choleryczny
biliousness ['biljəsnis] *s* 1. tetryczność; zrzędne usposobienie 2. popędliwy <choleryczny> temperament 3. dolegliwości gastryczne
bilk [bilk] *vt* 1. uchyl-ić/ać się od zapłaty (**a bill etc.** rachunku itd.) 2. oszuk-ać/iwać; ucie-c/kać (**a creditor** przed wierzycielem)
bilker ['bilkə] *s* oszust/ka
bill[1] [bil] *s* halabarda; pika
bill[2] [bil] I *s* 1. dziób (ptaka) 2. *geogr* cypel II *vi* całować <pieścić> się; (*o zakochanych*) **to ~ and coo** gruchać
bill[3] [bil] I *s* 1. rachunek; zestawienie (kosztów, wydatków) 2. weksel 3. afisz; plakat 4. ulotka 5. projekt ustawy 6. skarga sądowa 7. *am* banknot 8. **the ~ of fare** jadłospis; menu 9. *mar* **a ~ of lading** konosament; *am* list przewozowy 10. **a ~ of sale** a) umowa sprzedaży b) nakaz egzekucyjny 11. *mar* **a ~ of health** świadectwo sanitarne; *przen* **to give a clean ~ of health** przyjąć <zatwierdzić> (projekt itp.) 12. *pl* **~s** *hist* **~s of mortality** statystyka urodzeń i zgonów (sporządzana w Londynie i okolicy); **within the ~s of mortality** w okręgu londyńskim II *vt* 1. ogł-osić/aszać; zapowi-edzieć/adać w programie <na afiszach>; **~ed to appear** zapowiedziany w ogłoszeniach (na dany dzień itp.) 2. oblepi-ć/ać afiszami.
bill-board ['bil,bɔ:d] *s* tablica ogłoszeń
billet[1] ['bilit] I *s* 1. nakaz kwaterunkowy 2. kwaterunek 3. kwatera 4. posada; zajęcie; zatrudnienie II *vt wojsk* roz/kwaterować (**on a town** w mieście) III *vi* zakwaterować się; kwaterować; być zakwaterowanym
billet[2] ['bilit] *s* 1. polano 2. sztaba
billet-doux ['bili'du:] *s* (*pl* **billets-doux** ['bili'du:z]) liścik miłosny
bill-fold ['bil,fould] *s am* portfel
bill-hook ['bil,huk] *s* nóż ogrodniczy
billiard-ball ['biljəd,bɔ:l] *s* kula bilardowa, bila
billiard-cloth ['biljəd,klɔθ] *s* sukno bilardowe
billiard-room ['biljəd,rum] *s* sala do gry w bilard
billiards ['biljədz] *spl* bilard (gra)
billiard-table ['biljəd,teibl] *s* stół bilardowy, bilard
Billingsgate ['biliŋzgit] *s* 1. targ rybny w Londynie 2. **billingsgate** obelgi rynsztokowe <karczemne>
billion ['biljən] *s* (*w Ameryce*) miliard (= tysiąc milionów); (*w Anglii*) tysiąc miliardów (= milion milionów)
billow ['bilou] I *s* fala; bałwan II *vi dosł i przen* falować; bałwanić się
billowy ['biloui] *adj* (*o morzu*) wzburzony

bill-poster ['bil,poustə] *s* rozlepiacz afiszów

billy ['bili] *s* 1. menażka (z puszki od konserw) 2. *am* gumowa pałka policjanta

billyboy ['bili,bɔi] *s mar* barka jednomasztowa

billycock ['bili,kɔk] *s* melonik (kapelusz)

billygoat ['bili,gout] *s* kozioł; cap

bilobate [bai'loubit] *adj* dwupłatkowy

biltong ['biltɔŋ] *s* suszone mięso w płatach

bimanal ['bimənl], **bimanous** ['bimənəs], **bimane** ['baimein] *adj zoo* dwuręki

bimetalism [bai'metə,lizəm] *s ekon* bimetalizm

bimonthly ['bai'mʌnθli] [I] *adj* 1. dwumiesięczny 2. dwutygodniowy [II] *s* 1. dwumiesięcznik 2. dwutygodnik

bin [bin] *s* skrzynia; kosz; wór

↑ **binary** ['bainəri] *adj* dwójkowy; złożony z dwóch pierwiastków; podwójny; dwuskładnikowy; dwuczłonowy

binate ['bainit] *adj bot* występujący parami

binaural [bi'nɔ:rəl] *adj* (*o stetoskopie*) obuuszny

bind[1] [baind] *s* 1. *muz* ligatura 2. *geol* łupek iglasty; przerost skalny

bind[2] [baind] *v* **(bound** [baund], **bound)** [I] *vt* 1. z/wiązać; uwiązać; zawiąz-ać/ywać; przywiąz-ać/ywać; **to ~ the bowels** wywoł-ać/ywać zatwardzenie 2. obszy-ć/wać; oblamow-ać/ywać 3. oprawi-ć/ać (książk-ę/i) [II] *vr* **~ oneself** zobowiąz-ać/ywać się [III] *vi* 1. (*o cemencie itp*) z/wiązać; s/twardnieć 2. (*o częściach maszyn itp*) zaci-ąć/nać się

~ down *vt* 1. zobowiąz-ać/ywać <z/obligować> (**sb to sth** kogoś do czegoś) 2. przymocow-ać/ywać (**sth to sth** coś do czegoś)

~ over *vt* 1. *w zwrocie*: **to ~ sb over to appear** nakaz-ać/ywać komuś stawiennictwo (w sądzie itd.) 2. *w zwrocie*: **to ~ sb over to good behaviour** zobowiązać kogoś pod rygorem do nienagannego prowadzenia się

~ up *vt* 1. zawiąz-ać/ywać <za/bandażować, obandażować> (ranę itp.) 2. zawiąz-ać/ywać (snop zboża itd.) 3. upi-ąć/nać (włosy)

zob **binding, bound**[4]

binder ['baində] *s* 1. wiązanie; przewiązka; opaska 2. snopowiązałka 3. *bud* strzemię (konstrukcji żelbetowej) 4. *bud* podciąg stropowy 5. spoiwo; lepiszcze 6. okładka <oprawa> (zeszytu, rysunku itd.) 7. powrósło 8. = **bookbinder**

bindery ['baindəri] *s* introligatornia

↑ **binding** ['baindiŋ] [I] *zob* **bind**[2] *v* [II] *s* 1. oprawa (książki) 2. oprawianie (książek) 3. wiązanie; więź 4. obszycie; oblamowanie 5. zaci-śnięcie/skanie [III] *adj* 1. wiążący; obowiązujący 2. (*o środku leczniczym*) ściągający

binding-screw ['baindiŋ,skru:] *s* śruba dociskowa

bindweed ['baind,wi:d] *s bot* powój

bine [bain] *s bot* łodyga chmielu

binge [bindʒ] *s* pohulanka; pijatyka; birbantka; **to be on the ~** hulać; **to have a ~** pohulać

binnacle ['binəkəl] *s* postument z oprawą kompasu okrętowego

binocular(s) [bai'nɔkjulə(z)] *s* lornetka

binomial [bai'noumiəl] *s* dwumian; **~ theorem** dwumian Newtona

biochemistry ['baiou'kemistri] *s* biochemia

biographer [bai'ɔgrəfə] *s* biograf/ka

biographic(al) [,baiou'græfik(l)] *adj* biograficzny

biography [bai'ɔgrəfi] *s* biografia

↑ **biological** [,baiə'lɔdʒikəl] *adj* biologiczny

biology [bai'ɔlədʒi] *s* biologia

biometric(al) [,baiə'metrik(l)] *adj* biometryczny

biometry [bai'ɔmitri] *s* biometria

bionomics [baiə'nɔmiks] *s* bionomia, ekologia

biophysicist [,baiou'fizisist] *s* biofizyk

bipartite [bai'pɑ:tait] *adj* 1. dwudzielny 2. dwustronny

biped ['baiped] *s* stworzenie dwunożne

bipedal ['baipədl] *adj zoo* dwunożny

biphase ['bai,feiz] *adj elektr* dwufazowy (prąd)

biplane ['bai,plein] *s* dwupłatowiec

bipolar [bai'poulə] *adj* dwubiegunowy

biquadratic [,baikwɔ'drætik] *adj* dwukwadratowy

birch [bə:tʃ] [I] *s* 1. brzoza 2. rózgi [II] *vt* wy/chłostać [III] *adj* brzozowy

birchen ['bə:tʃən] *adj* brzozowy

birch-rod ['bə:tʃ,rɔd] *s* rózga

↑ **bird** [bə:d] *s* 1. ptak, ptaszek; **a ~ in the hand is worth two in the bush** lepszy wróbel w garści niż gołąb na dachu; *iron* **a little ~ told me** mały palec mi to powiedział; **~s of a feather flock together** ciągnie swój do swego; **the early ~ catches the worm** kto rano wstaje, temu Pan Bóg daje; **to give sb the ~** a) odprawić kogoś z kwitkiem b) wygwizdać kogoś (aktora itd.); **to kill two ~s with one stone** upiec dwie pieczenie przy jednym ogniu 2. *pot* gość; typ; facet/ka; **an old ~** stary wyga; **who is that old ~?** co to za gość?

bird-cage ['bə:d,keidʒ] *s* klatka

bird-call ['bə:d,kɔ:l] *s* 1. zew ptasi 2. wabik (przyrząd myśliwego do wabienia ptaków)

bird-cherry ['bə:d,tʃeri] *s bot* czeremcha

bird-fancier ['bə:d,fænsiə] *s* ptasznik; hodowca ptaków

birdie ['bə:di] *s* ptaszyna

bird-lime ['bə:d,laim] *s* lep na ptaki

bird's-cherry ['bə:dz,tʃeri] *s bot* czeremcha

bird-seed ['bə:d,si:d] *s* siemię (dla ptaków)

bird's-eye ['bə:dz,ai] [I] *s bot* przetacznik [II] *attr* (*o widoku*) z lotu ptaka

bird's-foot ['bə:dz,fut] *s bot* saradela, seradela

bird's-nest ['bə:dz,nest] [I] *s* gniazdko [II] *vi w zwrocie*: **to go ~ing** szukać gniazd ptasich; wybierać jajka z ptasich gniazd

bireme ['bairi:m] *s* galera o dwóch rzędach ławek dla wioślarzy

biretta [bi'retə] *s* biret

birl [bə:l] *vi am* 1. obracać się, wirować 2. warkotać (przy szybkim ruchu obrotowym)

birr [bə:] *s* 1. warkot 2. wibrująca wymowa głoski r

birth [bə:θ] *s* 1. urodzenie; **to give ~ to a child** urodzić dziecko 2. ród; **of high ~** szlachetnego rodu; **Polish by ~** rodem z Polski; Pol-ak/ka z urodzenia 3. poród 4. (*u zwierzęcia*) ocielenie <oźrebienie, oszczenienie, oprosienie, okocenie> się 5. powstawanie <narodziny> (czegoś) 6. *przen* płód; owoc

birth-certificate ['bə:θsə,tifikit] *s* metryka urodzenia

birth-control ['bə:θkən,troul] *s* 1. regulacja urodzeń 2. świadome macierzyństwo

birthday ['bə:θ,dei] *s* urodziny; **~ honours** odznaczenia nadawane w dniu urodzin król-a/owej; **in one's ~ suit** w stroju adamowym

birth-mark ['bə:θ,mɑ:k] *s* znamię przyrodzone
birth-place ['bə:θ,pleis] *s* miejsce urodzenia
birth-rate ['bə:θ,reit] *s* liczba urodzeń; przyrost naturalny
birth-right ['bə:θ,rait] *s* pierworództwo
birth-sin ['bə:θ,sin] *s* grzech pierworodny
birthwort ['bə:θ,wə:t] *s bot* kokornak powojnikowy
biscuit ['biskit] *s* 1. suchar 2. kolor jasnobrązowy 3. *cer* biskwit; porcelana nie glazurowana
bise [bi:z] *s* (*we Francji i Szwajcarii*) ostry wiatr północny
bisect [bai'sekt] *vt* przeci-ąć/nać na dwie połowy, przepołowić
bisection [bai'sekʃən] *s* przepołowienie
bisector [bai'sektə] *s* (linia) dwusieczna
bisexual [bai'seksjuəl] *adj* dwupłciowy, biseksualny
bishop ['biʃəp] [I] *s* 1. biskup 2. kruszon 3. *szach* goniec, laufer [II] *vt w zwrocie*: **to ~ a horse** a) spiłować koniowi zęby b) ukry-ć/wać wady konia (przy sprzedaży)
bishopric ['biʃəprik] *s* biskupstwo
bisk [bisk] *s* zupa z drobiu <z raków>
bismuth ['bizməθ] [I] *s chem* bizmut [II] *attr* bizmutowy
bison ['baisn] *s* żubr; bizon
bisque[1] [bisk] *s sport* for (przyznany słabszemu graczowi)
bisque[2] [bisk] *s* nie glazurowana porcelana
bisque[3] [bisk] = **bisk**
bissextile [bi'sekstail] *adj* (*o roku*) przestępny
bistort ['bistɔ:t] *s bot* rdest wężownik
bistoury ['bisturi] *s chir* bistur, skalpel, nóż chirurgiczny
bistr(e) ['bistə] *s* kolor ciemnobrunatny
bisulphate [bai'sʌlfeit] *s chem* dwusiarczan
bit[1] [bit] [I] *s* 1. wędzidło; *przen* **to champ the ~** tłumić bezsilny gniew; z trudem panować nad sobą; *przen* **to take the ~ between one's teeth** wziąć na kieł; z/buntować się 2. bródka (klucza) 3. lutownik 4. ostrze narzędzia 5. wiertło [II] *vt* (**-tt-**) o/kiełznać
bit[2] [bit] *s* 1. kawałek (chleba, papieru itd.) 2. odrobina; szczypta; krztyna; **a ~ jealous** trochę zazdrosny; **a ~ of luck** odrobina szczęścia; **a good ~** sporo; **a tiny ~** odrobineczkę; **~ by ~** po trochu; stopniowo; **every ~ as (good etc.)** tak samo (dobry itd.); wcale <bynajmniej> nie (gorszy itd.); **every ~ of it** całkowicie; w całej pełni; bez reszty; najzupełniej; **not a ~ (of it)** a) ani trochę b) bynajmniej; wcale nie 3. (*w czasie*) chwilka, chwileczka; **wait a ~** zaczekaj/cie chwilkę 4. **a threepenny ~** trzy pensy; moneta trzypensowa 5. *am* 10 centów 6. *charakteryzując człowieka*: **to be a ~ of a ...** być po trosze ... (czymś — artystą itd.); zakrawać na ... (pisarza itd.) 7. *nie tłumaczy się*: **a ~ of advice** rada; **a ~ of news** wiadomość 8. *w zwrocie*: **to do one's ~** a) przyczyni-ć/ać się (do czegoś) b) z/robić to, co do człowieka należy
bit[3] *zob* **bite** *v*
bitch [bitʃ] *s dosł i przen* suka, suczka
bite [bait] *v* (**bit** [bit], **bitten** ['bitn]) [I] *vt* 1. u/gryźć; odgry-źć/zać; obgry-źć/zać; **to ~ one's lips** zagry-źć/zać wargi; **to ~ one's nails** obgryzać sobie paznokcie; *przen* **to ~ the dust** gryźć ziemię; polec w walce; **dead dogs don't ~** umarli są nieszkodliwi 2. (*o owadzie itp*) gryźć; kłuć; dokuczać (**sb** komuś) 3. (*o gryzoniach itp*) nadgryzać 4. (*o kwasach itp*) trawić 5. (*o mrozie itp*) z/warzyć (liście itp.) 6. (*o mrozie*) szczypać [II] *vi* 1. (*o rybie*) chwytać 2. (*o mrozie*) szczypać 3. (*o kwasie*) trawić 4. (*o narzędziach, śrubie itp*) chwytać; **the wheels won't ~** koła ślizgają się
~ off *vt* odgry-źć/zać; **to ~ off one's nose** z/robić na złość <dokucz-yć/ać> samemu sobie; **don't ~ off more than you can chew** nie porywaj/cie się na rzeczy, które są ponad twoje <wasze> siły
~ through *vt* przegry-źć/zać
zob **biting, bitten** [III] *s* 1. ukąszenie 2. kąsek <kęsek> jedzenia; odrobina czegoś do jedzenia; **to have a ~** coś zjeść 3. *dosł i przen* chwyt
biter ['baitə] *s* zwierzę gryzące ‖ **it's a case of the ~ bit** kto pod kim dołki kopie, sam w nie wpada
biting ['baitiŋ] [I] *zob* **bite** *v* [II] *adj* 1. gryzący 2. (*o mrozie*) szczypiący 3. (*o dowcipie itp*) ostry; zgryźliwy; zjadliwy; cięty
bitstock ['bitstɔk] *s techn* korba do wierteł
bitt [bit] *s mar* poler, pachołek
bitten [I] *zob* **bite** *v* [II] *adj* 1. ugryziony; **once ~ twice shy** kto się na gorącym sparzy, ten na zimne dmucha; **were you ~?** czy da-łeś/liście się nabrać <naciągnąć, oszukać>? 2. dotknięty <zarażony> (manią, zapałem, ochotą do czegoś)
bitter ['bitə] [I] *adj* 1. gorzki 2. przykry; **to the ~ end** do upadłego; do ostatka; do ostatniego tchu 3. cierpki 4. zawzięty (wróg itp.); **to be ~ against sth** zwalczać coś zawzięcie 5. ostry <lodowaty> (wiatr) 6. szczypiący; przejmujący (mróz) [II] *s* 1. piwo gorzkie (silnie zaprawione chmielem) 2. gorycz; przykrość; przeciwność; **we must take the ~ with the sweet** trzeba umieć pogodzić jasne i ciemne strony życia; nie ma róży bez kolców 3. *pl* **~s** gorzkie krople (na pobudzenie apetytu, od bólu żołądka)
bittercress ['bitə,kres] *s bot* rzeżucha gorzka
bittern ['bitən] *s zoo* bąk (ptak)
bitterness ['bitənis] *s* 1. gorycz 2. przykrość 3. cierpkość 4. zawziętość 5. ostrość (wiatru, mrozu, klimatu) 6. żal; uraza 7. cięłość (dowcipu itp.)
bitter-sweet ['bitə,swi:t] [I] *adj* słodko-gorzki; kwaśno-słodki; słodki o posmaku goryczy [II] *s bot* słodkogorz
bitumen ['bitjumin] *s chem* smoła ziemna; bitum
bituminize [bi'tju:mi,naiz] *vt* smołować; asfaltować
bituminous [bi'tju:minəs] *adj* bitumiczny
bivalent ['bai,veilənt] = **divalent**
bivalve ['baivælv] [I] *s zoo* skorupiak [II] *adj zoo* dwuskorupowy
bivouac ['bivu,æk] [I] *s* biwak [II] *vi* (**bivouacked** ['bivu,ækt], **bivouacked; bivouacking** ['bivu,ækiŋ]) biwakować
biweekly ['bai'wi:kli] [I] *adj* 1. dwutygodniowy 2. (*o publikacji*) wychodzący dwa razy na tydzień [II] *s* 1. dwutygodnik 2. publikacja wychodząca dwa razy na tydzień
biz [biz] *s pot* = **business** *s*; **good ~!** brawo!; świetnie!
bizarre [bi'zɑ:] *adj* dziwaczny
bizone ['bai,zoun] *s* (*także pot* **Bizonia** [bai'zounjə]) anglo-amerykańska strefa okupacyjna w Niemczech (po II wojnie światowej)

blaa [blɑ:] *s am* puste słowa; czcza gadanina
blab [blæb] *vi* (-bb-) paplać; pleść; **to ~ out a secret** wypaplać tajemnicę; zdradzić sekret; wygadać się
blabber ['blæbə] *s* papla, gaduła, pleciuga
↑**black** [blæk] [I] *adj* 1. czarny; **~ cap** czarny biret (wkładany przez sędziów przed ogłoszeniem wyroku śmierci); **Black Country** okręg silnie uprzemysłowiony w Anglii środkowej; **Black Death** czarna śmierć; zaraza; mór; **~ mark** ciemna plama; **Black Rod** odźwierny w Izbie Lordów; **the devil is not so ~ as he is painted** nie taki diabeł czarny, jak go malują; **the kettle calls the saucepan ~** przyganiał kocioł garnkowi 2. (*o niebie*) ponury; ciemny; chmurny 3. (*o minie, wyglądzie itp*) ponury; gniewny; chmurny; żałobny; **to look ~** mieć ponurą minę 4. czarnoskóry; murzyński; **a ~ woman** Murzynka 5. **a ~ eye** podbite oko; **~ and blue** posiniaczony 6. *w zwrocie*: **to be in sb's ~ books** być przez kogoś źle widzianym; być u kogoś źle notowanym 7. *w zwrocie*: **~ in the face** purpurowy <siny> na twarzy [II] *s* 1. czarny kolor <lakier>; czarna farba; czernidło; czerń 2. czarne ubranie; czarny strój; żałoba 3. Murzyn/ka 4. sadza 5. (*na zbożu*) sporysz 6. *w zwrocie*: **to put sth down in ~ and white** da-ć/wać coś na piśmie; s/pisać coś czarno na białym [III] *vt* po/czernić; po/malować na czarno; powle-c/kać czernidłem
~ out *vt* 1. zaciemni-ć/ać (dla obrony przeciwlotniczej) 2. skreśl-ić/ać <wykreśl-ić/ać> ołówkiem cenzora
zob **blacking**
blackamoor ['blækə,muə] *s* Murzyn/ka
black-and-white ['blækənd'wait] *s* rysunek piórem <ołówkiem>
blackball ['blæk,bɔ:l] *vt* (*w balotowaniu*) dać czarną gałkę (**sb, sth** na kogoś, coś)
blackbeetle ['blæk,bi:tl] *s* karaluch
blackberry ['blækbəri] [I] *s bot* jeżyna, ożyna; ostrężnica [II] *vt w zwrocie*: **to go ~ing** pójść/chodzić na <zbierać> jeżyny
blackbird ['blæk,bə:d] *s zoo* kos
blackbirding ['blæk,bə:diŋ] *s* handel niewolnikami
blackboard ['blæk,bɔ:d] *s* tablica (szkolna)
blackcap ['blæk,kæp] *s zoo* krzewka czarnołbista (ptak)
black-coat ['blæk,kout] *attr w zwrocie:* **~ worker** urzędnik; biuralista
blackcock ['blæk,kɔk] *s zoo* cietrzew
black-currant ['blæk'kʌrənt] *s bot* czarna porzeczka
blacken ['blækən] [I] *vt* 1. po/malować na czarno; powle-c/kać czernidłem 2. oczerni-ć/ać [II] *vi* s/czernieć; po/ciemnieć
black-eyed ['blæk,aid] *adj* 1. czarnooki 2. z podbitym okiem
Blackfriar ['blæk'fraiə] *s* dominikanin
blackguard ['blægɑ:d] *s* szubrawiec; łajdak
blackguardly ['blægɑ:dli] *adj* nikczemny; łajdacki
blackhead ['blæk,hed] *s* wągr (na skórze)
blacking ['blækiŋ] [I] *zob* **black** *v* [II] *s* czernidło na buty
black-jack ['blæk,dʒæk] *s am* maczuga
black-lead ['blæk'led] *s* grafit
blackleg ['blæk,leg] *s* 1. szuler 2. łamistrajk
black-letter ['blæk,letə] *attr* **~ type** pismo gotyckie
black-list ['blæk,list] *vt* wciąg-nąć/ać na czarną listę; umie-ścić/szczać na indeksie
blackmail ['blæk,meil] [I] *s* szantaż; wymuszanie [II] *vt* szantażować
blackmailer ['blæk,meilə] *s* szantażyst-a/ka
↑**blackness** ['blæknis] *s* 1. czarny kolor; czerń 2. mrok; ciemność
black-out ['blæk,aut] *s* zaciemnienie
black-pudding ['blæk'pudiŋ] *s kulin* krwawa kiszka
black-shirt ['blæk,ʃə:t] *s* czarna koszula; faszysta włoski
blacksmith ['blæk,smiθ] *s* kowal
blacksnake [blæk,sneik] *s zoo* nieszkodliwy czarny wąż
blackthorn ['blæk,θɔ:n] *s bot* tarnina
blackwater ['blæk,wɔ:tə] *attr* **~ fever** złośliwa postać malarii połączona z krwiomoczem
↑**bladder** ['blædə] *s* 1. pęcherz 2. *bot* pęcherzyk 3. (*w piłce nożnej itp*) dętka
bladderwort ['blædə,wə:t] *s bot* pływacz
bladder-wrack ['blædə'rek] *s bot* morszczyn
↑**blade** [bleid] *s* 1. źdźbło (trawy) 2. liść (zboża); **corn in the ~** kiełkujące zboże 3. ostrze (noża, brzytwy itp.); brzeszczot; klinga (szpady itd.) 4. pióro (wiosła) 5. nóż (sieczkarni itp.) 6. sztych (łopaty) 7. łopatka (śmigła, turbiny itp.) 8. *pot* chwat; zuch; dziarski gość
blade-bone ['bleid,boun] *s anat* łopatka
blade-point ['bleid,pɔint] *adj fonet* (*o spółgłosce*) prepalatalny
blaeberry ['bleibəri] = **bilberry**
blague ['blɑ:g] *s* blaga; przechwałki
blah [blɑ:] = **blaa**
blain [blein] *s* krosta; pryszcz
blame [bleim] [I] *vt* 1. winić <potępi-ć/ać, z/ganić> (**sb for sth** kogoś za coś); z/robić zarzut (**sb for sth** komuś z czegoś); obciąż-yć/ać odpowiedzialnością (**sb for sth** kogoś za coś); **I don't ~ you** a) nie robię ci <wam> z tego zarzutu b) nie mam ci <wam> tego za złe c) nie dziwię ci <wam> się; **the one who is to ~** winny; ten, który ponosi winę (**for sth** za coś); **they are to ~** to ich wina; to (wszystko) przez nich 2. winić (coś, kogoś za wypadek itp.); złożyć/składać winę (na kogoś, coś — za nieszczęście itp.) *zob* **blamed** [II] *s* 1. zarzut/y; potępienie 2. wina; odpowiedzialność; **to bear the ~** być odpowiedzialnym <ponosić odpowiedzialność> za coś; **to lay <put, cast> the ~ for sth on sb <at sb's door>** winić <potępi-ć/ać> kogoś za coś; z/robić komuś zarzut z czegoś
blamed [bleimd] [I] *zob* **blame** *v* [II] *adj eufem* = **damned** *adj* [III] *adv* diabelsko
blameless ['bleimlis] *adj* nienaganny; niewinny; bez skazy
blameworthy ['bleim,wə:ði] *adj* zasługujący na naganę; godny potępienia
blanch [blɑ:ntʃ] [I] *vt* 1. po/bielić 2. s/parzyć (jarzyny) 3. wy/łuskać (migdały) 4. (*o chorobie itp*) wycieńcz-yć/ać; nada-ć/wać mizerny wygląd (**sb** komuś); **fear had ~ed his face** zbladł ze strachu [II] *vi* 1. z/blednąć 2. po/siwieć; **to ~ over** usprawiedliwi-ć/ać <wybiel-ić/ać> (kogoś)
blancmange [blə'mɔnʒ] *s* galareta migdałowa
bland [blænd] *adj* 1. uprzejmy; łaskawy; dobrotliwy 2. słodki 3. (*o klimacie itp*) łagodny 4. (*o uśmiechu*) szyderczy; ironiczny
blandish ['blændiʃ] *vt* przymil-ić/ać <przypochle-

bi-ć/ać> się (**sb** komuś); pochlebi-ć/ać (**sb** komuś)

blandishment ['blændiʃmənt] *s* pochlebstwa; przypochlebianie <przymilanie> się

blandness ['blændnis] *s* 1. uprzejmość 2. łaskawość z domieszką ironii 3. łagodność (klimatu itp.)

blank [blæŋk] [I] *adj* 1. czysty <nie zapisany> (papier itp.); **~ future** przyszłość bez żadnych widoków 2. nie wypełniony (czek, blankiet itp.); *przen* **to give sb a ~ cheque** dać komuś wolną rękę 3. (*o minie, wyglądzie*) bez wyrazu, obojętny; **to look ~** mieć zmieszaną <zakłopotaną> minę 4. *prozod* **~ verse** biały wiersz 5. (*o naboju, mapie, oknie itd*) ślepy 6. (*o życiu, miejscu do wypełnienia w formularzu itd*) pusty 7. **~ despair** głęboka rozpacz 8. **~ impossibility** całkowita niemożliwość [II] *s* 1. puste <nie zapisane> miejsce (w formularzu itp.) 2. pustka; próżnia; luka 3. ślepy nabój 4. (*na loterii*) pusty los; *przen* **to draw a ~** zawieść się; doznać zawodu; nie mieć szczęścia 5. krążek metalu 6. *druk* pauza; kreska 7. *am* blankiet; formularz [III] *vt am sport* pobić na głowę (drużynę)

blanket ['blæŋkit] [I] *s* 1. koc; derka; **born on the wrong side of the ~** nieślubny; **to get between the ~s** położyć/kłaść się do łóżka <spać>; *przen* **a wet ~** człowiek odbierający innym ochotę do zabawy; *wojsk lotn* **~ bombing** bombardowanie dywanowe 2. osłona (mgły); chmura (dymu); pasmo <wał> chmur 3. filc drukarski 4. *am* klauzula generalna (obejmująca wszelkie ewentualności) [II] *attr am* **~ Indian** Indian-in/ka (na pół dzik-i/a) [III] *vt* 1. okryć-/wać kocem 2. podrzuc-ić/ać (kogoś) na kocu (za karę) 3. za/tuszować (skandal itp.) 4. *mar* zabrać (**a ship** statkowi) wiatr (przechodząc po jego stronie nawietrznej) 5. *am* zaćmi-ć/ewać (kogoś)

blankety ['blæŋkiti] *adj pot* zatracony, zakichany

blankly ['blæŋkli] *adv* 1. bez wyrazu; bezmyślnie; obojętnie; (patrzyć itd.) nie zdradzając żadnych uczuć <tępo> 2. kategorycznie (zaprzeczyć itd.)

blankness ['blæŋknis] *s* 1. zakłopotanie 2. pustka; próżnia; luka

blare [blɛə] [I] *vi* (*także* **~ out** <**forth**>) 1. (*o trąbie, orkiestrze itp*) za/grzmieć; za/trąbić; za/dudnić 2. (*o człowieku*) wrz-asnąć/eszczeć; drzeć <wydzierać> się [II] *vt* 1. (*o orkiestrze*) hucznie za/grać (coś) 2. (*o człowieku*) wykrzyk-nąć/iwać donośnym <tubalnym, wrzaskliwym> głosem [III] *s* trąbienie; dudnienie; ogłuszający głos (czegoś)

blarney ['blɑ:ni] [I] *s* pochlebstwa [II] *vt* podchlebi-ć/ać <przymil-ić/ać> się (**sb** komuś)

blasé ['blɑ:zei] *adj* zblazowany

blaspheme [blæs'fi:m] [I] *vt* bluźnić (**the name of God** Bogu) [II] *vi* bluźnić

blasphemer [blæs'fi:mə] *s* bluźnierca

blasphemous ['blæsfiməs] *adj* bluźnierczy

blasphemy ['blæsfimi] *s* bluźnierstwo

blast [blɑ:st] [I] *s* 1. podmuch wiatru; prąd powietrza; *hut* strumień sprężonego powietrza; *hut* (*o piecu*) **in ~** czynny; *hut* (*o piecu*) **out of ~** nieczynny; zgaszony 2. strumień pary 3. zadęcie (na trąbie) 4. nagły gwizd (lokomotywy); ryk (syreny itd.) 5. ładunek materiałów wybuchowych [II] *vt* 1. wysadz-ić/ać (**w** powietrze) 2. (*o piorunie*) uderz-yć/ać (**sth** w coś) 3. zwarzyć (roślinę) 4. z/niszczyć <z/niweczyć> (nadzieję itp.) 5. s/kalać (czyjeś dobre imię) 6. kląć, przeklinać *zob* **blasted** [III] *interj* psiakrew!; **~ you!** niech cię <was> diabli wezmą!

blasted ['blɑ:stid] [I] *zob* **blast** *v* [II] *adj* przeklęty

blastema [blɑ:s'ti:mə] *s* (*pl* **~ta** [blɑ:s'ti:mətə]) *biol* zaródź

blast-furnace ['blɑ:st͵fə:nis] *s* piec hutniczy

blasting-powder [blɑ:stiŋ͵paudə] *s* środek wybuchowy

blastoderm ['blæstou͵də:m] *s biol* blastoderma

blast-pipe ['blɑ:st͵paip] *s* rura wydmuchowa

blat [blæt] *s am* beczenie (owcy)

blatancy ['bleitənsi] *s* 1. krzykliwość (barw itd.) 2. rażący charakter (niesprawiedliwości itd.)

blatant ['bleitənt] *adj* 1. (*o człowieku*) krzykliwy 2. (*o niesprawiedliwości itd*) rażący

blather ['blæðə] *s* czcza gadanina; puste słowa

blatherskite ['blæðə͵skait] *s* 1. czcza gadanina 2. *am* krzykacz/ka

blatter ['blætə] [I] *s* trajkotanie; paplanina [II] *vi* trajkotać; mleć językiem

blaze[1] [bleiz] [I] *s* 1. ogień; płomień; **in a ~** w ogniu; w płomieniach; **to burst (out) into a ~** wybuchnąć płomieniem; zapłonąć 2. wybuch (ognia, namiętności) 3. blask <światło> (słońca, klejnotów itd.); **in the ~ of day** w jasny <biały> dzień 4. jaskrawość (barw) 5. *pl* **~s** † *pot* ogień piekielny; piekło; **go to ~s!** idź/cie do diabła!; **like ~s** zawzięcie, z całych sił; piorunem; **what the ~s?** co u licha? [II] *vi* 1. płonąć; buchać płomieniem 2. świecić; błyszczeć; jaskrawić się; **to ~ with anger** za/pałać <wybuch-nąć/ać> gniewem; wście-c/kać się

~ away *vi* 1. buch-nąć/ać płomieniem 2. *wojsk* strzelać zawzięcie 3. *pot* mówić <gadać> tak, że się usta nie zamykają 4. pracować zawzięcie <bez wytchnienia> (**at sth** nad czymś)

~ out *vi* 1. wybuchnąć płomieniem 2. za/błysnąć 3. wyrzuc-ić/ać z siebie potok obelg <zarzutów itp.>

~ up *vi* 1. zapłonąć 2. wybuchnąć płomieniem *zob* **blazing**

blaze[2] [bleiz] [I] *s* 1. (*u konia, byka*) gwiazdka 2. nacięcie na drzewie dla oznaczenia drogi [II] *vt* 1. nacinać (drzewa) dla oznaczenia drogi 2. *przen* u/torować <wskaz-ać/ywać> (drogę)

blaze[3] [bleiz] *vt* rozgł-osić/aszać (wieść)

blazer ['bleizə] *s* 1. blezer (rodzaj żakietu lub kurtki) 2. bezczelne kłamstwo 3. *am* rzecz krzykliwa <w złym guście> 4. *am* gafa

blazing ['bleiziŋ] [I] *zob* **blaze**[1] *v* [II] *adj* 1. płonący 2. świecący; błyszczący 3. jaskrawy 4. rażący 5. *myśl* (*o tropie, śladzie zwierza*) świeży

blazon ['bleizn] [I] *vt* 1. o/zdobić herbem 2. rozgłaszać; sławić [II] *s* herb; tarcza herbowa

blazonry ['bleiznri] *s* 1. heraldyka 2. barwność

bleach [bli:tʃ] [I] *vt* 1. wy/bielić 2. u/farbować (włosy na jasny kolor) [II] *vi* z/bieleć

bleaching-powder ['bli:tʃiŋ͵paudə] *s* 1. chlorek bielący 2. wapno bielące

bleak[1] [bli:k] *s zoo* ukleja; płotka

bleak[2] [bli:k] *adj* 1. (*o terenie itp*) niegościnny 2. (*o pogodzie itp*) ponury 3. (*o wietrze*) zimny; lodowaty 4. (*o widokach na przyszłość itp*) niewesoły; smutny 5. (*o uśmiechu*) blady

bleakness ['bli:knis] *s* ponurość <niegościnność> (okolicy, budynku itp.)

blear [bliə] I *adj* 1. (*o rysunku itp*) mętny, zamglony, niewyraźny 2. (*o oczach*) łzawiący; kaprawy II *vt* zamglić; zaćmić

blear-eyed ['bliər,aid], **bleary** ['bliəri] *adj* (**blearier** ['bliəriə], **bleariest** ['bliəriist]) kaprawy

bleat [bli:t] I *vi* beczeć (jak owca, koza) II *s* bek, beczenie

bleb [bleb] *s* bąbel; pęcherzyk; bańka (powietrzna)

bled *zob* **bleed**

bleed [bli:d] *v* (**bled** [bled], **bled**) I *vt* 1. pu-ścić/szczać krew (**sb** komuś) 2. *przen* ciągnąć <wysysać> pieniądze (**sb** z kogoś) II *vr w zwrocie*: **to ~ oneself white** rujnować się (dla kogoś) III *vi* 1. krwawić; **the heart ~s** serce się kraje 2. przel-ać/ewać krew (dla ojczyzny itp.) 3. (*o drzewie*) s/tracić soki 4. (*o wodzie*) wyciekać; uchodzić (wskutek nieszczelności); (*o gazie*) ulatniać się, uchodzić 5. płacić, *pot* bulić

bleeder ['bli:də] *s med* hemofilik

bleeding-heart ['bli:diŋ,ha:t] *s bot* lak wonny; lak pospolity

blemish ['blemiʃ] I *s* wada; skaza; plama; **it is quite a ~ in him** to go bardzo szpeci II *vt* 1. s/plamić; być plamą (**sth** na czymś) 2. ze/psuć; być skazą (**sth** na czymś); ze/szpecić

blench[1] [blentʃ] I *vi* wzdryg-nąć/ać się; s/truchleć; **without ~ing** bez mrugnięcia okiem; nie drgnąwszy (nawet) II *vt* przym-knąć/ykać oczy (**sth** na coś); cof-nąć/ać się (**sth** przed czymś — rzeczywistością itp.); nie chcieć spojrzeć (**sth** czemuś — prawdzie) w oczy

blench[2] [blentʃ] *vi* z/blednąć

blend [blend] *v* (*praet* **blended** ['blendid], **blent** [blent], *pp* **blended, blent**) I *vt* 1. po/łączyć 2. z/mieszać; sporządz-ić/ać mieszankę (**sth** czegoś — gatunków itp.) II *vi* 1. po/łączyć się 2. z/mieszać się; zl-ać/ewać się w jedno III *s* mieszanka

blende [blend] *s miner* blenda

Blenheim ['blenəm] *spr* **~ spaniel** rasa spanieli

Blenheim-orange ['blenəm'ɔrindʒ] *s* gatunek czerwonego jabłka

blennorrhoea [,blenə'riə] *s med* śluzotok

blenny ['bleni] *s zoo* ślizga (ryba)

blent *zob* **blend** *v*

blesbok ['blesbɔk] *s zoo* antylopa południowoafrykańska

bless [bles] *v* (*praet* **blessed** [blest], **blest** [blest], *pp* **blessed, blest**) I *vt* 1. *dosł i iron* po/błogosławić; udziel-ić/ać błogosławieństwa (**sb** komuś); **God ~ you!** a) niech cię <was> Bóg błogosławi! b) niemożliwe!; co też ty <wy> mówi-sz/cie?; **to ~ one's stars** uważać się za szczęśliwego; dziękować Bogu 2. *w zwrotach wyrażających zdziwienie*: **God ~ me!**; **~ my soul!**; **well, I'm blest!** czyżby?; niemożliwe!; coś takiego! 3. czcić; wielbić 4. poświęc-ić/ać (dzwon itp.) II *vr* **~ oneself** † przeżegnać się; **not to have a penny to ~ oneself with** nie mieć grosza przy duszy *zob* **blessed, blessing**

blessed [blest] I *zob* **bless** *v* II *adj* ['blesid] 1. błogosławiony; **the Blessed Virgin** Matka Boska 2. *wyraża zniecierpliwienie, złość*: **the whole ~ day** cały boży dzień; **what a ~ nuisance!** cóż to za diabelne utrapienie!

blessedness ['blesidnis] *s* szczęśliwy żywot; **single ~** stan bezżenny

blessing ['blesiŋ] I *zob* **bless** *v* II *s* 1. błogosławieństwo 2. dobrodziejstwo; dar boski; szczęście; **a ~ in disguise** niespodziewane <ukryte> szczęście; **what a ~!** co za szczęście! 3. *pl* **~s** zdobycze (cywilizacji, kultury) 4. modlitwa przed jedzeniem

blest *zob* **bless**

blether ['bleðə] I *vi* pleść głupstwa II *s* pusta gadanina

blethering ['bleðəriŋ] = **blithering**

blew *zob* **blow**[1,3] *v*

blewit ['blu:it] *s* grzyb jadalny z rodzaju bedłki

blight [blait] I *s* 1. zły urok; nieszczęście 2. rdza <śnieć> (na zbożu) 3. zwiędnięcie <zwarzenie> (roślin) 4. duszne powietrze II *vt* 1. rzuc-ić/ać urok (**sb, sth** na kogoś, coś) 2. zwarzyć (roślinę) 3. z/niszczyć; z/niweczyć <zaw-ieść/odzić> (nadzieje itp.)

blighter ['blaitə] *s* 1. gałgan (człowiek); nicpoń 2. cham/ka 3. nudzia-rz/rka 4. *żart* **you lucky ~!** ty szczęściarzu!

Blighty ['blaiti] *s* dom (rodzinny w kraju, wymarzony przez żołnierzy walczących na froncie zachodnim w czasie I wojny światowej); **a ~ one** rana zapewniająca powrót do kraju <do domu>

blimey ['blaimi] *interj wulg wyraża zdumienie*: psiajucha! itp.

blimp[1] [blimp] *s* mały sterowiec wywiadowczy

blimp[2] [blimp] *s* zatwardział-y/a szowinist-a/ka; zagorzał-y/a reakcjonist-a/ka

↑**blind** [blaind] I *adj* 1. ślepy; niewidomy; **~ of one eye** ślepy na jedno oko; *pl* **the ~** niewidomi; **to be ~ to sth** nie widzieć czegoś; być ślepym na coś; **to turn a ~ eye to sth** udawać, że się czegoś nie widzi; patrzyć na coś przez palce ‖ **a ~ man's holiday** zmrok; **~ to the world** upity do nieprzytomności 2. (*o posłuszeństwie, wierze, latarce, torze kolejowym itd*) ślepy 3. (*o oknie, drzwiach*) ślepy; zamurowany; zamaskowany; ukryty; tajny 4. (*o ścieżce, piśmie*) niewyraźny 5. **~ alley** a) *dosł i przen* ślepa uliczka b) zaułek c) *przen* impas 6. **a ~ shell** niewypał 7. **a ~ letter** list niedokładnie <nieczytelnie> zaadresowany 8. **the ~ side of sb, sth** słaba strona czyjaś, czegoś 9. (*o ściegu*) niewidoczny 10. (*o rowie*) przykryty 11. *am* (*z czasów prohibicji*) **a ~ pig** <**tiger**> tajny bar II *s* 1. stora; **Venetian ~** żaluzja 2. maska; pretekst; wymówka 3. żywiołowa zabawa; **to go on the ~** żywiołowo się bawić 4. okulary końskie III *vt* 1. oślepi-ć/ać; pozbawi-ć/ać wzroku; przyprawi-ć/ać (kogoś) o utratę wzroku 2. (*o świetle, blasku*) oślepi-ć/ać 3. *przen* oślepi-ć/ać; pozbawi-ć/ać zdrowego sądu <rozsądku> 4. zaciemni-ć/ać 5. *wojsk* opancerz-yć/ać 6. *w zwrocie*: **to ~ along (the road)** pędzić <jechać, jeździć> z zawrotną szybkością *zob* **blinding**

blindage ['blaindidʒ] *s wojsk* opancerzenie

blind-alley ['blaind,æli] *attr* **~ occupation** zajęcie <posada> bez widoków na przyszłość

blinders ['blaindəz] *spl* okulary końskie (zasłona)

blindfold ['blaind,fould] I *adv* 1. z zawiązanymi oczami 2. na oślep; bez zastanowienia 3. (iść itd.) po omacku II *vt* zawiąz-ać/ywać oczy (**sb** komuś); *przen* oślepi-ć/ać (kogoś)

blinding ['blaindiŋ] I *zob* **blind** *v* II *adj* oślepiający

blindly ['blaindli] *adv* 1. ślepo 2. na oślep; bez zastanowienia
blindman ['blaind,mæn] *s* **~'s buff** gra w ciuciubabkę
blindness ['blaindnis] *s* 1. ślepota; utrata wzroku 2. zaślepienie
blind-stitch['blaind,stitʃ] *s* kryty ścieg
blind-worm ['blaind,wə:m] *s zoo* padalec
blink [bliŋk] [I] *vi* 1. za/mrugać oczami 2. przymruż-yć/ać oczy 3. mig-nąć/ać; migotać [II] *vt* rozmyślnie <świadomie> nie widzieć <nie dostrze-c/gać> (**sb, sth** kogoś, czegoś); **to ~ a question** uchyl-ić/ać się od odpowiedzi; **to ~ the facts** nie chcieć spojrzeć prawdzie w oczy; **there's no ~ing the facts** nie ma co się łudzić *zob* **blinking** [III] *s* 1. mignięcie; migotanie 2. odblask z odległych pól lodowych
blinkard ['bliŋkəd] *s* 1. człowiek z tikiem powieki 2. głupiec; tuman
blinkers ['bliŋkəz] *spl* 1. = **blinders** 2. *sl* oczy
blinking ['bliŋkiŋ] [I] *zob* **blink** *v* [II] *adj* 1. migocący 2. *eufem* diabelny; zatracony *zob* **bloody**
blinks [bliŋks] *s bot* mokrzyca; ptasie ziele
bliss [blis] *s* błogość; rozkosz; szczęście
blissful ['blisful] *adj* błogi
blister ['blistə] [I] *s* 1. pęcherz, pęcherzyk; bąbel (na ciele, w szkle, metalu itp.) 2. wezykatoria; plaster 3. *sl* nudziarstwo 4. *sl* nudzia-rz/rka [II] *attr* **~ gas** gaz parzący [III] *vt* 1. pokry-ć/wać bąblami <pęcherzami> 2. stosować wezykatorię <przylepi-ć/ać plaster> (**sb, sth** komuś, na coś) [IV] *vi* pokry-ć/wać się bąblami <pęcherzami>
blister-steel ['blistə,sti:l] *s metal* stal pęcherzasta
blite [blait] *s bot* komosa
blithering ['bliðəriŋ] *adj* (*o łotrze itp*) skończony
blithe(some) ['blaið(səm)] *adj poet* wesoły; pogodny; uradowany
blitz [blits] [I] *s* 1. wojna błyskawiczna 2. nalot [II] *vt* dokon-ać/ywać nalotu (**sth** na coś — miasto itp.); z/bombardować z powietrza
blizzard ['blizəd] *s* zamieć; zadymka śnieżna
bloat[1] [blout] *vt vi* nad-ąć/ymać (się) *zob* **bloated**
bloat[2] [blout] *vt* u/wędzić
bloated ['bloutid] [I] *zob* **bloat**[1] *v* [II] *adj* 1. nadęty 2. opasły; wypasiony; **~ armaments** nadmierne zbrojenia
bloater ['bloutə] *s* śledź wędzony; pikling
blob [blɔb] [I] *s* 1. kropelka 2. plamka; kleks [II] *vt* (**-bb-**) po/plamić (atramentem)
blobber-lipped ['blɔbə,lipt] *adj* (*o człowieku*) o grubych, obwisłych wargach
bloc [blɔk] *s polit ekon* blok
block [blɔk] [I] *s* 1. kloc; pniak 2. bryła (kamienia itp.) 3. blok (domów); (*o prostytutce*) **to do the ~** stać <wystawać> pod latarnią 4. pień (katowski); **to go to the ~** pójść/iść na szafot; z/ginąć pod toporem kata 5. *parl* obstrukcja 6. zatamowanie ruchu ulicznego; zator; korek 7. zablokowanie 8. blok (do podnoszenia ciężarów) 9. *kolej* odcinek; **~ system** system blokowy 10. manekin fryzjerski 11. *pl* **building ~s** klocki (do zabawy) 12. *druk* klisza [II] *vt* za/blokować; za/tamować; za/tarasować; zat-kać/ykać
~ in *vt* 1. zam-knąć/ykać 2. na/szkicować
~ out *vt* 1. na/szkicować 2. zam-knąć/ykać; zasł-onić/aniać (widok, pole widzenia) 3. (*o cenzorze*) skreśl-ić/ać, wykreśl-ić/ać
~ up *vt* 1. zam-knąć/ykać 2. zat-kać/ykać 3. zamurow-ać/ywać
blockade [blɔ'keid] [I] *s* 1. blokada; **to run a ~** s/forsować blokadę 2. *am* przerwa w ruchu (kolejowym, ulicznym itd.); zator [II] *vt* 1. **za/blokować** 2. *am* **z/robić zator** (**sth** na czymś, w czymś); za/tarasować
block-chain ['blɔk,tʃein] *s mech* łańcuch złączkowy
blockhead ['blɔk,hed] *s* jołop; głupiec; dureń
blockhouse ['blɔk,haus] *s fort* **blokhauz**
blockish ['blɔkiʃ] *adj* tumanowaty
block-letters ['blɔk,letəz] *spl* duże litery drukowane
bloke [blouk] *s pot* człowiek; gość; facet; typ
blond [blɔnd] [I] *s* 1. blondyn 2. blondyna (koronka) [II] *adj* (*o włosach*) jasny, blond; (*o człowieku*) jasnowłosy
blonde [blɔnd] *s* blondynka
blood [blʌd] [I] *s* 1. krew; **bad <ill> ~** a) zła krew b) porachunki c) niechęć; **~ and thunder literature** literatura sensacyjna <rewolwerowa>; **his ~ was up <boiled>** krew w nim zakipiała; **in cold ~** z zimną krwią; na zimno; **to make one's ~ run cold** przyprawi-ć/ać kogoś o dreszcz zgrozy; z/mrozić komuś **krew** w żyłach; **you can't get ~ out of a stone** z kamienia łez nie wyciśniesz 2. pokrewieństwo; **it runs in the ~** to jest rodzinne <dziedziczne>; **they are near in ~** między nimi jest bliskie pokrewieństwo || **~ is thicker than water** bliższa koszula ciału niż **sukni**a 3. ród; **blue ~** błękitna krew; **prince of the ~** książę krwi 4. (*u zwierząt*) czysta rasa 5. **young ~** a) elegant b) młody polityk 6. **base ~** pochodzenie nieślubne [II] *vt* 1. pu-ścić/szczać krew (**sb** komuś) 2. przyucz-yć/ać psa do smaku <do zapachu> krwi *zob* **blooded**
bloodcurdling ['blʌd,kə:dliŋ] *adj* mrożący krew w żyłach
blooded ['blʌdid] [I] *zob* **blood** *v* [II] *adj am* rasowy
blood-giver ['blʌd,givə] *s* krwiodaw-ca/czyni
blood-group ['blʌd,gru:p] *s* grupa krwi
blood-guiltiness ['blʌd,giltinis] *s* wina za czyjąś śmierć
bloodheat ['blʌd,hi:t] *s* normalna temperatura ciała
bloodhorse ['blʌd,hɔ:s] *s* koń rasowy
bloodhound ['blʌd,haund] *s* 1. ogar; pies gończy 2. (*o człowieku*) wywiadowca; szpieg
bloodily ['blʌdili] *adv* 1. krwawo 2. *wulg* cholernie
bloodless ['blʌdlis] *adj* 1. bezkrwawy 2. blady 3. bez życia
blood-letting ['blʌd,letiŋ] *s* puszczanie krwi
blood-money ['blʌd,mʌni] *s* 1. wynagrodzenie wypłacane świadkowi mordu za zeznania 2. odszkodowanie za ofiarę mordu <zabójstwa> wypłacane rodzinie 3. *sl lotn* premia wypłacana lotnikowi za strącenie samolotu nieprzyjacielskiego
blood-orange ['blʌd,ɔrindʒ] *s* pomarańcza malinowa
bloodpoisoning ['blʌd,pɔizəniŋ] *s* zatrucie krwi
blood-red ['blʌd'red] *adj* czerwony jak krew
blood-relation ['blʌdri,leiʃən] *s* krewn-y/a
bloodshed ['blʌd,ʃed] *s* rozlew krwi
bloodshot ['blʌd,ʃɔt] *adj* (*o oczach*) zaszły <nabiegły> krwią

bloodstain ['blʌd,stein] *s* krwawa plama

bloodstained ['blʌd,steind] *adj* pokrwawiony; splamiony (cudzą) krwią

bloodstock ['blʌd,stɔk] *s zbior* rasowe konie pełnej krwi

blood-stone ['blʌd,stoun] *s miner* krwawnik

blood-sucker ['blʌd,sʌkə] *s dosł i przen* pijawka

blood-thirstiness ['blʌd,θə:stinis] *s* krwiożerczość

blood-thirsty ['blʌd,θə:sti] *adj* (**blood-thirstier** ['blʌd,θə:stiə], **blood-thirstiest** ['blʌd,θə:stiist]) krwiożerczy

blood-vessel ['blʌd,vesl] *s* naczynie krwionośne

bloodwarm ['blʌd,wɔ:m] *adj* o temperaturze krwi

blood-worm ['blʌd,wə:m] *s zoo* ochotka (owad)

bloodwort ['blʌd,wə:t] *s bot* szczaw gajowy

↑**bloody** ['blʌdi] [I] *adj* (**bloodier** ['blʌdiə], **bloodiest** ['blʌdiist]) 1. krwawy; pokrwawiony 2. krwiożerczy 3. *wulg* (*wyraz nie używany w kulturalnym środowisku*) cholerny; sakramencki [II] *adv wulg* cholernie; sakramencko; jak (jasna) cholera

bloom[1] [blu:m] [I] *s* 1. kwiat 2. kwitnienie; **in ~** kwitnący; (*o kwiecie*) **in full ~** rozwinięty; **in the ~ of youth** w kwiecie wieku; **it has lost its ~** to przekwitło 3. meszek (na owocach) [II] *vi* kwitnąć, zakwit-nąć/ać *zob* **blooming**

bloom[2] [blu:m] *s* łupa (surowego żelaza)

bloomer ['blu:mə] *s* gafa; **to make a ~** popełnić gafę

bloomers ['blu:məz] *spl* spodenki (kobiece — do jazdy na rowerze i gimnastyki)

bloomery ['blu:məri] *s hut* oczyszczalnia

blooming ['blu:miŋ] [I] *zob* **bloom**[1] *v* [II] *adj* 1. kwitnący 2. *eufem* zatracony; diabelny *zob* **bloody** [III] *s* kwitnienie

Bloomsbury ['blu:mzbəri] *spr* dzielnica Londynu zamieszkała dawniej przez sfery zamożne, dziś przez literatów

bloomy ['blu:mi] *adj dosł i przen* kwitnący

blossom ['blɔsəm] [I] *s* kwiat (drzew owocowych); **in ~** w kwieciu; kwitnący [II] *vi* kwitnąć

~ out *vi* 1. zakwit-nąć/ać 2. rozwi-nąć/jać się (**into sth** w coś); **he ~ed out into a statesman** wyszedł na męża stanu

blot[1] [blɔt] [I] *s* 1. plama; kleks 2. wada; usterka [II] *vt* (**-tt-**) 1. s/plamić, poplamić, zaplamić 2. osusz-yć/ać (bibułą itp.)

~ out *vt* 1. zmaz-ać/ywać; wymaz-ać/ywać; wykreśl-ić/ać 2. ukry-ć/wać (przed wzrokiem); zamaz-ać/ywać

blot[2] [blɔt] *s* 1. (*w tryktraku*) zagrożony krążek <kamień> 2. (*w strategii itp*) słabe miejsce

blotch [blɔtʃ] *s* 1. krosta 2. plama; kleks

blotched [blɔtʃt], **blotchy** ['blɔtʃi] *adj* (**blotchier** ['blɔtʃiə], **blotchiest** ['blɔtʃiist]) 1. krostowaty 2. poplamiony; z kleksami

blotter ['blɔtə] *s* 1. suszka, bibularz 2. *am handl* księga bieżąca; *admin* księga aresztowań

blottesque [blɔ'tesk] *adj* (*o obrazie*) namalowany śmiałymi plamami; (*o opisie*) operujący barwnymi szczegółami

blotting-pad ['blɔtiŋ,pæd] = **blotter** 1.

blotting-paper ['blɔtiŋ,peipə] *s* bibuła (wchłaniająca atrament)

blotto ['blɔtou] *adj sl* zalany w pestkę; pijany jak bela

blouse [blauz] *s* 1. bluzka (damska) 2. (męska) bluza (robocza)

blow[1] [blou] [I] *vi* (**blew** [blu:], **blown** [bloun]) rozkwit-nąć/ać; *poet* zakwit-nąć/ać [II] *s* kwitnienie; **in full ~** w pełni rozwinięty

blow[2] [blou] *s* 1. uderzenie; raz; cios; **at a <one> ~** za jednym zamachem; od jednego razu; **~s fell thick and fast** gęsto sypały się razy; (*o ludziach*) **to come to ~s** pobić się; zacząć się bić <*pot* prać>; **it came to ~s** doszło do rękoczynów; **to strike <give> a ~** uderzyć; zadać cios; zdzielić; walnąć 2. cios; nieszczęście

↑**blow**[3] [blou] *v* (**blew** [blu:], **blown** [bloun]) [I] *vi* 1. dmuch-nąć/ać; dąć; **it is ~ing hard** jest silny wiatr; **the door blew open** drzwi rozwarły się (pod naporem wiatru) 2. sapać; dyszeć 3. (*o żarówce, bezpieczniku*) przepalić się 4. *am* chwalić się 5. *w zwrotach*: **to ~ on sb** zdradz-ić/ać kogoś; **to ~ upon sb's reputation** oczerniać kogoś 6. *am* narobić hałasu (dokoła jakiejś sprawy) [II] *vt* 1. na/dmuchać (powietrz-a/e do czegoś) 2. (*o wietrze*) mieść <miotać> (**rain etc.** deszczem itp.); zepchnąć/spychać (statek na brzeg itp.) 3. za/grać (**a trumpet etc.** na trąbce itp.); *przen* **to ~ one's own trumpet** wychwalać się 4. przepalić (bezpiecznik, żarówkę itp.) 5. (*o muchach*) złożyć/składać jajka (**meat etc.** na mięsie itp.) 6. *wykrzyknikowo*: **~ it!** niech to diabli wezmą!; **I'll be ~ed if ...** niech mnie diabli wezmą, jeśli ... 7. rozbić; rozwalić; zniszczyć 8. wysiąkać (nos) 9. *w zwrocie*: **to ~ sb a kiss** posłać komuś całusa 10. palić <kurzyć> fajkę

~ about [I] *vi* 1. (*o liściach itp*) latać na wszystkie strony 2. (*o wietrze*) hulać [II] *vt* rozdmuch-ać/iwać

~ away *vt* 1. zdmuch-nąć/iwać 2. por-wać/ywać (żagle itd.)

~ down *vt* 1. zdmuch-nąć/iwać 2. powalić (zboże, drzewo itd.)

~ in [I] *vi* wl-ecieć/atywać; wpa-ść/dać (do pokoju itd.) [II] *vt* (*o wietrze*) wgni-eść/atać (szybę itp.)

~ off [I] *vt* 1. zdmuch-nąć/iwać; por-wać/ywać 2. *w zwrocie*: **to ~ off steam** a) wypu-ścić/szczać parę b) *przen* wyładow-ać/ywać nadmiar energii; wyży-ć/wać się [II] *vi* (*o kapeluszu itp*) zlecieć; polecieć

~ out [I] *vt* 1. zdmuch-nąć/iwać <z/gasić> (świeczkę, lampę itd.) 2. wyd-ąć/ymać (policzki itp.) 3. wydmuch-ać/iwać (coś z rury itp.) 4. *w zwrocie*: **to ~ out one's brains** zastrzelić się; *pot* palnąć sobie w łeb [II] *vi* 1. (*o oponie*) pęk-nąć/ać; *pot* nawal-ić/ać 2. *elektr* (*o bezpieczniku*) przepal-ić/ać się

~ over *vi* (*o burzy*) prze-jść/chodzić; ucisz-yć/ać się; przemi-nąć/jać

~ through *vt* przeczy-ścić/szczać; przedmuch-ać/iwać (rury itp.)

~ up [I] *vt* 1. wysadz-ić/ać w powietrze 2. napompować (oponę itp.) 3. z/besztać; skrzyczeć [II] *vi* 1. wyl-ecieć/atywać w powietrze; pęk-nąć/ać 2. nad-ąć/ymać się (**with pride** pychą) *zob* **blowing-up**

zob **blowing** [III] *s* 1. podmuch wiatru 2. przewietrzenie się 3. *muz* dęcie <dmuchanie> (w instrument) 4. wysiąkanie (nosa) 5. jajka muchy

blow-ball ['blou,bɔ:l] *s bot* dmuchawiec

blower ['blouə] *s* 1. dmuchacz (robotnik w hucie

szkła) 2. wentylator 3. ulatnianie się gazu 4. *techn* dmuchawka

blow-fly ['blou,flai] *s zoo* mucha mięsna

blow-gun ['blou,gʌn] *s* pistolet pneumatyczny

blow-hole ['blou,houl] *s* 1. nozdrze (wieloryba) 2. otwór wentylacyjny (w tunelu itp.) 3. *metalurg* pęcherz; bańka (w metalu)

blowing ['blouiŋ] [I] *zob* **blow³** *v* [II] *s* 1. dęcie; dmuchanie 2. ulatnianie się (gazu) [III] *attr techn* ~ **engine** <**machine**> dmuchawa

blowing-up ['blouiŋ'ʌp] [I] *zob* **blow³ up** *v* [II] *s* 1. wybuch 2. rozerwanie (opony) 3. zbesztanie

blow-lamp ['blou,læmp] *s techn* lampa lutownicza

blown *zob* **blow¹, ³** *v*

blow-off ['blou'ɔf] *attr* ~ **cock** kurek spustowy; ~ **pipe** rura spustowa

blow-out ['blou'aut] *s* 1. wydmuchiwanie 2. wybuch 3. rozerwanie (opony itp.) 4. *sl* wyżerka

blow-pipe ['blou,paip] *s techn* dmuchawka

blow-through ['blou'θru:] *s* przeczyszczanie <przedmuchiwanie> (rur itp.)

blow-torch ['blou,tɔ:tʃ] *s techn* lampa lutownicza

blow-up ['blou'ʌp] *s* 1. sprzeczka; starcie 2. wybuch

blowy ['bloui] *adj* (**blowier** ['blouiə], **blowiest** ['blouiist]) wietrzny

blowzed ['blauzd], **blowzy** ['blauzi] *adj* (**blowzier** ['blauziə], **blowziest** ['blauziist]) 1. o czerwonej, pospolitej twarzy 2. rozczochrany 3. niechlujny

blub [blʌb] *vi* (-bb-) *sl skr* = **blubber³** *v*

blubber¹ ['blʌbə] *s* tran wielorybi

blubber² ['blʌbə] *adj* (*o wargach*) wydęty, gruby

blubber³ ['blʌbə] [I] *s* atak płaczu [II] *vi* 1. beczeć 2. umazać sobie twarz

blubberer ['blʌbərə] *s* beksa

bluchers ['blu:tʃəz] *spl* półbuty (staromodne)

bludgeon ['blʌdʒən] [I] *s* pałka; maczuga [II] *vt* walić <okładać> pałką <maczugą>

blue [blu:] [I] *adj* 1. błękitny; niebieski; ~ **laws** purytańskie zarządzenia; *am* **the Blue Law State** stan Connecticut; ~ **ointment** maść rtęciowa; ~ **ribbon** a) wstążka Orderu Podwiązki b) odznaka abstynentów; ~ **water** otwarte morze; **in a ~ funk** <**fear**> w panice; nieprzytomny ze strachu; **once in a ~ moon** raz od wielkiego święta; rzadko kiedy; **to drink till all is ~** upić się do nieprzytomności 2. siny; **to go ~** po/sinieć; **I have told you till I am ~ in the face** płuca sobie wygadałem; **till you are ~ in the face** aż do utraty tchu; **you may talk till you're ~ in the face** gadaj zdrów 3. przygnębiony; zdeprymowany; ~ **despair** głęboka <czarna> rozpacz; **I feel ~** chandra mnie napadła; jestem przygnębiony; mam czarne myśli; **things looked ~** wszystko wyglądało deprymująco <beznadziejnie> 4. wierny; oddany; niezawodny 5. (*o anegdocie itp*) sprośny [II] *s* 1. błękit; lazur; kolor niebieski; **Cambridge ~** kolor bladoniebieski; **navy ~** kolor granatowy; granat; **Oxford ~** kolor granatowy; **washing ~** farbka 2. niebo 3. patriot-a/ka; oddan-y/a <niezawodn-y/a> stronni-k/czka 4. *pl* **~s** a) chandra; przygnębienie; czarne myśli b) jankesi (w wojnie domowej) c) **the Dark** <**Light**> **~s** drużyna uniwersytetu w Oxford <Cambridge> d) kawaleria Gwardii Królewskiej e) nazwa wolnego tańca (z okresu międzywojennego) [III] *vt* 1. u/farbować <po/malować> na kolor niebieski 2. u/farbować (bieliznę) 3. roz/trwonić <pu-ścić/szczać, przepu-ścić/szczać, przehulać> (pieniądze itp.)

Bluebeard ['blu:,biəd] *spr* Sinobrody

bluebell ['blu:,bel] *s bot* dzwonek

blueberry ['blu:bəri] *s bot* amerykański gatunek czarnej borówki

blue-bonnet ['blu:,bɔnit] *s bot* bławatek

blue-book ['blu:,buk] *s* 1. błękitna księga (sprawozdanie parlamentu, królewskiej rady przybocznej, rządu) 2. *am* wykaz urzędników państwowych z notatkami biograficznymi

blue-bottle ['blu:,bɔtl] *s* 1. *bot* bławatek 2. *zoo* mucha mięsna

blue-coat ['blu:,kout] *attr* ~ **boy** uczeń słynnej szkoły "Christ's Hospital"

blue-jacket ['blu:,dʒækit] *s* marynarz

blue-jay ['blu:,dʒei] *s zoo* sójka amerykańska

bluenose ['blu:,nouz] *s am pot* mieszkaniec Nowej Szkocji

blue-pencil ['blu:,pensl] *vt* (-l-, -ll-) skreśl-ić/ać <wykreśl-ić/ać> w cenzurze; o/cenzurować

blue-print ['blu:,print] *s* 1. odbitka światłodrukowa 2. *przen* plan; projekt

bluestocking ['blu:,stɔkiŋ] *s* 1. sawantka; intelektualistka 2. pedantka

blue-stone ['blu:,stoun] *s chem* siarczan miedziowy

blue-water ['blu:,wɔ:tə] *attr* ~ **school** zwolennicy utrzymywania silnej floty jako dostatecznej obrony Anglii

bluff¹ [blʌf] [I] *adj* 1. (*o człowieku*) rubaszny; szczery; prostoduszny; (*o obejściu*) szorstki 2. (*o brzegu morskim itp*) urwisty; (*o boku statku*) prostopadły [II] *s* urwisty cypel; stromizna; urwisko

bluff² [blʌf] [I] *s* blaga; bluff; bluffowanie; mydlenie oczu [II] *vi* bluffować; blagować [III] *vt* mydlić oczy (**sb** komuś); za/bluffować; nastraszyć

bluffness ['blʌfnis] *s* rubaszność; szorstkość (obejścia); prostoduszność; szczerość

bluing ['blu:iŋ] [I] *zob* **blue** *v* [II] *s* farbka (do bielizny)

bluish ['blu:iʃ] *adj* niebieskawy

blunder ['blʌndə] [I] *vi* popełni-ć/ać błąd; z/błądzić; popełni-ć/ać gafę; **to ~ against** <**into, upon**> **sth** niespodziewanie natknąć się na coś

~ **along** *vi* iść po omacku; nieudolnie posuwać się naprzód; mimo licznych błędów robić pewne postępy

~ **out** *vt w zwrocie*: **to ~ out a secret** wygadać się

~ **through** *vi* wykaraskać <wygrzeb-ać/ywać> się; wybrnąć (z opresji)

zob **blundering** [II] *s* 1. błąd; pomyłka 2. gruba niezręczność; gafa

blunderbuss ['blʌndə,bʌs] *s* rusznica

blunderhead ['blʌndə,hed] = **dunderhead**

blundering ['blʌndəriŋ] [I] *zob* **blunder** *v* [II] *adj* nieudolny; niezdarny

blunge ['blʌndʒ] *vt* mieszać <rozr-obić/abiać> (glinkę itd.); rozbełtywać

blunt [blʌnt] [I] *adj* 1. (*o przedmiocie*) tępy; (*o ostrzu*) stępiony; (*o uczuciach, zmysłach*) przytępiony; stępiony 2. (*o człowieku*) otwarty; mówiący bez obsłonek; **a ~ man** weredyk [II] *vt* stępi-ć/ać; przytępi-ć/ać [III] *s* 1. krótka gruba igła 2. *sl* forsa, gotówka

bluntly ['blʌntli] *adv* bez ogródek, bez obsłonek

bluntness ['blʌntnis] *s* szczerość; otwartość

blunt-witted ['blʌnt,witid] *adj* (*o człowieku*) tępy

blur [blə:] [I] *s* 1. plama; zamazan-y/e druk <pismo> 2. para (na lustrze itp.) [II] *vt* (**-rr-**) 1. po/plamić 2. rozmaz-ać/ywać 3. zamaz-ać/ywać (obraz); zamglić

~ **out** *vt* 1. wymaz-ać/ywać 2. zasł-onić/aniać

blurb [blə:b] *s* notatka wydawnicza na obwolucie krzykliwie reklamująca autora <publikację>

blurt [blə:t] *vt* (*zw* ~ **out**) zdradz-ić/ać <wypaplać> (**a secret, the truth etc.** tajemnicę, prawdę itp.); wygad-ać/ywać się (**sth** z czymś)

blush [blʌʃ] [I] *s* 1. rumieniec; **spare my ~es** przecenia-sz/cie <żenuje-sz/cie> mnie; **to put to the ~** zawstydzić 2. spojrzenie; **at the first ~** na pierwszy rzut oka 3. różowy kolor (jutrzenki itp.) 4. kwiat (młodości itp.) [II] *vi* 1. za/rumienić się; za/płonąć rumieńcem; za/czerwienić się 2. za/wstydzić się (**at sth** czegoś); **he did not ~ to —** nie wstydził się ... (zrobić coś); **I ~ed for him** wstydziłem się za niego; **I ~ for shame** rumienię się ze wstydu; **I ~ to own** przyznaję ze wstydem *zob* **blushing**

blushing ['blʌʃiŋ] [I] *zob* **blush** *v* [II] *adj* 1. (*o człowieku*) z rumieńcem wstydu na twarzy; zawstydzony; zaczerwieniony 2. *lit* różowy; zaróżowiony; zaczerwieniony

bluster ['blʌstə] [I] *vi* 1. narobić łoskotu; szaleć 2. junaczyć się; zachowywać się zawadiacko; chełpić się; **he is a ~ing fellow** z niego jest straszny samochwał [II] *vt w zwrocie*: **to ~ out threats** odgrażać się; wygrażać; sypać pogróżkami *zob* **blustering** [III] *s* 1. łoskot (burzy itp.) 2. zawadiactwo; junakieria; przechwałki

blusterer ['blʌstərə] *s* zawadiaka; samochwał; blagier

blustering ['blʌstəriŋ] [I] *zob* **bluster** *v* [II] *adj* zawadiacki; samochwalczy

bo¹ [bou] *s am* **say, ~!** słuchaj no, ty!

bo(h)² [bou] *interj w zwrocie*: **he can't say ~ to a goose** jest nieśmiały <nieporadny>

boa ['bouə] *s* 1. *zoo* boa 2. boa (strój na szyję)

boar [bɔ:] *s* 1. knur 2. (*także* **wild ~**) dzik; odyniec; **~'s head** świńska głowa jako ozdoba stołu świątecznego

↑ **board** [bɔ:d] [I] *s* 1. deska, tarcica 2. *pl* **~s** deski sceniczne; scena 3. tablica (ogłoszeń itp.) 4. tektura; karton; **binding in paper <cloth> ~s** oprawa tekturowa <płócienna> 5. wikt; stół; wyżywienie; **~ and lodging** mieszkanie z utrzymaniem; **full ~** całkowite utrzymanie; pełny wikt; *przen* **above ~** uczciwy, uczciwie; otwarty, otwarcie; (*o człowieku*) czystych rąk 6. komisja; rada; wydział; ministerstwo; **the ~ of directors** zarząd; rada zarządzająca; **the Board of Education <Trade etc.>** Min. Oświaty <Handlu itd.> 7. pokład (statku); **to be on ~** być na statku; **to go by the ~** pójść/iść za burtę; **to go on ~** wsiąść na statek; zaokrętować się; **to take goods on ~** za/ładować towar na statek 8. lawirowanie [II] *vt* 1. wy-łożyć/kładać <zabi-ć/jać> deskami; oszalować 2. oprawi-ć/ać (książki) w tekturę 3. stołować; da-ć/wać wikt (**sb** komuś); **to ~ people** wziąć/brać stołowników 4. wsi-ąść/adać (**a ship, a train, a bus** na statek, do pociągu, do autobusu) 5. podpły-nąć/wać (**a ship** do statku, okrętu); zaczepi-ć/ać (statek, okręt) [III] *vi* 1. stołować się (**with sb <at sb's house>** u kogoś) 2. (*o statku*) lawirować

~ **out** *vt* odda-ć/wać (dzieci) na wyżywienie

~ **over** *vt* pokry-ć/wać (pokład statku) deskami

~ **up** *vt* zabi-ć/jać deskami

zob **boarding**

boarder ['bɔ:də] *s* stołowni-k/czka; (*w szkole*) pensjonariusz/ka; **to take in ~s** przyj-ąć/mować stołowników

boarding ['bɔ:diŋ] [I] *zob* **board** *v* [II] *s* 1. wyłożenie <obicie> deskami; oszalowanie 2. oprawa (książki); oprawianie (książek) 3. podpłynięcie do <zaczepienie> (statku, okrętu) 4. zaokrętowanie (się) 5. deski; płot

boarding-house ['bɔ:diŋ,haus] *s* pensjonat

boarding-school ['bɔ:diŋ,sku:l] *s* internat

board-room ['bɔ:d,ru:m] *s* sala konferencyjna

board-wages ['bɔ:d'weidʒiz] *spl* dodatek (do poborów) na wyżywienie; **to be on ~** pobierać pensję z dodatkiem na wyżywienie

board-walk ['bɔ:d,wɔ:k] *s* chodnik z desek

boast¹ [boust] [I] *vi* chwalić <chełpić> się; być dumnym (**of sth** z czegoś); **that's something to ~ of** jest czym się chwalić; **without wishing to ~** nie chwaląc się [II] *vt* szczycić się (**sth** czymś); być dumnym posiadaczem <właścicielem> (**sth** czegoś); **the museum ~s a fine collection of —** muzeum szczyci się pięknym zbiorem... *zob* **boasted** [III] *s* chwalenie się; przechwałki; chełpienie się; **to make a ~ of sth** chwalić się czymś

boast² [boust] *vt* ocios-ać/ywać (kamień dłutem)

boasted ['boustid] [I] *zob* **boast¹** *v* [II] *adj* zachwalany; sławetny

boaster¹ ['boustə] *s* samochwał

boaster² ['boustə] *s* dłuto rzeźbiarskie

boastful ['boustful] *adj* chełpliwy

boastfulness ['boustfulnis] *s* chełpliwość

boat [bout] [I] *s* 1. łódź, łódka; szalupa; statek; **to go by ~** po/jechać statkiem; odby-ć/wać podróż morzem <statkiem>; **we took the ~ at Dover** a) odpłynęliśmy z Dover b) wsiedliśmy na statek w Dover; *przen* **to burn one's ~s** s/palić za sobą mosty; **we are in the same ~** jesteśmy w jednakowym położeniu 2. sosjerka 3. kadzielnica [II] *vi* jechać <jeździć, przeje-chać/żdżać się> łódką <łodzią> [III] *vt* za/ładować na łódź

boatbill ['bout,bil] *s zoo* czapla południowoamerykańska

boat-fly ['bout,flai] *s zoo* pluskolec (owad)

boatful ['boutful], **boatload** ['bout,loud] *s* pełna łódź (towaru, pasażerów); ładunek

boat-hook ['bout,huk] *s* bosak; osęka

boat-house ['bout,haus] *s* przystań wioślarska

boat-keeper ['bout,ki:pə], **boatman** ['boutmən] *s* (*pl* **boatmen** ['boutmən]) łódkarz, łodziarz; przewoźnik

boat-load *zob* **boatful**

boatman *zob* **boat-keeper**

boat-race ['bout,reis] *s* regaty

boatswain ['bousn] *s mar* bosman

boat-train ['bout,trein] *s* pociąg mający bezpośrednie połączenie ze statkiem

bob¹ [bɔb] [I] *vt* (**-bb-**) 1. *w zwrocie*: **to ~ one's hair** strzyc się na pazia 2. z/anglizować (konia) [II] *s* 1. wahadło (zegara) 2. pion 3. ogon latawca 4. spławik (wędki) 5. (*u kobiety*) włosy ostrzyżone na pazia 6. krótko obcięty ogon koński 7. kok 8. = **bob-sleigh** *zob* **bob-sled**

bob^{2} [bɔb] I *vi* (**-bb-**) 1. balansować; huśtać się; podskakiwać na wodzie (jak korek) 2. dyg-nąć/ać 3. *w zwrocie*: **to ~ for apples etc.** usiłować złapać zębami wiszące <unoszące się na wodzie> jabłka itp.
~ down *vi* uchylić się; uskoczyć; wciągnąć głowę dla uniknięcia uderzenia
~ up *vi* nagle się ukazać; wyskoczyć
II *s* 1. podskok 2. dyg, dygnięcie 3. odmiany kuranta wygrywanego na dzwonach

bob^{3} [bɔb] *s sl* szyling

bob^{4} [bɔb] I *vt* (**-bb-**) szturch-nąć/ać II *s* szturchnięcie

bobbery ['bɔbəri] *s* harmider

bobbin ['bɔbin] *s* 1. szpulka; *elektr* cewka 2. sznurek do podnoszenia klamki

bobbish ['bɔbiʃ] *adj sl* raźny; rześki

bobby ['bɔbi] *s pot* policjant angielski

bob-cat ['bɔb,kæt] *s zoo* ryś amerykański

bobolink ['bɔbouliŋk] *s* 1. *zoo* północnoamerykański ptak śpiewający 2. gaduła

bob-sled ['bɔb,sled], **bob-sleigh** ['bɔb,slei] *s* bobslej

bobstay ['bɔb,stei] *s mar* lina bukszprytu

bobtail ['bɔb,teil] *s* krótko ucięty ogon

bob-wig ['bɔb'wig] *s* peruka wiązana z tyłu

Boche [bɔʃ] *s sl pog* Bosz, Niemiec

bock [bɔk] *s* 1. ciemne piwo 2. bombka (piwa)

bode^{1} [boud] I *vt* wróżyć; zapowiadać; przepowiadać II *vi w zwrocie*: **to ~ well** <**ill**> być dobrym <złym> znakiem; być dobrą <złą> wróżbą *zob* **boding**

bode^{2} *zob* **bide**

bodeful ['boudful] *adj* złowrogi; nie wróżący nic dobrego

bodega [bou'di:gə] *s* winiarnia

bodice ['bɔdis] *s* stanik

bodiless ['bɔdilis] *adj* bezcielesny; niematerialny

bodily ['bɔdili] I *adj* cielesny; materialny; (*o chorobach itd*) ciała; **in ~ fear** w strachu o życie II *adv* 1. cieleśnie 2. we własnej osobie 3. gremialnie

boding ['boudiŋ] I *zob* **bode^{1}** *v* II *s* 1. przeczucie 2. wróżenie; wróżby

bodkin ['bɔdkin] *s* 1. szpikulec 2. iglica 3. długa szpilka do włosów; **to sit ~** siedzieć ściśniętym między dwoma sąsiadami

body ['bɔdi] I *s* 1. ciało (ludzkie, fizyczne, astralne itd.); **a dead ~** zwłoki; martwe ciało; trup; **elementary ~** pierwiastek; **to belong ~ and soul to sb, sth** być oddanym ciałem i duszą komuś, czemuś; **to keep ~ and soul together** ledwo wyżyć 2. moc (wina itp.) 3. kolegium; grupa; gromada; grono (osób); gremium; **a corporate ~** stowarzyszenie; korporacja; **in a ~** gremialnie; gromadnie; **the ~ politic** państwo; **the diplomatic ~** korpus dyplomatyczny 4. ogół; główna część; gros; **the main ~ of the army** główne siły 5. osoba; człowiek; *żart* człowieczyna 6. korpus <kadłub> (samolotu itp.) 7. = **body-work** 8. istotna część (przemówienia, artykułu itp.) II *vt* (**bodied** ['bɔdid], **bodied; bodying** ['bɔdiiŋ]) (*także* **~ forth**) ucieleśni-ć/ać

body-cloth ['bɔdi,klɔθ] *s* derka

body-colour ['bɔdi,kʌlə] *s mal* gwasz

bodyguard ['bɔdi,gɑ:d] *s* straż przyboczna

body-snatcher ['bɔdi,snætʃə] *s hist* człowiek wykradający i sprzedający trupy dla badań anatomicznych

body-work ['bɔdi,wə:k] *s* karoseria

bog^{1} [bɔg] I *s* bagno; moczary; trzęsawisko II *vi* (**-gg-**) zapaść się; ugrzęźć w błocie III *vt* (**-gg-**) *w wyrażeniu*: **to get ~ged** ugrzęźć

bog^{2} [bɔg] *s wulg* sracz, ustęp, klozet

bog-bean ['bɔg,bi:n] *s bot* bobrek trójlistkowy <trójlistny>

bog-berry ['bɔgbəri] *s bot* żurawina błotna

bogey ['bougi], **bogey-man** ['bougi,mæn] *s* (*pl* **bogey-men** ['bougi,men]) straszydło

boggle ['bɔgl] *vi* 1. grzebać się (**over sth** w czymś); ślęczeć (**over sth** nad czymś) 2. wzdryg-nąć/ać <przestraszyć> się 3. uchyl-ić/ać się (**at** <**about**> **sth** od czegoś); o/bronić się (**at** <**about**> **sth** przed czymś)

boggy ['bɔgi] *adj* (**boggier** ['bɔgiə], **boggiest** ['bɔgiist]) bagnisty; błotnisty

bogie ['bougi] *s* podwozie z kołami; wózek (kopalniany itp.)

bogle ['bougl] *s* 1. straszydło 2. duch; upiór

bog-trotter ['bɔg,trɔtə] *s pog* Irland-czyk/ka

bogus ['bougəs] *adj* zmyślony; nieprawdziwy; udany, udawany; podrabiany

bogy ['bougi] = **bogey**

bohea [bou'hi:] *s* herbata w najtańszym gatunku

Bohemia [bou'hi:miə] *s* cyganeria (artystyczna)

Bohemian [bou'hi:miən] I *s* 1. Cze-ch/szka 2. Cygan/ka (wędrown-y/a) 3. cygan (ze sfery artystycznej) II *adj* cygański

bohunk ['bouhʌŋk] *s am sl* (*o robotniku imigrancie*) popychadło

boil^{1} [bɔil] *s* czyrak

boil^{2} [bɔil] I *vi* gotować się; wrzeć; kipieć; **to keep the pot ~ing** a) pogotować (jakiś czas) b) *przen* pokrywać wydatki domowe; wiązać koniec z końcem c) podtrzymywać rozmowę (towarzyską) II *vt* za/gotować, zagotowywać
~ away *vi* wygotować się
~ down I *vi* wygotować się; **it ~s down to this ...** rzecz sprowadza się do tego, że ... II *vt* skondensować <stre-ścić/szczać> (mowę, artykuł itp.)
~ over *vi* 1. wykipieć 2. kipieć (**with rage** ze złości, z wściekłości)
~ up *vi* (*o gotującym się mleku*) podn-ieść/osić się
zob **boiled, boiling** III *s* 1. wrzenie; punkt wrzenia; **to come to the ~** zawrzeć; zagotować się; zakipieć 2. kipiel; war

boiled ['bɔild] I *zob* **boil^{2}** *v* II *adj* 1. *am sl* urżnięty, pijany 2. *am* **~ shirt** koszula frakowa

boiler ['bɔilə] *s* 1. kocioł parowy; bojler 2. kocioł (do gotowania bielizny) 3. właściciel rafinerii cukru; cukrownik

boiler-house ['bɔilə,haus], **boiler-room** ['bɔilə,ru:m] *s* kotłownia

boiling ['bɔiliŋ] I *zob* **boil^{2}** *v* II *s* 1. gotowanie się; wrzenie 2. *sl* **the whole ~** a) cała banda b) cały ten bałagan III *attr* **~ point** punkt wrzenia IV *adj pot* **~ hot** wrzący

boisterous ['bɔistərəs] *adj* 1. (*o człowieku*) hałaśliwy; gwałtowny; niesforny 2. (*o wietrze*) gwałtowny; porywisty 3. (*o morzu*) burzliwy

boisterousness ['bɔistərəsnis] *s* 1. hałaśliwość; gwałtowność; niesforność 2. burzliwość *zob* **boisterous**
boko ['boukou] *s* *sl* nochal, nos
bolas ['bouləs] *s* (*pl* **~**) bolas (sznur zakończony kulami używany do chwytania zwierząt)
bold [bould] *adj* 1. śmiały; **to make ~ to do sth** ośmielić się <pozwolić sobie na to, by> coś uczynić; **to make ~ with sb** śmiało z kimś postępować 2. zuchwały; **as ~ as brass** bezczelny 3. (*o cyplu itp*) stromy 4. (*o obrazie itp*) wyraźny; wyrazisty; **in ~ relief** silnie uwypuklony *zob* **boldness**
bold-face ['bould,feis] *s* 1. zuchwalstwo; bezczelność 2. zuchwalec 3. *druk* tłusty druk
bold-faced ['bould,feist] *adj* 1. śmiały; bezczelny 2. *druk* tłusty
boldness ['bouldnis] *s* 1. śmiałość 2. zuchwalstwo 3. stromość 4. wyrazistość *zob* **bold**
bole[1] [boul] *s* pień
bole[2] [boul] *s* bolus (glinka do zapraw malarskich)
bolero [bə'lɛərou] *s* 1. bolero (taniec) 2. ['bɔlə,rou] bolero <bolerko> (ubiór)
bolide ['boulaid] *s* bolid (meteor)
boll [boul] *s* *bot* torebka nasienna
bollard ['bɔləd] *s* *mar* pachołek
boll-weevil ['boul,wi:vl] *s* *zoo* gatunek ryjkowca niszczącego owoc bawełny
boll-worm ['boul'wə:m] *s* *zoo* gąsienica niszcząca kwiat bawełny
bologna [bə'lounə] *s* *am* (*także* **~ sausage**) kiełbasa z mięsa wieprzowego, wołowego i cielęcego
bolometer [bou'lɔmitə] *s* *fiz* bolometr
Bolshevik ['bɔlʃəvik] [I] *s* bolszewik [II] *adj* bolszewicki
Bolshevism ['bɔlʃə,vizəm] *s* bolszewizm
bolster ['boulstə] [I] *s* 1. wałek tapicerski; zagłówek 2. poduszka (na kanapę, fotel) 3. podpórka [II] *vt* 1. wypełni-ć/ać (ubiór) podkładem 2. pod-eprzeć/pierać poduszkami 3. (*o chłopcu*) bić <zdzielić, walić> poduszką (kolegę) [III] *vi* (*o chłopcach*) bić się poduszkami
  ~ up *vt* 1. pod-eprzeć/pierać (kogoś) poduszkami 2. podtrzym-ać/ywać (kogoś) 3. udziel-ić/ać poparcia (**sb** komuś)
bolt[1] [boult] [I] *s* 1. strzała 2. piorun; **a ~ from <out of> the blue** grom z jasnego nieba 3. rygiel; zasuwa; sworzeń 4. sztuka (płótna) 5. wiązka (prętów) [II] *vt* 1. za/ryglować (drzwi) 2. um-ocnić/acniać sworzniem (coś)
bolt[2] [boult] [I] *s* ucieczka; zniknięcie; **to make a ~ for —** pomknąć <popędzić> do... [II] *vt* 1. poł-knąć/ykać (jedzenie) nie żując; łykać 2. *am* opu-ścić/szczać <porzuc-ić/ać> (kogoś) [III] *vi* 1. um-knąć/ykać; czmych-nąć/ać; drapnąć; wyl-ecieć/atywać (z pokoju itp.); wziąć nogi za pas 2. (*o koniu*) wyr-wać/ywać się
bolt[3] [boult] *adv* *w zwrocie:* **~ upright** sztywny jak by kij połknął
bolt[4] [boult] *vt* s/pytlować; przesi-ać/ewać
bolter[1] ['boultə] *s* 1. koń wyrywający się na wolność 2. *am* zdrajca (własnej) partii
bolter[2] ['boultə] *s* sito; pytel
bolus ['bouləs] *s* duża pigułka
bomb [bɔm] [I] *s* bomba [II] *attr* bombowy; **~ alley** trasa działania bombowców; **~ bay** pomieszczenie na bomby (w bombowcu); **~ disposal** usuwanie niewypałów; **~ load** ładunek bomb; **~ sight** przyrząd celowniczy do bombardowania [III] *vt* z/bombardować
  ~ out *vt* zmu-sić/szać (ludzi) do ucieczki przez bombardowanie z powietrza
  ~ up *vi* wziąć/brać ładunek bomb
zob **bombing**
bombard [bɔm'bɑ:d] *vt* z/bombardować
bombardier [,bɔmbə'diə] *s* *artyl* bombardier
bombardment [bɔm'bɑ:dmənt] *s* bombardowanie
bombardon ['bɔm,bɑ:dn], **bombardone** [,bɔmbɑ:'doun] *s* *muz* bombardon
bombasine [,bɔmbə'si:n] *s* *tekst* bombazyna; krepa
bombast ['bɔmbæst] *s* napuszoność; emfaza; napuszony styl; wielkie słowa
bombastic [bɔm'bæstik] *adj* napuszony; pompatyczny
bomb-carrier ['bɔm,kæriə] = **bomber**
bomb-crater ['bɔm,kreitə] *s* lej (po wybuchu bomby)
bomber ['bɔmə] *s* *lotn* bombowiec; **Bomber Command** dowództwo lotnictwa bombowego
bombing ['bɔmiŋ] [I] *zob* **bomb** *v* [II] *s* bombardowanie
bomb-proof ['bɔm,pru:f] *adj* (*o schronie, pokładzie okrętu itp*) odporny na działanie bomb
bomb-shell ['bɔm,ʃel] *s* szrapnel; *przen* bomba; **the news was a ~ to us** wiadomość ta podziałała na nas jak bomba
bomb-shelter ['bɔm,ʃeltə] *s* schron
bona fide ['bounə'faidi] [I] *adj* 1. prawdziwy 2. szczery; niekłamany [II] *adv* 1. prawdziwie 2. szczerze; niekłamanie; w dobrej wierze
bonanza [bə'nænzə] *s* 1. szczęście; pomyślność 2. *przen* złota żyła; **a ~ farm** gospodarstwo nowocześnie wyposażone <rentowne>; **to be in ~** mieć szczęśliwą passę
bonbon ['bɔnbɔn] *s* cukierek
bond[1] [bɔnd] [I] *s* 1. więź; więzy; wiązanie 2. *pl* **~s** okowy; kajdany 3. kontrakt; umowa; zobowiązanie 4. obligacja; list zastawny 5. skład wolnocłowy 6. wiązanie; sposób wiązania (w murarce) [II] *vt* 1. wiązać (cegły) 2. złożyć/składać (towary) w składzie wolnocłowym *zob* **bonded**
bond[2] [bɔnd] *adj* *hist* niewolny
bondage ['bɔndidʒ] *s* niewola; niewolnictwo
bonded ['bɔndid] [I] *zob* **bond**[1] *v* [II] *adj* 1. (*o towarze*) złożony w składzie wolnocłowym 2. (*o składzie*) wolnocłowy
bonder ['bɔndə] *s* *bud* kamień kotwiący; sięgacz
bond-holder ['bɔnd,houldə] *s* posiadacz/ka obligacji <listów zastawnych>; akcjonariusz/ka
bondsman ['bɔndzmən] (*pl* **bondsmen** ['bɔndzmən]), **bondslave** ['bɔnd,sleiv] *s* niewolnik
bondstone ['bɔnd,stoun] = **bonder**
bone [boun] [I] *s* 1. kość; **a ~ of contention** kość niezgody; (*o człowieku*) **he is a bag of ~s** to skóra i kości; **to feel sth in one's ~s** przeczuwać coś; **to have a ~ to pick with sb** mieć z kimś na pieńku; **to make no ~s about doing sth** uczynić coś niczym się nie krępując; zrobić coś bez żadnych ceremonii; **to make old ~s** dożyć sędziwego wieku; *przen* **to the ~** do szpiku kości 2. ość (ryby) 3. *pl* **~s** prochy (zmarłego) 4. *pl* **~s** przedmioty sporządzone z kości (kości do gry, kastaniety, domino itp.) 5. *am pot* dolar [II] *vt* 1. obierać (mięso) z kości <(rybę) z ości> 2. zwędzić; ukraść [III] *vi* *am pot* kuć <wkuwać> (**at sth** coś — matematykę itp.)

bone-dry ['bɔun,drai] *adj* suchy jak pieprz

bone-dust ['bɔun,dʌst] *s* mączka kostna (nawóz sztuczny)

boneless ['bɔunlis] *adj* 1. bezkostny; bez kości 2. *przen* (*o człowieku*) bez kręgosłupa; bez charakteru

bone-setter ['bɔun,setə] *s* nastawiacz złamanych kości <zwichniętych stawów>

bone-shaker ['bɔun,ʃeikə] *s* (*o samochodzie, rowerze*) gruchot

bone-spavin ['bɔun,spævin] *s* (*u konia*) łogawizna, narośl na nodze

bonfire ['bɔn,faiə] *s* ognisko rozpalone pod gołym niebem na znak radości lub dla zabawy młodzieży; **to make a ~ of sth** spalić coś ku własnej uciesze

bongo ['bɔŋgou] *s zoo* gatunek antylopy

bonhomie ['bɔnɔ,mi:] *s* jowialność; dobroduszność; dobrotliwość

bonito [bou'ni:tou] *s zoo* ryba pokrewna makreli

bonnet ['bɔnit] [I] *s* 1. rodzaj beretu 2. czepek damski 3. czapeczka dziecinna 4. wspólnik oszusta 5. kapot <maska> samochodu [II] *vt* 1. wdzi-ać/ewać czepek <czapkę, beret> (**sb** komuś) 2. wbi-ć/jać kapelusz na oczy (**sb** komuś)

bonny ['bɔni] *adj* (**bonnier** ['bɔniə], **bonniest** ['bɔn iist]) *szkoc* 1. przyjemny 2. sympatyczny; urodziwy

bonus ['bounəs] *s* premia; dodatek; naddatek

bony ['bouni] *adj* (**bonier** ['bouniə], **boniest** ['bou niist]) 1. (*o człowieku*) kościsty 2. (*o rybie*) ościsty

bonzer ['bɔnzə] *adj austral sl* byczy, świetny

boo [bu:] [I] *s* wygwizdanie [II] *vt* wygwizdać [III] *vi* (*o publiczności w teatrze itp*) gwizdać; **to ~ at sb, sth** wygwizdać kogoś, coś

booby ['bu:bi] *s* człowiek tępy; *pot* cymbał; tuman

booby-prize ['bu:bi,praiz] *s* nagroda ośmieszająca najgorszego zawodnika

booby-trap ['bu:bi,træp] *s* pułapka

boodle ['bu:dl] *s* 1. paczka; banda; **the whole ~** cała banda <paczka>; wszystko razem; wszyscy razem 2. *am* pieniądze na przekupstwo; fundusz wyborczy

boogie-woogie, boogy-woogy ['bu:gi,wu:gi] *s* boogie-woogie (taniec)

boohoo [,bu:'hu:] *vi pot* rozryczeć się, ryczeć, płakać

book [buk] [I] *s* 1. książka; księga; **by the ~** (mówić) a) z podaniem źródła (informacji) b) jak z książki; dokładnie; **without ~** z pamięci; **to take a leaf out of sb's ~** naśladować kogoś; **you speak like a ~** mówisz jak z nut 2. Biblia 3. libretto (opery) 4. rejestr 5. książeczka (czekowa itp.) 6. zeszyt (= **exercise-book**) 7. karnecik (biletów tramwajowych, znaczków pocztowych itp.); **a ~ of needles** kartonik igieł 8. *karc* książeczka; obowiązek 9. *pl* **~s** księgi rachunkowe; **to bring sb to ~** za/żądać od kogoś rozliczenia <wytłumaczenia, sprawozdania>; **to get into sb's ~s** zadłużyć się u kogoś; **to keep the ~s** prowadzić księgowość 10. *pl* **~s** lista <spis> (członków towarzystwa itp.); **to be in sb's bad ~s** być źle przez kogoś widzianym; nie cieszyć się czyjąś sympatią; **to be in sb's good ~s** być dobrze przez kogoś widzianym; cieszyć się czyjąś sympatią; **to take sb's name off the ~s** skreśl-ić/ać kogoś z liczby członków 11. *w zwrotach*: **that suits my ~** to mi odpowiada; **to make a ~** pośredniczyć w totalizatorze [II] *vt* 1. za/księgo-wać; wciąg-nąć/ać (do ksiąg handlowych); zapis-ać/ywać (w księgach handlowych) 2. (*także* **~ down**) za/notować; za/rejestrować; zapisać na liście (członków, ofiarodawców itp.) 3. *w zwrocie*: **to ~ a seat** kup-ić/ować bilet (kolejowy, do teatru itp.) 4. za/rezerwować (miejsce w teatrze, kinie, wagonie sypialnym itd.) 5. wynaj-ąć/mować (pokój w hotelu itp.) 6. za/angażować (artystę na występ itp.) 7. *w zwrocie*: **to be ~ed** a) być zajętym b) być w potrzasku [III] *vi* jechać (**for a place** dokądś); **to ~ through to _** wziąć/brać bilet bezpośredni do... *zob* **booking**

bookbinder ['buk,baində] *s* introligator

bookbinding ['buk,baindiŋ] *s* introligatorstwo; oprawianie książek

bookcase ['buk,keis] *s* biblioteczka; szafa na książki

book-concern ['buk-kən'sə:n] *s am* firma wydawnicza

book-ends ['buk,endz] *spl* podpórki na książki

bookie ['buki] *pot* = **book-maker**

booking ['bukiŋ] [I] *zob* **book** *v* [II] *s* 1. zarezerwowanie 2. miejsce (w teatrze, na koncercie itp.); **~ clerk** kasjer kolejowy; **~ office** kasa biletowa (na dworcu)

bookish ['bukiʃ] *adj* 1. (*o człowieku*) wiecznie pogrążony w książkach 2. (*o stylu itp*) książkowy

book-keeper ['buk,ki:pə] *s* księgow-y/a

book-keeping ['buk,ki:piŋ] *s* księgowość

book-learned ['buk,lə:nid] *adj* posiadający jedynie wiedzę książkową

book-learning ['buk,lə:niŋ] *s* wiedza książkowa

booklet ['buklit] *s* broszura; książeczka

book-maker ['buk,meikə] *s* bukmacher (pośrednik przy grze w totalizatora)

bookman ['bukmən] *s* (*pl* **bookmen** ['bukmən]) uczony

book-mark ['buk,mɑ:k] *s* zakładka

bookplate ['buk,pleit] *s* ekslibris, ekslibrys

book-post ['buk,poust] *s* dział przesyłki druków (na poczcie); **by ~** (posłać przesyłkę) jako druk

book-rest ['buk,rest] *s* pulpit

book-seller ['buk,selə] *s* księgarz; **a ~'s shop** księgarnia; **second-hand ~** antykwariusz; właściciel antykwariatu

book-shelf ['buk,ʃelf] *s* półka na książki

book-shop ['buk,ʃɔp] *s* księgarnia

book slide ['buk,slaid] *s* wysuwana półka na książki

book-stall ['buk,stɔ:l] *s* stoisko księgarskie; kiosk

bookstand ['buk,stænd] *s* regał; półka na książki

book-store ['buk,stɔ:] *s am* księgarnia

book-trade ['buk,treid] *s* księgarstwo

book-work ['buk,wə:k] *s* 1. praca wydawnicza 2. praca pamięciowa; *pot* wkuwanie na pamięć

book-worm ['buk,wə:m] *s* 1. *dosł i przen* mól książkowy 2. *zoo* chrząszcz kołatek

boom¹ [bu:m] [I] *s* 1. *mar* bom 2. bariera; zapora (na rzece); *am* ruchomy jaz (drewniany) 3. *lotn* podłużnica [II] *vt w zwrocie*: **to ~ off** odgr-odzić/adzać (część rzeki)

boom² [bu:m] [I] *vi* hu-knąć/czeć; za/grzmieć; za/buczeć [II] *s* huk; grzmot; łoskot; buczenie (organów itp.)

boom[3] [bu:m] [I] *vi* prosperować; przechodzić okres świetnej koniunktury; rozwi-nąć/jać się bardzo pomyślnie [II] *vt* rozreklamować; narobić hałasu (**sth** dokoła czegoś — imprezy, wynalazku itp.) [III] *s* dobra koniunktura; ożywienie gospodarcze; hossa (giełdowa)
boomerang ['bu:mə,ræŋ] *s* bumerang
boon[1] [bu:n] *s* 1. dar; łaska; dobrodziejstwo 2. prośba
boon[2] [bu:n] *s bot* paździerze konopne
boon[3] [bu:n] *adj* (*o towarzyszu itp*) wesoły; ochoczy
boor [buə] *s* gbur; prosta-k/czka
boorish ['buəriʃ] *adj* gburowaty; prostacki
boorishness ['buəriʃnis] *s* gburowatość; prostactwo
boost [bu:st] *vt* 1. roz/reklamować; zachwal-ić/ać 2. *elektr* zwiększ-yć/ać napięcie; doładow-ać/ywać 3. *am* podsadz-ić/ać (kogoś)
booster ['bu:stə] *s* 1. propagator/ka; zachwalacz/ka 2. *wojsk* detonator 3. *techn* generator pomocniczy; prądnica dodawcza
boot[1] [bu:t] [I] *s* 1. bucik; (wysoki) but; **my heart was in my ~s** struchlałem; **the ~ is on the other leg** wręcz przeciwnie; *sl* **to get the ~** zostać wylanym z posady 2. pudło; bagażnik (powozu, samochodu) 3. *hist* narzędzie tortur (do miażdżenia kości w nodze) [II] *vt* obu-ć/wać *zob* **booted**
boot[2] [bu:t] *vt* przyda-ć/wać się (**sth** na coś); **what ~s it —?** na co się przyda ...?
boot[3] [bu:t] *s tylko w zwrocie*: **to ~** ponadto; do tego jeszcze; na dodatek
bootblack ['bu:t,blæk] *s am* czyściciel butów; *pot* pucybut
booted ['bu:tid] [I] *zob* **boot**[1] *v* [II] *adj* obuty; w butach
bootee ['bu:ti] *s* 1. rodzaj pantofla damskiego 2. pantofelek dziecinny
booth ['bu:ð] *s* 1. stragan 2. **polling ~** a) lokal wyborczy b) skrytka do głosowania 3. *am* kabina telefoniczna 4. *am* kabina projekcyjna (w kinie)
bootjack ['bu:t,dʒæk] *s* chłopak (do ściągania butów)
bootlace ['bu:t,leis] *s* sznurowadło
bootleg ['bu:t,leg] *vt* (-gg-) przemycać alkohol (w okresie prohibicji)
bootlegger ['bu:t,legə] *s am* przemytnik alkoholu (w okresie prohibicji)
bootless[1] ['bu:tlis] *adj* bosy
bootless[2] ['bu:tlis] *adj* bezcelowy
bootlick ['bu:t,lik] *vt* płaszczyć się (**sb** przed kimś); *przen* lizać buty (**sb** komuś)
boot-maker ['bu:t,meikə] *s* szewc
boot-polish ['bu:t,poliʃ] *s* pasta do obuwia
boots [bu:ts] *s* czyścibut; służący hotelowy
boot-tree ['bu:t,tri:] *s* prawidło (do butów)
booty ['bu:ti] *s* łup; zdobycz; zysk; nagroda; **to play ~** przegrywać na wabika (dla oszukania ofiary szulerstwa); być w zmowie z szulerem
booze [bu:z] [I] *vi* pić; upijać się [II] *s* alkohol; trunek
boozer ['bu:zə] *s* pija-k/czka
boozy ['bu:zi] *adj* (**boozier** ['bu:ziə], **booziest** ['bu:ziist]) *pot* podpity; pod gazem
bo-peep [bou'pi:p] *s dosł i przen* zabawa w chowanego
boracic [bə'ræsik] *adj chem* borny
borage ['bɔridʒ] *s bot* ogórecznik
borate ['bɔ:reit] *s chem* boran
borax ['bɔ:ræks] *s chem* boraks
border ['bɔ:də] [I] *s* 1. brzeg (jeziora, drogi itp.) 2. skraj (lasu itp.) 3. granica (kraju); kresy; **the Border** kresy angielsko-szkockie 4. obwódka; obrąbek; lamówka; szlak, szlaczek; obramowanie [II] *attr* pograniczny; kresowy; **~ town** miasto kresowe <pograniczne> [III] *vi* graniczyć; sąsiadować; stykać się (**on a country** <**property etc.**> z krajem <z posiadłością itp.>; być bliskim (**on sth** czegoś); **this ~s on insanity** to graniczy z szaleństwem [IV] *vt* obrębi-ć/ać; ob/lamować; o/bramować; obszy-ć/wać *zob* **bordering**
borderer ['bɔ:dərə] *s* 1. kresowi-ec/anka 2. sąsiad/ka
bordering ['bɔ:dəriŋ] [I] *zob* **border** *v* [II] *adj* pograniczny; sąsiedni
border-land ['bɔ:də,lænd] *s* kresy; pogranicze
border-line ['bɔ:də,lain] *s* linia graniczna; rozgraniczenie; **on the ~ between ... and —** na pograniczu między ... a ...
bore[1] [bɔ:] [I] *vt* 1. wy/wiercić; toczyć; świdrować; z/robić wierceni-e/a; **to ~ one's way** prze-drzeć/dzierać się 2. (*o koniu na wyścigach*) zepchnąć/spychać (rywala) z toru [II] *vi* (*o koniu*) wyrzuc-ić/ać łeb do przodu [III] *s* 1. kaliber; średnica otworu; światło (otworu) 2. wiercenie
bore[2] [bɔ:] [I] *vt* nudzić; zanudzać; wiercić dziurę w brzuchu; **to ~ sb to death, to ~ sb stiff** śmiertelnie kogoś z/nudzić <zanudzać>; **to be ~d to death, to be ~d stiff** nudzić się śmiertelnie; umierać z nudów *zob* **boring** [II] *s* 1. nudzia-rz/rka; piła; natręt 2. nudziarstwo; rzecz nieznośna
bore[3] *zob* **bear**[2]
bore[4] ['bɔ:] *s* (*u ujścia rzeki*) powrotna fala (pod działaniem przypływu)
boreal ['bɔ:riəl] *adj* północny
Boreas ['bɔ:ri,æs] *spr* Boreasz (bożek i wiatr północny)
borecole ['bɔ:koul] *s* kapusta pastewna
boredom ['bɔ:dəm] *s* nuda, nudy; nudzenie się
borer ['bɔ:rə] *s* 1. świder 2. wiertacz (robotnik)
boric ['bɔ:rik] *adj chem* borowy, *pot* borny
boride ['bɔ:raid] *s chem* borek
boring ['bɔ:riŋ] [I] *zob* **bore**[2] *v* [II] *adj* nudny
boring-machine ['bɔ:riŋ-mə,ʃi:n] *s techn* wiertarka
borings ['bɔ:riŋz] *spl* zwierciny; okruchy wiertnicze
born [bɔ:n] [I] *zob* **bear**[2] [II] *adj* 1. urodzony; **~ again** odrodzony; **in all my ~ days** jak żyję; odkąd żyję na świecie; **London ~** urodzony w Londynie; londyńczyk z urodzenia; **to be ~** u/rodzić się 2. prawdziwy <urodzony> (poeta, nauczyciel itd.); **a gentleman ~** prawdziwie kulturalny człowiek 3. skończony (dureń, idiota itd.) [III] *s w zwrocie*: **her latest ~** jej najmłodsza latorośl
borne [bɔ:n] *zob* **bear**[2]; **~ by —** zrodzony przez...
boron ['bɔ:rɔn] [I] *s chem* bor [II] *attr chem* borowy
borough ['bʌrə] *s* 1. miasto 2. okręg wyborczy; **the Borough** Southwark (dzielnica Londynu)
borrow ['bɔrou] *vt* 1. pożycz-yć/ać (od kogoś) 2. zapożycz-yć/ać (coś skądś, od kogoś); *przen* **~ed plumes** cudze piórka

borrower [ˈbɔrouə] *s* pożyczając-y/a (od kogoś); dłużni-k/czka

Borstal [ˈbɔ:stl] *spr* ~ **system** borstalowski system karno-wychowawczy stosowany wobec młodocianych przestępców

bort [bɔ:t] *s* proszek diamentowy

borzoi [ˈbɔ:zɔi] *s zoo* chart rosyjski

bos [bɔs] = **boss**[3]

boscage [ˈbɔskidʒ], **bosk** [bɔsk], **bosket** [ˈbɔskit] *s* zarośla

bos-eyed [ˈbɔs,aid] *adj sl* ślepy na jedno oko

bosh[1] [bɔʃ] *s* puste gadanie; nonsens/y; brednie; duby smalone; banialuki; koszałki-opałki

bosh[2] [bɔʃ] *vt sl szk* naciąg-nąć/ać (**sb** kogoś); z/robić wariata (**sb** z kogoś)

bosk *zob* **boscage**

bosket *zob* **boscage**

bosky [ˈbɔski] *adj* porosły krzewami <zaroślami>

bos'n [ˈbousn] = **boatswain**

Bosnian [ˈbɔsniən] [I] *adj* bośniacki [II] *s* Bośnia-k/czka

bosom [ˈbuzəm] *s* 1. łono; pierś; **in the ~ of one's family** na łonie rodziny 2. gors; **she hid the letter in her ~** schowała list za gors 3. plastron, przód koszuli męskiej 4. *przen* serce

bosom-friend [ˈbuzəmˈfrend] *s* serdeczn-y/a przyjaci-el/ółka

boss[1] [bɔs] *s* 1. guz; wypukłość; wybrzuszenie; zgrubienie 2. piasta (koła)

boss[2] [bɔs] [I] *s pot* 1. szef; dyrektor; kierowni-k/czka; właściciel/ka (przedsiębiorstwa) 2. majster; mistrz (w rzemiośle); **she is the ~ here** ona tu rządzi [II] *adj am pot* świetny [III] *vt* 1. rządzić <kierować> (**sb, sth** kimś, czymś); **to ~ the show** dyrygować wszystkimi 2. narzuc-ić/ać swoją wolę (**sb** komuś) 3. traktować (innych) z góry

boss[3] [bɔs] *sl* [I] *vi* 1. s/pudłować; nie trafi-ć/ać (do celu) 2. *sl* zawalić <pokpić> sprawę [II] *vt sl* zawalić (egzamin itd.)

boss-eyed [ˈbɔs,aid] = **bos-eyed**

bossy[1] [ˈbɔsi] *adj* (**bossier** [ˈbɔsiə], **bossiest** [ˈbɔsiist]) guzowaty

bossy[2] [ˈbɔsi] *adj* (**bossier** [ˈbɔsiə], **bossiest** [ˈbɔsiist]) apodyktyczny; narzucający swoją wolę

boston [ˈbɔstən] *s* boston (taniec)

bosun [ˈbousn] *s mar* bosman

bot [bɔt] *s zoo* larwa gza (pasożyt)

botanic(al) [bəˈtænik(əl)] *adj* botaniczny

botanist [ˈbɔtənist] *s* botani-k/czka

botanize [ˈbɔtə,naiz] *vi* zajmować się botaniką; zbierać rośliny

botany [ˈbɔtəni] *s* botanika

botch [bɔtʃ] [I] *s* partactwo; fuszerka; fuszerowanie [II] *vt* s/partaczyć; s/fuszerować; **to ~ sth up** sklecić coś; naprawić coś po partacku

botcher [ˈbɔtʃə] *s* partacz/ka

bot-fly [ˈbɔt,flai] *s zoo* giez (owad)

both [bouθ] [I] *pron* obaj, obie, oboje; **~ of us** <**you, them**> my <wy, oni, one> obaj <obie, oboje>; **they are ~ alike** są do siebie podobn-i/e [II] *adv* **~ ... and_** zarówno ..., jak i ...; **~ the mother and the child** zarówno matka, jak i dziecko

bother [ˈbɔðə] [I] *vt* dręczyć; niepokoić; zanudzać; zawracać głowę <naprzykrzać się> (**sb** komuś); **to ~ one's head about sth** martwić <kłopotać> się o coś; **don't ~ your head about me** nie rób/cie sobie z mojego powodu kłopotów; **I can't be ~ed** a) proszę mi nie przeszkadzać b) jestem zajęty c) nikogo nie przyjmuję [II] *vi* kłopotać <martwić> się (**about sb, sth** o kogoś, coś); przejmować się (**about sth** czymś); **~ the man!** niechże go diabli wezmą! [III] *s* kłopot; udręka; przykrość; **to give sb a lot of ~** sprawiać komuś wiele <masę> kłopotu [IV] *interj* **o ~!** a niechże to ...!; psiakość!; niech licho porwie!

botheration [,bɔðəˈreiʃən] *s* kłopot; udręka; przykrość

bothersome [ˈbɔðəsəm] *adj* kłopotliwy; przykry

bo-tree [ˈbou,tri:] *s bot* święte drzewo figowe Hindusów

bott [bɔt] = **bot**

bottle[1] [ˈbɔtl] [I] *s* 1. butelka, flaszka 2. pijaństwo; **over a ~** przy kieliszku (coś powiedzieć itp.) 3. butelka (niemowlęcia); **brought up on the ~** wykarmiony na flaszce 4. termofor 5. *bot* = **bluebottle** [II] *vt* 1. nal-ać/ewać <rozl-ać/ewać> (wino itp.) do flaszek 2. konserwować; robić konserwy (**fruit etc.** z owoców itp.)

~ up *vt w zwrotach*: **to ~ up one's anger etc.** pohamować <utaić> złość itp.; **to ~ up the traffic** zakorkować ruch uliczny; z/robić zator

bottle[2] [ˈbɔtl] *s* wiązka (siana, słomy)

bottle-brush [ˈbɔtl,brʌʃ] *s* 1. szczoteczka (do mycia flaszek) 2. *bot* skrzyp polny

bottle-green [ˈbɔtl,gri:n] *s* kolor butelkowy <ciemnozielony>

bottle-holder [ˈbɔtl,houldə] *s* sekundant (boksera)

bottle-imp [ˈbɔtl,imp] *s* chochlik w butelce (z bajki)

bottle-neck [ˈbɔtl,nek] *s* 1. szyjka (butelki) 2. zator; korek w ruchu ulicznym

bottle-nose [ˈbɔtl,nouz] *s zoo* gatunek delfina

bottle-party [ˈbɔtl,pɑ:ti] *s* piknik; uczta składkowa

bottle-washer [ˈbɔtl,wɔʃə] *s* faktotum; *przen* **head-cook and ~** dyrektor i woźny w jednej osobie

bottom [ˈbɔtəm] [I] *s* 1. dół; spód; dolna część (każdego przedmiotu); *przen* sedno (sprawy); **at ~** w gruncie rzeczy; **~ up** do góry dnem; **to be at the ~ of sth** być sprężyną <przyczyną> czegoś; **to knock the ~ out of an argument** udowodnić bezpodstawność argumentu; zbić argument ‖ **the ~ has fallen out of the market** na rynku zapanowała konsternacja 2. dno; grunt pod nogami (w wodzie); **to find ~** zgruntować 3. koniec (ogrodu, ulicy itd.); **at the ~ of the table** na szarym końcu stołu 4. głąb; głębia; **from the ~ of the heart** z głębi serca 5. siedzenie (krzesła, fotelu) 6. (*u człowieka*) siedzenie; (*u dziecka*) pupka; **to kick sb's ~** kopnąć kogoś w siedzenie 7. wytrwałość; wytrzymałość 8. *pl* **~s** statki; **in English ~s** na statkach angielskich [II] *attr am* **~ lands** żyzna gleba naniesiona [III] *adj* 1. dolny; **the ~ half** dolna połowa (naczynia) 2. ostatni *przen* **your ~ dollar** ostatni grosz 3. gruntowny; podstawowy [IV] *vt* 1. wprawi-ć/ać dna (**sth** do czegoś — garnków itp.); da-ć/wać nowe siedzenia (**chairs** do krzeseł) 2. op-rzeć/ierać (argumenty) (**on sth** na czymś) 3. wysondować <zgłębi-ć/ać> (sprawę) 4. wypróżnić <wychylić> do dna [V] *vi* (*o statku*) osi-ąść/adać na dnie

bottomless [ˈbɔtəmlis] *adj* 1. bezdenny; niezgłębiony 2. (*o krześle*) bez siedzenia

bottommost [ˈbɔtəm,moust] *adj* najniższy; (znajdujący się) na samym dnie

bottomry [ˈbɔtəmri] *s mar* bodmeria (pożyczka pod zastaw statku)
botulism [ˈbɔtjuˌlizəm] *s med* botulizm
bougainvillea, bougainvilia [ˌbu:gənˈviliə] *s bot* pnącz tropikalny o barwnych przylistkach
bough [bau] *s* konar; gałąź
bought *zob* **buy** *v*
bougie [ˈbu:ʒi:] *s chir* rozszerzacz, dylatator, zgłębnik
bouillon [ˈbu:jɔ̃:] *s kulin* bulion
boulder [ˈbouldə] *s* otoczak, okrąglak; *geol* głaz eratyczny
boulevard [ˈbu:lˌva:] *s* aleja
boulter [ˈboultə] *s wędk* sznur rybacki z haczykami
↑**bounce**[1] [bauns] [I] *vi* 1. odsk-oczyć/akiwać; odbi-ć/jać się; **to ~ in at the door** wpaść do pokoju jak bomba; **to ~ into <out of> a room** wpaść, wbiec do <wypaść, wybiec z> pokoju; **to ~ out of a room** wylecieć w podskokach z pokoju 2. blagować; opowiadać niestworzone rzeczy [II] *vt* 1. *w zwrocie*: **to ~ sb into doing sth** tak kogoś zagadać, że się zdecyduje na zrobienie czegoś 2. *am* wyrzucić (**sb out of a place** kogoś skądś) *zob* **bouncing** [III] *s* 1. odskok <odbicie się> (piłki); **to catch the ball on the ~** złapać <uderzyć> piłkę po jej odbiciu się 2. chełpliwość; samochwalstwo
bounce[2] [bauns] *interj* bęc!; **to come ~ against sth** walnąć <*pot* pacnąć> o coś
↑**bouncer** [ˈbaunsə] *s* 1. bezczelne kłamstwo 2. blagier/ka 3. *pot* kolos 4. *am* stróż porządku w lokalach nocnych; *pot* wykidajło
bouncing [ˈbaunsiŋ] [I] *zob* **bounce**[1] *v* [II] *adj* pełen werwy <życia, animuszu>
bound[1] [baund] [I] *vi* 1. odbi-ć/jać się (od ziemi, ściany itp.) 2. odsk-oczyć/akiwać 3. posuwać się skokami <lekko> naprzód [II] *s* 1. skok; sus; podskok; **at a ~** jednym susem 2. odbicie się; odskok; **on the first ~** po pierwszym odbiciu się (piłki)
bound[2] [baund] [I] *s* (*zw pl*) granica; **beyond all ~s** ponad wszelką miarę; **to know no ~s** nie znać <mieć> granic; **to set ~s to sth** ogranicz-yć/ać coś; położyć/kłaść czemuś kres; **within ~s** w (pewnych) granicach; *wojsk* (*o terenie itp*) **out of ~s** zakazany [II] *vt* 1. ogranicz-yć/ać 2. być granicą (**sth** czegoś)
bound[3] [baund] *adj* będący w drodze <dążący, jadący, płynący> (**for a place** dokądś); **to be ~ for home, to be homeward ~** a) (*o statku*) płynąć do kraju <do portu macierzystego> b) (*o człowieku*> podążać <jechać> do domu <do kraju>; **to be outward ~, to be ~ for foreign parts** płynąć <jechać> za granicę <w obce strony>; **where are you ~ for?** dokąd pan jedzie?
↑**bound**[4] [baund] *zob* **bind**[2]; **to be ~** być zobowiązanym <zmuszonym> (**to do sth** do zrobienia czegoś); **he is ~ to win <know, come>** na pewno wygra <będzie wiedział, przyjdzie>; musi wygrać <wiedzieć, przyjść>; **to be in duty ~ to do sth** mieć obowiązek zrobienia czegoś; **I am in honour ~ to be there** honor mi nakazuje, abym tam był; mam moralny obowiązek tam być; **I'll be ~** ręczę; **to be ~ up with sb, sth** być związanym z kimś, czymś; **these things are closely ~ up with each other** rzeczy te ściśle się ze sobą wiążą; **~ up in each other** zapatrzeni w siebie
↑**boundary** [ˈbaundəri] [I] *s* granica [II] *attr* (*o linii, słupie itd*) graniczny; demarkacyjny
bounden [ˈbaundən] *adj w zwrocie*: **~ duty** święty obowiązek
bounder [ˈbaundə] *s* 1. samochwał 2. łobuz
boundless [ˈbaundlis] *adj* bezgraniczny; niezmierzony; nieograniczony
boundlessness [ˈbaundlisnis] *s* bezmiar; nieskończoność
bounteous [ˈbauntiəs], **bountiful** [ˈbauntiful] *adj* 1. hojny; szczodry 2. obfity; **bountiful lady** dobrodziejka
bounty [ˈbaunti] *s* 1. szczodrość; hojność 2. premia; zasiłek; subwencja; dodatek; dar (królewski itd.)
bouquet [ˈbu:kei] *s* 1. bukiet; wiązanka kwiatów 2. bukiet (wina) 3. *am zbior* komplementy, pochwały
bouquetin [ˈbu:kətin] *s zoo* koziorożec
bourbon [ˈbuəbɔn] *s am* reakcjonist-a/ka
bourdon [ˈbuədən] *s muz* burdon (organowy)
bourgeois[1] [ˈbuəʒwa:] [I] *s* członek burżuazji; *pot* burżuj [II] *adj* burżuazyjny
bourgeois[2] [bə:ˈdʒɔis] *s druk* burgos <borgis> (czcionka 9-punktowa)
bourgeoisie [ˌbuʒwa:ˈzi:] *s* burżuazja
bourn [buən] *s* potoczek
bourne [bɔ:n] *s poet* 1. granica; kres 2. cel
bour-tree [ˈbuəˌtri:] *s bot* bez czarny
bout [baut] *s* 1. kolej (na kogoś, żeby coś zrobił) 2. atak <nawrót> (choroby, pijaństwa itd.) 3. czas poświęcony czemuś; **a drinking ~** hulanka; **I had a ~ of house-cleaning** posprzątał-em/am sobie; **we had a ~ of singing** pośpiewaliśmy sobie; **this ~** tym razem 4. zmierzenie sił
bovine [ˈbouvain] *adj* 1. wołowy, woli 2. ociężały, ciężki; powolny
bovril [ˈbɔvril] *s kulin* rodzaj bulionu
bow[1] [bau] *s* (*często pl*) dziób <przód> statku
bow[2] [bau] [I] *vi* 1. ukłonić/kłaniać się; skinąć głową 2. schyl-ić/ać się; ugi-ąć/nać się (**to sb, sth** przed kimś, czymś) [II] *vt* 1. zgi-ąć/nać (szyję, kolano itd.) 2. (*o troskach itd*) złamać <zmiażdżyć> (kogoś) 3. skł-onić/aniać (głowę); skinąć (**one's head** głową); wyra-zić/żać (zgodę itp.) skinieniem głowy; **to ~ one's thanks** skinąć głową na znak podziękowania
 ~ down [I] *vi* schyl-ić/ać <pochyl-ić/ać> się [II] *vt* (*o troskach itd*) zgnieść <złamać> (kogoś)
 ~ in *vt* zapr-osić/aszać do wejścia, kłaniając się nisko
 ~ out [I] *vt* po/żegnać niskim ukłonem [II] *vr* **~ oneself out** wy-jść/chodzić kłaniając się uniżenie
 zob **bowing** [III] *s* ukłon
↑**bow**[3] [bou] [I] *s* 1. łuk; kabłąk; **to have two strings to one's ~** mieć dwa zawody <podwójny fach, dwie drogi do osiągnięcia celu>; *przen* **to draw the long ~** przesadzać 2. smyczek 3. kokarda; węzeł; wiązanie 4. łęk (siodła) 5. *pl* = **bow-compasses** [II] *vt* 1. wygi-ąć/nać w kabłąk 2. prowadzić smyczek (**a string** po strunie)
Bow-bells [ˈbouˌbelz] *spr* dzwony kościoła St. Mary le Bow w centrum Londynu; **born within the sound of ~** rodowity londyńczyk

bow-compasses [ˌbou'kʌmpəsiz] *spl* cyrkiel kolankowy z kreślnikiem
bowdlerize ['baudləˌraiz] *vt* okr-oić/awać (książkę); usunąć ustępy drażliwe (**a book** z książki)
bowel ['bauəl] *s* 1. kiszka; jelito 2. *pl* **~s** wnętrzności; **my ~s are loose** mam rozwolnienie; **to have the ~s open** mieć normalny stolec; **to move the ~s** s/powodować wypróżnienie; wziąć/brać (środek) na przeczyszczenie; **the ~s of compassion** <**mercy**> uczucie litości; **the ~s of the earth** wnętrze ziemi
bower[1] ['bauə] *s* 1. buduar 2. altanka 3. mieszkanie (kobiety)
bower[2] ['bauə] *s mar* (*także* **~ anchor**) kotwica główna
bower-bird ['bauəˌbə:d] *s zoo* altannik (ptak australijski z rodziny rajskich ptaków)
Bowery ['bauəri] *spr* hałaśliwa dzielnica Nowego Jorku
bowfin ['boufin] *s* ryba północnoamerykańska z rzędu ganoidów kostnych
bowhead ['bouˌhed] *s zoo* wieloryb grenlandzki
bowie-knife ['bouiˌnaif] *s* (*pl* **bowie-knives** ['bouiˌnaivz]) nóż myśliwski
bowing ['bauiŋ] [I] *zob* **bow**[2] *v* [III] *attr* **~ acquaintance** znajom-y/a z widzenia; powierzchowna znajomość
bow-knot ['bouˌnɔt] *s* wstążka związana na kokardę
bowl[1] [boul] *s* 1. puchar; czara; *przen* kielich, kieliszek 2. miska; miseczka (łyżki itp.); szalka 3. lulka (fajki)
bowl[2] [boul] *s* kula do gry w kręgle; kula (obciążona z jednej strony tak, by się toczyła krzywo) do gry uprawianej na trawniku, zwanej „bowls"
bowl[3] [boul] [I] *vi* 1. za/serwować <rzuc-ić/ać> (kulą w krykiecie, piłką w base-ballu itd.) 2. za/grać w „bowls" [III] *vt* toczyć (koło, kółko)
  ~ along *vi* jechać szybko <gładko>
  ~ out *vt* wytrąc-ić/ać (kogoś) z gry; spalić (w krykiecie itd.)
  ~ over *vt* 1. wywr-ócić/acać (kogoś) 2 zbi-ć/jać z pantałyku (**sb** kogoś); po/psuć szyki (**sb** komuś)
  zob **bowling**
bow-legged ['bouˌlegd] *adj* krzywonogi; z kabłąkowatymi nogami
bowler[1] ['boulə] *s* 1. zawodnik przy grze w „bowls" *zob* **bowl**[2] 2. serwujący zawodnik (przy krykiecie itp.)
bowler[2] ['boulə] *s* melonik (kapelusz)
bowline ['boulin] *s mar* bulina (lina do naciągania żagla)
↑**bowling** ['bouliŋ] [I] *zob* **bowl**[3] [III] *attr* **~ alley** kręgle; **~ green** trawnik do gry zwanej „bowls" *zob* **bowl**[2]
bowman ['boumən] *s* (*pl* **bowmen** ['boumən]) łucznik
bow-net ['bouˌnet] *s* więcierz
bow-oar ['bouˌɔ:] *s* szlakowy (wioślarz)
bow-saw ['bou'sɔ:] *s* piła kabłącznica <kabłąkowa>
bowshot ['bouˌʃɔt] *s* odległość strzału z łuku
bowsprit ['bouˌsprit] *s mar* bukszpryt
bowstring ['bouˌstriŋ] [I] *s* 1. cięciwa 2. (*w dawnej Turcji*) sznur do duszenia skazańca [III] *vt* u/dusić (skazańca) sznurem
bow-window ['bou'windou] *s bud* okno wykuszowe; wykusz
bow-wow ['bau'wau] *vi* z/robić wielki szum
bowyer ['boujə] *s* łuczni-k/czka
box[1] [bɔks] *s bot* bukszpan
box[2] [bɔks] [I] *s* uderzenie (otwartą dłonią); **to give sb a ~ on the ears** dać komuś po uszach [III] *vt* 1. *w zwrocie*: **to ~ sb's ears** da-ć/wać komuś w twarz <po uszach> 2. bić się na pięści <boksować się> (**sb** z kimś) [III] *vi* boksować się; uprawiać boks *zob* **boxing**
box[3] [bɔks] [I] *s* 1. pudło, pudełko; skrzynia, skrzynka; puszka; kasetka; puzdro; futerał; kuferek; **to be in the same ~** być w jednakowym położeniu (**as sb** z kimś) 2. kozioł (powozu) 3. loża (w teatrze, kinie itd.) 4. kabina 5. przegroda w stajni 6. boks (w garażu) 7. skarbonka; **to have money in the ~** mieć oszczędności 8. budka (dróżnika, wartownika itd.) 9. miejsce w sądzie dla świadków składających zeznania; **to be in the ~** składać zeznania jako świadek 10. karter (samochodu) [III] *vt* 1. za/pakować 2. włożyć/wkładać (do skrzyni, futerału itp.) 3. odos-obnić/abniać; odizolować; umie-ścić/szczać w separatce 4. *w zwrocie:* **to ~ the compass** a) wylicz-yć/ać kolejno wszystkie punkty kompasu b) *przen* hołdować kolejno całej gamie (poglądów itp.) i wrócić do punktu wyjścia
  ~ in *vt* uj-ąć/mować (tekst) w ramki
  ~ up *vt* stłoczyć razem; **we were ~ed up** byliśmy stłoczeni; znajdowaliśmy się w ciasnocie
box-attendant ['bɔks-əˌtendənt] *s* bileter/ka
box-bed ['bɔksˌbed] *s* łóżko zamykające się jak skrzynia
box-calf ['bɔksˌkɑ:f] *s* skóra chromowa
box-camera ['bɔksˌkæmrə] *s* skrzynkowy aparat fotograficzny
box-car ['bɔksˌkɑ:] *s* wagon towarowy
box-coat ['bɔksˌkout] *s* ciepły płaszcz (dla woźniców itp.)
box-elder ['bɔksˌeldə] *s bot* klon jesionolistny; jesionoklon
↑**boxer** ['bɔksə] *s* 1. bokser, pięściarz 2. *am* kasiarz (rozpruwacz kas ogniotrwałych) 3. *sl* melonik (kapelusz) 4. *hist* **Boxer** bokser (członek chińskiego związku politycznego)
box-haul ['bɔksˌhɔ:l] *vt mar* dokon-ać/ywać zwrotu (**a vessel** statku) przez dziób
boxing ['bɔksiŋ] [I] *zob* **box**[2] *v* [III] *s* boks, pięściarstwo
Boxing-day ['bɔksiŋˌdei] *s* drugi dzień świąt Bożego Narodzenia
boxing-gloves ['bɔksiŋˌglʌvz] *spl* rękawice bokserskie
boxing-match ['bɔksiŋˌmætʃ] *s* mecz bokserski; zawody pięściarskie
boxing-weight ['bɔksiŋˌweit] *s* waga bokserska
box-iron ['bɔksˌaiən] *s* żelazko na duszę
↑**box-office** ['bɔksˌɔfis] *s* kasa teatralna
box-pleat ['bɔksˌpli:t] *s* kontrafałda
box-seat ['bɔksˌsi:t] *s* miejsce na koźle (woźnicy)
box-spanner ['bɔksˌspænə] *s techn* klucz nasadowy
box-tree ['bɔksˌtri:], **boxwood** ['bɔksˌwud] *s bot* bukszpan
boy [bɔi] *s* 1. chłopiec; młodzieniec; **~s will be ~s** dla chłopca trzeba mieć wyrozumienie; **(ever) since I was a ~** od lat chłopięcych; **I have known him from a ~** znam go od dziecka; **an**

old ~ absolwent; **her** <**my**> **~** jej <moja> sympatia, jej <mój> adorator; *am okrzyk wyrażający zachwyt*: **oh ~!** świetnie!; **old ~!** stary przyjacielu!; drogi przyjacielu!; bracie! 2. boy, chłopiec do posług; (*w koloniach*) służący 3. *pot* szampan

boyar [bou'jɑ:] *s hist* bojar

boycott ['bɔikət] I *vt* z/bojkotować II *s* bojkot; bojkotowanie

boyhood ['bɔihud] *s* chłopięctwo; dzieciństwo chłopca; wiek chłopięcy; chłopięce lata

boyhusband ['bɔi,hʌzbənd] *s* młodociany mąż

boyish ['bɔiiʃ] *adj* chłopięcy

boyishness ['bɔiiʃnis] *s* 1. natura chłopięca; nawyki <usposobienie> chłopięce 2. chłopięcy wygląd

Boyle [bɔil] *spr fiz* **~'s law** prawo Boyle'a

boy-like ['bɔilaik] *adj* chłopięcy

boy's-love ['bɔiz,lʌv] *s bot* bylica

brabble ['bræbl] *vi dial* kłócić się

brace [breis] I *s* 1. klamra; klamerka; wiązanie; kleszcze 2. rzemień (do napinania, ściskania) 3. *bud* spona; zwora; ankier 4. korba do wiercenia z grzechotką 5. (*pl* **~**) para (psów, bażantów, pistoletów itd.) 6. *muz* akolada 7. *mar* bras; *przen pot* **to split the main ~** pić; upi-ć/jać się 8. (*także* **~ and bit**) świder korbowy 9. *pl* **~s** szelki 10. nawias klamrowy II *vt* 1. spi-ąć/nać (klamrą itp.) 2. ścis-nąć/kać; z/wiązać 3. napi-ąć/nać; naciąg-nąć/ać 4. *mar* brasować

  ~ up I *vt* wzm-ocnić/acniać <orzeźwi-ć/ać> (kogoś); doda-ć/wać sił <odwagi> (**sb** komuś); pokrzepi-ć/ać (kogoś) II *vr* **~ oneself up** zebrać siły; zebrać się w sobie; wzmocnić się; nabrać odwagi <animuszu>

  zob **bracing**

bracelet ['breislit] *s* 1. bransoletka 2. *pl* **~s** kajdany

bracer ['breisə] *s* 1. środek na wzmocnienie <na pokrzepienie> (kieliszek wódki itp.) 2. *techn* ochraniacz kiści ręki

brach [brætʃ] *s* suka myśliwska

brachial ['breikiəl] *adj anat* ramienny; ramieniowy

brachiopod ['brækiə,pɔd] *s zoo* ramienionóg (małż)

brachycephalic [,bræki-se'fælik] *adj* krótkogłowy

bracing ['breisiŋ] I *zob* **brace** *v* II *adj* (*o powietrzu, działaniu itp*) wzmacniający; orzeźwiający; pokrzepiający; ożywczy

bracken ['brækən] *s bot* orlica (gatunek dużej paproci)

↑**bracket** ['brækit] I *s* 1. konsola 2. podpórka 3. kinkiet 4. półeczka z podpórką 5. *druk* nawias; klamra 6. *bud* krokształtyn II *vt* 1. wziąć/brać (wyraz itp.) w nawias <w klamry> 2. *wojsk* wziąć/brać w widły <obramow-ać/ywać> (cel)

bracket-seat ['brækit,si:t] *s* strapontena

brackish ['brækiʃ] *adj* (*o wodzie*) słonawy

bract [brækt] *s bot* przylistek

brad [bræd] *s* ćwiek

bradawl ['bræd,ɔ:l] *s* szydło płaskie

bradbury ['brædbəri] *s pot* banknot jednofuntowy

bradded ['brædid] *adj* (*o bucie*) nabity ćwiekami

Bradshaw ['brædʃɔ:] *spr* kolejowy rozkład jazdy

brae [brei] *s szkoc* stok <zbocze> górski/e

brag [bræg] I *vi* (-gg-) 1. chełpić <przechwalać> się 2. po/chwalić się (**about sth** czymś) II *s* 1. chełpliwość; samochwalstwo; fanfaronada; bufonada 2. (*także* **a piece of ~**) przechwałki; **he is full of ~** z niego jest samochwał; **to make a ~ of sth** przechwalać się czymś

braggadocio [,brægə'doutʃi,ou] *s* fanfaronada

braggart ['brægət] *s* samochwał; fanfaron; bufon

brahman ['brɑ:mən], **brahmin** ['brɑ:min] *s* 1. bramin 2. *am* inteligent

brahmapootra [,brɑ:mə'pu:trə] *s* nazwa rasy drobiu

brahminee [,brɑ:mi'ni:] I *s* braminka II *adj* ['brɑ:mi,ni:] bramiński

brahminism ['brɑ:mi,nizəm] *s* braminizm

braid [breid] I *vt* 1. spl-eść/atać (w warkocz) 2. przepas-ać/ywać (włosy) wstążką 3. obszy-ć/wać <ozd-obić/abiać> galonem 4. *elektr* skręc-ić/ać (przewody itp.) II *s* 1. warkocz; splot 2. wstążka (do włosów); przepaska 3. galon

brail [breil] I *s mar* gejtaw II *vt* zwi-nąć/jać (żagle)

braille [breil] *s* wypukłe pismo dla niewidomych

↑**brain** [brein] I *s* 1. mózg 2. umysł; **to have sth on the ~** mieć bzika na punkcie czegoś; **I have that on my ~** to mi nie daje spokoju; to mnie prześladuje; **it turned his ~** przewróciło mu się od tego w głowie 3. *pl* **~s** rozum; **a man of** <**with**> **~s** tęga głowa; człowiek z głową (na karku); **~s trust** trust mózgów; komitet ekspertów (szczególnie do spraw planowania); **the ~s of a canary** ptasi mózg; **to have ~s** mieć tęgą głowę; **to have little ~s** nie grzeszyć zbytnim rozumem <zbytnią mądrością> 4. *pl* **~s** mózgowie, substancja mózgowa, mózg; **to knock out sb's ~s** *pot* rozwalić komuś łeb 5. *pl* **~s** móżdżek (potrawa) II *attr* (*o chorobach itd*) umysłowy III *vt pot* rozwalić łeb <czaszkę> (**sb** komuś)

brain-fag ['brein,fæg] *s* wyczerpanie umysłowe

brain-fever ['brein,fi:və] *s med* zapalenie opon mózgowych

brainless ['breinlis] *adj dosł i przen* bezgłowy; bezmózgi

brain-pan ['brein,pæn] *s* czaszka

brainsick ['brein,sik] *adj* cierpiący na chorobę umysłową

brainstorm ['brein,stɔ:m] *s med* gwałtowne objawy choroby umysłowej

brainwave ['brein,weiv] *s* natchnienie; genialna myśl

brain-work ['brein,wə:k] *s* 1. praca umysłowa 2. praca wymagająca tęgiej głowy

brainy ['breini] *adj* (**brainier** ['breiniə], **brainiest** ['breiniist]) mądry; rozgarnięty; z głową na karku

braird [breəd] I *s* kiełki (zboża itp.) II *vi* za/kiełkować

braise [breiz] *vt* u/dusić (potrawę)

brake[1] [breik] = **bracken**

brake[2] [breik] *s* zarośla; gąszcz

brake[3] [breik] *s* międlica (do mielenia lnu itp.)

↑**brake**[4] [breik] I *s* hamulec; **to put the ~ on, to apply the ~** za/hamować II *vt* za/hamować <zatrzym-ać/ywać> (wóz, koło itd.) III *vi* za/hamować

brakesman ['breiksmən] *s* (*pl* **brakesmen** ['breiks mən]) hamulcowy, brekowy

brake-van ['breik,væn] *s kolej* wagon z przedziałem dla konduktora i brekowego

bramble ['bræmbl] *s bot* jeżyna

brambling ['bræmbliŋ] *s zoo* zięba jer

brambly ['bræmbli] *adj* porosły jeżynami

bran [bræn] *s* otręby

brancard ['bræŋkəd] *s* lektyka konna

branch [brɑ:ntʃ] [I] *s* 1. gałąź (drzewa, wiedzy, rodziny itp.) 2. odgałęzienie; odnoga 3. oddział; filia (instytucji) [II] *vi* odgałęzi-ć/ać <rozwidl-ić/ać> się
~ **forth** *vi* wypu-ścić/szczać nowe gałęzie
~ **off** *vi* rozchodzić <rozwidlać> się
~ **out** *vi* 1. odgałęzi-ć/ać <rozwidl-ić/ać> się 2. (*o instytucji*) rozgałęzi-ć/ać <rozwi-nąć/jać> się; za-łożyć/kładać nowe oddziały

branchia ['bræŋkiə] *spl* skrzela

branchial ['bræŋkiəl] *adj* skrzelowy

branchiopod ['brænkiə,pɔd] *s zoo* skrzelonóg (skorupiak)

brand [brænd] [I] *s* 1. żagiew, głownia; zarzewie 2. *poet* pochodnia 3. rozpalone żelazo; żelazo do piętnowania 4. piętno 5. znak firmowy 6. gatunek <marka> (towaru) 7. zwarzenie (roślin) 8. *poet* miecz [II] *vt* 1. *dosł i przen* na/piętnować 2. wryć (w pamięć)

branding-iron ['brændiŋ,aiən] *s* żelazo do wypalania piętna

brandish ['brændiʃ] *vt* wywijać <wymachiwać, potrząs-nąć/ać> (**sth** czymś)

brandling ['brændliŋ] *s* czerwona glista (używana jako przynęta)

brand-new ['brænd'nju:], **bran-new** ['bræn'nju:] *adj* nowiusieńki; jak z igły

brandreth ['brændriθ] *s* kętnar <legar> (pod beczkę)

brandy ['brændi] *s* wódka ze spirytusu winnego; ~ **and soda** wódka podawana z wodą sodową

brandy-snap ['brændi,snæp] *s* sucharek na przekąskę

brank-ursine [,bræŋk'ə:sin] *s bot* akant

bran-new *zob* **brand-new**

bran-pie ['bræn'pai], **bran-tub** ['bræn,tʌb] *s* beczka z otrębami, z których wyciąga się niespodzianki (na zabawach dziecięcych itp.)

brant-geese *zob* **brant-goose**

brant-goose ['brænt,gu:s] *s* (*pl* **brant-geese** ['brænt ,gi:s]) bernikla (dzika gęś)

bran-tub *zob* **bran-pie**

brash[1] [bræʃ] *adj* śmiały; zuchwały

brash[2] [bræʃ] *s med* 1. kwaśny smak w ustach 2. wysypka skórna

brash[3] [bræʃ] *s* rumowisko; zwaliska

brass [brɑ:s] [I] *s* 1. mosiądz 2. *pl* ~**es** przedmioty z mosiądzu i miedzi (klamki itp.) 3. *sl* forsa, pieniądze 4. czelność; śmiałość 5. orkiestra dęta [II] *attr* ~ **band** orkiestra dęta; ~ **plate** tabliczka z nazwiskiem na drzwiach; ~ **tacks** a) pluskiewki b) *sl* sedno rzeczy <sprawy>; **to get down to ~ tacks** przystąpić do sprawy; zacząć mówić poważnie

brassage ['bræsidʒ] *s* opłata mennicza

brassard [bræ'sɑ:d] *s* opaska na rękę

brasserie ['bræsri] *s* piwiarnia

brass-hat ['brɑ:s,hæt] *s sl* wyższy oficer

brassière ['bræsi,ɛə] *s* biustonosz

brassy[1] ['brɑ:si] *adj* (**brassier** ['brɑ:siə], **brassiest** ['brɑ:siist]) 1. miedziany 2. metaliczny (dźwięk itp.) 3. hałaśliwy 4. bezczelny

brassy[2] ['brɑ:si] *s* kij używany do gry w golfa

brat [bræt] *s* dzieciuch; berbeć; brzdąc

brattice ['brætis] *s górn* tama wentylacyjna

bravado [brə'vɑ:dou] *s* (*pl* ~**es**, ~**s**) junakieria; zuchowatość; pyszałkowatość

brave [breiv] [I] *adj* 1. odważny; śmiały; dzielny; męski; waleczny 2. postawny; piękny; wytworny 3. zacny [II] *vt* nie zważać (**difficulties, danger, death** na trudności, niebezpieczeństwo, śmierć); lekceważyć (śmierć itp.); stawiać czoło <patrzyć w oczy> (**sth** czemuś); odważyć się (**sth** na coś); **to ~ it out** a) zachować się wyzywająco b) nie s/tracić przytomności umysłu <pewności siebie> [III] *spl* **the** ~ waleczni <dzielni> ludzie

bravery ['breivəri] *s* dzielność; odwaga; śmiałość; męstwo; waleczność

bravo ['brɑ:'vou] [I] *s* (*pl* ~**es**, ~**s**) siepacz; zbir; zbój [II] *interj* brawo!

bravura [brə'vuərə] *s* brawura

brawl [brɔ:l] [I] *s* 1. burda; bijatyka 2. szmer (strumyka) [II] *vi* 1. kłócić <awanturować> się; wrzeszczeć 2. (*o strumyku*) szemrać

brawler ['brɔ:lə] *s* awanturni-k/ca

brawn [brɔ:n] *s* 1. mięśnie 2. tężyzna; krzepkość 3. głowizna 4. salceson

brawniness ['brɔninis] *s* muskularność; krzepkość

brawny ['brɔ:ni] *adj* (**brawnier** ['brɔ:niə], **brawniest** ['brɔ:niist]) muskularny; krzepki; tęgi

braxy ['bræksi] [I] *s szkoc* 1. *wet* wąglik owczy 2. mięso wąglikowate [II] *adj* 1. (*o owcy*) dotknięty wąglikiem 2. (*o mięsie*) wąglikowaty

bray[1] [brei] [I] *s* 1. ryk (osła) 2. ostre dźwięki (trąbki) [II] *vi* (*o ośle*) za/ryczeć; (*o dźwiękach trąbki*) za/brzmieć
~ **out** *vi* ryknąć, za/ryczeć

bray[2] [brei] *vt* u/tłuc (w moździerzu)

braze [breiz] *vt* 1. brązować 2. lutować mosiądzem

brazen ['breizn] [I] *adj* 1. mosiężny; brązowy (z brązu) 2. bezczelny; bezwstydny; z wytartym czołem; cyniczny; ~ **face** bezwstyd [II] *vt w zwrotach*: **to ~ it out** nadrabiać bezczelnością; **to ~ out a crime** chełpić się cynicznie popełnioną zbrodnią

brazen-faced ['breizn,feist] *adj* bezczelny; bezwstydny; cyniczny

brazenness ['breiznnis] *s* bezczelność; cynizm

brazier[1] ['breiziə] *s* kotlarz

brazier[2] ['breiziə] *s* kosz do ognia koksowego

Brazilian [brə'ziljən] [I] *s* Brazylij-czyk/ka [II] *adj* brazylijski

Brazil-nut [brə'zil'nʌt] *s* orzech brazylijski

brazing-lamp ['breiziŋ,læmp] = **blow-lamp**

breach [bri:tʃ] [I] *s* 1. naruszenie <pogwałcenie> (przepisów, prawa itd.); ~ **of duty** niespełnienie obowiązku; ~ **of faith** niedotrzymanie słowa; wiarołomstwo; ~ **of promise** niedotrzymanie obietnicy małżeństwa (w Anglii surowo karane); ~ **of the peace** zakłócenie spokoju publicznego; ~ **of trust** sprzeniewierzenie 2. zerwanie (przyjaźni); rozbrat 3. wyłom (w murze fortecy); wyrwa (w szeregach walczących); **to stand in the** ~ wziąć/brać na siebie impet uderzenia wroga 4. przewalanie się fal przez statek (**clean** ~ zmiatające wszystko z pokładu; **clear** ~ nie powodujące uszkodzenia statku) 5. skok wieloryba w powietrze [II] *vt* z/robić wyłom (**a wall etc.** w murze itp.) <wyrwę (**the ranks etc.** w szeregach itp.)> [III] *vi* 1. (*o wałach*) przer-wać/ywać się 2. (*o wielorybie*) wyskoczyć z wody

bread [bred] [I] *s* chleb; ~ **and butter** a) chleb z masłem b) *przen* środki utrzymania; **to quarrel**

with one's ~ and butter po/kłócić się z szefem <z pracodawcą>; *przen* **~ and cheese** nędzne utrzymanie; *przen* **~ buttered on both sides** dostatek; dobrobyt; **to eat the ~ of idleness** prowadzić życie bezczynne; wałkonić się II *attr* **~ line** ogonek <kolejka> po chleb <po bony na bezpłatne posiłki>

bread-and-butter ['bredənd,bʌtə] *attr* 1. młodzieńczy; **~ miss** pensjonarka 2. codzienny; prozaiczny; **~ letter** listowne podziękowanie za gościnę

bread-basket ['bred,bɑ:skit] *s* 1. koszyk na pieczywo (do stołu) 2. *sl* brzuch, żołądek

bread-berry ['bred'beri] *s* chleb rozmoczony w mleku

bread-crumb ['bred,krʌm] *s* 1. miękisz (chleba, bułki) 2. okruszyna

bread-fruit ['bred,fru:t], **bread-tree** ['bred,tri:] *s bot* drzewo chlebowe

bread-stuffs ['bred,stʌfs] *spl* zboża <mąki> chlebowe

breadth [bredθ] *s* 1. szerokość; **in ~** na szerokość 2. rozpiętość (skrzydeł) 3. szerokość poglądów 4. zakres (pojęcia)

breadthways ['bredθ,weiz], **breadthwise** ['bredθ,waiz] *adv* na szerokość; bokiem

bread-tree *zob* **bread-fruit**

bread-winner ['bred,winə] *s* żywiciel/ka (rodziny)

break[1] [breik] *s* brek; bryczka

↑**break[2]** [breik] *v* (**broke** [brouk], **broken** ['broukən]) I *vt* 1. *dosł i przen* złamać (przedmiot, nogę, serce, słowo itd.); **to ~ a contract <promise>** nie dotrzym-ać/ywać umowy <obietnicy>; **to ~ an appointment** nie przy-jść/chodzić na umówione spotkanie; nie dotrzym-ać/ywać terminu; **to ~ a record** pobić rekord 2. *dosł i przen* rozbi-ć/jać (przedmiot, bank itd.); (*o banknocie*) rozmieni-ć/ać; **to ~ open a box etc.** rozbi-ć/jać <rozwal-ić/ać> skrzynię itp. 3. po/tłuc <stłuc, roztrzaskać> (szkło itd. na kawałki) 4. przer-wać/ywać (podróż, milczenie itd.); **to ~ the peace** zakłóc-ić/ać spokój 5. ur-wać/ywać <roz-erwać/rywać> (linę, nitkę, więzy itd.) 6. narusz-yć/ać całość (**sth** czegoś); **to ~ a set** z/dekompletować (serwis, serię, garnitur) 7. *dosł i przen* przełam-ać/ywać (kij, opór itd.); *wojsk* **to ~ the ranks** roz-ejść/chodzić się 8. z/robić wyrwę <wyłom> (**a wall, troops etc.** w murze, w szeregach itd.); **to ~ a way** u/torować drogę 9. narusz-yć/ać (prawo, przepisy itp.); *wojsk* **to ~ the bounds** przebywać na obszarze <w lokalu> zakazanym; **to ~ the Sabbath** nie u/szanować święta 10. z/łagodzić <z/amortyzować, osłab-ić/ać> (upadek, uderzenie) 11. rozwi-ać/ewać (urok); rozpr-oszyć/ aszać (ciemności, chmury itd.) 12. s/ tłumić (bunt, strajk itd.) 13. *dosł i przen* okiełznać; wy/tresować; **to ~ a horse** ujeżdżać konia; **to ~ a horse to the rein** zaprawi-ć/ać konia do cugli 14. za/ komunikować (wiadomość); **to ~ it to sb gently** oględnie kogoś zawiad-omić/amiać o czymś (przykrym, tragicznym) 15. przen-ieść/osić w stan spoczynku <z/degradować> (wojskowego) 16. odzwycza-ić/jać; **to ~ sb of a bad habit** odzwycza-ić/jać kogoś od nałogu 17. z/gręplować (wełnę); z/międlić (len, konopie) 18. zacz-ąć/ynać <rozpocz-ąć/ynać> (pracę, działanie, oblężenie itd.); **to ~ ground** a) zacz-ąć/ynać orkę b) orać c) zacz-ąć/ynać roboty ziemne (pod budowę itp.) II *vi* 1. z/łamać <rozbi-ć/jać> się; po/tłuc <s/tłuc> się; (*o zdrowiu, duchu, fali itd*) załam-ać/ywać się; **his health broke** on zapadł na zdrowiu 2. przer-wać/ywać się; *dosł i przen* (*o wrzodzie, sercu itd*) pęk-nąć/ać; (*o pogodzie*) zmieni-ć/ać się 3. przełam-ać/ywać się 4. ur-wać/ywać <roz-erwać/rywać> się 5. zerwać/zrywać przyjaźń (**with sb** z kimś); wziąć/brać rozbrat; poróżnić się 6. za/świtać 7. (*o głosie*) załam-ać/ywać się 8. (*o głosie*) ule-c/gać mutacji 9. (*o kupcu itd*) z/bankrutować 10. wyr-wać/ywać się <umknąć> (**from a prison** z więzienia); **to ~ free <loose>** wyr-wać/ywać się na wolność 11. włam-ać/ywać się (do czyjegoś domu, mieszkania itd.) 12. wybuch-nąć/ać (**into a laugh <sobs>** śmiechem <łkaniem>)

~ away I *vt* od-erwać/rywać; odłam-ać/ywać II *vi* 1. od-erwać/rywać <odłam-ać/ywać> się 2. wyr-wać/ywać się 3. ucie-c/kać 4. wyzw-olić/alać się (**from sth** od czegoś)

~ down I *vt* 1. roz-ebrać/bierać (mur/y itp.) 2. przełam-ać/ywać (opór itp.) 3. po/tłuc; z/miażdżyć 4. *górn* urabiać <wyrębywać> (węgiel) II *vi* 1. (*o zdrowiu*) załam-ać/ywać się 2. (*o moście itp*) zapa-ść/dać <zawal-ić/ać> się 3. wybuch-nąć/ać płaczem 4. uszkodzić <zepsuć> się; *sl* nawal-ić/ać 5. = **~ off** *vi* 2.

~ forth *vi* 1. trys-nąć/kać 2. (*o burzy itp*) wybuch-nąć/ać

~ in I *vi* 1. włam-ać/ywać się; wtargnąć 2. (*o dachu itp*) zawal-ić/ać <zapa-ść/dać> się 3. wtrąc-ić/ać się; interweniować II *vt* 1. uje-ździć/żdżać (konia) 2. przełam-ać/ywać <okiełznać, ujarzm-ić/ać> (kogoś) 3. wyłam-ać/ywać <wywal-ić/ać> (drzwi); rozbi-ć/jać (beczkę, skrzynię itp.)

~ off I *vt* 1. od-erwać/rywać <odłam-ać/ywać> (**sth from sth** coś od czegoś); przer-wać/ywać 2. zerwać/zrywać (stosunki z kimś, małżeństwo itp.) 3. zaprzesta-ć/wać (pracować itp.); przer-wać/ywać (pracę itp.) II *vi* 1. odłam-ać/ywać <od-erwać/rywać> się 2. ustawać (w czasie przemówienia itp.); urwać 3. przesta-ć/wać (**doing sth** coś robić)

~ out *vi* 1. (*o wojnie, epidemii itp*) wybuch-nąć/ać 2. (*o twarzy*) pokry-ć/wać się (**into pimples <a sweat>** pryszczami <potem>) 3. ucie-c/kać; *pot* wyr-wać/ywać 4. wykrzyknąć; zawołać

~ through *vi* prze-drzeć/dzierać się

~ up I *vt* 1. roz-ebrać/bierać (budynek itp.) 2. rozdr-obnić/abniać; rozparcelow-ać/ywać 3. rozpr-oszyć/aszać (tłum itd.); rozpędz-ić/ać; przer-wać/ywać <za/kończyć> (obrady itp.) II *vi* 1. rozpa-ść/dać się (na części) 2. (*o zgromadzeniu, chmurach itd*) roz-ejść/chodzić się 3. (*o lodach*) pu-ścić/szczać 4. *szk* s/kończyć naukę; zacz-ąć/ynać wakacje 5. (*o pogodzie*) ze/psuć się

zob **broke, broken** III *s* 1. złamanie; rozbicie; stłuczenie 2. przerwa; (*w szkole itd*) pauza 3. wyrwa; wyłom; luka 4. przełamanie 5. urwanie się <rozerwanie> (liny, sznurka itp.) 6. zmiana (pogody itd.); **~ in prices <stocks>** nagły spadek cen <akcji>; **~ in the voice** a) załamanie się głosu b) mutacja; **~ of day** świt, brzask 7. wytchnienie 8. zerwanie (przyjaźni); rozbrat; poróżnienie

breakage ['breikidʒ] *s* 1. złamanie; potłuczenie; rozbicie 2. *zbior* stłuczki 3. uszkodzenie

↑ **break-down** ['breik'daun] *s* 1. niepowodzenie 2. upadek; runięcie; załamanie się (systemu, ustroju itp.) 3. utrata zdrowia 4. rozstrój nerwowy; załamanie się (psychiczne) 5. defekt; wypadek (samochodowy, kolejowy itd.); awaria 6. przerwa w ruchu; **~ gang** pogotowie techniczne <awaryjne>

breaker[1] ['breikə] *s* 1. *górn* rębacz 2. fala przybrzeżna 3. *elektr* wyłącznik; przerywacz 4. *techn* łamacz; kruszarka

breaker[2] ['breikə] *s* baryłka

↑ **breakfast** ['brekfəst] [I] *s* śniadanie [II] *vi* z/jeść śniadanie [III] *vt* da-ć/wać <poda-ć/wać, wyda-ć/wać> śniadanie (**sb** komuś)

break-neck ['breik,nek] *adj* (*o tempie, jeździe itp*) niebezpieczny; na złamanie karku

↑ **break-through** ['breik'θru:] *s* 1. wyłom; przerwa 2. *górn* przecinka

break-up ['breik'ʌp] *s* 1. rozpadnięcie się 2. rozejście się 3. załamanie się; runięcie; upadek 4. zakończenie nauki; rozpoczęcie się wakacji

breakwater ['breik,wɔ:tə] *s* falochron

bream[1] [bri:m] *s zoo* leszcz

bream[2] [bri:m] *vt mar* oczy-ścić/szczać <o/skrobać> (dno statku)

breast [brest] [I] *s* pierś; **to make a clean ~ of sth** przyznać się do czegoś; wyznać coś [II] *vt* 1. stawi-ć/ać czoło (**sth** czemuś) 2. walczyć (**sth** z czymś); zwalczać (coś); borykać się (**sth** z czymś) 3. wspi-ąć/nać się (**sth** na coś — na górę, szczyt itp.)

breast-band ['brest'bænd] *s* szleja (w uprzęży)

breast-bone ['brest,boun] *s anat* mostek

breast-deep ['brest'di:p], **breast-high** ['brest'hai] *adv* po pierś

breast-drill ['brest,dril] *s* świder korbowy

breast-harness ['brest,ha:nis] *s* szleja (w uprzęży)

breast-high *zob* **breast-deep**

breast-pang ['brest,pæŋ] *s med* dusznica bolesna (angina pectoris)

breast-pin ['brest,pin] *s* broszka, brosza

breast-plate ['brest,pleit] *s* pancerz; napierśnik

breast-stroke ['brest,strouk] *s* styl klasyczny (pływania), *pot* żabka

breastsummer ['bresəmə] = **bressummer**

breast-wall ['brest,wɔ:l] *s* murek

breastwork ['brest,wə:k] *s* parapet; *fort* parapet, przedpiersie

breath [breθ] *s* 1. dech; tchnienie; **in one ~** jednym tchem 2. oddech; oddychanie; **bad ~** przykry zapach z ust; **I caught my ~** dech mi zaparło; **out of ~** bez tchu; zadyszany; **to be short of ~** mieć zadyszkę; **to hold one's ~** wstrzymać oddech (z wrażenia, ze strachu itp.); **to take ~** odetchnąć; wytchnąć; **to waste one's ~** mówić na próżno; **you are wasting your ~** szkoda słów; **under one's ~** półszeptem 3. podmuch; <powiew> (wiatru itp.) 4. bezdźwięczność (głoski)

breathe [bri:ð] [I] *vi* 1. od-etchnąć/dychać; **to ~ freely** swobodnie oddychać; odetchnąć z ulgą 2. sapać; dyszeć 3. dmuch-nąć/ać; powi-ać/ewać; wiać [II] *vt* 1. oddychać (**air** powietrzem) 2. tchnąć; wionąć (**health, simplicity etc.** zdrowiem, prostotą itd.); **to ~ courage** <**life**> **into sb** natchnąć kogoś odwagą <nowym życiem>; **to ~ a sigh** westchnąć 3. szep-nąć/tać; **don't ~ a word of it** ani słowa o tym nie piśnij/cie; ani pary z ust; **to ~ a prayer** westchnąć błagalnie 4. zionąć (**vengeance** zemstą); **to ~ one's last** wyzionąć ducha 5. da-ć/wać wytchnąć (**a horse** koniowi)

~ in *vt* wdychać; wciąg-nąć/ać (powietrze)

~ out *vt* wydychać (powietrze); **to ~ out threats** wybuch-nąć/ać potokiem gróźb

zob **breathed, breathing**

breathed [bri:ðd] [I] *zob* **breathe** [II] *adj* [breθt] (*o głosce*) bezdźwięczny

breather ['bri:ðə] *s* 1. istota oddychająca <żyjąca> 2. ćwiczenie oddechowe 3. **chwila** wytchnienia

breathing ['bri:ðiŋ] [I] *zob* **breathe** [II] *adj* (*o posągu itp*) (jak) żywy [III] *attr* **~ apparatus** inhalator

breathing-space ['bri:ðiŋ,speis] *s* chwila wytchnienia, pauza

breathless ['breθlis] *adj* 1. bez tchu; zadyszany; zasapany; zziajany; **to be ~ with —** nie posiadać się z ... (radości itd.); **we watched ~** przyglądaliśmy się z zapartym tchem 2. (*o dniu itp*) bez najmniejszego powiewu wiatru

breathlessness ['breθlisnis] *s* brak tchu

breath-taking ['breθ,teikiŋ] *adj* (*o widoku itd*) zapierający dech w piersi

breccia ['bretʃə] *s* 1. *geol* brekcja 2. *bud* gruz

bred [bred] [I] *zob* **breed** *v* [II] *adj* wychowany

breech[1] [bri:tʃ] *s* zamek (karabinu, armaty)

breech[2] [bri:tʃ] *vt* ub-rać/ierać (małego chłopca) w spodenki

↑ **breeches** ['britʃiz] *spl* spodnie; bryczesy; *przen* (*o kobiecie*) **to wear the ~** rządzić (w domu); grać pierwsze skrzypce

breeching ['bri:tʃiŋ] *s* rzemień <pas> pośladkowy (w uprzęży)

breech-loader ['bri:tʃ,loudə] *s* broń odtylcowa

breed [bri:d] *v* (**bred** [bred], **bred**) [I] *vt* 1. s/płodzić; u/rodzić; rozmn-ożyć/ażać 2. wywoł-ać/ywać; s/powodować; z/rodzić 3. wy/hodować; prowadzić hodowlę (**sth** czegoś) 4. wychow-ać/ywać (**sb a lawyer** <**to the law**> kogoś na prawnika); przeznacz-yć/ać (**a boy etc. for an occupation** chłopca itd. do pewnego zawodu) [II] *vi* 1. z/rodzić <wylęgać, rozmn-ożyć/ażać> się 2. rozpowszechni-ć/ać <rozszerz-yć/ać> się 3. dziedziczyć się; być dziedzicznym; **bred in the bone** wrodzony; (posiadany) we krwi *zob* **bred, breeding** [III] *s* rasa; plemię; ród ludzki

↑ **breeder** ['bri:də] *s* 1. reproduktor <rozpłodnik> (buhaj, ogier itp.) 2. hodowca

↑ **breeding** ['bri:diŋ] [I] *zob* **breed** *v* [II] *s* 1. rozpłód 2. hodowla 3. wychowanie 4. maniery; zachowanie się [III] *attr* **~ season** pora lęgu; okres stanowienia (klaczy itp.)

breeze[1] [bri:z] *s* 1. miał koksowy <węglowy> 2. popiół; żużel

breeze[2] [bri:z] *s zoo* giez; mucha końska

breeze[3] [bri:z] *s* 1. wiatr, wietrzyk; podmuch wiatru 2. *sl* zwada; kłótnia

breeze[4] [bri:z] [I] *vi* 1. chełpić się 2. ochł-odzić/adzać się 3. *am pot* pójść; odejść [II] *vt* oszuk-ać/iwać

~ in *vi* wlecieć; wpa-ść/dać (do pokoju itd.)

~ out *vi* wylecieć; wypa-ść/dać (z pokoju itd.)

~ up *vi* ochł-odzić/adzać

breeziness ['bri:zinis] *s* 1. serdeczność; jowialność 2. animusz; werwa

breezy ['bri:zi] *adj* (**breezier** ['bri:ziə], **breeziest** ['bri:ziist]) 1. wietrzny; przewiewny; świeży 2. (*o budynku itp*) wystawiony na wszystkie wiatry 3. (*o człowieku*) serdeczny; jowialny 4. (*o człowieku*) pełen animuszu <werwy>

brekker ['brekə] *s sl uniw* śniadanie

Bren-gun ['bren'gʌn] *s* lekki karabin maszynowy

brent-geese *zob* **brent-goose**

brent-goose ['brent,gu:s] *s* (*pl* **brent-geese** ['brent ,gi:s]) = **brant-goose**

brer [brɛə] *s am* (*w gwarze murzyńskiej i w bajkach, przed imieniem*) brat; pan

bressummer ['bresəmə] *s bud* nadproże

brethren ['breðrin] *spl* bracia (członkowie stowarzyszenia religijnego lub świeckiego) *zob* **brother**

Breton ['bretən] I *s* Breto-ńczyk/nka II *adj* bretoński

breve [bri:v] *s* 1. brewe (papieskie) 2. krótka nuta 3. krótka zgłoska 4. *druk* znak krótkości

brevet ['brevit] I *s* dyplom; patent II *vt* wyda-ć/wać dyplom (**sb** komuś); promować

breviary ['bri:viəri] *s kośc* brewiarz

brevier [brə'viə] *s druk* petit (czcionka 8-punktowa)

brevity ['breviti] *s* 1. krótkotrwałość; krótkość 2. zwięzłość

brew [bru:] I *vt* 1. warzyć (piwo itd.) 2. zaparz-yć/ać (herbatę itd.) 3. z/robić napar (**sth** z czegoś) II *vi przen w zwrotach*: **to be ~ing** wisieć w powietrzu; grozić; **a storm is ~ing** ma <zanosi> się na burzę; **mischief is ~ing** knuje się coś; coś niedobrego wisi w powietrzu III *s* 1. warzenie (piwa itd.) 2. parzenie (herbaty itd.) 3. odwar; napar 4. gatunek (piwa itd.)

brewage ['bru:idʒ] *s* napar; odwar

brewer ['bru:ə] *s* piwowar; właściciel browaru

brewery ['bruəri] *s* browar

Brewster ['bru:stə] *spr* **~ sessions** narady komisji wydającej koncesje na sprzedaż napojów alkoholowych

briar¹ ['braiə] *s bot* dzika róża

briar² ['braiə] *s bot* wrzosiec; **~ pipe** (*także* **~ -wood pipe**) fajka z korzenia wrzośca

bribe [braib] I *s* łapówka II *vt* przekup-ić/ywać; da-ć/wać łapówkę (**sb** komuś)

bribery ['braibəri] *s* korupcja; łapownictwo; przekupstwo; **open to ~** przekupny

bric-a-brac ['brikə,bræk] *s* staroświeckie (*zw* bezwartościowe) ozdoby mieszkania; graty; antyki

↑**brick** [brik] I *s* 1. cegła; **a ~ house** murowany dom; **like a cat on hot ~s** jak kot po gorącej kaszy; **like a hundred of ~s** (podziałać itp.) druzgocąco <jak obuchem>; *przen* **to drop a ~** popełnić gafę; **to make ~s without straw** dokon-ać/ywać cudów 2. przyjaci-el/ółka; człowiek, na którym można zawsze polegać; **be a ~** nie zrób (mi, nam itd.) zawodu 3. kostka (czegoś); **a ~ of soap** mydełko 4. *pl* **~s** klocki (do zabawy) II *vt w zwrocie*: **to ~ up a window etc.** zamurować okno itp.

brickbat ['brik,bæt] *s* odłamek cegły

brick-dust ['brik,dʌst] *s* tłuczona cegła

brick-field ['brik,fi:ld], **brick-kiln** ['brik,kiln] *s* cegielnia

bricklayer ['brik,leiə] *s* murarz

bricklaying ['brik,leiiŋ] *s* murarka

brick-tea ['brik,ti:] *s* prasowana herbata

brickwork ['brik,wə:k] *s* wykonana robota murarska

brickyard ['brik,jɑ:d] = **brick-field**

bridal ['braidl] I *s* wesele; ślub II *adj* ślubny; weselny

bride [braid] *s* panna młoda

bride-cake ['braid,keik] *s* tort weselny

bridegroom ['braid,gru:m] *s* pan młody; nowożeniec

bridesmaid ['braidz,meid] *s* drużka, druhna

bridesman ['braidzmən] *s* (*pl* **bridesmen** ['braidz mən]) drużba

bridewell ['braidwəl] *s* dom poprawczy

↑**bridge¹** [bridʒ] I *s* 1. most 2. mostek (kapitański) 3. grzbiet <zgarbienie> (nosa) 4. kobyłka <podstawek> skrzypiec 5. *dent* mostek 6. *dosł i przen* pomost 7. *elektr* mostek (pomiarowy) II *vt w zwrotach*: **to ~ a gap** zapełnić lukę; **to ~ over a river** przerzucić most przez rzekę

bridge² [bridʒ] *s karc* brydż, bridż

bridgehead ['bridʒ,hed] *s wojsk* przyczółek

bridge-work ['bridʒ,wə:k] *s* 1. budowa mostów 2. mostek dentystyczny

bridle ['braidl] I *s* 1. uzda; cug-iel/le; wodz-a/e; **to give a horse the ~** puścić koniowi cugle <wodze> 2. *przen* hamulec; **to put a ~ on sb's passions** pohamować czyjeś namiętności 3. *mar* cuma, lina do cumowania 4. *anat* wędzidełko (języka) II *vt* o/kiełznać; *dosł i przen* opanow-ać/ywać

~ up *vi* żachnąć się

bridle-path ['braidl,pɑ:θ] *s* ścieżka górska nadająca się do jazdy na koniu

bridoon [bri'du:n] *s* uzdeczka, *pot* tręzla

↑**brief¹** [bri:f] I *s* 1. brewe (papieskie) 2. zestawienie <przegląd, podsumowanie> faktów sprawy sądowej 3. sprawa sądowa; **to hold a ~** prowadzić sprawę; **to hold ~ for sb** bronić kogoś w sądzie 4. *lotn* odprawa (przed lotem) II *vt* 1. z/robić przegląd (**a case** sprawy); stre-ścić/szczać 2. powierz-yć/ać sprawę do obrony (**sb** komuś) 3. poucz-yć/ać; z/robić <odby-ć/wać> odprawę (**sb** z kimś) *zob* **briefing**

brief² [bri:f] *adj* 1. krótki; krótkotrwały 2. zwięzły; **to be ~** stre-ścić/szczać się; mówić krótko; powiedzieć (coś) w krótkich słowach; **in ~** słowem; krótko mówiąc

briefing ['bri:fiŋ] I *zob* **brief¹** *v* II *s* pouczenie; odprawa

briefness ['bri:fnis] *s* 1. krótkość; krótkotrwałość 2. zwięzłość

brier ['braiə] = **briar¹,²**

brig¹ [brig] *s mar* bryg

brig² [brig] *s szkoc* most

brigade [bri'geid] I *s* brygada (oddział wojska i grupa robocza) II *vt* po/dzielić na brygady

brigadier [,brigə'diə], **~-general** [,brigədiə'dʒenərəl] *s* 1. dowódca brygady 2. generał brygady

brigand ['brigənd] *s* bandyta; zbój

brigandage ['brigəndidʒ] *s* zbójectwo; rozbój

brigantine ['brigən,tain] *s mar* brygantyna

bright [brait] I *adj* 1. jasny; świetlany; **the ~ side of things** dodatnia strona <zaleta> każdej rzeczy 2. świecący; błyszczący 3. (*o okresie czasu, usposobieniu*) pogodny 4. (*o kolorach*) jasny; jaskrawy 5. (*o człowieku*) żywy, ożywiony; ruchliwy 6. (*o człowieku*) bystry; inteligentny; rozgarnięty 7. (*o uśmiechu*) promienny 8. (*o pomyśle*) świetny, kapitalny 9. *w zwrocie*: **to keep a ~ look-out** bacznie czuwać [II] *adv* jasno (świecić, palić się)

Bright [brait] *spr med* **~'s disease** choroba Brighta (choroba nerek z obrzękami)

brighten ['braitn] *vt* (*także* **~ up**) 1. rozjaśni-ć/ać 2. rozświec-ić/ać 3. doda-ć/wać blasku (**sth** czemuś); oczy-ścić/szczać; wy/polerować 4. ożywi-ć/ać (barwy, rozmowę itd.)

~ up *vi* 1. rozjaśni-ć/ać się 2. ożywi-ć/ać się 3. rozpromieni-ć/ać się 4. wypog-odzić/adzać się

brightness ['braitnis] *s* 1. jasność; światło; blask 2. żywość (barw, usposobienia, umysłu)

brill [bril] *s zoo* skarp (ryba)

brilliance ['briljəns], **brilliancy** ['briljənsi] *s* 1. jasność; blask; jasne światło 2. świetność; blichtr

brilliant ['briljənt] [I] *adj* 1. błyszczący; połyskujący; lśniący; świecący 2. świetny; znakomity 3. olśniewający; **he is not ~** nikogo nie olśni 4. (*o pomyśle itp*) genialny; kapitalny [II] *s* 1. brylant 2. *druk* brylant (czcionka 3-punktowa)

brilliantine [ˌbriljən'ti:n] *s* brylantyna

brim [brim] [I] *s* 1. skrzydło (kapelusza); rondo 2. brzeg (naczynia) [II] *vt* (**-mm-**) napełni-ć/ać po brzegi [III] *vi* (**-mm-**) *w zwrotach*: (*o naczyniu*) **to ~ over** być przepełnionym; *przen* (*o człowieku*) **to ~ over with** __ nie posiadać się z ... (radości itp.); promieniować (radością itp.) *zob* **brimming**

brimful ['brimful] *adj* napełniony <pełny> po brzegi; przepełniony

brimmer ['brimə] *s* puchar <kielich itp.> napełniony po brzegi

brimming ['brimiŋ] [I] *zob* **brim** *v* [II] *adj* pełny; **eyes ~ with tears** oczy pełne łez

brimstone ['brimstən] *s* siarka

brindle(d) ['brindl(d)] *adj* cętkowany, moręgowaty, morągowaty

brine [brain] [I] *s* 1. słona woda; solanka 2. *poet* morze 3. *przen* łzy [II] *vt* trzymać w solance

brine-pan ['brainˌpæn] *s* panew solna

bring [briŋ] *v* (**brought** [brɔ:t], **brought**) [I] *vt* 1. przyn-ieść/osić; przyw-ieźć/ozić 2. przyprowadz-ić/ać 3. sprowadz-ić/ać; s/powodować; **he ~s it on himself** sam sobie winien; **to ~ a misfortune etc. on oneself** ściągnąć na siebie nieszczęście itp.; **to ~ an action against sb** wyt-oczyć/aczać komuś sprawę sądową; **to ~ low** doprowadzić do upadku; zrujnować; **to ~ sb to beggary** <**sth to perfection**> doprowadz-ić/ać kogoś do nędzy <coś do doskonałości>; **to ~ sb to do sth** nakłonić kogoś do zrobienia czegoś; **to ~ sth home to sb** przekonać kogoś; wytłumaczyć <wyjaśnić> coś komuś; **to ~ sth into action** <**into play**> wprowadz-ić/ać coś w grę <w akcję>; za/stosować (środki); uży-ć/wać (środków, możliwości); **to ~ sth into question** za/kwestionować coś; **to ~ sth to sb's knowledge** powiadomić kogoś o czymś; **to ~ tears to sb's eyes** wycis-nąć/kać komuś łzy z oczu; **to ~ to bear** uży-ć/wać; za/stosować; **to ~ to mind** przypomnieć; **to ~ to pass** s/powodować <sprawi-ć/ać> (żeby się coś stało) [II] *vr* **~ oneself** zmusić się <znaleźć siły, energię> (**to do sth** do zrobienia czegoś)

~ about *vt* 1. s/powodować; wywoł-ać/ywać; przeprowadzi-ć/ać; doprowadz-ić/ać (**sth** do czegoś) 2. dokon-ać/ywać (**sth** czegoś) 3. przekon-ać/ywać (kogoś) 4. *mar* zawrócić (statek)

~ along *vt* 1. przyprowadz-ić/ać (kogoś) 2. przyn-ieść/osić; przyw-ieźć/ozić

~ away *vt* zab-rać/ierać ze sobą

~ back *vt* 1. przyn-ieść/osić z powrotem, odn-ieść/osić; przyn-ieść/osić (coś) w drodze powrotnej 2. przyprowadz-ić/ać (kogoś) z powrotem 3. przypom-nieć/inać; przyw-ieść/odzić na pamięć (wydarzenia itp.)

~ down *vt* 1. zn-ieść/osić (coś z góry) 2. zestrzelić 3. obniż-yć/ać (przedmiot, ceny itd.) 4. zwalić <powalić> (kogoś, coś) 5. poniż-yć/ać; upok-orzyć/arzać 6. doprowadz-ić/ać do upadku <do ruiny> 7. sprowadz-ić/ać (coś na kogoś) 8. doprowadz-ić/ać (w czasie — do pewnego okresu akcję, historię itp.) 9. s/powodować sklęśnięcie (**a swelling** obrzęku) 10. *w zwrocie*: **to ~ down a hammer** <**sword etc.**> uderzyć <walnąć> młotkiem <szablą itd.> 11. *teatr w zwrocie*: **to ~ down the house** wywoł-ać/ywać huczne oklaski; por-wać/ywać widownię

~ forth *vt* 1. u/rodzić; wyda-ć/wać na świat 2. wywoł-ać/ywać 3. wyda-ć/wać (drukiem); napisać (pracę)

~ forward *vt* 1. przysu-nąć/wać; przybliż-yć/ać 2. przyprowadz-ić/ać (świadka itd.) 3. przedstawi-ć/ać; przed-łożyć/kładać; przyt-oczyć/aczać (argumenty itd.) 4. przen-ieść/osić (na drugą stronę itp.); *księgow* **brought forward** z przeniesienia

~ in *vt* 1. wprowadz-ić/ać; **to ~ in a verdict** wyda-ć/wać orzeczenie <wyrok>; **to ~ in interest** przynosić odsetki 2. zaprowadz-ić/ać (zwyczaj, modę) 3. przed-łożyć/kładać

~ off *vt* 1. odratować 2. doprowadzić (instytucję) do pomyślnego rozwoju 3. zdołać; **he brought it off** udało <powiodło> mu się

~ on *vt* 1. prowadzić <doprowadz-ić/ać> (**sth** do czegoś) 2. (*o słońcu*) ożywi-ć/ać (roślinność) 3. wn-ieść/osić; wprowadz-ić/ać (na scenę) 4. wyst-ąpić/ępować (**sth** z czymś — na zebraniu); porusz-yć/ać (temat)

~ out *vt* 1. wyn-ieść/osić; wyprowadz-ić/ać 2. wyj-ąć/mować 3. uwypukl-ić/ać; uwydatni-ć/ać 4. lansować; wprowadz-ić/ać (kogoś) w świat 5. wyda-ć/wać (książkę) || **the sun ~s out the flowers** w słońcu kwiaty zakwitają <kwitną, rozwijają się>

~ over *vt* 1. przyprowadz-ić/ać 2. przyw-ieźć/ozić 3. przekon-ać/ywać; nawr-ócić/acać; zysk-ać/iwać (zwolennika)

~ round *vt* 1. przyprowadz-ić/ać; przyw-ieźć/ozić; **to ~ the conversation round to a subject** skierować rozmowę z powrotem na jakiś temat 2. o/cucić; przywr-ócić/acać do przytomności 3. udobruchać 4. z/werbować (zwolennika); przekon-ać/ywać

~ through *vt* 1. przeprowadz-ić/ać; przew-ieźć/ozić; przemyc-ić/ać 2. uratować (pacjenta); wyleczyć z choroby

~ to *vt* 1. zatrzym-ać/ywać 2. o/cucić; przywr-ócić/acać do przytomności

~ together *vt* 1. połączyć; zetknąć; zapoznać

(dwie osoby ze sobą); **chance brought us together** poznaliśmy się przypadkiem 2. pogodzić (poważnione strony)
~ under *vt* 1. podbi-ć/jać; zawojow-ać/ywać; ujarzmi-ć/ać 2. podda-ć/wać (kogoś czemuś)
~ up *vt* 1. przyn-ieść/osić na górę; wywindow-ać/ywać; **to ~ up one's food** z/wymiotować 2. przysu-nąć/wać; przybliż-yć/ać 3. wychow-ać/ywać 4. zatrzym-ać/ywać 5. poruszyć <sprowadzić dyskusję na> (**a subject** jakiś temat); **to ~ up a subject again** powrócić do tematu ‖ **to ~ sb up before the court** podać kogoś do sądu; **to ~ sth up against sb** coś komuś zarzucić; **to ~ up the rear** zamykać pochód; *wojsk* iść w tylnej straży

brink [briŋk] *s* brzeg; krawędź; kraniec; skraj; granica; **on the ~ of tears** bliski płaczu

briny ['braini] I *adj* słony II *s sl* morze

briquette [bri'ket] *s* brykiet

brise-bise ['bri:z,bi:z] *s* zazdrostka (firanka)

brisk [brisk] I *adj* 1. rześki; żwawy; ożywiony; pełen animuszu <werwy>; dziarski; energiczny 2. (*o ogniu*) trzaskający; wesoły 3. (*o winie*) musujący 4. (*o powietrzu*) orzeźwiający 5. (*o środku*) szybko działający II *vt w zwrocie*: **to ~ sb, sth up** ożywi-ć/ać kogoś, coś; doda-ć/wać bodźca komuś, czemuś III *vi w zwrocie*: **to ~ up** ożywi-ć/ać <rozruszać> się

brisket ['briskit] *s* mostek <szponder> (wołowy); mostek (cielęcy)

briskness ['brisknis] *s* 1. rześkość; żwawość; ożywienie; animusz; werwa; dziarskość 2. świeżość (powietrza); orzeźwiające działanie 3. musowanie (wina itp.)

bristle ['brisl] I *s* 1. szczecina, szczeć; **it set up its ~s** sierść mu się zjeżyła 2. puszek II *vi* (*także* **~ up**) 1. na/jeżyć <zjeżyć> się 2. być najeżonym (trudnościami itp.) *zob* **bristled, bristling**

bristled ['brisld] I *zob* **bristle** *v* II *adj* pokryty szczeciną

bristling ['brisliŋ] I *zob* **bristle** *v* II *adj* 1. najeżony (trudnościami itp.) 2. sterczący jak szczecina; szczeciniasty

bristly ['brisli] *adj* 1. szczeciniasty 2. jeżący się; najeżony

Bristol ['bristl] *spr* **~ board** brystol, karton rysunkowy; **~ brick** cegiełka do czyszczenia noży; **~ cream** wino hiszpańskie, kseres; **~ diamond** <**stone**> kryształ skalny znajdowany w okolicy m. Bristol

Britannia [bri'tænjə] *spr* symbol Anglii (postać kobieca); **~ metal** biały metal

Britannic [bri'tænik] *adj* brytyjski; **His** <**Her**> **~ Majesty** Jego <Jej> Kr. Mość, Król/owa Wielkiej Brytanii

Briticism ['briti,sizəm] *s am* anglicyzm

British ['britiʃ] I *adj* brytyjski II *spl* **the ~** Anglicy

Britisher ['britiʃə] *s am* Anglik; Brytyjczyk

Briton ['britn] *s* obywatel/ka Wielkiej Brytanii; Ang-lik/ielka; **North ~** Szkot/ka

brittle ['britl] *adj* kruchy; łamliwy

brittleness ['britlnis] *s* kruchość; łamliwość

britzka ['britskə] *s* bryczka

broach[1] [broutʃ] I *s* 1. rożen 2. iglica (na wieży) 3. *techn* rozwiertak 4. szydło II *vt* 1. napocz-ąć/ynać (beczkę itp.); wy/wiercić dziurę (**sth** w czymś — beczce itp.) 2. nabi-ć/jać na rożen 3. porusz-yć/ać (temat)

broach[2] [broutʃ] *vi mar* 1. obr-ócić/acać statek bokiem do wiatru i fal 2. ustawi-ć/ać statek w pół wiatru (przez nieuwagę)

↑**broad** [brɔ:d] I *adj* 1. *dosł i przen* szeroki; **to be x feet ~** mieć *x* stóp szerokości; **in a ~ sense** w szerszym znaczeniu 2. (*o przestrzeni, dobrach itd*) obszerny; rozległy 3. (*o aluzji, przymówce*) wyraźny, niedwuznaczny; **a ~ distinction** wyraźna różnica; **to make a ~ distinction** wyraźnie odróżniać; **in ~ daylight** w jasny <biały> dzień 4. (*o faktach*) niezbity; nagi 5. (*o regule, zasadzie*) ogólny 6. (*o anegdocie itp*) pikantny; słony; śmiały; niecenzuralny; sprośny 7. (*o humorze*) rubaszny; (*o śmiechu*) na całe gardło 8. **Broad Church** anglikańska szkoła teol. w XIX w. 9. (*o akcencie prowincjonalnym, obcym*) wyraźny; silny ‖ **it is as ~ as it is long** na jedno wychodzi; nie ma żadnej różnicy II *s* 1. **the ~ of the back** bary 2. *pl* **the Broads** zalewiska okolic m. Norfolk 3. *am* kobieta lekkich obyczajów 4. *am* reflektor III *adv* 1. *w zwrocie*: **~ awake** z szeroko otwartymi oczami; zupełnie przytomny 2. *w zwrocie*: **to speak ~** mówić z wyraźnym <silnym> akcentem

broad-axe ['brɔ:d,æks] *s* 1. berdysz 2. siekiera ciesielska

broad-brim ['brɔ:d,brim] *s* 1. *hist* kapelusz z szerokim rondem 2. *pot* kwakier

broadbrimmed ['brɔ:d'brimd] *adj* (*o kapeluszu*) z szerokim rondem

broadcast ['brɔ:d,ka:st] I *adv* na wszystkie strony; na wszystkie wiatry II *s* transmisja; audycja radiowa III *vt* 1. (**broadcast, broadcasted** ['brɔ:d ka:stid]) nadawać (przez radio); transmitować 2. (**broadcast, broadcast**) *roln* siać rzutowo 3. rozgłaszać; rozpowiadać *zob* **broadcasting**

broadcaster ['brɔ:d,ka:stə] *s radio* 1. aparat nadawczy 2. osoba przemawiająca <występująca> przed mikrofonem (prelegent itd.); radionadawca

broadcasting ['brɔ:d,ka:stiŋ] I *zob* **broadcast** *v* II *s* 1. nadawanie przez radio; transmitowanie 2. *roln* sianie rzutowe III *attr* radiowy (program itd.); **~ station** stacja nadawcza; **British Broadcasting Corporation (B.B.C.)** Radio Brytyjskie (oficjalna nazwa)

broadcloth ['brɔ:d,klɔθ] *s* 1. czarne i podwójnie szerokie sukno najlepszej jakości 2. *am* popelina

broaden ['brɔ:dn] I *vt* rozszerz-yć/ać II *vi* rozszerz-yć/ać się

broad-gauge ['brɔ:d,geidʒ] *attr* szerokotorowy

broad-minded ['brɔ:d'maindid] *adj* (*o człowieku*) o szerokich poglądach <tolerancyjny>

broad-mindedness [brɔ:d'maindidnis] *s* szerokie poglądy; otwarty umysł; tolerancyjność, tolerancja

Broadmoor ['brɔ:d,muə] *spr* zakład dla umysłowo chorych przestępców

broadness ['brɔ:dnis] *s* 1. szerokość 2. sprośność; niecenzuralność 3. regionalność (wymowy)

broad-sheet ['brɔ:d,ʃi:t] *s* papier w formacie arkuszowym

broad-shouldered ['brɔ:d'ʃouldəd] *adj* barczysty

broadside ['brɔ:d,said] *s* 1. burta (statku) 2. *mar* salwa burtowa (ze wszystkich dział); *przen* skoncentrowana napaść (**against sb** na kogoś)

broadsword ['brɔ:d,sɔ:d] *s* pałasz

broadways ['brɔ:d,weiz], **broadwise** ['brɔ:d,waiz] *adv* na szerokość; bokiem; w poprzek
brocade [brə'keid] *s* brokat
brocaded [brə'keidid] *adj* 1. brokatowy 2. ozdobiony brokatem
broché ['brouʃei] *s tekst* materiał wzorzysty
brochure ['brouʃjuə] *s* broszura
brock [brɔk] *s* 1. *zoo* borsuk 2. (*o człowieku*) śmierdziel
brocket ['brɔkit] *s* spiczak (młody jeleń)
brogue[1] [broug] *s* 1. but z niewyprawionej skóry; **fishing ~s** nieprzemakalne buty rybackie 2. but do golfa
brogue[2] [broug] *s* 1. akcent irlandzki 2. angielszczyzna mówiona z irlandzka
broil[1] [brɔil] *s* kłótnia; burda
broil[2] [brɔil] [I] *vt* u/piec; przypie-c/kać (mięso na ruszcie) [II] *vi* (*o słońcu*) prażyć *zob* **broiling** [III] *s* mięso pieczone na ruszcie
broiling ['brɔiliŋ] [I] *zob* **broil**[2] *v* [II] *adj* (*o słońcu*) piekący; prażący; (*o pogodzie*) upalny
broke [brouk] [I] *zob* **break**[2] *v* [II] *adj pot* (*także* **stony <dead> ~**) bez grosza; wypłukany z pieniędzy
broken ['broukən] [I] *zob* **break**[2] *v* [II] *adj* 1. złamany; rozbity; w częściach; **~ English <French etc.>** łamana angielszczyzna <francuszczyzna itd.>; **~ ground** a) zorany grunt b) nierówny teren; *am* **~ lots** a) okazje (kupna) b) artykuły zdekompletowane; **~ meat** resztki jedzenia; **~ money** drobne (pieniądze); *mat* **~ numbers** ułamki; **~ spirit** depresja duchowa; **~ tea** pył herbaciany; **~ water** a) krótka fala b) wzburzona powierzchnia wody; **~ week** tydzień ze świętami; (*u konia*) **~ wind** dychawica 2. (*o śnie itd*) przerywany 3. (*o pogodzie*) niepewny 4. (*o człowieku*) złamany; rozbity; doprowadzony do rozpaczy 5. (*o głosie*) załamujący się 6. *bot* różnokolorowy; nakrapiany
broken-backed ['broukən'bækt] *adj* z przetrąconym kręgosłupem
broken-down ['broukən'daun] *adj* 1. (*o człowieku*) wyczerpany 2. (*o człowieku*) złamany 3. (*o samochodzie*) uszkodzony 4. (*o koniu, towarze itp*) wybrakowany 5. (*o meblu itd*) rozklekotany
broken-hearted ['broukən'hɑ:tid] *adj* 1. ze złamanym sercem 2. zrozpaczony
brokenly ['broukənli] *adv* 1. nierówno; z przerwami; przerywanie; urywkami 2. (mówić) załamującym się głosem
broken-winded ['broukən'windid] *adj* dychawiczny
broker ['broukə] *s* 1. pośrednik 2. makler 3. taksator 4. kupiec handlujący starymi meblami <starzyzną> 5. komornik 6. *am* człowiek handlujący narkotykami
brokerage ['broukəridʒ], **broking** ['broukiŋ] *s* 1. pośrednictwo; maklerstwo 2. *handl* kurtaż
brolly ['brɔli] *s sl* parasol
bromate ['broumit] *s chem* bromian
bromic ['broumik] *adj chem* bromowy
bromide ['broumaid] *s* 1. *chem* bromek; *fot* **~ paper** papier bromowy 2. *am* nudzia-rz/rka 3. *am* frazes
brominate ['broumi,neit] *vt chem* bromować
bromine ['broumi:n] [I] *s chem* brom [II] *attr* bromowy
bronchi ['brɔŋkai], **bronchia** ['brɔŋkiə] *spl anat* oskrzela
bronchial ['brɔŋkiəl] *adj anat* oskrzelowy
bronchitis [brɔŋ'kaitis] *s med* bronchit
bronchocele ['brɔŋkə,si:l] *s* wole
bronco ['brɔŋkou] *s am* dziki <nieujeżdżony> koń
Bronx [brɔŋks] [I] *spr* dzielnica Nowego Jorku [II] *s* rodzaj cocktailu
bronze [brɔnz] [I] *s* brąz; spiż [II] *attr* 1. (*o posągu itd*) z brązu, spiżowy 2. (*o epoce*) brązu [III] *vt* brązować *zob* **bronzed**
bronzed [brɔnzd] [I] *zob* **bronze** *v* [II] *adj* 1. opalony na brąz 2. *med* **~ skin** cisawica, choroba Addisona
brooch [broutʃ] *s* brosza, broszka
brood [bru:d] [I] *s* 1. wyląg 2. stado 3. plemię 4. dziatwa 5. ród 6. *przen* rasa, gatunek [II] *vi* 1. wysiadywać jaja, siedzieć na jajach; wylęgać 2. *przen* (*o człowieku*) być pogrążonym w myślach; **~ over the fire** dumać przy kominku 3. (*o chmurach, nieszczęściu itp*) wisieć (**on <over> sb** nad kimś) 4. rozmyślać <dumać> (**on <over> sth** nad czymś); obmyślać (**on <over> sth** coś — projekt itp.) 5. (*o nocy, ciszy itp*) zalegać (**over sth** nad czymś)
brooder ['bru:də] *s* kwoka; *am* wylęgarnia
brood-hen ['bru:d,hen] *s* kwoka
brood-mare ['bru:d,mɛə] *s* klacz zarodowa
broody ['bru:di] *adj* 1. kwocząca (kura); **to go ~** kwokać 2. (*o człowieku*) zamyślony; roztargniony
brook[1] [bruk] *vt* zn-ieść/osić; ś/cierpieć; **the matter ~s no delay** jest to sprawa nie cierpiąca zwłoki
brook[2] [bruk] *s* strumyk
brooklet ['bruklit] *s* strumyczek
brooklime ['bruk,laim] *s bot* przetacznik
brookweed ['bruk,wi:d] *s bot* jarnik solankowy
broom [bru:m] *s* 1. *bot* janowiec; żarnowiec 2. miotła
broomcorn ['bru:m,kɔ:n] *s bot* sorgo (afrykańskie proso)
broomrape ['bru:m,reip] *s bot* zaraza
broomstick ['brum,stik] *s* kij do miotły
Bros. ['brʌðəz] *skr* **brothers** *zob* **brother** 1.
brose [brouz] *s* 1. owsianka na mleku 2. **Athole ~** napój z miodu, śmietanki i whisky
broth [brɔθ] *s* rosół; bulion; **Scotch ~** zupa z głowy baraniej z żytem i jarzyną ‖ **a ~ of a boy** złoty chłopak
brothel ['brɔθl] *s* dom publiczny, lupanar
brother ['brʌðə] *s* 1. brat 2. (*pl* **brethren** ['breðrin]) braciszek (zakonny) 3. *w złożeniach*: kolega; **~-writer** kolega po piórze; **~-doctor** kolega doktor 4. (*pl* **~s**) towarzysz (niedoli itp.)
brother-german ['brʌðə'dʒə:mən] *s* (*pl* **brothers-german** ['brʌðə'dʒə:mən]) brat cioteczny <stryjeczny>
brotherhood ['brʌðə,hud] *s* 1. braterstwo 2. *am* związek zawodowy
brother-in-arms ['brʌðərin,ɑ:mz] *s* (*pl* **brothers-in-arms** ['brʌðəzin,ɑ:mz]) towarzysz broni
brother-in-law ['brʌðərin,lɔ:] *s* (*pl* **brothers-in-law** ['brʌðəzin,lɔ]) szwagier
brotherliness ['brʌðəlinis] *s* braterskie uczucia; braterska przyjaźń
brotherly ['brʌðəli] *adj* braterski
brougham ['bru:əm, 'bru:m] *s* 1. kryty powóz jednokonny 2. staromodny samochód kryty z oddzielonym nie krytym miejscem dla kierowcy
brought *zob* **bring**

brow [brau] *s* 1. brew 2. czoło 3. nawis; szczyt; brzeg (przepaści) 4. *mar* pomost; kładka
browbeat ['brauˌbi:t] *vt* onieśmiel-ić/ać; zastrasz--yć/ać; szorstko się ob-ejść/chodzić (**sb** z kimś); **to ~ sb into doing sth** wymu-sić/szać coś na kimś przez zastraszenie <przez szorstkie obejście się>
brown [braun] [I] *adj* 1. brązowy; brunatny; kasztanowaty; **~ shirts** brunatne koszule (hitlerowskie); **~ study** zamyślenie; zaduma; **~ sugar** melasa 2. (*o człowieku*) opalony 3. (*o włosach*) kasztanowaty; ciemny 4. (*o chlebie*) ciemny; czarny 5. (*o węglu*) brunatny 6. (*o papierze*) szary; pakunkowy 7. (*o maśle, pieczeni itp*) przyrumieniony 8. (*o płótnie*) szary ‖ *sl* **to do sb ~** wykiwać <nabrać> kogoś [II] *s* 1. kolor <farba> brązow-y/a; brąz; **to be in ~** być ubranym na brązowo 2. *sl* miedziak; pół pensa [III] *vt* 1. brązować 2. przyrumieni-ć/ać (sos itp.) [IV] *vi* z/brązowieć; opal-ić/ać się
~ off *vt* 1. z/robić zawód (**sb** komuś) 2. *sl wojsk* z/besztać
zob **browned**
browned [braund] [I] *zob* **brown** *v* [II] *adj sl* **~ off** znudzony
brownie ['brauni] *s* 1. krasnoludek; chochlik 2. mały aparat fotograficzny 3. skautka; harcerka
Browning ['brauniŋ] *spr* brauning (pistolet)
brownish ['brauniʃ] *adj* brązowawy
brownout ['braunˌaut] *s* częściowe zaciemnienie
brownstone ['braunˌstoun] *s am* piaskowiec; **the ~ vote** głosy zamożnych sfer (przy wyborach)
browse [brauz] [I] *vi* paść się [II] *vt* 1. skubać (trawę) 2. *przen* czytać dla przyjemności; wertować (książki) *zob* **browsing** [III] *s* 1. zielona pasza 2. młode pędy
browsing ['brauziŋ] [I] *zob* **browse** *v* [II] *s* pastwisko
bruin ['bru:in] *s* miś <niedźwiadek> (z bajki)
bruise [bru:z] [I] *vt* 1. potłuc, stłuc; posiniaczyć; kontuzjować 2. zgnieść 3. wy/kuć; wy/klepać (metal) [II] *s* stłuczenie; potłuczenie; siniak; rana zadana tępym narzędziem; kontuzja
bruiser ['bru:zə] *s* bokser, pięściarz
bruit [bru:t] [I] *s* pogłoska [II] *vt* sławić; **to ~ about** pu-ścić/szczać pogłoskę (**sth** o czymś); opowiadać
brumal ['bru:məl] *adj* zimowy
brume [bru:m] *s* mgła
brummagem ['brʌmədʒəm] (*przekręcone* **Birmingham**) [I] *s* (*o towarze*) tandeta [II] *adj* podrabiany; fałszywy
brumous ['bru:məs] *adj* 1. mglisty 2. zimny
brunch [brʌntʃ] *s sl* przekąska (zastępująca śniadanie <obiad>)
brunette [bru:'net] *s* brunetka
Brunswick ['brʌnzwik] *spr* **~ black** czarny lakier do metali; **~ line** dynastia panująca w Anglii od Jerzego I
brunt [brʌnt] *s* impet; siła; główne uderzenie (ataku itp.); *przen* lwia część (zadania, pracy itp.); **he bore the ~** skrupiło się na nim; **we bore the ~ of the attack** przyjęliśmy całą siłę uderzenia (wroga) na siebie
brush [brʌʃ] [I] *s* 1. szczotka, szczoteczka 2. pędzel; **the ~** sztuka malarska 3. kita; ogon lisi 4. *elektr* wyładowanie snopkowe 5. czyszczenie (szczotką); **my coat needs a ~** muszę sobie (dać) oczyścić płaszcz; **to give a (good) ~** (solidnie) oczyścić (szczotką) 6. utarczka <potyczka, spotkanie> z nieprzyjacielem; **to give sb a ~** z/łajać <strofować, skrzyczeć> kogoś 7. zarośla; gąszcz [II] *vt* 1. o/czyścić <wyczyścić> szczotką 2. szczotkować (włosy) 3. zami-eść/atać 4. wy/szorować (podłogę itp.) 5. usu-nąć/wać (pajęczyny itd.) szczotką 6. po/malować; musnąć pędzlem [III] *vi w zwrocie*: **to ~ by <against, past> sb, sth** musnąć w przelocie kogoś, coś; dotknąć w przelocie kogoś, czegoś
~ aside *vt* odsunąć (na bok); pominąć milczeniem; przejść do porządku dziennego (**sth** nad czymś)
~ away *vt* sczy-ścić/szczać szczotką <miotłą> (błoto itp.)
~ by *vi* mignąć się
~ down *vt* o/czyścić szczotką (ubranie, konia)
~ out *vt* 1. rozczes-ać/ywać (włosy) 2. zami-eść/atać (pokój); wymi-eść/atać
~ over *vt* powlec (coś czymś) za pomocą szczotki <pędzla>
~ past *vi* mignąć się
~ up *vt* 1. o/czyścić szczotką (kapelusz itd.) 2. odśwież-yć/ać (wiadomości itp.) 3. zebrać/zbierać <zgarn-ąć/iać> szczotką (okruszyny ze stołu itp.)
brush-down ['brʌʃˌdaun] *s* o/czyszczenie; **to give sb <a horse> a ~** oczyścić kogoś <konia>
brush-up ['brʌʃˌʌp] *s* 1. oczyszczenie; **to give sb a ~** oczyścić kogoś 2. skorzystanie ze szczotki (w publicznej umywalni) 3. odświeżenie (wiadomości językowych itd.); **give your English a ~** odśwież swą angielszczyznę
brushwood ['brʌʃˌwud] *s* podszycie lasu; zarośla
brush-work ['brʌʃˌwə:k] *s* sposób malowania; technika malarska
brushy ['brʌʃi] *adj* najeżony; szczeciniasty; szorstki; (*o włosie*) sztywny; krzaczasty
brusque [bru:sk, brʌsk] *adj* szorstki; obcesowy
brusqueness ['bru:sknis] *s* szorstkość; obcesowość
Brussels ['brʌslz] *attr* brukselski; **~ carpet** dywan brukselski; **~ lace** koronka brukselska; **~ sprouts** brukselka (jarzyna)
brut [bru:t] *adj* (*o winie*) wytrawny
brutal ['bru:tl] *adj* 1. brutalny 2. zwierzęcy
brutality [bru:'tæliti] *s* brutalność
brutalize ['bru:təˌlaiz] [I] *vt* 1. ogłupi-ć/ać 2. z/robić bydlę (**a man** z człowieka) 3. brutalizować [II] *vi* sta-ć/wać się brutalnym; z/bydlęcieć
brute [bru:t] [I] *adj* zwierzęcy; **~ beast** zwierzę; bydlę; *przen* nieokrzesane bydlę; **~ force** ślepa siła; przemoc; **~ matter** ślep-a/y materia <żywioł> [II] *s* 1. bydlę; zwierzę; *przen* (wstrętne, dokuczliwe) stworzenie; **a ~ of a day <job etc.>** wstrętn-y/a <ohydn-y/a> czas <robota itd.> 2. (*o człowieku*) brutal
brutish ['bru:tiʃ] *adj* 1. bydlęcy; zwierzęcy; zbydlęcony 2. ogłupiały 3. okrutny
brutishness ['bru:tiʃnis] *s* 1. bestialstwo; zbydlęcenie; zezwierzęcenie 2. ogłupienie
bryology [brai'ɔlədʒi] *s* briologia
bryony ['braiəni] *s bot* przestęp (roślina)
bubble ['bʌbl] [I] *s* 1. bańka (powietrza, mydlana); *przen* nierealny projekt; **the ~ was pricked** prysły złudzenia; **to prick the ~** rozwiać złudzenia 2. wrzenie; kipienie 3. (*także* **~ tube**) poziomica, libella [II] *vi* 1. za/wrzeć; za/kipieć 2. musować

3. za/bulgotać; wydziel-ić/ać pęcherzyki 4. entuzjazmować się

~ over *vi* kipieć (**with life** <**wrath etc.**> życiem <**ze** złości itd.>); zanosić się (**with laughter** od śmiechu)

bubble-and-squeak ['bʌblən'skwi:k] *s* potrawa z mielonego mięsa, smażonych ziemniaków i kapusty

bubbler ['bʌblə] *s techn* 1. bełkotka, *pot* barboter 2. płuczka gazowa 3. fontanna wody do picia

bubbly ['bʌbli] [I] *adj* musujący [II] *s sl* szampan

bubbly-jock ['bʌbli,dʒɔk] *s szkoc* indyk, indor

bubo ['bju:bou] *s* (*pl* **~es**) *med* dymienica

bubonic [bju:'bɔnik] *adj med* morowy; **~ plague** dymienica morowa

bubonocele [bju:'bɔnə,si:l] *s med* przepuklina pachwinowa

buccal ['bʌkl] *adj anat* ustny; **~ cavity** jama ustna

buccaneer [,bʌkə'niə] *s* 1. pirat; korsarz 2. poszukiwacz przygód

buccinator ['bʌksi,neitə] *s* (*także* **~ muscle**) mięsień policzkowy

buck¹ [bʌk] [I] *s* 1. kozioł; jeleń; samiec (różnych zwierząt); **old ~** ! przyjacielu!; bracie! 2. dandys; elegant; laluś 3. *am* Indianin; **~ nigger** Murzyn 4. *am sl* dolar 5. bryknięcie konia 6. ług (do prania bielizny) 7. kozioł (do piłowania drewna) 8. zastaw (przy grze w karty) 9. nóż umieszczany przed rozdającym karty graczem — dla zapamiętania kolejności; **to pass the ~ to sb** zwalić (odpowiedzialność itp.) na kogoś [II] *vt* 1. ługować (używać ługu przy praniu) 2. (*o zwierzęciu*) pokry-ć/wać (samicę) [III] *vi* 1. (*o koniu*) bryk-nąć/ać 2. (*o człowieku*) buńczuczyć się; paradować; pysznić się

~ off *vt* zrzucić z siodła

~ up [I] *vt* doda-ć/wać sił <otuchy> (**sb** komuś); pokrzepi-ć/ać (kogoś) [II] *vi* 1. po/śpieszyć się; żywo się poruszać 2. nab-rać/ierać otuchy; ożywi-ć/ać się; odzysk-ać/iwać werwę

zob **bucking**

buck² [bʌk] *s* kosz do łowienia ostryg

buckbean ['bʌk,bi:n] *s bot* bobrek

bucket¹ ['bʌkit] *s* 1. wiadro, kubeł, kubełek; ceber; czerpak; *sl* **to kick the ~** wyciągnąć kopyta, umrzeć 2. *techn* komora (koła wodnego) 3. tłok (pompy) 4. miseczka

bucket² ['bʌkit] *vt* s/forsować (konia)

bucketful ['bʌkitful] *s* (pełne) wiadro

buckeye ['bʌk,ai] *s am bot* kasztan; *am* **the Buckeye State** stan Ohio

buckhorn ['bʌk,hɔ:n] *s* róg jeleni

buckhound ['bʌk,haund] *s* pies z rasy psów gończych

bucking ['bʌkiŋ] [I] *zob* **buck¹** *v* [II] *s* 1. pranie 2. bielenie (płótna) 3. ług do bielenia

buckish ['bʌkiʃ] *adj* lalkowaty, lalusiowaty

buck-jump ['bʌk,dʒʌmp] *s* sus (konia)

buckle [bʌkl] [I] *s* sprzączka; klamerka; zapinka [II] *vt* 1. spi-ąć/nać; zapi-ąć/nać; przypi-ąć/nać 2. s/krzywić; s/paczyć [III] *vi* 1. zapi-ąć/nać się 2. (*także* **~ up**) odchyl-ić/ać <wygi-ąć/nać, s/paczyć> się 3. wziąć/brać się (**to a task etc.** do jakiejś pracy itp.)

~ to *vi* zab-rać/ierać się energicznie do pracy

buckler ['bʌklə] *s* 1. tarcza; † pawęż 2. ochrona 3. *zoo* pancerz

buckram ['bʌkrəm] *s* klejonka; płótno klejone

bucksaw ['bʌk,sɔ:] *s* piła ramowa

buckshee ['bʌkʃi:] [I] *s* dodatek do przydziału [II] *adj* darmowy [III] *adv sl* za darmochę, za frajer, darmo

buck-shop ['bʌk,ʃɔp] *s* biuro pokątnego agenta giełdowego

buck's-horn ['bʌks,hɔ:n] *s bot* babka

buckshot ['bʌk,ʃɔt] *s* gruby śrut

buckskin ['bʌk,skin] *s* 1. skóra kozłowa 2. *pl* **~s** spodnie ze skóry kozłowej

buckteeth *zob* **bucktooth**

buckthorn ['bʌk,θɔ:n] *s bot* szakłak

bucktooth ['bʌk,tu:θ] *s* (*pl* **buckteeth** ['bʌk,ti:θ]) wystający ząb

buckwheat ['bʌk,wi:t] *s* gryka, hreczka, tatarka

bucolic [bju'kɔlik] [I] *adj* pastoralny; sielankowy [II] *s* bukolika; pastorałka

bud [bʌd] [I] *s* 1. pączek; **to be in ~** pączkować 2. zawiązek 3. zarodek; **to nip in the ~** z/dusić w zarodku 4. oczko (rośliny) 5. *zoo* zwierzę pączkujące 6. *am* dziewczę [II] *vt* (**-dd-**) oczkować (roślinę) [III] *vi* (**-dd-**) 1. *bot zoo* pączkować 2. być w zarodku 3. (*o talencie*) rozwijać się; dobrze się zapowiadać

~ out *vi* wyjść (**into an artist** <**a statesman etc.**> na artystę <na męża stanu itp.>)

zob **budding**

buddhism ['budizəm] *s* buddyzm, buddaizm

buddhist ['budist] *s* buddysta

budding [bʌdiŋ] [I] *zob* **bud** *v* [II] *adj* 1. pączkujący; w pączku 2. (*o człowieku*) przyszły; zapowiadający się; obiecujący; **he is a ~ artist** zapowiada się na artystę; będzie z niego artysta

buddleia ['bʌdliə] *s bot* budlejnik, omżyn, kulowiec (roślina ozdobna z rodziny polatowatych)

buddy ['bʌdi] *s am pot* bracie!

budge [bʌdʒ] [I] *vi* 1. rusz-yć/ać <porusz-yć/ać> się; drgnąć; ustąpić; **he wouldn't ~** nie ruszył z miejsca ani o włos; ani <nie> drgnął 2. posunąć się; przesunąć się choć trochę [II] *vt w zdaniach przeczących*: **I couldn't ~ him** pozostał nieugięty <niewzruszony>

budgerigar ['bʌdʒəri'ga:] *s zoo* papużka falista

budget ['bʌdʒit] [I] *s* 1. zbiór; nagromadzenie 2. budżet; **to open the ~** przedstawić budżet na sesji [II] *vi* za/preliminować (**for an expenditure** wydatek); wy/asygnować fundusze (**for sth** na coś)

budgetary ['bʌdʒitəri] *adj* budżetowy

buff [bʌf] [I] *s* 1. skóra bawola 2. skóra do polerowania metali 3. skóra ludzka; **in ~** w stroju adamowym; **to the ~** do naga 4. kolor płowożółty; **the Buffs** nazwa jednego z pułków brytyjskich 5. *med* powłoka zapalna [II] *vt* wy/polerować

buffalo ['bʌfə,lou] [I] *s* (*pl* **~es**) 1. bawół 2. *am pot* Murzyn [II] *vt am* onieśmiel-ić/ać

buff-coat ['bʌf,kout] *s* skórzany płaszcz

buffer ['bʌfə] *s* 1. bufor, zderzak; **~ state** państwo buforowe 2. *kolej* odbój 3. **an old ~** niedołęga

buffet¹ ['bʌfit] *s* 1. kredens 2. ['bufei] bufet 3. *zbior* dania barowe

buffet² ['bʌfit] [I] *s* szturchaniec; cios; raz; uderzenie [II] *vt* szturch-nąć/ać; wal-nąć/ić; po/razić; uderz-yć/ać; s/poniewierać; po/turbować [III] *vi* mocować <borykać> się; walczyć; z/mierzyć się

zob **buffeting**

buffeting ['bʌfitiŋ] [I] *zob* **buffet²** *v* [II] *s* szturchanie; poturbowanie; **to get a ~** zostać poturbowanym

buffoon [bʌ'fu:n] [I] *s* błazen; bufon; pajac [II] *vi* błaznować

buffoonery [bʌ'fu:nəri] *s* błazeństwa; bufonada

buff-stick ['bʌf,stik], **buff-wheel** ['bʌf,whi:l] *s* przyrząd do polerowania <do szlifowania>

↑**bug** [bʌg] *s* 1. pluskwa 2. *am* insekt; robak; *przen* **a big ~** gruba ryba; ważna osoba

bugaboo ['bʌgə,bu:] *s* 1. postrach 2. *am* gwałtowne słowa 3. *am* panika

bugbear ['bʌg,bɛə] *s* postrach

bugger ['bʌgə] *s* 1. sodomita 2. pederasta 3. *wulg* facet

buggery ['bʌgəri] *s* 1. sodomia 2. pederastia

buggy[1] ['bʌgi] *s* powozik

buggy[2] ['bʌgi] *adj* zapluskwiony

bugle[1] ['bju:gl] [I] *s* 1. róg (myśliwski) 2. trąbka [II] *vi* za/trąbić; da-ć/wać sygnał/y trąbką

bugle[2] ['bju:gl] *s bot* dąbrówka

bugler ['bju:glə] *s* trębacz

bugles ['bju:glz] *spl* dżety; podłużne koraliki

buglet ['bju:glit] *s* 1. mały róg (myśliwski) 2. trąbka (przy rowerze)

bugloss ['bju:glɔs] *s bot* 1. ozór wołowy; miodunka 2. żmijowiec

buhl [bu:l] *s* 1. inkrustacja 2. inkrustowany mebel

↑**build** [bild] [I] *vt* (**built** [bilt], **built**) 1. z/budować; s/konstruować; s/tworzyć; **I'm built that way** taki już jestem; taką już mam naturę 2. (*także* **~ up**) wzn-ieść/osić (budowlę) 3. op-rzeć/ierać (nadzieje itp. na kimś, czymś)

~ in *vt* 1. zamurować 2. wmurować 3. obudować (czymś)

~ over *vt* zabudować (jakiś teren)

~ round *vt* obudować dookoła

~ up *vt* 1. wzm-ocnić/acniać (zdrowie) 2. wyr-obić/abiać sobie (praktykę, stosunki itp.) 3. rozwi-nąć/jać 4. ułożyć/układać sobie; wymyślić <wykoncypować> (teorię itp.) 5. gromadzić (siły wojskowe); tworzyć (oddziały wojskowe) 6. *dosł i przen* z/montować

zob **building** [II] *s* 1. konstrukcja 2. budowa (ciała); **a man of powerful ~** silnie zbudowany mężczyzna

builder ['bildə] *s* budowniczy

building ['bildiŋ] [I] *zob* **build** *v* [II] *s* budynek; budowla; gmach [III] *attr* **~ society** spółdzielnia mieszkaniowa [IV] *adj* budowlany

↑**build-up** ['bild'ʌp] *s* 1. z/gromadzenie 2. *dosł i przen* z/montowanie 3. kontyngent wojsk; oddziały; siły wojskowe

built *zob* **build** *v*

built-up ['bilt'ʌp] *adj* (*o terenie*) zabudowany

bulb [bʌlb] *s* 1. cebula <cebulka> (kwiatu, włosa itp.); bulwa 2. żarówka 3. gruszka (gumowa) 4. zbiornik <bańka> (termometru)

bulbous ['bʌlbəs] *adj* cebulasty; cebulkowaty; bulwiasty; **a ~ nose** nos jak kartofel

bulbul ['bulbul] *s* 1. *zoo* perski słowik 2. śpiewak; poeta

Bulgarian [bʌl'gɛəriən] [I] *adj* bułgarski [II] *s* Bułgar/ka

bulge [bʌldʒ] [I] *s* 1. wybrzuszenie 2. *am* przewaga (**on sb** nad kimś) 3. *am gield* hossa [II] *vt* nad-ąć/ymać; nap-chać/ychać (worek itp.) [III] *vi* (*także* **~ out**) 1. wyd-ąć/ymać się 2. wybrzusz-yć/ać się; (*o brzuchu itp*) sterczeć 3. *am pot w zwrotach*: **to ~ for —** polecieć do ... (drzwi itd.); **to ~ in** wpa-ść/dać (do pokoju itd.); **to ~ off** polecieć (dokądś) *zob* **bulging**

bulging ['bʌldʒiŋ] [I] *zob* **bulge** *v* [II] *adj* wydęty; brzuchaty; wybrzuszony; baniasty; wypukły; **~ eyes** wyłupiaste oczy

bulimy ['bju:limi] *s* 1. *med* wilczy głód 2. *przen* niedosyt

↑**bulk** [bʌlk] [I] *s* 1. masa; cielsko; duży rozmiar; ogrom 2. przeważająca część; ogromna większość 3. wielka ilość (towaru); **to sell in ~** sprzedawać hurtem <hurtowo> 4. ładunek statku; **to load in ~** ładować luzem (nie w opakowaniu) [II] *vi w zwrocie*: **to ~ large** a) przyb-rać/ierać duże rozmiary (w czyichś oczach) b) mieć znaczenie; nab-rać/ierać znaczenia [III] *vt* z/gromadzić; zebrać/zbierać razem; s/komasować

~ up *vi* wynosić w sumie dużą kwotę <liczbę>

bulkhead ['bʌlk,hed] *s* przegroda; ścianka; przepierzenie

bulky ['bʌlki] *adj* (**bulkier** ['bʌlkiə], **bulkiest** ['bʌlkiist]) 1. gruby; duży; zajmujący dużo miejsca; niewygodny; nieporęczny 2. (*o człowieku*) gruby, otyły

↑**bull**[1] [bul] [I] *s* 1. byk 2. samiec (dużych zwierząt: słonia, wieloryba itd.) 3. spekulant giełdowy grający na zwyżkę 4. *am* policjant [II] *vi* grać na zwyżkę

bull[2] [bul] *s* bulla (papieska)

bull[3] [bul] *s* (*zw* **Irish ~**) niedorzeczność; absurd; sprzeczność w wypowiedzi

bullace ['bulis] *s* dzika śliwa (drzewo i owoc)

bull-baiting ['bul,beitiŋ] *s* widowisko średniowieczne, polegające na szczuciu psami uwiązanego byka *zob* **bear-baiting**

bull-calf ['bul'kɑ:f] *s* (*pl* **bull-calves** ['bul'kɑ:vz]) byczek

bulldog ['bul,dɔg] *s* 1. *zoo* buldog 2. woźny uniwersytetu; pedel

↑**bulldoze** ['bul,douz] *vt am* nastraszyć; zastraszyć

bulldozer ['bul,douzə] *s techn* buldozer, buldożer, spychacz

bullet ['bulit] *s* kula; pocisk

bullet-headed ['bulit'hedid] *adj* 1. (*o człowieku*) z okrągłą głową 2. *am* uparty

bulletin ['bulitin] *s* biuletyn; komunikat

bullet-proof ['bulit,pru:f] *adj* pancerny, opancerzony; kuloodporny

bullfight ['bul,fait] *s* walka byków

bullfinch ['bul,fintʃ] *s zoo* gil

bull-frog ['bul,frɔg] *s zoo* gatunek dużej żaby amerykańskiej

bullhead ['bul,hed] *s zoo* nazwa kilku ryb o dużej głowie: sumik karłowaty itd.

bullheaded ['bul,hedid] *adj* uparty

bullion ['buliən] *s* 1. złoto <srebro> w sztabach 2. bilon 3. torsada (rodzaj sznura do obszyć); bajorek (szmuklerski)

bullish ['buliʃ] *adj* 1. (*o człowieku*) uparty 2. (*o tendencji na giełdzie*) zwyżkowy

bullock ['bulək] *s zoo* wół

bull-of-the-bog ['buləvðə'bɔg] *s zoo* bąk (ptak)

bull-ring ['bul,riŋ] *s* arena (na której odbywają się walki byków)

bull's-eye ['bulz,ai] *s* 1. guz na szkle krążkowym

2. środek tarczy (strzelniczej) 3. duży, okrągły cukierek 4. okrągłe okienko
bull-terrier ['bul'teriə] *s zoo* gatunek teriera
bull-tongue ['bul,tʌŋ] [I] *s* rodzaj pługa [II] *vt* z/orać pługiem zwanym bull-tongue
bully¹ ['buli] [I] *s* 1. tchórz znęcający się nad słabszymi; tyran 2. zbir 3. sutener [II] *vt* (**bullied** ['bulid], **bullied**; **bullying** ['buliiŋ]) znęcać się (**the weak** nad słabszym); zmu-sić/szać (kogoś) siłą <zastraszeniem> (**into doing sth** do czegoś); onie-śmiel-ić/ać; s/terroryzować
bully² ['buli] *adj interj sl* świetny, świetnie!; kapitalny, kapitalnie!; **it's ~ for you!** brawo!; świetnie ci <wam> się złożyło!
bully³ ['buli] *s* (*także* **~ beef**) konserwa z wołowiny
bullyrag ['buliræg] *vt* (**-gg-**) s/poniewierać
bulrush ['bulrʌʃ] *s* sitowie
bulwark ['bulwək] *s* 1. wał ochronny 2. *przen* przedmurze; bastion 3. falochron 4. parapet (statku)
bum¹ [bʌm] *s* 1. zadek, tyłek 2. pośladek 3. = **bum-bailiff**
bum² [bʌm] [I] *s* włóczęga; próżniak [II] *adj am sl* kiepski; nędzny; do niczego [III] *vi* (**-mm-**) próżnować; żyć cudzym kosztem
bum-bailiff ['bʌm'beilif] *s* zastępca szeryfa
bumble [bʌmbl] *s* funkcjonariusz parafialny
bumble-bee ['bʌmbl,bi:] *s zoo* trzmiel
bumbledom ['bʌmbldəm] = **beadledom**
bumblepuppy ['bʌmbl,pʌpi] *s* rodzaj zabawy dziecinnej
bumboat ['bʌm,bout] *s* statek z prowiantem
bummaree [,bʌmə'ri:] *s* pośrednik w hurtowym handlu rybami
bummer ['bʌmə] *s am sl* włóczęga; próżniak
bump [bʌmp] [I] *vi* zderz-yć/ać się; **to ~ along** turkotać (po wyboistej drodze) [II] *vt* uderz-yć/ać; palnąć; walić; **I ~ed my head against the door-frame** wyrżnąłem głową o futrynę
~ off *vt am sl* zakatrupić; zamordować
[III] *s* 1. uderzenie; zderzenie, wstrząs 2. guz (od uderzenia oraz wypukłość czaszki); **~s in the road** wyboje 3. *lotn* dziura powietrzna 4. wygrana na regatach w Oxfordzie, polegająca na dogonieniu łodzi i uderzeniu jej rufy dziobem 5. *pot* talent, zdolności
bumper ['bʌmpə] [I] *s* 1. (pełny) puchar (wina) 2. zderzak 3. (*o rzeczy, zjawisku*) rekord [II] *attr* **~ crops** rekordowe zbiory; **~ house** teatr wypełniony <nabity> do ostatniego miejsca
bumpiness ['bʌmpinis] *s* zły stan (drogi)
bumpkin ['bʌmpkin] *s* prostak; gamoń; cymbał
bumptious ['bʌmpʃəs] *adj* zarozumiały; pyszny; napuszony; nadęty
bumptiousness ['bʌmpʃəsnis] *s* zarozumiałość; napuszoność
bumpy ['bʌmpi] *adj* (**bumpier** ['bʌmpiə], **bumpiest** ['bʌmpiist]) wyboisty; nierówny
bun [bʌn] *s* 1. słodka bułeczka z rodzynkami; *przen* **to take the ~** prześcignąć wszystkich 2. kok
bunch [bʌntʃ] [I] *s* 1. grono; kiść; garstka; pęk (kluczy itd.) 2. wiązka; wiązanka; **a ~ of flowers** bukiet 3. *pot* gromada; paczka (ludzi) [II] *vi* skupi-ć/ać się [III] *vt* zbierać <z/wiązać> (kwiaty itp.)
bunco ['bʌŋkou] *s* oszustwo
buncombe ['bʌŋkəm] = **bunkum**
bundle ['bʌndl] [I] *s* tobół, tobołek; zawiniątko; pakunek; pęk; wiązka; plik (papierów); **a ~ of nerves** kłębek nerwów [II] *vt* 1. z/wiązać; **zawiąz-ać/ywać**; za/pakować (w tobół itd.) 2. cisnąć (**sth into a corner** coś w kąt) [III] *vi* 1. **zwi-nąć/jać** się w kłębek 2. zderz-yć/ać się (**into sb, sth** z kimś, czymś); wpa-ść/dać (**into sb, sth** na kogoś, coś)
~ in *vi* wpa-ść/dać (do pokoju itd.)
~ off [I] *vt* odprawi-ć/ać; pozby-ć/wać się (**sb** kogoś) [II] *vi* wyn-ieść/osić się; po/lecieć (dokądś)
~ out = **~ off** *vi*
~ up *vt* zebrać/zbierać
bung¹ [bʌŋ] [I] *s* 1. szpunt; korek 2. piwowar [II] *vt* za/szpuntować; za/korkować; **eyes ~ed up** oczy zapuchnięte <sklejone> (stan chorobowy)
bung² [bʌŋ] *s sl* bujda, kłamstwo
bung³ [bʌŋ] *vt sl* rzuc-ić/ać <cis-nąć/kać> (**sth** coś, czymś)
bungaloid ['bʌŋgə,lɔid] *adj w zwrocie*: **~ growth** nagromadzenie domków wypoczynkowych, szpecące okolicę
bungalow ['bʌŋgə,lou] *s* 1. domek wypoczynkowy 2. domek parterowy
bungle ['bʌŋgl] [I] *s* 1. partacka robota; fuszerka 2. niezdarność 3. bałagan; **to make a ~ of sth** a) s/partaczyć coś b) narobić bałaganu w czymś; zabałaganić coś [II] *vt* 1. s/partaczyć; s/fuszerować 2. z/robić bałagan <narobić bałaganu> (**sth** w czymś); zabałaganić 3. nieudolnie załatwi-ć/ać (coś); pokpić (sprawę)
bungler ['bʌŋglə] *s* partacz/ka; fuszer; niezdara
bunion ['bʌnjən] *s* bolesny guz na wielkim palcu u nogi
bunk¹ [bʌŋk] [I] *s* łóżko (na zawiasach) do podnoszenia; koja na statku [II] *vi am* 1. spać 2. iść spać 3. położyć/kłaść się
bunk² [bʌŋk] [I] *s sl* ucieczka [II] *vi* uciec; *pot* zwiać
bunk³ [bʌŋk] *s sl* banialuki
bunker ['bʌŋkə] [I] *s* 1. (*na statku*) węglownia 2. (*w golfie*) trudna sytuacja; zawada; przeszkoda 3. *wojsk* bunkier [II] *vt* 1. *mar* za/ładować (węgiel) 2. (*w golfie i przen*) postawić kogoś w trudnej sytuacji
bunk-house ['bʌŋk,haus] *s am* szałas
bunkum ['bʌŋkəm] *s* gołosłowne wypowiedzi; puste gadanie; paplanina
bunned [bʌnd] *adj am pot* urżnięty, pijany
bunny ['bʌni] *s zoo* królik
Bunsen ['bʌnsn] *spr* **~('s) burner** palnik bunsenowski
bunt¹ [bʌnt] *s* wybrzuszenie (sieci, żagla itp.)
bunt² [bʌnt] *vt* zatrzym-ać/ywać (**piłkę**)
bunt³ [bʌnt] *s lotn* ewolucja
bunting¹ ['bʌntiŋ] *s zoo* trznadel
bunting² ['bʌntiŋ] *s* 1. materiał flagowy 2. flagi (jako dekoracja budynków); **to put out ~** u/dekorować flagami
buoy [bɔi] [I] *s* boja, pława [II] *vt* 1. znaczyć (jakiś obszar) bojami 2. (*także* **~ up**) utrzym-ać/ywać na powierzchni (kogoś, coś) 3. *przen* podtrzym-ać/ywać (kogoś) na duchu
buoyancy ['bɔiənsi] *s* 1. zdolność utrzymywania się na powierzchni wody, pławność 2. elastyczność 3. pogoda ducha; optymizm
buoyant ['bɔiənt] *adj* 1. mający zdolność utrzymy-

wania się na powierzchni wody, pławny 2. elastyczny; (*o kroku, ruchach*) sprężysty 3. pogodny; pełen optymizmu

buphaga [bju'fa:gə] *s zoo* ptak afrykański z rodziny szpaków

bur [bə:] *s bot* rzep; bodiak

Burberry ['bə:bəri] *spr* nazwa płaszcza nieprzemakalnego produkowanego przez firmę Burberry

burble ['bə:bl] *vi* 1. trząść się <kipieć> (ze złości itp.) 2. mamrotać

burbot ['bə:bət] *s zoo* miętus (ryba)

↑ **burden** ['bə:dn] [I] *s* 1. ciężar; brzemię; **a beast of ~** zwierzę pociągowe <juczne>; **to be a ~ to sb** być komuś ciężarem 2. pojemność; tonaż (statku) 3. refren 4. istota <istotna treść> (książki, mowy, artykułu); sedno <jądro> (sprawy) [II] *vt* 1. obarcz-yć/ać; obciąż-yć/ać; obładow-ać/ywać 2. zadłuż-yć/ać (majątek)

burdensome ['bə:dnsəm] *adj* uciążliwy

burdock ['bə:dɔk] *s bot* łopian

bureau [bjuə'rou] *s* (*pl* **~x** [bjuə'rouz]) 1. biurko; sekretarzyk; *am* komoda 2. biuro; urząd

bureaucracy [bjuə'rɔkrəsi] *s* biurokracja

bureaucrat ['bjuərou,kræt] *s* biurokrat-a/ka

bureaucratic ['bjuərou,krætik] *adj* biurokratyczny

burette [bjuə'ret] *s* miarówka, menzura, menzurka, biureta

burg [bə:g] *s am* miasteczko

burgee [bə:'dʒi:] *s* proporczyk

burgeon ['bə:dʒən] [I] *s* pączek; pęd [II] *vi* pączkować; pu-ścić/szczać pędy

burgess ['bə:dʒis] *s* 1. mieszczan-in/ka; obywatel/ka; wybor-ca/czyni 2. poseł do parlamentu z ramienia miasta <uniwersytetu>

burgh ['bʌrə] *s szkoc* miasto

burgher ['bə:gə] *s* mieszczan-in/ka; obywatel/ka

burglar ['bə:glə] *s* włamywacz

burglar-proof ['bə:glə,pru:f] *adj* zabezpieczony przed włamaniem

burglary ['bə:gləri] *s* włamanie

burgle ['bə:gl] [I] *vt* włam-ać/ywać się (**sth** do czegoś — mieszkania itp.); **the house was ~d** w (tym) domu dokonano włamania <kradzieży>; włamano się do (tego) domu [II] *vi* 1. włam-ać/ywać się 2. być (zawodowym) włamywaczem

burgomaster ['bə:gə,ma:stə] *s* burmistrz

burgonet ['bə:gənit] *s archeol* hełm

burgoo [bə:'gu:] *s mar sl* owsianka

burgrave ['bə:,greiv] *s hist* burgrabia

Burgundian [bə:'gʌndiən] *adj* burgundzki

burgundy ['bə:gəndi] *s* wino burgundzkie, burgund

burial ['beriəl] *s* pogrzeb

burial-ground ['beriəl,graund] *s* cmentarz

burial-service ['beriəl,sə:vis] *s* obrzęd pogrzebowy; egzekwie

burin ['bjuərin] *s* rylec

burke [bə:k] *vt* 1. unik-nąć/ać (**sth** czegoś — skandalu itp.); s/tłumić (rozgłos); za/tuszować 2. † za/mordować w celu sprzedaży zwłok dla sekcji

burl [bə:l] *s* węzełek (w wełnie itp.)

burlap ['bə:læp] *s* materiał konopny <jutowy> na worki

burlesque [bə:'lesk] [I] *s* burleska; farsa; krotochwila [II] *adj* karykaturalny; krotochwilny [III] *vt* trawestować; s/parodiować

burliness ['bə:linis] *s* tężyzna; krzepkość

Burlington House ['bə:liŋtən'haus] *spr* siedziba Akademii Sztuk Pięknych i innych instytucji naukowo-kulturalnych w Londynie

burly ['bə:li] *adj* (**burlier** ['bə:liə], **burliest** ['bə:liist]) tęgi; krzepki

Burmese [bə:'mi:z] [I] *adj* birmański [II] Birmańczyk/nka

burn¹ [bə:n] *s szkoc* potok, potoczek; strumyk

↑ **burn²** [bə:n] *v* (*praet* **burnt** [bə:nt], **burned** [bə:nd], *pp* **burnt, burned**) [I] *vt* 1. s/palić; po/parzyć; wypalić (dziurę itp.); **to ~ one's fingers over sth** sparzyć się na czymś 2. przypal-ić/ać (potrawę itd.) 3. wypalać (cegły itp.) 4. *am* porazić prądem elektrycznym 5. *am* stracić na krześle elektrycznym [II] *vi* 1. s/palić się; s/płonąć; (*o potrawie*) przypal-ić/ać się 2. pałać (miłością, żądzą itp.) 3. palić się (**to do** <**say etc.**> **sth** do zrobienia <powiedzenia itd.> czegoś) 4. (*o lampie itd*) świecić 5. (*o człowieku*) opalać się; (*o skórze*) **~ easily** łatwo się opalać 6. *w zwrocie*: **to ~ into (a metal etc.)** wżerać/wżerać się (w metal itd.)

~ away *vt vi* spal-ić/ać (się)

~ down [I] *vt* s/palić (miasto, gmach itd.) [II] *vi* przygasać

~ out [I] *vt* 1. wypal-ić/ać (**sb's eyes etc.** komuś oczy itd.) 2. zmu-sić/szać do ucieczki (z domu, fortecy itd.) przez podpalenie; wykurz-yć/ać ogniem [II] *vi* spal-ić/ać się; (*o ogniu*) wypal-ić/ać się

~ up [I] *vt* s/palić doszczętnie [II] *vi* 1. (*o ogniu*) rozpal-ić/ać się 2. (*o paliwie*) wypal-ić/ać się doszczętnie

zob **burning, burnt** [III] *s* oparzenie; oparzelizna

burner ['bə:nə] *s* palnik

burnet ['bə:nit] *s bot* biedrzeniec

burning ['bə:niŋ] [I] *zob* **burn²** *v* [II] *s* 1. spalenie 2. wypalanie (cegieł itd.) 3. spalenizna 4. palenie <pieczenie> (w żołądku itd.) [III] *adj* 1. płonący; rozżarzony 2. *dosł i przen* palący 3. (*o skandalu*) niesłychany 4. (*o wstydzie*) sromotny 5. (*o śladzie zwierza*) świeży

burning-glass ['bə:niŋ,gla:s] *s* soczewka <lustro> skupiając-a/e promienie słoneczne

burning-hot ['bə:niŋ'hɔt] *adj* rozpalony

burnish ['bə:niʃ] [I] *s* połysk; blask [II] *vt* wy/polerować; nada-ć/wać blask (**sth** czemuś)

burnisher ['bəni:ʃə] *s* 1. polerowni-k/czka 2. *techn* dogniatak (narzędzie) 3. gładzidło do polerowania

burnouse ['bə:'nu:z] *s* burnus

burnsides ['be:n,saidz] *spl* bokobrody

burnt [bə:nt] [I] *zob* **burn²** *v* [II] *adj* 1. spalony 2. (*o potrawach*) przypalony 3. (*o człowieku*) opalony 4. (*o ochrze*) ciemny 5. (*o sjenie*) palony 6. (*o migdale*) w cukrze 7. (*o ofierze*) całopalny

burr¹ [bə:] *s* 1. poświata; otoczka (dookoła księżyca, gwiazd)

burr² [bə:] *s* osełka

burr³ [bə:] *s* szew (na odlewie)

burr⁴ [bə:] [I] *s* języczkowa wymowa głoski r [II] *vt* wymawiać (głoskę r) gardłowo [III] *vi* mówić niewyraźnie; bełkotać

burr-drill ['bə:,dril] *s* świder (dentystyczny)

burrow¹ ['bʌrou] *s am* osioł

burrow² ['bʌrou] [I] *s* jama; nora [II] *vi* 1. ukry-ć/wać się w norze 2. myszkować [III] *vt* 1. z/ryć 2. *w zwrocie*: **to ~ one's way** przesuwać <przedzierać> się ryjąc w ziemi

burrower ['bʌrouə] *s* zwierzę ryjące
bursar ['bə:sə] *s* 1. *uniw* kwestor 2. *uniw* stypendyst-a/ka (w Szkocji)
bursary ['bə:səri] *s* 1. *uniw* kwestura 2. bursa (w Szkocji)
burse [bə:s] *s* stypendium
burst [bə:st] *v* (**burst, burst**) I *vt* 1. wysadz-ić/ać; roz-erwać/rywać; rozsadz-ić/ać; **to ~ (a door etc.) open** a) wypchnąć siłą <wysadz-ić/ać, wyłam-ać/ywać, wyważyć> (drzwi itd.) b) (*o wietrze itp*) wypchnąć <rozewrzeć> (drzwi itd.) 2. s/powodować pęknięcie <wybuch, rozerwanie się, rozsadzenie> (**sth** czegoś); (*o rzece*) **to ~ its banks** wyl-ać/ewać; wyst-ąpić/ępować z brzegów; **to ~ one's sides with laughter** zanosić się od <pękać ze> śmiechu; **he ~ a blood-vessel** pękło mu naczynie krwionośne *zob vi* 9. II *vi* 1. rozl-ecieć/atywać się; rozprys-nąć/kiwać się 2. *dosł i przen* pęk-nąć/ać; wybuch-nąć/ać (**into laughter** <**tears etc.**> śmiechem <płaczem itd.>) 3. *dosł i przen* pękać (od czegoś, z czegoś, z nadmiaru czegoś); (*o worku*) **~ with corn** pękać od ziarna; (*o człowieku*) **~ with envy etc.** pękać z zazdrości itd. 4. *przen* nie posiadać się (**with joy** <**pride etc.**> z radości <dumy itd.>) 5. *w zwrocie*: **to ~ into a room etc.** wpaść do pokoju itd. 6. *w zwrocie*: **to ~ upon sb's sight** przedstawi-ć/ać się czyimś oczom 7. (*o dźwięku*) *w zwrocie*: **to ~ upon sb's ears** rozle-c/gać się 8. (*o krzyku itp*) wyr-wać/ywać się (z ust) 9. (*o drzwiach itd*) nagle się otworzyć
~ asunder I *vt* roz-erwać/rywać II *vi* roz-erwać/rywać <rozl-ecieć/atywać> się
~ forth *vi* 1. wybuch-nąć/ać 2. prze-drzeć/dzierać się 3. nagle się ukaz-ać/ywać
~ in *vi* wtargnąć; wedrzeć/wdzierać się
~ out I *vi* 1. *dosł i przen* wybuch-nąć/ać (**laughing** śmiechem) 2. wykrzyk-nąć/iwać 3. wytrys-nąć/kiwać II *vt* zerwać/zrywać (nity itp.); s/powodować zerwanie (**sth** czegoś)
~ up *vi* 1. wybuch-nąć/ać 2. wyl-ecieć/atywać (w powietrze) 3. z/bankrutować
III *s* 1. pęknięcie; rozsadzenie; rozerwanie się 2. wybuch (bomby, śmiechu itd.) 3. tryśnięcie 4. grzmot (piorunu, oklasków itd.) 5. szał (pracy); okres (ożywienia) 6. seria (strzałów) 7. hulanie; hulanka
burst-up ['bə:st'ʌp] *s* 1. upadek (ustroju itp.) 2. bankructwo 3. ostra wymiana zdań
burthen ['bə:ðən] *poet* = **burden**
burton ['bə:tən] *s techn* wielokrążek
bury ['beri] *vt* (**buried** ['berid], **buried; burying** ['beriiŋ]) 1. po/grzebać <po/chować> (zmarłego) 2. zakop-ać/ywać (kogoś, coś); *przen* **to ~ oneself in work etc.** zagrzebać się w pracy itd. 3. ukry-ć/wać (**one's face in one's hands** twarz w dłoniach) 4. wbi-ć/jać (**a dagger in sb's breast etc.** komuś sztylet w pierś itd.) 5. zapom-nieć/inać (**sb, sth** o kimś, czymś); pu-ścić/szczać w niepamięć
burying-beetle ['beriiŋ,bi:tl] *s zoo* grabarz
burying-ground ['beriiŋ,graund] *s* cmentarz
bus [bʌs] I *s* 1. autobus; omnibus 2. *pot* wóz; grat; *lotn sl* maszyna; **to miss the ~** a) nie zdążyć <spóźnić się> na autobus b) *przen* mieć pecha; być pechowcem c) nie skorzystać z okazji; nie wyzyskać sposobności II *vi* po/jechać <jeździć> autobusem
busby ['bʌzbi] *s* czapka futrzana w niektórych pułkach angielskich
bush[1] [buʃ] *s* 1. krzak; krzew 2. gąszcz; **to take to the ~** uciec do lasu 3. wiecha (nad szynkiem); **good wine needs no ~** dobry towar nie potrzebuje reklamy
bush[2] [buʃ] *s techn* tuleja
bushbuck ['buʃ,bʌk] *s zoo* mała antylopa południowoafrykańska
bushel[1] ['buʃl] *s* buszel (= 36 l); *pl* **~s** *przen* masy; **to hide sth under the ~** chować coś pod korcem; **to measure other people's corn by one's own ~** sądzić drugich według siebie
bushel[2] ['buʃl] *vt am* naprawi-ć/ać <przer-obić/abiać> (garderobę)
bush-fighter ['buʃ,faitə] *s* partyzant
bush-harrow ['buʃ,hærou] *s* ciężka brona
bushing ['buʃiŋ] *s* 1. tuleja 2. *elektr* przepust izolacyjny
bushman ['buʃmən] *s* (*pl* **bushmen** ['buʃmən]) Buszmen/ka
bushranger ['buʃ,reindʒə] *s* opryszek australijski
bushveld ['buʃ,veld] *s* step południowoafrykański pokryty zaroślami
bushy ['buʃi] *adj* krzaczasty; gęsty
busied ['bizid] I *zob* **busy** *v* II *adj* zatrudniony; zajęty; zaabsorbowany
busily ['bizili] *adv* pracowicie; skrzętnie; gorliwie
business ['biznis] I *s* 1. sprawa; **to have ~ with sb** mieć do kogoś sprawę (urzędową); chcieć się zobaczyć z kimś; **I have no ~ with him** nie mam z nim nic wspólnego <nic do czynienia>; **on ~** urzędowo; **what is your ~?** pan w jakiej sprawie?; z czym pan przychodzi? 2. zakres obowiązków; kompetencje; **that's the manager's ~** to należy do dyrektora; **it's none of your ~** a) to nie twoja <wasza> rzecz b) to do ciebie <was> nie należy; to ciebie <was> nic nie obchodzi; **to send sb about his ~** a) odprawić kogoś (z kwitkiem) b) posłać kogoś do diabła; **mind your own ~** pilnuj <patrz> swojego nosa; **it's my ~ to tell you, it's your ~ to listen** moją rzeczą jest panu kazać, pańską rzeczą jest słuchać 3. obowiązek; zadanie; **to make it one's ~ to do sth** postawić sobie za zadanie coś zrobić. 4. prawo <tytuł> do czynienia czegoś; **what ~ had he to do that?** a) jakim prawem <z jakiego tytułu> on to uczynił? b) czyż powinien był to czynić? c) po kiego licha on to uczynił?; **you had no ~ to go there** a) nie powin-ieneś/niście by-ł/li tam iść; po coś/cie tam posz-edł/li? b) jakim prawem tyś <wyście> tam posz-edł/li? 5. interes (transakcja *także* sprawa, historia); **I'm sick of the whole ~** cała ta sprawa zaczyna mi bokiem wyłazić; mam tego wszystkiego dość; **it's a sad ~** to smutna historia; **that was a bad ~** to był kiepski interes; **good ~!** brawo! 6. interesy; handel; **~ is ~** w interesach nie ma sentymentu; interes interesem; **~ is good** <**slack**> interesy idą dobrze <słabo>; **he is out of ~** on zwinął interes; **to go into ~** wziąć się do interesów <do handlu>; **big ~** wielki kapitał 7. przedsiębiorstwo; dom handlowy; **~man** kupiec; handlowiec; przedsiębiorca; **he is manager of two different ~es** on jest dyrektorem w dwóch przedsiębiorstwach 8. po-

rządek dzienny (zebrania) 9. zawód; **what is your ~?** czym pan jest z zawodu? 10. *przen* rzemiosło; **he makes a ~ of religion** on traktuje religię jak rzemiosło 11. *teatr* niema scena 12. *w zwrocie*: **to mean ~** mówić poważnie; traktować coś serio 13. coś skleconego <naprędce zrobionego, prowizorycznego itd.>; **a lath-and-plaster ~** coś skleconego z łat i wapna [II] *attr* 1. handlowy 2. urzędowy; **a ~ meeting** konferencja; **~ hours** godziny urzędowe <przyjęć, kasowe>; (*w sklepie*) godziny sprzedaży

businesslike [ˈbiznisˌlaik] *adj* 1. solidny; dokładny; metodyczny 2. praktyczny 3. (*o zachowaniu*) poważny; urzędowy

busk[1] [bʌsk] *s* brykla (w gorsecie)

busk[2] [bʌsk] *vt* 1. *szkoc* przygotow-ać/ywać 2. improwizować

busker [ˈbʌskə] *s sl* grajek <aktor> wędrowny

buskin [ˈbʌskin] *s* koturn

buskined [ˈbʌskind] *adj* na koturnach

busman [ˈbʌsmən] *s* (*pl* **busmen** [ˈbʌsmən]) konduktor autobusu; **a ~'s holiday** urlop spędzony przy pracy zawodowej

↑**bust**[1] [bʌst] *s* 1. biust 2. popiersie

bust[2] [bʌst] = **burst**

bustard [ˈbʌstəd] *s zoo* drop (ptak)

buster [ˈbʌstə] *s am* 1. rzecz wielka <ogromna, niezwykła> 2. wielkie kłamstwo 3. ujeżdżacz (koni)

bustle[1] [ˈbʌsl] [I] *vi* 1. (*także* **~ about**) krzątać się 2. (*także* **~ up**) uwijać <pośpieszyć> się [II] *vt* popędzać (kogoś); **to ~ sb out** wypchnąć kogoś za drzwi *zob* **bustling** [III] *s* krzątanina; bieganina

bustle[2] [ˈbʌsl] *s* turniura

bustling [ˈbʌsliŋ] [I] *zob* **bustle**[1] *v* [II] *adj* zaaferowany; krzątający się

bust-up [ˈbʌstˈʌp] = **burst-up**

busy [ˈbizi] [I] *adj* (**busier** [ˈbiziə], **busiest** [ˈbiziist]) [I] *adj* (*o człowieku*) zajęty; **to be ~ at sth** <**doing sth**> być zajętym (przy) czymś <robieniem czegoś>; pracować przy czymś; robić coś; **to get ~** zabrać się do pracy; **to keep oneself ~** nie tracić czasu 2. (*o ulicy, mieście itp*) ruchliwy 3. (*o czasie*) pracowity; **the ~ hours** godziny dużego ruchu (w sklepach itd.) [II] *vt* (**busied** [ˈbizid], **busied**; **busying** [ˈbiziiŋ]) zaj-ąć/mować kogoś [III] *vr* (**busied** [ˈbizid], **busied**; **busying** [ˈbiziiŋ]) *w zwrocie*: **to ~ oneself with** <**in, about**> **sth** zająć się <pracować nad> czymś *zob* **busied** [IV] *s sl* szpicel

busybody [ˈbiziˌbɔdi] *s* człowiek wścibski; plotka-rz/rka; intrygant/ka

busyness [ˈbizinis] *s* krzątanie się

but [bʌt] [I] *praep* oprócz; poza; tylko nie; jeżeli nie; **all ~ he** wszyscy oprócz niego; **anything ~ that** wszystko, tylko nie to; **who will do it ~ me?** kto to zrobi, jeżeli nie ja <prócz mnie, poza mną>? [II] *conj* 1. ale, lecz 2. jednak; **~ yet** jednakże; niemniej jednak 3. ... żeby nie; kto by <co by> nie; **it never rains ~ it pours** nie ma deszczu, co by się nie zamienił w ulewę; nieszczęścia idą w parze; **no man is so old ~ that he may learn** nikt nie jest za stary, by się uczyć; **there is no one ~ knows that** nie ma nikogo, kto by o tym nie wiedział 4. *po zaprzeczeniu równa się drugiemu przeczeniu*: **I cannot ~ believe** nie mogę nie uwierzyć; **not ~ that I pity him** nie żebym go nie żałował 5. *z przymiotnikiem*: **anything ~ ...** bynajmniej nie ... (mały, łatwy, tani itd.) 6. *w zwrotach*: **~ for ...** gdyby nie ...; **~ then** ale za to; ale z drugiej strony; **~ that ...** gdyby nie to, że ... [III] *adv* 1. tylko; zaledwie; **~ yesterday** zaledwie wczoraj; **she is ~ a child** ona jest tylko dzieckiem; to jeszcze dziecko 2. **all ~** o mało <o włos> nie (zrobić czegoś) [IV] *vt tylko w zwrocie*: **~ me no ~s** tylko bez „ale"

butane [ˈbjuːtein] *s chem* butan

butcher [ˈbutʃə] [I] *s* 1. rzeźnik; masarz; **~'s shop** masarnia; wędliniarnia; sklep mięsny 2. *przen* kat; morderca 3. *am* sprzedawca (owoców, papierosów itd.) w pociągu [II] *vt dosł i przen* zarzynać; mordować; masakrować

butcher-bird [ˈbutʃəˌbəːd] *s zoo* srokosz; dzierzba (ptak)

butcher's-broom [ˈbutʃəzˌbruːm] *s bot* iglica włoska; myszopłoch

butchery [ˈbutʃəri] *s* rzeź; masakra

butler [ˈbʌtlə] *s* szef służby domowej; główny lokaj

butt[1] [bʌt] *s* beczka

butt[2] [bʌt] *s* 1. pień; pniak 2. grzbiet (książeczki czekowej itp.) 3. niedopałek (papierosa, cygara) 4. grubszy koniec (narzędzia, broni itd.) 5. kolba (karabinu, rewolweru) 6. *zoo* płastuga (ryba) 7. cel (żartów, kpin); pośmiewisko 8. nasyp za strzelnicą

↑**butt**[3] [bʌt] [I] *vi* 1. uderz-yć/ać głową (**against** <**into**> **sth** o coś); **to ~ against sb** natknąć się na kogoś 2. (*o deskach*) schodzić <stykać> się; (*o człowieku*) **to ~ in** wtrącić się (do rozmowy) [II] *vt* (*o baranie itp*) u/bóść [III] *s* uderzenie głową; **they came (full) ~ against each other** walnęli o siebie głowami

butt-end [ˈbʌtˌend] *s* 1. niedopałek 2. grubszy koniec (narzędzia, broni itd.) 3. kolba 4. *stol* styk

↑**butter** [ˈbʌtə] [I] *s* masło; *przen* pochlebstwo; **she looks as if ~ would not melt in her mouth** ma minę świętoszki [II] *vt* po/smarować masłem; **to know where one's bread is ~ed** pilnować własnego interesu; **bread ~ed on both sides** dobrobyt; **to ~ sb up** przypochlebi-ć/ać się komuś

butter-and-eggs [ˈbʌtərəndˈegz] *s bot* żółty narcyz

butter-bean [ˈbʌtəˌbiːn] *s bot* fasola strączkowa, jasiek

butter-boat [ˈbʌtəˌbout] *s* sosjerka

butterbur [ˈbʌtəˌbəː] *s bot* podbiał

buttercup [ˈbʌtəˌkʌp] *s bot* jaskier

butter-dish [ˈbʌtəˌdiʃ] *s* maselniczka

butter-dock [ˈbʌtəˌdɔk] *s bot* szczaw tępolistny

butter-fingers [ˈbʌtəˌfiŋgəz] *s* ślamazara

butter-fish [ˈbʌtəˌfiʃ] *s zoo* ślizga (ryba)

↑**butterfly** [ˈbʌtəˌflai] *s* motyl

butterfly-nut [ˈbʌtəflaiˌnʌt] *s techn* nakrętka skrzydełkowa

butterine [ˈbʌtəˌriːn] *s* margaryna

buttermilk [ˈbʌtəˌmilk] *s* maślanka

butter-nut [ˈbʌtəˌnʌt] *s bot* amerykański orzech oleisty

butterscotch [bʌtəˌskɔtʃ] *s* gatunek toffi <irysów>

butter-wort [ˈbʌtəˌwəːt] *s bot* tłustosz

buttery[1] [ˈbʌtəri] *s uniw* spiżarnia

buttery[2] [ˈbʌtəri] *adj* maślany

buttery-hatch [ˈbʌtəriˌhætʃ] *s* okienko (do wydawania posiłków)

buttock ['bʌtək] *s* 1. pośladek 2. zad (konia) 3. krzyż (wołu) 4. *pl* **~s** siedzenie; *pot* zadek, tyłek

button ['bʌtn] [I] *s* 1. guzik 2. przycisk dzwonka; **you've only to press the ~** to się dzieje za naciśnięciem guzika 3. pączek (róży itp.) 4. gałka 5. bezpiecznik (na florecie) [II] *vt* 1. (*także* **~ up**) zapi-ąć/nać na guziki 2. zabezpiecz-yć/ać (floret) [III] *vi* zapi-ąć/nać się; **a dress that ~s behind** suknia z tyłu zapinana

button-hole ['bʌtn,houl] [I] *s* 1. dziurka od guzika 2. butonierka 3. kwiat(ek) w butonierce [II] *vt* trzymać (kogoś) za klapę; nudzić; *pot* wiercić (**sb** komuś) dziurę w brzuchu

button-hook ['bʌtn,huk] *s* haczyk do zapinania guzików

buttons ['bʌtnz] *s* chłopiec na posyłki (w mundurze zapinanym na długi rząd guzików); boy (w hotelu, restauracji itp.)

button-wood ['bʌtn,wud] *s bot* platan amerykański

buttress ['bʌtris] [I] *s* 1. skarpa, szkarpa 2. *bud* przypora 3. ramię góry [II] *vt* pod-eprzeć/pierać

butts [bʌts] *spl* strzelnica

butty ['bʌti] *s* przedsiębiorca robót kopalnianych

butyl ['bju:til] *s chem* butyl

butylene ['bju:ti,li:n] *s chem* butylen

butyric [bju:'tirik] *adj chem* masłowy

buxom ['bʌksəm] *adj* (*tylko o dziewczynie, kobiecie*) hoża

buy [bai] *v* (**bought** [bɔ:t], **bought**) [I] *vt* 1. kup-ić/ować 2. okup-ić/ywać 3. przekup-ić/ywać

~ back *vt* odkup-ić/ywać (coś od kogoś)

~ in *vt* 1. przelicytow-ać/ywać (najwięcej oferującego na licytacji) 2. z/robić zapasy (**sth** czegoś — żywności itd.)

~ off *vt* 1. spłac-ić/ać (wierzyciela itd.) 2. okup-ić/ywać się (**sb** komuś — szantażyście itp.)

~ out *vt w zwrocie*: **to ~ sb out** wykup-ić/ywać czyjeś udziały w przedsiębiorstwie

~ over *vt* przekup-ić/ywać (kogoś)

~ up *vt* skup-ić/ywać (towar)

[II] *s am pot w zwrocie*: **a good ~** dobra okazja; dobry interes

buyer ['baiə] *s* 1. (*w sklepie*) kupując-y/a, klient/ka 2. (*w przedsiębiorstwie*) szef działu zakupów

buzz [bʌz] [I] *vi* 1. brzęczeć; bzyk-nąć/ać 2. buczeć; za/warkotać; za/furczeć 3. czynić gwar 4. (*o pogłosce itp*) krążyć z ust do ust 5. szeptać [II] *vt* 1. cis-nąć/kać (**sth** czymś — kamieniami itp.) 2. pu-ścić/szczać w obieg (szeptaną wiadomość) 3. wypróżni-ć/ać (flaszkę)

~ about <**around**> *vi* naprzykrzać się; latać od jednego do drugiego (jak natrętna mucha)

~ off *vi pot* wyrywać; ucie-c/kać

zob **buzzing** [III] *s* 1. brzęczenie (pszczół itp.) 2. buczenie 3. gwar

buzzard ['bʌzəd] *s zoo* myszołów

buzzer ['bʌzə] *s* 1. syrena (fabryczna) 2. *elektr* brzęczyk

buzzing ['bʌziŋ] [I] *zob* **buzz** *v* [II] *s* brzęczenie

by [bai] [I] *praep* 1. *w określeniach miejsca:* a) przy (drzwiach, kominku, kościele itd.) b) nad (morzem) c) obok; **Consiston ~ Ambleside** Consiston obok (miasta) Ambleside ‖ **(all) ~ oneself** (zupełnie) sam/a; sam/a jed-en/na; na osobności 2. *przy określaniu marszruty*: a) przez <via> (daną miejscowość, kraj itd.); **~ Canada etc.** przez Kanadę itd. b) *tłumaczy się narzędnikiem:* **~ land** lądem; **~ the fields** polami; **~ the main road** główną szosą 3. *przy określaniu czasu, w którym się czynność dokonuje:* a) w ciągu (dnia, nocy itd.) b) za (dnia) c) w (nocy, dzień) d) przy (świetle dziennym, księżycowym) 4. *przy określaniu terminu:* do; najdalej <najpóźniej> do (danego terminu); **~ now he should be home etc.** już <do tego czasu> powinien być w domu itd.; **~ then** do tego (już) czasu; wtedy już; **~ tomorrow** <**next week, the end of the year etc.**> (najdalej) do jutra <do przyszłego tygodnia, końca roku itd.>; **~ when?** kiedy najpóźniej? 5. *przy odliczaniu, odmierzaniu:* a) za (sztukę, dzień, godzinę itd.) b) po (jednym, dwóch, stu itd.) c) na (tuziny, setki itd.) 6. *przy określaniu źródła, narzędzia, sposobu wykonywania czynności tłumaczy się* a) *narzędnikiem:* **~ rail** <**tram, steamer, air etc.**> koleją <tramwajem, statkiem, drogą powietrzną itd.>; **~ steam** <**electricity, manpower etc.**> (poruszany) parą <elektrycznością, siłą mięśni itd.> b) *przysłówkiem:* **all ~ myself** samemu; bez pomocy; **~ letter** <**phone, wire etc.**> (zawiadomić) listownie <telefonicznie, telegraficznie itd.> 7. *w połączeniu z następującą formą na* **-ing:** **~ working** <**saying, doing etc.**> pracując, przez pracę <mówiąc, przez powiedzenie; robiąc, przez zrobienie itd.> 8. *w określeniach skutku:* a) z, ze (*z dopełniaczem*); **~ nature** <**disposition, blood etc.**> z natury <usposobienia, urodzenia itd.> b) stosownie do <według> (czyjegoś życzenia, warunków umowy itd.) 9. *w określeniach sposobu:* z, ze (*z dopełniaczem*) **~ name** <**sight, hearsay etc.**> z nazwiska <widzenia, słyszenia itd.> 10. *przy określeniu kolejnego następstwa:* a) po; **drop ~ drop** po kropli; **little ~ little** po trochu; **one ~ one** po jednemu; **two ~ two** po dwóch b) *tłumaczy się przysłówkiem:* **~ rote** kolejno 11. *przy określaniu sprawcy, wykonawcy:* a) przez (kogoś, chłopca, artystę, zwierzę itd.) b) *tłumaczy się narzędnikiem oraz przysłówkiem:* **~ chance** przypadkiem, przypadkowo; **~ hand** ręką, ręcznie; **~ machinery** maszynami, maszynowo; mechanicznie 12. *przy określaniu źródła lub przyczyny sądu, znajomości:* a) według (zegara, książki, gazet itd.) b) po (minie, zachowaniu, ubraniu itd.) 13. *przy określaniu autorstwa tłumaczy się dopełniaczem:* **a novel ~ Dickens** powieść Dickensa 14. *przy określaniu większej lub mniejszej miary:* o; **~ far** o wiele; **~ far the best** <**most beautiful, easiest etc.**> o wiele lepszy <piękniejszy, łatwiejszy itd.> od wszystkich innych; **cheaper ~ a half** o połowę tańszy <taniej>; **longer ~ 2 ft** o dwie stopy dłuższy 15. *przy przysiędze, zaklęciu:* na (Boga, Jowisza, wszystkie świętości itd.); **is he** <**does he etc.**> **~ Jove?** doprawdy? no, no! 16. *przy określaniu rodzicielstwa:* z; **to have children ~ such a father** <**mother**> mieć dzieci z tak-im/ą ojcem <matką> 17. *przy określaniu dwóch wymiarów*: na; **two feet ~ five** dwie stopy na pięć ‖ **~ the ~ à propos**; nawiasem mówiąc; notabene; **~ the way** a) mimochodem; po drodze b) skoro o tym mowa; à propos; aha! [II] *adv* 1. obok; w pobliżu; blisko 2. *z czasownikiem oznaczającym ruch* — **go, walk, run etc.:** mimo, obok *Uwaga: nadaje czasownikom specyficzne znaczenie*

(*przy nich podane*) 3. *w zwrotach*: **~ and ~** wkrótce; niebawem; niezadługo; **~ and large** ogólnie mówiąc; w ogóle
by-and-by ['baiənd'bai] *s* przyszłość
by-blow ['bai,blou] *s* 1. cios w bok (nie w głównego przeciwnika) 2. bękart
bye [bai] *s* 1. coś ubocznego; **by the ~** nawiasem mówiąc 2. (*w krykiecie*) punkt zdobyty fuksem 3. *sport* gracz bez pary; **to have the ~** nie mieć przeciwnika (w rozgrywce tenisowej itd.)
bye-bye ['bai'bai] *interj* do widzenia!; pa!
bye-law ['bai,lo:] *s* 1. przepisy 2. *pl* **~s** regulamin
by-election ['bai-i,lekʃən] *s* wybory dodatkowe
by-end ['bai,end] *s* cel uboczny <ukryty>
bygone ['bai,gon] I *adj* miniony; przeszły II *spl* **~s** *w zwrocie:* **let ~s be ~s** nie pamiętajmy uraz; zostańmy przyjaciółmi; co było, to było
by-issue ['bai,iʃju] *s* sprawa uboczna <drugorzędna>
by-lane ['bai,lein] *s* boczna dróżka
by-motive ['bai,moutiv] *s* pobudka uboczna
by-name ['bai,neim] *s* 1. przydomek 2. przezwisko
by-pass ['bai,pa:s] I *s* szosa omijająca miasto; objazd miasta II *vt* obje-chać/żdżać; omi-nąć/jać
by-path ['bai,pa:θ] *s* boczna ścieżka
by-play ['bai,plei] *s* *teatr* akcja drugorzędna <poboczna>
by-product ['bai,prodəkt] *s* produkt uboczny
byre ['baiə] *s* obora
by-road ['bai,roud] *s* boczna droga
bystander ['bai,stændə] *s* widz; naoczny świadek
by-street ['bai,stri:t] *s* boczna ulica
by-talk ['bai,to:k] *s* *am* 1. rozmowa nie związana z omawianym tematem 2. pogawędka 3. regionalizm
byway ['bai,wei] *s* boczna droga; skrót
byword ['bai,wə:d] *s* 1. powiedzenie; przysłowie 2. pośmiewisko 3. synonim (czegoś); **a ~ of inquity** synonim wszystkiego, co złe <rozpusty>
Byzantine [bi'zæntain] I *adj* bizantyjski; bizantyński II *s* Bizantyj-czyk/ka, Bizanty-ńczyk/nka

C

↑**C, c** [si:] *s* (*pl* **cs, c's, cees** [si:z]) 1. *litera* c 2. **C3 population** kategoria ludności najmniej zdolna do służby wojskowej 3. *muz* c; **c flat** ces; **c sharp** cis 4. *am pot* kokaina
cab¹ [kæb] I *s* 1. dorożka; najęty powóz; taksówka 2. brek parowozowy, budka maszynisty na parowozie 3. (*w ciężarówce*) szoferka II *vi* (**-bb-**) (*także* **to ~ it**) pojechać <przejechać się> dorożką
cab² [kæb] I *s* *sl szk* bryk II *vi* (**-bb-**) posłu-żyć/giwać się brykiem
cabal [kə'bæl] I *s* 1. kabała; intryga 2. koteria; klika II *vi* (**-ll-**) intrygować; spiskować
cabala [kə,ba:lə] *s* *hebr rel* kabała
cabalistic [,kæbə'listik] *adj* kabalistyczny
cabaret ['kæbə,rei] *s* 1. kabaret 2. stolik <taca> z serwisem do herbaty <kawy>
↑**cabbage¹** ['kæbidʒ] I *s* kapusta II *attr* *zoo* **~ butterfly** bielinek kapustnik; *bot* **~ rose** róża stulistna
↑**cabbage²** ['kæbidʒ] I *vi* posłu-żyć/giwać się brykiem II *s* 1. ścinki <zrzynki> materiału 2. *sl szk* bryk
cabbage-lettuce ['kæbidʒ'letis] *s* sałata głowiasta
cabbala ['kæbələ] = **cabala**
cabbalistic [,kæbə'listik] = **cabalistic**
cabby ['kæbi] *s* *pot* dorożkarz
caber ['keibə] *s* pień; pniak; **tossing the ~** rzut pniakiem (sport uprawiany w Szkocji)
cab-horse ['kæb,ho:s] *s* koń dorożkarski
↑**cabin** ['kæbin] I *s* 1. chata 2. kabina; kajuta 3. budka zwrotniczego II *vt* ścisnąć; zgnieść (na małej przestrzeni)
cabin-boy ['kæbin,boi] *s* chłopiec okrętowy
cabinet ['kæbinit] I *s* 1. gabinet; pokoik 2. szafka; sekretarzyk; gablotka; komoda 3. *polit* gabinet; rada ministrów; rząd II *attr* gabinetowy; rządowy; **~ council** posiedzenie rady ministrów; **~ crisis** przesilenie rządowe; **~ minister** <**member**> minister; **~ photograph** fotografia formatu gabinetowego; **~ pudding** rodzaj leguminy; budyń
cabinet-maker ['kæbinit,meikə] *s* stolarz meblowy <artystyczny>
cable ['keibl] I *s* 1. lina 2. kabel 3. łańcuch kotwiczny 4. kablogram; depesza 5. *mar* kabel (= 185,2 m w Anglii, 219 m w St. Zjedn.) II *vt* 1. przy/cumować 2. prze/kablować III *vi* za/depeszować
cablegram ['keibl,græm] *s* kablogram; depesza
cable-laying ['keibl,leiiŋ] *s* zakładanie kabla podwodnego
cable-railway ['keibl'reilwei] *s* kolejka linowa
cablet ['keiblit] *s* linka
cabman ['kæbmən] *s* (*pl* **cabmen** ['kæbmən]) dorożkarz
cabochon [,kæbə'ʃon] *s* kaboszon
caboodle [kə'bu:dl] *s* *sl* banda; **the whole ~** a) cała banda b) cały kram
caboose [kə'bu:s] *s* 1. kuchnia okrętowa, kambuz 2. *am* wagon brekowego 3. *am* piec kuchenny pod gołym niebem
↑**cabotage** ['kæbətidʒ] *s* żegluga przybrzeżna
cab-rank ['kæb,ræŋk] *s* postój dorożek
cabriole ['kæbri,oul] *s* (*u mebla*) koźla nóżka
cabriolet [,kæbriə'lei] *s* kabriolet
cab-runner ['kæb,rʌnə] *s* bagażowy <tragarz> (poszukujący zarobku przy postoju dorożek)
cab-stand ['kæb,stænd] *s* postój dorożek
cab-tout ['kæb,taut] = **cab-runner**
ca'canny [ka:'kæni] I *interj* *szkoc* ostrożnie! II *vi* (**ca'cannied** [ka:'kænid], **ca'cannied; ca'cannying** [ka:'kæniiŋ]) 1. jechać ostrożnie 2. za/stosować włoski strajk <żółwie tempo>
cacao [kə'ka:ou] *s* 1. nasiona kakaowca 2. = **cacao-tree**
cacao-tree [kə'ka:ou,tri:] *s* kakaowiec
cachalot ['kæʃəlot] *s* *zoo* kaszalot

cache [kæʃ] [I] *s* 1. kryjówka 2. ukryte zapasy [II] *vt* s/chować <ukry-ć/wać> (zapasy itp.)
cachectic [kə'kektik] *adj med* charłaczy
cachet ['kæʃei] *s* 1. kapsułka (na leki) 2. *przen* pieczęć; piętno (autora na jego dziele); styl (autora itp.)
cachexy [kə'keksi] *s med* charłactwo, kacheksja
cachinnate ['kæki,neit] *vi* śmiać się głośno
cachinnation [,kæki'neiʃən] *s* głośny śmiech
cachou [kə'ʃu:] *s* kaszu (cukierek odświeżający oddech)
cacique [kæ'si:k] *s* kacyk
cackle ['kækl] [I] *s* 1. gdakanie (kury) 2. chichot; rechot, rechotanie 3. gadanie; *pot* **cut that ~** przestań/cie gadać [II] *vi* 1. gdakać 2. chichotać; rechotać 3. chełpić się
cacodaemon, cacodemon [,kækə'di:mən] *s* 1. zły duch 2. złośliwy człowiek
cacodyl ['kækoudil] *s chem* kakodyl, dwumetyloarsyna
cacoepy ['kækou,epi] *s* wadliwa wymowa
cacoethes [,kækou'i:θi:z] *s* nałóg; mania
cacography [kə'kɔgrəfi] *s* 1. brzydkie pismo 2. błędna pisownia
cacology [kə'kɔlədʒi] *s* 1. niewłaściwy dobór wyrazów 2. wadliwa wymowa
cacophony [kæ'kɔfəni] *s* kakofonia
cactus ['kæktəs] *s* (*pl* **~es, cacti** ['kæktai]) kaktus
cad [kæd] *s* 1. *pog* cham/ka 2. podły człowiek
cadastral [kə'dæstrəl] *adj* katastralny
cadastre [kə'dæstə] *s* kataster
cadaveric [kə'dævərik], **cadaverous** [kə'dævərəs] *adj* trupi
caddie ['kædi] *s* chłopak do noszenia kijów gracza golfowego
caddis-fly ['kædis,flai] *s zoo* chruścik (owad)
caddish ['kædiʃ] *adj* chamski
caddis-worm ['kædis,wə:m] *s zoo* larwa chruścika (używana na przynętę)
caddy ['kædi] *s* puszka na herbatę
cade [keid] *adj* (*o jagnięciu, źrebaku itp*) wykarmiony flaszką <sztucznie>
cadence ['keidəns] *s* 1. rytm; takt; miarowość 2. *muz* kadencja 3. *jęz* kadencja, intonacja opadająca
cadenced ['keidənst] *adj* miarowy; rytmiczny
cadet [kə'det] *s* 1. młodszy brat 2. kadet; **~ corps** szkolne przysposobienie wojskowe 3. *am* sutener; *wulg* alfons
cadge [kædʒ] [I] *vt* żebrać (**sth** czegoś, o coś), wyżebrać [II] *vi* 1. żebrać 2. trudnić się handlem domokrążnym
cadger ['kædʒə] s 1. żebra-k/czka 2. domokrążca
cadi ['ka:di] *s* kadi (sędzia mahometański)
Cadmean [kæd'miən] *adj w zwrocie*: **~ victory** pyrrhusowe zwycięstwo
cadmic ['kædmik] *adj chem* kadmowy
cadmium ['kædmiəm] [I] *s chem* kadm (pierwiastek) [II] *attr* kadmowy
cadre ['ka:də] *s* 1. kadra 2. korpus oficerski 3. ramy (jakiejś pracy)
caduceus [kə'dju:siəs] *s* (*pl* **caducei** [kə'dju:si,ai]) kaduceusz
caducity [kə'dju:siti] *s* krótkotrwały <przemijający> charakter (czegoś); nietrwałość
caducous [kə'dju:kəs] *adj* krótkotrwały; przemijający
caecum ['si:kəm] *s* (*pl* **caeca** ['si:kə]) *anat* kątnica, jelito ślepe
Caesarean, Caesarian [si:'zεəriən] *adj* cezarowy, cesarski; *chir* **~ operation <section>** cesarskie cięcie
caesious ['si:ʒiəs] *adj* szaroniebieski
caesium ['si:ziəm] [I] *s chem* cez (pierwiastek) [II] *attr* cezowy
caesura [si'zjuərə] *s* cezura, średniówka
café ['kæfei] *s* kawiarnia; **~ chantant** ['ʃã:tã:] kabaret
cafeteria [,kæfi'tiəriə] *s am* bar samoobsługowy
caffeic [kə'fi:ik] *adj chem* kofeinowy
caffeine ['kæfi,i:n] *s* kofeina
caftan ['kæftən] *s* kaftan wschodni
cage [keidʒ] [I] *s* klatka; *przen* więzienie; *górn* klatka szybowa [II] *vt* wsadz-ić/ać do klatki
cageling ['keidʒliŋ] *s* ptaszek trzymany w klatce
cahoot [kə'hu:t] [I] *s am* spółka; sojusz; liga [II] *vi* wspólnie działać
caiman, cayman ['keimən] *s zoo* kajman
Cain [kein] *spr bibl* Kain; *przen* bratobójca; **to raise ~** z/robić awanturę <burdę>; narobić hałasu
cainozoic [kainə'zouik] *adj geol* kenozoiczny
cairn [kεən] *s* 1. kopiec 2. (*także* **~ terrier**) cairn-terier (odmiana teriera myśliwskiego)
caisson ['keisən] *s* 1. *techn* keson; *med* **~ disease** choroba kesonowa 2. *wojsk* jaszcz
caitiff ['keitif] [I] *s poet* 1. łot-r/rzyca, łajda-k/czka 2. tchórz [II] *adj poet* 1. łajdacki 2. tchórzliwy
cajole [kə'dʒoul] *vt* przypochlebi-ć/ać <przymil-ić/ać> się (**sb** komuś); **to ~ sb into doing sth** pochlebstwami nakł-onić/aniać kogoś do zrobienia czegoś; **to ~ sth out of sb** pochlebstwami <przymilaniem się> wyłudz-ić/ać coś od kogoś
cajolery [kə'dʒouləri] *s* schlebianie; pochlebstwa
cake [keik] [I] *s* 1. placek 2. ciastko 3. tort; **they sold like hot ~s** poszły jak woda; ludzie je rozchwytywali; **to take the ~** zyskać palmę pierwszeństwa; **you can't eat your ~ and have it** albo — albo 4. kawałek (mydła itp.); kostka (masła itp.); tabliczka (czekolady itp.) 5. bryła [II] *vi* 1. zlepi-ć/ać <lepić> się 2. s/kluskowacieć; z/bryłowacieć 3. okry-ć/wać się twardą powłoką 4. (*o krwi*) s/krzepnąć *zob* **caked**
caked [keikt] [I] *zob* **cake** *v* [II] *adj* oblepiony (**with mud etc.** błotem itp.)
cakewalk ['keik,wɔ:k] *s* taniec murzyński z początku XX w.
calabar *zob* **calaber**
calabar bean [,kælə'ba:'bi:n] *s bot* bób kalabarski
calabash ['kælə,bæʃ] *s* 1. *bot* kalabasa 2. bania (coś wydętego); **~ pipe** fajka z dużym okrągłym cybuchem
calaber, calabar ['kæləbə] *s* popielice (futro)
calaboose [kælə'bu:s] *s am sl* mamer, więzienie
calamanco [,kælə'mæŋkou] *s tekst* lśniąca tkanina wełniana
calamander [,kælə'mændə] *s* drewno kilku drzew wschodnioindyjskich
calamary ['kælə,mεəri] *s zoo* kałamarnica (mątwa)
calamine ['kælə,main] *s miner* galman
calamint ['kælə,mint] *s bot* miętka
calamitous [kə'læmitəs] *adj* nieszczęsny; fatalny; zgubny

calamity [kə'læmiti] *s* nieszczęście; klęska; niedola; *am* ~ **howler** panikarz

calamus ['kæləməs] *s* *bot* 1. tatarak 2. trzcinopalma

calash [kə'læʃ] *s* 1. kolaska 2. buda powozu 3. kaptur kobiecy na obręczy

calcaneum [kæl'keiniəm] *s* *anat* kość piętowa

calcareous [kæl'kɛəriəs] *adj* wapienny, wapniowy, wapnisty

calceolaria [ˌkælsiou'lɛəriə] *s* *bot* pantofelnik

calces *zob* **calx**

calcic ['kælsik] *adj* wapniowy

calciferol [kæl'sifəˌrɔl] *s* witamina D_2, kalciferol

calciferous [kæl'sifərəs] *adj* wapienny

calcify ['kælsiˌfai] *v* (**calcified** ['kælsiˌfaid], **calcified; calcifying** ['kælsiˌfaiiŋ]) [I] *vt* wypalać na wapno [II] *vi* z/wapnieć

calcimine ['kælsiˌmain] *s* farba wapienna

calcination [ˌkælsi'neiʃən] *s* 1. spalanie (się) na popiół 2. zwapnienie

calcine ['kælsain] [I] *vt* 1. zwapni-ć/ać 2. wypal-ić/ać; spal-ić/ać na popiół [II] *vi* 1. spal-ić/ać się na popiół 2. z/wapnieć

calciner [kæl'sainə] *s* *chem* prażalnik, piec do kalcynowania

calcite ['kælsait] *s* *miner* kalcyt

↑ **calcium** ['kælsiəm] [I] *s* wapień; *chem* wapń (pierwiastek) [II] *attr* wapniowy

calc-sinter ['kælk'sintə], **calc-spar** ['kælk'spɑ:], **calc-tuff** ['kælk'tʌf] *miner* tuf wapienny, szpat wapienny

calculability [ˌkælkjulə'biliti] *s* wymierność

calculate ['kælkjuˌleit] [I] *vt* 1. oblicz-yć/ać; wy/rachować; s/kalkulować [II] *vi* 1. *am* przypu-ścić/szczać; sądzić 2. liczyć (**upon sth** na coś) *zob* **calculated, calculating**

↑ **calculated** ['kælkjuˌleitid] [I] *zob* **calculate** [II] *adj* 1. obliczony (**for sth** na coś) 2. rozmyślny; (uczyniony, powiedziany itp.) z premedytacją

calculating ['kælkjuˌleitiŋ] [I] *zob* **calculate** [II] *s* liczenie; oblicz-enie/anie [III] *attr* ~ **machine** maszyna do liczenia

calculation [ˌkælkju'leiʃən] *s* obliczenie; wyrachowanie; kalkulacja; rachuba; **I was out in my ~s** pomyliłem się w rachubach; przeliczyłem się

calculator [ˌkælkju'leitə] *s* 1. rachmistrz 2. maszyna do liczenia

↑ **calculous** ['kælkjuləs] *adj* *med* 1. stwardniały; skamieniały 2. cierpiący na kamicę

calculus ['kælkjuləs] *s* (*pl* **calculi** ['kælkjuˌlai], **~es**) 1. *med* kamień 2. *mat* rachunek 3. *mat* rachunek różniczkowy i całkowy

Caledonian [ˌkæli'dounjən] [I] *adj* szkocki [II] *s* Szkot/ka

calefacient [ˌkæli'feiʃjənt] *adj* ogrzewający; wydzielający ciepło

calefaction [ˌkæli'fækʃən] *s* ogrzewanie; wytwarzanie ciepła

↑ **calendar** ['kælində] [I] *s* 1. kalendarz 2. *sąd* wokanda 3. *am* porządek dzienny [II] *attr* kalendarzowy [III] *vt* 1. wciąg-nąć/ać na listę 2. u/porządkować

calender ['kælində] [I] *s* 1. magiel 2. *techn* walec; kalander, gładziarka [II] *vt* gładzić; walcować

calends ['kælindz] *spl* (*u staroż. Rzymian*) kalendy; *pot* **on the Greek ~** na święty nigdy

calendula [kə'lendjulə] *s* *bot* nogietek lekarski

calenture ['kæləntjuə] *s* gorączka podzwrotnikowa

↑ **calf**^{1} [kɑ:f] *s* (*pl* **calves** [kɑ:vz]) 1. *dosł i przen* cielę; (*o krowie*) **in** <**with**> ~ cielna; **the golden ~** złoty cielec 2. (*także* **~-skin**) skóra cielęca (szczególnie do oprawy książek) 3. młode (wieloryba, sarny itd.) 4. góra lodowa oderwana od lodowca

calf^2 [kɑ:f] *s* (*pl* **calves** [kɑ:vz]) łydka

calf-kneed ['kɑ:fˌni:d] *adj* koślawy

calf's-foot, calves-foot ['kɑ:vzˌfut] *s* nóżki cielęce; ~ **jelly** galareta z nóżek cielęcych

calf-skin ['kɑ:fˌskin] *zob* **calf**^{1}

calf's-teeth ['kɑ:fsˌti:θ] *spl* zęby mleczne

caliber ['kælibə] = **calibre**

calibrate ['kæliˌbreit] *vt* kalibrować; skalować

calibre ['kælibə] *s* *dosł i przen* kaliber

calices *zob* **calix**

calicle ['kælikl] *s* *bot* narośl w formie kielicha

↑ **calico** ['kæliˌkou] *s* (*pl* **~es**) perkal; **printed ~** drukowany perkal

Californian [ˌkæli'fɔ:njən] [I] *adj* kalifornijski [II] *s* Kalifornij-czyk/ka

calipash ['kæliˌpæʃ], **calipee** ['kæliˌpi:] *s* jadalne galaretowate substancje żółwia (przysmak)

caliper ['kælipə] = **calliper**

caliph ['kælif] *s* kalif

caliphate ['kæliˌfeit] *s* kalifat

calix ['kæliks] *s* (*pl* **calices** ['kæliˌsi:z]) *bot* kielich

calk^1 [kɔ:k] [I] *s* hacel [II] *vt* ostro o/kuć (konia)

calk^2 [kælk] *vt* kalkować

calk^3 [kɔ:k] = **caulk**

calkin ['kælkin, 'kɔ:kin] *s* hacel

↑ **call** [kɔ:l] [I] *vi* 1. za/wołać; od-ezwać/zywać się; (*o trąbce itp*) za/brzmieć 2. odwiedz-ić/ać; wst-ąpić/ępować; wpa-ść/dać (**on sb** do kogoś); **did anybody~?** czy był <zachodził> ktoś?; **I must ~ at the butcher's** muszę wstąpić do sklepu mięsnego 3. (*o pociągu*) zatrzym-ać/ywać się <stawać> (na stacjach) 4. (*o statku*) zawi-nąć/jać (**at a port** do portu) 5. wymagać (**for attention etc.** uwagi itd.); domagać się (**for sth** czegoś); wezwać/wzywać (**for a doctor etc.** lekarza itd.); **to be ~ed for** a) adresat zgłosi się po odbiór b) (*na listach*) poste-restante; **to ~ for a parcel etc.** wstąpić po paczkę itd.; **to ~ for help** wzywać pomocy, wołać o pomoc 6. *z przyimkiem*: **~ on** a) wzywać (siły niebieskie itd.) b) zażądać (**on sb for sth** czegoś od kogoś; **on sb to do sth** od kogoś, żeby coś zrobił) 7. *w zwrocie*: **to be ~ed upon to do sth** być powołanym do zrobienia czegoś [II] *vt* 1. za/wołać; przywołać (taksówkę, kogoś do porządku itd.); powoł-ać/ywać (**sth into being** coś do życia); zawezwać/wzywać (lekarza, montera itd.); wywoł-ać/ywać (nazwy, liczby, pozycje w spisie itd.); zwoł-ać/ywać (zebranie itp.); *radio* mówić; **to ~ to mind** przypominać; **to ~ sb's attention to sth** zwrócić czyjąś uwagę na coś; **to ~ sth into play** wprowadz-ić/ać coś w grę <w czyn>; za/stosować coś; ucie-c/kać się do czegoś; posłu-żyć/giwać się czymś; **to ~ sth in question** za/kwestionować coś 2. naz-wać/ywać; da-ć/wać (na) imię (**sb** komuś); **he is ~ed John** na imię mu Jan; (*przy targach*) **let's ~ it two shillings etc.** niech będzie dwa szylingi itd.; **what is this ~ed?** jak się to nazywa? 3. wywoł-ać/ywać (aktora) 4. *karc* za/żądać koloru; za/licytować 5. z/budzić 6. odczyt-ać/ywać (zapowiedzi w kościele, listę obecności) 7. ogł-osić/aszać (strajk itd.) 8. zarządz-ić/ać; **to ~ a halt** a) zarządzić postój

<przerwę> b) zatrzym-ać/ywać się na popas <na postój> 9. uważać (kogoś, coś) za ...; **I ~ that mean** uważam, że <moim zdaniem> to jest podłość; **he ~s himself a philosopher** on uważa się za filozofa ‖ **to ~ a thing one's own** mieć coś na własność; móc czymś rozporządzać <dysponować>
~ aside *vt* odwoł-ać/ywać (kogoś) na stronę <na bok>
~ away *vt* 1. odwoł-ać/ywać (kogoś skądś) 2. wymagać (czyjejś) nieobecności (w domu, w biurze itp.); **he was ~ed away on business** on musiał wyjechać <wyjść> służbowo <urzędowo, w interesach>
~ back [I] *vt* przywoł-ać/ywać z powrotem [II] *vi* 1. zawołać w odpowiedzi; **I ~ed back: "don't worry!"** na to zawołałem: „Nie trap/cie się!" 2. wstąpić po odbiór (czegoś); **~ back for it to-morrow** wstąp po to jutro
~ down *vt* 1. za/wołać (kogoś) na dół 2. ściąg-nąć/ać <sprowadz-ić/ać> (**on sb** na kogoś — przekleństwo itp.) 3. *am* z/besztać; z/rugać
~ forth [I] *vt* wywoł-ać/ywać (sprzeciw, podziw, wspomnienia itd.) [II] *vi* odwoł-ać/ywać się; za/apelować (do otoczenia itd.)
~ in *vt* 1. zaprosić (do domu, pokoju itp.) 2. sprowadz-ić/ać (lekarza, montera itd.) 3. zawołać (dzieci itd.) do domu 4. wycof-ać/ywać (pieniądze itp.) z obiegu
~ off [I] *vt* 1. odwoł-ać/ywać (imprezę, strajk itp.) 2. zerwać/zrywać (pertraktacje) [II] *vi* cofnąć/ać (dane słowo, wypowiedziane słowa); wycof-ać/ywać się
~ out [I] *vt* 1. wywoł-ać/ywać (kogoś z domu, pokoju) 2. wyzwać (na pojedynek) 3. wołać (**sth** o coś); żądać (**sth** czegoś) [II] *vi* 1. za/wołać (wielkim głosem); za/wołać o pomoc 2. żądać <domagać się> (**for sth** czegoś)
~ over *vt* 1. odczyt-ać/ywać (listę obecności) 2. przywoł-ać/ywać (do siebie)
~ together *vt* zwoł-ać/ywać (zebranie itp.)
~ up *vt* 1. za/wołać (kogoś) na górę 2. wywoł-ać/ywać (duchy, wspomnienia itd.) 3. za/dzwonić <za/telefonować> (**sb** do kogoś) 4. z/mobilizować
[III] *s* 1. wołanie; krzyk; zawołanie; wezwanie; **to answer sb's ~** zgłosić się na czyjeś wezwanie; odezwać się; **within ~** a) w zasięgu głosu b) w pobliżu; blisko 2. odwoływanie się (do czyjejś łaski itp.) 3. sygnał (trąbki itp.); *wojsk* zbiórka; apel 4. głos (sumienia, obowiązku itp.) 5. powołanie (**to the ministry etc.** do stanu duchownego itd.) 6. rozmowa telefoniczna; **to give sb a ~** zadzwonić do kogoś 7. *karc* zapowiedź; odzywka 8. wywoływanie oklaskami (aktora itd.); **to take one's ~** na oklaski publiczności ukazać się przed kurtyną 9. wizyta; odwiedziny; **to pay sb a ~** odwiedz-ić/ać kogoś 10. *mar w zwrocie*: **a port of ~** port zlecenia 11. żądanie zapłaty; **payable at** <**on**> **~** płatny na żądanie 12. *am pot w zwrocie*: **a close ~** uniknięcie (nieszczęścia) o włos 13. potrzeba; **there is no ~ to blush** nie ma się czego wstydzić 14. popyt (**for an article** na towar) [IV] *attr* **~ box** budka <kabina> telefoniczna; **~ sign** sygnał rozpoznawczy (radiostacji itd.)
calla ['kælə] *s bot* czermień błotny
call-bell ['kɔ:l,bel] *s* dzwonek alarmowy
call-bird ['kɔ:l,bə:d] *s* wabik (ptak)
call-boy ['kɔ:l,bɔi] *s* goniec
caller¹ ['kɔ:lə] *s* gość; odwiedzający
caller² ['kɔ:lə] *adj szkoc* 1. (*o śledziach itd*) świeży 2. (*o powietrzu*) rzeźki
calligraphy [kə'ligrəfi] *s* kaligrafia
calling ['kɔ:liŋ] *s* 1. zawód; zatrudnienie; fach 2. powołanie
cal(l)iper ['kælipə] *s* suwmiarka; **~s** cyrkiel kalibrowy; macki
callisthenics [,kælis'θeniks] *s* gimnastyka rytmiczna; rytmika
callosity [kæ'lɔsiti] *s* stwardnienie skóry; rogowatość; odcisk
callous ['kæləs] *adj* 1. (*o skórze*) stwardniały; zrogowaciały 2. (*o człowieku*) niedelikatny; nieczuły; gruboskórny
callousness ['kæləsnis] *s* 1. brak delikatności; gruboskórność 2. brak serca; brak litości
callow ['kælou] *adj* 1. (*o ptaku*) nieopierzony 2. (*o terenie*) nizinny 3. (*o młodzieńcu*) niedoświadczony; *pot* smarkaty; **a ~ youth** żółtodziób
callowness ['kælounis] *s* brak doświadczenia; szczenięce lata
callus ['kæləs] *s* 1. twardzizna; zgrubienie skóry 2. zgrubienie w miejscu zrośnięcia się (złamanej kości, uszkodzonej rośliny)
calm [ka:m] [I] *adj* 1. cichy; spokojny 2. opanowany; **to keep ~** zachow-ać/ywać spokój; panować nad sobą 3. *pot* śmiały; **it's pretty ~ of him** ten (ci) ma śmiałość <tupet> [II] *s* 1. cisza; spokój 2. opanowanie [III] *vt* ucisz-yć/ać; uspok-oić/ajać
~ down *vi* ucisz-yć/ać <uspok-oić/ajać> się
calmative ['kælmətiv] [I] *adj med* (*o środku*) uspokajający [II] *s med* środek uspokajający
calmness ['ka:mnis] *s* spokój; cisza
calomel ['kælə,mel] *s farm* kalomel
calorescence [,kælə'resəns] *s fiz* kalorescencja
caloric [kə'lɔrik] *adj* kaloryczny
calorie, calory ['kæləri] *s* kaloria
calorific [,kælə'rifik] *adj* kaloryczny; cieplny; wytwarzający ciepło
calorimeter [,kælə'rimitə] *s* kalorymetr, ciepłomierz
calorimetry [,kælə'rimitri] *s* kalorymetria
calory *zob* **calorie**
calotte [kə'lɔt] *s* piuska, kalotka
caltrop ['kæltrəp] *s* 1. *bot* gatunek ostu; kotewka koląca; kasztan wodny 2. *wojsk* kotewka, kotwiczka
calumet ['kælju,met] *s* fajka pokoju
calumniate [kə'lʌmni,eit] *vt* o/szkalować; spotwarzać; oczerni-ć/ać; rzucać oszczerstwa (**sb** na kogoś)
calumniator [kə'lʌmni,eitə] *s* oszczerca
calumnious [kə'lʌmniəs] *adj* oszczerczy; potwarczy
calumny ['kæləmni] *s* oszczerstwo; potwarz; kalumnia; szkalowanie
calvary ['kælvəri] *s przen* kalwaria; męka; udręka
calve [ka:v] *vi* 1. o/cielić się 2. (*o górze lodowej*) oderwać się od lodowca
calves *zob* **calf¹,²**
calves-foot *zob* **calf's-foot**
Calvinism ['kælvi,nizəm] *s* kalwinizm
Calvinist ['kælvinist] *s* kalwin/ka
calx [kælks] *s* (*pl* **calces** ['kælsi:z]) 1. *chem* popiół 2. *farm* wapno palone
calyces *zob* **calyx**

calycle [ˈkælikl] *s bot* listki tworzące podstawę kielicha kwiatu
calyptra [kəˈliptrə] *s bot* czepek (w mchu)
calyx [ˈkeiliks] *s* (*pl* **calyces** [ˈkeiliˌsi:z], **~es**) kielich (kwiatu)
cam [kæm] *s techn* krzywka; kułak
camaraderie [ˌkæməˈrɑ:dəri] *s* koleżeństwo; atmosfera <poczucie> koleżeństwa
camarilla [ˌkæməˈrilə] *s* kamaryla, klika
camber [ˈkæmbə] [I] *s* wygięcie; wklęsłość; wypukłość [II] *vt vi* wygi-ąć/nać <zaokrągl-ić/ać> (się)
cambist [ˈkæmbist] *s* wekslarz
cambium [ˈkæmbiəm] *s bot* miazga
cambrel [ˈkæmbrl] *s* hak rzeźnicki
Cambrian [ˈkæmbriən] [I] *adj* 1. walijski 2. *geol* kambryjski [II] *s* Walij-czyk/ka
cambric [ˈkeimbrik] [I] *s* batyst [II] *attr* batystowy
came[1] *zob* **come**
came[2] [keim] *s* oprawa ołowiana witrażu
camel [ˈkæməl] *s* 1. wielbłąd; **~'s hair = camel('s)-hair** 2. ponton (do przeprawiania statków przez mielizny)
cameleer [ˌkæmiˈliə] *s* 1. poganiacz wielbłądów 2. jeździec (na wielbłądzie)
camellia [kəˈmi:liə] *s bot* kamelia
camelopard [ˈkæmiləˌpɑ:d] † *s* żyrafa
camelry [ˈkæməlri] *s wojsk* oddziały na wielbłądach
camel('s)-hair [ˈkæməl(z)ˌhɛə] *s* sierść wielbłądzia; **~ brush** pędzel do akwareli zrobiony z włosów ogona wiewiórki
cameo [ˈkæmiˌou] *s* kamea
camera [ˈkæmərə] *s* 1. aparat fotograficzny; *am* **~ eye** agent policyjny obdarzony wybitną zdolnością zapamiętywania fizjonomii 2. kamera optyczna 3. gabinet przewodniczącego sądu; **in ~** przy drzwiach zamkniętych
camera-man [ˈkæmərəˌmæn] (*pl* **camera-men** [ˈkæmərəˌmen]), **camera-reporter** [ˈkæmərə-riˌpɔ:tə] *s* fotoreporter
cami-knicks [ˈkæmiˌniks], **cami-knickers** [ˌkæmiˈnikəz] *spl* kombinacja (damska)
camion [ˈkæmiən] *s* 1. platforma (konna); furgon 2. ciężarówka (odkryta)
camisole [ˈkæmiˌsoul] *s* stanik
camlet [ˈkæmlet] *s tekst* kamlot
cammock [ˈkæmək] *s bot* wilżyna
camomile [ˈkæməˌmail] *s bot* rumianek
camouflage [ˈkæmuˌflɑ:ʒ] [I] *s* za/maskowanie; kamuflaż; *dosł i przen* zasłona (dymna itp.) [II] *vt* za/maskować; za/kamuflować
camp [kæmp] [I] *s* obóz; obozowisko [II] *vi* obozować; rozbi-ć/jać obóz [III] *vt* 1. rozlokow-ać/ywać (wojsko) w namiotach 2. za/parkować (samochód) **~ out** *vi* nocować w namiotach <pod gołym niebem>
zob **camping**
campaign [kæmˈpein] [I] *s* kampania (wojenna, wyborcza itd.); wyprawa [II] *vi* przeprowadz-ić/ać kampanię *zob* **campaigning**
campaigner [kæmˈpeinə] *s* żołnierz; walczący; weteran
campaigning [kæmˈpeiniŋ] [I] *zob* **campaign** *v* [II] *s* 1. walki z nieprzyjacielem 2. życie żołnierskie; żołnierka
campanile [ˌkæmpəˈni:li] *s* kampanila (dzwonnica)
campanula [kəmˈpænjulə] *s bot* kampanula, dzwonek
campanulate [kəmˈpænjulit] *adj* dzwonkowaty
camp-bed [ˈkæmpˈbed] *s* łóżko składane
camp-chair [ˈkæmpˈtʃɛə] *s* krzesło składane <obozowe>
Campeachy-wood [kæmˈpi:tʃiˌwud] *s* kampesz (drzewo farbiarskie)
camp-follower [ˈkæmpˌfɔlouə] *s* osoba towarzysząca wojsku (markietanka itp.)
camphor [ˈkæmfə] [I] *s* kamfora [II] *attr* (*o olejku itd*) kamforowy
camphorate [ˈkæmfəˌreit] *vt* kamforować, nasyc-ić/ać kamforą
camping [ˈkæmpiŋ] [I] *zob* **camp** *v* [II] *s* 1. obozowanie 2. życie obozowe; **to go ~** pojechać <jeździć> na wycieczk-ę/i z namiotem <z noclegiem pod gołym niebem>
camping-ground [ˈkæmpiŋˌgraund] *s* 1. obozowisko 2. miejsce, gdzie wolno obozować
campion [ˈkæmpjən] *s bot* firletka
camp-meeting [ˈkæmpˌmi:tiŋ] *s am* kilkudniowe zebranie religijne pod gołym niebem z nocowaniem w namiotach
campshot [ˈkæmpʃɔt] *vt* wzm-ocnić/acniać palami i deskami (brzeg rzeki)
camp-stool [ˈkæmpˌstu:l] *s* składany stołek obozowy
campus [ˈkæmpəs] *s am* obręb <teren> szkoły <uniwersytetu>
camshaft [ˈkæmˌʃɑ:ft] *s techn* wał rozrządczy
cam-wood [ˈkæmˌwu:d] *s bot* czerwone drzewo farbiarskie
can[1] [kæn] [I] *s* 1. puszka blaszana; bańka; blaszanka; konew; olejarka; kanister 2. *am* samolot 3. *am* więzienie 4. *am* puszka do konserw [II] *vt* (**-nn-**) 1. z/robić konserwy (**meat, fish etc.** z mięsa, ryb itd.) 2. *am* pozby-ć/wać się (**sb** kogoś) 3. *am* wykreśl-ić/ać; o/cenzurować *zob* **canned, canning**
can[2] [kæn, kən] *v aux* (*praet* **could** [kud]) 1. móc; zdołać; potrafić; **~ it be that…?** czy to możliwe, żeby...?; **it can't be done** to się nie da zrobić; **it can't be true** to niemożliwe; **as often as I (possibly) ~** jak będę mógł najczęściej 2. umieć; **he cannot read** on nie umie czytać 3. *bez odpowiednika polskiego*: **I ~not understand** <**see hear etc.**> nie rozumiem <nie widzę, nie słyszę itd.> 4. mieć ochotę; **I could have wept** <**sung for joy etc.**> miałem ochotę się rozpłakać <zaśpiewać z radości itd.>
Canadian [kəˈneidjən] [I] *adj* kanadyjski [II] *s* Kanadyj-czyk/ka
canal [kəˈnæl] [I] *s* 1. kanał 2. kanalik; rowek; *anat* przewód (pokarmowy itp.) [II] *vt* (**-ll-**) s/kanalizować
canaliculated [kænəˈlikjuˌleitid] *adj* rowkowany; rowkowaty
canalization [ˌkænəlaiˈzeiʃən] *s* s/kanalizowanie
canalize [ˈkænəˌlaiz] *vt* 1. s/kanalizować 2. *przen* nada-ć/wać kierunek (**sth** czemuś)
canard [kæˈnɑ:d] *s* kaczka dziennikarska
canary [kəˈnɛəri] *s zoo* kanarek
canary-coloured [kəˈnɛəriˈkʌləd] *adj* kanarkowy
canary-grass [kəˈnɛəriˌgrɑ:s] *s bot* mozga kanaryjska (dla ptaków)
canary-seed [kəˈnɛəriˌsi:d] *s* siemię
canary-wine [kəˈnɛəriˌwain] *s* wino z Wysp Kanaryjskich
canasta [kəˈnæstə] *karc* kanasta

canaster [kə'næstə] *s* 1. kanaster (gorszy gatunek tytoniu) **2.** kanaster (kosz do pakowania)

can-buoy ['kæn,bɔi] *s* boja stożkowata

cancan ['kæn'kæn] *s* kankan

cancel ['kænsəl] I *vt* (**-ll-**) 1. odwoł-ać/ywać (coś zapowiedzianego); anulować, unieważni-ć/ać; s/kasować; wykreśl-ić/ać, skreśl-ić/ać 2. wyklucz-yć/ać się (wzajemnie) **3.** *mat* s/kasować <zn-ieść/osić (te same wartości w mianowniku co i w liczniku dla uproszczenia ułamka)

~ **out** *vi mat* znosić się

II *s* 1. skasowanie 2. coś skasowanego 3. skasowan-y/a arkusz <kartka druku>; kartka zastępująca kartkę skasowaną 4. dziurkownik (konduktorski itd.), obcążki (do kasowania biletów)

cancellated ['kænsə,leitid], **cancellous** ['kænsələs] *adj* siatkowaty

cancellation [,kænsə'leiʃn] *s* 1. odwołanie; anulowanie, unieważnienie; wykreślenie, skreślenie 2. *mat* uproszczenie (ułamka) 3. *mat* znoszenie się

cancellous *zob* **cancellated**

cancer ['kænsə] *s med* rak; *astr* **Cancer** Rak; **the Tropic of Cancer** zwrotnik Raka

cancerated ['kænsə,reitid], **cancerous** ['kænsərəs] *adj med* rakowaty

canceration [,kænsə'reiʃən] *s* z/rakowacenie

cancerous *zob* **cancerated**

cancroid ['kæŋkrɔid] *adj* rakowaty

candelabrum [,kændi'la:brəm] *s* (*pl* **candelabra** [,kændi'la:brə]) kandelabr

candescent [kæn'desənt] *adj* jarzący <żarzący> się

candid ['kændid] *adj* 1. szczery; otwarty; **to be perfectly** ~ szczerze mówiąc 2. bezstronny

candidacy ['kændidəsi], **candidature** ['kændiditʃə] *s* kandydatura

candidate ['kændidit] *s* kandydat/ka

candidature *zob* **candidacy**

candidness ['kændidnis] *s* 1. szczerość; otwartość 2. bezstronność

candied ['kændid] I *zob* **candy** *v* II *adj* scukrowany, scukrzony; kandyzowany; (*o owocu*) smażony w cukrze

candle ['kændl] *s* 1. (*także kość*) świeca, świeczka; łojówka; **he cannot hold a** ~ **to you** ani się umywa do ciebie; **the game is not worth the** ~ gra nie warta świeczki; **to burn the** ~ **at both ends** nadużywać zdrowia; szafować zdrowiem 2. *pir* świeca

candleberry ['kændl,beri] *s bot* woskownica

candle-end ['kændl,end] *s* ogarek

candle-light ['kændl,lait] *s* 1. światło świec 2. sztuczne światło; **by** ~ a) przy świeczce b) przy sztucznym świetle c) *przen* w nocy; po nocach

Candlemas ['kændlməs] *s* święto Matki Boskiej Gromnicznej

candle-power ['kændl,pauə] *s fiz* świeca (jednostka miary siły światła); *x* ~ **lamp** żarówka *x*-świecowa

candlestick ['kændl,stik] *s* lichtarz

candle-wick ['kændl,wik] *s* knot

candock ['kændɔk] *s bot* 1. skrzyp 2. grzybień żółty

candour ['kændə] *s* 1. szczerość; otwartość 2. bezstronność

candy ['kændi] I *s* 1. kandyz; cukier lodowaty 2. *am* cukierek; *zbior* cukierki II *vt* (**candied** ['kændid], **candied; candying** ['kændiiŋ]) kandyzować *zob* **candied**

candytuft ['kændi,tʌft] *s bot* ubiorek; pieprzyca

cane [kein] I *s* 1. trzcina 2. laska 3. laseczka (laku itp.); *szk* chłosta; **to get the** ~ dostać trzciną (po siedzeniu, po palcach) II *vt* 1. u/karać **trzciną**; wy/chłostać; **to** ~ **sth into one** pod groźbą <przy pomocy> chłosty nauczyć kogoś czegoś 2. wypl-eść/atać trzciną (siedzenie krzesła itp.)

cane-brake ['kein,breik] *s* 1. *bot* gatunek bambusa 2. gaj bambusowy

cane-chair ['kein,tʃεə] *s* krzesło trzcinowe

cane-sugar ['kein,ʃugə] *s* cukier trzcinowy

cangue [kæŋ] *s* kanga (dyby w Chinach)

canicular [kə'nikjulə] *adj* dotyczący kanikuły; upalny

canine ['kænain, *zoo* 'keinain] *adj* psi; ~ **tooth** kieł

canister ['kænistə] *s* puszka (na herbatę itp.)

canister-shot ['kænistə,ʃɔt] *s* kartacz

canker ['kæŋkə] I *s* 1. *med* narośl rakowata; *bot* rak 2. *przen* zgubne działanie, zły wpływ 3. (*u konia*) choroba kopyt II *vt* s/toczyć; wyż-reć/erać; z/niszczyć III *vi* z/niszczeć *zob* **cankered**

cankered ['kæŋkəd] I *zob* **canker** *v* II *adj* 1. zdeprawowany 2. zrzędny; stetryczały; zgorzkniały

cankerous ['kæŋkərəs] *adj* rakowaty

cankerworm ['kæŋkə,wə:m] *s zoo* gąsienica miernikowca

canna ['kænə] *s bot* trzcina kwiatowa, kanna

cannabis ['kænəbis] *s farm* ziele konopi indyjskich

canned [kænd] I *zob* **can**[1] *v* II *adj* 1. (*o konserwach*) w puszkach; ~ **meat** <**fruit**> konserwa mięsna <owocowa>; *am* ~ **music** nagrania (muzyczne) 2. *pot w zwrocie*: ~ **up** pod gazem, pijany

cannel-coal ['kænl,koul] *s* węgiel kenelski <długopłomienny>

cannery ['kænəri] *s* fabryka konserw

cannibal ['kænibəl] I *s* ludożerca II *adj* ludożerczy

cannibalism ['kænibə,lizəm] *s* ludożerstwo

cannikin ['kænikin] *s* mała puszka; bańka; blaszanka; konewka; mała olejarka

canning ['kæniŋ] I *zob* **can**[1] *v* II *s* 1. konserwowanie 2. przemysł konserwowy

cannon ['kænən] I *s* (*pl* ~**s**, **cannon**) 1. armata, działo; ~ **fodder** mięso armatnie 2. wydrążenie klucza 3. *bil* karambol II *vi* 1. *bil* z/robić karambol 2. zderz-yć/ać się (z kimś); wpa-ść/dać (**against** <**into**> **sb, sth** na kogoś, coś)

cannonade [,kænə'neid] I *s* kanonada; ogień <ostrzeliwanie> z dział II *vt* ostrzeliwać z dział; z/bombardować

cannon-ball ['kænən,bɔ:l] *s* kula armatnia

cannon-bone ['kænən,boun] *s* (*u konia*) goleń

cannon-curl ['kænən,kə:l] *s* lok rurkowaty

cannoneer [,kænə'niə] *s* kanonier

cannon-proof ['kænən,pru:f] *adj* opancerzony; odporny na ogień artyleryjski

cannon-shot ['kænən,ʃɔt] *s* 1. wystrzał <ogień> armatni 2. zasięg wystrzału armatniego 3. amunicja artyleryjska 4. kartacz

cannot ['kænɔt] *forma przecząca zob* **can**[2]

cannula ['kænjulə] *s chir* kaniula, cewka

canny ['kæni] *adj* (**cannier** ['kæniə], **canniest** ['kæniist]) 1. ostrożny; mądry życiowo; sprytny; obrotny 2. oszczędny; **to call ~ = ca'canny** *v*

canoe [kə'nu:] [I] *s* kajak; czółno; łódka [II] *vi* kajakować; przeje-chać/żdżać się kajakiem <czółnem, łódką>

canoeist [kə'nu:ist] *s* kajakowiec

canon¹ ['kænən] *s* 1. *kośc muz druk* kanon; **~ law** prawo kanoniczne 2. reguła; formułka

canon² ['kænən] *s kośc* kanonik

cañon ['kænən] = **canyon**

canonic(al) [kə'nɔnik(l)] *adj* kanoniczny

canonicals [kə'nɔniklz] *spl* szaty liturgiczne

canonization [ˌkænənai'zeiʃən] *s* kanonizacja; kanonizowanie

canonize ['kænəˌnaiz] *vt* kanonizować

canonry ['kænənri] *s* 1. kanonia 2. *zbior* kanonicy

canoodle [kə'nu:dl] [I] *vt am* pieścić [II] *vi* pieścić się (z kimś); *pot* migdalić się

can-opener ['kænˌoupənə] *s* przyrząd do otwierania puszek z konserwami

canopied ['kænəpid] *adj* przykryty baldachimem <sklepieniem>; pod baldachimem; pod sklepieniem

canopy ['kænəpi] *s* 1. baldachim 2. sklepienie; firmament; *am pot* **under the ~ <God's ~>** na tym świecie; **what under the ~—?** co, na miły Bóg...?

canorous [kə'nɔ:rəs] *adj* dźwięczny; melodyjny

can't [kɑ:nt] = **cannot** *zob* **can²**

cant¹ [kænt] [I] *s* 1. kant; skos 2. nachylenie; pochyłość [II] *vt* ści-ąć/nać [III] *vi* nachyl-ić/ać się; być nachylonym <pochylonym>

cant² [kænt] [I] *vi* 1. mówić **żargonem** <gwarą> 2. operować frazesami 3. mówić płaczliwym głosem; skamlać; lamentować; *pot* biadolić *zob* **canting** [II] *s* 1. żargon; gwara 2. czczy frazes 3. płaczliwy głos (żebraka itp.) 4. hipokryzja

Cantab, Cantabrigian ['kæntæb, ˌkæntə'bridʒiən] *s* słuchacz <absolwent> uniwersytetu w Cambridge

cantaloup(e) ['kæntəˌlu:p] *s bot* kantalupa

cantankerous [kæn'tæŋkərəs] *adj* kłótliwy; swarliwy; przykrego usposobienia

cantankerousness [kæn'tæŋkərəsnis] *s* kłótliwe <swarliwe, przykre> usposobienie

cantata [kæn'tɑ:tə] *s muz* kantata

cantatrice ['kæntəˌtri:s] *s* śpiewaczka

canteen [kæn'ti:n] *s* 1. kantyna 2. stołówka 3. bufet; bar 4. *wojsk* menażka 5. sztućce 6. komplet srebra stołowego

canter ['kæntə] [I] *s* cwał; krótki galop; **to win in a ~** wygrać z łatwością <bez wysiłku, w cuglach> [II] *vi* po/galopować

canterbury ['kæntəbəri] *s* pulpit (na nuty itd.)

canterbury-bell ['kæntəbəriˌbel] *s bot* dzwonek

cantharis ['kænθəris] *s* (*pl* **cantharides** [kən'θæri ˌdi:z]) 1. *zoo* kantaryda, majka 2. *pl* **cantharides** wezykatorie z kantaryd

canthus ['kænθəs] *s* 1. kąt oczny 2. *anat* wiązadło kącikowe; kącik oka

canticle ['kæntikl] *s kośc* kantyk (pieśń)

cantilever ['kæntiˌli:və] *s* 1. *bud* wspornik; belka wspornikowa; kroksztyn; podpora 2. *techn* dźwignia

canting ['kæntiŋ] [I] *zob* **cant²** *v* [II] *adj* nieszczery; obłudny

cantle ['kæntl] *s* 1. kromka <płatek> (chleba itp.) 2. tylny łęk siodła

canto ['kæntou] *s* pieśń <księga> (poematu)

canton ['kæntɔn] [I] *s* kanton; okręg [II] *vt* 1. po/dzielić na kantony 2. [kən'tu:n] roz/kwaterować (wojsko)

cantonal ['kæntənl] *adj* kantonalny

cantonment [kən'tu:nmənt] *s* kwatery wojskowe

cantor ['kæntɔ:] *s* kantor (w synagodze)

Canuck [kə'nʌk] *s am sl* Kanadyj-czyk/ka

canvas ['kænvəs] [I] *s* płótno (materiał i obraz); brezent; **under ~** a) pod namiotami, w namiotach b) *mar* z rozwiniętymi żaglami [II] *attr* płócienny; brezentowy

canvas-back ['kænvəsˌbæk] *s zoo* kaczka amerykańska

canvass ['kænvəs] [I] *vt* 1. z/werbować; zdoby-ć/wać (klientów, zamówienia, stronników) 2. badać; dyskutować [II] *vi* 1. obje-chać/żdżać (okręg wyborczy itp.) 2. zabiegać (**for votes** o głosy wyborców) [III] *s* 1. werbowanie; zdobywanie (klientów, zamówień, stronników) 2. *am* obliczanie głosów po wyborach

canvasser ['kænvəsə] *s* 1. agent/ka; akwizytor 2. działacz/ka polityczn-y/a 3. *am* skrutator, obliczający głosy po wyborach

cany ['keini] *adj* 1. trzcinowy 2. porosły trzciną

canyon ['kænjən] *s* kanion; jar

canzonet [ˌkænzə'net] *s* śpiewka; melodyjka

caoutchouc ['kautʃuk] *s* kauczuk; guma

cap [kæp] [I] *s* 1. czapka, czapeczka; kaszkiet; beret; mycka; czapka błazeńska; *bot* czapeczka <kapelusz> grzyba; **~ and gown** strój akademicki; **~ in hand** pokornie; **the ~ fits** na złodzieju czapka gore; uderz w stół, a nożyce się odezwą 2. (*u kobiety*) czepek; **to set one's ~ at sb** łapać kogoś na męża 3. (*w naboju*) kapiszon 4. (*w różnych przedmiotach*) nakrycie; pokrywa 5. *arch* głowica (kolumny) [II] *vt* (**-pp-**) 1. przywitać się (**sb** z kimś) przez uchylenie kapelusza; ukłonić/kłaniać się (**sb** komuś) 2. nakry-ć/wać (coś czymś) 3. promować (studenta) 4. prześcignąć <przelicytować, zaćmić, zakasować> (kogoś); **to ~ an anecdote** przytoczyć (jeszcze) lepszą anegdotę; zakasować (poprzednią) anegdotę; **to ~ it all** na domiar wszystkiego <złego>; **to ~ the climax** pobić wszelkie rekordy [III] *vi* (**-pp-**) czapkować (komuś)

capability [ˌkeipə'biliti] *s* 1. zdolność; zdatność (**for sth** do czegoś) 2. *pl* **capabilities** możliwości

capable ['keipəbl] *adj* 1. zdolny (**of sth** do czegoś; **of doing sth** do zrobienia czegoś) 2. zdolny; uzdolniony 3. dopuszczający (**of sth** coś); **to be ~ of explanation <improvement>** dać się objaśnić <udoskonalić>

capacious [kə'peiʃəs] *adj* obszerny; przestronny

capaciousness [kə'peiʃəsnis] *s* przestronność

capacitance [kə'pæsitəns] *s elektr* pojemność

capacitate [kə'pæsiˌteit] *vt* za/kwalifikować (**sb for sth** kogoś do czegoś); umożliwi-ć/ać (**sb to do sth** komuś zrobienie czegoś); upełnomocnić (**sb to act** kogoś do działania)

capacitive [kə'pæsitiv] *adj elektr* pojemnościowy

capacitor [kə'pæsitə] *s techn* kondensator

capacity [kə'pæsiti] *s* 1. pojemność; kubatura; **filled to ~** (*o sali, teatrze itp*) szczelnie wypełniony; (*o naczyniu*) pełny po brzegi; (*o wozie itp*)

seating ~ dopuszczalna ilość miejsc siedzących 2. objętość 3. nośność; ładowność 4. wydajność 5. zdolność (**for sth** do czegoś); pojętność; **to show one's** ~ wykazać swe zdolności 6. godność; charakter; **in my** <**his etc.**> ~ **as a critic** ja <on itd.> jako krytyk 7. uprawnienie; upełnomocnienie

cap-a-pie [ˌkæpəˈpiː] *adv* (uzbrojony) od stóp do głów

caparison [kəˈpærisn] [I] *s* rząd (konia) [II] *vt* o/siodłać

cape[1] [keip] *s* peleryna

cape[2] [keip] *s* 1. przylądek; **the Cape (of Good Hope)** Przylądek Dobrej Nadziei 2. *bot* ~ **gooseberry** miechunka

caper[1] [ˈkeipə] *s bot* kapar; *pl* ~**s** *kulin* kapary

caper[2] [ˈkeipə] [I] *vi* brykać; wydziwiać [II] *s* sus; skok; *pl* ~**s** brykanie; **to cut** ~**s** pląsać; brykać

capercailye [ˌkæpəˈkeilji], **capercailzie** [ˌkæpəˈkeilzi] *s zoo* głuszec

capful [ˈkæpful] *s* pełna czapka (czegoś); **a** ~ **of wind** podmuch wiatru

capias [ˈkeipiˌæs] *s* 1. (*także* **a writ of** ~) rozkaz aresztowania 2. nakaz egzekucyjny.

capillarity [ˌkæpiˈlæriti] *s fiz* włoskowatość, kapilarność

capillary [kəˈpiləri] [I] *adj* włoskowaty; *fiz* ~ **attraction** włoskowatość [II] *s anat* włoskowate naczynie krwionośne

capital[1] [ˈkæpitl] *s arch* kapitel

↑**capital**[2] [ˈkæpitl] [I] *adj* 1. kapitalny; znakomity; wyjątkowy; świetny; ~ **goods** środki produkcji 2. główny; pierwszorzędny 3. (*o literze*) duży; **a** ~ **letter** wersalik 4. (*o mieście*) stołeczny 5. (*o karze, zbrodni*) główny; ~ **punishment** kara śmierci; ~ **sentence** wyrok śmierci [II] *s* 1. kapitał; **to make** ~ **out of sth** wyzysk-ać/iwać <wykorzyst-ać/ywać> coś; obr-ócić/acać coś na swoją korzyść 2. stolica 3. *druk* duża litera, wersalik

capitalism [ˈkæpitəˌlizəm] *s* kapitalizm

capitalist [ˈkæpitəlist] *s* kapitalist-a/ka

capitalistic [ˌkæpitəˈlistik] *adj* kapitalistyczny

capitalize [kəˈpitəˌlaiz] *vt* 1. spienięż-yć/ać; upłynni-ć/ać 2. *druk* na/pisać <wy/drukować> dużą literą <dużymi literami>

capitate [ˈkæpitət] *adj bot* główkowaty

capitation [ˌkæpiˈteiʃən] *s* 1. pogłówne; ~ **grant** przydział na głowę (czegoś) 2. ściąganie pogłównego

Capitol [ˈkæpitəl] *spr* Kapitol; *am* siedziba Kongresu; siedziba ciała ustawodawczego

capitular [kəˈpitjulə] *adj* kapitulny

capitulate [kəˈpitjuˌleit] *vi* s/kapitulować

capitulation [kəˌpitjuˈleiʃən] *s* 1. kapitulacja 2. paragrafowanie; spis paragrafów (umowy itp.)

cap-nut [ˈkæpˌnʌt] *s techn* nakrętka kołpakowa

capon [ˈkeipən] *s* kapłon

capot [kəˈpɔt] *s karc* kapota (w pikiecie)

capote [kəˈpout] *s* kapota (długi płaszcz z kapturem)

cap-paper [ˈkæpˌpeipə] *s* 1. papier do pakowania 2. papier maszynowy 19 × 30.5

capric [ˈkæprik] *adj chem* kaprynowy

caprice [kəˈpriːs] *s* kaprys

capricious [kəˈpriʃəs] *adj* kapryśny

capriciousness [kəˈpriʃəsnis] *s* kapryśne usposobienie <zachowanie się>

Capricorn [ˈkæpriˌkɔːn] *s astr* Koziorożec; **the Tropic of** ~ zwrotnik Koziorożca

caprification [ˌkæprifiˈkeiʃən] *s* przyśpieszenie dojrzewania fig

caprine [ˈkæprain] *adj* kozi

capriole [ˈkæpriˌoul] *s* skok; sus

caproic [kæpˈrouik] *adj* 1. podobny do kozy 2. *chem* (*o kwasie*) kapronowy

caps [kæps] *spl druk* wersaliki

capsicum [ˈkæpsikəm] *s* 1. *bot* owoc pieprzowca 2. *kulin farm* pieprz turecki

capsize [kæpˈsaiz] *vi* 1. wywr-ócić/acać się (dnem do góry) 2. (*o samochodzie*) s/kapotować

capstan [ˈkæpstən] *s mar* kabestan

cap-stone [ˈkæpˌstoun] = **coping** *s*

capsular [ˈkæpsjulə] *adj* torebkowaty, torebkowy

↑**capsule** [ˈkæpsjuːl] *s* 1. torebka; pochewka 2. kapsułka

captain [ˈkæptin] [I] *s* 1. (*w wojsku, marynarce, drużynie sport. itp*) kapitan; ~ **of horse** rotmistrz; *lotn* **group** ~ pułkownik lotnictwa 2. wódz 3. *am górn* kierownik; nadsztygar 4. przodownik [II] *vt* 1. dowodzić (**a company** kompanią); kierować (**an expedition etc.** wyprawą itd.); prowadzić 2. być kapitanem (**a team etc.** drużyny sport. itp.)

captaincy [ˈkæptinsi] *s* 1. ranga kapitana 2. dowództwo

captation [kæpˈteiʃən] *s* zabieganie o poklask

caption [ˈkæpʃən] *s* 1. podpis (pod obrazkiem, ilustracją); napis (na ekranie) 2. nagłówek 3. pojmanie; aresztowanie 4. poświadczenie dołączone do dokumentu

captious [ˈkæpʃəs] *adj* podchwytliwy; zdradliwy; podstępny

captiousness [ˈkæpʃəsnis] *s* podchwytliwość; podstępny charakter (czegoś)

captivate [ˈkæptiˌveit] *vt* uj-ąć/mować; zniew-olić/alać; urze-c/kać *zob* **captivating**

captivating [ˈkæptiˌveitiŋ] [I] *zob* **captivate** [II] *adj* ujmujący; uroczy; czarujący

captivation [ˌkæptiˈveiʃən] *s* urok; czar

↑**captive** [ˈkæptiv] [I] *s* jeniec; † bran-iec/ka [II] *adj* 1. ujęty; pojmany; będący w niewoli; (*o balonie*) na uwięzi; ~ **state** niewola; **to hold** ~ trzymać w niewoli; **to take** ~ wziąć/brać do niewoli 2. *przen* oczarowany

captivity [kæpˈtiviti] *s* niewola

captor [ˈkæptə] *s* zdobywca

captress [ˈkæptris] *s* zdobywczyni

↑**capture** [ˈkæptʃə] [I] *s* 1. zdobycz; łup 2. zdobycie [II] *vt* 1. uj-ąć/mować; pojmać; wziąć/brać do niewoli 2. zdoby-ć/wać; zawładnąć (**sth** czymś)

capuchin [ˈkæpjuʃin] *s* 1. kapucyn 2. kapuza; ~ **monkey** kapucynka (małpa); ~ **pigeon** kapucynek (gołąb)

capybara [ˌkæpiˈbɑːrə] *s zoo* kapibara (gryzoń)

↑**car** [kɑː] *s* 1. wóz; *poet* rydwan 2. samochód, auto 3. wagon 4. wóz tramwajowy; ~ **fare** opłata za przejazd tramwajem 5. łódka (balonu) 6. *am* winda

carabineer [ˌkærəbiˈniə] *s* karabinier; strzelec

caracal [ˈkærəˌkæl] *s zoo* ryś perski <pustynny>

caracole [ˈkærəˌkoul] [I] *s* 1. harcowanie (na koniu) 2. kręte schody [II] *vi* harcować

carafe [kəˈrɑːf] *s* karafka

carambole [ˈkærəmˌboul] *s bil* karambol

caramel [ˈkærəˌmel] *s* 1. karmel 2. karmelek

carapace ['kærə,peis] *s zoo* pancerz <skorupa> (żółwia itd.)
carat ['kærət] *s* karat (= 0,2 g)
caravan [,kærə'væn] [I] *s* 1. karawana 2. przyczepka mieszkalna przy samochodzie (osobowym) 3. domek na kółkach (cygański) 4. wóz cyrkowy [II] *vi* pojechać/jeździć samochodem z przyczepką mieszkalną
caravansery [,kærə'vænsəri] *s* karawanseraj, zajazd wschodni
caravel ['kærə,vel] *s hist* karawela (statek)
caraway ['kærə,wei] *s* kminek (roślina)
caraway-seed ['kærəwei,si:d] *s* kminek (przyprawa)
carbarn ['kɑ:,bɑ:n] *s am* remiza tramwajowa
carbide ['kɑ:baid] *s* karbid
carbine ['kɑ:bain] *s* karabinek
carbohydrate [,kɑ:bou'haidreit] *s chem* węglowodan
carbolic [kɑ:'bɔlik] *adj chem* karbolowy
carbolize ['kɑ:bə,laiz] *vt* karbolować
carbon ['kɑ:bən] [I] *s* 1. *chem* węgiel (pierwiastek); węglik 2. *elektr* elektroda węglowa 3. kalka (do maszyny itp.) 4. kopia [II] *attr* (*o kwasie itd*) węglowy; (*o tlenku*) węgla; **~ copy** kopia przez kalkę; **~ paper** kalka (maszynowa, ołówkowa)
carbonaceous [,kɑ:bə'neiʃəs] *adj* zawierający węgiel
carbonate[1] ['kɑ:bənit] *s chem* węglan
carbonate[2] ['kɑ:bə,neit] *vt* nasyc-ić/ać kwasem węglowym
carbonic [kɑ:'bɔnik] *adj chem* węglowy; **~ acid** kwas węglowy; **~ gas** dwutlenek węgla
carboniferous [,kɑ:bɔ'nifərəs] *adj* węglowy; zawierający węgiel; *geol* **~ period** okres karboński <węglowy>
carbonization [,kɑ:bənai'zeiʃən] *s* piroliza; zwęglanie; nawęglanie; karbonizacja
carbonize ['kɑ:bə,naiz] *vt* zwęgl-ić/ać; nawęgl-ić/ać; s/karbonizować
carborundum [kɑ:bə'rʌndəm] *s chem miner* karborund, węglik krzemu
carboy ['kɑ:bɔi] *s* balon (naczynie szklane); bania; gąsior; butla (opleciona)
carbuncle ['kɑ:bʌnkl] *s* 1. granat; rubin; † karbunkuł 2. *med* karbunkuł; *pot* krosta; pryszcz (na nosie, twarzy)
carbuncled ['kɑ:bʌŋkld] *adj* 1. wysadzany granatami <rubinami> 2. opryszczony; pokryty krostami
carbuncular [kɑ:'bʌŋkjulə] *adj med* czyrakowy
carburet ['kɑ:bju,ret] *vt* (-tt-) nawęgl-ić/ać
carburetter, carburettor [,kɑ:bju'retə] *s* karburator, gaźnik
carcajou ['kɑ:kə,ʒu:] *s zoo* borsuk amerykański
carcase, carcass ['kɑ:kəs] *s* 1. ciało (martwe); *dosł i przen* ścierwo, padlina; **to save one's ~** ratować skórę; ujść/uchodzić z życiem 2. sztuka (bitego zwierzęcia, wołu itd.); **~ meat** mięso surowe (nie konserwowane) 3. szkielet (budowli); kadłub (statku) 4. bomba zapalająca
carcinoma [,kɑ:si'noumə] *s* (*pl* **~ta** [,kɑ:si'noumətə]) *med* rak
card[1] [kɑ:d] [I] *s* grępel; *techn* zgręplarka [II] *vt* z/gręplować; wyczesać (wełnę); **~ed wool** czesanka
card[2] [kɑ:d] [I] *s* 1. karta (do gry itd.); kartka, karteczka; *przen* atut; **a sure ~** pewniak; **to play one's ~s well <badly>** dobrze <źle> roz-egrać/grywać partię; **to speak by the ~** wyrażać się ściśle; **to throw up one's ~s** z/rezygnować z projektu; **on the ~s** możliwe, nie wykluczone; **that's the ~!** brawo! 2. *przen* człowiek; jegomość; **a knowing ~** wyga; **a queer ~** dziwny jegomość 3. bilet wizytowy; **to leave a ~ on sb** zostawi-ć/ać komuś w domu wizytówkę 4. pocztówka, korespondentka 5. bilet wstępu; zaproszenie 6. ogłoszenie (w oknie, na ścianie) 7. legitymacja (partyjna itd.) 8. **mariner's ~** róża kompasowa [II] *attr* kartkowy
cardamom ['kɑ:dəməm] *s* kardamon (przyprawa)
cardan ['kɑ:dən] *adj techn* (*o przegubie, wale*) kardanowy
cardboard ['kɑ:d,bɔ:d] [I] *s* tektura; karton [II] *attr* kartonowy; tekturowy; **a ~ box** karton, pudełko kartonowe
carder ['kɑ:də] *s* grępla-rz/rka
cardia ['kɑ:diə] *s anat* wpust (żołądka)
cardiac ['kɑ:di,æk] [I] *adj* sercowy [II] *s* środek pobudzający czynność serca
cardigan ['kɑ:digən] *s* wełniana kamizelka
cardinal[1] ['kɑ:dinḷ] *s* 1. kardynał (dygnitarz kościelny, ptak i wino) 2. kardynałka (strój kobiecy)
cardinal[2] ['kɑ:dinḷ] *adj* kardynalny; zasadniczy; **~ numbers** liczebniki główne; **~ points** strony świata
cardinalate ['kɑ:dinə,leit], **cardinalship** ['kɑ:dinḷʃip] *s* godność kardynała; *przen* kapelusz kardynalski
cardinal-flower ['kɑ:dinḷ,flauə] *s bot* lobelia szkarłatna
cardinalship *zob* **cardinalate**
card-index ['kɑ:d,indeks] [I] *s* kartoteka [II] *vt* 1. sporządz-ić/ać kartotekę (**sth** czegoś) 2. wciąg-nąć/ać (dane) do kartoteki
cardiogram ['kɑ:diou,græm] *s* kardiogram
cardiograph ['kɑ:diou,grɑ:f] *s* kardiograf
cardiology [,kɑ:di'ɔlədʒi] *s* kardiologia
carditis [kɑ:'daitis] *s med* zapalenie mięśnia sercowego
cardoon [kɑ'du:n] *s bot* karczoch hiszpański
card-player ['kɑ:d,pleiə] *s* 1. grając-y/a w karty; brydżyst-a/ka 2. karcia-rz/rka
card-sharper ['kɑ:d,ʃɑ:pə] *s karc* szuler
card-table ['kɑ:d,teibl] *s* stolik do gry w karty
care [keə] [I] *s* 1. troska; zgryzota; niepokój; **~ killed the cat** nie martw się na zapas; **he is my greatest ~** on jest moją największą troską; o niego się najwięcej niepokoję 2. uwaga; **to take ~** uważać; **take ~ <have a ~>!** uwaga!; baczność!; **to take ~ not to do sth** uważać, żeby czegoś nie zrobić 3. opieka (**of sb, sth** nad kimś, czymś); opiekowanie się; piecza; pielęgnacja; starani-e/a (**about sb, sth** o kogoś, coś); **~ of Mr X = c/o Mr X** z listami <na adres, do rąk> p. *X*; **to take ~ of —** a) zaj-ąć/mować się ... (czymś, kimś) b) pielęgnować <troszczyć się o, za/dbać o, baczyć na, uważać na ...> (kogoś, coś) c) usu-nąć/wać ... (przeszkodę itp.) d) załatwi-ć/ać <wziąć/brać na siebie> ... (sprawę) e) strzec <wystrzegać> się ... (kogoś, czegoś); **that will take ~ of itself** to się samo załatwi 4. dozór; konserwacja; utrzymywanie w należytym stanie 5. (*w napisach*) ostrożność; **with ~!** ostrożnie! [II] *vi* 1. troszczyć się <dbać> (**for <about> sb, sth** o kogoś, coś); **to ~ for <about> sb, sth** mieć pod swoją opieką

kogoś, coś; mieć pieczę nad kimś, czymś; **to be well ~d for** mieć dobrą opiekę 2. niepokoić się (**about sb, sth** o kogoś, coś) 3. *z zaprzeczeniem*: nie lubić (**for sth** czegoś); nie przepadać (**for sth** za czymś) 4. być przywiązanym (**for sb** do kogoś); lubić; kochać 5. *przeważnie w formie pytającej i przeczącej*: mieć ochotę (coś zrobić); **would you ~ to come?** czy masz ochotę przyjść? 6. przywiązywać wagę (**about sth** do czegoś); **he may go <say, be etc.> for all I ~** jeżeli o mnie chodzi, to może sobie pójść <powiedzieć, być itd.>; **I don't ~** (*także* **I don't ~ a straw <a pin, a damn etc.**, *am* **a red cent>**) a) wszystko mi jedno b) nic mnie to nie obchodzi c) nie zależy mi na tym; **not that I ~** nie dlatego, że sprawia mi to różnicę; **what do I ~?** co mnie to obchodzi?; **who ~s!** a) kogo to wzrusza? b) czy to nie wszystko jedno?

careen [kə'ri:n] [I] *vt mar* przechyl-ić/ać (statek dla oskrobania kilu itd.) [II] *vi* (*o statku, samochodzie*) przechyl-ić/ać się

career [kə'riə] [I] *s* 1. kariera; zawód; *am* **a ~ man** dyplomata zawodowy 2. bieg (życia); droga (życiowa); tok (spraw) 3. pęd; bieg; galop; **in full ~** galopem; pędem; w cwał; **to stop sb in full ~** zatrzymać kogoś w pełnym biegu [II] *vi* po/pędzić; po/cwałować; **to ~ about <over> a place** gonić tu i tam

careerist [kə'riərist] *s* karierowicz

care-free ['kɛə,fri:] *adj* beztroski

careful ['kɛəful] *adj* 1. troskliwy; dbały; pieczołowity; **to be ~ of sth** dbać o coś 2. uważny; ostrożny; rozważny; **to be ~** uważać; **a ~ answer** dobrze przemyślana odpowiedź 3. dokładny; skrupulatny; staranny; † akuratny

care-laden ['kɛə,leidn] *adj* zatroskany

careless ['kɛəlis] *adj* 1. niedbały; niechlujny 2. opieszały 3. nierozważny; roztrzepany; nieostrożny

carelessness ['kɛəlisnis] *s* 1. niedbalstwo; niechlujstwo; zaniedbanie 2. opieszałość 3. brak rozwagi; roztrzepanie; nieostrożność

caress [kə'res] [I] *vt* po/pieścić *zob* **caressing** [II] *s* pieszczota

caressing [kə'resiŋ] [I] *zob* **caress** *v* [II] *adj* pieszczotliwy

caret ['kærit] *s druk znak korektorski*: V, wstawka

↑**caretaker** ['kɛə,teikə] *s* dozor-ca/czyni; stróż/ka

careworn ['kɛə,wɔ:n] *adj* 1. zgnębiony <złamany> troskami 2. (*o wyrazie twarzy*) zatroskany, zgnębiony

cargo ['kɑ:gou] *s* (*pl* **~es**) ładunek (statku)

cargo-boat ['kɑ:gou,bout], **cargo-ship** ['kɑ:gou,ʃip] *s* statek handlowy

caribou, cariboo ['kæri,bu:] *s zoo* karibu, ren północnoamerykański

caricature [,kærikə'tjuə] [I] *s* karykatura [II] *vt* s/karykaturować

caricaturist [,kærikə'tjuərist] *s* karykaturzyst-a/ka

caries ['kɛəri,i:z] *s med* próchnica

carillon [kə'riljən] *s* kurant

carina [kə'rainə] *s bot* (*u roślin motylkowatych*) łódka

cariosity [,kæri'ɔsiti] *s med* spróchnienie

carious ['kɛəriəs] *adj med* próchnicowy, próchniczy

carking ['kɑ:kiŋ] *adj w zwrocie*: **~ cares** ciężkie troski

carline ['kɑ:lin] *s bot* dziewięćsił

carload ['kɑ:,loud] *s* (pełna) fura <(pełen) wóz> (pasażerów, towaru itd.)

carman ['kɑ:mən] *s* (*pl* **carmen** ['kɑ:mən]) woźnica, furman

Carmelite ['kɑ:mi,lait] [I] *s* karmelit-a/ka [II] *adj* karmelitański

carminative ['kɑ:minətiv] [I] *adj med* (*o środku*) wiatropędny [II] *s med* środek wiatropędny

carmine ['kɑ:main] [I] *s* karmin [II] *adj* karminowy

carnage ['kɑ:nidʒ] *s* rzeź

carnal ['kɑ:nl] *adj* 1. cielesny; zmysłowy; **~ knowledge** stosunek płciowy 2. przyziemny

carnality [kɑ:'næliti] *s* zmysłowość

carnation [kɑ:'neiʃən] *s* 1. kolor różowy 2. karnacja 3. *bot* goździk, gwoździk

carney ['kɑ:ni] *vt pot* przymil-ić/ać się (**sb** do kogoś)

carnification [,kɑ:nifi'keiʃən] *s med* twardziel, stwardnienie mięsiste

carnival ['kɑ:nivəl] *s* karnawał; zapusty

carnivora [kɑ:'nivərə] *spl* zwierzęta mięsożerne

carnivorous [kɑ:'nivərəs] *adj* mięsożerny

carny ['kɑ:ni] = **carney**

carob ['kærəb] *s bot* chleb świętojański

carol ['kærəl] [I] *s* kolęda [II] *vi* (**-ll-**) za/śpiewać kolędy; kolędować

caroller ['kærələ] *s* kolędnik

carom ['kærəm] *s am* 1. karambol 2. nazwa różnych gier towarzyskich

carotene *zob* **carotin**

carotid [kə'rɔtid] [I] *s anat* tętnica szyjna [II] *adj anat* szyjno-tętniczy

carotin ['kærətin], **carotene** ['kærə,ti:n] *s biol chem* karoten, karotyna

carousal [kə'rauzəl] *s* 1. hulanka; wesoła zabawa; *pot* biba 2. *am* karuzela

carouse [kə'rauz] *vi* po/hulać; wesoło się za/bawić

carouser [kə'rauzə] *s* hulaka; birbant

carp[1] [kɑ:p] *s* (*pl* **carp**) *zoo* karp

carp[2] [kɑ:p] *vi* z/ganić; przyci-ąć/nać (**at sb** komuś); wyśmi-ać/ewać (**at sb, sth** kogoś, coś) *zob* **carping**

carpal [kɑ:pl] *adj anat* nadgarstkowy; napięstkowy

car-park ['kɑ:'pɑ:k] *s* parking, miejsce parkowania samochodów

Carpathian [kɑ:'peiθiən] [I] *adj* karpacki [II] *spl* **the ~s** Karpaty

carpel ['kɑ:pəl] *s bot* słupek

carpenter ['kɑ:pintə] [I] *s* stolarz; cieśla; **~'s bench** warsztat stolarski; **such ~ such chips** jaki pan, taki kram [II] *vi* zajmować <trudnić> się stolarką

carpentering ['kɑ:pintəriŋ], **carpentry** ['kɑ:pintri] *s* stolarka

carper ['kɑ:pə] *s* krytyk

↑**carpet** ['kɑ:pit] [I] *s* 1. dywan; kobierzec; *przen* **on the ~** a) na tapecie b) na cenzurowanym 2. nawierzchnia (szosy) [II] *vt* 1. wy-łożyć/kładać dywanami 2. za/wezwać dla skarcenia (**sb** kogoś); udziel-ić/ać nagany (**sb** komuś); s/karcić (**sb** kogoś)

carpet-bag ['kɑ:pit,bæg] *s* torba podróżna; rodzaj walizy

↑**carpet-bagger** ['kɑ:pit,bægə] *s* kandydat na posła nieznany w swym okręgu wyborczym

carpet-bed ['kɑ:pit,bed] *s* kwietnik
carpeting ['kɑ:pitiŋ] *s* 1. wykładanie dywanami (podłóg); wykładanie chodnikami (schodów) 2. *zbior* dywany (na podłogach); chodniki (na schodach)
carpet-knight ['kɑ:pit,nait] *s* 1. *pog* dekujący się żołnierz 2. *pog* lew salonowy; bawidamek
carpet-rod ['kɑ:pit,rɔd] *s* pręt chodnikowy (na schodach)
carpet-slippers ['kɑ:pit'slipəz] *spl* sukienne pantofle, bambosze
carpet-sweeper ['kɑ:pit'swi:pə] *s* odkurzacz; elektroluks
carphology [kɑ:'fɔlədʒi] *s med* skubanie pościeli w zamroczeniu chorobowym
carping ['kɑ:piŋ] [I] *zob* **carp**² [II] *adj* uszczypliwy; złośliwy
carpus ['kɑ:pəs] *s* (*pl* **carpi** ['kɑ:pai]) *anat* nadgarstek; napięstek
carrageen ['kærə,gi:n] *s* gatunek wodorostu jadalnego
carriage ['kæridʒ] *s* 1. wóz; powóz; kareta; **baby ~** wózek dziecinny; **~ and pair** <**four**> powóz dwu-, <cztero->konny; **to keep a ~** jeździć własnym powozem; mieć własny powóz 2. *kolej* wagon 3. przewóz; transport; zwózka; fracht; **~ forward** (cena) bez kosztów transportu; **~ paid** (cena) łącznie z kosztem transportu 4. zachowanie się; postawa; chód (człowieka); ruchy 5. podwozie 6. laweta (armaty) 7. (*w maszynie do pisania*) karetka
carriageable ['kæridʒibl] *adj* (*o drodze*) jezdny
carriage-builder ['kæridʒ,bildə] *s* stelmach
carrick ['kærik] *attr mar* **~ bend** rodzaj węzła
carrier ['kæriə] [I] *s* 1. roznosiciel/ka (ogłoszeń itp.) 2. okaziciel/ka (czeku itp.) 3. furman; woźnica; przewoźnik; transportowiec 4. bagażnik (przy rowerze itp.) 5. przewodnik (ciepła itp.) 6. nosiciel (zarazków); *chem* nośnik 7. urządzenie nośne; *elektr* prąd nośny; **aircraft ~** lotniskowiec; *†* awiomatka [II] *attr* nośny
carrier-borne ['kæriə,bɔ:n] *adj* (*o samolocie*) przewożony na lotniskowcu
carrier-pigeon ['kæriə'pidʒin] *s* gołąb pocztowy
carrier-plane ['kæriə,plein] *s* samolot z lotniskowca <z awiomatki>
carriole ['kæri,oul] *s* kariolka; powozik
carrion ['kæriən] [I] *s* padlina [II] *adj* 1. żywiący się padliną 2. zgniły; gnijący; rozkładający się
carrion-crow ['kæriən'krou] *s zoo* wrona
carron-oil ['kærən,ɔil] *s farm* mazidło wapienne (na oparzenia)
carrot ['kærət] *s* marchew
carroty ['kærəti] *adj* rudowłosy; ryży
carry ['kæri] *v* (**carried** ['kærid], **carried; carrying** ['kæriiŋ]) [I] *vt* 1. nieść/nosić; przen-ieść/osić; **to ~ a child** być w ciąży; **to ~ interest** przynosić odsetki; **to ~ one's liquor well** dobrze znosić alkohol; umieć pić; **to ~ swords** salutować szablą 2. zw-ieźć/ozić (plony, zbiory itd.); przew-ieźć/ozić <zaw-ieźć/ozić> (towary, ludzi) 3. dostarcz-yć/ać (**sth** czegoś); (*o rurach itp*) doprowadz-ić/ać (wodę do domów itd.) 4. być przewodnikiem (**sth** czegoś — ciepła, prądu, dźwięku) 5. doprowadz-ić/ać (do czegoś); **to ~ liberty to the point of effrontery** swobodę doprowadz-ić/ać aż do zuchwalstwa; **to ~ things too far** za daleko się posu-nąć/wać; przesadz-ić/ać w czymś 6. zdoby-ć/wać (nagrodę, miasto itd.); wziąć/brać szturmem (fortecę itd.) 7. uchwal-ić/ać; powziąć (uchwałę); przyjąć (wniosek) 8. trzymać (głowę wysoko itp.) 9. dźwigać; podtrzymywać (ciężar dachu, sklepienia itp.) 10. przen-ieść/osić (liczbę do następnej kolumny); **~ two and seven** dwa dalej plus siedem; **to be carried** do przeniesienia 11. (*także* **to ~ about oneself**) mieć przy sobie <nosić ze sobą> (zegarek, broń itd.) 12. mieć (w głowie, pamięci) 13. pociąg-nąć/ać za sobą (pewne skutki) 14. por-wać/ywać (słuchaczy) 15. przezwycięż-yć/ać (trudności); **to ~ all before one** wszystko przezwyciężyć; osiągnąć cel 16. *am handl* prowadzić (jakiś artykuł) 17. *am* mieć, posiadać; **the journal carries a financial page** wydawnictwo ma <publikuje> dział finansowy 18. przeprowadz-ić/ać (rury, przewody, druty itd. przez jezdnię, mur, pod ulicą itd.) 19. przeprowadz-ić/ać <prze/forsować> (swój punkt widzenia itp.); **to ~ into effect** wprowadz-ić/ać w życie <w czyn>; za/stosować; wy/egzekwować; **to ~ one's point** postawić/stawiać na swoim 20. mieć, posiadać (znaczenie, wagę, powagę u ludzi); **to ~ conviction** a) (*o argumencie itp*) być przekonywającym b) (*o człowieku*) umieć przekon-ać/ywać [II] *vr* **~ oneself** nosić się; zachow-ać/ywać się; mieć ruchy (lekkie, ciężkie itp.) [III] *vi* 1.(*o głosie*) być donośnym 2. (*o broni palnej*) nieść
~ about *vt* nosić ze sobą
~ across *vt* przen-ieść/osić; przew-ieźć/ozić (na drugą stronę)
~ along *vt* 1. nieść/nosić ze sobą 2. por-wać/ywać (za sobą)
~ away *vt* 1. zab-rać/ierać; por-wać/ywać; **to be carried away by one's feelings** dać się ponieść uczuciom, nie panować nad swymi uczuciami 2. przemóc
~ back *vt* 1. odn-ieść/osić 2. *w zwrocie*: **to ~ sb back (to one's youth etc.)** przypom-nieć/inać <przywodzić na pamięć> komuś (młodość itd.)
~ down *vt* 1. zn-ieść/osić na dół 2. cierpliwie zn-ieść/osić; *przen* połknąć <strawić> (coś przykrego)
~ forward *vt księgow* przen-ieść/osić do następnej kolumny <na następną stronę>
~ off *vt* por-wać/ywać; zdoby-ć/wać (nagrodę); **he carried it off** udało mu się; przeprowadził swoje; dobrze się spisał
~ on [I] *vt* 1. prowadzić (zajęcia, rozmowę, korespondencję itp.) 2. dalej (coś) robić; nie przerywać (**sth** czegoś) [II] *vi* 1. nie przesta-ć/wać; wytrwać 2. zachow-ać/ywać się 3. flirtować; zawracać głowę (**with sb** komuś) 4. awanturować się
~ out *vt* 1. wyn-ieść/osić 2. wykon-ać/ywać; przeprowadz-ić/ać; spełni-ć/ać (przyrzeczenia itp.); wywiąz-ać/ywać się (**sth** z czegoś — zadania, obowiązków); **~ me out!** bo nie wytrzymam (ze śmiechu)!; bo pęknę!
~ over *vt* przen-ieść/osić (coś) dokądś (*także* saldo itp.)
~ through *vt* 1. przen-ieść/osić 2. przeprowadz-ić/ać (zamierzenie) 3. umożliwi-ć/ać przeżycie <przetrzymanie> (**sth** czegoś — choroby itp.)

~ **up** *vt* wyn-ieść/osić na <w> górę; podn-ieść/osić

zob **carrying** [IV] *s* 1. salutowanie szablą 2. donośność <zasięg> (broni)

carrying ['kæriiŋ] [I] *zob* **carry** *v* [II] *s* transport; przewożenie; przewóz [III] *attr* transportowy; przewozowy; **the ~ trade** przemysł transportowy; transport

carryings-on ['kæriiŋz,ɔn] *spl* flirt; swobodne zachowanie się (**with sb** w stosunku do kogoś)

↑**cart** [kɑ:t] [I] *s* wóz; fura; furmanka; podwoda; **to put the ~ before the horse** stawiać sprawę na głowie [II] *vt* zw-ieźć/ozić; przew-ieźć/ozić [III] *vi* furmanić

cartage ['kɑ:tidʒ] *s* przewozowe; koszty przewozu <zwózki>

cartel ['kɑ:tel] *s* 1. wyzwanie na pojedynek 2. *ekon* kartel

carter ['kɑ:tə] *s* furman; transportowiec

Cartesian [kɑ:'ti:zjən] *adj* kartezjański; (*o filozofii itd*) Kartezjusza

cartful ['kɑ:tful] = **cart-load**

cart-horse ['kɑ:t,hɔ:s] *s* koń pociągowy

Carthusian [kɑ:'θju:ziən] *s* 1. kartuz <kartuzjanin> (zakonnik) 2. wychowanek szkoły „Charterhouse"

↑**cartilage** ['kɑ:tilidʒ] *s anat* chrząstka

cartilaginous [,kɑ:ti'lædʒinəs] *adj* chrząstkowy

cart-load ['kɑ:t,loud] *s* fura (towaru, ludzi itd.)

cartographer [kɑ:'tɔgrəfə] *s* kartograf

cartography [kɑ:'tɔgrəfi] *s* kartografia

cartomancy ['kɑ:tou,mænsi] *s* wróżenie z kart

carton ['kɑ:tən] *s* 1. karton, kartonik 2. *am* środek tarczy

cartoon [kɑ:'tu:n] [I] *s* 1. karton (szkic obrazu) 2. rycina; rysunek; karykatura [II] *vt* na/rysować; s/karykaturować

cartoon-film [kɑ:'tu:n,film] *s* film rysunkowy

cartoonist [kɑ:'tu:nist] *s* karykaturzyst-a/ka

cartouche[1] [kɑ:'tu:ʃ] *s* pas z ładunkami; † kartusz

cartouche[2] [kɑ:'tu:ʃ] *s arch* woluta

↑**cartridge** ['kɑ:tridʒ] *s* 1. nabój; **ball ~** ostry nabój; **blank ~** ślepy nabój 2. *am* rolka (filmowa)

cartridge-belt ['kɑ:tridʒ,belt] *s* pas (myśliwski, wojskowy) z nabojami

cartridge-case ['kɑ:tridʒ,keis] *s* łuska (naboju)

cartridge-paper ['kɑ:tridʒ,peipə] *s* karton (rysunkowy itp.)

cart-track ['kɑ:t,træk] *s* droga polna

cart-wheel ['kɑ:t,wi:l] *s* 1. koło (wozu) 2. duża moneta (pięcioszylingowa itp.) 3. *pl* **~s** *gimn* młynki

cartwright ['kɑ:t,rait] *s* kołodziej

caruncle ['kærəŋkl] *s* 1. *anat* mięsko łzowe 2. narośl (korale u indyka itp.)

carve [kɑ:v] *vt* 1. wy/rzeźbić; wy/cyzelować 2. po/krajać (drób) 3. po/ciąć; roz-ebrać/bierać na części

~ **out** *vt* 1. wyci-ąć/nać (coś z całości) 2. za/anektować; zagrabić (prowincję itp.)

zob **carving**

carvel ['kɑ:vl] = **caravel**

carvel-built ['kɑ:vl,bilt] *adj* (*o łodzi*) fornirowy

carver ['kɑ:və] *s* 1. krajczy; kelner krający potrawy 2. nóż do krajania mięsa 3. rzeźbia-rz/rka; snycerz

carving ['kɑ:viŋ] [I] *zob* **carve** [II] *s* 1. rzeźba 2. krajanie (mięsa)

carving-knife ['kɑ:viŋ,naif] *s* (*pl* **carving-knives** ['kɑ:viŋ,naivz]) nóż do krajania mięsa

caryatid [,kæri'ætid] *s* (*pl* **~s, ~es** [,kæri'æti,di:z]) *arch* kariatyda

↑**cascade** [kæs'keid] *s* kaskada

cascara [kæs'kɑ:rə] *s farm* kora szakłaku amerykańskiego

cascarilla [,kæskə'rilə] *s bot* kaskaryla

↑**case**[1] [keis] *s* 1. wypadek; **a ~ in point** wypadek przykładowy; trafny <dobry> przykład; **the ~ in point** rozważany wypadek; **as in my ~** jak to jest <było> ze mną; **as the ~ may be** zależnie od okoliczności <od wymagań>; **if that is the ~** jeżeli tak się sprawa przedstawia; **in any <such> ~** w każdym <takim> razie; **in ~ of need <accident etc.>** w razie potrzeby <wypadku itd.>; **in no ~** w żadnym wypadku; **just in ~** na wszelki wypadek; **let us put the ~** przypuśćmy (taką sytuację); **that alters the ~** to zmienia postać rzeczy; **that is not the ~** tak się rzecz nie przedstawia; tak nie jest; **to meet the ~** nadawać się; odpowiadać (wymaganiom) 2. przypadek (chorobowy); **the serious ~s** ciężko ranni <chorzy>; *przen* **he is a hard ~** a) on się nie daje przekonać b) on jest niepoprawny 3. sprawa (sądowa); proces; **the ~ for the crown** oskarżenie; **there is no ~ against you** wam się nic nie zarzuca; **to state one's ~** powiedzieć, o co chodzi; przedstawić swoj-ą/e sprawę <pretensje itp.>; **to state the ~** przedstawić stan sprawy; **you have no ~** pańska sprawa <prośba itp.> nie ma uzasadnienia 4. argumenty <dowody> (**for <against> sth** przemawiające za czymś <przeciwko czemuś>); **to give the ~ for <against> sb** rozstrzygnąć sprawę na korzyść <na **niekorzyść**> czyjąś 5. przypadek (gramatyczny) 6. **stan;** sytuacja; warunki; **in good <evil> ~** w pomyślnych <niepomyślnych, przykrych> warunkach

case[2] [keis] [I] *s* 1. skrzynia, skrzynka; paka 2. pudełko; szkatułka 3. futerał; etui; puzdro; kaseta, kasetka 4. koperta (zegarka) 5. okno inspektowe 6. gablotka; oszklona szafka 7. *bot* torebka (nasienna); pochwa 8. neseser 9. pokrowiec 10. *druk* kaszta 11. (*także* **cigarette <cigar> ~**) papierośnica; cygarnica [II] *vt* 1. za/pakować 2. owi-nąć/jać 3. włożyć/wkładać (do futerału, kasety itp.) 4. oprawi-ć/ać 5. *bud* o/szalować *zob* **casing**

case-bottle ['keis,bɔtl] *s* butelka, flaszka; flakon (czworograniasty)

case-ending ['keis,endiŋ] *s gram* końcówka deklinacyjna

case-harden ['keis,hɑ:dn] *vt hut* za/stosować hartowanie powierzchniowe <nawęglanie, cementowanie>

casein ['keisiin] *s chem* kazeina

case-knife ['keis,naif] *s* (*pl* **case-knives** ['keis,naivz]) nóż w pochwie

case-law ['keis,lɔ:] *s* prawo zwyczajowe

casemate ['keis,meit] *s* kazamata

casement ['keismənt] *s* okno z kwaterami *zob* **sash-window**

caseous ['keisiəs] *adj* serowaty

caserns [kə'zə:nz] *spl* koszary

case-shot ['keiʃʃɔt] *s* kartacz

case-worm ['keis,wə:m] *s zoo* larwa chruścika

↑**cash**[1] [kæʃ] I *s bez pl* (*także* **hard ~**) gotówka; pieniądze; brzęcząca moneta; **~ down** (zapłata) w gotówce; **~ in hand** saldo kasowe; **~ on delivery** za pobraniem (pocztowym); **to be in ~** być przy pieniądzach; mieć pieniądze (w kieszeni); **to be out of ~** nie mieć pieniędzy (w kieszeni) II *vt* spienięż-yć/ać; za/inkasować (czek itp.)
~ in *vi* wyzyskać <wykorzystać> (**on sth** coś)
cash[2] [kæʃ] *s* (*pl* **cash**) moneta wschodnia (*zw* dziurkowana)
cash-book ['kæʃ,buk] *s* księga kasowa
cash-box ['kæʃ,bɔks], **cash-desk** ['kæʃ,desk] *s* kasa (w sklepie itd.)
cashew [kə'ʃu:] *s bot* nerkowiec, nerkodrzew
cashier[1] [kæ'ʃiə] *s* kasjer/ka; **~ 's desk** kasa
cashier[2] [kə'ʃiə] *vt* zw-olnić/alniać ze służby; z/degradować (oficera)
cashmere [kæʃ'miə] *s* 1. kaszmir 2. szal kaszmirowy
cash-register ['kæʃ,redʒistə] *s* kasa rejestrująca
casing ['keisiŋ] I *zob* **case**[2] *v* II *s* 1. oprawa; obramowanie; pokrowiec; opona 2. obudowa; osłona; opancerzenie; ocembrowanie 3. *techn* skrzynia korbowa; karter 4. otulina (rury) 5. kadłub (pompy, turbiny) 6. ościeżnica (drzwiowa, okienna)
casino [kə'si:nou] *s* kasyno
cask [kɑ:sk] *s* beczka, beczułka
casket ['kɑ:skit] *s* kasetka; szkatułka
casque [kæsk] *s* hełm, kask
cassation [kæ'seiʃən] *s* kasacja
cassava [kə'sɑ:və] *s bot* kasawa
casserole ['kæsə,roul] *s* 1. rondel kamienny z pokrywką 2. potrawka
cassia ['kæsiə] *s bot* kasja
cassock ['kæsək] *s* sutanna
cassolette [kæsə'let] *s* kadzielniczka
cassowary ['kæsə,weəri] *s zoo* kazuar
↑**cast** [kɑ:st] I *vt* (**cast, cast**) 1. rzuc-ić/ać <cis-nąć/kać> (**a stone etc.** kamieniem itp.); rzuc-ić/ać (kości, cień na ziemię, spojrzenie itd.); **to ~ sb into prison** wtrąc-ić/ać kogoś do więzienia 2. zarzuc-ić/ać (sieć, sondę, kotwicę itp.) 3. odrzuc-ić/ać (coś niepotrzebnego) 4. zrzuc-ić/ać (pióra — *o ptakach*, skórę — *o wężach*, część ubrania — *o ludziach*); **~ not a clout till May be out** do św. Ducha nie zdejmuj kożucha 5. s/tracić <u/ronić> (liście itp.); z/gubić (podkow-ę/y) 6. (*o zwierzęciu*) po/ronić (młode) 7. odda-ć/wać (głos przy wyborach) 8. doda-ć/wać; z/sumować 9. odl-ać/ewać; z/robić odlew (**sth** czegoś) 10. *teatr* rozda-ć/wać <rozdziel-ić/ać> role 11. u/szykować; ułożyć/układać; u/szeregować 12. *w zwrocie*: **to ~ sth in sb's teeth** zarzuc-ić/ać coś komuś; wykłuwać komuś oczy czymś
~ about *vi* 1. *mar* zawrócić 2. szukać (**for sth** czegoś); oglądać się (**for sth** za czymś)
~ aside *vt* odrzuc-ić/ać; od-łożyć/kładać
~ away *vt* odrzuc-ić/ać; wyrzuc-ić/ać precz; (*o statku*) **to be ~ away** ulec rozbiciu
~ back I *vt* 1. odrzuc-ić/ać (coś komuś) 2. rzuc-ić/ać z powrotem (**sth** coś, czymś) 3. skierow-ać/ywać (myśli) ku przeszłości; *przen* rzuc-ić/ać okiem wstecz 4. pobić (kogoś) jego własnymi argumentami II *vi* wr-ócić/acać; cof-nąć/ać się
~ down *vt* 1. spu-ścić/szczać (oczy) 2. deprymować; działać deprymująco <przygnębiająco> (**sb** na kogoś); **to be ~ down** być zdeprymowanym <przygnębionym> 3. rzuc-ić/ać (broń itp.)
~ in *vt w zwrocie*: **to ~ in one's lot with sb** podzielić czyjś los
~ off *vt* 1. wyklucz-yć/ać; odrzuc-ić/ać; wyrzuc-ić/ać; porzuc-ić/ać (kochankę itp.) 2. zrzuc-ić/ać z siebie (części ubrania, pozory czegoś itp.) 3. spu-ścić/szczać (oczka w robocie na drutach) ‖ **to ~ off a manuscript** przelicz-yć/ać tekst rękopisu na arkusze druku
~ out *vt* wyrzuc-ić/ać (kogoś, coś); **to ~ out devils** wyrzuc-ić/ać <wypędz-ić/ać> diabła; odprawi-ć/ać egzorcyzmy
~ up *vt* 1. oblicz-yć/ać; doda-ć/wać; z/sumować; podsumow-ać/ywać 2. zwr-ócić/acać (pożywienie) 3. wzn-ieść/osić (wzrok do nieba); **to ~ sth up to sb** robić komuś wyrzuty z powodu czegoś
zob **casting** II *s* 1. rzut; odległość rzutu; wynik rzutu (kośćmi do gry); *przen* **to stake one's all upon a single ~** stawiać wszystko na (jedną) kartę 2. zarzucenie (sieci) 3. zwrócone (przez sowę i inne ptaki) nie strawione pożywienie 4. jagnięta (świeżo narodzone); rój (pszczół) 5. odlew 6. pokrój; **a man of his ~** człowiek jego pokroju; **a ~ of features** fizjonomia <rysy> twarzy; **a ~ of mind** usposobienie; natura (człowieka) 7. układ <sformułowanie> (**of a sentence** zdania) 8. **a ~ in the eye** skłonność do zeza 9. dodanie; zsumowanie; zliczenie (kolumny cyfr) 10. *teatr* obsada (sztuki) 11. skóra zrzucona przez węża 12. odcień (koloru); zabarwienie
castanets [,kæstə'nets] *spl* kastaniety
castaway ['kɑ:stə,wei] I *s* 1. rozbitek 2. wyrzutek II *adj* (*o człowieku*) wyrzucony poza nawias
caste [kɑ:st] I *s* kasta; **to lose ~** zostać zdeklasowanym II *attr* kastowy; **~ system** kastowość
castellan ['kæstilən] *s* kasztelan
castellated ['kæsti,leitid] *adj* (*o murze*) zakończony blankami
↑**caster** ['kɑ:stə] *s* 1. pieprzniczka; cukierniczka z sitkiem 2. (*u mebla*) rolka; **~ action** samonastawność kół kierowanych (samochodu)
caster-sugar ['kɑ:stə,ʃugə] *s* mączka cukrowa
castigate ['kæsti,geit] *vt* 1. u/karać; wymierz-yć/ać srogą karę (**sb** komuś); s/karcić 2. poprawi-ć/ać (utwór literacki)
castigation [,kæsti'geiʃən] *s* skarcenie; sroga kara
castigator [,kæsti'geitə] *s* karząca dłoń
Castile-soap [kæs'ti:l,soup] *s* twarde, białe mydło
Castilian [kæs'tiliən] I *adj* kastylijski II *s* Kastylij-czyk/ka
casting ['kɑ:stiŋ] I *zob* **cast** *v*; **~ vote** rozstrzygający głos (przewodniczącego przy głosowaniu) II *s* odlew
casting-net ['kɑ:stiŋ,net] *s* zarzutnia (sieć rybacka)
cast-iron ['kɑ:st'aiən] I *s* lane żelazo II *adj* (*o przedmiocie*) lany; *przen* twardy; nie do złamania; (*o zasadzie, przepisie itp*) niewzruszony; sztywny; nie podlegający żadnym zmianom
castle ['kɑ:sl] I *s* 1. zamek; zamczysko; *przen* **~s in the air** <**in Spain**> zamki na lodzie 2. *szach* wieża II *vi szach* z/roszować
castle-builder ['kɑ:sl,bildə] *s przen* fantast-a/ka

↑**cast-off** ['ka:st,ɔ:f] *s* obliczenie potrzebnych arkuszy druku dla rękopisu

castor ['ka:stə] *s* 1. *zoo* bóbr 2. kasztan (narośl na końskiej nodze) 3. = **caster**

castoreum [kæs'tɔ:riəm] *s farm* kastoreum (wydzielina gruczołów bobra)

↑**castor-oil** ['ka:stər,ɔil] *s* rycynus, olej rycynowy, *pot* rycyna

castrametation [,kæstrəme'teiʃən] *s* sztuka zakładania obozu

castrate [kæs'treit] [I] *vt* wy/kastrować [II] *s* kastrat; rzezaniec

castration [kæs'treiʃən] *s* wy/kastrowanie

↑**casual** ['kæʒjuəl] [I] *adj* 1. przypadkowy; nie planowany; doraźny; dorywczy; (*o robotniku*) sezonowy, pracujący dorywczo; (*o podopiecznym*) doraźnie korzystający z opieki społecznej; **~ ward** sala noclegowa dla bezdomnych 2. niedbały; niechlujny; niesystematyczny 3. (*o uwadze, odpowiedzi itp*) zdawkowy; wymijający; (*o uśmiechu itp*) lekki <niewymuszony> 4. (*o zachowaniu, nastawieniu człowieka*) niepewny, nieobliczalny; obojętny; niedbały 5. (*o uwadze, rozmowie itd*) banalny [II] *s* 1. człowiek przypadkowo <dorywczo> korzystający z opieki społecznej 2. robotnik sezonowy <dorywczo pracujący>

casualness ['kæʒjuəlnis] *s* 1. przypadkowy charakter (jakiegoś zjawiska) 2. niedbalstwo; niechlujstwo; brak systematyczności 3. zdawkowy charakter (wypowiedzi itp.) 4. obojętność

casualty ['kæʒjuəlti] *s* 1. nieszczęście; wypadek 2. ofiara (wypadku, bitwy, wojny itp.) 3. *pl* **casualties** straty w ludziach; ofiary; **~ ward** sala szpitalna dla ofiar nieszczęśliwych wypadków

casuist ['kæzjuist] *s* kazuista

casuistic [,kæzju'istik] *adj* kazuistyczny

casuistry ['kæzjuistri] *s* kazuistyka

↑**cat** [ket] [I] *s* 1. kot/ka; **tom~** kocur; **it's raining ~s and dogs** leje jak z cebra; **it would make a ~ laugh** koń by się z tego uśmiał; **there isn't room to swing a ~** jest strasznie ciasno; nie ma gdzie się obrócić; **to let the ~ out of the bag** wygadać <zdradzić> się (z czymś); wyjawić tajemnicę; **to see which way the ~ jumps** patrzyć skąd wiatr wieje; **to turn ~ in the pan** przejść do wrogiego obozu; **when the ~'s away the mice will play** myszy tańcują, gdy kota nie czują 2. złośliwa kobieta; jędza [II] *vt* (**-tt-**) *mar* podn-ieść/osić (kotwicę)

catachresis [,kætə'kri:sis] *s* niewłaściwe stosowanie wyrazu

cataclysm ['kætə,klizəm] *s* kataklizm

catacombs ['kætə,koums] *spl* katakumby

catadromous [kə'tædrəməs] *adj* (*o rybach*) spływający do morza dla składania ikry

catafalque ['kætə,fælk] *s* katafalk

catalectic [,kætə'lektik] *adj prozod* (*o wierszu*) katalektyczny (niepełny)

catalepsy ['kætə,lepsi] *s med* katalepsja

cataleptic [,kætə'leptik] *adj med* kataleptyczny

catalogue ['kætə,lɔg] [I] *s* 1. katalog 2. *am szk* rocznik 2. *am szk* prospekt szkoły [II] *vt* s/katalogować

catalpa [kə'tælpə] *s bot* surmia

catalysis [kə'tælisis] *s chem* kataliza

↑**catalytic** [,kætə'litik] *adj chem* katalityczny

catalyzer ['kætə,laizə] *s chem* katalizator

catamaran [,kætəmə'ræn] *s* 1. *mar* katamaran 2. złośnica; megiera

catamite ['kætə,mait] *s* bierny homoseksualista

↑**catamountain** [,kætə'mauntin] *s zoo* dziki kot (europejski)

cat-and-dog ['kætənd,dɔg] *adj w zwrocie:* **to lead a ~ life** żyć jak pies z kotem

cataplasm ['katə,plæzəm] *s* okład; kataplazm

catapult ['kætə,pʌlt] [I] *s* 1. katapulta 2. proca [II] *vt* wyrzuc-ić/ać gwałtownie [III] *vi* strzel-ić/ać z procy

cataract ['kætə,rækt] *s* 1. katarakta; wodospad 2. *med* katarakta; zaćma

catarrh [kə'ta:] *s* katar, nieżyt

catarrhal [kə'ta:rəl] *adj* nieżytowy, kataralny

catarrhine ['kætə,rain] *s zoo* (*o małpach*) wąskonosy

↑**catastrophe** [kə'tæstrəfi] *s* katastrofa

catastrophic [,kætə'strɔfik] *adj* katastrofalny

catawba [kə'tɔ:bə] *s* 1. winorośl uprawiana w stanie Ohio 2. wino z owoców winorośli „catawba"

catbird ['kæt,bə:d] *s zoo* drozd amerykański

catboat ['kæt,bout] *s mar* jednomasztowiec

cat-burglar ['kæt,bə:glə] *s* złodziej; włamywacz (wspinający się po rynnach, gzymsach itp.)

catcall ['kæt,kɔ:l] [I] *s* gwizd; wygwizdanie; kocia muzyka [II] *vt* wygwizdać

↑**catch** [kætʃ] *v* (**caught** [kɔ:t], **caught**) [I] *vt* 1. z/łapać; u/chwycić; z/łowić; usidl-ić/ać; **to ~ a glimpse of sth** dostrzec <zobaczyć> coś; **to ~ fire** zapalić się; **to ~ hold of sth** z/łapać <s/chwycić, uchwycić> coś; chwycić się czegoś; **to ~ sb doing sth** złapać kogoś na czymś; **a sound caught my ear** usłyszałem jakiś dźwięk; **I caught my breath** dech mi zaparło; **I couldn't ~ your eye** nie zdołałem zwrócić na siebie pańskiej <pani> uwagi; nie zauważył/a mnie pan/i; *pot* **you don't ~ me!** nie ma głupich!; **you'll ~ it!** ale dostanie-sz/cie (za to)!; **the cart was caught in the mud** fura ugrzęzła w błocie; **we were caught in the storm** zaskoczyła nas burza 2. przyjść na czas <zdążyć> (**a train** <**boat, plane etc.**> na pociąg <na statek, samolot itp.>) 3. złapać (katar itd.); zara-zić/żać się (**sth** czymś); zapa-ść/dać (**a disease** na chorobę) 4. zahacz-yć/ać; zaczepi-ć/ać; **the nail caught her dress** zahaczyła suknią o gwóźdź; **to ~ one's fingers in the door** przyciąć sobie palce drzwiami 5. trafi-ć/ać; uderz-yć/ać; zdzielić; **he caught me on the nose** trafił mnie w nos; **I caught him a blow** walnąłem go 6. zrozumieć; dosłyszeć; **I didn't ~ you** nie zrozumiałem co pan/i powiedział/a; nie dosłyszałem pan-a/i 7. dostrze-c/gać 8. naby-ć/wać (**sth** czegoś — przyzwyczajenia, akcentu itp.) [II] *vi* 1. (*o kołach pojazdu, narzędziu itp*) chwytać 2. *pot* (*o kobiecie*) za-jść/chodzić w ciążę 3. chwy-cić/tać się (**at sth** czegoś); usiłować złapać (**at sth** coś); **a drowning man ~es at a straw** tonący brzytwy się chwyta 4. zahacz-yć/ać <zaczepi-ć/ać> się (**on sth** o coś); **her dress caught on a nail** zahaczyła suknią o gwóźdź

~ on *vi* 1. (*o modzie itp*) przyj-ąć/mować się 2. *am* z/rozumieć 3. *am* s/korzystać z okazji

~ out *vt* 1. spalić (kogoś) przy grze 2. zaskoczyć (kogoś) 3. złapać <przyłapać> (kogoś) na gorącym uczynku

~ over *vi* (*o stawie itp*) zamarznąć

~ up [I] *vt* 1. (*o fali itp*) por-wać/ywać (kogoś) 2. przer-wać/ywać (**sb speaking** mówiącemu)

[II] *vi* dog-onić/aniać (**with sb** kogoś); **to ~ up with one's work** odr-obić/abiać zaległości
zob **catching** [III] *s* 1. uchwycenie; chwytanie; chwyt; złapanie (piłki itp.) 2. połów; *przen* gratka; **it's no great ~** to nic nadzwyczajnego; *pot* to nie są żadne cuda 3. (*o małżeństwie*) dobra partia 4. uchwyt; klamka; zapadka; zatrzask 5. atrapa; pozory czegoś 6. podchwytliwe pytanie; *pot* podrywka; *przen* pułapka; **there's a ~ in it** jest w tym jakiś haczyk 7. urywek (rozmowy) 8. *muz* kanon 9. *w zwrotach*: **~ of the breath** zaparcie tchu; **with a ~ of the breath** przerywanym głosem; z trudem łapiąc oddech
catch-as-catch-can ['kætʃəz,kætʃ'kæn] *s* wolne zapasy (walka amerykańska)
catch-crop ['kætʃ,krɔp] *s roln* międzyplon
catch'-em-alive-o ['kætʃəm-ə'laivou] *s* lep na muchy
catcher ['kætʃə] *s techn* chwytacz; łapacz
catchfly ['kætʃ,flai] *s bot* lepnica; smółka
catching ['kætʃiŋ] [I] *zob* **catch** *v* [II] *s* 1. uchwyt 2. tryby 3. zazębienie [III] *adj* (*o chorobie, śmiechu, melodii itp*) zaraźliwy
catchment ['kætʃmənt] *s geogr* zlewisko
catchpenny ['kætʃ,peni] *adj* efektowny, ale tandetny
catchweed ['kætʃ,wi:d] *s bot* lepczyca; przytulia czepna
catch-wheel ['kætʃ,wi:l] *s* koło z zapadką
catchword ['kætʃ,wə:d] *s* 1. *wojsk druk* hasło 2. frazes; slogan
catchy ['kætʃi] *adj* 1. pociągający dla oka 2. łatwy do zapamiętania 3. zdradliwy; (*o pytaniu*) podchwytliwy
catechetic(al) [,kæti'ketik(l)] *adj* katechizmowy
catechism ['kæti,kizəm] *s* katechizm
catechist ['kætikist] *s* katechet-a/ka
catechize ['kæti,kaiz] *vt* katechizować; uczyć katechizmu
catechu ['kæti,tʃu:] *s farm* areka; katechu
catechumen [,kæti'kju:min] *s* katechumen/ka
categorical [,kæti'gɔrikəl] *adj* kategoryczny; stanowczy
categorize ['kætigə,raiz] *vt* s/klasyfikować
category ['kætigəri] *s* kategoria
catena [kə'ti:nə] *s* (*am pl* **catenae** [kə'ti:ni:]) łańcuch (faktów itp.)
catenarian [,kæti'nɛəriən] = **catenary**
catenary [kə'ti:nəri] [I] *s* 1. *mat* (linia) łańcuchowa 2. *techn* zawieszenie łańcuchowe; lina nośna [II] *adj* łańcuchowy; **~ bridge** most łańcuchowy
catenate ['kæti,neit] *vt* po/wiązać <po/łączyć> ze sobą (w jedną całość) (fakty, wyrazy itp.)
catenation [,kæti'neiʃən] *s* po/wiązanie (w całość)
catenulate [kə'ti:njulət] *adj* łańcuszkowy
cater ['keitə] *vi* 1. dostarcz-yć/ać żywności <rozrywki itp.> (**for sb** komuś); zaopat-rzyć/rywać w żywność itp. (**for sb** kogoś); zaspok-oić/ajać potrzeby (**for sb** czyjeś); za/troszczyć się (**for sb** o kogoś) 2. być dostawcą
cateran ['kætərən] *s szkoc* zbójnik, zbój, zbójca
cater-cousin ['keitə,kʌzn] *s* zażył-y/a przyjaci-el/ółka; **to be ~s with sb** być z kimś w wielkiej zażyłości <za pan brat>
caterer ['keitərə] *s* dostawca artykułów żywnościowych
caterpillar ['kætə,pilə] *s zoo techn* gąsienica; **~ wheel** gąsienica (traktora itp.)
caterwaul ['kætə,wɔ:l] *vi* 1. miauczeć 2. (*o ludziach*) hałasować; awanturować się; robić kocią muzykę
cates ['keits] *spl* delikatesy; smakołyki
cat-eyed ['kæt,aid] *adj* (*o człowieku itd*) o kocich oczach, widzący w ciemności
catfish ['kæt,fiʃ] *s zoo* zębacz (ryba)
catgut ['kætgʌt] *s* katgut (do celów chirurgicznych, do strun rakiet tenisowych, instrumentów strunowych itd.)
cathartic [kə'θɑ:tik] *s* lek rozwalniający <przeczyszczający>
cathead ['kæt,hed] *s mar* dźwigar kotwiczny
cathedral [kə'θi:drəl] [I] *s* katedra [II] *attr* katedralny
catherine-wheel ['kæθərin,wi:l] *s* 1. *pir* słońce 2. *arch* rozetowe okno 3. *gimn* gwiazda
catheter ['kæθitə] *s chir* kateter, cewnik
cathetometer [,kæθi'tɔmitə] *s fiz* katetometr
cathode ['kæθoud] [I] *s fiz* katoda [II] *attr fiz* katodowy
catholic ['kæθəlik] [I] *adj* 1. katolicki 2. powszechny 3. liberalny; tolerancyjny [II] *s* **Catholic** katoli-k/czka
catholicism [kə'θɔli,sizəm] *s* katolicyzm; Kościół katolicki
catholicity [,kæθə'lisiti] *s* 1. katolickość 2. uniwersalność 3. liberalność; szerokość poglądów
cat-ice ['kæt,ais] *s* cienka warstwa lodu (na jeziorze itp.)
cation ['kæt,aiən] *s fiz* kation, jon dodatni
catkin ['kætkin] *s* kotka <bazia> (wierzby, leszczyny itp.)
cat-lap ['kæt,læp] *s* lura
catlike ['kætlaik] *adj* koci
catling ['kætliŋ] *s* 1. kociak 2. *chir* nóż chirurgiczny <amputacyjny> z obustronnym ostrzem
catmint ['kæt,mint] *s bot* kocia mięta
cat-o'-nine-tails ['kætə'nain,teilz] *s* bat dziewięciorzemienny do chłosty
catoptrics [kə'tɔptriks] *s opt* katoptryka
cat's-cradle ['kæts,kreidl] *s* dziecinna zabawa w przekładanie i zdejmowanie sznurka z palców
cat's-eye ['kæts,ai] *s miner* kocie oko
cat's-meat ['kæts,mi:t] *s* mięso dla kotów
cat's-paw ['kæts,pɔ:] *s* 1. *mar* wietrzyk 2. (*o człowieku*) ofiara cudzej chytrości; parawan dla cudzych szachrajstw
cat's-tail ['kæts,teil] = **catkin**
catsup ['kætsəp] = **ketchup**
cattish ['kætiʃ] *adj* 1. koci; fałszywy 2. jędzowaty
cattle ['kætl] *s* (*pl* ~) bydło; *pot* konie
cattle-feeder ['kætl,fi:də] *s* przyrząd regulujący ilość paszy dla bydła w żłobie
cattle-grid ['kætl,grid] *s* zastawka dla bydła (żeby nie uciekało z pastwiska)
cattle-lifter ['kætl,liftə] *s* koniokrad
cattleman ['kætlmæn] *s* (*pl* **cattlemen** ['kætlmen]) 1. pastuch 2. *am* hodowca bydła
cattle-pen ['kætl,pen] *s* zagroda dla bydła
cattle-shed ['kætl,ʃed] *s* obora
cattle-show ['kætl,ʃou] *s* wystawa hodowlana (bydła)
cattle-truck ['kætl,trʌk] *s* wóz do przewożenia bydła; wagon bydlęcy

catty ['kæti] *adj* (**cattier** ['kætiə], **cattiest** ['kætiist]) 1. koci 2. fałszywy i zjadliwy
cat-walk ['kæt,wɔ:k] *s* wąsk-a/i ścieżka <chodnik>; *techn* pomost roboczy
cat-whisker ['kæt,wiskə] *s radio* drucik (w detektorze kryształkowym)
caucus ['kɔ:kəs] *s polit* klika
caudal ['kɔ:dl] *adj anat* ogonowy
caudate ['kɔ:deit] *adj biol* ogoniasty; ogonkowaty
caudle ['kɔ:dl] *s* polewka winna dla chorych
caught *zob* **catch** *v*
caul [kɔ:l] *s* czepek (noworodka); **born with a ~** w czepku urodzony
cauldron ['kɔ:ldrən] *s* kocioł
caulescent [kɔ:'lesnt] *adj bot* łodygowaty
caulicle ['kɔ:likl], **caulicule** ['kɔ:li,kju:l] *s bot* łodyga
cauliflower ['kɔli,flauə] *s* kalafior
cauline ['kɔ:lain] *adj bot* łodygowy
caulk [kɔ:k] *vt mar* uszczelni-ć/ać (okręt itp.); dokon-ać/ywać kalfatażu (**a ship** na okręcie) *zob* **caulking**
caulking ['kɔ:kiŋ] [I] *zob* **caulk** [II] *s* kalfataż (uszczelnianie pakułami i smołą szpar na okręcie)
causal ['kɔ:zəl] *adj* przyczynowy
causality [kɔ:'zæliti] *s* przyczynowość; związek przyczynowy
causation [kɔ:'zeiʃən] *s* 1. przyczyna; spowodowanie (czegoś) 2. związek przyczynowy
causative ['kɔ:zətiv] *adj* przyczynowy
cause [kɔ:z] [I] *s* 1. powód; przyczyna; racja; motywacja; podstawa (**for sth** do czegoś) 2. sprawa (o którą się walczy) 3. sprawa (sądowa), proces; **a ~ célèbre** [ə'kouz se 'lebr] głośny proces [II] *vt* 1. s/powodować; być przyczyną (**sth** czegoś); wywoł-ać/ywać 2. sprawi-ć/ać (**sb to do sth, sth to be done by sb** że ktoś coś robi); nakaz-ać/ywać (**sth to be done** coś zrobić); nakł-onić/aniać <pobudz-ić/ać> (**sb to do sth** kogoś do zrobienia czegoś)
cause [kɔz] = **because**
causeless ['kɔ:zlis] *adj* bezpodstawny
cause-list ['kɔ:z,list] *s sąd* wokanda
causerie ['kouzə,ri:] *s* 1. pogawędka 2. felietonik
causeuse [kou'zə:z] *s* mała sofa
causeway ['kɔ:z,wei] *s* 1. szosa na grobli 2. grobla 3. podwyższona ścieżka wzdłuż drogi
caustic ['kɔ:stik] [I] *adj* 1. kaustyczny; żrący; gryzący; **~ soda** wodorotlenek sodu, soda kaustyczna 2. kostyczny; złośliwy; zjadliwy; uszczypliwy [II] *s* kaustyk; środek gryzący
causticity [kɔ:s'tisiti] *s* 1. właściwość gryząca <żrąca>; kaustyczność 2. kostyczność; zjadliwość; uszczypliwość
cauter ['kɔ:tə] *s chir* kauter
cauterization [,kɔ:tərai'zeiʃən] *s chir* wypalanie; przyżeganie; kauteryzacja
cauterize ['kɔ:tə,raiz] *vt chir* przyżegać; wypal-ić/ać; s/kauteryzować
cautery ['kɔ:təri] *s chir* 1. wypalanie; kauteryzacja 2. kauter
caution ['kɔ:ʃən] [I] *s* 1. ostrożność; przezorność; roztropność 2. uwaga 3. ostrzeżenie; przestroga 4. nagana 5. *pot* typek, numer; okaz [II] *attr* (*o napisie, tablicy*) ostrzegawczy; **~ money** zastaw [III] *vt* 1. ostrze-c/gać; przestrze-c/gać (**against sth, sb** przed czymś, kimś) 2. usilnie polec-ić/ać (**sb to do sth** komuś, żeby coś zrobił)
cautionary ['kɔ:ʃənəri] *adj* ostrzegawczy
cautious ['kɔ:ʃəs] *adj* ostrożny; rozważny; roztropny; uważny
cautiousness ['kɔ:ʃəsnis] *s* ostrożność; rozwaga; roztropność; uwaga
cavalcade [,kævəl'keid] *s* kawalkada
cavalier [,kævə'liə] [I] *s* 1. jeździec; rycerz 2. rojalista, stronnik Karola I w czasie wojny domowej 3. kawaler [II] *adj* 1. swobodny; niefrasobliwy; niewymuszony 2. szarmancki 3. pyszny; nonszalancki; wyniosły; pogardliwy; jaśniepański
cavalry ['kævəlri] *s* kawaleria; konnica; jazda
cavalryman ['kævəlrimən] *s* (*pl* **cavalrymen** ['kævəlrimən]) kawalerzysta
cavatina [,kævə'ti:nə] *s muz* kawatyna
cave[1] ['keiv] [I] *s* 1. jaskinia; grota 2. secesja (w partii); rozłam 3. secesjoniści [II] *† vt* wydrąż-ać/yć **~ in** [I] *vi* 1. zapa-ść/dać <zawal-ić/ać> się 2. podda-ć/wać się; ule-c/gać naciskowi [II] *vt* 1. wybi-ć/jać dziurę <dół> (**sth** w czymś) 2. zniekształc-ić/ać; z/deformować
cave[2] ['keivi] *interj* uwaga!
caveat ['keivi,æt] *s prawn* sprzeciw
cave-dweller ['keiv,dwelə], **cave-man** ['keiv,mæn] *s* (*pl* **cave-men** ['keiv,men]) jaskiniowiec, troglodyta
cavendish ['kævəndiʃ] *s* tytoń prasowany
cavern ['kævən] *s* pieczara; jaskinia; grota; jama
cavernous ['kævənəs] *adj* 1. poryty (dołami itp.) 2. przepastny; przepaścisty; otchłanny; **~ eyes** zapadnięte oczy
caviar(e) ['kævi,ɑ:] *s* kawior; *przen* **~ to the general** perły rzucone przed wieprze
cavil ['kævil] *vi* (**-ll-**) czepiać się (**at** <**about**> **sth** czegoś — *zw* drobiazgów); za/kwestionować (**at** <**about**> **sth** coś); grymasić (**at** <**about**> **sth** na coś)
caviller ['kævilə] *s* zrzęda; malkontent/ka
cavity ['kæviti] *s* 1. wydrążenie; dziura; dół 2. *med* jama
cavort [kə'vɔ:t] *vi am pot* brykać; wydziwiać
cavy ['keivi] *s zoo* świnka morska
caw [kɔ:] [I] *vi* za/krakać [II] *s* krakanie
cay [kei] *s* podwodna skała koralowa
cayenne-pepper ['keien,pepə] *s kulin farm* pieprz turecki
cayman *zob* **caiman**
cease [si:s] [I] *vt* 1. przer-wać/ywać <wstrzym-ać/ywać> (coś — pracę itd.; *wojsk* **ogień** itd.); s/kończyć (**doing sth, to do sth** coś robić) 2. zaprzesta-ć/wać (**sth** czegoś); położyć/kłaść kres (**sth** czemuś) [II] *vi* 1. przesta-ć/wać (**from doing sth** coś robić) 2. (*o czynności, zjawisku itp*) usta-ć/wać [III] *s w zwrocie*: **without ~** bez przerwy
cease-fire ['si:s,faiə] *s* zawieszenie broni
ceaseless ['si:slis] *adj* nieustanny, ciągły, nieprzerwany
ceaselessly ['si:slisli] *adv* nieustannie, bez przerwy; bez końca
cecils ['seslz] *spl kulin* rodzaj pulpetów
cecity ['sesiti] *s dosł i przen* ślepota
cedar ['si:də] *s bot* cedr; **~ bird** jemiołucha amerykańska; **~ oil** olejek cedrowy
cedarn ['si:dən] *adj* cedrowy
cede [si:d] [I] *vt* odst-ąpić/ępować (coś komuś);

s/cedować [II] *vi* ust-ąpić/ępować (komuś) w sporze

cee-spring [ˈsiːˌspriŋ] *s techn* resor w kształcie litery C

ceil [siːl] *vt* 1. nakry-ć/wać (pomieszczenie) sufitem 2. wyprawi-ć/ać (sufit)

↑**ceiling** [ˈsiːliŋ] [I] *s* 1. sufit; strop 2. *arch lotn i przen* pułap [II] *attr* 1. *bud* sufitowy; *elektr* **~ rose** sufitowa puszka rozgałęźna 2. (*o cenie itd*) górny, maksymalny

celadon [ˈselədɔn] *s* seledyn, kolor seledynowy

celandine [ˈselənˌdain] *s bot* glistnik, chelidonia

celanese [ˌseləˈniːz] *s* rodzaj sztucznego jedwabiu

celebrant [ˈselibrənt] *s kośc* celebrant

celebrate [ˈseliˌbreit] *vt* 1. celebrować <odprawi-ć/ać (nabożeństwo itp.); (*o ślubie, nabożeństwie itp*) **to be ~d** odby-ć/wać się 2. obchodzić (święto); u/czcić (rocznicę itp.); urządz-ić/ać (uroczystość, obchód) 3. sławić; wysławi-ć/ać *zob* **celebrated**

celebrated [ˈseliˌbreitid] [I] *zob* **celebrate** [II] *adj* sławny; głośny; słynny

celebration [ˌseliˈbreiʃən] *s* 1. celebrowanie <odprawianie> (nabożeństwa) 2. obchód (święta itp.) 3. uczczenie (rocznicy itp.); uroczystość 4. wysławianie

celebrity [siˈlebriti] *s* sława; znakomita osobistość

celeriac [siˈleriˌæk] *s* gatunek selera

celerity [siˈleriti] *s* 1. szybkość 2. skwapliwość; **with ~** skwapliwie

celery [ˈseləri] *s* seler

celeste [siˈlest] [I] *adj* niebieski; błękitny [II] *s muz* celesta, czelesta

↑**celestial** [siˈlestjəl] [I] *adj* niebiański; boski; **the Celestial Empire** Państwo Niebieskie, cesarstwo chińskie [II] *s* 1. mieszkaniec niebios 2. **Celestial** Chi-ńczyk/nka

celiac [ˈsiːliˌæk] *adj med* (*o bólu itd*) trzewny

celibacy [ˈselibəsi] *s* celibat

celibate [ˈselibit] [I] *adj* kawalerski; bezżenny [II] *s* człowiek żyjący w celibacie

↑**cell** [sel] *s* 1. komórka; *żart* **the brain ~s** szara substancja (mózgowa) 2. cela (klasztorna, więzienna) 3. *elektr* bateria 4. komórka organizacyjna 5. komórka (w plastrze miodu)

cellar [ˈselə] *s* piwnica; **to keep a good ~** mieć piwnicę dobrze zaopatrzoną (w wina)

cellarage [ˈseləridʒ] *s* 1. piwnice 2. przechowywanie w piwnicy 3. piwniczne (opłata)

cellarer [ˈselərə] = **cellarman**

cellaret [ˌseləˈret] *s* kredensik do wódek i win

cellarman [ˈseləmən] *s* (*pl* **cellarmen** [ˈseləmən]) piwniczy

cellar-plate [ˈseləˌpleit] *s* płyta zamykająca otwór do piwnicy

cellist [ˈtʃelist] *s* wiolonczelist-a/ka

cello [ˈtʃelou] *s* wiolonczela

cellophane [ˈseləˌfein] *s* celofan

↑**cellular** [ˈseljulə] *adj* komórkowy; komórkowaty

cellule [ˈseljuːl] *s biol* komórka

celluloid [ˈseljuˌlɔid] *s* celuloid

↑**cellulose** [ˈseljuˌlous] [I] *adj* komórkowy; komórkowaty [II] *s* celuloza

Celt [kelt, selt] *s* Celt

Celtic [ˈkeltik, ˈseltik] *adj* celtycki

celtuce [ˈseltis] *s* jarzyna o połączonym smaku selera i sałaty

cement [siˈment] [I] *s* cement; *przen* spoidło, spoiwo [II] *vt* s/cementować; sp-oić/ajać; z/łączyć

cementation [ˌsiːmenˈteiʃən] *s* 1. cementowanie 2. cementacja

cemetery [ˈsemitri] *s* cmentarz

cenobite [ˈsiːnouˌbait] *s* mni-ch/szka

cenotaph [ˈsenəˌtɑːf] *s* grobowiec (symboliczny); **the Cenotaph** pomnik w Londynie ku czci poległych w I wojnie światowej

Cenozoic [ˌsiːnəˈzouik] [I] *adj geol* kenozoiczny [II] *s geol* era kenozoiczna

cense [sens] *vt* kadzić; okadzać

censer [ˈsensə] *s* kadzielnica

censor [ˈsensə] [I] *s* cenzor; *przen* cenzura [II] *vt* 1. okr-oić/awać (książkę itp.); o/cenzurować 2. zakaz-ać/ywać (**sth** czegoś) [III] *vi* spełni-ć/ać obowiązki cenzora

censorial [senˈsɔːriəl], **censorious** [senˈsɔːriəs] *adj* 1. cenzorski 2. skory do krytyki; surowy; ostry; mentorski

censorship [ˈsensəʃip] *s* cenzura

censurable [ˈsenʃərəbl] *adj* naganny; zasługujący na potępienie; godny napiętnowania

censure [ˈsenʃə] [I] *s* krytyka; zarzuty; potępienie; **to pass ~** z/ganić <s/krytykować> **(on sb, sth** kogoś, coś) [II] *vt* s/krytykować; postawić/stawiać zarzuty (**sb** komuś); potępi-ć/ać; strofować; s/karcić; z/ganić

census [ˈsensəs] *s* spis ludności

cent [sent] *s* 1. cent ($^1/_{100}$ dolara) 2. *w zwrocie:* **per ~** od sta, procent; **three <five etc.> per ~s** trzyprocentowe <pięcioprocentowe itd.> papiery wartościowe

cental [ˈsentl] *s* kwintal (= 100 funtów ang. = 45,36 kg)

centaur [ˈsentɔː] *s* centaur

centaury [ˈsentɔːri] *s bot* centuria

centenarian [ˌsentiˈnɛəriən] *s* stuletni/a sta-rzec/ruszka

centenary [senˈtiːnəri] [I] *s* stulecie; setna rocznica [II] *adj* stuletni

centennial [senˈtenjəl] [I] *adj* stuletni [II] *s am* stulecie

center [ˈsentə] *am* = **centre**

centering [ˈsentəriŋ] *s arch* krążyna

centesimal [senˈtesiməl] *adj* centezymalny

↑**centigrade** [ˈsentiˌgreid] *adj* stustopniowy; (*o termometrze*) Celsjusza; *x* **degrees ~** *x* stopni Celsjusza

centimetre [ˈsentiˌmiːtə] *s* centymetr

centipede [ˈsentiˌpiːd] *s zoo* wij; krocionóg

centner [ˈsentnə] *s* cetnar (= 50 kg; w Anglii i Ameryce = 100 funtów = 45,36 kg); **double <metric> ~** podwójny <metryczny> cetnar (= 100 kg)

↑**central** [ˈsentrəl] [I] *adj* 1. środkowy; (*o położeniu, ogrzewaniu itp*) centralny; *am* **the Central State** stan Kansas 2. główny 3. położony w śródmieściu [II] *s am* centrala telefoniczna

centralism [ˈsentrəˌlizəm] *s* centralizm

centralization [ˌsentrəlaiˈzeiʃən] *s* centralizacja

centralize [ˈsentrəˌlaiz] *vt* s/centralizować; ześrodkow-ać/ywać

↑**centre** [ˈsentə] [I] *s* 1. środek; centrum; **~ forward** środkowy (gracz) w ataku (drużyny piłkarskiej) 2. ośrodek, centrum 3. *polit* centrum 4. *bud* krążyna [II] *vt* 1. oznacz-yć/ać środek (**sth** czegoś) 2. ześrodkow-ać/ywać 3. s/centrować (koło itp.) [III] *vi* skupi-ć/ać się

centre-bit ['sentə,bit] *s techn* wiertło kolcowe
centre-piece ['sentə,pi:s] *s* ozdoba umieszczona na środku stołu biesiadnego
centric ['sentrik] *adj* centryczny, środkowy
centricity [sen'trisiti] *s* centryczność
centrifugal [sen'trifjugəl] *adj* odśrodkowy; **~ machine** wirówka, centryfuga
centring ['sentriŋ] = **centering**
centripetal [sen'tripitl] *adj* dośrodkowy
centrist ['sentrist] *s polit* centrowiec
centuple ['sentjupl] I *adj* stokrotny II *vt* powiększ-yć/ać <pomn-ożyć/ażać> stokrotnie
centurion [sen'tjuəriən] *s* centurion, setnik rzymski
century ['sentʃəri] *s* 1. stulecie; wiek 2. sto punktów (zdobytych w różnych grach)
cephalic [se'fælik] *adj* (odnoszący się do) głowy; głowowy
cephalopod ['sefəlou,pɔd] *s zoo* głowonóg
ceramic [se'ræmik] *adj* ceramiczny
ceramics [se'ræmiks] *s* ceramika
cerastes [si'ræsti:z] *s zoo* wąż rogaty
cerate ['siərit] *s farm* woskowiec (maść)
cere [siə] *s* (*u niektórych ptaków*) woskówka (błona u nasady dzioba)
cereal ['siəriəl] *s* 1. zboże 2. kasza 3. *pl* **~s** kasze; wyroby mączne
cerebellar [,seri'belə] *adj anat* móżdżkowy
cerebellum [,seri'beləm] *s anat* móżdżek
cerebral ['seribrəl] *adj* mózgowy
cerebration [,seri'breiʃən] *s biol* cerebracja, podświadoma praca mózgu
cerebro-spinal [,seribrou'spainl] *adj* mózgowo-rdzeniowy; **~ fever** zapalenie opon mózgowo-rdzeniowych
cerebrum ['seribrəm] *s* mózg
cere-cloth ['siə,klɔθ] *s*, **cerements** ['siəmənts] *spl* całun
ceremonial [,seri'mounjəl] I *adj* ceremonialny; obrzędowy; uroczysty II *s* ceremoniał; obrządek; **the Court ~** etykieta dworska
ceremonious [,seri'mounjəs] *adj* ceremonialny; dworny; ugrzeczniony; **to be ~** robić ceremonie
ceremoniousness [,seri'mounjəsnis] *s* ceremonie; dworność; ugrzecznienie
ceremony ['seriməni] *s* ceremonia; obrzęd; uroczystość; **to stand on <upon> ~** robić ceremonie; zachow-ać/ywać się sztywno <z rezerwą>; krępować się
cereous ['siəriəs] *adj* woskowy
cerise [sə'ri:z] *adj* wiśniowy; koloru wiśniowego
cerium ['siəriəm] I *s chem* cer (pierwiastek) II *attr* cerowy
ceroplastics ['siərou'plæstiks] *s plast* ceroplastyka
cert [sə:t] *s sl* rzecz pewna <murowana>
certain ['sə:tn] *adj* 1. pewny; ustalony; niezawodny; **for ~** na pewno; **to be ~ to (do sth)** na pewno (coś zrobić); **to make ~ of sth** upewni-ć/ać się co do czegoś 2. pewny; przekonany; przeświadczony 3. pewien; nieokreślony; jakiś; niejaki
certainly ['sə:tnli] I *adv* 1. na pewno; niezawodnie 2. bezwarunkowo; bezwzględnie II *interj* proszę bardzo!; a jakże!; oczywiście!; naturalnie!; **~ not!** bezwzględnie <bezwarunkowo> nie!; *pot* wykluczone!; nie ma mowy!
certainty ['sə:tnti] *s* 1. pewność; **a dead ~** rzecz bezwzględnie pewna; **for a ~** na pewno; niezawodnie; **to bet on a ~** iść o zakład bez ryzyka 2. rzecz pewna; pewnik
certifiable ['sə:ti'faiəbl] *adj* 1. dający się poświadczyć; możliwy do poświadczenia 2. umysłowo chory; obłąkany; *pot* **he is ~** on kompletnie zwariował
certificate [sə'tifikit] I *s* świadectwo; zaświadczenie; dyplom; metryka (urodzenia itp.); akt (zgonu) II *vt* [sə'tifi,keit] dyplomować; patentować; zaopatrywać w certyfikat
certify ['sə:ti,fai] *v* (**certified** ['sə:ti,faid], **certified; certifying** ['sə:ti,faiiŋ]) I *vt* 1. poświadcz-yć/ać; zaświadcz-yć/ać; **this is to ~ that —** niniejszym poświadcza się, że ... 2. stwierdz-ić/ać; s/konstatować 3. dyplomować; patentować; da-ć/wać dyplom <patent> (**sb** komuś) 4. zalegalizować II *vi* poświadcz-yć/ać (**to sth** coś)
certitude ['sə:ti,tjud] *s* pewność; przeświadczenie
cerulean [si'ru:liən] *adj* modry; błękitny
cerumen [si'ru:men] *s* woskowina <woszczyna> (uszna)
ceruse ['siəru:s] *s* biel ołowiowa
cerusite ['siəru,sait] *s miner* cerusyt
cervical ['sə:vikəl] *adj anat* karkowy; szyjny
cervine ['sə:vain] *adj* jeleni
cess [ses] *s †* (*w Irlandii*) podatek; **bad ~ to you <him etc.>** niech cię <go itd.> diabli wezmą
cessation [se'seiʃən] *s* zaprzestanie; przerwa; **~ of arms** zawieszenie broni
cession ['seʃən] *s* odstąpienie; s/cedowanie
cesspit ['sespit], **cesspool** ['sespu:l] *s* dół kloaczny; kloaka; **a ~ of iniquity** gniazdo rozpusty
cestoid ['sestɔid] I *s zoo* tasiemiec II *adj zoo* tasiemcowy
cetacean [si'teiʃjən] I *s zoo* wal, waleń II *adj zoo* (dotyczący) waleni
cetaceous [si'teiʃjəs] = **cetacean** *adj*
cevitamic [,si:vai'tæmik] *adj chem* askorbinowy; zawierający witaminę C; **~ acid** witamina C
Ceylon [si'lɔn] I *attr* cejloński; **~ tea** herbata cejlońska II *adj* cejloński III *s* Cejlo-ńczyk/nka
chad [tʃæd] *s zoo* złotoryb
chafe [tʃeif] I *vt* 1. trzeć; zacierać (ręce); roz-e-trzeć/cierać; zadrażni-ć/ać 2. z/irytować; po/drażnić; z/denerwować II *vi* 1. wy-trzeć/cierać się 2. czochrać <otrzeć/ocierać> się 3. otrzeć sobie skórę 4. roz/złościć <z/irytować, z/denerwować> się (**at sth** na coś) III *s* 1. otarcie (skóry) 2. złość; irytacja; **in a ~** rozzłoszczony; zły
chafer ['tʃeifə] *s zoo* chrabąszcz
chaff [tʃa:f] I *s* 1. plewy; *przen* śmieci; **to be caught with ~** dać się okpić 2. sieczka 3. żarty; kpiny II *vt* 1. siec <siekać> (słomę) 2. za/drwić <za/kpić, wyśmi-ać/ewać się> (**sb** z kogoś)
chaff-cutter ['tʃa:f,kʌtə] *s* sieczkarnia
chaffer ['tʃæfə] I *s* targowanie się; targi II *vi* targować się
~ away *vt* odst-ąpić/ępować za psie pieniądze
chaffinch ['tʃæfintʃ] *s zoo* zięba
chaffy ['tʃa:fi] *adj* 1. tandetny 2. żartobliwy; kpiarski
chafing-dish ['tʃeifiŋ,diʃ] *s* ogrzewacz; płytka elektryczna
chagrin ['ʃægrin] I *s* zmartwienie; smutek II *vt* z/martwić; zasmuc-ić/ać
chain [tʃein] I *s* 1. łańcuch; łańcuszek (od zegarka itp.); **watch and ~** zegarek z łańcuszkiem

2. łańcuch przyczyn i skutków; związek myślowy; szereg (wydarzeń itd.) 3. *pl* **~s** łańcuchy; więzy; kajdany 4. łańcuch mierniczy 5. jednostka miary = 20,116 m [II] *vt* 1. przymocow-ać/ywać łańcuchem 2. ot-oczyć/aczać <odci-ąć/nać, zam-knąć/ykać> łańcuchem (jakiś obszar) 3. *przen* uwiązać

~ down *vt* przymocow-ać/ywać (coś) łańcuchem; **to ~ sb down** a) zakuć kogoś w kajdany; przykuć kogoś łańcuchem b) *przen* uwiązać kogoś

~ up *vt* 1. przyku-ć/wać łańcuchem 2. z/wiązać (szereg ludzi itd.) wspólnym łańcuchem 3. uwiązać (psa itd.) na łańcuchu

chain-armour ['tʃein'ɑ:mə] = **chain-mail**

chain-bridge ['tʃein,bridʒ] *s* most łańcuchowy

chain-case ['tʃein,keis] *s techn* karter; osłona łańcuchowa

chain-gang ['tʃein,gæŋ] *s* grupa aresztantów związanych wspólnym łańcuchem

chainlet ['tʃeinlit] *s* łańcuszek

chain-letter ['tʃein'letə] *s* łańcuch szczęścia (list rozsyłany systemem łańcuchowym)

chain-mail ['tʃein'meil] *s* kolczuga

chain-pump ['tʃein,pʌmp] *s techn* czerpak łańcuchowy

chain-smoker ['tʃein,smoukə] *s* nałogow-y/a palacz/ka (zapalając-y/a papieros od papierosa)

chainstitch ['tʃein,stitʃ] *s* ścieg łańcuszkowy

chain-stores ['tʃein,stɔ:z] *spl am* przedsiębiorstwo handlowe posiadające sieć punktów sprzedaży

↑**chair** [tʃɛə] [I] *s* 1. krzesło; **an easy ~** fotel klubowy; **to take a ~** usiąść 2. krzesło <miejsce, stanowisko> przewodniczącego zebrania; przewodnictwo; **to address** <**appeal to**> **the ~** zwr-ócić/acać się do przewodniczącego; **to be in the ~, to fill** <**occupy**> **the ~** przewodniczyć; **to take the ~** objąć przewodniczenie; (*wołanie do przewodniczącego o przywrócenie porządku na sali*) **~! ~!** cisza!; spokój! 3. *uniw* katedra; **the ~ of Greek** katedra greki 4. *am* (*także* **electric ~**) fotel elektryczny 5. *am* miejsce dla świadków w sądzie 6. *kolej* siodełko, łubek, laszka [II] *vt* 1. odda-ć/wać przewodnictwo (**sb** komuś) 2. nieść <nosić> w triumfie (kogoś)

chairman ['tʃɛəmən] *s* (*pl* **chairmen** ['tʃɛəmən]) przewodniczący; prezes

chairmanship ['tʃɛəmənʃip] *s* przewodnictwo; prezesura

chairoplane ['tʃɛərə,plein] *s* karuzela z siedzeniami wiszącymi na łańcuchach

chaise [ʃeiz] *s* 1. bryczka 2. podwoda

chalcedony [kæl'sedəni] *s miner* chalcedon

chalcography [kæl'kɔgrəfi] *s* miedziorytnictwo

chalcopyrite [,kælkə'paiə,rait] *s miner* chalkopiryt

chaldron ['tʃɔ:ldrən] *s* jednostka miary dla węgla (= ok. 1 tony)

↑**chalet** ['ʃælei] *s* 1. domek wypoczynkowy 2. ustęp publiczny, szalet

chalice ['tʃælis] *s kośc* kielich

↑**chalk** [tʃɔ:k] [I] *s* 1. kreda; **he does not know ~ from cheese** to zupełny ignorant; on się na niczym nie zna 2. kredka 3. rachunek za towar pobrany na kredyt; **better by a long ~** o całe niebo lepszy <lepiej>; **not by a long ~** dużo do tego brakuje; daleko (ci, wam itd.) do tego [II] *attr* kredowy [III] *vt* na/pisać <na/znaczyć, na/rysować> kredą

~ out *vt* na/kreślić <na/szkicować> (plan itp.)

~ up *vt* 1. zapis-ać/ywać, za/notować 2. z/sumować

chalkiness ['tʃɔ:kinis] *s* kredowa białość

chalk-pit ['tʃɔ:k,pit] *s* kamieniołom kredowy

chalk-stone ['tʃɔ:k,stoun] *s med* złóg artretyczny

chalky ['tʃɔ:ki] *adj* (**chalkier** ['tʃɔ:kiə], **chalkiest** ['tʃɔ:kiist]) 1. kredowy 2. biały jak kreda

↑**challenge** ['tʃælindʒ] [I] *vt* 1. wyz-wać/ywać; rzuc-ić/ać wyzwanie (**sb** komuś) 2. wezwać/wzywać (do współzawodnictwa itp.) 3. s/prowokować; korcić 4. *sąd* za/kwestionować; sprzeciwi-ć/ać się (**sth** czemuś); wn-ieść/osić sprzeciw 5. (*o wartowniku*) wezwać/wzywać (idącego) do zatrzymania się 6. wymagać (**sth** czegoś — podziwu, uwagi itp.) *zob* **challenging** [II] *s* 1. wyzwanie (do pojedynku itp.) 2. próba sił 3. wezwanie do współzawodnictwa; **to issue a ~** wezwać/wzywać do współzawodnictwa 4. apel (do społeczeństwa itp.) 5. sprowokowanie (kogoś do czegoś) 6. *sąd* kwestionowanie; sprzeciw 7. wezwanie <zawołanie> (wartownika) 8. kpin-a/y (**to authority etc.** z władzy itd.)

challenger ['tʃælindʒə] *s* 1. (człowiek) wyzywający (na pojedynek itp.) 2. (człowiek) wzywający (do współzawodnictwa **itp.**); (człowiek) apelujący (do społeczeństwa itp.) 3. *sąd* strona kwestionująca <wnosząca sprzeciw>

challenging ['tʃælindʒiŋ] [I] *zob* **challenge** *v* [II] *adj* 1. prowokujący; korcący 2. (*o pomyśle itd*) śmiały

challis ['ʃælis] *s* materiał jedwabny <wełniany> na suknie damskie

chalybeate [kə'libiit] *adj* żelazisty

cham [kæm] *s* chan; *przen* **Great Cham (of Literature)** autokrata <dyktator> (literatury — Samuel Johnson)

chamber ['tʃeimbə] [I] *s* 1. sala; pokój 2. izba (parlamentu, handlowa, przemysłowa itp.); *polit* **the double ~ system** system dwuizbowy 3. komora (broni palnej itp.) 4. nocnik 5. *pl* **~s** apartamenty 6. *pl* **~s** kancelaria (adwokacka) [II] *attr* kameralny [III] *vt* wydrąż-yć/ać

chamber-counsel ['tʃeimbə,kaunsəl] *s* doradca prawny

chamberlain ['tʃeimbəlin] *s* szambelan; **Lord Chamberlain** marszałek dworu

chamber-maid ['tʃeimbə,meid] *s* pokojówka

chamber-pot ['tʃeimbə,pɔt] *s* nocnik

chameleon [kə'mi:ljən] *s dosł i przen* kameleon

chamfer ['tʃæmfə] [I] *s* 1. ścięcie (kantu, krawędzi) 2. wyżłobienie [II] *vt* 1. ści-ąć/nać (kant, krawędź) 2. wy/żłobić

chamois ['ʃæmwɑ:] *s* (*pl* **chamois** ['ʃæmwɑ:z]) 1. *zoo* giemza 2. ['ʃæmi] (*także* **~ leather**) ircha

chamomile ['kæmə,mail] = **camomile**

champ [tʃæmp] *vt* 1. chrupać 2. gryźć (wędzidło); *przen* **to ~ the bit** tłumić gniew

champagne [ʃæm'pein] *s* szampan

champaign ['tʃæmpein] *s* równina

champignon [tʃæm'pinjən] *s bot* pieczarka

champion ['tʃæmpjən] [I] *s* 1. mistrz/yni, zdobyw-ca/czyni mistrzostwa <nagrody>; rekordzist-a/ka 2. szermierz (jakiejś sprawy); orędowni-k/czka 3. zwierzę nagrodzone na wystawie [II] *vt* być szermierzem <orędownikiem> (**a cause** jakiejś sprawy); bronić (**a cause** sprawy); orędować (**a cause** za sprawą)

championship ['tʃæmpjənʃip] *s* mistrzostwo

chance [tʃɑ:ns] [I] *s* 1. traf; przypadek; los (szczęścia); **by (any) ~** przypadkiem, przypadkowo; **by mere ~** zupełnie przypadkowo; **~ so ordained it** los tak chciał; przypadek tak zrządził; **to leave everything to ~** zda-ć/wać się na los szczęścia; **to leave nothing to ~** nie pozostawić nic przypadkowi, przewidzieć wszystko 2. hazard; **a game of ~** gra hazardowa 3. okazja; sposobność; **now's your ~** teraz masz dobrą okazję (popisania się itp.); **to give sb a ~** a) da-ć/wać komuś sposobność (popisania się itp.) b) podda-ć/wać kogoś próbie 4. możność; możliwoś-ć/ci; **the ~s are that —** są wszelkie dane <wszystko wskazuje na to>, że ... 5. szansa; widoki (powodzenia itp.); **an off ~** słaba nadzieja; **the ~s are against me** widoki nie są dla mnie pomyślne; **to stand a good ~** mieć wszelkie widoki (powodzenia itp.); **we have even ~s** nasze szanse są równe 6. ryzyko; **to take ~s** za/ryzykować [II] *attr* przypadkowy [III] *vt* za/ryzykować; **I'll ~ it** zaryzykuję [IV] *vi* 1. przypadkowo (coś) z/robić; **if I ~ to see him** jeżeli go przypadkowo zobaczę 2. natknąć się (**upon sb, sth** na kogoś, coś) 3. wydarz-yć/ać <przytrafi-ć/ać> się; **it ~d that —** tak się wydarzyło, że ...; przypadkowo ...

chancel ['tʃɑ:nsəl] *s kośc* prezbiterium

chancellery ['tʃɑ:nsələri] = **chancellory**

chancellor ['tʃɑ:nsələ] *s* kanclerz; **the Chancellor of the Exchequer** minister skarbu <finansów>; **the Lord High Chancellor** najwyższy sędzia (minister sprawiedliwości)

chancellorship ['tʃɑ:nsələʃip] *s* kanclerstwo

chancellory ['tʃɑ:nsələri] *s* biura ambasady

chance-medley ['tʃɑ:ns,medli] *s prawn* 1. zabójstwo z przypadku 2. zabójstwo w samoobronie

chancery ['tʃɑ:nsəri] *s* 1. **Chancery** najwyższy sąd cywilny w Londynie 2. *sport w zwrocie*: **to hold in ~** a) zastosować chwyt zwany krawatem (trzymać głowę przeciwnika pod ramieniem) b) *przen* postawić w sytuacji bez wyjścia

chancre ['ʃæŋkə] *s med* szankier

chancrous ['ʃæŋkrəs] *adj* szankrowy

chancy ['tʃɑ:nsi] *adj* (**chancier** ['tʃɑ:nsiə], **chanciest** ['tʃɑ:nsiist]) 1. **niepewny** 2. ryzykowny 3. *szkoc* szczęśliwy; udany

chandelier [,ʃændi'liə] *s* świecznik; żyrandol

chandler ['tʃɑ:ndlə] *s* kupiec z branży artykułów gospodarstwa domowego

chandlery ['tʃɑ:ndləri] *s* sklep z artykułami gospodarstwa domowego; **ship's ~** dostawy zaopatrzenia dla okrętów

change [tʃeindʒ] [I] *vt* 1. zmieni-ć/ać; **to ~ colour** a) mienić się na twarzy b) z/blednąć; **to ~ one's mind** zmieni-ć/ać zdanie; rozmyśl-ić/ać się; **to ~ one's tune** zmieni-ć/ać ton; zacząć inaczej mówić; **to ~ step** zmieni-ć/ać nogę; **to ~ trains** przesi-ąść/adać się; mieć przesiadkę <przesiadanie> 2. odmieni-ć/ać (stan itp.) 3. przemieni-ć/ać (jedno w drugie) 4. zamieni-ć/ać (**one thing for another** jedno na drugie); **to ~ hands** a) prze-jść/chodzić z jednych rąk do drugich b) prze-jść/chodzić w inne ręce; **to ~ houses** przeprowadz-ić/ać się; **to ~ seats** zamieni-ć/ać się (z kimś) miejscami <na miejsca> 5. wymieni-ć/ać (walutę, opony itp.) 6. rozmieni-ć/ać (pieniądze na drobne) [II] *vi* 1. zmieni-ć/ać <odmieni-ć/ać> się; **to ~ for the better** polepsz-yć/ać <poprawi-ć/ać> się; **to ~ for the worse** pog-orszyć/arszać się 2. przemieni-ć/ać się (**into sth** w coś) 3. (*o wietrze*) zmieni-ć/ać kierunek 4. przesi-ąść/adać się (do innego pociągu itp.); **all ~!** wszyscy wysiadają (z pociągu itp.)!; koniec jazdy! 5. przeb-rać/ierać się; zmieni-ć/ać ubranie <suknię>

~ about *vi* zwr-ócić/acać się w przeciwnym kierunku; zmieni-ć/ać front <zdanie>

~ down *vi auto* zmieni-ć/ać bieg na niższy; włącz-yć/ać niższy bieg

~ over *vi* 1. zmieni-ć/ać (**from one system <cabinet, administration etc.> to another** ustrój <rząd, administrację itp.> na inn-y/ą) 2. (*o wartownikach itd*) z/luzować <zmieni-ć/ać> się

~ up *vi auto* zmieni-ć/ać bieg na wyższy; włącz-yć/ać wyższy bieg

[III] *s* 1. zmiana 2. odmiana; **for a ~** dla odmiany; na odmianę 3. rozmaitość; urozmaicenie 4. giełda 5. zmiana ubrania <bielizny>; ubranie zapasowe 6. zmiana koni; popas 7. przesiadanie (z jednego pociągu itp. na drugi); przesiadka 8. *zbior* drobne (pieniądze); *przen* **to get the ~ out of sb** odpłacić się komuś 9. reszta; **no ~ given** reszty się nie wydaje; pasażerowie <klienci itp.> obowiązani są płacić drobnymi pieniędzmi

changeable ['tʃeindʒəbl] *adj* zmienny; niestały; podlegający zmianom

changeful ['tʃeindʒful] *adj poet* niestały; zmienny

changeless ['tʃeindʒlis] *adj* niezmienny; stały; trwały

changeling ['tʃeindʒliŋ] *s* 1. (*w baśniach*) dziecko zamienione przez wróżkę itp.; odmieniec 2. zamienione dziecko 3. zamieniony przedmiot 4. † człowiek o zmiennym usposobieniu

change-over ['tʃeindʒ'ouvə] *s* 1. zmiana (ustroju, administracji, warty itd.) 2. *tenis* zmiana miejsc 3. zluzowanie

↑**channel** ['tʃænl] [I] *s* 1. koryto (rzeki itp.) 2. przepust; wjazd do portu; *mar* farwater 3. kanał (morski — La Manche itp.) 4. żłobek; rowek; kanalik; rynna (w maszynie itp.); **~ iron** żelazo korytkowe 5. żłobienie; wyżłobienie 6. rów (irygacyjny, odwadniający) 7. *dosł i przen* tor; droga (urzędowa itd.) 8. rynek zbytu 9. (*w akustyce itp*) kanał; droga [II] *vt* (**-ll-**) 1. wy/kopać rowy (**a field** na polu) 2. wyżł-obić/abiać; rowkować

chant [tʃɑ:nt] [I] *vt* 1. za/śpiewać (coś) monotonnie; za/intonować; **to ~ sb's praises** wychwalać <wysławiać> kogoś; piać hymny pochwalne na czyjąś cześć 2. sprzeda-ć/wać (konia z ukrytą wadą) [II] *vi* za/śpiewać psalmy [III] *s* 1. monotonny śpiew 2. śpiew kościelny; psalmodia 3. śpiewny akcent (w mowie)

chanter ['tʃɑ:ntə] *s* 1. kantor (kościelny) 2. solist-a/ka 3. jedna z piszczałek u kobzy

chanterelle [,tʃæntə'rel] *s bot* pieprznik jadalny (grzyb)

chanticleer [,tʃænti'kliə] *s* personifikacja koguta

chantry ['tʃɑ:ntri] *s* fundacja (kościelna)

chanty ['tʃɑ:nti] *s* chóralny śpiew marynarzy

chaos ['keiɔs] *s* chaos

chaotic [kei'ɔtik] *adj* chaotyczny; bezładny

chap¹ [tʃæp] [I] *vi* (**-pp-**) po/pękać [II] *s* pęknięcie (skóry, ziemi itp.); rysa

chap² [tʃæp] *s pot* facet; typ; gość; człowiek; jegomość; **a funny <queer, rum> ~** dziwny typ;

a good ~ dobry człowiek; *pot* porządny gość; **old ~**! mój drogi!; przyjacielu!; bracie!

chap³ [tʃæp] *s* podgardle (wieprzowe); *pl* **~s** ryj świński; **to lick one's ~s** obliz-ać/ywać się

chap-book ['tʃæpˌbuk] *s* popularna lektura (przeważnie broszury)

chape [tʃeip] *s* 1. (*w klamerce*) sztyfcik 2. (*u pochwy szpady*) skuwka

chapel ['tʃæpəl] *s* 1. kaplica; **~ of ease** kaplica dodana do kościoła parafialnego dla wygody wiernych daleko mieszkających 2. zbór; dom modlitwy (różnych sekt); **to keep a ~** być na nabożeństwie (szkolnym itp.) 3. związek zawodowy drukarzy 4. zebranie związku zawodowego drukarzy

chapelry ['tʃæpəlri] *s* parafia

chaperon ['ʃæpəˌroun] [I] *s* opiekun/ka; przyzwoitka [II] *vt* towarzyszyć (**a woman** kobiecie) w charakterze opiekuna <przyzwoitki>

chapfallen ['tʃæpˌfɔːlən] *adj* osowiały; zdeprymowany

chapiter ['tʃæpitə] *s arch* kapitel; górna część głowicy kolumny

chaplain ['tʃæplin] *s* kapelan

chaplaincy ['tʃæplinsi] *s* kapelaństwo, stanowisko kapelana

chaplet ['tʃæplit] *s* 1. wieniec, wianuszek 2. różaniec 3. korale (na szyję) 4. *arch* ornament w postaci drobnych perełek

chapman ['tʃæpmən] *s* (*pl* **chapmen** ['tʃæpmən]) domokrążca; kolporter

chapped [tʃæpt], **chappy** ['tʃæpi] *adj* popękany

chapter ['tʃæptə] *s* 1. (*dosł i przen*) rozdział (książki, życia itp.); **a ~ of accidents** seria nieszczęść; **to give ~ and verse for a piece of news <a story etc.>** podać z drobiazgową dokładnością źródło wiadomości <pogłoski itd.> 2. kapituła; zebranie kapituły 3. uchwała parlamentu

chapter-house ['tʃæptəˌhaus] *s* sala kapitulna

char¹ [tʃɑː] [I] *s* 1. posługa 2. *pot* posługaczka, dochodząca [II] *vi* (**-r-, -rr-**) posługiwać; (*także* **to go out ~ring**) chodzić na posługi

char² [tʃɑː] *v* (**-rr-**) [I] *vt* 1. wypalać węgiel drzewny 2. spal-ić/ać na węgiel; zwęgl-ić/ać 3. przypal-ić/ać 4. poparzyć [II] *vi* zwęgl-ić/ać się; spal-ić/ać się na węgiel

char³ [tʃɑː] *s zoo* odmiana pstrąga

char-a-banc, charabanc ['ʃærəˌbæŋ] *s* 1. brek 2. autokar wycieczkowy

↑**character** ['kæriktə] [I] *s* 1. litera; czcionka; *pl* **~s** pismo; **in German ~s** pismem gotyckim; **in large ~s** dużymi literami 2. charakter; rodzaj; **books of that ~** książki tego rodzaju; ten rodzaj książek; **to be in <out of> ~ with sth** harmonizować <nie harmonizować> z czymś; pasować <nie pasować> do czegoś; zgadzać <nie zgadzać> się z czymś; być <nie być> zgodnym z czymś 3. charakter (w jakim ktoś występuje); **in his ~ of dean etc.** w charakterze dziekana itp., jako dziekan itp. 4. charakter; silna wola; **a man of strong ~** człowiek z charakterem; **he lacks ~** to (jest) słaby charakter 5. cecha charakterystyczna; znamię; właściwość 6. charakter pisma; **have you a good ~**? czy masz ładne pismo? 7. sława, reputacja; **he is a man of bad ~** on ma złą sławę <reputację> 8. świadectwo (z zakładu pracy, ze służby); **to give sb a good ~** wystawić komuś dobre świadectwo 9. postać (z książki itp.); rola; **he was in ~** on wczuł się w swoją rolę; **he was out of ~** źle odtworzył (swoją) rolę <postać> 10. osobistość (powszechnie znana); znana sylwetka 11. dziwa-k/czka [II] *attr* charakterystyczny; (*o roli itp*) postaciowy [III] *vt* 1. u/charakteryzować 2. odda-ć/wać (postać); odtw-orzyć/arzać (rolę) 3. opis-ać/ywać 4. wpis-ać/ywać

character-building ['kæriktəˌbildiŋ] *s* kształcenie charakteru

characteristic [ˌkæriktə'ristik] [I] *s* 1. cecha charakterystyczna; osobliwość; właściwość 2. *mat* cecha (logarytmu) [II] *adj* charakterystyczny; właściwy; znamienny; cechujący

characterization [ˌkæriktərai'zeiʃən] *s* charakteryzacja; ucharakteryzowanie

characterize ['kæriktəˌraiz] *vt* 1. charakteryzować; znamionować; oznaczyć/ać; na/cechować 2. scharakteryzować; opis-ać/ywać 3. nadawać swoisty charakter (**sb, sth** komuś, czemuś)

characterless ['kæriktəlis] *adj* 1. bez cech charakterystycznych 2. mdły; nieciekawy; nieinteresujący 3. (*o pracowniku*) bez świadectw (z zakładów pracy)

charade [ʃə'rɑːd] *s* szarada

↑**charcoal** ['tʃɑːˌkoul] *s* 1. węgiel drzewny 2. węgiel do rysowania 3. rysunek węglem

chard [tʃɑːd] *s bot* burak boćwina

chare [tʃɛə] [I] *s* (*zw pl*) obsługa; posług-a/i [II] *vi* posługiwać; chodzić na posługi

↑**charge** [tʃɑːdʒ] [I] *vt* 1. na/ładować <nabi-ć/jać> (broń, baterię) 2. nasyc-ić/ać (powietrze itp. czymś) 3. obciąż-yć/ać (pamięć faktami itp.) 4. powierz-yć/ać (**sb with sth** coś komuś); **to ~ sb with a commission** dać komuś zlecenie; zlecić komuś coś 5. polec-ić/ać (**sb with sth** coś komuś) 6. oskarż-yć/ać <obwini-ć/ać> (**sb with sth** kogoś o coś); zarzuc-ić/ać (**sb with sth** coś komuś) 7. obciąż-yć/ać (**an expense to sb** kogoś kosztami czegoś); po/liczyć (**an expense to sb** komuś koszty czegoś); **~ sth on the bill** zapis-ać/ywać coś na (czyjś) rachunek 8. pob-rać/ierać (pewną kwotę) (**sb** od kogoś); **he ~d me a guinea for the visit** policzył mi <wziął ode mnie> jedną gwineę za wizytę 9. *sąd* poucz-yć/ać (przysięgłych) [II] *vi* wykon-ać/ywać szarżę kawaleryjską; rzuc-ić/ać się do ataku

~ down *vi* rzuc-ić/ać się <napa-ść/dać> (**upon sb** na kogoś)

[III] *s* 1. ładunek (naboju, baterii itd.) 2. koszt, opłata; należność; **at a ~ of ...** za opłatą ... (*x* pensów); **at his own ~** na koszt własny; **free of ~** bezpłatny, bezpłatnie; **no ~ for admittance** wstęp wolny; **no ~ is made for...** za... nie pobiera się opłaty 3. polecenie; pouczenie; **the judge's ~ to the jury** pouczenie przysięgłych przez sędziego 4. obowiązek; odpowiedzialność; piecza; opieka; kierownictwo; *kość* duszpasterstwo; **to take ~ of sb, sth** zaopiekować się kimś, czymś; **a child in ~ of a nurse** dziecko pod opieką bony; **a nurse in ~ of a child** bona opiekująca się dzieckiem; **the person in ~** kierownik; szef; referent; **to give sb ~ over sth** powierzyć komuś coś (biuro, warsztat, sklep itp.) 5. pupil-ek/ka; pacjent/ka; osoba znajdująca się pod czyjąś opieką <powierzona czyjejś opiece>; podopieczn-y/a; *kość* owieczka 6. oskarżenie; zarzut;

skarga; **on a ~ of (murder etc.)** pod zarzutem (morderstwa itd.); **to lay a ~ against sb** oskarżyć kogoś o <zarzucić komuś> coś 7. *wojsk* szarża; atak; **to return to the ~** wznowić atak
charger¹ ['tʃɑ:dʒə] *s* 1. rumak 2. *górn* ładowacz
charger² ['tʃɑ:dʒə] *s* duży półmisek
charge-sheet ['tʃɑ:dʒ,ʃi:t] *s* dzienny spis <wykaz> osób aresztowanych i przestępstw przez nie popełnionych
chariness ['tʃɛərinis] *s* 1. ostrożność; rozwaga 2. oszczędność (słów itp.)
chariot ['tʃæriət] *s* wóz; rydwan
charioteer [,tʃæriə'tiə] *s* woźnica na rydwanie; *astr* **the Charioteer** Woźnica
charitable ['tʃæritəbl] *adj* 1. (*o człowieku*) dobroczynny; hojny; życzliwy; miłosierny 2. (*o instytucji itp*) dobroczynny; charytatywny 3. (*o czynie*) miłosierny
charity ['tʃæriti] *s* 1. miłosierdzie; miłość bliźniego; życzliwość; **out of ~** a) z dobrego serca b) z litości 2. dobroczynność; uczynek miłosierny; jałmużna; datek na cele dobroczynne; **to live on ~** żyć z dobroczynności <z jałmużny>; **a ~ ball** bal na cele dobroczynne 3. instytucja dobroczynna <charytatywna>
charity-boy ['tʃæriti,bɔi], **charity-girl** ['tʃæriti,gə:l] *s* wychowan-ek/ka sierocińca <domu dziecka>
charity-school ['tʃæriti,sku:l] *s* sierociniec
charivari ['ʃɑ:ri'vɑ:ri] *s* 1. kocia muzyka 2. kakofonia 3. harmider 4. **Charivari** pismo satyryczne
charlady ['tʃɑ:,leidi] *s iron* jaśnie pani posługaczka
charlatan ['ʃɑ:lətən] *s* szarlatan
charlatanry ['ʃɑ:lətənri] *s* szarlataństwo; szarlataneria
Charles's-Wain ['tʃɑ:lziz,wein] *s astr* Wielka Niedźwiedzica
charleston ['tʃɑ:lstən] *s* charleston (taniec)
charlock ['tʃɑ:,lɔk] *s bot* gorczyca
charlotte ['ʃɑ:lət] *s* szarlotka
charm [tʃɑ:m] [I] *s* 1. zaklęcie 2. urok; wdzięk; powab; czar 3. maskotka [II] *vt* 1. urze-c/kać; za/czarować 2. o/czarować; zachwyc-ić/ać; **~ed to see you!** bardzo mi miło pan-a/ią widzieć!
  ~ away *vt* odczarować (coś)
  ~ out *vt* wyczarować (coś)
zob **charming**
charmer ['tʃɑ:mə] *s* czarodziej/ka
charmeuse [ʃɑ:'mə:z] *s* rodzaj bogatej materii na suknie damskie
charming ['tʃɑ:miŋ] [I] *zob* **charm** *v* [II] *adj* uroczy; czarowny; zachwycający
charmless ['tʃɑ:mlis] *adj* bez wdzięku
charnel-house ['tʃɑ:nl,haus] *s* kostnica
chart [tʃɑ:t] [I] *s* 1. mapa morska 2. wykres [II] *vt* 1. sporządz-ić/ać mapę morską (**a region etc.** okolicy itd.) 2. z/badać warunki żeglugi (**a region** w jakiejś okolicy) 3. sporządz-ić/ać wykres (**sth** czegoś) 4. za/notować (temperaturę chorego) na karcie choroby
charter ['tʃɑ:tə] [I] *s* 1. przywilej; statut; **~ member** członek założyciel (jakiejś instytucji) 2. karta; **the Atlantic Charter** Karta Atlantycka; **the Great Charter** Wielka Karta Wolności 3. *mar* charter, czarter [II] *vt* 1. za/łożyć/kładać (instytucję); nada-ć/wać patent (**an institution etc.** instytucji itd.) 2. za/frachtować (statek) *zob* **chartered**
chartered ['tʃɑ:təd] [I] *zob* **charter** *v* [II] *adj w zwrotach*: **~ accountant** dyplomowany księgowy; **~ bank** bank uprzywilejowany (mający specjalne uprawnienia)
charterer ['tʃɑ:tərə] *s mar* frachtujący, czarterujący
Charterhouse ['tʃɑ:tə,haus] *spr* 1. dom weteranów w Londynie 2. nazwa jednej z czołowych szkół angielskich
charter-party ['tʃɑ:tə,pɑ:ti] *s mar* charter, czarter, kontrakt frachtowy
chartism ['tʃɑ:tizəm] *s* czartyzm
chartist ['tʃɑ:tist] *s* czartysta
chartreuse [ʃɑ:'trə:z] *s* 1. klasztor kartuzów 2. szartreza (likier)
charwoman ['tʃɑ:,wumən] *s* (*pl* **charwomen** ['tʃɑ:,wimin]) posługaczka
chary ['tʃɛəri] *adj* (**charier** ['tʃɛəriə], **chariest** ['tʃɛəriist]) 1. ostrożny; rozważny 2. oszczędny; skąpy (w pochwałach itp.)
chase¹ [tʃeis] [I] *vt* 1. ścigać; po/gonić <po/gnać> (**sb, sth** za kimś, czymś) 2. polować (**the stag** na jelenia itp.) [II] *vr am* **~ oneself** wyn-ieść/osić się
  ~ away *vt* wygnać
  ~ off *vi* puścić się w pogoń <w pościg> (**after sb, sth** za kimś, czymś)
[III] *s* 1. gonitwa; pogoń, pościg; **in ~ of —** w pogoni za ...; **to give ~ to sb, sth** po/gonić za kimś, czymś; **a wild goose ~** daremny trud; **to go on a wild goose ~** a) wybrać się z motyką na słońce b) gonić za chimerami c) trudzić się na próżno 2. polowanie, łowy 3. zwierzyna 4. przedmiot pogoni; zdobycz 5. teren <obszar> polowania
chase² [tʃeis] *s* 1. lufa (broni palnej) 2. wyżłobienie; rowek 3. oprawa; rama; forma drukarska
chase³ [tʃeis] *vt* 1. wy/ryć (w metalu); wy/cyzelować 2. wy/kuć; wy/klepać (metal) *zob* **chasing**
chaser ['tʃeisə] *s* 1. ścigający 2. myśliwy; łowca 3. *mar* ścigacz
chasing ['tʃeisiŋ] [I] *zob* **chase³** [II] *s* 1. rytownictwo 2. wzór wyryty (w metalu)
chasm ['kæzəm] *s* 1. otchłań; próżnia 2. *dosł i przen* przepaść 3. rozpadlina
chassis ['ʃæsi] *s* (*pl* ~ ['ʃæsiz]) *techn* 1. podwozie 2. rama (radioodbiornika)
chaste [tʃeist] *adj* 1. czysty (moralnie); cnotliwy; żyjący w cnocie 2. (*o stylu, smaku itp*) czysty; nie zepsuty; nieskażony
chasten ['tʃeisn] *vt* 1. u/karać; doświadcz-yć/ać (kogoś) 2. za/dbać o czystość (**sth** czegoś — stylu itp.) 3. ustatkować; utemperować
chastise [tʃæs'taiz] *vt* 1. u/karać 2. z/bić; wy/chłostać
chastisement ['tʃæstizmənt] *s* 1. kara 2. chłosta
chastiser [tʃæs'taizə] *s* karząca dłoń
chastity ['tʃæstiti] *s* 1. czystość (moralna); dziewictwo; niewinność 2. (*w stylu itp*) prostota; nieskazitelność
chasuble ['tʃæzjubl] *s kośc* ornat
chat¹ [tʃæt] [I] *vi* (-tt-) po/gawędzić, po/gadać, po/rozmawiać [II] *s* 1. pogawędka; gawędzenie; pogwarka; **to have a ~** po/rozmawiać; po/gadać; po/gawędzić 2. pogadanka
chat² [tʃæt] *s zoo* ptak z rodziny drozdów

chatelaine [ˈʃætəˌlein] *s* 1. (*u gospodyni*) łańcuszek na klucze 2. gospodyni (we dworze wiejskim)
chat-potatoes [ˈtʃæt-pəˌteitouz], **chats** [tʃæts] *spl* drobne ziemniaki (dla świń)
↑**chattel** [ˈtʃætl] *s* ruchomość; sprzęt; **goods and ~s** dobytek; manatki
chatter [ˈtʃætə] [I] *vi* 1. za/świergotać; za/ćwierkać 2. (*o ptakach, dzieciach itd*) za/szczebiotać; za/paplać; *pot* za/trajkotać 3. za/skrzeczeć 4. za/terkotać; **my teeth ~ed** szczękałem <dzwoniłem> zębami [II] *s* 1. świergot; ćwierkanie 2. szczebiot (ptaków, dzieci itd.); paplanie; *pot* trajkotanie 3. skrzeczenie (ptaków, żab itp.) 4. szczękanie (zębów) 5. terkot (maszyn itp.)
chatterbox [ˈtʃætəˌbɔks] *s* 1. gaduła, pleciuga 2. szczebiotka 3. *sl* karabin maszynowy
chatty[1] [ˈtʃæti] *adj* (**chattier** [ˈtʃætiə], **chattiest** [ˈtʃætiist] gawędziarski; (*o artykule itp*) napisany stylem gawędziarskim
chatty[2] [ˈtʃæti] *s* (*w Indiach*) garnek gliniany
chatwood [ˈtʃætˌwud] *s* suche patyki; chrust
chaud-froid [ʃouˈfrwɑ:] *s* zimna potrawa z drobiu
chauffer [ˈtʃɔ:fə] *s* piecyk przenośny
chauffeur [ˈʃoufə] *s* szofer, kierowca (samochodu)
chauvinism [ˈʃouviˌnizəm] *s* szowinizm
chauvinist [ˈʃouvinist] *s* szowinist-a/ka
chaw [tʃɔ:] [I] *vt wulg* żuć
~ up *vt am* po/bić (przeciwnika) na głowę
[II] *s* prymka (tytoniu do żucia)
chaw-bacon [ˈtʃɔ:ˌbeikn] *s* prostak; człowiek nieokrzesany
↑**cheap** [tʃi:p] [I] *s w zwrocie:* **on the ~** tanio; tanim kosztem <sposobem> [II] *adj* 1. tani; niedrogi; **~ and nasty** tandetny; tani i niegustowny; **I feel ~** jestem nieswój; **to feel ~** a) wstydzić się b) nie mieć humoru; **to hold ~** mieć za nic; **to make oneself ~** nie cenić siebie; pospolitować się 2. bezwartościowy 3. *kolej* (*o biletach*) ulgowy; wycieczkowy; **~ tripper** wycieczkowicz 4. (*o uczuciach, pochwałach itp*) nieszczery 5. (*o zachowaniu*) w złym guście; niestosowny [III] *adv* tanio; niedrogo; **dirt ~** za bezcen, za psie pieniądze; **to buy <get> sth ~** kupić coś tanio <za tanie pieniądze>
cheapen [ˈtʃi:pən] [I] *vt* obniż-yć/ać cenę <wartość> (**sth** czegoś) [II] *vi* po/tanieć; spa-ść/dać w cenie
cheap-jack [ˈtʃi:pˌdʒæk] *s* domokrążca
cheaply [ˈtʃi:pli] *adv* tanio; **he got off ~** wyszedł (z opresji) obronną ręką; *pot* upiekło mu się
cheapness [ˈtʃi:pnis] *s* 1. taniość; niska cena 2. mała wartość (czegoś)
cheat [tʃi:t] [I] *s* 1. oszust/ka; szuler 2. † oszustwo; szulerstwo [II] *vt* 1. oszuk-ać/iwać; okpi-ć/wać; okra-ść/dać; **to ~ sb out of sth** wyłudzić coś od kogoś; oszukańskwem pozbawić kogoś czegoś 2. oszuk-ać/iwać (głód itp.); przem-óc/agać (zmęczenie itp.)
↑**check**[1] [tʃek] [I] *vt* 1. za/szachować; trzymać w szachu 2. zatrzym-ać/ywać; **za/hamować**; za/tamować; powstrzym-ać/ywać 3. *wojsk* z/ganić; s/krytykować 4. opanow-ać/ywać 5. s/kontrolować; sprawdz-ić/ać 6. nada-ć/wać (bagaż) [II] *vi* 1. za/wahać się; sta-nąć/wać 2. *myśl* s/tracić ślad <trop> zwierzyny 3. sprawdz-ić/ać (**on sth** coś)
~ in *vi* wpis-ać/ywać się na listę obecności (w zakładzie pracy)
~ off *vt* za/znaczyć <odfajkow-ać/ywać> (pozycje w spisie itp.)
~ out *vi* 1. podpis-ać/ywać się **na liście** pracowników po skończonym urzędowaniu <po pracy> 2. odejść 3. *am* wyrównać **rachunek** w hotelu i wyprowadzić się 4. *am* umrzeć
~ up [I] *vt* sprawdz-ić/ać (informację itp.) [II] *vi am* sprawdz-ić/ać (**on sth** coś)
[III] *s* 1. szach (królowi) 2. niepowodzenie (wojenne itd.); fiasko 3. zatrzymanie; zahamowanie; zatamowanie; powstrzymanie; hamulec; **to hold sb in ~** a) trzymać kogoś w szachu b) trzymać kogoś w ryzach 4. przerwa (w czymś) 5. zapora; opór; przeszkoda 6. kontrola; sprawdzenie (**on sth** czegoś) 7. bilet <odcinek, kupon> kontrolny; recepis; bloczek; numerek (z szatni itp.) 8. kontrola (w postaci zapisu, notatki itp.) 9. żeton; liczman; *am* **to hand in one's ~s** przenieść się na drugi świat 10. *am* czek (bankowy) 11. *myśl* strata śladu (przez psy) [IV] *attr* (*o eksperymencie itp*) kontrolny; **~ beam** radiolokacja
check[2] [tʃek] *interj pot* 1. zgoda! 2. zgadza się!
check[3] [tʃek] [I] *s* kratka (wzór, deseń na materiale itd.) [II] *adj* (*o materiale itd*) kratkowany, w kratkę
check-book [ˈtʃekˌbuk] *am* = **cheque-book**
checker [ˈtʃekə] *s* 1. = **chequer** 2. *pl* **~s** warcaby
checker-board [ˈtʃekəˌbɔ:d] *s* szachownica
checkmate [ˈtʃekˈmeit] [I] *interj* szach i mat! [II] *vt* 1. da-ć/wać mata (**sb** komuś) 2. *przen* za/szachować 3. *przen* **udaremni-ć/ać** (plany)
check-nut [ˈtʃekˌnʌt] *s techn* przeciwnakrętka
check-rein [ˈtʃekˌrein] *s* (*w uprzęży*) fasulec
check-room [ˈtʃekˌru:m] *s am* przechowalnia bagażu
check-row [ˈtʃekˌrou] *s* rząd pól na szachownicy
check-strap [ˈtʃekˌstræp] *s auto kolej* ogranicznik taśmowy (otwarcia drzwi)
check-string [ˈtʃekˌstriŋ] = **check-strap**
check-taker [ˈtʃekˌteikə] *s am* bileter/ka
check-up [ˈtʃekˈʌp] *s* kontrola
check-valve [ˈtʃekˌvælv] *s techn* zawór <wentyl> zwrotny
check-weigher [ˈtʃekˌweiə] *s górn* wagowy (pracownik)
Cheddar [ˈtʃedə] *spr* **~ cheese** gatunek sera
cheddite [ˈʃedait] *s* szedyt (materiał wybuchowy)
cheek [tʃi:k] [I] *s* 1. policzek; **~ by jowl** w wielkiej zażyłości 2. śmiałość; zuchwalstwo; czelność; tupet; impertynencja 3. *pl* **~s** szczęki <policzki> (imadła itp.) [II] *vt* zachow-ać/ywać się zuchwale (**sb** wobec kogoś); stawiać się (**sb** komuś)
cheekbone [ˈtʃi:kˌboun] *s* kość policzkowa
cheekily [ˈtʃi:kili] *adv* śmiało; zuchwale; z tupetem; impertynencko
cheek-tooth [ˈtʃi:kˌtu:θ] *s* (*pl* **cheek-teeth** [ˈtʃi:kˌti:θ]) ząb trzonowy
cheeky [ˈtʃi:ki] *adj* (**cheekier** [ˈtʃi:kiə], **cheekiest** [ˈtʃi:kiist]) śmiały; zuchwały; pełen tupetu, z tupetem; impertynencki
cheep [tʃi:p] [I] *vi* za/piszczeć [II] *s* pisk
cheeper [ˈtʃi:pə] *s* pisklę kuraka
cheer [tʃiə] [I] *s* 1. usposobienie; nastrój; samopoczucie; **good ~** otucha; **to be of good ~** nie tracić otuchy; **what ~?** jak się czujesz?; jak samopoczucie? 2. obfite jedzenie; **to make good ~** ucztować 3. *pl* **~s** okrzyki (radości, pochwa-

ły); **loud ~s** burzliwe oklaski; **three ~s for _!** niech żyje...! 4. zachęta; otucha 5. pocieszenie [III] *vt* 1. (*zw* **~ up**) doda-ć/wać otuchy (**sb** komuś); rozchmurz-yć/ać (kogoś); rozwesel-ić/ać; pociesz-yć/ać 2. wzn-ieść/osić okrzyki <wiwatować> (**sb** na czyjąś cześć); z/robić owację (**sb** komuś)

~ on *vt* zachęcać <zagrzewać> (**sb** kogoś); doda-ć/wać otuchy (**sb** komuś)

~ up [I] *vi* rozpog-odzić/adzać <rozchmurz-yć/ać> się; odzysk-ać/iwać otuchę; nab-rać/ierać otuchy; **~ up!** głowa do góry!; nie trać/cie ducha! [II] *vt* doda-ć/wać otuchy (**sb** komuś); pociesz-yć/ać

zob **cheering**

cheerful ['tʃiəful] *adj* 1. wesoły; ochoczy; pogodny; pełen otuchy 2. rozweselający

cheerfulness ['tʃiəfulnis] *s* 1. wesołość; pogoda ducha 2. wesoły <pogodny> charakter (krajobrazu, wnętrza itp.)

cheering ['tʃiəriŋ] [I] *zob* **cheer** *v* [II] *adj* 1. zachęcający 2. podnoszący na duchu 3. pogodny

cheerio ['tʃiəri'ou] *interj* 1. cześć!; czołem! 2. *przepijając do kogoś*: zdrowie!; nasze kawalerskie!; sto lat!; wiwat!

cheer-leader ['tʃiə,li:də] *s* wodzirej

cheerless ['tʃiəlis] *adj* posępny; smutny; ponury

cheery ['tʃiəri] *adj* (**cheerier** ['tʃiəriə], **cheeriest** ['tʃiəriist]) wesoły

cheese[1] [tʃi:z] *s* 1. ser; **a ~** a) gatunek sera b) serek; krąg sera; **green ~** twaróg; **to get the ~** mieć pecha; **I got the ~** nie udało mi się 2. wytłoczyny z jabłek 3. ser owocowy 4. *am* **big ~** gruba ryba; ważna osobistość 5. *pl* **~s** zabawa młodych dziewczynek, przy której sukienka wydyma się jak balon

cheese[2] [tʃi:z] *s pot* rzecz stosowna <godna naśladowania>; **he thinks he is quite the ~** on ma o sobie wysokie wyobrażenie; **that's the ~!** brawo!; to się chwali!

cheese[3] [tʃi:z] *vt sl w zwrocie*: **~ it!** przestań/cie!; dość tego!

cheesecake ['tʃi:z,keik] *s* sernik; ciastko z serem

cheese-cloth ['tʃi:z,klɔθ] *s* etamina, gaza

cheese-dairy ['tʃi:z,dɛəri] *s* serownia

cheese-fly ['tʃi:z,flai] *s zoo* mucha sernica

cheese-mite ['tʃi:z,mait] *s zoo* roztocz serowy

cheesemonger ['tʃi:z,mʌŋgə] *s* kup-iec/cowa handlując-y/a serem; właściciel/ka sklepu z nabiałem

cheese-paring ['tʃi:z,pɛəriŋ] [I] *s* 1. obrzynki; skórki z sera 2. *przen* skąpstwo; sknerstwo; **~ economy** groszowe oszczędności [II] *adj* skąpy

cheese-rennet ['tʃi:z,renit] *s bot* przytulia

cheesy[1] ['tʃ:zi] *adj* serowaty; serowy; mający smak <zapach, wygląd> sera

cheesy[2] ['tʃi:zi] *adj sl* szykowny

cheetah ['tʃi:tə] *s zoo* gepard

chef [ʃef] *s* mistrz kucharski

cheiropteran [kai'rɔptərən] *adj zoo* rękoskrzydły

chela ['ki:lə] *s* (*pl* **chelae** ['ki:li:]) kleszcz (raków, homarów)

chelonians [ki'louniənz] *spl zoo* żółwie

Chelsea ['tʃelsi] *spr* artystyczna dzielnica Londynu; **~ Hospital** zakład dla weteranów armii brytyjskiej

chemical ['kemikəl] [I] *adj* chemiczny; **~ agent** odczynnik [II] *s* 1. produkt <substancja> chemiczn-y/a 2. *pl* **~s** chemikalia 3. *pl* **~s** leki, lekarstwa

chemin de fer [ʃə,mɛ̃:-də'fɛə] *s karc* chemin de fer (rodzaj bakarata)

chemise [ʃi'mi:z] *s* koszula damska

chemisette [,ʃemi:'zet] *s* stanik

chemist ['kemist] *s* 1. aptekarz; **~'s shop** apteka 2. chemik

chemistry ['kemistri] *s* chemia

chemitype ['kemi,taip] *s druk* chemigrafia; chemotypia

chenille [ʃə'ni:l] *s* kordonek

chenopodium [,kenə'poudiəm] *s bot* gęsia stopa; mączyniec

cheque [tʃek] *s* czek

cheque-book ['tʃek,buk] *s* książeczka czekowa

chequer ['tʃekə] [I] *s* 1. szachownica 2. godło gospody (z wzorem szachownicy) 3. *am* deseń w kratkę 4. **Chequers** rezydencja wypoczynkowa premiera Wielkiej Brytanii [II] *vt* 1. kratkować; malować w kratkę <w szachownicę> 2. *druk* giloszować *zob* **chequered**

chequered ['tʃekəd] [I] *zob* **chequer** *v* [II] *adj* 1. pokratkowany; (malowany, rysowany) w kratkę 2. (*o życiu*) urozmaicony; burzliwy

chequer-work ['tʃekə,wə:k] *s druk* giloszowanie

cherish ['tʃeriʃ] *vt* 1. pieścić; miłować; pielęgnować 2. wypieścić (marzenie) 3. żywić (nadzieję); snuć (plany); **to ~ illusions** łudzić się

cheroot [ʃə'ru:t] *s* krótkie cygaro — mocne i obcięte z obu końców

cherry ['tʃeri] [I] *s* wiśnia; czereśnia; **~ stone** pestka czereśni <wiśni>; **(not) to make two bites at a ~** (nie) namyślać się [II] *adj* wiśniowy; czerwony

cherry-bob ['tʃeri,bɔb] *s* czereśnie <wiśnie> zrośnięte szypułkami

cherry-brandy ['tʃeri'brændi] *s* wiśniak, wiśniówka

cherry-pie ['tʃeri,pai] *s* 1. ciastko <placek> z czereśniami 2. *bot* heliotrop liliowy

cherry-pit ['tʃeri,pit] *s* zabawa dziecinna polegająca na rzucaniu pestek do wykopanego w ziemi dołka

cherry-ripe ['tʃeri,raip] *interj* do wiśni! (wołanie przekupnia owoców)

cherry-tree ['tʃeri,tri:] *s* wiśnia (drzewo); czereśnia (drzewo)

chert [tʃə:t] *s miner* rogowiec

cherub ['tʃerəb] *s* (*pl* **~im** ['tʃerə,bim]) cherub, cherubin; *przen* cherubinek

cherubic [tʃe'ru:bik] *adj* anielski

chervil ['tʃə:vil] *s bot* trybula, trybulka

Cheshire ['tʃeʃə] *spr* **~ cheese** gatunek sera; **~ cat** człowiek wiecznie uśmiechnięty; **to grin like a ~ cat** wyszczerzać wszystkie zęby

chess [tʃes] *s* szachy (gra)

chessboard ['tʃes,bɔ:d] *s* szachownica

chessel ['tʃesl] *s* forma do sera

chess-men ['tʃesmen] *spl* szachy (figury szachowe)

chest [tʃest] *s* 1. skrzynia; kufer; skrzynka (z narzędziami, przyborami itp.); **~ of drawers** komoda; **medicine ~** apteczka 2. *anat* klatka piersiowa; pierś; *pot* płuca; **to throw out one's ~** wypiąć pierś; **to get sth off one's ~** zrzucić ciężar z serca; wygadać się; ulżyć sobie (przez opowiedzenie tajemnicy itp.); *przen* wyspowiadać się

chesterfield ['tʃestə,fi:ld] *s* 1. rodzaj kanapy 2. rodzaj wciętego płaszcza

↑**chestnut** ['tʃes,nʌt] [I] *s* 1. kasztan (jadalny i dziki); **to pull sb's ~s out of the fire** wyciągać za kogoś kasztany z ognia, narażać się za kogoś 2. kasztan (koń) [II] *adj* kasztanowaty; kasztanowy

chestnut-man ['tʃesnʌt,mæn] *s* (*pl* **chestnut-men** ['tʃesnʌt,men]) przekupień sprzedający pieczone kasztany

chestnut-tree ['tʃesnʌt,tri:] *s bot* kasztan (drzewo)

chest-trouble ['tʃest,trʌbl] *s* choroba piersiowa; gruźlica

chest-voice ['tʃest,vɔis] *s* głos piersiowy

chesty ['tʃesti] *adj* 1. *am* próżny; zarozumiały 2. podatny na choroby płucne

cheval [ʃə'væl] *s* rama

cheval-glass [ʃə'væl,glɑ:s] *s* psyche (duże lustro)

chevalier [,ʃevə'liə] *s* 1. kawaler (orderu) 2. rycerski młodzieniec; **~ of industry** (*także* **~ d'industrie**) oszust; *pot* kanciarz

cheviot ['tʃeviət] *s tekst* szewiot

chevron ['ʃevrən] *s* szewron

chevy ['tʃevi] [I] *s* pogoń; gonitwa [II] *vt* = **chivy**

chew [tʃu:] [I] *vt* żuć; przeżuwać; *przen* przemyśleć [II] *vi* żuć; *przen* rozmyślać; zastanawiać się; przemyśliwać *zob* **chewing** [III] *s* 1. żucie 2. prymka (tytoniu do żucia)

chewing ['tʃu:iŋ] [I] *zob* **chew** *v* [II] *s* żucie [III] *attr* (*o gumie, tytoniu*) do żucia

chi *zob* **khi**

chiaroscuro [ki,ɑ:rəs'kuərou] *s* światłocień

chibook [tʃi'bu:k] *s* fajka turecka

chic [ʃi:k] [I] *s* szyk; elegancja [II] *adj* elegancki; szykownie ubrany

chicane [ʃi'kein] [I] *vt* szykanować; **to ~ sb into sth** szykanowaniem zmu-sić/szać kogoś do zrobienia czegoś; **to ~ sth out of sb** szykanowaniem wyłudzić <wydobyć> coś od kogoś [II] *s* 1. szykana; szykanowanie 2. (*w brydżu*) brak atutów w karcie

chicanery [ʃi'keinəri] *s* 1. szykany; szykanowanie 2. mędrkowanie; sofizmaty

chick [tʃik] *s* pisklę; **to have neither ~ nor child** być bezdzietnym

chickabiddy ['tʃikə,bidi] *s pieszcz* dzidziuś

chickadee [,tʃikə'di:] *s am* sikora

↑**chicken** ['tʃikin] *s* 1. kurczę, kurczątko; **don't count your ~s before they are hatched** nie łów ryb przed niewodem; nie krzycz hop, póki nie przeskoczysz; *pot* **that's their ~** to ich rzecz; niech się oni tym martwią; **she is no ~** ona (już) nie jest dzieckiem 2. *kulin* kurczę; kura 3. *zbior* drób

chicken-farm ['tʃikin,fɑ:m] *s* hodowla drobiu

chicken-hearted ['tʃikin'hɑ:tid] *adj* tchórzliwy; tchórzem podszyty

chicken-pox ['tʃikin,pɔks] *s med* ospa wietrzna

chickling ['tʃikliŋ] *s* 1. kurczątko 2. *bot* groszek

chick-pea ['tʃik,pi:] *s bot* groch włoski

chickweed ['tʃik,wi:d] *s bot* ptasie ziele

chicle ['tʃikl] *s* guma, z której sporządza się gumę do żucia

chicory ['tʃikəri] *s* cykoria

chid *zob* **chide**

chidden *zob* **chide**

chide [tʃaid] *vt* (**chid** [tʃid], **chidden** ['tʃidn]) z/łajać; strofować; z/besztać; da-ć/wać burę <reprymendę> (**sb** komuś) *zob* **chiding**

chiding ['tʃaidiŋ] [I] *zob* **chide** [II] *s* z/besztanie; bura; reprymenda

↑**chief** [tʃi:f] [I] *adj* główny; naczelny; najważniejszy; **Chief Justice** najwyższy sędzia [II] *s* 1. szef; kierownik; dyrektor 2. głowa; naczelnik; dowódca; wódz (plemienia) 3. to co najważniejsze; **in ~** zwłaszcza; szczególnie; w pierwszym rzędzie; przede wszystkim

chiefly ['tʃi:fli] *adv* głównie; zwłaszcza; szczególnie; w pierwszym rzędzie; przede wszystkim; w głównej mierze

chieftain ['tʃi:ftən] *s* 1. wódz 2. herszt

chieftaincy ['tʃi:ftənsi] *s* dowództwo; władza (nad grupą ludzi)

chiff-chaff ['tʃif,tʃæf] *s zoo* pliszka

chiffon ['ʃifɔn] *s* 1. *tekst* szyfon; gaza 2. *pl* **~s** ozdoby damskiej toalety

chiffonier [,ʃifə'niə] *s* bieliźniarka (mebel)

chignon ['ʃi:njɔ̃:] *s* kok <koczek> (w damskiej fryzurze)

chigoe ['tʃigou] *s zoo* pchła strefy tropikalnej (składająca jaja pod skórą człowieka)

chilblain ['tʃil,blein] *s* odmrożenie

↑**child** [tʃaild] *s* (*pl* **children** ['tʃildrən]) 1. dziecko; **be a good ~!** bądź grzeczn-y/a!; **from a ~** od dzieciństwa; **with ~** w ciąży, brzemienna; **to get a woman with ~** zapłodnić kobietę 2. potomek; syn; córka

child-bearing ['tʃaild,bɛəriŋ] *s* rodzenie; poród

↑**childbed** ['tʃaild,bed] *s* połóg

childbirth ['tʃaild,bə:θ] *s* poród

child(e) ['tʃaild] *s lit* rycerz; panicz

Childermas ['tʃildə,mæs] *s rel* święto Młodzianków

childhood ['tʃaildhud] *s* dzieciństwo; **in one's second ~** zdziecinniały

childish ['tʃaildiʃ] *adj* dziecinny

childishness ['tʃaildiʃnis] *s* dziecinada

childless ['tʃaildlis] *adj* bezdzietny

childlike ['tʃaildlaik] *adj* dziecinny; dziecięcy

child-murder ['tʃaild,mə:də] *s* dzieciobójstwo

children *zob* **child**

child's-play ['tʃaildz,plei] *s przen* dziecinna zabawa

chile, *am* **chili** ['tʃili] = **chilli**

Chilean ['tʃiliən] [I] *s* Chilij-czyk/ka [II] *adj* chilijski

chiliad ['kili,æd] *s* tysiąclecie

Chilian ['tʃiliən] = **Chilean**

chill [tʃil] [I] *s* 1. ziąb; chłód; **to take the ~ off sth** przygrzać coś 2. zaziębienie; **to catch a ~** zaziębi-ć/ać <przeziębi-ć/ać> się 3. dreszcz 4. deprymujący <przygnębiający> wpływ; szkodliwe działanie; **to cast a ~ over a company** z/mrozić <z/deprymować> towarzystwo [II] *adj* zimny; lodowaty [III] *vt* 1. oziębi-ć/ać; ostudz-ić/ać 2. zamr-ozić/ażać; **~ed meat** mięso mrożone 3. utwardzać (metal) [IV] *vi* o/stygnąć *zob* **chilling**

chilli ['tʃili] *s* czerwony pieprz

chilliness ['tʃilinis] *s dosł i przen* chłód; zimno

chilling ['tʃiliŋ] [I] *zob* **chill** *v* [II] *adj* zimny; lodowaty

chill-mould ['tʃil,mould] *s hut* kokila, wlewnica

chilly ['tʃili] *adj* (**chillier** ['tʃiliə], **chilliest** ['tʃil iist]) *dosł i przen* chłodny; zimny

Chiltern Hundreds ['tʃiltən'hʌndrədz] *s w zwrocie*: **to apply for the ~** zrzec się mandatu poselskiego

chime¹ [tʃaim] [I] *s* 1. (*także pl*) kurant 2. harmonia; zgoda 3. *pl* **~s** głos dzwonów [II] *vi* 1. (*o ku-*

rancie) za/brzmieć; za/grać 2. (*o zegarze*) grać <grywać> kurant/y; wybi-ć/jać godzin-ę/y [III] *vt* wydzw-onić/aniać (godziny itp.)

~ **in** *vi* harmonizować <być zgodnym, zgadzać się> (**with sth** z czymś); dostr-oić/ajać się (**with sth** do czegoś); przyklas-nąć/kiwać (**with sth** czemuś); wtrąc-ić/ać (coś do rozmowy)

chime^{2} [tʃaim] *s* wątor (beczki itp.)

chimera [kai'miərə] *s* chimera

chimere [tʃi'miə] *s* symara (szata biskupa anglikańskiego)

chimeric(al) [kai'merik(l)] *adj* chimeryczny

chimney ['tʃimni] *s* komin; (*we wspinaczce górskiej*) komin; szczelina; **lamp** ~ szkiełko (do lampy naftowej)

chimney-corner ['tʃimni,kɔ:nə] *s* kącik przy kominku

chimney-jack ['tʃimni,dʒæk] *s* smok (na kominie)

chimney-piece ['tʃimni,pi:s] *s* gzyms nad kominkiem

chimney-pot ['tʃimni,pɔt] [I] *s* nadstawka kominowa [II] *attr* ~ **hat** cylinder (kapelusz)

chimney-sweep ['tʃimni,swi:p] *s* kominiarz

chimney-sweeper ['tʃimni,swi:pə] *s* 1. szczotka kominiarska 2. kominiarz

chimpanzee [,tʃimpæn'zi:] *s zoo* szympans

chin [tʃin] *s* podbródek; broda (jako część twarzy); **up to the** ~ po uszy

china ['tʃainə] *s* 1. porcelana 2. *zbior* naczynia porcelanowe

china-clay ['tʃainə,klei] *s* glinka porcelanowa; kaolin

Chinaman ['tʃainəmən] *s* (*pl* **Chinamen** ['tʃainəmən]) Chińczyk

china-shop ['tʃainə,ʃɔp] *s* skład porcelany

china-town ['tʃainə,taun] *s* dzielnica chińska (miasta poza Chinami)

china-ware ['tʃainə,wɛə] *s* porcelana (naczynia porcelanowe)

chinch [tʃintʃ] *s am* pluskwa

chinchilla [tʃin'tʃilə] *s* 1. *zoo* szynszyla 2. szynszyle (futro)

chin-chin ['tʃin'tʃin] *interj* 1. cześć!; czołem! 2. *przepijając do kogoś*: zdrowie!; nasze kawalerskie!; sto lat!; wiwat!

chin-deep ['tʃin'di:p] *adv dosł i przen* po uszy

chine^{1} [tʃain] [I] *s* 1. grzbiet (zwierzęcia) 2. grzbiet (górski); grań [II] *vt* rozci-ąć/nać (rybę) wzdłuż grzbietu; wyj-ąć/mować kręgosłup (**a fish** ryby)

chine^{2} [tʃain] *s* (*w Hampshire i na wyspie Wight*) wąwóz

Chinee [tʃai'ni:] *s am pot* Chi-ńczyk/nka

Chinese [tʃai'ni:z] [I] *s* Chi-ńczyk/nka [II] *adj* chiński; ~ **lantern** lampion

Chink^{1} [tʃiŋk] *s sl* Chi-ńczyk/nka

chink^{2} [tʃiŋk] [I] *s* szczelina; szpara [II] *vi* po/pękać [III] *vt* zat-kać/ykać szpary (**a boat etc.** w łodzi itd.); uszczelni-ć/ać

chink^{3} [tʃiŋk] [I] *s* 1. brzęk; brzęczenie 2. *sl* forsa [II] *vt* 1. pobrzękiwać (**sth** czymś — pieniędzmi itd.) 2. trącić się (**glasses** kieliszkami) [III] *vi* za/brzęczeć

chink^{4} [tʃiŋk] [I] *s* spazmatyczny śmiech <kaszel> [II] *vi* zan-ieść/osić się od śmiechu <od kaszlu>

chinook [tʃi'nu:k] *s* 1. ciepły, suchy wiatr wiejący na zachodnich stokach Gór Skalistych 2. **Chinook** nazwa szczepu indiańskiego

chintz [tʃints] *s tekst* perkal

chip^{1} [tʃip] *v* (**-pp-**) [I] *vt* 1. za/strugać 2. odłup-ać/ywać 3. wyszczerbi-ć/ać 4. za/kpić (**sb** z kogoś) [II] *vi* 1. z/łuszczyć się 2. wyszczerbi-ć/ać się 3. za/kpić (**at sb** z kogoś)

~ **in** *vi* 1. postawić/stawiać (jakąś kwotę na kartę itp.) 2. wtrąc-ić/ać się (do rozmowy)

~ **off** [I] *vi* (*o farbie itp*) odprysk-ać/iwać; z/łuszczyć się [II] *vt* odłup-ać/ywać

[III] *s* 1. wiór; drzazga; **a** ~ **of the old block a)** (*o synu*) wykapany ojciec b) godny potomek swych (zacnych) przodków 2. odłamek (kamienia itp.) 3. szczerba 4. żeton 5. *pl* ~**s** *kulin* frytki; **fish and** ~**s** ryba z frytkami

chip^{2} [tʃip] *vt* (**-pp-**) (*przy mocowaniu się*) podstawi-ć/ać nogę (**one's opponent** przeciwnikowi)

chip-basket ['tʃip,bɑ:skit] *s* łubianka; koszyk (na jagody itp.)

chipmunk ['tʃip,mʌŋk] *s zoo* wiewiórka ziemna

Chippendale ['tʃipən,deil] *spr* styl meblarski z XVIII w.

chipper^{1} ['tʃipə] *vi* 1. za/szczebiotać 2. po/gawędzić

chipper^{2} ['tʃipə] [I] *adj am* wesoły [II] *vi* odmłodnieć; ożywi-ć/ać się

chippy ['tʃipi] *adj* (**chippier** ['tʃipiə], **chippiest** ['tʃipiist]) 1. chory po przepiciu; cierpiący na katzenjamer <na kociokwik, *pot* na kaca>; **to be** ~ mieć kaca 2. suchy; nudny 3. zły; w złym humorze

chirk [tʃə:k] *vt am pot w zwrocie*: **to** ~ **sb up** rozweselić <ożywić> kogoś

chirm [tʃə:m] *s am dial* świegot ptaków

chirograph ['kaiərou,grɑ:f] *s* cyrograf

chiromancy ['kaiərou,mænsi] *s* wróżenie z ręki

chiropodist [ki'rɔpədist] *s* pedicurzyst-a/ka

chiropractic [,kaiərou'præktik] *s* kręgarstwo, leczenie uciskiem na wyrostki kręgowe

chiroptera [kai'rɔptərə] *spl* zwierzęta rękoskrzydłe

chirp [tʃə:p] [I] *s* ćwierkanie <szczebiot> (ptaków) [II] *vi* za/ćwierkać; za/szczebiotać

chirpiness ['tʃə:pinis] *s* dobry humor; żwawość; ożywienie

chirpy ['tʃə:pi] *adj* (**chirpier** ['tʃə:piə], **chirpiest** ['tʃə:piist]) w dobrym humorze; żwawy; ożywiony

chirrup ['tʃirəp] *vi* 1. = **chirp** 2. cmok-nąć/ać językiem (na konia itp.) 3. *sl teatr* być klakierem

chisel ['tʃizl] [I] *s* 1. dłuto 2. *przen* snycerstwo; sztuka rzeźbiarska [II] *vt* (**-ll-**) 1. wy/dłutować 2. wy/rzeźbić; wy/cyzelować 3. *sl* oszwabi-ć/ać; oszuk-ać/iwać *zob* **chiselled**

chiselled ['tʃizld] [I] *zob* **chisel** *v* [II] *adj* 1. (jak) rzeźbiony 2. wycyzelowany

chit^{1} [tʃit] *s* dziecko; (*o dziewczynce*) dzierlatka

chit^{2} [tʃit] *s* bilecik; karteczka; bon (do kasy)

chit^{3} [tʃit] *s am* pęd (rośliny)

chitchat ['tʃit,tʃæt] *s* pogawędka; ploteczki

chitin ['kaitin] *s* chityna

chitterlings ['tʃitəliŋz] *spl* flaczki

chitty ['tʃiti] *s* (*w Indiach*) 1. bilecik 2. przepustka 3. świadectwo

chivalrous ['ʃivəlrəs] *adj* rycerski

chivalry ['ʃivəlri] *s* 1. rycerstwo 2. rycerskość

chives [tʃaivz] *spl* szczypiorek

chivy ['tʃivi] *vt* (**chivied** ['tʃivid], **chivied**; **chivy-**

ing ['tʃiviiŋ]) 1. odpędz-ić/ać 2. gonić (w grze w mety)

~ about *vt* zadręczać (kogoś)

chloasma [klou'æzmə] *s* (*pl* **~ta** [klou'æzmətə]) *med* ostuda (choroba skóry)

chloracetic [ˌklɔ:rə'si:tik] *adj chem* chlorooctowy

chloral ['klɔ:rəl] *s chem* chloral; **~ hydrate** wodnik chloralu

chlorate ['klɔ:reit] *s chem* chloran

chloric ['klɔ:rik] *adj chem* chlorowy

chloride ['klɔ:raid] *s chem* chlorek

chlorinate ['klɔ:riˌneit] *vt* chlorkować

chlorine ['klɔ:ri:n] I *s chem* chlor II *attr* chlorowy

chloroform ['klɔrəˌfɔ:m] I *s* chloroform II *vt* uśpić/usypiać chloroformem

chlorophyll ['klɔrəˌfil] *s* chlorofil

chlorosis [klɔ:'rousis] *s med* blednica

chlorotic [klə'rɔtik] *adj med* blednicowy

chlorous ['klɔ:rəs] *adj chem* chlorawy

chock [tʃɔk] I *vt* za/klinować

~ up *vt* 1. umocować klinami (beczką itd.) 2. zap-chać/ychać <zastawi-ć/ać> (pokój meblami itd.)

II *s* klin (drewniany); klocek

chock-a-block ['tʃɔkə'blɔk], **chockfull** ['tʃɔkful] *adj* nabity; przepełniony; pełny po brzegi

chocolate ['tʃɔklit] I *s* czekolada II *adj* czekoladowy; **~ cream** a) czekoladka nadziewana; pralinka b) krem czekoladowy

choctaw ['tʃɔktɔ:] *s łyżw* przekładanka

choice [tʃɔis] I *s* 1. wybór; alternatywa; **to make** <**take**> **one's ~** wyb-rać/ierać, dokon-ać/ywać wyboru; **at ~** według <do> wyboru; dowolnie; **Hobson's ~** sytuacja bez alternatywy <przymusowa>; **I have no ~ but to** — nic mi innego nie pozostało jak ...; **I have no particular ~** wszystko mi jedno; **the country of one's ~** przybrana ojczyzna; **the girl of one's ~** wybranka 2. chęć <ochota> (na coś); **for ~** najchętniej; **that's my ~** mam na to ochotę 3. dobór; asortyment 4. elita <śmietanka, kwiat> (społeczeństwa itd.) II *adj* wybrany; wyborny; wyborowy; doborowy; w najlepszym gatunku; luksusowy

choiceness ['tʃɔisnis] *s* doborowa jakość (artykułu)

choir ['kwaiə] I *s* 1. prezbiterium 2. chór kościelny 3. zespół śpiewaczy II *vi poet* za/śpiewać chórem

choir-boy ['kwaiəˌbɔi] *s* 1. ministrant 2. chłopiec śpiewający w chórze kościelnym

choir-organ ['kwaiərˌɔ:gən] *s* 1. małe organy w prezbiterium kościoła 2. najcichszy rejestr w organach

choke [tʃouk] I *vt* 1. za/dusić; przydusić; z/dławić; udławić; **a voice ~d with sobs** głos zdławiony łkaniem 2. zat-kać/ykać (rurę itp.) II *vi* 1. u/dusić <u/dławić> się; *przen* dusić się (**with laughter etc.** ze <od> śmiechu itd.) 2. zat-kać/ykać się

~ back *vt* z/dławić (wzruszenie, łzy itp.)

~ down *vt* z/dławić (wzruszenie, łzy itp.); **to ~ down one's food** dławiąc się <z trudem> poł-knąć/ykać jedzenie

~ in *vi am* trzymać język za zębami

~ off *vt* pozby-ć/wać się (**sb** kogoś); **to ~ sb off from doing sth** odradz-ić/ać komuś robienie czegoś

~ up *vi am* trzymać język za zębami

III *s* 1. duszenie się; dławienie; zduszenie; przyduszenie 2. *techn* dławik 3. zwężenie wylotu lufy (strzelby)

choke-cherry ['tʃouk'tʃeri] *s* gatunek wiśni amerykańskiej

choke-damp ['tʃoukˌdæmp] *s* czad (w kopalni)

choke-pear ['tʃoukˌpɛə] *s* nazwa różnych odmian niesmacznych gruszek; *przen* gorzka pigułka do połknięcia

choker ['tʃoukə] *s sl* kołnierz

choking-coil ['tʃoukiŋˌkɔil] *s elektr* cewka dławikowa

choky[1] ['tʃouki] *adj* (**chokier** ['tʃoukiə], **chokiest** ['tʃoukiist]) 1. (*o głosie*) zdławiony (wzruszeniem itp.) 2. (*o atmosferze, powietrzu*) duszny

choky[2] ['tʃouki] *s* (*w Indiach*) 1. cło 2. *sl* ciupa; więzienie

choler ['kɔlə] *s* 1. żółć 2. gniew

cholera ['kɔlərə] *s* cholera; **chicken ~** pomór drobiu

choleraic [ˌkɔlə'reiik] *adj med* choleryczny, cholerowy

choleric ['kɔlərik] *adj* choleryczny

cholerine ['kɔləˌri:n] *s med* choleryna

choliamb ['kouliˌæm] *s prozod* choliamb

chondral ['kɔndrəl] *adj anat* chrząstkowy

choose [tʃu:z] *v* (**chose** [tʃouz], **chosen** ['tʃouzn]) I *vt* 1. wyb-rać/ierać 2. ob-rać/ierać; **to ~ sb (for a) king** obrać kogoś królem; **there is nothing to ~ between them** nie ma żadnej różnicy między nimi; wart Pac pałaca II *vi* 1. mieć wybór (**between sth** między czymś) 2. chcieć; postan-owić/awiać; woleć; **as you ~** proszę bardzo; **do just as you ~** zrób/cie jak ci <wam> się podoba; **I cannot ~ but** — nie mogę nie ...; **if you ~** jeżeli postanowi-sz/cie <ma-sz/cie zamiar, ochotę>; **to pick and ~** przebierać, grymasić; **when I ~** kiedy będę chciał <zechcę, będzie mi się podobało>; **whether he ~s or not** (czy) chce czy nie chce *zob* **chosen**

chooser ['tʃu:zə] *s* wybierając-y/a

choos(e)y ['tʃu:zi] *adj* (**choosier** ['tʃu:ziə], **choosiest** ['tʃu:ziist]) *sl* grymaśny

chop[1] [tʃɔp] *v* (**-pp-**) I *vt* 1. rąbać (drzewo itd.) 2. po/siekać (jarzyny, mięso itd.) 3. odci-ąć/nać; siekać (wyrazy itp.) II *vi* 1. walić toporem <siekierą> (**at sth** w coś) 2. zamierz-yć/ać się toporem <siekierą> (**at sb, sth** na kogoś, coś)

~ away *vt* odci-ąć/nać; odrąb-ać/ywać

~ down *vt* ści-ąć/nać

~ off *vt* odci-ąć/nać; odrąb-ać/ywać

~ out *vt* wycios-ać/ywać (coś z drzewa, kamienia itp.)

~ up *vt* posiec, posiekać

zob **chopping** III *s* 1. ścięcie; odcięcie; odrąbanie 2. płat (odcięty tasakiem, toporem); kotlet (wieprzowy, cielęcy, barani); zraz 3. *sport* ścięcie piłki 4. pluskanie (morza)

chop[2] [tʃɔp] *s* podgardle (wieprzowe); *pl* **~s** ryj świński; **to lick one's ~s** oblizywać się

chop[3] [tʃɔp] *s* 1. stempel urzędowy; marka (fabryczna) 2. pozwolenie 3. paszport 4. gatunek <jakość> (towaru)

chop[4] [tʃɔp] *v* (**-pp-**) I *vt w zwrocie*: **to ~ logic** spierać się o drobiazgi II *vi* 1. zaj-ąć/mować się handlem zamiennym 2. zamieni-ć/ać się 3. nie być stałym 4. za/wahać się

~ **about** <**round**> *vi* odmieni-ć/ać się; (*o wietrze*) odwr-ócić/acać się
[II] *s* 1. zamiana; wymiana 2. zmienność; niestałość 3. wahanie się
chop-chop ['tʃɔp,tʃɔp] *adv dial* szybko; prędzej
chop-house ['tʃɔp,haus] *s* garkuchnia; tania jadłodajnia
chopper^1 ['tʃɔpə] *s* tasak
chopper^2 ['tʃɔpə] *s* (*w Indiach*) strzecha
chopping ['tʃɔpiŋ] [I] *zob* **chop**^{1} *v* [II] *s* pluskanie morza; krótka fala
chopping-block ['tʃɔpiŋ,blɔk] *s* kloc; pniak (rzeźniczy)
choppy^1 ['tʃɔpi] *adj* (**choppier** ['tʃɔpiə], **choppiest** ['tʃɔpiist]) (*o morzu*) lekko wzburzony
choppy^2 ['tʃɔpi] *adj* (**choppier** ['tʃɔpiə], **choppiest** ['tʃɔpiist]) 1. (*o wietrze itd*) zmienny 2. (*o rynku*) niepewny
chop-sticks ['tʃɔp,stiks] *spl* chińskie pałeczki do jedzenia
chop-suey ['tʃɔp,sui] *s* chińska potrawa ze smażonego mięsa z cebulą i ryżem
choral ['kɔ:rəl] *adj* chóralny; ~ **service** nabożeństwo anglikańskie polegające na śpiewaniu hymnów
choral(e) [kɔ'rɑ:l] *s* chorał
chord^1 [kɔ:d] *s* 1. struna (harfy, głosowa); **to touch the right** ~ potrącić właściwą strunę 2. cięciwa (łuku, *także geom*)
chord^2 [kɔ:d] *s* 1. akord 2. harmonia
chordal ['kɔ:dl] *adj* 1. *muz* akordowy 2. *anat* strunowy
chordata [kɔ:'deitə] *spl zoo* strunowce
chore [tʃɔ:] *s* 1. (czarna) robota; zadanie; praca do odrobienia 2. *pl* ~**s** posługi 3. *am pot przen* kierat codzienny
chorea [kɔ:'riə] *s* pląsawica, taniec św. Wita
choree [kɔ:'ri:] *s prozod* chorej, trochej
choreography [,kɔri'ɔgrəfi] *s* choreografia
chorion ['kɔ:rien] *s anat* kosmówka
chorister ['kɔristə] *s* 1. chórzysta 2. *am* kierownik chóru
chorography [kɔ:'rɔgrəfi] *s geogr* chorografia
choroid ['kɔ:rɔid] *s anat* naczyniówka
chortle ['tʃɔ:tl] [I] *vi* (*o człowieku*) za/rechotać [II] *s* rechotanie (śmiech)
chorus ['kɔ:rəs] [I] *s* 1. chór; **in** ~ chórem; chóralnie; *przen* jednogłośnie; *przen* **a** ~ **of praise** hymny pochwalne 2. refren [II] *vi* za/śpiewać <powiedzieć/mówić> **chórem**
chorus-girl ['kɔ:rəs,gə:l] *s* tancerka rewiowa; chórzystka zespołu rewiowego
chorus-singer ['kɔ:rəs,siŋə] *s* chórzyst-a/ka
chose *zob* **choose**
chosen ['tʃouzn] [I] *zob* **choose**; **a** ~ **few** garstka wybranych (osób) [II] *spl* **the** ~ wybrani
chou [ʃu:] *s* kokarda; rozetka
chough [tʃʌf] *s zoo* kruk
chouse [tʃaus] [I] *s* oszustwo [II] *vt* oszuk-ać/iwać; okpi-ć/wać; *pot* oszwabi-ć/ać; **to** ~ **sth out of sb** podstępnie wyłudz-ić/ać coś od kogoś
chow^1 [tʃau] *s* 1. *austral sl* **Chow** Chi-ńczyk/nka 2. *zoo* (pies) chow-chow, czau-czau
chow^2 [tʃau] *s am sl* żarcie, jedzenie
chow-chow ['tʃau'tʃau] *s* mieszanina; chińska mieszanina konserwowanych owoców <marynowanych jarzyn>

chowder ['tʃaudə] *s* potrawa amerykańska z ryby <z wieprzowiny itd.>
chrestomathy [kres'tɔməθi] *s* chrestomatia, wypisy; wybór pism
chrism ['krizəm] *s kośc* krzyżmo, chryzmo (olej)
chrismatory ['krizmətəri] *s kośc* chryzmał (naczynie)
Christ [kraist] *spr* Chrystus; **the** ~ **Child** Dzieciątko Jezus
Christ-cross-row, criss-cross-row ['kriskrɔs,rou] *s* 1. znak krzyża 2. † alfabet, abecadło
christen ['krisn̩] *vt* 1. o/chrzcić 2. nada-ć/wać imię (**sb, sth** komuś, czemuś) *zob* **christening**
Christendom ['krisn̩dəm] *s* chrześcijaństwo
christening ['krisn̩iŋ] [I] *zob* **christen** [II] *s* chrzest
Christian ['kristjən] [I] *s* chrześcijan-in/ka [II] *adj* chrześcijański; *sl* cywilizowany; ~ **name** imię chrzestne; ~ **Science** a) organizacja religijna zwalczająca m. in. choroby jedynie wiarą b) metoda leczenia wiarą
Christianity [,kristi'æniti] *s* chrześcijaństwo
christianize ['kristjə,naiz] *vt* nawr-ócić/acać na wiarę chrześcijańską
christian-like ['kristjən,laik] *adj adv* jak przystało na chrześcijanina; po chrześcijańsku
Christie's ['kristiz] *spr* londyński salon sztuki
Christlike ['kraist,laik] *adj* Chrystusowy
Christmas ['krisməs] *spr* Boże Narodzenie; gwiazdka; **a merry** ~ wesołych świąt (Bożego Narodzenia); **Father** ~ Gwiazdor
Christmas-box ['krisməs,bɔks] *s* gwiazdka (datek, przeważnie pieniężny, ofiarowywany w krajach anglosaskich zwykle w drugi dzień świąt Bożego Narodzenia)
Christmas-card ['krisməs,kɑ:d] *s* ozdobna kartka z życzeniami wesołych świąt (Bożego Narodzenia)
Christmas-carol ['krisməs,kærəl] *s* kolęda
Christmas-eve ['krisməs'i:v] *s* wigilia Bożego Narodzenia
Christmas-number ['krisməs'nʌmbə] *s* gwiazdkowy numer gazety <czasopisma>
Christmas-pudding ['krisməs'pudiŋ] *s* tradycyjna potrawa angielska, podawana w święta Bożego Narodzenia
Christmas-tree ['krisməs,tri:] *s* choinka, drzewko
chromate ['kroumit] *s chem* chromian
chromatic [krou'mætik] *adj* 1. *muz* chromatyczny 2. (*o druku itd*) barwny; polichromiczny
chromatics [krou'mætiks] *s* chromatyka
chromatin ['kroumətin] *s biochem* chromatyna
chromatrope ['krɔmə,troup] *s opt* chromatotrop (przyrząd)
chrome [kroum] [I] *s* **chrom** [II] *attr* (*o kolorze, skórze, stali itd*) chromowy; ~ **yellow** żółcień chromowa
chromic ['kroumik] *adj* chromowy
chromite ['kroumait] *s* 1. *miner* chromit 2. *chem* chromin
chromium ['kroumiəm] [I] *s chem* chrom (pierwiastek) [II] *attr* chromowy
chromium-plated ['kroumiəm,pleitid] *adj* chromowany
chromium-plating ['kroumiəm,pleitiŋ] *s* chromowanie
chromogene ['kroumə,dʒi:n] *s biol chem* chromogen
chromograph ['kroumə,grɑ:f] *s druk* chromodruk

chromolithograph ['kroumou'liθə,grɑ:f] *s druk* chromolitografia
chromosome ['kroumə,soum] *s biol* chromosom
chromosphere ['kroumə,sfiə] *s astr* chromosfera
chromotype ['kroumou,taip] *s druk* chromotypia
chromous ['krouməs] *adj chem* chromawy
chronic ['krɔnik] *adj* 1. chroniczny; ~ **ill-health** trwała <stała> niezdolność do pracy 2. *sl* pieroński <cholerny> (ból itd.); straszliwy
chronicity [krə'nisiti] *s* chroniczność
chronicle ['krɔnikl] [I] *s* kronika [II] *vt* notować (**events** wypadki); prowadzić kronikę (**events** wypadków)
chronicler ['krɔniklə] *s* kronikarz
chronologic(al) [,krɔnə'lɔdʒik(l)] *adj* chronologiczny
chronology [krə'nɔlədʒi] *s* chronologia
chronometer [krə'nɔmitə] *s* chronometr
chrysalis ['krisəlis] *s* (*pl* **chrysalides** [kri'sæli,di:z], ~**es**) poczwarka
chrysanthemum [kri'sænθəməm] *s bot* chryzantema
chrysoberyl [,krisə'beril] *s miner* chryzoberyl
chrysolite ['krisou,lait] *s miner* chryzolit
chrysoprase ['krisou,preiz] *s miner* chryzopraz
chub [tʃʌb] *s zoo* kleń (ryba)
chubbiness ['tʃʌbinis] *s* pucołowatość
chubby ['tʃʌbi] *adj* (**chubbier** ['tʃʌbiə], **chubbiest** ['tʃʌbiist]) pucołowaty
chubby-cheeked ['tʃʌbi,tʃi:kt] *adj* pucołowaty; pyzaty
chuck[1] [tʃʌk] [I] *s* 1. gdakanie 2. cmokanie języ-kiem [II] *vi* 1. za/gdakać 2. cmok-nąć/ać 3. wołać na kury cip! cip! [III] *interj* ~ ~! a) (*do kur*) cip-cip! b) (*do świń*) nyś-nyś!
chuck[2] [tʃʌk] *s pieszcz* moje kurczątko; kochanie
chuck[3] [tʃʌk] [I] *s* 1. głaskanie pod brodę 2. *pot* wylanie (z posady itp.); **to give sb the** ~ wylać kogoś [II] *vt* 1. po/głaskać <wziąć/brać> (kogoś) pod brodę 2. *pot* cis-nąć/kać; po/rzucić (kogoś, coś) 3. *pot* wyrzucić <wylać> (kogoś); ~ **it!** przestań/cie; zamknij/cie buzię!
~ **about** *vt* roz/trwonić (pieniądze); **to** ~ **one's weight about** z/robić się ważnym
~ **away** *vt* wyrzuc-ić/ać
~ **in** [I] *vt sl w zwrocie*: ~ **one's hand in** cisnąć karty na stół [II] *vi sl* przyzna-ć/wać się do porażki
~ **out** *vt* wyrzuc-ić/ać; ~**ing out time** czas zamykania (piwiarni itp.)
~ **over** *vt* rzuc-ić/ać; *pot* ~ **me over a cigarette** rzuć we mnie papierosem
~ **up** *vt* porzuc-ić/ać; zarzuc-ić/ać
chuck[4] [tʃʌk] *s am sl* żarcie; jedzenie; prowiant
chucker-out ['tʃʌkər,aut] *s* (*pl* **chuckers-out** ['tʃʌkəz,aut]) człowiek pilnujący porządku (w lokalu nocnym itp.); *pot* wykidajło
chuck-hole ['tʃʌk,houl] *s* wybój (na drodze)
chuckle ['tʃʌkl] [I] *s* zduszony śmiech; chichot [II] *vi* za/śmiać się po cichu <w kułak>; za/chichotać
chuckle-head ['tʃʌkl,hed] *s* bęcwał; cymbał
chuckle-headed ['tʃʌkl,hedid] *adj* głupi; pustogłowy
chuck-wagon ['tʃʌk,wægən] *s am* wóz z żywnością <z prowiantem>
chuddar ['tʃʌdə] *s* (*w Indiach*) **szal**
chuffy ['tʃʌfi] *adj* 1. gburowaty; nieokrzesany 2. pucołowaty
chug [tʃʌg] *vi* (**-gg-**) (*o lokomotywie itp*) sapać; dyszeć
chum [tʃʌm] [I] *s* towarzysz; kolega; przyjaciel; *pot* kumpel [II] *vi* (**-mm-**) 1. przyjaźnić się; być (z kimś) w zażyłych stosunkach 2. za/mieszkać (z kimś) razem
chummy ['tʃʌmi] *adj* (**chummier** ['tʃʌmiə], **chummiest** ['tʃʌmiist]) 1. przyjazny; przyjaźnie usposobiony 2. familiarny; koleżeński; **to be** ~ **with sb** przyjaźnić się z kimś; być z kimś w zażyłych stosunkach <za pan brat>
chump [tʃʌmp] *s* 1. kloc 2. płat mięsa; ~ **chop** kotlet (wycięty) z uda baraniego 3. *sl* pała; łeb; głowa; **a silly** ~ głupia pała; dureń; **he is off his** ~ a) zwariował b) to wariat
chump-end ['tʃʌmp,end] *s* gruby koniec (uda baraniego itp.)
chunk [tʃʌŋk] *s* 1. klocek 2. kromka; pajda; skibka (chleba, sera itp.)
church [tʃə:tʃ] [I] *s* 1. kościół (budynek i instytucja); **the Church of England** Kościół anglikański 2. religia; **the Established Church** religia panująca (w Anglii) 3. stan duchowny; **to go into** <**enter**> **the Church** przyjąć święcenia; zostać duchownym 4. nabożeństwo; **to go to** ~ a) iść <chodzić> do kościoła b) pójść/chodzić na nabożeństwo [II] *attr* kościelny [III] *vt kośc* za/prowadzić (kobietę) na wywód; **to be** ~**ed** mieć ślub kościelny *zob* **churching**
church-goer ['tʃə:tʃ,gouə] *s* człowiek religijny <praktykujący>
church-going ['tʃə:tʃ,gouiŋ] *adj* praktykujący; religijny
churching ['tʃə:tʃiŋ] [I] *zob* **church** *v* [II] *s kośc* wywód
churchman ['tʃə:tʃmən] *s* (*pl* **churchmen** ['tʃə:tʃmən]) duchowny
church-owl ['tʃə:tʃ,aul] *s zoo* sowa płomykówka
church-rate ['tʃə:tʃ,reit] *s* danina na parafię
church-text ['tʃə:tʃ,tekst] *s* gotyk, pismo gotyckie
churchwarden ['tʃə:tʃ,wɔ:dn] *s* członek komitetu parafialnego
church-worker ['tʃə:tʃ,wə:kə] *s* działacz/ka parafialn-y/a
churchy ['tʃə:tʃi] *adj* (**churchier** ['tʃə:tʃiə], **churchiest** ['tʃə:tʃiist]) agresywnie religijny; **a** ~ **man** bigot; klerykał; † dewot
churchyard ['tʃə:tʃ,jɑ:d] [I] *s* cmentarz; dziedziniec kościelny [II] *attr* cmentarny; **a** ~ **cough** złowróżbny kaszel
churl [tʃə:l] *s* 1. gbur; prostak 2. **sknera**
churlish ['tʃə:liʃ] *adj* 1. grubiański; nieokrzesany 2. skąpy
churlishness ['tʃə:liʃnis] *s* 1. grubiaństwo; prostactwo 2. skąpstwo; sknerstwo
churn [tʃə:n] [I] *s* 1. maślnica 2. bańka na mleko [II] *vt* 1. z/robić <ubi-ć/jać> (masło) 2. miesić (błoto itp.) 3. s/kłócić (płyn); wprawi-ć/ać w wir; tworzyć kipiel (sth z czegoś) [III] *vi* 1. za/kipieć 2. s/pienić się
chut [tʃʌt] *interj* cmoknięcie wyrażające zniecierpliwienie
chute[1] [ʃu:t] *pot* = **parachute**
chute[2] [ʃu:t] *s* 1. zsuwnia; rynna; pochylnia; zsyp; zrzutnia 2. zjeżdżalnia (dla dzieci)

chutnee, chutney ['tʃʌtni] *s* ostry sos korzenny
chyle [kail] *s fizj* mlecz <sok> pokarmowy
chylous ['kailəs] *adj fizj* mleczowy
chyme [kaim] *s fizj* miazga pokarmowa
ciborium [si'bɔ:riəm] *s kośc* cyborium
cicada [si'kɑ:də], **cicala** [si'kɑ:lə] *s zoo* cykada (owad)
cicatrice ['sikətris], **cicatrix** [si'keitriks] *s* (*pl* **cicatrices** [ˌsikə'traisi:z]) blizna; szrama
cicatrization [ˌsikətri'zeiʃən] *s* zabliźni-enie/anie się
cicatrize ['sikəˌtraiz] *vt vi* zabliźni-ć/ać <za/goić> (się)
cicely ['sisili] *s bot* marchewnik anyżowy
cicerone [ˌtʃitʃə'rouni] *s* (*pl* **ciceroni** [ˌtʃitʃə'rouni:]) przewodnik; cicerone
Ciceronian [ˌsisə'rounjən] *adj* cyceroński; krasomówczy
cider ['saidə] *s* jabłecznik (napój)
cider-press ['saidəˌpres] *s* prasa do wyciskania soku z owoców
cigar [si'gɑ:] *s* cygaro
cigar-cutter [si'gɑ:ˌkʌtə] *s* gilotynka do cygar
cigarette [ˌsigə'ret] *s* papieros
cigarette-case [ˌsigə'retˌkeis] *s* papierośnica
cigarette-holder [ˌsigə'retˌhouldə] *s* cygarniczka; *pot* fifka
cigar-shaped [si'gɑ:ˌʃeipt] *adj* w kształcie <kształtu> cygara
cilia ['siliə] *spl anat* rzęsy; *bot zoo* rzęski; migawki
ciliary ['siliəri] *adj* rzęsowy
cilice ['silis] *s* włosiennica
Cimmerian [si'miəriən] [I] *adj* cymeryjski [II] *s* Cymeryj-czyk/ka; *przen* ~ **darkness** ciemności egipskie
cinch [sintʃ] [I] *s* 1. popręg 2. *sl* rzecz pewna, *pot* mur [II] *vt* zacis-nąć/kać popręg (**a horse** koniowi)
cinchinine ['siŋkəˌnain] *s chem* cynchonina (alkaloid)
cinchona [siŋ'kounə] *s bot* china; kora chinowa
cincture ['siŋktʃə] [I] *s poet i przen* pas; *arch* pasek <listewka> (kolumny) [II] *vt* opas-ać/ywać
cinder ['sində] *s* 1. żużel; **to burn to a** ~ <**to** ~**s**> spalić (się) na popiół 2. *pl* ~**s** popioły
Cinderella [ˌsində'relə] *spr* Kopciuszek
cinder-path ['sindəˌpɑ:θ], **cinder-track** ['sindəˌtræk] *s* tor żużlowy
cinécamera [ˌsini'kæmrə] *s* aparat do zdjęć filmowych; kamera filmowa
cinema ['sinimə] *s* kino; ~ **circuit** sieć kin należących do jednego przedsiębiorstwa
cinemactor ['sinimˌæktə] *s am sl* aktor filmowy
cinemactress ['sinimˌæktris] *s am sl* aktorka filmowa
cinematograph [ˌsini'mætəˌgrɑ:f] [I] *s* kinematograf [II] *vt* s/filmować
cinematographic [ˌsiniˌmætə'græfik] *adj* kinematograficzny
cinematography [ˌsinimə'tɔgrəfi] *s* kinematografia
cinerama [ˌsini'rɑ:mə] *s* kinorama <cinerama> (plastyczne kino panoramiczne)
cineraria [ˌsinə'rɛəriə] *s bot* cyneraria, popielnik
cinerary ['sinərəri] *adj* ~ **urn** popielnica; urna
cineration [ˌsinə'reiʃən] *s* spopielenie
cinereous [si'niəriəs] *adj* szaropopielaty
Cingalese [ˌsiŋgə'li:z] [I] *adj* cejloński [II] *s* Cejlo-ńczyk/nka
cingulum ['siŋgjuləm] *s anat chir zoo* pas
cinnabar ['sinəˌbɑ:] *s* cynober
cinnamic [si'næmik] *adj chem* (*o kwasie, alkoholu*) cynamonowy
cinnamon ['sinəmən] *s* cynamon
cinque [siŋk] *s* piątka (w kartach i kościach)
cinquecentist [ˌsiŋkwi'tʃentist] *s* artysta z okresu renesansu włoskiego
cinquecento [ˌsiŋkwi'tʃentou] *s* renesans włoski
cinquefoil ['siŋkˌfɔil] *s bot* srebrnik
cipher, cypher ['saifə] [I] *s* 1. *dosł i przen* zero 2. szyfr; ~ **officer** oficer szyfrowy 3. monogram; cyfra [II] *vi* 1. po/rachować; po/liczyć 2. (*o piszczałce organowej*) za/buczeć; za/piszczeć [III] *vt* na/pisać szyfrem
cipher-key ['saifəˌki:] *s* klucz szyfrowy
circa ['sə:kə] *adv* około (jakiegoś roku); ~ **1660** około **1660** r.
circinate ['sə:siˌneit] *adj bot* ślimakowaty
circle ['sə:kl] [I] *s* 1. koło; krąg; obwód; **a vicious** ~ błędne koło; **the family** ~ kółko rodzinne; **to have** ~**s round the eyes** mieć podkrążone oczy 2. obrót; orbita; **to come full** ~ zrobić obrót o 360 stopni <pełny obrót> 3. *teatr* **the upper** ~ galeria drugiego piętra 4. środowisko; *pl* ~**s** koła <sfery> (artystyczne, naukowe itd.) [II] *vt* 1. okrąż-yć/ać; ot-oczyć/aczać; opas-ać/ywać [III] *vi* krążyć
circlet ['sə:klit] *s* 1. kółeczko 2. diadem
circs [sə:ks] *pot* = **circumstances; under the** ~ w tych warunkach
circuit ['sə:kit] [I] *s* 1. obwód; okręg 2. pas; opasanie 3. obrót; koło; obieg; okrążenie 4. objazd (podległego okręgu) 5. okręg objazdowy; rewir 6. objazd (zboczenie z drogi); **you have to make a wide** ~ trzeba daleko ob-ejść/chodzić <obje-chać/żdżać> 7. *elektr* obwód; **a short** ~ spięcie, zwarcie 8. = **cinema** ~ *zob* **cinema** [II] *vt* okrąż-yć/ać [III] *vi* krążyć
circuitous [sə'kjuitəs] *adj* okrężny
circuitously [sə'kjuitəsli] *adv* naokoło; okrężną drogą
circular ['sə:kjulə] [I] *adj* 1. kołowy; kolisty 2. okrężny; okólny; ~ **note** <**letter of credit**> akredytywa; ~ **saw** piła tarczowa [II] *s* okólnik
circularity [ˌsə:kju'læriti] *s* kolistość
circularize ['sə:kjuləˌraiz] *vt* 1. roz-esłać/syłać okólniki (**sb** komuś) 2. zawiad-omić/amiać za pomocą okólników
circulate ['sə:kjuˌleit] [I] *vt* pu-ścić/szczać w obieg <w krąg> [II] *vi* 1. krążyć 2. obiegać; kursować; być w obiegu *zob* **circulating**
circulating ['sə:kjuˌleitiŋ] [I] *zob* **circulate** [II] *adj* 1. okrężny; **a** ~ **library** wypożyczalnia książek 2. (*o pieniądzu itd*) obiegowy 3. (*o ułamku*) okresowy 4. (*o kapitale itd*) obrotowy
circulation [ˌsə:kju'leiʃən] *s* 1. krążenie; obieg (banknotów itd.); **the** ~ **of the blood** krążenie krwi; krwiobieg 2. obrót (kapitału itd.) 3. nakład (gazety itp.)
circulatory ['sə:kjulətəri] *adj fizj* krążeniowy, obiegowy
circumambient [ˌsə:kəm'æmbiənt] *adj* otaczający, okalający
circumambulate [ˌsə:kəm'æmbjuˌleit] *vi dosł i przen* krążyć
circumbendibus [ˌsə:kəm'bendibəs] *s żart* mowa wymijająca; wykręty

circumcise ['sə:kəm,saiz] *vt* 1. obrzezać 2. *przen* oczy-ścić/szczać (z grzechu)
circumcision [,sə:kəm'siʒən] *s* 1. obrzezanie; *przen* **the Circumcision** Żydzi 2. *kośc* **Circumcision of Christ** obrzezanie Pańskie (1 stycznia)
circumference [sə'kʌmfərəns] *s* obwód
circumferentor [sə'kʌmfə,rentə] *s techn* grafometr, kątomierz z lunetką
circumfluent [sə:'kʌmfluənt] *adj* opływający; oblewający; otaczający
circumfuse [,səkəm'fju:z] *vt* obl-ać/ewać (dookoła)
circumjacent [,səkəm'dʒeisənt] *adj* okalający, otaczający
circumlocution [,sə:kəmlə'kju:ʃən] *s* 1. omówienie 2. mowa bez treści 3. mowa wymijająca
circumnavigate [,sə:kəm'nævi,geit] *vt* opły-nąć/wać (kraj, kontynent, świat itd.) dookoła; okrąż-yć/ać
circumpolar [,sə:kəm'poulə] *adj astr* podbiegunowy
circumscribe ['sə:kəm,skraib] *vt* 1. opis-ać/ywać 2. ot-oczyć/aczać 3. ogranicz-yć/ać 4. odgranicz-yć/ać 5. określ-ić/ać
circumscription [,sə:kəm'skripʃən] *s* 1. opis; opisanie 2. okólny napis (na monecie, medalu itp.) 3. otoczenie; peryferia 4. ograniczenie 5. odgraniczenie 6. określenie 7. okręg; obwód
circumspect ['sə:kəm,spekt] *adj* ostrożny; przezorny; rozważny; roztropny
circumspection [,sə:kəm'spekʃən] *s* ostrożność; przezorność; roztropność; rozwaga
circumstance ['sə:kəmstəns] *s* 1. okoliczność; **the ~ that—** to, że... 2. wydarzenie; wypadek 3. szczegół; szczegółowe opowiadanie; **with great <much> ~** szczegółowo (opowiedzieć) 4. pompa; ceremonia; **with pomp and ~** uroczyście; **without ~** bez ceremonii; bez żenady 5. *pl* **~s** okoliczności; warunki; **under the ~s** w tych warunkach; **under any ~s** bez względu na okoliczności; **in no ~s** pod żadnym warunkiem 6. *pl* **~s** położenie; sytuacja; stan majątkowy; **in easy ~s** dobrze sytuowany; (żyjący) w dobrobycie; **in straitened <bad> ~s** w trudnych warunkach; w biedzie 7. *am pot w zwrocie:* **he <she, it etc.> is not a ~ to —** on <ona, ono itd.> nie da się porównać z <ani się umywa do>...
circumstanced ['sə:kəmstənst] *adj* sytuowany; **to be well <poorly> ~** znajdować się w dobrych <złych> warunkach; znajdować się w korzystnym <niekorzystnym> położeniu; być w pomyślnej <niepomyślnej> sytuacji
circumstantial [,sə:kəm'stænʃəl] *adj* 1. okolicznościowy; przypadkowy 2. uboczny 3. szczegółowy <drobiazgowy> (opis itp.) 4. **~ evidence** dowód pośredni
circumvallate [,sə:kəm'væleit] *vt wojsk* ot-oczyć/aczać szańcami
circumvent [,sə:kəm'vent] *vt* podejść; okpi-ć/wać
circumvolution [,sə:kəmvəlu:ʃən] *s* 1. otoczenie; okolenie 2. obrót 3. zwój
circus ['sə:kəs] *s* 1. cyrk; *pot* **to make a ~ of oneself** z/robić z siebie widowisko; **travelling ~** a) cyrk objazdowy b) *pot wojsk* eskadra lotnicza c) *pot wojsk* desant 2. arena 3. plac (u zbiegu kilku ulic)
cirque [sə:k] *s* kotlina
cirrhosis [si'rousis] *s med* ciroza, marskość
cirriped ['siri,ped], **cirripede** ['siri,pi:d] *s zoo* wąsonóg (skorupiak)
cirro-cumulus ['sirou'kju:mjuləs] *s meteor* chmura pierzasto-kłębiasta
cirro-stratus ['sirou'streitəs] *s meteor* chmura pierzasto-warstwowa
cirrous ['sirəs] *adj* 1. *bot* wąsaty; posiadający wąsy 2. *meteor* (*o chmurze*) pierzasty
cirrus ['sirəs] *s* (*pl* **cirri** ['sirai]) 1. *meteor* chmura pierzasta 2. *bot zoo* wąs
cirsocele ['sə:sə,si:l] *s med* żylak powrózka nasiennego
cisalpine [sis'ælpain] *adj* przedalpejski
cisatlantic [,sisət'læntik] *adj* (położony) z tej strony Atlantyku
cismontane [sis'mɔntein] *adj* (położony) z tej strony gór <Alp>; przedgórski; przedalpejski
cist [sist] *s archeol* grobowiec
Cistercian [sis'tə:ʃjən] I *s* cysters II *adj* cysterski; (*o zakonie itd*) cystersów
cistern ['sistən] *s* zbiornik na wodę; cysterna
cistus ['sistəs] *s bot* czystek
citadel ['sitədl] *s* cytadela; twierdza
citation [sai'teiʃən] *s* 1. cytat; przytoczony ustęp (z danego dzieła); przytoczenie (autora) 2. wezwanie (do sądu) 3. *wojsk* pochwała; wzmianka pochwalna
cite [sait] *vt* 1. za/cytować <przyt-oczyć/aczać> (autora, dzieło itp.) 2. wezwać/wzywać (do sądu) 3. *wojsk* udzielać pochwały w rozkazie (**sb** komuś)
cithern ['siθən], **cittern** ['sitə:n] *s muz* cytra
citizen ['sitizn] *s* 1. obywatel/ka; **~ of the world** obywatel świata; kosmopolita 2. mieszczan-in/ka; obywatel/ka miasta
citizenship ['sitiznʃip] *s* 1. obywatelstwo 2. poczucie obywatelskie; obywatelskie zachowanie się 3. *am* cnoty obywatelskie
citrate ['sitrit] *s chem* cytrynian
citric ['sitrik] *adj* cytrynowy
citrine ['sitrin] I *s miner* cytryn II *adj* cytrynowy, żółty
citron ['sitrən] *s bot* cedrat (odmiana cytryny)
citrus ['sitrəs] *s bot* drzewo cytrusowe
cittern *zob* **cithern**
city ['siti] I *s* 1. miasto; wielkie miasto; **the Eternal City** Wieczne Miasto, Rzym; **the Holy City** Jerozolima 2. *przen* główna kwatera; ośrodek 3. (*w Londynie*) **the City** City (śródmieście, centrum finansów i handlu) II *attr* **City** 1. finansowo-ekonomiczny 2. związany z City londyńskim; (*o życiu itd*) londyńskiego City; **a ~ company** gildia; cech
citywards ['sitiwədz] *adv* do miasta; ku miastu
civet ['sivit], **~-cat** ['sivit,kæt] *s* 1. cybet (zwierzę) 2. cybety (futro)
civic ['sivik] *adj* 1. obywatelski; (*u staroż. Rzymian*) **~ crown** wieniec z liści dębowych 2. miejski; **~ centre** centrum administracyjne miasta
civics ['siviks] *s* nauka o prawach i obowiązkach obywatela
civies ['siviz] = **civvies**
civil ['sivl] *adj* 1. (*o prawach itd*) obywatelski; **~ list** lista cywilna; kwota uchwalana co roku przez parlament na utrzymanie rodziny królewskiej; **~ servant** urzędnik państwowy; **the ~ service** służba państwowa; administracja; urzędy 2. (*o kodeksie, ślubie itd*) cywilny; **~ defence** cywilna obrona przeciwlotnicza; **~ engineer** inżynier

budownictwa lądowego i wodnego; **in ~ life** w cywilu; *prawn* **~ law** prawo świeckie <cywilne> 3. grzeczny; uprzejmy 4. (*o dniu, roku*) kalendarzowy 5. (*o wojnie*) domowy

civilian [si'viljən] I *s* cywil; obywatel II *adj* cywilny; **in ~ clothes** po cywilnemu

civilianize [si'viljə,naiz] *vt* przenieść (jeńca wojennego) do kategorii osób cywilnych

civilist ['sivilist] *s prawn* cywilista

civility [si'viliti] *s* grzeczność; uprzejmość

civilization [,sivilai'zeiʃən] *s* cywilizacja

civilize ['sivi,laiz] *vt* u/cywilizować

civism ['sivizəm] *s* zasady cnót obywatelskich

civvies ['siviz] *spl* cywilne ubranie; **in ~** (ubrany) po cywilnemu

civvy ['sivi] = **civilian** *s; sl* **Civvy Street** życie w cywilu

clabber ['klæbə] *s irl* kwaśne mleko

clack [klæk] I *vi* 1. za/klekotać 2. za/trajkotać II *s* 1. trzask 2. klekot, klekotanie 3. (*także* **~ -valve**) klapa <zawór> (pompy) 4. trajkotanie

clad † *zob* **clothe**

claim [kleim] I *vt* 1. za/żądać <domagać się> (**sth** czegoś) 2. rościć sobie prawo <mieć pretensje, wystąpić z pretensją> (**sth** do czegoś) 3. przypis--ać/ywać sobie (zwycięstwo itd.) 4. twierdzić <utrzymywać> (**sth** coś; **to have done sth** że <jakoby> się coś zrobiło) 5. zasługiwać (**attention etc.** na uwagę itd.) II *s* 1. żądanie; domaganie się (jakiegoś prawa itp.); **a ~ for damages** żądanie odszkodowania; skarga o odszkodowanie 2. prawo; **to lay ~ to sth** rościć sobie prawo <pretendować> do czegoś 3. pretensja; reklamacja; zażalenie; skarga; **a legal ~ to sth** prawnie uzasadnione pretensje do czegoś 4. dług 5. twierdzenie 6. działka (złotodajna)

claimant ['kleimənt] *s* pretendent/ka; roszcząc-y/a sobie prawo (do czegoś); domagający-y/a się (czegoś)

clairvoyance [klɛə'vɔiəns] *s* jasnowidztwo

clairvoyant [klɛə'vɔiənt] *s* jasnowidz, jasnowidzący

clairvoyante [klɛə'vɔiənt] *s* jasnowidząca

clam [klæm] *s* 1. mięczak jadalny 2. *przen* człowiek skryty; milczek

clamant ['kleimənt] *adj* 1. (*o niesprawiedliwości itp*) krzyczący; rażący 2. (*o kwestii, potrzebie itp*) pilny; palący

clambake ['klæm,beik] *s am* wspóln-y/a posiłek <uczta> na świeżym powietrzu

clamber ['klæmbə] I *vi* wspi-ąć/nać <wdrap-ać/ywać> się (na coś); w/gramolić się II *s* wspi-ęcie/nanie <wdrap-anie/ywanie, w/gramolenie> się

clammy ['klæmi] *adj* (**clammier** ['klæmiə], **clammiest** ['klæmiist]) 1. (*o rękach, powietrzu itp*) wilgotny i zimny 2. lepki 3. (*o pieczywie*) zakalcowaty

clamorous ['klæmərəs] *adj* hałaśliwy; krzykliwy; wrzaskliwy; wrzeszczący

clamour ['klæmə] I *s* krzyk; wrzask; wrzawa II *vi* krzyczeć; wrzeszczeć; podn-ieść/osić larum <wrzask>; **to ~ against sth** z krzykiem <z wrzaskiem> za/protestować przeciw czemuś; **to ~ for sth** wrzaskliwie domagać się czegoś III *vt w zwrocie:* **to ~ sb into doing sth** krzykiem wymu-sić/szać coś od kogoś <zmu-sić/szać kogoś do zrobienia czegoś>; **to ~ sth out of sb** krzykiem wymu-sić/szać coś od kogoś

~ down *vt* 1. zakrzyczeć (kogoś) 2. zagłusz-yć/ać wrzaskiem (czyjś głos)

clamp[1] [klæmp] I *s* 1. klamra 2. kleszcze 3. imadło 4. śruba stolarska II *vt* ścis-nąć/kać; sp-oić/ajać

~ down <on> *vt* przymocow-ać/ywać

clamp[2] [klæmp] I *s* 1. stos (cegieł itd.) 2. kopiec (ziemniaków itd.) 3. śmietnisko II *vt* 1. za/kopcować (ziemniaki itd.) 2. (*także* **~ up**) ułożyć/układać w stos (cegły itd.)

clamp[3] [klæmp] I *s* ciężkie stąpanie II *vi* ciężko stąpać

clan [klæn] I *s* 1. klan 2. *przen* klika; ekskluzywne towarzystwo II *vi w zwrocie:* **to ~ together** a) trzymać się zwarcie razem b) tworzyć klikę

clandestine [klæn'destin] *adj* skryty; potajemny; tajny

clang [klæŋ] I *vi* za/brzęczeć; za/brząkać; za/dźwięczeć; za/dzwonić; roz/brzmieć II *vt* dzwonić (**sth** czymś); **he ~ed the bell** hałasował <alarmował> dzwonkiem III *s* brzęk; szczęk; dzwonienie

clangorous ['klæŋgərəs] *adj* brzęczący; dźwięczący; głośny

clangour ['klæŋgə] *s* brzęczenie; dźwięczenie; szczęk; dzwonienie

clank [klæŋk] I *s* brzęk; szczęk II *vi* za/brzęczeć; za/brząkać; pobrzękiwać; za/szczękać

clannish ['klæniʃ] *adj* 1. klanowy 2. oddany klanowi <towarzystwu, klice> 3. ekskluzywny

clannishness ['klæniʃnis] *s* 1. klanowość 2. ekskluzywność

clansman ['klænzmən] *s* (*pl* **clansmen** ['klænzmən]) członek klanu

clap[1] [klæp] I *s* 1. klaśnięcie; trzepnięcie 2. klaskanie; oklaski 3. klep-nięcie/anie <poklepywanie> (po plecach, ramieniu); *przen* pochwała; zachęta 4. huk <trzask> (piorunu itp.) II *vt* (**-pp-**) 1. trzepnąć/trzepać; trzepotać (**sth** czymś); **a bird ~s its wings** ptak trzepocze skrzydłami; **to ~ one's hands** klaskać; oklaskiwać 2. klep-nąć/ać (kogoś po plecach, ramieniu na znak przyjaźni, poufałości, pochwały, zachęty) 3. trzasnąć 4. zrobić (coś) szybko <gwałtownie, bez namysłu, popędliwie>; **to ~ duty on goods** obłożyć towar cłem; **to ~ eyes on** _ widzieć <zobaczyć, spostrzec>...; **to ~ sb in prison** wtrącić kogoś do więzienia; **to ~ spurs to a horse** spiąć konia ostrogami III *vi* (**-pp-**) 1. klas-nąć/kać; oklaskiwać 2. (*o pokrywce itp*) zatrzas-nąć/kiwać się

~ on *vt* szybko <bez namysłu> na-łożyć/kładać <narzuc-ić/ać>; **to ~ on one's hat** nacisnąć kapelusz (na głowę); *mar* **to ~ on sail** pośpiesznie podnieść żagle

~ to *vt* zatrzas-nąć/kiwać (wieko itd.)

~ up *vt* naprędce załatwi-ć/ać; **to ~ up a bargain** dobić targu; **to ~ up a peace** naprędce zaw-rzeć/ierać <s/klecić> pokój

zob **clapping**

clap[2] [klæp] *s wulg* tryper

clapboard ['klæp,bɔ:d] *s* 1. klepka (beczki) 2. *pl* **~s** oszalowanie (ściany)

clap-net ['klæp,net] *s* samołówka; potrzask

clapper ['klæpə] *s* 1. serce dzwonu 2. kołatka 3. potrząsacz (przyrząd młyński) 4. klakier (w teatrze itp.) 5. *pot* język 6. **~ valve** zawór (pompy)

clapperclaw ['klæpə,klɔ:] *vt* 1. *dosł i przen* rzuc-ić/ać się z pazurami (**sb** na kogoś) 2. złośliwie s/krytykować (kogoś, coś) 3. szkalować 4. ostrzyć sobie zęby (**sb** na kimś)
clapping ['klæpiŋ] [I] *zob* **clap**[1] *v* [II] *s* oklaski, klaskanie
claptrap ['klæp,træp] *s* frazesy; czcze słowa; mówienie dla zyskania poklasku
claque ['klæk] *s* klaka (w teatrze itp.)
clarence ['klærəns] *s* czterokołowy pojazd mieszczący cztery osoby wewnątrz i dwie na zewnątrz
clarendon ['klærəndən] *s druk* klarendon (rodzaj pisma)
claret ['klærət] *s* 1. czerwone wino; bordo 2. *sl* krew; **to tap sb's ~** rozkrwawić <rozwalić> komuś nos
claret-cup ['klærət,kʌp] *s* orzeźwiający napój z wina, cytryny i korzeni
clarification [,klærifi'keiʃən] *s* 1. klarowanie <czyszczenie> (płynu) 2. rozjaśnienie; objaśnienie; wyjaśnienie
clarify ['klæri,fai] *v* (**clarified** ['klæri,faid], **clarified; clarifying** ['klæri,faiiŋ]) [I] *vt* 1. oczy-ścić/szczać <s/klarować> (płyn) 2. rozjaśni-ć/ać (umysł, tekst); wyjaśni-ć/ać (problem, kwestię) [II] *vi* rozjaśni-ć/ać <wy/klarować> się
clarinet [,klæri'net] *s muz* klarnet
clarinettist [,klæri'netist] *s muz* klarnecista
clarion ['klæriən] [I] *s* 1. trąbka; róg 2. sygnał <głos> trąbki [II] *attr* (*o dźwięku*) ostry; przeszywający
clarionet [,klæriə'net] = **clarinet**
clarity ['klæriti] *s* 1. czystość; klarowność; jasność; przezroczystość (płynu itd.) 2. jasność <przejrzystość> (stylu itd.)
clarkia ['klɑ:kiə] *s bot* kwiat północnoamerykański z rodziny pierwiosnków
clary ['klɛəri] *s bot* szałwia
clash [klæʃ] [I] *s* 1. brzęk; szczęk; dzwonienie 2. zderzenie; kolizja 3. sprzeczność; niezgodność; rozbieżność; konflikt 4. starcie (z nieprzyjacielem); utarczka; potyczka [II] *vi* 1. za/brzęczeć; za/brząkać; za/dźwięczeć; za/dzwonić; za/szczękać 2. zderz-yć/ać się (**into <against> sb, sth** z kimś, czymś) 3. (*o poglądach, planach itd*) kolidować ze sobą; wejść/wchodzić w kolizję <w konflikt> 4. (*o kolorach, dźwiękach*) nie harmonizować; razić; kłócić się ze sobą [III] *vt* uderz-yć/ać (**sth** w coś — w talerze, dzwony itp.; **sth** czymś — szablami itd.)
clasp [klɑ:sp] [I] *s* 1. klamra, klamerka; sprzączka; haczyk; zamknięcie; zapinka; spinka; spięcie; zameczek (bransoletki itp.); zatrzask (przy ubraniu) 2. uścisk (ręki, ramion); objęcie 3. *wojsk* poprzeczka <odznaka> metalowa na wstążce medalu z nazwą bitwy, w której odznaczony brał udział 4. *techn* zacisk [II] *vt* 1. spi-ąć/nać; zahacz-yć/ać; zam-knąć/ykać (bransoletkę itp.) 2. uścis-nąć/kać; wziąć/brać w objęcia; przytul-ić/ać <przycis-nąć/kać> do siebie; **to ~ hands** zamieni-ć/ać serdeczny uścisk dłoni; **to ~ one's hands** a) załam-ać/ywać ręce b) spl-eść/atać palce
claspers ['klɑ:spəz] *spl* chwyty
clasp-knife ['klɑ:sp,naif] *s* (*pl* **clasp-knives** ['klɑ:sp,naivz]) nóż składany; kozik; scyzoryk
class [klɑ:s] [I] *s* 1. klasa <sfera> (społeczna); **the middle ~** a) burżuazja b) średnie warstwy; **the upper ~** a) klasa posiadająca b) wyższe sfery; **the working ~es** masy pracujące; świat pracy; **the ~es and the masses** klasy posiadające i proletariat 2. lekcja; kurs; *uniw* ćwiczenia 3. klasa (szkolna); *uniw* grupa ćwiczeniowa; **to meet one's ~es** odbywać ćwiczenia <wykłady> (ze studentami) 4. klasa (towarów itd.); kategoria; **no ~** a) wulgarny b) *sl* do niczego 5. *biol* klasa 6. *kolej* klasa 7. odznaczenie (przy egzaminach uniw.) 8. *wojsk* rocznik [II] *attr* (*o walce, świadomości itd*) klasowy [III] *vt* s/klasyfikować; wy/sortować; roz/segregować; po/dzielić na klasy <na kategorie>
class-book ['klɑ:s,buk] *s* podręcznik
classic ['klæsik] [I] *s* 1. klasyk; **the ~s** a) filologia klasyczna b) studia humanistyczne 2. uznany autorytet; klasyk [II] *adj* klasyczny; *am* **Classic City** Boston; **the ~ races** pięć głównych rodzajów wyścigów konnych w Anglii
classical ['klæsikəl] *adj* klasyczny; **a ~ scholar** humanista; **a man with a ~ education** wychowanek gimnazjum klasycznego
classicism ['klæsi,sizəm] *s* klasycyzm
classification [,klæsifi'keiʃən] *s* klasyfikacja; klasyfikowanie
classifier ['klæsi,faiə] *s* klasyfikator; sortownik
classify ['klæsi,fai] *vt* (**classified** ['klæsi,faid], **classified; classifying** ['klæsi,faiiŋ]) s/klasyfikować; po/sortować; po/segregować; za/kwalifikować (**among_** do...)
classman ['klɑ:smən] *s* (*pl* **classmen** ['klɑ:smən]) absolwent, który zdał egzamin/y z odznaczeniem
class-mate ['klɑ:s,meit] *s* kole-ga/żanka szkoln-y/a
class-room ['klɑ:s,ru:m] *s* klasa; sala szkolna
classy ['klɑ:si] *adj* (**classier** ['klɑ:siə], **classiest** ['klɑ:siist]) *sl* fajny; wysokiej klasy; szykowny; elegancki
clatter ['klætə] [I] *s* 1. stukot; klekot; łoskot; brzęk (talerzy itp.) 2. gwar [II] *vi* za/stukotać; za/brzęczeć; za/klekotać; za/łoskotać [III] *vt* z/robić hałas (**sth** czymś); **the boys ~ed their spoons** chłopcy stukali łyżkami
~ along *vi* posuwać się naprzód ze stukotem
~ down *vi* 1. spa-ść/dać <upa-ść/dać> z łoskotem 2. zejść/schodzić z hałasem ze schodów
clause [klɔ:z] *s* 1. warunek; klauzula; paragraf; punkt (umowy itp.) 2. *gram* zdanie; **principal <main> ~** zdanie główne; **subordinate ~** zdanie poboczne <podrzędne>
claustral ['klɔ:strəl] *adj* klasztorny; zakonny
claustrophobia [,klɔ:strə'foubjə] *s med* klaustrofobia (obawa zamkniętych przestrzeni)
clavate ['kleiveit] *adj bot* maczugowaty; pałeczkowaty
clavecin ['klævi,sin] *s muz* klawesyn
clavichord ['klævi,kɔ:d] *s muz* klawikord
clavicle ['klævikl] *s anat* obojczyk
claviform ['klævi,fɔ:m] *adj* maczugowaty
claw [klɔ:] [I] *s* 1. pazur (zwierzęcia); *przen* **to cut <pare> sb's ~s** przyciąć komuś pazury; poskromić kogoś; **to draw in one's ~s** schować pazury 2. szpon (ptaka) 3. *pl* **~s** kleszcze (raka itp.) 4. *techn* kleszcze; szczypce; zapadka [II] *vt* 1. za/drasnąć; po/drapać 2. chwy-cić/tać w pazury <w szpony> 3. rozszarp-ać/ywać pazurami [III] *vi* usiłować złapać pazurami <*pot* chapnąć> (**at sth** coś)

~ away <**off**> *vi mar* (*o statku*) łapać wiatr; odpły-nąć/wać od brzegu

claw-hammer [klɔ:'hæmə] *s* młotek z pazurem (do wyciągania gwoździ)

clay [klei] I *s* 1. glina 2. *przen* ciało; trup II *vt* pokry-ć/wać gliną

clay-cold ['klei,kould] *adj* zimny (*zw* o zwłokach)

clayey ['kleii] *adj* gliniasty

claymore ['klei,mɔ:] *s hist* szkocki miecz obosieczny

clay-pipe ['klei,paip] *s* gliniana fajka

clay-pit ['klei,pit] *s* kopalnia gliny; glinianka

clayweed ['klei,wi:d] *s bot* podbiał

clean [kli:n] I *adj* 1. czysty 2. (*o rysunku, konturach itp*) wyraźny; nie zamazany 3. (*o odlewie, wycisku itp*) gładki; o gładkich brzegach 4. (*o członkach ciała*) kształtny; zgrabny 5. (*o rozmowie*) przyzwoity; **to have a ~ tongue** unikać wyrażeń i tematów nieprzyzwoitych; być uważającym w mowie 6. całkowity; **to make a ~ sweep of sth** całkowicie pozbyć się czegoś 7. (*o drewnie*) bez sęków 8. *am* (*o człowieku*) lojalny II *adv* 1. czysto; do czysta 2. zupełnie, całkiem; **I ~ forgot** zupełnie <na śmierć> zapomniałem 3. *w zwrocie*: **~ through** na wylot III *vt* o/czyścić; wyczy-ścić/szczać

~ down *vt* o/czyścić (z błota itp.)

~ off *vt* usu-nąć/wać

~ out *vt* oczy-ścić/szczać; wyczy-ścić/szczać; **to ~ out a cupboard** z/robić porządek w szafie; **to ~ out a ditch** oczyścić <wyszlamować> rów; **to ~ out a stove** wymi-eść/atać piec; *sl* **to ~ sb out** oskubać kogoś z pieniędzy

~ up I *vt* z/robić porządek (**a room** w pokoju itd.); uprząt-nąć/ać (brud itp.) II *vi* z/robić porządki; zami-eść/atać; po/sprzątać

zob **cleaning**

clean-bred ['kli:n,bred] *adj* rasowy

clean-cut ['kli:n,kʌt] *adj* 1. (*o rysunku itd*) o czystych <wyraźnych> konturach 2. kształtny 3. wyraźny 4. (*o człowieku*) prostolinijny; o wyraźnie określonym charakterze

cleaner ['kli:nə] *s* 1. czyściciel/ka; sprzątacz/ka 2. *techn* oczyszczacz; filtr; odkurzacz 3. pralnia chemiczna

clean-fingered ['kli:n,fiŋgəd] = **clean-handed**

clean-handed ['kli:n'hændid] *adj* czysty; uczciwy; bez zarzutu

cleaning ['kli:niŋ] I *zob* **clean** *v* II *s* 1. czyszczenie; oczyszczanie 2. porządki (wiosenne itp.)

clean-limbed ['kli:n,limd] *adj* dobrze zbudowany; zgrabny

cleanliness ['klenlinis] *s* czystość; zamiłowanie do czystości

cleanly ['klenli] *adj* (**cleanlier** ['klenliə], **cleanliest** ['klenliist]) czysty; lubiący czystość; schludny

cleanness ['kli:nnis] *s* czystość

clean-out ['kli:n'aut] *s* oczyszczenie; czystka

cleanse [klenz] *vt dosł i przen* oczy-ścić/szczać (**of stains** <**sin etc.**> z plam < grzechu itd.>)

clean-shaven ['kli:n'ʃeivən] *adj* 1. z ogolonym zarostem; ogolony 2. świeżo ogolony

clean-up ['kli:n'ʌp] *s* gruntowne o/czyszczenie; sprzątanie; czystka; porządek; porządki

clear [kliə] I *adj* 1. (*o pogodzie, poranku itd*) jasny; bezchmurny 2. (*o wypowiedzi, rozkazie, myśli itp*) jasny; wyraźny; zrozumiały; **as ~ as day** <**daylight**> jasny jak słońce; **as ~ as mud** mętny; niezrozumiały; **to make it ~** (**that__**) dać wyraźnie do zrozumienia (że...); **to make oneself ~** jasno się wyra-zić/żać <wypowi-edzieć/adać>; postawić/stawiać jasno sprawę 3. (*o powietrzu, głosie, dźwięku, sumieniu, hipotece itd*) czysty 4. (*o substancji, płynie itd*) klarowny 5. (*o prawie, pretensji itd*) wyraźny; bezsporny 6. (*o człowieku*) przekonany; pewny; **I am not quite ~ about** <**as to**> **that** a) nie jestem o tym całkowicie przekonany b) nie jestem zupełnie tego pewny c) sprawa ta nie jest dla mnie całkiem jasna 7. (*o zysku, stracie itp*) netto; czysty; **a ~ thousand** tysiąc funtów na czysto 8. wolny (**of sth** od czegoś — przeszkód itd.); oczyszczony (**of sth** z <od> czegoś); **it's ~ sailing** nie ma żadnych przeszkód <trudności>; wszystko idzie gładko <jak po maśle>; *przen* **the coast is ~** droga jest wolna; niebezpieczeństwo minęło; *wojsk* **all ~!** alarm odwołany!; **the all ~** odwołanie alarmu (sygnał) 9. (*o okresie czasu itp*) pełny; **three ~ days** pełne trzy dni 10. (*o umyśle itp*) bystry; przenikliwy; dalekowzroczny 11. (*o depeszy itp*) nie szyfrowany II *adv* 1. jasno 2. wyraźnie (mówić itd.) 3. całkiem, zupełnie 4. czysto (odciąć, odłamać itd.) 5. z daleka, z dala; **to steer ~ of sb, sth** a) omi-nąć/jać kogoś, coś b) unikać <wystrzegać się> kogoś, czegoś; **to keep ~ of sth** usunąć się od czegoś; nie zbliżać się do czegoś; **to stand ~ of the door(way)** usunąć się od drzwi; nie stać przy drzwiach; **to get ~ of sth** pozby-ć/wać się <uw-olnić/alniać się od> czegoś; **to get ~** wygrzebać się z kłopotów III *vt* 1. oczy-ścić/szczać (powietrze, pole itd.); uprząt-nąć/ać; **~ the way!** z drogi!; proszę się usunąć (z drogi)!; **to ~ a way for oneself** utorować sobie drogę; **to ~ one's plate** opróżni-ć/ać talerz; **to ~ one's throat** odkaszlnąć; odchrząknąć; **to ~ the ground for negotiations** przygotować grunt do pertraktacji; **to ~ the table** sprząt-nąć/ać ze stołu 2. s/klarować (płyn itd.) 3. oczy-ścić/szczać (**of sth** z czegoś); uw-olnić/alniać (**of sth** od czegoś); usprawiedliwi-ć/ać (kogoś, siebie) 4. wy/karczować (las itp.) 5. objaśni-ć/ać; rozjaśni-ć/ać; wyjaśni-ć/ać 6. wyprzeda-ć/wać; pozby-ć/wać się (**goods etc.** towaru itp.) po niskiej cenie 7. przeczy-ścić/szczać (kiszki); od-etkać/tykać (rurę itp.) 8. sk-oczyć/akać (**x inches** *x* cali); przesk-oczyć/akiwać (przeszkody) 9. wyrówn-ać/ywać (dług, zaległość, saldo); przeprowadz-ić/ać rozrachunek <rozliczenie> (**sth** z czegoś); rozlicz-yć/ać się (**sth** z czegoś) 10. opróżni-ć/ać <wypróżni-ć/ać> (szufladę, szafę, pokój, salę sądową itd.) 11. zar-obić/abiać; mieć na czysto (jakąś kwotę po potrąceniach) 12. spieniężyć/ać (czek, weksel) 13. o/clić (towary) IV *vi* 1. *meteor* przejaśni-ć/ać <wypog-odzić/adzać> się 2. (*o niebie*) rozjaśni-ć/ać się 3. (*o mgle*) podn-ieść/osić się; znik-nąć/ać 4. (*o człowieku*) rozchmurz-yć/ać się 5. (*o płynie*) wy/klarować <oczy-ścić/szczać> się 6. (*o statku*) odpły-nąć/wać 7. (*o sytuacji, sprawie itd*) wy/klarować <wyjaśni-ć/ać> się

~ away *vt* usu-nąć/wać; uprząt-nąć/ać (przeszkodę itp.)

~ off I *vt* 1. wyrówn-ać/ywać (długi itp.) 2. wyprzeda-ć/wać (towar); pozby-ć/wać się (**goods** towaru) po niskiej cenie <za byle co> 3. ucie-c/kać; *sl* zwi-ać/ewać II *vi* 1. (*o de-*

szczu) usta-ć/wać 2. *pot* (*o człowieku*) wyn--ieść/osić się
~ out [I] *vt* 1. uprząt-nąć/ać; usu-nąć/wać 2. pozby-ć/wać się (**sb, sth** kogoś, czegoś) [II] *vi* usu-nąć/wać się; ucie-c/kać; *sl* zwi-ać/ewać; **~ out!** precz (stąd)!; wynoś/cie się!
~ up [I] *vt* 1. rozjaśni-ć/ać; wyświetl-ić/ać (tajemnicę itp.); wyjaśni-ć/ać 2. rozchmurz-yć/ać (czoło) 3. oczy-ścić/szczać; sprząt-nąć/ać; uprząt-nąć [II] *vi meteor* przejaśni-ć/ać się
zob **clearing** [V] *s* 1. oryginalny tekst szyfrowanej wiadomości; (*o depeszy*) **in ~** nie szyfrowany 2. *am sl w zwrocie*: **to be in the ~** mieć <posiadać> na czysto (pewną ilość pieniędzy)

↑**clearance** ['kliərəns] *s* 1. oczyszczenie; uwolnienie (od zawady, przeszkód) 2. oclenie; załatwienie formalności (celnych itd.) 3. (*także* **~ sale**) wyprzedaż 4. obrachunek; rozrachunek; wyrównanie kont; *ekon* clearing 5. *techn* prześwit; światło; otwór średnicy 6. *techn* luz pomiędzy tłokiem a gładzią cylindra; **wheel ~** luz koła 7. wolne miejsce na przejście <na przejazd> (fury pod mostem itp.) 8. *wojsk* zwolnienie ze służby 9. *mar* odjazd <odpłynięcie> (statku); odbijanie od brzegu

clearcole ['kliə,koul] [I] *s mal* gruntowanie [II] *vt mal* za/gruntować

clear-cut ['kliə'kʌt] *adj* wyraźny; czysty

clear-headed ['kliə'hedid] *adj* (*o człowieku*) bystry; mądry; z otwartą głową; trzeźwy

↑**clearing** ['kliəriŋ] [I] *zob* **clear** *v* [II] *s* 1. obrachunek; rozrachunek; wyrównanie kont; *ekon* clearing 2. wyrąb (w lesie); polana 3. oddłużenie 4. *fizj* wypróżnienie

clearing-house ['kliəriŋ,haus] *s* izba rozrachunkowa

clearing-station ['kliəriŋ,steiʃən] *s wojsk* punkt sanitarny

clearly ['kliəli] *adv* 1. jasno; czysto; wyraźnie 2. oczywiście; najoczywiściej, najwyraźniej; bezspornie *zob* **clear** *adj*

clear-sighted ['kliə'saitid] *adj* wnikliwy

clear-sightedness ['kliə'saitidnis] *s* wnikliwość

clearstarch ['kliə,sta:tʃ] *vt* na/krochmalić

clearstory ['kliəstəri] = **clerestory**

clearwing ['kliəwiŋ] *adj zoo* (*o owadzie*) łuskoskrzydły

cleat [kli:t] [I] *s* klin; listewka; kołek [II] *vt* za/klinować

cleavage ['kli:vidʒ] *s* 1. rozłupanie; rozszczepienie 2. łupliwość 3. szczelina 4. rozłam

cleave[1] [kli:v] *v* (*praet* **clove** [klouv], **cleft** [kleft], *pp* **cloven** ['klouvn], **cleft**) [I] *vt* rozłup-ać/ywać; rozszczepi-ć/ać; rozrąb-ać/ywać; prze-rżnąć/rzynać; rozci-ąć/nać; pruć (fale, powietrze) [II] *vi* (*także* **~ asunder**) rozłup-ać/ywać <rozszczepi-ć/ać> się *zob* **cleft**[2]

cleave[2] [kli:v] *vi* (*praet* **cleaved** [kli:vd], **clove** [klouv], *pp* **cleaved**) 1. przyl-gnąć/egać 2. być wiernym (partii itp.); trzymać się (**to sth** czegoś); nie odstępować (**to one's opinion etc.** od swego zdania itd.)

cleaver ['kli:və] *s* topór rzeźniczy

cleavers ['kli:vəz] *s bot* lepczyca, przytulia czepna

cleek [kli:k] *s* jeden z kijów do gry w golfa

clef [klef] *s muz* klucz (**treble <bass, C>** wiolinowy <basowy, tenorowy>)

cleft[1] [kleft] *s* 1. rozpadlina 2. szczelina; rysa

cleft[2] *zob* **cleave**[1]; **~ palate** rozszczep podniebienia; **in a ~ stick** w położeniu bez wyjścia; w impasie

cleft-footed ['kleft,futid] = **cloven-footed**

cleg [kleg] *s zoo* mucha końska

cleistogamic [,klaistə'gæmik] *adj bot* kleistogamiczny; z zamkniętymi kwiatami

clem [klem] *v* (**-mm-**) [I] *vi dial* głodować [II] *vt* morzyć głodem

clematis ['klemətis] *s bot* klematyda, powojnik

clemency ['klemənsi] *s* 1. łaska (głowy państwa itp.); łaskawość 2. łagodność (klimatu, pogody itp.)

clement ['klement] *adj* 1. łaskawy 2. łagodny

clench [klentʃ] [I] *vt* 1. zagi-ąć/nać (gwóźdź itd.); zaklep-ać/ywać (nit itp.) 2. zacis-nąć/kać (zęby, pięści) 3. chwy-cić/tać <uj-ąć/mować> mocno 4. uwiąz-ać/ywać (linę itp.) 5. zakończyć <ubić> (interes); załatwi-ć/ać ostatecznie (sprawę) 6. rozstrzyg-nąć/ać (spór) [II] *vi* 1. zewrzeć/zwierać się (w walce) 2. zacis-nąć/kać się

clepsydra ['klepsidrə] *s* klepsydra (do mierzenia czasu)

clerestory ['kliəstəri] *s arch* rząd okien w nawie głównej ponad nawą boczną

clergy ['klə:dʒi] *s* 1. kler; duchowieństwo 2. (*pl* **clergy**) duchowny

clergyman ['klə:dʒimən] *s* (*pl* **clergymen** ['klə:dʒimən]) duchowny; pastor; ksiądz; **~'s week** tydzień urlopu z dołączoną drugą niedzielą

clergywoman ['klə:dʒi,wumən] *s* (*pl* **clergywomen** ['klə:dʒi,wimin]) *żart* żona <córka> pastora trzęsąca całą parafią

cleric ['klerik] *s* duchowny

clerical ['klerikəl] [I] *adj* 1. klerykalny; duchowny; duszpasterski 2. biurowy; urzędniczy; **a ~ error** błąd pisarski <maszynowy> [II] *s* klerykał (w parlamencie)

clericalism ['klerikə,lizəm] *s* klerykalizm

clerihew ['kleri,hju:] *s* czterowiersz humorystyczny; fraszka

clerk [kla:k] *s* 1. pisarz <kancelista> (w gminie, parafii) 2. syndyk (miejski itd.) 3. urzędnik (biurowy, bankowy); **chief ~** kierownik biura; **~ in holy orders** wyświęcony duchowny; **~ of the court** pisarz sądowy; *żart* **~ of the weather** personifikacja meteorologii (*w Polsce* PIHM); **~ of the works** kierownik robót (na budowie); **junior ~** młodszy urzędnik 4. *am* ekspedient sklepowy

clerkly ['kla:kli] *adj* 1. urzędniczy; biurowy; **a ~ hand** wyrobione pismo 2. uczony; wykształcony

clerkship ['kla:kʃip] *s* posada biurowa; sekretarstwo; urząd

clever ['klevə] *adj* 1. zręczny; **to be ~ with one's hands** mieć zręczność w palcach 2. zdolny; inteligentny; rozgarnięty; bystry; **to be ~ at sth** mieć zdolności do czegoś 3. (*o urządzeniu, przyrządzie itp*) pomysłowy; dowcipny 4. sprytny; chytry; **he was too ~ for us** wszystkich nas przechytrzył <zapędził w kozi róg> 5. *am* uprzejmy; grzeczny

cleverness ['klevənis] *s* 1. zręczność 2. zdolności (**at sth** do czegoś) 3. inteligencja 4. pomysłowość 5. spryt; chytrość *zob* **clever**

clevis ['klevis] *s techn* hak; strzemię, strzemiączko

clew [klu:] [I] *s* 1. kłębek nici 2. nić Ariadny; klucz do tajemnicy 3. sznur do wieszania hamaka [II] *vt* 1. zwi-nąć/jać w kłębek 2. *mar* (*także* **~ up**) zwi-nąć/jać (żagiel) [III] *vi mar* zakończyć **pracę**; wywiąz-ać/**ywać się z zadania**

clew-line ['klu:ˌlain] *s mar* gejtaw (rodzaj liny żaglowej)

cliché ['kli:ʃei] *s* 1. komunał; wyświechtany <nic nie znaczący> frazes 2. *druk* klisza

click[1] [klik] [I] *s* 1. trzask; klekot; brzęk 2. mlaśnięcie (językiem) 3. *techn* zapadka; wychwyt 4. (*u konia*) ściganie się (tylnymi podkowami o przednie przy biegu) [II] *vi* 1. trzas-nąć/kać; za/klekotać 2. mlas-nąć/kać 3. (*o koniu*) ścigać się [III] *vt* mlasnąć (**one's tongue** językiem); trzasnąć (**one's heels** obcasami)

click[2] [klik] *vi sl* 1. dopiąć swego 2. mieć szczęście 3. (*o osobach płci odmiennej*) s/podobać się sobie 4. przyjmować awanse 5. zajść w ciążę

click-beetle ['klikˌbi:tl] *s zoo* sprężyk (chrząszcz)

clicker ['klikə] *s* 1. *druk* metrampaż 2. *szew* krajczy

client ['klaiənt] *s* klient/ka

clientele [ˌkli:ā:'teil] *s* klientela; klienci

↑**cliff** [klif] *s* urwisko; ściana skalna; ~ **dweller** a) troglodyta b) *am sl* mieszkan-iec/ka wielkiej kamienicy czynszowej

cliffy ['klifi] *adj* (*o wybrzeżu*) skalisty; urwisty

climacteric [klai'mæktərik] [I] *s fizj* klimakterium, przekwitanie [II] *adj* 1. *fizj* klimakteryczny 2. krytyczny

climactic [klai'mæktik] *adj* szczytowy

climate ['klaimit] *s* klimat; *przen* atmosfera; nastrój

climatic [klai'mætik] *adj* klimatyczny

climatologist [ˌklaimə'tɔlədʒist] *s* klimatolog

↑**climax** ['klaimæks] *s* 1. punkt kulminacyjny; *przen* szczyt 2. *ret* stopniowanie, gradacja

↑**climb** [klaim] [I] *vi* 1. (*o człowieku, roślinie itd*) wspi-ąć/nać się 2. (*o drodze, samolocie itp*) wzn-ieść/osić się [II] *vt* (*także* ~ **up**) wejść/wchodzić do góry (**the stairs, a ladder, a hill etc.** po schodach, po drabinie, na wzniesienie itp.); wdrap-ać/ywać się <*pot* wleźć/włazić> (**a tree, a ladder, a wall etc.** na drzewo, drabinę, mur itp.)

~ **down** *vi* 1. zejść/schodzić (z góry itd.) 2. *przen* spu-ścić/szczać z tonu

zob **climbing** [III] *s* 1. wzniesienie (drogi, terenu) 2. wspinanie się; wyjście na górę; zdobycie szczytu

climb-down ['klaim'daun] *s* 1. zejście z góry 2. rejterada; **a miserable** ~ sromotny odwrót

climber ['klaimə] *s* 1. amator/ka wspinaczki górskiej 2. *bot* pnącze 3. *zoo* ptak łażący

climbing ['klaimiŋ] *s* [I] *zob* **climb** *v* [II] *s* wspinaczka górska

climbing-irons ['klaimiŋˌaiənz] *spl* 1. słupołazy 2. raki

clime [klaim] *s poet* strefa; kraj

clinch [klintʃ] [I] *vt* 1. = **clench** 2. za/nitować; przymocow-ać/ywać; przyczepi-ć/ać 3. doprowadz-ić/ać do końca; zakończyć (transakcję itp.) 4. rozstrzyg-nąć/ać; **a** ~**ing argument** decydujący argument [II] *s* 1. nit 2. zaczep; zaczepienie

clincher ['klintʃə] *s* 1. *techn* nit; zwora; szpon 2. rozstrzygające słowo; **that was a** ~ na to już nie było co odpowiedzieć

clincher-built ['klintʃəˌbilt] = **clinker-built**

cling [kliŋ] *vi* (**clung** [klʌŋ], **clung**) przyl-gnąć/egać (**to sb, sth** do kogoś, czegoś); przyw-rzeć/ierać; przyczepi-ć/ać się; przysta-ć/wać; trzymać się kurczowo (**to sb, sth** kogoś, czegoś); trwać (**to sb, sth** przy kimś, czymś); nie odst-ąpić/ępować (**to sb, sth** od kogoś, czegoś); **to** ~ **together** <**to one another**> lgnąć do siebie; przylgnąć do siebie; trzymać się razem; *pot* trzymać sztamę

clingstone ['kliŋˌstoun] *s* 1. brzoskwinia 2. owoc, w którym pestka nie odstaje od miąższu

clingy ['kliŋi] *adj* 1. czepny; lgnący 2. (*o ubraniu*) przylegający; obcisły

clinic ['klinik] *s* klinika

clinical ['klinikl] *adj* kliniczny

clink[1] [kliŋk] [I] *s* brzęk (szkła) [II] *vt* trąc-ić/ać się (**glasses** kieliszkami) [III] *vi* za/brzęczeć; pobrzękiwać *zob* **clinking**

clink[2] [kliŋk] *s sl* 1. ciupa; więzienie; areszt; **in** ~ w kozie, w mamrze, w ulu 2. cela

clinker ['kliŋkə] *s* 1. klinkier 2. żużel

clinker-built ['kliŋkəˌbilt] *adj* (*o łodzi*) poszyty nakładkami <na nakładkę>

clinking ['kliŋkiŋ] [I] *zob* **clink[1]** *v* [II] *adj sl* (*także* ~ **good**) byczy; świetny; wspaniały [III] *adv sl* byczo; świetnie; wspaniale

clinkstone ['kliŋkˌstoun] *s miner* dźwiękowiec, fonolit

clinometer [klai'nɔmitə] *s techn* chyłomierz

clinquant ['kliŋkənt] *adj* błyszczący; błyskotliwy

clip[1] [klip] [I] *vt* (**-pp-**) chwy-cić/tać; trzymać; **to** ~ **together** spi-ąć/nać [II] *s* 1. *techn* uchwyt; zacisk 2. *biur* spinacz 3. *med* klamerka 4. *wojsk* magazynek 5. klips (ozdoba stroju kobiecego)

clip[2] [klip] [I] *vt* (**-pp-**) 1. o/strzyc; obci-ąć/nać; przyci-ąć/nać 2. okr-oić/awać 3. uci-ąć/nać (wyrazy, końcówki itp.) 4. przeci-ąć/nać (bilet) 5. uderz-yć/ać; szturch-nąć/ać *zob* **clipping[1]** [II] *s* 1. obcięcie; ostrzyżenie 2. strzyża (owiec) 3. uderzenie; szturchaniec 4. *am* wielka szybkość

clipper ['klipə] *s* 1. postrzygacz 2. maszynka do strzyżenia; *pl* ~**s** nożyce 3. kliper (rodzaj żaglowca) 4. szybkościowy samolot pasażerski długodystansowy 5. *sl* kapitalny człowiek 6. *sl* coś świetnego

clipping[1] ['klipiŋ] [I] *zob* **clip[2]** *v* [II] *s* 1. strzyżenie 2. strzyża (owiec) 3. przecinanie biletów 4. wycinek (z gazety itp.) 5. obrzynek; okrawek

clipping[2] ['klipiŋ] *adj sl* klawy; fajny; świetny; kapitalny

clique [kli:k] *s* klika, koteria

cliquish ['kli:kiʃ] *adj* koteryjny

clitoris ['klitəris] *s anat* łechtaczka

clitter-clatter ['klitə'klætə] *s* klekot, klekotanie

clivers ['klivəz] *s bot* lepczyca, przytulica czepna

cloaca [klou'eikə] *s* (*pl* **cloacae** [klou'eiki:]) 1. kloaka 2. stek odchodowy (u ptaków itp.)

cloak [klouk] [I] *s* 1. płaszcz 2. *przen* płaszczyk; pokrywka; maska; osłona [II] *vt* 1. okry-ć/wać płaszczem 2. *przen* upozorować; osł-onić/aniać; za/maskować [III] *vi* wdzi-ać/ewać <włożyć/wkładać> płaszcz *zob* **cloaking**

cloaking ['kloukiŋ] [I] *zob* **cloak** *v* [II] *s* 1. materiał na płaszcze 2. = **cloak** *s*

cloak-room ['kloukˌru:m] *s* 1. garderoba (w teatrze itp.) 2. *przen* ustęp 3. przechowalnia bagażu (na kolei itp.)

cloche [klouʃ] *s* 1. klosz (ogrodniczy) 2. kapelusz w kształcie hełmu

clock[1] [klɔk] [I] *s* 1. zegar; **o'**~ (po liczbach 1—12): **five** <**six etc.**> **o'**~ piąta <szósta itd.> godzina; **by our** ~ na naszym zegarze; **by the** ~ z zegarkiem w ręce; *pot* **like one o'~** świetnie; pierwszorzędnie; † **what o'~ is it?** która godzina?; **to sleep the ~ round** przespać pół doby <całą dobę> 2. licznik (zegarowy) [II] *vt* za/notować czas trwania (**sth** czegoś)

~ in <**out**> *vi* (*w zakładzie pracy*) wybi-ć/jać <za/markować, za/rejestrować> godzinę przyjścia <odejścia> na karcie zegarowej

clock² [klɔk] *s* (*handl pl* **clox** [klɔks]) ozdobny szlaczek z boku pończochy; strzałka

clock-face [klɔk,feis] *s* tarcza zegara

clocking ['klɔkiŋ] *adj* **~ hen** kwoka wysiadująca jaja

clock-maker ['klɔk,meikə] *s* zegarmistrz

clockwise ['klɔkwaiz] *adv* w kierunku wskazówek zegara

clockwork ['klɔk,wə:k] *s* mechanizm zegarowy; **it goes like ~** idzie jak w zegarku; **with ~ precision** bardzo precyzyjnie

clod [klɔd] [I] *s* **1.** grudka ziemi; gruda; *pot* pecyna 2. rola; ziemia 3. wszystko, co przyziemne 4. gbur [II] *vt* (**-dd-**) obrzuc-ić/ać grudkami ziemi

clod-breaker ['klɔd,breikə] *s* gnojarz

cloddish ['klɔdiʃ] *adj* gburowaty; prostacki

cloddy ['klɔdi] *adj* 1. gburowaty 2. przyziemny

clodhopper ['klɔd,hɔpə] *s* gbur; prostak

cloff [klɔf] *s* **handl** nadwaga towaru udzielana kupcowi przy kupnie hurtowym dla skompensowania straty powstającej przy drobnej sprzedaży

clog [klɔg] [I] *s* 1. zawada; przeszkoda 2. kłoda; kloc (u szyi krowy) 3. brud (zanieczyszczający części maszyny) 4. chodak; drewniak [II] *vt* (**-gg-**) 1. s/pętać 2. zawadz-ić/ać <przeszk-odzić/adzać> (**sb, sth** komuś, czemuś) 3. zat-kać/ykać (rurę, filtr itp.) 4. za/tamować (ruch maszyny itp.) [III] *vi* (**-gg-**) zat-kać/ykać się

cloggy ['klɔgi] *adj* (**cloggier** ['klɔgiə], **cloggiest** ['klɔgiist]) 1. tamujący 2. lepki 3. bryłkowaty

cloister ['klɔistə] *s* 1. klasztor 2. krużganek klasztorny

cloistered ['klɔistəd], **cloistral** ['klɔistrəl] *adj* klasztorny; zamknięty w klasztorze

clonic ['klɔnik] *adj* *med* drgawkowy; kloniczny

clonus ['klounəs] *s* *med* klonus (gwałtowne drgawki)

cloop [klu:p] *vi* (*o korku wyciąganym z butelki*) strzelić

close¹ [klous] *s* 1. ogrodzony teren; posiadłość; **to break sb's ~** chodzić po cudzym gruncie 2. obręb katedry <kościoła> 3. dziedziniec szkolny 4. wejście z ulicy na podwórze

close² [klous] [I] *adj* 1. zamknięty; szczelny 2. (*o powietrzu*) duszny; parny; **it is ~** jest duszno <parno>; nie ma czym oddychać 3. (*o tajemnicy tłumaczeniu itd*) ścisły; **in ~ confinement** pod ścisłym nadzorem 4. (*o towarzystwie*) ekskluzywny 5. (*o polowaniu*) zakazany 6. (*o materiale, piśmie, szeregach*) zwarty, gęsty, zbity 7. (*o kontakcie, sąsiedztwie, podobieństwie*) bliski; **at ~ quarters** z bliska 8. (*o uwadze*) skupiony 9. (*o człowieku*) zamknięty w sobie; tajemniczy; (*o rzeczy*) zakonspirowany; **to keep sth ~** trzymać coś w tajemnicy 10. skąpy 11. (*o goleniu*) staranny; (*o strzyżeniu*) krótki; **to have a ~ shave** a) starannie się ogolić b) o włos uniknąć (nieszczęścia itp.) 12. (*o badaniu, pracy itd*) dokładny; gruntowny; szczegółowy 13. (*o walce*) równy; zawzięty 14. (*o przyjacielu*) serdeczny; bliski 15. (*o ubiorze*) przylegający; obcisły 16. (*o samogłosce*) przymknięty [II] *adv* 1. szczelnie 2. blisko; tuż (przy czymś, kimś); **~ at hand** pod ręką; na podorędziu; **~ behind sb** tuż za kimś; **~ by** <**to**> tuż obok; bliziutko; tuż, tuż; **~ to the ground** przy samej ziemi; **he is ~ on fifty** zbliża się do pięćdziesiątki, ma pod pięćdziesiątkę; **it is ~ on two (o'clock)** dochodzi druga (godzina) 3. zwarcie; ciasno; **~ together** zwarcie; jedno przy drugim 4. ściśle (związać, przylegać)

close³ [klouz] [I] *vt* 1. zam-knąć/ykać; zaw-rzeć/ierać 2. za/kończyć (posiedzenie, obrady itd.) 3. zewrzeć/zwierać (szeregi) 4. *w zwrocie*: **to ~ sb** <**sth**> **about** <**round**> okrąż-yć/ać <ot-oczyć/aczać> kogoś, coś; ogr-odzić/adzać coś [II] *vi* 1. zam-knąć/ykać się; być zamkniętym; **the theatres ~ on Good Friday** w Wielki Piątek teatry są zamknięte <nieczynne> 2. za/kończyć się 3. zewrzeć/zwierać się (z przeciwnikiem) 4. zebrać/zbierać się dokoła (kogoś, czegoś) 5. zakończyć interes; dobić targu 6. przyj-ąć/mować (**with** <**upon, on**> **an offer** <**bargain**> ofertę) 7. *mar w zwrocie*: **to ~ with the land** zbliżać się do lądu

~ down [I] *vt* zam-knąć/ykać (sklep, fabrykę itd.) [II] *vi* (*o sklepie itd*) być zamkniętym <nieczynnym>; (*o radiostacji*) s/kończyć nadawanie

~ in [I] *vi* 1. (*o dniach, nocach*) stawać się krótszym 2. zbliżać się; nadchodzić; **to ~ in on sb** ot-oczyć/aczać <okrąż-yć/ać> kogoś [II] *vt* ot-oczyć/aczać; okrąż-yć/ać

~ up [I] *vi* zat-kać/ykać się [II] *vt* ścieśni-ć/ać (druk, szeregi itd.)

zob **closed, closing** [III] *s* 1. koniec; zakończenie; **at ~ of day** pod wieczór; **to draw to a ~** zbliżać się do <dobiegać> końca; mieć się ku końcowi 2. zamknięcie (posiedzenia itp.) 3. zwarcie; (*o zapaśnikach*) **to come to a ~** zewrzeć się 4. *muz* kadencja

close-cropped ['klous,krɔpt] *adj* krótko strzyżony

closed [klouzd] *zob* **close³** *v*; (*w napisie*) **~** „nieczynne", „zamknięte"; **~ shop** zakład pracy dostępny tylko dla członków związku zawodowego; **~ in session** na tajnym posiedzeniu; przy drzwiach zamkniętych

close-down ['klouz'daun] *s* *am* czasowe zamknięcie przedsiębiorstwa przez właściciela; przerwa w produkcji

close-fisted ['klous'fistid] *adj* skąpy; *pot* mający węża w kieszeni

close-fitting ['klous'fitiŋ] *adj* obcisły; przylegający

close-grained ['klous'greind] *adj* (*o drewnie*) o gęstym słoju

close-hauled ['klous'hɔ:ld] *adj* *mar* (*o żaglach*) nastawiony ostro do wiatru

closely ['klousli] *adv* 1. ściśle; dokładnie 2. oszczędnie *zob* **close²** *adj*

closen ['klousən] *vt* ścieśni-ć/ać

closeness ['klousnis] *s* 1. bliskość 2. serdeczność 3. gęstość (tkaniny itp.) 4. ścisłość; dokładność 5. duszne powietrze; brak powietrza 6. rezerwa; małomówność 7. skąpstwo

closer ['klouzə] *s* 1. mówca podsumowujący przebieg obrad 2. przyrząd do zamykania; zamykacz

close-season ['klous'si:zn], **close-time** ['klous,taim] *s* *myśl* czas ochronny

close-set ['klous'set] *adj* (*o oczach*) blisko osadzone

close-stool ['klous,stu:l] *s* sedes pokojowy

closet ['klɔzit] [I] *s* 1. gabinet; pracownia 2. ustęp, klozet 3. szafka [II] *vr* ~ **oneself** odosobni-ć/ać się; **to be ~ed with sb** konferować z kimś na osobności
close-time *zob* **close-season**
close-tongued ['klous'tʌŋd] *adj* małomówny
close-up ['klous,ʌp] *s* zdjęcie z bliska
closing ['klouziŋ] [I] *zob* **close**³ *v* [II] *s* zam-knięcie/ykanie; ~ **time** godzina zamykania (sklepu, biura, baru) [III] *adj* 1. zamykający się 2. ostatni; ostateczny; końcowy
closure ['klouʒə] [I] *s* 1. zamknięcie 2. zakończenie (obrad itp.); **to move the ~** postawić wniosek zakończenia obrad [II] *vt* 1. za/kończyć (obrady itp.) 2. od-ebrać/bierać głos (**sb** komuś — mówiącemu)
clot [klɔt] [I] *s* grudka (zakrzepłej krwi itp.); *med* skrzep [II] *vt* (**-tt-**) ści-ąć/nać; s/powodować skrzepnięcie (**sth** czegoś) [III] *vi* (**-tt-**) za/krzepnąć, skrzepnąć; ści-ąć/nać się; (*o mleku*) zsiadać się *zob* **clotted**
cloth [klɔθ] [I] *s* 1. materiał, materia, tkanina; sukno; **American ~** cerata; **~ of gold** złotogłów (materiał); **linen <cotton> ~** płótno 2. ścierka 3. obrus; **to lay the ~** nakry-ć/wać do stołu 4. żag-iel/le 5. *przen* sutanna; kler; stan duchowny 6. toga; mundur; liberia [II] *attr* płócienny
cloth-binding ['klɔθ,baindiŋ] *s* oprawa w płótno
clothe [klouð] *vt* (*praet* **clothed** ['klouðd], † **clad** [klæd], *pp* **clothed**, † **clad**) 1. ub-rać/ierać; odzi-ać/ewać; przyodzi-ać/ewać 2. okry-ć/wać; pokry-ć/wać 3. ozd-obić/abiać 4. ukry-ć/wać pod (jakimś) płaszczykiem; za/maskować *zob* **clothing**
clothes [klouðz] *spl* 1. ubranie; ubiór; strój; odzież; **a suit of ~** ubranie; garnitur (męski); **best ~** odświętne ubranie; **with one's (best) ~ on** (odświętnie) ubrany; **in plain ~** po cywilnemu; **to put on <take off> one's ~** ub-rać/ierać <roz-ebrać/bierać> się 2. bielizna (osobista, pościelowa); *przen* **dirty ~** brudy 3. pranie (bielizna gotowa do prania, w czasie prania lub po praniu)
clothes-basket ['klouðz,bɑ:skit] *s* kosz na bieliznę
clothes-brush ['klouðz,brʌʃ] *s* szczotka do ubrania
clothes-horse ['klouðz,hɔ:s] *s* stojak do wietrzenia pościeli <bielizny, ubrania>
clothes-line ['klouðz,lain] *s* sznur do suszenia bielizny
clothes-man ['klouðz,mæn] *s* (*pl* **clothes-men** ['klouðz,men]) handlarz starzyzny
clothes-moth ['klouðz,mɔθ] *s* mól ubraniowy
clothes-peg ['klouðz,peg] *s* kołek <szczypce> do bielizny
clothes-press ['klouðz,pres] *s* bieliźniarka (szafa)
clothes-prop ['klouðz,prɔp] *s* żerdź do podtrzymywania sznura z bielizną
clothes-tree ['klouðz,tri:] *s* wieszadło
cloth-hall ['klɔθ,hɔ:l] *s* sukiennice
clothier ['klouðiə] *s* sukiennik; kupiec handlujący materiałami tekstylnymi lub konfekcją
clothing ['klouðiŋ] [I] *zob* **clothe** [II] *s* odzież; odzienie; bielizna; **articles of ~** garderoba; **the ~ trade** przemysł odzieżowy <ubraniowy, konfekcyjny>
clothyard [klɔθ,jɑ:d] *s* łokieć sukienniczy (miara)
clotted ['klɔtid] *zob* **clot** *v*; **~cream** kwaśna śmietana; **~ hair** zlepione włosy; **~ nonsense** skończone bzdury

clotty ['klɔti] *adj* zakrzepły; grudkowaty
clou [klu:] *s* główna atrakcja <gwóźdź> (sezonu, zabawy itd.)
cloud [klaud] [I] *s* 1. *dosł i przen* chmura; obłok; obłoczek; **to be in the ~s** bujać w obłokach; **to fall from the ~s** spaść z obłoków; **with a ~ on his brow** z chmurnym czołem; zasępiony 2. cień (podejrzenia itd.) 3. chmara (komarów itd.) 4 tuman (kurzu); kłąb (dymu) 5. para (na szkle itp.) 6. osłona (nocy itp.) [II] *vt* 1. zachmurz-yć/ać; zaciemni-ć/ać 2. z/mącić 3. zasępi-ć/ać 4. okry-ć/wać parą (szkło itp.) 5. za/barwić; u/farbować 4. z/marmurkować
~ **up <over>** *vi* zachmurz-yć/ać <zasępi-ć/ać> się
cloudberry ['klaud,beri] *s bot* malina moroszka
cloud-burst ['klaud,bə:st] *s* oberwanie chmury; ulewa
cloud-capped, cloud-capt ['klaud,kæpt], **cloud-kissing** ['klaud,kisiŋ] *adj* podobłoczny; podniebny
cloud-castle ['klaud'kɑ:sl], *s* marzenia; zamki na lodzie
clouded ['klaudid] [I] *zob* **cloud** *v* [II] *adj* 1. zachmurzony, pochmurny 2. (*o wyrazie twarzy itp*) chmurny 3. (*o płynie, umyśle itd*) mętny, zmętniały 4. (*o szkle itp*) zaszły parą <mgłą>; **to become ~** a) zachmurz-yć/ać się b) z/mętnieć c) za-jść/chodzić parą <mgłą> 5. (*o umyśle, inteligencji*) przytępiony
cloudiness ['klaudinis] *s* 1. zachmurzenie (nieba); pochmurne niebo 2. mętność (płynu)
cloud-kissing *zob* **cloud-capped**
cloudless ['klaudlis] *adj* bezchmurny
cloud-rack ['klaud,ræk] *s* chmury kłębiaste
cloud-wrapped ['klaud,ræpt] *adj* 1. zasnuty chmurami 2. osłonięty tajemnicą; w obłoku tajemniczości; zakonspirowany
cloudy ['klaudi] *adj* (**cloudier** ['klaudiə], **cloudiest** ['klaudiist]) 1. pochmurny; zachmurzony 2. (*o płynach, stylu itd*) mętny
clough [klʌf] *s* wąwóz
clout [klaut] [I] *s* 1. szmatka; ścierka 2. łata 3. szturchaniec; klaps 4. blaszka (na podeszwie, obcasie) 5. lon (osi wozu) 6. *pl* **~s** łachy; ciuchy 7. *pot* opaska higieniczna (dla kobiety) [II] *vt* 1. za/łatać 2. da-ć/wać klapsa (**sb** komuś); szturch-nąć/ać 3. przybi-ć/jać blaszkę (**a shoe** do buta)
clout-nail ['klaut,neil] *s* ćwiek
clove¹ *zob* **cleave**¹,²
clove² [klouv] *s* ząbek (czosnku)
clove³ [klouv] *s* 1. goździk (korzenny); **oil of ~s** olejek goździkowy 2. (*także* **~-gilliflower** ['klouv 'dʒili,flauə], **~ pink** ['klouv,piŋk]) *bot* goździk ogrodowy
clove-hitch ['klouv,hitʃ] *s* rodzaj węzła marynarskiego
cloven ['klouvn] [I] *zob* **cleave**¹ [II] *adj* rozszczepiony; **to show the ~ hoof** odsłonić prawdziwe oblicze
cloven-footed ['klouvn'futid], **cloven-hoofed** ['klouvn'hu:ft] *adj zoo* parzystokopytny
clove-pink *zob* **clove**³
clover ['klouvə] *s* koniczyna; **to be <live> in ~** żyć w dostatku; opływać we wszystko
clown [klaun] [I] *s* 1. gbur 2. pajac; błazen; klown (cyrkowy) [II] *vi* błaznować
clownery ['klaunəri] *s* błazeństwa; bufonada

clownish [ˈklauniʃ] *adj* błazeński
clox *zob* **clock²**
cloy [klɔi] *vt* 1. przesyc-ić/ać; przekarmi-ć/ać (słodyczami itp.); **to ~ the appetite** ze/psuć apetyt 2. dostarcz-yć/ać (przyjemności) w nadmiarze <do przesytu> (**sb** komuś) *zob* **cloying**
cloying [ˈklɔiiŋ] [I] *zob* **cloy** [II] *adj* sycący
cloyment [ˈklɔimənt] *s* przesyt
↑**club** [klʌb] [I] *s* 1. maczuga 2. kij (do golfa i innych gier) 3. *karc* trefl 4. klub; *polit* stronnictwo; związek; stowarzyszenie <koło> (sportowe, literackie itd.) 5. świetlica; dom kultury [II] *vt* (**-bb-**) 1. zdzielić <wal-nąć/ić> (maczugą itp.); ogłusz-yć/ać 2. złożyć/składać (pieniądze) do wspólnej puli [III] *vi* (**-bb-**) 1. stowarzysz-yć/ać się 2. **zesp**-olić/alać swe siły; **to ~ with others <together>** złożyć/składać się; u/tworzyć wspólny fundusz
clubbable [ˈklʌbəbl] *adj* 1. mogący być członkiem <nadający się na członka> klubu 2. towarzyski
club-footed [ˈklʌbˈfutid] *adj* szpotawy; ze zniekształconą stopą
club-house [ˈklʌbˌhaus] *s* 1. pawilon 2. lokal klubowy; siedziba towarzystwa
clubland [ˈklʌblənd] *s* (*w Londynie*) dzielnica klubów (okolice pałacu św. Jakuba)
club-law [ˈklʌbˌlɔ:] *s* prawo pięści
clubman [ˈklʌbmən] *s* (*pl* **clubmen** [ˈklʌbmən]) 1. członek klubu <towarzystwa, związku> 2. człowiek z towarzystwa 3. *am* bywalec
club-moss [ˈklʌbˌmɔs] *s bot* babimór
club-room [ˈklʌbˌru:m] *s* sala klubowa; świetlica
club-root [ˈklʌbˌru:t] *s* choroba rzepy i kapusty
club-shaped [ˈklʌbˌʃeipt] *adj* maczugowaty
cluck [klʌk] [I] *s* 1. cmok-nięcie/anie (językiem) 2. kwokanie (kury) [II] *vi* 1. (*o człowieku*) cmok-nąć/ać 2. (*o kurze*) kwokać
clue [klu:] *s* 1. trop; ślad 2. wskazanie; wskazówka (do rozwiązania zagadki, krzyżówki itp.); **to give sb a ~** naprowadzić kogoś na trop 3. rozwiązanie (zagadki, krzyżówki itp.) 4. nić Ariadny 5. wątek (opowiadania)
clumber [ˈklʌmbə] *s zoo* odmiana spaniela
clump [klʌmp] [I] *s* 1. kępa (drzew, krzaków) 2. grupa osób 3. bryła 4. zelówka 5. ciężkie stąpanie <kroki> 6. szturchaniec [II] *vi* 1. zbi-ć/jać się w bryłę <w masę> 2. ciężko stąpać [III] *vt* 1. szturch-nąć/ać 2. pod/zelować
clumpy [ˈklʌmpi] *adj* bryłowaty
clumsiness [ˈklʌmzinis] *s* 1. niezgrabność; niezdarność; niezręczność 2. nietakt
clumsy [ˈklʌmzi] *adj* (**clumsier** [ˈklʌmziə], **clumsiest** [ˈklʌmziist]) 1. niezgrabny; niezdarny; niezręczny; ciężki 2. nietaktowny 3. niekształtny
clunch [klʌntʃ] *s* kamień wapienny używany do dekoracji wnętrz
clung *zob* **cling**
clupeidae [ˈklu:piiˌdi:] *spl zoo* ryby śledziowate
↑**cluster** [ˈklʌstə] [I] *s* 1. grono; kiść 2. pęk <wiązka> (kwiatów itd.) 3. gromadka <grupka> (ludzi, rzeczy) 4. rój (pszczół itd.) 5. kępka 6. zlepek; grudka [II] *vi* 1. rosnąć <róść> w gronach <w kępkach, kiściach> 2. skupi-ć/ać <wiązać> się w kiście <w grona> 3. gromadzić <schodzić> się w grupki; zbi-ć/jać się w gromadki [III] *vt* zebrać/zbierać w grona <w pęki, gromadki itd.>
↑**clutch¹** [klʌtʃ] [I] *vt* 1. trzymać kurczowo; ścis-nąć/kać w rękach 2. zacis-nąć/kać kurczowo (ręce) [II] *vi* 1. chwy-cić/tać <por-wać/ywać, *pot* chap-nąć/ać> (**at sth** coś); [III] *s* 1. pazur; szpon 2. mocny chwyt; chwytanie; gwałtowny ruch chwytania; **to make a ~ at sth** (gwałtownie) pochwycić/chwytać coś; *pot* chapnąć coś 3. *techn* sprzęgło 4. *techn* chwytak
clutch² [klʌtʃ] *s* wyląg
↑**clutter** [ˈklʌtə] [I] *s* 1. nieład; rozgardiasz 2. zamieszanie; popłoch 3. wrzawa [II] *vi* 1. kręcić się; biec <biegać> bezładnie <w zamieszaniu, w popłochu> 2. robić wrzawę [III] *vt* (*także* **~ up**) zap-chać/ychać (pokój meblami itp.); zawal-ić/ać; zat-kać/ykać (rurę itp.); zaśmiec-ić/ać
clypeal [ˈklipiəl], **clypeate** [ˈklipiit], **clypeous** [ˈklipiəs] *adj* tarczowaty, o kształcie tarczy
clypeus [ˈklipiəs] *s zoo* nadustek (owada)
clyster [ˈklistə] = **enema**
coacervate [kouˈæsəˌveit] *vt* nagromadz-ić/ać; s/kumulować
↑**coach** [koutʃ] [I] *s* 1. powóz; kareta; **to drive a ~ and four through sth** rozprawić się z czymś; obal-ić/ać (argumentację) 2. dyliżans 3. autobus 4. wagon kolejowy 5. korepetytor/ka 6. trener/ka [II] *vt* 1. da-ć/wać korepetycje (**sb** komuś); podciąg-nąć/ać (kogoś) do egzaminu 2. trenować (kogoś) [III] *vi* jechać <jeździć> powozem <karetą, dyliżansem> *zob* **coaching**
coach-box [ˈkoutʃˌbɔks] *s* kozioł, miejsce woźnicy
coach-builder [ˈkoutʃˌbildə] *s* stelmach
coach-house [ˈkoutʃˌhaus] *s* wozownia
coaching [ˈkoutʃiŋ] [I] *zob* **coach** *v* [II] *s* 1. jazda dyliżansem; **the ~ days** czasy, kiedy się podróżowało dyliżansem 2. korepetycja; podciąganie do egzaminu 3. trenowanie
coach-man [ˈkoutʃmən] *s* (*pl* **coach-men** [ˈkoutʃmən]) woźnica
coaction [kouˈækʃən] *s* przymus; wymuszenie
coadjutor [ˈkouˈædʒutə] *s* 1. *kośc* koadiutor 2. pomocnik
coadunate [kouˈædjunit] *adj bot* zrosły
coagulant [kouˈægjulənt] *s chem* koagulator
coagulate [kouˈægjuˌleit] [I] *vt* stężać <koagulować> (coś) [II] *vi* stężeć; s/krzepnąć
coagulation [kouˌægjuˈleiʃən] *s* koagulacja; stężenie; skrzepnięcie
coagulator [kouˈægjuˌleitə] = **coagulant**
coak [kouk] [I] *s stol* kołek [II] *vt stol* łączyć na kołki
↑**coal** [koul] [I] *s* węgiel; **to carry ~s to Newcastle** niepotrzebnie się trudzić; **to haul sb over the ~s** z/besztać <zwymyślać> kogoś; udziel-ić/ać komuś nagany; **to heap ~s of fire on sb** odpłac-ić/ać komuś dobrem za złe [II] *vi* bunkrować [III] *vt* zaopat-rzyć/rywać (statek) w węgiel
coal-bed [ˈkoulˌbed] *s* pokład <złoże> węgla
coal-black [ˈkoulˈblæk] *adj* czarny jak węgiel
coal-bunker [ˈkoulˈbʌŋkə] *s* węglownik, zasiek węglowy
coal-burner [ˈkoulˌbə:nə] *s* statek parowy
coal-cellar [ˈkoulˈselə] *s* piwnica
coal-dust [ˈkoulˈdʌst] *s* miał węglowy
coalesce [ˌkouəˈles] *vi* z/łączyć <zl-ać/ewać, z/jednoczyć> się
coalescence [ˌkouəˈlesns] *s* połączenie; zjednoczenie; fuzja
coal-field [ˈkoulˌfi:ld] *s* zagłębie węglowe

coal-fish ['koul,fiʃ] *s zoo* dorsz z czarnym grzbietem

coal-heaver ['koul,hi:və] *s* ładowacz węgla

coalie ['kouli] *s* węglarz (robotnik roznoszący węgiel)

coaling-station ['kouliŋ,steiʃən] *s mar* stacja węglowa

coalition [,kouə'liʃən] *s* koalicja; przymierze; zjednoczenie

coal-man ['koulmən] *s* (*pl* **coal-men** ['koulmən]), **coal-merchant** ['koul,mə:tʃənt] *s* właściciel składu węgla

coal-mine ['koul,main] *s* kopalnia węgla

coalmouse ['koul,maus], **coal-tit** ['koul,tit] *s zoo* sikora bogatka

↑**coal-pit** ['koul,pit] *s* szyb kopalniany <wydobywczy>

coal-scuttle ['koul,skʌtl] *s* wiadro na węgiel

coal-tar ['koul,tɑ:] *s* smoła

coal-tit *zob* **coalmouse**

coaly ['kouli] *adj* węglowy; czarny jak węgiel

coaming ['koumiŋ] *s mar* listwa uszczelniająca luk

↑**coarse** [kɔ:s] *adj* 1. ordynarny; pospolity; grubiański; prostacki; nieokrzesany 2. (*o rysach*) gruby; niedelikatny 3. (*o materiałach itp*) gruby; surowy; szorstki; prosty; chropowaty

coarse-fibred ['kɔ:s'faibəd], **coarse-grained** ['kɔ:s greind] *adj* 1. (*o materiale*) gruby; prosty 2. (*o drewnie*) z grubym słojem 3. (*o człowieku*) prostacki; niedelikatny; nietaktowny

coarsen ['kɔ:sŋ] [I] *vt* z/robić człowieka ordynarnego <pospolitego> (**sb** z kogoś) [II] *vi* s/tracić ogładę <dobre maniery>; s/pospolicieć

coarseness ['kɔ:snis] *s* 1. ordynarność; grubiaństwo; prostactwo; nieokrzesanie 2. grubość <szorstkość> (materiału); szorstkość <chropowatość> (skóry itd.) 3. pospolitość <ordynarność> (rysów)

coast [koust] [I] *s* 1. brzeg morza; wybrzeże 2. *am* zjazd z góry (bobslejem, rowerem na wolnym biegu, samochodem lub motocyklem z wyłączonym silnikiem itd.) 3. tor bobslejowy 4. srebrna tacka pod karafkę [II] *vi* 1. (*o statku*) płynąć <pływać> wzdłuż wybrzeża; uprawiać żeglugę przybrzeżną 2. (*o rowerzyście, motocykliście*) zje-chać/żdżać z góry na wolnym biegu <z wyłączonym motorem> *zob* **coasting**

coastal ['koustl] *adj* przybrzeżny

coaster ['koustə] *s* 1. statek uprawiający żeglugę przybrzeżną 2. srebrna taca pod karafkę 3. rower z wolnym biegiem

coast-guard ['koust,gɑ:d] *s* ochrona wybrzeża

coasting ['koustiŋ] [I] *zob* **coast** *v* [II] *adj* (*o handlu, żegludze*) przybrzeżny

coast-line ['koust,lain] *s* linia brzegowa; ukształtowanie <topografia> wybrzeża

coast-waiter ['koust,weitə] *s* celnik na wybrzeżu

coastwise ['koust,waiz] *adv* wybrzeżem; wzdłuż wybrzeża

↑**coat** [kout] [I] *s* 1. marynarka; surdut; **to dust sb's ~** wytrzepać kogoś; sprawi-ć/ać komuś lanie; **to turn one's ~** prze-jść/chodzić do wrogiego obozu; **you must cut your ~ according to your cloth** tak krawiec kraje, jak mu materii staje 2. (*w strojach kobiecych*) żakiet; **~ and skirt** kostium 3. płaszcz (damski, męski); palto 4. kaftan 5. *wojsk* mundur; **to wear the king's ~** nosić mundur; służyć w wojsku 6. płaszczyk psa; okrycie konia 7. warstwa (farby, tynku itp.); powłoka; **to give sth a ~ of paint** pokryć coś warstwą farby 8. skóra (zwierzęcia); sierść; upierzenie (ptaka) 9. *bot* łupina; pochewka; torebka 10. błona (okrywająca niektóre organy ciała) || **~ of arms, ~ armour** herb; **~ of mail** kolczuga [II] *vt* 1. okry-ć/wać 2. powle-c/kać (farbą, smołą, tynkiem, izolacją itp.) *zob* **coated, coating**

coat-card ['kout,kɑ:d] † *s karc* figura

coated ['koutid] [I] *zob* **coat** *v* [II] *adj* 1. pokryty (**with dust etc.** warstwą kurzu itd.); oblepiony (**with mud etc.** błotem itp.) 2. *med* (*o języku*) obłożony

coatee [kou'ti:] *s* żakiecik

coat-frock ['kout,frɔk] *s* strój damski podobny do kostiumu, lecz uszyty jako całość

coat-hanger ['kout,hæŋə] *s* wieszak

coating ['koutiŋ] [I] *zob* **coat** *v* [II] *s* 1. warstwa (farby itd.) 2. okrycie (czegoś) 3. materiał ubraniowy; czesanka; flausz

coat-tail ['kout,teil] *s* poła (surduta, fraka itd.); *przen* **to trail one's ~s** szukać zwady

co-author ['kou'ɔ:θə] *s* współautor

coax [kouks] *vt* przymilać się (**sb** do kogoś); pieścić (**sb** kogoś); przypochlebiać się (**sb** komuś); **to ~ sb into doing sth** nakłonić kogoś przymilaniem się <pieszczotami, pochlebstwem> do zrobienia czegoś; **to ~ sth out of sb** pochlebstwem <pieszczotami, przymilaniem się> wyłudz-ić/ać coś od kogoś; *pot* **to ~ sth out of a bottle etc.** wyczarować coś z flaszki itd.

coaxer ['kouksə] *s* pochlebca

coaxial [kou'æksiəl] *adj* współosiowy

cob[1] [kɔb] *s* glina ze słomą (jako materiał budowlany)

cob[2] [kɔb] *s* 1. kuleczka ze zlepionych nasion i otrąb do żywienia kurcząt 2. kaczan kukurydzy 3. konik; kucyk 4. łabędź (samiec) 5. orzech (wielkość bryły węgla itp.) 6. (*o człowieku*) kutwa 7. bochenek

cobalt ['koubɔ:lt] [I] *s chem* kobalt [II] *attr* kobaltowy; **~ blue** błękit kobaltowy

cobbing ['kɔbiŋ] *s górn* przebieranie (rudy itd.)

cobble[1] ['kɔbl] [I] *s* 1. = **cobblestone** 2. kostka (wielkość bryły węgla) [II] *vt* wy/brukować kamieniami <kocimi łbami>

cobble[2] ['kɔbl] *vt* po/łatać (obuwie); *przen* s/partaczyć

~ up *vt* załatać

cobbler ['kɔblə] *s* 1. łatacz starego obuwia; **~'s punch** piwo zaprawione korzeniami; **~'s wax** smoła szewska; **the ~ must stick to his last** skoroś szewc, pilnuj swego kopyta; **the ~'s wife is always the worst shod** szewc bez butów chodzi 2. partacz/ka 3. napój chłodzący

cobblestone ['kɔbl,stoun] *s* otoczak; kamień do brukowania ulic; koci łeb

cobby ['kɔbi] *adj* krępy; przysadzisty

cob-coal ['kɔb,koul] *s górn* węgiel gruby

Cobdenism ['kɔbdə,nizəm] *s ekon* doktryna Cobdena

coble ['koubl] *s* płaskodenna łódź rybacka

cobnut ['kɔb,nʌt] *s bot* orzech laskowy

cobra ['koubrə] *s zoo* kobra

cobweb ['kɔb,web] *s* pajęczyna; nić pajęcza

cobwebby ['kɔb,webi] *adj* 1. pokryty pajęczyną 2. cieniutki jak pajęczyna

coca ['koukə] *s bot* koka (krzew)
coca-cola ['koukə'koulə] *s* koka-kola (napój)
cocaine [kə'kein] *s* kokaina
cocainist [kou'keinist] *s* kokainist-a/ka
cocainize [kə'kei,naiz] *vt* kokainizować
coccagee [,kɔkə'gi:] *s* 1. gatunek jabłka 2. gatunek jabłecznika
coccinella [,kɔksi'nelə] *s zoo* owad biedronkowaty; biedronka
coccygeal [kɔk'sidʒiəl] *adj anat* guziczny; ogonowy
coccyx ['kɔksiks] *s anat* kość ogonowa
cochineal ['kɔtʃi,ni:l] *s zoo* koszenila (owad)
cochlea ['kɔkliə] *s* (*pl* **cochleae** ['kɔkli,i:], **~s**) *anat* ślimak (ucha)
cochlear ['kɔkliə] *adj* ślimakowy
cock[1] [kɔk] [I] *s* 1. kogut; † kur; **as the old ~ crows, so does the young learn** niedaleko pada jabłko od jabłoni; **old ~!** bracie!; drogi przyjacielu!; **the ~ of the walk** <**school**> wodzirej; *pot* **that ~ won't fight** nie ma głupich 2. pianie koguta 3. samiec różnych ptaków <homara> 4. kran <kurek> (wodociągowy itd.) 5. kurek strzelby; cyngiel; **at full ~** z naciągniętym kurkiem <cynglem> 6. kurek na dachu 7. języczek u wagi 8. (*o człowieku*) fanfaron 9. zawadiacko zagięte rondo kapelusza 10. zadarcie nosa 11. porozumiewawcze spojrzenie 12. *wulg* członek męski [II] *vt* 1. (*także* **~ up**) za-drzeć/dzierać; podn-ieść/osić; podciąg-nąć/ać; **to ~ up one's eyes** wzn-ieść/osić oczy do nieba; **to ~ a gun** odciąg-nąć/ać <odw-ieść/odzić> kurek (strzelby); **to ~ one's eye at sb** po/patrzyć na kogoś znacząco; zamieni-ć/ać z kimś porozumiewawcze spojrzenie; z/robić (perskie) oko do kogoś 2. wdzi-ać/ewać (kapelusz) zawadiacko <na bakier> 3. nastawi-ć/ać (uszy) *zob* **cocked**
cock[2] [kɔk] [I] *s* kopka (zboża, siana) [II] *vt* układać (zboże, siano) w kopki
cockade [kɔ'keid] *s* kokarda
cock-a-doodle-doo ['kɔkə,du:dl'du:] *interj* kukuryku!
cock-a-hoop ['kɔkə'hu:p] [I] *adj* uradowany; triumfujący [II] *adv* triumfująco
Cockaigne [kɔ'kein] *s* 1. kraina szczęśliwości 2. *sl* Londyn
cockalorum [,kɔkə'lɔ:rəm] *s pot* człowiek małego wzrostu nadrabiający miną i postawą
cock-and-bull ['kɔkən'bul] *attr* **~ story** bajka o żelaznym wilku; duby smalone; banialuki
cockatoo [,kɔkə'tu:] *s zoo* kakadu
cockatrice ['kɔkə,trais] *s* bazyliszek
cockchafer ['kɔk,tʃeifə] *s* chrząszcz
cock-crow ['kɔk,krou] *s* świt
cocked [kɔkt] [I] *zob* **cock**[1] *v* [II] *adj* **a ~ hat** trójgraniasty kapelusz; **to knock sb into a ~ hat** a) zbić kogoś na kwaśne jabłko b) zapędz-ić/ać kogoś w kozi róg c) wprawi-ć/ać kogoś w osłupienie
Cocker[1] ['kɔkə] *spr* **according to ~** w porządku; bez zarzutu
cocker[2] ['kɔkə] *s* 1. odmiana spaniela 2. kogut przeznaczony do walki na arenie
cockerel ['kɔkərəl] *s* kogucik; *przen* zadzierzysty chłopak
cock-eye ['kɔk,ai] *s pot* świdrowate <zezowate> oko, zez
cock-eyed ['kɔk,aid] *adj pot* 1. świdrowaty, zezowaty 2. (*o sprawie, rzeczy*) nieczysty; podejrzany 3. przekręcony; krzywy
cock-fight ['kɔk,fait], **cock-fighting** ['kɔk,faitiŋ] *s* walka kogutów; **this beats ~ing** to jest fantastyczne <coś nadzwyczajnego>
cock-horse ['kɔk,hɔ:s] *s* konik na kiju (zabawka); **to ride a ~** siedzieć okrakiem u kogoś na kolanie
cockiness ['kɔkinis] *s* próżność; zarozumiałość; zadzierzystość
cockle[1] ['kɔkl] *s bot* 1. kąkol 2. sporysz
cockle[2] ['kɔkl] *s* sercak (jadalny mięczak); **to warm the ~s of one's heart** wl-ać/ewać komuś balsam do serca
cockle[3] ['kɔkl] *vt vi* (*także* **~ up**) pomarszczyć <powyginać> (się)
cockle[4] ['kɔkl] *s* piecyk
cockle-shell ['kɔkl,ʃel] *s* muszelka
cock-loft ['kɔk,lɔft] *s* stryszek
cock-master ['kɔk,ma:stə] *s* hodowca kogutów przeznaczonych do walki na arenie
cockney ['kɔkni] [I] *s* 1. rodowity londyńczyk 2. gwara londyńska 3. *am* mieszczuch [II] *adj* (*o mowie, akcencie*) londyński (sfer niewykształconych)
cockneyism ['kɔkni,izəm] *s* wyrażenie z gwary londyńskiej
cock-paddle ['kɔk,pædl] *s zoo* tasza (ryba)
cock-pit [kɔk,pit] *s* 1. arena do walki kogutów; *przen* arena <widownia> walk 2. *mar* punkt opatrunkowy (na okręcie wojennym) 3. miejsce pilota w samolocie
cockroach ['kɔk,routʃ] *s zoo* karaluch
cockscomb ['kɔks,koum] *s* 1. grzebień koguta 2. *bot* szelężnik 3. fircyk; modniś; strojniś
cocksfoot ['kɔks,fut] *s bot* kupkówka
cockshead ['kɔks,hed] *s bot* koniczyna
cock-shot ['kɔk,ʃɔt], **cock-shy** ['kɔk,ʃai] *s* cel, do którego się rzuca kule drewniane <kamienie itp.> na jarmarkach; **to have a ~ at sb, sth** cis-nąć/kać <rzuc-ić/ać> kulą drewnianą <kamieniem itp.> w kogoś, coś
cocksparrow ['kɔk'spærou] *s* 1. *zoo* wróbel 2. *przen* zadzierzysty jegomość
cockspur ['kɔk,spə:] *s* 1. pazur <ostroga> koguta 2. *bot* głóg dwuszyjkowy
cock-sure ['kɔk'ʃuə] *adj* 1. pewny siebie; zarozumiały; zadufany w sobie 2. bezwzględnie pewny (czegoś)
cocktail ['kɔk,teil] *s* 1. cocktail (napój alkoholowy, *także* owocowy) 2. *zoo* kąsawiec (owad) 3. koń wyścigowy półkrwi 4. † parweniusz/ka
cock-up ['kɔk,ʌp] *s* 1. podwinięcie <wygięcie> w górę 2. kapelusz z podwiniętym rondem 3. *druk* inicjał
cocky ['kɔki] *adj* (**cockier** ['kɔkiə], **cockiest** ['kɔkiist]) próżny; zarozumiały; pewny siebie
cocky-leeky ['kɔki'li:ki] *s szkoc* rosół z koguta na porach
coco(a) ['koukou] *s* kokos, palma kokosowa
cocoa ['koukou] *s* kakao
cocoa-bean ['koukou,bi:n] *s* ziarno kakaowe
cocoa-nibs ['koukou,nibz] *spl* ziarna kakaowe
coco(a)nut ['koukə,nʌt] [I] *s* orzech kokosowy; **which accounts for the milk in the ~** co (dopiero) wszystko tłumaczy <rozwiązuje całą zagadkę> [II] *attr* (*o chodniku, mleku*) kokosowy
†**cocoon** [kɔ'ku:n] *s* kokon, oprzęd
cocoonery [kɔ'ku:nəri] *s* hodowla jedwabników

coctile ['kɔktail] *adj cer* (*o cegle itd*) wypalany
coction ['kɔkʃən] *s* gotowanie
cod[1] [kɔd] *s zoo* 1. wątłusz, dorsz 2. (*także* **dried ~**) sztokfisz
cod[2] [kɔd] *vt* (**-dd-**) *sl* nabi-ć/jać w butelkę; wystrychnąć na dudka
coddle ['kɔdl] *vt* (*także* **~ up**) rozpie-ścić/szczać; ze/psuć
code [koud] [I] *s* 1. kodeks; przepisy 2. kod, szyfr; **in ~** szyfrem [II] *vt* szyfrować; ułożyć/układać (telegram itp.) szyfrem
codeine ['koudi:n] *s farm* kodeina
codex ['koudeks] *s* (*pl* **codices** ['koudi,si:z]) 1. rękopiśmienny tom starożytnych tekstów 2. *farm* farmakopea
cod-fishing ['kɔd,fiʃiŋ] *s* połów wątłusza <dorsza>
codger ['kɔdʒə] *s pot* 1. star-y/a dziwa-k/czka; typ; facet/ka 2. kutwa
codices *zob* **codex**
codicil ['kɔdisil] *s prawn* kodycyl
codification [,kɔdifi'keiʃən] *s* kodyfikacja; s/kodyfikowanie
codify ['kɔdi,fai] *vt* (**codified** ['kɔdi,faid], **codified; codifying** ['kɔdi,faiiŋ]) s/kodyfikować
co-director ['kou-di'rektə] *s* członek zarządu
codling[1] ['kɔdliŋ] *s zoo* młody wątłusz <dorsz>
codling[2] ['kɔdliŋ] *s* gatunek jabłka kompotowego
cod-liver-oil ['kɔd,livər'ɔil] *s* tran (lekarski)
co-ed ['kou'ed] *s am* 1. uczennica szkoły koedukacyjnej 2. studentka
coeducation ['kou,edju'keiʃən] *s* koedukacja
coeducational ['kou,edju'keiʃənl] *adj* koedukacyjny
coefficient [,koui'fiʃənt] *s* mnożnik; współczynnik
coeliac ['si:li,æk] *adj anat* trzewny, brzuszny
c(o)enobite ['si:nou,bait] *s* zakonni-k/ca
coequal [kou'i:kwəl] *adj* równy (**in age <rank etc.>** wiekiem <rangą itp.>)
coerce [kou'ə:s] *vt* przymu-sić/szać; zniew-olić/alać (**sb into doing sth** kogoś do czegoś); wymu-sić/szać (coś od kogoś)
coercion [kou'ə:ʃən] *s* przymus; zniewolenie; zmuszenie
coercive [kou'ə:siv] *adj* przymusowy; zniewalający
coessential [koui'senʃəl] *adj* współistny
coeval [kou'i:vəl] *adj* 1. współczesny 2. (będący) w jednym <tym samym> wieku
coexecutor [,kouig'zekjutə] *s* współwykonawca
coexist ['kouig'zist] *vi* współistnieć, koegzystować
coexistence ['kouig,zistəns] *s* współistnienie, koegzystencja; współżycie
coexistent [,kouig'zistənt] *adj* współistniejący, koegzystujący
coextensive ['kouiks'tensiv] *adj* współmierny
coffee ['kɔfi] *s* kawa
coffee-bean ['kɔfi,bi:n] *s* ziarnko kawowe
coffee-cup ['kɔfi,kʌp] *s* filiżanka do kawy
coffee-grounds ['kɔfi,graunds] *spl* fusy
coffee-house ['kɔfi,haus] *s* kawiarnia
coffee-mill ['kɔfi,mil] *s* młynek do kawy
coffee-pot ['kɔfi,pɔt] *s* maszynka do kawy
coffee-room ['kɔfi,ru:m] *s* bar kawowy
coffee-set ['kɔfi,set] *s* serwis do kawy
coffee-spoon ['kɔfi,spu:n] *s* łyżeczka do kawy
coffee-stall ['kɔfi,stɔ:l] *s* bar kawowo-śniadaniowy w budce na kółkach (czynny zwykle w nocy na ulicach Londynu)
coffer ['kɔfə] *s* 1. skrzynia; kaseta; kasa; **the ~s of the State** skarb państwa 2. *bud* kaseton, skrzyniec
cofferdam ['kɔfə,dæm] *s mar* przedział ochronny, koferdam
coffer-fish ['kɔfə,fiʃ] *s zoo* najeż (ryba)
coffin ['kɔfin] [I] *s* trumna; *przen* **a nail in one's ~** gwóźdź do trumny [II] *vt* 1. złożyć/kłaść do trumny 2. s/chować w niedostępnym miejscu; *przen* pogrzebać (w ciemnej izbie, suterenie itp.)
coffle ['kɔfl] *s* karawana zwierząt pociągowych <niewolników>
cog[1] [kɔg] [I] *s* 1. ząb (koła zębatego) 2. *przen* mały <skromny> pionek; *przen* **to have a ~ loose** mieć bzika; *przen* **to slip a ~** po/mylić się; popełni-ć/ać błąd 3. wpust (w stolarce itd.) [II] *vt* (**-gg-**) karbować
cog[2] [kɔg] *vt* (**-gg-**) oszuk-ać/iwać; s/fałszować (kości do gry)
cogency ['koudʒənsi] *s* moc <siła> przekonywania; trafność (argumentu)
cogent ['koudʒənt] *adj* (*o argumencie*) przekonywający; nieodparty; trafny
cogged [kɔgd] *adj* 1. *techn* (*o kole*) zębaty 2. (*o kościach do gry*) fałszowany
cogitate ['kɔdʒi,teit] [I] *vi* rozmyślać; zastan-owić/awiać się (**upon<over>sth** nad czymś) [II] *vt* obmyśl-ić/ać; *filoz* poj-ąć/mować
cogitation [,kɔdʒi'teiʃən] *s* 1. myśl; refleksja 2. zastan-owienie/awianie się (**upon <over> sth** nad czymś) 3. wymyślenie (czegoś)
cogitative ['kɔdʒitətiv] *adj* 1. myślący 2. zamyślony
cognac ['kounjæk] *s* koniak
cognate ['kɔgneit] [I] *adj* pokrewny; spokrewniony [II] *s* 1. pokrewny wyraz 2. kognat, krewny po kądzieli
cognateness ['kɔgneitnis] *s* pokrewieństwo
cognition [kɔg'niʃən] *s filoz* pozna-nie/wanie; percepcja
cognizance ['kɔgnizəns] *s* 1. wiedza; znajomość; wiadomość (**of sth** o czymś); **to have ~ of sth** wiedzieć <być powiadomionym> o czymś; **to take ~ of sth** zapozna-ć/wać się z czymś; przyjąć coś do wiadomości 2. kompetencja; resort 3. znak herbowy; godło
cognizant ['kɔgnizənt] *adj* 1. powiadomiony (**of sth** o czymś); świadomy (**of sth** czegoś) 2. kompetentny (**of sth** w czymś)
cognomen [kɔg'noumen] *s* 1. przypadek 2. nazwisko
cog-rail ['kɔg,reil] *s techn* szyna uzębiona
cogwheel ['kɔg,wi:l] *s techn* koło zębate; tryb; **~ railway** kolej zębata
cohabit [kou'hæbit] *vi* 1. † mieszkać wspólnie 2. żyć jak mąż z żoną <we wspólnocie małżeńskiej>
cohabitation [,kouhæbi'teiʃən] *s* wspólne mieszkanie
co-heir ['kou'εə] *s* współdziedzic
co-heiress ['kou'εəris] *s* współdziedziczka
cohere [kou'hiə] *vi* 1. trzymać się razem; przystawać do siebie 2. zgadzać się logicznie; wiązać się ze sobą
coherence [kou'hiərəns] *s* 1. łączność; zgoda 2. związek logiczny; konsekwencja
coherent [kou'hiərənt] *adj* 1. złączony; zgodny 2. spoisty; logicznie związany; logiczny; konsekwentny
coherer [kou'hierə] *s radio* detektor

cohesion [kou'hi:ʒən] *s* spójność; spoistość; *fiz* kohezja

↑**cohesive** [kou'hi:siv] *adj* spoisty; zwarty

cohort ['kouhɔ:t] *s hist* kohorta

coif [kɔif] *s* 1. czepiec 2. kornet (zakonnicy) 3. kapelusz należący do stroju urzędowego pewnej kategorii adwokatów

coiffure [kwa:'fjuə] *s* fryzura

coign [kɔin] *s* 1. róg; **a ~ of vantage** punkt obserwacyjny; dobre miejsce (do obserwowania, przyglądania się) 2. narożnik

coil[1] [kɔil] [I] *vt* zwi-nąć/jać (w spiralę); nawi-nąć/jać [II] *vi* wić <skręc-ić/ać, okręc-ić/ać> się (**round a tree etc.** dokoła drzew itp.) [III] *s* 1. zwój (drutu itp.); lok (włosów); krąg; **~s of smoke** kłęby dymu 2. spirala 3. *elektr* cewka 4. *elektr* solenoid 5. sprężyna spiralna

coil[2] [kɔil] *s* zgiełk; tumult

coin [kɔin] [I] *s* 1. pieniądz; moneta; bilon 2. gotówka; **to pay sb back in his own ~** odpłac-ić/ać komuś pięknym za nadobne [II] *vt* 1. bić (pieniądze); *przen pot* **to ~ money** robić złote interesy; zar-obić/abiać grube pieniądze 2. wymyśl-ić/ać (historię itp.); u/kuć (nowy wyraz itp.)

coinage ['kɔinidʒ] *s* 1. bicie pieniędzy 2. system monetarny (kraju); waluta 3. wymyślenie <ukucie, wprowadzenie> (nowego wyrazu); **words of modern ~** świeżo wprowadzone wyrazy, nowotwory językowe

coincide [,kouin'said] *vi* 1. (*o okolicznościach itp*) zbiegać <zejść/schodzić> się 2. (*o faktach*) zgadzać się

↑**coincidence** [kou'insidəns] *s* 1. zbieg okoliczności 2. zgodność (faktów itp.)

coincident [kou'insidənt] *adj* 1. zgodny 2. równoczesny

coiner ['kɔinə] *s* 1. fałszerz pieniędzy 2. autor/ka (pomysłu)

coinheritance [,kouin'heritəns] *s* współdziedzictwo; współdziedziczenie

coir ['kɔiə] *s* włókna kokosowe (do wyrobu powrozów i mat)

coition [kou'iʃən] *s fizjol* spółkowanie

coitus ['kouitəs] *s fizjol* spółkowanie

↑**coke** [kouk] [I] *s* koks [II] *vt* koksować

cokernut ['koukə,nʌt] *pot* = **coconut**

col [kɔl] *s* przełęcz

cola ['koulə] *s bot* kola

colander ['kʌləndə] *s* cedzak; cedzidło

colchicum ['kɔltʃikəm] *s bot* zimowit

colcothar ['kɔlkə,θa:] *s chem* kolkotar (farba)

↑**cold** [kould] [I] *adj* (*o temperaturze itd*) zimny; chłodny; mroźny; (*o wywołanym wrażeniu itd*) oziębły; **~ meat** a) mrożone mięso b) zimna pieczeń, pieczeń na zimno; **~ room** chłodnia; **~ storage** zamr-ożenie/ażanie; **in ~ storage** zamrożony; *med* **~ pack** zimne zawijanie; *pot med* **~ spots** <**sores**> opryszczki wargowe; **to be ~** ziębnąć; marznąć; **I am** <**feel**> **~** jest mi zimno; **I have ~ feet** <**hands**> zimno mi w nogi <w ręce>; *pot przen* **to have ~ feet** mieć pietra <stracha>; bać się; *przen* **~ steel** biała broń; *przen* **in ~ blood** z zimną krwią; z zastanowieniem; z rozmysłem; *przen* **a ~ performance** przedstawienie bez muzyki; **a ~ reception** zimne <oziębłe> przyjęcie; **~ comfort** słaba pociecha; **~ counsel** deprymująca <przygnębiająca> rada; **that leaves me ~** to mi jest obojętne; to mnie nie wzrusza; **to be ~ with sb** przyj-ąć/mować kogoś ozięble; **to give sb the ~ shoulder** po/traktować kogoś obojętnie <ozięble> [II] *s* 1. zimno; chłód 2. **a ~** (*także* **a ~ in the head**) katar; zaziębienie; **to catch a ~** zakatarzyć <przeziębi-ć/ać> się; **to have a ~** mieć katar; być przeziębionym <zakatarzonym> 3. oziębłość <obojętność> (w stosunku do kogoś); **to leave sb out in the ~** a) pozostawi-ć/ać kogoś samemu sobie b) z/ignorować kogoś

cold-blooded ['kould'blʌdid] *adj* 1. (*o zwierzęciu*) zimnokrwisty 2. (*o człowieku*) nieczuły; bezlitosny 3. (*o czynie*) rozmyślny; popełniony z zimną krwią

cold-cream ['kould'kri:m] *s kosmet* cold-cream

cold-drawn ['kould'drɔ:n] *adj hut* (*o metalu*) ciągniony na zimno

cold-hammer ['kould'hæmə] *vt hut* kuć <klepać> (metal)

cold-hearted ['kould'ha:tid] *adj* zimny; nieczuły

cold-heartedness ['kould'ha:tidnis] *s* zimne usposobienie; oschłość; brak serca

coldish ['kouldiʃ] *adj* zimnawy; chłodny; chłodnawy

coldness ['kouldnis] *s* 1. zimny stan (czegoś); niska temperatura; chłód 2. oziębłość (między ludźmi)

cold-proof ['kould,pru:f] *adj* zabezpieczony przed zimnem <mrozem>

cold-short ['kould,ʃɔ:t] *adj* (*o żelazie*) kruchy w stanie zimnym

cold-shoulder ['kould'ʃouldə] *vt* 1. okaz-ać/ywać oziębłość (**sb** komuś) 2. zrobić afront (**sb** komuś)

cole [koul] *s* kapusta

coleoptera [,kɔli'ɔptərə] *spl zoo* owady tęgopokrywe

colerape ['koul,reip] *s* rzepa

coleseed ['koul,si:d] *s* 1. nasienie kapusty <rzepy> 2. kapusta 3. rzepa

cole-tit ['koul,tit] *s* sikora

colic ['kɔlik] *s med* kolka

colicky ['kɔliki] *adj med* kolkowy

Coliseum [,kɔli'siəm] *spr* Koloseum

colitis [kou'laitis] *s med* zapalenie okrężnicy

collaborate [kə'læbə,reit] *vi* współpracować

collaboration [kə,læbə'reiʃən] *s* współpraca

collaborationist [kə,læbə'reiʃənist] *s* kolaboracjonista

collaborator [kə'læbə,reitə] *s* 1. współpracowni-k/czka 2. *uj* kolaborator

↑**collapse** [kə'læps] [I] *s* 1. upadek; runięcie; zawalenie się; krach (giełdowy) 2. upadek sił; prostracja; załamanie nerwowe 3. skurczenie się (przekłutego balonika itp.) 4. *med* zapaść; zapad; **~ of lung** zapad płuca; niedodma; **~ therapy** leczenie uciskowe płuc [II] *vi* 1. załam-ać/ywać się; dozna-ć/wać załamania nerwowego, popa-ść/dać w prostrację 2. runąć; za/walić się 3. s/kurczyć się (jak przekłuty balonik)

collapsible [kə'læpsəbl] *adj* (*o stole, krześle itp*) składany

collar ['kɔlə] [I] *s* 1. kołnierz; kołnierzyk 2. kolia 3. kreza 4. łańcuch; wstęga (orderu) 5. chomąto; **I am in ~** zaprzągłem się do roboty 6. obroża 7. *techn* pierścień 8. *kulin* rolada 9. *arch* półwałek (kolumny) 10. *górn* głowica szybowa; gardziel szybu [II] *vt* 1. wziąć/brać (kogoś) za kołnierz 2. zatrzym-ać/ywać (przeciwnika w piłce nożnej, rugby) 3. *sl* położyć/kłaść łapę (**sth** na czymś, na

coś) 4. na-łożyć/kładać obrożę (**a dog** psu); na-łożyć/kładać chomąto (**a horse** koniowi)
collar-beam ['kɔlə,bi:m] *s bud* jętka, ściąg wiązara dachowego
collar-bone ['kɔlə,boun] *s anat* obojczyk
collard ['kɔləd] *s bot* kapusta ogrodowa
collaret(te) [,kɔlə'ret] *s* kreza
collar-work ['kɔlə,wə:k] *s* żmudna <uciążliwa> praca; wielki wysiłek
collate [kɔ'leit] *vt* 1. porówn-ać/ywać; s/konfrontować; zestawi-ć/ać 2. s/kolacjonować 3. *kośc* nada-ć/wać prebendę (**sb** komuś)
collateral [kɔ'lætərəl] *adj* 1. równoległy; równoczesny; towarzyszący 2. boczny; poboczny 3. (*o gwarancji itp*) dodatkowy
collation [kɔ'leiʃən] *s* 1. porównanie; skonfrontowanie; zestawienie 2. lekki posiłek; przekąska; przegryzka
colleague ['kɔli:g] *s* kole-ga/żanka; współpracowni-k/czka
collect[1] ['kɔlekt] *s liturg* kolekta (modlitwa)
collect[2] [kə'lekt] [I] *vt* 1. z/gromadzić; zebrać/zbierać 2. przy-jść/chodzić <przyje-chać/żdżać> (**sth** po coś); od-ebrać/bierać <pod-jąć/ejmować> (przesyłkę, bagaż itd.) 3. kolekcjonować <zbierać> (znaczki pocztowe itp.) 4. pob-rać/ierać (podatki) 5. za/inkasować (pieniądze) 6. otrzym-ać/ywać zwrot (**sth** czegoś — długu itp.) 7. uj-ąć/mować (źródło); ujarzmi-ć/ać (rzekę) [II] *vr* **~ oneself** opanow-ać/ywać się [III] *vi* 1. z/gromadzić <zebrać/zbierać> się 2. kwestować <zbierać datki> (na ubogich itp.) 3. *kośc* kwestować, chodzić z tacą 4. wn-ieść/osić; wy/wnioskować *zob* **collected**
collected [kə'lektid] [I] *zob* **collect**[2] [II] *adj* 1. opanowany 2. skupiony 3. działający z rozmysłem
collectedly [kə'lektidli] *adv* 1. w skupieniu 2. spokojnie; bez zdenerwowania
collection [kə'lekʃən] *s* 1. z/gromadzenie (się); zbiór 2. odbiór <podjęcie> (przesyłki, bagażu itp.) 3. kolekcja; zbiór 4. pobór (podatku) 5. inkaso 6. odbiór (długu) 7. ujęcie (źródła); ujarzmienie (rzeki) 8. kwesta 9. (*na Uniwersytecie Oksfordzkim*) końcowe egzaminy
↑**collective** [kə'lektiv] [I] *adj* 1. kolektywny; wspólny; zbiorowy; gromadny; **~ farm** spółdzielnia produkcyjna 2. *gram* (*o rzeczowniku*) zbiorowy [II] *s* kolektyw
collectivism [kə'lekti,vizəm] *s* kolektywizm
collectivist [kə'lektivist] *s* zwolenni-k/czka kolektywizacji
collectivize [kə'lekti,vaiz] *vt* s/kolektywizować
collector [kə'lektə] *s* 1. (*w maszynach*) kolektor 2. *elektr* komutator 3. kolekcjoner/ka, zbieracz/ka 4. inkasent/ka 5. poborca 6. kontroler/ka (biletów) 7. (*na Uniwersytecie Oksfordzkim*) absolwent pełniący pewne czynności administracyjne 8. (*w Indiach*) zarządca okręgu
colleen ['kɔli:n] *s irl* dziewczyna
college ['kɔlidʒ] *s* 1. kolegium; zrzeszenie; **Sacred College, the ~ of cardinals** kolegium kardynalskie 2. uczelnia; wszechnica; akademia; kolegium 3. szkoła wyższa 4. szkoła średnia; **~ pudding** legumina owocowa; mały „plum-pudding" na jedną osobę *zob* **plum-pudding**
collegian [kə'li:dʒiən] *s* 1. student/ka 2. ucze-ń/nnica 3. † *sl* wię-zień/źniarka
collegiate [kə'li:dʒiit] *adj* 1. kolegialny 2. uniwersytecki; studencki; (*o wydawnictwie itd*) dla studentów 3. kolegiacki; **~ church** kolegiata
collet ['kɔlit] *s* 1. oprawka; tulejka; obręcz; pierścień 2. (*w pierścionku*) otwór na kamień
collide [kə'laid] *vi* 1. zderz-yć/ać się 2. kolidować; wejść/wchodzić w kolizję
collie ['kɔli] *s zoo* szkocki owczarek
collier ['kɔliə] *s* 1. górnik; *med* **~'s lung** pylica węglowa 2. węglarz (kupiec) 3. węglowiec (statek)
colliery ['kɔljəri] *s* kopalnia węgla
colligate ['kɔli,geit] *vt* powiązać
collimation [,kɔli'meiʃən] *s opt* kolimacja; **line of ~** oś <linia> celowania (lunety)
↑**collision** [kə'liʒən] *s* 1. zderzenie 2. kolizja; **to be in ~** kolidować <stać w kolizji> (z czymś); **to come into ~** zderz-yć/ać się
collocate ['kɔlə,keit] *vt* 1. rozmie-ścić/szczać <ustawi-ć/ać> (wojsko itd.) 2. ułożyć/układać (fakty itd.)
collocation [,kɔlə'keiʃən] *s* ustawienie; układ
collocutor [kə'lɔkjutə] *s* rozmów-ca/czyni
collodion [kə'loudiən] *s chem* kolodion, kolodium, kleina
collogue [kə'loug] *vi* knuć; spiskować
colloid ['kɔlɔid] *s fiz chem* koloid
colloidal [kɔ'lɔidəl] *adj fiz chem* koloidalny
collop ['kɔləp] *s* 1. płat mięsa; zraz; **minced ~s** klops; kotlety siekane; sznycle 2. (*u człowieka*) fałd <fałda> mięsist-y/a
colloquial [kə'loukwiəl] *adj* potoczny; familiarny
colloquialism [kə'loukwiə,lizəm] *s* wyrażenie potoczne <familiarne>
colloquy ['kɔləkwi] *s* rozmowa; **to engage in ~** nawiąz-ać/ywać rozmowę
collotype ['kɔlou,taip] *s druk* fototyp; **~ (process)** fototypia
collude [kə'lu:d] *vi* zm-ówić/awiać się; być w zmowie
collusion [kə'lu:ʒən] *s* zmowa; porozumienie (w nieczystej sprawie)
collyrium [kɔ'liəriəm] *s* (*pl* **collyria** [kɔ'liəriə]) *farm* płyn do oczu
collywobbles ['kɔli,wɔblz] *spl pot* burczenie w brzuchu
colocynth ['kɔlə,sinθ] *s bot* kolokwinta
colon[1] ['koulən] *s anat* okrężnica
colon[2] ['koulən] *s* dwukropek
colonate ['kɔlə,neit] *s hist* kolonat
↑**colonel** ['kə:nl̩] *s* pułkownik; **Colonel Chinstrap** typ oficera-popijbrata
colonelcy ['kə:nl̩si], **colonelship** ['kə:nl̩ʃip] *s* pułkownikostwo; ranga pułkownika
colonial [kə'lounjəl] [I] *adj* kolonialny; **Colonial Office** ministerstwo dla spraw kolonii [II] *s* mieszkan-iec/ka kolonii
colonialism [kə'louniə,lizəm] *s* kolonializm
colonist ['kɔlənist] *s* kolonist-a/ka; osadni-k/czka
colonization [,kɔlənai'zeiʃən] *s* kolonizacja; skolonizowanie
colonize ['kɔlə,naiz] *vt* s/kolonizować
colonizer ['kɔlə,naizə] *s* kolonizator
colonnade ['kɔlə,neid] *s* kolumnada; arkady
colony ['kɔləni] *s* kolonia
colophon ['kɔləfən] *s druk* kolofon; **from title-page to ~** od deski do deski
colophony [kɔ'lɔfəni] *s* kalafonia

Colorado-beetle [ˌkɔlə'rɑ:dou'bi:tl] *s zoo* stonka ziemniaczana
coloration [ˌkʌlə'reiʃən] *s* barwienie; układ barw; koloryt
coloratura [ˌkɔlərə'tuərə] *s muz* koloratura
colorific [ˌkʌlə'rifik] *adj* barwny
colorimeter [kʌlə'rimitə] *s* kolorymetr
colossal [kə'lɔsl] *adj* kolosalny; olbrzymi; ogromny
Colosseum [ˌkɔlə'siəm] = **Coliseum**
colossus [kə'lɔsəs] *s* (*pl* **colossi** [kə'lɔsai]) kolos, olbrzym
colostrum [kə'lɔstrəm] *s biol* smółka
↑**colour** ['kʌlə] I *s* 1. kolor, barwa; farba; **it lost its ~** z/bladło; z/blakło; **to take the ~ out of sth** odbarwi-ć/ać coś; **what ~ is it?** jaki to ma kolor; *przen* **I haven't seen the ~ of his money** grosza mi nie zapłacił 2. barwik, barwnik; pigment; **oil ~** farba olejna; **water ~** akwarela (farba wodna i obraz) 3. koloryt; kolorystyka; *przen* światło (w jakim ktoś siebie <coś> przedstawia); *pl* **~s** *przen* zabarwienie (opowiadania itp.); **false** <**true**> **~** fałszywe <prawdziwe> światło; **to give ~ to a story** koloryzować; **to put false ~s on sth** przedstawi-ć/ać coś w fałszywym świetle; **to show oneself in one's true ~s** zrzuc-ić/ać maskę 4. rumie-niec/ńce; rumiana cera; **high ~** silne <żywe> rumieńce; **to be off ~** marnie <mizernie> wyglądać; czuć się nieswojo; być niedysponowanym; **to change ~** a) z/blednąć b) za/czerwienić się c) mienić się na twarzy 5. *karc* kolor, *pot* maść 6. upozorowanie; poz-ór/ory (czegoś); **the ~ of reason** pozory zdrowego rozsądku; **under ~ of law** pod pozorem prawa 7. kolor skóry (ludzkiej); **the ~ bar** <**line**> dyskryminacja rasowa; **the ~ problem** zagadnienie ras kolorowych 8. barwy (klubu, partii, pułku itp.) 9. wstawka (w programie kinowym, teatralnym) 10. *pl* **~s** sztandary; wojsko; **called to the ~s** wzięty <powołany> do wojska; zmobilizowany; **with the ~s** w wojsku; **to nail one's ~s to the mast** nie odst-ąpić/ępować od swych zasad; **to sail under false ~s** ubierać <stroić> się w cudze piórka; **with flying ~s** zaszczytnie II *vt* 1. po/kolorować; u/farbować; po/malować (na jakiś kolor) 2. koloryzować 3. przedstawi-ć/ać (coś) w fałszywych barwach <w fałszywym świetle> 4. upozorować (kłamstwo itp.); nada-ć/wać (**sth** czemuś) pozory (czegoś) III *vi* 1. zabarwi-ć/ać się; przyb-rać/ierać (jakiś) kolor 2. (*o człowieku*) za/rumienić <za/czerwienić> się *zob* **coloured, colouring**
colourable ['kʌlərəbl] *adj* mający pozory prawdy; fałszywy; złudny; **~ imitation** dobrze udane naśladownictwo
colour-bearer ['kʌləˌbɛərə] *s wojsk* chorąży
colour-blind ['kʌləˌblaind] *adj* ślepy na kolory; **to be ~** być daltonistą
colour-blindness ['kʌləˌblaindnis] *s* daltonizm
colour-box ['kʌləˌbɔks] *s* skrzynka z farbami; pudełko na farby
coloured ['kʌləd] I *zob* **colour** *v* II *adj* 1. barwny; kolorowy 2. koloryzowany 3. (*o człowieku*) należący do rasy kolorowej
colourful ['kʌləful] *adj* barwny; pstry
colouring ['kʌləriŋ] I *zob* **colour** *v* II *s* 1. kolorowanie; farbowanie <malowanie> (na jakiś kolor); barwienie; **protective ~** barwy <barwienie> ochronne 2. *mal* koloryt 3. koloryzowanie (opowiadania itp.) 4. rumieńce; **high ~** silne <żywe> rumieńce 5. u/pozorowanie; pozory; fałszywe przedstawienie (sprawy); **to give a false ~ to a fact** przedstawi-ć/ać jakiś fakt w niewłaściwym świetle
colourless ['kʌləlis] *adj* bezbarwny; blady
colourman ['kʌləmən] *s* (*pl* **colourmen** ['kʌləmən]) kupiec handlujący farbami malarskimi
colour-print ['kʌləˌprint] *s* **druk** barwny **druk**; chromodruk
colour-sergeant ['kʌləˌsɑ:dʒənt] *s* sierżant sztabowy; szef (kompanii)
colour-wash ['kʌləˌwɔʃ] I *s* farba klejowa II *vt* malować farbami klejowymi
colportage ['kɔlpɔ:tidʒ] *s* kolportaż
colporteur ['kɔlˌpɔ:tə] *s* kolporter/ka (przeważnie Biblii)
colstaff ['kɔlˌstɑ:f] *s* drąg (do noszenia ciężarów przez dwie osoby równocześnie)
colt[1] [koult] *s* 1. źrebię, źrebak 2. młokos 3. powróz do wymierzania kary chłosty 4. debiutant/ka
Colt[2] [koult] *s* rewolwer automatyczny marki „Colt"
coltish ['koultiʃ] *adj* 1. źrebięcy 2. brykający; trzpiotowaty 3. niedoświadczony
coltsfoot ['koultsˌfut] *s bot* podbiał
colubrine ['kɔljuˌbrain] *adj* 1. wężykowaty; żmijowaty 2. *przen* chytry
columbarium [ˌkɔləm'bɛəriəm] *s* (*pl* **columbaria** [ˌkɔləm'bɛəriə]) kolumbarium (przy krematorium)
columbin [kə'lʌmbin] *s farm* kolumbina
columbine ['kɔləmˌbain] I *adj* gołębi II *s bot* orlik
columbium [kə'lʌmbiəm] I *s chem* niob (pierwiastek) II *attr* niobowy
↑**column** ['kɔləm] *s* 1. kolumna; filar; słup 2. słupek (rtęci w termometrze itp.) 3. szpalta; łam; rubryka; dział (gazety) 4. kolumna (wojskowa)
columnar [kə'lʌmnə] *adj* kolumnowy; filarowy; mający kształt kolumny
columnist ['kɔləmnist] *s* felietonist-a/ka
colures [kə'ljuəz] *spl astr* kolury
colza ['kɔlzə] *s* 1. *bot* rzepak 2. (*także* **~-oil**) olej rzepakowy
coma[1] ['koumə] *s med* śpiączka
coma[2] ['koumə] *s* (*pl* **comae** ['koumi:]) 1. *bot* pęk włosów na nasieniu rośliny 2. *astr* ogon (komety)
comatose ['kouməˌtous] *adj med* śpiączkowy; (*o człowieku*) w stanie śpiączki
comb [koum] I *s* 1. grzebień 2. zgrzebło 3. gręplа 4. płocha tkacka 5. grzebień <grzywa> (fali) 6. grzebień (koguta itd.); **to cut sb's ~** upokorzyć kogoś; utrzeć komuś nosa 7. *elektr* kolektor (maszyny) 8. plaster (miodu) 9. czesanie; **to give one's hair a ~** przeczesać <u/czesać> włosy II *vt* 1. u/czesać; przeczesać; **to ~ one's** <**sb's**> **hair** u/czesać się <kogoś> 2. o/czyścić (konia, krowę) zgrzebłem 3. gręplować III *vi* (*o fali morskiej*) przewal-ić/ać się
~ down *vt* o/czyścić (konia) zgrzebłem
~ out *vt* 1. rozczes-ać/ywać (włosy) 2. przeszuk-ać/iwać, przetrząs-nąć/ać; z/robić obławę <czystkę itp.> (**a town etc.** w mieście itp.) *zob* **combing**
↑**combat** ['kɔmbət] I *vi* walczyć; bić się II *vt* 1. zwalcz-yć/ać (wroga, chorobę itd.) 2. sprzeciwi-ć/ać się (**sth** czemuś) III *s* walka; bitwa; bój; **single ~** walka w pojedynkę IV *attr* bojowy

combatant ['kɔmbətənt] [I] *adj* bojowy; wojenny [II] *s* bojownik; walczący; kombatant; wojskowy; żołnierz
combative ['kɔmbətiv] *adj* wojowniczy
combativeness ['kɔmbətivnis] *s* wojownicze usposobienie
comber ['koumə] *s* 1. grępel 2. *techn* gręplarka 3. grzywacz, grzywiasta fala morska
combination [ˌkɔmbi'neiʃən] *s* 1. kombinacja; związek; zjednoczenie; połączenie; **in ~ with** w połączeniu <połączony> z; **to enter into ~** połączyć <zjednoczyć> się 2. *pl* **~s** kombinacja (damska) 3. motocykl z przyczepką 4. (*także* **~-lock**) zamek szyfrowy <wielotarczowy, nastawny> 5. *chem* związek
combination-room [ˌkɔmbi'neiʃənˌru:m] = **common-room** 1.
combinatorial [ˌkɔmbinə'tɔ:riəl] *adj mat* kombinatoryczny
combine[1] ['kɔmbain] *s* kartel; konsorcjum
combine[2] [kəm'bain] [I] *vt* 1. połączyć; utworzyć kombinację (**sth** z czegoś, z jakichś rzeczy); s/kombinować; po/wiązać 2. łączyć w sobie (różne przymioty itd.) [II] *vi* 1. po/łączyć <z/jednoczyć, s/fuzjonować; *chem* związać> się 2. porozumie-ć/wać się (**to do sth** żeby coś zrobić; **against sb** przeciw komuś) *zob* **combined**
combined [kəm'baind] [I] *zob* **combine**[2] [II] *adj* połączony; łączny; wspólny; kolektywny
combing ['koumiŋ] [I] *zob* **comb** *v* [II] *s* 1. czesanie; gręplowanie; czyszczenie (konia, krowy) zgrzebłem 2. *pl* **~s** wyczeski
comb-out ['koum'aut] *s* 1. czystka 2. obława
combs ['koumz] *spl brow* zmiotki słodowe
combustible [kəm'bʌstəbl] [I] *adj* 1. (*o materiale*) palny; łatwopalny 2. (*o człowieku*) popędliwy; *pot* w gorącej wodzie kąpany [II] *s* 1. materiał palny <łatwopalny> 2. opał
combustibility [kəmˌbʌsti'biliti] *s fiz* palność; zapalność
combustion [kəm'bʌstʃən] *s* 1. spalanie 2. (*w silniku*) zapłon; **internal ~ engine** motor spalinowy
come [kʌm] *v* (**came** [keim], **come**) [I] *vi* 1. przy-jść/chodzić; przyje-chać/żdżać; przyl-ecieć/atywać; przypły-nąć/wać; przybie-c/gać; przyby-ć/wać; **~ and see me** przyjdź/cie do mnie; **~ this way** proszę tędy <za mną>; **easy ~ easy go** co się łatwo zarobi, to się łatwo wydaje; **you've ~ to the wrong person** pomyliłeś się w adresie 2. iść; **here he ~s** (oto) idzie; o wilku mowa, a wilk tuż; **(I'm) coming!** już idę!; zaraz, zaraz!; zaraz (tam) będę! 3. (*o czasach, wypadkach itd*) nasta-ć/wać; sta-ć/wać się; nad-ejść/chodzić; nadciąg-nąć/ać; zbliż-yć/ać się 4. dziać się; **~ what may!** niech się dzieje co chce! 5. pochodzić (**from a source** z jakiegoś źródła; **of given parents** od danych rodziców) 6. *z przymiotnikiem lub imiesłowem biernym*: **to ~ alive** ożywi-ć/ać się; **to ~ right** naprawi-ć/ać się; **to ~ true** sprawdz-ić/ać się; **to ~ undone** <**untied**> rozwiąz-ać/ywać się; **to ~ unstitched** rozpru-ć/wać się 7. *z liczebnikiem porządkowym*: być; **you ~ first** ty jesteś pierwszy; **he ~s third** on jest trzeci 8. *zawiera pojęcie następstwa*: **dinner soon came** wkrótce potem podano do stołu; **that ~s on the next page** to będzie na następnej stronie; **then came the worst** potem stało się to najgorsze; **your speech ~s next** z kolei następuje pańskie przemówienie 9. dochodzić; doczekać się; w końcu <wreszcie> coś zrobić; **to ~ to believe__** dojść do przekonania, że...; **I came to know him** doszło do tego, że (wreszcie) go poznałem; **we came to like each other** ostatecznie polubiliśmy się; **now I ~ to think of it__** po namyśle dochodzę do wniosku, że... 10. *z poprzedzającym* **to**: przyszły; **in years to ~** w przyszłych latach 11. *w określeniach czasu*: *pot* **a week ~ Tuesday** od wtorku za tydzień; **he will be ten ~ January** w styczniu będzie miał dziesięć lat; **two years ~ Christmas** na Boże Narodzenie będzie dwa lata 12. *wykrzyknikowo*: **~, ~!** a) no, no! b) opamiętaj/cie się!; **~ now!** posłuchaj/cie! 13. *z przyimkami*: **~ across** prze-jść/chodzić <przeje-chać/żdżać, przel-ecieć/atywać, przepły-nąć/wać, przebie-c/gać> (przez drogę, morze, kraj itd.); **~ after** nast-ąpić/ępować (po kimś, czymś); przyby-ć/wać <przy-jść/chodzić, przypły-nąć/wać, przyje-chać/żdżać, przybie-c/gać> (za kimś, czymś); **~ against** a) nat-knąć/ykać się (na kogoś, coś) b) zderz-yć/ać się (z kimś, czymś) c) na-trzeć/cierać (na kogoś, coś — na wroga itp.); **~ along** zbliż-yć/ać się (drogą, ulicą itd.); **~ at** do-trzeć/cierać (do kogoś); dostać się (do czegoś — schowanego itd.); **~ before** a) ukaz-ać/ywać się <iść> (przed kimś, czymś; wcześniej od kogoś, czegoś); poprzedz-ić/ać (kogoś, coś) b) mieć pierwszeństwo (przed kimś, czymś); być ważniejszym (od kogoś, czegoś) c) należeć do kompetencji (sądu itp.); **~ between** a) wejść/wchodzić (między jedno a drugie) b) wkr-oczyć/aczać; za/interweniować; **~ by** a) prze-jść/chodzić (obok domu itp.); mi-nąć/jać (dom itp.) b) zdoby-ć/wać; osiąg-nąć/ać; dosta-ć/wać; do-jść/chodzić (do pieniędzy, wyników itp.) c) doczekać się; *przen* dowojować <doigrać> się (czegoś); **~ down** zejść/schodzić (z drabiny, schodów, góry itd.); **~ into** a) wejść/wchodzić (do pokoju itp.) b) wejść/wchodzić w posiadanie; o/dziedziczyć; **to ~ into sb's mind** przyjść komuś na myśl <do głowy>; **~ near** a) zbliż-yć/ać się; pod-ejść/chodzić b) *z następującą formą* **-ing**: o mało nie (zrobić czegoś); **he came near (to) screaming** <**crying**> o mało nie wrzeszczał <nie rozpłakał się>; **~ of** wynik-nąć/ać z <być skutkiem> (czegoś); **nothing came of it** nic z tego nie wyszło; **~ off** zejść/schodzić (z czegoś); opu-ścić/szczać; porzuc-ić/ać; zarzuc-ić/ać (coś); **~ out of** wy-jść/chodzić (z pokoju itd.); **~ over** a) prze-jść/chodzić <przeje-chać/żdżać, przepły-nąć/wać, przel-ecieć/atywać> (przez morze, kraj itd.) b) opanow-ać/ywać; opętać; **what has ~ over you?** co cię <was> opętało?; co się z tobą <wami> dzieje?; co ci <wam> strzeliło do głowy? c) przezwycięż-yć/ać; przemóc; pokonać; po/radzić sobie (z czymś); **~ round** ob-ejść/chodzić; okrąż-yć/ać (kogoś, coś); **~ through** wy-jść/chodzić cało (z czegoś); przetrwać; przeży-ć/wać; **~ to** a) do-jść/chodzić (do czegoś); **what are things coming to?** do czego to wszystko doprowadzi? b) odziedziczyć (coś) c) **to ~ to sb** pod-ejść/chodzić do kogoś; zwr-ócić/acać się do kogoś d) (*o rachunku, kwocie*) wynosić (*x* szylingów) e) **to ~ to the same thing** wy-jść/chodzić na jedno f) **to ~ to nothing** <**nought**> nie da-ć/wać żadnych wyników <rezultatów>; całkowicie zawieść; spalić na pa-

newce g) **if you ~ to that** jeżeli o to chodzi; jeżeli tak się sprawę postawi h) **if the worst ~s to the worst** w najgorszym razie; **~ under** a) podlegać (wpływom, działaniu) b) podpa-ść/dać (pod pewną kategorię); figurować <być> (pod pewną rubryką); **~ up** wy-jść/chodzić na górę (po drabinie, schodach itd.); wspi-ąć/nać się (na górę, szczyt itd.); **~ upon** a) spa-ść/dać <zwal-ić/ać się> (na kogoś, coś); runąć (na kogoś, coś) b) niepokoić (kogoś o coś) c) **to ~ upon sb for a sum** za/żądać <wymagać> od kogoś pewnej kwoty <sumy> (pieniędzy) d) sta-ć/wać się ciężarem dla <prze-jść/chodzić na utrzymanie> (miasta, parafii itp.) e) przy-jść/chodzić (komuś) na myśl; **~ within** a) być objętym (określeniem, ustawą itd.) b) wchodzić w zakres (obowiązków, kompetencji itp.) III *vt pot* 1. *w zwrocie*: **to ~ it strong** przesadz-ić/ać; *przen* nie żałować sobie 2. *w zwrocie*: **to ~ it over sb** rozkaz-ać/ywać komuś 3. uda-ć/wać (**the noble lord** wielkiego pana; **the virtuous etc.** cnotliwego itd.)

~ about *vi* 1. zdarz-yć/ać <stać> się; mieć miejsce 2. (*o wietrze*) odwr-ócić/acać się

~ across *vi am pot* 1. wyrówn-ać/ywać dług 2. da-ć/wać się przekonać 3. z/decydować <zdobyć> się na powiedzenie prawdy 4. (*o kobiecie*) mieć rozwiązanie

~ after *vi* nast-ąpić/ępować; z kolei <później> przy-jść/chodzić <przyjechać itd.> *zob* **come** *vi* 1., 3., 4.

~ again *vi* 1. wr-ócić/acać 2. przy-jść/chodzić jeszcze (raz, często itd.); **~ again** przyjdź/cie jeszcze; nie zapominaj/cie o nas <o mnie>; bądź/cie częstym/i goś-ciem/ćmi; (*w sklepie*) proszę często <częściej> zaglądać

~ along *vi* 1. nad-ejść/chodzić; nadje-chać/żdżać; nadciąg-nąć/ać; zbliż-yć/ać się 2. nasta-ć/wać; ukaz-ać/ywać się 3. *wykrzyknikowo*: **~ along!** chodź/cie!; *sl* jazda!

~ apart <**asunder**> *vi* rozpa-ść/dać się na kawałki <na części>; rozl-ecieć/atywać się na części <na kawałki>; z/łamać <roz-ejść/chodzić, rozkle-ić/jać, roz-erwać/rywać> się

~ away *vi* 1. (*o człowieku*) od-ejść/chodzić; pójść/iść sobie 2. (*o rzeczy*) od-ejść/chodzić; odpa-ść/dać; odłam-ać/ywać się

~ back *vi* 1. wr-ócić/acać; przy-jść/chodzić jeszcze (raz, często itd.) 2. *am* odpowi-edzieć/adać 3. (*o sprawach, zdarzeniach*) przypom-nieć/inać się 4. nawiąz-ać/ywać (**to sth** do czegoś)

~ before *vi* ukaz-ać/ywać się wcześniej; być pierwej <wcześniej>

~ by *vi* prze-jść/chodzić <przeje-chać/żdżać, przel-ecieć/atywać, przesu-nąć/wać się> obok

~ down *vi* 1. obniż-yć/ać <zniż-yć/ać> się; opa-ść/dać; *przen* **to ~ down a peg** spu-ścić/szczać z tonu; zwi-nąć/jać ogon pod siebie 2. spa-ść/dać; zl-ecieć/atywać; z/walić się; runąć (**from sth** z czegoś); **to ~ down in the world** podupa-ść/dać 3. (*o deszczu*) lunąć/lać 4. sięg-nąć/ać (w dół) do (kolan, kostek itd.) 5. pochodzić (**from a given family** z danej rodziny; **from given ancestors** od danych przodków) 6. (*o tradycji itp*) zostać <być> przekaz-anym/ywanym (potomstwu) 7. (*o opowiadaniu itp*) stre-ścić/szczać się (do czegoś) 8. (*o rachunkach, wydatkach itp*) ogranicz-yć/ać się (**to certain items** do pewnych pozycji) 9. wst-ąpić/ępować (do kogoś — na herbatkę itp.) 10. z/besztać (**upon sb** kogoś) 11. (niechętnie) zapłacić (**with £ 10 etc.** 10 funtów itp.) || **to ~ down handsomely** okaz-ać/ywać się hojnym

~ forth *vi* 1. wy-jść/chodzić (z ukrycia itp.) 2. pod-ejść/chodzić; zbliż-yć/ać się

~ forward *vi* 1. pod-ejść/chodzić; zbliż-yć/ać się 2. wyst-ąpić/ępować

~ in *vi* 1. wejść/wchodzić; wje-chać/żdżać; wl-ecieć/atywać; wst-ąpić/ępować; wkr-oczyć/aczać; **where do I ~ in?** a) gdzie tu moje miejsce? b) a ja to co?; *pot* a ja to pies? 2. (*o pociągu, statku itp*) przyby-ć/wać; przyje-chać/żdżać 3. (*o porze roku*) nad-ejść/chodzić 4. (*o wodzie itp*) przybywać; podnosić się; **the tide ~s in** jest przypływ 5. (*o modzie itp*) ukaz-ać/ywać się; zostać wprowadzonym 6. (*o funduszach, zgłoszeniach, wynikach ankiety, wyborów itd*) wpły-nąć/wać, napły-nąć/wać; nad-ejść/chodzić 7. (*w wyścigu, biegach itp*) zaj-ąć/mować miejsce (pierwsze, drugie itd.) 8. *polit* do-jść/chodzić do władzy <do rządów> 9. okaz-ać/ywać się; **to ~ in useful** okazać się pożytecznym; przyda-ć/wać się 10. otrzym-ać/ywać <dosta-ć/wać> (**for sth** coś — spadek, naganę, pochwałę itd.); **you ~ in for a trashing** czeka cię <was> lanie

~ off *vi* 1. (*o guzikach itd*) odpa-ść/dać; odl-ecieć/atywać 2. (*o farbie*) pu-ścić/szczać 3. (*o zapachu*) un-ieść/osić <wydoby-ć/wać, ul-otnić/atniać> się 4. (*o wydarzeniu, imprezie itp*) mieć miejsce; zdarz-yć/ać <odby-ć/wać> się 5. (*o zamiarze itp*) uda-ć/wać się 6. *z przymiotnikiem, przysłówkiem lub rzeczownikiem użytym orzecznikowo*: **to ~ off a winner** <**a loser**> zysk-ać/iwać <s/tracić> (na czymś); **to ~ off badly** wy-jść/chodzić (na czymś) źle; **to ~ off victorious** wyjść (z czegoś) zwycięsko

~ on *vi* 1. zbliż-yć/ać się 2. rozwi-nąć/jać się; z/robić postępy; posu-nąć/wać się naprzód 3. nad-ejść/chodzić; nadarz-yć/ać się 4. (*także* **~ on for trial**) być na wokandzie; (*także* **~ on for discussion**) być na porządku dziennym <*pot* na tapecie> 5. (*o aktorze*) mieć występ; (*o zawodniku*) zacząć grać 6. **~ on!** a) chodź/cie!; nuże!; dalejże! b) *wyzywająco*: spróbuj/cie! c) *zachęcająco*: **~ on, let's have a game** no, zagrajmy

~ out *vi* 1. wy-jść/chodzić; wyje-chać/żdżać 2. (*o włosach itd*) wypadać 3. (*przy egzaminie*) otrzymać lokatę 4. (*o publikacji itp*) ukaz-ać/ywać <pojawi-ć/ać> się 5. (*o szczegółach w obrazie itp*) wyst-ąpić/ępować; (*o kimś, czymś na fotografii*) wy-jść/chodzić (dobrze, źle) 6. (*o tajemnicy, prawdzie itp*) wy-jść/chodzić na jaw 7. (*o pracownikach*) za/strajkować 8. (*o plamie*) da-ć/wać się wywabić <wyczyścić> 9. debiutować 10. kalkulować się <wychodzić> (**at so-and-so much** na pewną kwotę) 11. wy-jść/chodzić (dobrze, źle itd. — na jakimś interesie) 12. wypowi-edzieć/adać (**with a remark** uwagę); *pot* wyrwać się (z jakąś uwagą) || **to ~ out in a rash** a) dostać pokrzywki <wysypki> b) okry-ć/wać się krostami

~ over *vi* przy-jść/chodzić; przyje-chać/żdżać;

przyl-ecieć/atywać; przyby-ć/wać; **to ~ over to sb's side** przejść na czyjąś stronę || *pot* **to ~ over funny** zasłabnąć

~ round *vi* 1. ob-ejść/chodzić; iść/chodzić naokoło 2. powr-ócić/acać (**to sth** do czegoś) 3. przy-jść/chodzić <przyje-chać/żdżać> (**to see sb** do kogoś w odwiedziny) 4. wrócić do przytomności; przyjść do siebie || **to ~ round to sb's way of thinking** po namyśle zgodzić się z czyimś zdaniem

~ through *vi* 1. prze-jść/chodzić; przecie-c/kać 2. wyjść cało (z choroby, trudności itp.)

~ to *vi* przy-jść/chodzić do siebie <do przytomności>; odzysk-ać/iwać przytomność

~ together *vi* 1. zejść/schodzić się 2. po/łączyć się 3. spot-kać/ykać się

~ up *vi* 1. wejść/wchodzić na górę <do góry>; wspi-ąć/nać <podn-ieść/osić> się (na wierzch, na powierzchnię) 2. (*o roślinach*) ukaz-ać/ywać <rozwi-nąć/jać> się; wy/rosnąć 3. przyje-chać/żdżać (z prowincji do stolicy, na uniwersytet); wstąpić na uniwersytet 4. pod-ejść/chodzić (do kogoś, czegoś); zbliż-yć/ać się; **to ~ up against sb** spot-kać/ykać <zejść/schodzić> się z kimś; **to ~ up against sth** zderz-yć/ać się z czymś; nat-knąć/ykać się <natrafi-ć/ać> na coś; nadzi-ać/ewać się na coś; **to ~ up to expectations** <**to the mark**> nie zaw-ieść/odzić oczekiwań; spełni-ć/ać nadzieje 5. sta-nąć/wać (przed sądem) 6. być na wokandzie <na porządku dziennym obrad, *pot* na tapecie> 7. sięg-nąć/ać (**to a given height** do danej wysokości) 8. *z zaprzeczeniem*: nie dorówn-ać/ywać (komuś, czemuś) 9. dog-onić/aniać (**with sb** kogoś)

zob **coming**

come-and-go ['kʌmən'gou] *s* krzątanina; ruch tam i z powrotem

come-at-able [kʌm'ætəbl] *adj* (*o miejscu*) dostępny; (*o człowieku*) przystępny

come-back ['kʌm'bæk] *s* 1. powrót 2. wyzdrowienie 3. *am* odpowiedź; reakcja 4. *am* rewanż

comedian [kə'mi:diən] *s* komik

comédienne [kə,medi'en] *s* aktorka (grająca role komiczne)

comedist ['kɔmidist] *s* komediopisarz

comedo [kɔ'mi:dou] *s* (*pl* **comedones** [,kɔmi'doun i:z]) *med* zaskórnik, wągr

come-down ['kʌm,daun] *s* 1. upadek 2. upokorzenie; poniżenie

comedy ['kɔmidi] *s* komedia

comeliness ['kʌmlinis] *s* urodziwość; uroda; *lit* krasa

comely ['kʌmli] *adj* (**comelier** ['kʌmliə], **comeliest** ['kʌmliist]) 1. urodziwy; nadobny; przystojny 2. (*o zachowaniu*) stosowny

comer ['kʌmə] *s* przybysz; **all ~s** każdy; kto tylko się zgłosi; wszyscy; **first ~** a) pierwszy przybyły; który <kto> pierwszy przychodzi <przyszedł, przyjdzie> b) pierwszy lepszy (człowiek); byle kto

comestible [kə'mestibl] [I] *adj* jadalny; spożywczy [II] *s* artykuł spożywczy; *pl* **~s** żywność; artykuły spożywcze

comet ['kɔmit] *s* kometa

comfit ['kʌmfit] *s* 1. cukierek 2. kandyzowany owoc <orzech itp.>

comfort ['kʌmfət] [I] *vt* pociesz-yć/ać; doda-ć/wać otuchy (**sb** komuś); podn-ieść/osić na duchu; pokrzepi-ć/ać [II] *s* 1. pociecha; otucha; osłoda; **cold ~** słaba pociecha; **it's a ~ to know** <**think etc.**> **that** __ pocieszające jest to <cała pociecha w tym>, że ...; **to take ~** pociesz-yć/ać się 2. wygoda; **creature ~s** przyjemności życia 3. dobrobyt 4. komfort 5. dobre samopoczucie 6. watowane przykrycie na nogi 7. *am* **public ~ station** ustęp publiczny

comfortable ['kʌmfətəbl] [I] *adj* 1. (*o przedmiocie*) wygodny 2. (*o mieszkaniu, hotelu itp*) komfortowy; z komfortem; dobry, przyjemny; **it's so ~ here** jak tu dobrze <przyjemnie> 3. (*o człowieku*) spokojny; **to be ~ about sb, sth** być spokojnym o kogoś, coś; nie mieć obaw co do kogoś, czegoś 4. nieskrępowany; **to make oneself ~** rozgościć się; czuć się nieskrępowanym <jak u siebie w domu>; **are you ~?** czy jest ci <wam> wygodnie? 5. z dobrym samopoczuciem; **to feel** <**be**> **~** dobrze się czuć; mieć przyjemne samopoczucie; (*o pacjencie*) nie cierpieć 6. *mówiąc do osoby częstującej*: **I'm quite ~, thank you** dziękuję, już nie 7. (*o dochodzie*) ładny; zapewniający wygodne życie; **to make sb ~ for the rest of his days** zapewnić komuś wygodę do końca życia; zabezpieczyć komuś wygodną starość [II] *s am*=**comfort** *s* 6.

comfortably ['kʌmfətəbli] *adv* 1. wygodnie; z komfortem 2. dobrze; przyjemnie 3. bez pośpiechu 4. wygodnie; bez ścisku; przestronnie

comforter ['kʌmfətə] *s* 1. pocieszyciel/ka 2. szalik (wełniany) 3. smoczek 4. *am* = **comfort** *s* 6.

comfortless ['kʌmfətlis] *adj* 1. niewygodny; bez wygód 2. smutny; ponury 3. niepocieszony

comfrey ['kʌmfri] *s bot* żywokost

comfy ['kʌmfi] *adj* (**comfier** ['kʌmfiə], **comfiest** ['kʌmfiist]) *skr pot* **comfortable**

comic ['kɔmik] [I] *adj* komiczny; humorystyczny [II] *s* komi-k/czka

comical ['kɔmikəl] *adj* komiczny; zabawny; śmieszny

comicality [,kɔmi'kæliti] *s* komiczność; komizm; zabawna strona <humorystyczny charakter> (czegoś)

comic-strip ['kɔmik,strip] *s* odcinek humorystyczny (w gazecie)

coming ['kʌmiŋ] [I] *zob* **come** [II] *adj* 1. przyszły; nadchodzący; (*o pokoleniu*) dorastający; **a ~ man** człowiek z przyszłością 2. *lit* życzliwy [III] *s* 1. nadejście; nastanie; przybycie; przyjście 2. zbliż-enie/anie się 3. *pl* **~s and goings** krzątanina; bieganina

Comintern ['kɔmin,tə:n] *spr* Międzynarodówka Komunistyczna, III Międzynarodówka

comity ['kɔmiti] *s* wzajemna kurtuazja; przyjazne stosunki wzajemne; **~ of nations** wzajemna lojalność <kurtuazja, ogólnie przyjęte zasady uprzejmości> między narodami

comma ['kɔmə] *s* przecinek; **~ bacillus** zarazek cholery; *zoo* **~ butterfly** rusałka (motyl); **inverted ~s** cudzysłów

command [kə'ma:nd] [I] *vt* 1. rozkaz-ać/ywać <nakaz-ać/ywać> (**sb** komuś) 2. dowodzić (**sb, sth** kimś, czymś) 3. panować (**sth** nad czymś — namiętnościami, światem, odcinkiem terenu, frontu itp.); *wojsk* mieć pod obstrzałem; *karc* **to ~ a suit** mieć wszystkie honory <górę> w danym kolorze 4. górować (**sb, sth** nad kimś, nad czymś);

dominować (**sth** nad czymś — okolicą itd.) 5. rozporządz-ić/ać (**sb, sth** kimś, czymś); **yours to ~** proszę mną rozporządzać; jestem do usług 6. wzbudz-ić/ać <nakaz-ać/ywać> (szacunek, podziw); domagać się (**sth** czegoś — uwagi itp.); (*o towarze*) **to ~ a high price** być w cenie *zob* **commanding** [II] *s* 1. rozkaz; nakaz; **at <by> sb's ~** na czyjś rozkaz; z czyjegoś nakazu <rozkazu>; **I'm at your ~** jestem do usług; proszę mną rozporządzać 2. *wojsk* komenda; *lotn* dywizjon 3. dowództwo; **second in ~** zastępca dowódcy; **to be in ~ of a unit** dowodzić jednostką; **under sb's ~** pod czyimś dowództwem 4. panowanie (**of sth** nad czymś); **to be in ~ of a pass** panować nad przełęczą; trzymać przełęcz pod obstrzałem 5. władanie; opanowanie (gałęzi wiedzy itp.); **to have a ~ of several languages** władać kilkoma językami; **~ over oneself** samoopanowanie 6. rozporządzanie (**of sth** czymś); **at one's ~** do czyjejś dyspozycji; **the means at my ~** środki, którymi dysponuję <rozporządzam>

commandant [ˌkɔmən'dænt] *s* dowódca; komendant

commandeer [ˌkɔmən'diə] *vt* 1. za/rekwirować 2. z/mobilizować; wziąć/brać <powoł-ać/ywać> do wojska

commander [kə'mɑ:ndə] *s* 1. dowódca; komendant 2. kapitan fregaty 3. komandor (orderu) 4. *lotn* **wing ~** podpułkownik lotnictwa

commander-in-chief [kə'mɑ:ndər-in'tʃi:f] *s* (*pl* **commanders-in-chief** [kə'mɑ:ndəz-in'tʃi:f]) naczelny wódz <dowódca>; głównodowodzący

command-in-chief [kə'mɑ:nd-in'tʃi:f] *s* (*pl* **commands-in-chief** [kə'mɑ:ndz-in'tʃi:f]) naczelne dowództwo

↑**commanding** [kə'mɑ:ndiŋ] [I] *zob* **command** *v* [II] *adj* imponujący; majestatyczny

commandment [kə'mɑ:ndmənt] *s* przykazanie (boskie)

commando [kə'mɑ:ndou] *s wojsk* 1. jednostka do specjalnych zadań 2. komandos (żołnierz tej jednostki)

commemorate [kə'meməˌreit] *vt* u/czcić (pamięć); obchodzić (rocznicę itp.); utrwal-ić/ać pamięć (**sth** czegoś — czynu itp.)

commemoration [kəˌmemə'reiʃən] *s* uczczenie pamięci; obchód (rocznicy itp.); utrwalenie pamięci; **in ~ of _** ku czci ...

commemorative [kə'memərətiv] *adj* pamiątkowy

commence [kə'mens] [I] *vi* 1. zacz-ąć/ynać <rozpocz-ąć/ynać> się 2. *uniw* otrzymać stopień naukowy [II] *vt* zacz-ąć/ynać (**to do <doing> sth** coś robić); rozpocz-ąć/ynać; **to ~ an action** wszcz-ąć/ynać kroki sądowe *zob* **commencing**

commencement [kə'mensmənt] *s* 1. początek; rozpoczęcie 2. *uniw* dzień <uroczystość> nadawania stopni naukowych

commencing [kə'mensiŋ] [I] *zob* **commence** [II] *adj* początkujący; wstępny

commend [kə'mend] [I] *vt* 1. polec-ić/ać; <powierz-yć/ać> (coś komuś, czyjejś opiece itd.) 2. po/chwalić; zalec-ić/ać 3. † *w zwrocie*: **~ me to him** pozdrów/cie go ode mnie [II] *vr* **~ itself** wyda-ć/wać się słusznym

commendable [kə'mendəbl] *adj* chwalebny; godny polecenia

commendation [ˌkɔmen'deiʃən] *s* 1. pochwała 2. polecenie (kogoś komuś); **letters of ~** listy polecające

commendatory [kə'mendətəri] *adj* pochwalny

commensal [kə'mensəl] *adj zoo* współbiesiadny

commensurable [kə'menʃərəbl] *adj* 1. współmierny (**with <to> sth** z czymś) 2. (*o liczbie*) podzielny (**with <to> _** przez ...)

commensurate [kə'menʃərit] *adj* 1. współmierny; proporcjonalny (**with <to> sth** do czegoś) 2. podzielny (**with <to> _** przez ...)

comment ['kɔment] [I] *s* komentarz; notatka; uwaga [II] *vi* s/komentować (**on sth** coś); z/robić <wygł-osić/aszać> uwagi (**on sth** o czymś); wypowi-edzieć/adać zdanie (w jakiejś sprawie)

commentary ['kɔməntəri] *s* komentarz; komentowanie; uwaga; notatka; **running ~** a) lektura stataryczna b) reportaż radiowy

commentation [ˌkɔmen'teiʃən] *s* komentowanie; komentarze

commentator ['kɔmenˌteitə] *s* 1. komentator/ka 2. sprawozdawca radiowy

commerce ['kɔmə:s] *s* 1. handel 2. styczność (z kimś) 3. stosunek płciowy

commerce-destroyer ['kɔmə:s-disˌtrɔiə] *s* okręt wojenny nękający statki handlowe nieprzyjaciela

↑**commercial** [kə'mə:ʃəl] *adj* handlowy; kupiecki; ekonomiczny; komercjalny; **~ room** pokój w hotelu dla agentów podróżujących; **~ traveller** agent podróżujący, komiwojażer

commercialese [kəˌmə:ʃə'li:z] *s* styl <język> handlowy

commercialism [kə'mə:ʃəˌlizəm] *s* komercjalizm; merkantylizm

commercialize [kə'mə:ʃəˌlaiz] *vt* s/komercjalizować; u/czynić (przedsięwzięcie) opłacalnym

commination [ˌkɔmi'neiʃən] *s* 1. grożenie gniewem Bożym; **~ service** nabożeństwo anglikańskie w środę popielcową, podczas którego czyta się groźby kar dla grzeszników 2. *pot* pogróżki

comminatory [kɔ'minətəri] *adj* (*o liście itp*) z pogróżkami

commingle [kɔ'miŋgl] [I] *vt* z/mieszać [II] *vi* z/mieszać się (z czymś)

comminute ['kɔmiˌnju:t] *vt* 1. sproszkow-ać/ywać 2. z/druzgotać; strzaskać; *med* **~d fracture** zdruzgotanie <strzaskanie> kości 3. rozdr-obnić/abniać; rozparcelow-ać/ywać

commiserate [kə'mizəˌreit] *vt vi* współczuć (**sb <with sb>** komuś); u/litować się (**sb <with sb>** nad kimś)

commiseration [kəˌmizə'reiʃən] *s* współczucie; litość; litowanie się (**with sb** nad kimś)

commissar [ˌkɔmi'sɑ:] *s* komisarz (ludowy) ZSRR

commissarial [ˌkɔmi'sɛəriəl] *adj* 1. intendencki; zaopatrzeniowy 2. zastępczy

commissariat [ˌkɔmi'sɛəriət] *s* 1. intendentura 2. zaopatrzenie (wojska) 3. komisariat ludowy (dawna nazwa ministerstwa w ZSRR) 4. *wojsk* zaopatrzenie w żywność

commissary ['kɔmisəri] *s* 1. komisarz 2. intendent 3. delegat 4. *am* skład żywności; kantyna 5. *am* żywność

commission [kə'miʃən] [I] *s* 1. komisja (parlamentarna, śledcza itd.) 2. *sąd* władza; **on the ~** a) upoważniony do działania b) urzędujący (sędzia itd.) 3. patent oficerski; **to get one's ~** otrzymać rangę oficerską; (*o oficerze*) **to resign one's**

~ wystąpić z wojska 4. polecenie; zlecenie; poruczenie; zamówienie 5. doprowadzenie (okrętu) do gotowości bojowej; uzbrojenie; (*o okręcie*) **in ~** uzbrojony; **out of ~** rozbrojony 6. prowizja; **illicit ~** łapówka 7. komis; **goods on ~** towar w komisie 8. pełnomocnictwo 9. popełnienie (zbrodni itp.) II *vt* 1. zlec-ić/ać (**sb to do sth** komuś coś) 2. za/mianować (oficera) 3. upoważni-ć/ać; upełnomocni-ć/ać; wy/delegować 4. uzbr-oić/ajać (okręt); doprowadz-ić/ać (okręt) do gotowości bojowej 5. zam-ówić/awiać; da-ć/wać zlecenie (**sb** komuś — artyście na dzieło, fachowcowi na pracę itp.) *zob* **commissioned**

commission-agent [kə'miʃən,eidʒənt] *s* agent <przedstawiciel> (handlowy)

commissionaire [kə,miʃə'nɛə] *s* 1. szwajcar hotelowy <kinowy> 2. posłaniec; goniec

commission-day [kə'miʃən,dei] *s* dzień rozpoczęcia sesji sądowej

commissioned [kə'miʃənd] I *zob* **commission** *v* II *adj* upoważniony; **~ officer** oficer *zob* **non-commissioned**

commissioner [kə'miʃənə] *s* 1. komisarz 2. pełnomocnik rządowy; członek komisji rządowej

commission-merchant [kə'miʃən,mə:tʃənt] *s* 1. agent handlowy 2. właściciel składu komisowego

commissure ['kɔmi,sjuə] *s anat* spoidło; spojenie

commit [kə'mit] *vt* (-tt-) 1. popełni-ć/ać (czyn) 2. powierz-yć/ać (komuś coś); odda-ć/wać (**to sb's care** komuś pod opiekę); **to ~ sb for a trial** a) postawić kogoś w stan oskarżenia b) s/kierować kogoś do sądu wyższej instancji; **to ~ sb to the earth** pochować kogoś; **to ~ sth to memory** zapamiętać coś; **to ~ sth to the flames** spalić coś; **to ~ sth to writing** <**to paper**> zapisać <zanotować> coś 3. od-esłać/syłać (projekt ustawy) do komisji 4. (*także* **~ sb to prison**) uwięzić (kogoś) 5. za/angażować (się, swój honor itd.); **to ~ oneself, to stand ~ted, to be ~ted** przyj-ąć/mować na siebie zobowiązanie; zobowiąz-ać/ywać się (**to sth** <**to do sth**> do czegoś); **without ~ting myself** nie wiążąco; z zastrzeżeniem 6. postawić/stawiać na kartę (swój honor itp.)

commitment [kə'mitmənt] *s* 1. zobowiązanie (finansowe) 2. za/angażowanie <z/wiązanie> się 3. = **committal**

committal [kə'mitl] *s* 1. powierzenie (zadania); oddanie (czegoś komuś) pod opiekę; **the ~ of a body to the earth** pochowanie zwłok; *kośc* **~ service** egzekwie 2. uwięzienie 3. popełnienie (czegoś) 4. zobowiązanie się (do czegoś)

committee [kə'miti] *s* 1. komitet; **~ meeting** konferencja; **~ of management** zarząd; **to be on the ~** należeć do zarządu <do komitetu> 2. [,kɔmi'ti:] opiekun/ka (umysłowo chorego)

committee-man [kə'miti,mæn] *s* (*pl* **committee-men** [kə'miti,men]) członek komitetu <zarządu>

committee-room [kə'miti,ru:m] *s* sala konferencyjna

commix [kɔ'miks] *vt poet* z/mieszać

commixture [kɔ'mikstʃə] *s* 1. mikstura 2. mieszanina

commode [kə'moud] *s* 1. komoda 2. umywalka pokojowa; **a night ~** sedes pokojowy

commodious [kə'moudiəs] *adj* obszerny; wygodny

commodiousness [kə'moudiəsnis] *s* przestronność; wygoda

commodity [kə'mɔditi] *s* towar; artykuł (handlu); **primary** <**basic**> **~** artykuł pierwszej potrzeby

commodore ['kɔmə,dɔ:] *s* komodor; dowódca eskadry

common ['kɔmən] I *adj* 1. wspólny; ogólny; powszechny; **by ~ consent** jednomyślnie; **~ law** prawo zwyczajowe; **~ prayer** liturgia kościoła anglikańskiego; **~ property** własność ogółu; **in ~ use** w powszechnym użyciu; powszechnie stosowany 2. pospolity; codzienny; powszedni; **a ~ fraction** ułamek zwykły 3. publiczny; społeczny 4. zwykły, zwyczajny; **~ sense** zdrowy rozsądek; **~ soldier** szeregowiec 5. (*o człowieku*) prosty 6. (*o zasadach, zaletach itd*) elementarny 7. gminny; prostacki; ordynarny; **a ~ woman** ulicznica, prostytutka II *s* 1. błonia (miejskie, gminne) 2. wspólne posiadanie; **in ~** wspólnie; **in ~ with** _ na równi <wspólnie> z ...; **out of the ~** niezwykły; niecodzienny; nieprzeciętny; **they have nothing in ~** nie mają nic wspólnego (ze sobą); *zob* **commons**

commonage ['kɔmənidʒ] *s* 1. wypas na błoniach miejskich <gminnych> 2. wspólne używanie <użytkowanie> (czegoś) 3. pospólstwo

commonalty ['kɔmənl̩ti] *s* 1. pospólstwo 2. szara masa (ludzi); ogół 3. stowarzyszenie

commoner ['kɔmənə] *s* 1. członek Izby Gmin 2. człowiek z ludu 3. student bez stypendium

commoney ['kɔməni] *s* kulka do gier chłopięcych

commonly ['kɔmənli] *adv* 1. zwykle 2. (uczciwy, pracowity itd.) w miarę; średnio, przeciętnie 3. podle

commonness ['kɔmənnis] *s* 1. powszedniość; pospolitość; codzienność 2. banalność 3. ordynarność; prostactwo

commonplace ['kɔmən,pleis] I *s* 1. komunał; frazes 2. rzecz codzienna; zjawisko powszednie <codzienne> II *adj* banalny; pospolity; oklepany; **a ~ book** notatnik

common-room ['kɔmən,ru:m] *s* 1. *uniw* pokój rekreacyjny dla wykładowców <dla studentów> 2. *zbior fam* wykładowcy

commons ['kɔmənz] *spl* 1. lud 2. gminy; **the House of Commons** (*także* **the Commons**) Izba Gmin 3. wspóln-y/e stół <stołowanie się> 4. wikt; **to be on short ~** nie dojadać

commonweal ['kɔmən,wi:l] *s* dobro powszechne

commonwealth ['kɔmən,welθ] *s* 1. państwo (demokratyczne) 2. *am* federacja 3. wspólnota; **the British Commonwealth of Nations** Wspólnota Brytyjska; **the ~ of learning** powszechna skarbnica wiedzy <nauk> 4. *hist* **the Commonwealth of England** Rzeczpospolita Angielska (1649—1660)

commotion [kə'mouʃən] *s* 1. poruszenie; zamieszanie; zgiełk; tumult; **to make a ~** a) narobić hałasu b) wywołać zamieszanie 2. niepokój; wzburzenie; **in a state of ~** wzburzony; wstrząśnięty 3. rozruchy; niepokoje

commove [kɔ'mu:v] *vt* wstrząs-nąć/ać (**sb, sth** kimś, czymś); wzburz-yć/ać; podniec-ić/ać

communal ['kɔmjunl] *adj* 1. komunalny 2. wspólny; społeczny 3. (dotyczący) Komuny Paryskiej

communalism ['kɔmjunə,lizəm] *s* komunalizm (teoria samorządu lokalnego)

commune¹ ['kɔmju:n] *s* 1. komuna 2. (*we Francji itd*) okręg administracyjny
commune² [kə'mju:n] *vi* obcować; rozmawiać; **to ~ with oneself** obcować z własnymi myślami 2. *kośc* przyst-ąpić/ępować do komunii
communicable [kə'mju:nikəbl] *adj* 1. dający się wyrazić 2. (*o chorobie*) udzielający się; zaraźliwy; przenoszony
communicant [kə'mju:nikənt] *s* 1. informator/ka (osoba, która poinformowała) 2. *kośc* komunikant (człowiek)
communicate [kə'mju:ni,keit] [I] *vt* 1. udziel-ić/ać (**sth** czegoś); za/komunikować; poda-ć/wać (wiadomość) 2. przen-ieść/osić (ciepło, ruch itp.) 3. *kośc* udziel-ić/ać komunii (**sb** komuś) [II] *vi* 1. komunikować się; korespondować 2. mieć połączenie; (*o pokojach*) komunikować <łączyć> się ze sobą 3. przyst-ąpić/ępować do komunii
communication [kə,mju:ni'keiʃən] *s* 1. za/komunikowanie <udziel-enie/anie wiadomości (komuś) 2. wiadomość 3. komunikacja; łączność (środek porozumiewania się); **means of ~** a) środki łączności b) środki transportowe <lokomocji>; **~ cord** hamulec (w wagonie kolejowym) 4. styczność; kontakt; porozumiewanie się 5. *wojsk* łączność
communicative [kə'mju:nikətiv] *adj* rozmowny; towarzyski
communicativeness [kə'mju:nikətivnis] *s* rozmowność; usposobienie towarzyskie
communicator [kə'mju:ni,keitə] *s* 1. informator/ka 2. *techn* mechanizm przekładniowy
communion [kə'mju:njən] *s* 1. wspólnota 2. styczność; łączność duchowa 3. wyznanie (wiary) 4. *kośc* **the (Holy) Communion** komunia; **the Communion Table** Stół Pański
communiqué [kə'mju:ni,kei] *s* komunikat
communism ['kɔmju,nizəm] *s* komunizm
communist ['kɔmjunist] *s* komunist-a/ka
communistic [,kɔmju'nistik] *adj* komunistyczny
communitarian [,kɔmjuni'tɛəriən] *s* członek <zwolennik> wspólnoty komunistycznej
community [kə'mju:niti] [I] *s* 1. współposiadanie 2. wspólnota (interesów, usposobień itd.) 3. społeczeństwo; koło; środowisko; publiczność; *kośc* zakon; **the Jewish ~** gmina żydowska; **the mercantile ~** koła kupieckie [II] *attr* wspólny; społeczny; **~ centre** a) świetlica b) dom kultury; **~ chest** fundusz zapomogowy; **~ singing** wspólny śpiew
communize ['kɔmju,naiz] *vt* 1. s/komunizować 2. uspołeczni-ć/ać
commutable [kə'mju:təbl] *adj* zamienny
commutation [,kɔmju:'teiʃən] *s* 1. zamiana 2. złagodzenie (kary sądowej) 3. *elektr* komutacja 4. *am* **~ passenger** pasażer mający bilet okresowy; **~ ticket** bilet okresowy
commutator ['kɔmju:,teitə] *s elektr* komutator
commute [kə'mju:t] *vt* 1. zamieni-ć/ać 2. z/łagodzić (karę sądową) 3. *elektr* przełącz-yć/ać 4. *am kolej* wziąć/brać bilet okresowy
commuter [kə'mju:tə] *s am* pasażer/ka z biletem okresowym
comose ['koumous] *adj bot* włochaty; włóknisty
compact¹ ['kɔmpækt] *s* ugoda; umowa; porozumienie; konwencja; **by general ~** jednomyślnie
compact² ['kɔmpækt] *s* puderniczka
compact³ [kəm'pækt] *vt* 1. zgę-ścić/szczać; s/kondensować 2. złożyć/składać (**sth of sth** coś z czegoś)
compact⁴ [kəm'pækt] *adj* 1. gęsty; zwarty; spoisty; zbity 2. (*o maszynie, przyrządzie*) zajmujący mało miejsca 3. *lit* złożony (**of sth** z czegoś); 4. (*o stylu*) zwięzły
compactness [kəm'pæktnis] *s* 1. gęstość; zwartość; spoistość 2. zwięzłość (stylu)
compages [kəm'peidʒi:z] *s* struktura; budowa
companion¹ [kəm'pænjən] [I] *s* 1. towarzysz/ka; **~ in distress** towarzysz niedoli 2. pani do towarzystwa (dla chorej osoby itp.) 3. kawaler (orderu) 4. (*w tytułach*) podręcznik (ogrodnictwa itd.) 5. pendant; para, przedmiot dobrany do drugiego (dla symetrii itp.); **~ volume** drugi tom [II] *vt* towarzyszyć (**sb** komuś) [III] *vi* 1. stanowić całość (**with sth** z czymś) 2. obcować; przestawać
companion² [kəm'pænjən] *s mar* zejściówka
companionable [kəm'pænjənəbl] *adj* towarzyski
companionate [kəm'pænjənit] *adj am* **~ marriage** wolny związek (dwojga ludzi); małżeństwo koleżeńskie
companionship [kəm'pænjənʃip] *s* 1. towarzystwo 2. koleżeństwo 3. zespół (składaczy w drukarni)
companion-way [kəm'pænjən,wei] *s mar* zejście pod pokład
company ['kʌmpəni] [I] *s* 1. towarzystwo; **in ~** w towarzystwie; wspólnie (**with sb** z kimś); **I sin in good ~** lepsi ode mnie grzeszą tym samym; **to keep ~ with sb** zalecać się do kogoś; (*o zakochanych*) chodzić z kimś; **to keep <bear> sb ~** dotrzymać komuś towarzystwa; **to part ~** rozstać się; **two's ~ three's none** gdzie się dwoje bawi, tam we troje nudno 2. towarzystwo; goście; zebrani; **a man is known by his ~** powiedz mi, z kim przestajesz, a powiem ci, kim jesteś; **the present ~ excepted** nie mówiąc o obecnych 3. towarzysz/ka; **he is good ~** on jest dobrym towarzyszem; z niego jest dobry kompan 4. towarzystwo; spółka (akcyjna itp.); *am* **~ union** a) miejscowy związek zawodowy b) związek zawodowy opanowany przez przedsiębiorców 5. trupa teatralna 6. *wojsk* kompania; **to get one's ~** otrzymać dowództwo kompanii 7. *mar* załoga (statku) [II] *vi* (**companied** ['kʌmpənid], **companied; companying** ['kʌmpəniiŋ]) przestawać (z kimś)
comparable ['kɔmpərəbl] *adj* porównywalny; **to be ~ with <to> sb, sth** dać się porównać <wytrzymywać porównanie> z kimś, czymś
comparative [kəm'pærətiv] [I] *adj* 1. porównawczy 2. względny [II] *s gram* stopień wyższy (przymiotnika, przysłówka)
comparatively [kəm'pærətivli] *adv* 1. porównawczo; w porównaniu (**to sth** z czymś) 2. względnie; stosunkowo
compare [kəm'pɛə] [I] *vt* porówn-ać/ywać; zestawi-ć/ać; (**as**) **~d with** __ w porównaniu z <do>...; **not to be ~d with** __ nie do porównania z...; *pot* **to ~ notes** wymieni-ć/ać poglądy [II] *vi* 1. dą-ć/wać się porównać; wytrzym-ać/ywać porównanie; **he can't ~ with you** jego się nie da porównać z tobą; **no one <nothing> can ~ with** __ nikt <nic> nie dorówna...; **to ~ favourably with sb, sth** nie ustępować komuś, czemuś 2. *gram* stopniować przymiotnik <przysłówek> [III] *s poet tylko w zwrotach:* **beyond <without, past> ~** niezrównany, niezrównanie

comparison [kəm'pærisn] *s* porównanie; zestawienie; konfrontacja (dokumentów itp.); *gram* **degrees of ~** stopnie przymiotnika <przysłówka>; **in ~ with_** w porównaniu z...; w stosunku do...; **to make <draw> a ~ between A and B** porównać A z B; **to stand <bear> ~ with _** dać się porównać z <do>...; wytrzymać porównanie z ...; **by ~** przez analogię; **~s are odious** analogie zawodzą

compart [kəm'pa:t] *vt* rozplanow-ać/ywać; podzielić

compartment [kəm'pa:tmənt] *s* 1. przedział (w wagonie) 2. przegródka (w szufladzie itp.) 3. (*na statku*) komora (wodoszczelna); *przen* **to keep in water-tight ~s** po/szufladkować

compass ['kʌmpəs] [I] *s* 1. busola; kompas 2. koło; obwód; **to fetch <go, take> a ~** iść naokoło <okrężną drogą>; z/robić (wielkie) koło 3. zasięg; skala; granica (czasu i przestrzeni) 4. *pl* **~es** (*także* **a pair of ~es**) cyrkiel [II] *vt* 1. ot-oczyć/aczać; okrąż-yć/ać; ob-jąć/ejmować 2. poj-ąć/mować 3. knuć; spiskować 4. dopiąć (**sth** czegoś); osiąg-nąć/ać (coś)

compassable ['kʌmpəsəbl] *adj* osiągalny

compass-card ['kʌmpəs,ka:d] *s* róża kompasowa (podziałka na tarczy kompasu)

compassion [kəm'pæʃən] *s* współczucie; litość; **to have ~ on sb** z/litować się nad kimś

compassionate [kəm'pæʃənit] [I] *adj* 1. współczujący; litościwy 2. (*o urlopie, zasiłku itd*) okolicznościowy (udzielony z uwagi na okoliczności losowe) [II] *vt* [kəm'pæʃə,neit] z/litować się (**sb** nad kimś)

compass-saw ['kʌmpəs,sɔ:] *s* 1. *techn* otwornica, lisica (piła)

compass-window ['kʌmpəs,windou] *s* okno wykuszowe

compatibility [kəm,pætə'biliti] *s* zgodność (usposobień itd.); możliwość pogodzenia (jednej rzeczy z drugą)

↑**compatible** [kəm'pætəbl] *adj* zgodny <licujący, możliwy do pogodzenia> (z czymś); **to be ~ with sth** licować <dać się pogodzić> z czymś

compatriot [kəm'pætriət] *s* roda-k/czka; ziomek

compeer [kəm'piə] *s* (człowiek) równy (innemu — stanowiskiem, rangą itp.); kole-ga/żanka

compel [kəm'pel] *vt* (**-ll-**) 1. zmu-sić/szać <zniew--olić/alać> (**to sth** do czegoś; **to do sth** do zrobienia czegoś) 2. wzbudz-ić/ać (szacunek itp.) *zob* **compelling**

compelling [kəm'peliŋ] [I] *zob* **compel** [II] *adj* nieodparty

compend ['kɔmpend], **compendium** [kəm'pendiəm] *s* (*pl* **compendiums, compendia** [kəm'pendiə]) kompendium; streszczenie

compendious [kəm'pendiəs] *adj* krótki; streszczony; zwięzły

compendium *zob* **compend**

compensate ['kɔmpen,seit] [I] *vt* wyrówn-ać/ywać (uszczerbek, stratę); wynagr-odzić/adzać (**sb for a loss etc.** komuś stratę, kogoś za stratę itd.); da-ć/wać odszkodowanie (**sb** komuś) [II] *vi* s/kompensować (**for sth** coś); stanowić kompensatę (**for sth** czegoś) *zob* **compensating**

compensating ['kɔmpen,seitiŋ], **compensative** ['kɔmpen,seitiv], **compensatory** [kəm'pensətəri] *adj* kompensacyjny; wyrównujący

↑**compensation** [,kɔmpen'seiʃən] *s* wynagrodzenie (straty); odszkodowanie; kompensata; **in ~ for _** tytułem <dla> wyrównania...; w zamian za...

compensative *zob* **compensating**

compensator ['kɔmpən,seitə] *s* kompensator

compensatory *zob* **compensating**

compère ['kɔmpɛə] *s* konferansjer (rewiowy, kabaretowy)

compete [kəm'pi:t] *vi* 1. ubiegać się (**for sth** o coś) 2. współzawodniczyć; konkurować (z kimś); robić konkurencję (**with sb** komuś) 3. prześcigać się (w czymś) 4. brać udział w zawodach; **non competing** poza konkursem

competence ['kɔmpitəns], **competency** ['kɔmpitənsi] *s* 1. znajomość rzeczy; fachowość 2. środki do życia; dostatek 3. kompetencja

competent ['kɔmpitənt] *adj* 1. fachowy; posiadający znajomość rzeczy <kwalifikacje> 2. kompetentny (**to do sth** do zrobienia czegoś) 3. *lit* należący (**to sb** do kogoś); **it was ~ to him to accept or refuse** od niego zależało, czy przyjmie czy odmówi 4. (*o znajomości przedmiotu itp*) dostateczny

competition [,kɔmpi'tiʃən] *s* 1. współzawodnictwo (**for sth** o coś); **by open ~** drogą konkursową; **to throw sth open to ~** ogłosić konkurs <przetarg> na coś 2. zawody; turniej; konkurs 3. (*w handlu itd*) konkurencja

competitive [kəm'petitiv] *adj* 1. (*o idei itd*) współzawodnictwa 2. konkursowy 3. konkurencyjny

competitor [kəm'petitə] *s* współzawodni-k/czka; konkurent/ka

compilation [,kɔmpi'leiʃən] *s* kompilacja

compile [kəm'pail] *vt* s/kompilować; opracow-ać/ywać (słownik itp.); zebrać/zbierać (materiały naukowe itp.); zestawi-ć/ać (katalog, spis)

compiler [kəm'pailə] *s* 1. kompilator/ka 2. autor/ka (słownika itd.)

complacence [kəm'pleisns], **complacency** [kəm'pleisnsi] *s* 1. zadowolenie 2. samozadowolenie 3. spokój ducha

complacent [kəm'pleisnt] *adj* 1. zadowolony; błogi 2. zadowolony z siebie

complacently [kəm'pleisntli] *adv* 1. błogo 2. z samozadowoleniem 3. w spokoju ducha

complain [kəm'plein] *vi* 1. skarżyć <uskarżać> się (**of sb, sth** na kogoś, coś); narzekać (**of sb, sth** na kogoś, coś); żalić <użalać> się (**of sb, sth** na kogoś, coś) 2. wn-ieść/osić skargę (**against sb, of <about> sth** na kogoś, o coś)

complainant [kəm'pleinənt] *s sąd* powód/ka

complaint [kəm'pleint] *s* 1. skarga; narzekanie (**against sb** na kogoś; **of <about> sth** na coś) 2. bolączka 3. dolegliwość; **what is your ~?** co ci <wam> dolega? 4. *prawn* powództwo; zażalenie

complaisance [kəm'pleizəns] *s* uprzejmość; grzeczność; usłużność

complaisant [kəm'pleizənt] *adj* uprzejmy; grzeczny; usłużny

complement ['kɔmplimənt] [I] *s* 1. uzupełnienie 2. *gram mat* dopełnienie; **direct <indirect> ~** dopełnienie bliższe <dalsze> 3. komplet; (przepisowy) ładunek (pojazdu); (pełny) kontyngent (wojska itp.) [II] *vt* [,kɔmpli'ment] dopełni-ć/ać (**sth** czegoś); uzupełni-ć/ać; s/kompletować

complementary [,kɔmpli'mentəri] *adj* dopełniający; uzupełniający; kompletujący; *mat* (*o kątach*) dopełniający się

complete [kəm'pli:t] [I] *adj* 1. zupełny; całkowity; kompletny 2. uzupełniony; skompletowany 3. zakończony; (*o towarze*) **~ with** ... łącznie z ... 4. † *pot* doskonały; **a ~ scoundrel** skończony łotr [II] *vt* 1. uzupełni-ć/ać; s/kompletować 2. za/kończyć 3. wypełni-ć/ać (formularz itp.)

completeness [kəm'pli:tnis] *s* całkowitość; pełnia (szczęścia itd.); pełna miara (czegoś)

completion [kəm'pli:ʃən] *s* 1. ukończenie; zakończenie; **near ~** na ukończeniu 2. spełnienie (życzenia itp.); realizacja

completive [kəm'pli:tiv] *adj* dopełniający

complex ['kɔmpleks] [I] *adj* złożony; zawiły; powikłany; skomplikowany; *mat* zespolony; (*o ułamku*) piętrowy (złożony) [II] *s* kompleks

complexion [kəm'plekʃən] *s* 1. cera; płeć; **~ cream** krem do twarzy; **~ requisites** kosmetyki; preparaty kosmetyczne 2. wygląd <postać, charakter> (kwestii); **to put a good <false> ~ on sth** przedstawi-ć/ać coś w korzystnym <fałszywym> świetle; **that puts a new ~ on the matter** to zmienia postać rzeczy; teraz sprawa inaczej wygląda

complexity [kəm'pleksiti] *s* komplikacja; powikłanie; zawiłość; zawiły charakter (czegoś); gmatwanina

compliance [kəm'plaiəns] *s* 1. spełnienie; zastosowanie się (**with a wish <request, order>** do życzenia <do prośby, rozkazu>); **in ~ with** ... stosownie do ...; zgodnie z ... 2. uleganie (innym) 3. usłużność 4. ustępliwość

compliant [kəm'plaiənt] *adj* 1. usłużny 2. uległy 3. ustępliwy

complicacy ['kɔmplikəsi] *s lit* zawiłość; zawiły charakter (czegoś); gmatwanina; powikłanie

complicate ['kɔmpli,keit] *vt* s/komplikować; po/wikłać; po/gmatwać; po/plątać; **to become ~d** powikłać się

complication [,kɔmpli'keiʃən] *s* komplikacja; powikłanie; gmatwanina; poplątanie

complicity [kəm'plisiti] *s* współudział (w zbrodni itp.)

compliment ['kɔmplimənt] [I] *s* 1. komplement; **to pay ~s** prawić komplementy; **to pay <make> sb a ~** powiedzieć komuś komplement; **to return the ~** odwzajemnić się uprzejmością 2. *pl* **~s** gratulacje 3. *pl* **~s** pozdrowienia; **with ~s** z pozdrowieniem; z wyrazami szacunku; w dowód przyjaźni; z prośbą o przyjęcie (przesyłanego upominku); **to pay one's ~s to sb** złożyć komuś wizytę 4. *pl* **~s (of the season)** życzenia; powinszowania (wesołych świąt, Nowego Roku itp.) [II] *vt* ['kɔmpli,ment] 1. prawić komplementy (**sb** komuś); powiedzieć komplement (**sb** komuś) 2. po/gratulować (**sb on sth** komuś czegoś); po/chwalić (**sb on doing sth** kogoś za coś) 3. pos-łać/yłać <darować> przez kurtuazję <w dowód szacunku, przyjaźni itp.> (**sb with sth** coś komuś)

complimentary [,kɔmpli'mentəri] *adj* 1. gratulacyjny 2. pochlebny 3. (*o egzemplarzu książki itp*) okazowy; autorski; (*o bilecie do teatru itd*) grzecznościowy

complin(e) ['kɔmplin] *s kośc* kompleta

comply [kəm'plai] *vi* (**complied** [kəm'plaid], **complied; complying** [kəm'plaiiŋ]) za/stosować się (**with sth** do czegoś); spełni-ć/ać (**with an order <request etc.>** rozkaz <prośbę itp.>); u/czynić zadość (**with sth** czemuś); przestrzegać (**with sth** czegoś)

compo ['kɔmpou] *s* gips; tynk

component [kəm'pounənt] [I] *adj* składowy; wchodzący w skład (czegoś) [II] *s* składnik; część składowa; komponent; *fiz mat* składowa

comport [kəm'pɔ:t] [I] *vi* licować <być zgodnym> (**with sth** z czymś); odpowiadać (**with sth** czemuś) [II] *vr* **~ oneself** zachow-ać/ywać się; post-ąpić/ępować

comportment [kəm'pɔ:tmənt] † *s* zachowanie się; postępowanie; sposób bycia

compos ['kɔmpɔs] *adj* (*zw* **~ mentis** [-'mentis]) *prawn* w pełni władz umysłowych; **non ~ mentis** umysłowo chory

compose [kəm'pouz] [I] *vt* 1. (*także druk*) składać/złożyć 2. stanowić <tworzyć> (całość); **to be ~d of sth** składać się z czegoś 3. ułożyć/układać 4. s/komponować 5. za/łagodzić (spór); um-orzyć/arzać (dług) 6. uspok-oić/ajać (swe namiętności itp.); **to ~ one's face** przyb-rać/ierać (odpowiedni) wyraz twarzy; **to ~ one's thoughts for sth** nastawi-ć/ać się myślowo na coś [II] *vr* **~ oneself** 1. nastawi-ć/ać się (**for sth** na coś); nastr-oić/ajać się (**to do sth** do robienia czegoś) 2. uspok-oić/ajać się *zob* **composed, composing**

composed [kəm'pouzd] [I] *zob* **compose** [II] *adj* spokojny; stateczny; opanowany

composedly [kəm'pouzidli] *adv* spokojnie; z opanowaniem

composedness [kəm'pouzidnis] *s* spokój; opanowanie

composer [kəm'pouzə] *s* kompozytor/ka

composing [kəm'pouziŋ] [I] *zob* **compose** [II] *adj med* (*o leku*) uspokajający

composing-frame [kəm'pouziŋ,freim] *s druk* kaszta

composing-machine [kəm'pouziŋ-mə'ʃi:n] *s druk* maszyna do składania

composing-stick [kəm'pouziŋ,stik] *s druk* wierszownik

compositae [kəm'pɔzi,ti:] *spl bot* rośliny złożone

composite ['kɔmpəzit] [I] *adj* (*także bot*) złożony; składany; mieszany; skombinowany [II] *s bot* roślina złożona

↑**composition** [,kɔmpə'ziʃən] *s* 1. skład 2. (*także druk*) składanie/złożenie 3. układ 4. układanie/ułożenie 5. kompozycja (malarska, muzyczna itd); utwór muzyczny 6. s/komponowanie 7. załagodzenie (sporu); umorzenie (długu); ugoda; układ (z wierzycielami) 8. opracowanie (literackie); zadanie (szkolne); tłumaczenie (na obcy język, jako ćwiczenie) 9. mieszanina; mikstura; masa 10. usposobienie; układ <zestrój> psychiczny (człowieka) 11. porozumienie (z wrogiem w sprawie zawieszenia broni itp.)

compositor [kəm'pɔzitə] *s* składacz, zecer

compost ['kɔmpɔst] [I] *s* 1. kompost 2. tynk [II] *vt* kompostować

composure [kəm'pouʒə] *s* spokój; zimna krew; opanowanie

compotation [,kɔmpou'teiʃən] *s* pijatyka

compote ['kɔmpout] *s* 1. kompot 2. kompotiera

↑**compound**[1] [kəm'paund] [I] *vt* 1. z/mieszać; złożyć/składać; s/kombinować 2. zaw-rzeć/ierać (ugodę); um-orzyć/arzać (dług); załatwi-ć/ać (spór) polubownie 3. w celach zysku przym-knąć/ykać oczy (**a felony** na zbrodnię) [II] *vi* ułożyć/układać się z wierzycielami (**for sth** o coś) [III] *adj* ['kɔmpaund] 1. złożony 2. *techn* sprzężony 3. *gram* (*o podmiocie*) rozwinięty; (*o wyrazie*) złożony; *mat* (*o liczbie*) zespolony; ~ **addition** <**subtraction**> dodawanie <odejmowanie> liczb zespolonych 4. *bank* (*o procencie*) składany ‖ **a** ~ **householder** lokator, którego podatki włączone są do czynszu [IV] *s* ['kɔmpaund] 1. mieszanina; mikstura 2. składnik; związek chemiczny 3. wyraz złożony

compound² ['kɔmpaund] *s* (*w Indiach, Chinach*) ogrodzony <obwarowany> obręb domu <fabryki, dzielnicy>

comprador [ˌkɔmprə'dɔ:] *s* (*na Dalekim Wschodzie*) tubylczy pośrednik firmy europejskiej

comprehend [ˌkɔmpri'hend] *vt* 1. z/rozumieć; poj-ąć/mować 2. mieścić w sobie; zaw-rzeć/ierać; ob-jąć/ejmować; ogarn-ąć/iać

comprehensible [ˌkɔmpri'hensəbl] *adj* 1. zrozumiały 2. możliwy do objęcia <do ogarnięcia> rozumem

comprehension [ˌkɔmpri'henʃən] *s* 1. rozumowanie; zrozumienie; pojmowanie, pojęcie; **it is beyond my** ~ to przechodzi moje pojęcie 2. zasięg; **a term of wide** ~ termin o szerokim zasięgu 3. *rel* tolerancja dla dysydentów <dla innowierców>

↑**comprehensive** [ˌkɔmpri'hensiv] *adj* 1. rozumowy; **the** ~ **faculty** zdolność pojmowania 2. (*o planie itd*) o dalekim zasięgu <szerokim zakresie>; rozległy; obszerny 3. wyczerpujący; wszechstronny 4. ogólny

comprehensiveness [ˌkɔmpri'hensivnis] *s* daleki zasięg; szeroki zakres; wyczerpujący charakter (pracy itp.); wszechstronność

compress¹ ['kɔmpres] *s* kompres, okład

compress² [kəm'pres] *vt* 1. ścis-nąć/kać; spręż-yć/ać; s/komprymować 2. s/kondensować; skupi-ć/ać 3. stre-ścić/szczać; zwięźle uj-ąć/mować

compressible [kəm'presəbl] *adj* ściśliwy

compression [kəm'preʃən] *s* 1. ściśnięcie; sprężenie; kompresja 2. zwięzłość (stylu)

compressive [kəm'presiv] *adj* ściśliwy; ściskający

compressor [kəm'presə] *s techn* kompresor

comprise [kəm'praiz] *vt* zaw-rzeć/ierać; ob-jąć/ejmować; złożyć/składać się (**sth** z czegoś)

compromise ['kɔmprəˌmaiz] [I] *s* kompromis [II] *attr* kompromisowy [III] *vt* 1. s/kompromitować; nara-zić/żać na szwank 2. załatwi-ć/ać (spór itp.) polubownie <kompromisowo> [IV] *vi* ułożyć/układać się; zaw-rzeć/ierać ugodę (z wierzycielami itd.); wda-ć/wać się w kompromisy

comptroller [kən'troulə] *s* 1. zarządca domu królewskiego 2. rewident księgowy

compulsion [kəm'pʌlʃən] *s* przymus

compulsive [kəm'pʌlsiv] *adj* przymusowy

↑**compulsory** [kəm'pʌlsəri] *adj* przymusowy; obowiązkowy; ~ **loan** danina

compunction [kəm'pʌŋkʃən] *s* 1. skrucha; żal 2. skrupuły

compunctious [kəm'pʌŋkʃəs] *adj* skruszony

compurgation [ˌkɔmpə:'geiʃən] *s* oczyszczenie z zarzutów dzięki zeznaniom świadków

computation [ˌkɔmpju:'teiʃən] *s* obliczenie; rachuba; rachunek

compute [kəm'pju:t] *vt* oblicz-yć/ać; wy/rachować

↑**computer** [kəm'pju:tə] *s* kalkulator

comrade ['kɔmrid] *s* towarzysz; ~ **in arms** towarzysz broni

comradeship ['kɔmridʃip] *s* koleżeństwo; braterstwo (broni itp.)

Comtism ['kɔ̃:tizəm] *s* pozytywizm Comte'a

con¹ [kɔn] *skr* **contra** *s*

con² [kɔn] *vt* (**-nn-**) sterować (**sth** czymś)

con³ [kɔn] *vi* (**-nn-**) uczyć się (na pamięć); **to** ~ **over** powt-órzyć/arzać (lekcje itp.)

conation [kou'neiʃən] *s filoz* akt woli

concatenate [kɔn'kætiˌneit] *vt* z/wiązać; powiązać

concatenation [kɔnˌkæti'neiʃən] *s* 1. powiązanie 2. związek (myślowy); zbieg (okoliczności) 3. *techn* połączenie kaskadowe

concave ['kɔn'keiv] [I] *adj* wklęsły; wklęśnięty [II] *s* = **concavity**

concavity [kɔn'kæviti] *s* wklęsłość

concavo-concave [kɔn'keivou'kɔnkeiv] *adj* dwuwklęsły

concavo-convex [kɔn'keivou'kɔnveks] *adj* wklęsło-wypukły

conceal [kən'si:l] *vt* ukry-ć/wać <skry-ć/wać, za/taić> (**sth from sb** coś przed kimś); przemilcz-eć/ać

concealment [kən'si:lmənt] *s* ukrywanie; ukrycie; zatajenie; przemilczenie; **a place of** ~ kryjówka

concede [kən'si:d] [I] *vt* 1. przyzna-ć/wać <uzna-ć/wać> (że...) 2. przyzw-olić/alać (**sth** na coś) 3. przyzna-ć/wać (**sb** komuś — prawo, punkty itd.) [II] *vi* ust-ąpić/ępować; podda-ć/wać się (bez walki)

conceit [kən'si:t] *s* 1. zarozumiałość; próżność 2. zdanie, mniemanie; **out of** ~ **with sth** zdegustowany <zrażony> do czegoś 3. † koncept

conceited [kən'si:tid] *adj* zarozumiały; próżny

conceivable [kən'si:vəbl] *adj* możliwy do pomyślenia; **every** ~ **thing** wszystko, co można sobie wyobrazić; **it is** ~ można to sobie wyobrazić; to jest do pomyślenia; nie jest to wykluczone; **the best** <**worst etc.**> ~ jak najlepszy <najgorszy itd.>

conceivably [kən'si:vəbli] *adv* możliwie; **it may** ~ **have been so** nie jest wykluczone, że tak było; to jest do pomyślenia

conceive [kən'si:v] [I] *vt* 1. począć (dziecko) 2. wyobra-zić/żać sobie; pojąć 3. mieć (pomysł) 4. po/czuć (**a liking etc. for sb** sympatię itp. do kogoś) 5. ułożyć/układać; z/redagować [II] *vi* wyobra-zić/żać <przedstawi-ć/ać> sobie (**of sth** coś)

concelebrate [kən'seliˌbreit] *vt* wspólnie celebrować

concentrate ['kɔnsenˌtreit] [I] *vt* 1. s/koncentrować; z/gromadzić; skupi-ć/ać;ześrodkow-ać/ywać 2. stęż-yć/ać (roztwór itp.) [II] *vi* 1. s/koncentrować <z/gromadzić, skupi-ć/ać> się 2. skupi-ć/ać się <skupi-ć/ać uwagę> (**on sth** na czymś)

↑**concentration** [ˌkɔnsen'treiʃən] *s* 1. koncentracja; skoncentrowanie; ~ **camp** obóz koncentracyjny 2. stężenie (roztworu itp.) 3. skupianie <gromadzenie> się 4. skupienie się (**on sth** nad czymś); skupienie (uwagi, myśli)

concentrative ['kɔnsenˌtreitiv] *adj*ześrodkowujący; skupiający

concentre [kɔn'sentə] *vi vt*ześrodkow-ać/ywać <skupi-ć/ać> (się)

concentric [kɔn'sentrik] *adj* koncentryczny; współśrodkowy

concentricity [ˌkɔnsenˈtrisiti] *s* koncentryczność
concept [ˈkɔnsept] *s* pojęcie (ogólne)
conception [kənˈsepʃən] *s* 1. poczęcie; zajście w ciążę; **~ control** zapobieganie ciąży 2. pojęcie; wyobrażenie 3. pomysł; **I haven't the remotest ~** nie mam najmniejszego pojęcia 4. ułożenie; zredagowanie
conceptive [kənˈseptiv], **conceptual** [kənˈseptjuəl] *adj* pojęciowy; rozumowy
conceptualism [kənˈseptjuəˌlizəm] *s filoz* konceptualizm
concern [kənˈsə:n] [I] *vt* 1. dotyczyć (**sb, sth** kogoś, czegoś); obchodzić (kogoś); odnosić się (**sb, sth** do kogoś, czegoś); **as ~s_** co się tyczy...; co do...; **to be ~ed about sth** <**for sb**> niepokoić się o coś <o kogoś>; **to be ~ed in** <**with**> **sth** a) za/interesować <zaj-ąć/mować> się czymś b) być zaangażowanym w czymś 2. wchodzić w grę <w rachubę>; **as far as I am ~ed** jeżeli o mnie chodzi; co do mnie; **my honour is ~ed** mój honor wchodzi w grę; chodzi o mój honor [II] *vr w zwrocie:* **to ~ oneself with** <**in, about**> **sb, sth** a) za/interesować się kimś, czymś b) kłopotać się o kogoś, o coś c) wtrąc-ić/ać się do czegoś *zob* **concerned, concerning** [III] *s* 1. związek; styczność; **it's no ~ of mine** nie mam z tym nic wspólnego; to mnie nie dotyczy 2. sprawa; rzecz; **it's no ~ of mine** <**of yours etc.**> to nie moja <twoja itd.> rzecz 3. udział 4. zainteresowanie (się) (**in sth** czymś) 5. niepokój; zaniepokojenie; troska (**for** <**about**> **sb, sth** o kogoś, coś) 6. przedsiębiorstwo; firma; koncern 7. waga <znaczenie> (sprawy, kwestii) 8. *sl przen* kram
concerned [kənˈsə:nd] [I] *zob* **concern** *v* [II] *adj* 1. zainteresowany; (*o człowieku, przedmiocie itp*) o którego <który> chodzi; **the parties ~** zainteresowani; strony zainteresowane 2. interesujący się (daną sprawą) 3. zaniepokojony; niespokojny
concernedly [kənˈsə:nidli] *adv* z niepokojem
concerning [kənˈsə:niŋ] [I] *zob* **concern** *v* [II] *praep* co do; co się tyczy; w sprawie; odnośnie do (**sth** czegoś)
concernment [kənˈsə:nmənt] *s* 1. sprawa 2. waga; znaczenie 3. niepokój; zaniepokojenie
concert [ˈkɔnsət] [I] *s* 1. zgoda; jednomyślność; **in ~** zgodnie; jednomyślnie; *polit hist* **the ~ of Europe** porozumienie europejskie (po 1815 r.) 2. *muz* koncert; **~ grand** fortepian koncertowy [II] *vt* [kənˈsə:t] ułożyć/układać (plan działania, szyfr itd.) [III] *vi* porozumieć się; działać zgodnie *zob* **concerted**
concerted [kənˈsə:tid] [I] *zob* **concert** *v* [II] *adj* 1. zgodny; jednomyślny 2. zinstrumentowany; zorkiestrowany
concertina [ˌkɔnsəˈti:nə] *s muz* koncertyna; harmonia ręczna
concerto [kənˈtʃə:tou] *s* koncert (na fortepian, skrzypce itp. z orkiestrą)
concession [kənˈseʃən] *s* 1. koncesja 2. ustępstwo 3. przyznanie się (do czegoś) 4. przyzwolenie
concessionaire [kənˈseʃəˌnεə] *s* koncesjonariusz/ka
concessive [kənˈsesiv] *adj* 1. koncesyjny 2. ustępliwy 3. *gram* przyzwalający
conch [kɔŋk] *s* koncha; muszla
concha [ˈkɔŋkə] *s* 1. *anat* małżowina 2. *arch* muszla
conchoid [ˈkɔŋkɔid] *s geom* konchoida
conchology [kɔŋˈkɔlədʒi] *s* konchiologia, konchologia
conchy [ˈkɔntʃi] *skr sl* **conscientious objector** *zob* **conscientious**
conciliar [kənˈsiliə] *adj kośc* (dotyczący) soboru
conciliate [kənˈsiliˌeit] *vt* 1. zjedn-ać/ywać sobie <uj-ąć/mować> (kogoś); pozysk-ać/iwać (czyjeś względy itp.) 2. ugłaskać <udobruchać> (kogoś) 3. pogodzić; pojednać
conciliation [kənˌsiliˈeiʃən] *s* pojednanie; pogodzenie; **court of ~** sąd polubowny
conciliator [kənˈsiliˌeitə] *s* pojednawca; arbiter; mediator
conciliatory [kənˈsiliətəri] *adj* pojednawczy
concinnity [kənˈsiniti] *s lit* polor
concise [kənˈsais] *adj* zwięzły; treściwy
conciseness [kənˈsaisnis] *s* zwięzłość; treściwość
concision [kənˈsiʒən] *s* 1. okaleczenie 2. zwięzłość
conclave [ˈkɔŋkleiv] *s* 1. *kośc* konklawe 2. tajne zebranie
conclude [kənˈklu:d] [I] *vt* 1. zaw-rzeć/ierać (traktat, umowę itp.) 2. za/kończyć; doprowadz-ić/ać do końca; **to ~_** na zakończenie...; w końcu...; **to be ~d** dokończenie w nast. numerze; (*w odcinku gazety itp*) **~d** dokończenie [II] *vi* 1. za/kończyć się (**with sth** czymś) 2. wy/wnioskować; wnosić 3. postan-owić/awiać *zob* **concluding**
concluding [kənˈklu:diŋ] [I] *zob* **conclude** [II] *adj* końcowy; ostateczny
conclusion [kənˈklu:ʒən] *s* 1. zaw-arcie/ieranie (traktatu, umowy itp.) 2. zakończenie; koniec; **in ~** na zakończenie; w końcu 3. wniosek; konkluzja; **to come to a ~** dojść do wniosku; wywnioskować 4. wynik ostateczny ‖ **to try ~s with sb** zmierzyć się z kimś
conclusive [kənˈklu:siv] *adj* rozstrzygający; decydujący; stanowczy; ostateczny
conclusiveness [kənˈklu:sivnis] *s* rozstrzygający <decydujący, stanowczy> charakter (czegoś)
concoct [kənˈkɔkt] *vt* 1. sporządz-ić/ać; **z/gotować**; s/kombinować 2. wymyśl-ić/ać; wykoncypować; u/knuć
concoction [kənˈkɔkʃən] *s* 1. sporządzenie; zgotowanie; skombinowanie 2. (czczy) wymysł; **a ~ of lies** stek kłamstw <łgarstw> 3. mikstura; napar; wywar 4. produkt sztuki kulinarnej 5. wykoncypowanie (planu itp.); uknucie (spisku)
concomitance [kənˈkɔmitəns] *s* współistnienie; towarzyszenie
concomitant [kənˈkɔmitənt] *adj* współistniejący; towarzyszący
concord [ˈkɔŋkɔ:d] [I] *s* 1. zgoda; jedność 2. *gram* zgodność 3. *muz* asonans [II] *vi* [kənˈkɔ:d] 1. zgadzać się 2. harmonizować
concordance [kənˈkɔ:dəns] *s* 1. zgoda; harmonia; zgodność 2. skorowidz; indeks
concordant [kənˈkɔ:dənt] *adj* zgodny; harmonijny
concordat [kɔnˈkɔ:dæt] *s* konkordat
concourse [ˈkɔŋkɔ:s] *s* 1. zgromadzenie; zjazd; zbiegowisko 2. zbieg <zejście się> (ulic, ścieżek itd.); miejsce połączenia 3. *am* miejsce zebrań 4. *am* hala dworcowa 5. *am* aleja dojazdowa (do gmachu)
concrescence [kɔŋˈkresəns] *s* zrośnięcie się; zrost
concrete [ˈkɔŋkri:t] [I] *adj* 1. konkretny; specyficzny 2. betonowy [II] *s* 1. konkretny przedmiot, konkret 2. dziedzina rzeczywistości 3. beton;

~ mixer betoniarka; **reinforced ~** żelazobeton [III] *vt* [kɔn'kri:t] wy/betonować [IV] *vi* s/twardnieć

concretion [kɔn'kri:ʃən] *s* 1. zrośnięcie; zrost 2. zgęstnienie; stwardnienie 3. *med* kamień; guz (artretyczny) 4. skonkretyzowanie 5. *geol* konkrecja

concubinage [kɔn'kju:binidʒ] *s* konkubinat, pożycie nieślubne

concubinary [kɔn'kju:binəri] *adj* nieślubny, konkubinatowy

concubine ['kɔŋkju,bain] *s* nałożnica, konkubina

concupiscence [kən'kju:pisəns] *s* chuć; lubieżność; zmysłowość

concupiscent [kən'kju:pisənt] *adj* pożądliwy, lubieżny; zmysłowy

concur [kən'kə:] *vi* (**-rr-**) 1. (*o okolicznościach*) zbie-c/gać <zejść/schodzić> się 2. współdziałać; przyczyni-ć/ać się (do wyniku) 3. zg-odzić/adzać się (**with sb, sth** z kimś, czymś); podziel-ić/ać (**with sb** czyjeś) zdanie; **they ~** oni są zgodni (**in doing sth** co do tego <w tym>, żeby coś zrobić)

concurrence [kən'kʌrəns] *s* 1. zejście/schodzenie się; zbieżność 2. współdziałanie; przyczynienie się 3. zgoda; jednomyślność

↑**concurrent** [kən'kʌrənt] [I] *adj* 1. zbieżny 2. równoczesny; towarzyszący 3. równoległy 4. zgodny; jednomyślny 5. współdziałający [II] *s* okoliczność równoczesna <towarzysząca>

concuss [kən'kʌs] *vt* 1. wstrząs-nąć/ać (**sth** czymś) 2. onieśmiel-ić/ać; **to ~ sb into** (**doing**) **sth** przez zastraszenie zmusić kogoś do (zrobienia) czegoś

concussion [kən'kʌʃən] *s* wstrząs

concussion-fuse [kən'kʌʃən,fju:z] *s* zapalnik uderzeniowy (pocisku)

condemn [kən'dem] *vt* 1. potępi-ć/ać; ostro s/krytykować 2. skaz-ać/ywać na (wieczne) potępienie 3. skaz-ać/ywać (zbrodniarza itp.) 4. (*o wyglądzie itd*) świadczyć (**sb** przeciwko komuś) 5. wybrakować (towar); uzna-ć/wać (coś) za nieodpowiednie; **to ~ a house** za/kwalifikować dom do rozbiórki *zob* **condemned**

condemnable [kən'demnəbl] *adj* zasługujący na potępienie

condemnation [,kɔndem'neiʃən] *s* 1. potępienie 2. ostra krytyka 3. skazanie 4. wybrakowanie (towaru); uznanie (czegoś) za nieodpowiednie

condemnatory [kən'demnətəri] *adj* potępiający; skazujący

condemned [kən'demd] [I] *zob* **condemn** [II] *adj* 1. potępiony 2. skazany 3. wybrakowany [III] *attr* **the ~ cell** cela skazańców

↑**condensation** [,kɔnden'seiʃən] *s* 1. kondensacja; zgęszczenie; skroplenie 2. skondensowana masa; skroplona substancja 3. skupienie (promieni świetlnych itp.) 4. zwięzłość 5. streszczenie

condense [kən'dens] [I] *vt* 1. s/kondensować; zgę-ścić/szczać; skr-oplić/aplać 2. s/komprymować; ścieśni-ć/ać 3. skupi-ć/ać (promienie świetlne itp.) 4. stre-ścić/szczać [II] *vi* s/kondensować się; z/gęstnieć; skr-oplić/aplać się

condenser [kən'densə] *s* 1. *fiz elektr* kondensator 2. *techn* skraplacz 3. *opt* zbieracz, kondensor

condescend [,kɔndi'send] *vi* 1. raczyć (coś zrobić); być łaskawym (**to sb** dla kogoś) 2. zniż-yć/ać się (do czyjegoś poziomu) || *prawn* **to ~ upon particulars** szczegółowo określ-ić/ać <opis-ać/ywać> *zob* **condescending**

condescending [,kɔndi'sendiŋ] [I] *zob* **condescend** [II] *adj* 1. łaskawy (**to sb** dla kogoś) 2. protekcjonalny

condescension [,kɔndi'senʃən] *s* 1. łaskawość (**to sb** dla kogoś) 2. protekcjonalność

condign [kən'dain] *adj* (*o karze*) słuszny; zasłużony

condiment ['kɔndimənt] *s* przyprawa

condition [kən'diʃən] [I] *s* 1. warunek; zastrzeżenie; **on** <**upon**> **~ that...** pod warunkiem, że...; **on no ~** w żadnym wypadku 2. stan; dobry stan (zdrowia, pogody, towaru itd.); **in ~** w dobrym stanie; **out of ~** w złym stanie; uszkodzony; **to be in no ~ to do sth** nie być w stanie <nie czuć się na siłach> coś zrobić 3. stan cywilny 4. forma (sportowca itd.) 5. stan społeczny 6. *am* świadectwo szkolne z warunkiem zdania poprawki z jakiegoś przedmiotu 7. *pl* **~s** warunki (bytowe itd.); stosunki; okoliczności; **under existing ~s** w danych warunkach; **under favourable ~s** w sprzyjających okolicznościach; **weather** <**atmospheric**> **~s** stan pogody 8. *pl* **~s** otoczenie [II] *vt* 1. u/warunkować; uzależni-ć/ać; zastrze-c/gać 2. stanowić warunek (**sth** czegoś); **to be ~ed by...** zależeć od... 3. doprowadz-ić/ać (sportowca itp.) do formy 4. klimatyzować (powietrze) 5. *am* podda-ć/wać (ucznia) egzaminowi poprawkowemu *zob* **conditioned**

conditional [kən'diʃənl] [I] *adj* 1. warunkowy; (dany, zrobiony itd.) z zastrzeżeniem; **~ sale** sprzedaż wiązana 2. uzależniony <zależny> (**on sth** od czegoś) 3. *gram* warunkowy [II] *s gram* tryb warunkowy <przypuszczający>

conditioned [kən'diʃənd] [I] *zob* **condition** *v* [II] *adj* 1. uwarunkowany; zastrzeżony; **~ reflex** odruch warunkowy 2. sytuowany 3. postawiony w (danym) położeniu 4. doprowadzony do (dane-go/j) stanu <formy>; znajdujący się w (dobrym, złym itd.) stanie

condolatory [kən'doulətəri] *adj* kondolencyjny; ubolewający

condole [kən'doul] *vi* 1. wyra-zić/żać kondolencje <współczucie> (**with sb** komuś) 2. współczuć (**with sb** komuś); ubolewać (**with sb** nad kimś)

condolence [kən'douləns] *s* kondolencje; wyrazy współczucia

condominium [,kɔndə'miniəm] *s* kondominium

condonation [,kɔndou'neiʃən] *s* przebaczenie; darowanie winy

condone [kən'doun] *vt* 1. przebaczyć; darować (winę) 2. (*o czynie*) okup-ić/ywać (winę)

condor ['kɔndɔ:] *s zoo* kondor

condottiere [,kɔndə'tieri] *s* (*pl* **condottieri** [,kɔndə'tieri:]) kondotier

conduce [kən'dju:s] *vi* przyczyni-ć/ać się <doprowadz-ić/ać> (**to sth** do czegoś); sprzyjać (**to sth** czemuś)

conducive [kən'dju:siv] *adj* sprzyjający; **to be ~ = conduce** *vi*

conduct¹ ['kɔndʌkt] *s* 1. zachowanie <prowadzenie, sprawowanie> (się); **~ towards sb** postępowanie z kimś <wobec kogoś, w stosunku do kogoś> 2. prowadzenie; kierownictwo

conduct² [kən'dʌkt] [I] *vt* 1. po/prowadzić <przeprowadzić, przyprowadzić, zaprowadzić> (kogoś, coś) 2. po/prowadzić (instytucję, korespondencję, kampanię itd.) 3. dowodzić (**troops** wojskiem) 4. dyrygować (**an orchestra** orkiestrą) 5. *fiz* przewodzić 6. odprawi-ć/ać (nabożeństwo) [II] *vr* ~ **oneself** prowadzić <zachow-ać/ywać> się; zachow-ać/ywać się (**towards sb** wobec kogoś); odn-ieść/osić się (**towards sb** do kogoś); po/traktować (**towards sb** kogoś — dobrze, źle itd.) *zob* **conducted**

conducted [kən'dʌktid] *zob* **conduct**[2]; ~ **tour** wycieczka pod fachowym przewodnictwem; *muz* (*o orkiestrze*) ~ **by**_ pod batutą...

conductibility [kən,dʌktə'biliti] *s fiz* przewodnictwo, przewodność

conductible [kən'dʌktəbl] *adj fiz* przewodzący

conduction [kən'dʌkʃən] *s* 1. *fiz* przewodzenie (ciepła itp.) 2. *med* przewodnictwo; ~ **system** system <układ> przewodzący

conductive [kən'dʌktiv] *adj* 1. *fiz* przewodni 2. przewodzący

conductivity [,kəndək'tiviti] *s fiz* przewodnictwo

conduct-money ['kəndʌkt,mʌni] *s sąd* koszty podróży (dla świadka)

conductor [kən'dʌktə] *s* 1. przewodnik 2. kierownik 3. konduktor (tramwajowy, autobusowy; *am także* kolejowy) 4. dyrygent; kapelmistrz 5. *fiz* przewodnik 6. piorunochron, odgromnik

conductress [kən'dʌktris] *s* 1. przewodniczka 2. konduktorka (tramwajowa, autobusowa)

conduit ['kəndit] *s* 1. przewód; kanał; rura; rurociąg; *elektr* rurka izolacyjna 2. przejście podziemne

conduplicate [kən'dju:plikit] *adj bot* podwójny

condyle ['kəndil] *s anat* kłykieć

condyloma [,kəndi'loumə] *s* (*pl* ~**ta** [,kəndi'loumətə]) *med* szyszkowina, kłykcina

cone [koun] *s* 1. stożek, † konus 2. szyszka (sosnowa itp.)

cone-pulley ['koun,puli] *s techn* stożkowe koło pasowe

cones [kounz] *spl* podsypka (mąka — przy wypieku chleba)

cone-shaped ['koun,ʃeipt] *adj* stożkowaty

coney ['kouni] *s* skórka królicza

confab ['kənfæb] *skr pot* = **confabulation**

confabulate [kən'fæbju,leit] *vi* gawędzić

confabulation [kən,fæbju'leiʃən] *s* 1. pogawędka; gawędzenie 2. *med* zmyślanie, konfabulacja

confection [kən'fekʃən] [I] *s* 1. *farm* preparat 2. kandyzowany owoc; słodycze 3. *kraw* konfekcja [II] *vt* 1. *kraw* sporządzać konfekcyjnie 2. kandyzować

confectioner [kən'fekʃənə] *s* cukiernik

confectionery [kən'fekʃnəri] *s* 1. cukiernia 2. *zbior* wyroby cukiernicze

confederacy [kən'fedərəsi] *s* 1. konfederacja; liga; sprzymierzenie; **the Southern Confederacy** konfederacja stanów secesyjnych Am. Płn. z roku 1860 2. spisek; **to be in** ~ spiskować; knuć

confederate[1] [kən'fedərit] [I] *adj* sprzymierzony [II] *s* 1. sprzymierzeniec 2. stronnik secesji 1860 r. w Am. Płn.

confederate[2] [kən'fedə,reit] [I] *vi* 1. z/jednoczyć <sprzymierz-yć/ać> się 2. spiskować; knuć [II] *vt* z/jednoczyć

confederation [kən,fedə'reiʃən] *s* konfederacja; *am* **the Confederation** = **the Southern Confederacy** *zob* **confederacy** 1.

confer [kən'fə:] *v* (**-rr-**) [I] *vt* 1. nada-ć/wać <przyzna-ć/wać> (**on sb** komuś — **tytuł, order, dyplom** itp.) 2. wyświadcz-yć/ać (**on sb** komuś — przysługę itp.) [II] *vi* konferować; naradz-ić/ać się

conferee [,kənfə'ri:] *s* nagrodzony; odznaczony

conference ['kənfərəns] *s* konferencja; narada; zebranie; zjazd; *am* **to be in** ~ być zajętym

conferment [kən'fə:mənt] *s* 1. nadanie <przyznanie> (tytułu, orderu, dyplomu itp. — **on sb** komuś) 2. wyświadczenie (przysługi — **on sb** komuś)

conferva [kən'fə:və] *s* (*pl* **confervae** [kən'fə:vi:]) *bot* rzęsa

confess [kən'fes] [I] *vt* 1. przyzna-ć/wać się (**sth** do czegoś); **to** ~ **oneself guilty** przyzna-ć/wać się do winy 2. uzna-ć/wać (winę itp.) 3. *kośc* słuchać spowiedzi (**sb** czyjejś); wy/spowiadać 4. wy/spowiadać się (**sth** z czegoś — grzechów itd.) 5. wyznawać (wiarę) [II] *vr* ~ **oneself** wy/spowiadać się [III] *vi* 1. wy/spowiadać się 2. przyzna-ć/wać się (**to a crime** do zbrodni itp.; **to doing** <**having done**> **sth** do tego, że się coś zrobiło); **I was wrong, I** ~ byłem w błędzie, to prawda *zob* **confessed**

confessed [kən'fest] [I] *zob* **confess** [II] *adj* jawny

confessedly [kən'fesidli] *adv* jawnie; otwarcie; bez obsłonek

confession [kən'feʃən] *s* 1. przyznanie się (do czegoś); wyznanie (czegoś) 2. spowiedź 3. wyznanie, religia; ~ **of faith** credo, wyznanie wiary

confessional [kən'feʃənl] *s* konfesjonał

confessionist [kən'feʃənist] *s* 1. wyznawca 2. luteranin

confessor [kən'fesə] *s* 1. spowiednik 2. wyznaw-ca/czyni; *hist* **the Confessor** król Edward Wyznawca 3. człowiek przyznający się (do czegoś)

confetti [kən'feti] *spl* confetti

confidant [,kənfi'dænt] *s* powiernik

confidante [,kənfi'dænt] *s* powiernica

confide [kən'faid] [I] *vi* 1. zwierz-yć/ać się <zaufać> (**in sb** komuś) [II] *vt* powierzyć (**sth to sb** coś komuś) *zob* **confiding**

confidence ['kənfidəns] *s* 1. zaufanie; ufność; **in strict** ~ w największej tajemnicy; **to put one's** ~ **in sb** pokładać w kimś zaufanie 2. śmiałość; pewność siebie 3. przeświadczenie; pewność; **I had every** ~ **that we should win** miałem przeświadczenie <byłem pewny>, że wygramy 4. zwierzenie; **to make a** ~ **to sb** zwierzyć się komuś z tajemnicy; **to be in sb's** ~ być czyimś powiernikiem; cieszyć się czyimś zaufaniem; **to take sb in one's** ~ zwierzyć się komuś <przed kimś> ze swych tajemnic; ~ **trick**, *am* ~ **game** oszustwo popełnione przez człowieka, który uprzednio wkradł się w czyjeś zaufanie; ~ **man** przestępca <oszust>, który z premedytacją nadużył czyjegoś zaufania

confident ['kənfidənt] [I] *adj* 1. ufny 2. przeświadczony (**of sth** o czymś); pewny (**of sth** czegoś) 3. pewny siebie; śmiały [II] *s* zaufany (człowiek); powierni-k/ca

confidential [,kənfi'denʃəl] *adj* 1. (*o wiadomości itp*) poufny; intymny 2. (*o człowieku*) zaufany 3. skłonny do zwierzeń; **to be** ~ **with sb** zwierzać się komuś <przed kimś> z tajemnic; ~ **agent** zaufany <wtajemniczony> pośrednik; ~ **clerk** zaufany pracownik (instytucji); ~ **post** stanowisko dla zaufanego pracownika

confidentiality [,kənfi,denʃi'æliti] *s* poufny charakter (wiadomości itd.)

confidentially [ˌkɔnfi'denʃəli] *adv* w zaufaniu
confidently ['kɔnfidəntli] *adv* 1. z pełnym zaufaniem 2. z pewnością siebie
confiding [kən'faidiŋ] [I] *zob* **confide** [II] *adj* ufny; łatwowierny
configuration [kənˌfigju'reiʃən] *s* konfiguracja; ukształtowanie; kształt; układ
confine ['kɔnfain] [I] *s* (*zw pl*) granica; kres; **the ~s of the earth** kraniec świata [II] *vt* [kən'fain] 1. ogranicz-yć/ać; ścieśni-ć/ać 2. u/więzić; zam-knąć/ykać (w klatce itp.) [III] *vr* [kən'fain] **~ oneself** ogranicz-yć/ać się (**to sth** do czegoś); poprzesta-ć/wać (**to sth** na czymś) [IV] *vi* [kən'fain] graniczyć; stykać się *zob* **confined**
confined [kən'faind] [I] *zob* **confine** *v* [II] *adj* ograniczony; ścieśniony; **~ space** ciasnota; **to be ~ for space** mieć mało miejsca; żyć <mieszkać> w ciasnocie; **to be ~ to one's bed** być obłożnie chorym; być przykutym do łóżka; **to be ~ to one's room** nie opu-ścić/szczać swego pokoju ‖ **to be ~** być w połogu; rodzić
confinement [kən'fainmənt] *s* 1. uwięzienie 2. obłożna choroba 3. poród, połóg 4. ograniczenie
confirm [kən'fə:m] *vt* 1. um-ocnić/acniać; utwierdz-ić/ać; pokrzepi-ć/ać 2. potwierdz-ić/ać 3. zatwierdz-ić/ać 4. *rel* bierzmować *zob* **confirmed**
confirmation [ˌkɔnfə'meiʃən] *s* 1. umocnienie; pokrzepienie 2. potwierdzenie 3. zatwierdzenie 4. *kość* bierzmowanie
confirmative [kən'fə:mətiv], **confirmatory** [kən'fə:mətəri] *adj* 1. umacniający 2. potwierdzający 3. zatwierdzający
confirmed [kən'fə:md] [I] *zob* **confirm** [II] *adj* 1. nałogowy 2. niepoprawny 3. niewzruszony; zatwardziały; **a ~ bachelor** zaprzysiężony kawaler 4. (*o chorobie*) uporczywy 5. (*o pacjencie*) chronicznie <stale> cierpiący
confiscate ['kɔnfisˌkeit] *vt* s/konfiskować (**sth from sb** coś komuś)
confiscation [ˌkɔnfis'keiʃən] *s* konfiskata
conflagration [ˌkɔnflə'greiʃən] *s* pożar; pożoga
conflict ['kɔnflikt] [I] *s* 1. konflikt; walka 2. kolizja; **to be in ~ with sth** kolidować z czymś [II] *vi* [kən'flikt] 1. ścierać się (z kimś, czymś) 2. kolidować <być w sprzeczności> (z czymś) *zob* **conflicting**
conflicting [kən'fliktiŋ] [I] *zob* **conflict** *v* [II] *adj* sprzeczny
confliction [kən'flikʃən] *s* niezgodność
confluence ['kɔnfluəns] *s* 1. zbieg (dróg); zlanie się (rzek); łączenie się 2. zgromadzenie; zjazd; zbiegowisko
confluent ['kɔnfluənt] [I] *adj* 1. (*o rzekach itp*) spływający <zlewający> się; (*o drogach itp*) zbiegający <łączący> się 2. *med* zlewający się [II] *s* dopływ (rzeki)
conflux ['kɔnflʌks] *lit* = **confluence**
conform [kən'fɔ:m] [I] *vt* dostosow-ać/ywać <dostr-oić/ajać> (**to sth** do czegoś) [II] *vr* **~ oneself** za/stosować <przystosow-ać/ywać> się (**to sth** do czegoś) [III] *vi* 1. za/stosować <przystosow-ać/ywać> się 2. odpowiadać kształtem (**to** <**with**> **sth** czemuś) 3. zastosow-ać/ywać się do nakazów Kościoła anglikańskiego
conformability [kənˌfɔ:mə'biliti] *s* 1. zgodność 2. dostosowanie; przystosowanie 3. uległość
conformable [kən'fɔ:məbl] *adj* 1. odpowiedni; stosowny; zgodny 2. dostosowany; przystosowany 3. uległy; posłuszny 4. (*o człowieku*) zgodny
conformance [kən'fɔ:məns] = **conformity**
conformation [ˌkɔnfɔ:'meiʃən] *s* 1. struktura; profil; kształt 2. zgodność (**to sth** z czymś); dostosowanie <przystosowanie> (**to sth** do czegoś)
conformity [kən'fɔ:miti] *s* 1. zgodność (**to** <**with**> **sth** z czymś); dostosowanie <przystosowanie> (**to** <**with**> **sth** do czegoś); **in ~ with __** zgodnie z ...; stosownie do ...; podług ... (instrukcji itp.) 2. stosowanie <przestrzeganie> (przepisów, rytuału, w szczególności anglikańskiego)
confound [kən'faund] *vt* 1. po/mieszać (jedno z drugim) 2. po/plątać; po/gmatwać 3. po/krzyżować (plany); zaw-ieść/odzić (nadzieje) 4. zmieszać; za/żenować; s/konfundować ‖ **~ him** <**it**>! niech go <to> diabli wezmą! *zob* **confounded**
confounded [kən'faundid, kɔn'faundid] [I] *zob* **confound** [II] *adj* 1. wstrętny; ohydny 2. przeklęty; diabelny; piekielny [III] *adv pot* = **confoundedly**
confoundedly [kən'faundidli] *adv* diabelsko; diablo; piekielnie
confraternity [ˌkɔnfrə'tə:niti] *s* bractwo; konfraternia
confrère ['kɔnfrɛə] *s* kolega
confront [kən'frʌnt] *vt* 1. sta-nąć/wać twarzą w twarz (**sb, sth** z kimś, czymś); sta-nąć/wać przed obliczem (**sb** czyimś); sta-nąć/wać w obliczu (**sth** czegoś — niebezpieczeństwa itd.) 2. (*o trudnościach, wydarzeniach itd*) sta-nąć/ć (**sb** przed kimś); (*o człowieku*) stawi-ć/ać czoło <opór> (**sb, sth** komuś, czemuś); śmiało patrzyć w oczy (**sth** czemuś — niebezpieczeństwu, śmierci itp.); **to be ~ed with** <**by**> **__** sta-nąć/wać przed <wobec> ... 3. s/konfrontować (osoby, rzeczy, dokumenty itd.) 4. unaoczni-ć/ać (**sb with sth** komuś coś) 5. porówn-ać/ywać <zestawi-ć/ać> (**sth with sth else** coś z czymś) *zob* **confronting**
confrontation [ˌkɔnfrən'teiʃən] *s* s/konfrontowanie; konfrontacja
confronting [kən'frʌntiŋ] [I] *zob* **confront** [II] *adj* stojące przed sobą (armie itd.)
Confucian [kən'fju:ʃjən] *adj* konfucjuszowy; (*o filozofii itd*) Konfucjusza
Confucianism [kən'fju:ʃjəˌnizəm] *s* religia Konfucjusza
confuse [kən'fju:z] *vt* 1. po/mieszać; po/gmatwać; za/wikłać; wprowadz-ić/ać bałagan <chaos> (**sth** w czymś) 2. po/mieszać (jedno z drugim); nie rozróżniać (**sth** czegoś) 3. zmieszać; wprawi-ć/ać w zakłopotanie; za/żenować; s/konfundować; **to get ~d** a) s/tracić orientację b) z/mieszać <s/peszyć> się *zob* **confused, confusing**
confused [kən'fju:zd] [I] *zob* **confuse** [II] *adj* 1. pomieszany; pogmatwany; w nieładzie 2. zmieszany; zakłopotany; zażenowany; skonfundowany
confusedly [kən'fju:zidli] *adv* 1. w nieładzie 2. z zakłopotaniem
confusing [kən'fju:ziŋ] [I] *zob* **confuse** [II] *adj* bałamutny; **it's all very ~** można się w tym zgubić; trudno się w tym wyznać <połapać>
confusion [kən'fju:ʒən] [I] *s* 1. zamieszanie; nieład; chaos; bałagan; **to throw sth into ~** wprowadzić zamęt <nieład, chaos, bałagan> w czymś 2. zawikłanie; gmatwanina 3. zmieszanie; zażenowanie; zakłopotanie 4. pomieszanie (jednego

z drugim) ‖ **to drink ~ to sb, sth** pić na pohybel <na zgubę> komuś, czemuś [II] *interj* na pohybel!; na zgubę!; precz!; do diabła!

confutation [ˌkɔnfju:ˈteiʃən] *s* odparcie <zbicie> (wywodów itp.)

confute [kənˈfju:t] *vt* 1. od-eprzeć/pierać <zbi-ć/jać> (argumenty) 2. przekon-ać/ywać (**sb** kogoś) <udow-odnić/adniać (**sb** komuś)>, że się myli

conga [ˈkɔŋgə] *s* groteskowy taniec gromadny

congé [ˈkɔ̃:ʒei] *s* odprawa; zwolnienie ze służby

congeal [kənˈdʒi:l] [I] *vt* 1. zamr-ozić/ażać 2. ści-ąć/nać; s/powodować krzepnięcie (**sth** czegoś) [II] *vi* zamarz-nąć/ać; ści-ąć/nać się; za/krzepnąć

congealment [kənˈdʒi:lmənt] *s* 1. zamr-ożenie/ażanie 2. zamarznięcie 3. ścięcie się; skrzepnięcie

congelation [ˌkɔndʒiˈleiʃən] = **congealment**

congener[1] [ˈkɔndʒinə] *s* osobnik <gatunek itd.> pokrewny (**of sth** z czymś, czemuś)

congener[2] [ˈkɔndʒinə], **congeneric** [ˌkɔndʒiˈnerik], **congenerous** [kənˈdʒenərəs] *adj* jednogatunkowy; jednorodny; pokrewny; **congenerous muscles** mięśnie współczynne

congenial [kənˈdʒi:njəl] *adj* 1. pokrewny; zbliżony; podobny (**with sb, sth** do kogoś, czegoś) 2. sympatyczny 3. odpowiedni; stosowny (**to sb** dla kogoś)

congeniality [kənˌdʒi:niˈæliti] *s* 1. pokrewieństwo; podobieństwo gustów <usposobień itp.> 2. sympatyczne usposobienie

congenital [kənˈdʒenitl] *adj* wrodzony; odziedziczony; **a ~ idiot** a) idiota od urodzenia b) *pot* skończony idiota

conger [ˈkɔŋgə], **~-eel** [ˈkɔŋgərˈi:l] *s* węgorz morski

congeries [kɔnˈdʒiəri:z] *s* (*pl* **~**) nagromadzenie; natłok, masa; stos

congest [kənˈdʒest] [I] *vt* 1. przeciąż-yć/ać; zatł-oczyć/aczać; wywoł-ać/ywać zator/y (**a street** w ruchu ulicznym) 2. *med* wywoł-ać/ywać przekrwienie (**sth** czegoś) [II] *vi* 1. *med* być przekrwionym 2. z/robić <wywoł-ać/ywać> zator/y *zob* **congested**

congested [kənˈdʒestid] [I] *zob* **congest** [II] *adj* 1. przeciążony; zatłoczony; tłoczny 2. przeludniony 3. *med* przekrwiony

congestion [kənˈdʒestʃən] *s* 1. przeciążenie; zatłoczenie 2. przeludnienie 3. *med* przekrwienie; zastój

conglobate [ˈkɔŋglouˌbeit] [I] *adj* kulisty [II] *vt* 1. zbi-ć/jać w kulę; nada-ć/wać kształt kuli (**sth** czemuś) [III] *vi* przyb-rać/ierać kształt kuli

conglobe [kɔnˈgloub] = **conglobate** *v*

conglomerate [kənˈglɔmərit] [I] *adj* zlepiony [II] *vt vi* [kənˈglɔməˌreit] zbi-ć/jać <zlepi-ć/ać> (się) [III] *s* konglomerat; zlepek

conglomeration [kənˌglɔməˈreiʃən] *s* konglomeracja; zlepienie; skupienie

conglutinate [kənˈglu:tiˌneit] *vt vi* zlepi-ć/ać <skle-ić/jać, z/łączyć> (się)

congou [ˈkɔŋgu:] *s* gatunek czarnej herbaty chińskiej

congratulate [kənˈgrætjuˌleit] *vt* po/gratulować (**sb on sth** <**on having done sth**> komuś czegoś <zrobienia czegoś>); złożyć/składać gratulacje (**sb** komuś)

congratulation [kənˌgrætjuˈleiʃən] *s* gratulacja

congratulatory [kənˈgrætjuˌleitəri] *adj* (*o liście itp*) gratulacyjny

congregate [ˈkɔŋgriˌgeit] *vt vi* zebrać/zbierać <z/gromadzić> (się)

congregation [ˌkɔŋgriˈgeiʃən] *s* 1. zebranie; zgromadzenie 2. kongregacja; zakon (religijny); poczet (świętych itd.) 3. *zbior* parafia; parafianie; wierni; **a large ~** licznie zebrani parafianie <wierni> 4. *uniw* zebranie <posiedzenie> grona wykładowców 5. zbiór; nagromadzenie

congregational [ˌkɔŋgriˈgeiʃənl] *adj* 1. zbiorowy; gromadny 2. zakonny; parafialny 3. *kośc* (*o zborze itd*) kongregacjonistów

congregationalism [ˌkɔŋgriˈgeiʃnəˌlizəm] *s* wyznanie kongregacjonistów

congress [ˈkɔŋgres] *s* 1. kongres; zjazd; zgromadzenie 2. *am* **Congress** a) Kongres (połączone izby parlamentu) b) kadencja Kongresu

congressional [kəŋˈgreʃnl] *adj* kongresowy; (*o posiedzeniu itd*) kongresu

congressman [ˈkɔŋgresmən] *s* (*pl* **congressmen** [ˈkɔŋgresmən]) członek Kongresu St. Zjedn.

Congreve [ˈkɔŋgri:v] *spr* **~ match** rodzaj fosforyzowanej zapałki; *hist* **~ rocket** rakieta <raca> burząca (dawny pocisk rakietowy)

congruence [ˈkɔŋgruəns], **congruency** [ˈkɔŋgruənsi], **congruity** [kɔŋˈgruiti] *s* zgodność (z czymś); stosowność (**with sth** do czegoś)

congruent [ˈkɔŋgruənt], **congruous** [ˈkɔŋgruəs] *adj* 1. zgodny (**with sth** z czymś); stosowny (**with sth** do czegoś) 2. *mat* podobny 3. *geom* przystający

congruity *zob* **congruence**

congruous *zob* **congruent**

conic(al) [ˈkɔnik(əl)] *adj* stożkowaty; *mat* **~ sections, conics** przecięcia stożkowe

conifer [ˈkounifə] *s* drzewo szpilkowe <iglaste>

coniferous [kouˈnifərəs] *adj* szpilkowy; iglasty; szyszkorodny

coniform [ˈkouniˌfɔ:m] *adj* stożkowaty

conine [ˈkounain], **coniine** [ˈkouniˌain] *s farm* koniina

conjectural [kənˈdʒektʃərəl] *adj* przypuszczalny

conjecture [kənˈdʒektʃə] [I] *s* przypuszczenie; domysł; domniemanie [II] *vi* przypu-ścić/szczać; snuć domysły; mniemać

conjoin [kənˈdʒɔin] *vt vi* po/łączyć <s/kojarzyć> (się)

conjoint [ˈkɔndʒɔint] *adj* połączony

conjointly [kənˈdʒɔintli] *adv* łącznie; wspólnie; w połączeniu

conjugal [ˈkɔndʒugəl] *adj* małżeński

conjugate [ˈkɔndʒuˌgeit] [I] *vt gram* odmieni-ć/ać (czasownik), koniugować [II] *vi gram* odmieni-ć/ać się [III] *adj* [ˈkɔndʒugit] 1. połączony 2. *mat* sprzężony

conjugation [ˌkɔndʒuˈgeiʃən] *s* 1. *gram* koniugacja, odmiana (czasownika) 2. połączenie; sprzężenie

conjunct [kənˈdʒʌŋkt] *adj* połączony

conjunction [kənˈdʒʌŋkʃən] *s* 1. połączenie; **in ~ with** — łącznie <w połączeniu> z ...; w dodatku do ... 2. *gram* spójnik 3. *astr* koniunkcja

conjunctiva [ˌkɔndʒʌŋkˈtaivə] *s anat* spojówka

conjunctive [kənˈdʒʌŋktiv] [I] *adj* 1. łączący; połączony 2. *gram* (*o trybie*) łączący [II] *s* spójnik

conjunctivitis [kənˈdʒʌŋktiˈvaitis] *s* zapalenie spojówek

conjuncture [kən'dʒʌŋktʃə] *s* 1. stan rzeczy <spraw>; sytuacja 2. zbieg okoliczności 3. krytyczny okres <moment>

conjuration [ˌkɔndʒuə'reiʃən] *s* 1. zaklęcie; słowa magiczne 2. błaganie

conjure[1] [kən'dʒuə] *vt* zakl-ąć/inać (kogoś) na wszystkie świętości; błagać

conjure[2] ['kʌndʒə] *vi* 1. czarować; **a name to ~ with** nazwisko, które cuda działa 2. robić sztuczki kuglarskie

~ away *vt* odżegn-ać/ywać; odpędz-ić/ać (złego ducha, diabła)

~ up *vt* wyczarow-ać/ywać; wywoł-ać/ywać (ducha, wspomnienia itp.)

zob **conjuring**

conjurer ['kʌndʒərə] *s* magik; kuglarz; prestidigitator; **he is no ~** prochu nie wymyśli

conjuring ['kʌndʒəriŋ] [I] *zob* **conjure**[2] [II] *s* sztuczki magiczne

conk[1] [kɔŋk] *s sl* nochal

conk[2] [kɔŋk] *vi pot* nawal-ić/ać; ze/psuć się

conker ['kɔŋkə] *s* 1. kasztan (owoc) 2. *pl* **~s** zabawa chłopięca w rozbijanie kasztanów nanizanych na sznurek

connate ['kɔneit] *adj* przyrodzony; wrodzony; *bot* zrośnięty

connatural [kɔ'nætʃrəl] *adj* 1. przyrodzony; wrodzony 2. pokrewny

connect [kə'nekt] [I] *vt* 1. po/łączyć; po/wiązać; zesp-olić/alać; zetknąć/stykać; s/kojarzyć 2. *elektr* podłącz-yć/ać; **to ~ to earth** uziemi-ć/ać [II] *vi* 1. po/łączyć <z/wiązać, zetknąć/stykać, zesp-olić/alać> się 2. (*o pociągu*) mieć połączenie (z innym pociągiem) 3. z/wiązać <s/kojarzyć> (w myśli) 4. *pot* (*o wydarzeniu itp*) dostarcz-yć/ać tematu do rozmów towarzyskich *zob* **connected**

connected [kə'nektid] [I] *zob* **connect** [II] *adj* 1. połączony; związany; **to be ~ with sb** mieć z kimś kontakt <styczność> 2. pokrewny; powinowaty; skoligacony 3. ustosunkowany; posiadający (rozległe) znajomości 4. (*o myślach, mowie itp*) dobrze <logicznie> powiązany

connectedness [kə'nektidnis] *s* powiązanie (myśli); związek (myślowy)

connecter, connector [kə'nektə] *s* 1. *techn* łącznik; złączka 2. *elektr* zacisk; złącze; wtyczka 3. spojenie; złączenie

connecting-rod [kə'nektiŋˌrɔd] *s techn* korbowód

connection, connexion [kə'nekʃən] *s* 1. połączenie; związek; kontakt; **in ~ with _** w związku z ... (czymś); odnośnie do ... (czegoś); **in this ~** w związku z tym; **I have no ~ with _** nie mam nic wspólnego z ... 2. stosunki; znajomości; **to form a ~ with sb** nawiązać stosunki z kimś 3. stosunek (płciowy) 4. pokrewieństwo; powinowactwo; skoligacenie 5. krewny; powinowaty; **he is a ~ of mine** to mój krewny 6. połączenie (kolejowe, tramwajowe, autobusowe itp.) 7. *elektr* kontakt; **earth ~** uziemienie 8. sekta (religijna) 9. klientela

connective [kə'nektiv] *adj* 1. łączący; **~ tissue** tkanka łączna 2. *gram* spójnik; wyraz łączący

connector *zob* **connecter**

connexion *zob* **connection**

conning-tower ['kɔniŋ'tauə] *s* 1. wieża pilota na pancerniku 2. wieżyczka obserwacyjna w łodzi podwodnej

connivance [kə'naivəns] *s* 1. pobłażanie; tolerowanie; patrzenie przez palce 2. zmowa 3. współudział (**at** <**in**> **a crime** w zbrodni)

connive [kə'naiv] *vi* 1. pobłażać; tolerować; patrzeć przez palce (**at an abuse etc.** na nadużycie itp.) 2. być w zmowie 3. współdziałać (**at a crime etc.** w zbrodni itd.)

connivent [kə'naivənt] *adj bot* (*o płatkach kwiatu*) pochylone ku sobie; *anat* **~ valves** fałdy okolne || **to be ~ at _** = **to connive**

connoisseur [ˌkɔni'sə:] *s* znawca, koneser; fachowiec

connoisseurship [ˌkɔni'sə:ʃip] *s* znawstwo; koneserstwo; fachowość

connotation [ˌkɔnou'teiʃən] *s log* konotacja

connote [kə'nout] *vt* 1. *log* zawierać w sobie pojęcie (**sth** czegoś) 2. oznaczać; nasuwać pojęcie (**sth** czegoś) 3. *pot* znaczyć

connubial [kə'nju:bjəl] *adj* małżeński

conoid ['kounɔid] [I] *s geom* konoida [II] *adj* stożkowaty

conquer ['kɔŋkə] [I] *vt* 1. zdoby-ć/wać <podbi-ć/jać> (kraj, serca itd.); zawojować 2. przezwycięż-yć/ać; przem-óc/agać; pokon-ać/ywać [II] *vi* zwycięż-yć/ać

conqueror ['kɔŋkərə] *s* 1. zdobywca; zwycięzca 2. *pl* **~s** chłopięca zabawa kasztanami

conquest ['kɔŋkwest] *s* 1. zdobycie <podbój> (kraju, serca itd.); zawojowanie; **the Conquest** zdobycie Anglii przez Wilhelma Zdobywcę w r. 1066; **to make a ~ of sb** zdobyć <podbić> czyjeś serce 2. zdobyty <podbity> kraj 3. † konkieta

con-rod ['kɔnˌrɔd] = **connecting-rod**

consanguine [kɔn'sæŋgwin] *adj* krewny

consanguineous [ˌkɔnsæŋ'gwiniəs] *adj* spokrewniony

consanguinity [ˌkɔnsæŋ'gwiniti] *s* pokrewieństwo

conscience ['kɔnʃəns] *s* sumienie; **a clear ~** czyste sumienie; **~ clause** motywacja łagodnego wyroku względami religijnymi; **for ~' sake** dla spokoju <czystego> sumienia; **I would not have the ~ to do that** nie miałbym sumienia tego zrobić; sumienie nie pozwalałoby mi na to; **in all ~, upon my ~** z ręką na sercu; uczciwie

conscience-money ['kɔnʃənsˌmʌni] *s* pieniądze przekazane anonimowo skarbowi państwa wskutek wyrzutów sumienia z powodu nieprawdziwych zeznań podatkowych

conscience-smitten ['kɔnʃənsˌsmitn], **conscience-stricken** ['kɔnʃənsˌstrikən] *adj* gnębiony wyrzutami sumienia

conscientious [ˌkɔnʃi'enʃəs] *adj* sumienny; skrupulatny; **~ objector** człowiek uchylający się od służby w wojsku ze względów religijnych

conscientiousness [ˌkɔnʃi'enʃəsnis] *s* sumienność; skrupulatność

conscious ['kɔnʃəs] *adj* 1. świadomy (**of sth** czegoś); **to be ~ of sth** być świadomym czegoś; zdawać sobie sprawę z czegoś; **to become ~ of sth** uświadomić sobie coś; zdać sobie z czegoś sprawę 2. przytomny; **to become ~** odzyskać przytomność; przyjść do siebie (po utracie przytomności) 3. zażenowany 4. (*o ruchu, czynie*) świadomy

consciousness ['kɔnʃəsnis] *s* 1. świadomość 2. poczucie (czegoś) 3. przytomność

conscribe [kən'skraib] = **conscript** *v*

conscript ['kɔnskript] [I] *adj* poborowy [II] *s* (*am*

conscriptee [ˌkɔnskrip'ti:]) rekrut; poborowy [II] *vt* [kən'skript] 1. wziąć/brać do wojska 2. za/rekwirować

conscription [kən'skripʃən] *s* 1. pobór do wojska 2. rekwizycja 3. dostawy (ziemiopłodów itp.) na rzecz państwa

consecrate ['kɔnsiˌkreit] [I] *vt* 1. poświęc-ić/ać (kościół, chleb itd.); **to ~ time etc. to sth** poświęc-ić/ać czas itd. czemuś 2. konsekrować (**sb bishop** kogoś na biskupa); udziel-ić/ać święceń biskupich (**sb** komuś) 3. uświęc-ić/ać (**a custom etc. by tradition** zwyczaj itp. tradycją) [II] *adj* ['kɔnsikrit] poświęcony

consecration [ˌkɔnsi'kreiʃən] *s* 1. poświęcenie 2. konsekracja 3. uświęcenie

consecrator ['kɔnsiˌkreitə] *s* konsekrator

consecution [ˌkɔnsi'kjuʃən] *s* następstwo; wynik

consecutive [kən'sekjutiv] *adj* 1. nieprzerwany; **for three ~ days** trzy dni z rzędu 2. (*o dniach, miesiącach, latach, faktach itd*) kolejny 3. *gram* (*o zdaniu*) skutkowy

consensual [kən'senʃuəl] *adj* 1. zgodny; (uczyniony) za zgodą zainteresowanych 2. (*o odruchach*) nieświadomy; mimowolny

consensus [kən'sensəs] *s* zgoda; jednomyślność

consent [kən'sent] [I] *vi* zg-odzić/adzać się <przyzw-olić/alać, przysta-ć/wać> (**to sth** na coś) [II] *s* zgoda; pozwolenie, przyzwolenie; **age of ~** pełnoletność (dziewczyny); **silence gives ~** milczenie jest znakiem zgody; **with one ~** jednomyślnie

consentaneous [ˌkɔnsen'teinjəs] *adj* zgodny (**to** <**with**> **sth** z czymś); jednomyślny

consentient [kən'senʃjənt] *adj* 1. zgodny 2. wyrażający zgodę (**to sth** na coś)

consequence ['kɔnsikwəns] *s* 1. skutek; następstwo; wynik; konsekwencja; rezultat; **in ~** w rezultacie; **in ~ of sth** wskutek <w wyniku> czegoś; **to take the ~s** pon-ieść/osić konsekwencje 2. wniosek; wywód 3. znaczenie; waga; doniosłość; **to be of ~** mieć znaczenie; być doniosłym; odgrywać rolę; **a matter of ~** ważna <doniosła> sprawa; **a person of ~** ważna osobistość

consequent ['kɔnsikwənt] [I] *s* 1. skutek; następstwo; wynik; rezultat; konsekwencja 2. *gram* następnik [II] *adj* 1. wynikający <wynikły> (**on** <**upon**> **sth** z czegoś) 2. (*o wniosku*) wypływający (**from sth** z czegoś) 3. następujący; późniejszy 4. konsekwentny; logiczny

consequential [ˌkɔnsi'kwenʃəl] *adj* 1. wynikający <wynikły> (**to sth** z czegoś) 2. (*o człowieku*) ważny (we własnym mniemaniu); mający wygórowane mniemanie o sobie

consequently ['kɔnsikwəntli] *adv* wskutek tego; w konsekwencji; przeto; zatem; więc

conservancy [kən'sə:vənsi] *s* ochrona; konserwacja; opieka; dozór (nad lasami, rzekami itd.)

↑**conservation** [ˌkɔnsə'veiʃən] *s* 1. ochrona; konserwacja; zachowywanie (czegoś) 2. rezerwat

conservatism [kən'sə:vəˌtizəm] *s* konserwatyzm

↑**conservative** [kən'se:vətiv] [I] *adj* 1. konserwatywny, zachowawczy 2. (*o obliczeniu itp*) skromny, ostrożny [II] *s* konserwatyst-a/ka

conservatoire [kən'sə:vəˌtwɑ:] *s* konserwatorium

conservator ['kɔnsəˌveitə] *s* 1. wysoki urzędnik sprawujący nadzór nad lasami <rzekami itd.> 2. (*także* [kən'sə:vətə]) konserwator; kustosz; **the Conservators of the peace** opiekunowie spokoju publicznego: król, lord kanclerz i sędziowie

conservatory [kən'sə:vətri] *s* 1. cieplarnia 2. konserwatorium

conserve [kən'sə:v] [I] *vt* 1. konserwować; przechowywać 2. kandyzować 3. mieć pieczę; sprawować ochronę (**sth** nad czymś — pomnikiem, zabytkiem itp.) [II] *spl* **~s** 1. konserwy owocowe; konfitury; dżemy; przetwory owocowe 2. kandyzowane owoce

conshie ['kɔnʃi] *skr pog* **conscientious objector** *zob* **conscientious**

consider [kən'sidə] *vt* 1. rozważ-yć/ać; wziąć/brać pod uwagę <pod rozwagę> 2. mieć wzgląd <zważać> (**sth** na coś — czyjeś uczucia itp.); liczyć się (**sb, sth** z kimś, czymś) 3. uważać <sądzić> (**sb** <**sth**> **to be** — że ktoś <coś> jest ...); poczyt-ać/ywać <mieć> (kogoś, coś) za ...; **to ~ oneself happy etc.** uważać się za szczęśliwego itp.; **all things ~ed** wszystko zważywszy *zob* **considering**

considerable [kən'sidərəbl] [I] *adj* znaczny; poważny; niemały; spory [II] *adv am* znacznie; dosyć; sporo; **a ~ long time ago** dość dawno temu

considerate [kən'sidərit] *adj* 1. uważający; delikatny (**towards** <**to**> **sb** wobec kogoś); **it was ~ of him** to było ładnie z jego strony 2. † (*o zachowaniu, postępowaniu*) rozważny 3. (*o człowieku*) ostrożny

considerateness [kən'sidəritnis] *s* taktowne postępowanie; delikatność; względy (**to sb** okazywane komuś); **to show ~ for** — zważać na ... (cudzą wygodę, czyjeś uczucia, zasady itp.)

consideration [kənˌsidə'reiʃən] *s* 1. rozwaga; rozważanie; uwaga; namysł; **for your kind ~** do łaskawego wglądu <rozpatrzenia>; **in ~ of** — z uwagi na ...; wobec ...; zważywszy ...; **to give sth careful ~** dokładnie coś rozważyć; **to leave out of ~** pomi-nąć/jać; nie wziąć/brać pod uwagę; **to take sth into ~** wziąć/brać coś pod uwagę <pod rozwagę>; **under ~** rozważany (punkt obrad itp.) 2. moment; wzgląd; okoliczność; rola (jaką coś odgrywa); **on no ~** pod żadnym względem <pozorem>; **out of ~ for** — przez wzgląd na ...; **to be an important ~** mieć poważne znaczenie; odgrywać ważną rolę 3. wynagrodzenie; opłata 4. względy (**for sb** okazywane komuś); uszanowanie (**for sb** dla kogoś) 5. ważność; znaczenie

considered [kən'sidəd] [I] *zob* **consider** [II] *adj* przemyślany; **that is my ~ opinion** takie jest moje zdanie, do którego doszedłem po głębokim namyśle; **all things ~** wszystko razem wziąwszy

considering [kən'sidəriŋ] [I] *zob* **consider** [II] *praep* zważywszy <biorąc pod uwagę> (daną okoliczność); wobec [III] *conj* 1. *w zwrocie*: **~ that** — wobec tego <zważywszy>, że ... 2. *elipt w zwrocie*: **it is not so bad, ~** to nie jest takie złe <tak źle>, jeśli wziąć wszystko pod uwagę [IV] *adv* w danych okolicznościach

consign [kən'sain] *vt* 1. wys-łać/yłać; przes-łać/yłać; konsygnować 2. złożyć/składać (do grobu itd.); **to ~ sth to oblivion** puścić coś w niepamięć 3. powierz-yć/ać (coś czyjejś opiece); odda-ć/wać (w czyjeś ręce) 4. złożyć/składać (pieniądze w banku)

consignation [ˌkɔnsig'neiʃən] *s* 1. wysyłka; konsygnacja; konsygnowanie; **to the ~ of** — pod adresem ... 2. depozyt bankowy

consignee [ˌkɔnsaiˈni:] *s* konsygnatariusz/ka

consigner, consignor [kənˈsainə] *s* nadawca; wysyłający

consignment [kənˈsainmənt] *s* 1. wysyłka (towaru) 2. towar wysłany na rachunek; konsygnacja 3. przesyłka konsygnowana

consilience [kənˈsiliəns] *s* zgodność

consilient [kənˈsiliənt] *adj* zgodny

consist [kənˈsist] *vi* 1. składać się (**of sth** z czegoś) 2. polegać (**in sth** na czymś) 3. zgadzać się (**with sth** z czymś)

consistence [kənˈsistəns], **consistency** [kənˈsistənsi] *s* 1. konsystencja; gęstość; zwartość 2. zgodność 3. konsekwencja; logiczność

consistent [kənˈsistənt] *adj* 1. zgodny 2. konsekwentny; logiczny

consistorial [ˌkɔnsisˈtɔ:riəl] *adj* konsystorski

consistory [kənˈsistəri] *s* konsystorz

consociate [kənˈsouʃiit] *s* towarzysz; wspólnik

consolation [ˌkɔnsəˈleiʃən] *s* pocieszenie; pociecha; ukojenie; *sport* ~ **race** <**prize**> bieg <nagroda> pocieszenia

consolatory [kənˈsoulətəri] *adj* pocieszający; (*o słowach itd*) pocieszenia

console[1] [kənˈsoul] *vt* pociesz-yć/ać <ukoić, utul-ić/ać> (**sb for a loss etc.** kogoś po stracie itp.)

console[2] [ˈkɔnsoul] *s* 1. konsola; podpora; krokształtyn; ~ **mirror** lustro z konsolą; ~ **table** konsola pod lustrem; **wireless** ~ radioodbiornik szafkowy 2. konsola organów

consoler [kənˈsoulə] *s* pocieszyciel/ka

consolidate [kənˈsɔliˌdeit] *vt vi* 1. wzm-ocnić/acniać <utrwal-ić/ać, s/konsolidować> (się) 2. z/jednoczyć <po/łączyć> (się); ~**d annuities** = **consols**; ~**d fund** fundusz, z którego pokrywa się odsetki długu narodowego; *am* ~**d school** szkoła okręgowa

consolidation [kənˌsɔliˈdeiʃən] *s* 1. wzmocnienie; skonsolidowanie; konsolidacja 2. zjednoczenie; połączenie

consolidator [kənˈsɔliˌdeitə] *s* 1. wzmacniacz 2. zjednoczyciel

consols [kənˈsɔlz] *spl fin* konsole, konsolidy; nieumarzalne państwowe papiery procentowe

consommé [ˌkɔnsəˈmei] *s* rosół

consonance [ˈkɔnsənəns] *s* 1. *muz* konsonans 2. harmonia; zgodność; **to be in** ~ **with** __ harmonizować z ... 3. rezonans

consonant [ˈkɔnsənənt] [I] *adj* 1. harmonijny; zgodny 2. spółgłoskowy [II] *s* spółgłoska

consonantal [ˌkɔnsəˈnæntl] *adj* spółgłoskowy

consort[1] [ˈkɔnsɔ:t] *s* 1. małżon-ek/ka 2. okręt <statek> konwojowy; **to sail in** ~ **with** konwojować (statek) ‖ **to act in** ~ działać zgodnie <w porozumieniu>

consort[2] [kənˈsɔ:t] *vi* 1. przestawać <zadawać się> (**with sb** z kimś); **to** ~ **with sb** przebywać w czyimś towarzystwie 2. zgadzać się <harmonizować> (z czymś)

consortium [kənˈsɔ:tjəm] *s* konsorcjum

conspectus [kənˈspektəs] *s* konspekt; streszczenie

conspicuity [ˌkɔnspiˈkjuiti], **conspicuousness** [kən ˈspikjuəsnis] *s* 1. widoczność (czegoś); wyrazistość 2. wyróżnianie się; odbijanie (od otoczenia) 3. okazałość 4. sława; **rozgłos**

conspicuous [kənˈspikjuəs] *adj* 1. rzucający się w oczy; widoczny; wyraźny; okazały; **to be** ~ a) rzucać się w oczy b) wyróżniać się; odbijać (od otoczenia); odznaczać się (czymś); **to be** ~ **by one's absence** świecić nieobecnością; **to make oneself** ~ zwr-ócić/acać na siebie uwagę 2. wybitny; znamienity; głośny

conspicuousness *zob* **conspicuity**

conspiracy [kənˈspirəsi] *s* spisek; konspiracja

conspirator [kənˈspirətə] *s* spiskowiec

conspire [kənˈspaiə] [I] *vi* 1. spiskować; konspirować; knuć; zm-ówić/awiać się 2. (*o kilku rzeczach*) złożyć/składać się (na coś); przyczyni-ć/ać się (**to do sth** <**to sth**> do czegoś) [II] *vt* obmyśl-ić/ać; uknuć

conspue [kənˈspju:] *vt* pomstować (**sb, sth** na kogoś, coś)

constable [ˈkʌnstəbl] *s* 1. policjant; posterunkowy; **chief** ~ okręgowy komisarz policji; **special** ~ obywatel pełniący doraźnie funkcje policjanta 2. konstabl (wysoki dostojnik państwowy)

constabulary [kənˈstæbjuləri] [I] *s* policja [II] *adj* policyjny; (*o szeregach itd*) policji

constancy [ˈkɔnstənsi] *s* 1. stałość 2. uporczywość 3. wierność; niezmienność 4. regularność (zjawiska)

constant [ˈkɔnstənt] [I] *adj* 1. stały 2. uporczywy; trwały; ciągły 3. wierny; niezmienny [II] *s mat* liczba stała; konstanta, constans

constantly [ˈkɔnstəntli] *adv* stale; ustawicznie; wciąż; ciągle

constellation [ˌkɔnstəˈleiʃən] *s* 1. konstelacja; gwiazdozbiór 2. *am* nazwa typu samolotu pasażerskiego

consternation [ˌkɔnstəˈneiʃən] *s* przerażenie; osłupienie; **in** ~ przerażony; osłupiały

constipate [ˈkɔnstiˌpeit] *vt* wywoł-ać/ywać <s/powodować> zaparcie <obstrukcję> (**sb** u kogoś) *zob* **constipated**

constipated [ˈkɔnstiˌpeitid] [I] *zob* **constipate** [II] *adj* 1. (*o jelitach*) zaparty 2. (*o pacjencie*) cierpiący na zaparcie <na obstrukcję>

constipation [ˌkɔnstiˈpeiʃən] *s* zaparcie, obstrukcja; *pot* zatwardzenie

constituency [kənˈsti:tjuənsi] *s* 1. okręg wyborczy 2. wyborcy 3. *am* klienci; abonenci; członkowie (instytucji, klubu itp.)

constituent [kənˈstitjuənt] [I] *adj* 1. (*o części czegoś*) składowy 2. (*o zgromadzeniu*) ustawodawczy [II] *s* 1. wyborca 2. część składowa; składnik; element

constitute [ˈkɔnstiˌtju:t] *vt* 1. (*o częściach składowych czegoś*) stanowić; tworzyć 2. *w stronie biernej*: mieć budowę fizyczną <organizm, usposobienie>; **to be so** ~**d that** __ mieć taką naturę, że ...; **to be strongly** <**weakly etc.**> ~**d** mieć silny <słaby itd.> organizm 3. ukonstytuować; ustan-owić/awiać 4. za/mianować <ustan-owić/awiać> (**sb arbiter etc.** kogoś rozjemcą itd.)

constitution [ˌkɔnstiˈtju:ʃən] *s* 1. konstytucja 2. skład <układ> (czegoś) 3. zamianowanie; ustanowienie 4. budowa fizyczna (człowieka); organizm 5. układ psychiczny 6. *hist* postanowienie; dekret; rozporządzenie

constitutional [ˌkɔnstiˈtju:ʃənl] [I] *adj* 1. konstytucyjny; ustrojowy; zgodny z postanowieniami konstytucji 2. organiczny; ustrojowy [II] *s* spacer <przechadzka itp.> dla zdrowia; **to take one's** ~ przejść się dla zdrowia

constitutionalism [ˌkɔnstiˈtjuːʃn̩əˌlizəm] *s* konstytucjonalizm
constitutive [kənˈstitjutiv] *adj* 1. istotny (**of sth** dla czegoś); stanowiący (**of sth** o czymś) 2. składowy 3. kształtujący 4. konstytuujący
constrain [kənˈstrein] *vt* 1. zmu-sić/szać; przymu-sić/szać; zniew-olić/alać 2. *dosł i przen* u/więzić 3. s/krępować (ruchy itd.) *zob* **constrained**
constrained [kənˈstreind] [I] *zob* **constrain** [II] *adj* (*o uśmiechu*) wymuszony; (*o głosie*) opanowany z wysiłkiem; (*o minie*) skrępowany; zażenowany; (*o zachowaniu się*) nienaturalny; zdradzający zażenowanie; **in a ~ voice** z trudem panując nad głosem
constraint [kənˈstreint] *s* 1. przemoc; przymus; **under ~** pod przymusem; zniewolony 2. uwięzienie 3. skrępowanie (ruchów) 4. zażenowanie; skrępowanie (w obejściu); **without ~** bez skrępowania; swobodnie
constrict [kənˈstrikt] *vt* 1. ściąg-nąć/ać; zacis-nąć/kać 2. dusić 3. s/powodować skurczenie
constriction [kənˈstrikʃən] *s* 1. ściąg-anie/nięcie; zaci-skanie/śnięcie 2. duszenie 3. skurczenie; zwieranie
constrictor [kənˈstriktə] *s* 1. *anat* zwieracz 2. zaciskacz 3. *zoo* wąż dusiciel
constringe [kənˈstrindʒ] *vt vi* ściąg-nąć/ać <zacis-nąć/kać> (się)
constringency [kənˈstrindʒənsi] *s* ściąganie <zaciskanie> (się)
constringent [kənˈstrindʒənt] *adj* ściągający <zaciskający> (się)
construct [kənˈstrʌkt] *vt* 1. z/budować; s/konstruować 2. na/rysować (figurę geometr.)
construction [kənˈstrʌkʃən] *s* 1. zbudowanie 2. budowa; **under <in course of> ~** w budowie 3. budowla; budynek; gmach 4. *gram* układ (zdania) 5. interpretacja; ujęcie; **to put a bad <wrong> ~ on sb's words etc.** przekręc-ić/ać czyjeś słowa itp.; niewłaściwie tłumaczyć <interpretować, zrozumieć> czyjeś słowa itd.; **to put a good <false> ~ on sth** interpretować coś w sposób właściwy <opaczny>
constructional [kənˈstrʌkʃnl] *adj* konstrukcyjny
constructive [kənˈstrʌktiv] *adj* 1. strukturalny; konstrukcyjny 2. konstruktywny; twórczy 3. domyślny; dający się wywnioskować; **a ~ denial <permission>** słowa równoznaczne z odmową <z zezwoleniem>
construe¹ [kənˈstruː] [I] *vt* 1. interpretować 2. tłumaczyć dosłownie 3. *gram* z/robić rozbiór (**a sentence** zdania) 4. *gram w zwrocie*: **to be ~d with _** a) rządzić ... (jakimś przypadkiem) b) wymagać ... (danego przyimka itp.) [II] *vi* (*o zdaniu*) mieć dobrą <złą> składnię
construe² [ˈkɔnstruː] *s* ustęp do przetłumaczenia <do rozbioru>; tłumaczenie
consubstantiation [ˌkɔnsəbˌstænʃiˈeiʃən] *s teol* konsubstancjacja, współistnienie
consuetude [ˈkɔnswiˌtjuːd] *s* zwyczaj
consuetudinary [ˌkɔnswiˈtjuːdinəri] [I] *adj* zwyczajowy [II] *s* regulamin zwyczajów (zakonu itp.)
consul [ˈkɔnsəl] *s* konsul
consular [ˈkɔnsjulə] *adj* konsularny
consulate [ˈkɔnsjulit] *s* konsulat
consulship [ˈkɔnsəlʃip] *s* obowiązki <stanowisko> konsula
consult [kənˈsʌlt] [I] *vt* 1. po/radzić się (**sb** kogoś); zasięg-nąć/ać rady (**sb** czyjejś) 2. za-jrzeć/glądać (**a dictionary, grammar etc.** do słownika, gramatyki itd.); **to ~ one's pillow** odłożyć decyzję do następnego dnia 3. mieć na uwadze <na względzie>; oszczędzać (czyjeś uczucia itp.) [II] *vi* naradz-ić/ać się *zob* **consulting**
consultant [kənˈsʌltənt] *s* 1. dorad-ca/czyni 2. leka-rz/rka; konsultant/ka 3. człowiek poszukujący fachowej porady
consultation [ˌkɔnsəlˈteiʃən] *s* 1. konsultacja; porada 2. za-jrzenie/glądanie (do słownika itp.) 3. narada; konsylium; **to hold a ~** odby-ć/wać naradę <konsylium>
consultative [kənˈsʌltətiv] *adj* doradczy; konsultatywny
consulting [kənˈsʌltiŋ] [I] *zob* **consult** [II] *attr* (*o godzinach, gabinecie lekarza itp*) ordynacyjny [III] *adj* **~ physician** lekarz konsultant
consumable [kənˈsjuːməbl] *adj* 1. mogący ulec zniszczeniu <spaleniu> 2. konsumpcyjny
consume [kənˈsjuːm] [I] *vt* 1. zuży-ć/wać 2. (*o ogniu itp*) strawić, zniszczyć 3. s/konsumować; spoży-ć/wać; poż-reć/erać 4. (*o maszynie*) spal-ić/ać (paliwo) 5. s/trawić <spędz-ić/ać> (czas itp.); z/marnować (pieniądze itd.); **to be ~d with sth** a) być trawionym czymś (pragnieniem, żądzą) b) usychać z czegoś (z nudów, tęsknoty itp.) c) być pochłoniętym czymś d) paść ofiarą czegoś (ognia itp.) [II] *vi* 1. zuży-ć/wać <spal-ić/ać, s/trawić> się 2. z/marnieć; us-chnąć/ychać; zagryzać <gryźć> się *zob* **consuming**
consumedly [kənˈsjuːmidli] *adv* nadmiernie
consumer [kənˈsjuːmə] *s* 1. konsument/ka; odbior-ca/czyni; **~ goods** towary konsumpcyjne; **~ resistance** bojkot <bojkotowanie> (sklepu itp.) przez klientelę 2. niszczyciel; *żart* pożeracz
consuming [kənˈsjuːmiŋ] [I] *zob* **consume** [II] *adj* trawiący
consummate¹ [kənˈsʌmit] *adj* 1. wytrawny <doskonały> (artysta itp.); wielkiej miary (artyzm itp.) 2. skończony (łotr, kłamca itp.)
consummate² [ˈkɔnsəˌmeit] *vt* 1. spełni-ć/ać (ofiarę itd.) 2. dokonać aktu <dopełni-ć/ać (**sth** czegoś — małżeństwa) 3. za/kończyć; u/wieńczyć
consummation [ˌkɔnsəˈmeiʃən] *s* 1. spełnienie (ofiary itd.) 2. spełnienie aktu <dopełnienie> (małżeństwa) 3. zakończenie; uwieńczenie; koniec 4. osiągnięcie (celu) 5. cel 6. *przen* szczyt 7. doskonałość
consumption [kənˈsʌmpʃən] *s* 1. konsumpcja; spożycie; zużycie 2. zniszczenie; strawienie 3. *med* gruźlica, *pot* suchoty
consumptive [kənˈsʌmptiv] [I] *adj* 1. wyniszczający; **~ of time** czasochłonny 2. *med* gruźliczy, *pot* suchotniczy [II] *s* gruźli-k/czka, *pot* suchotni-k/ca
consumptiveness [kənˈsʌmptivnis] *s* skłonność do gruźlicy
contact [ˈkɔntækt] [I] *s* 1. kontakt; styczność; kontaktowanie się; **~ lens** szkło kontaktowe (na gałkę oczną); **to be in ~ with _** mieć styczność z...; **to bring into ~** zetknąć/stykać (jedno z drugim); **to come into ~ with _** zetknąć się z ... 2. *med* nosiciel/ka (choroby zakaźnej) 3. *elektr* połączenie; **to break ~** przerwać połączenie; **to make ~** połączyć się 4. *pl* **~s** łączność 5. *pl* **~s** stosunki

(z ludźmi); **~ man** człowiek pośredniczący między przedsiębiorstwem a władzami [II] *vt* s/kontaktować (**sb with sb** kogoś z kimś) [III] *vi* 1. s/kontaktować się 2. zetknąć/stykać się

contact-breaker [ˈkɔntækt͵breikə] *s elektr* przerywacz (prądu)

contagion [kənˈteidʒən] *s* 1. zakażenie; *dosł i przen* zaraza 2. choroba zaraźliwa <zakaźna> 3. udzielanie się (choroby)

contagious [kənˈteidʒəs] *adj* zaraźliwy; zakaźny; udzielający się

contagium [kənˈteidʒiəm] *s* (*pl* **contagia** [kənˈteidʒiə]) zarazek

contain [kənˈtein] [I] *vt* 1. zawierać; ob-jąć/ejmować; mieścić w sobie 2. *mat* być podzielnym (**a number** przez daną liczbę) 3. po/hamować; za/panować (**one's feelings etc.** nad swymi uczuciami itd.) 4. powstrzym-ać/ywać (nieprzyjaciela) [III] *vr* **~ oneself** za/panować nad sobą

container [kənˈteinə] *s* zbiornik; pojemnik; bak (na benzynę itd.); naczynie; skrzynia, skrzynka; kaseta

contaminate [kənˈtæmi͵neit] *vt* 1. s/kalać; s/plugawić; zanieczy-ścić/szczać; s/kazić; zaka-zić/żać 2. *wojsk* zaka-zić/żać gazem <płynem radioaktywnym itp.> 3. wyw-rzeć/ierać ujemny wpływ (**sb, sth** na kogoś, coś)

contamination [kən͵tæmiˈneiʃən] *s* 1. skalanie; splugawienie; zanieczyszczenie; skażenie; zakażenie 2. ujemny wpływ (**by sth** czegoś) 3. *jęz* kontaminacja

contango [kənˈtæŋgou] *s giełd* report; transakcja reportowa

contemn [kənˈtem] *vt lit* pogardz-ić/ać (**sb, sth** kimś, czymś); z/lekceważyć (kogoś, coś)

contemplate [ˈkɔntem͵pleit] [I] *vt* 1. przypat-rzyć/rywać się (**sb, sth komuś,** czemuś) 2. rozważ-yć/ać (coś); zastan-owić/awiać się <rozmyślać> (**sth** nad czymś) 3. zamierzać (**doing sth** coś zrobić); planować; przewi-dzieć/dywać [III] *vi* odda-ć/wać się kontemplacji; medytować

contemplation [͵kɔntemˈpleiʃən] *s* 1. przypatrywanie się (**of sth** czemuś) 2. rozważanie (czegoś); rozmyślanie <zastanawianie się> (**of sth** nad czymś) 3. kontemplacja; medytacja 4. zamierzanie; planowanie; przewidywanie; **a thing in ~** rzecz zamierzona <projektowana>; projekt; **in ~ of sth** w przewidywaniu czegoś

contemplative [ˈkɔntem͵pleitiv] *adj* 1. zamyślony 2. [kɔnˈtemplətiv] kontemplacyjny

contemporaneity [kən͵tempərəˈni:iti] *s* współczesność; jednoczesność

contemporaneous [kən͵tempəˈreinjəs] *adj* współczesny; jednoczesny

contemporary [kənˈtempərəri] [I] *adj* 1. współczesny 2. dzisiejszy [II] *s* 1. współczesny; **our contemporaries** ludzie dzisiejsi; nasi współcześni 2. rówieśni-k/czka

contemporize [kənˈtempə͵raiz] *vt* 1. z/synchronizować 2. uwspółcześni-ć/ać

contempt [kənˈtemt] *s* 1. pogarda, wzgarda; lekceważenie; **beneath ~** poniżej wszelkiej krytyki; (podłość itp.) ostatniego rzędu; niewarte splunięcia; **in ~ of sth** z pogardą <z lekceważeniem> czegoś; nie zważając (na coś); **to have <hold> in ~** gardzić 2. obraza (władzy itp.); **~ of court** a) obraza sądu b) niezastosowanie się do **nakazu** sądu; niestawiennictwo

contemptible [kənˈtemtəbl] *adj* 1. zasługujący na pogardę; niegodny uwagi; **the Old Contemptibles** brytyjski Korpus Ekspedycyjny we Francji w czasie wojny 1914—18 (nazwany przez Wilhelma I wojskiem „niegodnym uwagi") 2. podły; niegodziwy

contemptuous [kənˈtemtjuəs] *adj* 1. pogardliwy 2. nadęty

contend [kənˈtend] [I] *vi* 1. walczyć (**with <against> sth** z czymś) 2. spierać się (**with sb about sth** z kimś o coś) 3. współzawodniczyć <rywalizować> (**with sb for sth** z kimś o coś) [II] *vt* utrzymywać <twierdzić> (że, jakoby) *zob* **contending**

contending [kənˈtendiŋ] [I] *zob* **contend** [II] *adj* 1. (*o dwóch armiach itp*) walczące ze sobą 2. (*o dwóch stronach w procesie itp*) przeciwne, prowadzące spór 3. (*o namiętnościach itp*) sprzeczne

content[1] [ˈkɔntent] *s* 1. zawartość 2. objętość; pojemność 3. *pl* **~s** treść (książki, artykułu itp.); zawartość (naczynia); **table of ~s** spis rzeczy <treści> 4. istota

content[2] [kənˈtent] [I] *adj* zadowolony; zaspokojony; rad; **to be ~ with <to do> sth** zadow-olić/alać się <poprzesta-ć/wać na> czymś; **I am ~ with that** to mi wystarcza [II] *s* 1. zadowolenie; ukontentowanie; **to one's heart's ~** do woli; do syta; ile dusza zapragnie 2. *pl* **~s** (*w Izbie Lordów*) głosy oddane za (danym) wnioskiem [III] *vt* zadow-olić/alać; zaspok-oić/ajać [IV] *vr* **~ oneself** zadow-olić/alać się (czymś); poprzesta-ć/wać (**with sth** na czymś) *zob* **contented**

contented [kənˈtentid] [I] *zob* **content**[2] *v* [II] *adj* zadowolony; zaspokojony

contentedness [kənˈtentidnis] *s* zadowolenie

contention [kənˈtenʃən] *s* 1. spór; sprzeczka; **a bone of ~** kość niezgody 2. walka; zapasy 3. twierdzenie; dowodzenie; argument

contentious [kənˈtenʃəs] *adj* 1. (*o punkcie itp*) sporny 2. (*o człowieku*) kłótliwy <swarliwy>

contentiousness [kənˈtenʃəsnis] *s* kłótliwe <swarliwe> usposobienie; kłótliwość; swarliwość

contentment [kənˈtentmənt] *s* 1. zadowolenie (z losu) 2. zaspokojenie (potrzeb)

conterminous [kɔnˈtə:minəs] *adj* 1. (*w przestrzeni*) sąsiedni; sąsiadujący (**with <to> sth** z czymś); styczny; ościenny 2. pokrywający się w czasie <w zasięgu, znaczeniu>

contest [kənˈtest] [I] *vt* 1. spierać się <toczyć spór> (**sth** o coś); dyskutować (**sth** nad czymś) 2. (*o rywalach*) współzawodniczyć <ubiegać się, walczyć ze sobą> (**the victory, a prize etc.** o zwycięstwo, o nagrodę itd.); **to ~ a seat in Parliament** kandydować do parlamentu 3. za/kwestionować; odm-ówić/awiać (**sb's right to sth** komuś prawa do czegoś) [II] *vi* spierać się <toczyć spór> (**for sth** o coś) 2. (*o rywalach*) współzawodniczyć <ubiegać się, walczyć z sobą> (**for sth** o coś) *zob* **contested** [III] *s* [ˈkɔntest] 1. walka; zapasy 2. spór; debata 3. konkurs; zawody; wyścig 4. rywalizacja

contestable [kənˈtestəbl] *adj* sporny

contestant [kənˈtestənt] *s* współzawodni-k/czka; rywal/ka

contestation [͵kɔntesˈteiʃən] *s* 1. zakwestionowanie; **matters in ~** sprawy sporne 2. twierdzenie 3. spór; kontrowersja

contested [kən'testid] [I] *zob* **contest** *v* [II] *adj* 1. (*o przedmiocie*) o który toczy się spór <walka> 2. zakwestionowany

context ['kɔntekst] *s* kontekst; **in this ~** w związku z tym

contextual [kɔn'tekstjuəl] *adj* związany z kontekstem; wypływający z kontekstu

contexture [kɔn'tekstʃə] *s* 1. powiązanie 2. osnowa 3. budowa; struktura

contiguity [ˌkɔnti'gjuiti] *s* bezpośrednie sąsiedztwo; stykanie się; kontakt; bliskość

contiguous [kən'tigjuəs] *adj* sąsiedni; ościenny; pobliski; (*o kącie geometrycznym itd*) przyległy

continence ['kɔntinəns], **continency** ['kɔntinənsi] *s* 1. wstrzemięźliwość; powściągliwość 2. czystość (obyczajów)

continent[1] ['kɔntinənt] *adj* 1. wstrzemięźliwy; powściągliwy 2. czysty; niewinny

continent[2] ['kɔntinənt] *s* kontynent; ląd

↑**continental** [ˌkɔnti'nentl] [I] *adj* kontynentalny; lądowy [II] *s* 1. mieszkan-iec/ka kontynentu 2. banknot <żołnierz> amerykański z okresu Rewolucji; **not worth a ~** bezwartościowy

contingence [kən'tindʒəns], **contingency** [kən'tindʒənsi] *s* wypadek (nieprzewidziany); ewentualność; *pl* **contingencies** wydatki uboczne <nieprzewidziane>

contingent [kən'tindʒənt] [I] *adj* przypadkowy; możliwy; ewentualny; warunkowy; uwarunkowany (**upon sth** czymś) [II] *s* 1. kontyngent 2. nieprzewidziany wypadek; ewentualność

continual [kən'tinjuəl] *adj* bezustanny; nieustający; ciągły; ustawiczny; stały

continuance [kən'tinjuəns] *s* 1. trwanie; **of long ~** długotrwały; **of short ~** krótkotrwały 2. pobyt 3. nieprzerywanie; dalsze prowadzenie; dalszy ciąg 4. *sąd* odroczenie

continuant [kən'tinjuənt] *s gram* spółgłoska trwała <ciągła>

continuation [kənˌtinju'eiʃən] *s* 1. dalszy ciąg; przedłużenie; kontynuacja 2. ciągłość 3. ponowne podjęcie (czegoś) 4. *pl* **~s** sztylpy 5. *pl* **~s** *sl* portki; spodnie

continuation-school [kənˌtinju'eiʃənˌsku:l] *s* szkoła dokształcająca

continuator [kən'tinjuˌeitə] *s* kontynuator/ka

continue [kən'tinju:] [I] *vt* 1. dalej (coś) ciągnąć <prowadzić, czynić>, kontynuować; **to ~ one's way** iść <jechać> dalej; **to ~ one's work** pracować dalej; **to ~ to do <doing> sth** dalej coś robić; nie przestawać czegoś robić 2. pod-jąć/ejmować (coś) na nowo 3. zatrzym-ać/ywać (kogoś na stanowisku itp.) 4. *prawn* odr-oczyć/aczać [II] *vi* 1. trwać, ciągnąć się dalej; przedłuż-yć/ać się 2. *z przymiotnikiem*: pozosta-ć/wać <dalej być> (upartym, nieskruszonym itd.) 3. pozosta-ć/wać (**in <at> a place, in office, at school etc.** gdzieś <na stanowisku, w szkole itd.>); dalej (gdzieś) przebywać <urzędować, uczyć się itd.> *zob* **continued**

continued [kən'tinju:d] [I] *zob* **continue**; **to be ~** dalszy ciąg nastąpi, d.c.n. [II] *adj* nieprzerwany; ciągły; trwający; (*o ułamku*) okresowy; łańcuchowy

continuity [ˌkɔnti'njuiti] *s* 1. ciągłość; nieprzerwane następstwo; tok 2. szczegółowy scenariusz (filmowy) 3. słowo wiążące

↑**continuous** [kən'tinjuəs] *adj* ciągły; nieprzerwany; stały; *techn* **~ brake** hamulec ciągły <zespolony>; *hutn* **~ furnace** piec ciągły <przelotowy>

continuum [kən'tinjuəm] *s* (*pl* **continua** [kən'tinjuə]) *fiz mat* kontinuum, continuum

cont-line ['kɔntˌlain] *s* wolna przestrzeń między beczkami ułożonymi w rzędach <pasmami sznura itp.>

contort [kən'tɔ:t] *vt* s/krzywić; wykrzywi-ć/ać; przekrzywi-ć/ać; zwichnąć

contortion [kən'tɔ:ʃən] *s* skrzywienie; wykrzywienie; przekrzywienie; kontorsja; zwichnięcie

contortionist [kən'tɔ:ʃənist] *s* akrobata cyrkowy; „człowiek bez kości"; „człowiek-wąż"

↑**contour** ['kɔntuə] [I] *s* 1. kontur; obwód 2. *kartogr* (*także* **~ line**) warstwica [II] *vt* konturować, obwodzić (linią)

contour-map ['kɔntuəˌmæp] *s* mapa warstwicowa

contra ['kɔntrə] [I] *s* 1. *w zwrocie*: **pro and ~** za i przeciw 2. *księgow* strona przeciwna [II] *vt księgow* ze/stornować

contraband ['kɔntrəˌbænd] *s* 1. kontrabanda; przemyt; przemytnictwo; **~ of war** kontrabanda wojenna 2. przemycany towar

contrabandist ['kɔntrəˌbændist] *s* przemytnik

contrabass ['kɔntrə'beis] *s* kontrabas

contra-bassoon ['kɔntrə-bə'su:n] *s muz* kontrafagot

contraception [ˌkɔntrə'sepʃən] *s* zapobieganie ciąży; przeciwdziałanie zapłodnieniu

contraceptive [ˌkɔntrə'septiv] [I] *s* środek antykoncepcyjny [II] *adj* antykoncepcyjny, zapobiegający zapłodnieniu

contract[1] [kən'trækt] [I] *vt* za/kontraktować; pod-jąć/ejmować się (**sth** czegoś) kontraktem; **to ~ oneself out of sth** uwolnić się od czegoś drogą umowy <układu> [II] *vi* ułożyć/układać się; zaw-rzeć/ierać ugodę <umowę, kontrakt>; **a ~ing party** kontrahent; **the high ~ing parties** wysokie układające się strony [III] *s* ['kɔntrækt] 1. umowa; kontrakt; układ 2. zakontraktowana dostawa <budowa, robota itp.>; **to place a ~ for an undertaking** zawrzeć umowę na wykonanie roboty; **to put work up to ~ <out at ~>** ogłosić przetarg na (daną) robotę 3. obietnica ślubu 4. (*w brydżu*) obowiązek; **to make one's ~** wygrać grę; zrobić to, co było licytowane; **~ bridge** brydż z zapisem międzynarodowym 5. akord; **~ work** praca akordowa 6. *am* abonament (kolejowy); bilet okresowy

contract[2] [kən'trækt] [I] *vt* 1. ściąg-nąć/ać; s/kurczyć; zwę-zić/żać; skr-ócić/acać 2. zaw-rzeć/ierać (przyjaźń, umowę, ślub) 3. zaciąg-nąć/ać (dług) 4. nabawi-ć/ać się (**a disease** choroby); nab-rać/ierać (**a habit** przyzwyczajenia) [II] *vi* ściąg-nąć/ać <skr-ócić/acać, zwę-zić/żać, s/kurczyć> się *zob* **contracted**

↑**contracted** [kən'træktid] [I] *zob* **contract**[2] [II] *adj* (*o umyśle, zapatrywaniach itp*) ciasny

contractile [kən'træktail] *adj* 1. kurczliwy; ściśliwy 2. wywołujący ściągnięcie <skurczenie, zwężenie> (się)

contractility [ˌkɔntræk'tiliti] *s* kurczliwość; ściśliwość

contraction [kən'trækʃən] *s* 1. ściąg-nięcie/anie <s/kurczenie> (się); skurcz (**serca** itd.); zwężenie; skr-ócenie/acanie 2. zaw-arcie/ieranie (przyjaźni, umowy, ślubu) 3. zaciąg-nięcie/anie (długu) 4. nabawienie się (choroby); **~ of a habit** nabranie przyzwyczajenia 5. ściągnięta forma (wyrazu, zespołu wyrazów); kontrakcja

contractive [kən'træktiv] *adj* ściągający

contractor [kən'træktə] *s* 1. kontrahent/ka 2. przedsiębiorca budowlany 3. dostaw-ca/czyni 4. *anat* mięsień ściągający

contractual [kən'træktjuəl] *adj* umowny; kontraktowy

contradance ['kɔntrə,dɑ:ns] *s* kontredans

contradict [,kɔntrə'dikt] *vt* 1. zaprzecz-yć/ać <zada-ć/wać kłam> (**sb, sth** komuś, czemuś); z/dementować 2. po/sprzeczać się (**sb z kimś**) 3. **być** sprzecznym <stać w sprzeczności> (**sth z czymś**)

contradiction [,kɔntrə'dikʃən] *s* 1. **zaprzeczenie; zadanie** kłamu 2. sprzeczność; **a ~ in terms** sprzeczność; antynomia

contradictious [,kɔntrə'dikʃəs] *adj* przekorny; kłótliwy

contradictory [,kɔntrə'diktəri] *adj* 1. sprzeczny 2. (*o człowieku*) przekorny; kłótliwy

contradistinction [,kɔntrədis'tiŋkʃən] *s* uderzający kontrast; **in ~ to**_ w przeciwieństwie do...

contrail ['kɔn,treil] *s* *lotn* smuga za odrzutowcem widoczna na tle nieba

contraindicated [,kɔntrə'indi,keitid] *adj* przeciwwskazany

contraindication [,kɔntrə,indi'keiʃən] *s* przeciwwskazanie

contralto [kɔn'træltou] *s* *muz* kontralt

contraposition [,kɔntrəpə'ziʃən] *s* 1. antyteza; kontrast 2. kontrapozycja

contraprop ['kɔntrə,prɔp] *s* *lotn* zespół współosiowych śmigieł obracających się w przeciwnych kierunkach

contraption [kən'træpʃən] *s* przyrząd; wynalazek; urządzenie

contrapuntal [,kɔntrə'pʌntl] *adj* *muz* kontrapunktowy

contrariant [kɔn'trɛəriənt] *adj* sprzeczny; przeciwny

contrariety [,kɔntrə'raiəti] *s* sprzeczność; zaprzeczenie

contrariness [kɔn'trɛərinis] *s* przekora

contrarious [kɔn'trɛəriəs] *adj* 1. przekorny 2. przeciwny; niepomyślny

contrariwise ['kɔntrəri,waiz] *adv* 1. przeciwnie; na opak; na wspak; na odwrót; w przeciwnym kierunku 2. [kɔn'trɛəri,waiz] przekornie; przez przekorę

contrary ['kɔntrəri] [I] *adj* 1. przeciwny; sprzeczny; odwrotny 2. niepomyślny 3. [kən'trɛəri] przekorny [II] *s* ['kɔntrəri] przeciwieństwo; **evidence to the ~** dowody przeciwne; **on the ~** przeciwnie; na odwrót; **quite the ~** wręcz przeciwnie <odwrotnie>; **to advise to the ~** odradz-ić/ać; **to have nothing to say to the ~** nie móc (czemuś) zaprzeczyć [III] *adv* wbrew (**to sth** czemuś); przeciwnie <w przeciwieństwie> (**to sth** do czegoś)

contrast [kɔn'trɑ:st] [I] *vi* kontrastować; odbijać (**with sth** od czegoś) [II] *vt* przeciwstawi-ć/ać (**with sth** czemuś); zestawi-ć/ać kontrastowo [III] *s* ['kɔn trɑ:st] kontrast; przeciwieństwo; przeciwstawienie; **in ~ with sth kontrastując** <kontrastujący> z czymś; odbijając <odbijający> od czegoś; **w** przeciwieństwie do czegoś; **sharp ~** jaskrawe przeciwieństwo

contrate-wheel ['kɔntreit,wi:l] *s* *techn* koło poziome z zębami pionowymi

contravene [,kɔntrə'vi:n] *vt* 1. przekr-oczyć/aczać <narusz-yć/ać> (przepisy itp.); wykr-oczyć/aczać (**sth przeciw czemuś** — przepisom itp.) 2. zaprzecz-yć/ać <przeciwstawi-ć/ać się> (**sth** czemuś)

contravention [,kɔntrə'venʃən] *s* 1. przekroczenie <naruszenie> (czegoś); wykroczenie (**of sth** przeciw czemuś) 2. zaprzeczenie (czegoś); przeciwstawienie się (**of sth** czemuś); **in ~ of sth** wbrew czemuś

contredance ['kɔntrə,dɑ:ns] = **contradance**

contretemps ['kɔ̃:trə,tɑ̃:] *s* (*pl* **contretemps** ['kɔ̃:trə,tɑ̃:z]) 1. niefortunna okoliczność 2. niepowodzenie

contribute [kən'tribju:t] [I] *vt* 1. przyczyni-ć/ać **się** (**money etc. to sth** pieniędzmi itd. do czegoś); wn-ieść/osić (**one's share etc. to sth** udział <wkład itp.> **do czegoś**) 2. pis-ać/ywać (artykuły itp. **do** pisma) [II] *vi* 1. przyczyni-ć/ać się (**to sth** do czegoś); wn-ieść/osić udział <wkład> (**to sth** do czegoś); zasłużyć się (dla sprawy) 2. złożyć/składać się (**to make sb happy** na czyjeś szczęście itd.) 3. wesprzeć/wspierać (**to sth** coś — **instytucję** itp.) 4. być współpracownikiem (**to a newspaper** pisma); pisywać (**to a magazine** do pisma periodycznego)

contribution [,kɔntri'bju:ʃən] *s* 1. udział; wkład; przyczynek; zasługa (**to a cause etc.** dla sprawy itd.) 2. datek; wsparcie 3. współpraca (**to a publication** z pismem); artykuł; felieton; notatka 4. kontrybucja; odszkodowanie wojenne; **to lay a country under ~** nałożyć kontrybucję na kraj

contributive [kən'tribjutiv] *adj* przyczyniający się (do czegoś); **to be ~ to sth** przyczyni-ć/ać się do czegoś

contributor [kən'tribjutə] *s* 1. osoba wspierająca (instytucję itd.) 2. współpracowni-k/czka (pisma)

contributory [kən'tribjutəri] = **contributive**

contrite ['kɔntrait] *adj* skruszony; pełen skruchy

contrition [kən'triʃən] *s* skrucha; żal (za grzechy itp.)

contrivance [kən'traivəns] *s* 1. przyrząd; mechanizm; wynalazek; urządzenie 2. pomysł; sposób <środek> (na coś) 3. sprytne posunięcie 4. wynalazczość; pomysłowość

contrive [kən'traiv] [I] *vt* 1. wymyślić; wykombinować 2. znaleźć sposób (**sth** na coś); dać sobie radę (**sth** z czymś) 3. zdołać <potrafić> (**to do sth** coś zrobić) 4. s/powodować [II] *vi* radzić sobie <da-ć/wać **sobie radę**> (w życiu, gospodarstwie, z trudnościami itp.)

contriver [kən'traivə] *s* 1. wynalazca; autor wynalazku <pomysłu> 2. dobry gospodarz; człowiek z głową na karku

control [kən'troul] [I] *s* 1. władza; zwierzchnictwo; **to exercise ~ over sth** a) mieć władzę zwierzchnią nad czymś b) dysponować czymś c) decydować o czymś 2. kierownictwo; zarząd 3. nadzór; kontrola 4. panowanie (**of sth, of oneself** nad czymś, nad sobą); decydujący wpływ; **to get out of ~** a) (*o człowieku, narodzie itd*) wyzwolić <wyłamać> się spod (czyjegoś) wpływu <(czyjejś) władzy> b) (*o zwierzęciu*) wyrwać się (komuś); **to have under ~** panować (nad czymś); **circumstances beyond our ~** okoliczności, na które nie mamy żadnego wpływu <od nas niezależne> **5.**

sterowanie (statkiem itp.); kierowanie (pociągiem, maszyną, przyrządami itp.); **the train got out of ~** maszynista stracił panowanie nad pociągiem 6. *pl* **~s** zespół przyrządów do sterowania (na samolocie) 7. regulowanie; regulacja; **birth ~** regulacja urodzeń; świadome macierzyństwo; *radio* **volume ~** regulacja siły <głosu> 8. jednostka kontrolna (przy doświadczeniach) 9. *ekon* zarząd <nadzór> (państwowy) 10. (*na wyścigach samochodowych itd*) kontrola; **~ point** punkt kontrolny 11. zwalczanie; walka (z chorobami itp.) 12. kontrolowany odcinek trasy wyścigowej [II] *attr* 1. (*o przyrządach, mechanizmach itp*) kierujący; sterujący; regulujący 2. (*na wyścigach samochodowych itd, przy doświadczeniach, w medycynie itd*) kontrolny (punkt, analiza, badanie itd.) [III] *vt* (**-ll-**) 1. mieć władzę <zwierzchnictwo> (**sb, sth** nad kimś, czymś); *przen* trzymać (kogoś, coś) w rękach <w garści>; trzymać rękę (**sth** na czymś) 2. po/kierować <zarządz-ić/ać> (**sth** czymś); stać na czele (**sth** czegoś); rządzić (**sth** czymś); sprawować nadzór (**sth** nad czymś) 3. za/panować (**sth** nad czymś) 4. opanow-ać/ywać (rozruchy, pożar itp.); pohamować (temperament, gniew itp.); **~ yourself** opanuj się 5. sterować <po/kierować> (**sth** czymś — maszyną, statkiem, samolotem itd.); po/prowadzić (pociąg itp.) 6. regulować; warunkować; być warunkiem (**sth** czegoś) 7. s/kontrolować; sprawdz-ić/ać

control-gear [kən'troulˌgiə] *s* zespół przyrządów do kierowania <do sterowania, regulowania>

controller [kən'troulə] *s* 1. zarządca domu królewskiego 2. rewident księgowy 3. regulator

controversial [ˌkɔntrə'və:ʃəl] *adj* 1. (*o kwestii, sprawie*) sporny 2. (*o człowieku*) zamiłowany w dysputach <w polemice>

controversialist [ˌkɔntrə'və:ʃəlist] *s* polemista

controversy ['kɔntrəˌvə:si] *s* spór; dysputa; dyskusja; polemika; kontrowersja; **without <beyond> ~** bezsporny, bezspornie

controvert ['kɔntrəˌvə:t] *vt* 1. prowadzić spór <spierać się> (**sth** o coś); dyskutować (**sth** nad czymś) 2. za/kwestionować (**sth** coś); zaprzecz-yć/ać (**sth** czemuś)

controvertible ['kɔntrəˌvə:təbl] *adj* sporny; podlegający dyskusji

contumacious [ˌkɔntju'meiʃəs] *adj* oporny; nieposłuszny; krnąbrny

contumacy ['kɔntjuməsi] *s* 1. opór; krnąbrność 2. *sąd* niestawiennictwo; kontumacja

contumelious [ˌkɔntju'mi:ljəs] *adj* 1. (*o słowach itp*) obelżywy; znieważający 2. (*o człowieku*) arogancki; impertynencki

contumely ['kɔntjumli] *s* 1. obelżywe wyrazy; aroganckie zachowanie; znieważenie 2. hańba

contuse [kən'tju:z] *vt* s/tłuc; s/kontuzjować

contusion [kən'tju:ʒən] *s* kontuzja; siniak; stłuczenie

conundrum [kə'nʌndrəm] *s* zagadka; zagadkowa sprawa; dziwna rzecz; **to set ~s** dawać zagadki

convalesce [ˌkɔnvə'les] *vi* przychodzić do zdrowia; być rekonwalescentem

convalescence [ˌkɔnvə'lesns] *s* rekonwalescencja

convalescent [ˌkɔnvə'lesnt] *s* rekonwalescent/ka; ozdrowieniec; **~ home** dom wypoczynkowy <sanatorium> dla ozdrowieńców <dla rekonwalescentów>

convection [kən'vekʃən] *s fiz* konwekcja

convene [kən'vi:n] [I] *vi* zebrać/zbierać się [II] *vt* 1. zebrać/zbierać; zwoł-ać/ywać (zebranie) 2. zawezwać/wzywać (kogoś przed sąd)

convenience [kən'vi:njəns] *s* 1. dogodność; wygoda; udogodnienie; **at your ~** kiedy pan-u/i będzie dogodnie; **at your earliest ~** przy najbliższej okazji <sposobności>; **to make a ~ of sb** wykorzystać czyjeś dobre serce; **a marriage of ~** małżeństwo z wyrachowania; **a public ~** ustęp publiczny 2. *pl* **~s** komfort; **all modern ~s** pełny komfort; wszelkie nowoczesne udogodnienia

convenient [kən'vi:njənt] *adj* 1. wygodny; dogodny; poręczny; **to be ~ to sb** odpowiadać <dogadzać> komuś 2. (*o budynku itp*) bliski; blisko położony

conveniently [kən'vi:njəntli] *adv* bez kłopotu; bez przykrości *zob* **convenient**

convent ['kɔnvent] *s* klasztor (*zw* żeński)

conventicle [kən'ventikl] *s* 1. tajne zebranie religijne dysydentów, konwentykiel 2. zbór

convention [kən'venʃən] *s* 1. konwencja; **the Hague Conventions** konwencja haska 2. zwołanie (zebrania) 3. zebranie; zjazd 4. konwenans; *pl* **~s** formy towarzyskie; konwenanse

↑**conventional** [kən'venʃənl] *adj* 1. konwencjonalny; stereotypowy 2. klasyczny; typowy 3. standardowy; powszechnie stosowany <spotykany>

conventionalism [kən'venʃnəˌlizəm] *s* konwencjonalizm

conventionality [kənˌvenʃə'næliti] *s* 1. konwencjonalność 2. *pl* **conventionalities** konwenanse

conventionalize [kən'venʃnəˌlaiz] *vt* s/konwencjonalizować

conventionary [kən'venʃənəri] [I] *adj* umowny [II] *s* czynszownik dzierżawiący gospodarstwo na warunkach umownych <nie zwyczajowych>

conventual [kən'ventjuəl] [I] *adj* zakonny [II] *s* zakonni-k/ca

converge [kən'və:dʒ] [I] *vi* zbiegać się; dążyć do jednego punktu; skupi-ć/ać się [II] *vt* skupi-ć/ać *zob* **converging**

convergence [kən'və:dʒəns] *s* 1. zbieżność 2. *biol psych* konwergencja

↑**convergent** [kən'və:dʒnt] *adj* (*o liniach, promieniach itd*) zbiegające się, zbieżne

converging [kən'və:dʒiŋ] [I] *zob* **converge** [II] *adj* 1. skupiający 2. zbieżny

conversable [kən'və:səbl] *adj* towarzyski; rozmowny

conversance [kən'və:səns] *s* znajomość (**with sth** czegoś); biegłość (**with sth** w czymś); obeznanie się (**with sth** z czymś)

conversant [kən'və:sənt] *adj* 1. dobrze znający; **to be ~ with sb** dobrze kogoś znać 2. biegły (**with sth** w czymś); obeznany (**with sth** z czymś); **to be ~ with a subject** posiadać gruntowną znajomość (jakiegoś) przedmiotu

conversation [ˌkɔnvə'seiʃən] *s* 1. rozmowa; konwersacja; **to fall into ~** nawiązać rozmowę; **to hold a ~** prowadzić rozmowę; **to make ~** podtrzymać rozmowę; *mal* **a ~ piece** obraz rodzajowy 2. *prawn* **criminal ~** zakazany stosunek płciowy

conversational [ˌkɔnvə'seiʃnl] *adj* 1. konwersacyjny; **in a ~ tone** tonem człowieka prowadzącego zwyczajną rozmowę; **~ powers** swada; umiejętność prowadzenia rozmowy 2. (*o człowieku*) rozmowny; towarzyski 3. (*o wyrazie itp*) potoczny

conversationalism [,kɔnvə'seiʃn̩ə,lizəm] *s* wyraz <zwrot> potoczny

conversazione ['kɔnvə,sætsi'ouni] *s* (*pl* **~s, conversazioni** ['kɔnvə,sætsi'ouni:]) zebranie towarzyskie

converse¹ [kən'və:s] [I] *vt* rozmawiać; prowadzić rozmowę [II] *s* ['kɔnvə:s] † 1. rozmowa 2. obcowanie; stosunki

converse² ['kɔnvə:s] [I] *adj* odwrotny; odwrócony [II] *s* odwrotność

conversely [kɔn'və:sli] *adv* na odwrót; odwrotnie

conversion [kən'və:ʃən] *s* 1. zamiana; przemiana; przeistoczenie (**of sth into sth else** czegoś na coś innego) 2. konwersja (obligacji itp.) 3. odwrotność; odwrócenie 4. **fraudulent** <**improper**> **~ of funds** sprzeniewierzenie; malwersacja 5. przystosowanie (**of sth to certain aims** czegoś do jakichś celów) 6. nawrócenie (grzesznika, poganina itp.) 7. nawracanie na (jakąś) wiarę

convert¹ ['kɔnvə:t] *s* 1. neofit-a/ka; **to become a ~** a) nawrócić się (**to a belief** na jakąś wiarę) b) *przen* zawrócić ze złej drogi 2. nawrócon-y/a grzeszni-k/ca

convert² [kən'və:t] *vt* 1. zamieni-ć/ać <przemieni-ć/ać> (**sth into sth else** coś na coś innego); przeist-oczyć/aczać 2. s/konwertować (obligacje itp.) 3. odwr-ócić/acać 4. sprzeniewierz-yć/ać 5. przystosow-ać/ywać (**sth to a certain aim** coś do jakiegoś celu) 6. nawr-ócić/acać (grzesznika); nawr-ócić/acać (**to a belief** na jakąś wiarę)

converter [kən'və:tə] *s* 1. † transformator (prądu elektr.) 2. *hut* gruszka Bessemera 3. *elektr* przetwornica

convertible [kən'və:təbl] *adj* 1. zamienny; **a ~ car** kabriolet-limuzyna 2. odwracalny

convex ['kɔn'veks] *adj* wypukły

convexity [kɔn'veksiti] *s* wypukłość

convexo-concave [kən'veksou'kɔn,keiv] *adj* wypukło-wklęsły

convexo-convex [kən'veksou'kɔnveks] *adj* dwuwypukły

convey [kən'vei] *vt* 1. przen-ieść/osić (towar, chorobę itd.); przew-ieźć/ozić 2. udziel-ić/ać (**sth** czegoś); za/komunikować; **to ~ a meaning to _** być zrozumiałym dla...; **to ~ an idea of sth** dać wyobrażenie <pojęcie> o czymś; **to ~ one's meaning** wyra-zić/żać się w sposób zrozumiały; **this ~s nothing to me** to dla mnie nie jest zrozumiałe; to mi nic nie mówi 3. da-ć/wać do zrozumienia 4. przen-ieść/osić (**property to sb** własność na kogoś); zapis-ać/ywać (komuś swą własność)

conveyance [kən'veiəns] *s* 1. środek przewozowy; pojazd; wehikuł; **public means of ~** środki lokomocji 2. przewóz; transport 3. przekaz-anie/ywanie; przel-anie/ewanie (funduszów itp.); udziel-enie/anie; za/komunikowanie 4. zapis; przeniesienie (własności)

conveyancer [kən'veiənsə] *s* doradca prawny w sprawach przekazywania własności

conveyancing [kən'veiənsiŋ] *s* porada prawna w sprawach przekazywania własności

conveyer, conveyor [kən'veiə] *s techn* przenośnik (towarowy); konwejer; transporter; *górn* koryto ładunkowe

convict¹ ['kɔnvikt] *s* 1. skazaniec 2. wię-zień/źniarka; aresztant/ka

convict² [kən'vikt] *vt* 1. skaz-ać/ywać; zasądz-ić/ać 2. udow-odnić/adniać (**sb of sth** komuś coś) 3. uświad-omić/amiać (**sb of sth** komuś coś)

conviction [kən'vikʃən] *s* 1. skazanie; zasądzenie 2. przekonanie; przeświadczenie; **it is my ~ that _** jestem przekonany, że ...; **to be open to ~** chętnie da-ć/wać się przekonać; **to carry ~** być przekonywającym

convince [kən'vins] *vt* przekon-ać/ywać *zob* **convincing**

convincible [kən'vinsəbl] *adj* dający się łatwo przekonać

convincing [kən'vinsiŋ] [I] *zob* **convince** [II] *adj* przekonywający, przekonujący

convivial [kən'viviəl] *adj* 1. biesiadny; **a ~ evening** biesiada 2. (*o człowieku*) wesoły; towarzyski

conviviality [kən,vivi'æliti] *s* 1. wesołość; towarzyskość 2. nastrój biesiadny

convocation [,kɔnvə'keiʃən] *s* 1. zwoł-anie/ywanie 2. zebranie; zgromadzenie 3. *kośc* synod

convoke [kən'vouk] *vt* zwoł-ać/ywać; zebrać/zbierać; z/gromadzić

convolute ['kɔnvə,lu:t] *adj* zwinięty, skręcony

convolution [,kɔnvə'lu:ʃən] *s* 1. zwinięcie; zwitek; zwój 2. skłębienie 3. skręt

convolve [kən'vɔlv] *vt vi* zwi-nąć/jać <skręc-ić/ać> (się)

convolvulus [kən'vɔlvjuləs] *s* (*pl* **convolvuli** [kən'vɔlvju,lai], **~es**) *bot* powój

convoy [kən'vɔi] [I] *vt* konwojować; eskortować [II] *s* ['kɔnvɔi] konwój; straż; eskorta

convulse [kən'vʌls] *vt* 1. wstrząs-nąć/ać (**sb, sth** kimś, czymś) 2. skręc-ić/ać 3. przyprawi-ć/ać (kogoś) o spazmy <o konwulsje>; **to be ~d** mieć konwulsje 4. pobudz-ić/ać (kogoś) do spazmatycznego śmiechu; **to be ~d with laughter** skręcać <pokładać> się ze śmiechu

convulsion [kən'vʌlʃən] *s* 1. konwulsja; spazm; drgawka; **~ of laughter** spazmatyczny <niepohamowany> śmiech 2. wstrząs (polityczny itd.)

convulsionary [kən'vʌlʃənəri] *adj* konwulsyjny; spazmatyczny

convulsive [kən'vʌlsiv] *adj* 1. konwulsyjny; drgawkowy; spazmatyczny 2. niepohamowany (śmiech)

cony ['kouni] *s* 1. *am* królik 2. skórka królicza

cony-catcher ['kouni,kætʃə] *s sl* oszust/ka

coo [ku:] [I] *vi* 1. gruchać 2. (*o dziecku*) gaworzyć [II] *s* 1. gruchanie 2. (*u dziecka*) gaworzenie [III] *interj* fiu!

cooee, cooey ['ku:i] *interj* wołanie naśladujące okrzyk tubylców australijskich

cook [kuk] [I] *vt* 1. u/gotować <przyrządz-ić/ać> (potrawę); **to ~ sb's goose** wykończyć kogoś; *sl* **he is ~ed** a) on ma dość; jest skonany b) on jest zalany <urżnięty> 2. s/fałszować (rachunki itp.) [II] *vi* 1. gotować; kucharzyć 2. (*o potrawie*) gotować <piec, smażyć> się

~ up *vt* 1. zmyśl-ić/ać 2. s/fałszować

zob **cooking** [III] *s* kucha-rz/rka; **too many ~s spoil the broth** gdzie kucharek sześć, tam nie ma co jeść; *am* **~ book** książka kucharska

cooker ['kukə] *s* 1. kuchenka (gazowa, elektryczna itd.) 2. kuchnia polowa 3. jarzyna łatwa do przyrządzania 4. *przen* fałszerz (**of accounts** rachunków)

cookery ['kukəri] *s* 1. sztuka kulinarna 2. kuchnia (jako sposób dobierania i przyrządzania potraw)

cookery-book ['kukəri,buk] *s* książka kucharska
cook-house ['kuk,haus] *s* kuchnia (obozowa, okrętowa)
cookie ['kuki] *s* 1. *szkoc* ciastko drożdżowe 2. *am* placuszek
cooking ['kukiŋ] [I] *zob* **cook** *v* [II] *s* 1. gotowanie; sposób gotowania 2. kuchnia (jako sposób dobierania i gotowania potraw); **plain** ~ proste jedzenie 3. *przen* fałszowanie rachunków [III] *attr* 1. (*o przyborach itd*) kuchenny 2. (*o oleju itd*) do gotowania; jadalny
cooking-range ['kukiŋ,reindʒ], **cooking-stove** ['kukiŋ,stouv] *s* 1. piec kuchenny 2. kuchenka (gazowa, elektryczna itp.)
cook-room ['kuk,ru:m] *s am* kuchnia (pomieszczenie)
cook-shop ['kuk,ʃɔp] *s* jadłodajnia; garkuchnia
cooky ['kuki] *s fam* kucharcia, kuchareczka
cool [ku:l] [I] *adj* 1. chłodny; **it is** ~ jest chłodno <świeżo>; **to get** ~ ochł-odzić/adzać się 2. (*o napojach*) chłodzący; orzeźwiający 3. (*o ubiorze*) lekki; przewiewny 4. (*o człowieku*) opanowany; spokojny; flegmatyczny; **as** ~ **as a cucumber** z największym spokojem; **to keep** ~ zachow-ać/ywać spokój; panować nad sobą; nie denerwować się 5. (*o odnoszeniu się do kogoś*) oziębły; chłodny 6. *w zwrocie*: **a** ~ **hundred** <**thousand etc.**> ni mniej, ni więcej, tylko sto <tysiąc itd.> (funtów, dolarów itp.) 7. *pot* bezczelny; z tupetem [II] *vt* ochł-odzić/adzać; o/studzić; wystudzić; **to** ~ **one's heels** czekać bez końca; **to keep your breath to** ~ **your porridge** nie tracić słów na darmo [III] *vi* ochłodzić <ostudzić> się; *dosł i przen* ostyg-nąć/ać
~ **down** *vi* 1. ochłonąć; odsapnąć (po wysiłku) 2. ostygnąć
~ **off** *vi* o/stygnąć
zob **cooling** [IV] *s* 1. chłód, chłodek 2. spokój; opanowanie
coolant ['ku:lənt] *s techn* chłodziwo, czynnik <płyn> chłodzący
cooler ['ku:lə] *s* 1. chłodnia 2. chłodnica; naczynie do chłodzenia (wina itp.) 3. napój chłodzący 4. *przen* kubeł zimnej wody
cool-headed ['ku:l'hedid] *adj* opanowany; spokojny; flegmatyczny
coolie, cooly ['ku:li] *s* kulis
cooling ['ku:liŋ] [I] *zob* **cool** *v* [II] *adj* chłodzący; ochładzający; odświeżający [III] *s* chłodzenie; **air** ~ chłodzenie zimnym powietrzem; ~ **tower** wieża chłodnicza
coolish ['ku:liʃ] *adj* chłodnawy
coolness ['ku:lnis] *s* 1. chłód 2. opanowanie; spokój; flegma; zimna krew
cooly *zob* **coolie**
coom [ku:m] *s* 1. sadze (w piecu chlebowym) 2. smar (wyciekający z piasty u wozu) 3. pył
coomb [ku:m] *s* 1. dolina (na stoku górskim) 2. miara ciał sypkich (= 4 buszle)
coon [ku:n] *s* 1. *zoo* szop 2. *pot* Murzyn/ka; ~ **songs** pieśni murzyńskie 3. *pot* szczwany lis; **he is a gone** ~ on już przepadł; już po nim
coop [ku:p] [I] *s* kojec; klatka [II] *vt* trzymać w kojcu <w klatce>
~ **up** *vt* zamknąć (kogoś); trzymać (kogoś) w zamknięciu; **we were** ~**ed up** gnietliśmy się <byliśmy stłoczeni> (w ciasnej izbie itp.)
co-op [kou'ɔp] *skr pot* **co-operative** *s*
cooper ['ku:pə] [I] *s* bednarz; **dry** ~ bednarz wykonujący naczynia do ciał sypkich; **wet** ~ bednarz wykonujący naczynia do płynów; **white** ~ bednarz wykonujący cebry <kadzie itp.> [II] *vi* zajmować się bednarstwem [III] *vt* naprawi-ć/ać (wyroby bednarskie)
cooperage ['ku:pəridʒ] *s* 1. bednarstwo 2. opłata za robotę bednarską
co-operate [kou'ɔpə,reit] *vi* 1. współpracować; współdziałać 2. (*o okolicznościach itp*) przyczyni-ć/ać się (**in sth** do czegoś)
co-operation [kou,ɔpə'reiʃən] *s* 1. współpraca 2. współdziałanie
co-operative [kou'ɔpərətiv] [I] *adj* 1. spółdzielczy 2. chętny <gotowy> do współpracy; **a** ~ **spirit** duch zespołowy; gotowość do współpracy; **to be** ~ okaz-ać/ywać dobre chęci; współdziałać [II] *s* spółdzielnia [III] *attr* spółdzielczy; **a** ~ **store** spółdzielnia; spółdzielczy dom towarowy; **the** ~ **movement** spółdzielczość
co-operator [kou'ɔpə,reitə] *s* współpracowni-k/czka
co-opt [kou'ɔpt] *vt* kooptować; dokooptow-ać/ywać
co-optation [,kouɔp'teiʃən], **co-option** [kou'ɔpʃən] *s* kooptacja, dokooptowanie
co-ordinate [kou'ɔ:dņit] [I] *adj* 1. współrzędny 2. równorzędny [II] *vt* [kou'ɔ:di,neit] 1. s/koordynować 2. ułożyć/układać <ustawi-ć/ać> we właściwym porządku *zob* **co-ordinating** [III] *s* [kou'ɔ:dņit] współrzędna; ~ **geometry** geometria analityczna
co-ordinating [kou'ɔ:di,neitiŋ] [I] *zob* **co-ordinate** *v* [II] *adj* 1. koordynujący 2. *gram* (*o spójniku*) łączący współrzędnie
co-ordination [kou,ɔ:di'neiʃən] *s* koordynacja, skoordynowanie
co-ordinative [kou'ɔ:dinətiv] *adj* koordynujący
coot [ku:t] *s* 1. *zoo* łyska (ptak) 2. *am sl* głupiec; tuman; bałwan
cootie ['ku:ti] *s sl wojsk* wesz
cop[1] [kɔp] *s* szpulka
cop[2] [kɔp] [I] *vt* (**-pp-**) *pot* 1. nakryć, złapać (kogoś na czymś) 2. dostać (karę itp.) [II] *s sl* 1. glina, policjant 2. gratka; kokosy || **it's a fair** ~! a) złapałeś mnie! b) złapałem cię!; **it's no** ~ nie ma się czym chwalić
copaiba [kɔ'paibə], **copaiva** [kɔ'paivə] *s* 1. *bot* kopaiwa 2. *farm* kopaiwiec, balsam kopaiwowy
copal ['koupəl] *s* kopal
coparcenary [kou'pa:sinəri] *s* współdziedzictwo
copartner ['kou'pa:tnə] *s* wspólni-k/czka
copartnership ['kou'pa:tnəʃip] *s* 1. spółka 2. współposiadanie
cope[1] [koup] *vi* 1. borykać się 2. podołać (**with sth** czemuś); radzić sobie; stawi-ć/ać czoło (**with an enemy etc.** wrogowi itp.) 3. zwalcz-yć/ać (**with difficulties etc.** trudności itp.); opędz-ić/ać się (**with difficulties etc.** trudnościom itp.)
cope[2] [koup] [I] *s* 1. *kośc* kapa 2. przykrycie; osłona 3. sklepienie (niebieskie itp.) [II] *vt* 1. przykry-ć/wać; osł-onić/aniać 2. ub-rać/ierać (biskupa) **w** kapę [III] *vi* (*o warstwie cegieł*) występować (w murze) *zob* **coping**
copeck ['kɔpək] *s ros* kopiejka
copepoda [kou'pepədə] *spl zoo* skorupiaki widłonogi

coper¹ ['koupə] *s* koniarz; handlarz koni (przeważnie nieuczciwy)
coper² ['koupə] *s* statek dostarczający grogu rybakom na Morzu Północnym
Copernican [kou'pə:nikən] *adj* Kopernika, kopernikowski
copilot [kou'pailət] *s lotn* drugi pilot
coping ['koupiŋ] I *zob* **cope²** *v* II *s arch* zwieńczenie <nakrycie> muru
coping-saw ['koupiŋ,sɔ:] *s* ręczna piła kabłąkowa
coping-stone ['koupiŋ,stoun] = **coping** *s*
copious ['koupjəs] *adj* 1. obfity; suty; obfitujący <bogaty> (**in sth** w coś) 2. płodny
copiousness ['koupjəsnis] *s* 1. obfitość; sutość 2. płodność
copper¹ ['kɔpə] *s sl* glina, policjant
copper² ['kɔpə] I *s* 1. miedź 2. miedziak; pens 3. kocioł (do gotowania bielizny) ‖ *pot* **to have hot ~s** mieć zgagę II *attr* miedziowy; **~ sulphate** siarczan miedzi III *vt* miedziować
copperas ['kɔpərəs] *s* siarczan żelazawy siedmiowodny
copper-beech ['kɔpə'bi:tʃ] *s bot* czerwony buk
copper-bottomed ['kɔpə'bɔtəmd] *adj* (*o statku*) obity blachą miedzianą poniżej poziomu zanurzenia
copper-captain ['kɔpə'kæptin] *s* samozwańczy kapitan (statku)
copperhead ['kɔpə,hed] *s* 1. *zoo* miedzianka (wąż) 2. *przen* defetyst-a/ka
copper-nose ['kɔpə,nouz] *s* czerwony <pijacki> nos
copperplate ['kɔpə,pleit] I *s* 1. blacha miedziana 2. *plast* miedzioryt II *adj* (*o piśmie*) kaligraficzny
copper-pyrites ['kɔpə-pi'raiti:z] *s miner* chalkopiryt
copper-skin ['kɔpə,skin] *s am* czerwonoskóry
copper-smith ['kɔpə,smiθ] *s* kotlarz
coppery ['kɔpəri] *adj* 1. miedziany 2. koloru miedzi
coppice ['kɔpis] *s* zagajnik
copra ['kɔprə] *s zbior* kopra
coprophagous [kɔ'prɔfəgəs] *adj zoo* (*o owadzie*) kałożerny
copse [kɔps] = **coppice**
Coptic ['kɔptik] *adj* koptyjski
copula ['kɔpjulə] *s* 1. *gram* łącznik, kopula 2. *med* wiązadło; chrząstka
copulate ['kɔpju,leit] *vi* spółkować
copulation [,kɔpju'leiʃən] *s* kopulacja; spółkowanie
copulative ['kɔpjulətiv] I *adj* 1. *anat* kopulacyjny 2. *gram* łączący (wyraz) II *s gram* łącznik, kopula
copulatory ['kɔpjulətəri] *adj* kopulacyjny
copy ['kɔpi] I *s* 1. kopia; odpis; **to take a ~ of sth** przepis-ać/ywać <odpis-ać/ywać> coś 2. reprodukcja; imitacja 3. napisany tekst; **fair ~** czystopis; **rough ~** brudnopis 4. egzemplarz; numer (gazety itd.); odbitka 5. rękopis; maszynopis 6. materiał dziennikarski <reporterski>; **it made good ~** z tego był dobry artykuł; to się dobrze nadawało do gazety 7. rejestr dzierżawców majątku ziemskiego II *vt* (**copied** ['kɔpid], **copied; copying** ['kɔpiiŋ]) 1. s/kopiować; przepis-ać/ywać; za/reprodukować 2. naśladować 3. *szk* odpis-ać/ywać; *pot* ściąg-nąć/ać
~ out *vt* przepis-ać/ywać
zob **copying**
copy-book ['kɔpi,buk] I *s* zeszyt do ćwiczeń w pisaniu; **to blot one's ~** skompromitować się II *attr* banalny
copy-cat ['kɔpi,kæt] *s pot* człowiek małpujący (kogoś); naśladow-ca/czyni
copyhold ['kɔpi,hould] I *s* dzierżawa II *adj* dzierżawiony
copyholder ['kɔpi,houldə] *s* 1. dzierżaw-ca/czyni (majątku) 2. pomocni-k/ca korektora
copying ['kɔpiiŋ] I *zob* **copy** *v* II *adj* biurowy III *attr* **~ machine** powielacz; **~ paper** papier przebitkowy
copyist ['kɔpiist] *s* kopist-a/ka, przepisywacz/ka
copyright ['kɔpi,rait] I *s* praw-o/a autorskie; **out of ~** wolny od praw autorskich II *adj* (*także* **~ed**) chroniony prawem autorskim III *vt* zastrze-c/gać sobie prawa autorskie (**sth** do czegoś — dzieła)
coquet [kou'ket] *vi* (**-tt-**) flirtować; kokietować (**with sb** kogoś); **to ~ with an idea** bawić się myślą
coquetry ['koukitri] *s* kokieteria; kokietowanie
coquette [kou'ket] *s* kokietka; bałamutka; zalotnica
coquettish [kou'ketiʃ] *adj* kokieteryjny; bałamutny; zalotny
coquilla [kɔ'kilə] *s bot* atalia sznurowa (palma)
coquito [kɔ'ki:tou] *s bot* kokosek wspaniały (palma)
coracle ['kɔrəkl] *s* łódka z materiału nieprzemakalnego rozpiętego na ramie z wikliny
coracoid ['kɔrə,kɔid] *adj anat* (*o wyrostku kostnym*) kruczy
coral ['kɔrəl] I *s* 1. koral 2. zabawka dla niemowląt ząbkujących II *attr* (*o wyspie, rafie itd*) koralowy
coralline ['kɔrə,lain] I *adj* koralowy II *s bot* koralka (wodorost)
corallite ['kɔrə,lait] *s paleont* koralit
coralloid ['kɔrə,lɔid] *adj* koralisty
coral-reef ['kɔrəl,ri:f] *s* rafa koralowa
coralwort ['kɔrəl,wə:t] *s bot* żywiec
corbel ['kɔ:bəl] I *s arch* konsola; piętrzyna; kroksztyn II *vt* (**-ll-**) pod-eprzeć/pierać na kroksztynie
corbie ['kɔ:bi] *s szkoc* kruk
cord [kɔ:d] I *s* 1. powróz; sznur, sznurek; szpagat; **the vocal ~s** wiązadła głosowe; **umbilical ~** pępowina 2. sznur (elektryczny) do kontaktu 3. kordonek 4. sąg (drzewa) (= 128 stóp sześciennych); **~ wood** drzewo rąbane <opałowe> 5. *anat* rdzeń (kręgowy) 6. *pl* **~s** sztruksowe spodnie II *vt* z/wiązać; powiązać; o/sznurować *zob* **corded, cording**
cordage ['kɔ:didʒ] *s* liny; olinowanie (żaglowca)
cordate ['kɔ:dit] *adj* sercowaty
corded ['kɔ:did] I *zob* **cord** *v* II *adj* 1. prążkowany; wytłaczany w prążki 2. sznurowy; powrozowy
cordelier [,kɔ:di'liə] *s* franciszkanin
cordial ['kɔ:diəl] I *adj* serdeczny II *s farm* środek nasercowy
cordiality ['kɔ:di'æliti] *s* serdeczność
cordiform ['kɔ:di,fɔ:m] *adj* sercowaty
cordillera [,kɔ:di'ljeərə] *s* pasmo górskie; łańcuch górski
cording ['kɔ:diŋ] I *zob* **cord** *v* II *s* osznurowanie
cordite ['kɔ:dait] *s* kordyt
cordon ['kɔ:dən] *s* 1. kordon (sanitarny itd.) 2. kordonek (jedwabny) 3. ['kɔ:dɔ̃:] wstążka orderu
cordovan ['kɔ:dəvən] *s* kordyban, kurdyban
corduroy ['kɔ:də,rɔi] I *s* 1. sztruks; manczester 2. *pl* **~s** spodnie sztruksowe (do niedawna syno-

nim nędzy proletariackiej); ~ **road** droga z pni drzewnych (przez moczary itp.)
cordwainer ['kɔ:d,weinə] *s* szewc (tylko w nazwie gildii londyńskiej)
↑**core** [kɔ:] I *s* 1. owocnia; środek (owocu) 2. ogryzek 3. *techn* rdzeń magnesu 4. jądro; rdzeń (czegokolwiek); *techn* żyła (kabla); sedno (sprawy) 5. czopek (wrzodu) 6. *przen* serce; dusza; szpik; **in my heart's ~** w głębi serca; **to the ~** a) z krwi i kości b) do szpiku kości; *przen* **to touch to the ~** dotknąć do żywego 7. *wet* puchlina (owiec) II *vt* wydrąż-yć/ać środek (*sth* czegoś — owoców)
~ **out** *vt* opróżni-ć/ać (**a mould** formę odlewniczą)
co-religionist ['kou-ri'lidʒənist] *s* współwyznaw-ca/czyni
co-respondent ['kou-ris,pɔndənt] *s prawn* współpozwan-y/a
corf [kɔ:f] *s* (*pl* **corves** [kɔ:vz]) 1. kosz (na plecy) 2. kosz do trzymania ryb w wodzie
coriaceous [,kɔri'eiʃəs] *adj* łykowaty; twardy
coriander [,kɔri'ændə] *s bot* kolendra
Corinthian [kə'rinθiən] I *adj* koryncki II *s* koryntian-in/ka
corium ['kɔriəm] *s anat* skóra właściwa
cork [kɔ:k] I *s* korek II *attr* korkowy; ~ **jacket** korkowy kaftan ratunkowy III *vt* 1. za/korkować 2. po/czernić spalonym korkiem *zob* **corking**
corkage ['kɔ:kidʒ] *s* opłata pobierana w restauracji od klientów, którzy przychodzą z własnymi trunkami
corker ['kɔ:kə] *s sl* 1. bezczelne kłamstwo 2. wspaniały typ 3. coś kapitalnego; wspaniała rzecz || **that was a ~** zatkało go <mnie itd.>
corking ['kɔ:kiŋ] I *zob* **cork** *v* II *adj pot* świetny; pierwszorzędny
cork-oak ['kɔ:k,ouk], **cork-tree** ['kɔ:k,tri:] *s bot* korkodąb
cork-screw ['kɔ:k,skru:] *s* korkociąg
cork-tree *zob* **cork-oak**
corky ['kɔ:ki] *adj* 1. korkowy 2. *sl* żywy; fertyczny; wesoły
corm [kɔ:m] *s bot* bulwiasta łodyga podziemna
cormorant ['kɔ:mərənt] *s* 1. *zoo* kormoran 2. żarłok 3. człowiek zachłanny
↑**corn**[1] [kɔ:n] *s* zboże; (*w Anglii*) pszenica; (*w Ameryce Płn*) kukurydza; (*w Szkocji i Irlandii*) owies; **winter ~** ozimina; *am* **Indian ~** kukurydza; *am* **the Corn States** stany, w których uprawia się kukurydzę na wielką skalę
corn[2] [kɔ:n] *vt kulin* peklować (mięso)
corn[3] [kɔ:n] *s* nagniotek; odcisk; *przen* **to tread on sb's ~s** a) nastąpić komuś na nagniotek; b) ugodzić kogoś w czułe miejsce
corn-bread ['kɔ:n,bred] *s* chleb z mąki kukurydzanej
corn-cake ['kɔ:n,keik] *s* placek kukurydzany
corn-chandler ['kɔ:n,tʃɑ:ndlə] *s* handlarz zbożem
corn-cob ['kɔ:n,kɔb] *s* kaczan <kiść> (kukurydzy)
corn-cockle ['kɔ:n,kɔkl] *s bot* kąkol
corncrake ['kɔ:n,kreik] *s zoo* derkacz
cornea ['kɔ:niə] *s anat* rogówka
corneal ['kɔ:niəl] *adj* rogówkowy
corned-beef ['kɔ:nd'bi:f] *s* konserwa z wołowiny
cornel ['kɔ:nl̩], **cornelian-tree** [kɔ:'ni:liən,tri:], **cornel-tree** ['kɔ:nl̩,tri:] *s bot* dereń
cornelian [kɔ:'ni:liən] *s miner* kornalina; krwawnik
cornelian-tree *zob* **cornel**
cornel-tree *zob* **cornel**
corneous ['kɔ:niəs] *adj* rogowaty; zrogowaciały
corner ['kɔ:nə] I *s* 1. kąt (pokoju itd.); róg (ulicy itd.) 2. zakątek 3. kącik 4. zakręt; **round the ~** a) (tuż) za zakrętem <za rogiem> b) *pot* bliziutko; **to turn the ~** skręc-ić/ać na zakręcie <na rogu> 5. narożnik 6. kącik (ust) 7. (*w piłce nożnej*) korner, rzut rożny 8. moment krytyczny; **the patient has turned the ~** u pacjenta kryzys minął 9. ciasny kąt; **a tight ~** impas; **to drive sb into a ~** zapędzić kogoś w ciasny kąt <w kozi róg, ślepą uliczkę>; przyprzeć kogoś do muru 10. skup towaru dla celów spekulacyjnych II *attr* 1. narożny 2. (*o miejscu itd*) w kącie (pokoju, przedziału itd.) III *vt* 1. przyp-rzeć/ierać (kogoś) do muru; zapędz-ić/ać (kogoś) w ciasny kąt <w kozi róg> 2. skup-ić/ować towar dla celów spekulacyjnych IV *vi* (*o samochodzie itp*) skręc-ić/ać na zakręcie
corner-kick ['kɔ:nə,kik] *s sport* korner, rzut rożny
corner-man ['kɔ:nə,mæn] *s* (*pl* **corner-men** ['kɔ:nə,men]) 1. ulicznik; łobuz 2. komik w zespole śpiewaków murzyńskich
corner-stone ['kɔ:nə,stoun] *s* kamień węgielny
corner-wise ['kɔ:nə,waiz] *adv* po przekątni
cornet ['kɔ:nit] *s* 1. kornet; trąbka 2. kornecista 3. kornecik (z papieru) 4. kornet (sióstr miłosierdzia) 5. tutka <wafel> (na lody) 6. *wojsk* chorąży (kawalerii), kornet
cornetcy ['kɔ:nitsi] *s wojsk* stopień chorążego (w kawalerii)
corn-field ['kɔ:n,fi:ld] *s* pole zbożowe
corn-flag ['kɔ:n,flæg] *s bot* mieczyk pospolity
corn-flour ['kɔ:n,flauə] *s* mąka kukurydzana
corn-flower ['kɔ:n,flauə] *s bot* bławatek, chaber
corn-growing ['kɔ:n,grouiŋ] *s* uprawa zbóż <*am* kukurydzy>
cornice ['kɔ:nis] *s arch* karnes, gzyms
Cornish ['kɔ:niʃ] *adj* kornwalijski
corn-meal ['kɔ:n,mi:l] *s* mąka zbożowa <*am* kukurydzana>
corn-moth ['kɔ:n,mɔθ] *s zoo* mól ziarniak
cornopean [kɔ:'noupiən] *s muz* kornet; trąbka
corn-plaster ['kɔ:n,plɑ:stə] *med* plaster usuwający odciski
corn-poppy ['kɔ:n,pɔpi] *s bot* mak polny
corn-salad ['kɔ:n,sæləd] *s bot* sałatka polna
corn-smut ['kɔ:n,smʌt] *s bot* śnieć
corn-stalk ['kɔ:n,stɔ:k] 1. źdźbło zboża 2. *przen* (*o człowieku*) dryblas
corn-starch ['kɔ:n,stɑ:tʃ] *s am* skrobia kukurydzana
cornstone ['kɔ:n,stoun] *s geol* odmiana wapnia
cornucopia [kɔ:nju'koupjə] *s* róg obfitości
cornuted [kɔ:'nju:tid] *adj* rogaty
corn-weevil ['kɔ:n,wi:vil] *s zoo* wołek zbożowy
↑**corny** ['kɔ:ni] *adj* 1. zbożowy 2. *am* staromodny
corolla [kə'rɔlə] *s bot* korona (kwiatu)
corollaceous [kɔrə'leiʃəs] *adj bot* (*o kielichu*) płatkowaty
corollary [kə'rɔləri] *s* 1. wniosek 2. następstwo; wynik
↑**corona** [kə'rounə] *s* (*pl* **coronae** [kə'rouni:], **~s**) 1. korona (świetlna, dookoła słońca <księżyca>) 2. korona (zęba) 3. wieniec 4. *bot* wieniec, ciemię
coronach ['kɔrənək] *s szkoc* śpiew pogrzebowy
coronal[1] ['kɔrənl̩] *s* diadem; wieniec

coronal² [kə'rounḷ] *adj* 1. koronowy 2. ['kɔrənḷ] *anat* wieńcowy 3. ['kɔrənḷ] *fonet* koronalny, podniebienny

coronary ['kɔrənəri] *adj anat* wieńcowy

coronation [ˌkɔrə'neiʃən] Ⅰ *s* koronacja Ⅱ *attr* koronacyjny

coroner ['kɔrənə] *s* koroner (urzędnik dokonywający oględzin zwłok osób zmarłych śmiercią nienaturalną oraz ustalający prawo własności w razie znalezienia skarbów)

coronet ['kɔrənit] *s* 1. *herald* korona (szlachecka) 2. diadem 3. *wet* koronka kopyta 4. *bot* wieniec, ciemię

coroneted ['kɔrəˌnetid] *adj* herbowy; wysokiego rodu

coronoid ['kɔrəˌnɔid] *adj med* wygięty w kształcie dzioba

corporal¹ ['kɔ:pərəl] *s kośc* korporał

corporal² ['kɔ:pərəl] *s* kapral

corporal³ ['kɔ:pərəl] *adj* cielesny

corporality [ˌkɔ:pə'ræliti] *s* 1. ucieleśnienie 2. *pl* **corporalities** sprawy <potrzeby> ciała

corporate ['kɔ:pərit] *adj* zbiorowy; zespołowy; ~ **body** a) osoba prawna b) zespół; grupa; ~ **feeling** poczucie wspólnoty; solidarność

corporation [ˌkɔ:pə'reiʃən] *s* 1. korporacja; zespół 2. osoba prawna 3. **municipal** ~ prezydium <zarząd> miasta; władze miejskie 4. *am* spółka; towarzystwo 5. *sl* brzuch, brzuszek

corporator ['kɔ:pəˌreitə] *s* członek zarządu miasta

corporeal [kɔ:'pɔ:riəl] *adj* 1. cielesny; materialny 2. namacalny

corposant ['kɔ:pəznt] *s* ogień św. Elma

corps [kɔ:] *s* (*pl* **corps** [kɔ:z]) 1. *wojsk dypl* korpus 2. zespół; grono

corpse [kɔ:ps] *s* trup, zwłoki, ciało zmarłego

corpulence ['kɔ:pjuləns] *s* otyłość; tusza; korpulentność; zażywność

corpulent ['kɔ:pjulənt] *adj* otyły; tęgi; korpulentny; zażywny

corpus ['kɔ:pəs] *s* (*pl* **corpora** ['kɔ:pərə]) 1. ciało; zwłoki 2. zbiór pism <ustaw itp.> 3. **Corpus Christi** ['kɔ:pəs'kristi] święto Bożego Ciała

corpuscle ['kɔ:pʌsl], **corpuscule** [kɔ:'pʌskju:l] *s* ciałko; drobina, cząsteczka, korpuskuła

corpuscular [kɔ:'pʌskjulə] *adj* korpuskularny, cząsteczkowy, drobinowy

corpuscule *zob* **corpuscle**

corral [kɔ'rɑ:l] Ⅰ *s* 1. zagroda 2. obóz obronny z wozów ustawionych w koło Ⅱ *vt* (**-ll-**) 1. zag-nać/aniać (zwierzęta) do zagrody 2. ot-oczyć/aczać pierścieniem wozów

correct [kə'rekt] Ⅰ *vt* 1. poprawi-ć/ać, s/korygować; wn-ieść/osić poprawki (**sth** do czegoś) 2. z/robić <przeprowadz-ić/ać> korektę (**sth** czegoś) 3. napraw-ić/ać (błąd itp.); nastawi-ć/ać (instrument itp.) 4. s/karcić; u/karać; **to stand ~ed** uznać swój błąd 5. odzwycza-ić/jać (**of a habit** od nałogu); **to ~ a malformity** <**a disorder**> usunąć zniekształcenie <wyleczyć z choroby> 6. przeciwdziałać (**sth** czemuś) 7. z/neutralizować; zobojętni-ć/ać Ⅱ *adj* 1. poprawny 2. w dobrym guście 3. (*o człowieku*) correct; na miejscu

correction [kə'rekʃən] *s* 1. poprawka; poprawa; skorygowanie; korektura; **a house of ~** dom poprawczy; **to speak under ~** mówić z zastrzeżeniem 2. korekta 3. naprawa 4. nastawi-enie/anie (instrumentu itp.) 5. skarcenie; ukaranie; kara

correctional [kə'rekʃənḷ], **corrective** [kə'rektiv] *adj* poprawczy; ~ **training** przymusowy pobyt w zakładzie poprawczo-wychowawczym

corrector [kə'rektə] *s* 1. poprawiacz-ka 2. karząca dłoń 3. (*także* ~ **of the press**) korektor/ka

correlate ['kɔriˌleit] Ⅰ *vi* 1. być współzależnym <w korelacji> 2. odpowiadać sobie wzajemnie Ⅱ *vt* s/korelować Ⅲ *s* korelat, odpowiednik

correlation [ˌkɔri'leiʃən] *s* korelacja; współzależność

correlative [kɔ'relətiv] *adj* współzależny

correspond [ˌkɔris'pɔnd] *vi* 1. odpowiadać (**to sth** czemuś); zgadzać się (**to** <**with**> **sth** z czymś) 2. korespondować (**with sb** z kimś) *zob* **corresponding**

correspondence [ˌkɔris'pɔndəns] Ⅰ *s* 1. zgodność 2. korespondencja Ⅱ *attr* korespondencyjny (kurs itp.); ~ **school** studium zaoczne

correspondent [ˌkɔris'pɔndənt] Ⅰ *adj* odpowiedni; **to be ~ to** <**with**> **sth** odpowiadać czemuś Ⅱ *s* korespondent/ka

corresponding [ˌkɔris'pɔndiŋ] Ⅰ *zob* **correspond** Ⅱ *adj* odpowiedni; zgodny; właściwy

correspondingly [ˌkɔris'pɔndiŋli] *adv* odpowiednio

corridor ['kɔriˌdɔ:] *s* korytarz; ~ **train** pociąg złożony z wagonów pulmanowskich

corrie ['kɔri] *s szkoc* dolina górska

corrigendum [ˌkɔri'dʒendəm] *s* (*pl* **corrigenda** [ˌkɔri'dʒendə]) błąd drukarski

corrigible ['kɔridʒəbl] *adj* 1. możliwy <nadający się> do poprawienia 2. (*o człowieku*) uległy

corroborant [kə'rɔbərənt] Ⅰ *adj* 1. potwierdzający 2. *farm* pokrzepiający; wzmacniający Ⅱ *s* 1. potwierdzenie 2. lekarstwo pokrzepiające <wzmacniające>

corroborate [kə'rɔbəˌreit] *vt* potwierdz-ić/ać

corroboration [kəˌrɔbə'reiʃən] *s* potwierdzenie; **in ~ of sth** na potwierdzenie czegoś

corroborative [kə'rɔbərətiv] *adj* potwierdzający

corrode [kə'roud] Ⅰ *vt* wyżerać; wygryzać; wytrawi-ć/ać Ⅱ *vi* ule-c/gać działaniu korozji

corrodent [kə'roudənt], **corrosive** [kə'rousiv] Ⅰ *adj* (*o substancji, środku*) żrący, gryzący Ⅱ *s* substancja żrąca; środek żrący <gryzący>

corrosion [kə'rouʒən] *s* korozja; działanie żrące <gryzące>

corrosive *zob* **corrodent**

corrugate ['kɔruˌgeit] Ⅰ *vt* fałdować; plisować; karbować; gofrować Ⅱ *vi* fałdować <plisować, karbować, gofrować> się

corrugation [ˌkɔru'geiʃən] *s* 1. *med* marszczenie 2. fałdowanie; plisowanie; karbowanie; gofrowanie

corrugator ['kɔruˌgeitə] *s anat* mięsień marszczący (brwi)

corrupt [kə'rʌpt] Ⅰ *vt* 1. ze/psuć; s/korumpować 2. zanieczy-ścić/szczać (mowę) Ⅱ *vi* ze/psuć się; ule-c/gać korupcji Ⅲ *adj* 1. zepsuty; skorumpowany; ~ **practices** nadużycia 2. przekupny; sprzedajny 3. (*o tekście*) przekręcony; fałszywy

corruptibility [kəˌrʌptə'biliti] *s* 1. uleganie zepsuciu 2. przekupstwo; łapownictwo

corruptible [kə'rʌptəbl] *adj* przekupny; sprzedajny

corruption [kə'rʌpʃən] *s* 1. psucie się; rozkład 2. zepsucie; rozkład moralny 3. korupcja; sprzedaj-

ność; łapownictwo 4. przekręc-enie/anie <s/fałszo-
wanie> (tekstu itd.); zanieczyszcz-enie/anie mowy
corsage [kɔ:'sɑ:ʒ] s stanik
corsair ['kɔ:seə] s 1. statek korsarski 2. korsarz
corse [kɔ:s] s *poet* trup
corselet ['kɔ:slit] s pancerz
corset ['kɔ:sit] s gorset
corset-maker ['kɔ:sit,meikə] s gorseciarka
corsetry ['kɔ:sitri] s gorseciarstwo
Corsican ['kɔ:sikən] ① adj korsykański ⦿ s Kor-
sykan-in/ka
cortège [kɔ:'teiʒ] s orszak; procesja; pochód
cortex ['kɔ:teks] s (pl **cortices** ['kɔ:ti,si:z]) bot anat
kora
cortical ['kɔ:tikəl] adj bot anat korowy
corticate ['kɔ:tikit], **corticated** [,kɔ:ti'keitid] adj
bot anat pokryty korą
cortices zob **cortex**
corundum [kə'rʌndəm] s miner korund
coruscate ['kɔrə,skeit] vi błyszczeć; skrzyć się
coruscation [,kɔrəs'keiʃən] s błysk; skrzenie się;
~ of wit błyskotliwość (umysłu)
corvée ['kɔ:vei] s 1. pańszczyzna 2. ciężka praca;
mozolna robota; harówka
corves zob **corf**
corvette [kɔ:'vet] s mar (także hist) korweta
corvine ['kɔ:vain] adj kruczy
Corybant ['kɔri,bænt] s (pl ~s, ~es [,kɔri'bænti:z])
korybant (kapłan frygijski)
corymb ['kɔrimb] s bot baldaszkogron, baldacho-
grono
coryphaeus [,kɔri'fi:əs]s (pl **coryphaei** [,kɔri'fi:ai])
dosł i przen koryfe-usz/jka
coryza [kə'raizə] s med katar
cos [kɔs], ~-**lettuce** ['kɔs'letis] s zielona sałata
co-scriptor ['kou'skriptə] s współautor/ka scena-
riusza
cose [kouz] vi wyciągnąć się; rozkoszować się (wy-
godą, ciepłem, słońcem itd.); pławić się
cosecant ['kou'si:kənt] s geom cosecans, dosieczna
coseismal [kou'saizməl] adj geofiz kosejsmiczny
cosey zob **cosy²**
cosh [kɔʃ] ① s sl pałka ⦿ vt sl palnąć; ogłusz-yć/ać
pałką
cosher¹ ['kɔʃə] vt psuć (kogoś); rozpie-ścić/szczać
cosher² ['kouʃə] = **kosher**
co-signatory ['kou'signətəri] s sygnatariusz/ka
cosine ['kousain] s mat cosinus, dostawa
cosiness ['kouzinis] s wygoda; przytulność
coslettize ['kɔzlə,taiz] vt podda-ć/wać (stal) proce-
sowi zapewniającemu nierdzewność
cos-lettuce zob **cos**
cosmetic [kɔz'metik] ① adj kosmetyczny ⦿ s ko-
smetyk
cosmetology [,kɔzmi'tɔlədʒi] s kosmetyka
cosmic ['kɔzmik] adj kosmiczny
cosmogony [kɔz'mɔgəni] s kosmogonia
cosmography [kɔz'mɔgrəfi] s kosmografia
cosmology [kɔz'mɔlədʒi] s kosmologia
cosmonaut ['kɔzmə,nɔ:t] s kosmonauta
cosmopolitan [,kɔzmə'pɔlitən] adj kosmopolityczny
cosmopolite [kɔz'mɔpə,lait] s kosmopolit-a/ka
cosmopolitism [,kɔzmou'pɔli,tizəm] s kosmopolityzm
cosmorama [,kɔzmə'rɑ:mə] s kosmorama
cosmos ['kɔzmɔs] s 1. wszechświat; kosmos 2. bot
roślina meksykańska z rodziny złożonych
Cossack ['kɔsək] s Koza-k/czka

cosset ['kɔsit] ① s 1. baranek; jagniątko 2. piesz-
czoch/a; ulubieni-ec/ca ⦿ vt pieścić; rozpieszczać
cost [kɔst] ① vi (**cost, cost**) kosztować; ~ **what it
may** bez względu na koszt ⦿ vt (**costed** ['kɔstid],
costed) ustal-ić/ać koszt (**sth** czegoś — towaru
itd.); sporządz-ić/ać kosztorys (**sth** czegoś) zob
costing ⦿ s koszt/y; nakład; wydatek; **at all** ~**s**
za wszelką cenę; **at great** ~ z wielkim nakładem
pieniędzy; **at the** ~ **of sb, at sb's** ~ a) kosztem
kogoś <czyimś> b) na czyjś koszt; **prime** ~ cena
kosztu; koszt własny; **to learn sth to one's** ~ poczuć coś na własnej skórze; **to spare no** ~ nie
szczędzić wydatków
costal ['kɔstl] adj anat żebrowy
co-star ['kou'stɑ:] vt 1. wprowadzić (gwiazdę fil-
mową) do filmu wraz z inną gwiazdą 2. występować wspólnie (**a film** w filmie)
costard ['kɔstəd] s gatunek dużego jabłka
costean [kɔs'ti:n] vi z/robić wiercenia poszukiwaw-
cze
coster(monger) ['kɔstə(,mʌŋgə)] s stragania-rz/rka;
~'s **cart** stragan na kółkach
costing ['kɔstiŋ] ① zob **cost** v ⦿ s sporządz-enie/
anie kosztorysu; ustal-enie/anie ceny kosztów
costive ['kɔstiv] adj 1. med cierpiący na obstrukcję 2. przen powolny; ciężki; leniwy
costiveness ['kɔstivnis] s 1. med obstrukcja, zaparcie
2. przen powolność; ociężałość
costliness ['kɔstlinis] s 1. wysoka cena 2. okazałość
costly ['kɔstli] adj (**costlier** ['kɔstliə], **costliest**
['kɔstliist]) 1. kosztowny 2. okazały, wspaniały
costmary ['kɔst,meəri] s bot złocień
costume ['kɔstju:m] ① s 1. strój; ubiór; kostium
2. kostium (**damski**) ⦿ attr kostiumowy; a ~ **ball**
bal maskowy; reduta; a ~ **play** <piece> sztuka
historyczna ⦿ vt dostarczać kostiumów (**a theatre**
etc. dla teatru itp.)
costumier [kɔs'tju:miə] s właściciel/ka pracowni
kostiumów (teatralnych itp.)
cosy¹ ['kouzi] adj (**cosier** ['kouziə], **cosiest** ['kou
ziist]) wygodny; przytulny; przyjemny; **it's very**
~ **here** tu jest bardzo przyjemnie <przytulnie>;
a ~ **little job** synekura
cosy², **cosey** ['kouzi] s watowana nakrywka (na
czajnik itp.)
cot¹ [kɔt] s 1. szałas 2. poet domek; chata
cot² [kɔt] s 1. dziecinne łóżko 2. łóżko w szpitalu
dziecięcym 3. (**na statku**) koja
cotangent ['kou'tændʒənt] s mat cotangens, do-
tyczna
cote [kout] s 1. szopa 2. owczarnia 3. kurnik 4. gołębnik
co-temporary [kou'tempərəri] adj współczesny
co-tenant ['kou'tenənt] s współlokator/ka; współ-
dzierżaw-ca/czyni
coterie ['koutəri] s koteria; klika
cothurnus [kou'θə:nəs] s (pl **cothurni** [kou'θə:nai])
koturn
cotill(i)on [kə'tiljən] s 1. kotylion (taniec) 2. am
kadryl
Cotswold ['kɔtswould] s rasa owiec długowełnistych
cottage ['kɔtidʒ] s domek; mała willa; chata; ~
hospital szpital wiejski bez stałej obsady lekarskiej na miejscu; ~ **loaf** bochenek chleba złożony z dwóch okrągłych bochenków, z których

mniejszy znajduje się na górze; ~ **piano** pianino (małe); **Swiss** ~ szałas

cottager ['kɔtidʒə] *s* 1. mieszkan-iec/ka osobnego domku 2. wieśnia-k/czka 3. chałupni-k/czka

cottar ['kɔtə] *s* czynszownik zajmujący mieszkanie za odróbkę

cotter ['kɔtə] *s techn* bolec; przetyczka; zawleczka; zatyczka; klin; sworzeń

cottier ['kɔtiə] *s* dzierżaw-ca/czyni; ~ **tenure** system wydzierżawiania ziemi drogą licytacji

cotton[1] ['kɔtn] [I] *s* 1. bawełna 2. przędza bawełniana 3. materiał bawełniany; płótno [II] *attr* 1. (*o materiale itp*) bawełniany 2. (*o przemyśle itp*) przędzalniczy; ~ **lords** magnaci przemysłu przędzalniczego

cotton[2] ['kɔtn] *vi* 1. przyjaźnić się 2. zgadzać się (**with sb** z kimś)
~ **on** *vi* 1. *pot* po/lubić (**to sb** kogoś) 2. z/orientować się (**to sth** w czymś)
~ **up** *vi* zabiegać o przyjaźń (**to sb** czyjąś)

cotton-cake ['kɔtn,keik] *s* wytłoczyny z ziarna bawełnianego

cotton-cloth ['kɔtn'klɔθ] *s* płótno bawełniane; perkal

cotton-gin ['kɔtn,dʒin] *s techn* odziarniarka bawełny

cotton-grass ['kɔtn,grɑ:s] *s bot* wełnianka

cotton-mill ['kɔtn,mil] *s* przędzalnia

cotton-mouth ['kɔtn,mauθ] *s zoo* jadowity wąż wodny południowych Stanów A. P.

cotton-picker ['kɔtn,pikə] *s* robotni-k/ca zatrudnion-y/a przy zbiorze bawełny

cotton-plant ['kɔtn,plɑ:nt] *s* krzew bawełny

cotton-plantation ['kɔtn-plæn,teiʃən] *s* plantacja bawełny

cotton-spinner ['kɔtn,spinə] *s* 1. właściciel/ka przędzalni 2. przędzalnik, prządka

cotton-tail ['kɔtn,teil] *s zoo* królik amerykański

cotton-tree ['kɔtn,tri:] *s bot* 1. bawełnica (drzewo gigant rosnące na brzegach Amazonki) 2. topola czarna

cotton-waste ['kɔtn,weist] *s* pakuły

cotton-wood ['kɔtn,wud] *s* topola amerykańska

cotton-wool ['kɔtn'wul] *s* 1. surowa bawełna 2. wata

cottony ['kɔtni] *adj* kosmaty; puszysty

cottrell ['kɔtrəl] *s techn* elektrostatyczne urządzenie odpylające (w kominach fabrycznych)

cotyledon [,kɔti'li:dən] *s* 1. *bot* liścień 2. *anat* płat <zraz> łożyska

cotyloid ['kɔti,lɔid] *adj anat* panewkowy

couch [kautʃ] [I] *vt* 1. nachyl-ić/ać <nastawi-ć/ać> (dzidę itp.) 2. ułożyć/układać (tekst, zdanie itp.) 3. z/redagować; ub-rać/ierać (myśl) w słowa 4. *med* zd-jąć/ejmować kataraktę (**sb** komuś) [II] *vi* 1. położyć/kłaść się 2. (*o zwierzęciu*) leżeć; czaić się 3. s/kulić się (ze strachu); przycupnąć *zob* **couching** [III] *s* 1. *poet* łoże; łóżko 2. tapczan; kanapa 3. legowisko (zwierzęcia)

couchant ['kautʃənt] *adj herald* w pozycji leżącej z podniesioną głową

couch-grass ['kautʃ,grɑ:s] *s bot* perz

couching ['kautʃiŋ] [I] *zob* **couch** *v* [II] *s* sznureczek nakładowy (przy hafcie)

cougar ['ku:gə] *s zoo* kuguar

cough [kɔf] [I] *vi* kaszleć
~ **down** *vt w zwrocie*: **to** ~ **down a speaker** ogólnym kaszlem zagłuszyć słowa mówcy
~ **out** *vt* wykaszleć; wykrztusić
~ **up** *vt* 1. odkaszlnąć 2. *sl* wybulić; zapłacić
[II] *s* kaszel

cough-drops ['kɔf,drɔps] *spl* pastylki od kaszlu

could *zob* **can**[2]

coulee ['ku:li:], **coulée** [ku:'lei] *s am* wąwóz

couleur de rose ['ku:lə: də'rouz] [I] *s* (*pl* **couleurs de rose** ['ku:lə:z də'rouz] róż [II] *adj* różowy

coulisse [ku:'li:s] *s* (*zw pl*) kulisy

couloir ['ku:lwɑ:] *s* żleb

coulomb ['ku:lɔm] *s fiz* kulomb

coulter ['koultə] *s* krój (pługa)

coumarin ['ku:mərin] *s farm* kumaryna

council ['kaunsl] *s* 1. rada (zgromadzenie) 2. narada; ~ **of war** narada wojenna; **to hold** <**meet in**> ~ naradz-ić/ać się 3. *kośc* sobór

council-board ['kaunsl,bɔ:d] *s* 1. stół konferencyjny 2. rada

council-chamber ['kaunsl,tʃeimbə] *s* sala konferencyjna

councillor ['kaunsilə], **council-man** ['kaunsl,mæn] *s* (*pl* **council-men** ['kaunsl,mən]) **radny**

counsel ['kaunsəl] [I] *s* 1. rada; porada; **to give** ~ doradzać; udziel-ić/ać porady; **to take** ~ **with sb** po/radzić się kogoś; zasięg-nąć/ać czyjejś rady 2. narada 3. zamiar; **to keep one's own** ~ a) nie wyjawiać swych zamiarów b) nie odzywać się 4. adwokat/ka; obroń-ca/czyni; **King's** <**Queen's**> **Counsel** radca J.K.M. (tytuł nadawany wybitnym adwokatom) [II] *vt* (**-ll-**) radzić; doradz-ić/ać; zalec-ić/ać

counsellor ['kaunsələ] *s* 1. dorad-ca/czyni 2. *am* adwokat/ka

count[1] [kaunt] *s* hrabia

count[2] [kaunt] [I] *vt* 1. po/rachować; wyrachować; po/liczyć; zlicz-yć/ać; oblicz-yć/ać; *pot* **to** ~ **noses** sprawdz-ić/ać stan liczebny (jednostki wojsk. itp.) 2. zalicz-yć/ać (**sb, sth among** — kogoś, coś do...) 3. uważać kogoś, coś (**as dead etc.** za zmarłego itd.) [II] *vi* 1. zalicz-yć/ać się <należeć> (**among** — do...) 2. coś znaczyć; **every penny** <**minute**> ~**s** każdy grosz <każda minuta> coś znaczy 3. liczyć się; wchodzić w rachubę 4. liczyć się (**as two** za dwóch — pasażerów itd.) 5. być uważanym (**for sth** za coś); znaczyć (**for sth** coś); **it** ~**s for much** to dużo znaczy 6. *w zwrocie*: **to** ~ **on** <**upon**> **sb, sth** liczyć na kogoś, coś; polegać na kimś, czymś
~ **in** *vt* wziąć/brać (kogoś) w rachubę; policzyć <włączyć> (kogoś)
~ **off** *vt* odlicz-yć/ać
~ **out** *vt* 1. odlicz-yć/ać (komuś kwotę pieniędzy) 2. *parl* odroczyć posiedzenie wyliczywszy, że nie ma przepisowej liczby obecnych 3. wyliczyć (boksera) 4. (*w zabawach dziecinnych*) policzyć (biorących udział dla ustalenia na kogo przypada kolej) 5. nie brać (**sb** kogoś) w rachubę
[III] *s* 1. rachunek; obliczenie; wyliczenie; zliczenie; **to ask for a** ~ za/żądać obliczenia głosów (przy głosowaniu); **to keep** ~ **of sth** prowadzić rachunek czegoś; **to lose** ~ stracić rachubę 2. numer (przędzy) 3. *prawn* przestępstwo (w zbiegu realnym, o które ktoś jest oskarżony)

countenance ['kauntinəns] [I] *s* 1. oblicze; fizjonomia; rysy (twarzy); mina; wyraz (twarzy) 2.

kontenans; pewność siebie; **to change ~** mienić się na twarzy; **to keep one's ~** a) nie s/tracić kontenansu; nic po sobie nie pokaz-ać/ywać b) zachow-ać/ywać poważną minę; **to lose ~** s/tracić kontenans; z/mieszać się; **to put sb out of ~** zdetonować <zmieszać> kogoś; **out of ~** zmieszany 3. poparcie; zachęta; **to give** <**lend**> **~ to sth** pop-rzeć/ierać coś [II] *vt* 1. pop-rzeć/ierać; za/aprobować; u/sankcjonować 2. zachęc-ić/ać (**sb in sth** kogoś do czegoś) 3. zn-ieść/osić; pozw-olić/alać (**sth** na coś)

counter^{1} ['kauntə] *s* 1. (*w banku*) kantor; **payable over the ~** płatny przy kasie 2. (*w sklepie*) lada, kontuar 3. liczman; żeton 4. licznik 5. człowiek prowadzący rachunki 6. (*w barze*) kontuar, † szynkwas

counter^{2} ['kauntə] *s* 1. pierś konia 2. *mar* sklepienie rufy

counter^{3} ['kauntə] *s* zakładka (na tyle bucika)

counter^{4} ['kauntə] *s* 1. odparowanie (ciosu, cięcia) 2. *muz* kontra

counter^{5} ['kauntə] [I] *adv* 1. przeciwnie; **to run ~ to one's instructions** post-ąpić/ępować wbrew otrzymanym instrukcjom; **to go** <**act**> **~ to sth** sprzeciwi-ć/ać się czemuś 2. w przeciwnym kierunku [II] *adj* 1. przeciwny 2. przeciwległy [III] *vi* 1. sprzeciwi-ć/ać się 2. po/krzyżować (plany itp.) 3. odparow-ać/ywać (cios, cięcie); przeciwuderz-yć/ać

counteract [ˌkauntər'ækt] *vt* przeciwdziałać (**sth** czemuś); z/neutralizować; po/krzyżować (plany itp.)

counteraction [ˌkauntər'ækʃən] *s* przeciwdziałanie; neutralizowanie; pokrzyżowanie (planów itp.)

counteractive [ˌkauntər'æktiv], **counteragent** [ˌkauntər'eidʒənt] [I] *adj* przeciwdziałający [II] *s* środek przeciwdziałający

counter-approach [ˌkauntər-ə'proutʃ] *s fort hist* przeciwpodkop; kontraprosza

counter-attack ['kauntər-əˌtæk] *s* przeciwuderzenie; kontratak

counter-attraction ['kauntər-ə'trækʃən] *s* 1. *fiz* wsteczne przyciąganie 2. atrakcja rywalizująca z inną

counterbalance ['kauntəˌbæləns] [I] *vt* z/równoważyć; s/kompensować; wyrówn-ać/ywać [II] *s* przeciwwaga

counterblast ['kauntəˌblɑ:st] *s* 1. replika; riposta; odprawa 2. przeciwny prąd powietrza

counterchange ['kauntəˌtʃeindʒ] [I] *s* przemiana; zamiana [II] *vt* przemieni-ć/ać; zamieni-ć/ać

countercharge ['kauntəˌtʃɑ:dʒ] *s* 1. przeciwnatarcie 2. *sąd* powództwo wzajemne

countercheck ['kauntəˌtʃek] *s* 1. przeciwdziałanie 2. dodatkowa kontrola; sprawdzenie kontrolne

counter-claim ['kauntəˌkleim] [I] *s sąd* powództwo wzajemne [II] *vi sąd* wn-ieść/osić powództwo wzajemne

counter-clockwise ['kauntə'klɔkwaiz] *adv* odwrotnie do kierunku wskazówek zegarka

counter-current ['kauntə'kʌrənt] *s elektr* przeciwprąd, prąd wsteczny

counter-espionage ['kauntər'espiəˌnɑ:ʒ] *s* kontrwywiad

counterfeit ['kauntəfit] [I] *vt* 1. naśladować; udawać 2. sfałszować; podr-obić/abiać 3. symulować [II] *s* naśladownictwo; imitacja; sfałszowanie [III] *adj* 1. udany 2. sfałszowany; podrobiony; (*o monecie*) fałszywy

counterfeiter ['kauntəfitə] *s* 1. fałsze-rz/rka; podrabiacz/ka 2. symulant/ka

counterfoil ['kauntəˌfɔil] *s* odcinek <talon> (czeku itp.)

counterfort ['kauntəˌfɔ:t] *s* skarpa

counter-hand ['kauntəˌhænd] *s* ekspedient/ka, sprzedaw-ca/czyni

counter-intelligence ['kauntər-in'telidʒəns] *s* kontrwywiad

counter-irritant ['kauntər'iritənt] *s* leczniczy środek drażniący

counter-jumper ['kauntəˌdʒʌmpə] *pot* = **counter-hand**

countermand [ˌkauntə'mɑ:nd] [I] *vt* odwoł-ać/ywać (nakaz, zarządzenie itp.); s/kasować (zamówienie itp.); cofnąć <wycof-ać/ywać> (rozkaz, wojsko, pracownika); **unless ~ed** jeżeli nie będzie odwołania [II] *s* odwołanie (nakazu, zarządzenia itd.)

countermarch ['kauntəˌmɑ:tʃ] [I] *vi* przeprowadz-ić/ać kontrmarsz [II] *s* kontrmarsz

countermark ['kauntəˌmɑ:k] *s* znak kontrolny <probierczy>

countermine ['kauntəˌmain] [I] *vt* udaremni-ć/ać (spisek itp.) przez kontrakcję [II] *vi* za-łożyć/kładać kontrminę [III] *s* kontrmina

counter-nut ['kauntəˌnʌt] *s techn* przeciwnakrętka

counter-offensive ['kauntər-əˌfensiv] *s* kontrofensywa; przeciwnatarcie; przeciwuderzenie

counterpane ['kauntəˌpein] *s* 1. kapa 2. kołdra

counterpart ['kauntəˌpɑ:t] *s* 1. duplikat; kopia 2. pendant, odpowiednik; dzieło sztuki dobrane do innego (do pary)

counterplot ['kauntəˌplɔt] *s* przeciwspisek; przeciwintryga

counterpoint ['kauntəˌpɔint] *s muz* kontrapunkt

counterpoise ['kauntəˌpɔiz] [I] *vt* z/równoważyć; s/kompensować; wyrówn-ać/ywać [II] *s* przeciwwaga; równowaga

counterpoison ['kauntə'pɔizn] *s* odtrutka

counter-reformation ['kauntəˌrefɔ:'meiʃən] *s* kontrreformacja

counter-revolution ['kauntəˌrevə'lu:ʃən] *s* 1. kontrrewolucja 2. *techn* przeciwobrót

counterscarp ['kauntəˌskɑ:p] *s fort* kontrskarpa

countershaft ['kauntəˌʃɑ:ft] *s techn* wał pośredniczący

countersign ['kauntəˌsain] [I] *vt* 1. kontrasygnować 2. żyrować; wizować; podpisać jako druga osoba (dokument, pismo urzędowe) [II] *s* 1. *wojsk* hasło; † parol 2. kontrasygnatura

countersink ['kauntəˌsiŋk] [I] *vt* (**countersank** ['kauntəˌsænk], **countersunk** ['kauntəˌsʌnk]) 1. *techn* nawierc-ić/ać 2. wkręc-ić/ać <wpu-ścić/szczać> (śrubę — równo z powierzchnią deski) [II] *s techn* nawiertak

counter-stroke ['kauntəˌstrouk] *s wojsk* przeciwuderzenie

counter-tenor ['kauntə'tenə] *s muz* alt

countervail ['kauntəˌveil] [I] *vt* z/równoważyć; s/kompensować; z/neutralizować [II] *s* równowaga; kompensata

counterweigh ['kauntəˌwei] *vt* przeciwważyć; stanowić przeciwwagę (**sth** dla czegoś)

counterweight ['kauntəˌweit] *s* przeciwwaga

counterwork ['kauntə,wə:k] [I] *s* kontrakcja, przeciwdziałanie [II] *vt* przeciwdziałać (**sth** czemuś)

countess ['kauntis] *s* hrabina

counting-house ['kauntiŋ,haus], **counting-room** ['kauntiŋ,ru:m] *s* biuro <dział> rachunkowości; kantor

countless ['kauntlis] *adj* niezliczony; **there are** <**were etc.**> **~ examples etc.** jest <było itd.> bez liku przykładów itd.

count-out ['kaunt'aut] *s* przedwczesne zakończenie obrad z powodu braku kworum <quorum>

countrified ['kʌntri,faid] *adj* 1. prowincjonalny; wiejski 2. schłopiały; prostacki

country ['kʌntri] [I] *s* 1. kraj; **God's own ~** a) raj b) *am* Stany Zjednoczone Am. Płn. 2. ojczyzna 3. wieś; **in the ~** na wsi; **the open ~** szczera wieś; szczere pole; **to the ~** na wieś 4. prowincja; **to go up ~** wyjechać (ze stolicy) na prowincję 5. teren; krajobraz; **level ~** równina [II] *attr* 1. wiejski; **~ club** klub poza miastem (dla wypoczynku i sportów); **~ life** życie na wsi 2. ludowy (taniec itd.) 3. (*o stronnictwie polit.*) agrarny 4. prowincjonalny; z prowincji; ze wsi; **~ cousins** krewni z prowincji

country-folk ['kʌntri,fouk] *s* lud; wieśniacy; ludność wiejska

country-gentleman ['kʌntri'dʒentlmən] *s* (*pl* **country-gentlemen** ['kʌntri'dʒentlmən]) ziemianin

country-house ['kʌntri'haus] *s* 1. dom wiejski 2. rezydencja wiejska

countryman ['kʌntrimən] *s* (*pl* **countrymen** ['kʌn trimən]) 1. rodak 2. mieszkaniec wsi; człowiek ze wsi

country-seat ['kʌntri'si:t] *s* rezydencja wiejska

countryside ['kʌntri,said] *s* okolica; krajobraz

countrywide ['kʌntri,waid] *adj* ogólnokrajowy; narodowy

countrywoman [kʌntri,wumən] *s* (*pl* **countrywomen** ['kʌntri,wimin]) 1. rodaczka 2. kobieta wiejska; wieśniaczka

county ['kaunti] [I] *s* hrabstwo; okręg administracyjny; **~ borough** okręg adm. liczący ponad 50.000 mieszkańców; *am* **~ farm** gospodarstwo dla ubogich mieszkańców wsi, będących na utrzymaniu państwa; **~ seat** a) rezydencja wiejska b) *am* (*także* **~ town**) siedziba administracji okręgu; **~ college** <**school**> szkoła okręgowa [II] *attr* (*o sądzie, rodzinie ziemiańskiej itd*) (danego) hrabstwa <okręgu>; **~ council** rada hrabstwa; **~ society** ziemiaństwo hrabstwa

county-court ['kaunti,kɔ:t] *vt* zaskarżyć (kogoś) do sądu okręgu

coup [ku:] *s* (*pl* **~s** [ku:z]) mistrzowskie <śmiałe> posunięcie

coup de grâce ['ku:-də'gra:s] *s* (*pl* **coups de grâce** ['ku:z-də'gra:s]) dobicie (rannego lub skazańca po egzekucji)

coup de main ['ku:-də'mɛ̃:] *s* (*pl* **coups de main** ['ku:z-də'mɛ̃:]) niespodziewany atak <wypad>

coup d'état ['ku:-dei'ta:] *s* (*pl* **coups d'état** ['ku:z-dei'ta:]) zamach stanu

coup de théâtre ['ku:-dətei'a:tr] *s* (*pl* **coups de théâtre** ['ku:z-dətei'a:tr]) sensacja

coup d'oeil ['ku:'də:j] *s* (*pl* **coups d'oeil** ['ku:z'də:j]) rzut oka

coupé ['ku:pei] *s* 1. powóz 2. kabriolet 3. przedział kolejowy z jedną tylko ławką

couple ['kʌpl] [I] *s* 1. para <sfora> (ogarów) 2. para (osób, zwierząt, ptaków, przedmiotów); stadło; **the newly married ~** nowożeńcy, młoda para; (*w ogłoszeniach*) **~ wanted** poszukuje się pary małżeńskiej (do służby); *przen* **they go** <**run, hunt**> **in ~s** są nierozłączni 3. parę (minut, rzeczy, osób itd.) 4. *techn* para (sił) 5. *arch* para krokwi [II] *vt* 1. po/łączyć; z/wiązać; powiązać ze sobą (dwie rzeczy, myśli itp.); s/kojarzyć 2. *techn* sczepi-ć/ać; sprzęg-nąć/ać; spi-ąć/nać; sp-oić/ajać; z/lutować [III] *vi* 1. zazębi-ć/ać się 2. (*o zwierzętach*) parzyć <dobierać> się; (*o ludziach*) a) pobierać się b) **spółkować**

~ up <**on**> *vt kolej* doczepi-ć/ać (wagon)

zob **coupled, coupling**

coupled ['kʌpld] [I] *zob* **couple** *v* [II] *adj med* **~ beats** tętno bliźniacze

coupler ['kʌplə] *s* 1. przyrząd do łączenia <do sprzęgania>; sprzęgło 2. złączka (rurowa), tuleja łącząca; *pot* mufa 3. *kolej* spinacz

couplet ['kʌplit] *s* dwuwiersz

coupling ['kʌpliŋ] [I] *zob* **couple** *v* [II] *s* 1. połączenie; związanie; powiązanie; skojarzenie 2. szczepi-enie/anie; sp-ojenie/ajanie; z/lutowanie; spi-ęcie/nanie; zazębi-enie/anie się 3. dobór, dobieranie; pobieranie się (ludzi) 4. parzenie się (zwierząt); spółkowanie 5. sprzęganie 6. *techn* sprzęgło 7. *techn* złączka (rurowa), tuleja łącząca; *pot* mufa; łącznik 8. *elektr* sprzężenie

coupling-box ['kʌpliŋ,bɔks] *s techn* nasuwka sprzęgła, tuleja łącząca

coupling-pin ['kʌpliŋ,pin] *s techn* bolec

coupon ['ku:pɔn] *s* 1. kupon (przy papierach wartościowych itp.) 2. talon 3. odcinek (**kartki żywnościowej** itp.); **~ float** wydanie (nowo powstałemu przedsiębiorstwu) dodatkowych kartek na zakup reglamentowanego towaru w hurcie

courage ['kʌridʒ] *s* odwaga; męstwo; dzielność; waleczność; **to take** <**pluck, muster**> **up ~, to take one's ~ in both hands** zebrać <zdobyć> się na odwagę; nabrać odwagi

courageous [kə'reidʒəs] *adj* odważny; mężny; waleczny; dzielny

courier ['kuriə] *s* 1. kurier; goniec 2. agent turystyczny

courlan ['kuələn] *s zoo* czaplowaty ptak południowoamerykański

course [kɔ:s] [I] *s* 1. bieg (rzeki, wypadków itd.); tryb <tok> (spraw); **in ~ of time** z biegiem czasu; z czasem; **in due ~** we właściwym czasie; **in the ordinary ~** normalnym trybem; **justice took its ~** sprawiedliwości stało się zadość; **to let nature take her ~** zdać się na naturę; **to let things take their ~** zostawić sprawy własnemu biegowi 2. tor; droga (przebyta przez pocisk itd.) 3. kurs (statku itp.); **to set the ~** <**to steer a ~**> **for Hull etc.** wziąć kurs na Hull itd. 4. przebieg (choroby, wypadków itd.); proces (choroby, wytwórczy itd.); (zwykła) kolej rzeczy; **in the ~ of —** w trakcie ... (roboty itp.); w ciągu ... (tygodnia, roku itd.); **in ~ of construction** w budowie; w trakcie budowy 5. kurs (nauki); cykl (wykładów itd.); **to go through a ~** odby-ć/wać kurs (nauki) 6. leczenie; dieta; seria (zastrzyków itp.) 7. tryb <sposób, linia> postępowania; **evil ~s** złe prowadzenie się; **there is no other ~ open** nie ma innego wyjścia; **to take a middle ~** pójść/

iść na kompromis; ob-rać/ierać pośrednią drogę; **to take one's own ~** post-ąpić/ępować według własnego uznania; kierować się własnym rozumem 8. *techn* skok tłoka (w cylindrze) 9. danie; potrawa 10. łożysko <koryto> (rzeki) 11. tor (wyścigowy); bieżnia; pole <teren> (gier sportowych) 12. warstwa (cegieł, kamienia, w murze) 13. kurs (giełdowy itp.) 14. *pl* **~s** period, miesiączka ‖ **of ~** oczywiście; rzecz jasna; rozumie się; ma się rozumieć; naturalnie; **a matter of ~** rzecz naturalna <sama przez się zrozumiała>; **as a matter of ~** zupełnie naturalnie; rzecz prosta; oczywiście [II] *vt* 1. gonić (**sth** za czymś — zwierzęciem) 2. przegonić (konia) [III] *vi* (*o krwi*) krążyć; (*o cieczach w przewodach*) płynąć

courser ['kɔ:sə] *s poet* rumak

↑**court** [kɔ:t] [I] *s* 1. dziedziniec; podwórze 2. ślepa uliczka; zaułek 3. dwór <pałac> (królewski); przyjęcie na dworze 4. *sąd* **in open ~** na jawnej rozprawie; przy drzwiach otwartych; **to settle a case out of ~** zaw-rzeć/ierać ugodę; załatwi-ć/ać sprawę polubownie; **to put oneself out of ~** postąpić nierozsądnie 5. **~ of inquiry** komisja śledcza 6. kort (tenisowy); boisko (sportowe) 7. zaloty; umizgi; **to make <pay> ~ to sb** zalecać <umizgać> się do kogoś; nadskakiwać komuś [II] *vt* 1. zalecać <umizgać> się (**sb** do kogoś); nadskakiwać (**sb** komuś) 2. starać się <zabiegać> (**sth** o coś — poklask itp.); szukać (**sth** czegoś — nieszczęścia itp.); **to ~ death** igrać ze śmiercią *zob* **courting**

court-card ['kɔ:t,kɑ:d] *s karc* figura; honor

court-dress ['kɔ:t'dres] *s* strój galowy

courteous ['kə:tiəs] *adj* grzeczny; uprzejmy

courtesan, courtezan [,kɔ:ti'zæn] *s* kurtyzana

↑**courtesy** ['kə:tisi] [I] *s* 1. grzeczność; uprzejmość; **by ~** przez grzeczność; (reprodukowane itd.) z pozwolenia (czyjegoś) 2. kurtuazja 3. † = **curts(e)y** [II] *attr* kurtuazyjny; grzecznościowy

courtezan *zob* **courtesan**

court-guide ['kɔ:t,gaid] *s* rejestr osób przedstawionych na dworze królewskim

court-house ['kɔ:t,haus] *s* gmach sądu; sąd

courtier ['kɔ:tjə] *s* 1. dworzanin 2. pochlebca

courting ['kɔ:tiŋ] [I] *zob* **court** *v* [II] *s* zaloty; umizgi; koperczaki

courtliness ['kɔ:tlinis] *s* dworskość; wytworność; polor

courtly ['kɔ:tli] *adj* (**courtlier** ['kɔ:tliə], **courtliest** ['kɔ:tliist]) dworski; wytworny

court-martial ['kɔ:t'mɑ:ʃəl] [I] *s* (*pl* **courts-martial** ['kɔ:ts'mɑ:ʃəl]) sąd wojenny [II] *vt* (**-ll-**) odda-ć/wać pod sąd wojenny; **to be ~led** stanąć przed sądem wojennym

court-plaster ['kɔ:t'plɑ:stə] *s* przylepiec, plaster angielski

courtship ['kɔ:t-ʃip] *s* zaloty; umizgi; koperczaki

courtyard ['kɔ:t,jɑ:d] *s* dziedziniec; podwórze

couscous(sou) ['kuskus(,u:)] *s* potrawa afrykańska z mielonego prosa i mięsa

cousin ['kʌzn] *s* brat <siostra> cioteczn-y/a <stryjeczn-y/a>; **~ german, second ~** kuzyn/ka; krewnia-k/czka; *przen* rzecz pokrewna

cousinhood ['kʌzn,hud] *s* ogół krewnych; krewni

cousinship ['kʌznʃip] *s* kuzynostwo; pokrewieństwo

cove[1] [kouv] *s* 1. zatoczka; schronienie 2. *arch* faseta; kala

cove[2] [kouv] *s sl* facet; gość; jegomość

coven [kʌvn] *s* 1. zebranie 2. sabat czarownic

covenant ['kʌvinənt] [I] *s* 1. konwencja; umowa; porozumienie 2. pakt; traktat 3. *bibl* **the Ark of the Covenant** Arka Przymierza 4. *hist* umowa między klerem Szkocji a parlamentem angielskim, na mocy której założono kościół prezbiteriański [II] *vi* zaw-rzeć/ierać umowę <kontrakt, porozumienie> [III] *vt* 1. zobowiąz-ać/ywać się umową (**sth** do czegoś) 2. zastrze-c/gać sobie drogą umowy *zob* **covenanted**

covenanted ['kʌvinəntid] [I] *zob* **covenant** *v* [II] *adj* zastrzeżony umową

covenanter ['kʌvinəntə] *s* 1. sprzymierzeniec 2. strona zawierająca umowę 3. *kośc* prezbiterian-in/ka

Covent Garden ['kɔvnt'gɑ:dn] *spr* 1. główny targ na owoce i jarzyny w Londynie 2. opera londyńska

coventrate ['kɔvən,treit], **coventrize** ['kɔvən,traiz] *vt* zrównać z ziemią (miasto) przez bombardowanie lotnicze

Coventry ['kɔvəntri] *spr w zwrocie:* **to send sb to ~** zbojkotować kogoś

↑**cover** ['kʌvə] [I] *vt* 1. pokry-ć/wać; przykry-ć/wać; kryć; usłać; po/słać; za-słać/ścielać; powle-c/kać (farbą itp.) 2. nakry-ć/wać (dom, głowę itd.) 3. okry-ć/wać (kogoś, coś — kocem, hańbą itd.); **to ~ sb with ridicule** ośmiesz-yć/ać kogoś 4. osł-onić/aniać; o/chronić; zasł-onić/aniać 5. pokry-ć/wać <prze-jść/chodzić, przeje-chać/żdżać> (odległość) 6. ukry-ć/wać <kryć> (uczucia, zmieszanie itp.) 7. mierzyć <celować> (**sb with a pistol etc.** do kogoś z rewolweru itp.) 8. kryć <zawierać, przewidywać, ob-jąć/ejmować> (ewentualność, możliwość itp.); odnosić się (**sth** do czegoś — ewentualności itp.) 9. pokry-ć/wać (rachunek, deficyt, potrzeby) 10. pokry-ć/wać <zajmować> (obszar) 11. na/pisać sprawozdanie <reportaż> (**sth** z czegoś) 12. pokry-ć/wać (samicę) 13. wysiadywać (jaja)

~ in <over> *vt* zakop-ać/ywać (dół itp.)

~ off *vt wojsk* kryć (w szeregach)

~ up *vt* po/kryć; okry-ć/wać; zasł-onić/aniać; ukry-ć/wać

zob **covered, covering** [II] *s* 1. narzuta 2. okrycie; przykrycie 3. pokrowiec 4. płaszcz <opona> (koła samochodowego itp.) 5. pokrywka (garnka itp.); wieko 6. okładka (książki); **from ~ to ~** od deski do deski 7. koperta; opaska (druku); **under separate ~** w osobnej kopercie; pod opaską 8. schronienie; ukrycie; *wojsk* ukrycie (przed ogniem nieprzyjaciela); **to take ~** s/chronić się 9. legowisko (zwierzęcia) 10. osłona; *przen* płaszczyk; maska; parawan; pokrywka 11. *fin* pokrycie 12. nakrycie (stołowe) 13. *sl* sprawozdanie; reportaż 14. *lotn* osłona (bombowców przez myśliwce)

↑**covered** ['kʌvəd] *zob* **cover** *v;* **w kapeluszu; z nakrytą głową; be ~** proszę włożyć kapelusz

covered-way ['kʌvəd,wei] *s fort* kryte przejście

cover-glass ['kʌvə,glɑ:s] *s* szkiełko nakrywkowe (preparatu)

covering ['kʌvəriŋ] [I] *zob* **cover** *v* [II] *s* pokrycie; pochwa; powłoka; futerał [III] *adj* 1. potwierdzający; **a ~ letter** a) potwierdzenie b) list wyjaśniający 2. *wojsk* osłaniający (oddział itp.)

coverlet ['kʌvəlit] *s* narzuta; kołderka; koc

covert[1] ['kʌvət] *s* 1. schronienie; legowisko (zwie-

rzyny) 2. piórka (niektórych ptaków) 3. **~ cloth** a) materiał na płaszcze nieprzemakalne b) gabardyna
covert² ['kʌvət] *adj* ukryty; zamaskowany; potajemny; **~ glances** ukradkiem rzucane spojrzenia
covert-coat ['kʌvət,kout] *s* lekki płaszcz nieprzemakalny
coverture ['kʌvətjuə] *s* 1. przykrycie; osłona 2. opieka męża
covert-way ['kʌvət,wei] = **covered-way**
covet ['kʌvit] *vt* pożądać (**sth** czegoś); patrzyć z zawiścią (**what belongs to another etc.** na cudzą własność itp.)
covetous ['kʌvitəs] *adj* chciwy; pożądliwy; żądny; zawistny
covetousness ['kʌvitəsnis] *s* chciwość; pożądliwość; żądza; zawiść
covey ['kʌvi] *s* stado kuropatw; *przen* towarzystwo; grupa; rodzina
covin ['kʌvin] *s prawn* zmowa
†**cow¹** [kau] *s* (*pl* **~s**, † **kine** [kain]) 1. krowa 2. samica (różnych zwierząt: słonia, foki itp.)
cow² [kau] *vt* zastrasz-yć/ać
cowage ['kauidʒ] *s bot* tropikalna roślina strączkowa z rodzaju Macuna
coward ['kauəd] [I] *s* (*o człowieku*) tchórz [II] *adj* tchórzliwy; bojaźliwy
cowardice ['kauədis] *s* tchórzostwo, tchórzliwość; małoduszność
cowardly ['kauədli] *adj* tchórzliwy; bojaźliwy; małoduszny
cowbane ['kau,bein] *s bot* cykuta jadowita, szalej
cow-bell ['kau,bel] *s* 1. dzwonek uwiązany u szyi krowy 2. *bot* lepnica
cow-berry ['kaubəri] *s bot* borówka brusznica, *pot* borówka
cowboy ['kaubɔi] *s* 1. *am* pastuch bydła, cowboy 2. *ang* krowiarz
cow-catcher ['kau,kætʃə] *s* rodzaj zderzaka na przodzie dawnych lokomotyw amerykańskich
cower ['kauə] *vi* s/kulić <czołgać> się (w strachu); przypa-ść/dać do ziemi; **to ~ before sb** drżeć <trząść się> przed kimś
cow-fish ['kau,fiʃ] *s zoo* 1. waleń 2. najeż (ryba)
cow-grass ['kau,gra:s] *bot* koniczyna
cowhage ['kauidʒ] = **cowage**
cow-heel ['kau,hi:l] *s* galareta z nóg wołowych
cowherd ['kau,hə:d] *s* pastu-ch/szka
cowhide ['kau,haid] *s* skóra wołowa
cow-house ['kau,haus] *s* obora
cowl¹ [kaul] *s* 1. kaptur (na głowę, komin itd.); **rotating** <**revolving**> **~** smok (na kominie) 2. *auto* osłona silnika, *pot* maska
cowl² [kaul] *s* ceber
cow-lick ['kau,lik] *s* sterczący kosmyk włosów
cowling ['kauliŋ] *s* przykrywa <osłona> (silnika itd.)
cowman ['kaumən] *s* (*pl* **cowmen** ['kaumən]) pastuch, krowiarz
co-worker [kou'wə:kə] *s* współpracownik
cow-parsley ['kau,pa:sli] *s bot* trybula leśna
cow-parsnip ['kau,pa:snip] *s bot* barszcz, łapa niedźwiedzia
cow-pox ['kau,pɔks] *s med* krowianka
cow-puncher ['kau,pʌntʃə] *s am* cowboy
cowrie, cowry ['kauri] *s* 1. *zoo* porcelanka (ślimak) 2. kauri (moneta dzikich plemion)
cowshed ['kau,ʃed] = **cow-house**
cowslip ['kau,slip] *s bot* pierwiosnek
cow-wheat ['kau,wi:t] *s bot* pszeniec
cox [kɔks] [I] *s* sternik (łodzi) [II] *vt* sterować (**a boat** łodzią)
coxa ['kɔksə] *s* (*pl* **coxae** ['kɔksi:]) *anat* biodro
coxal ['kɔksəl] *adj anat* biodrowy
coxcomb ['kɔks,koum] *s* fanfaron; bufon; pyszałek
coxcombry ['kɔks,koumri] *s* fanfaronada; bufonada; pyszałkowatość
coxwain ['kɔk,swein, 'kɔksn] *s* sternik
coy [kɔi] *adj* 1. skromny; nieśmiały; bojaźliwy 2. nieskory (do rozmów itp.) 3. cichy (zakątek itp.)
coyness ['kɔinis] *s* 1. skromność; nieśmiałość; bojaźliwość 2. rezerwa; niechęć
coyote ['kɔiout] *s zoo* kujot, kojot
coypu [kɔi'pu:] *s zoo* kojpu, nutria
coz [kʌz] *s pot* kuzyn/ka
cozen ['kʌzn] *vt* oszuk-ać/iwać; okpi-ć/wać; **to ~ sb into doing sth** podstępem doprowadzić kogoś do czegoś; podstępnie wymusić na kimś coś; **to ~ sth out of sb** wyłudz-ić/ać coś od kogoś
cozenage ['kʌznidʒ] *s* oszustwo, oszukaństwo
cozy ['kouzi] = **cosy¹,²**
crab¹ [kræb] *s* 1. *zoo* krab; *przen wiośl* **to catch a ~** złapać raka, zbyt głęboko zanurzyć wiosła 2. *astr* **Crab** Rak (znak zodiaku) 3. *techn* wyciąg; lewar; winda; dźwig towarowy 4. (*w grze w kości*) dwójka; **to turn out ~s** skończyć się fiaskiem
crab² [kræb], **~-apple** ['kræb,æpl] *s* 1. dzika jabłoń; dzikie jabłko 2. (*o człowieku*) zrzęda
crab³ [kræb] *vt* (**-bb-**) 1. (*o sokołach*) drapać <bić> (**each other** się wzajemnie) 2. (*o ludziach*) obmawiać, obgadywać; krytykować 3. ze/psuć <z/niweczyć> (plan itp.) *zob* **crabbed**
crabbed [kræbd] [I] *zob* **crab³** [II] *adj* ['kræbid] 1. (*o człowieku*) cierpki; opryskliwy; zrzędny 2. (*o stylu*) niejasny; zawiły; ciężki 3. (*o piśmie*) niewyraźny
crab-faced ['kræb,feist] *adj* (*o minie*) skwaszony
crab-grass ['kræb,gra:s] *s bot* palusznik krwawy (trawa)
crab-louse ['kræb,laus] *s* (*pl* **crab-lice** ['kræb,lais]) *zoo* wesz łonowa, menda
crab-pot ['kræb,pɔt] *s* więcierz
crabsidle ['kræb,saidl] *vi* posuwać się rakiem
crabstick ['kræb,stik] 1. kij kolczasty 2. *przen* (*o człowieku*) zrzęda
crabtree ['kræb,tri:] *s* dzika jabłoń
crabwise ['kræb,waiz] *adv* rakiem (posuwać się)
†**crack** [kræk] [I] *vt* 1. trzas-nąć/kać (**sth** czymś — biczem, palcami itp.) 2. s/powodować pęknięcie <popękanie, za/rysowanie się> (**sth** czegoś) 3. rozłup-ać/ywać <łupać> (orzechy, skały itp.); rozszczepi-ć/ać; **to ~ one's skull over sth** łamać sobie głowę nad czymś; **to ~ a bottle with sb** wypić z kimś flaszkę (wina); **to ~ a joke** powiedzieć dowcip; zażartować; **to ~ jokes** dowcipkować; *sl* **to ~ a crib** włamać się; dokonać włamania 4. *chem* rozkładać <rafinować> (oleje ciężkie) [II] *vi* 1. trzas-nąć/kać; huknąć; wystrzelić 2. pęk-nąć/ać; popękać; zarysow-ać/ywać <rozszczepi-ć/ać> się 3. (*o głosie*) przechodzić mutację, † mutować 4. gawędzić
~ down *vi* stosować sankcje dyscyplinarne
~ on *vt* rozwi-nąć/jać (**sail** żagle)
~ up [I] *vt* 1. wychwalać; chwalić; zachwalać

2. uszkodzić (samolot) [III] *vi* 1. (*o samolocie*) ulec awarii; doznać uszkodzenia 2. (*o człowieku*) załam-ać/ywać się (nerwowo, psychicznie) 3. (*o instytucji itd*) rozpa-ść/dać <*pot* rozl-ecieć/atywać> się
zob **cracked** [III] *s* 1. trzask; łomot; huk; **the ~ of doom** głos anioła (w dniu Sądu Ostatecznego); *przen* grzmot piorunu 2. uderzenie; **to give sb a ~ on the head** palnąć kogoś w głowę; **in a ~** w oka mgnieniu 3. szczelina; pęknięcie; rysa; uchylenie (drzwi); rozchylenie; szpara 4. *sl* majster; mistrz 5. *sl* próba; **to have a ~ at sth** spróbować czegoś 6. *sl* mędrzec 7. *sl* włamywacz 8. *sl* włamanie [IV] *adj sl* pierwszorzędny; kapitalny; świetny

crackajack ['krækə,dʒæk] = **crackerjack**

crack-brained ['kræk,breind] *adj* zwariowany; niespełna rozumu; bez piątej klepki

crackdown ['kræk,daun] *s* sankcja dyscyplinarna

cracked [krækt] [I] *zob* **crack** *v* [II] *adj* = **crack-brained**

cracker ['krækə] *s* 1. petarda 2. dziadek do orzechów 3. atrakcja przyjęć towarzyskich w okresie Bożego Narodzenia — walec papierowy, zawierający drobną niespodziankę i ogień bengalski, który wybucha, gdy dwie osoby rozrywają go ciągnąc w przeciwne strony 4. kłamstwo 5. suchar 6. *pl* **~s** papiloty

crackerjack ['krækə,dʒæk] *s am sl* 1. świetny <pierwszorzędny, kapitalny> człowiek <artysta itd.> 2. coś świetnego <kapitalnego>

crackers ['krækəz] *adj sl* zbzikowany; pomylony

crack-jaw ['kræk,dʒɔ:] *s* wyraz trudny do wymówienia

crackle ['krækl] [I] *vi* 1. trzeszczeć; trzaskać 2. skrzypieć *zob* **crackling** [II] *s* 1. trzaskanie; trzeszczenie; trzaski 2. skrzypienie 3. *cer* zdobnicze kreskowanie

crackling ['kræklıŋ] [I] *zob* **crackle** *v* [II] *s* skwarek [III] *adj* chrupiący

cracknel ['kræknl̩] *s* rodzaj obwarzanka; precel

cracksman ['kræksmən] *s* (*pl* **cracksmen** ['kræks mən]) włamywacz

crack-up ['kræk'ʌp] *s* fiasko; niepowodzenie

cracky ['kræki] *adj* 1. porysowany; popękany 2. zwariowany

Cracovienne [,krækou'vien] *s* krakowiak (taniec)

cradle ['kreidl] [I] *s* 1. kołyska; *przen* kolebka 2. płuczka do rudy złotonośnej 3. rusztowanie wiszące 4. *mar* więźba rei, rak rei (dolnej) 5. *mar* wózek pochylni 6. *med* klosz (ochraniający zoperowaną kończynę) [II] *vt* 1. włożyć/wkładać do kołyski 2. kołysać 3. płukać (złoto)

cradling ['kreidlıŋ] *s bud* krążyna

craft [kra:ft] *s* 1. zręczność; umiejętność; kunszt 2. przebiegłość; chytrość 3. zawód; rzemiosło; sztuka; **every man to his ~** niech każdy pilnuje swego rzemiosła 4. cech 5. (**pl craft**) statek 6. (**pl craft**) samolot

craftiness ['kra:ftinis] *s* przebiegłość; chytrość

craftsman ['kra:ftsmən] *s* (*pl* **craftsmen** ['kra:fts mən]) 1. rzemieślnik 2. mistrz w swoim zawodzie

craftsmanship ['kra:ftsmənʃip] *s* mistrzostwo

crafty ['kra:fti] *adj* (**craftier** ['kra:ftiə], **craftiest** ['kra:ftiist]) przebiegły; chytry

crag [kræg] *s* stroma skała; turnia

cragginess ['kræginis] *s* urwistość <niedostępność> (terenu)

craggy ['krægi] *adj* (**craggier** ['krægiə], **craggiest** ['krægiist]) skalisty; urwisty; niedostępny

cragsman ['krægzmən] *s* (*pl* **cragsmen** ['krægzmən]) miłośnik wspinaczki górskiej

crake [kreik] [I] *s* derkacz [II] *vi* derkać

crakeberry ['kreikbəri] *s bot* bażyna (czarna)

cram [kræm] (**-mm-**) [I] *vt* 1. napełni-ć/ać; przepełni-ć/ać; nat-kać/ykać (**sth** w coś); nap-chać/ychać; na/tłoczyć 2. op-chać/ychać; przekarmi-ć/ać 3. wepchnąć/wpychać 4. wtłaczać do głowy (**sb** komuś); *sl* obkuwać kogoś (**with Latin etc.** z łaciny itd.); wkuwać (jakiś przedmiot do egzaminu) [II] *vi* 1. tłoczyć <pchać, cisnąć> się 2. op-chać/ychać <obj-eść/adać, *pot* ob-eżreć/żerać> się 3. *sl* wkuwać (do egzaminu) 4. łgać, blagować *zob* **crammed** [III] *s* 1. *sl* wkuwanie (do egzaminu) 2. tłok; ścisk 3. kłamstwo

crambo ['kræmbou] *s* zabawa w szukanie rymów do zadanych słów; **dumb ~** ta sama zabawa w formie pantomimy

cram-full ['kræm'ful] = **crammed** *adj*

crammed [kræmd] [I] *zob* **cram** *v* [II] *adj* nabity; zapchany; przepełniony

crammer ['kræmə] *s* 1. *szk* kujon 2. korepetytor/ka 3. *szk* bryk

cramp[1] [kræmp] [I] *s* 1. *techn* imadło; śruba (stolarska) 2. (*także* **~-iron**) *bud* klamra; ankier 3. *przen* hamulec; przeszkoda; zawada [II] *vt bud* klamrować; ściąg-nąć/ać; sp-oić/ajać klamrami; ankrować *zob* **cramped**

cramp[2] [kræmp] [I] *s med* skurcz [II] *vt* 1. wywoł-ać/ywać skurcz <zdrętwienie> (**sth** czegoś) 2. *s/* krępować ruchy (**sb** czyjeś); ścieśni-ć/ać; za/hamować; za/tamować *zob* **cramped**

cramp[3] [kræmp] = **cramped** *adj*

cramped [kræmpt] [I] *zob* **cramp**[1,2] *v* [II] *adj* 1. ścieśniony; stłoczony; **to be ~** mieć mało miejsca 2. (*o piśmie*) zbity; stłoczony; nieczytelny 3. (*o stylu*) sztuczny 4. (*o wyrazie*) niezrozumiały

cramp-fish ['kræmp,fiʃ] *s zoo* gatunek drętwy (ryba)

cramp-iron ['kræmp,aiən] = **cramp**[1] *s* 2.

crampon ['kræmpən] *s* 1. bosak; drąg żelazny 2. *techn* chwytak nożycowy 3. *pl* **~s** raki (do chodzenia po lodzie)

cran [kræn] *s szkoc* beczka śledzi (= ok. 800 sztuk)

cranage ['kreinidʒ] *s* 1. transport dźwigiem 2. opłata za użycie dźwigu

cranberry ['krænbəri] *s bot* żurawina błotna

crane[1] [krein] *s* 1. *zoo* żuraw 2. *techn* dźwig 3. syfon (do przelewania cieczy ze statków)

crane[2] [krein] [I] *vt* 1. dźwig-nąć/ać; podn-ieść/osić <opu-ścić/szczać> za pomocą dźwigu 2. wyciąg-nąć/ać (szyję) [II] *vi* (*o koniu*) stanąć (**at a hedge etc.** przed płotem itd.); *dosł i przen* cofać się (**at a difficulty** przed trudnością); **to ~ forward** wyciąg-nąć/ać szyję

crane-fly ['krein,flai] *s zoo* komarnica (owad)

crane's-bill ['kreinz,bil] *s* 1. *bot* geranium, bodziszek 2. *chir* kleszcze

cranial ['kreiniəl] *adj anat* czaszkowy

craniology [,kreini'ɔlədʒi] *s antr zoo* kraniologia

craniometry [kreini'ɔmətri] *s antr zoo* kraniometria

cranium ['kreiniəm] *s* (*pl* **crania** ['kreiniə]) *anat* czaszka

crank[1] [kræŋk] [I] *s* 1. korba 2. *techn* wał korbowy

<kolankowy> 3. dźwignia kolankowa; wygięcie kolankowe [II] *vt* 1. wygi-ąć/nać na kształt kolanka 2. zakręc-ić/ać <nakręc-ić/ać> korbą 3. przyprawi-ć/ać korbę (**sth** do czegoś)

~ up *vt* uruch-omić/amiać <zapu-ścić/szczać> korbą (**a car, the engine** silnik samochodu)

crank² [kræŋk] *s* 1. dziwactwo; wybryk 2. żart, dowcip 3. dziwa-k/czka; bzik; półwariat/ka

crank³ [kræŋk] = **cranky**

crank-case ['kræŋk,keis] *s techn* karter (silnika), skrzynia korbowa

crankiness ['kræŋkinis] *s* 1. wywrotność (statku) 2. chorowitość 3. kapryśne usposobienie 4. zbzikowanie

crankle ['kræŋkl] [I] *s* kolanko; wygięcie [II] *vt* wygi-ąć/nać

crank-pin ['kræŋk,pin] *s techn* czop korbowy

cranky ['kræŋki] *adj* (**crankier** ['kræŋkiə], **crankiest** ['kræŋkiist]) 1. zepsuty; zdefektowany 2. (*o statku*) chwiejny; wywrotny 3. wygięty; powyginany 4. chorowity 5. kapryśny; nieznośny 6. bzikowaty; zwariowany; pomylony; **to be ~** mieć hysia

crannied ['krænid] *adj* pęknięty; popękany; zarysowany; porysowany

crannog ['krænɔg] *s archeol* osada na wyspie (w Szkocji i Irlandii)

cranny ['kræni] *s* 1. pęknięcie; rysa; szczelina; szpara; zagłębienie 2. kryjówka

crape [kreip] [I] *s* krepa [II] *vt* przyb-rać/ierać krepą

craps [kræps] *spl* amerykańska hazardowa gra w kości

crapulence ['kræpjuləns] *s* 1. katzenjammer, kociokwik; zgaga 2. rozpusta

crapulent ['kræpjulənt], **crapulous** ['kræpjuləs] *adj* 1. chory z przepicia <przejedzenia>; cierpiący na kociokwik <na katzenjammer> 2. rozpustny

crapy ['kreipi] *adj* (*o tkaninie*) krepowy

crash¹ [kræʃ] [I] *s* 1. trzask; łomot; łoskot; grzmot; huk 2. katastrofa (lotnicza itd.); rozbicie samolotu 3. krach (giełdowy itd.) 4. klęska; ruina 5. upadek; runięcie; zawalenie się [II] *vi* 1. huknąć; upa-ść/dać <runąć> z trzaskiem <z łomotem, hukiem, łoskotem> 2. (*o samolocie*) rozbi-ć/jać <roztrzask-ać/iwać> się; (*o pojeździe*) rozbi-ć/jać się; zderz-yć/ać się (**into sth** z czymś); naje-chać/żdżać (**into sth** na coś) 3. (*o przedsiębiorstwie itp*) upa-ść/dać; z/bankrutować 4. = **gate-~**

~ in *vi* zawalić się z trzaskiem

~ through *vi* przebi-ć/jać się z trzaskiem

zob **crashing** [III] *adv w zwrocie*: **to go <fall> ~** = **to ~** *vi*

crash² [kræʃ] *s* grube płótno (na ręczniki, ścierki itp.)

crash-helmet ['kræʃ,helmit] *s* kask <hełm> ochronny (motocyklisty)

crashing ['kræʃiŋ] [I] *zob* **crash¹** *v* [II] *adj* skończony <niesamowity, nieprawdopodobny> (nudziarz itd.)

crashland ['kræʃ,lænd] *vi* (*o samolocie*) rozbić się przy (przymusowym) lądowaniu

crasis ['kreisis] *s fonet* zlanie się dwóch samogłosek w jedną długą

crass [kræs] *adj* 1. beznadziejnie głupi 2. (*o ignorancji itp*) rażący; karygodny 3. (*o głupocie itp*) bezdenny 4. (*o umyśle*) tępy

crassitude ['kræsi,tju:d] *s* 1. ordynarność 2. bezdenna głupota 3. rażąca <gruba> ignorancja

crataegus [krə'ti:gəs] *s bot* głóg, krategus

cratch [krætʃ] *s* żłób (dla bydła, pod gołym niebem)

crate [kreit] *s* paka; krata; klatka (do przewożenia towarów)

crater ['kreitə] *s* 1. krater (wulkanu) 2. lej <wyrwa> (po wybuchu pocisku)

cravat [krə'væt] *s* 1. krawat (staromodny) 2. fular

crave [kreiv] [I] *vt* błagać <usilnie prosić> (**sth** o coś) [II] *vi* tęsknić (**for sth** za czymś); pragnąć <pożądać, łaknąć> (**for sth** czegoś) *zob* **craving**

craven ['kreivən] [I] *s* (*o człowieku*) tchórz [II] *adj* tchórzliwy; nikczemny; podły; **to cry ~** podda-ć/wać się

cravenness ['kreivənnis] *s* tchórzostwo

craving ['kreiviŋ] [I] *zob* **crave** [II] *s* pragnienie; żądza; nienasycenie [III] *adj* niepohamowany

craw [krɔ:] *s* wole (ptaków i owadów)

crawfish ['krɔ:fiʃ] = **crayfish**

crawl¹ [krɔ:l] *s* basen do hodowli homarów <żółwi>

crawl² [krɔ:l] [I] *vi* 1. pełzać; czołgać się; *przen* płaszczyć się 2. podkradać się 3. roić się (**with vermin etc.** od robactwa itp.) 4. (*o skórze*) cierpnąć [II] *s* 1. pełzanie; czołganie się 2. pływanie crawlem <kraulem>

crawler ['krɔ:lə] *s* 1. pełzacz 2. lizus; podlizywacz 3. pływak pływający crawlem <kraulem> 4. wesz 5. dorożka poszukująca pasażera 6. śpioszki (niemowlęcia)

crawly ['krɔ:li] *adj* (**crawlier** ['krɔ:liə], **crawliest** ['krɔ:liist]) **a ~ feeling** wrażenie, że coś po człowieku łazi; gęsia skórka; mrowienie

crayfish ['krei,fiʃ] *s zoo* 1. rak 2. langusta

crayon ['kreiən] [I] *s* 1. pastel; kredka; węgiel (malarski) 2. obraz malowany pastelem; rysunek węglem 3. węgiel w lampie łukowej [II] *vt* 1. na/malować pastelem; na/rysować węglem 2. na/szkicować

craze [kreiz] [I] *vt* 1. doprowadz-ić/ać (kogoś) do szału 2. *cer* porysować [II] *vi* 1. oszaleć 2. *cer* popękać *zob* **crazed** [III] *s* szał; szaleństwo (**for sth** na punkcie czegoś); mania

crazed [kreizd] [I] *zob* **craze** *v* [II] *adj* 1. zwariowany; oszalały 2. *cer* popękany

craziness ['kreizinis] *s* 1. szał; szaleństwo (**over <about> sth** na punkcie czegoś); pomieszanie zmysłów 2. niepewny stan (budynku); groźba zawalenia

crazing-mill ['kreiziŋ,mil] *s techn* walec do kruszenia rudy cynowej

crazy ['kreizi] *adj* (**crazier** ['kreiziə], **craziest** ['kreiziist]) 1. pomylony (na umyśle); zwariowany (**over <about> sth** na punkcie czegoś); oszalały; **to go ~** zwariować; oszaleć; **to be half ~** o mało nie zwariować; **to drive sb ~** doprowadzić kogoś do szału; **he is ~** zwariował 2. (*o budynku*) grożący zawaleniem; (*o meblach*) rozklekotany; (*o statku*) nie nadający się do żeglugi; (*o bruku*) złożony z niesymetrycznych płyt; (*o kołdrze*) uszyty z niesymetrycznych kawałków materiału; **~ bone** czułe miejsce w łokciu

creak [kri:k] [I] *vi* 1. za/skrzypieć 2. za/zgrzytać [II] *s* 1. skrzypienie 2. zgrzytanie; zgrzyt

creaky ['kri:ki] *adj* (**creakier** ['kri:kiə], **creakiest** ['kri:kiist]) 1. skrzypiący 2. zgrzytający

cream [kri:m] [I] *s* 1. *dosł i przen* śmietanka; **the ~ of the joke is...** cały dowcip polega na tym, że... 2. kwaśna śmietana 3. *przen* kwiat (społeczeństwa, młodzieży itd.) 4. krem (jadalny i kosmetyczny) 5. pasta (do obuwia itd.) 6. *chem* ~ **of tartar** winian potasu [II] *attr* kremowy [III] *vt* (*także* ~ **off**) 1. *dosł i przen* zebrać/zbierać śmietankę (**sth** z czegoś) 2. dol-ać/ewać śmietanki (**sth** do czegoś — herbaty itd.) [IV] *vi* 1. zbierać się (jak śmietanka na mleku) 2. pienić się

cream-cake ['kri:m,keik] *s* ciastko śmietankowe; ciastko <tort> z kremem

cream-cheese ['kri:m'tʃi:z] *s* serek śmietankowy

cream-coloured ['kri:m'kʌləd] *adj* kremowy

creamer ['kri:mə] *s* 1. łyżka do zbierania śmietanki z mleka 2. wirówka

creamery ['kriməri] *s* mleczarnia

cream-faced ['kri:m,feist] *adj* (*o twarzy*) żółtoblady

cream-laid ['kri:m'leid] *adj* (*o papierze*) czerpany

cream-nut ['kri:m'nʌt] *s bot* orzech brazylijski

cream-pot ['kri:m,pɔt] *s* dzbanuszek na śmietankę

cream-wove ['kri:m'wouv] *adj* (*o papierze*) welinowy

creamy ['kri:mi] *adj* (**creamier** ['kri:miə], **creamiest** ['kri:miist]) śmietankowy

crease [kri:s] [I] *s* fałda, fałd; plisa; zmarszczka; kant (spodni); (*w krykiecie itd*) kreska [II] *vt* 1. po/fałdować; z/marszczyć; s/plisować; od/prasować na kant 2. z/miąć [III] *vi* z/miąć się

creasy ['kri:si] *adj* 1. pomięty 2. pofałdowany

create [kri'eit] *vt* 1. s/tworzyć; utworzyć; powoł-ać/ywać do życia; kreować 2. wywoł-ać/ywać (trudności, wrażenie itd.) 3. z/robić (awanturę, skandal itd.) 4. wprowadz-ić/ać <zaprowadz-ić/ać, lansować, kreować> (modę) 5. mianować (**sb an earl etc.** kogoś lordem itp.)

creatin(e) ['kri:ə,ti:n] *s chem* kreatyna

creation [kri:'eiʃən] *s* 1. stworzenie (świata) 2. u/tworzenie (czegoś); powołanie (czegoś) do życia; kreowanie 3. świat; **in** ~ na świecie; pod słońcem 4. stwór; istota; **the brute** ~ świat zwierzęcy; **that beats** ~! to szczyt wszystkiego! 5. kreacja (mody) 6. mianowanie (kogoś czymś)

creationism [kri'eiʃn̩izəm] *s filoz* kreacjonizm

creative [kri'eitiv] *adj* twórczy

creator [kri'eitə] *s* twórca; *rel* **the Creator** Stwórca

creature ['kri:tʃə] *s* 1. stworzenie, stworzonko; istota; stwór; **dumb** ~**s** zwierzęta; **poor** ~! biedactwo!; **not a** ~ **was to be seen** nie było tam żywego ducha 2. kreatura 3. *pot* **the** ~ trunek; whisky 4. twór

crèche [kreiʃ] *s* żłobek; ochronka

credence ['kri:dəns] *s* 1. wiara; **to give** <**attach**> ~ **to sth** da-ć/wać wiarę czemuś; **letter of** ~ list polecający 2. *kośc* stolik przy ołtarzu na chleb i wino

credentials [kri'denʃəlz] *spl* listy uwierzytelniające

credibility [,kredə'biliti] *s* wiarogodność

credible ['kredəbl] *adj* wiarogodny, wiarygodny

credit ['kredit] [I] *s* 1. wiara; zaufanie; **to gain** ~ zdoby-ć/wać zaufanie; **to give** ~ **to a report** da-ć/wać wiarę pogłosce; **to have** ~ cieszyć się zaufaniem 2. zasługa; zaszczyt; **with** ~ zaszczytnie; **he has the** ~ **for**... jemu przypada zaszczyt... (zrobienia czegoś); **it does you** ~ to ci <wam> przynosi zaszczyt <chlubę>; **to be a** ~ **to an institution** przynosić zaszczyt <być chlubą> instytucji; **to give sb** ~ **for sth** doceni-ć/ać coś w kimś; **to take** ~ **for an action** przypisać sobie zasługę zrobienia czegoś; **I must say to his** ~ a) muszę mu przyznać (że....) b) muszę mu oddać tę sprawiedliwość (że...) 3. *bank* kredyt; **to give sb** ~ udziel-ić/ać komuś kredytu [II] *attr* kredytowy; *księgow* ~ **balance** saldo dodatnie; ~ **side** strona „ma"; ~ **union** spółdzielnia samopomocy [III] *vt* 1. da-ć/wać wiarę (**sb, sth** komuś, czemuś) 2. przypis-ać/ywać (**sb with sth** coś komuś); **I** ~ **him with more sense** myślę, że jest rozsądniejszy 3. udziel-ić/ać kredytu (**sb** komuś); s/kredytować (**sb with a sum, a sum to sb** komuś sumę pieniędzy)

creditable ['kreditəbl] *adj* zaszczytny; chlubny

credo ['kri:dou] *s* credo, kredo

credulity [kri'dju:liti] *s* łatwowierność

credulous ['kredjuləs] *adj* łatwowierny; naiwny

creed [kri:d] *s* 1. credo, kredo 2. wiara 3. wyznanie

creek [kri:k] *s* 1. zatoczka 2. odnoga rzeki 3. *am* dopływ 4. przełęcz; dolina górska

creel [kri:l] *s* koszyk wędkarza

creep [kri:p] [I] *vi* (**crept** [krept], **crept**) 1. pełzać; czołgać <wlec> się 2. piąć się 3. skradać się 4. wkradać się (w czyjeś łaski itp.) 5. odkształcać się (przy obciążeniu) 6. (*o skórze*) cierpnąć [II] *s* 1. pełzanie; czołganie <wleczenie> się 2. *techn* poślizg (pasa transmisyjnego) 3. odkształcenie się (ciał) przy obciążeniu 4. *pl* ~**s** gęsia skórka; **it gave me the** ~**s** skóra mi ścierpła 5. *górn* wyciskanie spągu

creeper ['kri:pə] *s* 1. *bot* pnącze 2. pełzacz (ptak) 3. hak do grzebania po dnie (rzeki, stawu itd.) 4. przenośnik zbożowy 5. *pl* ~**s** rodzaj raków do obuwia 6. *pl* ~**s** *am pot* obuwie na miękkiej podeszwie 7. *sl* lizus

creep-mouse ['kri:p,maus] *adj* nieśmiały

creepy ['kri:pi] *adj* (**creepier** ['kri:piə], **creepiest** ['kri:piist]) pełzający; czołgający się; **to feel** ~ mieć gęsią skórkę; czuć, jak skóra cierpnie

creese [kri:s] *s* krys (sztylet malajski)

cremate [kri'meit] *vt* s/palić w krematorium

cremation [kri'meiʃən] *s* spalanie (zwłok) w krematorium, kremacja

cremator [kri'meitə] *s* 1. człowiek obsługujący krematorium 2. krematorium 3. piec do spalania śmieci

crematorium [,kremə'tɔ:riəm] (*pl* ~**s**, **crematoria** [,kremə'tɔ:riə]), **crematory** ['kremətəri] *s* 1. krematorium 2. piec do spalania śmieci

crème-de-menthe [,kreimdə'mɑ:nt] *s* likier miętowy

cremona [kri'mounə] *s muz* skrzypce stradiwarius(y)

crenate ['kri:neit] *adj* 1. *med* karbowany 2. *bot* ząbkowany

crenellated [,krenə'leitid] *adj* (*o murze*) zakończony blankami

crenel(le)s ['krenlz] *spl hist* blanki, krenelaż

creole ['kri:oul] *s* Kreol/ka

creosol ['kri:ə,soul] *s chem* **kreozol**

creosote ['kriə,sout] [I] *s chem* kreozot [II] *vt* impregnować kreozotem

crêpe [kreip] *s tekst* krepa (*zw* nie żałobna); ~ **de chine** ['kreipdə'ʃi:n] krepdeszyn; ~ **paper** bibuła karbowana; ~ **rubber** guma na podeszwy

crepitant ['krepitənt] *adj* trzeszczący

crepitate ['krepi,teit] *vi* 1. trzeszczeć 2. (*o owadach*) cykać, bzykać

crepitation [ˌkrepiˈteiʃən] *s* 1. trzeszczenie 2. *med* krepitacja 3. cykanie <bzykanie> (owada)
crépon [ˈkrepɔ̃:] *s tekst* krepon
crept *zob* **creep** *v*
crepuscular [kriˈpʌskjulə] *adj* zmierzchowy; półmroczny; wieczorny; *zoo* ~ **insects** zmierzchnikowce (owady)
crescent [ˈkresnt] [I] *adj* 1. rosnący; wzrastający 2. półokrągły; rożkowaty; *am* **the Crescent City** (miasto) Nowy Orlean [II] *s* 1. *dosł i przen* półksiężyc 2. sierp księżyca 3. rożek 4. ulica w kształcie półkola
cresol [ˈkresɔl, ˈkri:sɔl] *s chem* krezol
cress [kres] *s bot* rzeżucha
cresset [ˈkresit] *s* 1. kaganek (na olej do oświetlenia) 2. kaganiec (latarnia portowa)
crest [krest] [I] *s* 1. grzebień (koguta, fali, skały) 2. czubek; szczyt; grań (grzbietu górskiego) 3. kalenica (dachu) 4. kita; pióropusz 5. grzywa 6. herb 7. *anat* wyrostek grzebieniasty (na kości) [II] *vt* 1. wspi-ąć/nać się (**a hill etc.** na szczyt góry itp.); wznieść się (**a wave** na grzbiet fali) 2. wieńczyć 3. ozd-obić/abiać herbem [III] *vi* (*o fali*) spiętrz-yć/ać <wzn-ieść/osić> się *zob* **crested**
crested [ˈkrestid] [I] *zob* **crest** *v* [II] *adj* 1. grzebieniasty 2. grzywiasty 3. czubaty
crestfallen [ˈkrestˌfɔ:lən] *adj* 1. zbity z tropu; zakłopotany 2. przygnębiony; strapiony
cretaceous [kriˈteiʃəs] *adj* kredowy
cretin [ˈkretin] *s* kretyn/ka; matołek
cretinism [ˈkretiˌnizəm] *s* kretynizm; matołectwo
cretinous [ˈkretinəs] *adj* skretyniały
cretonne [kreˈtɔn] *s tekst* kreton
crevasse [kriˈvæs] *s* szczelina; pęknięcie
crevice [ˈkrevis] *s* szczelina; pęknięcie; rysa; szpara
creviced [ˈkrevist] *adj* pęknięty; porysowany
crew [kru:] *s* 1. załoga; obsada (czwórka, ósemka itd. wioślarzy) 2. obsługa (armaty itp.) 3. zespół; brygada; ekipa; drużyna 4. *uj* banda; zgraja
crewel [ˈkru:il] *s* włóczka
crib [krib] [I] *s* 1. żłób; koryto 2. łóżeczko dziecinne 3. *kośc* szopka 4. plagiat; *sl szk* ściągaczka; bryk 5. skład, lamus 6. *górn* oszalowanie 7. izba; chata [II] *vt* (**-bb-**) 1. zam-knąć/ykać w ciasnym miejscu; u/więzić; ścieśni-ć/ać 2. zaopat-rzyć/rywać w żłoby (oborę) 3. *sl* ściąg-nąć/ać <odwal-ić/ać> (zadanie szkolne, utwór literacki itp.) 4. oszalować [III] *vi* (**-bb-**) (*o koniu*) gryźć żłób; łykać
cribbage [ˈkribidʒ] *s* rodzaj gry w karty
crib-biting [ˈkribˌbaitiŋ] *s* (*u konia*) gryzienie żłobu, łykawość
cribriform [ˈkribriˌfɔ:m] *adj* sitowy; sitowaty
crick [krik] *s* kurcz (w karku lub w plecach); bolesny skurcz
cricket[1] [ˈkrikit] *s zoo* świerszcz
cricket[2] [ˈkrikit] *s* krykiet (letni sport narodowy Anglików); *przen* **it's not** ~ tego się nie robi; tak się nie postępuje; to niehonorowe
cricketer [ˈkrikitə] *s* gracz w krykieta
cricoid [ˈkraikɔid] *adj anat* pierścieniowaty
crier [ˈkraiə] *s* 1. woźny sądowy 2. obwoływacz miejski
crikey [ˈkraiki] *interj sl wyraża zdumienie*: to ci dopiero!; a to heca!; fiu!
crime [kraim] *s* 1. zbrodnia; przestępstwo; występek 2. *wojsk* naruszenie przepisów; czyn karygodny; ~ **sheet** rejestr wykroczeń
Crimean [kraiˈmiən] *adj* krymski
criminal [ˈkriminḷ] [I] *adj* zbrodniczy; przestępczy; kryminalny; występny; *prawn* ~ **conversation** <**connexion**> zakazany stosunek płciowy [II] *s* zbrodnia-rz/rka; przestęp-ca/czyni; kryminalist-a/ka [III] *attr* (*o sądzie, prawie*) karny; **to take** ~ **proceedings against sb** za/skarżyć kogoś do sądu; **Criminal Investigation Department** służba śledcza; urząd śledczy
criminality [krimiˈnæliti] *s* przestępczość
criminate [ˈkrimiˌneit] *vt* 1. zarzuc-ić/ać zbrodnię (**sb** komuś); oskarż-yć/ać <obwini-ć/ać> (kogoś, siebie) 2. dow-ieść/odzić zbrodni (**sb** komuś) 3 z/ganić; s/krytykować
crimination [ˌkrimiˈneiʃən] *s* obwinienie; oskarżenie
criminatory [ˈkriminətəri] *adj* obwiniający; obciążający
crimine [ˈkrimini] = **crikey**
criminology [ˌkrimiˈnɔlədʒi] *s* kryminologia
criminous [ˈkriminəs] *adj prawn w zwrocie*: ~ **clerk** duchowny winny przestępstwa
crimp[1] [krimp] *s am* 1. hamulec 2. przeszkoda
crimp[2] [krimp] [I] *vt* 1. po/fałdować 2. z/marszczyć 3. z/miąć 4. po/karbować; wygi-ąć/nać 5. u/fryzować 6. naci-ąć/nać (świeżo złowioną rybę dla wywołania skurczu mięśni) [II] *s* 1. fałda, fałd 2. zmarszczka 3. karbowanie 4. fryzowanie
crimp[3] [krimp] [I] *s* agent werbujący ludzi do marynarki <do wojska> [II] *vt* wciel-ić/ać (ludzi — przeważnie przemocą) do marynarki <do wojska>
crimple [ˈkrimpl] [I] *vt* 1. u/fryzować 2. za/plisować 3. po/fałdować 4. po/marszczyć [II] *vi* 1. (*o włosach*) kręcić <wić> się 2. s/fałdować się 3. z/marszczyć się
crimpy [ˈkrimpi] *adj* (*o włosach*) ufryzowany; kręcony; kędzierzawy; wijący się
crimson [ˈkrimzn] [I] *s* szkarłat; purpura [II] *adj* 1. szkarłatny; purpurowy; **to turn** ~ s/pąsowieć 2. *przen* krwawy [III] *vt* u/farbować na szkarłat [IV] *vi* zabarwi-ć/ać się na szkarłat; stać się purpurowym
cringe [krindʒ] [I] *vi* 1. płaszczyć się 2. kurczyć się ze strachu; s/kulić się; przycupnąć; (*o psie*) przypaść do ziemi; przy/warować *zob* **cringing** [II] *s* płaszczenie <kurczenie> się (**ze** strachu); przycupnięcie
cringing [ˈkrindʒiŋ] [I] *zob* **cringe** *v* [II] *adj* 1. płaszczący się; uniżony; służalczy 2. zastraszony; (*o psie*) kulący się; skulony; czołgający się
cringle [ˈkriŋgl] *s* ucho (liny)
crinite [ˈkrainait] *adj bot* włochaty
crinkle [ˈkriŋkl] [I] *vt vi* po/fałdować <z/marszczyć, z/miąć, s/falować> (się) [II] *s* fałda, fałd; zmarszczka; falowanie
crinkly [ˈkriŋkli] *adj* 1. fałdowany 2. pomarszczony; zmięty 3. (*o dźwięku*) szeleszczący
crinkum-crankum [ˈkriŋkəmˈkræŋkəm] [I] *adj* zawiły; pogmatwany [II] *s* gmatwanina
crinoid [ˈkraiˌnɔid] *s zoo* krynoid (liliowiec)
crinoline [ˈkrinəˌli:n] *s* 1. krynolina 2. *mar* sieć przeciwko torpedom okalająca okręt wojenny
cripple [ˈkripl] [I] *s* kaleka; ułomn-y/a [II] *vt* 1. przypraw-ić/ać o kalectwo; o/kaleczyć 2. uszk-odzić/adzać; unieruch-omić/amiać; u/czynić niezdolnym; s/paraliżować

crippledom ['kripldəm], **cripplehood** ['kriplhud] *s* kalectwo; ułomność

crisis ['kraisis] *s* (*pl* **crises** ['kraisi:z]) *s* kryzys; przesilenie; przełom; **to come** <**draw**> **to a ~** do-jść/chodzić do punktu zwrotnego

crisp[1] [krisp] *s* frytka

crisp[2] [krisp] [I] *adj* 1. kruchy; chrupiący 2. (*o włosach*) kędzierzawy 3. (*o stylu*) dosadny; lapidarny 4. (*o obejściu*) szorstki 5. (*o powietrzu*) świeży, rześki [II] *vt* u/fryzować [III] *vi* s/kręcić się; s/kędzierzawieć

crispness ['krispnis] *s* 1. kruchość 2. kędzierzawość (włosów) 3. dosadność; lakoniczność (stylu) 4. szorstkość (obejścia) 5. orzeźwiające działanie (powietrza)

crispy ['krispi] *adj* (**crispier** ['krispiə], **crispiest** ['krispiist]) 1. kruchy; chrupiący 2. (*o włosach*) kędzierzawy 3. (*o obejściu*) szorstki 4. (*o stylu*) dosadny; lakoniczny

criss-cross ['kris,krɔs] [I] *s* krzyżujące <przecinające> się linie; siatka; gmatwanina [II] *adj* (*o liniach itp*) krzyżujący <przecinający> się [III] *vt vi* po/krzyżować <przecinać> (się) [IV] *adv* na opak; przekornie; **everything went ~** wszystko poszło na opak <pogmatwało się>

criss-cross-row *zob* **Christ-cross-row**

cristate ['kristeit] *adj zoo* czubaty

criterion [krai'tiəriən] *s* (*pl* **criteria** [krai'tiəriə]) kryterium, sprawdzian

critic ['kritik] *s* 1. krytyk 2. recenzent/ka 3. *przen* sędzia

↑**critical** ['kritikəl] *adj* krytyczny; *opt* **~ definition** ostrość

criticaster ['kriti,kæstə] *s* złośliwy krytyk

criticism ['kriti,sizəm] *s* 1. krytyka; ocena 2. nagana 3. krytycyzm

criticize ['kriti,saiz] *vt* 1. s/krytykować; z/ganić 2. da-ć/wać ocenę (**sth** czegoś); z/recenzować

critique [kri'ti:k] *s* recenzja

croak [krouk] [I] *vi* 1. (*o żabach itp*) rechotać 2. (*o wronach*) krakać; *przen* (*o człowieku*) krakać; gderać 3. *sl* wykitować, umrzeć [II] *vt* zabi-ć/jać [III] *s* 1. rechotanie (żab itp.) 2. *dosł i przen* krakanie

croaker ['kroukə] *s* 1. gderacz 2. panikarz; defetysta

croaky ['krouki] *adj* (**croakier** ['kroukiə], **croakiest** ['kroukiist]) rechoczący; chrapliwy

Croat ['krouæt] *s* Kroat, Chorwat

Croatian [krou'eiʃən] *adj* chorwacki

croceate ['krousi,eit] *adj* szafranowy

crochet ['krouʃei] [I] *s* robota szydełkowa [II] *vi* (**crocheted** ['krouʃeid], **crocheted; crocheting** ['krouʃeiiŋ]) szydełkować; robić szydełkiem [III] *vt* (**crocheted** ['krouʃeid], **crocheted; crocheting** ['krouʃeiiŋ]) wykon-ać/ywać (coś) szydełkiem

crochet-hook ['krouʃi,huk], **crochet-needle** ['krouʃi ,ni:dl] *s* szydełko

crock[1] [krɔk] *s* 1. garnek 2. czerep <skorupa> (rozbitego garnka)

crock[2] [krɔk] [I] *s* plamka z brudu <z sadzy> [II] *vt* za/brudzić; po/walać sadzą

crock[3] [krɔk] [I] *s* 1. stara szkapa 2. stara owca 3. stary grat 4. (*o człowieku*) fajtłapa; ciamajda; niezdara [II] *vt* zajeździć (konia); o/kaleczyć

~ up *vi* zapa-ść/dać na zdrowiu; *pot* skapcanieć; zeszkapieć

crockery ['krɔkəri] *s zbior* 1. naczynia gliniane; szkło i porcelana 2. porcelana (stołowa i kuchenna)

crocket ['krɔkit] *s arch* czołganek (ornament naroży gotyckich wież i baldachimów)

↑**crocodile** ['krɔkə,dail] *s* 1. krokodyl; **~ tears** krokodyle łzy 2. sznur (samochodów <ludzi idących parami>)

crocus ['kroukəs] *s* 1. *bot* krokus 2. nadtlenek żelaza w proszku (do polerowania)

croft [krɔft] *s* zagroda

crofter ['krɔftə] *s* zagrodnik

croid ['krɔid] *s* klej wysokogatunkowy

cromlech ['krɔm,lek] *s archeol* kromlech

crone [kroun] *s* 1. starowina; stara baba 2. stara owca

crony ['krouni] *s* serdeczny <bliski> przyjaciel

croodle ['kru:dl] *vi* tulić się

crook [kruk] [I] *s* 1. hak, haczyk 2. kij pastuszy 3. *kośc* pastorał 4. zagięcie; zakrzywienie; zakręt 5. *sl* oszust/ka; kancia-rz/rka; **to get sth on the ~** dostać coś na lewo <nieuczciwym sposobem>; **by hook or by ~** wszelkimi sposobami; nie przebierając w środkach [II] *vt vi* zakrzywi-ć/ać <zagi-ąć/nać, zakręc-ić/ać> (się) *zob* **crooked**

crook-backed ['kruk,bækt] *adj* garbaty; zgarbiony

crooked [krukt] [I] *zob* **crook** *v* [II] *adj* ['krukid] 1. krzywy; zakrzywiony; zgięty; wygięty 2. (*o drodze, ścieżce itp*) kręty 3. nieuczciwy; oszukańczy 4. [krukt] (*o kiju dla kulawego*) z poprzeczką u góry

crookedness ['krukidnis] *s* 1. krzywość; zakrzywienie; wykrzywienie 2. zakręty (drogi, ścieżki itp.) 3. nieuczciwość 4. fałszywość; nieszczerość

croon [kru:n] [I] *vt vi* za/nucić; zawodzić; za/śpiewać jękliwie <zawodząc> [II] *s* nucenie; zawodzenie; jękliwe <zawodzące> śpiewanie

crooner ['kru:nə] *s* pieśnia-rz/rka śpiewając-y/a jękliwie <zawodząc, półgłosem>

↑**crop** [krɔp] *s* 1. wole (ptaka) 2. biczysko 3. harap 4. plon; zbiór (płodów ziemi, owoców itp.); *pl* **~s** zbiory; **in** <**under**> **~** uprawny; **out of ~** leżący odłogiem; **second ~** potraw 5. skóra wygarbowana 6. ostrzyżenie; fryzura; (*także* **~ of hair**) czupryna 7. masa; stos; *pot* kupa; stek (łgarstw itp.) [II] *vt* (**-pp-**) 1. obci-ąć/nać; uci-ąć/nać; przyci-ąć/nać; o/strzyc 2. o/skubać 3. uprawi-ć/ać ziemię [III] *vi* (**-pp-**) rodzić; dawać plony

~ out *vi* pojawi-ć/ać <ukaz-ać/ywać> się

~ up *vi* (*o trudnościach itp*) pojawi-ć/ać <ukaz-ać/ywać> się; *pot* wysk-oczyć/akiwać

crop-eared ['krɔp,iəd] *adj* z przyciętymi uszami

cropper ['krɔpə] *s* 1. postrzygacz 2. *techn* postrzygaczka (do postrzygania barwy na suknie) 3. gardłacz (gołąb) 4. żniwia-rz/rka 5. rolnik; *am* dzierżaw-ca/czyni; *ogr* **a good** <**bad**> **~** roślina dająca dobre <złe> plony || *pot* **to come a ~** a) upa-ść/dać; spa-ść/dać; wywal-ić/ać się b) obl-ać/ewać (egzamin); ści-ąć/nać się (na egzaminie) c) s/plajtować

croppy ['krɔpi] *s* człowiek krótko ostrzyżony

croquet ['kroukei] [I] *s sport* krokiet [II] *vt* (**croqueted** ['kroukeid], **croqueted; croqueting** ['krou ketiŋ]) s/krokietować

croquette [krou'ket] *s kulin* krokiet

crosier, crozier ['krouʒə] *s* 1. *kośc* pastorał 2. *bot* zwinięty u góry liść paproci

cross^1 [krɔs] [I] *s* 1. krzyż; **a little ~** krzyżyk; **the sign of the ~** a) znak krzyża; przeżegnanie się b) chrześcijaństwo 2. utrapienie, krzyż pański 3. mieszanina (dwóch rzeczy); *bot zoo* skrzyżowanie; krzyżówka; mieszaniec 4. przekreślenie; kreska poprzeczna 5. skrzyżowanie (ulic, dróg itp.) 6. kompromis; **a ~ between... and —** coś pośredniego między ... a ... 7. *kraw* ukos; **to cut on the ~** ściąć ukośnie 8. *sl* lipa, kant [II] *vt* 1. s/krzyżować; złożyć/składać na krzyż; **to ~ one's arms** za-łożyć/kładać ręce; (*u dzieci*) **to ~ one's fingers** założyć jeden palec na drugi dla zażegnania złego, gdy się mówi nieprawdę; **to ~ one's heart** z/robić znak krzyża na sercu na znak przysięgi, że się mówi prawdę; **to ~ one's legs** za-łożyć/kładać nogę na nogę; **~ my heart!** jak Boga kocham! 2. przekreśl-ić/ać 3. (*o liniach itp*) prze-ci-ąć/nać 4. prze-jść/chodzić (**sth** przez coś — próg, ulicę, pokój itd.); przeje-chać/żdżać (**sth** przez coś — miasto, okolice, kraj itd.); przepły-nąć/wać (morze, jezioro itd.); przeprawi-ć/ać się (**sth** przez coś — rzekę itd.); **to ~ one's mind** przyjść komuś na myśl; **to ~ sb's path** a) spot-kać/ykać kogoś (na ulicy) b) po/krzyżować czyjeś zamiary <plany itp.> 5. po/krzyżować (czyjeś plany itd.); **to be ~ed in love** dozna-ć/wać zawodu w miłości 6. s/krzyżować (rasy itp.) 7. dosi-ąść/adać (**a horse** konia) 8. napisać w poprzek (**sth** czegoś — napisanego, drukowanego) [III] *vr* **~ oneself** przeżegnać się [IV] *vi* 1. krzyżować <przecinać> się 2. = **~ over** 3. (*o listach itp*) rozmi-nąć/jać się

~ out *vt* wykreśl-ić/ać, skreśl-ić/ać; przekreśl-ić/ać

~ over *vi* prze-jść/chodzić; przeje-chać/żdżać; przepły-nąć/wać; przeprawi-ć/ać się

zob **crossed, crossing**

cross^2 [krɔs] *adj* 1. poprzeczny; idący <leżący itd.> na krzyż; przecinający 2. (*o pilniku, rysunku itp*) krzyżowy 3. przeciwny; niepomyślny 4. (*także* **as ~ as two sticks** <**as a bear**>) zły; niezadowolony; zagniewany; rozzłoszczony; w złym humorze; **to be ~ with sb** gniewać się na kogoś

cross-action ['krɔs,ækʃən] *s prawn* powództwo wzajemne

cross-arm ['krɔs,ɑ:m] *s* poprzecznik (słupa telegraficznego)

cross-bar ['krɔs,bɑ:] *s* poprzeczka

cross-beam ['krɔs,bi:m] *s* belka poprzeczna

cross-belt ['krɔs,belt] *s* bandolet

cross-bench ['krɔs,bentʃ] *s* (*w parlamencie*) ława poprzeczna dla posłów bezpartyjnych

crossbill ['krɔs,bil] *s zoo* krzyżodziób (ptak)

cross-birth ['krɔs,bə:θ] *s med* poprzeczne położenie płodu

cross-bones ['krɔs,bounz] *spl* skrzyżowane piszczele (pod trupią czaszką)

cross-bow ['krɔs,bou] *s* kusza

cross-bred ['krɔs'bred] [I] *adj* mieszany [II] *s* mieszaniec

cross-breed ['krɔs'bri:d] [I] *s* mieszaniec [II] *vt* (**cross-bred** ['krɔs'bred], **cross-bred**) s/krzyżować (rasy, gatunki)

cross-bun ['krɔs,bʌn] *s* ciastko drożdżowe znaczone krzyżem, konsumowane tradycyjnie w Wielki Piątek

cross-country ['krɔs'kʌntri] *attr adj adv* na przełaj

crosscut ['krɔs,kʌt] [I] *s* 1. skrót (drogi) 2. przecięcie na ukos; cięcie poprzeczne [II] *vt* (**crosscut, crosscut; crosscutting** ['krɔs,kʌtiŋ]) przeci-ąć/nać <przepiłow-ać/ywać> w poprzek <na ukos>

crossed [krɔst] [I] *zob* **cross^1** *v* [II] *adj* 1. pokrzyżowany; pokratkowany 2. skreślony; zniesiony 3. zawiedziony (w miłości itd.)

cross-entry ['krɔs,entri] *s księgow* storno; zestornowanie

cross-examination ['krɔs-ig,zæmi'neiʃən] *s* ogień krzyżowych pytań

cross-examine ['krɔs-ig'zæmin] *vt* wziąć/brać (kogoś) w ogień krzyżowych pytań

cross-eyed ['krɔs,aid] *adj* zezowaty

cross-fertilization ['krɔs,fə:tilai'zeiʃən] *s* krzyżowanie gatunków (roślin)

cross-fire ['krɔs,faiə] *s wojsk* ogień krzyżowy

cross-garnet ['krɔs,gɑ:nit] *s bud techn* zawiasa pasowa w kształcie litery T

cross-grained ['krɔs,greind] *adj* 1. (*o drewnie*) o nierównych słojach 2. (*o człowieku*) zrzędny; gderliwy

cross-hatch ['krɔs,hætʃ] *s* kreskowanie krzyżowe

cross-head ['krɔs,hed] *s* 1. *techn* wodzik 2. nagłówek w tekście szpalty gazetowej

crossing ['krɔsiŋ] [I] *zob* **cross^1** *v* [II] *s* 1. przejście (przez ulicę) 2. skrzyżowanie ulic <dróg> 3. przejazd (przez tory) 4. podróż morska; **did you have a good ~?** jak się wam jechało?; czy morze było spokojne? 5. przeprawa

cross-legged ['krɔs'legd] *adj* (*o sposobie siedzenia*) z założonymi <skrzyżowanymi> nogami; po turecku

crossness ['krɔsnis] *s* 1. zły humor 2. gniew

cross-over ['krɔs'ouvə] *s* 1. wdzianko krzyżujące się z przodu i zawiązywane z tyłu 2. tor przejazdowy

crosspatch ['krɔs,pætʃ] *s* gderacz, gdera; złośni-k/ca

crosspiece ['krɔs,pi:s] *s* poprzeczka

cross-pollination ['krɔs,poli'neiʃən] *s* krzyżowanie gatunków

cross-purposes ['krɔs'pə:pəsiz] *spl* nieporozumienie; **to be at ~** a) nie rozumieć się nawzajem b) dążąc do jednego celu działać przeciwko sobie

cross-question ['krɔs'kwestʃən] = **cross-examine**

cross-reference ['krɔs'refərəns] *s* odsyłacz

cross-roads ['krɔs,roudz] *spl* skrzyżowanie dróg; rozdroże; rozstaje; *dosł i przen* rozstajne drogi

cross-section ['krɔs'sekʃən] *s* przekrój

cross-spider ['krɔs,spaidə] *s zoo* krzyżak (pająk)

cross-stitch ['krɔs,stitʃ] *s* ścieg krzyżykowy; krzyżyki

cross-street ['krɔs,stri:t] *s* przecznica

crosswise ['krɔs,waiz] *adv* na krzyż; w poprzek; poprzecznie

cross-word ['krɔs,wə:d] *s* (*także* **~ puzzle**) krzyżówka

crosswort ['krɔs,wə:t] *s bot* przytulia krzyżowa

crotch [krɔtʃ] *s* 1. rozwidlanie się; rozwidlenie 2. *anat* krocze, międzykrocze, *pot* krok 3. palik rozwidlony u góry; podpórka

crotched [krɔtʃt] *adj* rozwidlający się; rozwidlony

crotchet ['krɔtʃit] *s* 1. dziwactwo; mania 2. kaprys; zachcianka 3. hak; zagięcie 4. *muz* ćwierćnuta

crotchety ['krɔtʃiti] *adj* 1. dziwaczny 2. kapryśny

croton ['kroutən] *s bot* kroton; krocień; ~ **oil** olejek krotonowy

crotonic [krou'tɔnik] *adj chem* (*o kwasie itd*) krotonowy

crouch [krautʃ] I *vi* 1. kuc-nąć/ać; przykucnąć; przycupnąć 2. skulić się 3. (*o zwierzęciu*) gotować się do skoku 4. płaszczyć się (przed kimś) II *s* 1. kuc-nięcie/anie; przykucnięcie 2. skulenie się

croup[1] [kru:p] I *s med* krup, dławiec II *vi* kaszlać ochryple

croup[2] [kru:p] *s* zad (konia itp.)

croupier ['kru:piə] *s* krupier (w kasynie gry)

croupous ['kru:pəs], **croupy** ['kru:pi] *adj* 1. (*o dziecku*) chory na krup <na dławiec> 2. (*o kaszlu*) krupowy

croutons ['kru:tɔnz] *spl* grzanki (do zupy)

crow[1] [krou] I *s* 1. pianie (koguta) 2. gaworzenie (niemowlęcia); szczebiot II *vi* 1. piać 2. gaworzyć; szczebiotać 3. piszczeć z radości; unosić się (**over sth** nad czymś); triumfować (**over sb** nad kimś); **don't ~ before you're out of the wood** nie mów hop, póki nie przeskoczysz

crow[2] [krou] *s* 1. wrona; kruk; **as the ~ flies** w linii powietrznej; prosto jak strzelił; **~s don't pick ~s' eyes** kruk krukowi oka nie wykole; **to eat ~** upokorzyć się; **to have a ~ to pick <pluck> with sb** a) mieć z kimś na pieńku b) mieć przykrą sprawę do omówienia z kimś 2. = **crowbar** 3. krakanie

crowbar ['krou,bɑ:] *s* łom; drąg żelazny

crowberry ['kroubəri] *s bot* bażyna

crow-bill ['krou,bil] *s* pinceta <pęseta> do wyciągania odłamków pocisków z ran

crowd [kraud] I *s* 1. tłum 2. tłok; ścisk; ciżba 3. natłok (rzeczy) 4. *uj* tłuszcza; pospólstwo; motłoch 5. *sl* banda; paczka 6. *mar w zwrocie*: **a ~ of sail** wszystkie żagle rozwinięte II *vt* natłoczyć; zap-chać/ychać; nie zostawić wolnego miejsca (**a room etc.** w pokoju itp.) III *vi* s/tłoczyć <cisnąć> się; tłumnie się z/gromadzić <zebrać/zbierać>

~ **down** *vi* tłumnie <gromadnie> zejść/schodzić (ze schodów)

~ **in** *vt vi* wcis-nąć/kać <wtłoczyć, wepchnąć/wpychać> (się)

~ **on** *vt mar w zwrocie:* **to ~ on sail** rozwinąć żagle

~ **out** I *vi* wyle-c/gać; tłumnie wy-jść/chodzić II *vt* wyp-chnąć/ychać <zepchnąć/spychać> (**sb from a place** kogoś skądś)

~ **through** *vi* przecis-nąć/kać się

zob **crowded**

crowded ['kraudid] I *zob* **crowd** *v* II *adj* 1. przepełniony; zatłoczony; nabity; **the streets were ~** na ulicach były tłumy 2. ciasny; **we are ~ here** ciasno nam tu 3. (*o mieście*) przeludniony 4. (*o zawodach*) poszukiwany || **to be ~ for time** nie mieć wolnej chwili

crowfoot ['krou,fut] *s* 1. (*pl* **~s**) *bot* jaskier 2. (*pl* **crowfeet** ['krou,fi:t]) *mar* rodzaj siatki do podtrzymywania zwiniętej markizy (na statku)

crown [kraun] I *s* 1. korona (królewska itp.) 2. władza królewska; dom panujący; dynastia; **to come to the ~** wst-ąpić/ępować na tron 3. wieniec <wianuszek> (z kwiatów itp.); **a ~ of thorns** korona cierniowa 4. korona (= 5 szylingów) 5. czubek głowy; ciemię 6. denko kapelusza 7. korona (zęba, drzewa) 8. *bud* klucz sklepienia; zwornik 9. wypukłość (mostu, jezdni) 10. ukoronowanie <uwieńczenie> (czegoś) II *attr* koronny; **Crown Colony** kolonia bezpośrednio podległa władzy królewskiej; **~ lands** domeny królewskie; **~ law** prawo karne; **Crown prince** następca tronu III *vt* 1. u/koronować; **to ~ a king** zrobić damkę (w warcabach) 2. nałożyć koronę (**sth** na coś — na ząb) 3. u/wieńczyć <o/zdobić, przyb-rać/ierać> wieńcem (laurowym itp.); **that ~s all** to jest ukoronowaniem wszystkiego; **to ~ all there was this** to było koroną wszystkiego

crown-glass ['kraun'glɑ:s] *s* szkło okienne

crown-imperial ['kraun-im'piəriəl] *s bot* kachownica

crown-land ['kraun,lænd] *s* dobra koronne

crown-saw ['kraun,sɔ:] *s techn* piła cylindryczna

crown-wheel ['kraun,wi:l] *s techn* koło wieńcowe

crow's-foot ['krouz,fut] *s* (*pl* **crow's-feet** ['krouz,fi:t]) zmarszczki w kącikach oczu; kurze łapki

crow's-nest ['krouz,nest] *s mar* bocianie gniazdo

croze [krouz] *s* wątor (u klepek beczki itp.)

crozier *zob* **crosier**

crucial ['kru:ʃjəl] *adj* krytyczny; decydujący; rozstrzygający; przełomowy

cruciate ['kru:ʃiit] *adj* krzyżowy; skrzyżowany

crucible ['kru:sibl] *s* 1. tygiel; **~ steel** stal tyglowa 2. *przen* próba

cruciferous [kru:'sifərəs] *adj* krzyżowy

crucifix ['kru:sifiks] *s* krucyfiks; krzyż

crucifixion [,krusi'fikʃən] *s* ukrzyżowanie

cruciform ['kru:si,fɔ:m] *adj* krzyżowy, mający kształt krzyża

crucify ['kru:si,fai] *vt* (**crucified** ['kru:si,faid], **crucified; crucifying** ['kru:si,faiiŋ]) 1. ukrzyżować 2. *przen* umęczyć; zamęczyć

crude [kru:d] *adj* 1. surowy 2. niedojrzały; zielony 3. szorstki; niedelikatny; bez ogłady 4. (*o wypowiedziach, faktach*) bez obsłonek; brutalny; **nagi** 5. (*o przedmiocie*) nie wykończony; w surowym stanie; nie wygładzony 6. (*o potrawie*) nie strawiony 7. (*o stylu*) nie wygładzony 8. (*o skórze*) nie wyprawiony

crudely ['kru:dli] *adv* 1. *zob* **crude** 2. z grubsza

crudeness ['kru:dnis], **crudity** ['kru:diti] *s* 1. surowość; surowy stan 2. szorstkość; brak ogłady; niedelikatność 3. brak wykończenia <wygładzenia>; surowy stan (przedmiotu)

cruel ['kruəl] I *adj* okrutny; srogi II *adv pot* okrutnie

cruelty ['kruəlti] *s* okrucieństwo (**to animals etc.** wobec zwierząt itd.); okrutne <brutalne> obchodzenie się <traktowanie>

cruet ['kruit] *s* 1. *kośc* ampułka 2. flaszeczka (na oliwę stołową, ocet itp.)

cruet-stand ['kruit,stænd] *s* podstawka na flaszeczki (do oliwy, octu, pieprzu itp.)

cruise [kru:z] I *vi* 1. krążyć po morzach 2. (*o taksówce*) jeździć w poszukiwaniu pasażera II *s* 1. rejs 2. krążenie po morzach 3. wycieczka <podróż> morska

cruiser ['kru:zə] *s* 1. krążownik 2. bokser wagi półciężkiej 3. samochód policyjny mający krótkofalowe połączenie z komendą

cruiser-weight ['kru:zə,weit] *s boks* waga półciężka

cruller ['krʌlə] *s am kulin* faworek, chrust

crumb [krʌm] [I] *s* 1. okruszyna; *przen* odrobina 2. miękisz (chleba, bułki) 3. *pl* **~s** bułka tarta [II] *vt* 1. *kulin* obt-oczyć/aczać w bułce tartej 2. po/kruszyć

crumble ['krʌmbl] [I] *vt* 1. rozkruszyć 2. drobić; rozdr-obnić/abniać; rozparcelow-ać/ywać [II] *vi* 1. kruszyć <rozpa-ść/dać, rozsyp-ać/ywać> się

crumbly ['krʌmbli] *adj* kruchy; rozsypujący <rozpadający> się

crumby ['krʌmi] *adj* (*o pieczywie*) pulchny

crummy ['krʌmi] *adj sl* 1. zażywny 2. bogaty; z forsą; forsiasty

crump [krʌmp] [I] *s pot* 1. silne uderzenie; trzepnięcie 2. pocisk rozrywający 3. wybuch [II] *vt sl* 1. wal-nąć/ić; da-ć/wać łupnia (**sb** komuś) 2. z/bombardować

crumpet ['krʌmpit] *s* 1. placek; rodzaj naleśnika 2. *sl* głowa; łeb; pała; **he is off his ~** zwariował

crumple ['krʌmpl] *vt vi* 1. (*także* **~ up**) z/miąć <z/gnieść> (się) 2. z/giąć <wygiąć, powyginać, skręc-ić/ać, z/marszczyć> (się) 3. (*o człowieku*) załam-ać/ywać (się) *zob* **crumpled**

crumpled ['krʌmpld] [I] *zob* **crumple** [II] *adj* skręcony; zakręcony

crunch [krʌntʃ] [I] *vt* s/chrupać [II] *vi* 1. za/skrzypieć 2. za/chrzęścić [III] *s* 1. chrupanie; chrupnięcie 2. skrzyp, skrzypienie 3. chrzęst

crupper ['krʌpə] *s* 1. podogonie (część uprzęży) 2. zad (koński)

crural ['kruərəl] *adj anat* goleniowy

crusade [kru:'seid] [I] *s* wojna krzyżowa, krucjata [II] *vi* 1. brać udział w wojnie <wyprawie> krzyżowej 2. prowadzić krucjatę

crusader [kru:'seidə] *s* krzyżowiec

cruse [kru:z] † *s* dzban; *pot* **the widow's ~** niewyczerpane źródło (czegoś)

crush [krʌʃ] [I] *vt* 1. z/gnieść; rozgni-eść/atać; ugni-eść/atać 2. z/miażdżyć; s/kruszyć; z/druzgotać 3. roz-etrzeć/cierać na proch 4. rozn-ieść/osić (wroga itp.); (*także* **~ out**) zgnieść <zdusić, zdławić, s/tłumić> (powstanie, sprzeciw itp.) ‖ **to ~ a cup of wine** wypić lampkę wina; **to ~ one's way through** — prze-drzeć/dzierać się przez... (tłum itp.) [II] *vi* s/tłoczyć <z/gnieść, ścieśni-ć/ać> się; **would you ~ up a little?** (czy) możecie (mi) zrobić trochę miejsca?

~ out *vt* wygni-eść/atać; wydu-sić/szać

zob **crushing** [III] *s* 1. tłok; ścisk; natłok 2. z/gniecenie; z/miażdżenie; utarcie/ucieranie (czegoś) ‖ *am sl* **to have a ~ on sb** palić się do kogoś

crusher ['krʌʃə] *s* 1. *techn* rozdrabiarka; łamarka; kruszarka 2. *pot* druzgocący cios

crush-hat ['krʌʃ'hæt] *s* szapoklak

crushing ['krʌʃiŋ] [I] *zob* **crush** *v* [II] *adj* (*o klęsce, ciosie, wieści itp*) miażdżący; druzgocący

crust [krʌst] [I] *s* 1. skorupa, skorupka 2. skórka (na chlebie, bułce itp.) 3. upieczone ciasto (w szarlotce itp.) 4. chrupiąca skórka (na pieczystym itp.) 5. kromka suchego chleba 6. *bot zoo* pancerz 7. strup (na ranie) 8. krystaliczny osad wina (w butelce) [II] *vt* zaskorupi-ć/ać; zasklepi-ć/ać [III] *vi* pokry-ć/wać się skorupą; zaskorupiać się *zob* **crusted**

crustacea [krʌs'teiʃjə] *spl zoo* skorupiaki

crustacean [krʌs'teiʃjən] *s zoo* skorupiak

crustaceous [krʌs'teiʃjəs] *adj* skorupiasty

crustation [krʌs'teiʃən] *s* inkrustacja

crusted ['krʌstid] [I] *zob* **crust** *v* [II] *adj* **~ over** zaskorupiały

crustiness ['krʌstinis] *s* 1. skorupowatość 2. kruchość (ciastka itp.) 3. zrzędność; tetryczność; zły humor

crusty ['krʌsti] *adj* (**crustier** ['krʌstiə], **crustiest** ['krʌstiist]) 1. skorupiasty 2. (*o ciastku itp*) kruchy 3. zrzędny; tetryczny 4. zły; nieprzystępny

crutch [krʌtʃ] [I] *s* 1. kula (kulawego) 2. widły (podtrzymujące części pewnych maszyn) 3. (*u łodzi*) dulka 4. *anat* krocze; międzykrocze [II] *vt* pod-eprzeć/pierać; podtrzym-ać/ywać *zob* **crutched**

crutched [krʌtʃt] [I] *zob* **crutch** *v* [II] *adj* ['krʌtʃid] *w zwrocie*: **~ friars** zakonnicy św. Krzyża

crux [krʌks] *s* 1. zagadka; trudność 2. punkt węzłowy <sedno> (**of the matter** sprawy)

cry [krai] *v* (**cried** [kraid], **cried**; **crying** [kraiiŋ]) [I] *vi* 1. za/płakać 2. krzy-knąć/czeć; za/wołać; wrz-asnąć/eszczeć; **to ~ for sth** żądać czegoś; domagać się czegoś; **to ~ for the moon** żądać gwiazdki z nieba 3. (*o psach*) ujadać [II] *vr w zwrocie*: **to ~ oneself to sleep** płakać, dopóki sen nie zmorzy [III] *vt w zwrocie*: **to ~ shame** za/protestować

~ down *vt* z/lekceważyć

~ off [I] *vt* odwoł-ać/ywać (coś) [II] *vi* wycof-ać/ywać się (z czegoś)

~ out [I] *vt* wywoł-ać/ywać (nazwisko itp.) ‖ **to ~ one's eyes** <**one's heart**> **out** rozpaczliwie płakać [II] *vi* 1. krzyknąć; wrzasnąć 2. oburz-yć/ać się (**against sb, sth** na kogoś, coś) 3. za/żądać <domagać się> (**for sth** czegoś)

~ up *vt* zachwalać; wychwalać; chwalić

zob **crying** [IV] *s* 1. krzyk; wrzask; larum; **to give a ~** krzyknąć; **in full ~** a) (*o psach*) ujadając b) (*o ludziach*) w pogoni; **much ~ and little wool** z wielkiej chmury mały deszcz; *przen* **last ~** ostatni krzyk mody 2. wołanie; zew; **within ~** w zasięgu głosu; *przen* **a far ~** daleko; daleka droga 3. okrzyk; hasło 4. płacz; **to have a good ~** wypłakać się; **to have one's ~ out** spokojnie się wypłakać

cry-baby ['krai,beibi] *s* beksa; płaksa; mazgaj

crying ['kraiiŋ] [I] *zob* **cry** *v* [II] *s* 1. wołani-e/a; krzyk/i; wrzask/i 2. płacz [III] *adj* 1. (*o niesprawiedliwości itp*) krzyczący 2. (*o nadużyciu itp*) skandaliczny

cryogen ['kraiədʒin] *s chem* preparat do zamrażania

cryolite ['kraiə,lait] *s miner* kriolit, fluorek glinu i sodu

cryometr [krai'ɔmitə] *s fiz* kriometr, krioskop (przyrząd do pomiaru obniżenia temperatury krzepnięcia roztworów)

cryophorus [krai'ɔfərəs] *s fiz* kriofor (aparat wykazujący ilość ciepła potrzebną do wyparowania cieczy)

cryoscopy [krai'ɔskəpi] *s chem* kriometria

cryostat ['kraiə,stæt] *s chem* kriostat

crypt [kript] *s* krypta

cryptic ['kriptik] *adj* tajemniczy; tajny; ukryty

crypto ['kriptou] *s pot* człowiek potajemnie należący do jakiejś organizacji politycznej

cryptogam ['kriptou,gæm] *s bot* roślina skrytopłciowa

cryptogamic [ˌkriptou'gæmik], **cryptogamous** [krip'tɔgəməs] *adj bot* skrytopłciowy
cryptogram ['kriptouˌgræm] *s* kryptogram
cryptographer [krip'tɔgrəfə] *s* specjalist-a/ka odcyfrowując-y/a depesze szyfrowe
cryptonym ['kriptənim] *s* kryptonim
crystal ['kristl] [I] *s* 1. kryształ; **rock ~** kryształ górski; **~ clear** jasny jak słońce 2. *am* szkiełko do zegarka [II] *attr* **~ detector** <set> detektor kryształkowy; **~ glass** szkło krystaliczne; kryształ; **Crystal Palace** londyńska hala wystawowa ze szkła i żelaza [III] *adj* kryształowy; krystaliczny
crystal-gazing ['kristlˌgeiziŋ] *s* wróżenie z kuli; krystalomancja; *pot* jasnowidztwo
crystalline ['kristəˌlain] *adj* krystaliczny; **~ lens** soczewka oczna
crystallization ['kristəlai'zeiʃən] *s* krystalizacja
crystallize ['kristəˌlaiz] *vt vi* s/krystalizować (się) *zob* **crystallized**
crystallized ['kristəˌlaizd] [I] *zob* **crystallize** [II] *adj* kandyzowany; **~ fruits** owoce w cukrze
crystallography [ˌkristə'lɔgrəfi] *s* krystalografia
crystalloid ['kristəˌlɔid] *s chem* krystaloid
C-spring ['si:spriŋ] *s techn* resor w kształcie litery C
ctenoid ['ti:nɔid] *s zoo* grzebieniasty
cub [kʌb] [I] *s* 1. młode różnych zwierząt (lwiątko, lisiątko itd.) 2. (*o człowieku*) szczeniak; gołowąs; *przen* **unlicked ~** niewypierzona młoda osoba [II] *vt* (**-bb-**) 1. (*o zwierzęciu*) wyda-ć/wać na świat (młode) 2. polować na młode zwierzęta [III] *vi* (**-bb-**) (*o zwierzęciu*) mieć młode *zob* **cubbing**
cubage ['kju:bidʒ], **cubature** ['kju:bəˌtjuə] *s* kubatura, objętość, pojemność
Cuban ['kju:bən] [I] *adj* kubański [II] *s* Kubańczyk
cubbing ['kʌbiŋ] [I] *zob* **cub** *v* [II] *s* polowanie na młode lisy
cubbish ['kʌbiʃ] *adj* (*o młodzieńcu*) bez wychowania
cubby ['kʌbi], **~-hole** ['kʌbiˌhoul] *s* 1. schronienie; zacisze; kącik 2. szafeczka
cube [kju:b] [I] *s* 1. sześcian 2. kostka (cukru itd.) 3. *mat* trzecia potęga; sześcian; **~ root** pierwiastek sześcienny [II] *vt* 1. oblicz-yć/ać kubaturę (**sth** czegoś) 2. *mat* podn-ieść/osić do trzeciej potęgi <do sześcianu> 3. wy-łożyć/kładać kostką (drogę itd.)
cubeb ['kju:beb] *s bot* kubeba
cubic ['kju:bik] *adj* kubiczny, sześcienny
cubicle ['kju:bikəl] *s* 1. izdebka; nisza, nyża; kącik 2. kabina
cubism ['kju:bizəm] *s plast* kubizm
cubist ['kju:bist] *s plast* kubist-a/ka
cubit ['kju:bit] *s* 1. (miara) łokieć (= 18—22 cali) 2. *anat* przedramię
cubital ['kju:bitl] *adj anat* łokciowy
cuboid ['kju:bɔid] *s geom* prostopadłościan
cucking-stool ['kʌkiŋˌstu:l] *s hist* stołek, do którego przywiązywano nierządnice <złodziei itp.> celem wystawienia na pośmiewisko lub karania przez zanurzanie w zimnej wodzie
cuckold ['kʌkəld] [I] *s* zdradzony mąż, rogacz [II] *vt* przyprawi-ć/ać rogi (**a husband** mężowi)
cuckoo ['kuku:] *s* 1. kukułka 2. *sl* bęcwał
cuckoo-flower ['kuku:ˌflauə] *s bot* rzeżucha łąkowa
cuckoo-pint ['kuku:ˌpaint] *s bot* obrazki plamiste, arum
cuckoo-spittle ['kuku:'spitl] *s* ślina (owada na liściu)
cucullate(d) ['kju:kjuˌleit(id)] *adj bot zoo* kapturowaty
cucumber ['kju:kʌmbə] *s* ogórek
cucurbit [kju'kə:bit] *s* 1. retorta; kolba destylacyjna 2. *bot* dynia
cud [kʌd] *s* pokarm (przeżuwaczy); **to chew the ~** a) przeżuwać b) *przen* rozmyślać
cudbear ['kʌdˌbɛə] *s* orselia (roślina i barwnik)
cuddle ['kʌdl] [I] *vt* przy/tulić [II] *vi* przy/tulić się (**to sb** do kogoś)
~ up *vi* przytulić się (**to sb** do kogoś)
[III] *s* tulenie (kogoś)
cuddlesome ['kʌdlsəm], **cuddly** ['kʌdli] *adj* pieszczotliwy
cuddy[1] ['kʌdi] *s* 1. kajuta; izdebka 2. szafka
cuddy[2] ['kʌdi] *s szkoc* 1. osioł 2. dźwig
cudgel ['kʌdʒəl] [I] *s* pałka; maczuga; **to take up the ~s for sb** wystąpić w czyjejś obronie; kruszyć kopie o kogoś [II] *vt* (**-ll-**) zbić <uderzyć, ogłuszyć> pałką; po/tłuc; **to ~ one's brains** a) głowić się <łamać sobie głowę> (**over sth** nad czymś) b) zachodzić w głowę c) szukać w pamięci (**for sth** czegoś)
cudweed ['kʌdˌwi:d] *s bot* szarota; ukwap dwupienny
cue[1] [kju:] *s* 1. *teatr* replika; **to take up one's ~** dać replikę; zareplikować 2. *muz* sygnał do rozpoczęcia śpiewu <gry> po przerwie 3. wskazówka; **to give sb the ~** poucz-yć/ać kogoś
cue[2] [kju:] *s* 1. warkocz peruki 2. kij bilardowy
cuff[1] [kʌf] [I] *s* szturchaniec [II] *vt* po/tarmosić; po/szturchać
cuff[2] [kʌf] *s* 1. mankiet 2. *pl* **~s** *pot* kajdanki
cuff-links ['kʌfˌliŋks] *spl* spinki do mankietów
cuirass [kwi'ræs] *s* pancerz
cuirassier [ˌkwirə'siə] *s wojsk* kirasjer
cuisine [kwi'zi:n] *s* kuchnia (jako dobór i sposób gotowania potraw)
cul-de-sac ['kuldə'sæk] *s* (*pl* **culs-de-sac, ~s** ['kuldə'sæks]) ślepa uliczka
culinary ['kʌlinəri] *adj* kulinarny; kucharski
cull [kʌl] [I] *vt* 1. wyb-rać/ierać 2. u/zbierać; ze/rwać <zrywać> (kwiaty itp.) [II] *s* 1. zwierzę wycofane ze stada (dla tuczenia lub zarżnięcia) 2. *pl* **~s** *am* odpadki
cullender ['kʌlendə] = **colander**
cullet ['kʌlit] *s* tłuczone szkło
cully ['kʌli] *s sl* 1. kiep; dureń 2. kumpel; towarzysz; przyjaciel; kolega
culm[1] [kʌlm] *s* łodyga (trawy)
culm[2] [kʌlm] *s* 1. miał węglowy 2. gorszy gatunek węgla
culminant ['kʌlminənt] *adj* kulminacyjny; szczytowy
culminate ['kʌlmiˌneit] *vi* do-jść/chodzić do szczytu; osiąg-nąć/ać szczyt; **to ~ in sth** s/kończyć się czymś *zob* **culminating**
culminating ['kʌlmiˌneitiŋ] [I] *zob* **culminate** [II] *adj* kulminacyjny <szczytowy> (punkt itd.)
culmination [ˌkʌlmi'neiʃən] *s* 1. kulminacja 2. punkt kulminacyjny <szczytowy>
culottes [kju:'lɔts] *spl* spódnica do jazdy na rowerze
culpability [ˌkʌlpə'biliti] *s* 1. wina 2. karygodność
culpable ['kʌlpəbl] *adj* 1. winny (czegoś) 2. (*o za-*

niedbaniu itp) karygodny 3. *prawn* zasługujący (**of sth** na coś)

culprit ['kʌlprit] *s* 1. oskarżon-y/a 2. winn-y/a (przestępstwa); winowaj-ca/czyni

cult [kʌlt] *s* kult; cześć (**of sb, sth** dla kogoś, czegoś); **the ~ of personality** kult jednostki

cultivable ['kʌltivəbl] *adj* uprawny; nadający się pod uprawę

cultivate ['kʌlti,veit] *vt* 1. uprawiać (ziemię, zboża, jarzyny itp.) 2. obrabiać (ziemię) kultywatorem 3. udoskonalać 4. kultywować; hodować (bakterie itd.) 5. oddawać się (**art** sztuce itp.) 6. zaskarbi-ć/ać sobie (czyjąś przyjaźń itp.); zjedn-ać/ywać sobie (kogoś) *zob* **cultivated**

cultivated ['kʌlti,veitid] [I] *zob* **cultivate** [II] *adj* kulturalny

cultivation [,kʌlti'veiʃən] *s* 1. uprawa (ziemi, zbóż itd.); (*o ziemi*) **in <under> ~** uprawny; orny 2. doskonalenie 3. kultywowanie 4. oddawanie się (**of sth** czemuś) 5. zaskarbianie <zjednywanie> sobie (względów itp.) 6. kultura duchowa

cultivator ['kʌlti,veitə] *s* 1. rolnik 2. kultywator (narzędzie)

cultural ['kʌltʃərəl] *adj* 1. kulturalny 2. kulturowy

culture ['kʌltʃə] *s* 1. uprawa (roli, zbóż itd.) 2. hodowla (pszczół, ryb, bakterii itd.) 3. kultura (duchowa); **to lack ~** być niekulturalnym

cultured ['kʌltʃəd] *adj* wykształcony; oczytany

culver ['kʌlvə] *s zoo* dziki gołąb

culvert ['kʌlvət] *s* 1. dren (odwadniający) 2. przepust (pod drogą na odpływ wody)

cumber ['kʌmbə] [I] *vt* 1. krępować; tamować (ruchy) 2. przeszkadzać <zawadzać> (**sb** komuś) 3. obciąż-yć/ać; obarcz-yć/ać [II] *s* przeszkoda; zawada

cumbersome ['kʌmbəsəm], **cumbrous** ['kʌmbrəs] *adj* niewygodny; nieporęczny; ciężki

cum(m)in ['kʌmin] *s* kminek

cummer ['kʌmə] *s szkoc* 1. kuma 2. towarzyszka

cumquat ['kʌmkwɔt] *s* gatunek pomarańczy wielkości śliwki

cumshaw ['kʌmʃɔ:] *s* (*na Dalekim Wschodzie*) napiwek

cumulate ['kju:mju,leit] [I] *vt* na/gromadzić [II] *vi* na/gromadzić <kumulować> się; nar-osnąć/astać

cumulation [,kju:mju'leiʃən] *s* kumulacja; narastanie; na/gromadzenie

cumulative ['kju:mjulətiv] *adj* kumulacyjny; skumulowany; narosły; łączny

cumulo-nimbus ['kju:mju,lou'nimbəs] *s meteor* chmura kłębiasta deszczowa, cumulonimbus

cumulous ['kjumjuləs] *adj meteor* (*o chmurze*) kłębiasty

cumulus ['kju:mjuləs] *s* (*pl* **cumuli** ['kju:mju,lai]) *meteor* chmura kłębiasta, cumulus

cunctator [kʌŋk'teitə] *s* kunktator

cuneate ['kju:niit], **cuneiform** ['kju:nii,fɔ:m] *adj* klinowy

cunning ['kʌniŋ] [I] *adj* 1. chytry; przebiegły; sprytny; (*o człowieku, urządzeniu*) pomysłowy 2. zręczny 3. *am* śliczny [II] *s* 1. chytrość; przebiegłość; spryt 2. zręczność

cup [kʌp] [I] *s* 1. filiżanka; garnuszek; kubek 2. puchar; *lit* **twixt ~ and lip** między ustami a brzegiem pucharu 3. kielich; **the parting ~** strzemienne 4. *bot* kielich 5. *med* bańka 6. *pl* **~s** stan nietrzeźwy; **in one's ~s** podchmielony; pijany [II] *vt* (**-pp-**) postawić/stawiać bańki (**sb** komuś) *zob* **cupped**

cup-and-ball ['kʌpən'bɔ:l] *s* 1. bilbokiet (zabawka) 2. *techn* złącze kulkowe

cup-bearer ['kʌp,bɛərə] *s* podczaszy

cupboard ['kʌbəd] *s* 1. kredens (kuchenny); spiżarnia; **~ love** miłość z wyrachowania; interesowność 2. szafka

cupel ['kju:pl] *s techn* kupela (miseczka probiercza)

cup-final ['kʌp'fainl] *s sport* finał/y (mistrzostw, rozgrywek ligowych)

cupful ['kʌpful] *s* (pełna) filiżanka (czegoś)

cupid ['kju:pid] *s* kupidynek, amorek

cupidity [kju'piditi] *s* chciwość; zachłanność; chęć zysku

cupmoss ['kʌpmɔs] *s bot* chrobotek

cupola ['kju:pələ] *s* 1. kopuła 2. (*także* **~-furnace**) *metal* kopulak; żeliwiak

cupped [kʌpt] [I] *zob* **cup** *v*; **I was ~** postawiono mi bańki [II] *adj* miseczkowaty; wklęsły

cupping-glass ['kʌpiŋ,glɑ:s] *s med* bańka

cupreous ['kju:priəs] *adj* miedziany

cupric ['kju:prik] *adj chem* miedziowy

cupriferous [kju'prifərəs] *adj* miedzionośny

cuprous ['kju:prəs] *adj chem* miedziawy

cup-tie ['kʌp,tai] *s* rozgrywki eliminacyjne

cupule ['kju:pju:l] *s bot* miseczka <czarka> żołędzia

cur [kə:] *s* 1. kundel 2. (*o człowieku*) pies; szelma

curability [,kjuərə'biliti] *s* możność wyleczenia

curable ['kjuərəbl] *adj* uleczalny

curaçao [,kjuərə'sou] *s* curaçao (likier)

curacy ['kjuərəsi] *s* wikariat

curare, curari [kju'rɑ:ri] *s* kurara

curate ['kjuərit] *s* wikary

curative ['kjuərətiv] [I] *adj* leczniczy [II] *s* środek leczniczy

curator [kjuə'reitə] *s* 1. kustosz (muzeum itp.) 2. opiekun/ka (nieletniego, umysłowo chorego)

curb [kə:b] [I] *s* 1. łańcuszek wędzidłowy 2. hamulec; *†* karby 3. = **curbstone** 4. brzeg (studni itd.) 5. ochwat (na końskiej nodze) [II] *vt* powściąg-nąć/ać; utrzym-ać/ywać w karbach; ukr-ócić/acać; po/hamować

curb-roof ['kə:b,ru:f] *s arch* dach mansardowy

curbstone ['kə:b,stoun] *s* krawężnik (chodnika); **~ market** sprzedaż uliczna; czarna giełda

curcuma ['kə:kju:mə] *s bot* kurkuma; **~ paper** kurkumowy papier odczynnikowy

curd [kə:d] [I] *s* twaróg; zsiadłe mleko; **~s and whey** słodzone zsiadłe mleko [II] *vi* 1. (*o mleku*) zsi-ąść/adać się 2. (*o krwi*) krzepnąć [III] *vt przen* ścinać (krew w żyłach)

curdy ['kə:di] *adj* (**curdier** ['kə:diə], **curdiest** ['kə:diist]) 1. grudkowaty 2. (*o mleku*) zsiadły

cure[1] [kjuə] [I] *s* 1. uleczenie; uzdrowienie; **to effect a ~** wyleczyć; **to effect ~s** uzdrawiać; **to take a ~** podda-ć/wać się kuracji 2. lekarstwo 3. **the ~ of souls** obowiązki duszpasterskie 4. wulkanizacja (gumy) [II] *vt* 1. wy/leczyć <wy/kurować> (**sth** coś; **sb of sth** kogoś z czegoś); *przen* odzwycza-ić/jać (**of a bad habit** od nałogu) 3. konserwować; solić; wędzić; suszyć; marynować 4. z/wulkanizować (gumę) ‖ **what can't be ~d must be endured** głową muru nie przebijesz

cure[2] [kjuə] *s sl* dziwa-k/czka; oryginał

cure-all ['kjuər,ɔ:l] *s* panaceum, lekarstwo uniwersalne

curette [kjuə'ret] *s med* łyżeczka; skrobaczka

curfew ['kə:fju:] *s* 1. *hist* (*w średniowieczu*) hasło do gaszenia ogni; *wojsk* capstrzyk 2. godzina policyjna

curia ['kjuəriə] *s* kuria

curial ['kjuəriəl] *adj* kurialny

curie ['kjuəri] *s fiz* curie (jednostka radioaktywności)

curio ['kjuəri,ou] = **curiosity** 2.

curiosity [,kjuəri'ɔsiti] *s* 1. ciekawość; **as a matter of ~** dla ciekawości 2. osobliwość; ciekawostka; rzadkość; unikat; antyk; **~ shop** skład starożytności; antykwariat 3. oryginał; dziwak

curious ['kjuəriəs] *adj* 1. (*o człowieku*) ciekawy 2. (*o rzeczy*) dziwny; osobliwy; niezwykły 3. (*o badaniu*) gruntowny

curium ['kjuəriəm] *s chem* kiur

curl [kə:l] [I] *vt* 1. u/fryzować; skręc-ić/ać w loki 2. zwi-nąć/jać; ułożyć/układać w zwoje 3. zawi-nąć/jać <zagi-ąć/nać, po/karbować> (blachę itp.) [II] *vi* 1. (*o włosach*) falować; ułożyć/układać się w loki 2. wić <zwi-nąć/jać> się 3. (*o wodzie*) za/falować 4. (*o wargach*) s/krzywić się szyderczo <pogardliwie> 5. grać w „curling" *zob* **curling**[1]

~ up [I] *vt* 1. zawi-nąć/jać; zagi-ąć/nać 2. s/krzywić (usta) szyderczo <pogardliwie> [II] *vr* **~ oneself up** skulić się; zwi-nąć/jać się w kłębek [III] *vi* 1. zwi-nąć/jać <wić> się 2. skulić się; zwi-nąć/jać się w kłębek 3. *sl* załam-ać/ywać się

zob **curling**[2] [III] *s* 1. lok, loczek; kędzior; pukiel; (*o włosach*) **in ~** ufryzowany; **out of ~** rozfryzowany; rozkręcony 2. falowanie włosów 3. szydercze <pogardliwe> skrzywienie <odęcie> (**of the lips** warg) 4. spirala

curlew ['kə:lju] *s zoo* kulik (ptak)

curlicue ['kə:li,kju:] *s* 1. zakrętas 2. (*na łyżwach*) zawiła figura

curling[1] ['kə:liŋ] *s* sport uprawiany w Szkocji, polegający na rzucaniu spłaszczonymi kamieniami ruchem wirowym na lodzie

curling[2] ['kə:liŋ] [I] *zob* **curl** *v* [II] *adj* falisty; wijący się; spiralny; kręty

curling-iron(s) ['kə:liŋ,aiən(z)] *s* (*pl*), **curling-tongs** ['kə:liŋ,tɔŋz] *spl* żelazko <rurki> do fryzowania

curling-pin ['kə:liŋ,pin] *s* zakrętka do włosów; lokówka

curling-tongs *zob* **curling-iron**

curl-paper ['kə:l,peipə] *s* papilot

curly ['kə:li] *adj* 1. (*o wodzie itp*) falisty 2. (*o włosach*) falujący; kręcony, kędzierzawy

curmudgeon [kə:'mʌdʒən] *s* 1. gbur 2. zrzęda 3. sknera

curmudgeonly [kə:'mʌdʒənli] *adj* 1. gburowaty 2. zrzędny 3. skneroway

currach, curragh ['kʌrə] *irl* = **coracle**

curragh ['kʌrə] *s irl* bagnisko; błota; **the Curragh** obóz wojskowy i pole wyścigowe pod Dublinem

currant ['kʌrənt] *s* 1. rodzynek 2. porzeczka

currency ['kʌrənsi] *s* 1. obieg; ruch; **to give ~ to a rumour** puścić w obieg pogłoskę <plotkę> 2. powszechne użycie (wyrazu itp.) 3. waluta; **foreign ~** dewizy; obca waluta

current[1] ['kʌrənt] *adj* 1. (*o mniemaniu, pogłosce itd*) rozpowszechniony 2. (*o wyrazie itp*) powszechnie używany 3. aktualny; **~ events** aktualności 4. (*o walucie*) obiegowy 5. bieżący (rok, miesiąc, numer pisma itd.)

current[2] ['kʌrənt] *s* 1. prąd; nurt; strumień 2. bieg <tok> (wypadków itd.) 3. natężenie prądu

currently ['kʌrəntli] *adv* aktualnie; bieżąco

curricle ['kʌrikl] [I] *s* kariolka (powozik dwukołowy) [II] *vi* jechać <jeździć> kariolką

curriculum [kə'rikjuləm] *s* (*pl* **curricula** [kə'rikjulə]) program (nauki)

currier ['kʌriə] *s garb* wyprawiacz (skór)

currish ['kə:riʃ] *adj* 1. psi 2. zgryźliwy; opryskliwy

curry[1] ['kʌri] *vt* (**curried** ['kʌrid], **curried; currying** ['kʌriiŋ]) 1. wyprawi-ć/ać (skórę); *przen* wyłoić skórę (**sb** komuś) 2. czesać (konia) zgrzebłem 3. *w zwrocie*: **to ~ favour with sb** nadskakiwać <przypochlebi-ć/ać się> komuś

curry[2] ['kʌri] *s* indyjska potrawa z mięsa <z ryb, owoców> z ostrą przyprawą korzenną, zwaną „curry-powder"

curry-comb ['kʌri,koum] *s* zgrzebło

curry-powder ['kʌri,paudə] *s* ostra przyprawa korzenna używana do przyrządzania potrawy zwanej "curry" *zob* **curry**[2]

curse [kə:s] [I] *vt* przekl-ąć/inać; wykl-ąć/inać; rzuc-ić/ać klątwę (**sb, sth** na kogoś, coś); **~ it!** niech to diabli wezmą!; do diabła z tym! [II] *vi* kląć; przeklinać; złorzeczyć *zob* **cursed, cursing** [III] *s* 1. przekleństwo 2. klątwa; **under a ~** przeklęty; wyklęty 3. *przen* plaga; bicz; *karc* **the ~ of Scotland** dziewiątka karo

cursed [kə:st] [I] *zob* **curse** *v* [II] *adj* 1. obarczony; dotknięty (nieszczęściem itp.) 2. ['kə:sid] (*także* **curst** [kə:st]) przeklęty; cholerny; piekielny [III] *adv* = **cursedly**

cursedly ['kə:sidli] *adv* paskudnie; diablo; *pot* cholernie

cursing ['kə:siŋ] [I] *zob* **curse** *v* [II] *s* przeklinanie; przekleństwo

cursive ['kə:siv] *adj* 1. (*o piśmie ręcznym*) pochyły 2. *druk* pisany kursywą

cursor ['kə:sə] *s techn* okienko (suwaka)

cursorial [kə:'sɔ:riəl] *adj zoo* (*o ptakach*) biegający

cursoriness ['kə:sərinis] *s* pobieżność <powierzchowność> (kontroli itd.)

cursory ['kə:səri] *adj* pobieżny; powierzchowny

curst *zob* **cursed** *adj* 2.

curt [kə:t] *adj* 1. szorstki (*w obejściu*) 2. (*o stylu*) zwięzły 3. (*o odpowiedzi itp*) krótki; lakoniczny; suchy

curtail [kə:'teil] *vt* 1. obci-ąć/nać; uci-ąć/nać; kurtyzować 2. uszczupl-ić/ać 3. skr-ócić/acać 4. pozbawi-ć/ać (**sb of sth** kogoś czegoś)

curtailment [kə'teilmənt] *s* 1. obci-ęcie/nanie; uci-ęcie/nanie 2. uszczupl-enie/anie 3. skr-ócenie/acanie 4. pozbawi-enie/anie (kogoś czegoś)

curtain ['kə:tn] [I] *s* 1. firanka 2. portiera 3. kurtyna; kotara; zasłona; **to draw the ~ over sth** spuścić na coś zasłonę 4. *fort* mur obronny [II] *vt* zaopatrzyć (coś) w firankę <w portierę, kurtynę, kotarę, zasłonę>

~ off *vt* oddziel-ić/ać firanką <portierą, kurtyną, kotarą, zasłoną>

curtain-call ['kə:tn,kɔ:l] *s* wywoływanie aktora oklaskami przed kurtynę

curtain-fire ['kə:tn,faiə] *s wojsk* ogień zaporowy

curtain-lecture ['kə:tn͵lektʃə] *s* wymówki czynione mężowi w łóżku

curtain-raiser ['kə:tn͵reizə] *s* jednoaktówka poprzedzająca właściwe przedstawienie

curtana [kə:'teinə] *s* tępo zakończony miecz, noszony przed królami Anglii przy koronacji (jako emblemat miłosierdzia)

curtilage ['kə:tilidʒ] *s prawn* obszar gruntu przyległy do domu

curtness ['kə:tnis] *s* 1. szorstkość (obejścia) 2. zwięzłość (stylu) 3. krótkość <lakoniczność, zbywający ton, suchość> (odpowiedzi itp.)

curts(e)y ['kə:tsi] [I] *s* 1. dyg 2. głęboki <dworski> ukłon; **to make** <**drop**> **a** ~ a) dygnąć b) złożyć głęboki ukłon [II] *vi* (**curtsey** — **curtseyed** ['kə:tsid], **curtseyed**; **curtseying** ['kə:tsiiŋ]; **curtsy** — **curtsied** ['kə:tsid], **curtsied**; **curtsying** ['kə:tsiiŋ]) 1. dygnąć 2. złożyć głęboki ukłon

curvature ['kə:vətʃə] *s* 1. zagięcie 2. krzywizna; wykrzywienie; skrzywienie (kręgosłupa itd.)

curve [kə:v] [I] *s* 1. krzywa 2. zagięcie; wygięcie; odgięcie 3. łuk 4. zakręt [II] *vt* zagi-ąć/nać; wygi-ąć/nać; odgi-ąć/nać; zakręc-ić/ać [III] *vi* zagi-ąć/nać <wygi-ąć/nać, odgi-ąć/nać, zakręc-ić/ać> się

curvet [kə:'vet] [I] *s* kurbet <podskok> (konia) [II] *vi* (-tt-, -t-) robić kurbety

curvilinear [͵kə:vi'liniə] *adj* krzywolinijny

cuscus ['kʌskəs] *s bot* wetiwer; ~ **oil** olej wetiwerowy

cushat ['kʌʃət] *s szkoc* dziki gołąb

cushion ['kuʃən] [I] *s* 1. poduszka, poduszeczka 2. *bil* banda 3. *techn* para amortyzująca (w cylindrze) 4. strzałka (w kopycie końskim) 5. wyściółka; watówka 6. *kulin* zrazówka [II] *vt* 1. wy-słać/ścielać; pod-łożyć/kładać poduszkę <coś miękkiego> (**sth** pod coś) 2. z/amortyzować (uderzenie itd.) 3. stłumić (skandal itd.); zatuszować
~ **up** *vt* pod-eprzeć/pierać (kogoś) poduszkami

cushy ['kuʃi] *adj sl* (*o zajęciu, stanowisku itp*) wygodny; intratny

cusp [kʌsp] *s* 1. wierzchołek; szpic 2. kolec 3. sierp <róg, rożek> (księżyca) 4. *arch* przyłucze

cuspid ['kʌspid] *s anat* kieł

cuspidal ['kʌspidl] *adj* spiczasty

cuspidor ['kʌspi͵dɔ:] *s am* spluwaczka

cuss [kʌs] *s am* 1. przekleństwo 2. *sl* facet/ka; jegomość, jejmość; gość; typ

cussedness ['kʌsidnis] *s* przewrotność; przekora; złośliwość; **out of pure** <**sheer**> ~ na złość; z samej chęci dokuczania; przez przekorę

custard ['kʌstəd] *s kulin* krem (z mleka i jaj)

custard-apple ['kʌstəd͵æpl] *s bot* flaszowiec

custodes *zob* **custos**

custodial [kʌs'toudiəl] *adj* opiekuńczy

custodian [kʌs'toudiən] *s* 1. opiekun/ka 2. dozor-ca/czyni 3. kustosz (muzeum itp.)

custody ['kʌstədi] *s* 1. opieka; **in the** ~ **of**_ pod opieką... (czyjąś) 2. areszt; **to be in** ~ być przytrzymanym; być <siedzieć> w areszcie; **to be in safe** ~ być pod silną strażą <eskortą>; **to take sb into** ~ zaaresztować <przytrzym-ać/ywać> kogoś

custom ['kʌstəm] *s* 1. zwyczaj; obyczaj 2. przyzwyczajenie; nawyk 3. stałe zaopatrywanie się w danym sklepie; **I shall take my** ~ **elsewhere** gdzie indziej będę kupował/a; przeniosę się do innej firmy; **we solicit your** ~ prosimy, by pan/i został/a nasz-ym/ą stał-ym/ą klient-em/ką 4. *pl* ~**s** cło; urząd celny; ~**s duty** cło; opłata celna; ~**s examination** rewizja celna; ~**s officer** celnik 5. *pl* **the Customs** departament ceł

customary ['kʌstəməri] [I] *adj* 1. zwyczajny 2. zwyczajowy; uświęcony zwyczajem; **it is (not)** ~ to (nie) należy do zwyczaju <(nie) jest przyjęte> [II] *s prawn* zbiór praw i zwyczajów (danego kraju)

custom-built ['kʌstəm͵bilt], **custom-made** ['kʌstəm͵meid] *adj am* wykonany na zamówienie

customer ['kʌstəmə] *s* 1. klient/ka 2. *pl* ~**s** klientela 3. *sl* facet/ka; jegomość, jejmość; gość; typ

custom-house ['kʌstəm͵haus] *s* komora celna; cło; urząd celny

custom-made *zob* **custom-built**

custos ['kʌstɔs] *s* (*pl* **custodes** [kʌs'toudi:z]) stróż, opiekun

cut[1] [kʌt] *v* (**cut, cut; cutting** ['kʌtiŋ]) [I] *vt* 1. po/ciąć; obci-ąć/nać; odci-ąć/nać; wyci-ąć/nać; zaci-ąć/nać; naci-ąć/nać; ści-ąć/nać; przeci-ąć/nać <rozci-ąć/nać> (**in two** <**three etc.**> na dwie <na trzy itd.> części); **to** ~ **a dog's tail** obciąć psu ogon; **to** ~ **one's finger** zaciąć <skaleczyć> się w palec; **to** ~ **one's teeth** ząbkować; **to** ~ **open** rozciąć; *przen* **to** ~ **sb to ribbons** nie zostawić na kimś suchej nitki 2. po/krajać 3. po/rąbać 4. po/rżnąć 5. skr-ócić/acać 6. s/kroić 7. obci-ąć/nać; z/redukować (płace itp.); *pot* ~ **it!** przestań/cie!; dość tego!; ~ **it short!** proszę się streszczać!; **to** ~ **sb short** a) przerwać (mówiącemu) b) odebrać komuś głos; **to** ~ **sth short** ukrócić coś 8. obniż-yć/ać (ceny, płace itp.) 9. okr-oić/awać (tekst itp.) 10. prze-łożyć/kładać (karty); po/ciągnąć (karty dla ustalenia miejsca, partnera) 11. z/robić afront (**sb** komuś); z/ignorować (znajomego); **I** ~ **him dead** udałem, że go nie widzę 12. o/szlifować (kamień szlachetny) 13. ob-rać/ierać (jarzyny, owoce itd.) 14. s/kosić 15. o/strzyc 16. doci-ąć/nać (**sb** komuś); (boleśnie) dot-knąć/ykać (kogoś) 17. przekop-ać/ywać 18. ści-ąć/nać (zakręt) 19. opu-ścić/szczać (lekcję, wykład itp.) 20. *chem* rozpu-ścić/szczać 21. pobić (rekord) 22. wy/kastrować (zwierzę) 23. *w zwrocie*: **to** ~ **oneself loose** od/separować się [II] *vi* 1. ciąć; **that** ~**s both ways** jest to broń obosieczna 2. (*o zębach*) wyrzynać się 3. da-ć/wać się krajać; **stale bread** ~**s better than new** czerstwy chleb kraje się lepiej niż świeży 4. *sl* (*także* **to** ~ **and run**) a) ucie-c/kąć; wziąć/brać nogi za pas; zmykać b) pobiec, polecieć 5. *z przyimkami*: ~ **across**; **to** ~ **across country** pójść/iść na przełaj; ~ **at**; **to** ~ **at sb, sth** uderzyć <walnąć> (kogoś, w coś); ~ **into**; **to** ~ **into a conversation** wtrąc-ić/ać się do rozmowy; **to** ~ **into a loaf** napocząć bochenek; **to** ~ **into a tumour** przeciąć wrzód 6. *am* **to** ~ **loose** wy/emancypować się
~ **about** *vt* uszk-odzić/adzać
~ **across** *vt* przeci-ąć/nać <prze-rżnąć/rzynać, przerąb-ać/ywać> w poprzek
~ **away** [I] *vt* obci-ąć/nać, odci-ąć/nać; wyci-ąć/nać [II] *vi pot* zwiewać, zmykać
~ **back** [I] *vt* przyci-ąć/nać (drzewo, krzew itp.); obci-ąć/nać gałęzie (**a tree, a bush etc.** drzewa, krzewu itp.) [II] *vi* wr-ócić/acać; cof-nąć/ać się
~ **down** *vt* 1. ści-ąć/nać (drzewo itp.) 2. wyci-ąć/nać (wroga) w pień 3. obci-ąć/nać; obniż-yć/ać (wydatki itp.) 4. z/redukować 5. skr-ócić/acać

~ in *vi* 1. wchodzić (do gry) 2. wtrąc-ić/ać się (do rozmowy) 3. wtrąc-ić/ać uwagę 4. przeci-ąć/nać drogę (jadącemu, biegnącemu); przeg-onić/aniać <wyprzedz-ić/ać> jadącego <biegnącego> 5. *elektr* wyłącz-yć/ać prąd
~ off [I] *vt* 1. ści-ąć/nać; odci-ąć/nać 2. przer-wać/ywać (dopływ prądu, połączenie telefoniczne, pertraktacje itp.); wyłącz-yć/ać (gaz, wodę itp.) 3. (*o lekarzu*) zakaz-ać/ywać (**sb sth** komuś czegoś — pacjentowi kawy, papierosów itd.) || **to ~ sb off with a shilling** wydziedzicz-yć/ać kogoś [II] *vi sl* zwiewać, zmykać
~ out *vt* 1. wykr-oić/awać; wyci-ąć/nać; wyrżnąć/rzynać 2. opu-ścić/szczać <odrzuc-ić/ać> (szczegóły itp.) 3. *radio* wy/eliminować (przeszkadzającą stację) 4. zaprzesta-ć/wać (pić, palić itd.); **~ it out!** tylko bez <dość> tego!; **~ out threats!** tylko bez gróźb! 5. *w zwrotach*: **to ~ sb out** wyp-rzeć/ierać kogoś; **to ~ a boy out with a girl** odbi-ć/jać chłopcu dziewczynę; **to be ~ out for sth** być do czegoś stworzonym; mieć do czegoś zacięcie; **to have one's work ~ out for one** mieć co robić
~ up [I] *vt* 1. rozci-ąć/nać; porozcinać 2. wy/patroszyć (drób) 3. po/siec, po/siekać; po/rąbać; po/ciąć na drobne kawałki 4. wyci-ąć/nać (wroga) w pień 5. s/krytykować || **to be ~ up about sth** z/martwić <przej-ąć/mować> się czymś [II] *vi w zwrotach*: **to ~ up rough about sth** rozgniewać się o coś; *pot* **to ~ up well** pozostawić spory majątek
zob **cut², cutting** [III] *s* 1. cięcie; nacięcie (rośliny itd.); przecięcie; zacięcie (się); rana cięta; skaleczenie; **a short ~** skrót (drogi); **~ and thrust** a) walka wręcz b) zacięta walka 2. szrama 3. redukcja (**in wages etc.** płac itp.); obniżka (wydatków itp.) 4. los (przy losowaniu); **to draw ~s** a) ciągnąć (losy, węzełki itp.); losować b) ciągnąć karty (o miejsce itp.) 5. wykreślony ustęp <obcięcie> (w książce itp.) 6. wykop (kolejowy) 7. klisza; drzeworyt; miedzioryt; rycina 8. afront; zignorowanie (znajomego); **to give sb the direct ~** a) z/robić komuś afront b) uda-ć/wać, że się kogoś (znajomego) nie widzi 9. krój <fason> (ubrania) 10. szlif (kamienia szlachetnego) 11. płatek (mięsa, pieczeni itp.) 12. szczebel (społeczny itp.); **to be a ~ above sb** a) stać o szczebel wyżej od kogoś b) przewyższać kogoś; górować nad kimś
cut² [kʌt] [I] *zob* **cut¹** *v* [II] *adj* 1. (*o kwiatach*) cięty 2. (*o szkle*) rżnięty 3. (*o kamieniu*) szlifowany
cut-and-come-again ['kʌtənd,kʌmə'gein] *s* obfitość <bogactwo> (czegoś)
cut-and-dried ['kʌtən'draid] *adj* gotowy; stereotypowy; oklepany; tuzinkowy
cutaneous [kju'teinjəs] *adj* 1. skórny 2. (*o ranie*) powierzchowny
cutaway¹ ['kʌtə,wei] *s* część maszyny z otworem umożliwiającym zaglądanie do środka
cut-away² ['kʌtə,wei] *s* żakiet (męski)
cut-back ['kʌt'bæk] *s* powtórzenie pewnej partii filmu dla większego efektu
cutcher(r)y [kʌ'tʃeri] *s* (*w Indiach*) 1. urząd 2. sąd 3. biura (firmy)
cute [kju:t] *adj* 1. bystry; sprytny; rezolutny 2. *am* ładny; miły; wdzięczny 3. *am* oryginalny; ciekawy
cuteness ['kju:tnis] *s* 1. bystrość; spryt 2. *am* powab; wdzięk 3. *am* oryginalność
cutey ['kju:ti] *s am pot* mała spryciarka
cuticle ['kju:tikl] *s* 1. naskórek; skórka; błonka 2. *bot* kutykula
cutis ['kju:tis] *s anat* skóra
cutlass ['kʌtləs] *s* 1. kord (krótka broń sieczna o szerokiej nieco zakrzywionej klindze) 2. *am* nóż myśliwski
cutler ['kʌtlə] *s rzem* nożownik (człowiek wyrabiający noże, sztućce itp.)
cutlery ['kʌtləri] *s* 1. *rzem* nożownictwo 2. *zbior* wyroby nożownicze 3. *zbior* sztućce; srebro stołowe
cutlet ['kʌtlit] *s* kotlet
cut-off ['kʌt,ɔf] *s* 1. *techn* odcinacz; obturator 2. odcięcie (dopływu) 3. *am* skrót (drogi) 4. *am* stare koryto rzeki
cut-out ['kʌt,aut] *s* 1. *elektr* wyłącznik 2. *techn* zawór
cutpurse ['kʌt,pə:s] *s* rzezimieszek; opryszek
cutter ['kʌtə] *s* 1. przecinacz (robotnik) 2. kamieniarz; mistrz kamieniarski 3. *techn* przecinarka; nożownica; frez; nacinacz 4. *mar* kuter
cutter-loader ['kʌtə'loudə] *s górn* kombajnista, maszynista kombajnu węglowego
cut-throat ['kʌt,θrout] [I] *s* zbój; bandyta; rzezimieszek [II] *adj* 1. zbójecki; bandycki; rozbójniczy 2. *przen* morderczy; bezlitosny; **~ bridge** brydż z dziadkiem
cutting ['kʌtiŋ] [I] *zob* **cut¹** *v* [II] 1. cięcie 2. wykop (kolejowy itd.) 3. sadzonka 4. wycinek z gazety 5. obniżka (cen); redukcja (płac) 6. próbka materiału 7. wyrąb [III] *adj* 1. tnący; **~ edge** ostrze 2. (*o wietrze*) ostry; przejmujący 3. (*o uwadze itp*) zjadliwy; uszczypliwy
cuttle ['kʌtl], **~-fish** ['kʌtl,fiʃ] *s zoo* sepia, mątwa
cutty ['kʌti] [I] *adj* krótki; obcięty [II] *s* krótka fajka
cutty-stool ['kʌti,stu:l] *s* ławka w kościele, na której musiały siedzieć kobiety obwinione o cudzołóstwo
cutwater ['kʌt,wɔ:tə] *s mar* dziobnica (statku)
cutworm ['kʌt,wə:m] *s zoo* gąsienica rolnicy zbożówki
cuvette [kju:'vet] *s* miska, miseczka
cwt. ['hʌndrəd,weit] *skr* **hundredweight**
cyanate ['saiə,neit] *s chem* cyjanian
cyanic [sai'ænik] *adj chem* cyjanowy
cyanide ['saiə,naid] *s chem* cyjanek; **~ process** cyjanizacja
cyanite ['saiə,nait] *s chem* cyjanit
cyanogen [sai'ænədʒin] *s chem* cyjan
cyanosis [,saiə'nousis] *s med* sinica
cyanotic [,saiə'nɔtic] *adj med* siny
cyanotype ['saiənə,taip] *s fot* cyjanotypia
cybernetics [,saibə'netiks] *s* cybernetyka
cycad ['saikəd] *s bot* cykas, sagowiec
cyclamen ['sikləmən] *s bot* cyklamen, fiołek alpejski
cycle ['saikl] [I] *s* 1. cykl; okres; obieg 2. *med* menstruacja 3. rower; trycykl [II] *vi* po/jechać <jeździć> na rowerze *zob* **cycling**
cycle-car ['saikl,kɑ:] *s* 1. przyczepka do roweru 2. lekki samochodzik (trzy- lub czterokołowy)
cyclic ['siklik] *adj* cykliczny; okresowy
cycling ['saikliŋ] [I] *zob* **cycle** *v* [II] *s* jazda rowerem; kolarstwo [III] *attr* kolarski

cyclist ['saiklist] *s* rowerzyst-a/ka; kolarz
cycloid ['saiklɔid] *s geom* cykloida
cyclometer [sai'klɔmitə] *s* licznik obrotów koła (u roweru itp.), cyklometr
cyclometry [sai'klɔmitri] *s geom* cyklometria
cyclone ['saikloun] *s* cyklon; trąba powietrzna
cyclopaedia [,saiklou'pi:diə] *s* encyklopedia
Cyclopean [,saiklou'pi:ən] *adj* 1. *mitol* cyklopowy 2. olbrzymi; gigantyczny
Cyclop(s) ['saiklɔp(s)] *s* (*pl* **Cyclops, Cyclopses, Cyclopes** [sai'kloupi:z]) *mitol* cyklop
cyclorama [,saiklə'ra:mə] *s* cyklorama
cyclostome ['saiklə,stoum] *s zoo* ryba smoczkousta
cyclostyle ['saiklou,stail] [I] *s* 1. cyklostyl, powielacz 2. rylec do matryc woskowych [II] *vt* powiel-ić/ać
cyclotron ['saiklə,trɔn] *s fiz* cyklotron
cyetic [sai'etik] *adj med* ciążowy
cygnet ['signit] *s* łabędziątko
cylinder ['silində] *s* 1. *techn geom* cylinder 2. walec (maszyny do pisania itd.); wałek 3. bęben (rewolweru itd.)
cylindric(al) [si'lindrik(əl)] *adj* cylindryczny; walcowaty
cyma ['saimə] *s arch* cyma, sima, esownica (esowaty profil gzymsu)
cymbal ['simbəl] *s* czynel, talerz (perkusyjny)
cyme [saim] *s bot* wierzchotka
cymoscope ['saimə,skoup] *s radio* wykrywacz fal
Cymric ['kimrik] *adj* walijski
Cymry ['kimri] *s zbior* Walijczycy
cynic ['sinik] *s* cynik
cynical ['sinikl] *adj* cyniczny
cynicism ['sini,sizəm] *s* 1. cynizm 2. cyniczna uwaga
cynocephalus [,sainou'sefələs] *s* (*pl* **cynocephali** [,sainou'sefə,lai]) psigłów, psiogłowiec
cynosure ['sainə,zjuə] *s* 1. *astr* Mała Niedźwiedzica 2. *astr* Gwiazda Polarna 3. ośrodek <centrum> ogólnego zainteresowania; **he was the ~ of every eye** oczy wszystkich były w niego utkwione
cyperus ['saipərəs] *s bot* cibora
cypher *zob* **cipher**
cy pres [si:'prei] *s prawn* prawo nakazujące postępowanie jak najbardziej zbliżone do życzeń spadkodawcy
cypress ['saipris] *s* 1. cyprys 2. emblemat żałoby
Cyprian ['sipriən] *s* 1. Cypryj-czyk/ka 2. *lit* rozpustni-k/ca
Cypriote ['sipri,out] *s* Cypryj-czyk/ka
Cyrenaic [,sairi'neiik] *adj* cyrenajski
Cyrillic [si'rilik] *adj* **~ alphabet** cyrylica
cyst [sist] *s* 1. *biol* cysta; błona 2. *med* cysta; torbiel 3. *bot* torebka
cystic ['sistik] *adj* 1. pęcherzowy 2. torbielowaty
cysticercus [,sisti'sə:kəs] *s* (*pl* **cysticerci** [,sisti'sə:sai]) *zoo* bąblowiec (pasożyt)
cystitis [sis'taitis] *s med* zapalenie pęcherza
cystoscope ['sistə,skoup] *s med* cystoskop, wziernik pęcherzowy
cystotomy [sis'tɔtəmi] *s* operacja pęcherza
cytoblast ['saitə,bla:st] *s biol* cytoblast, jądro komórkowe
cytoid ['saitɔid] *adj* komórkowaty
cytology [sai'tɔlədʒi] *s biol* cytologia
cytoplasm ['saitə,plæzəm] *s biol* cytoplazma
czar [za:] *s* car
czarevitch ['za:rivitʃ] *s* carewicz
czarina [za:'ri:nə] *s* caryca; carowa
czarism ['za:rizəm] *s* carat
Czech [tʃek] [I] *s* Cze-ch/szka [II] *adj* czeski

D

D, d [di:] [I] *s* (*pl* **ds, d's, dees** [di:z]) 1. *litera* d 2. *muz* d; **d flat** des; **d sharp** dis 3. = **penny** *w sing*, **pence** *w pl*; **ld** = **one penny** jeden pens; **6d** = **sixpence** sześć pensów [II] *adj* (*także* **d ... d**) = **damned**
'd [d] *skr* **had, should, would**
dab[1] [dæb] [I] *vt* (**-bb-**) 1. dot-knąć/ykać (**sth** czegoś); lekko uderz-yć/ać 2. przy-łożyć/kładać (**sth with a rag <sponge, handkerchief etc.>** szmatę <gąbkę, chusteczkę itd.> do czegoś) 3. dziob-nąć/ać 4. maz-nąć/ać 5. zebrać/zbierać (rozlany płyn) tamponem <szmatą itp.>
~ on *vt* (dużo, obficie) na-łożyć/kładać (**sth** czegoś)
[II] *s* 1. dotknięcie; lekkie uderzenie 2. przy-łożenie/kładanie (szmaty, gąbki, chustki itp.) 3. dziobnięcie 4. maźnięcie (pędzlem itp.) 5. plama; bryzg (błota itp.) 6. odrobina (czegoś)
dab[2] [dæb] *s zoo* zimnica (płastuga)
dab[3] [dæb] *s sl* spec; majster; **to be a ~ at sth** znać się na czymś
dabber ['dæbə] *s* 1. poduszka (do pieczątek) 2. *druk* tampon
dabble ['dæbl] [I] *vt* z/moczyć; zam-oczyć/aczać [II] *vi* 1. taplać, <babrać> się 2. pluskać się 3. interesować <bawić, parać> się (**in <at> sth** czymś); *przen* liznąć (**in <at> sth** czegoś)
dabbler ['dæblə] *s* amator/ka; dyletant/ka; **to be a ~ in sth** zajmować się czymś po dyletancku
dabchick ['dæbtʃik] *s zoo* perkoz
dabster ['dæbstə] *s sl* znaw-ca/czyni; spec; majster
dace [deis] *s zoo* kleń
dachshund ['dæks,hund] *s* jamnik
dacoit [də'kɔit] *s* (*w Indiach, Burmie*) rozbójnik
dacoity [də'kɔiti] *s* (*w Indiach, Burmie*) rozbój
dacryocyst ['dækriou,sist] *s anat* woreczek łzowy
dactyl ['dæktil] *s prozod* daktyl
dactyloscopy [,dækti'lɔskəpi] *s* daktyloskopia
dad [dæd], **daddy** [dædi] *s* tatuś; ojciec
dadaism ['da:deiizəm] *s plast* dadaizm
daddy-long-legs ['dædi'lɔŋ,legz] *s zoo* 1. komarnica 2. kosarz (pająk)
dade [deid] *vt* podtrzym-ać/ywać (uczące się chodzić dziecko) na taśmach
dado ['deidou] *s* 1. *arch* cokół 2. boazeria 3. malowany pas u dołu ściany

daedal ['di:dl] *adj poet* 1. zręczny 2. zawiły, skomplikowany
daedalian [di:'deiljən] *adj* zawiły; kręty
daemon ['di:mən] = **demon**
daffodil ['dæfədil] [I] *s bot* żonkil; żółty narcyz [II] *adj* bladożółty
daffy ['dæfi] *adj pot* głupi; stuknięty
daft [dɑ:ft] *adj* zwariowany; głupi; idiotyczny; *pot* stuknięty; **to go ~** zwariować; *pot* dostać hysia
dag [dæg] *s* 1. kłak 2. rozdarcie
dagger ['dægə] *s* 1. sztylet; *przen* **to be at ~s drawn** prowadzić (z kimś) walkę na noże; **to look ~s at sb** rzucać na kogoś mordercze spojrzenia 2. *druk* odsyłacz (kształtu szpady)
daggle ['dægl] *vt* wlec po błocie
daggle-tail ['dægl,teil] *s* niechlujna kobieta; flejtuch
dago ['deigou] *s* (*pl* **~s, ~es**) Amerykanin obcego pochodzenia; mieszaniec
daguerreotype [də'gerou,taip] *s* dagerotyp
dahabiah [,dɑ:hə'bi:ə] *s* dahabija (statek pasażerski na Nilu)
dahlia ['deiljə] *s bot* dalia, georginia; **a blue ~** rzecz niespotykana; biały kruk
Dail Eireann ['dail'ɛərən] *spr* izba niższa parlamentu irlandzkiego
daily ['deili] [I] *adj* 1. dzienny 2. codzienny 3. powszedni [II] *adv* 1. dziennie 2. codziennie 3. z dnia na dzień (oczekiwać kogoś, czegoś) [III] *s* 1. dziennik, gazeta 2. dochodząca (pomocnica domowa)
daintiness ['deintinis] *s* 1. delikatność; zgrabność; drobna budowa ciała; filigranowość 2. dobry gust 3. wybredność
↑**dainty** ['deinti] [I] *adj* (**daintier** ['deintiə], **daintiest** ['deintiist]) 1. delikatny; zgrabny; drobnej budowy ciała; filigranowy 2. gustowny; wykwintny 3. wybredny [II] *s* przysmak; smakołyk
↑**dairy** ['dɛəri] *s* 1. mleczarnia 2. gospodarstwo mleczne
dairyfarm ['dɛəri,fɑ:m] *s* gospodarstwo mleczne
dairymaid ['dɛəri,meid] *s* krowiarka
dairyman ['dɛərimən] *s* (*pl* **dairymen** ['dɛərimən]) mleczarz
dairy-produce ['dɛəri,prɔdju:s] *s* nabiał
dais ['deiis] *s* podium; estrada
↑**daisy** ['deizi] *s bot* stokrotka; *przen* (*o człowieku*) perła
daisy-chain ['dəizi,tʃein] *s* łańcuszek <girlanda, wianuszek> ze stokrotek
dak [dɔ:k] = **dawk**[1]
dale [deil] *s* dolina górska
dalesman ['deilzmən] *s* (*pl* **dalesmen** ['deilzmən]) mieszkaniec dolin północnej Anglii
dalliance ['dæliəns] *s lit* 1. figle; żarty 2. umizgi; flirt
dally ['dæli] *vi* (**dallied** ['dælid], **dallied; dallying** ['dæliiŋ]) 1. marudzić; s/tracić czas 2. figlować; żartować; igrać (z niebezpieczeństwem, pokusą itd.); **to ~ with an idea** wypieścić (jakąś) myśl; nie móc się rozstać z myślą 3. flirtować
~ away *vt* z/mitrężyć <z/marnować> (czas itd.)
Dalmatian [dæl'meiʃən] [I] *adj* dalmatyński [II] *s zoo* dog dalmatyński
dalmatic [dæl'mætik] *s kośc hist* dalmatyka
daltonian [dɔ:l'touniən] *s* daltonist-a/ka
daltonism ['dɔ:ltə,nizəm] *s* daltonizm
dam[1] [dæm] *s* (*u zwierząt*) matka; **the devil and his ~** siły piekielne
dam[2] [dæm] [I] *s* 1. tama; grobla; zapora 2. woda w zaporze; sztuczne jezioro; zbiornik [II] *vt* (**-mm-**) ogrobl-ić/ać; z/budować tamę <groblę, zaporę> (**a river** na rzece)
~ up *vt* 1. *dosł i przen* za/tamować; s/piętrzyć (wodę) 2. zastawi-ć/ać (rzekę)
damage ['dæmidʒ] [I] *s* 1. szkoda; uszkodzenie; awaria; **to sb's (great) ~** ze <z wielką> szkodą dla kogoś 2. ujma; uszczerbek; **to cause sb ~** wyrządz-ić/ać komuś krzywdę 3. *pl* **~s** odszkodowanie; **to give ~s** przyznać (komuś) odszkodowanie 4. *sl* koszt [II] *vt* 1. uszkodzić; ze/psuć; nadweręż-yć/ać 2. za/szkodzić <przyn-ieść/osić ujmę> (**sb** komuś); nara-zić/żać na szwank (kogoś, coś) *zob* **damaging**
damaging ['dæmidʒiŋ] [I] *zob* **damage** *v* [II] *adj* szkodliwy; przynoszący ujmę
damascene ['dæmə,si:n] [I] *s* (śliwka) damaszka [II] *vt* damaszkować [III] *adj* damasceński
damask ['dæməsk] [I] *s* 1. *tekst* adamaszek 2. stal damasceńska 3. (*także* **~ colour**) inkarnat (kolor bladoróżowy) [II] *vt* damaszkować (jedwab itd.) [III] *adj* (*o róży, stali, jedwabiu*) damasceński
damassin ['dæməsin] *s tekst* adamaszek
dame [deim] *s* 1. *poet* pani; **Dame Fortune** Fortuna; **Dame Nature** Przyroda 2. tytuł przysługujący kobietom odznaczonym orderem Imperium Brytyjskiego oraz żonom baronetów 3. starsza osoba
dame-school ['deim,sku:l] *s* przedszkole prowadzone przez starszą osobę
dame's-violet ['deimz'vaiəlit] *s bot* wieczernik damski
damfool ['dæm,fu:l] *s pot* ciężki <skończony> idiota
dammar ['dæmə] *s* damara
damn [dæm] [I] *vt* 1. skaz-ać/ywać na potępienie; przekl-ąć/inać 2. skląć <przeklinać> (**sb** kogoś); **~ his impudence!** co za bezczelność!; **~ it!** psiakrew!; cholera!; **~ you!** niech cię <was> diabli wezmą!; **I'll be ~ed if I know** nie mam zielonego pojęcia; **well, I'll be ~ed** bodaj cię <to itd.> diabli wzięli!; *okrzyk zdumienia:* **well, I'm <I'll be> ~ed!** nie do wiary! 3. potępi-ć/ać; s/krytykować; z/ganić; (*o publiczności*) źle przyjąć (sztukę, książkę itp.); **to ~ with faint praise** wyra-zić/żać ujemny sąd słowami oziębłej pochwały *zob* **damned, damning** [II] *s* 1. przekleństwo 2. nic; figa; **I don't care a ~** a) wszystko mi jedno b) gwiżdżę na to [III] *adj* przeklęty; cholerny; piekielny [IV] *interj* psiakrew!; cholera!
damnable ['dæmnəbl] *adj* 1. zasługujący na potępienie; niecny; niegodziwy 2. diabelski; przeklęty
damnably ['dæmnəbli] *adv* diabelsko; cholernie; paskudnie; ohydnie
damnation [dæm'neiʃən] [I] *s* 1. potępienie; zganienie; złe przyjęcie (sztuki itp.) 2. wieczne potępienie [II] *interj* psiakrew!; cholera!
damned [dæmd] [I] *zob* **damn** *v* [II] *adj* 1. przeklęty 2. diabelski; cholerny *zob* **damnedest** [III] *adv* diabelsko; cholernie
damnedest ['dæmnidist] *s w zwrocie:* **to do one's ~** stawać na głowie (żeby coś zrobić); **we'll do our ~ to be there on time** staniemy na głowie, by przybyć na czas
damning ['dæmiŋ] [I] *zob* **damn** *v* [II] *adj* 1. potępiający 2. (*o dowodach, zeznaniach itp*) obciążający

damosel [ˌdæmə'zel] † *s lit* panna; panienka

damp [dæmp] [I] *s* 1. wilgoć 2. (*w kopalni*) czad 3. depresja; przygnębienie; **to cast a ~ over the company** przygnębić <zwarzyć> towarzystwo [II] *vt* 1. zwilż-yć/ać; skr-opić/apiać (bieliznę) 2. przy/tłumić (ogień, dźwięk) 3. ostudzić (zapał itp.); **to ~ sb's spirits** zepsuć komuś humor; przygnębi-ć/ać kogoś 4. *fiz* z/amortyzować; s/tłumić 5. *muz* s/tłumić

~ off *vi* (*o roślinach*) zgnić skutkiem nadmiernej wilgoci

[III] *adj* wilgotny

damp-course ['dæmpˌkɔ:s] *s bud* warstwa izolacyjna

dampen ['dæmpən] [I] *vt am* = **damp** *v* [II] *vi* z/wilgotnieć

damper ['dæmpə] *s* 1. przyrząd do zwilżania (bielizny itd.) 2. człowiek <wypadek> działający deprymująco <przygnębiająco> 3. *muz* tłumik 4. zasuwa (w kominie), szyber 5. *techn* amortyzator 6. zwilżacz (do znaczków pocztowych itp.) 7. *austral* placuszek

damp-proof ['dæmpˌpru:f] *adj* 1. izolujący; wodoszczelny; odporny na wilgoć 2. izolowany

damsel ['dæmzəl] † *s* 1. = **damosel** 2. *am* studentka

damson ['dæmzən] *s* (śliwka) damaszka; **~ cheese** powidło (*zw pl* powidła)

dance [dɑ:ns] [I] *vi* 1. za/tańczyć; pląsać; **to ~ to sb's tune** tak tańczyć, jak ktoś zagra; **to ~ upon nothing** zginąć na szubienicy 2. podskakiwać; skakać (z radości itp.) 3. (*o liściach na wietrze itp*) kręcić się [II] *vt* 1. za/tańczyć (taniec); przetańczyć (figurę itp.); **to ~ attendance upon sb** nadskakiwać komuś 2. prowadzić (tresowanego niedźwiedzia) 3. kołysać (dziecko) na rękach; podrzucać <huśtać> (dziecko) na kolanach [III] *vr w zwrocie*: **to ~ oneself into sb's favour** przez taniec pozyskać <wkraść się w> czyjeś łaski

~ about *vi* tańczyć; skakać to tu, to tam

~ away *vt* przetańczyć (czas, sposobność itd.)

~ off *vt w zwrocie*: **to ~ one's head off** tańczyć do upadłego

zob **dancing** [IV] *s* 1. taniec; pląs/y; **to lead sb a ~** narobić komuś kłopotu; zrobić komuś kram 2. zabawa; dansing; wieczór taneczny; bal [V] *attr* 1. taneczny 2. balowy

dancer ['dɑ:nsə] *s* tance-rz/rka; baletnica; **to be an excellent** <**poor**> **~** świetnie <kiepsko> tańczyć; **the merry ~s** zorza polarna

dancing ['dɑ:nsiŋ] [I] *zob* **dance** *v* [II] *s* taniec [III] *attr* taneczny; (dotyczący) tańca; do tańca [IV] *adj* tańczący

dancing-girl ['dɑ:nsiŋˌgə:l] *s* tancerka rewiowa <kabaretowa>

dancing-hall ['dɑ:nsiŋˌhɔ:l] *s* 1. sala balowa 2. sala dansingowa; dansing

dancing-master ['dɑ:nsiŋˌmɑ:stə] *s* tancmistrz

dancing-party ['dɑ:nsiŋˌpɑ:ti] *s* zabawa taneczna

dandelion ['dændiˌlaiən] *s bot* mniszek lekarski; *pot* mlecz

dander ['dændə] *s pot* złość; gniew; **to get sb's ~ up** rozzłościć <zdenerwować> kogoś; wyprowadzić kogoś z równowagi; **to get one's ~ up** rozzłościć <zdenerwować> się

dandified ['dændiˌfaid] *adj* wystrojony; wyelegantowany; wymuskany

dandle ['dændl] *vt* 1. kołysać (dziecko) na rękach; podrzucać <huśtać> (dziecko) na kolanach 2. niańczyć; pieścić

dandruff ['dændrəf] *s* łupież

dandy ['dændi] [I] *s* 1. dandys; modniś; strojniś; fircyk 2. *mar* żaglowiec jednomasztowy; jola [II] *adj am sl* świetny; śliczny

dandy-brush ['dændiˌbrʌʃ] *s* twarda szczotka do czyszczenia koni

dandy-cart ['dændiˌkɑ:t] *s* wózek konny do rozwożenia mleka

Dane [dein] *s* 1. Du-ńczyk/nka 2. *hist* najeźdźca skandynawski 3. *zoo* (*także* **great ~**) dog

danegeld ['deinˌgeld] *s hist* podatek na okup dla najeźdźców skandynawskich

Danelagh, Danelaw ['deinˌlɔ:] *s hist* 1. ustawodawstwo narzucone w Anglii przez najeźdźców skandynawskich w X w. 2. zajęty przez nich obszar północno-wschodniej Anglii

danewort ['deinˌwə:t] *s bot* bez lekarski

danger ['deindʒə] *s* niebezpieczeństwo; groźba; **he is out of ~** nic mu już nie grozi; **in ~ of one's life** pod groźbą <w niebezpieczeństwie> utraty życia; **the signal is at ~** znak ostrzegawczy sygnalizuje niebezpieczeństwo; **to be a ~ to** — być niebezpiecznym <stanowić niebezpieczeństwo> dla...

dangerous ['deindʒərəs] *adj* niebezpieczny; *przen* **to be on ~ ground** stać na niepewnym gruncie

danger-point ['deindʒəˌpɔint], **danger-signal** ['deindʒəˌsignḷ] *s* sygnał ostrzegawczy

danger-zone ['deindʒəˌzoun] *s* strefa, w której grozi niebezpieczeństwo życia

dangle ['dæŋgl] [I] *vi* 1. zwisać; wisieć; dyndać 2. nadskakiwać (**about** <**after, round**> **sb** komuś); kręcić się (**about** <**after, round**> **sb** koło kogoś) [II] *vt* trzymać (coś) zawieszone/go (na sznurku itp.); **to ~ hopes etc. before sb** nęcić kogoś nadziejami itp.

Danish ['deiniʃ] [I] *adj* duński [II] *s* język duński

dank [dæŋk] *adj* przejmująco wilgotny; ociekający wilgocią

Dantean [dæn'ti:ən], **Dantesque** [dæn'tesk] *adj* dantejski

Danubian [dæ'nju:bjən] *adj* dunajski; naddunajski

dap [dæp] *v* (**-pp-**) [I] *vi* 1. (*o wędkarzu*) łowić na przepływankę 2. (*o piłce*) odskakiwać; odbijać się [II] *vt* 1. (*o wędkarzu*) łowić (ryby) na przepływankę 2. lekko zanurzać (przynętę itd.) 3. rzuc-ić/ać (**a ball** piłką) o ziemię

daphne ['dæfni] *s bot* wilcze łyko

dapper ['dæpə] *adj* 1. elegancki; wytworny; dobrze ubrany 2. fertyczny; zwinny

dapple ['dæpl] [I] *adj* cętkowany; nakrapiany; tarantowaty; jarzębaty; pstrokaty [II] *vt* cętkować

dapple-grey ['dæpl'grei] *adj* (*o koniu*) jabłkowity

darbies ['dɑ:biz] *spl sl* kajdanki

Darby and Joan ['dɑ:biən'dʒoun] *s* kochająca się para staruszków; Filemon i Baucis

dare [dɛə] *vt* (*praet* **dared** [dɛəd], † **durst** [də:st]; *pp* **dared,** † **durst**) 1. śmieć; mieć śmiałość; ośmiel-ić/ać się; ważyć <odważyć> się (**sth** na coś); **I ~ say** przypuszczam; nie wątpię; chyba; zapewne; **I ~ swear** założę się; gotów jestem przysiąc 2. nie bać się (**sth** czegoś); nie cof-nąć/ać się (**sth** przed czymś); stawi-ć/ać czoło (**sth** czemuś); odważnie pod-jąć/ejmować się (**sth**

czegoś); gardzić (**death, danger etc.** śmiercią, niebezpieczeństwem itp.) 3. s/prowokować (kogoś do czegoś); podjudz-ić/ać (kogoś do czegoś); **I ~ you to say <to do> that!** a) ośmiel no się <spróbuj no> to powiedzieć <zrobić>! b) ty byś tego nie powiedział <nie zrobił>! 4. rzuc-ić/ać wyzwanie (**sb** komuś) *zob* **daring**

dare-devil ['deə,devl] *s* śmiałek; szaleniec

daresay ['deə'sei] = **dare say** *zob* **dare** 1.

daring ['deəriŋ] [I] *zob* **dare** [II] *adj* śmiały; odważny [III] *s* śmiałość; odwaga

dark[1] [dɑ:k] [I] *adj* 1. ciemny; mroczny; **it is ~** jest ciemno; **to grow ~** pociemnieć; *fot* **a ~ room** ciemnia; *przen* **a ~ horse** a) (*na wyścigach*) przypadkowy zwycięzca b) *polit* kandydat nie znany ogółowi wyborców; **~ lantern** ślepa latarka; **the ~ ages** średniowiecze; **the ~ blues** drużyn-a/y sportow-a/e uniw. oksfordzkiego 2. śniady; ogorzały; ciemnowłosy 3. ciemny; ponury; posępny; niewesoły 4. (*o znaczeniu zdania itp*) niejasny; niezrozumiały 5. tajemniczy; **to keep sth ~** trzymać coś w tajemnicy <*pot* pod korcem> 6. nieuświadomiony; pogrążony w ciemnocie 7. (*o lądzie afrykańskim, rasie murzyńskiej*) czarny [II] *s* 1. ciemnoś-ć/ci; mrok; **the ~ of the moon** nów 2. zmrok; zmierzch; zapadnięcie nocy 3. brak informacji; tajemnica; **to be in the ~** nic nie wiedzieć (o danej sprawie itp.); **to keep sth in the ~** trzymać coś w tajemnicy 4. ciemne barwy (obrazu); **the lights and the ~s of a picture** światła i cienie obrazu

dark-[2] [dɑ:k] *początkowy człon złożenia przy nazwach kolorów:* ciemno- (niebieski, brązowy itd.)

darken ['dɑ:kən] [I] *vt* 1. zaciemni-ć/ać; zaćmi-ć/ewać; za/mroczyć 2. zasępi-ć/ać 3. pogrąż-yć/ać w ciemności 4. pogrąż-yć/ać w ciemnocie [II] *vi* 1. zaciemni-ć/ać się 2. zasępi-ć/ać się

darkey, darkie ['dɑ:ki] *s pot* Murzyn/ka; *pl* **darkies** (*u Murzynów*) bracia-Murzyni

darkle ['dɑ:kl] *vi lit* 1. pociemnieć 2. leżeć w ukryciu

darkling ['dɑ:kliŋ] [I] *adv* w ciemnościach; po ciemku [II] *adj* ciemny

darkness ['dɑ:knis] *s* 1. ciemnoś-ć/ci; mrok 2. śniadość (cery) 3. ciemnota

dark-skinned ['dɑ:k'skind] *adj* 1. ciemnoskóry; śniady; smagły 2. murzyński

darksome ['dɑ:ksəm] *adj lit* ciemny; ponury; posępny

darky ['dɑ:ki] = **darkey**

darling ['dɑ:liŋ] [I] *s* 1. ulubieni-ec/ca; ukochan-y/a; wybran-iec/ka (losu) 2. *pieszcz* kochanie [II] *adj* 1. ukochany; luby 2. (*o projekcie itp*) wypieszczony

darn [dɑ:n] [I] *vt* za/cerować [II] *s* (*w pończosze itp*) cera

darned ['dɑ:nd] *adj pot* zatracony; zakichany; cholerny

darnel ['dɑ:nl] *s bot* życica (trawa)

darner ['dɑ:nə] *s* przyrząd <maszyna, grzybek, igła> do cerowania

darning-ball ['dɑ:niŋ,bɔ:l], **darning-egg** [dɑ:niŋ ,eg], **darning-last** ['dɑ:niŋ,lɑ:st] *s* grzybek do cerowania

darning-needle ['dɑ:niŋ,ni:dl] *s* igła do cerowania

dart [dɑ:t] [I] *s* 1. strzałka (rzucana do tarczy przy grze zwanej „darts" — *zob* **darts**) 2. żądło 3. błyskawiczny ruch naprzód; **to make a ~ on sth** a) rzuc-ić/ać się na coś b) cisnąć się do czegoś 4. fałdzik [II] *vt* 1. cis-nąć/kać <rzuc-ić/ać> (**sth** czymś); miotać (strzałkę, spojrzenia itd.) [III] *vi* 1. cis-nąć/kać <rzuc-ić/ać> się (**at <upon> sth** na coś); popędzić (dokądś) 2. przeszy-ć/wać powietrze lotem strzały

~ in *vi* wpa-ść/dać <wbie-c/gać, wl-ecieć/atywać> (do pokoju itp.)

~ out *vi* wypa-ść/dać <wybie-c/gać, wyl-ecieć/atywać> (z pokoju itp.)

dart-board ['dɑ:t,bɔ:d] *s* tarcza do gry zwanej „darts"

darter ['dɑ:tə] *s zoo* 1. ptak z rzędu kormoranów 2. ptak z rodziny zimorodków

Dartmoor ['dɑ:t,muə] *spr* więzienie dla skazanych za ciężkie przestępstwa

Dartmouth ['dɑ:tməθ] *spr* królewska szkoła morska

dartre ['dɑ:tə] *s med* liszaj; herpes; opryszczka

darts [dɑ:ts] *spl* rzucanie strzałkami do tarczy (gra)

Darwinian [dɑ:'winiən] [I] *adj* darwinistyczny; (*o teorii itd*) Darwina [II] *s* darwinist-a/ka

Darwinism ['dɑ:wi,nizəm] *s* darwinizm

dash [dæʃ] [I] *vt* 1. cis-nąć/kać; rzuc-ić/ać (**sth** czymś); walnąć (**sth** czymś); roztrzaskać 2. o/bryzgać; o/pryskać; o/chlapać 3. ożywi-ć/ać (**barwnymi** plamami) 4. doda-ć/wać odrobinę (**wine with water etc.** wody do wina itp.); domieszać (**sth** czegoś) 5. z/niweczyć (nadzieje itp.) 6. zniechęc-ić/ać; z/mieszać (kogoś); wprawi-ć/ać w zakłopotanie; z/gasić (czyjś zapał) [II] *vi* 1. uderz-yć/ać się (**against sth** o coś) 2. rzuc-ić/ać się (**at sb, sth** na kogoś, coś) 3. pędem przebie-c/gać; przeje-chać/żdżać (przez okolicę)

~ along *vi* pędzić naprzód

~ aside [I] *vt* = **~ away** [II] *vi* usk-oczyć/akiwać

~ away [I] *vt* 1. odrzuc-ić/ać; cis-nąć/kać (coś) precz od siebie 2. usunąć (coś) gwałtownym ruchem [II] *vi* pędem się oddal-ić/ać; po/lecieć na złamanie karku

~ down *vt* rzuc-ić/ać <zrzuc-ić/ać, cis-nąć/kać> na ziemię

~ in [I] *vt* szybko dodać <dorysować, domalować> (szczegóły itp.) [II] *vi* wpa-ść/dać (jak bomba)

~ off [I] *vt* 1. szybko (coś) narysować <nakreślić, naszkicować> 2. załatwić (coś) w oka mgnieniu <błyskawicznie> [II] *vi* pędem się oddal-ić/ać

~ out [I] *vt* wykreśl-ić/ać ‖ **to ~ out one's brains** a) rozwalić sobie czaszkę b) palnąć sobie w łeb [II] *vi* wybie-c/gać; wyl-ecieć/atywać

~ up *vi* 1. przybie-c/gać; szybko <galopem> podje-chać/żdżać 2. podje-chać/żdżać z paradą

zob **dashing** [III] *s* 1. plusk 2. uderzenie 3. odrobina; mały dodatek; domieszka (czegoś) 4. barwna plamka 5. pociągnięcie pióra <ołówka, pędzla> 6. kreska (w alfabecie Morse'a itp.); *druk* pauza; *mat* **A ~** (A') A prim 7. atak; napad; napaść; tłumny pęd; **to make a ~ at sth** rzucić się na coś; cisnąć się do czegoś 8. zacięcie; werwa; dziarskość; zuchowatość; buńczuczność; **to cut a ~** dziarsko się zachować; popis-ać/ywać się; pięknie <świetnie> się spis-ać/ywać 9. zawód; cios [IV] *interj okrzyk zniecierpliwienia:* psiakość!

dash-board ['dæʃ,bɔ:d] *s* 1. błotnik; fartuch (powozu) 2. tablica rozdzielcza (samochodu) 3. *lotn* tablica przyrządów pokładowych

dasher ['dæʃə] *s* 1. fircyk 2. tłuczek (maślnicy)

dashing ['dæʃiŋ] I *zob* **dash** *v* II *adj* 1. dziarski; zuchowaty; buńczuczny; z fantazją 2. (*o koniu*) ognisty

dastard ['dæstəd] *s* tchórz; szubrawiec; łot-r/rzyca; łajda-k/czka

dastardly ['dæstədli] *adj* nikczemny; łotrowski; łajdacki; tchórzliwy; podły

dasyure ['dæsi,juə] *s zoo* wielosiekaczowiec australijski

data ['deitə] *s* (*pl*) dane (liczbowe itp.)

dataller ['deitələ] *s* dniówkarz (robotnik)

date[1] [deit] *s bot* daktyl

date[2] [deit] I *s* 1. data; **what ~ is it?** którego jest dzisiaj?; **to ~** po dzień dzisiejszy; **up to ~** a) nowoczesny; modny b) (*o księgach rachunkowych, pamiętniku itd*) doprowadzony do dnia bieżącego; à jour; bez zaległości c) (*o człowieku*) postępowy; **out of ~** a) niemodny b) nieaktualny c) staroświecki d) starej daty <szkoły>; przestarzały 2. termin płatności (weksla); **at three months' ~** (płatny) za trzy miesiące 3. umówione spotkanie; *pot* randka; **to make a ~** umówić się z kimś (na dzień, godzinę) II *vt* datować; oznacz-yć/ać datę (**sth** czegoś) III *vi* datować się; pochodzić (z danego okresu)

~ back *vi* (*o sztuce, stylu itp*) pochodzić z <należeć do, posiadać cechy> (**to a period** danego okresu)

dateless ['deitlis] *adj* 1. bez daty; nie datowany 2. *lit poet* (trwający) od niepamiętnych czasów; odwieczny

date-line ['deit,lain] *s* 1. *mar* linia zmiany czasu 2. (*w liście itp*) miejsce na datę

date-marker ['deit,ma:kə] *s* datownik

date-palm ['deit,pa:m], **date-tree** ['deit,tri:] *s bot* daktylowiec

dater ['deitə] *s* datownik

dative ['deitiv] *s gram* celownik

datum ['deitəm] *s* (*pl* **data** ['deitə]) 1. fakt; przesłanka; **all the necessary data** wszystkie potrzebne dane 2. podstawa odniesienia 3. (*także* **~-point**) poziom porównawczy; punkt wyjściowy 4. (*w rysunku technicznym*) podstawa wymiarowa

datura [də'tjuərə] *s bot* bieluń

daub [dɔ:b] I *vt* 1. tynkować 2. mazać; rozmaz-ać/ywać 3. za/bazgrać II *s* 1. tynk; glina; gips 2. farba; smar 3. *pot* kicz; bazgranina; bohomaz

dauber ['dɔ:bə], **daubster** ['dɔ:bstə] *s* bazgracz

dauby ['dɔ:bi] *adj* 1. lepki 2. nabazgrany

daughter ['dɔ:tə] *s* córka; *przen* córa

daughter-in-law ['dɔ:tərin,lɔ:] *s* (*pl* **daughters-in-law** ['dɔ:təzin,lɔ:]) synowa

daughterly [dɔ:təli] *adj* (*o miłości, troskliwości itp*) rodzonej córki; córczyny

daunt [dɔ:nt] *vt* 1. na/straszyć; poskr-omić/amiać 2. zniechęc-ić/ać; zra-zić/żać; **nothing ~ed** bynajmniej nie zrażony <nie zniechęcony>; nie tracąc odwagi

dauntless ['dɔ:ntlis] *adj* nieustraszony; nieposkromiony

dauphin ['dɔ:fin] *s hist* delfin, następca tronu francuskiego

davenport ['dævn,pɔ:t] *s* 1. sekretarzyk; pulpit 2. *am* tapczan

davit ['dævit] *s mar* dawis (rodzaj wyciągu)

davy[1] ['deivi] *s sl* przysięga; **to take one's ~** przysi-ąc/ęgać

Davy[2] ['deivi] *spr* **~ lamp** lampa Davy'ego

Davy-Jones ['deivi,dʒounz] *spr* diabeł; duch morza; **~'s locker** dno morskie

daw [dɔ:] *s zoo* kawka

dawdle ['dɔ:dl] *vi* mitrężyć <marnować, tracić> czas; wałkonić się

~ away *vt* marnować <bezczynnie spędzać> (czas)

dawdler ['dɔ:dlə] *s* 1. maruda; guzdrała 2. wałkoń; próżnia-k/czka

dawk[1] [dɔ:k] *s* (*w Indiach*) poczta <transport> rozstawnymi końmi; **~ bungalow** stacja pocztowa

dawk[2] [dɔ:k] I *s* nacięcie na drzewie II *vt* nacinać (drzewa)

dawn [dɔ:n] I *vi* za/świtać; **it ~ed (up)on me** przyszło mi na myśl; zaświtało mi w głowie; zdałem sobie sprawę (**that** z tego, że...) II *s* 1. brzask ranny; świt; zorza poranna; jutrzenka 2. zaranie

↑**day** [dei] *s* 1. dzień; doba; **all ~ long** cały boży dzień; **~ by ~** dzień w dzień; **~ in ~ out** codziennie; każdego dnia; **~ off** dzień wolny od pracy; **the ~ after** nazajutrz; następnego dnia; **the ~ before** poprzedniego dnia; **the ~ before sth** w przededniu czegoś; **the other ~** przed paru dniami; parę dni temu; onegdaj; *pot* (tu) kiedyś; **to this ~** do dnia dzisiejszego; po dziś dzień; **men of the ~** ludzie na świeczniku; **questions of the ~** aktualne sprawy; zagadnienia doby obecnej; **to call it a ~** zakończyć pracę; **let's call it a ~** dość na dzisiaj; **to lose the ~** ponieść klęskę; przegrać (sprawę); **to name the ~** ustalić datę ślubu; **to win <carry> the ~** zwyciężyć; odnieść zwycięstwo <sukces> 2. dniówka; **work by the ~** praca na dniówki 3. świt 4. data; **which ~ of the month is it?** którego dzisiaj mamy? 5. *pl* **~s** czasy; okres; **better ~s** pomyślniejszy okres (w czyimś życiu); lepsze czasy; **~s to come** przyszłość; **evil ~s** bieda; **in our ~s** w dzisiejszych czasach; **in the ~s of__** za czasów...; za... (panowania itd.); **in those ~s** wówczas; wtedy; w owych czasach; **to end one's ~s** zakończyć życie; umrzeć 6. kres, koniec; **everything has its ~** wszystko się kończy <ma swój kres>; **he has had his ~** minął już okres jego świetności <wpływów, władzy itp.>; **the theory etc. has had its ~** ta teoria itp. już przebrzmiała

day-bed ['dei,bed] *s* tapczan

day-boarder ['dei,bɔ:də] *s* uczeń szkoły internatowej, wracający do domu na noc

day-book ['dei,buk] *s* dziennik kasowy

day-boy ['dei,bɔi] *s* ekstern

day-break ['dei,breik] *s* świt; brzask

day-dream ['dei,dri:m] I *s* sen na jawie; fantazja; mrzonka; marzenie II *vi* marzyć; fantazjować; budować zamki na lodzie

day-dreamer ['dei,dri:mə] *s* marzyciel/ka; fantast-a/ka

day-fly ['dei,flai] *s zoo* efemeryda, jętka jednodniówka

day-labourer ['dei,leibərə] *s* wyrobni-k/ca; robotni-k/ca pracując-y/a na dniówki

daylight ['dei,lait] *s* 1. światło dzienne; **in broad ~**

w biały dzień; **to see ~** a) widzieć wyjście (z trudnej sytuacji) b) docierać do końca pracy 2. świt 3. wolna przestrzeń; odstęp (między zawodnikami itd.) 4. (*w kieliszku*) kołnierzyk; **no ~** proszę nalać po sam brzeg <bez kołnierzyka>

daylight-saving ['deilait,seiviŋ] *s* wykorzystywanie światła dziennego przez stosowanie czasu letniego i zimowego

day-lily ['dei,lili] *s bot* liliowiec żółtawy

daylong ['dei,lɔŋ] [I] *adj* całodzienny [II] *adv* przez cały dzień; jak dzień długi

day-nursery ['dei,nə:səri] *s* 1. żłobek; ochronka 2. pokój dziecinny

day-room ['dei,ru:m] *s* świetlica

day-school ['dei,sku:l] *s* szkoła dzienna (normalna — w odróżnieniu od wieczorowej)

day-spring ['dei,spriŋ] *s poet* świt

day-ticket ['dei,tikit] *s kolej* bilet powrotny <w obie strony>, ważny na jeden dzień

daytime ['dei,taim] *s* dzień (od świtu do zmroku); **in the ~** za dnia

daywoman ['dei,wumən] *s* (*pl* **daywomen** ['dei,wim in]) kobieta pracująca na dniówki

daywork ['dei,wə:k] *s* praca na dniówki

daze [deiz] [I] *vt* 1. osz-ołomić/ałamiać 2. oślepi-ć/ać [II] *s* oszołomienie

dazedly ['deizidli] *adv* 1. w oszołomieniu 2. nieprzytomnie 3. z nieprzytomną miną

dazzle ['dæzl] *vt* 1. oślepi-ć/ać 2. *mar* po/malować (statek) farbą ochronną; za/maskować *zob* **dazzling**

dazzlement ['dæzlmənt] *s* 1. oślepienie 2. maskowanie (statku)

dazzling ['dæzliŋ] [I] *zob* **dazzle** [II] *adj* oślepiający

D-day ['di:,dei] *s* 1. *wojsk* nieokreślony dzień rozpoczęcia działań 2. dzień lądowania aliantów w Normandii (6.VI.1944)

deacon ['di:kən] [I] *s* 1. diakon 2. pomocnik proboszcza [II] *attr am* **~ hide** skóra świeżo narodzonego cielęcia [III] *vt am pot* ułożyć/układać (owoce) tak, żeby najładniejsze były widoczne, a brzydkie ukryte

deaconess ['di:kənis] *s* diakonisa

dead [ded] [I] *adj* 1. (*o człowieku*) zmarły; umarły; **he is ~** umarł, zmarł; nie żyje; **he is as ~ as mutton** <**as a door-nail**> to zimny trup, on umarł na amen <na dobre> 2. *dosł i przen* martwy; nieżywy; bez życia; *mech* **a ~ axle** oś nieruchoma; **a ~ end** a) zakończenie odnogi kolejowej; ślepy tor b) ślepa uliczka c) pasaż; **a ~ fence** płot; **a ~ wire** drut <przewód> bez prądu <bez napięcia>; **the ~ hours** głęboka cisza nocna; *mech* **~ centre** punkt zwrotny (tłoka); *bot* **~ man's finger** <**hand, thumb**> gatunki storczyków; *przen* **~ men** <**marines**> puste flaszki; próżne butelki; **~ and gone** dawno miniony; zapomniany; przebrzmiały; *am pot* **~ above the ears** <**from the neck up**> a) bez głowy b) z sieczką w głowie 3. (*o zwierzęciu*) zdechły; padły; *przen* **a ~ horse** praca z góry <naprzód> opłacona; **to flog the ~ horse** męczyć się na próżno 4. (*o rybie*) śnięty 5. (*o domu, mieście itp*) wymarły 6. (*o palcu, nodze itd*) zdrętwiały; ścierpnięty; **to go ~** zdrętwieć, ścierpnąć 7. głuchy <obojętny> (**to sth** na coś) 8. (*o farbie*) matowy; bez blasku; **~ colour** podmalowanie (obrazu olejnego) 9. *sport* wytrącony z gry; spalony 10. (*o ciele fizycznym*) martwy; nieorganiczny 11. (*o dźwięku*) głuchy 12. (*o pewności*) bezwzględny; całkowity; (*o utracie przytomności, fiasku, niepowodzeniu, stracie*) zupełny, całkowity; kompletny; **a ~ level** idealna równia; **to be ~ on time** być punktualnym co do minuty <co do sekundy>; **to be in ~ earnest** a) mówić zupełnie poważnie <szczerze> b) mówić z przejęciem; **to come to a ~ stop** a) nagle się zatrzymać b) stanąć w miejscu c) stanąć jak wryty 13. (*o wulkanie, ogniu*) wygasły 14. (*o wapnie*) gaszony 15. niezawodny; bezwzględnie pewny; **to be a ~ shot** doskonale strzelać; nigdy nie chybiać 16. *bud* (*o oknie itd*) ślepy 17. (*o aparacie itp*) zepsuty; **to be ~** nie funkcjonować ‖ **a ~ reckoning** obliczenie (położenia statku) według kursu i logu; *lotn* wyliczenie [II] *adv* 1. całkowicie; zupełnie; kompletnie; gruntownie; do cna; **~ drunk** pijany do nieprzytomności <jak bela, w sztok>; (*w napisie*) **~ slow** jechać powoli; **~ smooth** idealnie gładki; **~ sure** bezwzględnie pewny; **~ tired** śmiertelnie zmęczony; wyczerpany; *pot* skonany; **to be ~ against sth** stanowczo się sprzeciwiać <być bezwzględnie przeciwnym> czemuś; **to stop ~** stanąć w miejscu <jak wryty> 2. *mar* prosto (na północ, południe itd.) [III] *s* 1. *pl* **the ~** umarli, zmarli 2. okres największego nasilenia (czegoś); **at ~ of night** w ciemną <głuchą> noc; **in the ~ of winter** w pełni zimy; w największy mróz [IV] *attr* 1. (*o domu*) przedpogrzebowy 2. (*o marszu itd*) żałobny

dead-(and)-alive ['ded(n)ə'laiv] *adj* bez życia; senny

dead-beat ['ded'bi:t] [I] *adj* upadający ze zmęczenia; *pot* skonany [II] *s am* leń; próżnia-k/czka; pasożyt

dead-centre ['ded'sentə] *s mech* punkt zwrotny <martwy>; położenie zwrotne (tłoka)

deaden ['dedn] [I] *vt* 1. z/łagodzić <z/amortyzować> (uderzenie) 2. s/tłumić <przycisz-yć/ać> (głos, dźwięk) 3. znieczul-ić/ać; przytępi-ć/ać 4. pozbawi-ć/ać (kogoś) energii <zapału itp.> 5. uczynić (kogoś) nieczułym (**to sth** na coś) 6. pozbawi-ć/ać połysku <blasku> [II] *vi* 1. (*o uderzeniu*) z/amortyzować <z/łagodzić> się 2. (*o dźwięku*) przycich-nąć/ać 3. (*o czuciu*) przytępi-ć/ać się 4. (*o piwie*) z/wietrzeć

dead-end ['ded,end] *s dosł i przen* ślepa uliczka

dead-eye ['ded,ai] *s mar* jufers (talrepu)

dead-fall ['ded,fɔ:l] *s* pułapka

dead-fire ['ded,faiə] *s* ogień św. Elma

dead-head ['ded,hed] *s* posiadacz/ka wolnego biletu (wstępu do teatru, kolejowego itd.)

dead-heat ['ded'hi:t] *s sport* bieg martwy (w którym dwóch lub więcej zawodników przybywa równocześnie do mety)

dead-house ['ded,haus] *s* kostnica

dead-letter ['ded'letə] *attr* (*na poczcie*) **~ department** dział listów niedokładnie zaadresowanych

dead-light ['ded,lait] *s mar* nakrywka świetlika

dead-line ['ded,lain] *s* 1. nieprzekraczalna granica 2. nieprzekraczalny termin

deadliness ['dedlinis] *s* śmiertelność (jadu, rany itp.)

deadlock ['ded,lɔk] *s* 1. martwy punkt; sytuacja bez wyjścia; impas; **to come to a ~** stanąć na martwym punkcie 2. zastój

deadly ['dedli] [I] *adj* (**deadlier** ['dedliə], **deadliest** ['dedliist]) 1. (*o jadzie, ciosie, grzechu*) śmiertelny 2. (*o wrogu*) nieubłagany; zawzięty; śmiertelny 3. morderczy; **in ~ haste** w szalonym pośpiechu [II] *adv* 1. śmiertelnie 2. nadzwyczajnie; nieznośnie; nieludzko

deadness ['dednis] *s* 1. martwota 2. zdrętwienie 3. zastój 4. zwietrzałość (piwa itd.) 5. martwość (kolorów itd.) 6. nieczułość <obojętność> (**to sth** na coś)

dead-nettle ['ded,netl] *s bot* jasnota biała

dead-stick ['ded,stik] *s lotn* zgaszony motor; **~ landing** lądowanie przy zgaszonym motorze

dead-water ['ded,wɔ:tə] *s mar* ślad torowy; kilwater

dead-weight ['ded,weit] *s* martwa waga; ciężar własny (pojazdu); balast; *mar* dead-weight

deadwood ['ded,wud] *s* uschnięte drzewo; *przen* balast

deaf [def] [I] *adj* 1. głuchy; **~ and dumb** głuchoniemy; **~ as a post** głuchy jak pień; **~ of an ear** głuchy na jedno ucho; **to turn a ~ ear to sb, sth** nie słuchać kogoś, czegoś 2. *przen* nieczuły <głuchy> (**to sth** na coś) 3. (*o orzechu*) pusty [II] *s pl* **the ~** głusi

deafen ['defn] *vt* 1. ogłusz-yć/ać 2. zagłusz-yć/ać 3. wy-łożyć/kładać materiałem dźwiękochłonnym *zob* **deafening**

deafening ['defəniŋ] [I] *zob* **deafen** [II] *adj* ogłuszający

deaf-mute ['def'mju:t] *s* głuchoniem-y/a

deafness ['defnis] *s* głuchota

deal[1] [di:l] *s* ilość; **a good** <**great**> **~** a) sporo; niemało; dużo; wiele; **that's saying a good ~** to ma swoją wymowę b) *przed przymiotnikiem lub przysłówkiem* o wiele; znacznie

deal[2] [di:l] [I] *s* 1. rozdanie kart; **whose ~ is it?** kto rozdaje?; **New Deal** „nowy ład" (Rooseveltowski) 2. interes; transakcja; sprawa (handlowa); **to do a ~ with sb** zawrzeć transakcję <ubić interes> z kimś; **to give sb a square ~** uczciwie <lojalnie, rzetelnie> postąpić z kimś; **it's a ~!** zgoda!; załatwione! [II] *vt* (**dealt** [delt], **dealt**) 1. (*także* **~ out**) rozda-ć/wać (karty, dary itp.); wydziel-ić/ać 2. (*także* **~ out**) udziel-ić/ać (**sth to sb** czegoś komuś); obdziel-ić/ać (**alms etc. to** <**among**> **people** ludzi jałmużną itp.) 3. zdziel-ić/ać; zada-ć/wać <wymierz-yć/ać> (cios itp.) [III] *vi* (**dealt** [delt], **dealt**) 1. post-ąpić/ępować (**badly** <**well**> **by** <**with**> **sb** źle <dobrze> z kimś); po/traktować (**badly** <**well**> **by sb** kogoś źle <dobrze>) 2. handlować (**in sth** czymś) 3. mieszać się (**in sth** do czegoś) 4. mieć do czynienia <stosunki> (**with sb** z kimś); **easy** <**difficult**> **to ~ with** łatwy <trudny> w obejściu 5. traktować (**with sth** o czymś); dotyczyć (**with sth** czegoś) 6. zaj-ąć/mować się (**with sth** czymś); uporać <załatwić> się (**with sth** z czymś); *przen* rozwiąz-ać/ywać (**with a problem** zagadnienie) *zob* **dealing**

deal[3] [di:l] *s* tarcica; dyl; drewno sosnowe <świerkowe, jodłowe>; miękkie <białe> drewno

dealer ['di:lə] *s* 1. kup-iec/cowa; dom handlowy (**in a commodity** handlujący danym towarem) 2. *karc* rozdając-y/a karty

dealing ['di:liŋ] [I] *zob* **deal**[2] *v* [II] *s* 1. sposób prowadzenia interesów 2. postępowanie; traktowanie (innych) 3. (*także* **~ out**) rozdawanie; wydzielanie 4. *pl* **~s** stosunki handlowe; interesy 5. *pl* **~s** konszachty; machinacje; praktyki; *pot* machlojki

dealt *zob* **deal**[2] *v*

dean[1] [di:n] *s geogr* dolina

dean[2] [di:n] *s* 1. *kośc* dziekan (kapituły); **rural ~** dziekan (ksiądz przełożony nad grupą parafii) 2. *uniw* dziekan 3. dziekan (korpusu dyplomatycznego itd.)

deanery ['di:nəri] *s* 1. dziekanat 2. rezydencja dziekana 3. grupa parafii pod zarządem dziekana

deanship ['di:nʃip] *s* dziekaństwo

dear [diə] [I] *adj* 1. drogi; kochany; **..., ~** mój/moja drog-i/a; **to hold ~** a) kochać b) cenić; **for ~ life** jak gdyby życie od tego zależało; **run for ~ life!** pędź/cie <biegnij/cie>, jeśli ci <wam> życie miłe! 2. drogi; kosztowny; cenny; **that's too ~** to za drogo; **to get ~** po/drożeć 3. *w listach* (*w nagłówku*) *tłumaczy się zależnie od stosunku piszącego do adresata*: **Dear friend** Drogi Przyjacielu; **Dear Mary** Kochana Marysiu; **Dear Sir** (Wielce) Szanowny Panie; **My ~ Mr Brown** Szanowny i Drogi Panie [II] *s* 1. kochany człowiek 2. kochane stworzenie 3. słodkie dziecko [III] *adv* drogo [IV] *interj* (*także* **oh ~!**; **~, ~, ~!**; **~ me!**) *okrzyk* a) *zdziwienia*: czyżby? itp. b) *zmartwienia*: Boże mój! itp. c) *współczucia*: aj, aj, aj! itp.

dearie ['diəri] *s zwracając się do bliskiej osoby:* kochanie

dearly ['diəli] *adv* 1. drogo 2. serdecznie; z całego serca

dearness ['diənis] *s* wysok-a/ie cen-a/y; drożyzna

dearth [də:θ] *s* 1. drożyzna 2. brak <niedostatek> (towarów, żywności, rąk do pracy itd.) 3. głód; nieurodzaj

deary ['diəri] = **dearie**

death [deθ] [I] *s* śmierć; zgon; **at ~'s door** u progu śmierci; **black ~** czarna śmierć; pomór; zaraza; **he'll be the ~ of me** a) on mnie do grobu wpędzi b) umrę ze śmiechu; (*o mięsie itp*) **done to ~** spalony; **like grim ~** rozpaczliwie; **sick** <**wounded**> **to ~** śmiertelnie chory <ranny>; **sure as ~** niechybny; niechybnie; **till** <**unto**> **~** do grobowej deski; **to be in at the ~** a) *dosł* być przy dobiciu lisa (na polowaniu par force) b) *przen* być obecnym w ważnych momentach <na uroczystościach itp.> (z urzędu, przez snobizm itp.); **to catch one's ~ of cold** zaziębić się śmiertelnie; **to put sb to ~** uśmiercić <zabić> kogoś; **war to the ~** wojna na śmierć i życie [II] *attr* pośmiertny; pozgonny; **~ duties** podatek spadkowy; **~ notice** a) nekrolog b) klepsydra

death-adder ['deθ,ædə] *s zoo* najjadowitszy gatunek żmii australijskiej

death-bed ['deθ,bed] [I] *s* łoże śmierci [II] *attr* (*o zeznaniach itp*) złożony <poczyniony> na łożu śmierci

death-bell ['deθ,bel] *s* dzwonienie pozgonne; dzwon pogrzebowy

death-blow ['deθ,blou] *s* śmiertelny cios

death-chamber ['deθ,tʃeimbə] *s* 1. pokój żałoby 2. (*w więzieniu*) izba egzekucyjna

death-cup ['deθ,kʌp] *s am* gatunek trującego grzyba

death-feud ['deθ,fju:d] *s* wendetta

death-house ['deθ,haus] *s am* cela skazańców

deathless ['deθlis] *adj* nieśmiertelny

deathlike ['deθ,laik] *adj* trupi

deathly ['deθli] [I] *adj* śmiertelny; trupi; grobowy [II] *adv* śmiertelnie

death-mask ['deθ,ma:sk] *s* maska pośmiertna

death-rate ['deθ,reit] *s statyst* śmiertelność
death-rattle ['deθ,rætl] *s* charczenie <rzężenie> przedśmiertne
death-roll ['deθ,roul] *s* liczba <spis> ofiar (katastrofy itp.)
death's-head ['deθs,hed] *s* trupia główka i piszczele (symbol); *zoo* ~ **moth** ćma trupia główka
death-struggle ['deθ,strʌgl] *s* śmiertelna walka; walka na śmierć i życie
death-trap ['deθ,træp] *s* miejsce <budynek itp.> grożąc-e/y bezpieczeństwu życia
death-warrant ['deθ,wɔrənt] *s dosł i przen* wyrok śmierci
death-watch ['deθ,wɔtʃ] *s* 1. czuwanie przy zmarłym 2. straż skazańca 3. *zoo* kołatek
débâcle [dei'bɑ:kl] *s* 1. *geol* rzeka ziemna (spływ masy rumoszu skalnego nasiąkniętego wodą) 2. ruszenie lodów 3. spadek; walenie się lawiną 4. rozgromienie; paniczna ucieczka
debar [di'bɑ:] *vt* (**-rr-**) zakaz-ać/ywać (**sb from sth, sb sth** komuś czegoś); wyklucz-yć/ać (kogoś z czegoś); pozbawi-ć/ać (kogoś prawa itp.)
debark [di'bɑ:k] [I] *vt* 1. wysadz-ić/ać na ląd (pasażerów) 2. wyładow-ać/ywać (towar) [II] *vi* wylądować; wysi-ąść/adać ze statku
debarkation [,di:bɑ:'keiʃən] *s* 1. wysadzenie na ląd (pasażerów) 2. wyładow-anie/ywanie (towarów) 3. wylądowanie
debase [di'beis] *vt* 1. up-odlić/adlać; poniż-yć/ać 2. obniż-yć/ać wartość (**sth** czegoś); z/deprecjonować 3. s/fałszować (pieniądze itd.)
debasement [di'beismənt] *s* 1. upodlenie; poniżenie 2. obniżenie wartości (czegoś); zdeprecjonowanie 3. fałszowanie (pieniędzy itd.)
debatable [di'beitəbl] *adj* sporny; ~ **ground** sporna granica; *przen* rzecz <sprawa> nadająca się do dyskusji
debate [di'beit] [I] *s* debata; dyskusja; spór; rozprawa; dysputa; **the question in** <**under**> ~ przedmiot sporu [II] *vt* 1. debatować <dyskutować> (**sth** nad czymś); spierać się (**sth** o coś); rozprawiać (**sth** o czymś); roztrząsać <*pot* wałkować> (sprawę) 2. walczyć (**sth** o coś — zwycięstwo itp.) 3. zastan-owić/awiać się (**sth** nad czymś); rozważać (coś) [III] *vi* debatować (**on sth** nad czymś) *zob* **debating**
debater [di'beitə] *s* 1. dyskutant/ka 2. argumentator
debating [di'beitiŋ] [I] *zob* **debate** *v* [II] *adj* 1. (*o klubie itp*) dyskusyjny 2. (*o sprawie*) sporny
debauch [di'bɔ:tʃ] [I] *vt* 1. ze/psuć (kogoś); sprowadz-ić/ać na drogę rozpusty; z/deprawować 2. wypacz-yć/ać (**sb's judgment** czyjeś poglądy); ze/psuć (**sb's taste** komuś smak) *zob* **debauched** [II] *s* 1. (po)hulanka 2. rozpusta
debauched [di'bɔ:tʃt] [I] *zob* **debauch** *v* [II] *adj* rozpustny; rozwiązły
debauchee [,debɔ:'tʃi:] *s* rozpustni-k/ca
debauchery [di'bɔ:tʃəri] *s* rozpusta; rozwiązłość; wyuzdanie; rozwiązłe życie
debenture [di'bentʃə] *s* 1. obligacja 2. kwit celny na cło zwrotne
debilitate [di'bili,teit] *vt* osłabi-ć/ać; podci-ąć/nać siły (**sb** czyjeś)
debility [di'biliti] *s* słabość; osłabienie; niemoc; utrata sił
debit ['debit] [I] *s księgow* strona „winien", debet; ~ **balance** saldo ujemne; **to enter a sum to the** ~ **side of an account** = **to** ~ **sb with a sum** *zob* ~ *vt* [II] *vt* obciąż-yć/ać (**sb** czyjś rachunek); **to** ~ **sb with a sum** obciąż-yć/ać czyjś rachunek (jakąś) kwotą
debonair [,debə'nɛə] *adj* jowialny; dobroduszny
debouch [di'bautʃ] *vi* 1. *wojsk* debuszować 2. (*o rzece*) wpadać <uchodzić> (**into sth** do czegoś) 3. (*o drodze, ulicy itp*) prowadzić (**into sth** do czegoś)
debouchment [di'bautʃmənt] *s* 1. *wojsk* debuszowanie 2. (*o rzece*) wpadanie (**into sth** do czegoś) 3. ujście
De Brett, Debrett [də'bret] *spr* herbarz angielski
debris ['debri:] *s* 1. gruzy; rumowisko 2. *geol* rumosz (skalny); zwietrzelina
debt [det] *s* dług; **a bad** ~ nieściągalny dług; **a small** ~ drobny dług (wchodzący w zakres sądów pierwszej instancji); **to be in** ~ być zadłużonym; *pot* siedzieć w długach; **to be in sb's** ~ a) być czyimś dłużnikiem b) być komuś zobowiązanym; mieć zobowiązania wobec kogoś; **to be out of** ~ mieć długi spłacone; **to pay the** ~ **of** <**to**> **nature** oddać Bogu ducha; umrzeć
debtor ['detə] *s* dłużni-k/czka
debunk [di'bʌŋk] *vt am pot* 1. odbrąz-owić/awiać 2 z/demaskować; ujawni-ć/ać
debus [di:'bʌs] *v* (**-ss-**) [I] *vt* wyładow-ać/ywać (wojsko, towary itd.) z samochodów <z autobusów> [II] *vi* wysi-ąść/adać z samochodów <z autobusów>
début ['deibu:] *s* debiut (w towarzystwie i na scenie)
débutant(e) ['debjutɑ̃:(t)] *s* debiutant/ka
decade ['dekeid] *s* 1. dziesiątka (czegoś) 2. dziesięciolecie
decadence ['dekədəns], **decadency** [di'keidənsi] *s* 1. upadek; schyłek; dekadencja 2. dekadentyzm
decadent ['dekədənt] [I] *adj* chylący się ku upadkowi; schyłkowy; dekadencki [II] *s* dekadent; schyłkowiec
decagon ['dekəgən] *s* dziesięciokąt, dziesięciobok
decagram ['dekə,græm] *s* dekagram, *pot* deko
decahedron [,dekə'hi:drən] *s* dziesięciościan
decalcification [di,kælsifi'keiʃən] *s* odwapni-enie/anie
decalcify [di:'kælsi,fai] *vt* (**decalcified** [di:'kælsi,faid], **decalcified; decalcifying** [di:'kælsi,faiiŋ]) odwapni-ć/ać
decalcomania ['di:kælkə'meiniə] *s* kalkomania
decalogue ['dekə,lɔg] *s* dekalog, dzisięcioro przykazań
decamp [di'kæmp] *vi* 1. zwi-nąć/jać obóz 2. znik-nąć/ać; ucie-c/kać; *pot* drapnąć; da-ć/wać drapaka
decampment [di'kæmpmənt] *s* 1. zwinięcie obozu 2. ucieczka; *pot* danie drapaka
decanal [di'keinl] *adj* dziekański
decant [di'kænt] *vt* 1. zl-ać/ewać (płyn) znad osadu; *chem* dekantować 2. przel-ać/ewać (wino itp.) do karafki
decanter [di'kæntə] *s* karafka
decaphyllous [di'kæfiləs] *adj bot* dziesięciolistny
decapitate [di'kæpi,teit] *vt* ściąć głowę (**sb** komuś)
decapitation [di,kæpi'teiʃən] *s* ścięcie (głowy)
decapod ['dekə,pɔd] *s zoo* rak dziesięcionogi
decarbonization [di:,kɑ:bənai'zeiʃən] *s* dekarbonizacja, odwęgl-enie/anie

decarbonize [di:'ka:bə,naiz] *vt* odwęgl-ić/ać

decarburize [di'ka:biuə,raiz] *vt techn* odwęglać

decasyllabic ['dekəsi'læbik] *adj* dziesięciozgłoskowy

decathlon [di'kæθlɔn] *s sport* dziesięciobój

decay [di'kei] [I] *vi* 1. chylić się ku upadkowi 2. tracić siły <zdrowie, urodę> 3. zanikać; (*o zdrowiu*) podupa-ść/dać; (*o zwyczaju*) za/ginąć 4. niszczeć; z/marnieć 5. gnić; psuć <rozkładać> się [II] *vt* s/powodować psucie się (**sth** czegoś) *zob* **decayed** [III] *s* 1. upadek; schyłek 2. uwiąd 3. zanik <zanikanie> (urody, sił, zwyczaju itd.) 4. niszczenie <stan zniszczenia> (budynku itp.); **to fall into ~** a) z/niszczeć b) podupa-ść/dać c) (*o zwyczaju itp*) zanik-nąć/ać; znik-nąć/ać; wygas-nąć/ać 5. gnicie; psucie się; rozkład 6. próchnica

decayed [di'keid] [I] *zob* **decay** *v* [III] *adj* 1. podupadły 2. zubożały 3. zniszczony 4. zepsuty <spróchniały> (ząb itd.)

decease [di'si:s] [I] *s* śmierć; zgon; zejście (ze świata) [II] *vi* umrzeć; zejść (ze świata) *zob* **deceased**

deceased [di'si:st] [I] *zob* **decease** *v* [II] *adj* zmarły [III] *s* nieboszcz-yk/ka

decedent [di'si:dənt] *s prawn* nieboszcz-yk/ka

deceit [di'si:t] *s* (*także* **a piece of ~**) 1. oszukaństwo; oszustwo 2. podstęp; wprowadzenie w błąd 3. fałsz

deceitful [di'si:tful] *adj* 1. oszukańczy 2. podstępny 3. kłamliwy; zakłamany; fałszywy

deceitfulness [di'si:tfulnis] *s* 1. usposobienie fałszywe <kłamliwe, podstępne> 2. fałsz

deceive [di'si:v] [I] *vt* 1. oszuk-ać/iwać; wprowadz-ić/ać w błąd; okłam-ać/ywać; uży-ć/wać podstępu (**sb** wobec kogoś) 2. zaw-ieść/odzić (nadzieje itp.) [II] *vr* **~ oneself** oszuk-ać/iwać <okłam-ać/ywać> samego siebie; łudzić się *zob* **deceiving**

deceiver [di'si:və] *s* 1. oszust/ka 2. kłamca

deceiving [di'si:viŋ] [I] *zob* **deceive** [II] *adj* zwodniczy; złudny

decelerate [di'seli,reit] [I] *vt* zw-olnić/alniać tempo (**sth** czegoś); zmniejsz-yć/ać szybkość <tempo> (**sth** czegoś) [II] *vi* zw-olnić/alniać

December [di'sembə] [I] *s* grudzień [II] *attr* grudniowy

decemvir [di'semvə] *s* (*u staroż. Rzymian*) decemwir

decency ['di:sənsi] *s* 1. przyzwoitość; obyczajność; dobre obyczaje; **to have the ~ to —** być na tyle przyzwoitym, żeby ... 2. *pl* **the decencies** nakazy przyzwoitości

decennary [di'senəri] [I] *s* dziesięciolecie [II] *adj* dziesięcioletni

decennial [di'senjəl] *adj* (*o okresie, wydarzeniu, zjawisku itp*) dziesięcioletni

decennium [di'senjəm] *s* (*pl* **decennia** [di'senjə]) dziesięciolecie

decent ['di:snt] *adj* 1. *dosł i pot* przyzwoity; **a ~ livelihood** przyzwoite utrzymanie 2. skromny; obyczajny

decently ['di:səntli] *adv* 1. *dosł i pot* przyzwoicie 2. znośnie; nieźle

decentralize [di:'sentrə,laiz] *vt* z/decentralizować

decentre [di'sentə] *vt* odśrodkować, decentrować

deception [di'sepʃən] *s* 1. (*także* **a piece of ~**) oszukaństwo; oszukiwanie; szachrajstwo; podstęp; wprowadzenie w błąd; okłam-anie/ywanie

deceptive [di'septiv] *adj* 1. zwodniczy; złudny; oszukańczy; kłamliwy; wprowadzający w błąd 2. łatwowierny

decibel ['desibel] *fiz* decybel

decide [di'said] [I] *vt* 1. rozstrzyg-nąć/ać (spór itp.) 2. być (argumentem itp.) decydującym; **that ~s me** to jest dla mnie decydujące 3. stanowić <za/decydować> (**sth** o czymś — losie itp.) [II] *vi* 1. po-wziąć/bierać decyzję; **to ~ against doing sth** postan-owić/awiać nie z/robić czegoś 2. wypowi-edzieć/adać się 3. postan-owić/awiać (**on sth** coś); z/decydować się (**on sth** na coś); wyb-rać/ierać (**on sth** coś) *zob* **decided**

decided [di'saidid] [I] *zob* **decide** [II] *adj* 1. zdecydowany 2. stanowczy; kategoryczny 3. bezsporny

decidedly [di'saididli] *adv* zdecydowanie; stanowczo

deciduous [di'sidjuəs] *adj* 1. krótkotrwały 2. *bot* (*o drzewach*) zrzucający liście 3. *bot* (*o liściach*) opadający

decigram ['desi,græm] *s* decygram

decile ['desil] *s astr mat* decyl

decilitre ['desi,li:tə] *s* decylitr

decimal ['desiməl] *adj* dziesiętny (system, ułamek itd.)

decimate ['desi,meit] *vt* z/dziesiątkować; przerzedz-ić/ać

decimation [,desi'meiʃən] *s* z/dziesiątkowanie; przerzedz-enie/anie

decimetre ['desi,mi:tə] *s* decymetr

decimo-sexto ['desimou'sekstou] *s* format 1/16 arkusza

decipher [di'saifə] *vt* 1. odcyfrow-ać/ywać (depeszę, czyjeś pismo itp.); odszyfrow-ać/ywać 2. rozwiąz-ać/ywać (zagadkę itp.)

decision [di'siʒən] *s* 1. decyzja; postanowienie; rozstrzygnięcie; **to come to <arrive at> a ~** powziąć decyzję; wypowi-edzieć/adać się (ostatecznie) 2. stanowczość; zdecydowanie; rezolutność; **a man of ~** człowiek zdecydowany <rezolutny>; **lacking ~** niezdecydowany, chwiejny

decisive [di'saisiv] *adj* decydujący; rozstrzygający; stanowczy

decisiveness [di'saisivnis] *s* 1. stanowczość; zdecydowanie; rezolutność 2. decydujący <rozstrzygający, stanowczy> charakter (czegoś)

decivilize [di:'sivi,laiz] *vt* s/powodować zdziczenie (**sb** czyjeś)

deck¹ [dek] *s* 1. pokład (statku); pomost; **to clear the ~s** gotować się do akcji (bojowej) 2. piętro (autobusu, tramwaju) 3. talia kart

deck² [dek] [I] *vt* 1. wy/stroić; przyb-rać/ierać (czymś); ozd-obić/abiać 2. (*także* **~ over** <**in**>) pokry-ć/wać (konstrukcję statku) pokładem [II] *vr w zwrocie*: **to ~ oneself out** wystroić się

deck-cargo ['dek,ka:gou] *s* (*pl* **~es**) ładunek pokładowy

deck-chair ['dek,tʃɛə] *s* leżak

decker ['dekə] *s* piętrowy statek <omnibus, tramwaj>

deck-hand ['dek,hænd] *s* marynarz, majtek

deck-house ['dek,haus] *s* budka (na pokładzie statku)

deck-passenger ['dek,pæsindʒə] *s* pasażer pokładowy

declaim [di'kleim] [I] *vt* deklamować [II] *vi* gardłować; perorować; **to ~ against sb, sth** potępi-ć/ać kogoś, coś

declamation [ˌdekləˈmeiʃən] *s* deklamacja, deklamowanie

declamatory [diˈklæmətəri] *adj* deklamatorski

declaration [ˌdekləˈreiʃən] *s* 1. deklaracja; oświadczenie; **~ of the polls** wyniki głosowania 2. oświadczyny 3. *karc* zapowiedź 4. wypowiedzenie (wojny itd.)

declare [diˈklɛə] [I] *vt* 1. oznajmi-ć/ać; ogł-osić/aszać; głosić; wygł-osić/aszać; **to ~ sb (to be) a thief <innocent etc.>** oświadczyć, że ktoś jest złodziejem <niewinny itd.>; uznać kogoś za złodzieja <za niewinnego itd.> 2. wypowi-edzieć/adać (wojnę itd.) 3. *karc* zapowi-edzieć/adać (kolor) 4. da-ć/wać (rzeczy, towar) do oclenia; o/clić [II] *vr* **~ oneself** 1. wypowi-edzieć/adać <z/deklarować, oświadcz-yć/ać> się (**for sth** za czymś, **against sth** przeciw czemuś) 2. ujawni-ć/ać się [III] *vi* 1. oświadcz-yć/ać; stwierdz-ić/ać; *wyrażenie zdziwienia*: **well, I ~!** nie do wiary! itp. 2. oświadcz-yć/ać się (**for sth** za czymś, **against sth** przeciw czemuś) *zob* **declared**

declared [diˈklɛəd] [I] *zob* **declare** [II] *adj* otwarty; jawny, zdeklarowany

declassé [ˈdeiklɑːˈsei] *adj* zdeklasowany

declension [diˈklenʃən] *s* 1. odchylenie 2. opadnięcie; upadek 3. *gram* deklinacja; odmiana; przypadkowanie

declination [ˌdekliˈneiʃən] *s* deklinacja, zboczenie (magnetyczne itd.)

declinator [ˈdekliˌneitə] *s fiz* deklinator

decline [diˈklain] [I] *vi* 1. opa-ść/dać; po/chylić <obniż-yć/ać> się 2. zanikać; zamierać; ubywać; (*o słońcu itp*) zachodzić 3. z/maleć 4. podupa-ść/dać; z/marnieć 5. zb-oczyć/aczać; **to ~ from virtue** zejść z drogi cnoty 6. odm-ówić/awiać; *iron* **I ~d with thanks** uprzejmie podziękowałem [II] *vt* 1. schyl-ić/ać (głowę itd.) 2. oddal-ić/ać (prośbę itp.); odrzuc-ić/ać (propozycję, wniosek itd.) 3. *gram* odmieni-ć/ać (wyraz) według przypadków [III] *s* 1. upadek; schyłek 2. utrata; ubywanie; zanik; **to be on the ~** a) ubywać; zanikać b) tracić siły <zdrowie itp.> c) chylić się ku upadkowi 3. spadek (cen) 4. *med* suchoty, gruźlica 5. *med* niemoc; bezwład; **to be in a ~** być złożonym niemocą <bezwładem>; **to go into a ~** popaść w niemoc <w bezwład>

declinometer [ˌdekliˈnɔmitə] *s miern* deklinometr, busola zboczeń

declivitous [diˈklivitəs] *adj* stromo opadający; spadzisty

declivity [diˈkliviti] *s* pochyłość; spadzistość

declivous [diˈklaivəs] *adj* pochylony; opadający

declutch [diːˈklʌtʃ] *vi* wyłącz-yć/ać sprzęgło

decoct [diˈkɔkt] *vt* warzyć; z/robić wywar (**sth** z czegoś)

decoction [diˈkɔkʃən] *s* wywar

decode [diːˈkoud] *vt* rozszyfrow-ać/ywać

decollate [diˈkɔleit] *vt* 1. odciąć głowę (**sb** komuś, czyjąś) 2. *med* oddzielić główkę (**sth** czegoś)

decollation [ˌdiːkəˈleiʃən] *s* 1. odcięcie głowy 2. *med* oddzielenie główki

décolleté(e) [deiˈkɔltei] *adj* (*o stroju*) wycięty; z dużym dekoltem; (*o człowieku*) wydekoltowany

decolour [diːˈkʌlə], **decolourize** [diːˈkʌləˌraiz] *vt* odbarwi-ć/ać

decompose [ˌdiːkəmˈpouz] *vt vi* roz-łożyć/kładać (się)

decomposite [diːˈkɔmpəzit], **decompound** [ˌdiːkəmˈpaund] *adj* 1. *jęz* podwójnie złożony (wyraz itd.) 2. *bot* podwójnie złożony

decompress [ˌdiːkəmˈpres] *vt* rozpręż-yć/ać

decompression [ˌdiːkəmˈpreʃən] *s techn* dekompresja; obniżenie ciśnienia

decompressor [ˌdiːkəmˈpresə] *s techn* dekompresor; odprężnik

deconsecrate [diːˈkɔnsiˌkreit] *vt* sekularyzować

decontaminate [ˌdiːkənˈtæmiˌneit] *vt* odka-zić/żać

decontrol [ˌdiːkənˈtroul] *vt* (**-ll-**) wyj-ąć/mować spod reglamentacji <spod dozoru państwowego> *zob* **decontrolled**

decontrolled [ˌdiːkənˈtrould] [I] *zob* **decontrol** [II] *adj* 1. wolny od dozoru władz 2. wyjęty spod reglamentacji

decor [ˈdeikɔː] *s* dekoracje (sceny)

decorate [ˈdekəˌreit] *vt* 1. ozd-obić/abiać; u/dekorować; upiększ-yć/ać 2. od/malować; wy/tapetować (mieszkanie itp.) 3. u/dekorować (kogoś); **to ~ sb with an order** nada-ć/wać komuś order *zob* **decorated**

decorated [ˈdekəˌreitid] [I] *zob* **decorate** [II] *adj* 1. ozdobny; udekorowany 2. odznaczony (orderem, medalem) [III] *s* (*także* **~ style**) gotyk angielski z XIV w.

decoration [ˌdekəˈreiʃən] *s* 1. ozdoba; dekoracja; upiększenie; *am* **Decoration Day** dzień uczczenia pamięci poległych na polu chwały (30.V.) 2. *bud* dekoracja; sztukateria; odmalowanie (wnętrza); wytapetowanie 3. order; odznaczenie 4. *pl* **~s** ozdobienie (miasta) flagami itp.

decorative [ˈdekərətiv] *adj* dekoracyjny; ozdobny

decorator [ˈdekəˌreitə] *s* dekorator (malarz, sztukator, tapicer itp.)

decorous [ˈdekərəs] *adj* 1. stosowny; przyzwoity 2. w dobrym guście

decorticate [diˈkɔːtiˌkeit] *vt* 1. okorować 2. wy/łuskać; łuszczyć

decorticator [diˈkɔːtiˌkeitə] *s* łuszczarka (ryżu itd.)

decorum [diˈkɔːrəm] *s* dobre obyczaje; formy towarzyskie; **with (due) ~** godnie

decoy [diˈkɔi] [I] *vt* 1. z/wabić 2. zaciąg-nąć/ać w pułapkę <w sidła>; **to ~ sb away from sth** odciągnąć kogoś od czegoś; **to ~ sb into doing sth** namówić kogoś do zrobienia czegoś [II] *s* 1. pułapka; sidła 2. wabik; przynęta

decoy-duck [diˈkɔiˌdʌk] *s* 1. wabik 2. wspólni-k/czka oszusta <wydrwigrosza itp.>

decrease [diˈkriːs] [I] *vt* zmniejsz-yć/ać; obniż-yć/ać; uszczupl-ić/ać [II] *vi* zmniejsz-yć/ać <obniż-yć/ać> się; opa-ść/dać [III] *s* [ˈdiːkriːs] zmniejszenie; spadek (wartości itd.); ubytek; obniżenie; **to be on the ~** zmniejszać się; spadać; ubywać; obniżać się

decreasingly [diˈkriːsiŋli] *adv* coraz mniej <rzadziej>; zmniejszając się coraz bardziej

decree [diˈkriː] [I] *s* 1. dekret; rozporządzenie; wyrok 2. zrządzenie (losu itd.); wyrok (boski); *sąd* **~ nisi** wyrok tymczasowy (w sprawie rozwodowej) [II] *vt* 1. za/dekretować; zarządz-ić/ać; rozporządz-ić/ać 2. (*o woli boskiej itd*) zrządz-ić/ać 3. przyzna-ć/wać (nagrodę itp.)

decrement [ˈdekrimənt] *s* 1. ubytek; ubywanie 2. strata 3. *fiz* dekrement

decrepit [diˈkrepit] *adj* 1. (*o człowieku*) zgrzybiały; zniedołężniały; wyniszczony; zramolały 2. (*o rze-*

czy, budynku itd) zniszczony; walący się 3. (*o instytucji itp*) chylący się ku upadkowi, rozpadający się; nieudolny

decrepitate [di'krepi,teit] [I] *vi* trzeszczeć (w ogniu, przy prażeniu itd.) [II] *vt chem* s/prażyć

decrepitation [di,krepi'teiʃən] *s* 1. *chem* prażenie 2. trzeszczenie (w ogniu, przy prażeniu itd.)

decrepitude [di'krepi,tju:d] *s* 1. zgrzybiałość; niedołężnienie 2. stan zniszczenia (przedmiotu itp.) 3. niedołęstwo; nieudolność (instytucji itp.)

decrescent [di:'kresnt] *adj* (*o księżycu*) ubywający

decretal [di'kri:təl] *s* 1. list papieski (w sprawach wiary) 2. *pl* **~s** *kośc* dekretały

decry [di'krai] *vt* (**decried** [di'kraid], **decried; decrying** [di'kraiiŋ]) oczerni-ć/ać; obgad-ać/ywać; zohydz-ić/ać; krzyczeć <gardłować> (**sb, sth** przeciw komuś, czemuś)

decubitus [di:'kju:bitəs] *s* 1. pozycja leżącego człowieka 2. *med* odleżyna

decuman ['dekjumən] *adj lit* potężny; olbrzymi

decumbent [di'kʌmbənt] *adj* 1. leżący 2. *bot* płożący się; zwieszony

decuple ['dekjupl] [I] *adj* dziesięciokrotny [II] *s* liczba <kwota, ilość> dziesięciokrotnie większa [III] *vt vi* dziesięciokrotnie powiększ-yć/ać <po/mnożyć> (się)

decussate [di'kʌseit] [I] *vi vt* ułożyć/układać <przeci-ąć/nać> (się) na krzyż [II] *adj* [di'kʌsit] *bot* (*o liściach*) krzyżowy

dedans [də'dã] *s sport* 1. trybuna przy korcie tenisowym 2. widzowie na trybunie przy korcie tenisowym

dedicate ['dedi,keit] [I] *vt* 1. za/dedykować; poświęc-ić/ać (kościół itd.); przeznacz-yć/ać (**time etc. to sth** czas itd. na coś) 2. *am* dokon-ać/ywać (uroczystego) otwarcia (**sth** czegoś — gmachu itp.) 3. na/pisać dedykację (**a book etc.** w książce itd.) [II] *vr* **~ oneself** poświęc-ić/ać się (**to sth** czemuś) *zob* **dedicated**

dedicated ['dedi,keitid] [I] *zob* **dedicate** [II] *adj* (*o kościele*) pod wezwaniem (**to a saint etc.** świętego itp.)

dedication [,dedi'keiʃən] *s* 1. poświęcenie (kościoła itd.); przeznaczenie (**of one's time etc. to sth** czasu itd. na coś) 2. *am* (uroczyste) otwarcie 3. dedykacja

dedicatory ['dedi,keitəri] *adj* dedykacyjny

deduce [di'dju:s] *vt* 1. wyprowadz-ić/ać <wyw-ieść/odzić> (ród, pochodzenie, historię itd.) 2. wy/dedukować; wy/wnioskować

deduct [di'dʌkt] *vt* potrąc-ić/ać; odtrąc-ić/ać; od-jąć/ejmować; odciąg-nąć/ać (kwotę, procent itp. od czegoś)

deduction [di'dʌkʃən] *s* 1. dedukcja; wydedukowanie; wniosek; wywód 2. odjęcie; potrącenie; potrącon-a/y kwota <procent itd.>

deductive [di'dʌktiv] *adj* dedukcyjny

dee [di:] *s* 1. *litera* d 2. *techn* pierścień kształtu *litery* D

deed [di:d] [I] *s* 1. czyn; **~ of valour** czyn bohaterski; **in ~** a) w rzeczywistości; faktycznie b) czynnie; czynem 2. uczynek; **a foul ~** niegodziwość; podłość 3. wyczyn 4. dokument; akt prawny 5. tytuł posiadania (nieruchomości itd.) [II] *vt am* przen-ieść/osić <przel-ać/ewać> (prawo własności) aktem notarialnym

deed-poll ['di:d,poul] *s prawn* jednostronny akt prawny

deem [di:m] [I] *vt* 1. uważać <poczytywać> (**sb clever etc.** kogoś za zdolnego itd.); uważać <sądzić, mniemać, być zdania> (**sb clever etc.** że ktoś jest zdolny itd.); **to ~ it an honour etc. to do sth** uważać <poczytywać sobie> zrobienie czegoś za zaszczyt itd. [II] *vi w zwrocie*: **to ~ highly of sb** mieć wysokie mniemanie <pochlebne zdanie> o kimś

deemster ['di:mstə] *s* (*na wyspie Man*) sędzia

deep [di:p] [I] *adj* 1. głęboki; *x* **feet etc. ~** głęboki na *x* stóp itd.; *x* **feet etc. ~ in snow etc.** pokryty warstwą śniegu itd. na *x* stóp itd.; (*o tłumie itd*) **five <ten etc.> ~** stojąc w pięciu <dziesięciu itd.> szeregach; *wojsk* **two <four etc.> ~** w dwuszeregu; w czterech szeregach itd.; *przen* **in ~ waters** w tarapatach; *przen* **to go in <off> the ~ end** rozgorączkować się; zawrzeć <unieść się> gniewem; **to have a ~ drink** długo <chciwie> pić 2. (*o głosie, tonach*) niski; tubalny; basowy 3. (*o człowieku zaabsorbowanym*) pogrążony; pochłonięty 4. tkwiący głęboko <*pot* po uszy, po szyję> (w długach, nauce, robocie itd.); bez pamięci (zakochany itd.) 5. (*o oczach*) głęboko osadzony 6. (*o wiedzy*) rozległy; gruntowny 7. (*o przedmiocie*) głęboko zanurzony <zapadnięty, wepchnięty, wsunięty, sięgający> 8. (*o graczu, pijaku*) nałogowy; niepoprawny 9. bez umiaru; bez miary; **~ drinking** picie bez umiaru 10. (*o barwach*) ciemny 11. (*o zachowaniu*) niezrozumiały 12. chytry; przebiegły; *pot* **a ~ one** a) chytra sztuka b) tajemniczy; zakonspirowany 13. (*o projekcie itp*) niejasny; mętny 14. (*o uczuciach*) żywy; intensywny 15. (*o kompromitacji itp*) sromotny 16. (*o sądzie itp*) wnikliwy 17. (*o nocy*) ciemny; późny; głuchy; głęboki [II] *adv* 1. głęboko; *przysł* **still waters run ~** cicha woda brzegi rwie 2. w głąb ‖ **~ into the night** do późnej nocy; do późna; **to drink ~** a) pić chciwie <obficie, długo> b) pić nałogowo; **to play ~** a) grać o wysokie stawki b) nałogowo uprawiać hazard [III] *s* 1. *poet* ocean; morze 2. bezdeń; głębia; otchłań ‖ **in the ~ of night** późną nocą; **in the ~ of winter** w środku zimy; w największy mróz

deep-draught ['di:p,dra:ft] *attr* (*o statku*) o wielkiej wyporności

deep-drawn ['di:p'drɔ:n] *adj* (*o westchnieniu*) głęboki

deepen ['di:pən] [I] *vt* 1. pogłębi-ć/ać 2. przyciemni-ć/ać (kolor) 3. powiększ-yć/ać 4. wzm-ocnić/acniać 5. obniż-yć/ać (ton, barwę głosu) [II] *vi* 1. pogłębi-ć/ać się 2. (*o kolorze*) przyb-rać/ierać ciemniejszy odcień 3. powiększ-yć/ać się 4. wzm-óc/agać się 5. (*o tonach, barwie głosu*) obniż-yć/ać się

deep-felt ['di:p'felt] *adj* (*o uczuciach itd*) serdeczny; szczery; głęboki

deep-laid ['di:p'leid] *adj* 1. (*o spisku itp*) trzymany w największej tajemnicy 2. (*o spisku itp*) misternie uknuty

deep-level ['di:p'levl] *attr* głębinowy

deeply ['di:pli] *adv* 1. głęboko; daleko w głąb 2. niezmiernie; intensywnie 3. *pot* po uszy; po szyję; bez pamięci 4. gruntownie; wnikliwie

deep-mouthed [ˈdiːpˈmauðd] *adj* (*o szczekaniu psa*) donośny; basowy

deepness [ˈdiːpnis] *s* 1. głębokość; głąb, głębia 2. niski ton instrumentu; niska barwa (głosu) 3. wnikliwość (sądu itp.)

deep-read [ˈdiːpˈred] *adj* oczytany

deep-rooted [ˈdiːpˈruːtid] *adj dosł i przen* głęboko zakorzeniony

deep-sea [ˈdiːpˈsiː] *attr* 1. głębinowy 2. (*o połowach itp*) dalekomorski

deep-seated [ˈdiːpˈsiːtid] *adj* głęboki; głęboko zakorzeniony <tkwiący>

deep-set [ˈdiːpˈset] *adj* głęboko osadzony

deep-toned [ˈdiːpˈtound] *adj* niski; basowy; głęboki

deep-water [ˈdiːpˈwɔːtə] = **deep-sea**

deer [diə] *s* (*pl* **deer**) 1. jeleń; sarna; daniel; łania; łoś; renifer 2. *zbior* płowa zwierzyna 3. *przen zbior* **small ~** drobiazg; drobna zwierzyna

deer-forest [ˈdiəˈfɔrist] *s* las chroniony dla płowej zwierzyny

deer-hound [ˈdiəˌhaund] *s* ogar

deer-lick [ˈdiəˈlik] *s myśl* lizawka

deer-mice *zob* **deer-mouse**

deer-mouse [ˈdiəˌmaus] *s* (*pl* **deer-mice** [ˈdiəˌmais]) 1. mysz amerykańska o białych nóżkach i dużych uszach 2. żółtobrązowa skacząca mysz amerykańska

deer-neck [ˈdiəˌnek] *s* smukła szyja (konia)

deerskin [ˈdiəˌskin] *s* ircha

deer-stalker [ˈdiəˌstɔːkə] *s* 1. myśliwy polujący „na wychodnego" 2. kapelusz myśliwski

deer-stalking [ˈdiəˌstɔːkiŋ] *s* polowanie „na wychodnego"

deface [diˈfeis] *vt* 1. ze/szpecić; obtłu-c/kiwać (rzeźby itp.); okalecz-yć/ać 2. zamaz-ać/ywać; wy-trzeć/cierać (pismo, druk)

defacement [diˈfeismənt] *s* 1. zeszpecenie; obtłuczenie (rzeźby itp.) 2. wymaz-anie/ywanie; wy-tarcie/cieranie (pisma, druku)

defalcate [diˈfælkeit] *vi* sprzeniewierz-yć/ać pieniądze; popełni-ć/ać defraudację

defalcation [ˌdiːfælˈkeiʃən] *s* 1. sprzeniewierzenie 2. sprzeniewierzone pieniądze

defalcator [ˈdiːfælˌkeitə] *s* przeniewier-ca/czyni; defraudant/ka

defamation [ˌdefəˈmeiʃən] *s* zniesławienie; potwarz; oszczerstwo; o/szkalowanie

defamatory [diˈfæmətəri] *adj* potwarczy; oszczerczy; szkalujący

defame [diˈfeim] *vt* zniesławi-ć/ać; o/szkalować; spotwarz-yć/ać; rzuc-ić/ać oszczerstw-o/a (**sb** na kogoś)

defamer [diˈfeimə] *s* oszczerca; potwarca

default [diˈfɔːlt] [I] *s* 1. brak; nieobecność; **in ~ of** z <wobec> braku (czegoś) 2. *prawn* niestawiennictwo (w sądzie); **judgment by ~** wyrok zaoczny 3. niezapłacenie; niewywiązanie się z płatności; niedotrzymanie zobowiązania <umowy> [II] *vi* 1. nie ui-ścić/szczać należności; nie dokon-ać/ywać płatności 2. nie dotrzym-ać/ywać zobowiązania <umowy> 3. *prawn* nie stawi-ć/ać się w sądzie 4. *sport* przegr-ać/ywać skutkiem niestawienia się <walkowerem> [III] *vt* 1. skazać zaocznie 2. wydać wyrok zaoczny (**sb** na kogoś)

defaulter [diˈfɔːltə] *s* 1. *wojsk mar* człowiek karany 2. *wojsk mar* człowiek odsiadujący karę 3. *prawn* człowiek winny niestawiennictwa 4. strona nie dotrzymująca zobowiązania <umowy>; człowiek zaniedbujący obowiązek 5. defraudant/ka; przeniewier-ca/czyni

defeasance [diˈfiːzəns] *s* 1. unieważnienie; anulowanie 2. (*także* **~ clause**) *prawn* warunek rozwiązujący (umowę itp.) 3. *prawn* dokument z warunkiem rozwiązującym

defeat [diˈfiːt] [I] *vt* 1. pokon-ać/ywać; po/bić (przeciwnika) 2. udaremni-ć/ać; pokrzyżować (plany itp.); zaw-ieść/odzić (nadzieje itp.) 3. *prawn* anulować, unieważni-ć/ać [II] *s* 1. porażka; klęska 2. niepowodzenie (czegoś) 3. udaremnienie; pokrzyżowanie (planu itp.); zawiedzenie (nadziei) 4. *prawn* anulowanie; unieważnienie

defeatism [diˈfiːtizəm] *s* defetyzm

defeatist [diˈfiːtist] *s* defetyst-a/ka

defecate [ˈdefəˌkeit] [I] *vt lit chem* oczy-ścić/szczać [II] *vi fizj* odda-ć/wać stolec

defecation [ˌdefəˈkeiʃən] *s* 1. *lit chem* oczyszcz-enie/anie 2. *fizj* odda-nie/wanie stolca; stolec

defect [diˈfekt] *s* brak; wada; defekt; błąd; skaza; ujemna strona; mankament; przywara; **the ~s of one's qualities** ujemne strony posiadanych zalet

defection [diˈfekʃən] *s* 1. odstępstwo 2. dezercja 3. zdrada

defective [diˈfektiv] [I] *adj* 1. wadliwy 2. *gram* (*o czasowniku itp*) ułomny 3. niepełny; posiadający braki [II] *s w zwrocie*: **mentally ~** człowiek umysłowo niedorozwinięty <chory>

defectiveness [diˈfektivnis] *s* wada; brak; ułomność; kalectwo

defence [diˈfens] *s* 1. obrona; odparcie 2. *prawn* obrońca; obrona 3. *prawn* strona pozwana; pozwan-y/a 4. *pl* **~s** *wojsk* umocnienia; fortyfikacje; *wojsk* **~ area** strefa zagrożona <przyfrontowa>

defenceless [diˈfenslis] *adj* bezbronny

defend [diˈfend] *vt* o/bronić (**from <against> sb, sth** przed kimś, czymś); stawać <wyst-ąpić/ępować> w obronie (**sb, sth** czyjejś, czegoś)

defendant [diˈfendənt] *s* 1. obroń-ca/czyni 2. *prawn* pozwan-y/a; (*w sprawach karnych*) oskarżon-y/a; podsądn-y/a

defender [diˈfendə] *s* 1. obroń-ca/czyni 2. *sport* zdobyw-ca/czyni (pucharu itd.)

defense [diˈfens] *am* = **defence**

defensive [diˈfensiv] [I] *adj* obronny, defensywny [II] *s* defensywa; gotowość <pozycja> obronna; **to be <stand, act> on the ~** być w defensywie; zaj-ąć/mować stanowisko obronne

defer[1] [diˈfəː] *v* (**-rr-**) [I] *vt* od-łożyć/kładać; odwle-c/kać; odr-oczyć/aczać; opóźni-ć/ać; wstrzym-ać/ywać [II] *vi* zwlekać *zob* **deferred**

defer[2] [diˈfəː] *vi* (**-rr-**) 1. mieć wzgląd (**to sth** na coś) 2. skł-onić/aniać się (**to sb, sth** przed kimś, czymś); (przez szacunek) ust-ąpić/ępować (**to sb** komuś); (przez grzeczność) ule-c/gać (**to sb** komuś)

deference [ˈdefərəns] *s* 1. szacunek; poważanie; respekt; okazywane względy 2. uleganie; **to pay <show> ~ to sb, sth** a) (przez szacunek) ulegać komuś, czemuś b) okaz-ać/ywać szacunek komuś, dla czegoś; **in <out of> ~ to...** z szacunku dla...

deferent[1] [ˈdefərənt] *adj* pełen szacunku

deferent[2] [ˈdefərənt] *adj anat* odprowadzający; **~ duct** nasieniowód

deferential [ˌdefəˈrenʃəl] *adj* pełen szacunku; ule-

gły; **to be ~** a) okazywać szacunek (**to sb** komuś) b) (z grzeczności) ulegać (**to sb** komuś)
deferment [di'fə:mənt] *s* zwłoka; odroczenie
deferred [di'fə:d] [I] *zob* **defer**[1] [II] *adj* (*o płatności itp*) odroczony; przełożony (na później)
defiance [di'faiəns] *s* 1. wyzwanie; sprowokowanie; rzucenie wyzwania <rękawicy> 2. opór; przekora; nieposłuszeństwo; stawianie oporu <urąganie, buntowanie się przeciw> (**the law etc.** prawu itd.); **in ~ of sb, sth** a) wbrew <na przekór> komuś, czemuś b) z lekceważeniem kogoś, czegoś; **to bid ~ to sb** a) z/lekceważyć kogoś b) urągać <buntować się przeciw> komuś
defiant [di'faiənt] *adj* 1. wyzywający; prowokujący 2. oporny; buntowniczy
deficiency [di'fiʃənsi] *s* 1. brak; niedobór; niedostatek; deficyt 2. *med* awitaminoza 3. słabość (natury ludzkiej itd.)
deficient [di'fiʃənt] *adj* 1. wadliwy; **to be ~** wykazywać brak <niedostatek> (**in sth** czegoś); nie posiadać (**in sth** czegoś) 2. niecałkowity; niekompletny; z brakami; niedokładny 3. (*także* **mentally ~**) umysłowo niedorozwinięty
deficit ['defisit] *s* deficyt; niedobór
defier [di'faiə] *s* sprzeciwiający się (**of sth** czemuś)
defilade [,defi'leid] *vt wojsk* ochr-onić/aniać przed ogniem flankowym
defile[1] ['di:fail] *s* 1. wąwóz 2. przełęcz
defile[2] [di'fail] *vi* prze/defilować
defile[3] [di'fail] *vt* 1. s/kalać; s/plugawić; zanieczy-ścić/szczać; *dosł i przen* s/plamić (ręce krwią itp.) 2. z/bezcześcić; s/profanować 3. z/deprawować; z/hańbić
defilement [di'failmənt] *s* 1. skalanie; splugawienie; zanieczyszczenie; splamienie; plama 2. z/bezczeszczenie; profanacja 3. z/deprawowanie; pohańbienie
define [di'fain] *vt* 1. określ-ić/ać; z/definiować; da-ć/wać definicję (**sth** czegoś) 2. określ-ić/ać <s/precyzować> (swe stanowisko itd.) 3. oznacz-yć/ać granice (**sth** czegoś) 4. na/rysować kontury (**sth** czegoś) 5. stanowić charakterystykę (**a species etc.** gatunku itp.)
definite ['definit] *adj* 1. określony; oznaczony 2. wyraźny; stanowczy 3. jasny; dokładnie określony; sprecyzowany
definiteness ['definitnis] *s* wyraźny <stanowczy, określony> charakter (czegoś); precyzja
definition [,defi'niʃən] *s* 1. określenie; definicja; oznaczenie 2. wyrazistość; ostrość (obrazu)
definitive [di'finitiv] *adj* 1. ostateczny; stanowczy; rozstrzygający 2. określony
deflagrate ['deflə,greit] *vt vi chem* spal-ić/ać (się)
deflagration [,defləg'reiʃən] *s chem* deflagracja; szybkie spalanie
deflate [di:'fleit] [I] *vt* 1. wypu-ścić/szczać powietrze (**a tube etc.** z dętki itp.) 2. *ekon* przeprowadz-ić/ać deflację (**currency** pieniądza) [II] *vi* (*o oponie*) si-ąść/adać
deflation [di:'fleiʃən] *s* 1. wypuszczenie powietrza (z balonu itp.) 2. *ekon* deflacja
deflationary [di'fleiʃənəri] *adj ekon* deflacyjny
deflect [di'flekt] [I] *vi* zb-oczyć/aczać; odchyl-ić/ać się; skręc-ić/ać w bok; (*o linii itd*) załam-ać/ywać się [II] *vt* odchyl-ić/ać; odgi-ąć/nać; wygi-ąć/nać; zagi-ąć/nać
deflection, deflexion [di'flekʃən] *s* odchylenie; odgięcie; wygięcie; zagięcie; zboczenie; skręcenie w bok; (*o linii itd*) załam-anie/ywanie się
deflector [di'flektə] *s* deflektor (przyrząd)
deflexion *zob* **deflection**
defloration [,di:flɔ:'reiʃən] *s* 1. defloracja, pozbawienie dziewictwa 2. pozbawienie (rośliny itd.) kwiatów <piękna, świeżości>
deflower [di:'flauə] *vt* 1. pozbawi-ć/ać dziewictwa 2. pozbawi-ć/ać (roślinę itp.) kwiatów <piękna, świeżości>; ogoł-ocić/acać (roślinę itp.) z kwiatów; ze/szpecić
defluent ['defluənt] *adj geol* spływający; odpływający; (*o źródle*) zstępujący
defoliate [di:'fouli,eit] *vt* ogoł-ocić/acać <ob-edrzeć/dzierać> (roślinę) z liści
deforce [di'fɔ:s] *vt prawn* przemocą pozbawić (**sth from sb, sb of sth** kogoś czegoś)
deforest [di'fɔrist] *vt* ogoł-ocić/acać (kraj, okolicę) z lasów
deforestation [,di:fɔres'teiʃən] *s* ogoł-ocenie/acanie z lasów
deform [di'fɔ:m] *vt* 1. o/szpecić; o/kaleczyć 2. zniekształc-ić/ać; z/deformować
deformation [,di:fɔ:'meiʃən] *s* 1. o/szpecenie; o/kaleczenie 2. zniekształc-enie/anie; z/deformowanie
deformity [di'fɔ:miti] *s* 1. szpetność; kalectwo 2. niekształtność; deformacja
defraud [di'frɔ:d] *vt* 1. oszuk-ać/iwać 2. okra-ść/dać (**sb of sth** kogoś z czegoś); pozbawi-ć/ać (**sb of sth** kogoś czegoś)
defray [di'frei] *vt* opłac-ić/ać <pokry-ć/wać, opędz-ić/ać> koszt <wydatek>
defroster [di'frɔstə] *s techn* odmrażacz
deft [deft] *adj* zręczny; zgrabny; zwinny
deftness ['deftnis] *s* zręczność; zgrabność; zwinność
defunct [di'fʌŋkt] [I] *adj* 1. zmarły 2. wymarły; zaginiony 3. (*o organizacji, piśmie itp*) zlikwidowany; rozwiązany [II] *s* nieboszcz-yk/ka
defy [di'fai] *vt* (**defied** [di'faid], **defied**; **defying** [di'faiiŋ]) 1. przeciwstawi-ć/ać <op-rzeć/ierać> się (**sb, sth** komuś, czemuś); z/buntować się przeciw <urągać> (**sb, sth** komuś, czemuś); post-ąpić/ępować wbrew <na przekór> (**sth** czemuś); z/ignorować <z/lekceważyć> (kogoś, coś); **to ~ competition** wytrzym-ać/ywać konkurencję; **to ~ imitation** <**description etc.**> być nie do naśladowania <nie do opisania itd.> 2. s/prowokować (**sb to do sth** kogoś do zrobienia czegoś); **I ~ anyone to do as much** twierdzę, że nikt nie potrafi tego zrobić; niech ktokolwiek spróbuje to zrobić 3. (*o człowieku*) zn-ieść/osić (niewygody itd.) 4. wyz-wać/ywać; rzuc-ić/ać wyzwanie (**sb, sth** komuś, czemuś)
degas [di:'gæs] *vt* odgazować
degauss [di'gɔ:s] *vt* odmagnetyzow-ać/ywać (statek — dla ochrony przed minami magnetycznymi)
degeneracy [di'dʒenərəsi] *s* zdegenerowanie; zwyrodnienie; degeneracja
degenerate [di'dʒenərit] [I] *adj* zdegenerowany; zwyrodniały; wyrodny [II] *s* degenerat/ka; zwyrodnialec [III] *vi* [di'dʒenə,reit] z/degenerować się; zwyrodnieć; wyr-odzić/adzać się
degeneration [di,dʒenə'reiʃən] *s* degeneracja; zwyrodnienie; wyrodzenie się
deglutinate [di'glu:ti,neit] *vt* odkle-ić/jać; odlepi-ć/ać
deglutition [,di:glu:'tiʃən] *s* połykanie

degradation[1] [ˌdegrəˈdeiʃən] *s* 1. *wojsk* degradacja; zdegradowanie 2. *fiz geol* degradacja 3. upodlenie; znikczemnienie 4. poniżenie; pohańbienie 5. *biol* zwyrodnienie 6. *chem* rozpad

degradation[2] [ˈdegrəˈdeiʃən] *s plast* stopniowanie <cieniowanie> (barw)

degrade [diˈgreid] [I] *vt* 1. z/degradować 2. spodlić/upadlać; poniż-yć/ać; z/hańbić 3. stopniować <cieniować> (barwy) [II] *vi* 1. z/nikczemnieć 2. popa-ść/dać w poniżenie 3. *biol* zwyrodnieć 4. *geol* ule-c/gać degradacji *zob* **degrading**

degrading [diˈgreidiŋ] [I] *zob* **degrade** [II] *adj* upadlający; poniżający; hańbiący

degrease [diˈgri:s] *vt* 1. odtłu-ścić/szczać 2. usu-nąć/wać tłuste plamy (**sth** z czegoś)

↑**degree** [diˈgri:] *s* 1. stopień; **by ~s** stopniowo; *pot* **to a ~** w wysokim stopniu; nadzwyczajnie; **to a high** <**the last**> **~** w wysokim <najwyższym> stopniu; **to some ~** do pewnego stopnia; **to what** <**such a**> **~** jak <tak> dalece; *am* **third ~** a) wymusz-enie/anie zeznań (niedozwolonymi metodami) b) po/bicie aresztowanego 2. ranga; szczebel; stan (społeczny) 3. stopień naukowy; **to take one's ~** otrzymać stopień naukowy; promować <doktoryzować> się

degression [diˈgreʃən] *s* degresja (podatkowa itd.)

dehisce [diˈhis] *vi bot* (*o strączkach itp*) pęk-nąć/ać

dehorn [diˈhɔ:n] *vt* pozbawi-ć/ać (zwierzę) rogów

dehumanize [di:ˈhju:məˌnaiz] *vt* odczłowiecz-yć/ać, pozbawi-ć/ać cech ludzkich

dehumidify [ˌdi:hju:ˈmidiˌfai] *vt* (**dehumidified** [ˌdi:hju:ˈmidiˌfaid], **dehumidified**; **dehumidifying** [ˌdi:hjuˈmidiˌfaiiŋ]) odwilgotni-ć/ać, pozbawi-ć/ać wilgoci

dehydrate [di:ˈhaidreit] *vt* odw-odnić/adniać; **~d eggs** jaja w proszku

de-icer [di:ˈaisə] *s lotn* odladzacz (urządzenie przeciwdziałające oblodzeniu)

deicide [ˈdi:iˌsaid] *s* bogobójca

deification [ˌdi:ifiˈkeiʃən] *s* 1. z/robienie bóstwa (**of sb** z kogoś) 2. ubóstwianie

deify [ˈdi:iˌfai] *vt* (**deified** [ˈdi:iˌfaid], **deified**; **deifying** [ˈdi:iˌfaiiŋ]) 1. z/robić bóstwo (**sb** z kogoś) 2. ubóstwi-ć/ać

deign [dein] *vt* raczyć <zechcieć łaskawie> (coś uczynić, zrobić)

deionization [ˈdi:aiənaiˈzeiʃən] *s fiz* dejonizacja

deism [ˈdi:izəm] *s* deizm

deist [ˈdi:ist] *s* deista

deity [ˈdi:iti] *s* bóstwo

deject [diˈdʒekt] *vt* przygnębi-ć/ać; zniechęc-ić/ać; z/deprymować; s/trapić *zob* **dejected**

dejecta [diˈdʒektə] *spl fizj* odchody

dejected [diˈdʒektid] [I] *zob* **deject** [II] *adj* przygnębiony; strapiony; zniechęcony; zdeprymowany

dejection [diˈdʒekʃən] *s* 1. przygnębienie; strapienie; zniechęcenie; depresja 2. *fizj* wypróżnienie; odchody

dekko [ˈdekou] *s sl wojsk* spojrzenie; **to have a ~** spojrzeć; zobaczyć

delaine [diˈlein] *s* muślin wełniany <wełniano-bawełniany>

delaminate [di:ˈlæmiˌneit] *vt vi* rozwarstwi-ć/ać (się)

delamination [diˌlæmiˈneiʃən] *s* rozwarstwi-enie/anie

delate [diˈleit] *vt* don-ieść/osić (**sb** na kogoś); za/denuncjować (kogoś)

delation [diˈleiʃən] *s* donos; doniesienie; denuncjacja

delator [diˈleitə] *s* donosiciel/ka; denuncjator/ka; delator/ka

delay [diˈlei] [I] *vt* 1. opóźni-ć/ać; od-łożyć/kładać; odwle-c/kać; odr-oczyć/aczać 2. wstrzym-ać/ywać; za/hamować; za/tamować [II] *vi* zwlekać <ociągać się> (**in doing sth** z czymś) [III] *s* zwłoka; opóźnienie; zatrzymywanie; **without ~** bezzwłocznie; **to make no ~** nie zwlekać (**in doing sth** ze zrobieniem czegoś) [IV] *attr* opóźniony; (*o działaniu, taktyce itp*) opóźniający

del credere [delˈkredəri] *s handl* delcredere, delkredere; prowizja za poręczenie

dele [ˈdi:li:] [I] *vt druk* s/kasować [II] *s druk* kasownik

delectable [diˈlektəbl] *adj* rozkoszny; przemiły

delectation [ˌdi:lekˈteiʃən] *s* przyjemność; uciecha

delectus [diˈlektəs] *s* wypisy łacińskie <greckie>

delegacy [ˈdeligəsi] *s* 1. delegacja 2. wydelegowanie 3. pełnomocnictwo delegata

delegate [ˈdeliˌgeit] [I] *vt* 1. wy/delegować 2. udziel-ić/ać (**powers** <**authority**> **to sb** pełnomocnictwa komuś) [II] *s* [ˈdeligit] delegat/ka

delegation [ˌdeliˈgeiʃən] *s* 1. delegacja 2. wy/delegowanie

delete [di:ˈli:t] *vt* s/kasować; skreśl-ić/ać; usu-nąć/wać

deleterious [ˌdeliˈtiəriəs] *adj* szkodliwy

↑**deletion** [di:ˈli:ʃən] *s* skasowanie; skreślenie; usunięcie

delf [delf] *s* 1. wykop; dół (wykopany) 2. *górn* kopalnia odkrywkowa

delft [delft], **~-ware** [ˈdelftˌwεə] *s* ceramika holenderska

deliberate [diˈlibəˌreit] [I] *vt* rozważ-yć/ać; obmyśl-ić/ać [II] *vi* 1. zastan-owić/awiać się (**over** <**on**> **sth** nad czymś) 2. naradz-ić/ać się [III] *adj* [diˈlibərit] 1. (*o czynie*) rozmyślny; umyślny; przemyślany; zrobiony <dokonany> po zastanowieniu <z premedytacją, wyrachowaniem> 2. (*o człowieku*) rozważny; roztropny 3. (*o ruchach*) nieśpieszny; powolny

deliberateness [diˈlibəritnis] *s* 1. rozmyślność; rozmysł 2. umiarkowanie 3. rozwaga; powściągliwość

deliberation [diˌlibəˈreiʃən] *s* 1. rozwaga; rozważanie; zastanowienie się 2. obrady; obradowanie; narada; naradzanie się 3. umiarkowanie; powściągliwość

deliberative [diˈlibəˌreitiv] *adj* obradujący; naradzający się; debatujący; **~ assembly** rada; zgromadzenie <ciało> opiniodawcze

delicacy [ˈdelikəsi] *s* 1. delikatność (ciała, rysów, uczuć, zdrowia, postępowania, barw itd.) 2. subtelność 3. wrażliwość 4. czułość 5. skromność (kobieca) 6. przysmak; delikates

delicate [ˈdelikit] *adj* 1. delikatny 2. wątły 3. subtelny 4. wrażliwy 5. czuły 6. skromny; cnotliwy; niewinny 7. (*o kwestii itp*) drażliwy; delikatny

delicatessen [ˌdelikəˈtesən] *s am* 1. sklep artykułów spożywczych <garmażeryjnych> 2. artykuły spożywcze <garmażeryjne>

↑**delicious** [diˈliʃəs] *adj* 1. zachwycający; śliczny 2. wyborny; wyśmienity

delict ['di:likt] *s w zwrocie*: **in flagrant ~** na gorącym uczynku

delight [di'lait] [I] *vt* zachwyc-ić/ać; u/radować; u/cieszyć [II] *vi* zachwyc-ić/ać <rozkoszować> się (**in sth** czymś); zna-leźć/jdować (w czymś) rozkosz <upodobanie, przyjemność>; **to be ~ed with** <**at**> **sth** zachwyc-ić/ać się czymś; **I am ~ed** jest mi niezmiernie miło; **I shall be ~ed** z największą przyjemnością <rozkoszą> (zrobię, pójdę itd.) [III] *s* 1. zachwyt; rozkosz 2. radość; uciecha; **much to the ~ (of the children etc.)** ku wielkiej radości <uciesze> (dzieci itd.); **to give ~** sprawiać radość; **to take ~ in sth** = **to ~ in sth** *zob* **~** *vi*

delightful [di'laitful] *adj* zachwycający; czarowny; czarujący; niezapomniany

delightsome [di'laitsəm] *adj poet* zachwycający; czarowny

Delilah [di'lailə] *spr przen* 1. kusicielka 2. zdrajczyni

delimit [di:'limit], **delimitate** [di:'limi,teit] *vt* ustal-ić/ać <oznacz-yć/ać, wytycz-yć/ać> granice (**sth** czegoś)

delineate [di'lini,eit] *vt* 1. na/szkicować; nakreśl-ić/ać; na/rysować 2. opis-ać/ywać; **to be ~d** rysować się; występować (na horyzoncie itp.)

delineation [di,lini'eiʃən] *s* 1. naszkicowanie; nakreślenie; rysunek 2. opis

delinquency [di'liŋkwənsi] *s* 1. przestępstwo; przewinienie; wykroczenie 2. przestępczość

delinquent [di'liŋkwənt] [I] *adj* 1. przestępczy; winny przewinienia <wykroczenia> 2. *am* (*o podatkach*) zaległy [II] *s* przestęp-ca/czyni; delikwent/ka

deliquesce [,deli'kwes] *vi* rozt-opić/apiać <rozpu-ścić/szczać, rozpły-nąć/wać> się

deliquescent [,deli'kwesnt] *adj* rozpływający się; topniejący

delirious [di'liriəs] *adj* bredzący; majaczący; **to be ~** a) bredzić; majaczyć b) szaleć <nie posiadać się> (**with joy etc.** z radości itd.)

delirium [di'liriəm] *s* (*pl* **~s, deliria** [di'liriə]) bredzenie; majaczenie; *przen* szał; **~ tremens** [-'tri:menz] obłęd opilczy

delitescence [,deli'tesns] *s med* 1. stan utajony 2. nagłe zniknięcie (guza itp.)

delitescent [,deli'tesnt] *adj med* ukryty; utajony

deliver [di'livə] [I] *vt* 1. u/ratować <wybawi-ć/ać, wyzw-olić/alać, oswob-odzić/adzać> (**from sth** z <od> czegoś) 2. (*także* **~ up** <**over**>) odda-ć/wać; wyda-ć/wać (jeńca itp.) 3. dostarcz-yć/ać (**sth** czegoś, coś); wręcz-yć/ać; rozn-ieść/osić (pocztę itd.); odstawi-ć/ać; odw-ieźć/ozić; **to ~ a message** a) wykonać polecenie b) doręczyć list c) przekazać wiadomość; *przen* **to ~ the goods** a) nie zrobić zawodu b) dzielnie <dobrze> się spisać 4. zada-ć/wać <wymierz-yć/ać> (cios); **to ~ battle** wyda-ć/wać bitwę 5. pom-óc/agać przy porodzie; od-ebrać/bierać (dziecko); **to be ~ed of a child** wydać dziecko na świat; urodzić 6. wygł-osić/aszać (przemówienie, odczyt itp.); **to ~ an order** <**judgment**> wydać rozkaz <wyrok> 7. *prawn* oddać w posiadanie [II] *vr w zwrotach:* **~ oneself of sth** a) pozby-ć/wać się czegoś b) wygł-osić/aszać <wypowi-edzieć/adać> coś; **to ~ oneself of an opinion** wypowi-edzieć/adać się; wyra-zić/żać zdanie <sąd>

deliverance [di'livərəns] *s* 1. uwolnienie; wyzwolenie; oswobodzenie 2. oświadczenie; wypowiedź 3. *prawn* wyrok

deliverer [di'livərə] *s* 1. oswobodziciel/ka; wybaw-ca/czyni 2. dostaw-ca/czyni; doręczyciel/ka

delivery [di'livəri] [I] *s* 1. poród 2. poddanie (fortecy itd.) 3. wydanie (jeńca itd.) 4. doręczenie <dostawa> (towaru itd.); roznoszenie (poczty itd.); *am* **the General Delivery** poste-restante 5. zaopatrzenie (w wodę, prąd, gaz itp.) 6. wygłoszenie (mowy itp.) 7. dykcja; wysłowienie się 8. *prawn* oddanie w posiadanie 9. zadanie <wymierzenie> (ciosu) [II] *attr techn* **~ piping** przewód tłoczny; **~ van** samochód ciężarowy; ciężarówka

dell [del] *s* dolina (górska, o zadrzewionych stokach)

delouse [di:'laus] *vt* odwszawi-ć/ać

Delphian ['delfiən], **Delphic** ['delfik] *adj* delficki

delphinine ['delfinin] *s chem* delfinina

delphinium [del'finiəm] *s bot* ostróżka

delta ['deltə] *s* 1. *gr litera* delta 2. delta; **~ metal** metal <stop> delta; **~ rays** promienie delta

deltoid ['deltɔid] [I] *adj* trójgraniasty; trójkątny; **~ muscle** mięsień trójgłowy ramienia [II] *s geom* deltoid

delude [di'lu:d] [I] *vt* oszuk-ać/iwać; z/bałamucić; z/łudzić; omami-ć/ać; okłam-ać/ywać; wprowadz-ić/ać w błąd; **to ~ sb into a belief that...** wm-ówić/awiać w kogoś przekonanie, że... [II] *vr* **~ oneself** łudzić się; oszuk-ać/iwać <okłam-ać/ywać> samego siebie; z/robić <stw-orzyć/arzać> sobie iluzje

deluge ['delju:dʒ] [I] *s* 1. *dosł i przen* potop 2. zalew 3. potok (słów, łez itd.) 4. oberwanie (się) chmury [II] *vt dosł i przen* zal-ać/ewać (wodą, potokiem słów itd.); zat-opić/apiać

delusion [di'lu:ʒən] *s* 1. złudzenie; ułuda; iluzja; **to be under a ~** łudzić się 2. oszukiwanie; zwodzenie; bałamucenie; okłam-anie/ywanie; wprowadz-enie/anie w błąd

delusive [di'lu:siv], **delusory** [di'lu:səri] *adj* zwodniczy; złudny; iluzoryczny; oszukańczy; bałamutny

delve [delv] [I] *vt* 1. wy/kopać; z/ryć 2. dociekać <dochodzić> (**sth** czegoś) [II] *vi* 1. s/kopać <z/ryć> ziemię 2. sięg-nąć/ać (**into sth for sth** w głąb czegoś po coś) 3. przeprowadz-ić/ać badania 4. (*o drodze, ścieżce*) nagle opadać [III] *s lit* 1. dół (w ziemi); jama 2. nora

demagnetize [di:'mægni,taiz] *vt vi* odmagnesow-ać/ywać (się)

demagogic [,demə'gɔgik] *adj* demagogiczny

demagogue ['demə,gɔg] *s* demagog

demagogy ['demə,gɔgi] *s* demagogia

demand [di'ma:nd] [I] *vt* 1. żądać <wymagać, domagać się> (**sth of** <**from**> **sb** czegoś od kogoś; **that sb should ...** żeby ktoś...) 2. (*o czymś*) wymagać (**care, dexterity etc.** opieki, zręczności itd.) 3. zapyt-ać/ywać (się) (**sth** o coś) [II] *s* 1. żądanie; wymaganie; domaganie się; pretensja; **~ bill** weksel <trata> płatn-y/a na żądanie; **payable on ~** płatny na żądanie <za okazaniem> 2. popyt <zapotrzebowanie> (**for an article** na towar); **in ~** poszukiwany; cieszący się popytem 3. *pl* **~s** pretensje; **~s on sb's good nature** wykorzystywanie czyjegoś dobrego serca; *przen* **~s on sb's purse** prośby o pomoc pieniężną; **I have many ~s on my time** jestem rozrywany

demandant [di'ma:ndənt] *s prawn* powód/ka

demarcate ['di:mɑ:ˌkeit] *vt* 1. wytycz-yć/ać granice (**sth** czegoś) 2. rozgranicz-yć/ać; odgranicz-yć/ać (coś od czegoś)

demarcation [ˌdi:mɑ:'keiʃən] *s* 1. wytyczenie granic (czegoś); **line of ~** linia demarkacyjna 2. rozgraniczenie; odgraniczenie

démarche ['deimɑ:ʃ] *s* démarche; *zbior* zabiegi dyplomatyczne

dematerialize [ˌdi:mə'tiəriəˌlaiz] [I] *vt vi* z/dematerializować (się)

demean¹ [di'mi:n] *vr* **~ oneself** zachow-ać/ywać się; post-ąpić/ępować

demean² [di'mi:n] *vr* **~ oneself** poniż-yć/ać <up-odlić/adlać> się

demeanour [di'mi:nə] *s* 1. zachowanie (się); postępowanie 2. postawa

dement [di'ment] *vt* doprowadz-ić/ać do szaleństwa <do obłąkania, utraty zmysłów> *zob* **demented**

demented [di'mentid] [I] *zob* **dement** [II] *adj* oszalały; obłąkany; *med* umysłowo chory

dementedly [di'mentidli] *adv* obłąkańczo; jak opętany

dementia [di'menʃiə] *s* demencja, obłęd; utrata zmysłów; otępienie

demerara [ˌdemə'rɛərə] *s* cukier trzcinowy (barwy brązowej)

demerit [di:'merit] *s* 1. przewinienie; wina 2. wada; ujemna <ciemna> strona (czegoś)

demesne [di'mein] *s* 1. *prawn* własność; **to hold in ~** być właścicielem (gruntu) 2. majątek; nieruchomość; **Royal <State> ~s** dobra królewskie <państwowe>

demi- ['demi-] *przedrostek* pół-

demi-circle ['demiˌsə:kl] *s* półkole

demigod ['demiˌgɔd] *s* półbóg

demijohn ['demiˌdʒɔn] *s* gąsior; butla

demilitarize [di:'militəˌraiz] *vt* z/demilitaryzować

demilune ['demiˌlu:n] *s fort* półksiężyc

demi-rep ['demiˌrep] *s* kobieta z kiepską reputacją <wątpliwych obyczajów>

demise [di'maiz] [I] *s* 1. przeniesienie (własności, praw); zapis; darowizna; **~ of the Crown** a) przeniesienie <przejście> władzy królewskiej na następcę b) ustąpienie (króla) 2. oddanie w dzierżawę 3. zgon; śmierć [II] *vt* 1. zapis-ać/ywać; po/darować (własność komuś); przen-ieść/osić (prawa itd. na kogoś) 2. wydzierżawi-ć/ać (majątek komuś)

demi-semiquaver ['demiˌsemiˌkweivə] *s muz* trzydziestodwójka

demission [di'miʃən] *s* 1. ustąpienie (**of sth** z czegoś) 2. abdykacja; zrzeczenie się

demister [di'mistə] *s samoch* urządzenie zapobiegające poceniu się <zamgleniu> szyb

demit [di'mit] *v* (**-tt-**) [I] *vt* złożyć/składać (urząd) [II] *vi* z/rezygnować <ust-ąpić/ępować> z urzędu <ze stanowiska>; poda-ć/wać się do dymisji

demiurge ['di:miˌə:dʒ] *s* demiurg

demnition [dem'niʃən] *am* = **damnation** *interj*

demob [di:'mɔb] [I] *vt* (**-bb-**) *pot* z/demobilizować [II] *attr pot* (*o ubraniu itp*) fasowany przy demobilizacji

demobilization ['di:ˌmoubilai'zeiʃən] *s* demobilizacja

demobilize [di:'moubiˌlaiz] *vt* z/demobilizować

democracy [di'mɔkrəsi] *s* demokracja; **People's Democracy** Demokracja Ludowa

democrat ['deməˌkræt] *s* 1. demokrat-a/ka 2. *am* (*także* **~ waggon**) wózek dwukonny

democratic [ˌdemə'krætik] *adj* demokratyczny

democratize [di'mɔkrəˌtaiz] *vt* z/demokratyzować

demodé [dei'mɔdei] *adj* niemodny; **it is ~** to wyszło z mody

demography [di:'mɔgrəfi] *s* demografia

demoiselle [ˌdemwɑ:'zel] *s* 1. † panienka 2. *zoo* ważka 3. *zoo* żuraw numidyjski

demolish [di'mɔliʃ] *vt* 1. roz-ebrać/bierać (budynek itp.); z/burzyć; rozwal-ić/ać; z/demolować 2. obal-ić/ać (teorię itp.); przyw-ieść/odzić do upadku 3. *żart* s/pałaszować (potrawę)

demolition [ˌdemə'liʃən] *s* 1. rozbiórka (budynku); zburzenie; zdemolowanie; **~ bomb** bomba burząca 2. obalenie

demon ['di:mən] *s* 1. *dosł i przen* demon; diabeł; *przen* **a ~ for work** tytan pracy 2. *sport* doskonały zawodnik; **~ at tennis <golf etc.>** wytrawny tenisista <gracz w golfa itd.>

demonetize [di:'mɔniˌtaiz] *vt* z/demonetyzować

demoniac [di'mouniˌæk] [I] *adj* demoniczny; szatański; piekielny; *przen* opętańczy [II] *s* opętaniec; *przen* szaleniec

demoniacal [ˌdi:mə'naiəkəl] *adj* opętańczy

demonic [di:'mɔnik] *adj* demoniczny; szatański

demonism ['di:məˌnizəm] *s* demonizm

demonology [ˌdi:mə'nɔlədʒi] *s teol* demonologia

demonstrable ['demənstrəbl] *adj* 1. dający się udowodnić; **it is ~ that** — można wykazać <udowodnić> że ... 2. *filoz* apodyktyczny

demonstrate ['demənsˌtreit] [I] *vt* 1. za/demonstrować; dow-ieść/odzić (**sth** czegoś); wykaz-ać/ywać 2. za/demonstrować <za/manifestować> (uczucia itp.) [II] *vi* 1. demonstrować; manifestować; z/robić <urządz-ić/ać> demonstrację <manifestację> 2. *wojsk* przeprowadz-ić/ać manewr

demonstration [ˌdeməns'treiʃən] [I] *s* 1. demonstracja; dowodzenie; wykazanie 2. za/demonstrowanie; za/manifestowanie; *pl* **~s** dowody (miłości itp.) 3. manifestacja 4. *wojsk* manewr [II] *attr* 1. demonstracyjny; eksperymentalny; poglądowy; doświadczalny 2. wzorcowy

demonstrative [di'mɔnstrətiv] *adj* 1. dowodzący (czegoś); wykazujący (**of sth** coś); dowodowy 2 wylewny; ekspansywny 3. *gram* (*o zaimku*) wskazujący

demonstrativeness [di'mɔnstrətivnis] *s* 1. dowodowość 2. wylewność (usposobienia) 3. dowody (radości itp.)

demonstrator ['demənsˌtreitə] *s* 1. demonstrator/ka; asystent/ka (profesora) 2. demonstrant/ka; uczestni-k/czka demonstracji

demoralization [diˌmɔrəlai'zeiʃən] *s* 1. demoralizacja 2. zdeprawowanie; zepsucie obyczajów

demoralize [di'mɔrəˌlaiz] *vt* 1. z/deprawować; ze/psuć (moralnie) 2. z/demoralizować (wojsko itd.)

Demosthenic [ˌdeməs'θenik] *adj* demostenesowy, demostenesowski

demote [di'mout] *vt am* obniż-yć/ać stopień służbowy (**sb** komuś)

demotic [di'mɔtik] *adj archeol* demotyczny

demotion [di'mouʃən] *s am* obniżenie (czyjegoś) stopnia służbowego

demulcent [di'mʌlsənt] [I] *adj med* (*o środku*) łagodzący <uśmierzający, uspokajający> II *s med* środek łagodzący <uśmierzający, uspokajający>

demur [di'mə:] I *vi* (**-rr-**) 1. sprzeciwi-ć/ać się (**at** <**to**> **sth** czemuś); wysu-nąć/wać obiekcje (**at** <**to**> **sb, sth** w stosunku do kogoś, czegoś) 2. za/wahać się (**at** <**to**> **sth** przed czymś) II *s* 1. sprzeciw; obiekcja 2. wahanie (się); **to make no ~** a) nie sprzeciwi-ć/ać się; nie wysu-nąć/wać obiekcji b) nie wahać się

demure [di'mjuə] *adj* 1. poważny 2. przesadnie <afektowanie> skromny

demureness [di'mjuənis] *s* 1. powaga 2. (afektowana) skromność

demurrage [di'mʌridʒ] *s* 1. przestój (wagonu na kolei, statku w porcie) 2. przestojowe (opłata)

demurrer [di'mʌrə] *s prawn* zarzut procesowy

demy [di'mai] *s* 1. format papieru (druk. 44,45 cm × × 57,15 cm; kancel. 39,37 cm × 50,8 cm) 2. stypendysta w Magdalen College (Oksford)

den [den] *s* 1. legowisko (dzikiego zwierza); nora; jaskinia (lwa itd.) 2. *przen* schronienie; kryjówka; kąt (mieszkalny); izdebka 3. spelunka <melina> (złodziejska); jaskinia (zbójców, gry)

denarius [di'nɛəriəs] *s* (*pl* **denarii** [di'nɛəri,ai]) denar

denary ['di:nəri] *adj* dziesiętny

denationalization ['di:,næʃnəlai'zeiʃən] *s* 1. wynarodowienie/adawianie, denacjonalizacja 2. reprywatyzacja

denationalize [di:'næʃnə,laiz] *vt* 1. wynar-odowić/adawiać; z/denacjonalizować 2. reprywatyzować

denaturalization [di:,nætʃrəlai'zeiʃən] *s* denaturalizacja

denaturalize [di:'nætʃrə,laiz] *vt* z/denaturalizować

denaturate [di:'neitʃə,reit], **denature** [di:'neitʃə] *vt* z/denaturować

denazification [di:,nɑ:tsifi'keiʃən] *s* denacyfikacja, denazyfikacja

dendriform ['dendri,fɔ:m] *adj* drzewokształtny, podobny do drzewa

dendrite ['dendrait] *s miner* dendryt

dendritic [den'dritik], **dendroid** ['dendrɔid] *adj* drzewiasty

dendrology [den'drɔlədʒi] *s* dendrologia

dene[1] [di:n] *s* wydma

dene[2] [di:n] *s* parów

denehole ['di:nhoul] *s archeol* jaskinia; grota

dengue ['deŋgi] *s med* dunga (gorączka tropikalna)

denial [di'naiəl] *s* 1. zaprzeczenie; wyparcie się (czegoś); **to meet a charge with a flat ~** kategorycznie zaprzeczyć zarzutom 2. odmowa 3. zaparcie <wyrzeczenie> się (kogoś, czegoś)

denier [di'naiə] *s* zaprzeczający (**of sth** czemuś)

denigrate ['deni,greit] *vt lit* oczerni-ć/ać; obm-ówić/awiać

denim [di'nim] *s* drelich

denitrate [di:'naitreit] *vt chem* z/denitryfikować

denitrification [di:,naitrifi'keiʃən] *s chem* denitryfikacja, denitracja

denitrify [di:'naitri,fai], (**denitrified** [di:'naitri,faid], **denitrified; denitrifying** [di:'naitri,faiiŋ]) = **denitrate**

denizen ['denizn] I *s* 1. obywatel/ka; (*o ludziach i zwierzętach*) mieszkan-iec/ka 2. naturalizowan-y/a cudzoziem-iec/ka 3. zaaklimatyzowane zwierzę 4. *jęz* naleciałość II *vt* nada-ć/wać obywatelstwo (**sb** komuś)

denominate [di'nɔmi,neit] *vt* 1. określ-ić/ać 2. naz-wać/ywać; da-ć/wać nazwę (**sth** czemuś)

denomination [di,nɔmi'neiʃən] *s* 1. nazwa; miano; określenie 2. wyznanie; sekta 3. klasa; kategoria; **to reduce to the same ~** sprowadzić do wspólnego mianownika 4. odcinek <nominał> (**banknotu**); moneta; **money of small ~s** a) drobne monety b) odcinki (banknotów) o małej wartości 5. jednostka (wagi, miary itp.)

denominational [di,nɔmi'neiʃənl] *adj* wyznaniowy

denominative [di'nɔminətiv] *adj* 1. określający 2. *gram* odrzeczownikowy; odprzymiotnikowy

denominator [di'nɔmi,neitə] *s mat* mianownik

denotation [,di:nou'teiʃən] *s* 1. oznaczenie 2. oznaka; znak; symbol 3. znaczenie 4. *log* zakres (pojęcia)

denotative [di'noutətiv] *adj* wskazujący (**of sth** na coś); oznaczający (**of sth** coś)

denote [di'nout] *vt* 1. oznacz-yć/ać; wskaz-ać/ywać (**sth** na coś) 2. znaczyć 3. (*o znaczeniu itp*) rozciąg-nąć/ać się (**sth** na coś)

dénouement [dei'nu:mɑ̃:] *s* rozwiązanie (zagadnienia, sytuacji **itp.**)

denounce [di'nauns] *vt* 1. wyda-ć/wać (zbrodniarza itp.); za/denuncjować; zdradz-ić/ać 2. powiad-omić/amiać (**sb** o czyjejś zbrodni itp.) 3. z/demaskować; odsł-onić/aniać (oszustwo itp.) 4. potępi-ć/ać 5. zapowi-edzieć/adać; proklamować 6. wypowi-edzieć/adać (umowę itp.)

denouncement [di'naunsmənt] = **denunciation**

dense [dens] *adj* 1. gęsty 2. zbity; zwarty; skupiony 3. spoisty; szczelny 4. (*o człowieku itp*) tępy; niepojętny

denseness ['densnis] = **density**

densimeter [den'simitə] *s techn* densymetr, gęstościomierz

density ['densiti] *s* 1. gęstość 2. zwartość; skupienie 3. spoistość; szczelność 4. tępota (umysłu itp.) 5. *fiz* ciężar właściwy <gatunkowy>

dent [dent] I *s* 1. wygięcie; wklęśnięcie 2. szczerba II *vt* 1. po/wyginać; z/robić wklęśnięcie (**sth w czymś**) 2. wy/szczerbić *zob* **dented**

dental ['dentl] *adj* 1. dentystyczny; stomatologiczny 2. (*o głoskach*) zębowy, dentalny

dentate ['denteit] *adj bot zoo* ząbkowany; ząbkowaty

dentation [den'teiʃən] *s bot zoo* ząbkowanie <ząbkowatość, ząbki> (liścia itd.)

dented ['dentid] I *zob* **dent** *v* II *adj* 1. powyginany 2. wyszczerbiony

denticle ['dentikl] *s* ząbek

dentifrice ['dentifris] *s* pasta <proszek, płyn> do (czyszczenia) zębów

dentil ['dentil] *s arch* ząbek

dentilingual [,denti'liŋgwəl] *adj fonet* (*o głosce*) zębowojęzykowy

dentine ['denti:n] *s anat* zębina

dentist ['dentist] *s* dentyst-a/ka; stomatolog

dentistry ['dentistri] *s* dentystyka; stomatologia

dentition [den'tiʃən] *s* 1. (*u niemowlęcia*) ząbkowanie 2. *anat* uzębienie

denture ['dentʃə] *s* sztuczn-a/e szczęka <uzębienie>; proteza (zębowa)

denudation [,di:nju'deiʃən] *s* 1. obnaż-enie/anie; ogoł-ocenie/acanie 2. *geol* denudacja

denude [di'nju:d] *vt* obnaż-yć/ać; ogoł-ocić/acać

denunciation [di͵nʌnsiˈeiʃən] *s* 1. wydanie (zbrodniarza itp.) 2. zadenuncjowanie; doniesienie; donos 3. zdemaskowanie <ujawnienie> (oszustwa itp.) 4. potępienie 5. zapowiedź (czegoś) 6. wypowiedzenie (umowy itp.)

denunciator [diˈnʌnsi͵eitə] *s* donosiciel/ka, denuncjator/ka

denunciatory [diˈnʌnsi͵eitəri] *adj* potępiający; oskarżający

deny [diˈnai] *v* (**denied** [diˈnaid], **denied; denying** [diˈnaiiŋ]) [I] *vt* 1. zaprzecz-yć/ać (**sth** czemuś); **there is no ~ing the fact (that...)** nie można zaprzeczyć temu (że...); trzeba stwierdzić (że...) 2. z/dementować 3. zap-rzeć/ierać <wyp-rzeć/ierać> się (**sb, sth** kogoś, czegoś) 4. odm-ówić/awiać (**sb sth** <**sth to sb**> komuś czegoś; **oneself sth** sobie czegoś) [II] *vr* **~ oneself** żyć w abnegacji

deodar [ˈdiou͵dɑ:] *s bot* cedr himalajski

deodorant [di:ˈoudərənt] [I] *adj* (*o środku*) odwaniający [II] *s* środek odwaniający

deodorize [di:ˈoudə͵raiz] *vt* odw-onić/aniać

deontology [͵di:ɔnˈtɔlədʒi] *s filoz* deontologia

deoxidization [di:͵ɔksidaiˈzeiʃən] *s chem* odtlenianie; redukcja

deoxidize [di:ˈɔksi͵daiz] *vt chem* odtleni-ć/ać; z/redukować

depart [diˈpɑ:t] [I] *vi* 1. od-ejść/chodzić; odje-chać/żdżać; wyrusz-yć/ać (w drogę) 2. zejść/schodzić (**from this life** ze świata) 3. odst-ąpić/ępować (**from a rule etc.** od reguły itd.); sprzeniewierz-yć/ać się (**from sth** czemuś); zerwać/zrywać (**from sth** z czymś); z/robić dygresję <odbie-c/gać> (od tematu itp.) [II] *vt w zwrocie*: **to ~ this life** zejść ze świata *zob* **departed**

departed [diˈpɑ:tid] [I] *zob* **depart** [II] *adj* 1. miniony 2. zmarły [III] *s* zmarł-y/a; nieboszcz-yk/ka; *pl* **the ~** zmarli

department [diˈpɑ:tmənt] *s* 1. dział; sekcja; *am* **~ store** dom towarowy; sklep wielobranżowy 2. wydział; departament 3. specjalność; dziedzina; gałąź (wiedzy itd.); *uniw* katedra; **the English <French etc.> ~** katedra anglistyki <romanistyki itd.> 4. *am* ministerstwo

departmental [͵di:pɑ:tˈmentl] *adj* 1. działowy; wydziałowy; (*o szefie itd*) działu; (*o zakresie itd*) wydziału; **~ head** kierownik <szef> sekcji <katedry, departamentu>; *am* **~ store = department store** *zob* **department** 1. 2. ministerialny

departure [diˈpɑ:tʃə] *s* 1. odejście; odjazd; wyjazd; **to take one's ~** a) odje-chać/żdżać, wyje-chać/żdżać; wyrusz-yć/ać w drogę b) od-ejść/chodzić c) po/żegnać się; **~ platform** peron odjazdowy 2. odchylenie (od zasady itp.); naruszenie (**from a law etc.** prawa itp.); niezgodność (**from truth etc.** z prawdą itp.) 3. kierunek (myśli itd.); **a new ~** nowa orientacja; nowe horyzonty; nowa era 4. punkt wyjścia 5. *mar* zboczenie nawigacyjne (z kursu)

depasture [di:ˈpɑ:stʃə] [I] *vt* 1. wypasać (bydło) 2. (*o ziemi*) wyżywiać (bydło) [II] *vi* paść się

depauperate [diˈpɔ:pə͵reit] *vt* doprowadz-ić/ać do ubóstwa <do nędzy, zubożenia>; s/pauperyzować; zubożyć

depauperize [ˈdi:ˈpɔ:pə͵raiz] *vt* 1. wyzw-olić/alać z <od> ubóstwa 2. (*ustawowo itp*) zn-ieść/osić żebractwo (**a country etc.** w kraju itd.)

depend [diˈpend] *vi* 1. † *poet* zwisać (**from sth** z czegoś) 2. zależeć <być zależnym> (**on** <**upon**> **sb, sth** od kogoś, czegoś); **that** <**it all**> **~s** to zależy 3. liczyć (**on** <**upon**> **sb, sth** na kogoś, coś); polegać (**on** <**upon**> **sb, sth** na kimś, czymś); spu-ścić/szczać się (**on** <**upon**> **sb** na kogoś); zaufać (**on** <**upon**> **sb, sth** komuś, czemuś); **~ upon it!** możesz być pewien!; wierz mi! 4. znajdować się w zależności; **to ~ on** <**upon**> **sb** być na czymś utrzymaniu; **to ~ on sth** czerpać środki do życia z czegoś; **to ~ on oneself** być niezależnym <samodzielnym>; liczyć na własne siły

dependable [diˈpendəbl] *adj* pewny; niezawodny; **to be ~** zasłu-żyć/giwać na zaufanie; **is he ~?** czy można na nim polegać?

dependant, dependent [diˈpendənt] *s* 1. człowiek znajdujący się na czyimś utrzymaniu 2. *pl* **~s** służba 3. *pl* **~s** dworzanie

dependence [diˈpendəns] *s* 1. zależność <uzależnienie, zawisłość> (**on sb, sth** od kogoś, czegoś); podleganie (**on sb, sth** komuś, czemuś) 2. poleganie (na kimś, czymś); zaufanie (**on sb, sth** do kogoś, czegoś) 3. oparcie (**on sb w** kimś)

dependency [diˈpendənsi] *s* 1. = **dependence** 1., 2. 2. dobudówka; oficyna; pawilon 3. przyległość (majątku); podległa (państwu) prowincja 4. *pl* **dependencies** peryferie (miasta); obszary podległe (**of a state** państwu)

dependent [diˈpendənt] [I] *adj* 1. zależny <uzależniony; zawisły> (**on sb, sth** od kogoś, czegoś); znajdujący się na utrzymaniu (**on sb** czyimś) 2. podległy (**on sb, sth** komuś, czemuś) 3. *mat gram* zależny; podrzędny 4. † zwisający [II] *s zob* **dependant**

dephlegmate [di:ˈflegmeit] *vt chem* deflegmować; z/rektyfikować; s/frakcjonować

dephosphorize [di:ˈfɔsfə͵raiz] *vt* odfosforow-ać/ywać

depict [diˈpikt] *vt* 1. opis-ać/ywać; przedstawi-ć/ać 2. na/malować; da-ć/wać obraz (**sth** czegoś)

depicter, depictor [diˈpiktə] *s* odtwór-ca/czyni

depilate [ˈdepi͵leit] *vt* usu-nąć/wać włosy (**sth** z czegoś)

depilatory [diˈpilətəri] [I] *s* środek do usuwania włosów, depilator [II] *adj* usuwający włosy

deplenish [diˈpleniʃ] *vt* opróżni-ć/ać (**sth** z czegoś)

deplete [diˈpli:t] *vt* 1. wypróżni-ć/ać 2. wyczerp-ać/ywać <uszczupl-ić/ać> (zapasy itp.) 3. *med* usu-nąć/wać przekrwienie (**the system,** organizmu)

depletion [diˈpli:ʃən] *s* 1. opróżnienie 2. wyczerp-anie/ywanie <uszczupl-enie/anie> (zapasów itp.) 3. *med* upust (krwi itd.)

deplorable [diˈplɔ:rəbl] *adj* 1. godny ubolewania 2. żałosny; opłakany

deplore [diˈplɔ:] *vt* 1. opłakiwać 2. boleć (**sb, sth** nad kimś, czymś); wyra-zić/żać ubolewanie <żal> (**sth** z powodu czegoś)

deploy [diˈplɔi] [I] *vt wojsk* rozwi-nąć/jać (kolumnę, front itd.) [II] *vi wojsk* rozwi-nąć/jać się

deployment [diˈplɔimənt] *s wojsk* rozwinięcie (frontu, kolumny itd.)

deplume [diˈplu:m] *vt* oskub-ać/ywać z piór

depolarize [di:ˈpoulə͵raiz] *vt* 1. *fiz* z/depolaryzować 2. *przen* zachwiać (czyjeś przekonania itp.); rozwi-ać/ewać (złudzenia itp.)

depolarizer [di:ˈpoulə͵raizə] *s fiz* depolaryzator

deponent [diˈpounənt] [I] *adj gram* (*o czasowniku*)

czynno-bierny [III] *s prawn* świadek, składający zeznania

depopulate [di:ˈpɔpju,leit] [I] *vt* wyludni-ć/ać; s/pustoszyć [II] *vi* wyludni-ć/ać się; o/pustoszeć

deport [diˈpɔ:t] [I] *vt* deportować (zbrodniarza itp.); wyg-nać/aniać (z kraju); zesłać/zsyłać [II] *vr* **~ oneself** zachow-ać/ywać się *zob* **deported**

deportation [,dipɔ:ˈteiʃən] *s* deportacja; wygnanie; banicja

deported [diˈpɔ:tid] [I] *zob* **deport** [II] *s* wygnan-iec/ka; deportowan-y/a; banit-a/ka

deportee [,di:pɔ:ˈti:] *s* zesłaniec

deportment [diˈpɔ:tmənt] *s* 1. (*u człowieka*) zachowanie się; ułożenie; *zbiór* maniery 2. *chem* zachowanie się (ciał pod działaniem chem.); reakcja (metali itp.)

deposal [diˈpouzəl] *s* usunięcie z urzędu

depose [diˈpouz] [I] *vt* 1. usu-nąć/wać (kogoś ze stanowiska, króla z tronu) 2. zezna-ć/wać <poświadcz-yć/ać> (**that__** że...) [II] *vi* złożyć/składać zeznanie; zaświadcz-yć/ać (**to sth** o czymś)

deposit [diˈpɔzit] [I] *vt* 1. z/deponować; złożyć/składać do depozytu (bankowego); złożyć/składać jako zadatek 2. złożyć/składać (różne przedmioty); (*o ptaku itd*) złożyć/składać (jaja) 3. pozostawi-ć/ać (coś) jako osad [II] *vi* (*o substancji*) osadz-ić/ać się; (*o osadzie*) u/tworzyć się [III] *s* 1. depozyt (bankowy) 2. zastaw; kaucja 3. zadatek 4. *geol* złoże; pokład; nawarstwienie 5. *med chem* osad; nalot; złóg [IV] *attr* 1. *bank* depozytowy; (*o rachunku*) oszczędnościowy 2. *geol* osadowy

depositary [diˈpozitəri] *s* depozytariusz

deposition [,depəˈziʃən] *s* 1. złożenie (króla z tronu); usunięcie (kogoś ze stanowiska) 2. *prawn* zeznanie; poświadczenie; świadectwo (czyjeś o czymś) 3. osad 4. zdjęcie (**from the Cross** z krzyża)

depositor [diˈpozitə] *s* depozytor

depository [diˈpozitəri] *s* skład (towarów itd.); magazyn; miejsce przechowywania (towarów itd.); *przen* skarbnica

depot [ˈdepou] *s* 1. skład (towarów itd.) 2. *wojsk* kadra; pułk zapasowy; centrum szkolenia dla rekrutów 3. *wojsk* skład (żywności, amunicji itd.) 4. remiza (tramwajowa itd.) 5. *am* dworzec kolejowy

depravation [,deprəˈveiʃən] *s* zdeprawowanie, deprawacja; zepsucie (moralne)

deprave [diˈpreiv] *vt* z/deprawować, ze/psuć (moralnie)

depravity [diˈpræviti] *s* deprawacja

deprecate [ˈdepri,keit] *vt* 1. odżegn-ać/ywać; odżegn-ać/ywać się (**sth** od czegoś) 2. błagać o zaniechanie <o odwrócenie> (**sth** czegoś) 3. potępi-ć/ać; z/ganić; dezaprobować *zob* **deprecating**

deprecating [ˈdepri,keitiŋ] [I] *zob* **deprecate** [II] *adj* wyrażający dezaprobatę; (*o uśmiechu, ruchu itd*) dezaprobaty

deprecatingly [ˈdepri,keitiŋli] *adv* z dezaprobatą

deprecation [,depriˈkeiʃən] *s* 1. zaklinanie <błaganie> (o zaniechanie czegoś, odwrócenie złego) 2. odżegnywanie się (od czegoś) 3. potępi-enie/anie (czegoś)

deprecative [ˈdepri,keitiv], **deprecatory** [ˈdeprikətəri] *adj* 1. (*o modłach itp*) błagalny 2. = **deprecating** *adj*

depreciate [diˈpri:ʃi,eit] [I] *vt* 1. obniż-yć/ać wartość <cenę> (**sth** czegoś) 2. z/deprecjonować; z/dewaluować 3. uj-ąć/mować <odm-ówić/awiać, zaprzecz-yć/ać> (**sb, sth** komuś, czemuś) wartości <zalet>; lekceważąco <ujemnie> mówić <wyrażać się> (**sb, sth** o kimś, czymś) [II] *vi* 1. s/tracić na wartości 2. z/dewaluować się; ule-c/gać zdeprecjonowaniu 3. spa-ść/dać w cenie

depreciatingly [diˈpri:ʃi,eitiŋli] *adv* lekceważąco; pogardliwie

depreciation [di,pri:ʃiˈeiʃən] *s* 1. dewaluacja (pieniądza); deprecjacja 2. obniżenie <utrata> wartości (towaru itp.) 3. *księgow* amortyzacja; zamortyzowanie 4. ujmowanie <odmawianie> (komuś, czemuś) wartości <zalet>; lekceważenie

depreciative [diˈpri:ʃi,eitiv], **depreciatory** [diˈpri:ʃi,eitəri] *adj* lekceważący; ujemny; zaprzeczający zalet <wartości, zasług>

depredation [,depriˈdeiʃən] *s* łupiestwo; rabunek; rozbój; grabież; złodziejstwo

depredator [ˈdepri,deitə] *s* łupieżca; zbój; rozbójnik

depredatory [diˈpredətəri] *adj* łupieżczy; rabunkowy; zbójecki

depress [diˈpres] *vt* 1. obniż-yć/ać; zniż-yć/ać (wysokość, głos, liczbę, cenę itd.) 2. nacis-nąć/kać (pedał itp.) 3. osłabi-ć/ać; za/hamować; doprowadz-ić/ać do zastoju <do kryzysu> 4. przygnębi-ć/ać (kogoś); z/martwić; z/deprymować *zob* **depressed, depressing**

depressant [diˈpresənt] [I] *adj med* hamujący (jakąś funkcję); uspokajający [II] *s med* środek hamujący (jakąś funkcję); środek uspokajający

depressed [diˈprest] [I] *zob* **depress** [II] *adj* 1. (*o łuku itd*) przypłaszczony 2. (*o człowieku*) przygnębiony; zmartwiony; zatroskany; zdeprymowany 3. (*o handlu itd*) osłabiony; zahamowany; (będący) w stagnacji <w zastoju>; **the ~ areas** okręgi <okolice> objęte kryzysem <dotknięte klęską> (nędzy, bezrobocia itp.)

depressing [diˈpresiŋ] [I] *zob* **depress** [II] *adj* przygnębiający; deprymujący

depression [diˈpreʃən] *s* 1. obniżenie 2. opadanie; wgłębienie; zagłębienie 3. *meteor* niż 4. kryzys; zastój; stagnacja 5. przygnębienie; † frasunek; zmartwienie; depresja

depressor [diˈpresə] *s* 1. *laryng* szpatułka 2. *techn* prądnica dodatkowa 3. *anat* mięsień obniżający

deprival [diˈpraivəl] *s* pozbawienie (**of sth** czegoś)

deprivation [,depriˈveiʃən] *s* 1. pozbawienie <utrata> (praw itd.) 2. złożenie (z urzędu); odwołanie (ze stanowiska)

deprive [diˈpraiv] *vt* 1. pozbawi-ć/ać (kogoś czegoś); zab-rać/ierać <od-ebrać/bierać> (komuś coś) 2. złożyć/składać <odwoł-ać/ywać> (z urzędu)

depth [depθ] *s* 1. głębokość; głąb; *fot* **~ of focus** głębia ostrości; **in ~** w głąb; na głębokość; **in the ~ of night** w ciemną <głęboką> noc; **in the ~ of winter** w srogi mróz, w pełni zimy; *przen* **to be out of one's ~** nie orientować się (w przedmiocie); **I am out of my ~** to dla mnie za mądre; *dosł i przen* **to get beyond one's ~** stracić grunt pod nogami 2. wysokość (kołnierzyka, części maszyny, narzędzia itd.) 3. *pl* **~s** *dosł i przen* czeluść; otchłań; dno (oceanu, rozpaczy, nędzy itd.)

depth-bomb [ˈdepθ,bɔm], **depth-charge** [ˈdepθ,tʃɑ:dʒ] *s* bomba głębinowa

depth-gauge [ˈdepθ,geidʒ] *s techn* głębokościomierz

depurate [ˈdepju,reit] *vt* oczy-ścić/szczać

depuration [,depjuˈreiʃən] *s* oczyszcz-enie/anie

deputation [ˌdepju'teiʃən] *s* 1. wy/delegowanie (kogoś) 2. delegacja; poselstwo
depute [di'pju:t] *vt* 1. upełnomocni-ć/ać 2. wy/delegować 3. zlec-ić/ać (coś komuś)
deputize ['depjuˌtaiz] *vi* zast-ąpić/ępować (**for sb** kogoś); wyst-ąpić/ępować w zastępstwie (**for sb** czyimś)
deputy ['depjuti] *s* 1. zastęp-ca/czyni; **ambassador's ~** chargé d'affaires 2. delegat/ka; wysłanni-k/czka; pos-eł/łanka; deputowan-y/a 3. *górn* sztygar 4. zarządzając-y/a domem noclegowym 5. *w złożeniach*: wice- (**~-chairman** wiceprezes; **~-manager** wicedyrektor/ka itd.)
deracinate [di'ræsiˌneit] *vt* wyr-wać/ywać z korzeniami; wykorzeni-ć/ać
derail [di'reil] *vt vi* wykole-ić/jać (się)
derange [di'reindʒ] *vt* 1. wprowadz-ić/ać nieład <chaos> (**sth** w czymś); z/dezorganizować 2. ze/psuć (maszynę itd.); rozstr-oić/ajać 3. po/krzyżować (plany) 4. doprowadz-ić/ać do obłędu *zob* **deranged**
deranged [di'reindʒd] [I] *zob* **derange; to become ~** ze/psuć się [II] *adj* obłąkany; pomylony
derangement [di'reindʒmənt] *s* 1. nieład; chaos 2. *med* rozstrój 3. *med* (*także* **~ of mind**) obłąkanie 4. zepsucie (maszyny itd.)
derate [di:'reit] *vt* zn-ieść/osić podatek (**sth** od czegoś)
de-ration [di:'ræʃən] *vt* zn-ieść/osić reglamentację (**an article** towaru)
Derby ['da:bi] *s* 1. derby; słynne wyścigi konne w Epsom; **~ day** dzień wyścigów „derby"; **~ porcelain** wyrób ceramiczny z m. Derby; **~ recruit** żołnierz pół-poborowy <pół-ochotnik> z r. 1915 2. ['də:bi] melonik (kapelusz)
Derbyite ['da:biˌait] = **Derby recruit** *zob* **Derby** 1.
Derbyshire ['da:bjʃiə] *spr med* **~ neck** wole; *miner* **~ spar** fluoryt
derelict ['derilikt] [I] *adj* 1. opuszczony; porzucony 2. bezpański 3. niedbały; zaniedbujący się; *am* **to be ~ (in one's duty)** zaniedb-ać/ywać się (w obowiązkach) [II] *s* 1. *mar* wrak 2. (*o gruncie*) nieużytek; zalewisko 2. bezpańska własność
dereliction [ˌderi'likʃən] *s* 1. porzucenie <opuszczenie> (czegoś) 2. zaniedbywanie się w obowiązkach 3. grunt odsłonięty po odpływie
derequisition ['di:ˌrekwi'ziʃən] *vt* zwolnić z rekwizycji; reprywatyzować
deride [di'raid] *vt* wyśmi-ać/ewać; wyszydz-ić/ać; naśmiewać się <drwić> (**sb, sth** z kogoś, czegoś)
derision [di'riʒən] *s* 1. wyśmiewanie się (z kogoś, czegoś); drwina; **to be in ~** być pośmiewiskiem; **to bring into ~** wystawi-ć/ać na pośmiewisko; **to hold <have> in ~** wyśmi-ać/ewać; wyszydz-ić/ać 2. pośmiewisko
derisive [di'raisiv], **derisory** [di'raisəri] *adj* 1. szyderczy; urągliwy; drwiący; ironiczny 2. śmieszny; śmiechu wart
derivation [ˌderi'veiʃən] *s* 1. pochodzenie 2. *jęz* derywacja 3. *jęz* wyraz pochodny, derywat 4. *med* derywacja, substancja pochodna 5. *mar lotn chem* derywacja, odchylenie 6. *mat* obliczenie pochodnej
derivative [di'rivətiv] [I] *adj* pochodny [II] *s* 1. *mat* pochodna 2. *jęz* wyraz pochodny, derywat 3. *chem* substancja 4. *med* derywat
derive [di'raiv] [I] *vt* 1. wyprowadz-ić/ać <wyw-ieść/odzić> (ród, pochodzenie itd.) 2. czerpać <ciągnąć> (zyski, dochody itd.); znajdować <mieć> (**pleasure etc. from sth** przyjemność itd. w czymś) [II] *vi* pochodzić; wywodzić się
derm(a) [də:m, 'də:mə] *s anat* skóra (właściwa)
dermal ['də:məl], **dermic** ['də:mik] *adj* skórny
dermatitis [ˌdə:mə'taitis] *s med* zapalenie skóry
dermatologist [ˌdə:mə'tɔlədʒist] *s* dermatolog, specjalist-a/ka chorób skórnych
dermatology [ˌdə:mə'tɔlədʒi] *s med* dermatologia
dermatophyte ['də:mətouˌfait] *s med* dermatofit, pasożyt skóry
dermatoplasty ['də:mətouˌplæsti] *s med* kosmetyka plastyczna
dermic *zob* **dermal**
derogate ['derɔˌgeit] *vi* 1. uj-ąć/mować (**from a merit <right etc.>** zasług <praw itd.>) 2. narusz-yć/ać (prawo itp.) 3. czynić <przyn-ieść/osić> ujmę <szkodę>; poniż-yć/ać; umniejsz-yć/ać (**from sb's position <dignity etc.>** czyjąś powagę <czyjeś dostojeństwo itd.>)
derogation [ˌderou'geiʃən] *s* 1. naruszenie (prawa itd.) 2. ujma; poniżenie; umniejszenie
derogatory [di'rɔgətəri] *adj* 1. uwłaczający <uchybiający> (**to sb** komuś) 2. naruszający (**from a right etc.** prawo itp.) 3. umniejszający (zasługi, zalety itp.); poniżający; przynoszący ujmę <szkodę>
derrick ['derik] *s* 1. dźwig (do przenoszenia ciężarów) 2. wieża szybowa 3. *mar* bom ładunkowy
derring-do ['deriŋ'du:] *s* czyn bohaterski
derringer ['derindʒə] *s am* mały pistolet dużego kalibru
dervish ['də:viʃ] *s* derwisz
descant ['deskænt] [I] *s* 1. melodia 2. dyszkant [II] *vi* [dis'kænt] 1. *muz* za/śpiewać dyszkantem 2. rozwodzić się (**on sth** nad czymś); wychwalać (**on sth** coś)
descend [di'send] [I] *vi* 1. zejść/schodzić; zst-ąpić/ępować; spa-ść/dać; (*o drodze itd*) opadać 2. runąć <z/walić się> (na kogoś, coś) 3. zniż-yć/ać się; *lotn* obniż-yć/ać lot 4. poniż-yć/ać się (**to sth** do czegoś) 5. pochodzić; wywodzić się <swój ród> (skądś) 6. (*o dziedzictwie*) prze-jść/chodzić (**from sb to sb** od kogoś na kogoś) [II] *vt* zejść/schodzić (**the stairs, a hill etc.** ze schodów, z góry itd.) *zob* **descended**
descendable [di'sendəbl] *adj* możliwy do przeniesienia w drodze spadku
descendant [di'sendənt] *s* potomek; *pl* **~s** potomkowie, potomność
descended [di'sendid] *zob* **descend; ~ of noble stock etc.** (potomek itd.) szlachetnego rodu; szlachetnie urodzony
descent [di'sent] *s* 1. zejście/schodzenie; zstąpienie; wylądowanie; **the Descent from the Cross** zdjęcie z krzyża 2. spadek (terenu); opadanie; pochyłość 3. obława; *wojsk* desant; napad; atak 4. spadek; obniżka; obniżanie się 5. pochodzenie (rodowe) 6. pokolenie 7. przeniesienie (przez dziedzictwo); dziedziczenie 8. *lotn* obniżenie lotu
describable [dis'kraibəbl] *adj* (możliwy) do opisania
describe [dis'kraib] *vt* 1. opis-ać/ywać 2. na/rysować; nakreśl-ić/ać; zakreśl-ić/ać 3. określ-ić/ać (**sb as a scoundrel etc.** kogoś jako łotra itd.); przedstawi-ć/ać (kogoś, coś jako ...) 4. da-ć/wać rysopis (**a criminal etc.** zbrodniarza itd.) 5. (*w powietrzu*) opis-ać/ywać (linię, łuk itd.)

description [dis'kripʃən] *s* 1. opis; **beyond ~** nie do opisania 2. określenie 3. rodzaj; gatunek; **people of this ~** ludzie tego pokroju 4. rysopis

descriptive [dis'kriptiv] *adj* opisowy; **~ geometry** geometria wykreślna

descry [dis'krai] *vt* (**descried** [dis'kraid], **descried; descrying** [dis'kraiiŋ]) wypat-rzyć/rywać; do-strze-c/gać; zauważ-yć/ać

desecrate ['desi,kreit] *vt* z/bezcześcić; s/profanować

desecration [,desi'kreiʃən] *s* profanacja, sprofanowanie

desensitize [di:'sensi,taiz] *vt* znieczul-ić/ać

desert¹ [di'zə:t] *s* 1. zasług-a/i 2. zasłużona nagroda <kara>; **to get <meet with, come by> one's ~s** mieć <dostać> to, co się komuś należy <na co ktoś zasłużył>

desert² ['dezət] [I] *adj* 1. (*o okolicy*) pustynny; bezludny 2. (*o gruncie*) nieurodzajny; jałowy 3. (*o temacie*) suchy; jałowy [II] *s* pustynia; *przen* bezludzie

desert³ [di'zə:t] [I] *vt* opu-ścić/szczać; porzuc-ić/ać; zdradz-ić/ać; zaw-ieść/odzić; odwr-ócić/acać się (**an old friend etc.** od dawnego przyjaciela itp.) [II] *vi* z/dezerterować *zob* **deserted**

deserted [di'zə:tid] [I] *zob* **desert³** [II] *adj* opuszczony; bezludny

deserter [di'zə:tə] *s* 1. dezerter/ka 2. zbieg

desertion [di'zə:ʃən] *s* 1. opuszczenie <porzucenie> (kogoś, czegoś) 2. dezercja

deserve [dizə:v] [I] *vt* zasłu-żyć/giwać (**sth** na coś); **he ~s it** a) zasłużył sobie na to; należy mu się to b) dobrze mu tak [II] *vi w zwrotach:* **to ~ ill of** __ zasłużyć sobie na karę u <ze strony> ...; **to ~ well of one's country etc.** mieć zasługi wobec <położyć zasługi dla> kraju itd. *zob* **deserving**

deservedly [di'zə:vidli] *adv* zasłużenie; słusznie; sprawiedliwie

deserving [di'zə:viŋ] [I] *zob* **deserve** [II] *adj* 1. (*o człowieku*) zasłużony 2. (*o czynie*) zasługujący (**of praise etc.** na pochwałę itd.)

desiccant ['desikənt] *s farm* środek suszący, sykatyw

desiccate ['desi,keit] *vt* 1. wy/suszyć (mięso itd.); osusz-yć/ać 2. *med* wy/suszyć

desiccative [de'sikətiv] *adj* wysuszający

desiccator ['desi,keitə] *s* suszarka; aparat do suszenia

desiderate [di'zidə,reit] *vt* odczu-ć/wać brak (**sth** czegoś); wzdychać (**sth** za czymś, do czegoś)

desideratum [di,zidə'reitəm] *s* (*pl* **desiderata** [di,zidə'reitə]) dezyderat

design [di'zain] [I] *vt* 1. przeznacz-yć/ać (**sth, sb for <to be> sth** coś, kogoś, do czegoś, na coś) 2. zamierz-yć/ać <zamyśl-ić/ać, u/planować> (**to do, doing sth** coś zrobić) 3. za/projektować 4. na/szkicować; na/rysować; sporządz-ić/ać plan (**sth** czegoś) [II] *vi* 1. być rysownikiem <kreślarzem> 2. sporządzać plany <projekty, szkice>; rysować; kreślić *zob* **designing** [III] *s* 1. zamiar; zamierzenie; zamysł; **by ~** rozmyślnie; celowo; **~s upon sb** zamiary wobec <względem> kogoś; **to have ~s on sth** pożądać czegoś; mieć apetyt na coś 2. plan; projekt 3. cel; dążenie 4. wzór; deseń; rysunek; szkic; studium 5. wzór, model 6. konstrukcja; **of excellent <faulty> ~** doskonale <błędnie> skonstruowany

designate ['dezig,neit] [I] *vt* 1. za/mianować; wyznacz-yć/ać (**sb to an office etc.** kogoś na stanowisko itd.; **sb as <for> sb's successor etc.** kogoś na czyjegoś następcę itd.) 2. naz-wać/ywać 3. wyszczególni-ć/ać 4. wskazywać (**sth** na coś) [II] *adj* ['dezignit] *użyty po rzeczowniku:* desygnowany; mianowany

designation [,dezig'neiʃən] *s* 1. opis 2. określenie; oznaczenie 3. nazwa; miano 4. zamianowanie; nominacja <wyznaczenie> (**to a post** na stanowisko)

designedly [di'zainidli] *adv* umyślnie; z rozmysłem; celowo

designer [di'zainə] *s* 1. rysowni-k/czka; kreśla-rz/rka 2. autor/ka; projektodaw-ca/czyni; projektant/ka 3. intrygant/ka

designing [di'zainiŋ] [I] *zob* **design** *v* [II] *adj* podstępny [III] *s* 1. planowanie; projektowanie 2. rysowanie; kreślenie; kreślarstwo; szkicowanie; **~ department** biuro projektów

desilverize [di:'silvə,raiz] *vt* odsrebrz-yć/ać

desinence ['desinəns] *s gram* końcówka

desipience [di'sipiəns] *s* brak powagi; trzpiotowatość

desirability [di,zairə'biliti] *s* 1. zalet-a/y 2. celowość 3. powab; urok

desirable [di'zaiərəbl] *adj* 1. pożądany; wskazany; celowy; mile widziany 2. (*o człowieku*) pociągający; atrakcyjny

desire [di'zaiə] [I] *vt* 1. życzyć (sobie) <pragnąć> (**sth** czegoś); mieć <odczuwać, czuć> ochotę <chęć> (**sth, to do sth** na coś, zrobienia czegoś); **it is to be ~d** jest wskazane <pożądane>; **it leaves much to be ~d** to pozostawia wiele do życzenia 2. pożądać (**sth** czegoś) 3. po/prosić (**sb to do sth, that sb should do sth** żeby ktoś coś zrobił; **sth of sb** kogoś o coś) [II] *s* 1. życzenie; pragnienie; chęć; ochota; chętka; **a strong ~** gorące pragnienie; **at <by> sb's ~** na czyjeś życzenie; **to one's heart's ~** do syta 2. żądza; pożądanie 3. przedmiot pożądania

desirous [di'zaiərəs] *adj* pragnący <spragniony> (czegoś); **to be ~ of (doing) sth** a) pragnąć czegoś <coś zrobić> b) dążyć do (zrobienia) czegoś

desist [di'zist] *vi lit* 1. zaprzestać <zaniechać> (**from sth** czegoś) 2. odst-ąpić/ępować (**from sth** od czegoś); zrze-c/kać się (**from sth** czegoś)

desistance [di'zistəns] *s* 1. zaprzestanie; zaniechanie 2. odstąpienie (**from sth** od czegoś); zrzeczenie się (**from sth** czegoś)

desk [desk] *s* 1. biurko 2. *muz* pulpit 3. (*w szkole*) ławka 4. (*w sklepie itp*) kasa 5. *am* redakcja (gazety) 6. *przen* praca urzędnicza <pisarska>

desman ['desmən] *s zoo* desman (zwierzę ziemnowodne)

desolate ['desə,leit] [I] *vt* 1. s/pustoszyć; z/niszczyć; z/dewastować 2. wyludni-ć/ać 3. osamotni-ć/ać 4. s/trapić; pogrąż-yć/ać **w smutku** [II] *adj* ['desəlit] 1. opuszczony; samotny 2. odludny; niegościnny 3. spustoszony; zdewastowany; wyludniony 4. stroskany; nieutulony w żalu

desolation [,desə'leiʃən] *s* 1. spustoszenie; zniszczenie; dewastacja; ruina 2. pustka; pustkowie 3. strapienie; nieutulony żal

despair [dis'pɛə] [I] *vi* 1. rozpaczać; odda-ć/wać się rozpaczy 2. nie mieć nadziei <stracić nadzieję> (**of sth** na coś; **of doing sth** zrobienia czegoś) *zob* **despairing** [II] *s* rozpacz, † desperacja

despairing [dis'pɛəriŋ] [I] *zob* **despair** *v* [II] *adj*

1. zrozpaczony; doprowadzony do rozpaczy 2. rozpaczliwy
despairingly [dis'pɛəriŋli] *adv* 1. beznadziejnie 2. z rozpaczą; † w desperacji
despatch [dis'pætʃ] = **dispatch**
↑ **desperado** [ˌdespə'ra:dou] *s* (*pl* **~es**) szaleniec, † desperat; człowiek zdesperowany
desperate ['despərit] *adj* 1. rozpaczliwy; beznadziejny; † desperacki; podyktowany rozpaczą 2. doprowadzony do rozpaczy 3. (*o walce itp*) zaciekły
desperateness ['despəritnis] *s* beznadziejność
desperation [ˌdespə'reiʃən] *s* rozpacz, † desperacja
despicable ['despikəbl] *adj* podły; nikczemny; zasługujący na pogardę
despise [dis'paiz] *vt* gardzić <pogardzać> (**sb, sth** kimś, czymś); z/lekceważyć
despite [dis'pait] [I] *s* 1. przekora; złość 2. † despekt [II] *praep* (*także* **~ of, in ~ of**) wbrew (komuś, czemuś); pomimo (kogoś, czegoś); na złość; na przekór (komuś, czemuś); **in one's own ~** wbrew sobie samemu; mimo woli
despiteful [dis'paitful] *adj* przekorny; złośliwy
despoil [dis'pɔil] *vt* 1. ob/rabować; s/plądrować; s/profanować (grób) 2. ob-edrzeć/dzierać <wyzu-ć/wać> (kogoś z czegoś)
despoilment [dis'pɔilmənt], **despoliation** [disˌpouli'eiʃən] *s* 1. obrabowanie; splądrowanie 2. obdarcie
despond [dis'pɔnd] [I] *vi* wpa-ść/dać <popa-ść/dać> w przygnębienie <w zwątpienie>; s/tracić otuchę; zniechęc-ić/ać <załam-ać/ywać> się; mieć czarne myśli [II] *s w zwrocie*: **the slough of ~** przygnębienie; depresja
despondency [dis'pɔndənsi] *s* przygnębienie; upadek ducha; zniechęcenie; zwątpienie; czarne myśli
despondent [dis'pɔndənt] *adj* przygnębiony; zniechęcony; pełen zwątpienia; przybity
↑ **despondently** [dis'pɔndəntli], **despondingly** [dis'pɔndiŋli] *adv* w przygnębieniu; w zwątpieniu; w zniechęceniu
despot ['despɔt] *s* despot-a/ka
despotic [des'pɔtik] *adj* despotyczny
despotism ['despəˌtizəm] *s* despotyzm
desquamate ['deskwəˌmeit] [I] *vt* łuskać, łuszczyć [II] *vi* łuszczyć się
dessert [di'zə:t] *s* 1. deser; słodkie danie 2. *am* legumina; ciastk-o/a
dessert-spoon [di'zə:tˌspu:n] *s* łyżeczka deserowa
destination [ˌdesti'neiʃən] *s* cel (podróży); miejsce przeznaczenia; (*dla listu itp*) adres
destine ['destin] *vt* przeznacz-yć/ać (**for <to> sth** do czegoś, na coś; **to do sth** do zrobienia czegoś); **he was ~d to be <go etc.> —** miał być ... (czymś) <pójść itd.>...; pisane mu <przeznaczeniem jego> było, że będzie ... (czymś) <że pójdzie itd.> ...
destiny ['destini] *s* przeznaczenie; los
destitute ['destiˌtju:t] [I] *adj* 1. pozbawiony (czegoś); ogołocony <odarty> (**of sth** z czegoś) 2. bez środków do życia; w nędzy [II] *s pl* **the ~** ludzie pozbawieni środków do życia; nędzarze; **the most ~** cierpiący największą nędzę; najbardziej poszkodowani
destitution [ˌdesti'tju:ʃən] *s* ubóstwo; brak środków do życia; nędza
destrier ['destriə] *s hist lit* rumak
destroy [dis'trɔi] *vt* 1. z/niszczyć; z/niweczyć 2. z/burzyć 3. podkop-ać/ywać (siły moralne itp.) 4. rozwi-ać/ewać (nadzieję itp.) 5. zabi-ć/jać; zgładz-ić/ać
destroyer [dis'trɔiə] *s* 1. niszczyciel/ka; burzyciel/ka 2. *mar* niszczyciel, kontrtorpedowiec
↑ **destructible** [dis'trʌktəbl] *adj* dający się zniszczyć
destruction [dis'trʌkʃən] *s* 1. zniszczenie; zniweczenie; ruina; zagłada; zguba 2. zburzenie 3. podkopanie (sił moralnych) 4. rozwianie (nadziei itp.) 5. zabicie; zgładzenie
↑ **destructive** [dis'trʌktiv] [I] *adj* 1. niszczycielski; **to be ~ of sth** niszczyć coś 2. destrukcyjny; zgubny <zabójczy> (**to the system etc.** dla organizmu itd.) [II] *s* niszczyciel/ka
destructiveness [dis'trʌktivnis] *s* 1. siła niszczycielska <zniszczenia> 2. (*u dziecka itd*) pęd niszczycielski 3. destrukcyjność
destructor [dis'trʌktə] *s* piec do spalania śmieci
desuetude ['deswiˌtju:d] *s* przeżycie się; **to fall into ~** wy-jść/chodzić z użycia; sta-ć/wać się przestarzałym
desulphurization [di:ˈsʌlfəraiˈzeiʃən] *s* odsiarczanie
desulphurize [di'sʌlfəˌraiz] *vt* odsiarczać
desultoriness ['desəltərinis] *s* brak związku <ładu, systematyczności>; przypadkowość
desultory ['desəltəri] *adj* bezładny; chaotyczny; bez związku; przypadkowy; niesystematyczny
detach [di'tætʃ] *vt* 1. odłącz-yć/ać; od-erwać/rywać <odwiąz-ać/ywać, odlepi-ć/ać, odpi-ąć/nać, oddziel-ić/ać, odczepi-ć/ać, odci-ąć/nać, odbi-ć/jać> (od czegoś) 2. odseparować; odizolować (od kogoś, czegoś) 3. *wojsk* odkomenderować *zob* **detached**
detachable [di'tætʃəbl] *adj* (*o części maszyny itd*) do zdejmowania; **it is ~** to się zdejmuje
detached [di'tætʃt] [I] *zob* **detach** [II] *adj* 1. oderwany; (wzięty itd.) w oderwaniu; oddzielny; luźny; osobny; **~ house** jednorodzinny dom z ogrodem; willa 2. (*o człowieku*) bezstronny; obiektywny 3. (*o postępowaniu itp*) obojętny; niedbały 4. (*o opinii*) niezależny
detachedly [di'tætʃidli] *adv* 1. oddzielnie; osobno; luźno; w oderwaniu 2. bezstronnie; obiektywnie 3. obojętnie; niedbale 4. niezależnie
detachment [di'tætʃmənt] *s* 1. odłączenie; oderwanie; odwiązanie; odlepienie; odpięcie; odczepienie; odcięcie; odbicie 2. *wojsk* oddział; **on ~** odkomenderowany 3. obojętność; niedbałe traktowanie 4. bezstronność; obiektywność 5. niezależność (sądu, zdania) 6. odseparowanie <odizolowanie> (się)
↑ **detail** ['di:teil] [I] *vt* wyszczególni-ć/ać; poda-ć/wać <przyt-oczyć/aczać> szczegóły (**sth** czegoś) 2. *wojsk* odkomenderować *zob* **detailed** [II] *s* 1. szczegół; detal; drobiazg; **in ~** szczegółowo; drobiazgowo; **in the fullest ~** najdokładniej; z najdrobniejszymi szczegółami 2. *pl* **~s** *wojsk* rozkaz dzienny
detailed ['di:teild] [I] *zob* **detail** *v* [II] *adj* szczegółowy; drobiazgowy
detain [di'tein] *vt* 1. zatrzym-ać/ywać 2. zwlekać (**sth** z czymś) 3. wstrzym-ać/ywać; opóźni-ć/ać; przetrzym-ać/ywać 4. przytrzym-ać/ywać <za/aresztować, ująć> (kogoś)
detainee [ˌdi:tei'ni:] *s* aresztowan-y/a
detainer [di'teinə] *s* 1. zatrzym-anie/ywanie (cudze-

go mienia) 2. ujęcie <aresztowanie, uwięzienie> (człowieka); **writ of ~** rozkaz zatrzymania w areszcie

detainment [di'teinmənt] *s* 1. zatrzymywanie (pieniędzy); zwlekanie 2. zatrzymywanie (kogoś) w areszcie <w więzieniu>

deteccer [di'tekə] *s sl* kryminał, powieść detektywistyczna

detect [di'tekt] *vt* 1. dostrze-c/gać; wypatrzyć 2. odkry-ć/wać (uszkodzenie itp.) 3. wykry-ć/wać <wyśledzić> (zbrodniarza itp.); przychwycić (**sb in doing sth** kogoś na czymś) *zob* **detecting**

detecting [di'tektiŋ] I *zob* **detect** III *adj radio* **~ valve** lampa detekcyjna

detection [di'tekʃən] *s* 1. dostrzeżenie; **to escape ~** a) ujść przed pościgiem <sprawiedliwości> b) (*o błędzie itp*) ujść uwagi; zostać przeoczonym 2. odszukanie (uszkodzenia itd.) 3. wykry-cie/wanie; wyśledzenie; przychwycenie (**in doing sth** na czymś) 4. służba śledcza 5. *elektr* detekcja

detective [di'tektiv] I *adj* wykrywający II *s* wywiadowca; detektyw III *attr* wywiadowczy, śledczy; (*o powieści itp*) detektywistyczny

detector [di'tektə] *s* 1. człowiek <pracownik> wykrywający (błędy itp.) 2. *radio* detektor

detent [di'tent] *s techn* zapadka; zatrzask

détente [dei'tã:t] *s polit* odprężenie

detention [di'tenʃən] *s* 1. areszt; **~ barrack(s)** areszt (budynek); **~ on suspicion <awaiting trial>** areszt śledczy; 2. wstrzym-anie/ywanie; zatrzym-anie/ywanie 3. opóźni-enie/anie; przytrzym-anie/ywanie 4. *szk* kara kozy 5. zajęcie (cudzej własności, bydła itd.)

deter [di'tə:] *vt* (**-rr-**) powstrzym-ać/ywać (**from doing sth** od czegoś); pohamować; odstrasz-yć/ać; onieśmiel-ić/ać

detergent [di'tə:dʒənt] I *adj* 1. (*o środku, proszku itd*) czyszczący <do czyszczenia, prania> 2. *med* (*o środku*) oczyszczający II *s* 1. środek czyszczący <do czyszczenia, do prania> 2. *med* środek oczyszczający

deteriorate [di'tiəriə,reit] I *vt* 1. ze/psuć 2. pog-orszyć/arszać 3. z/deprecjonować; obniż-yć/ać wartość (**sth** czegoś) II *vi* 1. ze/psuć <nadpsuć> się 2. pog-orszyć/arszać się 3. s/tracić na wartości 4. wyr-odzić/adzać <z/degenerować> się 5. podupa-ść/dać

deterioration [di,tiəriə'reiʃən] *s* 1. zepsucie (się) 2. pogorszenie (się); upadek 3. strata na wartości 4. wyradzanie <z/degenerowanie> się

deteriorative [di'tiəriə,reitiv] *adj* szkodliwy

determent [di'tə:mənt] *s* powstrzymywanie; odstrasz-enie/anie

determinable [di'tə:minəbl] *adj* dający się określić; możliwy do określenia

determinant [di'tə:minənt] I *adj* decydujący (**of sth** o czymś); warunkujący (**of sth** coś); miarodajny (**of sth** dla czegoś) II *s* 1. *mat* wyznacznik 2. *biol* czynnik determinujący

determinate [di'tə:minit] *adj* 1. określony; sprecyzowany 2. ostateczny; rozstrzygający

determination [di,tə:mi'neiʃən] *s* 1. określenie; oznaczenie; ustalenie 2. dawkowanie 3. determinacja; zdecydowanie 4. *prawn* postanowienie 5. *filoz* determinacja 6. wygaśnięcie (umowy, ważności itd.) 7. *med* przypływ (krwi)

determinative [di'tə:mi,neitiv] I *adj* 1. (*o wyrazie*) określający 2. (*o zaimku*) wskazujący 3. (*o czynniku*) decydujący, rozstrzygający II *s* 1. określnik, wyraz określający 2. zaimek wskazujący 3. czynnik decydujący <rozstrzygający>

determine [di'tə:min] I *vt* 1. określ-ić/ać; oznacz-yć/ać; ustal-ić/ać; z/definiować 2. za/decydować (**sth** o czymś); rozstrzyg-nąć/ać 3. skł-onić/aniać (**to do sth** do zrobienia czegoś) II *vi* 1. z/decydować się (na coś); powziąć decyzję 2. *prawn* wygas-nąć/ać *zob* **determined**

determined [di'tə:mind] I *zob* **determine** II *adj* 1. zdecydowany 2. stanowczy; (*o człowieku*) zdeterminowany; **to be ~ on sth** bezwzględnie czegoś chcieć; zagiąć na coś parol; **to be ~ to do sth** mieć (silne) postanowienie zrobienia czegoś

determinism [di'tə:mi,nizəm] *s filoz* determinizm

deterrent [di'terənt] I *adj* (*o środku*) zapobiegawczy; zaradczy; odstraszający II *s* środek zapobiegawczy <zaradczy, odstraszający>

detersion [di'tə:ʃən] *s med* oczyszczenie

detersive [di'tə:siv] I *adj med* (*o środku*) oczyszczający II *s med* środek oczyszczający

detest [di'test] *vt* nie cierpieć <nie znosić, nienawidzić> (**sb, sth** kogoś, czegoś; **doing sth** robienia czegoś); **I ~ it <him etc.>** a) nie cierpię <nie znoszę, nienawidzę> tego <go itd.> b) to <on itd.> mnie mierzi

detestable [di'testəbl] *adj* wstrętny; obrzydliwy; obmierzły

detestation [,di:tes'teiʃən] *s* 1. wstręt; obrzydzenie; odraza; nienawiść; **to have <hold> in ~ = detest** 2. przedmiot odrazy <wstrętu, obrzydzenia, nienawiści>

dethrone [di'θroun] *vt* z/detronizować, złożyć <zrzucić> z tronu

dethronement [di'θrounmənt] *s* detronizacja

detonate ['detə,neit] I *vt* wywoł-ać/ywać <s/powodować> detonację <wybuch, eksplozję> (**sth** czegoś) II *vi* wybuch-nąć/ać, eksplodować; huknąć *zob* **detonating**

detonating ['detə,neitiŋ] I *zob* **detonate** II *adj* wybuchowy

detonation [,detə'neiʃən] *s* wybuch, eksplozja; detonacja; huk

detonator ['detə,neitə] *s* 1. detonator; spłonka; zapalnik; kapiszon 2. wybuchowy sygnał ostrzegawczy

détour ['deituə] *s* obejście; objazd; okrężna droga; **to make a ~** zb-oczyć/aczać z drogi

detract [di'trækt] I *vt* umniejsz-yć/ać <uszczupl-ić/ać> (**much <somewhat etc.> from sth** znacznie <nieco itd.> coś) II *vi* umniejsz-yć/ać (**from sb's merit etc.** czyjeś zasługi itd.); ujmować (**from sb's merit** komuś zasług); za/szkodzić (**from sb's reputation etc.** czyjejś reputacji itp.)

detraction [di'trækʃən] *s* 1. umniejszenie <uszczuplenie> (**from sth** czegoś) 2. ubliżanie

detractive [di'træktiv] *adj* 1. umniejszający; uszczuplający 2. uwłaczający

detrain [di:'trein] I *vt* wyładow-ać/ywać <wysadz-ić/ać> (wojsko) z pociągu II *vi* (*o wojsku*) wysi-ąść/adać z pociągu

detriment ['detriment] *s* uszczerbek; szkoda; ujma; krzywda; **to the ~ of _** ze szkodą <z krzywdą,

ujmą> dla ...; z uszczerbkiem... (czegoś); **without ~ to _** bez szkody <krzywdy, ujmy> dla...

♦**detrimental** [ˌdetriˈmentl] *adj* szkodliwy; krzywdzący; **to be ~ to sb, sth** przynosić uszczerbek <ujmę> komuś, czemuś; być szkodliwym <krzywdzącym> dla kogoś, czegoś

detrition [diˈtriʃən] *s* ścieranie/starcie; wytarcie

♦**detritus** [diˈtraitəs] *s geol* detritus

♦**deuce**[1] [dju:s] *s* 1. dwójka (w kartach, kościach do gry itp.) 2. *tenis* równowaga

deuce[2] [dju:s] *s* diabeł, czart, bies; licho; **a ~ of a — = deuced; go to the ~!** idź/cie do diabła!; **the ~ is in it, if _** niech mnie diabeł porwie, jeżeli...; **what the ~?** co u licha?; **to play the ~ with sb** sprawić kłopot <narobić bigosu> komuś; **to play the ~ with sth** zepsuć <zniszczyć> coś

deuced [ˈdju:sid] *adj* diabelski; piekielny; szatański; potworny; nieprawdopodobny

♦**deuterium** [dju:ˈtiəriəm] *s chem* wodór ciężki, deuter

deuteron [ˈdju:təˌrɔn] *s fiz* deuteron

Deuteronomy [ˌdju:təˈrɔnəmi] *s* piąta księga mojżeszowa

deutzia [ˈdju:tsiə] *s bot* żylistek

devaluate [diˈvæljuˌeit] *vt* z/dewaluować

devaluation [diˌvæljuˈeiʃən] *s* dewaluacja; z/dewaluowanie

devastate [ˈdevəsˌteit] *vt* s/pustoszyć; z/niszczyć; z/dewastować; obr-ócić/acać w perzynę <w zgliszcza> *zob* **devastating**

devastating [ˈdevəsˌteitiŋ] [I] *zob* **devastate** [II] *adj* niszczycielski

devastation [ˌdevəsˈteiʃən] *s* spustoszenie; zniszczenie; dewastacja; ruina; zgliszcza

develop [diˈveləp] [I] *vt* 1. rozwi-nąć/jać; poszerz-yć/ać; podn-ieść/osić ekonomicznie; *mat* przekształc-ić/ać 2. eksploatować; wykorzyst-ać/ywać zasoby (**a region etc.** okręgu itp.) 3. nabawi-ć/ać się (**an illness etc.** choroby itp.) 4. naby-ć/wać (**a habit etc.** przyzwyczajenia itp.); popa-ść/dać (**a habit** w nałóg) 5. rozwi-nąć/jać w sobie (zdolność itp.) 6. *fot* wywoł-ać/ywać 7. wydoby-ć/wać na jaw; wykaz-ać/ywąć 8. wytw-orzyć/arzać (energię itd.) [II] *vi* 1. rozwi-nąć/jać <rozszerz-yć/ać, rozr-osnąć/astać> się; z/robić postępy; **to ~ imperfectly** nie rozwi-nąć/jać się normalnie 2. (*o chorobie itp*) wywiąz-ać/ywać się 3. *am* wy-jść/chodzić na jaw; okaz-ać/ywać się

developer [diˈveləpə] *s fot* wywoływacz

development [diˈveləpmənt] *s* 1. rozwój; rozrost; postęp; *biol* ewolucja 2. rozwi-nięcie/janie; rozszerz-enie/anie; podniesienie ekonomiczne 3. eksploatacja; wyzyskanie zasobów (okolicy, okręgu); **~ area** okręg szczególnie dotknięty klęską (bezrobocia itd.); **~ company** spółka eksploatacyjna 4. *fot* wywoływanie 5. *pl* **~s** nowe wydarzenia; nowy obrót (sprawy) 6. *mat* przekształcenie

developmental [diˌveləpˈmentl] *adj* 1. rozwojowy 2. ewolucyjny

deviate [ˈdi:viˌeit] *vi* 1. zb-oczyć/aczać; odchyl-ić/ać się (od czegoś); *dosł i przen* zejść/schodzić z drogi (obowiązku itd.) 2. (*o promieniach itd*) załam-ać/ywać się

deviation [di:viˈeiʃən] *s* zboczenie (z czegoś); odchylenie (od czegoś); dewiacja

device [diˈvais] *s* 1. pomysł: środek (wiodący do celu); *pl* **~s** pomysłowość; **to be left to one's own ~s** musieć polegać na własnym rozumie 2. fortel; wybieg 3. przyrząd; urządzenie; mechanizm 4. godło 5. dewiza

♦**devil** [ˈdevl] [I] *s* 1. diabeł, czart, szatan, bies; licho; **a ~ of a _** cholerny; piekielny; **between the ~ and the deep sea** między młotem a kowadłem; **~'s bedpost** czwórka trefl; **like the ~** jak wszyscy diabli; diabelnie; **lucky ~** szczęściarz; **poor ~!** biedaczysko!; **talk of the ~ (and he will <is sure to> appear)** o wilku mowa (a wilk tuż); **the ~!** a) do licha! b) diabła tam!; **the ~'s in it = the deuce is in it** *zob* **deuce**[2]; **there'll be the ~ to pay** to się źle skończy; **to go to the ~** iść do diabła; *przen* działać na własną zgubę; **to play the ~ with sb, sth = to play the deuce with sb, sth** *zob* **deuce**[2]; **to raise the ~ in sb** doprowadzić kogoś do szewskiej pasji; **what <who, where etc.> the ~ _?** co <któż, gdzie itd.> u licha...? 2. praktykant; goniec (drukarza) 3. *techn* szarpacz, wilk (przyrząd) 4. *przen* (biały) murzyn (u pisarza, adwokata itd.) 5. piec koksowy [II] *vt* (**-ll-**) 1. ostro przyprawi-ć/ać (potrawę) 2. przysmaż-yć/ać 3. wystrzępi-ć/ać <rozszarp-ać/ywać> (tkaninę) 4. *am* zasyp-ać/ywać (kogoś pytaniami itp.) [III] *vi* (**-ll-**) harować (za kogoś)

devil-fish [ˈdevlˌfiʃ] *s zoo* płaszczka (ryba)

devilish [ˈdevliʃ] [I] *adj* 1. diabelski, szatański 2. demoniczny [II] *adv* diabelsko; diabelnie; szatańsko

devil-may-care [ˈdevlmeiˈkεə] [I] *adj* lekkomyślny; beztroski [II] *s* śmiałek; zuchwalec

devilment [ˈdevlmənt] *s* 1. diabelstwo 2. łobuzerstwo

devilry [ˈdevlri] *s* 1. czarna magia 2. szatańskość 3. moce piekielne 4. zła natura; okrucieństwo 5. zuchwalstwo 6. *teol* demonologia

devil's-coach-horse [ˈdevlzˈkoutʃˌhɔ:s] *s zoo* odmiana karalucha

devil's-guts [ˈdevlzˌgʌts] *s bot* kanianka

devil's-milk [ˈdevlzˌmilk] *s bot* ostromlecz

deviltry [ˈdevltri] = **devilry**

devil-worship [devlˌwə:ʃip] *s* kult szatana

devious [ˈdi:viəs] *adj* 1. odległy 2. (*o ścieżce itp*) kręty; okrężny 3. *dosł i przen* błądzący 4. *przen* przebiegły; nieszczery

deviousness [ˈdi:viəsnis] *s* 1. kręte drogi 2. okrężna <wijąca się> droga 3. *przen* przebiegłość

devisable [diˈvaizəbl] *adj* 1. możliwy do pomyślenia 2. *prawn* mogący być przedmiotem zapisu <spadku>

devise [diˈvaiz] [I] *vt* 1. zapisać testamentem 2. wymyśl-ić/ać; wyna-leźć/jdować; obmyśl-ić/ać 3. u/knuć *zob* **devising** [II] *s prawn* zapis

devisee [ˌdeviˈzi:] *s prawn* spadkobier-ca/czyni

deviser [diˈvaizə] *s* wynalaz-ca/czyni; autor/ka (pomysłu)

devising [diˈvaiziŋ] [I] *zob* **devise** *v* [II] *s* inwencja, wynalazczość

devisor [ˌdeviˈzɔ:] *s prawn* testator/ka

devitalize [di:ˈvaitəˌlaiz] *vt* pozbawi-ć/ać żywotności, z/dewitalizować (ząb itd.)

devoid [diˈvɔid] *adj* pozbawiony (czegoś); wolny (**of sth** od czegoś); próżny; czczy

♦**devoir** [ˈdevwɑ:] *s* 1. † obowiązek; **to do one's ~** a) spełni-ć/ać obowiązek b) do-łożyć/kładać wszelkich starań 2. *pl* **~s** *w zwrocie:* **to pay one's ~s** złożyć/składać uszanowanie <wizytę>

devolute ['di:və,lju:t] *vt prawn* przekaz-ać/ywać; przel-ać/ewać (władzę itp.)

devolution [,di:və'lu:ʃən] *s* 1. *prawn* dziedzictwo, sukcesja 2. *biol* wyradzanie się, degeneracja 3. *polit* przekazanie <przelanie> (praw, władzy itp.) 4. decentralizacja

devolve [di'vɔlv] [I] *vt* przen-ieść/osić; przekaz-ać/ywać; zrzuc-ić/ać z siebie <zepchnąć/spychać> (**duties** <**rights, a responsibility**> **to** <**upon**> **sb** obowiązki <prawa, odpowiedzialność> na kogoś) [II] *vi* (*o obowiązkach, dziedzictwie itd*) prze-jść/chodzić <spa-ść/dać> (**to** <**upon**> **sb** na kogoś)

Devonian [de'vouniən] *adj geol* dewoński

devote [di'vout] *vt* poświęc-ić/ać (coś, kogoś, się czemuś); oddawać (się, coś czemuś); przeznacz-yć/ać (**sth to sth** coś na coś); ofiarować (coś komuś) *zob* **devoted**

devoted [di'voutid] [I] *zob* **devote** [II] *adj* poświęcony <oddany> (komuś, czemuś); przywiązany (**to sb, sth** do kogoś, czegoś)

devotee [,devou'ti:] *s* 1. entuzjast-a/ka (**of** <**to**> **sth** czegoś); zapalon-y/a <zagorzał-y/a> zwolenni-k/czka <wielbiciel/ka> (czegoś); zelant/ka 2. dewotka, † dewot

devotion [di'vouʃən] *s* 1. nabożeństwo (**to a saint** do świętego) 2. *pl* **~s** modlitwy, modły, pacierz(e); **to be at one's ~s** odmawiać pacierze 3. poświęcenie (**to sb** <**learning etc.**> dla kogoś <nauki itd.>); oddanie (**to sb, sth** dla kogoś, czegoś); przywiązanie (**to sb** do kogoś) 4. poświęcenie (czasu itd. czemuś)

devotional [di'vouʃənl̩] *adj* nabożny; (*o książce*) do nabożeństwa; **~ articles** dewocjonalia

devotionalist [di'vouʃənəlist] *s* dewotka, † dewot

devour [di'vauə] *vt* 1. *dosł i przen* poż-reć/erać (pożywienie, książki, coś, kogoś oczami itp.) 2. (*o żywiole, zarazie itd*) z/niszczyć; s/trawić; por-wać/ywać 3. roz/trwonić (majątek itp.) 4. poch-łonąć/aniać; **to be ~ed by anxiety etc.** być trawionym niepokojem itd. *zob* **devouring**

devourer [di'vaurə] *s* 1. żarłok 2. *przen* pożeracz (książek itd.)

devouring [di'vauriŋ] [I] *zob* **devour** [II] *adj* trawiący; pożerający; niszczycielski

devouringly [di'vauriŋli] *adv* żarłocznie

devout [di'vaut] *adj* 1. pobożny; (*o modlitwie*) gorliwy 2. (*o pragnieniu itp*) gorący; szczery

devoutness [di'vautnis] *s* 1. pobożność 2. gorliwość

↑**dew** [dju:] [I] *s* 1. rosa 2. krople (potu, łez itd.) 3. *przen* kojące działanie; świeżość [II] *vt* zr-osić/aszać [III] *vi* (*o rosie*) padać, osiadać

dewater [di:'wɔ:tə] *vt* odw-odnić/adniać

dewberry ['dju:bəri] *s bot* jeżyna popielica

↑**dew-claw** ['dju:klɔ:] *s zoo* ostroga (u niektórych psów)

dew-drop ['dju:,drɔp] *s* kropla rosy

dew-fall ['dju:,fɔ:l] *s* pora osiadania rosy; osiadanie rosy

dewlap ['dju:,læp] *s* (*u bydła i przen u człowieka*) podgardle

dew-point ['dju:,pɔint] *s* punkt rosy (temperatura tworzenia się rosy)

dew-ret ['dju:,ret] *vt* (**-tt-**) z/moczyć (len)

dew-worm ['dju:,wə:m] *s zoo* glista

dewy ['diu:i] *adj* rosisty; zroszony

dexter ['dekstə] *adj* prawy; po prawej ręce; *herald* po prawej stronie tarczy

dexterity [deks'teriti] *s* zręczność; zwinność; sprawność

dexterous ['dekstərəs] *adj* zręczny; zwinny; sprawny

dextrin(e) ['dekstrin] *s chem* dekstryna

dextroglucose ['dekstrə'glu:kouz] *s chem* glukoza; dekstroza

dextrose ['dekstrous] *s chem* dekstroza

dextrous ['dekstrəs] = **dexterous**

dhow [dau] *s* arabski statek jednomasztowy z trójkątnym żaglem

diabase ['daiə,beis] *s miner* diabaz

diabetes [,daiə'bi:ti:z] *s med* cukrzyca

diabetic [,daiə'betik] [I] *adj* cukrzycowy [II] *s* diabety-k/czka

diabolic(al) [,daiə'bɔlik(l)] *adj* szatański; diaboliczny

diabolism [dai'æbə,lizəm] *s* 1. czarna magia 2. kult szatana; satanizm

diabolo [di'ɑ:bəlou] *s* diabolo (gra)

diacritical [,daiə'kritikəl] *adj* (*o znaku*) diakrytyczny

diadem ['daiədem] *s* diadem

diaeresis [dai'iərəsis] *s* (*pl* **diaereses** [dai'iərə,si:z]) *jęz* diereza

diagnose ['daiəg,nouz] *vt* rozpoznawać (chorobę)

diagnosis [,daiəg'nousis] *s* (*pl* **diagnoses** [,daiəg'nousi:z]) diagnoza; rozpoznanie (choroby)

diagnostic [,daiəg'nɔstik] [I] *adj* diagnostyczny; rozpoznawczy [II] *s* objaw, symptom

diagnostician [,daiəgnɔs'tiʃən] *s* diagnosta

diagnostics [,daiəg'nɔstiks] *s* diagnostyka

diagonal [dai'ægənl̩] [I] *adj* przekątny; ukośny; **~ cloth** diagonal [II] *s* przekątnia, przekątna

diagram ['daiə,græm] *s* wykres, diagram

diagrammatic [,daiəgrə'mætik] *adj* schematyczny; wykresowy

diagraph ['daiə,grɑ:f] *s techn* diagraf

↑**dial** ['daiəl] [I] *s* 1. tarcza (instrumentu, zegara itp.) 2. (*także* **sundial**) zegar słoneczny 3. *sl* pysk, facjata, twarz [II] *vt* (**-ll-**) wybierać <nakręcać> numer (na tarczy aparatu telefonicznego)

dialect ['daiə,lekt] *s* dialekt; narzecze; gwara

dialectal [,daiə'lektl] *adj* gwarowy; dialektyczny

dialectical [,daiə'lektikl] *adj filoz* dialektyczny

dialectician [,daiəlek'tiʃən] *s* dialektyk

dialectics [,daiə'lektiks] *s* dialektyka

dialogue ['daiə,lɔg] *s* dialog

dialysis [dai'ælisis] *s* (*pl* **dialyses** [dai'æli,si:z]) *s chem* dializa

diamagnetic [,daiəmæg'netik] *adj fiz* diamagnetyczny

diamagnetism [,daiə'mægni,tizəm] *s fiz* diamagnetyzm

diameter [dai'æmitə] *s* 1. średnica; **2 ft in ~** o średnicy 2 stóp 2. jednostka powiększenia przyrządów optycznych; **lens magnifying 2000 ~s** soczewka powiększająca 2000-krotnie

diametrical [,daiə'metrikəl] *adj dosł i przen* diametralny; **in ~ opposition to sth** diametralnie przeciwny czemuś

↑**diamond** ['daiəmənd] [I] *s* 1. (*także* **uncut ~**) diament; *przen* **a rough ~** człowiek wartościowy, ale bez ogłady; **~ cut ~** trafiła kosa na kamień 2. (*także* **cut ~**) brylant 3. (*także* **cutting ~**) *szkl* diament 4. **Bristol** <**Cornish**> **~** kryształ kwarcowy 5. *geom* romb 6. *karc* karo 7. *am* boisko do base-ball'u 8. *druk* czcionka 4-punktowa, półpetit [II] *attr* 1. diamentowy 2. brylantowy; wysadzany brylantami; (*o pierścionku*) z brylantem; *am* **the 'Diamond State** stan Delaware 3. rombowy

diamond-crossing [ˈdaiəmənd,krɔsiŋ] *s* ukośne skrzyżowanie (torów)

diamond-drill [ˈdaiəmənd,dril] *s* świder diamentowy

diamond-field [ˈdaiəmənd,fi:ld] *s* pole diamentowe

diamond-shaped [ˈdaiəmənd,ʃeipt] *adj* rombowy

diamond-wedding [ˈdaiəmənd,wediŋ] *s* brylantowe wesele

diapason [,daiəˈpeisn] *s* 1. *muz* diapazon 2. skala głosu 3. (*u organów*) rejestr

diaper [ˈdaiəpə] [I] *s* 1. wzorzyste płótno obrusowe; dymka; płótno haftowane 2. serwetka z dymki <haftowana> 3. śliniaczek 4. *am* pieluszka 5. opaska higieniczna 6. *arch* wzór w romby [II] *vt* 1. haftować (płótno) 2. *am* przewi-nąć/jać (dziecko)

diaphanous [daiˈæfənəs] *adj* przezroczysty; przeświecający

diaphoresis [,daiəfəˈri:sis] *s med* diaforeza, poty

diaphoretic [,daiəfəˈretik] [I] *adj* (*o środku*) napotny [II] *s* środek napotny

diaphragm [ˈdaiə,fræm] *s* 1. diafragma; przegroda; membrana przegradzająca 2. *anat* przepona (brzuszna) 3. *fot opt* przesłona, diafragma

diaphragmatic [,daiəfrægˈmætik] *adj* przeponowy

diarchy [ˈdaiɑ:ki] *s polit* dwuwładztwo

diarist [ˈdaiərist] *s* pamiętnika-rz/rka

diarize [ˈdaiə,raiz] [I] *vt* za/notować w pamiętniku [II] *vi* prowadzić pamiętnik

diarrh(o)ea [,daiəˈriə] *s med* biegunka

diary [ˈdaiəri] *s* 1. pamiętnik 2. *handl* kalendarz (płatności itd.) 3. notatnik; agenda; † raptularz

diastase [ˈdaiə,steis] *s chem* diastaza

diastole [daiˈæstəli] *s fizj* rozkurcz

diastolic [daiəˈstɔlik] *adj fizj* rozkurczowy

diathermy [ˈdaiə,θə:mi] *s med* diatermia

diathesis [daiˈæθisis] *s* (*pl* **diatheses** [daiˈæθi,si:z]) *med* skaza

diatom [ˈdaiətəm] *s bot* okrzemka, diatomit

diatomic [,daiəˈtɔmik] *adj chem* dwuatomowy

diatomite [daiˈætə,mait] *s geol* diatomit

diatonic [,daiəˈtɔnik] *adj muz* diatoniczny

diatribe [ˈdaiə,traib] *s* diatryba (utwór i przemówienie)

diazo-compounds [daiˈæzouˈkɔmpaundz] *spl chem* związki dwuazotowe

dib [dib] (**-bb-**) = **dap**

dibasic [daiˈbeisik] *adj chem* dwuzasadowy

dibber [ˈdibə] *s* sadzak ogrodniczy

dibble [ˈdibl] *vt* 1. z/robić doły sadzakiem (**the soil** w ziemi) 2. za/sadzić (sadzonki); po/siać (nasiona) kupkami

dibromide [daiˈbroumaid] *s chem* dwubromek

dibs [dibz] *spl* 1. kostki (baranie) do gier dziecięcych 2. żetony 3. *sl* forsa, pieniądze

dice [dais] [I] *spl zob* **die[1]** 1. kości do gry 2. jarzyna pokrajana w kostki [II] *vi* grać w kości; uprawiać hazard w kości [III] *vt* 1. po/kratkować 2. po/krajać (jarzynę itd.) w kostki

~ away *vt* przepuścić/szczać <roz/trwonić> (pieniądze, mienie) przy grze w kości

zob **dicing**

dice-box [ˈdais,bɔks] *s* kubek (na kości do gry); **~ insulator** izolator (na słupach telegr. itp.)

dicer [ˈdaisə] *s* gracz (uprawiający grę w kości)

dichloride [daiˈklɔ:raid] = **bichloride**

dichotomous [daiˈkɔtəməs] *adj* dwudzielny

dichotomy [daiˈkɔtəmi] *s* dychotomia, dwudzielność; klasyfikacja dwudzielna

dichroic [daiˈkrouik] *adj* (*o krysztale*) dwubarwny

dichromatic [,daikrəˈmætik] *adj zoo* (*o zwierzęciu*) o dwojakiej maści; (*o roślinie*) dwukolorowy, dwubarwny

dicing [ˈdaisiŋ] [I] *zob* **dice** *v* [II] *s* gra w kości; hazard w kości

dick[1] [dik] *s sl w zwrocie*: **to take one's ~** przysięg-nąć/ać; zapewni-ć/ać

dick[2] [dik] *s* skórzany fartuch

dickens [ˈdikinz] *sl* = **deuce[2]**, **devil** *s*

Dickensian [diˈkenziən] *adj* dickensowski

dicker[1] [ˈdikə] *s handl* dziesiątek

dicker[2] [ˈdikə] *vt* 1. prowadzić handel zamienny (**sth** czymś) 2. targować się (**sth** o coś)

dickey [ˈdiki] *s pot* 1. osioł 2. (*także* **~ bird**) *dziec* ptaszek 3. półkoszulek; gors 4. fartuch roboczy; fartuszek dziecięcy; śliniak 5. (*także* **~-seat**) kozioł na wozie; miejsce dla lokaja z tyłu powozu <samochodu>

dicky[1] [ˈdiki] = **dickey**

dicky[2] [ˈdiki] *adj sl* rozchwiany; rozklekotany; (*o człowieku*) chory; nieswój; **to feel ~** czuć się nieswojo

dicotyledonous [ˈdai,kɔtiˈli:dənəs] *adj bot* dwuliścienny

dicrotic [daiˈkrɔtik] *adj med* dykrotyczny, dwubitny

dictaphone [ˈdiktə,foun] *s* dyktafon

dictate [dikˈteit] [I] *vt* 1. *dosł i przen* po/dyktować 2. nakaz-ać/ywać; narzuc-ić/ać (warunki itd.) [II] *vi* rozkaz-ać/ywać; narzuc-ić/ać (komuś) swą wolę; **I won't be ~d to** nie przyjmę rozkazów; nie dam sobą rządzić [III] *s* [ˈdikteit] dyktat; nakaz (sumienia, rozumu itd.)

dictation [dikˈteiʃən] *s* 1. dyktando; **at <from, to> sb's ~** pod czyimś dyktandem 2. dyktat; nakaz; narzuc-enie/anie swej woli

dictator [dikˈteitə] *s* dyktator

dictatorial [,diktəˈtɔ:riəl] *adj* dyktatorski; rozkazujący

dictatorship [dikˈteitəʃip] *s* dyktatura (autokraty, proletariatu itd.)

diction [ˈdikʃən] *s* 1. wysł-owienie/awianie się; styl 2. dykcja

dictionary [ˈdikʃənri] [I] *s* 1. słownik 2. mała encyklopedia (fachowa) [II] *attr* słownikowy

dictum [ˈdiktəm] *s* (*pl* **dicta** [ˈdiktə], **~s**) 1. powiedzenie 2. wypowiedź; wypowiedzenie się 3. maksyma; sentencja

did *zob* **do[1]**

didactic [diˈdæktik] *adj* 1. dydaktyczny 2. pouczający; profesorski

didactics [diˈdæktiks] *s* dydaktyka

didapper [ˈdai,dæpə] = **dabchick**

diddle [ˈdidl] *vt pot* o/cyganić; wystrychnąć na dudka; oszuk-ać/iwać; okpi-ć/wać

dido [ˈdaidou] *s* (*pl* **~s**, **~es**) *am sl* figiel; wybryk

didymium [diˈdimiəm] *s chem* dydym

die[1] [dai] *s* (*pl* **dice** [dais]) 1. kostka do gry; *przen* **the ~ is cast** kości są rzucone; klamka zapadła; **as straight <true> as a ~** bezwzględnie uczciwy; czysty jak kryształ 2. (*pl* **~s**) *arch* plinta

3. (*pl* ~**s**) *techn* sztanca; przebijarka; matryca 4. (*pl* ~**s**) *techn* gwintownik

die² [dai] *v* (**died** [daid], **died**; **dying** ['daiiŋ]) I *vi* 1. um-rzeć/ierać (**from a wound** od rany; **of an illness** na chorobę, wskutek choroby; **of starvation** z głodu; *przen* **of** <**with**> **laughter etc.** ze śmiechu itd.; **through sth** przez coś, skutkiem czegoś); z/ginąć <pa-ść/dać> (**by one's own hand** z własnej ręki; **by the sword** od miecza); s/konać; zgasnąć (**in sb's arms na** czyichś rękach); **to** ~ **a martyr** <**a hero, rich, poor**> umrzeć jako męczennik <bohater, bogacz, nędzarz>; **to** ~ **in one's boots** <**shoes**> a) umrzeć śmiercią gwałtowną b) zostać powieszonym c) umrzeć na posterunku; **to** ~ **young** umrzeć w młodym wieku; *przen* **to** ~ **hard** a) (*o człowieku*) drogo sprzedać swe życie b) (*o zwyczaju itp*) niełatwo ginąć; nie da-ć/wać się wykorzenić c) (*o człowieku*) być zagorzałym <zawziętym>; **never say** ~**!** nie trać/cie nadziei!; bądź/cie dobrej myśli! 2. *w zwrocie:* **to be dying** umierać <ginąć> (**to do sth** z chęci zrobienia czegoś; **for a glass of water etc.** z pragnienia itd.); palić się (do tego, żeby coś zrobić); usychać (**of love** z miłości) 3. *przen* (*o sercu*) zamierać; (*o tajemnicy*) zejść (z kimś) do grobu; (*o majątku*) nie mieć spadkobiercy 4. przestać istnieć (**to the world etc.** dla świata itd.) 5. (*o zwierzętach*) zd-echnąć/ychać; pa-ść/dać 6. (*o roślinach*) us-chnąć/ychać; z/ginąć 7. (*o głosie, zwyczaju, płomieniu itd*) niknąć; zanikać; gasnąć; wygasać II *vt w zwrocie:* **to** ~ **a natural** <**glorious etc.**> **death** umrzeć śmiercią naturalną <bohaterską itd.>

~ **away** *vi* z/ginąć; niknąć; zanikać; zamierać; wym-rzeć/ierać; z/maleć; (*o wietrze itp*) ucisz-yć/ać <uspok-oić/ajać> się; (*o ogniu itp*) wygas-nąć/ać

~ **down** *vi* 1. = ~ **away** 2. *bot* tracić liście

~ **off** *vi* z/ginąć; z/niknąć; zanikać; (*o rodzie itd*) wygas-nąć/ać; wym-rzeć/ierać

~ **out** *vi* (*o ogniu*) wygas-nąć/ać; (*o zwyczaju*) niknąć, zanikać; (*o rodzie itp*) z/ginąć; wygas-nąć/ać; wym-rzeć/ierać

zob **dying**

die-away [,daiə'wei] *adj* (*o spojrzeniu itp*) omdlewający

die-hard ['dai,ha:d] I *adj* (*o człowieku, zwolenniku, szermierzu itd*) zagorzały, zawzięty, zapamiętały II *s* człowiek <zwolennik, szermierz itd.> zagorzały <zawzięty, zapamiętały>

↑**dielectric** [,daii'lektrik] I *adj* dielektryczny II *s elektr* izolator, dielektryk

Diesel-engine ['di:zəl,endʒin] *s* motor <silnik> Diesla

dieselize ['di:zə,laiz] *vt* zaopat-rzyć/rywać (fabrykę itd.) w motory Diesla

die-sinker ['dai,siŋkə] *s* rytownik; grawer

diesis [dai'i:sis] *s* (*pl* **dieses** [dai'i:si:z]) *muz* krzyżyk

dies non ['daii:z'nɔn] *s prawn* dzień wolny od urzędowania

diet¹ ['daiət] *s* 1. sejm; parlament 2. konferencja (międzynarodowa); kongres 3. sesja

↑**diet²** ['daiət] I *s* 1. dieta 2. wyżywienie; wikt II *vt* przepis-ać/ywać dietę (**sb** komuś) III *vr* ~ **oneself** za/stosować <przejść na> dietę

dietary ['daiətəri] I *adj* dietetyczny II *s* wyżywienie; odżywianie

dietetic [,daii'tetik] I *adj* dietetyczny II *s* dietetyka

dietetician [,daiəte'tiʃən] *s* dietetyk

differ ['difə] *vi* 1. różnić <odróżniać> się (**from sb, sth** od kogoś, czegoś); być innym <różnym, odmiennym> 2. (*także* **to** ~ **in opinion**) być innego zdania; mieć odmienne zdanie (**from** <**with**> **sb about sth** od kogoś w jakiejś sprawie); nie zgadzać się (**with** <**from**> **sb** z kimś); **to agree to** ~ pozostawać każdy przy swoim zdaniu

difference ['difərəns] I *s* 1. różnica; **to make a** ~ stanowić różnicę; **it makes no** ~ to nie robi różnicy; to jest obojętne; wszystko jedno; **that makes all the** ~ to (całkiem) co <coś> innego; **to split the** ~ a) przepołowić różnicę b) pójść na kompromis 2. nieporozumienie; sprzeczka (**about sth** z powodu czegoś, o coś) II *vt* odróżni-ć/ać (coś od czegoś)

different ['difərənt] *adj* 1. różny <odmienny, inny> (**from** <**to, than**> **sb, sth** od kogoś, czegoś; niż ktoś, coś) 2. rozmaity; różnorodny; różnoraki

differentia [,difə'renʃiə] *s* (*pl* **differentiae** [,difə'renʃi,i:]) swoista różnica; różnica gatunkowa, differentia specifica

↑**differential** [,difərenʃəl] I *adj* 1. (*o cłach, taryfach itd*) zróżnicowany; dyferencjalny 2. *mat med* różniczkowy 3. *fiz* dyferencjalny 4. *techn* wyrównywający II *s* 1. *mat* różniczka 2. *techn* dyferencjał

differentiate [,difə'renʃi,eit] I *vt* 1. odróżni-ć/ać; rozróżni-ć/ać (coś od czegoś) 2. *mat* różniczkować II *vi* 1. ustal-ić/ać <stwierdz-ić/ać> różnicę (między dwiema rzeczami) 2. różnić się

differentiation [,difə'renʃi'eiʃən] *s* 1. różnicowanie; rozróżnianie 2. *mat* różniczkowanie

differently ['difərəntli] *adv* 1. inaczej; odmiennie 2. rozmaicie

difficile ['difi,si:l] *adj* (*o człowieku*) trudny (w pożyciu); trudny do przekonania

difficult ['difikəlt] *adj* 1. trudny; niełatwy; ~ **of access** trudno dostępny; **it is** ~ (**for me etc.**) **to—** trudno <niełatwo> (mi itd.)... (zrobić itd.) 2. (*o pracy*) ciężki 3. (*o człowieku*) wymagający; trudny (w pożyciu)

difficulty ['difikəlti] *s* 1. trudność; trud; **the** ~ **is to—** trudność jest w tym, żeby...; **to have** ~ **in doing sth** z trudem <z trudnością> coś z/robić; **I have** ~ **in saying** trudno mi (jest) powiedzieć 2. kłopot; ambaras; *pl* **difficulties** kłopoty <trudności> (finansowe itd.); **to do sth under difficulties** robić coś w trudnych warunkach; **to make** <**raise**> **difficulties** robić trudności <wstręty> 3. *am* nieporozumienie; sprzeczka

diffidence ['difidəns] *s* 1. niedowierzanie własnym siłom; brak zaufania do siebie 2. nieśmiałość

diffident ['difidənt] *adj* 1. nie dowierzający własnym siłom; bez zaufania do siebie 2. nieśmiały

diffluent ['difluənt] *adj* rozpływający się

diffract [di'frækt] *vt opt* uginać, poddawać dyfrakcji

↑**diffraction** [di'frækʃən] *s opt* uginanie (się) (promieni itp.), dyfrakcja

diffuse [di'fju:z] I *vt* 1. szerzyć; rozprzestrzeni-ć/ać; rozpowszechni-ć/ać; rozsi-ać/ewać (wieści itp.) 2. (*o świetle*) rozpr-oszyć/aszać 3. *fiz* przenikać II *vi* 1. szerzyć <rozprzestrzeni-ć/ać> się 2. rozpr-

-oszyć/aszać się 3. *fiz* dyfundować II *adj* [di'fju:s] 1. (*o świetle itp*) rozproszony 2. (*o stylu*) rozwlekły 3. *med* rozsiany; rozlany

diffuseness [di'fju:snis] *s* rozwlekłość

diffuser [di'fju:zə] *s techn* dyfuzor

diffusible [di'fju:zəbl] *adj* przenikliwy

diffusion [di'fju:ʒən] *s* 1. szerzenie <rozprzestrzenianie> (się); rozpowszechnianie (się); rozsiewanie (wieści itp.) 2. rozpr-oszenie/aszanie się 3. *fiz* dyfuzja 4. rozwlekłość (stylu)

diffusive [di'fju:siv] *adj* 1. dyfuzyjny 2. rozwlekły

diffusiveness [di'fju:sivnis] *s* rozwlekłość

dig [dig] *v* (**dug** [dʌg], **dug; digging** ['digiŋ]) I *vt* 1. kopać (łopatą, kilofem itp.); grzebać; wykop-ać/ywać <wydoby-ć/wać> (węgiel itp.) 2. (*o zwierzętach*) ryć; grzebać 3. za/ryć; **to ~ one's fork into**_ wbić widelec w...; **to ~ sb into the ribs** szturchnąć kogoś w żebra; **to ~ spurs into one's horse** spiąć konia ostrogami 4. przekopać <wykopać> (**a passage etc. through <under, into> sth** przejście itd. przez coś <pod czymś, do czegoś>) II *vi* 1. kopać ziemię 2. poszukiwać (**for gold etc.** złota itd.) 3. przeprowadz-ić/ać badania (**into an author etc.** nad pisarzem itp.); **to ~ for information** przeprowadz-ić/ać poszukiwania 4. wryć <wgryzać> się (**into sth** w coś); **to ~ into a dish** z/robić wyrwę w potrawie 5. *pot* mieszkać 6. *am szk* wkuwać <kuć> (**at maths etc.** matematykę itd.)

~ in I *vt* 1. zakop-ać/ywać (nawóz) 2. wryć <wbi-ć/jać> (paznokcie itd. w coś) II *vr* **~ oneself in** zakop-ać/ywać <zagrzeb-ać/ywać> się; *wojsk* okop-ać/ywać się

~ out *vt* wygrzeb-ać/ywać; odkop-ać/ywać spod ziemi <z ukrycia>

~ round *vt* okop-ać/ywać (drzewo itd.)

~ up *vt* 1. wykop-ać/ywać; wy/karczować 2. rozkop-ać/ywać (ulicę itp.) 3. odkop-ać/ywać (skarb itd.)

zob **digging** III *s* 1. szturchnięcie palcem <łokciem>; **to give sb a ~ into the ribs** szturchnąć kogoś w żebra; **to have a ~ at sth** spróbować czegoś 2. uwaga <aluzja, docinek> (**at sb** pod czyimś adresem, skierowan-a/y do kogoś) 3. kopanie; **to have a ~ in <at> the garden** pokopać trochę w ogrodzie

digamous ['digəməs] *adj* żonaty po raz drugi

digamy ['digəmi] *s* powtórne małżeństwo

digastric [dai'gæstrik] *s anat* mięsień dolnej szczęki

digest[1] ['daidʒest] *s* 1. streszczenie; skrót; zarys 2. zbiór praw

digest[2] [dai'dʒest] I *vt* 1. u/porządkować; u/systematyzować 2. przetrawi-ć/ać (projekt, plan itp.); przemyśleć; przemyśliwać (**sth** nad czymś) 3. stre-ścić/szczać 4. *fizj* s/trawić; **difficult <easy> to ~** ciężko <lekko> strawny 5. *przen* przysw-oić/ajać sobie (to, co się przeczytało itp.) 6. *chem* podda-ć/wać trawieniu; trawić; wytrawi-ć/ać 7. przełknąć <cierpliwie zn-ieść/osić> (zniewagę itp.) 8. ułatwi-ć/ać <przyśpiesz-yć/ać> trawienie (**sth** czegoś) II *vi* być (łatwo, ciężko) strawnym

digester [dai'dʒestə] *s* 1. *techn* autoklaw; aparat ekstrakcyjny 2. autor/ka streszczenia 3. **a good <bad> ~** człowiek posiadający dobry <słaby> układ trawienny <żołądek>

digestible [dai'dʒestəbl] *adj* 1. strawny 2. łatwy do przyswojenia

digestion [di'dʒestʃən] *s* 1. *fizj* trawienie; *pot* żołądek; **easy <hard> of ~** lekko <ciężko> strawny 2. *przen* przysw-ojenie/ajanie sobie (tego, co się przeczytało itd.) 3. *kulin* duszenie (potraw) 4. *chem* trawienie

digestive [di'dʒestiv] *adj* 1. (*o potrawie itp*) strawny 2. *anat* trawienny

digger ['digə] *s* 1. kopacz; górnik-rębacz 2. badacz (archeolog itp.) 3. (*także* **gold-~**) poszukiwacz złota 4. *sl* Australij-czyk/ka 5. *am* Indianin żywiący się korzeniami 6. *techn* kopaczka, koparka; pogłębiarka; czerparka, bagrownica 7. (*także* **~-wasp**) *zoo* grzebacz (owad)

digging ['digiŋ] I *zob* **dig** *v* II *s* 1. kopanie; grzebanie; rycie; **~ for gold** poszukiwanie złota 2. roboty ziemne (przy budowie itp.) 3. kopalnia złota; teren złotonośny 4. *pl* **~s** *pot* mieszkanie

dight [dait] † *adj poet* ustrojony; przybrany (**with <in> sth** w coś); ozdobiony (**with <in> sth** czymś)

digit ['didʒit] *s* 1. *anat zoo i żart* palec 2. $^3/_4$ cala (miara) 3. cyfra; liczba jednocyfrowa. 4. *astr* dwunasta część obwodu słońca <księżyca>

digital ['didʒitəl] I *adj* 1. palcowy 2. palczasty II *s* klawisz

digitalin [ˌdidʒi'teilin] *s chem farm* digitalina

digitalis [didʒi'teilis] *s* 1. *bot* naparstnica 2. *farm* digitalina

digitate ['didʒitit] *adj* palczasty

digitigrade ['didʒitiˌgreid] *adj zoo* palcochodny

diglyph ['daiˌglif] *s arch* dwuwręb

dignified ['digniˌfaid] I *zob* **dignify** II *adj* godny; dostojny; pełen godności

dignify ['digniˌfai] *vt* (**dignified** ['digniˌfaid], **dignified; dignifying** ['digniˌfaiiŋ]) uczcić; uszlachetni-ć/ać; doda-ć/wać godności <dostojeństwa> (**sb, sth** komuś czemuś); *żart* górnolotnie naz-wać/ywać *zob* **dignified**

dignitary ['dignitəri] *s* dygnitarz; dostojnik

dignity ['digniti] *s* 1. godność; dostojeństwo; powaga; **to be beneath one's ~** być poniżej czyjejś godności; ubliż-yć/ać komuś; **to preserve one's ~** zachowywać <szanować> swą godność; **to stand on one's ~ with sb** zachowywać się godnie <wyniośle> wobec kogoś 2. godność; zaszczyt; ranga; stanowisko; tytuł

digraph ['daiˌgrɑ:f] *s jęz* digraf, dwuznak

digress [dai'gres] *vi* 1. zb-oczyć/aczać (z drogi) 2. z/robić dygresję; odst-ąpić/ępować (od tematu)

digression [dai'greʃən] *s* 1. dygresja (od tematu); **by way of ~** mówiąc mimochodem <nawiasem> 2. *astr* dygresja

digressive [dai'gresiv] *adj* 1. zbaczający 2. (*o uwadze*) uboczny; nawiasowy 3. (*o człowieku*) odbiegający od tematu

digs [digs] *pot* = **diggings** *zob* **digging** *s* 4.

digynous ['daidʒinəs] *adj bot* dwusłupkowy

dihedral [dai'hi:drəl] *adj geom* (*o kącie*) dwuścienny

dike, dyke [daik] I *s* 1. grobla; tama; zapora 2. *geol* dajk, dajka 3. rów (odwadniający) 4. *przen* bariera; przeszkoda II *vt* ogrobl-ić/ać; o/chronić za pomocą tam

dilacerate [di'læsəˌreit] *vt* roz-erwać/rywać (na części)

dilapidate [di'læpiˌdeit] *vt vi* z/niszczyć <rozklekotać> (się) *zob* **dilapidated**

dilapidated [di'læpiˌdeitid] I *zob* **dilapidate** II *adj*

zniszczony; w opłakanym stanie; walący się; w ruinie
dilapidation [di,læpi'deiʃən] *s* 1. zniszczenie; ruina; walenie się; opłakany stan 2. osuwanie się (stoków itp.)
dilatable [dai'leitəbl] *adj* rozszerzalny; rozciągliwy
dilatation [,dailei'teiʃən] *s* rozszerz-enie/anie <rozciąg-nięcie/anie> (się); przyrost objętościowy
dilate [dai'leit] [I] *vt* rozszerz-yć/ać <rozciąg-nąć/ać>; powiększ-yć/ać objętościowo [II] *vi* 1. rozszerz-yć/ać <rozciąg-nąć/ać> się; powiększ-yć/ać się objętościowo 2. (*o oczach*) wychodzić na wierzch 3. rozwodzić się (**on** <**upon**> **sth** nad czymś)
dilation [dai'leiʃən] = **dilatation**
dilator [dai'leitə] *s anat chir* rozszerzacz; dylatator
dilatoriness ['dilətərinis] *s* powolność (ruchów itd.); opieszałość; ociąganie się; zwlekanie; opóźnianie
dilatory ['dilətəri] *adj* powolny (w ruchach itd.); opieszały; ociągający się; zwlekający; (*o metodach itp*) opóźniający
dilemma [di'lemə] *s* dylemat; kłopotliwe położenie
dilettante [,dili'tænti] [I] *s* (*pl* **dilettanti** [,dili'tænti:]) dyletant/ka; amator/ka; laik [II] *adj* dyletancki; amatorski
dilettantism [,dili'tæntizəm] *s* dyletantyzm; amatorstwo
diligence ['dilidʒəns] *s* pilność; pracowitość; przykładanie się do pracy
diligent ['dilidʒənt] *adj* pilny; pracowity; przykładający się do pracy
dill [dil] [I] *s bot* koper [II] *attr* koprowy, koperkowy; (*o nasionach itp*) kopru
dilly-dally ['dili,dæli] *vi* (**dilly-dallied** ['dili,dælid], **dilly-dallied; dilly-dallying** ['dili,dæliiŋ]) *pot* 1. wahać <ociągać> się; być niezdecydowanym 2. tracić czas; mitrężyć
diluent ['diljuənt] [I] *adj* rozpuszczający [II] *s* środek rozpuszczający; rozpuszczalnik
dilute [dai'lju:t] [I] *vt* 1. rozpu-ścić/szczać; rozcieńcz-yć/ać; rozw-odnić/adniać; rozrzedz-ić/ać; **to ~ labour** zast-ąpić/ępować część sił wykwalifikowanych siłami niewykwalifikowanymi 2. osłabi-ć/ać <rozjaśni-ć/ać> (barwę, farbę) 3. *przen* wyjał-owić/awiać (doktrynę itp.) [II] *adj* 1. rozpuszczony; rozcieńczony; rozwodniony; rozrzedzony 2. (*o barwie, farbie*) spełzły; spłowiały; wyblakły 3. *przen* (*o doktrynie itp*) wyjałowiony
dilutee [,dailu:'ti:] *s* siła niewykwalifikowana (zatrudniona zamiast wykwalifikowanej)
dilution [dai'lju:ʃən] *s* 1. rozczyn, roztwór 2. rozpuszcz-enie/anie; rozcieńcz-enie/anie; rozw-odnienie/adnianie; rozrzedz-enie/anie 3. spełznięcie; wyblaknięcie (barwy, farby) 4. *przen* wyjałowienie (doktryny itp.) || **~ of labour** zatrudnianie sił niewykwalifikowanych zamiast wykwalifikowanych
diluvial [dai'lu:viəl], **diluvian** [dai'lu:viən] *adj* 1. potopowy 2. *geol* dyluwialny
diluvium [dai'lu:viəm] *s geol* dyluwium
dim [dim] [I] *adj* (**-mm-**) (*o świetle*) nikły; przyćmiony; blady; (*o pomieszczeniu*) ciemny; (*o kolorze*) matowy; wyblakły; (*o wzroku*) osłabiony; zamglony; mętny; (*o dźwięku, głosie*) przyciszony; przytłumiony; (*o konturach*) niewyraźny; zamazany; (*o umyśle, myśli, pamięci*) niejasny; mętny; przytępiony; (*o słuchu*) przytępiony; *sl* **~ view** pesymistyczny <defetystyczny> pogląd; **to grow ~** a) (*o świetle*) słabnąć; niknąć; przygas-nąć/ać b) (*o pomieszczeniu*) pociemnieć c) (*o kolorze*) z/matowieć; wy/blaknąć d) (*o wzroku*) słabnąć; z/mętnieć; zamglić się e) (*o dźwięku, głosie*) cichnąć; przycichać f) (*o konturach*) s/tracić wyrazistość; zamaz-ać/ywać się; niknąć, zanikać g) (*o umyśle, myśli, pamięci*) z/mętnieć; przytępi-ć/ać się h) (*o słuchu*) przytępi-ć/ać się [II] *vt* (**-mm-**) przyciemni-ć/ać (światło); osłabi-ć/ać <zamr-oczyć/aczać> (pamięć, myśl itp.); zamglić (obraz, lustro itd.); przyćmi-ć/ewać (blask itd.); zamaz-ać/ywać (kontury, obraz itd.); psuć; przyćmi-ć/ewać (piękno, urodę) [III] *vi* (**-mm-**) (*o świetle*) o/słabnąć; przygas-nąć/ać; (*o oczach*) zamglić się; (*o kolorze*) z/matowieć; z/blaknąć; (*o konturach, obrazie*) zamaz-ać/ywać się; niknąć; zanikać; s/tracić na wyrazistości; (*o pięknie*) niknąć, zanikać
~ out *vt* częściowo zaciemni-ć/ać
dime [daim] *s am* jedna dziesiąta dolara (srebrna moneta); **~ novel** groszowa powieść
dimension [di'menʃən] *s* 1. rozmiar; wielkość (przedmiotu itd.) 2. *mat* wymiar
dimensional [di'menʃənl] *adj* wymiarowy
dimerous ['dimərəs] *adj bot* dwuczłonowy
dimethyl [dai'meθil] *s chem* etan
diminish [di'miniʃ] [I] *vt* zmniejsz-yć/ać, pomniejsz-yć/ać; uszczupl-ić/ać; uj-ąć/mować (**sth** czegoś); z/redukować; osłabi-ć/ać; obniż-yć/ać [II] *vi* zmniejsz-yć/ać <pomniejsz-yć/ać, uszczupl-ić/ać> się; uby-ć/wać; z/maleć; niknąć; zanikać; s/kurczyć się; o/słabnąć; obniż-yć/ać się; spa-ść/dać
diminution [,dimi'nju:ʃən] *s* zmniejsz-enie/anie <pomniejsz-enie/anie, uszczupl-enie/anie, s/kurczenie> (się); spadek; z/redukowanie (się), redukcja; obniż-enie/anie (się), obniżka; uby-cie/wanie, ubytek; zanikanie
diminutive [di'minjutiv] [I] *adj* 1. zdrobniały 2. mały, drobny [II] *s gram* zdrobniała forma (wyrazu)
dimity ['dimiti] *s tekst* 1. dymka 2. muślin
dimmer ['dimə] *s* 1. *elektr* opornik 2. *auto* blenda, przesłona; przełącznik na krótkie światła 3. przyciemniacz
dimness ['dimnis] *s* 1. półmrok; mrok 2. przyćmienie; zamglenie 3. *med* niedowidzenie; osłabienie <mętność> (wzroku) 4. matowość (farby itp.) 5. mętność; niejasność <brak wyrazistości> (obrazu, wspomnienia)
dim-out ['dim'aut] *s* przyćmienie; częściowe zaciemnienie
dimorphic [dai'mɔ:fik], **dimorphous** [dai'mɔ:fəs] *adj* dwupostaciowy
dimorphism [dai'mɔ:fizəm] *s* dwupostaciowość
dimorphous *zob* **dimorphic**
dimple [dimpl] [I] *s* 1. dołek (na twarzy) 2. marszczenie się (powierzchni wody); kółko (na wodzie) [II] *vi* 1. (*o policzkach*) mieć dołeczki 2. (*o powierzchni wody*) po/marszczyć się; za/falować [III] *vt* 1. (*o uśmiechu*) powodować <wywoływać> dołeczki (**the cheeks** w policzkach) 2. zmarszczyć (powierzchnię wody) *zob* **dimpled**
dimpled ['dimpld] [I] *zob* **dimple** *v* [II] *adj* (*o twarzy*) z dołeczkami
din [din] [I] *s* 1. hałas; łoskot; stukot 2. zgiełk; wrzawa; gwar; harmider [II] *vt* (**-nn-**) 1. ogłusz-yć/

ać 2. bębnić w ucho [II] *vi* (**-nn-**) 1. hałasować; robić łoskot <stukot, zgiełk, wrzawę, harmider> 2. brzmieć w uszach

dine [dain] [I] *vi* z/jeść obiad *zob* **dinner; to ~ on** <**off**> __ mieć <zjeść> na obiad ... [II] *vt* 1. na/karmić obiadem 2. (*o pomieszczeniu*) pomieścić (pewną ilość osób) przy obiedzie

~ in *vi* z/jeść obiad w domu

~ out *vi* z/jeść obiad na mieście <u znajomych>; być na proszonym obiedzie; pójść na proszony obiad

diner ['dainə] *s* 1. gość obiadowy; *lit* biesiadnik 2. wagon restauracyjny

diner-out ['dainər'aut] *s* 1. człowiek często spożywający obiad poza domem <często zapraszany na obiad (dla swych zalet towarzyskich itp.)>

ding-dong ['diŋ'dɔŋ] [I] *s* 1. dzwonienie 2. głos dzwonów [II] *adj* (*o wyścigu, biegu*) zacięty (w którym zawodnicy prześcigają się kolejno) [III] *adv* zawzięcie (pracować itd.) [IV] *interj* bim-bom!; bim-bam-bum!

dingey, dinghy ['diŋgi] *s* 1. łódka; mała szalupa 2. gumowa łódka ratunkowa (do nadmuchiwania)

dinginess ['dindʒinis] *s* 1. obskurność; wyświechtanie; obdrapanie 2. zakopcenie; zakopcone powietrze (miasta itd.) *zob* **dingy**

dingle ['diŋgl] *s* parów zalesiony

dingo ['diŋgou] *s* (*pl* **~es**) *zoo* dingo, dziki <półdziki> pies australijski

dingy ['dindʒi] *adj* (**dingier** ['dindʒiə], **dingiest** ['dindʒiist]) 1. obskurny; wyświechtany; obdrapany; obszarpany 2. nieświeży; zbrukany 3. wyblakły; zmatowiały 4. (*o okolicy, mieście itp*) zakopcony 5. (*o umyśle itp*) zamglony; mętny

dining-car ['dainiŋ,ka:] *s* wagon restauracyjny

dining-coat ['dainiŋ,kout] *s am* smoking

dining-room ['dainiŋ,rum] *s* jadalnia, pokój jadalny

dinkum ['diŋkəm] *adj sl austral* szczery; otwarty; uczciwy

↑ **dinky** ['diŋki] *adj* (**dinkier** ['diŋkiə], **dinkiest** ['diŋkiist]) *pot* śliczny; przemiły; rozkoszny; (*o człowieku*) sympatyczny

dinner ['dinə] [I] *s* obiad (główny posiłek dnia, w Anglii i St. Zjedn. spożywany wieczorem); **at ~** przy obiedzie; przy stole; **to go out to ~** a) jeść <jadać> na mieście b) pójść/iść na obiad do znajomych; **public ~** bankiet [II] *attr* obiadowy

dinner-bell ['dinə,bel] *s* dzwonek obiadowy <wzywający na obiad>

dinner-jacket ['dinə,dʒækit] *s* smoking

dinnerless ['dinəlis] *adj* bez obiadu; głodny

dinner-party ['dinə,pa:ti] *s* przyjęcie; obiad proszony

dinner-service ['dinə,sə:vis] *s* serwis stołowy

dinner-time ['dinə,taim] *s* pora obiadowa; **what is your ~?** kiedy jadasz obiad?

dinner-wagon ['dinə,wægən] *s* stolik na kółkach

dinosaur ['dainə,sɔ:] *s paleont* dinosaur, dinozaur

dinothere ['dainəθiə], **dinotherium** [,dainə'θiəriem] *s paleont* dinoterium (zwierzę kopalne)

dint [dint] [I] *s* 1. † uderzęnie 2. ślad uderzenia; wygięcie; szczerba ‖ **by ~ of** __ przez ... (coś); dzięki ... (czemuś); drogą <za pomocą, wskutek> ... (czegoś) [II] *vt* po/obijać, wyszczerbi-ć/ać

diocesan [dai'ɔsisən] [I] *adj* diecezjalny [II] *s* 1. biskup 2. mieszkan-iec/ka diecezji

diocese ['daiəsis] *s* diecezja

diode ['daioud] *s elektr* dioda

dioecious [dai'i:ʃəs] *adj* 1. *bot* rozdzielnokwiatowy 2. *zoo* rozdzielnopłciowy

dioptase [dai'ɔpteis] *s miner* dioptaz

diopter [dai'ɔptə] *s* 1. *opt* dioptria 2. *techn* diopter

dioptric [dai'ɔptrik] [I] *adj opt* dioptryczny [II] *s opt* 1. dioptryka 2. dioptria

diorama [,daiə'ra:mə] *s* diorama

diorite ['daiə,rait] *s miner* dioryt

dioxide [dai'ɔksaid] *s chem* dwutlenek

dip [dip] *v* (**-pp-**) [I] *vt* 1. zanurz-yć/ać; zam-oczyć/aczać 2. zapu-ścić/szczać (rękę itd.) (**into sth** do czegoś) 3. zamoczyć, za/maczać; wy/kąpać (w czymś) 4. obniż-yć/ać; przechyl-ić/ać; nachyl-ić/ać; *auto* **to ~ the head lights** przełącz-yć/ać światła główne 5. *mar* za/salutować (**the flag** flagą) 6. wyczerp-ać/ywać [II] *vi* 1. moczyć się (w czymś) 2. obniż-yć/ać się; opa-ść/dać; schyl-ić/ać <nachyl-ić/ać> się; (*o słońcu*) za-jść/chodzić 3. (*o samolocie itp*) pikować 4. *dosł i przen* sięg-nąć/ać (**into sth** do czegoś); **to ~ into a book** za-jrzeć/glądać do książki; prze/wertować książkę *zob* **dipping** [III] *s* 1. zanurz-enie/anie; zamoczenie 2. *mar* zanurzenie statku 3. inklinacja magnetyczna 4. pochylenie, nachylenie; *geol* upad <spadek> (w terenie) 5. *mar* salutowanie (flagą) 6. skok do wody; kąpiel; nurkowanie; **to have a ~** wykąpać się (w morzu) 7. zanurzenie <kąpiel> (owiec itd.) 8. roztwór chemiczny 9. kąpiel w roztworze 10. sięgnięcie (**into sth** do czegoś) 11. świeczka, stoczek

diphase ['daifeiz] *adj elektr* dwufazowy

diphtheria [dif'θiəriə] *s med* dyfteryt, błonica

diphtheritic [difθə'ritik] *adj med* dyfterytyczny

diphthong ['difθɔŋ] *s jęz* 1. dwugłoska, dyftong 2. dígraf, dwuznak

diplex ['daipleks] *attr* **~ telegraphy** telegrafia wielokrotna

diplococcus [,diplə'kɔkəs] *s med* dwoinka

diplogen ['diplədʒən] *s chem* wodór ciężki

diploma [di'ploumə] *s* dyplom

diplomacy [di'ploumәsi] *s* dyplomacja

diploma'd, diplomaed [di'ploumәd] *adj* dyplomowany

diplomat ['diplә,mæt] = **diplomatist**

diplomatic [,diplə'mætik] *adj* dyplomatyczny

diplomatist [di'ploumətist] *s* dyplomat-a/ka

diplopia [di'ploupiə] *s med* widzenie zdwojone <podwójne>

dip-needle ['dip,ni:dl] *s* igła magnesowa

dipnoan ['dipnouən] *adj zoo* (*o rybie*) dwudyszny

dipolar [dai'poulə] *adj* dwubiegunowy

dipper ['dipə] *s* 1. nurek (człowiek) 2. *zoo* nurek (ptak) 3. *rel* anabaptysta 4. warząchew, warzęcha; czerpak 5. *auto* przełącznik na krótkie światła 6. *am astr* **the Great** <**Little**> **Dipper** Wielka <Mała> Niedźwiedzica

dipping ['dipiŋ] [I] *zob* **dip** *v* [II] *adj* 1. nachylony; przechylony 2. nurkujący [III] *s* 1. zanurzenie; zamoczenie 2. kąpiel 3. *auto* przełącz-enie/anie na krótkie światła 4. *mar* salutowanie (flagą) 5. *fiz* inklinacja 6. *med* zanurzenie

dipping-needle ['dipiŋ,ni:dl] = **dip-needle**

dippy ['dipi] *adj sl* zwariowany; pomylony

dipsomania [,dipsou'meiniə] *s med* opilstwo nawykowe <okresowe>

dipstick ['dipstik] *s auto* prętowy wskaźnik poziomu (oleju itd.)
diptera ['diptərə] *spl* dwuskrzydłe (owady)
dipterous ['diptərəs] *adj zoo* dwuskrzydły
diptych ['diptik] *s plast* dyptyk, dyptych
dire ['daiə] *adj* straszny; okropny; okrutny; (*o nędzy itp*) ostatni; skrajny
direct [di'rekt] [I] *adj* 1. bezpośredni 2. prosty; (idący) w prostej linii; **a ~ hit** trafienie 3. (*o człowieku*) bezpośredni; szczery; otwarty 4. *gram* (*o mowie*) niezależna 5. (*o dopełnieniu*) bliższy; **~ speech** mowa wprost <bezpośrednia> 6. (*o odpowiedzi itp*) wyraźny; formalny [II] *adv* bezpośrednio; wprost, prosto [III] *vt* 1. skierow-ać/ywać (coś, kogoś do...); zaadresować (list itp.) 2. kierować (**sb, sth** kimś, czymś); zarządzać <administrować> (**sth** czymś); *wojsk* dowodzić (**sth** czymś) 3. nakierow-ać/ywać <nastawi-ć/ać> (**sth to sth** coś na coś) 4. wymierz-yć/ać (**sth against sb, sth** coś przeciw komuś, czemuś) 5. polec-ić/ać (**sb to do sth** komuś, żeby coś zrobił) 6. *muz* dyrygować (**sth** czymś) 7. *sąd* udziel-ić/ać pouczenia (**the jury** sędziom przysięgłym)
direction [di'rekʃən] *s* 1. kierunek 2. kierownictwo; kierowanie; zarząd; zarządzanie; dyrekcja; administracja; szefostwo; dyrektorstwo 3. adres 4. *pl* **~s** zarządzenie; instrukcje; dyrektywy; przepis/y 5. *sąd* pouczenie (sędziów przysięgłych przez sędziego)
directional [di'rekʃənl] *adj radio* kierunkowy
direction-finder [di'rekʃən'faində] *s* goniometr
directive [di'rektiv] [I] *adj* kierujący; nakierowujący; wskaźniczy [II] *s* dyrektywa; zlecenie odgórne; zarządzenie
directly [di'rektli] [I] *adv* 1. bezpośrednio 2. prosto; w linii prostej 3. wprost 4. wręcz 5. formalnie; wyraźnie 6. zaraz; niebawem; wkrótce [II] *conj* ['drekli] skoro; jak <skoro> tylko; **~ she had gone** gdy tylko odeszła; zaraz <tuż> po jej odejściu
directness [di'rektnis] *s* 1. bezpośredniość; prostota; szczerość; otwartość 2. prosty kierunek (drogi itp.)
director [di'rektə] *s* 1. kierownik; zarządzający; administrator; nadzorca 2. członek zarządu; członek rady nadzorczej <zarządzającej> 3. *muz* dyrygent 4. *kośc* spowiednik 5. *am kino* reżyser 6. *mar* przyrząd do celowania
directorate [di'rektərit] *s* 1. kierownictwo 2. rada zarządzająca; zarząd 3. dyrekcja
directorial [ˌdirek'tɔ:riəl] *adj* 1. kierowniczy; dyrektorski 2. (*o rozporządzeniu itd*) zarządu
directorship [di'rektəʃip] *s* kierownictwo
directory [di'rektəri] *s* 1. księga adresowa 2. książka telefoniczna 3. spis przedsiębiorstw, instytucji i urzędów oraz ulic miasta 4. *am* zarząd (towarzystwa itd.) 5. *hist* dyrektoriat
directress [di'rektris] *s* kierowniczka
directrix [di'rektriks] *s* (*pl* **directrices** [di'rektrisiz]) 1. = **directress** 2. *geom* kierownica, linia wodząca
direful ['daiəful] = **dire**
direness ['daiənis] *s* okropność; makabryczność
dirge ['də:dʒ] *s* pieśń pogrzebowa; *zbior* śpiewy pogrzebowe
dirigible ['diridʒəbl] [I] *adj* dający się sterować; (*o aparacie*) z urządzeniem do sterowania [II] *s* sterowiec
diriment ['dirimənt] *adj prawn* unieważniający
dirk [də:k] [I] *s* sztylet (szkocki) [II] *vt* zasztyletować
dirt [də:t] *s* 1. brud; nieczystość; plugastwo; (*o tkaninie itd*) **to show the ~** brudzić się 2. błoto; **~ pie** babka (ulepiona z błota <piasku> przez dziecko); *pot* **as cheap as ~** za bezcen; tani <tanio> jak barszcz; *przen* **to eat ~** zn-ieść/osić afront <zniewagę, obrazę>; *przen* **to throw ~ at sb** obrzuc-ić/ać kogoś błotem 3. ziemia; muł; ił; *przen* **yellow ~** złoto 4. nieczystości; śmieci; **to treat sb like ~** mieć kogoś za nic; **~ floor** klepisko; podłoga ubita z gliny; **~ road** nie wytyczona <dzika> droga; droga gruntowa <polna>; *am* **~ waggon** wóz do wywożenia śmieci 5. sprośnoś-ć/ci
dirt-cheap ['də:t'tʃi:p] [I] *adj* bardzo <śmiesznie> tani; kupiony za bezcen; *pot* tani jak barszcz [II] *adv* za bezcen; *pot* tanio jak barszcz
dirtiness ['də:tinis] *s* 1. brud; zanieczyszczenie 2. sprośność; plugawość (mowy) 3. podłość (czynu)
dirt-track ['də:tˌtræk] = **dirt road** *zob* **dirt** 4.
dirty ['də:ti] [I] *adj* (**dirtier** ['də:tiə], **dirtiest** ['də:tiist]) 1. brudny; zbrukany; poplamiony; ubłocony; powalany; (*o ulicy, mieście itd*) zaśmiecony; zabłocony; zakurzony; (*o dziecku, twarzy, rękach, ubraniu itd*) ubabrany; usmarowany 2. sprośny, plugawy; nieprzyzwoity; **a ~ mind** sprośne myśli; plugawa wyobraźnia 3. (*o czynie*) podły; nikczemny; haniebny; *pot* paskudny; **a ~ trick** świństwo (zrobione komuś) 4. wstrętny; ohydny; *pot* paskudny; **~ weather** słota; niepogoda; *pot* plucha 5. (*o częściach maszyny itp*) zanieczyszczony [II] *vt vi* (**dirtied** ['də:tid], **dirtied; dirtying** ['də:tiiŋ]) 1. za/brudzić <za/babrać, ubabrać, u/smarować, ubłocić, u/paprać> (się) 2. zanieczy-ścić/szczać <*f* s/plugawić> (się)
dis- [dis-] *przedrostek wyraża* a) *zaprzeczenie:* nie-; **disobedient** nieposłuszny b) *przeciwieństwo:* de(z)-, od-; **disaccustom** odzwyczaić; **disinfect** dezynfekować c) *odłączenie, rozłączenie:* od-, roz-; **disjoin** odłączyć; rozłączyć d) *pozbawianie, uwolnienie:* roz-; **disarm** rozbroić e) *wyrzucanie, wyprowadzanie na zewnątrz:* wy-; **discharge** wyładować
disability [ˌdisə'biliti] *s* 1. niemożność (**to do sth** robienia czegoś); niezdolność (**for doing sth** do robienia czegoś) 2. niemoc 3. niezdolność do pracy; inwalidztwo 4. *prawn* przeszkoda prawna
disable [dis'eibl] *vt* 1. uniemożliwi-ć/ać (**sb from doing sth** komuś robienie czegoś); uczynić niezdolnym <niezdatnym> (**for sth** do czegoś) 2. uczynić kaleką <inwalidą>; **~d soldier** inwalida wojenny 3. unieszkodliwi-ć/ać; obezwładni-ć/ać; *przen* wytrąc-ić/ać broń z ręki (**sb** komuś) 4. uszk-odzić/adzać (maszynę itp.) 5. z/dyskwalifikować; uzna-ć/wać za niezdolnego (**from doing sth** do robienia czegoś)
disablement [dis'eiblmənt] *s* 1. pozbawienie możliwości (**from doing sth** robienia czegoś); pozbawienie zdolności (**for sth** do czegoś) 2. niezdolność 3. kalectwo; inwalidztwo 4. unieszkodliwienie; obezwładnienie 5. uszkodzenie (maszyny itp.)
disabuse [ˌdisə'bju:z] *vt* wyprowadz-ić/ać z błędu; otw-orzyć/ierać oczy (**sb of sth** komuś na coś); od-ebrać/bierać złudzenia (**sb of sth** komuś co do czegoś)

disaccord [disə'kɔ:d] [I] *vi* być w niezgodzie; być innego <odmiennego> zdania [II] *s* niezgoda; różnica zdań; rozbieżność poglądów
disaccustom ['disə'kʌstəm] *vt* odzwycza-ić/jać <oducz-yć/ać> (**sb to do** <**from doing**> **sth** kogoś od czegoś)
disadvantage [,disəd'vɑ:ntidʒ] [I] *s* 1. wada; ujemna strona 2. niekorzyść; **at a** <**to**> **~** niekorzystnie; **to take sb at a ~** zaskoczyć <podejść> kogoś 3. szkoda; uszczerbek; ujma 4. strata (przy sprzedaży itd.) [II] *vt* za/szkodzić (**sb** komuś)
disadvantageous [,disædvɑ:n'teidʒəs] *adj* niekorzystny; szkodliwy (**to sb, sth** dla kogoś, czegoś); ujemny
disaffect [,disə'fekt] *vt* zniechęc-ić/ać <zra-zić/żać> (kogoś do kogoś, czegoś); źle uspos-obić/abiać *zob* **disaffected**
disaffected [,disə'fektid] [I] *zob* **disaffect** [II] *adj* niezadowolony; zrażony; źle usposobiony (**to sb, sth** wobec <w stosunku do> kogoś, czegoś)
disaffectedness [disə'fektidnis], **disaffection** [disə'fekʃən] *s* niezadowolenie; złe ustosunkowanie (**to sb, sth** do kogoś, czegoś)
disaffirm [,disə'fə:m] *vt* 1. obal-ić/ać; unieważni-ć/ać 2. wypowi-edzieć/adać (umowę itp.)
disafforest [,disə'fɔrist] *vt* 1. wytrzebi-ć/ać las/y (**a region** w jakiejś okolicy) 2. *praw* wyj-ąć/mować spod praw dotyczących terenów zalesionych
disagree [,disə'gri:] *vi* 1. być innym <odmiennym> 2. być innego <odmiennego> zdania; nie zg-odzić/adzać się (z kimś); nie nadawać się (**with sth** do czegoś); być w sprzeczności (z czymś) 3. (*o klimacie, potrawie itd*) nie po/służyć <za/szkodzić> (**with sb** komuś) 4. posprzeczać <poważnić> się
disagreeable [disə'griəbl] [I] *adj* nieprzyjemny; przykry; niemiły [II] *spl* **~s** przykrości; kłopoty
disagreeableness [,disə'griəblnis] *s* 1. przykrość (usposobienia itd.); nieprzyjemny <przykry, niemiły> charakter (człowieka) 2. nieprzyjemne nastawienie 3. zły humor
disagreement [,disə'gri:mənt] *s* 1. różnica; niezgodność 2. niezgoda; **to be in ~ with sb** nie zgadzać się z kimś 3. sprzeczka; nieporozumienie; zwada; waśń
disallow ['disə'lau] *vt* 1. nie przyj-ąć/mować (**sth** czegoś); odrzuc-ić/ać; odm-ówić/awiać sankcji <aprobaty> (**sth** czemuś) 2. zakaz-ać/ywać (**sth** czegoś)
disannul [,disə'nʌl] *vt* (**-ll-**) anulować; unieważni-ć/ać
disappear [,disə'piə] *vi* znik-nąć/ać; zanik-nąć/ać; przepa-ść/dać; z/ginąć; zapodzi-ać/ewać <zawierusz-yć/ać> się *zob* **disappearing**
disappearance [,disə'piərəns] *s* zniknięcie; zanikanie; zanik; zginięcie; zapodzianie <zawieruszenie> się
disappearing [,disə'piəriŋ] [I] *zob* **disappear** [II] *adj* znikający; (*w samochodzie itd*) **~ ash-tray** popielniczka chowana
disappoint [,disə'pɔint] *vt* zaw-ieść/odzić (kogoś, nadzieje itd.); nie spełni-ć/ać (**sth** czegoś — oczekiwań, nadziei); rozczarować; **to be ~ed in sb, in** <**with**> **sth** a) zawieść się na kimś, czymś b) rozczarować się do kogoś, czegoś c) dozna-ć/wać zawodu w czymś d) oszuk-ać/iwać się na czymś *zob* **disappointing**
disappointing [,disə'pɔintiŋ] [I] *zob* **disappoint** [II] *adj* 1. złudny; zwodniczy; oszukańczy 2. przykry; bolesny; **how ~!** jakież to przykre!; co za zawód! 3. niezadowalający; kiepski; słaby; nieefektowny
disappointment [,disə'pɔintmənt] *s* rozczarowanie; zawód; zawiedziona nadzieja
disapprobation [,disæprou'beiʃən] *s* dezaprobata; niepochwalanie
disapprobative [dis,æprou'beitiv], **disapprobatory** [dis,æprou'beitəri] *adj* wyrażający dezaprobatę
disapproval [,disə'pru:vəl] *s* dezaprobata; niepochwalanie
disapprove [,disə'pru:v] [I] *vt* z/ganić; potępi-ć/ać; (*o projekcie itd*) **to be ~d by** __ nie zna-leźć/jdować aprobaty u... [II] *vi* nie pochwal-ić/ać (**of sb, sth** kogoś, czegoś); źle widzieć (**of sb, sth** kogoś, coś); mieć za złe (**of sth** coś); ustosunkow-ać/ywać się nieprzychylnie (**of sb, sth** do kogoś, czegoś)
disarm [dis'ɑ:m] [I] *vt* 1. *dosł i przen* rozbr-oić/ajać; **to ~ sb of** __ odebrać komuś... (broń) 2. (*w szermierce itd*) wytrąc-ić/ać broń z ręki (**sb** komuś) [II] *vi* rozbr-oić/ajać się *zob* **disarming**
disarmament [dis'ɑ:məmənt] [I] *s* rozbrojenie [II] *attr* rozbrojeniowy
disarming [dis'ɑ:miŋ] [I] *zob* **disarm** [II] *adj przen* rozbrajający
disarrange ['disə'reindʒ] *vt* 1. z/dezorganizować; wprowadz-ić/ać nieporządek <nieład, *pot* bałagan> (**sth** w czymś); pokrzyżować (plany itd.); zepsuć (maszynę itp.); z/mierzwić (włosy)
disarrangement [,disə'reindʒmənt] *s* dezorganizacja; zamęt; wprowadzenie nieładu; *pot* bałagan; zepsucie (maszyny itp.); zmierzwienie (włosów); pokrzyżowanie (planów itd.)
disarray ['disə'rei] [I] *vt* 1. *lit* wprawi-ć/ać w zamieszanie; wprowadz-ić/ać nieład (**sth** w czymś); wywr-ócić/acać do góry nogami 2. † roz-ebrać/bierać [II] *s* 1. zamieszanie; nieład; zamęt; *pot* bałagan 2. niedbały <niekompletny> strój
disarticulate ['disɑ:'tikju,leit] *vt* 1. rozczłonkow-ać/ywać 2. roz-ebrać/bierać (maszynę itp.)
disassemble [,disə'sembl] *vt* z/demontować (maszynę itd.)
disassociate *zob* **dissociate**
disassociation *zob* **dissociation**
disaster [di'zɑ:stə] *s* nieszczęście; katastrofa; klęska (żywiołowa itp.); **a record of ~s** szereg <seria> nieszczęść <niepowodzeń>
disastrous [di'zɑ:strəs] *adj* nieszczęsny; zgubny; fatalny; katastrofalny
disavow ['disə'vau] *vt* 1. wyrze-c/kać <wyp-rzeć/ierać, zap-rzeć/ierać> się (**sb, sth** kogoś, czegoś) 2. *lit* z/dezawuować
disavowel [disə'vauəl] *s* 1. wyrzeczenie <wyparcie, zaparcie> się 2. *lit* z/dezawuowanie
disband [dis'bænd] [I] *vt* rozpu-ścić/szczać (wojsko itp.) [II] *vi* roz-ejść/chodzić <rozbie-c/gać> się; pójść/iść w rozsypkę
disbandment [dis'bændmənt] *s* 1. rozpuszczenie (wojska itp.) 2. rozejście <rozbiegnięcie> się; pójście w rozsypkę
disbar [dis'bɑ:] *vt* (**-rr-**) skreśl-ić/ać z listy adwokatów; pozbawi-ć/ać uprawnień adwokackich
disbelief ['disbi'li:f] *s* niewiara; niedawanie wiary <niedowierzanie> (**in sb, sth** komuś, czemuś); nieufność <brak zaufania> (**in sb, sth** do kogoś, czegoś)

disbelieve ['disbi'li:v] [I] *vt* nie wierzyć (**sb, sth** komuś, czemuś; w kogoś, coś); nie dawać wiary <nie dowierzać> (**sb, sth** komuś, czemuś) [II] *vi* 1. nie wierzyć (**in sb, sth** komuś, czemuś; w kogoś, coś) 2. nie wierzyć; być sceptykiem <niedowiarkiem>

disbeliever ['disbi'li:və] *s* niedowiarek; niewierząc-y/a

disbench [dis'bentʃ] *vt* pozbawi-ć/ać (kogoś) stanowiska sędziowskiego

disbranch [dis'bra:ntʃ] *vt* poobcinać gałęzie (**a tree** drzewa)

disbud [dis'bʌd] *vt* (**-dd-**) ob-erwać/rywać (zbyteczne) pączki (**a fruit-tree** drzewa owocowego)

disburden [dis'bə:dən] *vt* 1. odciąż-yć/ać (**sb of sth** kogoś od czegoś <w czymś>) 2. zrzuc-ić/ać ciężar (**sb of sth** czegoś z kogoś); uw-olnić/alniać (kogoś) od ciężaru; **to ~ one's mind of sth** zwierz-yć/ać się z czegoś

disburse [dis'bə:s] *vt* wypłac-ić/ać; wy-łożyć/kładać (pieniądze); **disbursing official** płatniczy

disbursement [dis'bə:smənt] *s* wydatek; płatność

↑ **disc** [disk] = **disk**

discard [dis'ka:d] [I] *vt* 1. *karc* zrzuc-ić/ać się (**a card, suit** z karty, koloru) 2. zrzuc-ić/ać <odrzuc-ić/ać> (coś zbytecznego); zarzuc-ić/ać (zwyczaj, plan itd.); zaniechać (**sth** czegoś); wyzby-ć/wać się (**sth** czegoś); rzuc-ić/ać (coś) w **kąt** 3. odprawi-ć/ać <wydal-ić/ać> (pracownika itp.) *zob* **discarded** [II] *s* ['diska:d] 1. *karc* zrzutka 2. *am* odpadek; rzecz wybrakowana 3. *am* rupieciarnia, lamus

discarded [dis'ka:did] [I] *zob* **discard** *v* [II] *adj* 1. zbyteczny; niepotrzebny, nie używany 2. zarzucony; zaniechany 3. wydalony

discarnate [dis'ka:nit] *adj lit poet* odcieleśniony, bezcielesny

discern [di'sə:n] *vt* 1. spostrze-c/gać; zauważ-yć/ać 2. rozpozna-ć/wać; rozróżni-ć/ać; odróżni-ć/ać (**between one thing and another** jedno od drugiego) *zob* **discerning**

discernible [di'sə:nəbl] *adj* dostrzegalny

discerning [di'sə:niŋ] [I] *zob* **discern** [II] *adj* bystry; wnikliwy; krytyczny; roztropny; (*o guście*) dobry; niezawodny

discernment [di'sə:nmənt] *s* 1. orientacja, bystrość (umysłu); wnikliwość; trafność sądu 2. zdolność rozpoznawania <odróżniania, rozróżniania>

discharge [dis'tʃa:dʒ] [I] *vt* 1. rozładow-ać/ywać 2. wyładow-ać/ywać 3. wystrzelić <strzel-ić/ać> (**a gun, bow etc.** z broni palnej, łuku itd.) 4. wypu-ścić/szczać (parę, wodę, gaz itd.) 5. zw-olnić/alniać (pracownika); uw-olnić/alniać (więźnia itp.) 6. zw-olnić/alniać (od obowiązku itp.) 7. spełni-ć/ać; wykon-ać/ywać; wywiąz-ać/ywać **się** (**one's duty etc.** z obowiązku itp.) 8. ui-ścić/szczać <wyrówn-ać/ywać> (dług) 9. *med chem* wydziel-ić/ać (ropę, gaz itd.) 10. (*o rzece*) wlewać (wody do morza itd.) 11. *chem* odbarwi-ć/ać; odfarbow-ać/ywać 12. *elektr* wyładow-ać/ywać; rozładow-ać/ywać [II] *vr w zwrocie:* (*o rzece*) **it ~s itself into ...** wpada do... [III] *vi* 1. *med* wydziel-ić/ać ropę 2. (*o rzece*) wpadać (do morza itp.) 3. (*o broni palnej*) wystrzelić 4. *chem* odbarwi-ć/ać <odfarbow-ać/ywać> się [IV] *s* 1. rozładowanie (statku, wagonu itd.); wyładowanie (towarów, elektryczności itd.); odpływ (wody itp.); wypuszczenie <uchodzenie> (pary itd.) 2. wystrzał 3. zwolnienie <odprawienie> (pracownika itp.); uwolnienie <wypuszczenie na wolność> (więźnia, jeńca) 4. uwolnienie <zwolnienie> (od obowiązku itp.) 5. spełni-enie/anie <wywiąz-anie/ywanie się z> (obowiązku itp.) 6. uiszczenie (długu itp.) 7. *chem* odbarwianie, odfarbowanie 8. wydzielanie; wydzielina; ropa; *pl* **~s** *med* odchody; upławy; wydzieliny

discharger [dis'tʃa:dʒə] *s* ***elektr*** urządzenie rozładowujące <spustowe>

discharging-arch [dis'tʃa:dʒiŋ,a:tʃ] *s bud* łuk odciążający

disciple [di'saipl] *s* ucze-ń/nnica; stronni-k/czka; zwolenn-ik/czka

disciplinarian [,disipli'nεəriən] *s w zwrocie:* **to be a good <bad> ~** mieć posłuch <nie mieć posłuchu> u podwładnych

disciplinary ['disiplinəri] *adj* 1. dyscyplinarny 2. wdrażający do systematycznej pracy

discipline ['disiplin] [I] *s* 1. dyscyplina; karność; posłuch 2. kara 3. (*w nauce*) dziedzina, dyscyplina 4. *rel* umartwianie się [II] *vt* 1. utrzym-ać/ywać **w** karności <w ryzach>; *wojsk* musztrować, ćwiczyć 2. kształcić (charakter) 3. u/karać 4. *rel* ćwiczyć <smagać> (się, kogoś) dyscypliną

disclaim [dis'kleim] *vt* 1. zrze-c/kać się (**sth** czegoś); z/rezygnować (**sth** z czegoś — prawa itp.) 2. wyp-rzeć/ierać <zap-rzeć/ierać> się (**sth** czegoś)

disclaimer [dis'kleimə] *s* 1. zrze-czenie/kanie się; z/rezygnowanie 2. wyparcie <zaparcie> się

disclose [dis'klouz] *vt* odsł-onić/aniać; wyjawi-ć/ać; ujawni-ć/ać; odkry-ć/wać

disclosure [dis'klouʒə] *s* 1. odsłonięcie <wyjawienie, ujawnienie, odkrycie> (czegoś) 2. odsłonięta <ujawniona, odkryta> tajemnica

discobolus [dis'kɔbələs] *s* (*pl* **discoboli** [dis'kɔbə,lai]) dyskobol/ka

discolour [dis'kʌlə] [I] *vt* 1. odbarwi-ć/ać 2. po/plamić [II] *vi* 1. wy/blaknąć; wy/płowieć 2. pu-ścić/szczać farbę 3. po/plamić się

discolo(u)ration [dis,kʌlə'reiʃən] *s* 1. odbarwienie 2. wypłowienie; spełznięcie farby 3. plamienie (się)

discomfit [dis'kʌmfit] *vt* 1. *lit* pobić (wroga) 2. z/mieszać; zbi-ć/jać z tropu 3. po/psuć szyki <po/krzyżować plany> (**sb** komuś)

discomfiture [dis'kʌmfitʃə] *s* 1. klęska; porażka 2. zmieszanie; zbicie z tropu

discomfort [dis'kʌmfət] [I] *s* 1. niewygoda; skrępowanie 2. przykrość 3. *med* dolegliwość; złe samopoczucie [II] *vt* 1. sprawi-ć/ać (**sb** komuś) niewygodę <przykrość> 2. s/krępować; za/żenować; † deranżować 3. dolegać (**sb** komuś)

discommode [,diskə'moud] = **discomfort** *v* 1., 2.

discommon [dis'kɔmən] *vt* 1. *prawn* od-ebrać/bierać (**a dealer** kupcowi) prawo zaopatrywania studentów w towary 2. obr-ócić/acać (**grunt społeczny**) na cele prywatne

↑ **discompose** [,diskəm'pouz] *vt* z/mieszać; za/niepokoić

discomposure [,diskəm'pouʒə] *s* zmieszanie; zaniepokojenie

disconcert [,diskən'sə:t] *vt* 1. z/mieszać; za/żenować; wprawi-ć/ać w zakłopotanie 2. po/psuć szyki <po/krzyżować plany> (**sb** komuś) *zob* **disconcerting**

disconcertedly [ˌdiskən'sə:tidli] *adv* z niepokojem
disconcerting [ˌdiskən'sə:tiŋ] [I] *zob* **disconcert** [II] *adj* niepokojący
disconnect ['diskə'nekt] *vt* 1. rozłącz-yć/ać; odłącz-yć/ać (**one thing from** <**with**> **another** jedno od drugiego) 2. wyłącz-yć/ać; odczepi-ć/ać; odhacz-yć/ać; od-erwać/rywać; odwiąz-ać/ywać *zob* **disconnected**
disconnected [ˌdiskə'nektid] [I] *zob* **disconnect** [II] *adj* bez związku; nie powiązany; chaotyczny
disconnectedness [ˌdiskə'nektidnis] *s* brak związku <powiązania>; chaotyczność
disconnection, disconnexion [ˌdiskə'nekʃən] *s* 1. rozłączenie; odłączenie; oddzielenie 2. wyłączenie; odczepienie; odhaczenie 3. brak związku; chaotyczność
disconsolate [dis'kɔnsəlit] *adj* 1. niepocieszony; strapiony; zrozpaczony 2. (*o okolicy itp*) ponury; posępny
discontent ['diskən'tent] [I] *adj* niezadowolony (**with sb, sth** z kogoś, czegoś); rozgoryczony <utyskujący> (**with sb, sth** na kogoś, coś) [II] *s* 1. niezadowolenie; rozgoryczenie; utyskiwanie 2. powód niezadowolenia; skarga [III] *vt* wywoł-ać/ywać niezadowolenie <rozgoryczenie> (**sb** u kogoś) *zob* **discontented**
discontented [ˌdiskən'tentid] [I] *zob* **discontent** *v* [II] *adj* niezadowolony; rozgoryczony
discontinuance [ˌdiskən'tinjuəns] *s* 1. przerwa; zaprzestanie; zarzucenie (działania) 2. *prawn* umorzenie postępowania procesowego
discontinue [ˌdiskən'tinju:] [I] *vt* 1. przer-wać/ywać; przestać; zaprzesta-ć/wać (**sth** czegoś); zarzuc-ić/ać (**sth, doing sth** coś, robienie czegoś) 2. *prawn* umorzyć (postępowanie procesowe) [II] *vi* usta-ć/wać; s/kończyć <zakończyć> się
discontinuity ['disˌkɔnti'njuiti] *s* 1. brak ciągłości 2. przerwa
discontinuous ['diskən'tinjuəs] *adj* przerywany; urywany; urywkowy; przeplatany
discord ['diskɔ:d] [I] *s* 1. niezgoda; kłótnia; waśń; niesnaski 2. *muz* dysonans [II] *vi* [dis'kɔ:d] 1. nie zg-odzić/adzać się; być w niezgodzie (**with** <**from**> **sb, sth** z kimś, czymś) 2. (*o dźwiękach*) nie harmonizować
discordance [dis'kɔ:dəns] *s* 1. dysonans; niezgodność (tonów, zdań) 2. *geol* dyskordancja, niezgodność
discordant [dis'kɔ:dənt] *adj* 1. niezgodny; nieharmonijny; **to be ~ to** <**from, with**> **sth** nie zgadzać się z czymś 2. *geol* niezgodny
discount ['diskaunt] [I] *s* 1. *bank* dyskonto 2. odliczenie <potrącenie> (z ceny itd.); rabat; skonto; **at a ~** a) poniżej parytetu; niżej wartości nominalnej b) mało poszukiwany; nie cieszący się popytem c) nie ceniony; niedoceniany [II] *adj* dyskontowy [III] *vt* [dis'kaunt] 1. z/dyskontować (weksel) 2. pomi-nąć/jać; nie wziąć/brać w rachubę (**sth** czegoś) 3. potrąc-ić/ać; odlicz-yć/ać 4. z/dyskontować (wiadomość itp.); przyj-ąć/mować (wiadomość) z zastrzeżeniem; z/lekceważyć (wiadomość)
discountable [dis'kauntəbl] *adj* 1. (*o wekslu*) do dyskontowania 2. (*o wiadomości*) do przyjęcia z zastrzeżeniem
discountenance [dis'kauntinəns] *vt* 1. z/mieszać; s/peszyć; zbi-ć/jać z tropu 2. nie pochwalać (**sth** czegoś); być przeciwnym (**sth** czemuś); dezaprobować
discourage [dis'kʌridʒ] *vt* 1. zniechęc-ić/ać 2. nie pochwalać (**sth** czegoś); być przeciwnym (**sth** czemuś) 3. odradz-ić/ać (**sb from sth** komuś coś); zniechęc-ić/ać (**from sth** do czegoś); odw-ieść/odzić (**from sth** od czegoś) *zob* **discouraging**
discouragement [dis'kʌridʒmənt] *s* 1. zniechęcenie 2. niechęć 3. odradzanie (czegoś), odwodzenie (od czegoś); dezaprobata
discouraging [dis'kʌridʒiŋ] [I] *zob* **discourage** [II] *adj* zniechęcający
discourse ['diskɔ:s] [I] *s lit* 1. rozprawa (o czymś) 2. rozmowa; **to hold ~ with sb** rozmawiać z kimś 3. mowa, przemówienie [II] *vi* [dis'kɔ:s] 1. rozprawiać (**on** <**of**> **sth** o czymś) 2. rozmawiać
discourteous [dis'kə:tiəs] *adj* niegrzeczny; nieuprzejmy
discourtesy [dis'kə:tisi] *s* niegrzeczność; nieuprzejmość
discover [dis'kʌvə] *vt* 1. odkry-ć/wać 2. wyna-leźć/jdować 3. (nagle) zauważ-yć/ać; dostrze-c/gać; spostrze-c/gać 4. stwierdz-ić/ać
discoverable [dis'kʌvərəbl] *adj* (możliwy) do odkrycia <do zobaczenia>; **to be ~** a) dać się odkryć b) być widocznym
discoverer [dis'kʌvərə] *s* 1. odkrywca 2. wynalazca
discovert [dis'kʌvət] *adj prawn* (*o kobiecie*) bez męża (panna, wdowa)
discovery [dis'kʌvəri] *s* 1. odkrycie 2. wynalezienie; wynalazek 3. *teatr* rozwiązanie (intrygi itp.) 4. rewelacja
discredit [dis'kredit] [I] *s* 1. zdyskredytowanie; kompromitacja; zła opinia; **to fall into ~** zdyskredytować <skompromitować> się 2. powątpiewanie; niedowierzanie; **to throw ~ upon sth** poda-ć/wać coś w wątpliwość [II] *vt* 1. z/dyskredytować; s/kompromitować 2. nie dowierzać (**sb, sth** komuś, czemuś); poda-ć/wać w wątpliwość
discreditable [dis'kreditəbl] *adj* podły; niegodny; przynoszący wstyd
discreet [dis'kri:t] *adj* 1. roztropny; ostrożny 2. dyskretny; pełen rezerwy
discrepancy [dis'krepənsi] *s* niezgodność; rozbieżność; sprzeczność
discrepant [dis'krepənt] *adj* niezgodny; rozbieżny; sprzeczny; odmienny
discrete [dis'kri:t] *adj* 1. oderwany; oddzielony; odosobniony; *filoz* abstrakcyjny 2. *mat* nieciągły
discretion [dis'kreʃən] *s* 1. uznanie; sąd; **at ~** do woli; dowolnie; **at sb's ~** według czyjegoś uznania; **it is within your own ~** to zależy od twego <waszego> uznania; **to surrender at ~** podda-ć/wać się <s/kapitulować> bezwarunkowo; zda-ć/wać się na łaskę (zwycięzcy); **to use one's own ~** zda-ć/wać się na własny rozum <sąd> 2. swoboda; wolna wola; dowolność 3. roztropność; ostrożność; rozwaga; rozum; **to use ~** postępować ostrożnie <z rozwagą>; **years of ~** wiek dojrzały; **~ is the better part of valour** lepsza rozwaga niż odwaga, lepiej się nie narażać 4. dyskrecja, rezerwa
discretionary [dis'kreʃŋəri] *adj* dowolny; dyskrecjonalny
discriminate [dis'krimiˌneit] [I] *vt* 1. odróżniać; rozróżniać (**from sb, sth** od kogoś, czegoś); rozezna-ć/wać 2. wyróżni-ć/ać (**sb from others** kogoś wśród innych) [II] *vi* 1. stanowić różnicę (**between one thing and another** między czymś a czymś) 2. wprowadzać różnicę <dyskryminację> w trakto-

waniu <w rozstrzyganiu> (**between one person <thing> and another** między jedną osobą <rzeczą> a inną); **to ~ against sb, sth** upośledz-ić/ać <s/krzywdzić, sekować> kogoś, coś; **to ~ in favour of sb, sth** uprzywilejować <wyróżniać, faworyzować> kogoś, coś 3. dostrzegać różnicę; nie mylić (**between one thing and another** jednej rzeczy z drugą) *zob* **discriminating**

discriminating [dis'krimi,neitiŋ] [I] *zob* **discriminate** [II] *adj* 1. (*o cesze itp*) wyróżniający; szczególny 2. (*o człowieku*) roztropny; bystry; wnikliwy 3. (*o ustawie itp*) dyskryminacyjny 4. (*o taryfie celnej itd*) dyferencjalny, zróżnicowany

discrimination [dis,krimi'neiʃən] *s* 1. odróżni-enie/anie 2. rozróżni-enie/anie; rozeznawanie 3. dyskryminacja; niejednakowe traktowanie; **~ against sb** upośledzenie <krzywdzenie> kogoś; **~ in favour of sb** wyróżnianie <uprzywilejowanie> kogoś 4. bystry sąd; roztropność; wnikliwość

discriminative [dis'krimi,neitiv] = **discriminating** *adj*

discrown [dis'kraun] *vt* pozbawi-ć/ać (króla) korony <tronu>

disculpate [dis'kʌlpeit] *vt* uniewinni-ć/ać

discursive [dis'kə:siv] *adj* 1. urywkowy 2. przeskakujący z tematu na temat 3. *log* dyskursywny

discus ['diskəs] *s* (*pl* **~es, disci** ['diskai]) *sport* dysk

discuss [dis'kʌs] *vt* 1. dyskutować <debatować> (**sth, sb** nad <o> czymś, kimś); roztrząs-nąć/ać 2. *żart* zjeść ze smakiem; wypić z chęcią 3. *żart* skosztować 4. *prawn* zbadać stan majątkowy dłużnika przed licytacją

discussable, discussible [dis'kʌsəbl] *adj* dyskusyjny; (nadający się) do dyskusji; sporny

discussion [dis'kʌʃən] *s* 1. dyskusja; debat-a/y; **under ~** roztrząsany; omawiany 2. *żart* zjedzenie ze smakiem; wypicie z przyjemnością 3. *żart* skosztowanie

disdain [dis'dein] [I] *vt* po/gardzić (**sb, sth** kimś, czymś); z/lekceważyć; **to ~ to do <doing> sth** uważać zrobienie czegoś za ubliżające sobie; nie raczyć czegoś zrobić [II] *s* pogarda; lekceważenie

disdainful [dis'deinful] *adj* pogardliwy; lekceważący

disease [di'zi:z] *s* choroba; dolegliwość

diseased [di'zi:zd] *adj* chory

disembark ['disim'ba:k] [I] *vt* wyładow-ać/ywać [II] *vi* wysi-ąść/adać (**from a ship** ze statku)

disembarrass ['disim'bærəs] *vt* 1. uw-olnić/alniać (**of sth** od czegoś); wybawi-ć/ać (**of sth** z czegoś) 2. odpląt-ać/ywać (**from sth** od czegoś)

disembody [,disim'bɔdi] *vt* (**disembodied** [,disim'bɔdid], **disembodied; disembodying** [,disim'bɔdiiŋ]) 1. uw-olnić/alniać od powłoki (cielesnej) 2. rozpu-ścić/szczać (wojsko)

disembogue [,disim'boug] [I] *vt* (*o rzece*) wlewać (**its waters into...** swoje wody do...); *przen* wyrzucać z siebie; wypróżniać <opróżniać> się (**sth** z czegoś); **the trains were disemboguing their passengers on to the platforms** pociągi wyrzucały (tłumy) pasażerów na perony [II] *vi* (*o rzece*) wpadać (do morza itp.)

disembosom [,disim'buzəm] [I] *vt* odsł-onić/aniać; wyjawi-ć/ać [II] *vr* **~ oneself** zwierz-yć/ać <*przen* wywnętrz-yć/ać> się

disembowel [,disim'bauəl] *vt* (**-ll-**) 1. wypatroszyć; usu-nąć/wać wnętrzności (**a corpse etc.** z trupa itp.) 2. rozpru-ć/wać brzuch (**sb** komuś)

disembroil [,disim'brɔil] *vt lit* rozwikłać

disenchant ['disin'tʃa:nt] *vt* 1. odczarować 2. rozczarow-ać/ywać; rozwi-ać/ewać złudzenia (**sb** czyjeś)

disenchantment [,disin'tʃa:ntmənt] *s* 1. odczarowywanie 2. rozczarowywanie; rozwianie złudzeń

disencumber ['disin'kʌmbə] *vt* uw-olnić/alniać (od ciężarów, przeszkód itp.); oczy-ścić/szczać (z przeszkód itp.)

disendow ['disin'dau] *vt* pozbawi-ć/ać (kościół itd.) fundacji <zapisów>

disengage ['disin'geidʒ] [I] *vt* 1. uw-olnić/alniać (od czegoś); odwikłać; odłącz-yć/ać; odczepi-ć/ać (haczyk itp.) 2. *chem* wydziel-ić/ać [II] *vi* rozłącz-yć/ać <od-erwać/rywać> się *zob* **disengaged**

disengaged ['disin'geidʒd] [I] *zob* **disengage** [II] *adj* wolny, nie zajęty

disengagement ['disin'geidʒmənt] *s* 1. uwolnienie <wywikłanie> (się); odłączenie <odczepienie, rozłączenie, oderwanie> (się) 2. *chem* wydziel-enie/anie (się) 3. swoboda obejścia; niewymuszone <naturalne> obejście 4. zerwanie zaręczyn

disentail ['disin'teil] *vt prawn* uwolnić (majątek) od klauzuli ograniczającej

disentangle ['disin'tæŋgl] [I] *vt* 1. rozwikłać; rozplątać 2. wywikłać <wyplątać> (kogoś z czegoś) [II] *vi* 1. rozwikłać <rozplątać> się 2. wywikłać <wyplątać> się

disentanglement [,disin'tæŋglmənt] *s* 1. rozwikłanie; rozplątanie 2. wywikłanie <wyplątanie> (się)

disenthral(l) [,disin'θrɔ:l] *vt* (**-ll-**) uw-olnić/alniać; nada-ć/wać wolność (**slaves** niewolnikom)

disentomb ['disin'tu:m] *vt* 1. odgrzeb-ać/ywać; przeprowadz-ić/ać ekshumację zwłok (**sb** czyichś) 2. *przen* wykop-ać/ywać

disequilibrium [dis,i:kwi'libriəm] *s* brak <utrata> równowagi

disestablish ['disis'tæbliʃ] *vt* oddziel-ić/ać (kościół) od państwa

disfavour ['dis'feivə] [I] *s* 1. niełaska; nieprzychylność 2. dezaprobata [II] *vt* nieprzychylnie odn-ieść/osić się (**sb, sth** do kogoś, czegoś); być niechętnym (**sb, sth** komuś, czemuś)

disfeature [dis'fi:tʃə] *vt* zeszpec-ić/ać

disfigure [dis'figə] *vt* ze/szpecić; zniekształc-ić/ać

disfigurement [dis'figəmənt] *s* zeszpecenie; zniekształcenie

disforest [dis'fɔrist] = **disafforest**

disfranchise ['dis'fræntʃaiz] *vt* pozbawi-ć/ać (kogoś) praw obywatelskich

disfrock [dis'frɔk] *vt* przen-ieść/osić (duchownego) do stanu świeckiego

disgorge [dis'gɔ:dʒ] [I] *vt* 1. wyrzuc-ić/ać z siebie; zrzuc-ić/ać (pokarm itp.), z/wymiotować 2. zwr-ócić/acać (skradzione <zrabowane> rzeczy) 3. (*o rzece*) wlewać (wody do morza itd.) [II] *vr w zwrocie:* **the river ~s itself into...** rzeka wpada do... [III] *vi* (*o rzece*) wlewać wody (do morza itd.)

disgrace [dis'greis] *s* 1. niełaska 2. hańba; wstyd; **to be a ~ to...** przyn-ieść/osić wstyd... (komuś, czemuś); z/hańbić... (kogoś, coś); (*o człowieku*) być zakałą (**one's family etc.** rodu itp.)

disgraceful [dis'greisful] *adj* haniebny; sromotny; niecny

disgruntled [dis'grʌntld] *adj* 1. niezadowolony (**at**

sth z czegoś); utyskujący 2. w złym humorze; zrzędny; gderliwy

disguise [dis'gaiz] [I] *vt* 1. przeb-rać/ierać (kogoś, się) 2. za/maskować 3. nada-ć/wać pozory (**sth** czemuś); ukry-ć/wać (coś) pod płaszczykiem (cnoty itd.); za/taić; zmieni-ć/ać (głos, pismo, podpis itd.) *zob* **disguised** [II] *s* 1. przebranie 2. zamaskowanie; **in ~** w przebraniu; zamaskowany 3. pozory; maska; *przen* **under the ~ of —** pod płaszczykiem... (czegoś)

disguised [dis'gaizd] *zob* **disguise** *v*; **~ in <with> liquor <drink>** podchmielony; pijany

disgust [dis'gʌst] [I] *s* 1. wstręt <odraza, obrzydzenie> (**at <for, towards, against> sb, sth** do kogoś, czegoś) 2. rozgoryczenie 3. oburzenie [II] *vt* 1. obrzydz-ić/ać; budzić wstręt <obrzydzenie, odrazę> (**sb** w kimś); napełni-ć/ać <napawać> wstrętem <obrzydzeniem, odrazą> 2. oburz-yć/ać 3. rozgorycz-yć/ać 4. przyprawi-ć/ać o nudności *zob* **disgusted, disgusting**

disgusted [dis'gʌstid] [I] *zob* **disgust** *v* [II] *adj* oburzony (**with sb** na kogoś; **at <with, by> sth** czymś); **I am ~ with the whole business** mam dosyć tej sprawy; ta sprawa bokiem mi wyłazi

disgustful [dis'gʌstful] = **disgusting** *adj*

disgusting [dis'gʌstiŋ] [I] *zob* **disgust** *v* [II] *adj* 1. obrzydliwy; odrażający; wstrętny 2. oburzający

dish [diʃ] [I] *s* 1. półmisek 2. potrawa; danie; **a ~ of tea** filiżanka herbaty; **made ~** przyrządzona potrawa; **standing ~** danie stałe <codzienne> 3. naczynie; miska, miseczka 4. dół; zagłębienie [II] *vt* 1. (*także* **~ up**) wy-łożyć/kładać (potrawę) na półmisek; poda-ć/wać (potrawę) do stołu; *przen* poda-ć/wać (wiadomości itp.); odgrzewać (fakty itp.) 2. okpi-ć/wać; wyprowadz-ić/ać w pole (przeciwnika, zwłaszcza politycznego) 3. wygi-ąć/nać 4. (*zw* **~ out**) wgni-eść/atać *zob* **dished**

dishabille [,disæ'bi:l] *s* negliż; **in ~** w negliżu; rozneglizowany

dishabituate [,dishə'bitju,eit] *vt* odzwycza-ić/jać (**sb for sth** kogoś od czegoś)

disharmonious [,disha:'mouniəs] *adj* 1. niezgodny; sprzeczny 2. nieharmonijny

disharmony [dis'ha:məni] *s* 1. *dosł i przen* dysharmonia 2. dysonans

dishcloth ['diʃ,klɔθ], **dish-clout** ['diʃ,klaut] *s* ścierka do wycierania <do mycia> naczyń (kuchennych)

dish-cover ['diʃ,kʌvə] *s* pokrywka na półmisek; klosz

dishearten [dis'ha:tn] *vt* 1. zniechęc-ić/ać; od-jąć/ejmować odwagę (**sb** komuś) 2. przygnębi-ć/ać; **to become ~ed** a) zniechęc-ić/ać się b) wpa-ść/dać w przygnębienie

dished [diʃt] [I] *zob* **dish** *v* [II] *adj* 1. wklęśnięty; wklęsły; zapadnięty; wgięty 2. (*o kole*) skrzywiony; zwichrowany

disherison [dis'herizn] *s* wydziedziczenie

dishevel [di'ʃevəl] *vt* (**-ll-**) rozczochrać; zmierzwić <rozwichrzyć> włosy (**sb** komuś) *zob* **dishevelled**

dishevelled [di'ʃevəld] [I] *zob* **dishevel** [II] *adj* 1. rozczochrany; rozwichrzony; z rozwichrzonymi włosami 2. w wymiętym ubraniu; zaniedbany

dishful ['diʃful] *s* (pełny) półmisek (czegoś)

dishonest [dis'ɔnist] *adj* nieuczciwy; oszukańczy

dishonesty [dis'ɔnisti] *s* 1. nieuczciwość 2. (*także* **a piece <an act> of ~**) oszustwo; nieuczciwy postępek

dishonour [dis'ɔnə] [I] *s* 1. hańba; **to bring ~ on —** okry-ć/wać hańbą... (rodzinę itp.) 2. hańbiący czyn 3. niehonorowanie (**of a cheque etc.** czeku itd.) [II] *vt* 1. po/hańbić, okry-ć/wać hańbą 2. z/hańbić <z/gwałcić> (kobietę) 3. nie dotrzym-ać/ywać (**one's word etc.** słowa itd.) 4. nie honorować (**a cheque etc.** czeku itd.); nie wykup-ić/ywać (**a bill** weksla)

dishonourable [dis'ɔnərəbl] *adj* 1. haniebny; niecny; nikczemny 2. (*o człowieku*) bez czci i wiary; podły

dishorn [dis'hɔ:n] *vt* obci-ąć/nać rogi (**an animal** zwierzęciu)

dishouse [dis'hauz] *vt* pozbawi-ć/ać (kogoś) mieszkania <domu, dachu nad głową>

dish-washer ['diʃ,wɔʃə] *s* 1. pomywacz/ka 2. *zoo* pliszka

dish-water [diʃ,wɔ:tə] *s dosł i przen* pomyje

disillusion [,disi'lu:ʒən] [I] *s* rozczarowanie; otrzeźwienie [II] *vt* rozczarow-ać/ywać; otrzeźwi-ć/ać; *przen* otw-orzyć/ierać oczy (**sb** komuś)

disillusionment [,disi'lu:ʒənmənt] = **disillusion** *s*

disincentive [,disin'sentiv] *s* środek odstraszający; *przen* hamulec

disinclination [,disinkli'neiʃən] *s* niechęć <wstręt> (**for <to> sb, sth** do kogoś, czegoś; **to do sth** do robienia czegoś)

disincline ['disin'klain] *vt* odstręcz-yć/ać (**sb for <to> sth, sb to do sth** kogoś od czegoś); od-ebrać/bierać chęć <ochotę> (**sb for <to> sth, sb to do sth** komuś do czegoś) *zob* **disinclined**

disinclined ['disin'klaind] [I] *zob* **disincline** [II] *adj* niechętny <źle usposobiony> (**for <to> sth** do czegoś); **to be ~ to do sth** nie mieć ochoty czegoś zrobić

disincorporate [,disin'kɔ:pə,reit] *vt* rozwiąz-ać/ywać (towarzystwo itd.)

disinfect ['disin'fekt] *vt* z/dezynfekować, odka-zić/żać

disinfectant [,disin'fektənt] [I] *adj* (*o środku*) dezynfekujący, odkażający [II] *s* środek dezynfekujący <odkażający>

disinfection [,disin'fekʃən] *s* dezynfekcja, odka-ż-enie/anie

disinfector [,disin'fektə] *s* dezynfektor, aparat dezynfekcyjny

disinfestation [,disinfes'teiʃən] *s* oczyszczenie z robactwa; odwszawienie; odszczurzenie

disinflationary [,disin'fleiʃənəri] *adj* przeciwinflacyjny

disingenuous ['disin'dʒenjuəs] *adj* obłudny; nieszczery; fałszywy; zakłamany

disinherit ['disin'herit] *vt* wydziedzicz-yć/ać

disinheritance [,disin'heritəns] *s* wydziedziczenie

disintegrate [dis'inti,greit] [I] *vt* rozdr-obnić/abniać; rozkrusz-yć/ać 2. *geol* powodować wietrzenie (**sth** czegoś) [II] *vi* 1. rozpa-ść/dać <rozkrusz-yć/ać> się 2. *geol* wietrzeć

disintegration [dis,inti'greiʃən] *s* 1. rozdr-obnienie/abnianie; rozkrusz-enie/anie; rozpad 2. *geol* z/wietrzenie (skał)

disintegrator [dis'intə,greitə] *s techn* kruszarka; rozdrabniarka; *przen* niszczyciel; czynnik rozkładający

disinter ['disin'tə:] *vt* (**-rr-**) 1. przeprowadz-ić/ać ekshumację (**a corpse** zwłok); odgrzeb-ać/ywać (zwłoki) 2. wykop-ać/ywać (z ziemi); odkry-ć/wać

disinterest [dis'intrist] [I] *vt* zabi-ć/jać zainteresowanie (**sb in sth** w kimś do czegoś) [II] *vr* **~ oneself** *polit* ogł-osić/aszać désintéressement (**in sth** w jakiejś sprawie) *zob* **disinterested**

disinterested [dis'intristid] [I] *zob* **disinterest** [II] *adj* bezinteresowny; bezstronny; obiektywny; **~ management** kierownictwo (szynku) spoczywające w rękach człowieka nie partycypującego w dochodach; **to be ~ in sth** nie interesować się czymś; być obojętnym w stosunku do czegoś

disinterestedness [dis'intristidnis] *s* 1. bezinteresowność; bezstronność; obiektywność 2. brak zainteresowania; obojętność

disinterment [ˌdisin'tə:mənt] *s* 1. ekshumacja 2. wykopanie

disjoin [dis'dʒɔin] *vt vi* rozłącz-yć/ać <rozdziel-ić/ać> (się)

disjoint [dis'dʒɔint] *vt* 1. wywichnąć <zwichnąć> (staw) 2. roz-ebrać/bierać <po/krajać> (drób itd.), rozczłonkow-ać/ywać *zob* **disjointed**

disjointed [dis'dʒɔintid] [I] *zob* **disjoint** [II] *adj* 1. zwichnięty 2. (*o rozmowie itp*) bez związku; nie powiązany; chaotyczny

disjunction [dis'dʒʌŋkʃən] *s* **rozłącz-enie/anie**; oddziel-enie/anie (**from sth** od czegoś)

disjunctive [dis'dʒʌŋktiv] *adj* 1. rozłączający 2. *gram* rozłączny 3. *log* alternatywny; rozjemczy

†**disk** [disk] *s* 1. **krążek** (metalowy itd.); znaczek (rozpoznawczy, kontrolny itd.); **~ harrow** brona talerzowa 2. tarcza (słońca, księżyca itd.) 3. płyta (gramofonowa)

disk-wheel ['diskˌwi:l] *s techn* koło tarczowe

dislike [dis'laik] [I] *vt* nie lubić (**sb, sth** kogoś, czegoś; **doing sth** czegoś robić); czuć niechęć <awersję, wstręt> (**sb, sth** do kogoś, czegoś) [II] *s* niechęć <awersja; wstręt> (**for** <**of, to**> **sb, sth** do kogoś, czegoś); **to take a ~ to —** poczuć niechęć <awersję> do...

dislocate ['disləˌkeit] *vt* 1. zwichnąć (rękę itp.); przemie-ścić/szczać 2. z/burzyć <wywr-ócić/acać> (porządek itp.); wprowadz-ić/ać nieład <zaburzenie> (**sth** w czymś) 3. *geol* zaburz-yć/ać

dislocation [ˌdislou'keiʃən] *s* 1. zwichnięcie; przemieszczenie 2. wywrócenie <zburzenie> (porządku); zaburzenie; nieład 3. *geol* zaburzenie; dyslokacja

dislodge [dis'lɔdʒ] *vt* 1. usu-nąć/wać; rusz-yć/ać z miejsca 2. wysiedl-ić/ać 3. *wojsk* wyp-rzeć/ierać (nieprzyjaciela)

dislodgement [dis'lɔdʒmənt] *s* 1. usunięcie; ruszenie z miejsca 2. wysiedlenie 3. *wojsk* wyparcie (nieprzyjaciela)

†**disloyal** ['dis'lɔiəl] *adj* niewierny; wiarołomny; zdradziecki

†**disloyalty** ['dis'lɔiəlti] *s* niewierność; wiarołomstwo; zdrada

dismal ['dizməl] [I] *adj* smętny; posępny; ponury; pełen melancholii; *pot* **the ~ science** ekonomia polityczna [II] *spl* **~s** przygnębienie; depresja; *pot* chandra; **to have the ~s** mieć chandrę, być w depresji, być przygnębionym

dismantle [dis'mæntl] *vt* 1. roz-ebrać/bierać <z/demontować> (maszynę itp.) 2. pozbawi-ć/ać (**sth of sth** coś czegoś); ogoł-ocić/acać (**sth of sth** coś z czegoś); **a ~d hull** kadłub rozbitego statku 3. rozbroić (pozbawić dział, urządzeń itp. — fortecę, okręt wojenny itp.)

dismast [dis'ma:st] *vt* pozbawi-ć/**ać** (statek) masztów; zerwać/zrywać maszty (**a ship** ze statku)

dismay [dis'mei] [I] *vt* s/konsternować; przera-zić/żać [II] *s* konsternacja; przerażenie; **in ~** skonsternowany; przerażony; **to strike with ~** s/konsternować; wywołać konsternację; przera-zić/żać

dismember [dis'membə] *vt* rozczłonkow-ać/ywać; roz-ebrać/bierać na części; dokon-ać/ywać rozbioru (**a country etc.** kraju itd.)

dismemberment [dis'membəmənt] *s* rozbiór (kraju itd.); podział

dismiss [dis'mis] *vt* 1. odprawi-ć/ać <zw-olnić/alniać> (pracownika itp.); z/dymisjonować (ministra itd.); przenieść (wojskowego) w stan spoczynku; **to be ~ed (from) the army** <**the service**> zostać zwolnionym z wojska <ze służby> 2. pożegnać (interesanta itd.); zby-ć/wać (natręta itd.) 3. rozwiąz-ać/ywać (zebranie itp.) 4. rozpu-ścić/szczać (wojsko) 5. *wojsk* da-ć/wać rozkaz rozejścia się (**troops** oddziałowi) 6. odsu-nąć/wać od siebie; **to ~ sth from one's thoughts** <**mind**> przesta-ć/wać myśleć o czymś 7. porzuc-ić/ać (temat rozmowy); zaniechać (**a subject** tematu) 8. *sąd* oddal-ić/ać (skargę itp.)

dismissal [dis'misəl], **dismission** [dis'miʃən] *s* 1. odprawa; zwolnienie (pracownika itp.); dymisja; przeniesienie w stan spoczynku 2. pożegnanie <odprawienie> (interesanta itd.); zbycie (natręta itd.) 3. rozwiązanie (zebrania itp.) 4. rozpuszczenie (wojska) 5. rozkaz rozejścia się 6. odsunięcie <oddalenie> od siebie (myśli o czymś) 7. porzucenie <zaniechanie> (tematu) 8. *sąd* oddalenie (skargi)

dismount [dis'maunt] [I] *vi* (*także vt* **to ~ one's horse**) zsi-ąść/adać (z konia itd.); zesk-oczyć/akiwać [II] *vt* 1. wyrzuc-ić/ać (przeciwnika); wysadz-ić/ać z siodła 2. spieszyć (konnicę) 3. z/demontować (działo, maszynę)

disobedience [ˌdisə'bi:djəns] *s* 1. nieposłuszeństwo; niesłuchanie (**to orders** rozkazów; **to one's master** przełożonego) 2. stawianie oporu; opór; buntowanie się (**to sth** przeciw czemuś)

disobedient [ˌdisə'bi:djənt] *adj* nieposłuszny; oporny

disobey ['disə'bei] [I] *vt* nie słuchać (**sb** kogoś); narusz-yć/ać (przepisy itp.) [II] *vi* być nieposłusznym; sprzeciwi-ć/ać się rozkazom

disoblige ['disə'blaidʒ] *vt* 1. nie uwzględni-ć/ać życzeń (**sb** czyichś); być nieusłużnym (**sb** dla <wobec> kogoś) 2. z/robić na przekór (**sb** komuś) *zob* **disobliging**

disobliging [ˌdisə'blaidʒiŋ] [I] *zob* **disoblige** [II] *adj* nieużyty; nieusłużny

disorder [dis'ɔ:də] [I] *s* 1. nieporządek; nieład; zamieszanie; rozgardiasz; zamęt; bałagan 2. rozruchy; zamieszki; niepokoje 3. *med* zaburzenie; dolegliwość [II] *vt* 1. wprowadz-ić/ać nieporządek <nieład> (**sth** w czymś) 2. rozstr-oić/ajać <ze/psuć> (żołądek itd.) *zob* **disordered**

disordered [dis'ɔ:dəd] [I] *zob* **disorder** *v* [II] *adj* 1. w nieładzie; (*o włosach*) rozwichrzony, rozczochrany 2. *med* (*o żołądku*) rozstrojony <zepsuty>

disorderliness [dis'ɔ:dəlinis] *s* 1. nieporządek; nieład; niechlujstwo 2. zgiełkliwość 3. nastroje buntownicze 4. chuligaństwo 5. wyuzdanie; rozpasanie

disorderly [dis'ɔ:dəli] *adj* 1. nieporządny; bezładny; niedbały; niechlujny 2. (*o tłumie*) zgiełkliwy 3. zbuntowany 4. (*o człowieku, zachowaniu*) chuligański; wyuzdany; rozpasany; **~ house** dom rozpusty

disorganization [dis,ɔ:gənai'zeiʃən] *s* dezorganizacja; rozprzężenie; nieład

disorganize [dis'ɔ:gə,naiz] *vt* z/dezorganizować; wprowadz-ić/ać rozprzężenie <nieład> (**sth** w czymś)

disorientate [dis'ɔ:riən,teit] *vt* z/dezorientować (kogoś)

disown [dis'oun] *vt* 1. nie uzna-ć/wać <zap-rzeć/ierać, wyp-rzeć/ierać> się (**sb, sth** kogoś, czegoś) 2. *lit* z/dezawuować 3. zaprzecz-yć/ać (**sth** czemuś)

disparage [dis'pæridʒ] *vt* 1. mówić lekceważąco <ubliżająco> (**sb** o kimś); ubliż-yć/ać <uwłaczać> (**sb** komuś) 2. z/dyskredytować *zob* **disparaging**

disparagement [dis'pæridʒmənt] *s* 1. ubliż-enie/anie (**of sb** komuś); ujma; uszczerbek 2. z/dyskredytowanie

disparaging [dis'pæridʒiŋ] [I] *zob* **disparage** [II] *adj* lekceważący; uwłaczający; obraźliwy

disparate ['dispərit] [I] *adj* różny; niewspółmierny; zasadniczo odmienny [II] *spl* **~s** rzeczy niewspółmierne

disparity [dis'pæriti] *s* 1. różnica (**of** <**in**> **sth** w czymś) 2. niewspółmierność

dispart [dis'pa:t] † *vt vi lit* rozdziel-ić/ać <odziel-ić/ać> (się)

dispassionate [dis'pæʃnit] *adj* obojętny, beznamiętny; trzeźwy; obiektywny

dispassionateness [dis'pæʃnitnis] *s* obojętność, beznamiętność; obiektywizm

dispatch [dis'pætʃ] [I] *vt* 1. wys-łać/yłać 2. dobi-ć/jać (ranne zwierzę, człowieka) 3. zabi-ć/jać, wyprawi-ć/ać na tamten świat 4. szybko załatwi-ć/ać; uwi-nąć/jać się (**sth** z czymś) 5. naprędce <pośpiesznie> załatwi-ć/ać się (**one's dinner etc.** z obiadem itp.); *pot* spałaszować; połknąć; zmiatać z talerza [II] *s* 1. wysyłka; ekspedycja; wysłanie; ekspediowanie 2. egzekucja (skazanego); **happy ~** harakiri 3. szybkie załatwienie (sprawy) 4. pośpiech 5. depesza 6. *wojsk* komunikat; rozkaz dzienny 7. biuro przewozowe

dispatch-boat [dis'pætʃ,bout] *s mar* awizo, statek łącznikowy

dispatch-box [dis'pætʃ,bɔks], **dispatch-case** [dis'pætʃ,keis] *s* teczka

dispatch-rider [dis'pætʃ,raidə] *s wojsk* goniec; kurier

dispel [dis'pel] *vt* (**-ll-**) rozpędz-ić/ać (chmury itp.); rozpr-oszyć/aszać; rozwi-ać/ewać (obawy itp.)

dispensable [dis'pensəbl] *adj* 1. zbędny; niekonieczny 2. *kośc* możliwy do uchylenia

dispensary [dis'pensəri] *s* 1. apteka 2. przychodnia; poradnia 3. (*także* **milk ~**) punkt bezpłatnego wydawania mleka

dispensation [,dispen'seiʃən] *s* 1. rozdawanie; rozdział 2. kierowanie losem (czyimś) 3. zrządzenie (Opatrzności) 4. uwolnienie (**from** <**with**> **sth** od czegoś); *kośc* dyspensa 5. wymierzanie <wymiar> (sprawiedliwości itp.) 6. obywanie się (**with sth** bez czegoś) 7. *rel* prawo (Mojżesza itp.) 8. wydawanie (lekarstw)

dispensatory [dis'pensətəri] *s* farmakopea

dispense [dis'pens] [I] *vt* 1. rozda-ć/wać; rozdziel-ić/ać 2. wymierz-yć/ać (sprawiedliwość itp.) 3 udziel-ić/ać (**sacraments** sakramentów) 4. sporządz-ić/ać (lekarstwa); wykon-ać/ywać (receptę) 5. uw-olnić/alniać (**from sth** od czegoś); udziel-ić/ać dyspensy (**sb** komuś) [II] *vi* 1. oby-ć/wać się (**with sth** bez czegoś) 2. czynić niepotrzebnym <zbędnym> *zob* **dispensing**

dispenser [dis'pensə] *s* aptekarz

dispensing [dis'pensiŋ] [I] *zob* **dispense** [II] *adj* dawkujący; dozujący; **~ chemist** aptekarz [III] *attr* apteczny; aptekarski

dispeople [dis'pi:pl] *vt* wyludni-ć/ać

dispersal [dis'pə:sl] = **dispersion**

disperse [dis'pə:s] [I] *vt* 1. rozpr-oszyć/aszać; roz-egnać/ganiać; rozpędz-ić/ać 2. s/płoszyć 3. rozsi-ać/ewać 4. *fiz* rozszczepi-ć/ać (światło) 5. *med* z/resorbować [II] *vi* 1. rozpr-oszyć/aszać się; roz-ejść/chodzić <rozbie-c/gać, rozl-ecieć/atywać> się; pójść/iść w rozsypkę 2. (*o ciemności itp*) znik-nąć/ać 3. pierzch-nąć/ać

dispersedly [dis'pə:sidli] *adv* w rozproszeniu; tu i tam; to tu, to tam

dispersion [dis'pə:ʃən] *s* 1. rozproszenie; rozpędzenie; spłoszenie 2. roz-ejście/chodzenie <rozbieganie, rozlatywanie> się; rozsypka; pierzchnięcie 3. *fiz* rozszczepienie (światła), dyspersja 4. rozrzut

dispersive [dis'pə:siv] *adj* rozpraszający; *fiz* rozszczepiający (światło)

dispirit [di'spirit] *vt* przygnębi-ć/ać; zniechęc-ić/ać; przytł-oczyć/aczać (kogoś)

dispiteous [dis'pitiəs] *adj lit* bezlitosny

displace [dis'pleis] *vt* 1. przesu-nąć/wać; przestawi-ć/ać; prze-łożyć/kładać; przen-ieść/osić; przemie-ścić/szczać 2. usu-nąć/wać (pracownika) ze stanowiska 3. zast-ąpić/ępować (**sb** <**sth**> **by sb** <**sth**> kogoś <coś> kimś <czymś>); zaj-ąć/mować miejsce (**sb** czyjeś) 4. wyp-rzeć/ierać; wysiedl-ić/ać; **~d persons** wysiedleni, wysiedleńcy; uchodźcy 5. *geol* zaburz-yć/ać

displaceable [dis'pleisəbl] *adj* przenośny; ruchomy

displacement [dis'pleismənt] *s* 1. przesu-nięcie/wanie; przestawi-enie/anie; przen-iesienie/oszenie; przemieszcz-enie/anie 2. zastąpienie 3. wyparcie; rugi; wysiedl-enie/anie 4. wyporność (okrętu itp.) 5. *geol* zaburzenie, dyslokacja 6. *techn* pojemność skokowa (silnika, cylindra)

display [dis'plei] [I] *vt* 1. wystawi-ć/ać na pokaz 2. okaz-ać/ywać; za/manifestować; da-ć/wać dowód (**sth** czegoś); rozwi-nąć/jać (energię itp.) 3. popis-ać/ywać się (**sth** czymś) 4. odsł-onić/aniać 5. *druk* wyróżni-ć/ać [II] *s* 1. wystawa (sklepowa itp.); pokaz 2. za/manifestowanie <manifestacja> (uczuć itd.) 3. popis-anie/ywanie się (**of sth** czymś) 4. wystawność; ostentacja; parada; popisy (lotnicze itd.) 5. *druk* wyróżnienie

displease [dis'pli:z] *vt* nie s/podobać się (**sb** komuś); wywoł-ać/ywać niezadowolenie (**sb** czyjeś, u kogoś); nara-zić/żać się (**sb** komuś); ura-zić/żać; z/irytować; **to be ~d at** <**with**> **sb, sth** być niezadowolonym z kogoś, czegoś; zirytować się na kogoś, coś *zob* **displeasing**

displeasing [dis'pli:ziŋ] [I] *zob* **displease** [II] *adj* nieprzyjemny

displeasure [dis'pleʒə] *s* niezadowolenie; gniew; irytacja

displume [dis'plu:m] *vt poet* oskubywać z piór

disport [dis'pɔ:t] [I] *vr* **~ oneself** za/bawić się; po/figlować [II] † *s* zabawa; rozrywka; figle

disposable [dis'pouzəbl] *adj* będący <stojący> do dyspozycji; rozporządzalny

disposal [dis'pouzəl] *s* 1. rozmieszczenie; układ; rozlokowanie 2. rozporządz-enie/anie (**of sth** czymś); **at sb's ~** (stojący) do czyjejś dyspozycji; **the means at my ~** środki, którymi dysponuję 3. pozby-cie/wanie się; usu-nięcie/wanie; z/niszczenie; wywóz (śmieci itp.) 4. załatwi-enie/anie <rozprawi-enie/anie> się (**of sb, sth** z kimś, czymś) 5. sprzedaż

dispose [dis'pouz] [I] *vt* 1. rozmie-ścić/szczać; uło-żyć/układać; roz/lokować 2. rozporządz-ić/ać (**sth** czymś); *przysł* **man proposes, God ~s** człowiek strzela, Pan Bóg kule nosi 3. skł-onić/aniać <nakł-onić/aniać, uspos-obić/abiać> (**sb to sth, to do sth** kogoś do czegoś, do zrobienia czegoś) [II] *vr* **~ oneself** nastawi-ć/ać się (**to sth** na coś); przyspos-obić/abiać się (**to sth** do czegoś) [III] *vi* 1. rozporządz-ić/ać <za/dysponować> (**of sth** czymś); 2. pozby-ć/wać się (**of sb, sth** kogoś, czegoś); odprawi-ć/ać (**of sb** kogoś); usu-nąć/wać (**of sth** coś); z/niszczyć (**of sth** coś); roz-ebrać/bierać (**of a building etc.** budynek itd.); wyw-ieźć/ozić (**of refuse etc.** śmieci itd.) 3. załatwi-ć/ać <rozprawi-ć/ać> się (**of sb, sth** z kimś, czymś) 4. sprzeda-ć/wać <odst-ąpić/ępować> (**of sth** coś); **to be ~d of** do sprzedania *zob* **disposed**

disposed [dis'pouzd] [I] *zob* **dispose** [II] *adj* 1. skłonny (**to sth** do czegoś); **to be ~ to sth** mieć skłonność do czegoś; **if you feel so ~** jeżeli masz ochotę; **to be ~ to do sth** być gotowym coś uczynić 2. (dobrze, źle itd.) usposobiony (**towards sb** do kogoś)

disposition [ˌdispə'ziʃən] *s* 1. = **disposal** 1., 2., 3. 2. skłonność <dyspozycja> (**to sth, to do sth** do czegoś, do robienia czegoś); usposobienie; pociąg <popęd, żyłka> (**to sth, to do sth** do czegoś) 3. (*zw pl*) dyspozycje; zarządzenia 4. rozporządzenie (majątkiem itp.)

dispossess ['dispə'zes] *vt* 1. wywłaszcz-yć/ać 2. wysiedl-ić/ać; **to ~ sb of an evil spirit** wypędz-ić/ać szatana z kogoś

dispossession ['dispə'zeʃən] *s* 1. wywłaszczenie, ekspropriacja 2. wysiedl-enie/anie

dispraise [dis'preiz] [I] *s* krytyka; zarzuty [II] *vt* s/krytykować; z/ganić

disproof [dis'pru:f] *s* zbicie <odparcie, obalenie> wywodów <zarzutów>

disproportion ['disprə'pɔ:ʃən] *s* dysproporcja; niewspółmierność

disproportionate [ˌdisprə'pɔ:ʃnit] *adj* niewspółmierny; nieproporcjonalny

disprove [dis'pru:v] *vt* (*praet* **disproved** [dis'pru:vd], *pp* **disproved, disproven** [dis'pru:vn]) zbi-ć/jać <od-eprzeć/pierać, obal-ić/ać> (wywody, zarzuty)

disproven *zob* **disprove**

disputable [dis'pju:təbl] *adj* sporny; wątpliwy; niepewny; (*o kwestii*) otwarty; nie rozstrzygnięty

disputation [ˌdispju'teiʃən] *s* spór; debata; dysputa

disputatious [ˌdispju'teiʃəs] *adj* skłonny do polemizowania; swarliwy; kłótliwy

dispute [dis'pju:t] [I] *vt* 1. dyskutować (**sth** nad <o> czymś), rozprawiać (**sth** o <nad> czymś) 2. bronić (**sth** czegoś); walczyć (**sth** o coś) 3. za/kwestionować; zaprzecz-yć/ać (**sth** czemuś) [II] *vi* 1. spierać się; dysputować (**about** <**on**> **sth** o czymś) 2. sprzeciwiać się (**against sb about** <**on**> **sth** komuś w sprawie czegoś) 3. kłócić <wadzić> się *zob* **disputed** [III] *s* 1. spór; dysputa; dyskusja; **beyond ~** bezsporny, bezspornie; bezsprzeczny, bezsprzecznie 2. sprzeczka; zwada; kłótnia

disputed [dis'pju:tid] [I] *zob* **dispute** *v* [II] *adj* (*o sprawie, kwestii*) nie rozstrzygnięty; otwarty

disqualification [disˌkwɔlifi'keiʃən] *s* 1. niezdolność <niezdatność> (**for sth** do czegoś) 2. dyskwalifikacja 3. przyczyna niezdolności (**for sth** do czegoś) 4. *sport* z/dyskwalifikowanie

disqualify [dis'kwɔliˌfai] *vt* (**disqualified** [dis'kwɔliˌfaid], **disqualified; disqualifying** [dis'kwɔliˌfaiiŋ]) 1. u/czynić (kogoś) niezdolnym (**for sth** do czegoś) 2. uzna-ć/wać (**kogoś**) za niezdolnego (do działań prawnych itd.) 3. *sport* z/dyskwalifikować

disquiet [dis'kwaiət] [I] *adj* niespokojny; zaniepokojony [II] *s* niepokój; zaniepokojenie [III] *vt* 1. za/niepokoić; wprawi-ć/ać **w** niepokój 2. trudzić; niepokoić

disquietude [dis'kwaiəˌtju:d] *s* niepokój; zaniepokojenie

disquisition [ˌdiskwi'ziʃən] *s* 1. † badanie 2. rozprawa <dysertacja> (**on sth** o czymś)

disrate [dis'reit] *vt mar* z/degradować

disregard [ˌdisri'ga:d] [I] *vt* 1. z/lekceważyć (przepis, prawo) 2. nie zważać (**sth** na coś); pomi-nąć/jać; z/ignorować [II] *s* 1. lekceważenie (przepisów, prawa) 2. niezważanie (**of** <**for**> **sth** na coś); pominięcie 3. brak poszanowania (dla starszych itd.)

disregardful [ˌdisri'ga:dful] *adj* lekceważący

disrelish [dis'reliʃ] [I] *vt* czuć niesmak <mieć awersję> (**sth** do czegoś); nie lubić (**sb, sth** kogoś, czegoś) [II] *s* niesmak <awersja> (**for sth** do czegoś)

disremember [ˌdisri'membə] *vt dial* zapom-nieć/inać (**sth** o czymś); **I ~ed the fact** wyszło mi to z pamięci; wyleciało mi to z głowy

disrepair ['disri'pɛə] *s* stan zniszczenia; **in ~** zniszczony; uszkodzony; wymagający naprawy; **to fall into ~** z/niszczeć; z/niszczyć się

disreputable [dis'repjutəbl] *adj* 1. (*o czynie*) haniebny; sromotny; niecny 2. (*o człowieku*) mający złą opinię; podejrzany 3. (*o człowieku*) niegodziwy; podły 4. (*o części garderoby itd*) nędzny; zdarty; zniszczony; zdezelowany 5. (*o budynku*) walący się

disreputable-looking [dis'repjutəblˌlukiŋ] *adj* podejrzany; o podejrzanym wyglądzie

disrepute ['disri'pju:t] *s* hańba; zła reputacja; **to bring sb into ~** zepsuć komuś opinię; okryć kogoś hańbą; zdyskredytować kogoś; **to fall into ~** okry-ć/wać się hańbą; s/tracić dobrą reputację; z/dyskredytować się

disrespect ['disris'pekt] *s* brak szacunku; **to treat sb with ~** po/traktować kogoś lekceważąco; okaz-ać/ywać komuś brak poszanowania

disrespectful [ˌdisris'pektful] *adj* bez uszanowania (**to sb** dla kogoś); lekceważący

disrobe ['dis'roub] [I] *vt* 1. roz-ebrać/bierać 2. pom-óc/agać zdjąć szaty (liturgiczne itp.) (**sb** komuś) 3. *dosł i przen* obnaż-yć/ać [II] *vi* 1. roz-ebrać/bierać się 2. obnaż-yć/ać się

disroot [dis'ru:t] *vt* 1. wyr-wać/ywać z korzeniami 2. wysiedli-ć/ać

disrupt [dis'rʌpt] *vt* 1. roz-erwać/rywać; rozwal-ić/ać; z/niszczyć 2. zwal-ić/ać; obal-ić/ać 3. przer-wać/ywać (połączenie itd.); wywoł-ać/ywać przerwę (**traffic** w ruchu)

disruption [dis'rʌpʃən] *s* 1. rozerwanie; zniszczenie 2. rozdział 3. obalenie 4. przerwanie (połączenia); wywołanie przerwy (**of the traffic** w ruchu)

disruptive [dis'rʌptiv] *adj* 1. rozrywający; niszczący 2. (*o bombach itp*) kruszący

dissatisfaction ['dis,sætis'fækʃən] *s* niezadowolenie (**with** <**at**> **sb, sth** z kogoś, czegoś)

dissatisfied ['dis'sætis,faid] I *zob* **dissatisfy** II *adj* niezadowolony (**at** <**with**> **sb, sth** z kogoś, czegoś)

dissatisfy ['dis'sætis,fai] *vt* (**dissatisfied** ['dis'sætis ,faid], **dissatisfied; dissatisfying** ['dis'sætis,faiiŋ]) wywoł-ać/ywać niezadowolenie (**sb** u kogoś) *zob* **dissatisfied**

dissect [di'sekt] *vt* 1. z/robić sekcję (**sth** czegoś) 2. podda-ć/wać drobiazgowej analizie

dissecting-room [di'sektiŋ,rum] *s* prosektorium

dissection [di'sekʃən] *s* 1. sekcja (zwłok itp.) 2. drobiazgowa analiza

disseise [dis'si:z] *vt* wywłaszcz-yć/ać

dissemble [di'sembl] I *vt* 1. ukry-ć/wać (uczucia itp.) 2. uda-ć/wać <symulować> (coś) 3. przemilcz-eć/ać; z/ignorować II *vi* uda-ć/wać; symulować *zob* **dissembling**

dissembler [di'semblə] *s* obłudni-k/ca

dissembling [di'sembliŋ] I *zob* **dissemble** II *s* obłuda; *rz* dysymulacja III *adj* obłudny; fałszywy

disseminate [di'semi,neit] *vt* po/siać; *przen* rozsi-ać/ewać; szerzyć

dissemination [di,semi'neiʃən] *s* rozsiewanie; szerzenie

dissension [di'senʃən] *s* niezgoda; swary; waśń

dissent [di'sent] I *vi* różnić się w zapatrywaniach (**from sb** z kimś); mieć odmienne <rozbieżne> zapatrywania; być innego zdania (**from sb** od kogoś, aniżeli <niż> ktoś) *zob* **dissenting** II *s* 1. różnica zdań; rozbieżność zapatrywań 2. odstępstwo (od religii panującej)

dissenter [di'sentə] *s* odszczepieniec; *hist* dysydent

dissentient [di'senʃiənt] *adj* niezgodny; **a ~ voice** głos sprzeciwu

dissenting [di'sentiŋ] I *zob* **dissent** *v* II *adj hist* dysydencki

dissepiment [di'sepimənt] *s anat bot* przegrodzenie; przegroda

dissertation [,disə'teiʃən] *s* dysertacja; rozprawa

disserve [dis'sə:v] *vt* źle się przysłużyć <zaszkodzić> (**sb** komuś)

disservice ['dis'sə:vis] *s* szkoda; uszczerbek; zła przysługa

dissever [dis'sevə] *vt vi* rozłącz-yć/ać <od-erwać/rywać, roz-erwać/rywać> (się)

disseverance [dis'sevərəns] *s* rozłączenie <rozerwanie, oderwanie> (się)

dissidence ['disidəns] *s* niezgodność; różnica <rozbieżność> zapatrywań

dissident ['disidənt] I *adj* niezgodny; odmiennych zapatrywań II *s* odszczepieniec; *hist* dysydent

dissimilar ['di'similə] *adj* 1. niepodobny (**to** <**from, with**> **sb, sth** do kogoś, czegoś); różny (**to** <**from, with**> **sb, sth** od kogoś, czegoś)

dissimilarity [,disimi'læriti] *s* odmienność (**to sb, sth** od kogoś, czegoś); różnica

dissimilation ['disimi'leiʃən] *s jęz* dysymilacja, odpodobnienie

dissimilitude [,disi'mili,tju:d] *s* różnica

dissimulate [di'simju,leit] I *vt* 1. udawać <symulować> (coś) 2. ukrywać II *vi* udawać, symulować

dissimulation [di,simju'leiʃən] *s* 1. udawanie; symulacja 2. obłuda

dissipate ['disi,peit] I *vt* 1. rozpr-oszyć/aszać (chmury, ciemności, uwagę itd.); rozpędz-ić/ać; rozegnać, rozgonić 2. roz/trwonić; z/marnować 3. rozdr-obnić/abniać (siły itp.) II *vi* 1. ul-otnić/atniać się; znik-nąć/ać 2. (*o energii itp*) rozpr-oszyć/aszać się 3. (*o człowieku*) za/bawić się; po/hulać *zob* **dissipated**

dissipated ['disi,peitid] I *zob* **dissipate** II *adj* hulaszczy; rozpustny

dissipation [,disi'peiʃən] *s* 1. rozpr-oszenie/aszanie; rozpędz-enie/anie; rozegnanie 2. roz/trwonienie; z/marnowanie 3. rozdr-obnienie/abnianie (sił itd.) 4. (*także* **~ of mind**) rozproszona uwaga; brak skupienia 5. rozrywka 6. hulaszcze życie; rozpusta

dissociable [di'souʃiəbl] *adj* 1. *chem* zdolny do dysocjacji 2. (*o człowieku*) nietowarzyski

dissociate [di'souʃi,eit], **disassociate** [,disə'souʃi,eit] I *vt* 1. odłącz-yć/ać <oddziel-ić/ać> (od kogoś, czegoś) 2. rozłącz-yć/ać; rozdziel-ić/ać 3. *chem* dysocjować II *vr* **~ oneself** wyrze-c/kać się związku <łączności> (**from sb, sth** z kimś, czymś)

dissociation [di,sousi'eiʃən], **disassociation** ['disə ,sousi'eiʃən] *s* 1. odłącz-enie/anie; oddziel-enie/anie 2. rozdziel-enie/anie 3. *chem* dysocjacja 4. *psych* rozdwojenie <rozszczepienie> osobowości

dissolubility [di,sɔlju'biliti] *s* 1. rozpuszczalność 2. rozerwalność (związku małżeńskiego)

dissoluble [di'sɔljubl] *adj* 1. rozpuszczalny 2. (*o związku małżeńskim*) rozerwalny

dissolute ['disə,lu:t] *adj* rozpustny; rozwiązły

dissoluteness ['disə,lu:tnis] *s* rozpusta; rozwiązłość

dissolution [,disə'lu:ʃən] *s* 1. rozkład; rozpad 2. (*także chem*) roz-łożenie/kładanie 3. roztopienie (się); rozpuszcz-enie/anie (się) 4. rozwiąz-anie/ywanie (się) (spółki, parlamentu itp.) 5. rozwi-anie/ewanie (się) (złudzeń itp.) 6. roz-erwanie/rywanie (związku małżeńskiego) 7. zanik 8. śmierć; zgon

dissolvable [di'zɔlvəbl] *adj* 1. rozpuszczalny 2. (*o związku małżeńskim*) rozerwalny 3. (*o przymierzu itp*) rozwiązalny

dissolve [di'zɔlv] I *vt* 1. *chem* roz-łożyć/kładać 2. rozt-opić/apiać; *chem* rozpu-ścić/szczać; **to be ~d in tears** zalewać się łzami; *kino* **to ~ one scene into another** zastosować przenikanie (wzajemne) obrazów 3. rozwiąz-ać/ywać (spółkę, parlament, problem itp.) 4. rozwi-ać/ewać (złudzenia itp.) 5. roz-erwać/rywać (związek małżeński) 6. unieważni-ć/ać; s/kasować II *vi* 1. roz-łożyć/kładać się 2. rozt-opić/apiać się; **to ~ in tears** zal-ać/ewać się łzami 3. rozwiąz-ać/ywać się 4. (*o złudzeniach itp*) rozwi-ać/ewać się; prys-nąć/kać; znik-nąć/ać; (*o tłumie itp*) roz-ejść/chodzić się 5. *kino* (*o obrazach*) stopniowo zanikać <ukazywać się>

dissolvent [di'zɔlvənt] I *s chem* rozczynnik; rozpuszczalnik II *adj* rozpuszczający

dissonance ['disənəns] *s* dysonans; rozdźwięk; dysharmonia

dissonant ['disənənt] *adj* nie harmonizujący <niezgodny> (**from sth** z czymś)

dissuade [di'sweid] *vt* odradz-ić/ać; wyperswadować (**sb from sth** komuś coś; **from doing sth** robienie czegoś); odw-ieść/odzić <odm-ówić/awiać> kogoś (**from sth** od czegoś; **from doing sth** od zrobienia czegoś)

dissuasion [di'sweiʒən] *s* odradzanie (**from sth** czegoś); odmawianie (kogoś od czegoś)

dissuasive [di'sweisiv] *adj* odradzający; zniechęcający; odwodzący (od czegoś)

dissyllable = **disyllable**

dissymmetric(al) ['disi'metrik(l)] *adj* 1. asymetryczny 2. symetryczny w odwrotnym kierunku

distaff ['distɑ:f] *s* kądziel; **on the ~ side** po kądzieli

distal ['distəl] *adj anat* dalszy (od osi ciała); obwodowy

distance ['distəns] [I] *s* 1. odległość (w przestrzeni i czasie); oddalenie; dal; droga (do przebycia); dystans; **part of the ~** kawałek <część> drogi; **a good ~ off** w dość znacznym oddaleniu; dość daleko; **a long <short> ~ from —** daleko <niedaleko> od...; **at a ~** w pewnej odległości; **at a ~ of —** w odległości...; **from a ~** z oddali; z pewnego oddalenia; **in the ~** w oddali; **no ~** zupełnie blisko; *pot* bliziutko; **within calling ~** w zasięgu głosu; **within speaking ~** w odległości umożliwiającej ustne porozumienie się; **within walking ~** w odległości do przebycia pieszo <spacerem> 2. (*także w czasie*) przestrzeń 3. odstęp; rozstęp 4. (*w obrazie*) dal; głąb; **the middle ~** drugi plan 5. *przen* dystans; rezerwa; **to keep sb at a ~** traktować kogoś sztywno <z rezerwą>; **keep your ~ please!** tylko bez poufałości! 6. *w zwrocie:* **~ of manner** rezerwa <chłód> w obejściu 7. *techn w zwrocie:* **clear ~** rozpiętość w świetle; prześwit [II] *vt* 1. oddal-ić/ać 2. *sport* z/dystansować

distant ['distənt] *adj* 1. odległy (w przestrzeni i czasie); daleki; **x miles ~** oddalony o *x* mil; **a ~ likeness** odległe podobieństwo; cień podobieństwa 2. (*o aluzji*) delikatny 3. (*o spojrzeniu*) nie widzący 4. (*o przeszłości*) zamierzchły 5. (*o wspomnieniu*) słaby, mglisty; **to have a ~ recollection** pamiętać jak gdyby przez mgłę 6. (*o zachowaniu*) sztywny, zimny, z rezerwą; **we are on ~ terms** trzymamy się z daleka 7. *techn* zdalny

distaste ['dis'teist] *s* niechęć; awersja; wstręt (**for sth** do czegoś)

distasteful [dis'teistful] *adj* przykry; wstrętny

distemper[1] [dis'tempə] *s* 1. choroba; dolegliwość 2. *wet* psia zaraza 3. niepokój (społeczny); zaburzenia; zamieszki

distemper[2] [dis'tempə] *vt* rozstr-oić/ajać; **a ~ed mind** rozstrój psychiczny

distemper[3] [dis'tempə] [I] *s* 1. tempera (farba i obraz) 2. farba klejowa [II] *vt* 1. po/malować temperą 2. po/malować farbą klejową

distend [dis'tend] [I] *vt* 1. rozd-ąć/ymać 2. rozszerz-yć/ać; rozciąg-nąć/ać 3. nad-ąć/ymać 4. rozpierać [II] *vi* 1. rozszerz-yć/ać się 2. rozd-ąć/ymać się; nabrzmie-ć/wać

distensible [dis'tensəbl] *adj* rozszerzalny; rozciągliwy

distension [dis'tenʃən] *s* rozszerz-enie/anie (się); rozdęcie; nabrzmienie

distich ['distik] *s prozod* dystych, dwuwiersz

distil [dis'til] *v* (**-ll-**) [I] *vi* 1. prze/destylować się 2. przesącz-yć/ać się; kapać [II] *vt* 1. wy/destylować; z/rektyfikować 2. pędzić (wódkę itp.) 3. rafinować 4. przesącz-yć/ać *zob* **distilling**

distillate ['distilit] *s chem* destylat, odpęd

distillation [,disti'leiʃən] *s chem* 1. destylacja; rektyfikacja; przekr-oplenie/aplanie; odpędzenie 2. destylat, odpęd

distiller [dis'tilə] *s* 1. (*o człowieku*) destylator; gorzelnik 2. (*o przyrządzie*) destylator; *pot* destylarka

distillery [dis'tiləri] *s* destylarnia; gorzelnia; **oil ~** rafineria nafty

distilling [dis'tiliŋ] [I] *zob* **distil** [II] *attr* (*o aparacie, kolbie, głowicy, nasadce itd*) destylacyjny; **~ condenser** destylator; *pot* destylarka

distinct [dis'tiŋkt] *adj* 1. różny <odmienny> (od kogoś, czegoś); **as ~ from —** w odróżnieniu od... 2. wyraźny; jasny; dobitny; (*o przyrzeczeniu, rozkazie itp*) formalny 3. oddzielny

distinction [dis'tiŋkʃən] *s* 1. różnica; **a ~ without a difference** pozorna różnica 2. odróżni-enie/anie; **to make a ~ between two things** odróżniać dwie rzeczy; **without ~ of —** bez względu na... 3. odznaczenie; wyróżnienie 4. wyróżni-enie/anie się; **a man of ~** wybitny człowiek; **to gain ~** wyróżni-ć/ać się 5. indywidualny charakter (stylu) 6. wyrazistość

distinctive [dis'tiŋktiv] *adj* wyróżniający; charakterystyczny; rozpoznawczy

distinctness [dis'tiŋktnis] *s* 1. wyrazistość; jasność; dobitność 2. cechy odróżniające (**from sth** od czegoś)

distinguish [dis'tiŋgwiʃ] [I] *vt* 1. odróżni-ć/ać; rozpozna-ć/wać 2. dostrze-c/gać; zauważ-yć/ać 3. wyróżni-ć/ać 4. znamionować [II] *vr* **~ oneself** odznacz-yć/ać <wyróżni-ć/ać> się *zob* **distinguished**

distinguishable [dis'tiŋgwiʃəbl] 1. rozpoznawalny; **to be ~** dać się odróżnić 2. dostrzegalny

distinguished [dis'tingwiʃt] [I] *zob* **distinguish** [II] *adj* 1. znakomity; wybitny 2. dystyngowany; **to look ~** wyglądać dystyngowanie 3. odznaczający się (**for <by> sth** czymś)

distort [dis'tɔ:t] *vt* 1. skręc-ić/ać; s/paczyć; wykrzywi-ć/ać; wykoślawi-ć/ać 2. przekręc-ić/ać; fałszywie przedstawi-ć/ać <tłumaczyć>; zniekształc-ić/ać (fakty, prawdę itd.)

distortion [dis'tɔ:ʃən] *s* 1. skręcenie; spaczenie; wykrzywienie; wykoślawienie 2. przekręc-enie/anie; fałszywe przedstawienie <tłumaczenie>; zniekształcenie (faktów, prawdy itd.)

distortionist [dis'tɔ:ʃənist] = **contortionist**

distract [dis'trækt] *vt* 1. od-erwać/rywać <odciąg-nąć/ać> (myśl, uwagę od czegoś) 2. rozpr-oszyć/aszać (uwagę); wywoł-ać/ywać roztargnienie (**sb** u kogoś) 3. osz-ołomić/ałamiać 4. doprowadz-ić/ać do szału *zob* **distracted**

distracted [dis'træktid] [I] *zob* **distract** [II] *adj* 1. roztargniony 2. oszalały

distractedly [dis'træktidli] *adv* szaleńczo; do szaleństwa (kochać itp.)

distraction [dis'trækʃən] *s* 1. rozrywka 2. oderwanie <rozproszenie> uwagi; roztargnienie; brak skupienia 3. przerwa (w pracy) 4. rozstrój; rozterka (duchowa) 5. szaleństwo; **to ~** nieprzytomnie; do szaleństwa

distrain [disˈtrein] *vi prawn* zaj-ąć/mować (**upon sb** czyjąś własność); z/robić zajęcie <egzekucję> (**upon sb's property** czyjegoś mienia); **to ~ upon sb** przez sekwestrację <zajęcie mienia> zmu-sić/szać kogoś do zapłaty

distrainee [ˌdistreiˈni:] *s prawn* dłużni-k/czka, u które-go/j robi się zajęcie

distrainer, distrainor [disˈtreinə] *s prawn* wierzyciel/ka robiąc-y/a zajęcie

distraint [disˈtreint] *s prawn* zajęcie (mienia); egzekucja

distraught [disˈtrɔ:t] = **distracted** *adj*

distress [disˈtres] [I] *s* 1. strapienie; zmartwienie; niedola; rozpacz; **companion in ~** towarzysz/ka niedoli 2. bieda; nędza; brak środków do życia; **~ committee** komitet niesienia pomocy (ofiarom katastrofy itp.) 3. niebezpieczeństwo życia; rozpaczliwe położenie; **~ signal** sygnał alarmowy <SOS> 4. wyczerpanie; brak tchu 5. = **distraint** [II] *vt* 1. s/trapić; z/martwić; unieszczęśliwi-ć/ać 2. = **distrain** [III] *vr* **~ oneself** s/trapić się *zob* **distressed, distressing**

distressed [disˈtrest] [I] *zob* **distress** *v* [II] *adj* 1. strapiony; dotknięty nieszczęściem; w niedoli 2. w biedzie; pozbawiony środków do życia; **~ area** okolica dotknięta klęską bezrobocia <nędzy> 3. (*o człowieku*) w niebezpieczeństwie 4. wyczerpany; bez tchu 5. (*o mieniu*) zajęty; zasekwestrowany

distressful [disˈtresful] = **distressing** *adj*

distress-gun [disˈtresˌgʌn] *s* wystrzał alarmowy (jako sygnał wzywający na pomoc)

distressing [disˈtresiŋ] [I] *zob* **distress** *v* [II] *adj* 1. niepokojący 2. smutny; rozpaczliwy

distributable [disˈtribjutəbl] *adj* podzielny

distributary [disˈtribjutəri] [I] *adj* rozdzielczy [II] *s* odnoga (rzeki)

distribute [disˈtribjut] *vt* 1. rozdziel-ić/ać; rozda-ć/wać; rozprowadz-ić/ać; rozmie-ścić/szczać; roz-łożyć/kładać; rozn-ieść/osić; rozrzuc-ić/ać 2. *druk* roz-ebrać/bierać (skład) *zob* **distributing**

distributing [disˈtribjutiŋ] [I] *zob* **distribute** [II] *adj* rozdzielczy

distribution [ˌdistriˈbju:ʃən] [I] *s* 1. rozdział; rozdawanie; rozprowadz-enie/anie; rozkład; rozmieszczenie; roznoszenie; dystrybucja; podział; repartycja 2. *techn* rozrząd 3. *druk* rozbiórka (składu) [II] *attr techn* rozdzielczy

distributive [disˈtribjutiv] *adj* rozdzielczy

distributor [disˈtribjutə] *s* 1. rozdzielca; dystrybutor; rozprowadzający 2. *handl* przedstawiciel (firmy) 3. *techn* skrapiarka 4. *techn* polewaczka 5. *techn* opylarka 6. *techn elektr* rozdzielacz

district [ˈdistrikt] [I] *s* 1. okręg; obwód; rejon 2. dzielnica (miasta) 3. okolica (kraju itp.) 4. *am* **Congressional ~** okręg wyborczy [II] *attr* 1. okręgowy; obwodowy 2. dzielnicowy

distrust [disˈtrʌst] [I] *s* niedowierzanie; nieufność; brak zaufania; podejrzliwość [II] *vt* nie dowierzać <nie ufać> (**sb** komuś); podejrzewać

distrustful [disˈtrʌstful] *adj* nieufny; podejrzliwy; **to be ~ of sb** nie ufać komuś; podejrzewać kogoś; **to be ~ of sth** nie mieć zaufania do czegoś

disturb [disˈtə:b] *vt* 1. niepokoić; przeszk-odzić/adzać (**sb** komuś) 2. wstrząs-nąć/ać (**sb, sth** kimś, czymś) 3. narusz-yć/ać <zakłóc-ić/ać> (porządek, spokój publiczny itp.); przewr-ócić/acać (papiery itp.); wprowadz-ić/ać nieporządek <zaburzenie> (**sth w** czymś) 4. z/burzyć (plany itp.) 5. za/niepokoić; z/denerwować

disturbance [disˈtə:bəns] *s* 1. zakłócenie; zaburzenie; przeszkoda; wstrząs 2. poruszenie; burda; awantura; zakłócenie spokoju publicznego 3. niepokoje; rozruchy 4. zaniepokojenie; zdenerwowanie 5. *prawn* naruszenie stanu posiadania

disulphide [daiˈsʌlfaid] *s chem* dwusiarczek

disunion [ˈdisˈju:niən] *s* 1. rozłączenie; rozbicie (jedności) 2. niezgoda

disunite [ˈdisjuˌnait] [I] *vt* rozłącz-yć/ać; rozbi-ć/jać jedność <po/siać niezgodę> (**a family etc.** w rodzinie itd.) [II] *vi* rozłącz-yć/ać <roz-ejść/chodzić> się; wziąć/brać rozbrat

disuse [ˈdisˈju:s] [I] *s* zarzucenie (czegoś); nieużywanie (przedmiotu); **to fall into ~** wy-jść/chodzić z użycia; (*o przedmiocie*) nie być używanym; (*o prawie*) nie być stosowanym [II] *vt* [ˈdisˈju:z] zarzuc-ić/ać; przesta-ć/wać posługiwać się (**sth** czymś) *zob* **disused**

disused [ˈdisˈju:zd] [I] *zob* **disuse** *v* [II] *adj* 1. przestarzały; wyszły z użycia 2. nie używany

disyllabic [ˈdisiˈlæbik] *adj* dwuzgłoskowy

disyllable [diˈsiləbl] *s* dwuzgłoskowiec, wyraz dwusylabowy

ditch [ditʃ] [I] *s* 1. rów; kanał; *przen* rynsztok; **to die in the last ~** bronić się do ostatka 2. *pot lotn* **the Ditch** La Manche; Morze Północne [II] *vt* 1. osusz-yć/ać rowami; wy/drenować; wy/kopać rowy (**a region** na danym obszarze) 2. *am* wykoleić (pociąg) 3. *am* wjechać do rowu (**a car etc.** samochodem itp.); *am* **to be ~ed** być w kłopotach *zob* **ditching**

ditcher [ˈditʃə] *s* dróżnik

ditching [ˈditʃiŋ] [I] *zob* **ditch** *v* [II] *s* kopanie <czyszczenie> rowów

ditch-water [ˈditʃˌwɔ:tə] *s* woda stojąca (w rowie); *żart* **clear as ~** jasny jak atrament; **dull as ~** nudny jak flaki z olejem

dither [ˈdiðə] [I] *vi* trząść się; dygotać; drżeć; być roztrzęsionym [II] *s* dygotanie; **he was all of a ~** trząsł się cały

dithering-grass [ˈdiðəriŋˌgrɑ:s] *s bot* drżączka

dithery [ˈdiðəri] *adj* roztrzęsiony; rozdygotany; **I feel ~** jestem (cały) roztrzęsiony

dithyramb [ˈdiθiˌræmb] *s* dytyramb, pieśń pochwalna

dittany [ˈditəni] *s bot* dyptam

ditto [ˈditou] [I] *s* to samo; **a suit of ~s** garnitur (męski); **~ mark** znak powtórzenia; **to say ~ to sb** zgodzić się z kimś [II] *adj* taki sam, identyczny

ditty [ˈditi] *s* piosenka; śpiewka

ditty-bag [ˈditiˌbæg], **ditty-box** [ˈditiˌbɔks] *s* pudełko <kuferek> na drobiazgi osobiste (marynarza)

diuresis [ˌdaijuəˈri:sis] *s med* zwiększone wydzielanie moczu

diuretic [ˌdaijuəˈretik] *adj* moczopędny

diurnal [daiˈə:nl] *adj astr* dzienny

diva [ˈdi:və] *s* diwa; primadonna

divagate [ˈdaivəˌgeit] *vi* 1. błąkać się; wędrować 2. odbie-c/gać od tematu

divalent ['dai,veilənt] *adj chem* dwuwartościowy
divan [di'væn] *s* 1. (*u dawnej Turcji*) dywan, rada państwa 2. otomanka 3. palarnia 4. sklep tytoniowy
divaricate [dai'væri,keit] [I] *vi* rozwidl-ić/ać się [II] *adj* [dai'værikit] rozwidlony
divarication [dai,væri'keiʃən] *s* rozwidl-enie/anie się
dive [daiv] [I] *vi* 1. sk-oczyć/akać do wody; nurkować 2. *przen* wsu-nąć/wać rękę (**into** __ do...— kieszeni itd.); sięg-nąć (**for sth po** coś) 3. zgubić się (**into the crowd etc.** w tłumie itd.); dać nura (**into the crowd etc.** w tłum itd.) 4. zagłębi-ć/ać <pogrąż-yć/ać> się (**into sth** w czymś) 5. *lotn* pikować *zob* **diving** [II] *s* 1. skok do wody; nurkowanie; **to make a ~ into one's pocket** zapuścić rękę do kieszeni 2. *lotn* lot nurkowy; pikowanie 3. restauracja <bar> w podziemiach; *am* spelunka; knajpa
diver ['daivə] *s* nurek (człowiek i ptak)
diverge [dai'və:dʒ] [I] *vi* rozbiegać <rozchodzić> się; odchyl-ić/ać się (od **czegoś**) [II] *vt* odchyl-ić/ać
divergence [dai'və:dʒəns] *s* rozbieżność; odchylenie; dywergencja
divergent [dai'və:dʒənt] *adj* 1. rozbieżny 2. (*o soczewce*) rozpraszający
divers ['daivə:z] *adj* 1. † rozmaity 2. niejeden
diverse [dai'və:s] *adj* 1. rozmaity; urozmaicony 2. odmienny, inny; zmienny
diversify [dai'və:si,fai] *vt* (**diversified** [dai'və:si,faid], **diversified; diversifying** [dai'və:si,faiiŋ]) 1. urozmaic-ić/ać 2. *am* lokować (pieniądze) w rozmaitych przedsiębiorstwach
diversion [dai'və:ʃən] *s* 1. odwrócenie; zmiana kierunku; objazd 2. *wojsk* dywersja 3. odwrócenie <oderwanie> uwagi 4. rozrywka
diversity [dai'və:siti] *s* 1. rozmaitość; różnorodność 2. urozmaicenie
divert [dai'və:t] *vt* 1. odwr-ócić/acać <zmieni-ć/ać> kierunek (**sth** czegoś); s/kierować <nakierować> (**to sth** na coś) 2. od-erwać/rywać uwagę (**sb** czyjąś) 3. roz-erwać/rywać; stanowić rozrywkę (**sb** dla kogoś); bawić
Dives ['daivi:z] *spr bibl* bogacz; *prawn* **~ costs** koszty obliczone według skali podwyższonej
divest [dai'vest] [I] *vt* 1. roz-ebrać/bierać (**of sth** z czegoś) 2. uw-olnić/alniać (**of sth** od czegoś) 3. pozbawi-ć/ać (**of sth** czegoś); wyzu-ć/wać (**of sth** z czegoś) [II] *vr* **~ oneself** pozby-ć/wać się (**of sth** czegoś); złożyć/składać (**of an office etc.** urząd itp.); z/rezygnować (**of sth** z czegoś)
divestiture [dai'vestitʃə] *s prawn* wyzucie z własności
divi ['divi] *skr pot* **dividend**
divide [di'vaid] [I] *vt* 1. po/dzielić (**into parts** na części); rozdziel-ić/ać (**among people** między ludzi); rozdw-oić/ajać; rozw-ieść/odzić 2. *mat* dzielić (**by**__ przez...) 3. rozdziel-ić/ać; oddziel-ić/ać (**from sb, sth** od kogoś, czegoś) 4. dzielić; poróżnić; po/siać niezgodę (**a family etc.** w rodzinie itd.) [II] *vi* 1. dzielić się; być podzielnym; rozpa-ść/dać się (**into parts** na części); rozwidlać się 2. *parl* (*w Anglii*) *w zwrocie:* **the House ~d** zarządzono głosowanie według partii
~ off *vt* oddziel-ić/ać
~ out *vt* rozdziel-ić/ać
~ up *vt* podzielić; roz-ebrać/bierać; rozparcelować
zob **divided, dividing** [III] *s geogr* dział wód
divided [di'vaidid] [I] *zob* **divide** *v* [II] *adj* 1. niezgodny 2. (*o termometrze*) z **podziałką**; skalowany
dividend ['divi,dend] *s* 1. *mat* dzielna 2. *fin* dywidenda
divider [di'vaidə] *s* 1. dzielnik, separator; rozdzielacz 2. *pl* **~s** cyrkiel
dividing [di'vaidiŋ] [I] *zob* **divide** *v* [II] *adj* **~ line** linia dzieląca; linia podziału; **~ plate** płyta podziałowa; **~ wall** przegroda
dividual [di'vidjuəl] *adj* 1. oddzielny; osobny 2. podzielny 3. wspólny
divination [,divi'neiʃən] *s* wróżenie; wróżba
divine[1] [di'vain] [I] *adj* 1. boży 2. *dosł i przen* boski [II] *s* duchowny
divine[2] [di'vain] [I] *vt* 1. przepowi-edzieć/adać 2. przeczu-ć/wać 3. zgadywać (coś); domyślać się (**sth** czegoś) [II] *vi* wróżyć
diviner [di'vainə] *s* 1. wróż-bita/ka 2. różdżkarz
diving ['daiviŋ] [I] *zob* **dive** *v* [II] *s* 1. skakanie do wody; nurkowanie; **to be good at ~** dobrze nurkować 2. *lotn* pikowanie
diving-beetle ['daiviŋ,bi:tl] *s zoo* pływak (chrząszcz)
diving-bell ['daiviŋ,bel] *s* dzwon nurkowy
diving-board ['daiviŋ,bɔ:d] *s* skocznia; trampolina
divining-rod [di'vainiŋ,rɔd] *s* różdżka (różdżkarza)
divinity [di'viniti] *s* 1. boskość 2. **the Divinity** (Pan) Bóg 3. bożyszcze; bóstwo 4. teologia 5. *szk* nauka religii; **~ calf** ciemnobrązowa oprawa skórkowa <wytłaczana>
divinize ['divi,naiz] *vt* robić bóstwo (**sb, sth** z kogoś, czegoś)
divisibility [di,vizi'biliti] *s* podzielność
divisible [di'vizəbl] *adj* podzielny
division [di'viʒən] *s* 1. dzielenie; podział (**into parts** na części); rozbicie; rozłam; rozdwojenie; rozdrobnienie/abnianie; rozparcelowanie, parcelacja; **~ of labour** podział pracy 2. skalowanie; kalibrowanie 3. poróżnienie; niezgoda 4. *parl* (*w Anglii*) głosowanie według partii; **without a ~** bez sprzeciwu *zob* **divide** *vi* 5. dział; sekcja; kategoria; grupa; wydział 6. *wojsk* dywizja 7. *am kolej* odcinek 8. podział; podziałka <skala> (termometru itp.) 9. przegroda 10. (*w więziennictwie*) stopień surowości; rygor
divisional [di'viʒnl] *adj* 1. *wojsk* dywizyjny 2. (*o murze itp*) działowy
divisor [di'vaizə] *s mat* dzielnik
divorce [di'vɔ:s] [I] *s* 1. rozwód 2. rozdzielenie; oddzielenie [II] *attr* rozwodowy [III] *vt* 1. rozw-ieść/odzić (parę małżeńską) 2. rozw-ieść/odzić się (**one's husband** <**wife**> z mężem <z żoną>); wziąć/brać rozwód (**sb** z kimś) 3. rozdziel-ić/ać; oddziel-ić/ać (od kogoś, czegoś)
divorcee [,divɔ:'si:] *s* rozw-odnik/ódka, rozwiedzion-y/a
divot ['divət] *s szkoc* grudka <kostka> darni
divulgation [,daivʌl'geiʃən], **divulgence** [dai'vʌldʒəns] *s* wyjawienie (tajemnicy)
divulge [dai'vʌldʒ] *vt* wyjawi-ć/ać (tajemnicę)
divulgence *zob* **divulgation**
divvy ['divi] [I] *s sl* dywidenda [II] *vt* (**divvied** ['divid], **divvied; divvying** ['diviiŋ]) *sl* po/dzielić; podzielić się (**sth** czymś) [III] *vi* (**divvied** ['divid],

divvied; divvying ['diviiŋ]) *sl* dzielić się, da-ć/wać się dzielić [IV] *adj sl* cudny; boski; zachwycający

Dixie ['diksi] *spr* (*także* ~ **Land**) *am* południowe stany USA

dixy ['diksi] *s* menażka

dizen ['daizn] *vt* (*także* ~ **out**, ~ **up**) wy/stroić

dizzily ['dizili] *adv* zawrotnie

dizziness ['dizinis] *s* zawrót głowy

dizzy ['dizi] [I] *adj* (**dizzier** ['diziə], **dizziest** ['diziist] 1. cierpiący na zawroty głowy; **to be** ~ mieć zawrót głowy; **I am** <**feel**> ~ kręci mi się w głowie; mam zawrót głowy 2. (*o wysokości itp*) zawrotny 3. zawrotnie wirujący [II] *vt* (**dizzied** ['dizid], **dizzied**; **dizzying** ['diziiŋ]) przyprawi-ć/ać o zawrót głowy; osz-ołomić/ałamiać

do[1] [du:] *v* (**did** [did], **done** [dʌn]) [I] *vt* 1. z/robić; u/czynić; **to** ~ **good** <**evil**> czynić dobrze <źle>; **it can't be done** to jest niemożliwe <nie do zrobienia>, *pot* nie da rady (tego zrobić); *pot* **nothing** ~**ing** wykluczone; nie ma mowy; **well done!** brawo!; **what's done can't be undone** co się stało, to się nie odstanie 2. spełni-ć/ać; wykon-ać/ywać (obowiązek, pracę, rozkaz itd.); sporządz-ić/ać 3. uczyć się (**sth** czegoś) 4. (*o samochodzie itd*) jechać z szybkością (*x* km) 5. (*o sposobie postępowania*) **not to be done** nie być przyjętym; być źle widzianym; **it isn't done** tego się nie robi 6. przyrządz-ić/ać; u/gotować; u/piec 7. u/porządkować; doprowadz-ić/ać do porządku; po/sprzątać (**a room etc.** pokój itp.) 8. grać (**Lear etc.** rolę Leara itd.); **he did the polite** <**the indignant etc.**> udawał grzecznego <oburzonego itd.> 9. przeby-ć/wać (odległość) 10. oszuk-ać/iwać; **to** ~ **sb in the eye** oszuk-ać/iwać kogoś; **to** ~ **sb out of sth** a) wyłudzić coś od kogoś b) okra-ść/dać kogoś z czegoś 11. *pot* zwiedz-ić/ać (kraj, muzeum itd.) 12. *sl* obsługiwać (w hotelu, restauracji itp.) 13. załatwi-ć/ać; **to** ~ **to death** przyprawi-ć/ać o śmierć; zabi-ć/jać; wykończyć 14. *pot* (*także* **to** ~ **time**) siedzieć (w więzieniu); **to** ~ **a sentence** odsi-edzieć/adywać karę 15. przetłumaczyć (**into English etc.** na język angielski itd.) [II] *vi* 1. czynić; **when in Rome** ~ **as the Romans** ~ skoro wlazłeś między wrony, musisz krakać jak i one 2. post-ąpić/ępować (mądrze, nieroztropnie itd.) 3. mieć <czuć> się; **how** ~ **you** ~**?** a) miło mi poznać b) jak się masz? 4. *w formie ciągłej*: **to be** ~**ing well** a) prosperować; cieszyć się powodzeniem; **he is** ~**ing well** dobrze mu się powodzi b) mieć <czuć> się dobrze c) (*o interesach*) iść, rozwijać się d) (*o roślinach*) rozwijać się; róść; **to be** ~**ing badly** a) nie mieć powodzenia (w interesach itd.); mieć kłopoty; **he is** ~**ing badly** źle mu się powodzi b) mieć <czuć> się źle c) (*o interesach*) źle iść d) (*o roślinach*) nie rozwijać się; nie rosnąć 5. *w czasie present perfect*: **to have done (reading etc.)** skończyć (czytać itd.); zaprzestać; **I have done with that** skończyłem <zerwałem> już z tym 6. *w czasie przyszłym*: a) odpowiadać; nadawać się; **that will (not)** ~ to się (nie) nadaje b) wystarczyć; **that'll** ~**!** wystarczy!; dosyć!; dość tego! 7. *z czasownikiem* **make**: **make** ~ a) zadowolić się <obywać się> (czymś) b) poradzić sobie (z czymś); **you must make** ~ **with that** musisz się tym zadowolić; to ci musi wystarczyć 8. przedstawiać się; wyglądać; **it** ~**es well** to przedstawia się <wygląda> dobrze 9. dokonywać czynów (bohaterskich itp.); ~ **or die** zwycięstwo albo śmierć 10. *z przyimkami*: ~ **by**; **to** ~ **well** <**badly**> **by sb** post-ąpić/ępować dobrze <źle> z kimś <wobec kogoś>; po/traktować kogoś dobrze <źle>; ~ **for**; **to** ~ **for sb** a) sprzątać <posługiwać> u kogoś b) zniszczyć <*pot* wykończyć> kogoś; *pot* **to be done for** a) być skonanym; ledwie zipać; nie mieć sił b) być wykończonym; ~ **to** <**unto**> = **to** ~ **by**; ~ **with**; **to have to** ~ **with sth** a) (*o kimś*) być wmieszanym w coś b) mieć coś do powiedzenia w sprawie czegoś c) (*o czymś*) dotyczyć czegoś; **to have nothing to** ~ **with sth** nie mieć nic wspólnego z czymś; **to have to** ~ **with sb** a) mieć do czynienia z kimś; mieć sprawę do kogoś b) mieć z kimś na pieńku c) dotyczyć kogoś d) mieć coś wspólnego z kimś; **to** ~ **with sth** zadow-olić/alać się czymś; **I can** <**could**> ~ **with**__ a) przyda <przydałoby> mi się...; chętnie wezmę <wziąłbym>... b) nie mam <nie miałbym> nic przeciwko...; ~ **without**; **to** ~ **without**__ oby-ć/wać się bez... (czegoś) [III] *v aux* 1. *służy do tworzenia formy pytającej i przeczącej w czasach teraźn.* (*present simple*) *i przeszłym* (*past*) — *bez odpowiednika polskiego*: ~ **you like her?** czy ją lubisz?; **he did not come** nie przyszedł 2. *w zdaniach twierdzących wyraża nacisk*: przecież, a jednak, i rzeczywiście; **he did go** a) przecież poszedł b) a jednak poszedł c) (*także z inwersją*) **and go he did** i rzeczywiście poszedł 3. *przy trybie rozkazującym*: proszę (bardzo)!; -że!; ~ **sit down!** a) proszę usiąść! b) siadaj/cie, proszę cię <was> bardzo! c) usiądź-że/cież! 4. *zastępuje* a) *orzeczenie poprzedniego zdania*: **you sing better than she** ~**es** śpiewasz lepiej od niej; **he smokes but she** ~**es not** on pali, a ona nie b) *domyślne orzeczenie*: **oh, don't** proszę tego nie robić <nie mówić> c) *orzeczenie w odpowiedziach*: (*w odpowiedzi twierdzącej, łącznie z podmiotem*) owszem; tak (jest); ~ **you dance?** — **I** ~ czy pan/i tańczy? — owszem, tańczę; tak jest; (*w odpowiedzi przeczącej równa się, wraz z podmiotem, uprzejmemu zaprzeczeniu*) nie, proszę pan-a/i; ~ **you sing?** — **I don't** czy pan/i śpiewa? — nie, proszę pan-a/i, nie śpiewam 5. *w zdaniach pytających z wyrzutnią*: a) *z poprzednim przeczeniem*: prawda?; czy tak?; a może?; **you don't speak Chinese,** ~ **you?** pan/i nie mówi po chińsku, prawda? — a może? b) *z poprzednim zdaniem twierdzącym*: nieprawdaż?; **you know French, don't you?** pan/i umie po francusku, nieprawdaż?

Uwaga: z pewnymi rzeczownikami stanowi zwrot, którego należy szukać pod danym rzeczownikiem: **to** ~ **credit** <**a service, battle, harm, justice, one's hair, one's lessons, penance, sums etc.**>

~ **again** *vt* 1. przer-obić/abiać (coś) 2. zrobić (coś) jeszcze raz; powt-órzyć/arzać (jakiś czyn); **don't** ~ **that again** nie rób/cie tego więcej

~ **away** *vi* 1. zn-ieść/osić (**with sth** coś — zwyczaj, ustawę itd.) 2. s/kasować 3. zniszczyć; rozebrać (**vith a building** budynek itd.) 4. pozby-ć/wać się (**with sb, sth** kogoś, czegoś); sprzątnąć <zabić> (**with sb** kogoś)

~ **down** *vt* 1. *pot* wykończyć (kogoś) 2. oszuk-ać/iwać 3. pokon-ać/ywać

~ **in** *vt* 1. *pot* wsadzić (kogoś) do paki 2. zabić; zarżnąć
~ **off** *vt am* odgr-odzić/adzać (pokój) przepierzeniem
~ **out** *vt* oczy-ścić/szczać; po/sprzątać (**a room etc.** w pokoju itp.)
~ **over** *vt* 1. odmalować; przerobić (pokój itp.) 2. *am* przer-obić/abiać (utwór literacki itp.); przepis-ać/ywać; przeredagow-ać/ywać
~ **up** [I] *vt* 1. przer-obić/abiać; odn-owić/awiać; przemalow-ać/ywać (pokój itd.) 2. *w zwrotach:* **to ~ up one's face** umalować <upudrować> się; *pot* (*o kobiecie*) **done up to kill** zrobiona na bóstwo <na wampa> 3. przyrządz-ić/ać (potrawę) 4. zapakować (paczkę) 5. zalepi-ć/ać (kopertę) 6. zapi-ąć/nać (ubranie) 7. zawi-nąć/jać (niemowlę) 8. zmęczyć; wymęczyć; *pot* zmordować; **to be done up** być wymęczonym <wykończonym, *pot* skonanym> [II] *vi* (*o ubraniu, sukni*) zapinać się
zob **doing, done**

do² [du:] *s* 1. czyn 2. *sl* naciąganie gości <ludzi>; oszustwo 3. *pot* jubel, przyjęcie
do³ [dou] *s muz* do (początek gamy)
doable ['du:əbl] *adj* wykonalny
do-all [du:'ɔ:l] *s* 1. faktotum 2. majster do wszystkiego
dobbin ['dɔbin] *s* koń pociągowy
dobby ['dɔbi] *s* 1. *techn* nicielnica 2. zdziecinniał-y/a sta-rzec/ruszka
doc [dɔk] *sl* = **doctor** *s*
docile ['dousail] *adj* 1. pojętny; skory do nauki 2. uległy, posłuszny; potulny 3. (*o zwierzęciu*) łagodny 4. (*o materiale*) podatny; giętki
docility [dou'siliti] *s* 1. łatwość pojmowania; chęć do nauki 2. uległość; posłuszeństwo; potulność 3. podatność; giętkość
dock¹ [dɔk] *s bot* szczaw
dock² [dɔk] [I] *vt* 1. z/anglizować (konia); uci-ąć/nać ogon (**a horse, a dog** koniowi, psu); ostrzyc włosy (**sb** komuś) 2. obci-ąć/nać (wydatki, budżet itp.) 3. zn-ieść/osić, s/kasować [II] *s* 1. nasada ogona 2. podogonie (uprzęży)
dock³ [dɔk] *s* ława oskarżonych; **~ brief** obrona z urzędu; **in the ~** na ławie oskarżonych
dock⁴ [dɔk] [I] *s* 1. basen portowy 2. dok (suchy, pływający itp.); *przen wojsk* **in ~** w szpitalu; *przen* (*o człowieku*) **to be in dry ~** być bez zajęcia 3. *kolej* peron towarowy <rozładunkowy> [II] *vt* 1. dokować (statek) 2. z/budować dok <basen> (**a port** w porcie)
dockage ['dɔkidʒ] *s* 1. dokowanie 2. opłata za dokowanie
dock-dues ['dɔk,dju:z] *spl* opłata za dokowanie
docker ['dɔkə] *s* doker, robotnik portowy
docket ['dɔkit] [I] *s* 1. *sąd* rejestr spraw wniesionych do sądu 2. wykaz zawartości przesyłki 3. streszczenie aktu urzędowego 4. kwit celny 5. pozwolenie na zakup towarów reglamentowanych [II] *vt sąd* wn-ieść/osić (sprawę) do rejestru sądowego
dock-glass ['dɔk,gla:s] *s* duże naczynie szklane do kosztowania win
dockmaster ['dɔk,ma:stə] *s* komendant portu
dockyard ['dɔk,ja:d] *s* stocznia
doctor ['dɔktə] [I] *s* 1. doktor (**of** <**in**> **laws** praw; **of divinity, medicine etc.** teologii, medycyny itd.); **Doctors' Commons** a) kolegium cywilistów b) siedziba sądów cywilnych w Londynie 2. *pot* lekarz; **woman ~** lekarka; **~'s stuff** lekarstwo 3. *wędk* sztuczna muszka 4. *mar* kucharz (okrętowy) 5. *techn* skrobak [II] *vt* 1. promować; nada-ć/wać stopień doktora (**sb** komuś) 2. *pot* leczyć; napychać lekarstwami 3. *pot* naprawi-ć/ać 4. s/fałszować
doctoral ['dɔktərəl] *adj* doktorski
doctorate ['dɔktərit] *s* doktorat
doctrinaire [,dɔktri'nɛə], **doctrinarian** [,dɔktri'nɛəriən] [I] *s* doktryner/ka [II] *adj* doktrynerski
doctrinal [dɔk'trainl] *adj* doktrynalny
doctrinarian *zob* **doctrinaire**
doctrine ['dɔktrin] *s* doktryna
document ['dɔkjumənt] [I] *s* dokument [II] *vt* ['dɔkju,ment] 1. op-rzeć/ierać (opinię itd.) na dokumentach <na źródłach>; pop-rzeć/ierać (coś) dokumentami 2. zaopat-rzyć/rywać (kogoś, coś — statek itd.) w dokumenty <w papiery urzędowe>
documentary [,dɔkju'mentəri] *adj* (*o filmie itp*) dokumentarny, dokumentalny
documentation [,dɔkjumen'teiʃən] *s* 1. dokumentacja 2. zaopatrzenie (kogoś, czegoś) w potrzebne dokumenty <papiery>
dodder¹ ['dɔdə] *s bot* kanianka
dodder² ['dɔdə] *vi* 1. trząść się 2. chodzić na trzęsących się nogach
~ **along** *vi* jechać <jeździć> powoli (samochodem) *zob* **doddered**
doddered ['dɔdəd] [I] *zob* **dodder²** [II] *adj* (*o drzewie*) bez korony
dodder-grass ['dɔdə,gra:s] *s bot* drżączka
doddery ['dɔdəri] *adj* 1. trzęsący się; zgrzybiały 2. *przen* zidiociały
dodecagon [dou'dekəgən] *s* dwunastokąt
dodecahedron ['doudikə'hi:drən] *s* dwunastościan
dodecane ['doudi,kein] *s chem* dodekan
dodecasyllable [,doudikə'siləbl] *s prozod* aleksandryn, dwunastozgłoskowiec
dodge [dɔdʒ] [I] *vi* 1. odsk-oczyć/akiwać; wymknąć/ykać się; *pot sport* wy/kiwać 2. za/stosować wybieg <podstęp> [II] *vt* 1. wym-knąć/ykać się (**sb** komuś); wykręc-ić/ać się (**sth** z czegoś) 2. *sport* unik-nąć/ać (**sth** czegoś); uchyl-ić/ać się (**a blow** przed ciosem) 3. wymijająco odpowi-edzieć/adać (**a question** na pytanie) 4. ob-ejść/chodzić (**the law** prawo) 5. oszuk-ać/iwać [III] *s* 1. wykręt; sposób (na coś) 2. sztuczka 3. odskok; unik; *pot sport* kiwnięcie; wykiwanie 4. *sl* pomysłowe urządzenie; mechanizm
dodger ['dɔdʒə] *s* 1. sprycia-rz/rka 2. *mar* osłona od wiatru 3. *am sl* prospekt; ulotka
dodgy ['dɔdʒi] *adj* sprytny; szachrajski
dodo ['doudou] *s* (*pl* **~es, ~s**) *zoo* dront, dodo (ptak)
doe [dou] *s zoo* 1. łania 2. królica 3. zajęczyca
doer ['duə] *s* 1. wykonaw-ca/czyni 2. spraw-ca/czyni 3. człowiek czynu
doeskin ['dou,skin] *s* 1. ircha (skóra) 2. dywetyna (materiał)
doff [dɔf] *vt* zd-jąć/ejmować
doffer ['dɔfə] *s techn* odbieracz (w zgręplarce)
dog [dɔg] [I] *s* 1. pies; **a ~'s life** psie życie; **~ in the manger** pies na sianie (sam nie zje i drugiemu nie da); **~ latin** łacina kuchenna; **every ~ has his day** fortuna kołem się toczy; **give a ~ a**

bad name and hang him kto chce psa uderzyć, ten (zawsze) kij znajdzie; **lead sb a ~'s life** zatru-ć/wać komuś życie; **let sleeping ~s lie** nie wywołuj wilka z lasu; **to go to the ~s** zejść na psy; **to take a hair of the ~ that bit you** wybić klin klinem; **to throw sth to the ~s** pozbyć się czegoś; wyrzucić coś na śmietnik 2. samiec (różnych zwierząt — lisa, wilka, hieny itd.) 3. *pot* gość, facet; **a dirty ~** parszywiec; bydlak; drań; **a gay ~** wesoły kompan; kumpel; **a sly ~** cwaniak 4. *techn* kieł; występ; zapadka 5. *techn* uchwyt; klamra 6. *pl* **~s** *górn* widełki zaczepowe 7. *am* **hot ~** pasztecik z parówką [II] *vt* (-gg-) (*także* **to ~ sb's footsteps**) śledzić; tropić; nie odst-ąpić/ępować (**sb** kogoś) *zob* **dogged**

dog-bane ['dɔg,bein] *s bot* 1. psia kapusta; toina 2. tojad

dog-belt ['dɔg,belt] *s górn* pas pociągowy

dogberry ['dɔgbəri] *s bot* dereń

dog-biscuit ['dɔg,biskit] *s* suchar (do karmienia psów)

dog-brier ['dɔg,braiə] *s bot* dzika róża

dog-cart ['dɔg,kɑ:t] *s* dwukołowy powozik (konny)

dog-cheap ['dɔg,tʃi:p] *adv* tanio jak barszcz; za bezcen

dog-collar ['dɔg,kɔlə] *s* 1. obroża 2. księży kołnierzyk

dog-days ['dɔg,deiz] *spl* kanikuła

doge [doudʒ] *s* doża

dog-ear ['dɔg,iə] *s* ośle ucho <zagięty róg> (u książki)

dog-eared ['dɔg,iəd] *adj* (*o książce*) z oślimi uszami

dog-faced ['dɔg,feist] *adj* **~ baboon** pawian

dog-fancier ['dɔg,fænsiə] *s* hodowca psów

dog-fennel ['dɔg,fenl̩] *s bot* rumian psi

dog-fight ['dɔg,fait] *s lotn* walka powietrzna kilku samolotów

dog-fish ['dɔg,fiʃ] *s zoo* pies morski

dogged [dɔgd] [I] *zob* **dog** *v* [II] *adj* ['dɔgid] uparty; zawzięty; wytrwały; **it's ~ that does it** wytrwaj, a osiągniesz cel; zatnij zęby i wytrwaj

doggedness ['dɔgidnis] *s* upór; zawziętość; wytrwałość

doggerel ['dɔgərəl] [I] *adj* (*o wierszu*) marny [II] *s* nieudolne wiersze; częstochowskie rymy

doggery ['dɔgəri] *s* 1. podłe postępowanie 2. świństwo 3. *zbior* psy 4. *am sl* knajpa, mordownia

doggie ['dɔgi] *s* psina

doggish ['dɔgiʃ] *adj* posępny; zgryźliwy; warkliwy

doggo ['dɔgou] *adv pot w zwrocie:* **to lie ~** kryć <ukrywać> się; przyczaić się

doggone ['dɔg'gɔn] *am sl* [I] *interj* cholera!; psiakrew! [II] *adj* diabelski; cholerny; sakramencki

dog-grass ['dɔg,grɑ:s] *s bot* perz

doggy ['dɔgi] [I] *adj* 1. psi 2. rozmiłowany <zakochany> w psach 3. *pot* wyfiokowany; wyelegantowany [II] *s* = **doggie**

dog-hole ['dɔg,houl] *s przen* nora

dog-iron ['dɔg,aiən] *s* wilk kuchenny (żelazne podpory na drewno)

dog-kennel ['dɔg,kenl̩] *s* 1. psia buda 2. psiarnia

dog-lead ['dɔg,li:d] *s* smycz

dogma ['dɔgmə] *s* dogmat

dogmatic [dɔg'mætik] *adj* dogmatyczny

dogmatics [dɔg'mætiks] *s* dogmatyka

dogmatism ['dɔgmə,tizəm] *s* dogmatyzm

dogmatize ['dɔgmə,taiz] *vi* dogmatyzować

dog-nail ['dɔg,neil] *s* 1. gwóźdź z szerokim łbem 2. hak 3. *techn* szyniak

dog-rose ['dɔg,rouz] *s bot* dzika róża

dog's-ear ['dɔgz,iə] = **dog-ear**

dog's-eared ['dɔgz,iəd] = **dog-eared**

dog's-grass ['dɔgz,grɑ:s] = **dog-grass**

dog-skin ['dɔg,skin] *s* giemza (skóra)

dog-sleep ['dɔg,sli:p] *s* czujny sen

dog's-letter ['dɔgz,letə] *s litera* r

dog's-meat ['dɔgz,mi:t] *s* mięso dla psów, ochłapy

dog's-nose ['dɔgz,nouz] *s* piwo z domieszką dżynu

dog's-pike ['dɔgz,paik] = **dog-nail**

dog's-rue ['dɔgz,ru:] *s bot* odmiana trędownika

dog's-tail-grass ['dɔgzteil'grɑ:s] *s bot* grzebienica

dog-star ['dɔg,stɑ:] *s astr* Syriusz

dog's-teeth *zob* **dog's-tooth**[1]

dog-stone ['dɔg,stoun] *s bot* nazwa kilku odmian storczyka

dog's-tongue ['dɔgz,tʌŋ] *s bot* ostrzeń pospolity, psi język

dog's-tooth[1] ['dɔgz,tu:θ] *s* (*pl* **dog's-teeth** ['dɔgz,ti:θ]) *zoo* sówka (ćma)

dog's-tooth[2] ['dɔgz,tu:θ] *attr* **~ moulding** = **dog-tooth** 2.

dog's-tooth-violet ['dɔgztuθ'vaiəlit] *s bot* psi ząb

dog-teeth *zob* **dog-tooth**

dog-thistle ['dɔg,θisl] *s bot* oset polny

dog-tired ['dɔg'taiəd] *adj* opadający z sił; ledwo żywy ze zmęczenia; *pot* skonany

dog-tooth ['dɔg,tu:θ] *s* (*pl* **dog-teeth** ['dɔg,ti:θ]) 1. kieł 2. *arch* ornament czterolistny w angielskim gotyku

dog-trick ['dɔg,trik] *s* złośliwy kawał; psikus

dog-vane ['dɔg,vein] *s mar* rękaw, wimpel

dog-violet ['dɔg,vaiəlit] *s bot* psi fiołek

dog-watch ['dɔg,wɔtʃ] *s mar* psia wachta

dog-wood ['dɔg,wud] *s bot* dereń

doily ['dɔili] *s* ozdobna serwetka (pod kieliszek itp.)

doing ['duiŋ] [I] *zob* **do**[1] [II] *s* 1. czyn; praca; trud; **that requires <wants> some ~** to niełatwa sprawa; to nie jest takie proste 2. (czyjaś) sprawka; *iron* (czyjeś) dzieło; **fine ~s these!** ładne sprawki!; **it was none of my ~** (ja) nie miałem z tym nic wspólnego 3. *pl* **~s** poczynania 4. *pl* **~s** wypadki (polityczne) 5. *pl* **~s** przyjęcie; zabawa 6. *pl* **~s** utensylia; przyrządy

doit [dɔit] *s* grosz; krzta; *przen* złamany grosz; **I don't care a ~** kpię z tego

dolabrella [,dɔlə'brelə] *s zoo* wypnieja (mięczak)

dolabriform [dou'læbri,fɔ:m] *adj bot* (*o liściu*) hebelkowy

doldrums ['dɔldrʌmz] *spl* 1. *mar* strefa bezwietrzna; pas ciszy 2. depresja; przygnębienie; czarne myśli; *pot* chandra 3. *handl* zastój

dole[1] [doul] *s* 1. smutek 2. lament

dole[2] [doul] [I] *s* 1. † los; udział 2. jałmużna; datek; *przen* ochłap 3. zasiłek dla bezrobotnych; **to be on the ~** pobierać zasiłek dla bezrobotnych; żyć z zasiłku; **to go on the ~** zarejestrować się jako bezrobotny; przejść na zasiłek [II] *vt* (*także* **~ out**) wydzielać (coś) oszczędnie <skąpo>

doleful ['doulful] *adj* smutny; żałosny; płaczliwy

dolefulness ['doulfulnis] *s* smutek; płaczliwość; żałosne tony

dolerite ['dɔlə,rait] *s miner* doleryt

dolichocephaly ['dɔlikou,sefəli] *s antr* dolichocefalia, długogłowość

doll [dɔl] [I] *s* 1. *dosł i przen* lalka 2. *am pot* dziewczyna; studentka; **~'s face** lalkowata twarz [II] *vt vr* **~(oneself)** (*zw* **~ up**) wystroić (się); zrobić (z kogoś, z siebie) lalkę

dollar ['dɔlə] *s* 1. dolar; **the almighty ~** złoty cielec; mamona; *am* **~ store** sklep, w którym wszystkie artykuły są w cenie 1 dolara 2. *sl* moneta pięcioszylingowa

dollish ['dɔliʃ] *adj* lalkowaty

dollop ['dɔləp] *s pot* kupa; masa; kawał (czegoś)

doll's-house ['dɔlz,haus] *s* dom lalek (zabawka)

dolly ['dɔli] [I] *s* 1. laleczka 2. *techn* mieszadło; tłuczek 3. *techn* kleszcze nitowe [II] *vt* (**dollied** ['dɔlid], **dollied; dollying** ['dɔliiŋ]) mieszać (bieliznę) przy praniu

dolly-shop ['dɔli,ʃɔp] *s* sklepik z zaopatrzeniem dla marynarzy

dolly-tub ['dɔli,tʌb] *s* balia

dolman ['dɔlmən] *s hist* dolman (okrycie)

dolmen ['dɔlmen] *s archeol* dolmen

dolomite ['dɔlə,mait] *s geol* dolomit

dolomitic [,dɔlə'mitik] *adj geol* dolomitowy

dolorous ['dɔlərəs] *adj poet* smętny; żałosny; boleściwy

dolose [də'lous] *adj* 1. *prawn* podstępny 2. *prawn* przestępczy

dolour ['doulə] *s poet* smutek; boleść; żałość

dolphin ['dɔlfin] *s* 1. *zoo* delfin 2. *zoo* złotoryb 3. *mar* **~ striker** delfiniak

doltish ['doultiʃ] *adj* głupkowaty; tępogłowy; *pot* durny

Dom [dɔm] *s* tytuł nadawany niektórym katolickim dygnitarzom duchownym i zakonnikom

domain [də'mein] *s* 1. majątek ziemski; *†* domena 2. posiadłość (terytorialna) 3. dziedzina (wiedzy itp.); zakres

dome [doum] [I] *s* 1. *poet* gmach; budowla 2. *arch* kopuła 3. sklepienie (niebieskie itd.) 4. *techn* zbiornik pary; nasada (destylacyjna) 5. *am pot* czaszka [II] *vt* 1. nakry-ć/wać (budynek) kopułą 2. zaokrągl-ić/ać

dome-lamp ['doum,læmp] *s* lampa sufitowa

dome-like ['doum,laik] *adj* kopulasty

Domesday (Book) ['du:mz,dei(,buk)] *s* księga katastralna, zawierająca spis wszelkiej własności w Anglii za Wilhelma Zdobywcy

dome-shaped ['doum,ʃeipt] *adj* kopulasty

domestic [də'mestik] [I] *adj* 1. (*o pracach, zwierzętach także wojnach*) domowy; **~ servant** = **~** *s* 2. gospodarski 3. (*o życiu, kłótni itd*) wewnętrzny; rodzinny 4. (*o handlu itd*) wewnętrzny; krajowy 5. (*o roślinie itd*) rodzimy; miejscowy; lokalny 6. (*o warsztacie itd*) chałupniczy 7. (*o usposobieniu*) domatorski [II] *s* 1. służąc-y/a; pomoc domowa; **~ agency** biuro pośrednictwa dla pomocy domowych 2. *pl* **~s** *handl* artykuły gospodarstwa domowego

domesticate [də'mesti,keit] *vt* 1. osw-oić/ajać; obłaskawi-ć/ać 2. u/cywilizować 3. naturalizować 4. za/aklimatyzować (roślinę) 5. przywiąz-ać/ywać (kogoś) do domu; z/robić domator-a/kę (**sb** z kogoś)

domestication [dou,mesti'keiʃən] *s* 1. oswojenie <obłaskawienie> (zwierzęcia) 2. ucywilizowanie 3. naturalizacja 4. zaaklimatyzowanie (rośliny) 5. przywiązanie (kogoś) do domu; zrobienie domator-a/ki (**of sb** z kogoś)

domesticity [,doumes'tisiti] *s* 1. oswojenie (zwierzęcia) 2. domatorstwo 3. swojskość; domowa <rodzinna> atmosfera; prostota (domu) 4. *pl* **domesticities** sprawy domowe <gospodarskie>; gospodarstwo

domett ['dɔmit] *s* wełniano-bawełniany materiał (na całuny itp.)

domicile ['dɔmi,sail] [I] *s* miejsce stałego zamieszkania [II] *vt handl* domicylować (weksel) [III] *vi* osiedl-ić/ać się na stały pobyt (**at a place** gdzieś)

domiciliary [,dɔmi'siliəri] *adj* domowy; **~ visit** rewizja domowa

domiciliate [,dɔmi'sili,eit] *vt vi* osiedl-ić/ać (się)

dominance ['dɔminəns] *s* 1. przewaga 2. panowanie (czynników zwierzchniczych, choroby itd.); supremacja; zwierzchnictwo

dominant ['dɔminənt] [I] *adj* 1. panujący; zwierzchniczy 2. przeważający; główny; dominujący 3. (*o wyniosłości itp*) górujący [II] *s* 1. dominanta, główna cecha 2. *muz* dominanta

dominate ['dɔmi,neit] [I] *vt* 1. panować <mieć zwierzchnictwo, mieć supremację> (**sb, sth** nad kimś, czymś) 2. przeważać (**sth** nad czymś) 3. (*o wyniosłości itp*) górować (**sth** nad czymś) [II] *vi w zwrocie:* **to ~ over (sb, sth)** = **to ~ (sb, sth)**

domination [,dɔmi'neiʃən] *s* 1. panowanie <zwierzchnictwo> (nad kimś, czymś) 2. *pl* **~s** *teol* czwarty stopień w hierarchii aniołów

domineer [,dɔmi'niə] *vi* tyranizować (**over sb** kogoś); zachowywać się władczo; *przen* królować *zob* **domineering**

domineering [,dɔmi'niəriŋ] [I] *zob* **domineer** [II] *adj* despotyczny; władczy; apodyktyczny

dominical [dou'minikəl] *adj* 1. Pański; Chrystusowy 2. niedzielny

Dominican [də'minikən] [I] *adj* dominikański [II] *s* dominikan-in/ka

dominie ['dɔmini] *s szkoc* nauczyciel

dominion [də'miniən] *s* 1. zwierzchnictwo; panowanie 2. dominium 3. *prawn* posiadanie na własność 4. *am* **the Old Dominion** Stan Wirginia

domino ['dɔmi,nou] *s* (*pl* **~es**) domino (gra, tabliczka do gry w domino i strój maskaradowy)

don[1] [dɔn] *s* 1. *hisz* don 2. *uniw* wykładowca 3. mistrz (**at sth** w czymś) 4. ważna osobistość

don[2] [dɔn] *vt* (**-nn-**) *lit* wdzi-ać/ewać

dona(h) ['dounə] *s sl* kobieta; sympatia

Doña ['dɔnjə] *s* pani (grzecznościowy tytuł Hiszpanek)

donate ['douneit] *vt* po/darować; *am* s/prezentować

donation [dou'neiʃən] *s* 1. dar 2. *prawn* darowizna; **~ duty** podatek od darowizn

donative ['dounətiv] [I] *s* dar; *hist* donacja [II] *adj* (*o beneficjum*) przenośny

donatory ['dounətəri] *s* (człowiek) obdarzony <obdarowany>; *hist* donatariusz

done [dʌn] [I] *zob* **do**[1] [II] *interj* zrobione!; zgoda!

donee [dou'ni:] *s* (człowiek) obdarowany

donga ['dɔŋgə] *s* (*w Afryce Płd*) parów; wąwóz

donjon ['dɔndʒən] = **dungeon**

donkey ['dɔŋki] *s dosł i przen* osioł; *przen* **~'s years** całe wieki; *pot* kawał czasu; *pot* **~ work** czarna robota; niewdzięczna praca; **she would talk the hind leg off a ~** ona gada tyle, że aż głowa puchnie; ona każdego przegada

donkey-engine ['dɔŋki,endʒin] *s techn* mała maszyna parowa

donnish ['dɔniʃ] *adj* pedantyczny; profesorski
donor ['dounə] *s* daw-ca/czyni; **~ of blood** krwiodaw-ca/czyni; *prawn* donator/ka, darczyńca; darujący-y/a (na łożu śmierci)
do-nothing ['du:ˌnʌθiŋ] *s* nierób; próżnia-k/czka; wałkoń
don't ['dount] = **do not** *zob* **do**[1]
doocid ['du:sid] *sl* = **deuced**
doodle ['du:dl] *vi* machinalnie rysować coś rozmawiając z kimś <myśląc o czymś innym>
doodlebug ['du:dlˌbʌg] *s* bomba latająca; bomba <rakieta> V1
doolie, dooly ['du:li] *s* (*w Indiach*) nosze
doom [du:m] [I] *s* 1. los; przeznaczenie 2. zguba; zatracenie 3. Sąd Ostateczny; **the crack of ~** koniec świata 4. *hist* ustawa; prawo 5. † wyrok [II] *vt lit* 1. skaz-ać/ywać 2. z góry skazać (**sb to sth** kogoś na coś) 3. przesądzać
Doomsday ['du:mzˌdei] *s* dzień Sądu Ostatecznego; **~ Book** = **Domesday (Book)**
door [dɔ:] *s* drzwi; brama; **he was denied the ~** nie wpuszczono go do środka; **next ~** a) obok; za ścianą b) drzwi w drzwi c) w następnym domu; w sąsiedztwie; *przen* **next ~ to _** a) omal nie..., niemal <prawie> że... b) jak gdyby...; tyle co...; **out of ~s** a) poza domem; nie w domu b) na otwartym powietrzu; pod gołym niebem; **three <four etc.> ~s off** a) trzecie <czwarte itd.> drzwi stąd b) trzeci <czwarty itd.> dom stąd; **with closed ~s** przy drzwiach zamkniętych; **within ~s** w domu; **to close the ~ at sb** zamknąć komuś drzwi przed nosem; **to close the ~ on sb** zamknąć za kimś drzwi; *przen* **to keep the wolf from the ~** aby nie przymierać głodem; **to keep within ~s** nie wychodzić z domu; *przen* **to lay a charge at sb's ~** obwiniać kogoś o coś
door-bell ['dɔ:ˌbel] *s* dzwonek (do mieszkania)
doorbell-pusher ['dɔ:belˌpuʃə] *s am* agitator/ka polityczn-y/a
door-case ['dɔ:ˌkeis], **door-frame** ['dɔ:ˌfreim] *s* odrzwia; ościeżnica drzwiowa
door-handle ['dɔ:ˌhændl] *s* klamka
door-keeper ['dɔ:ˌki:pə] *s* dozor-ca/czyni; portier; odźwiern-y/a
door-knob ['dɔ:ˌnɔb] *s* gałka (w miejsce klamki) do otwierania drzwi
door-knocker ['dɔ:ˌnɔkə] *s* kołatka u drzwi
door-mat ['dɔ:ˌmæt] *s* wycieraczka
door-money ['dɔ:ˌmʌni] *s* (opłata za) wstęp (do lokalu rozrywkowego itp.)
door-nail ['dɔ:ˌneil] *s* gwóźdź z szerokim łbem; *pot* **he is as dead as a ~** umarł na amen <na dobre>
door-plate ['dɔ:ˌpleit] *s* tabliczka z nazwiskiem na drzwiach
door-post ['dɔ:ˌpoust] *s bud* bok <część pionowa> ościeżnicy
door-sill ['dɔ:ˌsil], **door-step** ['dɔ:ˌstep] *s* próg
doorway ['dɔ:ˌwei] *s* dostęp; wejście; **in the ~** w drzwiach
door-yard ['dɔ:ˌja:d] *s am* dziedziniec; podwórze
dope ['doup] [I] *s* 1. maź 2. lakier (do samolotów) 3. narkotyk 4. wiadomości z poczty pantoflowej (szczególnie o szansach wygrania na wyścigach) 5. *pot* naciąganie naiwnych 6. *sl lotn* domieszka do paliwa 7. *pot* głupek; naiwniak [II] *vt* 1. narkotyzować 2. da-ć/wać środek podniecający <oszałamiający, znieczulający> (**sb** komuś); **a horse** koniowi — przed wyścigiem) 3. wlać <wsypać> narkotyk (**sb** komuś — do wina itp.) 4. s/fałszować 5. po/lakierować (samolot, samochód)
~ out *vt w zwrocie*: **to ~ out the winners** zasięgnąć <udzielić> informacji o szansach wygrania na wyścigach
dope-fiend ['doupˌfi:nd] *s* narkoman/ka
dopy ['doupi] *adj* 1. odurzony przez narkotyk 2. ogłupiały; otumaniony
dor [dɔ:] = **dor-bee, dor-beetle**
Dora ['dɔ:rə] *s* (= **Defence of the Realm Act**) ustawa o pełnomocnictwach dla rządu w okresie I wojny światowej
dorado [də'ra:dou] *s zoo* złotoryb
dor-bee ['dɔ:ˌbi:] *s zoo* trzmiel
dor-beetle ['dɔ:ˌbi:tl] *s zoo* chrabąszcz majowy
Doric ['dɔrik] [I] *adj arch* dorycki; **~ order** a) *arch* styl <porządek> dorycki b) (*o języku*) prostacki [II] *s* 1. dialekt dorycki 2. dialekt (angielski, szkocki itd.)
Dorking ['dɔ:kiŋ] *s* jedna z angielskich ras drobiu
dormancy ['dɔ:mənsi] *s* 1. *zoo* sen 2. *zoo* odrętwienie (wężów)
dormant ['dɔ:mənt] *adj* drzemiący; **to be ~** (*o zwierzętach*) spać snem zimowym <okresowym>
dormer ['dɔ:mə] *s* (*także* **~-window**) okno mansardowe; okienko dymnika
dormice *zob* **dormouse**
dormitory ['dɔ:mitri] *s* 1. sala sypialna 2. *am* bursa; dom akademicki
dormouse ['dɔ:ˌmaus] *s* (*pl* **dormice** ['dɔ:ˌmais]) *zoo* koszatka
dorothy-bag ['dɔrəθiˌbæg] *s* torebka damska z zamknięciem sznurkowym
dorsal ['dɔ:sl̩] *adj* 1. grzbietowy 2. *fonet* podniebienny
dorsibranchiate [ˌdɔ:si'bræŋkiit] *adj zoo* skrzelodyszny
dorsoventral [ˌdɔ:sou'ventrəl] *adj anat bot zoo* grzbieto-brzuszny
dory[1] ['dɔ:ri] *s zoo* paszczak kowal (ryba)
dory[2] ['dɔ:ri] *s* płaskodenna łódź
dosage ['dousidʒ] *s* dawkowanie, dozowanie
dose [dous] [I] *s* dawka, doza; *pot* **to get a ~** a) złapać chorobę (zwłaszcza weneryczną) b) dostać się do ciupy <za **kratki**> [II] *vt* 1. dawkować, dozować 2. leczyć 3. fałszować (wino alkoholem)
~ out *vt* wydzielać (**a drug to sb** komuś lekarstwo)
dosimeter [dou'simitə] *s farm* dawkomierz
doss ['dɔs] [I] *s sl* 1. dom noclegowy 2. sen; **to have a ~** przespać się 3. łóżko w domu noclegowym [II] *vi* spać <nocować> w domu noclegowym
~ down *vi* położyć się spać
~ out *vi* przespać się pod gołym niebem
dossal ['dɔsəl] *s kośc* kotara wisząca za ołtarzem lub po bokach prezbiterium
dosser ['dɔsə] *s* częsty gość w domu noclegowym; nocujący (w domu noclegowym)
doss-house ['dɔsˌhaus] *s* dom noclegowy
dossier ['dɔsiˌei] *s* 1. *zbior* akta sprawy (sądowej itd.) 2. *zbior* akta człowieka (notowanego na policji itd.)
dossil ['dɔsil] *s* 1. tamponik (do oczyszczania ran) 2. tampon do ścierania farby drukarskiej
dossy ['dɔsi] *adj pot* elegancki; szykowny

dot [dɔt] [I] *s* 1. kropka 2. (*o dziecku*) dzidziuś; berbeć; brzdąc || **on the ~** punktualnie; *pot* **to be off one's ~** nie mieć dobrze w głowie; mieć fioła [II] *vt* (**-tt-**) 1. postawić/stawiać kropkę (**sth** nad czymś); *przen* **to ~ one's i's** być pedantem 2. wy/kropkować; po/cętkować 3. usiać; porozrzucać; upstrzyć || **~ and carry (one)** (*przy dodawaniu*) piszę *x* i *x* dalej <w pamięci>; **~ and go one** kuleć; kuśtykać *zob* **dotted**

dotage ['doutidʒ] *s* 1. zdziecinnienie 2. mówienie od rzeczy 3. zaślepienie; ślepa miłość

dot-and-dash ['dɔtən'dæʃ] *attr* **~ code** alfabet Morse'a

dotard ['doutəd] *s* zdziecinniał-y/a sta-rzec/ruszka; ramol

dote [dout] *vi* 1. mówić od rzeczy 2. być zdziecinniałym 3. **to ~ on** <**upon**> **(a child etc.)** kochać (dziecko itd.) do szaleństwa; być zaślepionym (w dziecku itd.); świata nie widzieć poza <trząść się nad> (dzieckiem itd.) *zob* **doting**

doting ['doutiŋ] [I] *zob* **dote** [II] *adj* 1. zdziecinniały 2. zaślepiony

dotted ['dɔtid] [I] *zob* **dot** *v* [II] *adj* 1. kropkowany; **to sign on the ~ line** a) podpisać się (na formularzu) b) *przen* działać pod przymusem <pod dyktandem> 2. (*o wzorze*) w kropki; w cętki; kropkowany; cętkowany 3. (*o obrazie itp*) usiany <upstrzony> (czymś) 4. (*także* **~ about**) (*o punktach itp*) porozrzucany; rozsiany

dott(e)rel ['dɔtrəl] *s zoo* siewka (ptak)

dottle ['dɔtl] *s* nie dopalony tytoń w fajce

dotty ['dɔti] *adj* (**dottier** ['dɔtiə], **dottiest** ['dɔtiist]) 1. kropkowany 2. rozsiany; porozrzucany 3. *sl* głupkowaty; zbzikowany; **to be ~** mieć fioła || **to be ~ on one's legs** trząść się na nogach

double ['dʌbl] [I] *adj* 1. podwójny; dwojaki; dwukrotny; zdwojony; złożony <zgięty> we dwoje; dwa razy taki 2. *przy rzeczownikach oznaczających rozmiar*: **~ the size** <**the length, the width, the depth etc.**> dwa razy większy <dłuższy, szerszy, głębszy itd.> 3. *przy innych rzeczownikach oznacza podwójną ilość*: dwa razy tyle (czasu, siły, pracy itd.); **~ the quantity** dwa razy więcej; dwa razy tyle 4. fałszywy; dwulicowy; podstępny 5. dwuznaczny [II] *adv* 1. podwójnie; **~ as long** <**bright, cold, hot, thick etc.**> dwa razy taki długi <jasny, zimny, gorący, gruby itd.> 2. dwojako 3. w dwójnasób 4. we dwoje (złożyć, zgiąć itd.) 5. we dwóch <we dwoje> (coś robić — jechać, spać itd.) 6. parami (iść, rosnąć, ukazywać się itd.) [III] *vt* 1. podw-oić/ajać; zdw-oić/ajać; w dwójnasób powiększ-yć/ać <po/mnożyć>; **to ~ sb (up) with sb in a bedroom** <**cabin etc.**> doda-ć/wać komuś współlokatora <towarzysza do pokoju, współpasażera do kajuty itp.>; **to ~ (up) two passengers** pomieścić dwóch pasażerów razem 2. *teatr bil* z/dublować 3. (*także* **~ up**) złożyć/składać we dwoje 4. *mar* opły-nąć/wać (przylądek) 5. (*także* **~ up**) zacis-nąć/kać (pięść) 6. *karc* s/kontrować [IV] *vi* 1. podw-oić/ajać się; po/mnożyć <powiększ-yć/ać> się w dwójnasób 2. (*także* **~ back**) zgi-ąć/nać się w pałąk

~ back [I] *vt* zagi-ąć/nać; odwr-ócić/acać; odwi-nąć/jać brzeg (**a blanket etc.** koca itp.) [II] *vi* 1. zgi-ąć/nać się w pałąk 2. skręc-ić/ać w przeciwnym kierunku; nawr-ócić/acać

~ down *vt* zagi-ąć/nać (stronicę w książce)

~ over *vt vi* zagi-ąć/nać <złożyć/składać> (się)

~ up [I] *vi* 1. złożyć/składać <zgi-ąć/nać> się we dwoje; **to ~ up with laughter** skręcać się ze śmiechu 2. *wojsk* przyby-ć/wać biegiem; **~ up!** biegiem! 3. dzielić pokój <kajutę itp.> (z kimś) [II] *vt* 1. złożyć/składać 2. (*o uderzeniu*) zgi-ąć/nać (kogoś) we dwoje; wykończyć; położyć; zmóc

zob **doubling** [V] *s* 1. podwójna <zdwojona> liczba <suma, kwota> 2. sobowtór 3. *teatr kino* dubler 4. *tenis* debel, gra podwójna 5. *karc* kontra 6. kopia; duplikat || *wojsk* **at the ~** biegiem; **on the ~** szybko; *pot* biegiem

double-acting ['dʌbl,æktiŋ] *adj techn* dwusuwowy; dwutaktowy

double-barrelled ['dʌbl'bærəld] *adj* dwururkowy; **~ gun** dubeltówka

double-bass ['dʌbl,beis] *s muz* kontrabas

double-breasted ['dʌbl'brestid] *adj kraw* (*o marynarce itp*) dwurzędowy

double-cross ['dʌbl'krɔs] *vt* przechytrzyć

double-dealer ['dʌbl'di:lə] *s* szachraj/ka

double-dealing ['dʌbl'di:liŋ] *s* dwulicowość; obłuda; szachrowanie

double-decker ['dʌbl'dekə] *s* 1. autobus <tramwaj> piętrowy 2. statek dwupokładowy

double-declutch ['dʌbldi'klʌtʃ] *vi auto* zmieni-ć/ać bieg stosując podwójne wysprzęglenie

double-dutch ['dʌbl,dʌtʃ] *s pot* język niezrozumiały, *przen* chińszczyzna

double-dyed ['dʌbl'daid] *adj* 1. podwójnie farbowany 2. *przen* skończony (łajdak itp.)

double-eagle ['dʌbl'i:gl] *s am* dwudziestodolarówka (złota)

double-edged ['dʌbl,edʒd] *adj* obosieczny

double entendre ['du:bl-ã:'tã:dr] *s* dwuznacznik

double-entry ['dʌbl,entri] *adj* (*o księgowości*) podwójny

double-faced ['dʌbl,feist] *adj* 1. (*o człowieku*) dwulicowy; fałszywy 2. (*o materiale*) dwustronny

double-first ['dʌbl'fə:st] *s* dyplom uniwersytecki z odznaczeniem w dwóch specjalnościach

double-ganger ['dʌbl,gæŋə] *s* sobowtór

double-hearted ['dʌbl'ha:tid] *adj* dwulicowy; fałszywy

double-lock ['dʌbl,lɔk] *vt* zam-knąć/ykać na dwa spusty

double-meaning ['dʌbl'mi:niŋ] [I] *adj* dwuznaczny [II] *s* dwuznacznik

double-minded ['dʌbl'maindid] *adj* (*o człowieku*) chwiejny; niezdecydowany

doubleness ['dʌblnis] 1. podwójność 2. dwulicowość

double-quick ['dʌbl'kwik] [I] *adj* przyśpieszony [II] *adv* w przyśpieszonym tempie; *wojsk* biegiem!

double-stop ['dʌbl'stɔp] *s muz* podwójny ton (na skrzypcach)

doublet ['dʌblit] *s* 1. kubrak 2. dublet 3. *fot* obiektyw dwudzielny

doubleton ['dʌbltən] *s karc w zwrocie*: **to have a ~** mieć tylko dwie karty w jednym kolorze

double-tongued ['dʌbl'tʌŋd] *adj* (*o człowieku*) fałszywy

doubling ['dʌbliŋ] [I] *zob* **double** *v* [II] *s* 1. podwojenie; zdwojenie 2. podszycie (materiału czymś)

doubloon [dʌb'lu:n] *s* dublon (moneta)

doubly ['dʌbli] *adv* 1. podwójnie; w dwójnasób; dwa razy tyle 2. dwojako

doubt ['daut] Ⅰ *vi* wątpić (**of sth** o czymś, w coś); być niepewnym (**of sth** czegoś); powątpiewać (**of sth** o czymś) Ⅱ *vt* wątpić (**sth** w coś); **I ~ it** wątpię w to; **to ~ sb, sth** <**sb's word etc.**> nie dowierzać komuś, czemuś <czyjemuś słowu itd.> Ⅲ *s* wątpliwość; powątpiewanie; niedowierzanie; niepewność (**about** <**as to**> **sth** co do czegoś); **beyond a ~** bez żadnej wątpliwości; **no** <**without**> **~, there is not much** <**there is little**> **~ about it** niewątpliwie; **to be in ~** mieć wątpliwości; być niepewnym; **to make no ~** nie wątpić

doubtful ['dautful] *adj* 1. wątpliwy; niepewny; nasuwający wątpliwość 2. niezdecydowany 3. podejrzany

doubtfulness ['dautfulnis] *s* 1. powątpiewanie 2. niepewność 3. niezdecydowanie

doubtless ['dautlis] *adv* niewątpliwie, bez wątpienia

douce [du:s] *adj szkoc* spokojny; łagodny

douceur [du:'sə:] *s* 1. napiwek 2. łapówka

douche [du:ʃ] *s* natrysk; tusz; *przen* zimny tusz; kubeł zimnej wody; **to throw a cold ~ upon sb** oblać kogoś kubłem zimnej wody

dough [dou] *s* 1. ciasto 2. *sl* forsa, pieniądze

doughboy ['dou,bɔi] *s* 1. *am* = **dumpling** 2. *am sl* żołnierz (piechoty)

doughfaced ['dou,feist] *adj* (*o człowieku*) słabej woli; ulegający wpływom

doughiness ['douinis] *s* 1. zakalcowatość; niedopieczenie 2. ziemistość (cery, twarzy)

dough-nut ['dou,nʌt] *s* pączek

doughtiness ['dautinis] † *s żart* dzielność

doughty ['dauti] † *adj* (**doughtier** ['dautiə], **doughtiest** ['dautiist]) *żart* dzielny

doughy ['doui] *adj* 1. zakalcowaty; nie wypieczony 2. (*o cerze*) ziemisty 3. (*o twarzy*) nalany

doum [du:m] *s* (*także* **~-palm**) *bot* widlica tebańska (palma)

dour ['duə] *adj szkoc* 1. (*o człowieku*) zimny; srogi 2. uparty 3. (*o pogodzie itd*) srogi; surowy

dourness ['duənis] *s szkoc* 1. usposobienie zimne <srogie> 2. upór 3. surowość

douse[1] [daus] *vt* 1. *mar* skr-ócić/acać (żagiel) 2. *mar* zam-knąć/ykać (iluminator) 3. z/gasić

douse[2] [daus] Ⅰ *vt* 1. zanurz-yć/ać w wodę; za/moczyć 2. obl-ać/ewać wodą Ⅱ *vi* zanurz-yć/ać się *zob* **dousing**

dousing ['dausiŋ] Ⅰ *zob* **douse**[2] Ⅱ *s* 1. skok do wody 2. tusz; **to get a ~** zmoknąć

dove [dʌv] *s* 1. gołębica; gołąb (jako symbol); gołąbek (pokoju) 2. *pieszcz* gołąbeczko!

dove-coloured ['dʌv,kʌləd] *adj* szary (w delikatnym odcieniu)

dove-cote ['dʌv,kout] *s* gołębnik

dove-eyed ['dʌv,aid] *adj* o niewinnych oczach, o gołębim spojrzeniu

dovelike ['dʌv,laik] *adj* gołębi; o gołębim sercu

Dover ['douvə] *spr farm* **~'s powder** proszek Dovera

dove's-foot ['dʌvz,fut] *s bot* bodziszek kosmaty

dovetail ['dʌv,teil] Ⅰ *s stol* czop; łączenie na czopy <w jaskółczy ogon> Ⅱ *vt* 1. *stol* łączyć (deski) na czopy <w jaskółczy ogon> 2. zazębi-ć/ać (projekty, plany itp.) Ⅲ *vi* zazębi-ć/ać się (**into sth** o coś); iść w parze (**into sth** z czymś)

dowager ['dauədʒə] *s* wdowa (majętna, po dygnitarzu itp.); **Queen ~** królowa wdowa

dowdiness ['daudinis] *s* 1. brak gustu 2. brak staranności; zaniedbany wygląd

dowdy ['daudi] *adj* (**dowdier** ['daudiə], **dowdiest** ['daudiist]) 1. bez gustu 2. niestaranny; zaniedbany

dowel ['dauəl] Ⅰ *s* (*także* **~-pin**) *stol* kołek Ⅱ *vt* (**-ll-**) *stol* łączyć (deski itp.) na kołki

dower ['dauə] Ⅰ *s* 1. wiano; posag 2. dożywocie wdowy 3. talent, dar Ⅱ *vt* 1. wyposaż-yć/ać (narzeczoną) 2. uposaż-yć/ać (żonę) 3. obdarz-yć/ać; wyposaż-yć/ać

dowlas ['dauləs] *s* gruby kreton

down[1] [daun] *s* 1. wydma 2. *pl* **Downs** wyżyny kredowe w południowej Anglii

down[2] [daun] Ⅰ *s* 1. puch, puszek 2. meszek Ⅱ *attr* (*o kołdrze itd*) puchowy

†**down**[3] [daun] Ⅰ *adv* 1. *przy określaniu ruchu:* na <w> dół; ku dołowi; niżej 2. *przy określaniu miejsca:* na <w> dole; nisko; **~ to__** do...; w dół aż do...; do sam-ego/ej/ych...; **~ to the bottom** (aż) do (samego) dna; **from king ~ to cobbler** od króla (w dół) aż do <po> łatacza starego obuwia 3. (ze stolicy) **na prowincję**; (z miasta uniwersyteckiego) do domu; do siebie 4. *wykrzyknikowo:* **~ with__!** precz z...! 5. *rozkazująco do psa:* leżeć! 6. *orzecznikowo:* (*o storach itd*) spuszczony; (*o głowie*) spuszczony, pochylony; (*o człowieku, przedmiocie*) na ziemi (leżący); (*o fakcie, uwadze*) zanotowany; (*o człowieku*) chory; (leżący) w łóżku; (*o cenie*) zniżony, obniżony; (*o włosach*) rozwiązany; rozpuszczony; (*o gumach roweru, oponach*) nie napompowany; *pot* oklapnięty; **your tyres are ~** siadły panu opony; (*w grach*) przegrany; pobity; *karc* **two** <**three etc.**> **~** bez dwóch <trzech itd.> (lew); **~ and out** zrujnowany; w skrajnej nędzy; **~ at the heel** a) w zniszczonym obuwiu b) zubożały; podupadły; **~ in the mouth** zdeprymowany; zniechęcony; **~ on one's luck** w ciężkich opałach; **~ on sb** zawzięty na kogoś; **to be ~ on sb** zawziąć się na kogoś; **he is not ~ yet** (on) jeszcze nie zszedł; **to be ~** być na liście uczestników (**for sth** czegoś); **to be ~ for £20** <**30 etc.**> zaofiarować 20 <30 itd.> funtów; **to be £20** <**30 etc.**> **~** stracić 20 <30 itd.> funtów; **to feel** <**be**> **~** być w kiepskim humorze <nastroju>; **cash ~** gotówką *Uwaga: nadaje czasownikom specyficzne znaczenie* (*przy nich podane*) Ⅱ *adj* 1. (z góry) na <w> dół; **~ leap** skok w dół 2. (*o pociągu*) ze stolicy (na prowincję); **~ train** pociąg ze stolicy 3. *muz* (*o ruchu smyczkiem*) w dół Ⅲ *praep* 1. w; do; **~ a precipice etc.** w przepaść itd.; do przepaści itd. 2. po; z; **~ a hill** <**a tree etc.**> z góry, z drzewa itd.; **~ a wall etc.** po ścianie itd. (w dół) 3. *tłumaczy się przez stosowanie narzędnika:* **~ the street** <**the river, the line etc.**> ulicą <rzeką, koleją itd.> w dół; **~ town** w mieście; w śródmieściu 4. z biegiem (wieków, rzeki) Ⅳ *s* spadek (terenu); **the ups and ~s** a) zmienne koleje (losu) b) falistość (terenu); wzniesienia i spadki c) wzloty i upadki; blaski i cienie Ⅴ *vt* 1. położyć (przeciwnika itp.); zrzuc-ić/ać; ściąg-nąć/ać; strąc-ić/ać (samolot); **to ~ tools** zastrajkować; zaprzestać pracy

down-and-out ['daunənd'aut] *s* rozbitek życiowy; wykolejeniec

down-at-heel ['daunət'hi:l] *adj* 1. (*o obuwiu*) zdarty 2. (*o człowieku*) w zniszczonym ubraniu; zubożały; podupadły

downcast ['daun,kɑ:st] [I] *adj* 1. (*o człowieku*) przybity; przygnębiony; zdeprymowany 2. (*o oczach*) spuszczony [II] *s* 1. *geol* uskok; zeskok 2. *górn* szyb doprowadzający powietrze

downcome ['daun,kʌm] *s* 1. upadek 2. *geol* oberwanie się (stropu)

downcomer ['daun,kʌmə] *s górn* rura odprowadzająca wodę w dół

down-draught ['daun'drɑ:ft] [I] *s* prąd powietrza idący ku dołowi [II] *attr* (*o gaźniku*) dolnossący

downfall ['daun,fɔ:l] *s* upadek; *przen* zguba; ruina; klęska

downfallen ['daun'fɔ:lən] *adj* zniszczony; zrujnowany

down-grade ['daun,greid] *s* nachylenie; spadek

downhaul ['daun,hɔ:l] *s mar* kontrafał

down-hearted ['daun'hɑ:tid] *adj* przybity; przygnębiony; zdeprymowany

downhill ['daun,hil] [I] *adj* opadający [II] *s* spadek; spadzistość; nachylenie [III] *adv* [daun'hil] (z góry) na dół; z góry

Downing ['dauniŋ] *spr* ~ **Street** a) ulica w Londynie, przy której znajduje się rezydencja premiera b) *przen* rząd angielski

downpour ['daun,pɔ:] *s* ulewa

downright ['daunrait] [I] *adv* (*w pozycji końcowej* [daun'rait]) 1. całkowicie; zupełnie; gruntownie 2. wprost; wręcz; stanowczo; kategorycznie 3. otwarcie; bez ogródek [II] *adj* 1. całkowity; zupełny 2. (*o człowieku*) szczery; uczciwy 3. (*o oświadczeniu itp*) otwarty; bez ogródek 4. (*o oszustwie, kłamstwie itd*) prawdziwy; istny; jawny; (*o łajdaku itd*) skończony 5. (*o odmowie itp*) kategoryczny; stanowczy

downrightness ['daunraitnis] *s* szczerość; otwartość; ~ **of speech** mówienie bez ogródek

downstair(s) ['daun'stɛə(z)] *adj* (znajdujący się) na dole; pod spodem; pod nami, pod wami itd.; na niższym <dolnym> piętrze

downstairs ['daun'stɛəz] *adv* 1. *przy określaniu ruchu*: ze schodów; na dół 2. *przy określaniu miejsca*: na dole; pod nami, pod wami itd.

downstream ['daun'stri:m] *adj* w dół rzeki; z prądem

down-stroke ['daun,strouk] *s* 1. (*u litery*) laska, pałeczka 2. *techn* suw (tłoka) w dół

downthrow ['daun,θrou] *s geol* uskok

down-town ['daun'taun] *adv am* 1. w <do> dolnej części miasta 2. w śródmieściu; do śródmieścia

down-train ['daun,trein] *s* pociąg jadący ze stolicy na prowincję

downtrodden ['daun,trɔdn] *adj* 1. podeptany; zdeptany 2. uciskany; tyranizowany; będący w poniewierce

downward ['daunwəd] *adj* 1. (skierowany, idący) na <w> dół; ku dołowi; z góry; pochyły 2. (*o tendencji cen itd*) zniżkowy 3. *przen* prowadzący do upadku <do ruiny>; *przen* **to be on the** ~ **path** staczać się coraz niżej

downward(s) ['daunwəd(z)] *adv* na <w> dół; ku dołowi; z góry

downy[1] ['dauni] *adj* (**downier** ['dauniə], **downiest** ['dauniist]) (*o terenie*) falisty

downy[2] ['dauni] *adj* (**downier** ['dauniə], **downiest** ['dauniist]) 1. puszysty, puchaty; pokryty meszkiem 2. *sl* chytry

dowry ['dauəri] *s* 1. posag; wiano 2. dar; talent

dowse [daus] *vi* uprawiać różdżkarstwo

dowser ['dausə] *s* różdżkarz

dowsing-rod ['dausiŋ,rɔd] *s* różdżka (poszukiwacza)

doxology [dɔk'sɔlədʒi] *s rel* doksologia

doxy[1] ['dɔksi] *s* 1. *sl* kobieta lekkich obyczajów 2. *dial* kochanka

doxy[2] ['dɔksi] *s pot* zdanie; przekonanie; teoria (szczególnie religijna)

doyen ['dwaiɛ̃:] *s* senior (zespołu)

doyley ['dɔili] = **doily**

doze [douz] [I] *vi* drzemać

~ **away** *vt* zdrzemnąć się (**a while etc.** chwilkę itd.)

~ **off** *vi* zasnąć

[II] *s* drzemka; **to have a** ~ zdrzemnąć się

dozen [dʌzn] *s* 1. (*po liczebniku zachowuje sing*) tuzin; **half a** ~ pół tuzina; **over a** ~ kilkanaście; **several** ~ kilkadziesiąt; *przen* **a long <baker's, printer's>** ~ trzynaście; *pot* **to talk thirteen to the** ~ pleść <paplać> trzy po trzy 2. (*bez poprzedzającego liczebnika — pl* ~**s**) a) tuziny; **to sell articles in** ~**s** <**by the** ~> sprzedawać towar na tuziny <tuzinami> b) (*także* ~**s and** ~**s**) masy; mnóstwo; **in their** ~**s** masami; ławą

dozenth ['dʌzənθ] *adj* *x*-ty; **for the** ~ **time** po raz *x*-ty <nie wiadomo który>

drab[1] [dræb] *s* 1. (*o kobiecie*) flejtuch; flądra; brudas 2. prostytutka

drab[2] [dræb] [I] *s* 1. kolor brązowawy <płowy> 2. brązowawy materiał wełniany 3. bezbarwność; monotonia; jednostajność [II] *adj* 1. brązowawy; płowy 2. (*o życiu itd*) szary; bezbarwny; monotonny

drabbet ['dræbit] *s* szare płótno

drabble ['dræbl] [I] *vt* obryzgać (kogoś) błotem; ubłocić [II] *vi* 1. pluskać; *pot* taplać się; **to** ~ **through the mud** brnąć w błocie pryskając na wszystkie strony 2. ubrudzić <ubabrać, ubłocić> się

dracaena [drə'si:nə] *s bot* dracena (drzewo i krzew)

drachm [dræm] *s* drachma (jednostka wagi i waluty greckiej)

drachma ['drækmə] *s* (*pl* ~**s, drachmae** ['drækmi:]) drachma (jednostka waluty greckiej)

Draconian [drei'kouniən] *adj* drakoński

draff [dræf] *s* 1. słodziny 2. pomyje 3. męty <fusy> (wina)

draft [drɑ:ft] [I] *s* 1. *wojsk* oddział odkomenderowany do spełnienia zadania <zasilający> 2. *am* zaciąg; pobór 3. *fin* trata; weksel; czek; **to make a** ~ **on** ___ a) wystawić tratę na... b) wykorzystać... (czyjąś przyjaźń, zaufanie itd.) 4. szkic; zarys; schemat; projekt; brulion 5. rysunek 6. ciągnięcie; **beast of** ~ zwierzę pociągowe 7. ciąg (powietrza w piecu) 8. nacięcie <wyżłobienie> na kamieniu *zob* **draught** *s* [II] *vt* 1. *wojsk* odkomenderować 2. na/szkicować; z/robić <na/pisać> zarys <schemat, projekt, brulion> (**sth** czegoś); na/pisać (coś) w ogólnych zarysach; za/projektować; za/planować 3. na/rysować; z/robić rysunek (**sth** czegoś) 4. wyżł-obić/abiać (kamień) *zob* **draught** *v*

draftsman ['dra:ftsmən] *s* (*pl* **draftsmen** ['dra:fts mən]) kreślarz; rysownik

draftsmanship ['dra:ftsmənʃip] *s* rysunek (umiejętność rysowania); kreślarstwo

drag [dræg] *v* (**-gg-**) [I] *vt* 1. wlec; ciągnąć; zawlec (**sb to a place** kogoś dokądś); wywlec (**sb from a place** kogoś skądś); **to ~ one's feet** wlec nogi; powłóczyć nogami 2. *mar* wlec (kotwicę) 3. z/bronować 4. z/bagrować 5. za/hamować (hamulcem łańcuchowym, ręcznym) [II] *vi* 1. wlec się 2. bagrować w poszukiwaniu (**for sth** czegoś)

~ about *vt* wszędzie wlec za sobą

~ away *vt* odwlec; odciąg-nąć/ać (kogoś od czegoś, kogoś)

~ down *vt* zw-lec/łóczyć; ściąg-nąć/ać na <w> dół

~ in *vt* wciąg-nąć/ać

~ on [I] *vt* 1. wlec; **to ~ on a miserable existence** marnie wegetować 2. rozwlekać [II] *vi* wlec <przeciągać> się

~ out *vt* wywle-c/kać; wyciąg-nąć/ać; **to ~ out a wretched existence** marnie wegetować

~ up *vt* 1. wy/wlec; wyciąg-nąć/ać (kogoś, coś) w górę 2. *przen* wywle-c/kać (historię, skandal itp.) 3. wy/bagrować; wył-owić/awiać 4. wychow-ać/ywać (dziecko) byle jak

[III] *s* 1. *roln* włóka (ciężka brona) 2. sanie 3. draga; pogłębiarka 4. bosak 5. powóz czterokonny 6. *myśl* sztuczny trop 7. klub myśliwych uprawiających gonitwę z psami za sztucznym tropem 8. hamulec łańcuchowy (przy wozie) 9. podpora hamulcza 10. zawada; **to be a ~ on —** być kulą u nogi dla... 11. *fiz* opór; tarcie 12. hamulec ręczny

drag-anchor ['dræg,æŋkə] *s mar* dryfkotwa

drag-chain ['dræg,tʃein] *s* 1. hamulec łańcuchowy 2. łańcuch hamulca łańcuchowego

dragée ['dræʒei] *s* drażetka (cukierek lub lek)

draggle ['drægl] [I] *vt* za/szargać; ubłocić; wlec po błocie [II] *vi* 1. wlec się (po ziemi) 2. pozostawać w tyle (za innymi)

draggle-tail ['drægl,teil] *s* (*o kobiecie*) flejtuch; flądra; niechluj

drag-hunt ['dræg,hʌnt] *s* gonitwa z psami za sztucznym tropem *zob* **drag** *s* 6.

drag-net ['dræg,net] *s* niewód

dragoman ['drægoumən] *s* (*pl* **~s, dragomen** ['dræg oumən]) dragoman

dragon ['drægən] *s* smok

dragon-fly ['drægən,flai] *s zoo* ważka

dragonnade [,drægə'neid] *s hist* dragonada, prześladowanie hugonotów we Francji za Ludwika XIV; *przen* represje wojskowe

dragon's-blood ['drægənz'blʌd] *s farm* dracena (żywica)

dragon-tree ['drægən,tri:] *s bot* dracena (drzewo)

dragoon [drə'gu:n] [I] *s wojsk* dragon [II] *vt* prześladować; tyranizować; **to ~ sb into sth** tyranizowaniem zmusić <doprowadzić> kogoś do czegoś

drail ['dreil] *s wędk* żyłka obciążona do łowienia na gruntówkę

drain [drein] [I] *vt* 1. wy/drenować; osusz-yć/ać; odw-odnić/adniać; spu-ścić/szczać wodę (**a pond etc.** ze stawu itd.) 2. odprowadz-ić/ać; (*także* **to ~ water etc. away** <**off**>) odsącz-yć/ać; odcedz-ić/ać 3. (*o rzece*) odprowadzać wodę (**a region** z okolicy) 4. opróżni-ć/ać (puchar itp.); wy/pić do dna 5. wyczerp-ać/ywać; *przen* **to ~ sb of his strength** <**money etc.**> zużywać czyjeś siły <zasoby itd.> [II] *vi* 1. (*także* **~ away**) wycie-c/kać; wysącz-yć/ać się 2. (*o przedmiocie*) osusz-yć/ać się (z wody itp.) [III] *s* 1. dren; rów odwadniający 2. ściek; rynsztok 3. *pl* **~s** kanały; kanalizacja; **to throw money down the ~s** wyrzucać pieniądze w błoto 4. *med* sączek, dren 5. *techn* strata (energii); wyczerp-anie/ywanie; odpływ; **a ~ on the resources** obciążenie (finansowe); ciężar

drainage ['dreinidʒ] *s* 1. odw-odnienie/adnianie; osusz-enie/anie; z/drenowanie 2. odsącz-enie/anie 3. woda ściekowa 4. *med* sączkowanie

drainage-area ['dreinidʒ,εəriə], **drainage-basin** ['dreinidʒ,beisn] *s* dorzecze; zlewisko

drainage-tube ['dreinidʒ,tju:b] *s med* sączek

drainer ['dreinə] *s* 1. cedzak; durszlak 2. suszarka (do butelek itp.)

drain-pipe ['drein,paip], **drain-tile** ['drein,tail] *s* dren; rura odpływowa

drake[1] [dreik] *s zoo* kaczor

drake[2] [dreik] *s zoo* jętka

dram [dræm] *s* 1. jednostka wagi — w systemie wag a) handlowych (= 1,77 g) b) aptekarskich (= 3,888 g) 2. kieliszek (czegoś do wypicia); **to take a ~** wypić kieliszek; napić się

drama ['dra:mə] *s* 1. *dosł i przen* dramat 2. sztuka dramatyczna; teatr

dramatic [drə'mætik] *adj* dramatyczny

dramatis personae ['dra:mətis-pə:'sounai] *spl* osoby (występujące w utworze scenicznym)

dramatist ['dræmətist] *s* dramaturg

dramatization [,dræmətai'zeiʃən] *s* dramatyzacja

dramatize ['dræmə,taiz] *vt* u/dramatyzować

dramaturgy ['dræmə,tə:dʒi] *s* dramaturgia

drank *zob* **drink** *v*

drape [dreip] [I] *vt* 1. u/drapować 2. ułożyć/układać w fałdy [II] *vi* ub-rać/ierać się w fałdziste szaty

draper ['dreipə] *s* właściciel sklepu tekstylnego; **a ~'s shop** skład towarów tekstylnych

draperied ['dreipərid] *adj* udrapowany

drapery ['dreipəri] *s* 1. *zbior* towary tekstylne 2. draperia 3. udrapowanie

drastic ['dræstik] *adj* 1. drastyczny 2. drakoński

drat [dræt] *interj wulg* do licha!; a bodaj (**go, ją** itd.)!

dratted ['drætid] *adj* przeklęty

draught [dra:ft] [I] *s* 1. = **draft** *s* 1., 3., 4., 5., 6., 7. 2. zarzucenie sieci <niewodu> 3. połów 4. haust, łyk 5. *med* napój; wywar 6. zanurzenie (statku); wyporność 7. *pl* **~s** warcaby 8. przeciąg; **there is a ~** wieje (od okna, drzwi itd.) 9. odciąganie płynu (z jednego naczynia do drugiego); **beer on ~** piwo beczkowe [II] *vt* = **draft** *v*

draught-board ['dra:ft,bɔ:d] *s* szachownica

draught-compasses ['dra:ft,kʌmpəsiz] *spl* cyrkiel

draught-horse ['dra:ft,hɔ:s] *s* koń pociągowy

draught-net ['dra:ft,net] *s* sieć; włók

draughtsman ['dra:ftsmən] *s* (*pl* **draughtsmen** ['dra:ftsmən]) 1. kreślarz; rysownik 2. pionek

draughtsmanship ['dra:ftsmənʃip] *s* kreślarstwo; rysunek (umiejętność rysowania)

draughty ['dra:fti] *adj* (**draughtier** ['dra:ftiə], **draughtiest** ['dra:ftiist]) (*o pokoju*) w którym wieje (od okien i drzwi) <są przeciągi>; (*o części miasta itp*) wystawiony na wszystkie wiatry

draw [drɔ:] *v* (**drew** [dru:], **drawn** [drɔ:n]) [I] *vt*

1. po/ciągnąć; zaciąg-nąć/ać; ściąg-nąć/ać; wyciąg-nąć/ać; odciąg-nąć/ać; *przen* **to ~ blood** zranić <pobić, wychłostać> do krwi; **to ~ cards for partners** ciągnąć karty o partnerów — kto z kim gra; **to ~ lots** <**straws**> **for sth** ciągnąć losy o coś; **to ~ one's sword** obnażyć szpadę; **to ~ sb into the conversation** wciągnąć kogoś do rozmowy; **to ~ tears from sb** wyciskać komuś łzy z oczu 2. wciąg-nąć/ać (powietrze itd.) 3. pociąg-nąć/ać za sobą (skutki) 4. wywabi-ć/ać (zwierza) z kryjówki 5. wy/ssać 6. wy/pompować 7. spu-ścić/szczać (płyn z naczynia itd.); pu-ścić/szczać (krew pacjentowi) 8. przyciąg-nąć/ać (uwagę, tłum itd.) 9. *hist* po/wlec (skazańca za koniem na miejsce kaźni) 10. wy/losować 11. wyr-wać/ywać (gwóźdź, ząb itd.) 12. czerpać (pociechę itd.); wyciąg-nąć/ać (wniosek) 13. pobierać (pieniądze, zasiłek, przydział żywności itd.); pod-jąć/ejmować 14. *karc* wyciąg-nąć/ać (atuty itp.) 15. próbować <usiłować> wyciągnąć (kogoś na rozmowę, zwierzenia itd.); sondować (kogoś, by się zdradził z czymś); wy/badać 16. wy/patroszyć 17. wył-owić/awiać (ryby) siecią <niewodem> 18. ciągnąć (drut) 19. zremisować (grę) 20. na/rysować; na/kreślić (linię itd.); **to ~ a comparison** przeprowadz-ić/ać porównanie; **to ~ a distinction between two things** odróżniać dwie rzeczy od siebie; **to ~ the line at sth** (w postępowaniu) nie przekraczać granicy czegoś; powiedzieć sobie „dość" przy czymś 21. wystawi-ć/ać (czek, tratę) 22. (*o statku*) mieć wyporność (*x* **feet** *x* stóp) 23. po/ciągnąć <wodzić> (**sth over sth** czymś po czymś) || **~ it mild!** nie przesadzaj/cie! [II] *vi* 1. (*o kominie, pompie itp*) ciągnąć; **to ~ for money on the reserves etc.** sięgać do rezerw pieniężnych; czerpać pieniądze z rezerw itd.; **to ~ on one's memory** <**imagination**> posłu-żyć/giwać się pamięcią <wyobraźnią> 2. (*o plastrze*) ściągać 3. (*o herbacie itp*) naciągać 4. (*o żaglu*) wydymać się 5. ciągnąć losy 6. ciągnąć karty 7. wystawi-ć/ać czek <tratę>; trasować 8. z/remisować 9. posu-nąć/wać się; **to ~ near** zbliż-yć/ać się; (*o grupie osób*) **to ~ round the table etc.** pod-ejść/chodzić do stołu itd.; **~ to one side** usunąć się na bok 10. przewlekać <dłużyć> się; trwać <wlec się> (długi czas)

~ along *vt* ciągnąć <wlec> (kogoś, coś) za <ze> sobą

~ apart [I] *vt* odciąg-nąć/ać jedno od drugiego [II] *vi* oddziel-ić/ać <odłącz-yć/ać> się

~ aside [I] *vt* 1. odciągnąć (kogoś) na stronę <na bok> 2. rozsu-nąć/wać (kotarę itp.) [II] *vi* (*o grupie osób*) ustawi-ć/ać się z boku; odsu-nąć/wać się na bok

~ away [I] *vt* odciąg-nąć/ać [II] *vi* oddal-ić/ać się

~ back [I] *vt* odciąg-nąć/ać; cof-nąć/ać; rozsu-nąć/wać (kotarę itp.) [II] *vi* 1. cof-nąć/ać się 2. wycof-ać/ywać się (z czegoś); cofnąć dane słowo; z/rejterować

~ down *vt* 1. ściągnąć na dół 2. ściągnąć (na siebie, na kogoś — gniew, nieszczęście itd.)

~ forth *vt* 1. wyciąg-nąć/ać 2. wywoł-ać/ywać (śmiech, łzy, protest itd.)

~ forward *vi* zbliż-yć/ać się

~ in [I] *vt* wyciąg-nąć/ać [II] *vi* (*o dniu*) z/maleć; sta-ć/wać się krótszym

~ off [I] *vt* 1. ściąg-nąć/ać; odciąg-nąć/ać (wojsko itp.) 2. ściąg-nąć/ać; spu-ścić/szczać (wino, krew itd.) [II] *vi* odst-ąpić/ępować; cof-nąć/ać się

~ on [I] *vt* naciąg-nąć/ać (rękawiczkę itd.) [II] *vi* zbliż-yć/ać się

~ out [I] *vt* 1. wyciąg-nąć/ać; wyr-wać/ywać; wyb-rać/ierać (węgiel itd.); wyprowadz-ić/ać (kogoś) z domu <z pokoju> 2. pod-jąć/ejmować (pieniądze) 3. rozruszać <rozochocić, ożywić> (kogoś) 4. ciągnąć (drut) 5. przeciąg-nąć/ać; wydłuż-yć/ać; przewle-c/kać 6. na/rysować [II] *vi* wydłuż-yć/ać się

~ round *vi* zebrać/zbierać się w koło <dokoła>

~ to *vt* zasu-nąć/wać (kotarę itd.)

~ together [I] *vt* ściąg-nąć/ać <zbliż-yć/ać> (jedno do drugiego) [II] *vi* zbliż-yć/żać się do siebie

~ up [I] *vt* 1. wyciąg-nąć/ać (w górę, do góry); podciąg-nąć/ać 2. zatrzym-ać/ywać (pojazd) 3. przyśrubow-ać/ywać (zakrętkę itp.) 4. przyciąg-nąć/ać (krzesło do stołu itd.) 5. ustawi-ć/ać <u/szykować> (wojsko) 6. z/redagować; s/formułować; na/szkicować [II] *vr* **~ oneself up** wyprostować się [III] *vi* 1. zbliż-yć/ać się 2. z/równać się (z kimś, czymś) 3. (*o pojeździe*) zatrzym-ać/ywać się; sta-nąć/wać 4. (*o wojsku*) ustawi-ć/ać się; wyrówn-ać/ywać szereg

zob **drawing, drawn** [III] *s* 1. pociągnięcie; szarpnięcie 2. atrakcja 3. remis 4. wabik 5. sondowanie (kogoś); próba wyciągnięcia kogoś na rozmowę <na zwierzenia> 6. ciągnienie (na loterii) 7. los (na loterii)

drawback ['drɔ:,bæk] *s* 1. wada; ujemna strona 2. *ekon* premia wywozowa

draw-bar ['drɔ:,ba:] *s kolej* hak cięgłowy; sprzęg wagonowy

draw-bolt ['drɔ:,boult] *s techn* sworzeń

draw-bridge ['drɔ:,bridʒ] *s* most zwodzony

drawee [drɔ:'i:] *s prawn* trasat

drawer ['drɔ:ə] *s* 1. rysowni-k/czka; kreśla-rz/rka 2. bufetow-y/a 3. *prawn* trasant 4. [drɔ:] szuflada 5. *techn* ekstraktor 6. *pl* **~s** [drɔ:z] kalesony; majtki (damskie, dziecięce), reformy

drawerful ['drɔ:ful] *s* pełna szuflada (czegoś)

draw-gear ['drɔ:,giə] *s* sprzęg (wozowy)

drawing ['drɔ:iŋ] [I] *zob* **draw** *v* [II] *s* rysunek; *szk* rysunki; **out of ~** nieprawidłowo narysowany [III] *attr* rysunkowy

drawing-block ['drɔ:iŋ,blɔk] *s* blok rysunkowy

drawing-board ['drɔ:iŋ,bɔ:d] *s* rysownica

drawing-engine ['drɔ:iŋ,endʒin] *s górn* wyciąg szybowy

drawing-knife ['drɔ:iŋ,naif] *s* (*pl* **drawing-knives** ['drɔ:iŋ,naivz]) = **draw-knife**

drawing-pen ['drɔ:iŋ,pen] *s* 1. piórko kreślarskie 2. grafion

drawing-room ['drɔ:iŋ,rum] *s* 1. salon 2. przyjęcie na dworze królewskim 3. *am* wagon salonowy, salonka

draw-knife ['drɔ:,naif] *s* (*pl* **draw-knives** ['drɔ:,naivz]) *techn* ośnik; strug

drawl [drɔ:l] [I] *vi* cedzić słowa [II] *vt* przeciągać (głoski, wyrazy) [III] *s* cedzenie słów; przeciągł-e/a wymawianie <wymowa>

drawn [I] *zob* **draw** *v* [II] *adj* 1. pociągnięty; **to feel ~ to sb** poczuć do kogoś sympatię 2. (*o twarzy*) wymizerowany; ściągnięty; wykrzywiony 3. **~**

out a) przewlekły b) wydłużony 4. (*o szpadzie itp*) obnażony 5. (*o walce*) nierozstrzygnięty
drawn-work ['drɔ:n,wə:k] *s* mereżka
draw-plate ['drɔ:,pleit] *s* druciarka (maszyna)
draw-well ['drɔ:,wel] *s* studnia z korbą
dray [drei] *s* dwukołowy wóz do przewożenia beczek piwa
dray-horse ['drei,hɔ:s] *s* (silny) koń pociągowy
drayman ['dreimən] *s* (*pl* **draymen** ['dreimən]) woźnica rozwożący piwo w beczkach *zob* **dray**
dread [dred] I *s* strach; lęk; przerażenie; **to stand in ~ of sth** lękać się czegoś; mieć lęk przed czymś II *adj poet* straszny III *vt* bać <obawiać> się (**sth** czegoś; **to do sth, doing sth** coś zrobić); lękać się (**sth** czegoś; **to do sth, doing sth** zrobienia czegoś)
dreadful ['dredful] I *adj* straszny; okropny; przeraźliwy; *dosł i przen* **something ~** coś strasznego II *s* sensacyjna publikacja; *pot* kryminał (książka)
dreadnought ['dred,nɔ:t] *s* 1. *mar* pancernik 2. gruby materiał płaszczowy
dream [dri:m] I *s* sen (widzenie senne); *dosł i przen* marzenie; mrzonka; urojenie; senna mara; **I had a ~** coś mi się śniło; **to be <live, go about> in a ~** być stale myślami gdzie indziej; **to go to one's ~s** iść spać; **of one's ~s** wymarzony; **sweet ~s!** przyjemnych marzeń!; **waking ~** sen na jawie II *vi* (*praet* **dreamed** [dremt, dri:md], **dreamt** [dremt], *pp* **dreamed** [dremt, dri:md], **dreamt** [dremt]) 1. mieć sen; miewać sny; śnić <roić> (**of** <**about**> **sb, sth** o kimś, czymś; **that** — że...), **I dreamt of you** śni-łeś/liście mi się 2. marzyć <roić> (**of** <**about**> **sb, sth** o kimś, czymś); **I shouldn't ~ of it** nigdy bym się (na to) nie odważył III *vt* (*praet* **dreamed** [dremt, dri:md], **dreamt** [dremt], *pp* **dreamed** [dremt, dri:md], **dreamt** [dremt]) widzieć (coś) we śnie; **to ~ dreams (of happiness etc.)** śnić <roić> (o szczęściu itd.)
~ away *vt* s/trawić (czas) na rojeniach
dreamer ['dri:mə] *s* marzyciel/ka; fantast-a/ka
dreamhole ['dri:m,houl] *s* strzelnica w baszcie
dreaminess ['dri:minis] *s* 1. senność; senny wygląd 2. marzycielskie usposobienie
dreamland ['dri:m,lænd] *s* kraina snów
dreamless ['dri:mlis] *adj* (*o śnie*) niezakłócony; bez marzeń; **I had a ~ sleep** spałem i nic mi się nie śniło
dreamlike ['dri:m,laik] *adj* zjawiskowy
dreamt *zob* **dream** *v*
dreamy ['dri:mi] *adj* (**dreamier** ['dri:miə], **dreamiest** ['dri:miist]) 1. senny 2. niewyraźny 3. marzycielski
drear ['driə] *poet* = **dreary**
dreariness ['driərinis] *s* posępność; ponurość
dreary ['driəri] *adj* (**drearier** ['driəriə], **dreariest** ['driəriist]) posępny; ponury
dredge[1] ['dredʒ] I *s* 1. *techn* draga; bagrownica; czerpaka; pogłębiarka 2. włók; niewód II *vt* 1. wy/bagrować (rzekę itd.) 2. łowić włókiem III *vi* bagrować
~ away *vt* wy/bagrować (muł itd.)
~ out <**up**> *vt* wył-owić/awiać dragą
dredge[2] [dredʒ] *vt* posyp-ać/ywać (mięso itd.) mąką
dredger[1] ['dredʒə] *s* sitko (do posypywania mięsa itd. mąką)
dredger[2] ['dredʒə] *s* (*także* **dredge-boat**) statek do połowu (ostryg itd.) włókiem
dree [dri:] † *vt w zwrocie*: **to ~ one's weird** znosić swój los
dreg [dreg] *s* 1. pozostałość; resztka; **not a ~** ani odrobina 2. *pl* **~s** osad (wina itd.); męty; **to the ~s** do dna 3. *pl* **~s** *dosł i przen* męty
dreggy ['dregi] *adj* (*o płynie*) mętny
drench [drentʃ] I *vt* 1. zmoczyć; przemoczyć; **to get ~ed (to the skin)** zmoknąć (do suchej nitki) 2. da-ć/wać lekarstwo (**an animal** zwierzęciu) II *s* 1. dawka (lekarstwa dla zwierzęcia) 2. ulewa
drencher ['drentʃə] *s* 1. naczynie do wlewania zwierzęciu lekarstwa do gardła 2. ulewa
Dresden ['drezdən] *spr attr* (*o porcelanie itd*) drezdeński
dress [dres] I *vt* 1. ub-rać/ierać; odzi-ać/ewać; **to be ~ed in white <black etc.>** a) (*o mężczyźnie*) być w białym <czarnym itd.> ubraniu <garniturze> b) (*o kobiecie*) być w białej <czarnej itd.> sukni; być w bieli <w czerni itd.> 2. przeb-rać/ierać; **~ed as** — przebrany za <w stroju...> (arlekina) itd.) 3. przystr-oić/ajać; ozd-obić/abiać; u/dekorować; *teatr* robić kostiumy (**sb** dla kogoś, komuś) 4. *wojsk* wyrówn-ać/ywać (szeregi, namioty) 5. przewiąz-ać/ywać <opat-rzyć/rywać> (ranę); o/bandażować 6. u/czesać (włosy) 7. o/czyścić (konia) 8. przyrządz-ić/ać (potrawę); sprawi-ć/ać (kurę itd.) 9. obcios-ać/ywać (deski itp.); o/ciosać (kamień) 10. wyk-ończyć/ańczać (sukno itp.); apretować 11. naw-ieźć/ozić (pole) 12. wy/garbować (skórę) 13. po/obcinać (drzewa, krzewy) II *vi* 1. ub-rać/ierać <wy/stroić> się 2. włożyć/wkładać strój wieczorowy; **to ~ for dinner** włożyć/wkładać <ub-rać/ierać się w> smoking do kolacji
~ down *vt* 1. o/czyścić (konia) 2. z/besztać (kogoś)
~ out *vt* wy/stroić
~ up I *vt* wystroić II *vi* 1. wystroić się; wystroić <ubrać> się w kostium 2. *wojsk* wyrówn-ać/ywać szeregi
zob **dressing** III *s* 1. strój; szat-a/y; ubiór; odzież; garderoba; ubranie; kostium; kombinezon (roboczy); *wojsk* mundur; **evening ~** (*dla mężczyzny*) smoking; (*dla kobiety*) suknia wieczorowa; **full ~** strój wieczorowy; (*dla mężczyzny*) frak; (*dla kobiety*) suknia wieczorowa; **morning ~** a) (*dla mężczyzny*) strój spacerowy; zwykłe ubranie b) (*dla kobiety*) toaleta poranna; negliż 2. suknia, sukienka 3. *zbior* toalety; stroje IV *attr teatr* **~ circle** balkon pierwszego piętra; **~ coat** frak; **~ rehearsal** próba generalna
dresser[1] ['dresə] *s* 1. kredens kuchenny 2. serwantka
dresser[2] ['dresə] *s* 1. pielęgnia-rz/rka asystując-y/a przy operacji 2. krawiec teatralny 3. *górn* przeróbkarz 4. *górn* kilof 5. młot
dressing ['dresiŋ] I *zob* **dress** *v* II *s* 1. ubieranie się; toaleta 2. dekoracja (wystawy sklepowej itp.) 3. *wojsk* równanie 4. przewiązanie (rany); obandażowanie; opatrunek 5. *pl* **~s** materiał opatrunkowy 6. uczesanie 7. przyrządzenie (potrawy); sos; farsz; sałatka 8. ociosanie; obróbka (drewna, kamienia) 9. wykończenie (sukna); apretura 10. nawożenie (pola) 11. wy/garbowanie (skóry) 12. *górn* obrywka 13. **a ~ (down)** z/besztanie; *pot* bura

dressing-bag ['dresiŋ,bæg] *s* neseser
dressing-case ['dresiŋ,keis] *s* neseser
dressing-gown ['dresiŋ,gaun] *s* szlafrok
dressing-room ['dresiŋ,rum] *s* umywalnia; ubieralnia
dressing-table ['dresiŋ,teibl] *s* toaleta (mebel)
dressing-trolley ['dresiŋ,trɔli] *s* toaleta (mebel)
dressmaker ['dres,meikə] *s* krawiec damski; krawcowa
dressmaking ['dres,meikiŋ] *s* krawiectwo (damskie)
dress-suit ['dres'sju:t] *s* 1. frak 2. strój galowy
dressy ['dresi] *adj* (**dressier** ['dresiə], **dressiest** ['dresiist]) 1. wytwornie ubrany 2. (*o kobiecie*) lubiąca się stroić 3. (*o ubiorze*) szykowny
drew *zob* **draw** *v*
dribble ['dribl] I *vi* 1. kapać 2. ślinić się 3. *bil* (*o kuli*) po/toczyć się wolno (do łuzy) II *vt* 1. odcedz-ić/ać 2. (*w piłce nożnej i hokeju*) dryblować 3. *bil* uderz-yć/ać (kulę) tak, by potoczyła się wolno do łuzy *zob* **dribbling** III *s* 1. kapanie 2. ślina (cieknąca z ust)
drib(b)let ['driblit] *s* drobna kwota; **by ~s** (spłacać dług itd.) drobnymi sumami <*pot* kapaniną>
dribbling ['dribliŋ] I *zob* **dribble** *v* II *s sport* dryblowanie
dried [draid] *zob* **dry** *v*; **~ eggs** jaja w proszku
drier ['draiə] = **dryer**
drift [drift] I *s* 1. prąd 2. płynięcie z prądem; *mar* dryf 3. zboczenie; odchylenie; derywacja 4. bieg (wypadków) 5. tendencja; dążenie; tok <wątek> myśli; cel <sens> (wypowiedzi); **I see his ~** rozumiem, do czego (on) zmierza 6. deszcz <śnieg> niesiony przez wiatr 7. zaspa; nawiany piasek 8. przedmiot unoszący się na wodzie 9. bezwładne posuwanie się z prądem; **the policy of ~** taktyka bierności 10. *górn* sztolnia; wyrobisko; przekop; chodnik 11. *geol* dryft; przesuwanie się; osad 12. *płd afr* bród II *vt* 1. spławiać 2. (*o prądzie*) nieść 3. (*o wietrze*) nawiać <nan-ieść/osić> (**snow, sand etc.** śniegu, piasku itd.) 4. *techn* wy/drążyć; przebijać III *vi* 1. *mar* dryfować 2. unosić się bezwładnie na wodzie; płynąć z prądem; *przen* być biernym 3. (*o śniegu, piasku itd*) na/gromadzić się 4. (*o pytaniach, wypadkach itd*) zmierzać <dążyć> (do czegoś)
driftage ['driftidʒ] *s* 1. *mar* dryf; dryfowanie 2. *zbior* przedmioty wyrzucone przez falę na brzeg
drift-anchor ['drift,æŋkə] *s mar* dryfkotwa
drifter ['driftə] *s* 1. statek do połowu włókiem 2. *górn* wiertarka
drift-ice ['drift,ais] *s* kra dryfująca
drift-net ['drift,net] *s* niewód; włók
drift-sand ['drift,sænd] *s* lotny piasek
driftway ['drift,wei] *s górn* przekop; sztolnia; chodnik
drift-wood ['drift,wud] *s* drzewo wyrzucone przez fale na brzeg
drill¹ [dril] I *vt* 1. wy/świdrować; prze/wiercić; wy/drążyć 2. prze/ćwiczyć (**sb in sth** coś z kimś) 3. *am kolej* sortować (wagony) 4. *wojsk* musztrować II *vi* 1. ćwiczyć się 2. *wojsk* musztrować się III *s* 1. świder; wiertak 2. *wojsk* musztra 3. *szk* ćwiczenie 4. dryl
drill² [dril] I *vt* po/siać; po/sadzić rzędami II *s roln* 1. bruzda; rząd 2. siewnik
drill³ [dril] *s zoo* pawian
drill⁴ [dril] *s* drelich
driller ['drilə] *s* 1. wiertarka (maszyna) 2. wiertacz (pracownik)
drill-grubber ['dril,grʌbə] *s roln* radło
drill-plough ['dril,plau] *s roln* obsypnik (narzędzie)
drill-sergeant ['dril,sa:dʒənt] *s* sierżant; instruktor musztry
drily ['draili] = **dryly**
drink [driŋk] *v* (**drank** [dræŋk], **drunk** [drʌŋk]) I *vt* 1. wy/pić; napić się (**sth** czegoś) 2. pić <wzn-ieść/osić toast> (**sb's health** za czyjeś zdrowie, na czyjąś cześć; **confusion to _** na pohybel ...); **to ~ oneself drunk** upić się; (*o wodzie*) **fit to ~** zdatny do picia II *vi* pić; upijać się; być pijakiem
~ away I *vt* 1. przepi-ć/jać (mienie) 2. u/topić (troski itp.) w alkoholu II *vi* pić ochoczo; nie żałować sobie (picia)
~ down *vt* 1. wypić; połknąć 2. zapić (lekarstwo itp.) 3. *w zwrocie:* **to ~ sb down** przetrzymać kogoś w piciu
~ in *vt* 1. wchłaniać (wilgoć, rosę); nasycać się (**moisture** wilgocią) 2. *przen* rozkoszować się (**sth** czymś); wchłaniać (oczami piękno); napawać się (**sth** czymś)
~ off *vt* wypić; wychyl-ić/ać (kieliszek itp.)
~ up *vt* wypić; dopi-ć/jać
zob **drinking, drunk** III *s* 1. napój; napitek; **a ~** a) szklanka <kubek, łyk> wody itp.; coś do wypicia b) kieliszek wódki itp.; bombka piwa; lampka wina; **soft ~s** bezalkoholowe napoje chłodzące; **strong ~s** trunki; **the ~s** wypite (przez towarzystwo) trunki; **to have a ~** a) napić się czegoś b) wypić coś 2. *przen* alkohol; pijaństwo; alkoholizm; **in <under the influence of> ~** podchmielony; upity; nietrzeźwy; **to take to ~** rozpić się
drinkable ['driŋkəbl] I *adj* nadający się do picia; pitny II *spl* **~s** napoje; trunki
drinker ['driŋkə] *s* 1. pijąc-y/a 2. pija-k/czka
drinking ['driŋkiŋ] I *zob* **drink** *v* II *s* 1. picie 2. pijaństwo
drinking-bout ['driŋkiŋ,baut] *s* libacja; pijatyka; *pot* popijawa
drinking-fountain ['driŋkiŋ,fauntin] *s* fontanna z wodą do picia
drinking-water ['driŋkiŋ,wɔ:tə] *s* woda do picia
drink-money ['driŋk,mʌni] *s* napiwek
drink-offering ['driŋk,ɔfəriŋ] *s* (*u staroż. Rzymian*) libacja (obrzęd)
drip [drip] *v* (-pp-) I *vi* 1. kapać; ściekać 2. sączyć się 3. ociekać wodą <krwią itp.> II *vt* odsącz-yć/ać *zob* **dripping** III *s* 1. kapka; kropla (wody itd.) 2. kapanie
drip-drop ['drip,drɔp] *s* kapanie
drip-dry ['drip,drai] *adj* (*o materiale, bieliźnie*) schnący bez wyżymania i nie wymagający prasowania
drip-moulding ['drip,mouldiŋ], **drip-stone** ['drip,stoun] *s arch* okapnik
dripping ['dripiŋ] I *zob* **drip** *v* II *s* 1. kapanie; ściekanie 2. tłuszcz spod pieczeni III *adj* kapiący; ociekający; **~ wet** przemoczony do (suchej) nitki
drip-stone *zob* **drip-moulding**
drive [draiv] *v* (**drove** [drouv], **driven** ['drivn]) I *vt* 1. pędzić, popędzać; gonić, gnać; zapędz-ić/ać; zag-nać/aniać (**sb, sth into a corner etc.** kogoś, coś w kąt <w kozi róg> itd.); (*o wietrze*)

mieść <miotać> (**rain** deszczem); **to ~ a hoop** bawić się kołem; **to ~ sth out of sb's head** wybić komuś coś z głowy 2. kierować (**a car, an engine** samochodem, lokomotywą); powozić (**sth** czymś); jechać <jeździć> (**a carriage** pojazdem); **to ~ one's carriage** a) osobiście powozić własnym pojazdem b) mieć własny powóz 3. powieźć <zaw-ieźć/ozić> (**sb to a place** kogoś dokądś) 4. doprowadz-ić/ać (kogoś do czegoś — rozpaczy itd.); **to ~ sb mad** <**out of his senses**> doprowadzić kogoś do szału 5. (*o przełożonym itp*) zamęczać pracą 6. wbi-ć/jać (gwóźdź w ścianę itp.); **to ~ sth home** wcis-nąć/kać <dop-chnąć/ychać, dosu-nąć/wać> na miejsce; *przen* **to ~ sth home to sb** wbić komuś coś do głowy; przekonać kogoś 7. wy/drążyć; przebi-ć/jać (chodnik w kopalni, tunel itd.) 8. uprawiać (zawód) 9. zaw-rzeć/ierać (transakcję); dobi-ć/jać (**a bargain** targu) 10. (*o sile napędowej*) poruszać (maszynę itp.) 11. wodzić (**a pen** piórem — po papierze itp.) 12. *sport* silnie uderz-yć/ać (piłkę) 13. przeprowadz-ić/ać (kolej przez pustynię itd.) [II] *vi* 1. pędzić; gnać 2. wy/celować; **to let ~ a stone at sb** cisnąć w kogoś kamieniem; **to let ~ at sb** zdzielić kogoś; wymierzyć komuś cios 3. pojechać <jeździć> (**to a place** dokądś); **to ~ on the horn** nadużywać klaksonu (przy jeździe) 4. ciężko pracować <harować> (**at sth** nad <przy> czymś) 5. zmierzać (**at sth** do czegoś) 6. (*o deszczu*) zacinać; siec 7. prowadzić (samochód, *pot* wóz)

~ along [I] *vt* pędzić (przed sobą) [II] *vi* jechać (sobie)

~ away [I] *vt* odpędz-ić/ać; wypędz-ić/ać; od-egnać/ganiać; przepędz-ić/ać; przeg-nać/aniać [II] *vi* 1. odje-chać/żdżać 2. pracować bez wytchnienia (**at sth** przy <nad> czymś)

~ back [I] *vt* 1. odw-ieźć/ozić (kogoś) 2 odrzuc-ić/ać (wroga itd.); przeg-nać/aniać [II] *vi* wr-ócić/acać (samochodem, motocyklem, powozem itp.)

~ down [I] *vt* zaw-ieźć/ozić <odw-ieźć/ozić> (**sb to the country** kogoś na wieś) [II] *vi* pojechać (samochodem, powozem itd.)

~ in [I] *vt* 1. wbi-ć/jać (gwóźdź itd.) 2. zaw-ieźć/ozić <dow-ieźć/ozić> (kogoś gdzieś) [II] *vi* wje-chać/żdżać

~ off = **~ away** *vt i vi* 1.

~ on [I] *vt* popędzać (kogoś) [II] *vi* jechać dalej; nie zatrzymywać się

~ out [I] *vt* wypędz-ić/ać; wyg-nać/aniać; wybi-ć/jać (coś z czegoś) [II] *vi* wyje-chać/żdżać (samochodem, powozem itd.)

~ over *vi* pojechać (samochodem, powozem itd.)

~ through *vi* przeje-chać/żdżać (odcinek drogi — samochodem, pociągiem itd.)

~ under *vt* s/tłumić (uczucie)

~ up *vi* podje-chać/żdżać (samochodem, powozem itd.)

zob **driven, driving** [III] *s* 1. przejażdżka; **to go for a ~** przejechać się 2. *techn* napęd; **front wheel ~** napęd na przednie koła 3. *tenis* drajw 4. napór <nawał> (interesów itp.) 5. (*u człowieka*) energia; przedsiębiorczość 6. *am* kampania (agitacyjna itd.) 7. turniej (brydżowy itd.) 8. aleja; dojazd (przed rezydencją) 9. nagonka (na zwierza); pogoń (za nieprzyjacielem); pościg

drive-in ['draiv'in] *attr* (*o kinie, domu towarowym, barze*) zajezdny (dla wygody automobilistów, mogących korzystać z usług nie wysiadając z wozu)

drivel ['drivl] [I] *vi* (**-ll-**) 1. ślinić się; **he is ~ling** ślina cieknie mu z ust; (*o dziecku*) ślini się 2. pleść bzdury; mówić <gadać> od rzeczy [II] *s* 1. ślina cieknąca z ust 2. bzdury; **to talk ~** pleść bzdury; mówić <gadać> od rzeczy

driveller ['drivələ] *s* 1. pleciuga 2. ramol

driven [I] *zob* **drive** *v* [II] *adj* 1. *techn* (*o kole itp*) napędzany 2. wywiercony

driver ['draivə] *s* 1. kierowca, szofer; **to be a good** <**bad**> **~** dobrze <źle> prowadzić (wóz) 2. woźnica 3. (*w tramwaju*) motorowy 4. (*w pociągu*) maszynista 5. poganiacz (bydła) 6. (*także* **slave-~**) dozorca niewolników; *przen* przełożony zamęczający pracowników robotą <pracą> 7. jeden z kijów do gry w golfa 8. *techn* koło napędowe 9. *techn* wiertło 10. *techn* śrubokręt

driveway ['draiv,wei] *s* podjazd; droga dojazdowa

driving ['draiviŋ] [I] *zob* **drive** *v* [II] *adj* 1. *techn* (*o kole, łańcuchu, sile itp*) napędowy; (*o pasie*) transmisyjny 2. (*o deszczu*) ulewny; zacinający; siekący

driving-belt ['draiviŋ,belt] *s techn* pas napędowy

drizzle ['drizl] [I] *vi* mżyć [II] *s* mżawka; *pot* kapuśniaczek

drizzly ['drizli] *adj* deszczowy; dżdżysty

drogher ['drougə] *s* (*w Indiach Zachodnich*) powolny, ciężki statek żeglugi przybrzeżnej

drogue [droug] *s mar* kotwica dryfująca

droit [drɔit] *s prawn* prawo (do czegoś)

droll [droul] [I] *adj lit* zabawny; śmieszny; komiczny [II] † śmiesz-ek/ka; żartowniś [III] *vi* błaznować

drollery ['drouləri] *s* 1. żarty; błazeństwa; bufonada 2. śmieszność

dromedary ['drʌmədəri] *s zoo* dromader, wielbłąd jednogarbny

drone [droun] [I] *s* 1. *dosł i przen* truteń 2. brzęczenie (pszczół itp.); beczenie (kobzy itp.); monotonna <jednostajna> mowa; warkot (samolotu) 3. basowa piszczałka (u dud, kobzy) [II] *vi* brzęczeć; buczeć [III] *vt* mówić (coś) monotonnym <jednostajnym> głosem

~ away *vt* przeleniuchować (**one's life etc.** życie itd.)

drool [dru:l] = **drivel** *v*

droop [dru:p] [I] *vi* 1. opadać; obwis-nąć/ać; zwisać 2. omdle-ć/wać; opa-ść/dać z sił 3. *poet* (*o słońcu*) zachodzić [II] *vt am wojsk w zwrocie:* **to ~ the colour** za/salutować flagą *zob* **drooping** [III] *s* 1. opadanie; schylenie; pochylenie; obwisanie; uwiędnięcie 2. omdlewanie 3. opadanie z sił

drooping ['dru:piŋ] [I] *zob* **droop** *v* [II] *adj* 1. nachylony; schylony; opadający; obwisły 2. omdlewający

droopingly ['dru:piŋli] *adv* omdlewająco

drop [drɔp] [I] *s* 1. kropla, kropelka; *przen* łyk; kieliszek (czegoś); *pl* **~s** *farm* krople; **a ~ in the bucket** <**ocean**> kropla w morzu; **in ~s** kroplami; po kropli; **to have a ~ in the eye** być podchmielonym 2. *pl* **~s** cukierki, dropsy, landrynki 3. *fiz* upadek 4. spadek <obniżenie> (terenu, temperatury, cen, dochodów itd.); *geol* uskok 5. zniżka <obniżka> (cen, wartości itd.) 6. zapadnia (szafotu itd.) 7. *teatr* kotara 8. kolczyk 9. kryształ (u żyrandola) [II] *vi* (**-pp-**) 1. kapać; padać kroplami; **to ~ at the nose** mieć mokry nos 2. upa-ść/dać; spa-ść/dać; pa-ść/dać (**to one's knees** na kolana); wypa-ść/dać (**out of sb's hands etc.** komuś z rąk itd.); (*o zrobionej aluzji, uwadze*) paść; wymknąć się; **to ~ into a habit** popaść w nałóg 3. (*o terenie, temperaturze itd*) opa-ść/dać 4. (*o cenach*) spa-ść/dać 5. (*o wietrze*) ucich-nąć/ać; s/tracić na sile; (*o sile itp*) o/słabnąć 6. (*o rozmowie, korespondencji*) ustawać; ur-wać/ywać się; **there the matter ~ped** na tym stanęło || **to ~ in the rear = to ~ behind; to ~ into** _ wpa-ść/dać do... (lokalu itp.); *pot* **to ~ on sb** wpaść na kogoś (z twarzą, pyskiem); zbesztać kogoś [III] *vt* (**-pp-**) 1. opu-ścić/szczać; wypu-ścić/szczać z rąk; uronić; wrzuc-ić/ać (**a letter into the box** list do skrzynki); **to ~ a curtsey** dygnąć 2. nal-ać/ewać <nakapać> (**sth** czegoś) 3. spu-ścić/szczać (coś z góry — kamień, zasłonę itd.; *także* oczko przy dzianiu na drutach) 4. opu-ścić/szczać; pomi-nąć/jać 5. *karc* złapać (króla itd.) 6. *karc* zagrać (królem itd.) 7. (*o owcach itd*) o/kocić się 8. (*także* **to let ~**) powi-edzieć/adać mimochodem <jak gdyby niechcący>; wypowi-edzieć/adać (uwagę itp.); **to ~ a hint** zauważyć (mimochodem); zrobić aluzję; **to ~ a word into sb's ear** powiedzieć komuś coś na ucho; **to ~ sb a line** <**a word**> napisać komuś kartkę <list, parę słów> 9. zniż-yć/ać (głos itp.) 10. strąc-ić/ać <zestrzelić> (samolot, ptaka); powalić (siekierą, uderzeniem itd.) 11. podw-ieźć/ozić; wysadz-ić/ać (pasażera); odw-ieźć/ozić <odstawi-ć/ać> przesyłkę 12. opu-ścić/szczać (słowo itp. przy pisaniu); nie wym-ówić/awiać (**a sound, a syllable etc.** głoski, sylaby itp.) 13. spu-ścić/szczać (oczy, zasłonę itd.) 14. zarzuc-ić/ać; zaprzesta-ć/wać (**sth** czegoś); zerwać/zrywać (**sb** z kimś); *pot* dać sobie spokój (**sth** z czymś); **let's ~ the subject** mówmy o czymś innym

~ away *vi* 1. odpadać (kolejno) 2. o/słabnąć; zmniejsz-yć/ać się

~ back *vi* 1. upa-ść/dać ponownie 2. wr-ócić/acać

~ behind *vi* pozosta-ć/wać w tyle; dać się zdystansować

~ down *vi* 1. upa-ść/dać; opa-ść/dać 2. *pot w zwrocie:* **to ~ down on sb** wpa-ść/dać na kogoś (z twarzą, pyskiem); zbesztać kogoś

~ in *vi* wpa-ść/dać (do kogoś, do lokalu); **to ~ in on sb** wpa-ść/dać do kogoś

~ off *vi* 1. odpa-ść/dać 2. (*także* **to ~ off to sleep**) zas-nąć/ypiać

~ out [I] *vt* 1. wypu-ścić/szczać; opu-ścić/szczać [II] *vi* wypa-ść/dać

zob **dropping**

drop-bottle [ˈdrɔp,bɔtl] *s* butelka z kroplomierzem

drop-counter [ˈdrɔp,kauntə] *s* kroplomierz

drop-curtain [ˈdrɔp,kə:tn] *s teatr* kotara

droplet [ˈdrɔplit] *s* kropelka

drop-letter [ˈdrɔp,letə] *s am* list miejscowy

dropper [ˈdrɔpə] *s* 1. kroplomierz 2. zakraplacz

dropping [ˈdrɔpiŋ] [I] *zob* **drop** *v* [II] *spl* **~s** łajno

drop-scene [ˈdrɔp,si:n] *s teatr* kurtyna; *przen* finał

drop-shutter [ˈdrɔp,ʃʌtə] *s fot* migawka szczelinowa

dropsical [ˈdrɔpsikəl] *adj med* chory na puchlinę wodną; obrzękły

drop-sulphur [ˈdrɔp,sʌlfə] *s* siarka granulowana

dropsy [ˈdrɔpsi] *s med* puchlina wodna; obrzęk

drop-tin [ˈdrɔp,tin] *s* cyna granulowana

dropwort [ˈdrɔp,wə:t] *s bot* tawuła, spirea

drosera [ˈdrɔsərə] *s bot* rosiczka

dros(h)ky [ˈdrɔʃki] *s* 1. bryczka 2. dorożka

dross [drɔs] *s* 1. żużel 2. *zbior* nieczystości 3. *zbior* odpadki koksowe <węglowe> 4. *przen zbior* śmieci, śmiecie

drossy [ˈdrɔsi] *adj* 1. zaśmiecony; zanieczyszczony 2. bezwartościowy

drought [draut] *s* posucha; susza

drouth [drauθ; *szkoc* dru:θ] † *s* 1. posucha 2. pragnienie

drove[1] [drouv] *s* 1. stado 2. gromada (ludzi) 3. *kam* dłuto

drove[2] *zob* **drive** *v*

drover [ˈdrouvə] *s* poganiacz (bydła)

drown [draun] [I] *vi* utopić się; u/tonąć [II] *vt* 1. utopić; **to be** <**get**> **~ed** utopić się 2. *dosł i przen* zat-opić/apiać (pole, okolicę, smutek itp.); **~ed out person** powodzianin; **eyes ~ed in tears** oczy pełne łez; **like a ~ed rat** przemoczony do (suchej) nitki 3. zagłusz-yć/ać

drowse [drauz] [I] *vi* 1. (*także* **~ away** <**off**>) zdrzemnąć się; drzemać 2. być sennym <ospałym> [II] *vt* usypiać

~ away *vt* zdrzemnąć <przespać> się (**a while etc.** chwilę itd.)

[III] *s* drzemka

drowsiness [ˈdrauzinis] *s* senność; ospałość; *żart* śpiączka

drowsy [ˈdrauzi] *adj* (**drowsier** [ˈdrauziə], **drowsiest** [ˈdrauziist]) senny; ospały; **to grow ~** stawać się sennym; **to make ~** pobudzać do snu

drub [drʌb] *vt* (**-bb-**) wy/grzmocić; wyłoić skórę (**sb** komuś); **to ~ sth into sb** wbi-ć/jać komuś coś do głowy; **to ~ sth out of sb** wybi-ć/jać komuś coś z głowy *zob* **drubbing**

drubbing [ˈdrʌbiŋ] [I] *zob* **drub** [II] *s* **a ~** cięgi; baty; razy

drudge [drʌdʒ] [I] *vi* harować; mozolić <zamęczać> się

~ away *vt* przeharować (życie itd.)

[II] *s przen* wół roboczy; popychadło

drudgery [ˈdrʌdʒəri] *s* mozolna <nużąca> praca; mozół; harówka; niewdzięczna robota

drug [drʌg] [I] *s* 1. lekarstwo, lek 2. narkotyk; **the ~ habit** narkomania || **a ~ in the market** towar nie mający zbytu <niechodliwy> [II] *vt* (**-gg-**) narkotyzować; domieszać <dol-ać/ewać, dosyp-ać/ywać> narkotyku (**sb's food etc.** do czyjegoś jedzenia itd.)

drug-addict [ˈdrʌg,ædikt], **drug-fiend** [ˈdrʌg,fi:nd] *s* narkoman/ka

drugget [ˈdrʌgit] *s* drojet <drogiet> (tkanina)

druggist [ˈdrʌgist] *s* apteka-rz/rka

drug-store [ˈdrʌg,stɔ:] *s am* drogeria (prowadząca także dział napojów chłodzących, galanterii itd.)

drug-traffic [ˈdrʌg,træfik] *s* handel narkotykami

Druid [druid] *s hist* druid

druidic(al) [dru'idik(əl)] *adj hist* druidyczny

druidism [ˈdrui,dizəm] *s hist rel* druidyzm

drum [drʌm] [I] *s* 1. *muz techn* bęben 2. werbel 3. *anat* bębenek 4. dobosz 5. *arch* tambur (kopuły) 6. przyjęcie (towarzyskie) 7. *zoo* = **drumfish** 8. głos bąka (ptaka) [II] *vi* (**-mm-**) 1. za/bębnić (**on the piano, at the door** na fortepianie, w drzwi);

am **to ~ for customers** zjednywać klientów 2. (*o owadach*) za/brzęczeć 3. (*o bąku, ptaku*) za/wołać; wydać głos 4. (*o maszynie*) za/klekotać [III] *vt* (-mm-) 1. odbębnić (motyw itd.); za/bębnić (coś na fortepianie); **to ~ one's feet on the floor** bębnić nogami w podłogę 2. *pot* bębnić (**sth into sb's ears** komuś coś do uszu) 3. wbi-ć/jać (**sth into sb's head** komuś coś do głowy) 4. nieustannym powtarzaniem doprowadz-ić/ać (**sb into anger etc.** kogoś do złości itd.)

~ out *vt* wyrzuc-ić/ać z wojska <z/degradować> (kogoś) przy uroczystym biciu w bębny

~ up *vt* 1. zwoł-ać/ywać (ludzi) biciem w bębny 2. *am* zjednywać (klientów)

zob **drumming**

drum-fire ['drʌm,faiə] *s wojsk* ogień huraganowy

drumfish ['drʌm,fiʃ] *s* ryba wydająca głos podobny do werbla

drumhead ['drʌm,hed] *s* skóra na bębnie

drumlin ['drʌmlin] *s geol* drumlin

drum-major ['drʌm'meidʒə] *s wojsk* starszy dobosz

drummer ['drʌmə] *s* 1. dobosz 2. *am* komiwojażer

drumming ['drʌmiŋ] [I] *zob* **drum** *v* [II] *s* szum (w uszach)

Drummond ['drʌmənd] *spr* **~ light** światło wapienne

drumstick ['drʌm,stik] *s* 1. pałeczka do bicia w bęben 2. kość nóżki (pieczonej kury)

drunk [drʌŋk] [I] *zob* **drink** *v* [II] *adj praed* 1. pijany 2. *przen* pijany <upojony> (**with joy etc.** szczęściem itp.) [III] *s* 1. pija-k/czka 2. libacja; pijatyka

drunkard ['drʌŋkəd] *s* pija-k/czka (nałogow-y/a)

drunken ['drʌŋkən] *adj* 1. pijany; upity; nietrzeźwy 2. (*o awanturze itp*) pijacki 3. (*w budownictwie*) niebezpieczny; grożący zawaleniem

drunkenly ['drʌŋkənli] *adv* 1. pijacko 2. po pijanemu

drunkenness ['drʌŋkənnis] *s* 1. opilstwo 2. stan nietrzeźwy

drupe [dru:p] *s bot* pestkowiec

drupel(et) ['dru:pl(it)] *s bot* pestka (owocu); pesteczka (jagody)

Drury ['druəri] *spr* **~ Lane (Theatre)** Drury Lane (słynny teatr w Londynie)

druse [dru:z] *s miner* druza, szczotka kryształów

dry [drai] [I] *adj* (**drier** ['draiə], **driest** ['draiist]) 1. suchy; wysuszony; wyschnięty; uschły, uschnięty; (*o okolicy*) bezwodny; (*o mówcy*) bez tchu; (*o pisarzu, mówcy*) **he is ~** on się wyczerpał; (*o winie*) wytrawny; (*o grzance*) nie posmarowany (masłem); **to be <feel> ~** mieć sucho w gardle; **to be kept ~** trzymać w suchym miejscu; **to run ~** wyschnąć; *przen* **a ~ reception** chłodne przyjęcie; **~ as a bone** wyschnięty na kość; suchy jak pieprz; **~ goods** a) ciała sypkie (zboże itp.) b) *am* tekstylia; pasmanteria; **~ weather** susza; **~ work** praca wysuszająca gardło <po której się chce pić> 2. *am* (*o okręgu, stanie*) z wprowadzoną ustawowo prohibicją; **to go ~** wprowadzić ustawowo prohibicję 3. (*o zachowaniu itp*) kostyczny; oziębły; (*o odezwaniu się*) oschły; **~ jest** dowcip wypowiedziany z poważną miną 4. (*o krowie*) jałowa; **nie dająca mleka; to be ~** nie doić się; nie dawać mleka 5. (*o okolicy, książce, zajęciu*) jałowy 6. (wyżymać, gotować, wypompować itd.) do sucha [II] *attr* **~ measure** miara ciał sypkich [III] *vt* (**dried** [draid], **dried; drying** ['draiiŋ]) 1. wysusz-yć/ać, osusz-yć/ać, przesusz-yć/ać 2. wyjał-owić/awiać 3. suszyć <solić, konserwować> (mięso itd.) 4. (*także* **~ up**) wy-trzeć/cierać (naczynie, oczy, łzy itd.) [IV] *vi* (**dried** [draid], **dried; drying** ['draiiŋ]) 1. wys-chnąć/ychać; zeschnąć/zsychać się 2. wy/jałowieć

~ off <*am* **out**> [I] *vt* odparow-ać/ywać [II] *vi* wyparow-ać/ywać

~ up [I] *vt* = **dry** *vt* 3. [II] *vi* 1. wys-chnąć/ychać 2. (*o mówcy*) zaniemówić; zapomnieć, co się miało powiedzieć; zamilknąć; **~ up!** milcz/cie!; *wulg* zamknij/cie się!

zob **dried, drying**

dryad ['draiəd] *s mitol* driada, boginka leśna

Dryasdust ['draiəz,dʌst] [I] *s* pedant/ka; nudzia-rz/ra [II] *adj* przeraźliwie nudny

drybone ['drai,boun] *s miner* galman, ruda cynku

dry-bulb ['drai,bʌlb] *attr* (*o termometrze*) z suchym zbiornikiem

dry-clean ['drai'kli:n] *vt* oczy-ścić/szczać chemicznie <na sucho> *zob* **dry-cleaning**

dry-cleaning ['drai,kli:niŋ] [I] *zob* **dry-clean** [II] *s* czyszczenie chemiczne <na sucho>

dry-cure [drai'kjuə] *vt* suszyć <solić, konserwować> (mięso itd.)

dry-dock ['drai'dɔk] *vt mar* wprowadz-ić/ać (statek) do suchego doku

dryer ['draiə] *s* suszarnia; suszarka; osuszacz; odwadniarka

dry-eyed ['drai'aid] *adj* nie uroniwszy łzy

dry-fly ['drai,flai] [I] *s wędk* sztuczna muszka [II] *vi* (**dry-flied** ['drai,flaid], **dry-flied; dry-flying** ['drai,flaiiŋ]) *wędk* łowić (ryby) na muszkę

drying ['draiiŋ] [I] *zob* **dry** *v* [II] *attr* (*o aparacie, przyrządzie itp*) służący do suszenia <do wysuszania>; **~ apparatus** suszarka; **~ chamber <frame, room>** suszarnia

drying-oil ['draiiŋ,ɔil] *s* szybko schnąca farba

dryish ['draiiʃ] *adj* suchawy

dryly ['draili] *adv* 1. sucho 2. (odezwać się) oschle <sucho, ozięble, kostycznie> 3. (powiedzieć dowcip itd.) z poważną miną *zob* **dry** *adj*

dryness ['drainis] *s* 1. suchość; suchy stan (czegoś); **to evaporate to ~** wyparować do sucha 2. posucha 3. jałowość 4. kostyczność

dry-nurse ['drai,nə:s] [I] *s* niańka; piastunka [II] *vt* 1. wychow-ać/ywać (dziecko) na flaszce 2. *dosł i przen* wyniańczyć; wypiastować

dry-point ['drai,pɔint] [I] *s* rylec [II] *vt* wy/ryć

dry-rot ['drai'rɔt] *s* zbutwienie; spróchnienie; grzyb (w podłodze itp.)

drysalt ['drai,sɔ:lt] = **dry-cure**

drysalter ['drai,sɔ:ltə] *s* 1. kupiec handlujący konserwami 2. drogista

dryshod ['drai'ʃɔd] *adv* (przejść itd.) suchą nogą

dual ['djuəl] *adj* 1. podwójny; dwoisty; dwudzielny; *lotn* **~ control** dwuster; *gram* **~ number** liczba podwójna; **~ personality** rozdwojenie osobowości 2. wspólny (dla dwojga)

dualin ['djuəlin] *s chem* dualina (materiał wybuchowy)

dualism ['djuə,lizəm] *s* 1. *filoz teol* dualizm 2. dwoistość

duality [dju'æliti] *s* 1. dwoistosć 2. rozdwojenie

dub¹ [dʌb] *s am pot* żarcie, jedzenie

dub² [dʌb] *s* głęboki staw

dub³ [dʌb] *vt* (-bb-) 1. pasować (na rycerza) 2. nada-ć/wać tytuł szlachecki (**sb** komuś) 3. naz-wać/ywać <przez-wać/ywać> (**sb a quack, a scribbler etc.** kogoś szarlatanem, gryzipiórkiem itd.); ochrzcić (kogoś) mianem... 4. nadzi-ać/ewać (muszkę) na haczyk 5. na/smarować (skórę) tłuszczem garbarskim *zob* **dubbing**[1]

dub[4] [dʌb] *vt* (**-bb-**) *kino* z/dubbingować (film) *zob* **dubbing**[2]

dubbing[1] ['dʌbiŋ] *s* (*także* **dubbin** ['dʌbin])tłuszcz garbarski *zob* **dub**[3] 5.

dubbing[2] ['dʌbiŋ] [I] *zob* **dub**[4] [II] *s kino* dubbing (filmu)

dubiety [dju'baiəti] *s* wątpliwoś-ć/ci; niepewność

dubious ['dju:biəs] *adj* 1. wątpliwy; niepewny; problematyczny 2. dwuznaczny 3. (*o towarzystwie, dochodach itd*) podejrzany 4. (*o człowieku*) niezdecydowany; niepewny (**as to** <**about**> **sth,** co do czegoś)

dubiousness ['dju:biəsnis] *s* 1. problematyczność; niepewność 2. dwuznaczność

dubitate ['dju:bi,teit] *vi lit* wahać się; być niezdecydowanym

dubitation [,dju:bi'teiʃən] *s lit* wahanie się; niezdecydowanie

dubitative ['dju:bi,teitiv] *adj* wahający się; niezdecydowany

ducal ['dju:kəl] *adj* książęcy

ducat ['dʌkət] *s* dukat

duces *zob* **dux**

duchess ['dʌtʃis] *s* księżna *zob* **dutch**[2]

duchy ['dʌtʃi] *s* księstwo

duck[1] [dʌk] *s* 1. kaczka; **a lame ~** rozbitek życiowy; człowiek upośledzony <skrzywdzony przez los>; **~ and drake** zabawa w puszczanie kaczek; **he takes to it like a ~ to water** to mu idzie jak po maśle; **like water off a ~'s back** jak z gęsi woda; bez najmniejszego wrażenia; **to play ~s and drakes with** _ roz/trwonić..., z/marnować... 2. *pieszcz* złotko!; duszko!; dziecino!

duck[2] [dʌk] [I] *s tekst* drelich [II] *attr tekst* drelichowy

duck[3] [dʌk] [I] *vt* zanurz-yć/ać (coś) w wodzie [II] *vi* 1. nurkować; dać nurka; sk-oczyć/akać do wody 2. nagle schylić głowę (dla uniknięcia uderzenia, zderzenia itp.); zrobić unik [III] *s* 1. nurkowanie 2. unik; nagłe schylenie głowy (dla uniknięcia ciosu itp.)

duck-billed-platypus ['dʌk,bild'plætipəs] *zoo s* dziobak

duck-board ['dʌk,bɔ:d] *s wojsk* chodnik z desek (przez błoto w okopach)

ducker ['dʌkə] *s zoo* pluszcz (ptak wodny)

duck-hawk ['dʌk,hɔ:k] *s zoo* błotniak (ptak)

ducking-stool ['dʌkiŋ,stu:l] *s hist* stołek, do którego przywiązywano megiery <jędze, sekutnice> w celu zanurzenia ich w wodzie

duckling ['dʌkliŋ] *s* kaczę, kaczątko

duck-pond ['dʌk,pɔnd] *s* staw (kaczy)

duck-weed ['dʌk,wi:d] *s bot* rzęsa

ducky ['dʌki] [I] *s pieszcz* złotko!; duszko!; dziecino! [II] *adj* śliczny

duct [dʌkt] *s* kanalik; kanał przewodowy; przewód

ductile ['dʌktail] *adj* 1. (*o metalu*) ciągliwy 2. (*o charakterze*) giętki; podatny; **~ clay** glina plastyczna

ductility [dʌk'tiliti] *s* 1. ciągliwość (metalu) 2. giętkość (usposobienia)

ductless ['dʌktlis] *adj med* (*o gruczołach*) o wewnętrznym wydzielaniu

dud [dʌd] [I] *s* 1. *sl* niewypał 2. *sl* safanduła; tuman; niedołęga 3. *pl* **~s** *pot* łachy; ubranie 4. *am szk* kujon [II] *adj* tępy; niezdolny

dude[1] ['dju:d] *s am sl* laluś; goguś

dude[2] ['dju:d] *s am* turyst-a/ka; wycieczkowicz

dudgeon ['dʌdʒən] *s* żal; gniew; **in high** <**deep**> **~** rozgniewany; wściekły

due[1] [dju:] *adj* 1. (*o wekslu itp*) płatny; **when ~** w terminie płatności; **to fall** <**become**> **~** być płatnym (w danym terminie) 2. (*o płatności*) należny; **what is ~** to, co się należy 3. (*o nagrodzie, karze itd*) należny; zasłużony; słuszny 4. należyty; stosowny; odpowiedni; właściwy 5. spowodowany (**to sth** czymś); **to be ~ to sth** powstawać z powodu czegoś; **it is ~ to him** a) jemu to zawdzięczamy b) to przez niego; on jest tego przyczyną 6. *w zwrocie:* **to be ~ to**_ mieć... (coś zrobić) 7. *w zwrocie:* **the train** <**plane etc.**> **is ~ (to arrive) at** *x* **o'clock** pociąg <samolot itd.> ma przyjazd <przybywa> (planowo) o godz. *x* 8. *przysłówkowo:* z powodu <wskutek> (**to bad weather etc.** niepogody itd.)

due[2] [dju:] *s* 1. należność; opłata 2. to, co się (komuś) należy; **to give sb his ~** odda-ć/wać komuś sprawiedliwość

duel ['djuəl] [I] *s dosł i przen* pojedynek [II] *vi* (**-ll-**) st-oczyć/aczać pojedynek; pojedynkować się

dueller ['djuələ], **duellist** ['djuəlist] *s* pojedynkujący się, pojedynkowicz

duenna [dju'enə] † *s* duenna <dogena> (starsza pani do towarzystwa młodej niewiasty)

duet [dju'et] *s* duet

duff[1] [dʌf] *vt sl* 1. odśwież-yć/ać (stary grat, ubranie itd.) 2. *austral* kraść (bydło) i zmieni-ć/ać znaki rozpoznawcze

duff[2] [dʌf] *adj sl* lipny; do niczego; do chrzanu; kiepski

duff[3] [dʌf] *s* 1. ciasto 2. budyń z rodzynkami

duffel ['dʌfəl] *s* 1. *tekst* wełniana baja; multon 2. zapasowe ubranie sportowca <turysty>

duffer ['dʌfə] *s* 1. szachraj/ka; geszefcia-rz/rka 2. falsyfikat 3. cymbał; tuman; niezdara

duffle [dʌfl] = **duffel**

dug[1] [dʌg] *s* 1. dójka 2. *pl* **~s** wymię

dug[2] *zob* **dig** *v*

dugong ['du:gɔŋ] *s zoo* krowa morska

dug-out ['dʌg,aut] *s* 1. łódź z wydrążonego pnia 2. *wojsk* schron; ziemianka 3. *sl* (*w I wojnie światowej*) reaktywowany oficer

duiker ['daikə] *s zoo* mała antylopa południowo-afrykańska

duke [dju:k] *s* 1. książę 2. *sl* pięść

dukedom ['dju:kdəm] *s* księstwo

Dukeries ['dju:kəriz] *spl* okręg Anglii środkowej zawierający majątki książęce

dulcet ['dʌlsit] *adj* (*o dźwięku*) melodyjny; słodki

dulcify ['dʌlsi,fai] *vt* (**dulcified** ['dʌlsi,faid], **dulcified; dulcifying** ['dʌlsi,faiiŋ]) osł-odzić/adzać; z/łagodzić

dulcimer ['dʌlsimə] *s muz* cymbały

dulcite ['dʌlsait] *s chem* dulcyt

dull [dʌl] [I] *adj* 1. nudny; nieciekawy 2. (*o ostrzu, bólu, umyśle*) tępy; stępiony; przytępiony 3. (*o na-

stroju) ospały 4. (*o człowieku*) bez humoru 5. (*o farbie*) matowy; zmatowiały; bez połysku 6. (*o piwie itp*) zwietrzały; (*o winie itp*) bez smaku 7. (*o pogodzie*) pochmurny; posępny 8. (*o dźwięku*) głuchy; stłumiony 9. (*o świetle*) nikły; przyćmiony [II] *vt* 1. stęp-ić/ać; przytępi-ć/ać 2. s/tłumić; przytłumić (dźwięk, ból itd.) 3. zmatowić (kolor itd.) [III] *vi* 1. s/tępieć; s/tracić ostrość 2. z/matowieć; s/tracić połysk

dullard ['dʌləd] *s* tępa głowa; *pot* tępak

dull-brained ['dʌl'breind], **dull-witted** ['dʌl'witid] *adj* tępy; niepojętny

dullness ['dʌlnis] *s* 1. nuda 2. tępość; nieostrość 3. tępota (umysłu); ospałość 4. apatia; przygnębienie 5. matowość 6. głuche brzmienie (dźwięku) 7. nikłość (światła)

dull-witted *zob* **dull-brained**

dulse [dʌls] *s bot* gatunek jadalnego wodorostu

duly ['dju:li] *adv* 1. słusznie; należycie 2. punktualnie 3. w swoim czasie; w porę *zob* **due** *adj*

dumb [dʌm] [I] *adj* 1. niemy; **to be ~** a) być niemową b) *dosł i przen* milczeć; **to strike sb ~** wprawić kogoś w osłupienie 2. oniemiały; **to be struck ~** oniemieć; zaniemówić; **~ show** pantomima, pantomina; **in ~ show** (porozumiewać się) na migi <znakami> 3. bezgłośny 4. *am* głupi 5. (*o klawiaturze*) głuchy 6. (*o statku*) bez żagli [II] *vt* od-ebrać/bierać mowę (**sb** komuś)

dumb-bell ['dʌm,bel] *s* 1. *sport* ciążki, hantle 2. *am* bałwan; dureń; ciemięga

dumbfound [dʌm'faund] *vt* od-ebrać/bierać mowę (**sb** komuś); wprawi-ć/ać (kogoś) w osłupienie *zob* **dumbfounded**

dumbfounded [dʌm'faundid] [I] *zob* **dumbfound** [II] *adj* oniemiały; osłupiały

dumbledor(e) ['dʌmbl,dɔ:] *s* trzmiel

dumbness ['dʌmnis] *s* niemota

dumb-waiter ['dʌm,weitə] *s* winda ręczna

dum-dum ['dʌmdʌm] *s* (pocisk) dum-dum

↑**dummy** ['dʌmi] [I] *s* 1. milczek; *am* karawaniarz; *teatr* statyst-a/ka; figurant/ka 2. *dosł i przen* bałwan 3. *dosł i przen* manekin; marionetka 4. imitacja; *handl* atrapa; makieta; **a ~ gun** drewniany rewolwer; **~ door** <**window**> ślepe drzwi <okno> 5. (*także* **baby's ~**) smoczek 6. *karc* dziadek; **~ bridge** brydż z dziadkiem [II] *adj* sztuczny; udany; symulujący; *pot* niby to (coś); (coś) na niby

dump[1] [dʌmp] *s* 1. bryła 2. przysadkowaty człowiek; kulfon; *pot* klucha 3. (*w grach itd*) żeton; krążek 4. duży cukierek 5. drobny pieniądz; *przen* złamany grosz 6. *pl* **~s** pieniądze 7. pętla ze sznura do gry w „quoits"

↑**dump**[2] [dʌmp] [I] *vt* 1. (*także* **~ down**) wywal-ić/ać; zrzuc-ić/ać; wyrzuc-ić/ać (pakunek itd.); wysadz-ić/ać (pasażera) 2. *ekon* uprawiać dumping; **to ~ goods on a market** zarzuc-ić/ać rynek towarem [II] *vi* spa-ść/dać z łomotem *zob* **dumping** [III] *s* 1. łomot 2. *dosł i przen* śmietnisko, śmietnik 3. hałda; stos 4. *wojsk* skład (żywności, amunicji) 5. *am* dom noclegowy

dump-cart ['dʌmp,ka:t], **dumper** ['dʌmpə], **dump-lorry** ['dʌmp,lɔri] *s* wywrotka

dumpiness ['dʌmpinis] *s* przysadkowatość; pękaty kształt

dumping ['dʌmpiŋ] [I] *zob* **dump**[2] *v* [II] *s ekon* dumping

dumping-cart ['dʌmpiŋ,ka:t] = **dump-cart**

dumping-ground ['dʌmpiŋ,graund] *s* śmietnisko, śmietnik

dumpish ['dʌmpiʃ] *adj* przygnębiony; zdeprymowany

dumpling ['dʌmpliŋ] *s* 1. rodzaj kluski <knedla> 2. (*także* **apple-~**) jabłko w cieście

dump-lorry *zob* **dump-cart**

dumps [dʌmps] *spl* przygnębienie; depresja; **to be in the ~** mieć czarne myśli; być przygnębionym

dumpy ['dʌmpi] [I] *adj* (**dumpier** ['dʌmpiə], **dumpiest** ['dʌmpiist]) przysadkowaty; pękaty; *miern* **~ level** niwelator, poziomnik lunetowy [II] *s* 1. krótki parasol 2. nazwa pewnej szkockiej rasy drobiu 3. **puf** (wyściełany taboret) 4. *pl hist* **Dumpies** nazwa jednego z pułków huzarskich

dun[1] [dʌn] [I] *adj* 1. ciemnobrązowy 2. *poet* ciemny; mroczny [II] *s wędk* rodzaj sztucznej **muszki**

dun[2] [dʌn] [I] *vt* 1. (-**nn**-) napastować (kogoś) 2. upominać się o zapłatę (**sb u kogoś**); monitować [II] *s* 1. natrętn-y/a wierzyciel/ka 2. upomnienie zapłaty; urgens; monit

dun[3] [dʌn] *vt* (-**nn**-) *am* suszyć <solić> rybę

dun-bird ['dʌn,bə:d] *s zoo* odmiana kaczki nurkowatej

dunce [dʌns] *s* (*o uczniu*) osioł, nieuk; *szk* **~'s cap** ośle uszy (czapka)

dunderhead ['dʌndə,hed] *s* bałwan; głupiec; *pot* tępak; zakuty łeb

dunderheaded ['dʌndə,hedid] *adj* głupi

dun-diver ['dʌn,daivə] *s zoo* tracz nurogęś (ptak z rodziny kaczkowatych)

Dundreary [dʌn'driəri] *spr* **~ whiskers** bokobrody

dune [dju:n] *s* wydma; diuna

dun-fish ['dʌn,fiʃ] *s* suszona <solona> ryba

dung [dʌŋ] [I] *s* 1. łajno; gnój 2. nawóz [II] *vt* naw-ieźć/ozić [III] *vi* (*o zwierzęciu*) gnoić

dungaree [,dʌŋgə'ri:] *s* 1. *tekst* drelich 2. *pl* **~s** spodnie drelichowe; kombinezon roboczy

dung-beetle ['dʌŋ,bi:tl] *s zoo* żuk gnojak

dungeon ['dʌndʒən] *s* 1. stołb (wieża w dawnym grodzie) 2. loch

dung-fork ['dʌŋ,fɔ:k] *s* widły do gnoju

dunghill ['dʌŋ,hil] *s* gnojowisko; gnojownia

dunlin ['dʌnlin] *s zoo* piaskowiec (ptak)

↑**dunnage** ['dʌnidʒ] *s mar* drzewo sztawerskie; podściółka pod ładunkiem statku

dunnock ['dʌnək] *s zoo* płochacz pokrzywnica (ptak)

↑**dunt** [dʌnt] *s* wstrząs (samolotu w locie)

duodecennial [,djuoudi'senjəl] *adj* powtarzający się co dwanaście lat

duodecimal [,djuou'desiml] [I] *adj mat* dwunastkowy [II] *spl* **~s** *mat* układ dwunastkowy

duodecimo [,djuou'desi,mou] *s* dwunastka (format)

duodenal [,djuou'di:nl] *adj anat* dwunastniczy

duodenary [,djuou'di:nəri] = **duodecimal**

duodenum [,djuou'di:nəm] *s* (*pl* **~s, duodena** [,djuou'di:nə]) *anat* dwunastnica

duologue ['djuə,lɔg] *s* dialog

dupe [dju:p] [I] *s* ofiara oszustwa <podstępu>; *pot* dudek; naiwniak [II] *vt* oszuk-ać/iwać; nab-rać/ierać; naciąg-nąć/ać; wystrychnąć na dudka; okpi-ć/wać; wyprowadz-ić/ać w pole

dupery ['dju:pəri] *s* oszustwo; naciąganie; okpienie

↑**duple** ['dju:pl] *adj muz* dwudzielny

♦**duplex** ['dju:pleks] *adj* 1. podwójny 2. *techn* dwustronny 3. (*o telegrafii itd*) różnicowy; dupleksowy

duplicate ['dju:plikit] [I] *adj* 1. podwójny; wtórny; identyczny; [II] *s* kopia; odpis; duplikat; wtórnik; odbitka; **made in ~** sporządzony w dwóch egzemplarzach [III] *vt* ['dju:pli,keit] 1. podw-oić/ajać; zdw-oić/ajać 2. s/kopiować; z/robić odbitk-ę/i (**sth** czegoś)

duplicating-machine ['dju:pli,keitiŋ-mə'ʃi:n] *s* powielacz

duplication [,dju:pli'keiʃən] *s* 1. podwojenie; zdwojenie 2. kopiowanie; robienie odbitek

duplicator ['dju:pli,keitə] *s* powielacz

duplicity [dju:'plisiti] *s* fałsz; dwulicowość; obłuda

durable ['djuərəbl] *adj* 1. trwały; mocny; wytrzymały 2. stały

dural ['djuərəl], **duralumin** [djuə'ræljumin] *s metal* dural, duraluminium

dura mater ['diuərə'meitə] *s anat* opona twarda

duramen [djuə'reimen] *s bot* twardziel (twardy rdzeń drzewa)

durance ['djuərəns] *s lit* uwięzienie; **in ~ vile** uwięziony

♦**duration** [djuə'reiʃən] *s* czas trwania (czegoś); **for the ~** na czas trwania wojny; **of short ~** krótkotrwały

durbar ['də:ba:] *s* (*w Indiach*) przyjęcie na dworze (panującego)

duress [djuə'res] *s* 1. uwięzienie 2. przymus

during ['djuəriŋ] *praep* podczas <w czasie, w ciągu> (czegoś); przez (zimę, lato itd.); za (życia itd.); **~ that time** tymczasem, *pot* w międzyczasie; równocześnie

durmast ['də:ma:st] *s bot* dąb krótkoszypułkowy

durra ['dʌrə] *s bot* ziarno sorga

durst *zob* **dare**

dusk [dʌsk] *s* 1. zmierzch 2. półmrok

duskiness ['dʌskinis] *s* 1. półmrok 2. śniadość; smagłość (cery itd.)

♦**dusky** ['dʌski] *adj* (**duskier** ['dʌskiə], **duskiest** ['dʌskiist]) 1. mroczny; ciemny 2. (*o cerze*) śniady; smagły

♦**dust** [dʌst] [I] *s* 1. proch; kurz; pył; **to be in the ~** a) leżeć w prochu b) musieć się kajać; **to bite the ~** paść (w walce); **to humble in <to> the ~** zetrzeć (kogoś) na proch; **to shake the ~ off <shake off the ~ of> one's feet** odejść (skądś); wycofać się (z czegoś); **to throw ~ in sb's eyes** sypać komuś piaskiem w oczy; **gold ~** złoty piasek 2. śmieci 3. **a ~** a) tuman kurzu b) zamieszanie; tumult; *pot* **to kick up a ~** zrobić awanturę <raban> 4. (*także pl* **~s**) prochy (zwłoki) 5. *bot* pyłek (kwiatowy) 6. *sl* forsa, pieniądze [II] *vt* 1. zakurzyć; okry-ć/wać <zasyp-ać/ywać> kurzem; **to ~ sb's eyes** oszuk-ać/iwać kogoś 2. posyp-ać/ywać pudrem <mąką, cukrem> 3. zetrzeć/ścierać kurze (**sth** z czegoś); okurz-yć/ać 4. wy/trzepać, otrzep-ać/ywać (coś) z kurzu; **to ~ sb's jacket** przetrzepać komuś skórę [III] *vi* (*o ptakach*) kąpać się w piasku *zob* **dusting**

dustbin ['dʌst,bin] *s* skrzynia do śmieci

dust-bowl ['dʌst,boul] *s am* okolica słynąca z burz piaskowych

dust-brand ['dʌst,brænd] *s bot* rdza (choroba roślin)

dust-cloak ['dʌst,klouk], **dust-coat** ['dʌst,kout] *s* prochowiec (płaszcz)

dust-cover ['dʌst,kʌvə] *s* okładka ochronna

dust-destructor ['dʌst-di,strʌktə] = **destructor**

duster ['dʌstə] *s* 1. ścierka do kurzu 2. *am* prochowiec (płaszcz)

dust-exhaustor ['dʌst-ig,zɔ:stə] *s* odkurzacz

dusting ['dʌstiŋ] [I] *zob* **dust** *v* [II] *s* zasypka; puder higieniczny ‖ **to give sb a ~** wyłoić kogoś

dustman ['dʌstmən] *s* (*pl* **dustmen** ['dʌstmən]) śmieciarz

dust-pan ['dʌst,pæn] *s* śmietniczka

dustproof ['dʌst,pru:f] *adj* pyłoszczelny

dust-screen ['dʌst,skri:n] *s* pokrowiec

dust-shield ['dʌst,ʃi:ld] *s* osłona przeciwpyłowa

dust-storm ['dʌst,stɔ:m] *s* kurzawa

dust-wrapper ['dʌst,ræpə] = **dust-cover**

dusty ['dʌsti] *adj* (**dustier** ['dʌstiə], **dustiest** ['dʌstiist]) 1. zakurzony; pokryty kurzem; *bot* **~ miller** firletka 2. nudny; nieciekawy 3. (*o odpowiedzi itd*) niewyraźny; mglisty; wymijający 4. *sl w zwrocie*: **it's not so ~** to nie najgorsze; ujdzie

♦**Dutch**[1] [dʌtʃ] [I] *adj* 1. holenderski; *am także* niemiecki; **~ auction** licytacja, przy której cenę obniża się, dopóki nie znajdzie się nabywca; **~ courage** odwaga po pijanemu; **~ oven** piekarnik; **~ tile** kafel; **~ treat** uczta, przy której każdy płaci za siebie; **to talk like a ~ uncle** przemawiać po ojcowsku [II] *s* 1. *pl* **the ~** Holendrzy 2. język holenderski 3. **High ~** język górnoniemiecki; **Low ~** język dolnoniemiecki 4. *przen* **double ~** chińszczyzna

dutch[2] [dʌtʃ] = **duchess**; *sl* **my ~** moja (żona)

Dutchman ['dʌtʃmən] *s* (*pl* **Dutchmen** ['dʌtʃmən]) Holender; **I'm a ~ if** ... niech mnie kule biją, jeżeli ...

duteous ['dju:tiəs] *adj* 1. pełen szacunku 2. pełen względów; dbający 3. posłuszny

dutiable ['dju:tiəbl] *adj* podlegający ocleniu; obłożony cłem

dutiful ['dju:tiful] *adj* 1. obowiązkowy; sumienny 2. pełen szacunku 3. pełen względów; dbający

duty ['dju:ti] *s* 1. obowiązek; powinność; **to do one's ~ by <to> sb** spełniać obowiązek wobec kogoś; **as in ~ bound** jak obowiązek nakazuje 2. *pl* **duties** funkcja; obowiązki; **to come within sb's duties** należeć do czyichś obowiązków; **to do ~ for** ... zastępować...; służyć za ... 3. *także wojsk* służba; dyżur; **off ~** po służbie; wolny (od służby); **on ~** na służbie; na dyżurze; **the man on ~** dyżurny; **to be on ~** mieć dyżur; być dyżurnym 4. uszanowanie; wyrazy szacunku; **a ~ call** wizyta z obowiązku <oficjalna> 5. cło; opłata <należność> celna 6. podatek (od przeniesienia własności, objęcia spadku itd.) 7. *techn* wydajność (maszyny)

duty-free ['dju:ti'fri:] *adj* wolny od opłaty celnej

duty-paid ['dju:ti'peid] *adj adv* po uiszczeniu (przez sprzedającego, wysyłającego) opłaty celnej

duumvir [dju:'ʌmvə] *s* (*pl* **~s**, **~i** [dju:'ʌmvi,rai]) *hist* duumwir

duvetyn ['dju:vitin] *s tekst* dywetyna

dux [dʌks] *s* (*pl* **~es**, **duces** ['dju:si:z]) *szkoc* prymus (w klasie)

duxeen [dʌk'si:n] *s* papier płócienny

dwale [dweil] *s bot poet* belladona, pokrzyk, wilcza jagoda

dwarf [dwɔ:f] [I] *s* ka-rzeł/rlica [II] *adj* karłowaty [III] *vt* 1. za/hamować wzrost (**sth** czegoś); s/karłowacić 2. pomniejsz-yć/ać

dwarfish ['dwɔ:fiʃ] *adj* karłowaty; skarlały

dwell[1] [dwel] *vi* (**dwelt** [dwelt], **dwelt**) 1. mieszkać <za/bawić, przebywać> (**at** <**in**> **a place** w danej miejscowości) 2. (*o myśli, pamięci*) zatrzym-ać/ywać się (**on sth** na czymś); (*o wzroku*) spocz-ąć/ywać (**on sth** na czymś) 3. rozwodzić się (**on** <**upon**> **sth** nad czymś); (*w rozmowie, opowiadaniu*) zatrzym-ać/ywać się dłużej (**on** <**upon**> **sth** nad czymś); zastan-owić/awiać się (**on** <**upon**> **sth** nad czymś); uwydatni-ć/ać (**on** <**upon**> **sth** coś); położyć/kłaść nacisk (**on** <**upon**> **sth** na coś) 4. wydłuż-yć/ać (**on a note** <**syllable etc.**> nutę <zgłoskę itd.> 5. (*o koniu*) przysta-nąć/wać (przed skokiem itd.) *zob* **dwelling**

dwell[2] [dwel] *s techn* zatrzymanie <przystawanie> (mechanizmu)

dweller ['dwelə] *s* 1. mieszkan-iec/ka (**in a place** danej miejscowości) 2. koń przystający przed skokiem

dwelling ['dweliŋ] [I] *zob* **dwell**[1] [II] *s* mieszkanie

dwelling-house ['dweliŋ,haus] *s* dom mieszkalny

dwelling-place ['dweliŋ,pleis] *s* miejsce zamieszkania <stałego pobytu>

dwelt *zob* **dwell**[1]

dwindle ['dwindl] *vi* (*także* ~ **away**) 1. zmniejsz-yć/ać się; z/maleć; zanik-nąć/ać; uby-ć/wać; s/kurczyć się; słabnąć 2. z/wyrodnieć *zob* **dwindling**

dwindling ['dwindliŋ] [I] *zob* **dwindle** [II] *s* 1. zmniejsz-enie/anie się; zanik; ubytek; s/kurczenie się; osłabienie 2. zwyrodnienie

dyad ['daiæd] *s* 1. dwójka; para 2. *chem* pierwiastek dwuwartościowy

dyarchy ['daiɑ:ki] *s polit* dwuwładztwo

dye [dai] *v* (**dyed** [daid], **dyed; dyeing** ['daiiŋ]) [I] *vt* 1. u/farbować 2. *dosł i przen* zabarwi-ć/ać [II] *vi* (*o materiale itd*) u/farbować się; da-ć/wać się ufarbować; nadawać się do farbowania *zob* **dyed, dyeing** [III] *s* 1. barwnik; farba 2. *przen* barwa; **a scoundrel of the deepest** ~ łot-r/rzyca najgorszego gatunku

dyed [daid] [I] *zob* **dye** *v* [II] *adj* farbowany; (*o materiale*) ~ **in the wool** zrobiony <tkany> z farbowanej wełny; trwale farbowany

dye-house ['dai,haus] *s* farbiarnia

dyeing ['daiiŋ] [I] *zob* **dye** *v* [II] *attr* ~ **trade** farbiarstwo

dyer ['daiə] *s* 1. farbiarz; właściciel farbiarni 2. *bot* ~**'s greenweed** rezeda żółta; *bot* ~**'s weed** janowiec barwierski

dyestuff ['dai,stʌf] *s* barwnik

dye-wood ['dai,wud] *s* drzewo farbiarskie

dye-works ['dai,wə:ks] *s* farbiarnia, zakłady farbiarskie

dying ['daiiŋ] [I] *zob* **die**[2] [II] *adj* 1. umierający; zanikający 2. (*o godzinie itd*) śmierci; **to one's** ~ **day** do śmierci

dyke *zob* **dike**

dynamic [dai'næmik] *adj* dynamiczny

dynamical [dai'næmikl] *adj* 1. dynamiczny 2. (*o prawach itd*) dynamiki

dynamics [dai'næmiks] *s* dynamika

dynamism ['dainə,mizəm] *s* dynamizm

dynamite ['dainə,mait] [I] *s* dynamit [II] *vt* wysadz-ić/ać w powietrze

dynamo ['dainə,mou] *s techn* dynamo (maszyna); prądnica

dynamometer [,dainə'mɔmitə] *s fiz* dynamometr; siłomierz

dynast ['dinəst] *s* dynasta, władca

dynastic [di'næstik] *adj* dynastyczny

dynasty ['dinəsti] *s* dynastia

dyne [dain] *s fiz* dyna

dyscrasia [dis'kreiziə] *s med* dyskrazja (anormalny stan organizmu), skaza

dysenteric [,disn'terik] *adj med* biegunkowy; dyzenteryjny, czerwonkowy

dysentery ['disntri] *s med* biegunka; dyzenteria, czerwonka

dyslogistic [,dislə'dʒistik] *adj* wyrażający <zawierający> dezaprobatę <potępienie>

dyspepsia [dis'pepsiə] *s med* niestrawność, zaburzenie w trawieniu

dyspeptic [dis'peptik] *adj* 1. *med* cierpiący na niestrawność 2. zgryźliwy

dyspnoea [dis'pniə] *s med* duszność

dyspnoeic [dis'pni:ik] *adj* dychawiczny; *med* ~ **heart failure** niewydolność lewokomorowa

dysuria [dis'juəriə] *s med* bolesne oddawanie moczu

dziggetai ['dʒigi,tai] *s zoo* dziki osioł

E

E, e [i:] *s* (*pl* **es, e's** [i:z]) 1. *litera* e 2. *muz* e; **e flat** es; **e sharp** eis

'e [i] *pot* = **he**

each [i:tʃ] [I] *adj* każdy (z osobna); ~ **and every** każdy bez wyjątku; ~ **one of us** <**you etc.**> każdy z nas <z was itd.> [II] *pron* 1. każdy; ~ **and all** każdy bez wyjątku; każdy z osobna i wszyscy razem; ~ **other** się <siebie, sobie> (nawzajem); **they love** <**hate**> ~ **other** oni się kochają <nienawidzą>; **we must help** ~ **other** musimy sobie wzajemnie pomagać; **the sides of two triangles are equal** ~ **to** ~ boki dwóch trójkątów są sobie równe 2. *przy oznaczaniu ceny, należności itp przypadającej na jednostkę itd:* po ... a) za sztukę b) na osobę c) każdy; **oranges are a penny** ~ pomarańcze są po jednym pensie (za sztukę); **they got a shilling** ~ oni dostali po szylingu (na osobę)

eager ['i:gə] *adj* 1. ożywiony pragnieniem <życzeniem> (**to do sth** zrobienia czegoś); gorąco pragnący (**to do sth** coś zrobić); **to be** ~ **to do sth** pragnąć <mieć wielką ochotę> zrobić coś; palić się do czegoś; **to be** ~ **to leave** <**see etc.**> nie móc się doczekać wyjazdu <zobaczenia itd.> 2.

pełen entuzjazmu; chętny; ochoczy; zapalony; gorliwy 3. skwapliwy; pochopny 4. żądny (**for** <**after**> **sth** czegoś — sławy itp.); chciwy (zysku itp.); spragniony (pochwały itp.) 5. (*o chęci, pragnieniu*) żywy 6. † (*o powietrzu, chłodzie*) przejmujący; ostry

eagerness ['i:gənis] *s* 1. pragnienie <pożądanie> (**about** <**after, for**> **sth** czegoś); wielka ochota (**about** <**after, for**> **sth** zrobienia czegoś); usilne dążenie (**about** <**after, for**> **sth** do czegoś) 2. zapał; gorliwość 3. skwapliwość; pochopność

♠**eagle** ['i:gl] [I] *s* 1. *zoo* orzeł 2. *am* moneta 10-dolarowa 3. (*w kościele anglikańskim*) pulpit (przy którym czyta się lekcję w czasie nabożeństwa) [II] *attr* orli; ~ **eye** orli <sokoli> wzrok

eagle-eyed ['i:gl'aid] *adj* o orlim <sokolim> wzroku

eagle-owl ['i:gl'aul] *s zoo* puchacz

eaglet ['i:glit] *s zoo* orlę, orlątko

eagle-wood ['i:gl,wud] *s* drewno aloesu

eagre ['eigə] *s* wsteczna fala w ujściu rzeki podczas przypływu

ear[1] [iə] *s* kłos (zboża); **corn was in the** ~ zboże (już) się wykłosiło

ear[2] [iə] [I] *s* 1. *anat* ucho; **a word in sb's** ~ słówko powiedziane komuś na ucho; **up to the** ~**s** po uszy (w robocie); **can I have your** ~? czy może-sz/cie mnie wysłuchać?; **I would give my** ~**s for it** dużo dałbym za to; **to be all** ~**s** zamienić się w słuch; **to be by the** ~**s** kłócić się; (*o wiadomości*) **to come to sb's** ~**(s)** dojść kogoś <do czyichś uszu>; **to fall about people's** ~**s** zwalić się ludziom na głowę; **to get sb up on his** ~**s** rozzłościć <rozgniewać> kogoś; **to have sb's** ~ a) móc porozmawiać z kimś b) zostać wysłuchanym; **to set people by the** ~**s** poróżnić <skłóc-ić/ać> ludzi 2. słuch; **a poor** ~ brak słuchu; **to have a good** ~ <**an** ~> **for music** mieć słuch 3. (*u naczynia, przyrządu itd*) ucho (*pl* ucha); *techn* uchwyt [II] *attr* 1. uszny 2. (*o chorobach itd*) (dotyczący) uszu; **an** ~ **specialist** specjalista chorób usznych, otolog

ear-ache ['iər,eik] *s* ból ucha <uszu>; **I have** ~ ucho mnie boli

ear-cap ['iə,kæp] *s* nausznik

ear-drop ['iə,drɔp] *s* kolczyk (ozdoba)

ear-drum ['iə,drʌm] *s* błona bębenkowa

ear-flap ['iə,flæp] = **ear-lap**

earing ['iəriŋ] *s mar* przewiąz, bencel

earl [ə:l] *s* 1. lord 2. hrabia

ear-lap ['iə,læp] *s* 1. *anat* płatek ucha 2. nausznik (przy czapce)

earldom ['ə:ldəm] *s* 1. godność lorda <hrabiego> 2. dobra lorda <hrabiego>

early ['ə:li] [I] *adv* 1. (*także* **bright and** ~) wcześnie; wczesnym rankiem; **as** ~ **as March** <**April etc.**> już w marcu <w kwietniu itd.>; ~ **enough** na czas; ~ **in life** w młodym wieku; młodo; ~ **to bed and** ~ **to rise makes a man healthy, wealthy and wise** kto rano wstaje, temu **Pan Bóg** daje 2. z początku (miesiąca, zimy itd.); **na** początku <na czele> (listy itd.) 3. przedwcześnie (umrzeć, skończyć się itd.) [II] *adj* (**earlier** ['ə:liə], **earliest** ['ə:liist]) 1. ranny 2. wczesny; (*o człowieku*) **an** ~ **riser** <**bird**> ranny ptaszek; **earliest recollections** wspomnienia z dzieciństwa; ~ **closing day** dzień powszedni, w którym sklepy zamyka się w południe; ~ **door** wejście do teatru dla posiadaczy biletów upoważniających do zajęcia miejsc na pół godziny przed rozpoczęciem przedstawienia; ~ **fruit** pierwsze owoce; ~ **vegetables** nowalie, nowalijki; ~ **youth** wczesna młodość; **to keep** ~ **hours** wcześnie kłaść się spać i wcześnie wstawać; **at an** ~ **age** we wczesnej młodości; **at the earliest possible moment** jak najrychlej <najprędzej>; **in the** ~ **morning** wczesnym rankiem; wczas rano; **next week at the earliest** najwcześniej w przyszłym tygodniu; w najlepszym razie na przyszły tydzień 3. (*o terminie, dniu itp*) rychły; niedaleki; **at an** ~ **date** a) już dość wcześnie b) wkrótce 4. (*o wiekach*) dawny; wczesny; (*o latach w danym okresie, dniach w danym miesiącu itd*) pierwszy, początkowy; **in the** ~ **twenties** z początkiem lat dwudziestych; **the** ~ **20th century** początek dwudziestego wieku 5. (*o ludziach*) pierwotny; dawny; ~ **Christians** pierwsi chrześcijanie 6. (*o zgonie*) przedwczesny

ear-mark ['iə,mɑ:k] [I] *s* (*u zwierząt gosp.*) piętno; kolczyk; *przen* znak (rozpoznawczy) [II] *vt* 1. po/znaczyć (zwierzęta); kolczykować 2. *przen* przeznacz-yć/ać (pewną kwotę itd. na określony cel) 3. da-ć/wać znak rozpoznawczy; zagi-ąć/nać (kartkę w książce)

earn [ə:n] *vt* 1. zar-obić/abiać; zapracow-ać/ywać; **to** ~ **one's living** zarabiać na życie (**by sth** czymś); zarobkować; utrzymywać się (**by sth** z czegoś) 2. zasłu-żyć/giwać (na pochwałę itd.) 3. zdoby-ć/wać (sławę itd.) *zob* **earning**

earnest[1] ['ə:nist] *s* 1. zadatek 2. *przen* zapowiedź; przedsmak 3. gwarancja; dowód (dobrych chęci itd.)

earnest[2] ['ə:nist] [I] *adj* 1. poważny; szczery; przejęty; poważnie (coś) traktujący; mówiący z przekonaniem; (*o pracowniku*) sumienny; gorliwy; (*o modlitwie*) żarliwy; (*o pragnieniu*) gorący [II] *s w zwrotach*: (**to be** <**speak etc.**>) **in** ~ (mówić itd.) poważnie; (na) serio; z przekonaniem; z przejęciem; bez żartów; naprawdę; **in real** <**good**> ~ zupełnie serio <poważnie>; z całym przekonaniem; naprawdę

earnestness ['ə:nistnis] *s* 1. powaga; przejęcie 2. gorliwość 3. żarliwość (modlitwy) 4. gorące pragnienie

earning ['ə:niŋ] [I] *zob* **earn** [II] *spl* ~**s** 1. zarob-ek/ki; płac-a/e; gaż-a/e 2. dochody, zyski [III] *attr* zarobkowy; ~ **capacity** a) zdolność zarobkowania b) (*w przedsiębiorstwie*) rentowność; zyskowność

ear-phone ['iə,foun] *s* 1. słuchawka 2. *pl* ~**s** kukiełki (warkocze ułożone na uszach w kształcie precla)

ear-piece ['iə,pi:s] *s* słuchawka

ear-piercing ['iə,piəsiŋ] *adj* (*o krzyku itd*) przeraźliwy; rozdzierający

ear-plug ['iə,plʌg] *s* woskowa kulka do (zatykania) uszu

ear-ring ['iə,riŋ] *s* kolczyk (ozdoba)

ear-shot ['iə,ʃɔt] *s w zwrotach*: **out of** ~ poza zasięgiem słuchu; **within** ~ w zasięgu słuchu

ear-splitting ['iə,splitiŋ] *adj* ogłuszający

earth [ə:θ] [I] *s* 1. ziemia; świat; kula ziemska; **to come back to** ~ wrócić do rzeczywistości <z obłoków na ziemię>; *lotn* **to drop to** ~ lądować || **on** ~ a) *wyraża silny nacisk*: **no use on** ~ bez najmniejszego pożytku b) *w pytaniach wy-*

raża zdziwienie, zniecierpliwienie itd: **when on ~ —?** kiedyż wreszcie...?; **why <where etc.> on ~** dlaczego <gdzie itd.> u licha <na miły Bóg> ...?! 2. ziemia; grunt; gleba; **~ road = dirt road** *zob* **dirt; ~ water** woda gruntowa 3. *elektr* uziemienie 4. tlenek lekkiego metalu 5. nora (zwierzęcia); **to run to ~** a) ścigać (lisa), dopóki nie dopadnie swej nory b) *przen* docie-c/kać czegoś [II] *vt* 1. (*także* **~ up**) okop-ać/ywać 2. *elektr* uziemi-ć/ać 3. = **to run to ~** *zob* **~** *s* 5. [III] *vi* (*o lisie*) schować się do nory; zagrzeb-ać/ywać się *zob* **earthing**

earth-board ['ə:θ,bɔ:d] *s* odkładnica (pługa)

earth-born ['ə:θ,bɔ:n] *adj* ziemski

earth-bound ['ə:θ,baund] *adj lit* przyziemny

earthen ['ə:θən] *adj* gliniany

earthenware ['ə:θən,wɛə] [I] *s* wyroby garncarskie [II] *attr* gliniany (garnek itp.)

earthing ['ə:θiŋ] [I] *zob* **earth** *v* [II] *s* uziemienie

earthly ['ə:θli] *adj* (**earthlier** ['ə:θliə], **earthliest** ['ə:θliist]) 1. ziemski; doczesny 2. *wyraża nacisk:* **for no ~ reason** bez najmniejszego powodu; *pot* licho wie dlaczego; **it's of no ~ use to** się absolutnie na nic nie zda; **there's no ~ chance,** *sl* **not an ~** nie ma absolutnie żadnych widoków (powodzenia itd.)

earthly-minded ['ə:θli'maindid] *adj* przyziemny

earth-nut ['ə:θ,nʌt] *s* orzech ziemny

earthquake ['ə:θ,kweik] *s* 1. trzęsienie ziemi 2. *przen polit itd.* wstrząs; przewrót

earth-shine ['ə:θ,ʃain] *s astr* częściowe oświetlenie ciemnej części księżyca światłem odbitym od ziemi

earthwork ['ə:θ,wə:k] *s* 1. nasyp; wykop 2. *pl* **~s** roboty ziemne 3. *wojsk* szaniec

earthworm ['ə:θ,wə:m] *s zoo* glista; dżdżownica

earthy ['ə:θi] *adj* 1. ziemisty 2. ziemski 3. przyziemny 4. ordynarny

ear-trumpet ['iə,trʌmpit] *s* trąbka uszna (dla głuchych)

ear-wax ['iə,wæks] *s* woszczyna, woskowina

earwig ['iə,wig] [I] *s* 1. *zoo* skorek 2. *am zoo* stonoga [II] *vt* (**-gg-**) 1. podszeptywać (**sb** komuś) 2. wkradać się w łaski (**sb** czyjeś)

ease [i:z] [I] *s* 1. wygoda; **to be at one's ~** dobrze <swobodnie> się czuć; być nieskrępowanym; *wojsk* (**to stand**) **at ~!** (stać na) spocznij! 2. spokój (umysłu); **to be at ~** być spokojnym; nie martwić <nie przejmować> się; **to set sb at ~** a) stworzyć komuś swobodną <nieskrępowaną> atmosferę b) uspokoić kogoś; rozwiać czyjeś obawy 3. ulga; uśmierzenie (**from pain** bólu) 4. swoboda (obejścia, ruchów itd.); łatwość (wysławiania się itd.); **to be ill at ~** a) czuć się nieswojo; być skrępowanym b) być niespokojnym (**about sb, sth** o kogoś, coś) 5. wolny czas 6. łatwość; **with ~** łatwo 7. bezczynność [II] *vt* 1. przyn-ieść/osić <sprawi-ć/ać> ulgę (**sb's pain etc.** komuś w bólu itp.); z/łagodzić <uśmierz-yć/ać> (ból itd.) 2. uspok-oić/ajać (kogoś); rozwi-ać/ewać (czyjeś obawy itp.) 3. uw-olnić/alniać (**sb of <from> sth** kogoś od czegoś); odciąż-yć/ać; *żart* **to ~ sb of his purse** opróżnić komuś sakiewkę 4. rozluźni-ć/ać; odpręż-yć/ać; popu-ścić/szczać; zw-olnić/alniać [III] *vr w zwrocie:* **to ~ oneself of a burden** pozby-ć/wać się ciężaru [IV] *vi* zelżeć

~ down [I] *vt* zw-olnić/alniać; popu-ścić/szczać [II] *vi* zelżeć

~ off [I] *vt* 1. popu-ścić/szczać 2. *mar* z/luzować (linę) [II] *vi* 1. zelżeć 2. (*o cenach*) spa-ść/dać

~ up [I] *vt* ulżyć (**sth** czemuś) [II] *vi* zelżeć *zob* **easing**

easeful ['i:zful] *adj* 1. uspokajający 2. spokojny 3. bezczynny

easel ['i:zl] *s* sztaluga

easeless ['i:zlis] *adj* 1. niewygodny 2. (*o bólu itd*) dokuczliwy; nieznośny; nie dający się złagodzić

easement ['i:zmənt] *s* 1. *prawn* serwitut; prawo przejazdu <przejścia> (przez czyjś grunt) 2. udogodnienie

easily ['i:zili] *adv* lekko; wygodnie; swobodnie; łatwo; z łatwością; bez trudności; **he is ~ forty** można mu śmiało dać czterdzieści lat; **to be ~ cheated <moved etc.>** łatwo da-ć/wać się oszukać <wzruszyć itd.>; **to take things ~** nie przejmować się

easiness ['i:zinis] *s* 1. łatwość; wygoda; swoboda; **~ of belief** łatwowierność 2. uprzejmość obejścia 3. beztroska; obojętność

easing ['i:ziŋ] [I] *zob* **ease** *v* [II] ulga; zelżenie; odprężenie

east [i:st] [I] *s* wschód; **the Middle <Near, Far> East** Środkowy <Bliski, Daleki> Wschód; **to <on> the ~ of —** na wschód od... [II] *adj* wschodni; **East End** robotnicza dzielnica Londynu [III] *adv* na wschód; na wschodzie

east-bound ['i:st'baund] *adj* jadący <płynący> na wschód

Easter ['i:stə] [I] *s* Wielkanoc [II] *attr* wielkanocny; **~ dues <offerings>** wielkanocne datki parafian na rzecz kleru; **~ duty** spowiedź wielkanocna; **~ egg** pisanka, kraszanka; **~ Monday** drugi dzień świąt Wielkanocy

easterly ['i:stəli] *adj* 1. wschodni; od wschodu 2. (idący) ku wschodowi <na wschód>

eastern ['i:stən] [I] *adj* 1. wschodni; **Eastern Church** Kościół prawosławny 2. (idący) ku wschodowi <na wschód> [II] *s* 1. człowiek wschodu 2. prawosławny

Easterner ['i:stənə] *s am* mieszkan-iec/ka <człowiek pochodzący ze> wschodniej części St. Zjedn.

easternmost ['i:stən,moust] *adj* wysunięty najdalej na wschód

Eastertide ['i:stə,taid] *s* okres świąt wielkanocnych; święta wielkanocne

easting ['i:stiŋ] *s mar* kurs na wschód

east-northeast ['i:st-nɔ:θ,i:st] *s mar* wschód-północny wschód

East-side ['i:st,said] *spr* dzielnica Nowego Jorku, położona na wschód od wyspy Manhattan

east-southeast ['i:st-sauθ,i:st] *s mar* wschód południowy wschód

eastward ['i:stwəd] [I] *adv* (*także* **~s**) ku wschodowi; na wschód [II] *adj* wschodni [III] *s* **to the ~ = ~(s)** *adv*

easy ['i:zi] [I] *adj* (**easier** ['i:ziə], **easiest** ['i:ziist]) 1. łatwy; **it's as ~ as ABC <falling off a log>** (nie ma) nic łatwiejszego; **that is ~ to do <see etc.>** nietrudno (to) zrobić <zauważyć itd.>; **a lady of ~ virtue** kobieta lekkiego prowadzenia; *pot* **~ mark** naiwniak; frajer; **~ money** łatwo zdobyty pieniądz; **~ of access** łatwo dostępny; **within ~ reach** niedaleko; opodal 2. (*także* **~ in one's mind**) spokojny; **make yourself ~ about that**

bądź o to spokojny; **to feel easier** być spokojniejszym; czuć się lepiej; **to feel ~ about sth** nie mieć żadnych obaw co do czegoś 3. wygodny; lekki; beztroski; **~ chair** fotel klubowy; **~ life** beztroskie <spokojne> życie; **in ~ circumstances,** *sl* **in ~ Street** dobrze sytuowany; (znajdujący się) w dostatku 4. (*o ubiorze*) luźny 5. (*o obejściu, obyczajach*) swobodny 6. (*o człowieku*) układny; łatwy w pożyciu; ustępliwy; nie wymagający 7. (*o chodzie, poruszaniu się itp*) nieśpieszny; swobodny; **at an ~ trot** lekkim kłusem; **by ~ stages** krótkimi etapami 8. (*o warunkach zapłaty*) dogodny 9. (*o tendencji na rynku*) słaby; (*o towarze*) niepokupny; (*o pieniądzach*) płynny 10. *karc* (*o honorach*) podzielony; rozłożony 11. (*o spadku terenu*) łagodny [II] *adv* 1. łatwo; lekko; **to take it ~, to go ~** nie przemęczać <nie wysilać> się; **to take things** <**life**> **~** a) nie przemęczać się b) nie przejmować się; **easier said than done** łatwiej powiedzieć, niż zrobić; **~ does it!** pomału! 2. *wiośl* **~ all!** stop!; *wojsk* **stand ~!** spocznij! [III] *s* odpoczynek

easy-going ['i:zi,gouiŋ] *adj* 1. (*o biegu konia*) lekki 2. (*o człowieku*) wygodny; dbający o własną wygodę 3. niefrasobliwy 4. niewymagający; wyrozumiały 5. niezbyt skrupulatny (w sprawach sumienia)

eat [i:t] *v* (**ate** [et], **eaten** ['i:tn]) [I] *vt* 1. z/jeść, z/jadać; spoży-ć/wać; **fit to ~** jadalny; *żart* **don't ~ me** tylko mnie nie zjedz <nie połknij żywcem>; **something** <**nothing**> **to ~** coś <nic> do zjedzenia; *am* **what's ~ing you?** czym się gryziesz <martwisz>?; **to ~ one's terms** <**dinners**> odbywać studia prawnicze; przygotowywać się do adwokatury; **to ~ one's words** a) odwołać to, co się rzekło b) *pot* odszczekać coś; **to ~ sb out of house and home** objeść kogoś doszczętnie 2. (*o zwierzęciu*) z/jeść, ze/żreć 3. (*o ptaku*) dziobać 4. (*o robaku*) toczyć; **moths ~ holes in furs** mole wyjadają dziury w futrach; **they ~ their way into** ... one się wgryzają <wżerają> w... 5. *am* stołować [II] *vr w zwrocie:* **to ~ oneself sick** rozchorować się z przejedzenia [III] *vi* 1. pożywi-ć/ać się; **to ~ well** a) dobrze się odżywiać b) mieć dobry apetyt 2. jeść <jadać> (**quickly, slowly etc.** szybko, powoli itd.); (*o ptakach*) jeść <dziobać> (**out of sb's hand** komuś z ręki) 3. pojeść (**of sth** czegoś) 4. (*o potrawach*) jeść <jadać> się; smakować; **tomatoes ~ well with onions** pomidory dobrze jeść <smakują> z cebulą

~ away [I] *vt* zajadać [II] *vt* (*o morzu*) wyżerać; podmywać; (*o kwasach itp*) wyżerać; trawić

~ off *vt w zwrotach:* (*o koniu*) **it ~s its head off** on żre więcej niż jest wart; (*o człowieku*) **to ~ one's head off** być bezczynnym

~ out *vt w zwrocie*: **to ~ one's heart out** zamartwi-ć/ać się

~ up *vt* 1. doj-eść/adać 2. *przen* pożerać (*o piecu* — węgiel; *o samochodzie* — kilometry); s/trawić; z/marnować; z/niszczyć; pochł-onąć/aniać; **to be ~en up with conceit** pękać z zarozumiałości; być dumnym jak paw; **to be ~en up with debts** tonąć w długach; **to be ~en up with envy** <**ambition etc.**> być trawionym zazdrością <ambicją itd.>

zob **eating** [IV] *spl* **~s** *am* jedzenie; potrawy

eatable ['i:təbl] [I] *adj* jadalny [II] *spl* **~s** artykuły spożywcze; żywność; prowiant

eaten *zob* **eat** *v*

eater ['i:tə] *s* zjadacz; **to be a poor** <**a big, a great**> **~** mało <dużo> jeść/jadać; **I am a great ~ of meat** <**bread etc.**> jestem wielkim amatorem <jadam dużo> mięsa <chleba itd.>

eating ['i:tiŋ] [I] *zob* **eat** *v* [II] *s* jedzenie (czynność oraz potrawa)

eating-hall ['i:tiŋ,hɔ:l] *s am* sala jadalna; refektarz

eating-house ['i:tiŋ,haus] *s* jadłodajnia; gospoda

eau-de-Cologne ['oudəkə'loun] *s* woda kolońska

eaves [i:vz] *spl* okap; podstrzesze

eavesdrop ['i:vz,drɔp] *vi* (**-pp-**) podsłuchiwać

eavesdropper ['i:vz,drɔpə] *s* człowiek wścibski <podsłuchujący cudze rozmowy>; *pot* szpicel

ebb [eb] [I] *s* 1. *mar* odpływ (morza); **~ tide = ebb-tide; the ~ and flow of the sea** przypływ i odpływ morza; **the tide is on the ~** jest odpływ 2. upadek; schyłek; ubytek; *przen* zmierzch; **to be at a low ~** a) (*o chorym*) dogorywać; gasnąć; przechodzić kryzys b) (*o handlu*) być w stagnacji c) (*o człowieku, instytucji itd*) być w stanie upadku; **to be on the ~** zanikać; ubywać; słabnąć; chylić się (do upadku) [II] *vi* 1. (*o morzu*) odpły-nąć/wać; opadać; **the tide is ~ing** jest odpływ 2. (*także* **~ away**) niknąć; ubywać; gasnąć; być u schyłku; cof-nąć/ać się; słabnąć

ebb-tide ['eb,taid] *s* odpływ

E-boat ['i:,bout] *s* niemiecka łódź torpedowa

ebon ['ebən] [I] *s am* Murzyn [II] *adj poet* hebanowy; czarny jak heban

ebonite ['ebə,nait] *s* ebonit

ebonize ['ebə,naiz] *vt* za/bejcować na heban

ebony ['ebəni] [I] *s* 1. heban 2. *am* Murzyn/ka [II] *adj* 1. hebanowy 2. czarny jak heban; **the ~ keys of a piano** czarne klawisze fortepianu

ebracteate [i'bræktiit] *adj bot* bezprzylistkowy

ebriety [i'braiəti] *s* opilstwo

ebullience [i'bʌljəns], **ebulliency** [i'bʌljənsi] *s* 1. wrzenie; kipienie 2. wykipienie 3. wzburzenie 4. pobudliwość; zapalczywość; porywczość

ebullient [i'bʌljənt] *adj* 1. wrzący; kipiący 2. (*o uczuciu*) wybujały 3. (*o człowieku*) zapalony; pobudliwy; porywczy; impulsywny

ebullition [,ebə'liʃən] *s* 1. wrzenie; za/kipienie 2. wzburzenie; porywczość; wybuch (uczuć itd.)

eburnation [ibə'neiʃən] *s med* zagęszczenie kości

écarté [ei'ka:tei] *s* ekarte (gra w karty we dwie osoby)

eccentric [ik'sentrik] [I] *adj* 1. ekscentryczny; *techn* mimośrodowy 2. odśrodkowy 3. dziwaczny; cudaczny [II] *s* 1. (*o człowieku*) ekscentry-k/czka; dziwa-k/czka 2. *techn* ekscentryk; mimośród

eccentricity [,eksen'trisiti] *s* 1. ekscentryczność; *techn* mimośrodowość; *mat* mimośród 2. odśrodkowość 3. ekscentryczność; dziwaczność; dziwactwo

eccentric-rod [ik'sentrik,rɔd] *s* drążek mimośrodu

ecchymosis [eki'mousis] *s med* ekchymoza; wysięk; siniec; wybroczyna

Ecclesiastes [i,kli:zi'æsti:z] *s bibl* Księga Eklezjasty

ecclesiastic [i,kli:zi'æstik] [I] *s* duchowny, osoba duchowna [II] *adj* duchowny

ecclesiastical [i,kli:zi'æstikəl] *adj* 1. kościelny; **~ matters** sprawy wyznaniowe; **Ecclesiastical Commission(ers)** komisja zarządzająca majątkiem Ko-

ścioła anglikańskiego 2. duchowny; (dotyczący) duchowieństwa
ecclesiasticism [i,kli:zi'æsti,sizəm] *s* klerykalizm
ecclesiology [i,kli:zi'ɔlədʒi] *s* budownictwo i zdobnictwo kościelne
ecdysis ['ekdisis] *s zoo* linienie; zrzucanie skóry (przez węże)
echelon ['eʃəlɔn] *s wojsk* rzut; eszelon
echidna [e'kidnə] *s zoo* kolczatka
echinoderm [i'kainou,də:m] *s zoo* szkarłupień
echinus [e'kainəs] *s* (*pl* **echini** [e'kainai]) 1. *zoo* jeż morski 2. *arch* echin(us)
echo ['ekou] [I] *s* (*pl* **~es**) 1. echo; odgłos; oddźwięk; **to applaud to the ~** burzliwie oklaskiwać 2. *karc* odpowiedź (w licytacji z konwencją) [II] *vi* 1. (*o miejscu*) rozbrzmiewać (śpiewem itd.) 2. (*o głosie*) odbijać się; powtarzać się echem [III] *vt* 1. odbijać (głos); **to ~ sb's words** powt-órzyć/arzać coś za kimś 2. *karc* od-egrać/grywać kolor (partnera)
echoless ['ekoulis] *adj* bez echa; głuchy
éclair [e'kleə] *s* ptyś (ciastko)
éclat ['eikla:] *s* 1. blask; splendor 2. triumfalny sukces; **with ~** świetnie; znakomicie
eclectic [ek'lektik] [I] *adj* eklektyczny [II] *s* eklektyk
eclecticism [ek'lekti,sizəm] *s* eklektyzm
eclipse [i'klips] [I] *s* 1. zaćmienie 2. ekran przyciemniający światło latarni morskiej 3. zrzuc-enie/anie zdobnego pierza (*po okresie godowym*) [II] *vt dosł i przen* zaćmi-ć/ewać; *przen* usunąć w cień
ecliptic [i'kliptik] [I] *adj* ekliptyczny [II] *s astr* ekliptyka
eclogue ['eklɔg] *s* ekloga; sielanka; idylla
ecology [i'kɔlədʒi] *s* ekologia
economic [,i:kə'nɔmik] *adj* ekonomiczny; gospodarczy
economical [,i:kə'nɔmikəl] *adj* 1. oszczędny (**of sth** w czymś); gospodarny; **to be ~ of sth** oszczędnie gospodarować czymś 2. ekonomiczny; gospodarczy
economics [,i:kə'nɔmiks] *s* ekonomia polityczna; ekonomika; gospodarka
economist [i'kɔnəmist] *s* 1. ekonomista 2. dobr-y/a <oszczędn-y/a> gospod-arz/yni
economization [i,kɔnəmai'zeiʃən] *s* oszczędność
economize [i'kɔnə,maiz] [I] *vt* oszczędz-ić/ać (**sth** coś, czegoś); oszczędnie gospodarować (**sth** czymś) [II] *vi* z/robić oszczędności
economizer [i'kɔnə,maizə] *s* 1. człowiek oszczędny 2. *techn* podgrzewacz
economy [i'kɔnəmi] *s* 1. ekonomia; ekonomika; gospodarka 2. oszczędność; **to practise (strict) ~** wprowadz-ić/ać (daleko idące) oszczędności; (bardzo) oszczędzać 3. organizacja 4. struktura; budowa (organizmu)
écru [e'kru:] [I] *adj* (*o kolorze*) nie bielonego płótna [II] *s* surowe płótno
ecstasize ['ekstə,saiz] [I] *vt* zachwyc-ić/ać [II] *vi* zachwyc-ić/ać <unosić> się (**over sth** nad czymś)
ecstasy ['ekstəsi] *s* 1. ekstaza 2. zachwyt; uniesienie; **to be in an ~ of joy** być w siódmym niebie; nie posiadać się z radości; **to go into ecstasies over sth** wpa-ść/dać w zachwyt <unosić się, rozpływać się> nad czymś
ecstatic [eks'tætik] *adj* 1. pełen zachwytu; nie posiadający się z radości 2. ekstatyczny
ectoblast ['ektou,bla:st] *s biol* ektoblast, ektoderma
ectoderm ['ektou,də:m] *s anat* ektoderma
ectoplasm ['ektou,plæzəm] *s anat* ektoplazma
ectozoa [,ektou'zouə] *spl* pasożyty naskórne
ectype ['ektaip] *s* kopia
Ecuadorian [,ekwə'dɔ:riən] [I] *adj* ekwadorski [II] *s* mieszkaniec Ekwadoru
ecumenical [,i:kju'menikəl] *adj kośc* ekumeniczny, powszechny
eczema ['eksimə] *s med* egzema; wyprysk
eczematous [ek'semətəs] *adj med* wypryskowy
edacious [i'deiʃəs] *adj* żarłoczny
edacity [i'dæsiti] *s* żarłoczność
Edam ['i:dəm] *spr* **~ cheese** ser edamski
eddy ['edi] [I] *s* wir [II] *attr* (*o prądzie elektr. itd*) wirowy [III] *vi* (**eddied** ['edid], **eddied; eddying** ['ediiŋ]) wirować
edelweiss ['eidl,vais] *s bot* szarotka
Eden ['i:dən] *s dosł i przen* raj
edentata [,eden'teitə] *spl zoo* szczerbaki
edentate [i'dentit] *adj zoo* bezzębny
edge [edʒ] [I] *s* 1. ostrze; **to put an ~ to _** naostrzyć...; **to take the ~ off** stępić <przytępi-ć/ać> (narzędzie itp.); **to take the ~ off one's appetite** zaspokoić pierwszy głód; przekąsić coś; **with an ~** ostry; zaostrzony; (*o słowach*) uszczypliwy; zjadliwy ‖ **not to put too fine an ~ (up)on it** mówiąc po prostu <prosto z mostu>; nie owijając w bawełnę; **to give sb the ~ of one's tongue** natrzeć uszu <zmyć głowę> komuś; **the thin ~ of the wedge** pierwszy krok na równi pochyłej 2. krawędź 3. grań <grzbiet> (góry) 4. brzeg (przedmiotu, stronicy, stołu, przepaści itd.); kraj (sukni itd.); skraj (lasu itd.); kant (przedmiotu); lamówka; bordiura 5. sztorc; *przen* **to be on ~** a) (*o człowieku*) być przedenerwowanym <rozdrażnionym> b) (*o nerwach*) być rozstrojonym; *am* **to have an ~ on sb** a) mieć urazę do kogoś b) mieć przewagę nad kimś; **to set on ~** postawić na sztorc; *przen* **to set sb's teeth on ~** irytować <drażnić> kogoś; **it sets one's teeth on ~** od tego zęby cierpną [II] *vt* 1. na/ostrzyć; zaostrz-yć/ać (narzędzie, apetyt itd.); ści-ąć/nać <ścios-ać/ywać> (krawędź) 2. oblamować; obszywać; wysadz-ić/ać (drogę drzewami itd.) 3. przysu-nąć/wać po trochu; **to ~ one's way into <out of> a room** wśliznąć <wyśliznąć> się chyłkiem do <z> pokoju <sali> [III] *vi vr w zwrocie*: **to ~ (oneself) in <out of> a room** wśliznąć <wyśliznąć> się chyłkiem do <z> pokoju <sali>
  ~ away *vi* chyłkiem się oddal-ić/ać <odsu-nąć/wać, usu-nąć/wać>; wym-knąć/ykać się
  ~ off [I] *vt* na/ostrzyć; zaostrz-yć/ać [II] *vi* wymknąć się
  ~ on *vt* = **egg on** *zob* **egg**²
  zob **edging**
edge-bone ['edʒ,boun] = **aitch-bone**
edgeless ['edʒlis] *adj* tępy; stępiony
edge-rail ['edʒ,reil] *s* szyna kolejowa postawiona na sztorc
edge-tool ['edʒ,tu:l] *s* ostre narzędzie
edgeways ['edʒ,weiz], **edgewise** ['edʒ,waiz] *adv* kantem; bokiem; sztorcem; **one can't get a word in ~** nie można dojść do słowa
edging ['edʒiŋ] [I] *zob* **edge** *v* [II] *s* 1. brzeg; lamówka; obszywka; bordiura 2. *pl* **~s** zrzyny tartaczne
edgy ['edʒi] *adj* 1. (*o kamieniu itd*) o ostrych kan-

tach 2. (*o rysunku*) o ostrych konturach 3. (*o człowieku*) drażliwy; nerwowy; zdenerwowany

edible ['edəbl] [I] *adj* jadalny [II] *spl* **~s** artykuły spożywcze; żywność

edict ['i:dikt] *s* edykt; dekret

edification [ˌedifi'keiʃən] *s* (*często iron*) oddziaływanie moralne; zbudowanie; **budujący** wpływ; *przen* nauka; **let me say for your ~ that —** powiem jeszcze, żebyś/cie wiedzi-ał/eli że ...; podam jeszcze do twojej <waszej> wiadomości, że...

edifice ['edifis] *s* gmach; budowla

edify ['ediˌfai] *vt* (**edified** ['ediˌfaid], **edified; edifying** ['ediˌfaiiŋ]) 1. pouczać 2. oddziaływać moralnie (**sb** na kogoś); budująco wpły-**nąć**/wać (**sb na kogoś**)

edile ['i:dail] *s* (*u staroż. Rzymian*) edyl

edit ['edit] *vt* 1. z/redagować 2. wyda-ć/wać; **~ed by —** pod redakcją... 3. odpowiednio s/preparować (wiadomości itp. do gazety, pisma)

edition [i'diʃən] *s* 1. wydanie; edycja 2. nakład

editor ['editə] *s* 1. redaktor 2. wydawca (gazety, czasopisma)

editorial [ˌedi'tɔ:riəl] [I] *adj* 1. redakcyjny; redaktorski 2. wydawniczy; **~ office <staff>** redakcja [II] *s* artykuł wstępny

editorship ['editəʃip] *s* 1. stanowisko <funkcje> redaktora 2. z/redagowanie; **redakcja**

editress ['editris] *s* redaktorka

educate ['edjuˌkeit] *vt* 1. wy/kształcić; **to be ~d in <at>—** kształcić się w... 2. wychow-ać/ywać 3. wy/ćwiczyć; wy/szkolić 4. wy/tresować (zwierzę)

education [ˌedju'keiʃən] *s* 1. wykształcenie; nauka; nauczanie; **a university ~** studia uniwersyteckie <wyższe> 2. oświata 3. wychow-anie/ywanie; wy/szkolenie 4. tresura (zwierząt)

educational [ˌedju'keiʃənl] *adj* 1. (*o zakładzie itd*) oświatowy; wychowawczy; (*o programie itd*) szkolny; (*o oddziaływaniu itp*) kształcący; budujący; pouczający; pedagogiczny 2. *am* **Educational Act** ustawa o szkolnictwie

educationalist [ˌedju'keiʃnəlist] *s* pedagog; wychowaw-ca/czyni

educative ['edjukətiv] *adj* wychowawczy

educator ['edjuˌkeitə] *s* wychowaw-ca/czyni

educe [i'dju:s] *vt* 1. wydoby-ć/wać 2. *chem* wydziel-ić/ać (gaz itd.) 3. wyciąg-nąć/ać (wniosek); wywodzić 4. wywoł-ać/ywać; s/powodować (czyny itp.)

educt ['i:dʌkt] *s* 1. wywód; wniosek 2. *chem* wydzielony produkt

eduction [i'dʌkʃən] *s* 1. wyprowadzenie; wydoby-cie/wanie 2. *chem* wydzielanie 3. wywodzenie; wniosek 4. *mech* wydech

eduction-pipe [i'dʌkʃənˌpaip] *s mech* rura wylotowa <odpływowa>

edulcorate [i'dʌlkəˌreit] *vt chem* oczy-ścić/szczać

Edwardian [ed'wɔ:diən] *adj* z okresu króla Edwarda I <II, III, VI, VII>

eel [i:l] *s* 1. węgorz; **he is as slippery as an ~** on wije się jak piskorz 2. *pot* węgorek (robaczek)

eel-basket ['i:lˌbɑ:skit] = **eel-buck**

eel-buck ['i:lˌbʌk] *s* więcierz do łowienia węgorzy

eel-pot ['i:lˌpɔt] = **eel-buck**

eel-pout ['i:lˌpaut] *s zoo* 1. miętus 2. węgorzyca (ryba)

eel-worms ['i:lˌwə:mz] *spl zoo* nicienie

e'en [i:n] *poet* = **even**

e'er [ɛə] *poet* = **ever**

eerie, eery ['iəri] *adj* straszny; pełen grozy; dziwny; niesamowity; tajemniczy

efface [i'feis] [I] *vt* 1. wy-trzeć/cierać; zmaz-ać, ywać; zetrzeć/ścierać 2. zaćmi-ć/**ewać**; usu-nąć/wać w cień [II] *vr* **~ oneself** usu-nąć/wać się (w cień); unikać rozgłosu

effacement [i'feismənt] *s* 1. starcie/ścieranie; zmaz-anie/ywanie 2. zaćmie-nie/wanie; usu-nięcie/wanie (w cień)

effect [i'fekt] [I] *s* 1. skutek; rezultat, wynik; konsekwencja 2. działanie (**on sth, sb** na coś, kogoś); **to have <produce> an ~** po/skutkować; wywoł-ać/ywać skutek; po/działać; wpły-nąć/wać; **of no ~** bezskuteczny; **to no ~** bezskutecznie 3. wykon-anie/ywanie (zarządzenia itp.); wejście **w** życie; moc obowiązująca; **to bring <carry> into ~** wprowadz-ić/ać w życie; wykon-ać/ywać; za/stosować; wy/egzekwować; (*o obietnicy, pogróżce itd*) wprowadz-ić/ać w czyn; **to take <have> ~** wejść/wchodzić w życie; obowiązywać 4. sens; treść; **to the ~ that —** tej treści, że...; **words to that ~** (powiedzieć) coś w tym sensie 5. efekt (sceniczny, oratorski itd.) 6. **in ~** w rzeczywistości; w istocie; w rzeczy samej; ściśle mówiąc <biorąc> 7. *pl* **~s** ruchomości; posiadane rzeczy; dobytek; manatki 8. *bank* efekty; **no ~s** brak pokrycia (na rachunku) [II] *vt* wykon-ać/ywać; dokon-ać/ywać (**sth** czegoś); przeprowadz-ić/ać; uskuteczni-ć/ać; **to ~ an insurance <a policy of insurance>** ubezpieczyć się

effective [i'fektiv] [I] *adj* 1. skuteczny; **to be ~** po/skutkować 2. wydajny 3. efektywny; rzeczywisty; faktyczny 4. efektowny 5. (*o zdaniu, wyrażeniu itp*) szczęśliwy; szczęśliwie dobrany 6. (*o siłach wojsk.*) zdolny do walki 7. *am w zwrocie:* **to become ~** (*o rozporządzeniu itp*) wchodzić w życie; obowiązywać [II] *spl* **~s** stan liczebny wojska

effectiveness [i'fektivnis] *s* 1. skuteczność; działanie (leku itd.) 2. efektowność

effectual [i'fektjuəl] *adj* 1. skuteczny 2. (*o umowie itd*) ważny

effectuate [i'fektjuˌeit] *vt lit* dokon-ać/ywać (**sth** czegoś); przeprowadz-ić/ać

effectuation [iˌfektju'eiʃən] *s* dokon-anie/ywanie; przeprowadz-enie/anie

effeminacy [i'feminəsi] *s* zniewieściałość

effeminate [i'feminit] *adj* zniewieściały; **to grow ~** zniewieścieć

efferent ['efərənt] *adj anat* odprowadzający; odśrodkowy

effervesce [ˌefə'ves] *vi* 1. *chem* musować; burzyć <pienić> się 2. (*o ludziach*) kipieć <tryskać> (życiem) 3. za/wrzeć (gniewem); podniec-ić/ać się

effervescence [ˌefə'vesns] *s* 1. musowanie; burzenie <pienienie> się (płynów itp.) 2. tętno życia 3. wrzenie; podniecenie

effervescent [ˌefə'vesnt] *adj* 1. musujący; burzący <pieniący> się 2. (*o człowieku*) kipiący <tryskający> (życiem) 3. podniecony; wzburzony

effete [e'fi:t] *adj* 1. wyczerpany; **bez** sił; bezpłodny; zgrzybiały; przeżyty 2. (*o rzeczach*) zużyty

effeteness [e'fi:tnis] *s* 1. wyczerpanie; brak sił; bezpłodność; zgrzybiałość 2. stan zniszczenia

efficacious [ˌefi'keiʃəs] *adj* skuteczny

efficacy ['efikəsi] *s* skuteczność

efficiency [i'fiʃənsi] *s* 1. skuteczność 2. sprawność; biegłość; umiejętność; **~ test** próba sprawności 3. wydajność 4. współczynnik wydajności
efficient [i'fiʃənt] *adj* 1. skuteczny 2. (*o człowieku*) sprawny; biegły; zdolny; kompetentny; *wojsk* wyszkolony 3. (*o maszynie itd*) wydajny 4. efektywny; *filoz* **~ cause** przyczyna działająca
effigy ['efidʒi] *s* wizerunek; podobizna; **to burn sb in ~** symbolicznie uśmiercić kogoś; spalić kukłę, wyobrażającą znienawidzonego człowieka (męża stanu itp.)
effloresce [ˌeflɔ:'res] *vi* 1. kwitnąć; rozkwitać 2. *chem* wykwit-nąć/ać; pokry-ć/wać się kryształkami 3. (*o kryształach*) z/wietrzeć
efflorescence [ˌeflɔ:'resns] *s* 1. kwitnienie; rozkwit 2. *chem* wykwit; nalot krystaliczny 3. wietrzenie kryształów 4. *med* wysypka
efflorescent [ˌeflɔ:'resnt] *adj* 1. kwitnący; rozkwitający 2. *chem* wykwitający 3. wietrzejący
effluence ['efluəns] *s* 1. wypływ; upływ; wyciek 2. emanacja
effluent ['efluənt] [I] *adj* wypływający; odpływający; ściekający [II] *s* odpływ; wypływ; wyciek; ściek
effluvium [e'flu:viəm] *s* (*pl* **effluvia** [e'flu:viə]) 1. wyziew 2. strumień cząsteczek (magnetycznych)
efflux ['eflʌks] *s* 1. wypływ (cieczy); odpływ 2. upływ (czasu)
effort ['efət] *s* 1. wysiłek; natężenie 2. usiłowanie; *żart* wyczyn; popis; **that's not a bad ~** to się nieźle udało; *pl* **~s** starania; **to make ~s** dokładać starań 3. próba; **to make an ~** a) zrobić wysiłek b) spróbować
effortless ['efətlis] *adj* 1. (*o człowieku*) nie wysilający się; nie zadający sobie wiele trudu; wygodny 2. (*o zadaniu itp*) nie wymagający wysiłku; łatwy
effrontery [e'frʌntəri] *s* bezczelność; **to have the ~ to**_ być na tyle bezczelnym, żeby...
effulgence [e'fʌldʒəns] *s* blask; promienność
effulgent [e'fʌldʒənt] *adj* promienny; promieniejący; **to be ~** promieniować; promienieć (**with** joy radością)
effuse[1] [e'fju:s] *adj* *bot* rozpierzchły
effuse[2] [e'fju:z] [I] *vt* 1. wyl-ać/ewać; rozl-ać/ewać 2. wydzielać (zapach itd.); da-ć/wać <rzuc-ić/ać> (światło itd.); rozprzestrzeni-ć/ać; szerzyć [II] *vi* 1. wyl-ać/ewać <rozl-ać/ewać> się 2. rozprzestrzeni-ć/ać <szerzyć> się
effusion [i'fju:ʒən] *s* 1. wylewanie <rozlew> (krwi itd.); wydzielanie (zapachu itd.); wydawanie <rzucanie> (światła itd.) 2. wylanie (uczuć) 3. *med* wysięk; wylew
effusive [i'fju:siv] *adj* 1. wylany; wylewny 2. ekspansywny 3. *geol* (*o skale*) efuzywny, wylewny, wulkaniczny
effusiveness [i'fju:sivnis] *s* 1. wylanie; wylewność 2. ekspansywność
eft [eft] *s* *zoo* tryton
eftsoon(s) ['eftsu:n(z)] *adv* *poet* wkrótce potem
egad [i'gæd] † *interj* na Boga!; jak Boga kocham!; zaiste!
egest [i:'dʒest] *vt* *fizj* wydalać (z ciała)
egesta [i:'dʒestə] *spl* *fizj* wydaliny
egg[1] [eg] *s* 1. jajko, jaje; **a bad ~** a) *dosł* zepsute jajko b) *przen* nicpoń c) *przen* plan, który spalił na panewce; **as sure as ~s is ~s** (pewny) na sto procent; *pot* murowany; **~ cell** komórka jajowa; **~ farming** hodowla drobiu; **good ~!** brawo!; udało się!; *przen* **in the ~** w zarodku; **I say, old ~** słuchaj, stary!; **to put all one's ~s in one basket** postawić wszystko na jedną kartę 2. *arch* jajownik 3. *wojsk pot* bomba lotnicza; granat (ręczny)
egg[2] [eg] *vt w zwrocie*: **to ~ sb on to sth <to do sth>** zachęc-ić/ać <nam-ówić/awiać, podniec-ić/ać, podbecht-ać/ywać> kogoś do czegoś <do zrobienia czegoś>
egg-and-spoon race ['egənd'spu:nˌreis] *s* bieg z jajkiem na łyżce
egg-cup ['egˌkʌp] *s* kieliszek do jaj
egg-dance ['egˌdɑ:ns] *s* *przen* taniec wśród mieczów; trudne zadanie
egger ['egə] *s* *zoo* prządkówka (owad)
egg-flip ['egˌflip], **egg-nog** ['egˌnɔg] *s* grzane piwo <wino itp.> z jajkiem
egg-plant ['egˌplɑ:nt] *s* *bot* oberżyna
egg-shaped ['egˌʃeipt] *adj* jajowaty
egg-shell ['egˌʃel] *s* skorupka (od jajka)
egg-slice ['egˌslais] *s* łopatka do zdejmowania omletu itp. z patelni
egg-spoon ['egˌspu:n] *s* łyżka do jedzenia jaj ugotowanych na miękko
egg-timer ['egˌtaimə] *s* klepsydra (używana w kuchni do mierzenia czasu)
egg-tooth ['egˌtu:θ] *s* gwoździk (na dziobie ptaka); ząb jajowy (ptaka)
egg-whisk ['egˌwisk] *s* trzepaczka <sprężyna> do bicia jaj
eggy ['egi] *adj* poplamiony żółtkiem
egis ['i:dʒis] = **aegis**
eglantine ['egləntain] *s* *bot* róża rdzawa
ego ['egou] *s* jaźń
egocentric [ˌegou'sentrik] *adj* egocentryczny
egoism ['egouˌizəm] *s* egoizm, samolubstwo, sobkostwo
egoist ['egouist] *s* egoist-a/ka, samolub, sobek
egoistic [ˌegou'istik] *adj* egoistyczny, samolubny, sobkowski
egotism ['egouˌtizəm] *s* 1. egotyzm 2. egoizm
egotist ['egoutist] *s* egotyst-a/ka
egotistic [ˌegou'tistik] *adj* 1. egotystyczny 2. egoistyczny
egregious [i'gri:dʒəs] *adj* 1. (*o głupcu*) skończony; (*o kłamcy, łotrze itd*) wierutny 2. (*o głupstwie itd*) skończony; jawny; skandaliczny
egregiousness [i'gri:dʒəsnis] *s* potworność (głupstwa itd.)
egress ['i:gres] *s* 1. *dosł i przen* wyjście; wyjazd 2. uchodzenie (pary itp.); wypływ 3. *astr* emersja; koniec zaćmienia
egression [i'greʃən] = **egress** 1., 2.
egret ['i:gret] *s* 1. *zoo* czapla biała 2. *bot* kitka (rośliny)
Egyptian [i'dʒipʃən] [I] *adj* egipski [II] *s* 1. Egipcjan-in/ka 2. † Cygan/ka
Egyptologist [ˌi:dʒip'tɔlədʒist] *s* egiptolog
eh [ei] *interj* 1. co?! 2. prawda?; no nie?
eider ['aidə] *s* *zoo* edredon, kaczka edredonowa
eiderdown ['aidəˌdaun] *s* 1. puch 2. kołdra puchowa; pierzyna
eidograph ['aidouˌgrɑ:f] *s* pantograf
eidolon [ai'doulən] *s* (*pl* **~s, eidola** [ai'doulə]) zjawa
eight [eit] *num* [I] *adj* osiem; ośmioro; **a boy <girl>**

of ~ chłopiec <dziewczynka> ośmioletni/a; **he <she, it> is ~ (years old)** on <ona, ono> ma osiem lat; **~ and six** osiem szylingów i sześć pensów, osiem i pół szylinga; **~ days** tydzień; **~ days from now** za tydzień; **~ o'clock** ósma godzina; *sl* **to have one over the ~** urżnąć/urzynać <wstawi-ć/ać> się Ⅲ *s* ósemka (cyfra, karta, łódka i załoga, figura łyżwiarska); **an ~** samochód ośmiocylindrowy; *pl* **the Eights** regaty ósemek uniwersytetów w Oxford i Cambridge

eighteen [ei'ti:n] *num* Ⅰ *adj* osiemnaście; osiemnaścioro; **a boy <girl> of ~** chłopiec <dziewczyna> osiemnastoletni/a; **he <she, it> is ~ (years old)** on <ona, ono> ma osiemnaście lat; **~ and six** osiemnaście szylingów i sześć pensów, osiemnaście i pół szylinga; *w zestawieniach*: **the ~ twenties <thirties etc.>** dwudzieste <trzydzieste itd.> lata XIX w. Ⅲ *s* osiemnastka

eighteenfold [ei'ti:n,fould] *num* Ⅰ *adj* osiemnastokrotny Ⅲ *adv* osiemnastokrotnie

eighteenmo ['eiti:n,mou] *s* osiemnastka (format)

eighteenpence ['eiti:npəns] *s* półtora szylinga

eighteenth [ei'ti:nθ] *num* Ⅰ *adj* osiemnasty; **the ~ of _** osiemnastego... (lipca itd.) Ⅲ *s* (jedna) osiemnasta (część)

eight-figured ['eit'figəd] *adj* ośmiocyfrowy

eightfold ['eit,fould] *num* Ⅰ *adj* ośmiokrotny; ośmioraki Ⅲ *adv* ośmiokrotnie; ośmiorako

eighth [eitθ] *num* Ⅰ *adj* ósmy; **the ~ of _** ósmego... (lipca itd.) Ⅲ *s* (jedna) ósma (część)

eighthly ['eitθli] *adv* po ósme

eightieth ['eitiiθ] *num* Ⅰ *adj* osiemdziesiąty Ⅲ *s* (jedna) osiemdziesiąta (część)

eightpence ['eitpens] *s* osiem pensów (kwota)

eightpenny ['eit,peni] *adj* ośmiopensowy

eight-score ['eit,skɔ:] *s* sto sześćdziesiąt *zob* **score**

eightsome ['eitsəm] *s* (*także* **~ reel**) skoczny taniec szkocki w osiem osób

eighty ['eiti] *num* Ⅰ *adj* osiemdziesiąt; osiemdziesięcioro; **a man <woman> of ~** mężczyzna <kobieta> osiemdziesięcioletni/a; **he <she, it> is ~ (years old)** on <ona, ono> ma osiemdziesiąt lat Ⅲ *s* osiemdziesiątka; *pl* **eighties** lata osiemdziesiąte danego wieku <czyjegoś życia>

eightyfold ['eiti,fould] *num* Ⅰ *adj* osiemdziesięciokrotny Ⅲ *adv* osiemdziesięciokrotnie

eisteddfod [ais'teðvɔd] *s* walijski konkurs poezji i śpiewu

either ['aiðə] Ⅰ *adj pron* 1. obaj, obie, oboje; obydwaj, obydwie, obydwoje 2. ten albo tamten; albo jeden, albo drugi; który bądź, którykolwiek; któryś (z dwojga); **~ way** a) i tak, i tak b) tędy albo tamtędy Ⅲ *conj* 1. **~_ or** albo... albo 2. *przy zaprzeczeniu*: ani..., ani Ⅲ *adv* 1. *z zaprzeczeniem*: też (nie); ... **I shan't ~** ...ja też nie; ...to i ja nie 2. i do tego; **it's very good and not dear ~** to bardzo dobre i do tego niedrogie 3. *am pot* wcale nie; gdzie tam!; **you are tired — no, I'm not ~** jesteś zmęczony — wcale nie: gdzie tam zmęczony!

ejaculate [i'dʒækju,leit] *vt* 1. wykrzyk-nąć/iwać; zawołać; wyda-ć/wać (jęk itd.); miotać (przekleństwa itd.) 2. *fizj* wytryskiwać; wyrzucać (z ciała)

ejaculation [i,dʒækju'leiʃən] *s* 1. okrzyk; wołanie; wykrzyknięcie 2. *fizj* wytrysk

eject [i'dʒekt] Ⅰ *vt* 1. wyrzuc-ić/ać; wypu-ścić/szczać; tryskać <buchać> (**sth** czymś); *med* wydziel-ić/ać 2. eksmitować; wysiedl-ić/ać 3. wydal-ić/ać (pracownika) Ⅲ *s* ['i:dʒekt] *psych* ejekt

ejecta [i'dʒektə] *spl* 1. *fizj* wydzieliny; wydaliny 2. *geol* ejektamenta (produkty okruchowe wyrzucone z krateru)

ejection [i'dʒekʃən] *s* 1. wyrzuc-enie/anie; wypuszcz-enie/anie; tryskanie; wytrysk; *med* wydalanie 2. eksmisja; wysiedl-enie/anie 3. wydalenie (pracownika)

ejectment [i'dʒektmənt] *s prawn* 1. eksmisja 2. **writ of ~** przywrócenie w posiadanie

ejector [i'dʒektə] *s* 1. eksmitujący 2. *techn* wyrzutnik; ejektor; pompa strumieniowa

eke [i:k] *vt w zwrocie*: **to ~ out** a) sztukować; podłuż-yć/ać b) uzupełni-ć/ać; nadr-obić/abiać; **to ~ out a livelihood** a) sztukować b) z trudem wiązać koniec z końcem; **to ~ out sth with water** dolewać wody do czegoś (żeby wystarczyło); **he ~d out the facts with a number of quotations from the press** zatuszował szczupłość faktów szeregiem wypowiedzi z prasy

el [el] *skr am* = **elevated railroad** *zob* **elevated**

elaborate [i'læbə,reit] Ⅰ *vt* 1. opracow-ać/ywać dokładnie <szczegółowo> 2. z/badać szczegółowo 3. wypracow-ać/ywać; wygładz-ić/ać (styl itp.) 4. przetw-orzyć/arzać; przer-obić/abiać; wytw-orzyć/arzać Ⅲ *vi* poda-ć/wać szczegóły (**upon sth** czegoś); opowi-edzieć/adać <opis-ać/ywać> szczegółowo (**upon sth** coś) Ⅲ *adj* [i'læbərit] 1. skomplikowany; zawiły 2. staranny; drobiazgowy; gruntowny 3. (*o stylu itp*) wyszukany; wygładzony; wypracowany

elaborateness [i'læbəritnis] *s* 1. staranność; drobiazgowość; gruntowność 2. kunsztowność (stylu itp.)

elaboration [i,læbə'reiʃən] *s* 1. opracowanie; elaborat 2. przetw-orzenie/arzanie; przer-obienie/abianie; wytw-orzenie/arzanie

elaeometer [eli'ɔmitə] *s techn* eleometr

eland ['i:lənd] *s zoo* antylopa południowoafrykańska

elapse [i'læps] *vi* (*o czasie*) mi-nąć/jać, przemi-nąć/jać; upły-nąć/wać

†**elastic** [i'læstik] Ⅰ *adj* 1. *dosł i przen* elastyczny; giętki 2. sprężysty; prężny 3. rozciągliwy 4. gumowy Ⅲ *s* guma <gumka> (do pończoch itd.)

elasticity [,elæs'tisiti] *s* 1. *dosł i przen* elastyczność; giętkość 2. sprężystość; prężność 3. rozciągliwość

elastic-sides [i'læstik,saidz] *spl* kamasze (obuwie z elastycznymi wstawkami w cholewkach)

elate [i'leit] Ⅰ *vt* 1. podniec-ić/ać 2. wbi-ć/jać w pychę 3. doda-ć/wać bodźca (**sb** komuś); zachęc-ić/ać Ⅲ *adj* = **elated**

elated [i'leitid] Ⅰ *zob* **elate** *v* Ⅲ *adj* 1. podniecony 2. dumny 3. pijany (powodzeniem, szczęściem itp.); uniesiony (radością itd.)

elater ['elətə] *s zoo* sprężyk (chrząszcz)

elaterin [i'lætərin] *s farm* elateryna

elation [i'leiʃən] *s* 1. podniecenie 2. uniesienie; poryw 3. duma

elbow ['elbou] Ⅰ *s* 1. *anat* łokieć; *przen* **to be up to the ~s in work** mieć roboty po łokcie; *pot* **to crook the ~** zaglądać do kieliszka; **to rest one's ~ on sth** oprzeć się na czymś łokciem; **to rub ~s with _** ocierać się o... (kogoś); stykać się z... (kimś); **at one's ~** pod ręką; na podorędziu; **~ to ~** ramię przy ramieniu; **out at ~s** a) (*o ubraniu*) zniszczony; wytarty b) (*o człowieku*) obdarty 2. zakręt (drogi) 3. *techn* kolano Ⅲ *vt* szturch-nąć/ać <pop-chnąć/ychać> (łokciem); **to ~ one's way** przep-chnąć/ychać się <u/torować sobie drogę> (**through the crowd** przez tłum); **to ~ sb aside** odepchnąć kogoś na bok [III] *vr w zwrocie:* **to ~ oneself in** wepchnąć/wpychać się do środka [IV] *vi* (*o drodze itp*) zakręc-ić/ać, skręc-ić/ać

elbow-grease ['elbou,gri:s] *s pot* wytężona praca; wysiłek; **to put ~ into a piece of work** potrudzić się

elbow-joint ['elbou,dʒɔint] *s* 1. *anat* staw łokciowy 2. *techn* połączenie kolankowe

elbow-room ['elbou,ru:m] *s* wolna przestrzeń; wolne miejsce; **to have ~** mieć się gdzie obrócić

eld [eld] *s poet* 1. starość 2. dawne czasy

elder[1] ['eldə] [I] *adj* starszy (z dwóch); **~ brother of Trinity House** asesor sądu do spraw morskich; *karc* **~ hand** zagrywający [II] *s* 1. starszy; **he is my ~ by two years** on jest starszy ode mnie o dwa lata; **respect your ~s** szanuj/cie starszych 2. członek starszyzny; *hist* starszy Kościoła; *pl* **the ~s** starszyzna *zob* **old**

elder[2] ['eldə] *s bot* bez czarny <lekarski>

elder-berry ['eldə,beri] *s bot* jagoda bzu czarnego

elderly ['eldəli] *adj* starszy; w starszym wieku; podstarzały

eldership ['eldəʃip] *s hist* stanowisko <godność> starszego parafii

eldest ['eldist] *adj* (*w rodzinie*) najstarszy

El Dorado, Eldorado [,eldo'ra:dou] *s* eldorado

eldritch ['eldritʃ] *adj szkoc* okropny; niesamowity; przeraźliwy

elecampane [,elikæm'pein] *s* 1. *bot* oman wielki; **~ oil** olejek omanowy 2. cukierek omanowy

elect [i'lekt] [I] *vt* 1. wyb-rać/ierać <ob-rać/ierać> (**sb a member <to be a member> etc.** kogoś członkiem <na członka> itd.); **to ~ sb to the Academy** powołać kogoś na członka Akademii; **to ~ sb to the presidency** wybrać kogoś prezydentem <prezesem> 2. postan-owić/awiać (coś zrobić); z/decydować się (na zrobienie czegoś) [II] *adj po rzeczowniku:* 1. (*o prezydencie, biskupie itd*) nowo obrany 2. przyszły; **the bride ~** przyszła małżonka 3. wybrany; wyborny; wyborowy [III] *spl* **the ~** wybrańcy

election [i'lekʃən] [I] *s* 1. wybór (drogą głosowania) 2. *polit* (*także* **general ~**) wybory (powszechne); *am* **special ~** wybory uzupełniające [II] *attr* wyborczy; **~ results** wyniki wyborów

electioneer [i,lekʃə'niə] [I] *vi* przeprowadz-ić/ać kampanię wyborczą; agitować; kaptować głosy [II] *s* agitator/ka

elective [i'lektiv] *adj* 1. obieralny; elekcyjny 2. (*o zgromadzeniu itd*) wyborczy 3. *chem* **~ affinity** powinowactwo chemiczne 4. *am* (*o przedmiocie studiów*) dowolny; nadobowiązkowy

elector [i'lektə] *s* 1. *hist* elektor 2. *polit* wyborca

electoral [i'lektərəl] *adj* 1. wyborczy; *am* **the Electoral College** kolegium wyborców (obierające prezydenta St. Zjedn.) 2. *hist* elektorski

electorate [i'lektərit] *s* 1. *hist* elektorat 2. *zbior polit* wyborcy

Electra [i'lektrə] *spr psych* **~ complex** kompleks Elektry

electress [i'lektris] *s* wyborczyni

electric [i'lektrik] *adj* elektryczny; **~ blue** kolor elektryk <indygo>; **~ fire** piecyk elektryczny

electrical [i'lektrikəl] *adj* elektryczny; **~ engineer** inżynier elektryk; **~ fitter** elektromonter; elektryk

electrically [i'lektrikəli] *adv* elektrycznie; **~ driven** napędzany elektrycznie

electrician [ilek'triʃən] *s* elektrotechnik; elektromonter; elektryk

electricity [ilek'trisiti] *s* elektryczność; **~ works** elektrownia; siłownia

electrification [i,lektrifi'keiʃən] *s* 1. elektryzacja; elektryzowanie 2. elektryfikacja

electrify [i'lektri,fai] *vt* (**electrified** [i'lektri,faid], **electrified; electrifying** [i'lektri,faiiŋ]) 1. z/elektryfikować 2. z/elektryzować 3. naelektryzować

electrize [i'lektraiz] *vt* na/elektryzować

electroacoustic [i'lektrou-ə'ku:stik] *adj* elektroakustyczny

electroacoustics [i'lektrou-ə'ku:stiks] *s* elektroakustyka

electroanalysis [i'lektrou-ə'nælisis] *s techn* elektroanaliza

electrocardiogram [i'lektrou'ka:diou,græm] *s* elektrokardiogram; *pot* E.K.G.

electro-chemistry [i'lektrou'kemistri] *s* elektrochemia

electrocute [i'lektrə,kju:t] *vt* 1. pora-zić/żać śmiertelnie prądem elektrycznym 2. stracić (kogoś) na krześle elektrycznym

electrocution [i,lektrə'kjuʃən] *s* 1. stracenie na krześle elektrycznym 2. śmiertelne porażenie prądem elektrycznym

electrode [i'lektroud] *s* elektroda

electro-deposit [i,lektrou-di'pɔzit] [I] *s* galwanizacja [II] *vt* galwanizować

electro-dynamic [i'lektrou-dai'næmik] *adj* elektrodynamiczny

elektro-dynamics [i'lektrou-dai'næmiks] *s* elektrodynamika

electrofilter [i'lektrou'filtə] *s* elektrofiltr; odpylacz elektrostatyczny

electro-kinetics [i'lektrou-kai'netiks] *s* elektrokinetyka

electrolier [i,lektrou'liə] *s* 1. świecznik 2. lampa sufitowa

electrolyse = **electrolyze**

electrolysis [ilek'trɔlisis] *s* elektroliza

electrolyte [i'lektrə,lait] *s* elektrolit

electrolytic [i,lektrou'litik] *adj* elektrolityczny

electrolyze [i'lektrou,laiz] *vt* z/elektrolizować

electro-magnet [i'lektrou'mægnit] *s* elektromagnes

electro-magnetic [i'lektrou-mæg'netik] *adj* elektromagnetyczny

electro-magnetism [i'lektrou'mægni,tizəm] *s* elektromagnetyzm

electrometer [ilek'trɔmitə] *s* elektrometr

electromotion [i'lektrou'mouʃən] *s* napęd elektryczny

electromotive [i'lektrou'moutiv] *adj* elektromotoryczny

electro-motor [i'lektrou'moutə] *s* silnik elektryczny, elektromotor

electron [i'lektrən] [I] *s* elektron [II] *attr* elektronowy

electro-negative [i'lektrou'negətiv] *adj* elektrycznie ujemny, elektroujemny

electro-neutrality [i'lektrou-nju'træliti] *s* obojętność elektryczna, elektroobojętność

electronic [ˌilek'trɔnik] *adj* elektronowy
electrophorus [ˌilek'trɔfərəs] *s* elektrofor (przyrząd do wytwarzania ładunków elektrycznych)
electroplate [i'lektrouˌpleit] [I] *vt* galwanizować; platerować; srebrzyć; posrebrzać [II] *s zbior* przedmioty platerowane <posrebrzane>
electro-positive [i'lektrou'pɔzətiv] *adj* elektrycznie dodatni, elektrododatni
electroscope [i'lektrəˌskoup] *s* elektroskop
electrostatics [iˌlektrou'stætiks] *s* elektrostatyka
electrotherapy [i'lektrou'θerəpi] *s* elektroterapia
electrotonus [ˌilek'trɔtənəs] *s med* elektrotonus
electrotype [i'lektrouˌtaip] *s* elektrotyp, galwanotyp
electrotypy [ilek'trɔtipi] *s* elektrotypia, galwanoplastyka
electrum [i'lektrəm] *s miner* elektrum, złotek srebra
electuary [i'lektjuəri] *s farm* powidełka
eleemosynary [ˌelii'mɔsinəri] *adj* 1. *lit* jałmużniczy 2. żyjący z jałmużny
elegance ['eligəns] *s* elegancja; wytworność; wykwint, wykwintność; *pot* szyk
elegant ['eligənt] [I] *adj* elegancki; wytworny; wykwintny; szykowny; *pot* wspaniały, pierwszorzędny [II] *s* elegant/ka; wykwintni-ś/sia
elegiac [ˌeli'dʒaiək] [I] *adj* elegijny; smutny [II] *spl* **~s** poezja elegijna
elegy ['elidʒi] *s* elegia
element ['elimənt] *s* 1. element 2. żywioł; **in <out of> one's ~** w swoim <nie w swoim> żywiole; *pl* **the ~s** żywioły (wszechświata) 3. składnik; część składowa; pierwiastek (czegoś); **to be an ~ of ...** występować <przejawiać się> w... (czymś); wchodzić w skład... (czegoś); **an ~ of truth** ziarnko prawdy 4. *chem filoz* pierwiastek; ogniwo 5. *pl* **~s** podstawy nauki; **Euclid's Elements** geometria euklidesowa 6. *pl* **~s** *rel* postacie (eucharystyczne)
elemental [eli'mentəl] *adj* 1. żywiołowy; (*o sile itd*) żywioł-u/ów; (*o pięknie, potędze itd*) nadziemski 2. podstawowy 3. pierwiastkowy; *chem* **~ body** pierwiastek
↑**elementary** [eli'mentəri] *adj* 1. elementarny; podstawowy; zasadniczy 2. *chem* niepodzielny; niezłożony; pierwiastkowy
elemi ['elimi] *s chem* elemi (rodzaj żywicy)
elenchus [i'leŋkəs] *s* (*pl* **elenchi** [i'leŋkai]) *log* elench, zbijanie dowodów; **Socratic ~** metoda sokratesowa <sokratyczna> (prowadzenia dialogu)
elephant ['elifənt] *s* 1. słoń; *przen* **a white ~** przedmiot, którego posiadanie sprawia więcej kłopotu niż przyjemności; *bot* **~'s ear** begonia; *am* **to see the ~** zwiedzić osobliwości (miasta, kraju) 2. format papieru (= 711 × 584 mm)
elephantiasis [ˌelifæn'taiəsis] *s med* elephantiasis, słoniowatość, słoniowacina
elephantine [ˌeli'fæntain] *adj* 1. słoniowy; (dotyczący) słoni 2. (*o osobie, ruchach, dowcipie*) słoniowaty, ciężki
Eleusinian [ˌelju'siniən] *adj* eleuzyński; **~ mysteries** eleuzynie, misteria eleuzyńskie
elevate ['eliˌveit] *vt* 1. podn-ieść/osić (przedmiot, oczy, głos, ducha); wyn-ieść/osić (człowieka na wyższe stanowisko itd.); dźwig-nąć/ać; podwyższ-yć/ać; wzbudz-ić/ać (nadzieję itp.) 2. umoralni-ć/ać *zob* **elevated, elevating**
elevated ['eliˌveitid] [I] *zob* **elevate** [II] *adj* 1. podniesiony; podwyższony; (*o stanowisku*) wysoki; (*o myślach, stylu*) wzniosły; podniosły (*o osobistości*) znakomity; **~ railway**, *am* **~ railroad** kolej nadziemna 2. podniecony; ożywiony; wesoły 3. *pot* podchmielony
elevating ['eliˌveitiŋ] [I] *zob* **elevate** [II] *adj* budujący; umoralniający
↑**elevation** [eli'veiʃən] *s* 1. podn-iesienie/oszenie; podwyższ-enie/anie; spiętrz-enie/anie 2. *rel* podniesienie 3. wysokość (nad poziomem morza) 4. (*w terenie*) wyniosłość; wzniesienie 5. *arch artyl* elewacja (kąt podniesienia) 6. wzniosłość; dostojeństwo; godność
elevator ['eliˌveitə] *s* 1. elewator; dźwig (towarowy; *am także* osobowy); winda; wyciąg; przenośnik; *górn* podnośnik; podawarka 2. (*także* **grain ~**) elewator zbożowy 3. *lotn* ster wysokości 4. *anat* dźwigacz (mięsień) 5. korek (w buciku)
eleven [i'levn] *num* [I] *adj* 1. jedenaście; jedenaścioro; **a boy <girl> of ~** chłopiec <dziewczynka> jedenastoletni/a; **he <she, it> is ~ (years old)** on <ona, ono> ma jedenaście lat; **~ o'clock** jedenasta godzina; **~ and six** jedenaście szylingów i sześć pensów, jedenaście i pół szylinga [II] *s* 1. jedenastka 2. drużyna krykietowa 3. *pl* **elevens(es)** drugie śniadanie; *pot* przegryzka
elevenfold [i'levnˌfould] *num* [I] *adj* jedenastokrotny [II] *adv* jedenastokrotnie
elevenpence [i'levnpəns] *s* jedenaście pensów (kwota)
elevenpenny [i'levnpəni] *adj* jedenastopensowy
eleventh [i'levnθ] *num* [I] *adj* jedenasty; **the ~ of ...** jedenastego ... (lipca itd.); *przen* **the ~ hour** ostatnia chwila [II] *s* (jedna) jedenasta (część)
eleventh-hour [i'levnθˌauə] *attr* **~ changes** zmiany (programu) wprowadzone w ostatniej chwili
elf [elf] *s* (*pl* **elves** [elvz]) 1. elf 2. *przen* psotni-k/ca
elf-arrow ['elfˌærou] *s* krzemienny grot
elf-bolt ['elfˌboult] = **elf-arrow**
elfin ['elfin] [I] *adj* czarodziejski; (*o królu, zamku itd*) elfów [II] *s* elf; karzełek; dziecko
elfish ['elfiʃ] *adj* 1. czarodziejski 2. psotny
elf-lock ['elfˌlɔk] *s* zwichrzony pęk włosów
elf-struck ['elfˌstrʌk] *adj* zaczarowany
elicit [i'lisit] *vt* 1. wydoby-ć/wać (coś od kogoś; coś z ukrycia) 2. ujawni-ć/ać; wyciąg-nąć/ać na światło dzienne 3. wywoł-ać/ywać (podziw itd.)
elide [i'laid] *vt gram* opu-ścić/szczać (głoskę w wymowie, literę w pisowni)
eligibility [ˌelidʒə'biliti] *s* 1. wybieralność 2. zdatność; potrzebne kwalifikacje <warunki> (**for sth** do czegoś) 3. kwalifikacje na dobrego męża
eligible ['elidʒəbl] *adj* 1. wybieralny (**to sth** na coś — stanowisko itd.) 2. możliwy (**for sth** do czegoś — przyjęcia itd.); nadający się (na kandydata itd.) 3. pożądany (na męża); **to be ~** stanowić dobrą partię
eliminate [i'limiˌneit] *vt* wy/eliminować; usu-nąć/wać; wydal-ić/ać, wyklucz-yć/ać; s/kasować; zn-ieść/osić; *chem* wydziel-ić/ać; odłącz-yć/ać *zob* **eliminating**
eliminating [i'limiˌneitiŋ] [I] *zob* **eliminate** [II] *attr* (*o zawodach itd*) eliminacyjny
elimination [iˌlimi'neiʃən] [I] *s* 1. eliminacja; wy/eliminowanie; usu-nięcie/wanie; wyklucz-enie/anie; s/kasowanie; zn-iesienie/oszenie 2. *chem* wydziel-enie/anie; odłącz-enie/anie [II] *attr sport* (*o zawodach*) *med* (*o diecie*) eliminacyjny

eliminator [i'limi,neitə] *s techn radio* eliminator
elision [i'liʒən] *s jęz* elizja
élite [ei'li:t] *s* elita
elixir [i'liksə] *s* eliksir
Elizabethan [i,lizə'bi:θən] [I] *adj hist* elżbietański [II] *s* pisarz <mąż stanu itd.> epoki elżbietańskiej
elk [elk] *s zoo* łoś
elkhound ['elk,haund] *s* pies rasy skandynawskiej do polowania na łosie
ell[1] [el] *s* łokieć (miara); **give him an inch and he'll take an ~** pokaż mu palec, a pochwyci całą rękę; daj kurze grzędę, ona: wyżej siędę
ell[2] [el] *s* 1. *litera* l 2. *am* skrzydło budynku pod kątem prostym do części głównej
ellipse [i'lips] *s geom* elipsa
ellipsis [i'lipsis] *s* (*pl* **ellipses** [i'lipsi:z]) *jęz* wyrzutnia
ellipsoid [i'lipsɔid] *s geom* elipsoida
ellipsoidal [,elip'sɔidl] *adj geom* elipsoidalny
elliptic(al) [i'liptik(el)] *adj* 1. *geom* eliptyczny 2. *gram* wyrzutniowy
ellipticity [,elip'tisiti] *s geom* eliptyczność
elm [elm] *s bot* wiąz
elocution [,elə'kju:ʃən] *s* 1. wysł-owienie/awianie się; elokucja; dykcja 2. krasomówstwo
elocutionary [,elə'kju:ʃn̩əri] *adj* 1. dotyczący sposobu wysławiania się 2. krasomówczy
elocutionist [,elə'kju:ʃn̩ist] *s* nauczyciel/ka wymowy <dykcji>
elongate ['i:lɔŋ,geit] [I] *vt vi* wydłuż-yć/ać (się); wyciąg-nąć/ać (się) [II] *adj* [i'lɔŋgit] *bot zoo* wydłużony; podłużny
elongation [,i:lɔŋ'geiʃən] *s* 1. wydłużenie 2. *astr* elongacja
elope [i'loup] *vi* (*o kobiecie*) ucie-c/kać z ukochanym; dać się porwać; (*o parze kochanków*) zbiec
elopement [i'loupmənt] *s* ucieczka (z ukochanym)
eloquence ['eləkwəns] *s* krasomówstwo; elokwencja
eloquent ['eləkwənt] *adj* wymowny; elokwentny; krasomówczy
else [els] *adv* 1. (*najczęściej* **or** ~) a) inaczej (bowiem); bo inaczej; w przeciwnym (bowiem) razie; *pot* bo; **hurry up (or) ~ you'll be late** śpiesz/cie się, (bo) inaczej się spóźni-sz/cie b) albo (też); **he's joking (or) ~ he's mad** on żartuje albo też zwariował 2. *po zaimkach rzeczownikowych*: **anyone <anybody, someone, somebody, no one, nobody> ~** ktoś <nikt> inny; **anything, something <nothing> ~** coś <nic> innego; **everything ~** wszystko inne; **little ~** mało co poza tym; niewiele więcej; **much ~** wiele jeszcze; dużo poza tym; dużo innych rzeczy <szczegółów itd.>; **nothing ~, thank you** dziękuję, to wszystko; **someone ~'s** czyjś; nie swój <własny>; **what ~?** co jeszcze?; cóż innego?; **who ~?** kto jeszcze? 3. *po zaimkach przysłówkowych;* **how ~?** jak jeszcze?; jakże inaczej?; jak poza tym?; **nowhere ~** nigdzie indziej; **where ~?** jeszcze gdzie?; **anywhere <somewhere> ~** jeszcze gdzieś <gdzie indziej>
elsewhere ['els'wɛə] *adv* gdzie indziej
elucidate [i'lu:si,deit] *vt* wyjaśni-ć/ać; oświetl-ić/ać; wyświetl-ić/ać; naświetl-ić/ać
elucidation [i,lu:si'deiʃən] *s* wyjaśnienie; naświetlenie
elucidative [i'lu:si,deitiv] *adj* wyjaśniający; naświetlający
elude [i'lu:d] *vt* ujść/uchodzić <unik-nąć/ać> (**sth** czegoś); zw-ieść/odzić; uchyl-ić/ać się (**sth** od czegoś); wym-knąć/ykać się (**sth** czemuś, spod czegoś); ob-ejść/chodzić (prawo itp.); ukrywać się (**sth** przed czymś)
elusion [i'luʒən] *s* unik-nięcie/anie; unik; zwodzenie; uchyl-enie/anie się (od czegoś); wym-knięcie/ykanie się; ob-ejście/chodzenie (prawa itd.); ukry-cie/wanie się (przed czymś)
elusive [i'lu:siv] *adj* nieuchwytny; wymykający się; (*o odpowiedzi itp*) wykrętny; (*o pamięci*) zawodny
elusiveness [i'lu:sivnis] *s* nieuchwytność; zwodniczość; ułuda
elusory [i'lu:səri] *adj* zwodniczy; ułudny; złudny
elutriate [i'lu:tri,eit] *vt chem* oczy-ścić/szczać; z/dekantować; wy/klarować
elutriation [i,lu:tri'eiʃən] *s chem* dekantacja; klasyfikacja (cieczy); klarowanie
elutriator [i'lu:tri,eitə] *s chem* klasyfikator (do oddzielania cieczy)
eluvium [i'lu:viəm] *s geol* eluwium, zwietrzelina
elver ['elvə] *s zoo* młody węgorz
elves *zob* **elf**
elvish ['elviʃ] = **elfish**
Elysian [i'liziən] *adj* elizejski
Elysium [i'liziəm] *s* Elizjum
elytron ['elitrən] *s* (*pl* **elytra** ['elitrə]) *zoo* pokrywa skrzydłowa
em [em] *s* 1. *litera* m 2. *druk* m (jednostka miary)
'em [m] = **them**
emaciate [i'meiʃi,eit] [I] *vt* 1. wycieńcz-yć/ać; wyniszcz-yć/ać (ciało); **to become ~d** wychudnąć 2. wyjał-owić/awiać (glebę) *zob* **emaciated** [II] *adj* [i'meiʃiit] = **emaciated** *adj*
emaciated [i'meiʃi,eitid] [I] *zob* **emaciate** *v* [II] *adj* wychudzony; wyniszczony; zmizerowany
emaciation [i,meisi'eiʃən] *s* 1. wychudzenie; wycieńczenie; wymizerowanie; wyniszczenie (ciała) 2. wyjałowienie (gleby)
emanate ['emə,neit] *vi* 1. emanować; wydobywać <wydziel-ić/ać> się; wypływać 2. pochodzić
emanation [,emə'neiʃən] *s* emanacja; wydzielanie się; wypływ
emanative ['emə,neitiv] *adj* emanacyjny
emancipate [i'mænsi,peit] *vt* wy/emancypować; wyzw-olić/alać; usamowolni-ć/ać; **~d woman** emancypantka
emancipation [i,mænsi'peiʃən] *s* emancypacja; wyzwolenie; usamowolnienie; *am* **Emancipation Day** dzień (1.I.1863) zniesienia niewolnictwa w St. Zjedn.
emancipationist [i,mænsi'peiʃənist] *s* zwolenni-k/czka zniesienia niewolnictwa w St. Zjedn.
emancipator [i,mænsi'peitə] *s* emancypator, wyzwoliciel
emancipatory [i,mænsi'peitəri] *adj* emancypacyjny, wyzwalający
emancipist [i'mænsipist] *s austral* były aresztant wypuszczony na wolność po odbyciu kary
emasculate [i'mæskju,leit] [I] *vt* 1. wy/kastrować 2. zniewieścić 3. *przen* wyjał-owić/awiać; zubożyć [II] *adj* [i'mæskjulit] 1. wykastrowany 2. zniewieściały 3. wyjałowiony
emasculation [i'mæskju'leiʃən] *s* 1. wy/kastrowanie; kastracja 2. zniewieściałość 3. wyjałowienie; zubożenie (gleby itd.)

embalm [im'ba:m] *vt* 1. za/balsamować 2. napełni-ć/ać (powietrze) aromatem; rozsiewać rozkoszną <balsamiczną> woń (**the air** w powietrzu)
embalmment [im'ba:mmənt] *s* za/balsamowanie
embank [im'bæŋk] *vt* obwałow-ać/ywać; obmurow-ać/ywać
embankment [im'bæŋkmənt] *s* 1. grobla 2. nabrzeże; wał 3. nasyp; skarpa 4. bulwar
embargo [em'ba:gou] [I] *s* (*pl* **~es**) embargo; zakaz; sekwestr; **export ~** zakaz eksportu ; **gold ~** zakaz wywozu złota za granicę; **to be under an ~** podlegać embargo <zakazowi wywozu>; **to lay an ~ on —** na-łożyć/kładać embargo na ...; **to lift the ~ on —** zn-ieść/osić embargo na ... [II] *vt* na-łożyć/kładać embargo (**sth** na coś); za/sekwestrować; na-łożyć/kładać sekwestr (**a ship etc.** na statek itd.)
embark [im'ba:k] [I] *vt* 1. załadować (wojsko, towar itd.) na statek; zaokrętować 2. (*o statku*) wziąć/brać (wojsko, towar itd.) na pokład [II] *vi* 1. wsi-ąść/adać na statek; zaokrętować się 2. wplątać <wda-ć/wać> się (**in** <**upon**> **sth** w coś) 3. przedsięwziąć <rozpocząć> (**on** <**upon**> **sth** coś)
embarkation [,emba:'keiʃən] *s* 1. załadowanie na statek; zaokrętowanie (się) 2. ładunek statku
embarrass [im'bærəs] *vt* 1. zakłopotać; wprawi-ć/ać w zakłopotanie; za/żenować; sprawi-ć/ać kłopot (**sb with sth** komuś czymś); s/krępować 2. zaplątać; zawikłać *zob* **embarrassed, embarrassing**
embarrassed [im'bærəst] [I] *zob* **embarrass** [II] *adj* 1. zakłopotany; skrępowany; **to become ~** zabrnąć; (*w przemówieniu*) zaplątać się; (*przy egzaminie*) speszyć <zaplątać> się 2. zaaferowany 3. (*o majątku*) obdłużony; **to be ~ for money** mieć kłopoty pieniężne; być w kłopotach <w tarapatach> pieniężnych
embarrassing [im'bærəsiŋ] [I] *zob* **embarrass** [II] *adj* kłopotliwy; krępujący; żenujący
embarrassment [im'bærəsmənt] *s* 1. kłopot, ambaras 2. zakłopotanie; skrępowanie; zażenowanie 3. zaaferowanie
embassy ['embəsi] *s* 1. ambasada 2. stanowisko ambasadora 3. misja; **to send sb with an ~** pos-łać/yłać kogoś w poselstwie
embattle [im'bætl] *vt* 1. ustawi-ć/ać (wojsko) w szyku bojowym 2. zakończyć (mury obronne) blankami
embay [im'bei] *vt* 1. (*o burzy itd*) zapędz-ić/ać (statek) do zatoki; zam-knąć/ykać <u/więzić> w zatoce 2. okrąż-yć/ać; ot-oczyć/aczać
embayment [im'beimənt] *s* 1. zatoka; wcięcie (wybrzeża) 2. (*w pokoju*) wykusz; wnęka
embed [im'bed] *vt* (**-dd-**) osadz-ić/ać (coś w czymś); wbi-ć/jać; wmurow-ać/ywać; zal-ać/ewać (coś cementem itp.); wryć; wkop-ać/ywać (coś w piasek itp.)
embellish [im'beliʃ] *vt* upiększ-yć/ać; ozd-obić/abiać
embellishment [im'beliʃmənt] *s* upiększenie; ozdoba
ember[1] ['embə] *s* (*zw pl*) żarzące się węgle; żar; *przen* **the ~s of a dying passion** stygnący żar namiętności
ember[2] ['embə] *s zoo* (*zw* **~-goose**) nur polarny
Ember-days ['embə,deiz] *spl rel* suche dni
embezzle [im'bezl] *vt* sprzeniewierz-yć/ać, z/defraudować, przywłaszcz-yć/ać sobie, z/malwersować
embezzlement [im'bezlmənt] *s* sprzeniewierzenie, defraudacja, przywłaszczenie, malwersacja
embezzler [im'bezlə] *s* sprzeniewierca, defraudant, malwersant
embitter [im'bitə] *vt* 1. rozgorycz-yć/ać; zatru-ć/wać (życie); rozjątrz-yć/ać; podsyc-ić/ać (kłótnię itp.); pog-orszyć/arszać (zło); napełni-ć/ać goryczą (serce itp.); *dosł i przen* (*o potrawie, człowieku itd*) **to become ~ed** zgorzknieć 2. podjudz-ić/ać <szczuć> (**sb against sb** kogoś na kogoś) *zob* **embittered**
embittered [im'bitəd] [I] *zob* **embitter** [II] *adj* (*o człowieku*) rozgoryczony; zgorzkniały
embitterment [im'bitəmənt] *s* 1. rozgoryczenie; zgorzknienie; zgorzkniałość; gorycz (w sercu); rozjątrzenie 2. podsyc-enie/anie (kłótni itp.); podjudz-enie/anie; podszczu-cie/wanie
emblazon [im'bleizən] *vt* 1. ozd-obić/abiać herbem 2. (*o herbie*) przedstawi-ć/ać 3. *lit* wysławiać; sławić
emblazonry [im'bleizənri] *s* 1. herb 2. heraldyka
emblem ['embləm] [I] *s* emblemat; godło; symbol; (*o człowieku*) wzór (cnoty itd.) [II] *vt* (*także* **~ forth**) symbolizować
emblematic(al) [,embli'mætik(əl)] *adj* emblematyczny; symboliczny; **to be ~ of sth** symbolizować coś
emblematize [em'blemə,taiz] *vt* symbolizować
emblements ['emblimənts] *spl* 1. plony 2. *prawn* plony, do których dzierżawca ma bezwzględne prawo nawet w razie uprzedniego wygaśnięcia umowy najmu
embodiment [im'bɔdimənt] *s* 1. wcielenie 2. uosobienie; ucieleśnienie
embody [im'bɔdi] *vt* (**embodied** [im'bɔdid], **embodied; embodying** [im'bɔdiiŋ]) 1. wciel-ić/ać 2. uos-obić/abiać 3. urzeczywistni-ć/ać (myśl itp.); ucieleśni-ć/ać 4. (*o ustawie, regulaminie itp*) zawierać, obejmować
embog [im'bɔg] *vt* (**-gg-**) pogrąż-yć/ać; *przen* wplątać; **to get ~ged** ugrzęznąć; *przen* wplątać się
embolden [im'bouldən] *vt* ośmiel-ić/ać (**sb to do sth** kogoś do zrobienia czegoś); doda-ć/wać śmiałości (**sb** komuś)
embolism ['embə,lizəm] *s* 1. embolizm (wkładanie dnia itd. dla wyrównania rachuby czasu) 2. *med* embolia, zator
embolus ['embələs] *s med* zator
embonpoint [,ɔ̃:bɔ̃:'pwɛ̃:] *s* zażywność; tusza
embosom [im'buzəm] *vt* 1. tulić do siebie 2. *przen* wtul-ić/ać; ot-oczyć/aczać (**in** <**with**> **sth** czymś); s/chować (**in** <**with**> **sth** w czymś, wśród czegoś)
emboss [im'bɔs] *vt* 1. wy/ryć; wy/rytować; ozd-obić/abiać płaskorzeźbami; z/robić płaskorzeźby (**sth** na czymś) 2. wytł-oczyć/aczać 3. wyku-ć/wać (metal)
embossment [im'bɔsmənt] *s* 1. wytł-oczenie/aczanie 2. wypukłorzeźba 3. wypukłość
embossment-map [im'bɔsmənt'mæp] *s* mapa plastyczna
embouchure [,ɔmbu'ʃuə] *s* 1. ujście rzeki 2. ustnik (instrumentu muz.)
embowel [im'bauəl] *vt* (**-ll-**) wypatroszyć
embower [im'bauə] *vt lit* umaić; ukry-ć/wać w zieleni
embrace [im'breis] [I] *vt* 1. wziąć/brać w objęcia; uścis-nąć/kać 2. ob-jąć/ejmować (rękami, wzro-

kiem, myślą itd.); zawierać 3. skwapliwie skorzystać (**an opportunity etc.** ze sposobności itp.); przyj-ąć/mować (wyznanie, teorię); ob-rać/ierać (zawód); zostać wyznaw-cą/czynią <stronni-kiem/czką, zwolenni-kiem/czką, szermierzem> (**a cause, doctrine etc.** sprawy, doktryny itp.) [II] *vi* (*o dwóch osobach*) pa-ść/dać sobie w objęcia; uścisnąć się [III] *s* objęcie; uścisk
embracement [im'breismənt] *s* 1. objęcie; zawieranie 2. przejście (na wiarę); obranie (zawodu); przyjęcie (teorii itp.)
embracery [im'breisəri] *s prawn* usiłowanie przekupienia sędziego przysięgłego
embranchment [im'brɑ:ntʃmənt] *s* rozwidlenie; rozgałęzienie
embrangle [im'bræŋgl] *vt* zapląt-ać/ywać
embrasure [im'breiʒə] *s* 1. *arch* framuga 2. *wojsk* strzelnica (otwór)
embrocate ['embrou,keit] *vt* nacierać (chore miejsce)
embrocation [,embrou'keiʃən] *s* 1. nacieranie 2. środek <płyn, maść> do nacierania
embroider [im'brɔidə] *vt* wy/haftować; wyszy-ć/wać; *przen* upiększ-yć/ać (opowiadanie itp.); **~ed language** kwiecisty język
embroidery [im'brɔidəri] *s* haft; wyszywanie; *przen* upiększenie (opowiadania itp.)
embroil [im'brɔil] *vt* 1. zagmatwać 2. wplątać (kogoś w coś) 3. poróżnić (kogoś z kimś)
embroilment [im'brɔilmənt] *s* 1. zagmatwanie; gmatwanina 2. poróżnienie (dwóch osób)
♦**embryo** ['embri,ou] [I] *s* (*pl* **~s**) embrion; płód; zarodek; **in ~** a) w zarodku b) w stanie embrionalnym [II] *adj* zarodkowy; nierozwinięty; (będący) w stadium zarodkowym
embryogenesis [,embriou'dʒenisis], **embryogeny** [,embri'ɔdʒəni] *s biol* embriogenia
embryology [,embri'ɔlədʒi] *s* embriologia
embryonic [,embri'ɔnik] *adj* embrionalny
embus [im'bʌs] *v* (**-ss-**) [I] *vt* za/ładować <wsadz-ić/ać> (wojsko itd.) do autobusów [II] *vi* (*o wojsku*) wsi-ąść/adać do autobusów
emend [i'mend] *vt* poprawi-ć/ać (tekst); wn-ieść/osić poprawki (**a text** w tekście, do tekstu); s/prostować
emendation [,i:men'deiʃən] *s* 1. poprawka 2. poprawi-enie/anie (tekstu); s/prostowanie
emendator ['i:men,deitə] *s* autor/ka poprawek
emerald ['emərəld] [I] *s* 1. szmaragd 2. *druk* czcionka 6½ pkt [II] *attr* szmaragdowy; **the Emerald Isle** Irlandia
emerald-green ['emərəld,gri:n] [I] *adj* koloru szmaragdowego [II] *s* zieleń szmaragdowa (barwa i barwnik)
emerge [i'mə:dʒ] *vi* 1. wynurz-yć/ać <ukaz-ać/ywać> się; wy-jść/chodzić na jaw; wył-onić/aniać się 2. (*o trudności, problemie, pytaniu itp*) powsta-ć/wać; wył-onić/aniać się; wynik-nąć/ać; nasu-nąć/wać się
emergence [i'mə:dʒəns] *s* 1. wynurzenie się; ukazanie się; wyłonienie się 2. powstanie <wyłonienie się> (trudności, problemu, pytania)
♦**emergency** [i'mə:dʒənsi] *s* 1. nagły wypadek; nagła potrzeba; krytyczna sytuacja; **a state of ~** stan wyjątkowy; **in case of ~** w nagłym wypadku; **in this ~** w tych (trudnych) warunkach <okolicznościach> 2. ewentualność; **to be ready for every ~** być przygotowanym na wszystko <na każdą ewentualność>; **~ brake** hamulec bezpieczeństwa; **~ door** <**exit**> drzwi <wyjście> zapasowe; **~ repairs** naprawa natychmiastowa <na poczekaniu, ekspresowa>
emeritus [i'meritəs] *adj* **professor ~** profesor honorowy (tytuł nadawany zasłużonym profesorom przy przejściu na emeryturę)
emersion [i'mə:ʃən] *s astr* emersja, wynurzenie
emery ['eməri] [I] *s* szmergiel [II] *attr* szmerglowy
emetic [i'metik] [I] *adj* (*o środku*) wywołujący wymioty [II] *s chem* emetyk
emiction [i'mikʃən] *s med* oddawanie moczu
emigrant ['emigrənt] [I] *adj* emigracyjny; wychodźczy; **~ labourers** emigranci sezonowi [II] *s* emigrant/ka; wychodźca
emigrate ['emi,greit] [I] *vi* 1. wy/emigrować 2. *pot* przeprowadz-ić/ać się [II] *vt* pom-óc/agać wyemigrować (**sb** komuś)
emigration [,emi'greiʃən] *s* emigracja <wychodźstwo> (emigrowanie i ludność na wychodźstwie) *zob* **émigré**
émigré ['emi,grei] [I] *s* 1. emigrant polityczny 2. *pl* **~s** emigranci; emigracja (ludzie) [II] *attr* (*o rządzie itd*) emigracyjny
eminence ['eminəns] *s* 1. wyniosłość (terenu); wzniesienie 2. znakomitość; wybitność; zaszczytne stanowisko; zaszczyty; sława 3. (*tytuł*) **Eminence** Eminencja
eminent ['eminənt] *adj* znakomity; wybitny; sławny
emir [e'miə] *s* emir
emissary ['emisəri] [I] *s* 1. emisariusz/ka; wysłanni-k/czka 2. *anat* wypust, wypustka; **~ vein** gałązka żylna [II] *adj* szpiegowski
emission [e'miʃən] *s* 1. wysyłanie (promieni itd.); wydawanie (dźwięków itd.); wydzielanie (ciepła, potu itp.); wyrzucanie (iskier itd.); wypuszczanie (gazów, pary itd.) 2. emisja; emitowanie (pieniądza)
emit [i'mit] *vt* (**-tt-**) 1. wydawać (głos, opinię itd.); wysyłać (promienie); wyrzucać (iskry itd.); wypuszczać (gazy, parę itd.); wydzielać (ciepło, pot itp.) 2. emitować <pu-ścić/szczać w obieg> (pieniądze)
emma gee ['emə,dʒi:] *s sl* (= **machine gun**) karabin maszynowy
emmet ['emit] † *s* mrówka
emollient [i'mɔliənt] [I] *adj* (*o środku*) zmiękczający [II] *s* środek zmiękczający
emolument [i'mɔljumənt] *s* 1. wynagrodzenie; honorarium 2. dochód; zysk
emotion [i'mouʃən] *s* 1. wzruszenie 2. uczucie; **to appeal to the ~s** a) apelować do uczuć b) wzbudz-ić/ać uczucia
emotional [i'mouʃnl] *adj* emocjonalny; uczuciowy; (*o mowie itd*) poruszający uczucia (słuchaczy); (*o książce itd*) przemawiający do uczuć
emotionalism [i'mouʃnə,lizəm] *s* 1. emocjonalizm 2. gra na uczuciach (tłumu itd.)
emotionalist [i'mouʃnəlist] *s* 1. człowiek uczuciowy 2. człowiek grający na uczuciach (tłumu itd.)
emotionality [i,mouʃə'næliti] *s* emocjonalność
emotive [i'moutiv] *adj* wzruszeniowy; emocjonalny; wzruszający; *rz* emocyjny
empanel, impanel [im'pænl] *vt* (**-ll-**) sporządz-ić/ać spis <wpis-ać/ywać (kogoś) na listę> sędziów przy-

sięgłych; u/tworzyć komplet <skład> sędziów przysięgłych

empathy ['empəθi] *s psych* empatia, wczu-cie/wanie się

empennage [im'penidʒ] *s lotn* tylna część kadłuba samolotu z zespołem sterów i stabilizatorów

emperor ['empərə] *s* 1. imperator; cesarz 2. *zoo* **purple ~** mieniak (motyl)

empetrum ['empitrəm] *s bot* bażyna

emphasis ['emfəsis] *s* 1. nacisk; uwydatnienie; uwypuklenie; emfaza 2. *jęz* wzmożony akcent; wzmocnienie akcentu

emphasize ['emfə,saiz] *vt* położyć/kłaść nacisk (**sth** na coś); uwydatni-ć/ać; podkreśl-ić/ać; uwypukl-ić/ać

emphatic [im'fætik] *adj* 1. dobitny; wyraźny; stanowczy; zdecydowany; niedwuznaczny 2. (*o geście itp*) wymowny; znaczący; (*o słowach itd*) powiedziany z naciskiem; emfatyczny

emphatically [im'fætikəli] *adv* 1. z naciskiem; emfatycznie; z emfazą 2. zdecydowanie; stanowczo; niewątpliwie; **most ~** z całą stanowczością; bezwzględnie

emphysema [,emfi'si:mə] *s med* rozedma

empire ['empaiə] [I] *s* imperium; cesarstwo [II] *attr* 1. imperialny; (dotyczący) imperium (brytyjskiego); *am* **Empire City** Nowy Jork (miasto); **Empire Day** dzień 24 maja (święto szkolne w Anglii); *am* **Empire State** stan Nowy Jork 2. (*o stylu, meblach itd*) empirowy

empiric [em'pirik] [I] *adj* empiryczny [II] *s* 1. empiryk 2. szarlatan

empiricism [em'piri,sizəm] *s* empiryzm

empiricist [em'pirisist] = **empiric** *s* 1.

emplacement [im'pleismənt] *s* 1. umiejscowienie 2. *wojsk* stanowisko (armatnie itd.)

emplane [im'plein] [I] *vt* załadować (wojsko) do samolotów [II] *vi* wsiadać do samolotów

employ [im'plɔi] [I] *vt* 1. za/stosować (coś); uży-ć/wać (**sth** czegoś); posłu-żyć/giwać się (**sth** czymś); **to ~ one's time in doing sth** spędzać <trawić> czas na robieniu czegoś 2. zatrudni-ć/ać (kogoś); **to keep a man well ~ed** da-ć/wać komuś dużo roboty [II] *vr* **~ oneself** zaj-ąć/mować <trudnić> się (**in doing sth** czymś, robieniem czegoś) [III] *s* zajęcie; zatrudnienie; **in the ~ of —** na służbie <na żołdzie> u... (kogoś)

employable [im'plɔiəbl] *adj* nadający się do zatrudnienia

employee [,emplɔi'i:] *s* pracowni-k/czka; siła (biurowa, robocza)

employer [im'plɔiə] *s* pracodaw-ca/czyni; szef

employment [im'plɔimənt] [I] *s* zajęcie; praca; zatrudnienie; **out of ~** bezrobotny; **thrown out of ~** pozbawiony zajęcia <pracy>; *przen* wyrzucony na bruk [II] *attr* **~ <exchange> agency** biuro zatrudnienia

empoison [im'pɔizən] *vt* zatru-ć/wać; **to ~ sb's mind against sb** podjudzać <podburzać> kogoś przeciwko komuś

emporium [em'pɔ:riəm] *s* 1. ośrodek handlu; centrum handlowe 2. skład towarów; targowisko

empower [im'pauə] *vt* 1. upoważni-ć/ać <upełnomocni-ć/ać> (**sb to do sth** kogoś do czegoś <do zrobienia czegoś>); da-ć/wać pełnomocnictwo (**sb to do sth** komuś do czegoś <do zrobienia czegoś>) 2. umożliwi-ć/ać (**sb to do sth** komuś zrobienie czegoś)

empress ['empris] *s* cesarzowa

emprise [em'praiz] *s lit* czyn bohaterski

emptiness ['emptinis] *s* 1. pustość 2. pustka; próżnia 3. *med* oraz *przen* czczość 4. próżność; daremność 5. brak sensu; bezsensowność

empty ['empti] [I] *adj* (**emptier** ['emptiə], **emptiest** ['emptiist]) 1. pusty; próżny; **on an ~ stomach** na czczo, na pusty żołądek; **to feel ~** mieć pusto w żołądku; (*o pojeździe*) **to go ~** jechać bez pasażera <bez ładunku> 2. (*o pogróżkach, obietnicach*) pusty, czczy; gołosłowny 3. pozbawiony (znaczenia, zalet itd.) 4. bezsensowny; bez treści [II] *vt* (**emptied** ['emptid], **emptied; emptying** ['emptiiŋ]) 1. opróżni-ć/ać 2. osusz-yć/ać (staw itp.) 3. oczy-ścić/szczać (rów itd.) [III] *vi* (**emptied** ['emptid], **emptied; emptying** ['emptiiŋ]) 1. opróżni-ć/ać się 2. (*o rzece*) uchodzić <wpadać> (do morza itd.) *zob* **emptying** [IV] *s* 1. próżna flaszka <skrzynia>; próżne naczynie 2. dorożka <taksówka> jadąca bez pasażera 3. dom niezamieszkały

empty-handed ['empti'hændid] *adj* z próżnymi rękami; nic nie wskórawszy

empty-headed ['empti'hedid] *adj* pustogłowy; *przen* z sieczką w głowie

empty-hearted ['empti'hɑ:tid] *adj* bez serca

emptying ['emptiiŋ] [I] *zob* **empty** *v* [II] *spl* **~s** 1. resztki na dnie (szklanek itd.) 2. osad 3. *am* drożdże

empurple [im'pə:pl] *vt* zabarwi-ć/ać na szkarłat; zaczerwieni-ć/ać

empyema [,empai'i:mə] *s med* ropniak opłucnej

empyreal [,empai'riəl] *adj* empirejski

empyrean [,empai'riən] *s* empireum, siedziba bogów

emu ['i:mju:] *s zoo* emu (odmiana strusia)

emulate ['emju,leit] *vt* 1. współzawodniczyć <rywalizować, iść w zawody> (**sb** z kimś) 2. gorliwie naśladować

emulation [,emju'leiʃən] *s* współzawodnictwo; rywalizacja; † emulacja

emulative ['emju,leitiv] *adj* rywalizujący <współzawodniczący, idący w zawody> (**of sb, sth** z kimś, czymś)

emulator ['emju,leitə] *s* współzawodni-k/czka, rywal/ka

emulous ['emjuləs] *adj* 1. ambitny; **to be ~ of —** pragnąć dorównać... (**sb's virtues etc.** komuś w zaletach itp.) 2. żądny (czegoś — sławy itd.); **with ~ zeal** na wyścigi

emulsifier [i'mʌlsi,faiə] *s* 1. emulgator, środek emulgujący 2. emulsyfikator, homogenizator (aparat)

emulsify [i'mʌlsi,fai] *vt* (**emulsified** [i'mʌlsi,faid], **emulsified; emulsifying** [i'mʌlsi,faiiŋ]) emulgować

emulsion [i'mʌlʃən] *s* 1. emulsja 2. zawiesina

emulsive [i'mʌlsiv] *adj* emulsyjny

emunctory [i'mʌŋktəri] *adj fizj* wydzielinowy

en [en] *s* 1. *litera* n 2. *druk* n (jednostka szerokości)

enable [i'neibl] *vt* 1. umożliwi-ć/ać (**sb to do sth** komuś zrobienie czegoś); da-ć/wać możność (**sb to do sth** komuś zrobienia czegoś) 2. *prawn* upoważni-ć/ać (kogoś do zrobienia czegoś)

enact [i'nækt] *vt* 1. *prawn* postan-owić/awiać; wyda-ć/wać zarządzenie <dekret> (**sth** o czymś); **as**

by law ~ed jak nakazuje ustawa <prawo>; **be it further ~ed** — postanawia <zarządza> się dalej... 2. *lit* przedstawi-ć/ać (na scenie); za/grać (rolę); odtw-orzyć/arzać; (*o wydarzeniu itd*) **to be ~ed** mieć miejsce; **~ing clauses** klauzula ustawowa
enactive [i'næktiv] *adj prawn* ustawodawczy
enactment [i'næktmənt] *s* 1. postanowienie; zarządzenie; dekret 2. wydanie <ogłoszenie> (ustawy itd.)
enactor [i'næktə] *s prawn* ustawodawca
enallage [i'nælədʒi] *s gram* zamiennia
enamel [i'næməl] I *s* 1. emalia; *cer* polewa; szkliwo (zębów); *pap* satyna; *zbior* **~ ware** naczynia emaliowane 2. lakier II *vt* (**-ll-**) 1. emaliować 2. po/lakierować
enamelist [i'næməlist], **enameller** [i'næmḷə] *s* 1. emalier 2. lakiernik
enamour [i'næmə] *vt* 1. rozkochać; wzbudz-ić/ać miłość (**sb** w kimś) 2. oczarow-ać/ywać *zob* **enamoured**
enamoured [i'næməd] I *zob* **enamour** II *adj* zakochany (**of sb** w kimś); **to become ~** zakochać się; **to be ~ of sb** a) kochać się w kimś b) podkochiwać się w kimś; **to be ~ of sth** być rozmiłowanym w czymś; namiętnie lubić coś
enarthrosis [,enɑ:'θrousis] *s anat* staw panewkowy
encaenia [en'si:niə] *spl* 1. obchód założenia (miasta itd.) 2. *uniw* święto dla uczczenia założycieli
encage [in'keidʒ] *vt* zam-knąć/ykać (jak) w klatce
encamp [in'kæmp] I *vt* roz-łożyć/kładać (wojsko) obozem II *vi* obozować
encampment [in'kæmpmənt] *s* 1. obozowisko 2. obozowanie; rozłożenie się obozem
encase [in'keis] *vt* 1. zam-knąć/ykać (coś) w futerale 2. obramować 3. okry-ć/wać; pokry-ć/wać; **~d in armour** zakuty w zbroję
encasement [in'keismənt] *s* 1. futerał 2. oprawa; ramy 3. okrycie; pokrywa
encash [in'kæʃ] *vt* 1. spienięż-yć/ać (czek itp.); z/realizować (weksel itp.) 2. za/inkasować
encashment [in'kæʃmənt] *s* 1. spieniężenie; zrealizowanie (weksla itd.) 2. inkaso; zainkasowanie
encaustic [en'kɔ:stik] I *adj* enkaustyczny II *s* enkaustyka
encephalic [,ense'fælik] *adj* mózgowy
encephalitis [,ensefə'laitis] *s med* zapalenie mózgu
encephalogram [,ensi'fælou,græm] *s* encefalogram
encephalograph [,ensi'fælou,grɑ:f] *s* encefalograf
enchain [in'tʃein] *vt* 1. zaku-ć/wać w łańcuchy; uwiąz-ać/ywać (zwierzę) na łańcuchu 2. *przen* ujarzmi-ć/ać (namiętności itp.) 3. *przen* przyku-ć/wać (uwagę)
enchainment [in'tʃeinmənt] *s* 1. zakucie w łańcuchy; uwiązanie na łańcuchu (zwierzęcia) 2. ujarzmienie (namiętności itp.) 3. przykucie (uwagi)
enchant [in'tʃɑ:nt] *vt* 1. o/czarować; zachwyc-ić/ać 2. zaczarować *zob* **enchanting**
enchanter [in'tʃɑ:ntə] *s* czarownik; czarodziej
enchanting [in'tʃɑ:ntiŋ] I *zob* **enchant** II *adj* czarujący; czarowny; uroczy
enchantment [in'tʃɑ:ntmənt] *s* 1. oczarowanie; zachwyt 2. czar; urok 3. sztuka magiczna
enchantress [in'tʃɑ:ntris] *s* 1. czarodziejka 2. czarująca <zachwycająca> kobieta
enchase [in'tʃeis] *vt* 1. oprawi-ć/ać (klejnot itd.) 2. *przen* wtrąc-ić/ać (pochwałę w przemówieniu itd.) 3. wyryć, rytować 4. inkrustować
enchiridion [,enkaiə'ridiən] *s* podręcznik
encircle [in'sə:kl] *vt* okrąż-yć/ać; ot-oczyć/aczać
encirclement [in'sə:klmənt] *s* okrążenie; otoczenie
enclasp [in'klɑ:sp] *vt lit* ob-jąć/ejmować; trzymać w objęciach <w uścisku>
enclave ['enkleiv] *s* enklawa
enclitic [in'klitik] I *adj jęz* enklityczny II *s jęz* enklityka
enclose [in'klouz] *vt* 1. ot-oczyć/aczać; ogr-odzić/adzać (**in sth** czymś — murem, płotem itp.); ot-oczyć/aczać siatką; opas-ać/ywać 2. ot-oczyć/aczać (pierścieniem); okrąż-yć/ać (wroga itd.) 3. zam-knąć/ykać <s/chować> (**in sth** w czymś — futerale itp.) 4. zawierać w sobie (liczbę itp.) 5. załącz-yć/ać (w liście); (*w liście*) **~d please find** — w załączeniu przesyłam/y...
enclosure [in'klouʒə] *s* 1. ogrodzenie; płot; siatka; bariera 2. miejsce ogrodzone 3. (*w liście*) załącznik 4. klauzura (klasztorna) 5. *hist* przywłaszcz-enie/anie sobie gruntów gromadzkich przez ich ogrodzenie
encloud [in'klaud] *vt* osł-onić/aniać obłokiem <chmurami>
encomiast [en'koumi,æst] *s* chwal-ca/czyni; panegirysta
encomium [en'koumiəm] *s* pochwała; panegiryk
encompass [in'kʌmpəs] *vt* 1. ot-oczyć/aczać; okrąż-yć/ać; ob-jąć/ejmować (rękami, pasem, myślą itd.) 2. zawierać (w sobie)
encore [ɔŋ'kɔ:] I *interj* bis! II *s* bisowanie; **she gave three ~s** bisowała trzykrotnie; **she got an ~** publiczność domagała się od niej bisu III *vt* zagrać <zaśpiewać> na bis IV *vi* bisować
encounter [in'kauntə] I *vt* 1. spot-kać/ykać; napot-kać/ykać; natknąć się (**difficulties etc.** na trudności itd.) 2. mieć utarczkę (**the enemy** z nieprzyjacielem) II *s* 1. spotkanie 2. utarczka 3. pojedynek
encourage [in'kʌridʒ] *vt* 1. dodawać odwagi (**sb** komuś); ośmiel-ić/ać 2. zachęc-ić/ać (**sb to do sth** kogoś do czegoś <do zrobienia czegoś>) 3. popierać (coś); udziel-ić/ać poparcia (**sth** czemuś) *zob* **encouraging**
encouragement [in'kʌridʒmənt] *s* 1. zachęta 2. poparcie; **to receive ~** dozna-ć/wać zachęty; zna-leźć/jdować poparcie
encouraging [in'kʌridʒiŋ] I *zob* **encourage** II *adj* zachęcający
encrimson [in'krimsən] *vt* za/czerwienić
encrinite ['enkri,nait] *s geol* enkrynit (skamienielina lilii morskiej)
encroach [in'kroutʃ] *vi* 1. wkr-oczyć/aczać (**on <upon> sth** do czegoś — obcego kraju, w coś — cudze prawa itp.); wedrzeć/wdzierać się <wtargnąć> (do cudzych posiadłości) 2. targnąć się (na cudzą własność, cudze prawa); narusz-yć/ać (**on <upon> sth** coś — cudzą własność, cudze prawa); *przen* **to ~ on sb's time** zabierać komuś czas
encroachment [in'kroutʃmənt] *s* 1. wkr-oczenie/aczanie <wtargnięcie> (**on <upon> sth** do czegoś — obcego kraju, w cudze prawa); wdarcie/wdzieranie się (morza w ląd, lasu w rolę itp.) 2. targnięcie się (na cudzą własność, cudze prawa); narusz-enie/anie (**on <upon> sth** czegoś — cudzej własności, cudzych praw)
encrust [in'krʌst] I *vt* inkrustować II *vi* zasko-rupi-ć/ać <zasklepi-ć/ać> się

encumber [in'kʌmbə] *vt* 1. zawadzać <przeszkadzać> (**sb** komuś); utrudniać <tamować> (ruch); krępować (kogoś); obarcz-yć/ać (kogoś pakunkami itd.) 2. obciąż-yć/ać (majątek długami, kogoś obowiązkami itd.) 3. zatł-oczyć/aczać (pokój gratami itp.)
encumbrance [in'kʌmbrəns] *s* 1. zawada; przeszkoda; utrudnienie 2. obciążenie (rodziną, długami itd.) 3. wierzytelność
encumbrancer [in'kʌmbrənsə] *s* wierzyciel/ka
encyclic(al) [en'siklik(əl)] [I] *adj* encykliczny [II] *s* encyklika
encyclopaedia [en,saiklou'pi:diə] *s* encyklopedia
encyclopaedic [en,saiklou'pi:dik] *adj* encyklopedyczny
encyclopaedist [en,saiklou'pi:dist] *s* encyklopedysta
encyst [in'sist] *vt* otorbi-ć/ać
encystment [in'sistmənt] *s* otorbienie
end [end] [I] *s* 1. koniec; zakończenie; **and there's an ~ (of it)** i (na tym) koniec; **at this ~** tutaj; **~ on** podłużnie; rzędem; **~ to ~** (ustawić, ułożyć) podłużnie <końcami do siebie>; **from ~ to ~** od początku do końca; **on ~** (stojący) pionowo; sztorcem; **there's no ~ to it** nie widać końca; to się nie skończy prędko; **to make both ~s meet** związać koniec z końcem; (*o włosach*) **to stand on ~** sta-nąć/ć dęba <dębem>; zjeżyć <najeżyć> się 2. *z okresem czasu:* **hours <weeks etc.> on ~** godzinami <tygodniami itd.>; **several hours <weeks etc.> on ~** kilka godzin <tygodni **itd.**> z rzędu <bez przerwy>; **world without ~** na wieki wieków 3. *z przymiotnikiem:* część; strona; **the deep <shallow> ~** głęboka <płytka> strona <część> (basenu itd.); **to be at a loose ~** nie mieć nic do roboty; **at loose ~s** w nieładzie 4. resztka; kawałek; ogarek; dno <denko> (rozbitej flaszki); niedopałek (papierosa); **rope's ~** bat do chłosty; **shoemaker's ~** dratwa 5. granica; kres; kraniec; rubież; **there's an ~ to everything** wszystko ma swój kres <swoje granice>; **to be at an ~** być skończonym; skończyć <wyczerpać> się; **to come to an ~** zakończyć się; **to draw to an ~** dobiegać końca; **to make an ~ of, to put an ~ to, to bring to an ~** położyć (czemuś) kres; **to think no ~ of oneself** mieć o sobie wysokie mniemanie; **to think no ~ of sb** bardzo kogoś cenić; **at the ~ of** u kresu (sił itd.); **in the ~** w końcu; ostatecznie; *pot* **no ~** strasznie, szalenie, ogromnie; **no ~ of** bez liku; bez końca; ogromnie dużo; bezmiar (czegoś) 6. śmierć; zgon; **to be the ~ of sb** być przyczyną czyjejś śmierci; (*o człowieku*) **to come to a bad ~** źle skończyć; **to meet one's ~** zakończyć życie 7. cel; **the ~ justifies the means** cel uświęca środki; **to serve an ~** odpowiadać celowi; nadawać się (do czegoś); **to no ~** bezcelowo; na próżno; **to this ~** w tym celu [II] *vt* s/kończyć; zakończ-yć/ać; ukończyć; położyć kres (**sth** czemuś); **to ~ off <up> sth with sth** zakończyć coś czymś (mowę cytatem, okrzykiem itd.); **~ed and done with** skończone raz na zawsze [III] *vi* s/kończyć <zakończyć> się (**in sth** czymś — morderstwem, małżeństwem itd.); do-jść/chodzić <doprowadz-ić/ać> (**in sth** do czegoś); **how will it all ~?** do czego to wszystko doprowadzi?; co z tego wszystkiego wyniknie?; **to ~ by doing sth** a) skończyć się na tym, że się coś zrobi; **she will ~ by marrying a duke** skończy się na tym, że (ona) wyjdzie za księcia <zostanie księżną> b) na zakończenie <w końcu> uczynić coś; **he will ~ by killing me** on mnie w końcu zabije; **I must ~ by —** na zakończenie pragnę...; **to ~ in smoke** a) pójść z dymem b) skończyć się na niczym; spalić na panewce; **he will ~ up in prison** on skończy w więzieniu *zob* **ending**
endamage [in'dæmidʒ] *vt* 1. uszkodzić (coś) 2. zaszkodzić (**sb** komuś)
endanger [in'deindʒə] *vt* nara-zić/żać <wystawi-ć/ać> (kogoś, coś) na niebezpieczeństwo <na szwank>
endear [in'diə] [I] *vt* przywiąz-ać/ywać (kogoś do siebie) [II] *vr w zwrocie:* **to ~ oneself to sb** a) zdoby-ć/wać czyjeś serce <czyjąś miłość> b) przymil-ić/ać się do kogoś <komuś> *zob* **endearing**
endearing [in'diəriŋ] [I] *zob* **endear** [II] *adj* przymilny; pieszczotliwy
endearment [in'diəmənt] *s* 1. urok; powab 2. pieszczotliwość 3. pieszczota 4. *pl* **~s** (*także* **terms of ~**) czułe słówka
endeavour [in'devə] [I] *vi* 1. usiłować <próbować> (coś zrobić) 2. dążyć (**after sth** do czegoś); zabiegać (**after sth** o coś) [II] *s* usiłowanie <staranie> (**to do sth <at doing sth>** ażeby coś zrobić; w kierunku zrobienia czegoś); zabiegi; próba; wysiłek; **to make an ~** usiłować; spróbować; starać się; **to make every ~ to —** do-łożyć/kładać wszelkich starań, żeby...; wszystko zrobić <uczynić>, żeby...
endemic [en'demik] [I] *adj* 1. *med biol* endemiczny 2. miejscowy, lokalny [II] *s med* endemia
endermic [in'də:mik] *adj anat* naskórny
ending ['endiŋ] [I] *zob* **end** *v* [II] *s* 1. zakończenie 2. *gram* końcówka; zakończenie
endive ['endiv] *s bot* cykoria; endywia
endless ['endlis] *adj* 1. nie kończący się; (trwający) bez końca; ciągły; wieczny; bezustanny, nieustanny; **~ chain <belt>** łańcuch <pas> bez końca; *techn* **~ screw** ślimak; **~ paper** papier w rolce; **~ saw** piła taśmowa 2. bezkresny
endlong ['end,lɔŋ] *adv* 1. *dial* na długość 2. pionowo 3. *pot* sztorcem
endmost ['end,moust] *adj* ostatni; najdalszy
endoblast ['endou,bla:st] *s biol* endoblasta (zawiązek błony wewnętrznej zapłodnionego jaja)
endocarditis [,endouka:'daitis] *s med* zapalenie wsierdzia
endocardium [,endou'ka:diəm] *s anat* wsierdzie
endocarp ['endou,ka:p] *s bot* endokarp; śródowocnia
endocrine ['endou,krain] [I] *adj fizj* (*o gruczole*) wewnątrzwydzielniczy [II] *s* gruczoł wydzielania wewnętrznego
endoderm ['endə,də:m] *s bot zoo* endoderma
endodermic ['endou,də:mik] *adj bot zoo* endodermalny
endogamous [en'dɔgəməs] *adj* endogamiczny
endogamy [en'dɔgəmi] *s* endogamia
endogen ['endədʒin] *s bot* roślina jednoliścieniowa
endogenous [en'dɔdʒinəs] *adj biol* endogeniczny, endogenny, pochodzący z wewnątrz
endometrium [,endou'mi:triəm] *s anat* błona śluzowa macicy
endomorph ['endou,mɔ:f] *s miner* wrostek
endoplasm ['endou,plæzəm] *s biol* endoplazma
endorse [in'dɔ:s] *vt* 1. za/żyrować (czek, weksel); indosować 2. pop-rzeć/ierać; za/aprobować; *przen* podpis-ać/ywać się (**sth** pod czymś) 3. *w zwrocie:*

to ~ sth with a remark, to ~ a remark on sth napisać uwagę na czymś 4. zanotować (na odwrocie koncesji itp.) wypadek naruszenia przepisów

endorsee [ˌendɔːˈsiː] *s* indosat, indosatariusz

endorsement [inˈdɔːsmənt] *s* 1. żyro, indos 2. poparcie; aprobata 3. adnotacja na odwrocie (dokumentu itp.)

endorser [inˈdɔːsə] *s* żyrant/ka, indosant

endoscope [ˈendousˌkoup] *s med* endoskop, wziernik

endoscopy [enˈdɔskəpi] *s med* endoskopia

endosmosis [ˌendousˈmousis] *s biol* endosmoza, przenikanie do wewnątrz (przez błonę komórki)

endosperm [ˈendouˌspəːm] *s bot* endosperma, bielmo

endospore [ˈendouˌspɔː] *s bot* endospora, zarodnik wytwarzany przez niektóre bakterie

endothelium [ˌendouˈθiːliəm] *s anat* śródbłonek

endow [inˈdau] *vt* 1. u/fundować 2. zapis-ać/ywać (**sb** <**an institution etc.**> **with sth** coś komuś <instytucji itd.>) 3. wyposażyć 4. obdarz-yć/ać (**sb with privileges** <**talents etc.**> kogoś przywilejem <zdolnościami itp.>)

endowment [inˈdaumənt] *s* 1. fundacja 2. zapis 3. wyposażenie, posag; uposażenie; **~ assurance** <*am* **insurance**> ubezpieczenie na dożywocie 4. obdarzenie 5. *pl* **~s** zdolności; talenty

end-paper [ˈendˌpeipə] *s introl* wyklejka

endue [inˈdjuː] *vt lit* 1. wdzi-ać/ewać 2. oble-c/kać (**sb with sth** kogoś w coś) 3. obdarz-yć/ać (kogoś zaletami itp.)

endurable [inˈdjuərəbl] *adj* znośny; możliwy do zniesienia

endurance [inˈdjuərəns] *s* 1. wytrzymałość; **beyond** <**past**> **~** nie do wytrzymania; **~ test** próba wytrzymałości 2. cierpliwość

endure [inˈdjuə] I *vt* zn-ieść/osić <ś/cierpieć> (**sth** <**to do sth**> coś <robienie czegoś>); *najczęściej z zaprzeczeniem*: (nie) znosić <(nie) ścierpieć> (**sth** <**to do sth**> czegoś <robienia czegoś>) II *vi* prze/trwać; osta-ć/wać się *zob* **enduring**

enduring [inˈdjuəriŋ] I *zob* **endure** II *adj* 1. trwały; stały 2. cierpliwy 3. wytrzymały

enduringness [inˈdjuəriŋnis] *s* trwałość; stały charakter (czegoś)

endways [ˈendˌweiz], **endwise** [ˈendˌwaiz] *adv* 1. pionowo; sztorcem 2. wzdłuż; na długość 3. podłużnie (ku końcom); rzędem

enema [ˈenimə] *s* lewatywa, enema, wlew

enemy [ˈenimi] I *s* nieprzyjaci-el/ółka; wróg; przeciwni-k/czka (**of** <**to**> **sb, sth** czyjś, czegoś); **to be one's own ~** działać na własną szkodę; *pot* **how goes the ~?** która godzina? II *adj* nieprzyjacielski; (*o siłach itd*) wrog-a/ów; przeciwny

energetic [ˌenəˈdʒetik] *adj* energiczny

energetics [ˌenəˈdʒetiks] *s* energetyka

energize [ˈenəˌdʒaiz] I *vt* pobudz-ić/ać; ożywi-ć/ać II *vi* 1. *elektr* zasil-ić/ać energią 2. *lit* (*o człowieku*) wykaz-ać/ywać energię

energumen [ˌenəːˈgjuːmen] *s* opętaniec; fanaty-k/czka

energy [ˈenədʒi] *s* energia; *pl* **energies** energia; siły; umiejętności

enervate [ˈenəːˌveit] I *vt* osłabi-ć/ać; pozbawi-ć/ać sił II *adj* [iˈnəːvit] bez sił; bez wigoru; słaby

enervation [ˌenəːˈveiʃən] *s* osłabi-enie/anie; zwątl-enie/anie

enface [inˈfeis] *vt* wpis-ać/ywać (odpowiednie słowa na tracie, wekslu); wypełni-ć/ać (tratę, weksel)

enfeeble [inˈfiːbl] *vt* osłabi-ć/ać

enfeoff [inˈfef] *vt* nada-ć/wać prawo lenne <(ziemię) prawem lennym> (**sb** komuś)

enfetter [inˈfetə] *vt* 1. zaku-ć/wać w kajdany 2. *przen* ujarzmi-ć/ać (namiętności itp.)

enfilade [ˌenfiˈleid] I *s wojsk* ogień flankowy II *vt wojsk* ostrzeliwać ogniem flankowym

enfold [inˈfould] *vt* 1. zawi-nąć/jać (**sth in** <**with**> **sth** coś w coś — w papier itd.) 2. ob-jąć/ejmować; wziąć/brać (kogoś) w objęcia

enforce [inˈfɔːs] *vt* 1. pop-rzeć/ierać (czymś argument, prośbę itd.) 2. narzuc-ić/ać (**sth on** <**upon**> **sb** komuś coś) 3. zmu-sić/szać do (**obedience etc.** posłuszeństwa itd.); domagać się przestrzegania (**the law etc.** ustawy itp.) 4. wprowadz-ić/ać w życie <wykonywać> (rozporządzenie itp.)

enforcement [inˈfɔːsmənt] *s* 1. wykon-anie/ywanie 2. wprowadz-enie/anie w życie 3. przestrzeganie 4. narzuc-enie/anie (**of sth on sb** czegoś komuś)

enframe [inˈfreim] *vt* oprawi-ć/ać (obraz itp.)

enfranchise [inˈfræntʃaiz] *vt* 1. uw-olnić/alniać <wyzw-olić/alać> (niewolnika); uwłaszcz-yć/ać 2. nada-ć/wać prawo wyborcze (**sb** komuś) 3. nada-ć/wać prawo reprezentacji w parlamencie (**a town** miastu)

enfranchisement [inˈfræntʃizmənt] *s* 1. uwolnienie; uwłaszczenie 2. nadanie prawa wyborczego 3. nadanie prawa reprezentacji w parlamencie (**of a town** miastu)

engage [inˈgeidʒ] I *vt* 1. za/angażować; zaj-ąć/mować; naj-ąć/mować; zatrudni-ć/ać; **to ~ sb in conversation** zająć kogoś rozmową; nawiązać z kimś rozmowę 2. za/rezerwować (pokój, miejsce itd.) 3. *wojsk* nawiąz-ać/ywać kontakt bojowy (**the enemy** z nieprzyjacielem) 4. *techn* włącz-yć/ać (sprzęgło, bieg) II *vr* **~ oneself** za/angażować się; zobowiąz-ać/ywać się (**to do sth** do zrobienia czegoś); przyj-ąć/mować zaproszenie (**for dinner** na obiad); (*o pracowniku*) naj-ąć/mować się (do pracy) III *vi* 1. pod-jąć/ejmować się <zobowiąz-ać/ywać się> (**to do sth** zrobić coś) 2. ręczyć (**for sth** za coś); przyrze-c/kać (**for sth** coś) 3. zaangażować <wplątać> się (w coś); **to ~ in battle** przyst-ąpić/ępować do bitwy <do walki>; wszcz-ąć/ynać <nawiąz-ać/ywać> walkę; **to ~ in business** <**politics etc.**> zająć się handlem <polityką itd.>; **to ~ in conversation** nawiąz-ać/ywać rozmowę 4. *techn* sprz-ąc/ęgać <zazębi-ć/ać> się *zob* **engaged, engaging**

engaged [inˈgeidʒd] I *zob* **engage** II *adj* 1. zajęty 2. zaręczony; **to become ~ to sb** zaręczyć się z kimś; **~ on a contract** związany umową 3. *techn* włączony

engagement [inˈgeidʒmənt] *s* 1. obietnica; przyrzeczenie 2. zobowiązanie (urzędowe, towarzyskie itd.) 3. umówione spotkanie 4. zajęcie; **~ book** notatnik; † raptularz 5. zarezerwowanie 6. za/angażowanie <naj-ęcie/mowanie, zatrudni-enie/anie> (pracowników) 7. zaręczyny; **~ ring** pierścień zaręczynowy 8. *wojsk* walka; potyczka; akcja bojowa; bitwa 9. *techn* włączenie (biegu, sprzęgła itp.)

engaging [inˈgeidʒiŋ] I *zob* **engage** II *adj* zachęcający; ujmujący; miły

engarland [in'gɑ:lənd] *vt lit* ozd-obić/abiać girlandami

engender [in'dʒendə] *vt* 1. *dosł i przen* z/rodzić 2. s/powodować; wywoł-ać/ywać

engine ['endʒin] *s* 1. maszyna 2. parowóz; lokomotywa 3. motor, silnik 4. *przen* machina; aparat (państwowy itp.)

engine-driver ['endʒin,draivə] *s* maszynista

engineer [,endʒi'niə] I *s* 1. inżynier; **civil ~** inżynier lądowy 2. technik 3. *wojsk* saper 4. *mar* mechanik 5. *am* maszynista II *vt* 1. z/budować; z/montować 2. za/projektować 3. przeprowadz-ić/ać; *pot* z/majstrować *zob* **engineering**

engineering [,endʒi'niəriŋ] I *zob* **engineer** *v* II *s* 1. mechanika; technika; inżynieria; **~ college** politechnika 2. *pl* **~s** machinacje

engine-house ['endʒin,haus] *s* 1. remiza 2. parowozownia

engine-room ['endʒin,ru:m] *s* hala maszyn; maszynownia

enginery ['endʒinəri] *s zbior* maszyny; urządzenia techniczne

engird [in'gə:d] *vt* (*praet* **engirded** [in'gə:did], **engirt** [in'gə:t], *pp* **engirded, engirt**) opas-ać/ywać; ot-oczyć/aczać

engirdle [in'gə:dl] = **engird**

engirt *zob* **engird**

Englander ['iŋgləndə] *s* **Little ~** przeciwnik polityki imperializmu brytyjskiego; **New ~** mieszkaniec Nowej Anglii (St. Zjedn.)

English ['iŋgliʃ] I *adj* angielski II *s* 1. język angielski; angielszczyzna; **a student of ~** anglist-a/ka; **~ studies** anglistyka; **the King's <Queen's> ~** poprawna angielszczyzna; **in ~** po angielsku; **in plain ~** prosto z mostu; bez ogródek; **into ~** na (język) angielski; **what is the ~ for ...?** jak jest po angielsku...? 2. *pl* **the ~** Anglicy 3. *druk* czcionka 13 pkt III **english** *vt* 1. prze/tłumaczyć na język angielski 2. z/anglizować, z/angielszczyć

Englishman ['iŋgliʃmən] *s* (*pl* **Englishmen** ['iŋgliʃmən]) Anglik

Englishry ['iŋgliʃri] *s zbior* Anglicy (przeważnie zamieszkali w Irlandii)

Englishwoman ['iŋgliʃ,wumən] *s* (*pl* **Englishwomen** ['iŋgliʃ,wimin]) Angielka

engorge [in'gɔ:dʒ] *vt* pożerać; żarłocznie z/jeść *zob* **engorged**

engorged [in'gɔ:dʒd] I *zob* **engorge** II *adj med* przekrwiony

engorgement [in'gɔ:dʒmənt] *s* 1. pożeranie; żarłoczne jedzenie 2. *med* przekrwienie; zastój

engraft [in'grɑ:ft] *vt* 1. wszczepi-ć/ać (**sth into <upon> a tree etc.** coś w drzewo itd.) 2. zaszczepi-ć/ać <wszczepi-ć/ać, wp-oić/ajać> (**in sb <sb's mind etc.>** coś komuś <w czyjś umysł itd.>)

engrail [in'greil] *vt* ząbkować, wycinać ząbki (**sth** w czymś)

engrain [in'grein] *vt* u/farbować; nasyc-ić/ać farbą <barwnikiem> *zob* **engrained**

engrained [in'greind] I *zob* **engrain** II *adj* (*o łotrze itp*) skończony

engrave [in'greiv] *vt* wy/ryć, wryć; wy/grawerować; wy/rytować *zob* **engraving**

engraver [in'greivə] *s* rytownik; grawer

engraving [in'greiviŋ] I *zob* **engrave** II *s* 1. rytownictwo 2. sztych; grawiura; **~ on copper** miedzioryt; **steel ~** staloryt; **wood ~** drzeworyt III *attr* rytowniczy; **~ needle** rylec

engross [in'grous] *vt* 1. wypis-ać/ywać <odpis-ać/ywać> (dokument) dużymi literami 2. z/redagować (dokument) 3. *handl* wykup-ić/ywać (towar) celem zmonopolizowania; *przen* **to ~ the conversation** nikomu nie da-ć/wać przyjść do słowa; zmonopolizować rozmowę (towarzyską) 4. pochł-onąć/aniać; za/absorbować (kogoś, czyjąś uwagę)

engrossment [in'grousmənt] *s* pochłonięcie (**in sth** czymś)

engulf [in'gʌlf] *vt* pochł-onąć/aniać; por-wać/ywać (w odmęt, w przepaść)

engulfment [in'gʌlfmənt] *s* 1. pochł-onięcie/anianie; por-wanie/ywanie 2. zniknięcie; zatonięcie

enhance [in'hɑ:ns] *vt* uwydatni-ć/ać; uwypukl-ić/ać; wzm-óc/agać; podn-ieść/osić (wartość, cenę itd.)

enhancement [in'hɑ:nsmənt] *s* uwydatnienie; uwypuklenie; wzmożenie; podniesienie (wartości, ceny itd.)

enharmonic [,enhɑ:'mɔnik] *adj muz* enharmoniczny

enigma [i'nigmə] *s* 1. zagadka 2. zagadkowy osobnik

enigmatic [,enig'mætik] *adj* zagadkowy; enigmatyczny

enisle [in'ail] *vt lit* 1. zamieni-ć/ać w wyspę; ot-oczyć/aczać 2. osadz-ić/ać na wyspie; odos-obnić/abniać

enjambment [in'dʒæmmənt] *s prozod* enjambement

enjoin [in'dʒɔin] *vt* 1. gorąco polec-ić/ać <zalec-ić/ać> (**sth on <upon> sb** coś komuś) 2. nakaz-ać/ywać (**sth on <upon> sb** coś komuś; **sb to do sth** komuś, żeby coś zrobił); **to ~ sb not to do sth** zakaz-ać/ywać komuś (z/robienia) czegoś 3. *am prawn* zakaz-ać/ywać <zabr-onić/aniać> (**sb from sth** komuś czegoś)

enjoy [in'dʒɔi] I *vt* 1. cieszyć się (**sth, doing sth** czymś); mieć <znajdować> przyjemność <upodobanie> (**sth, doing sth** w czymś; w tym, żeby coś zrobić); lubić; za/smakować (**sth, doing sth** w czymś); **did you ~ the concert <view etc.>?** czy podobał ci <wam> się koncert <widok itd.>?; **(how) did you ~ your journey <holidays etc.>?** czy mi-ałeś/eliście przyjemną podróż <przyjemne wakacje itd.>? **I ~ed the dinner** smakował mi obiad; **to ~ doing sth** robić coś z przyjemnością 2. mieć; posiadać; cieszyć się (**sth** czymś — dobrym zdrowiem, dobrą opinią itd.); cieszyć się z posiadania (**sth** czegoś); **to ~ life** używać życia 3. korzystać (**sth** z czegoś — praw, udogodnień itd.); mieć prawo <dostęp> (**sth** do czegoś) II *vr* **~ oneself** dobrze się za/bawić; przyjemnie spędz-ić/ać czas; **how did you ~ yourself?** jak się bawiłeś?; jak ci się (wieczór itd.) udał?; **I didn't ~ myself** nie bawiłem się wcale; nie udał mi się (wieczór itd.)

enjoyable [in'dʒɔiəbl] *adj* przyjemny; miły; **we had a most ~ evening** było bardzo przyjemnie; spędziliśmy przemiły wieczór; zabawiliśmy się znakomicie

enjoyment [in'dʒɔimənt] *s* 1. *prawn* posiadanie; korzystanie (**of rights, privileges etc.** z praw, udogodnień itp.) 2. przyjemność; uciecha

enkindle [in'kindl] *vt dosł i przen* wzniec-ić/ać;

rozniec-ić/ać; rozpal-ić/ać (ogień, namiętności itd.)

enlace [in'leis] *vt* 1. owi-nąć/jać 2. ob-jąć/ejmować 3. opl-eść/atać

enlarge [in'lɑ:dʒ] [I] *vt* 1. powiększ-yć/ać; rozszerz-yć/ać; rozd-ąć/ymać 2. *fot* z/robić powiększenie (**a picture** zdjęcia) 3. rozwi-nąć/jać 4. *am* wypu-ścić/szczać (więźnia) na wolność [II] *vi* 1. powiększ-yć/ać <rozszerz-yć/ać> się; rozd-ąć/ymać się 2. rozwodzić się <rozprawiać> (**upon sth** nad czymś)

enlargement [in'lɑ:dʒmənt] *s* 1. powiększ-enie/anie <rozszerz-enie/anie> (się) 2. *fot* powiększenie 3. *med* powiększenie (śledziony itd.); rozszerzenie; hipertrofia 4. *am* wypuszcz-enie/anie (więźnia) na wolność 5. rozwodzenie się (**upon a subject** na jakiś temat)

enlarger [in'lɑ:dʒə] *s fot* aparat do powiększeń

enlighten [in'laitn] *vt* 1. oświec-ić/ać 2. objaśni-ć/ać (**sb on sth** kogoś co do czegoś, coś komuś) *zob* **enlightened**

enlightened [in'laitənd] [I] *zob* **enlighten** [II] *adj* oświecony; (*o człowieku, umyśle*) światły

enlightenment [in'laitnmənt] *s* oświecenie; **the Age of Enlightenment** Wiek Oświecenia

enlink [in'liŋk] *vt* z/wiązać; powiązać

enlist [in'list] [I] *vt* 1. wziąć/brać <zaciąg-nąć/ać> (ludzi) do wojska 2. z/werbować; zjedn-ać/ywać (kogoś dla jakiejś sprawy) 3. zjedn-ać/ywać (**sb's support** czyjeś poparcie itp.) [II] *vi* wst-ąpić/ępować <zaciąg-nąć/ać się> do wojska *zob* **enlisted**

enlisted [in'listid] *zob* **enlist**; *am* ~ **men** żołnierze (wraz z podoficerami)

enlistment [in'listmənt] *s* 1. zaciąg; pobór 2. z/werbowanie; zjedn-anie/ywanie (sympatyków itd.)

enliven [in'laivn] *vt* ożywi-ć/ać

en masse [ɑ̃:'mæs] *adv* w całości; en masse

enmesh [in'meʃ] *vt* zapląt-ać/ywać (kogoś) w sieć; usidl-ić/ać

enmity ['enmiti] *s* wrogość; wrogi stosunek; nienawiść; **to be at** ~ **with** __ być na stopie wojennej <prowadzić wojnę> z... (kimś)

ennead ['eni,æd] *s* 1. dziewiątka 2. grupa <seria> dziewięciu (rozpraw, ksiąg, punktów itd.)

enneagon ['eniəgən] *s* dziewięciokąt; dziewięciobok

enneaheadral [,eniə'hi:drəl] *adj geom* dziewięciobоczny

ennoble [i'noubl] *vt* 1. uszlachetni-ć/ać 2. nobilitować; uszlachcać

ennui [ɑ̃:'nwi:] *s* nuda; znudzenie

enormity [i'nɔ:miti] *s* 1. ogrom; ogromne rozmiary 2. potworność (zbrodni itp.) 3. potworna zbrodnia

enormous [i'nɔ:məs] *adj* ogromny; olbrzymi; kolosalny

enough [i'nʌf] *adj adv s* 1. dosyć <dość> (czegoś); dostatecznie; wystarczająco; pod dostatkiem; ~ **and to spare** aż nadto <za dużo>; ~ **is as good as a feast** co za wiele to niezdrowo; ~ **said** dość słów; **more than** ~ aż nadto <za dużo>; **that's not** ~ to <tego> nie wystarczy; **to be** ~ wystarczyć; **to have** ~ **to** __ mieć z czego... (zapłacić itd.); mieć za co... (kupić itd.); **to have** ~ **to live on** mieć z czego żyć 2. *po przysłówku lub przymiotniku:* na tyle; **be good** ~ **to** __ a) bądź/cie tak dob-ry/rzy i... b) *handl* (*w listach*) prosimy o łaskawe... (przesłanie, poinformowanie nas itd.); **it's comfortable** ~ to ujdzie, jeżeli chodzi o wygodę; **it's true** ~ to prawda; **she is good-looking** ~ ona jest niebrzydka; **to be foolish** ~ **to** __ być na tyle niemądrym, żeby...; **you know well** ~ dobrze wie-sz/cie; **and sure** ~ i rzeczywiście <istotnie>; ani chybi; **curiously** <**oddly**> ~ i rzecz ciekawa...; i co ciekawe, (to)...; i dość nieoczekiwanie...; **good** ~ niezły; **well** ~ nie najgorzej

enounce [i'nauns] *vt* 1. wypowi-edzieć/adać (sentencję itd.); wygł-osić/aszać 2. wym-ówić/awiać

enouncement [i'naunsmənt] *s* 1. wypowiedź 2. wymowa (sposób wymawiania)

enow [i'nau] † *poet* = **enough** *adv*

en passant [ɑ̃'pæsɑ̃:] *adv* nawiasowo, mimochodem, en passant

enplane [in'plein] = **emplane**

enquire = **inquire**

enquiry = **inquiry**

enrage [in'reidʒ] *vt* rozwściecz-yć/ać; rozwściekl-ić/ać; doprowadz-ić/ać do wściekłości *zob* **enraged**

enraged [in'reidʒd] [I] *zob* **enrage** [II] *adj* rozwścieczony <doprowadzony do wściekłości> (**at** <**by, with**> **sth** czymś)

enrapt [in'ræpt] *adj* zachwycony; (będący) w zachwycie

enrapture [in'ræptʃə] *vt* zachwyc-ić/ać; oczarow-ać/ywać; por-wać/ywać; **to be** ~**d with sth** zachwycić się czymś; być czymś oczarowanym

enrich [in'ritʃ] *vt* 1. wzbogac-ić/ać 2. użyźni-ć/ać (glebę) 3. o/zdobić, ozdabiać

enrichment [in'ritʃmənt] *s* wzbogacenie

enrobe [in'roub] *vt* oble-c/kać (kogoś) w togę <szatę>

enrol(l) [in'roul] *v* (**-ll-**) [I] *vt* 1. wciąg-nąć/ać <wpis-ać/ywać> do rejestru; zapis-ać/ywać (**in a society etc.** do towarzystwa itd.) 2. z/werbować; za/angażować 3. zaciąg-nąć/ać do wojska [II] *vr* ~ **oneself** 1. zapis-ać/ywać się (do towarzystwa, na uniwersytet itd.) 2. zaciągnąć się <wstąpić> (do wojska) [III] *vi* 1. zapis-ać/ywać się (**for a course** na kurs) 2. zaciąg-nąć/ać się <wst-ąpić/ępować> (**in the Air Force etc.** do lotnictwa itd.)

enrolment [in'roulmənt] *s* 1. za/rejestrowanie 2. wpis/y 3. zaciąg, pobór, werbunek 4. stan liczebny

en route [ɑ̃:'ru:t] *adv* w drodze

ens [enz] *s* (*pl* **entia** ['enʃiə]) istnienie; byt; coś istniejącego

ensanguined [in'sæŋgwind] *adj lit* pokrwawiony; broczący krwią

ensconce [in'skɔns] *vt vr* (**oneself**) ukry-ć/wać (się); skry-ć/wać <schować, skulić> (się)

ensemble [ɑ̃'sɑ̃bl] *s* 1. całokształt 2. *muz* zespół

enshrine [in'ʃrain] *vt* 1. umie-ścić/szczać <przechow-ać/ywać> w relikwiarzu; *przen* oprawi-ć/ać w ramki 2. czcić jak świętość; stawiać na ołtarzu 3. być relikwiarzem <godną świętości oprawą> (**sth** dla czegoś)

enshroud [in'ʃraud] *vt* osł-onić/aniać; ukry-ć/wać (przed wzrokiem)

ensiform ['ensi,fɔ:m] *adj anat bot* mieczykowaty

ensiform-leaved ['ensi,fɔ:m'li:vd] *adj bot* (*o liściach*) równowąskie

ensign ['ensain] *s* 1. chorągiew; sztandar; flaga; *mar* bandera 2. znami-ę/ona <insygnia, oznaki> (władzy itp.) 3. † *wojsk* chorąży 4. † *wojsk* podporucznik; *am mar* chorąży (odpowiednik podporucznika w armii lądowej)

ensigncy ['ensainsi] *s* ranga chorążego

ensilage ['ensilidʒ] [I] *s* silosowanie [II] *vt* silosować
enslave [in'sleiv] *vt* 1. u/czynić (kogoś) niewolnikiem; ujarzmi-ć/ać 2. podbi-ć/jać (serce) 3. opanow-ać/ywać; **to be ~d to (a) habit <superstition>** być niewolnikiem nałogu <zabobonu>
enslavement [in'sleivmənt] *s* ujarzmienie; niewola
enslaver [in'sleivə] *s* zdobyw-ca/czyni (serc)
ensnare [in'snɛə] *vt* 1. chwy-cić/tać w sidła 2. *przen* usidl-ić/ać
ensue [in'sju:] *vi* 1. nast-ąpić/ępować (**on <from> sth** po czymś) 2. wynik-nąć/ać <wypły-nąć/wać> (**on <from> sth** z czegoś) *zob* **ensuing**
ensuing [in'sju:iŋ] [I] *zob* **ensue** [II] *adj* 1. następujący 2. późniejszy; dalszy (w czasie) 3. wynikający <wynikły, wypływający> (**on <from> sth** z czegoś)
ensure [in'ʃuə] *vt* 1. zapewni-ć/ać <zabezpiecz-yć/ać, za/gwarantować> (**sth to <for> sb** coś komuś) 2. zabezpiecz-yć/ać (**sb, sth against <from> sth** kogoś, coś przed czymś)
enswathe [in'sweið] *vt dosł i przen* owi-nąć/jać; zawi-nąć/jać; spowi-ć/jać
entablature [en'tæblətʃə] *s arch* belkowanie
entablement [en'teiblmənt] *s* postument
entail [in'teil] [I] *vt* 1. *prawn* ustan-owić/awiać (dziedzica dla majoratu) 2. s/powodować; pociąg-nąć/ać za sobą (**sth** coś; **sth on sb** coś ze strony czyjejś) 3. wymagać (**sth on sb** czegoś od kogoś) [II] *s prawn* 1. ustanowienie dziedzica dla majoratu 2. majorat
entailment [in'teilmənt] = **entail** *s*
entangle [in'tæŋgl] *vt* 1. po/plątać; po/gmatwać; po/wikłać; **to get <become> ~d** po/plątać <po/gmatwać, po/wikłać> się 2. zapląt-ać/ywać <wpląt-ać/ywać, uwikłać> (**sb in sth** kogoś w coś); **to get <become> ~d in sth** a) zaplątać <wplątać> się b) dać się wplątać <uwikłać> w coś 3. usidl-ić/ać; z/łapać w pułapkę <w matnię>
entanglement [in'tæŋglmənt] *s* 1. plątanina; gmatwanina; powikłanie; matnia 2. zator 3. zasiek (z drutu kolczastego)
entasis [in'teisis] *s arch* entaza
entente [ɑ̃:'tɑ̃:t] *s polit* porozumienie; ententa
enter ['entə] [I] *vi* 1. wejść/wchodzić <wkr-oczyć/aczać, wst-ąpić/ępować, wbie-c/gać> (**into a room etc.** do pokoju itd.); **to ~ on one's x-th year** rozpocząć x-ty rok życia 2. wejść/wchodzić (**into details** w szczegóły); do-jść/chodzić (**into an agreement** do porozumienia); zaw-rzeć/ierać (**into a contract** umowę); wst-ąpić/ępować (do służby); przyst-ąpić/ępować (do rozmowy); **it does not ~ into my interests** nie interesuję się tym; **it had not ~ed into my calculation** tego nie brałem pod uwagę 3. zgł-osić/aszać się (**for a race** jako zawodnik do biegu) 4. *w zwrocie:* **to ~ on <upon>** — przyst-ąpić/ępować <zabierać się> do... (pracy, wykonywania czegoś); wejść/wchodzić w posiadanie ... (czegoś); nawiąz-ać/ywać ... (porozumienie, rozmowy); wst-ąpić/ępować do ... (zawodu); ob-rać/ierać ... (zawód); otw-orzyć/ierać ... (przedsiębiorstwo); wda-ć/wać się w ... (interesy itd.) [II] *vt* 1. wejść/wchodzić <wkr-oczyć/aczać, wbie-c/gać, wedrzeć/wdzierać się> (**a room etc.** do pokoju itd.); wst-ąpić/ępować (**a shop etc.** do sklepu itd.); wje-chać/żdżać (**a station etc.** na dworzec itd.); wpły-nąć/wać (**a port etc.** do portu itd.); (*o przedmiocie, gwoździu itd*) wejść/wchodzić <wleźć/włazić> (**a plank, wall etc.** w deskę, mur itd., **the flesh etc.** w ciało itd.); (*o zwierzęciu*) wejść/wchodzić <wleźć/włazić> (**a stable etc.** do stajni itd.); wl-ecieć/atywać (**a zone etc.** do strefy itd., **the clouds etc.** w chmury itd.); (*o pojęciach itp*) przenik-nąć/ać <przedosta-ć/wać się> (**people's minds etc.** do umysłów itd.); (*o pomyśle*) przy-jść/chodzić (**a man's head** komuś do głowy) 2. wst-ąpić/ępować (**the army, a profession, a monastery, the university etc.** do wojska, zawodu, klasztoru, na uniwersytet itd.); **to ~ the Church** wyświęc-ić/ać się 3. wciąg-nąć/ać <zapis-ać/ywać> (**a list** na listę); wpis-ać/ywać (kogoś gdzieś); za/notować; zgł-osić/aszać (**a horse for a race** konia do wyścigu); **to ~ an amount to <against> sb** zapisać kwotę na dobro <w ciężar> czyjegoś rachunku; **to ~ an item in the ledger** za/księgować (wypłatę itp.) 4. wn-ieść/osić (skargę, protest)
enteric [en'terik] [I] *adj* jelitowy [II] *s* (*także* **~ fever**) dur <tyfus> brzuszny
enteritis [ˌentə'raitis] *s med* enteritis, zapalenie jelit
enterprise ['entəˌpraiz] *s* 1. *handl* przedsiębiorstwo; dom handlowy; firma 2. przedsięwzięcie; zadanie 3. przedsiębiorczość; inicjatywa; **to have ~** być przedsiębiorczym (człowiekiem); mieć inicjatywę; **he has no ~** on nie jest przedsiębiorczy
enterprising ['entəˌpraiziŋ] *adj* przedsiębiorczy; (*o człowieku*) z inicjatywą
entertain [ˌentə'tein] [I] *vt* 1. zabawi-ć/ać, u/bawić; rozerwać <zaj-ąć/mować> (towarzystwo itd.) 2. pod-jąć/ejmować (gościa itp.); po/częstować; u/gościć; **to ~ angels unawares** udzielić gościny dostojnikowi nie wiedząc kim jest 3. nosić się (**an idea** z myślą <z zamiarem>) 4. rozważ-yć/ać <przyj-ąć/mować> (wniosek itp.) 5. życzliwie ustosunkow-ać/ywać się (**sth** do czegoś) 6. dozna-ć/wać (**sth** czegoś — obawy itp.); mieć (obawy, podejrzenia itp.) 7. żywić (nadzieję, wrogie <przyjazne> uczucia itp.); wy/pieścić (marzenia, nadzieje itp.); **to ~ an illusion** łudzić się 8. utrzymywać (korespondencję, stosunki) [II] *vi* przyjmować gości; prowadzić życie towarzyskie *zob* **entertaining**
entertainer [ˌentə'teinə] *s* 1. gospod-arz/yni (przyjmując-y/a gości) 2. piosenka-rz/rka 3. deklamator/ka 4. komi-k/czka 5. magik
entertaining [ˌentə'teiniŋ] [I] *zob* **entertain** [II] *adj* zabawny; zajmujący
entertainment [ˌentə'teinmənt] *s* 1. zabawa; rozrywka; uciecha; **much to my ~** ku wielkiej mojej uciesze 2. przedstawienie; widowisko; **~ tax** podatek od widowisk 3. uczta; biesiada; przyjęcie 4. † nocleg z wiktem (dla podróżnych)
enthral [in'θrɔ:l] *vt* (**-ll-**) 1. *zw przen* u/czynić (kogoś) niewolnikiem; † *lit* ujarzmi-ć/ać 2. oczarować *zob* **enthralling**
enthralling [in'θrɔ:liŋ] [I] *zob* **enthral** [II] *adj* czarujący; czarowny
enthralment [in'θrɔ:lmənt] *s* 1. † *lit* ujarzmienie 2. oczarowanie; czar
enthrone [in'θroun] *vt* 1. osadz-ić/ać (króla) na tronie 2. intronizować (biskupa itp.)
enthronement [in'θrounmənt], **enthronization** [inˌθrounai'zeiʃən] *s* 1. osadzenie (króla) na tronie 2. intronizacja (biskupa itd.)
enthuse [in'θju:z] *vi* entuzjazmować <zachwyc-ić/ać> się (**over <about> sth** czymś)

enthusiasm [in'θju:zi,æzəm] *s* entuzjazm (**for** <**about**> **sb, sth** dla kogoś, do czegoś); zapał (**for** <**about**> **sth** do czegoś)

enthusiast [in'θju:zi,æst] *s* 1. entuzjast-a/ka (**for sth** czegoś); **a sports ~** zapalony sportowiec; **to be an ~ of —** pasjonować się ... (czymś) 2. *†* wizjoner/ka

enthusiastic [in,θju:zi'æstik] *adj* 1. entuzjastyczny; **to be ~ over** <**about**> **sth** entuzjazmować <pasjonować> się czymś 2. zapalony (badacz, sportowiec itd.); zagorzały (zwolennik); **to become ~ over sth** entuzjazmować się czymś; zapal-ić/ać się do czegoś

enthymeme ['enθi,mi:m] *s log* entymemat

entia *zob* **ens**

entice [in'tais] *vt* 1. z/wabić; z/nęcić; z/mamić 2. s/kusić <s/korcić> (**sb to do sth** kogoś do zrobienia czegoś); **to ~ sb away from sth** odciągnąć kogoś od czegoś *zob* **enticing**

enticement [in'taismənt] *s* 1. ponęta; pokusa; nęcenie; wabienie 2. czar; urok 3. przynęta

enticer [in'taisə] *s* kusiciel/ka

enticing [in'taisiŋ] [I] *zob* **entice** [II] *adj* nęcący; ponętny; powabny

entire [in'taiə] [I] *adj* 1. cały; nietknięty 2. całkowity; niepodzielny 3. zupełny; kompletny 4. wyłączny 5. (*o zaufaniu, uczuciu itp*) pełny, nieograniczony 6. (*o zwierzęciu*) nie kastrowany [II] *s* 1. nie kastrowane zwierzę 2. gatunek piwa <porteru>

entirely [in'taiəli] *adv* całkowicie; zupełnie; w zupełności; w całości; kompletnie; wyłącznie; niepodzielnie; **you are ~ mistaken** grubo się myli-sz/cie; jesteś/cie w wielkim błędzie

entireness [in'taiənis], **entirety** [in'taiəti] *s* 1. całość 2. integralność 3. suma

entitle [in'taitl] *vt* 1. za/tytułować (książkę, pracę itp.) 2. naz-wać/ywać 3. nada-ć/wać (**sb** komuś) tytuł; za/mianować 4. upoważni-ć/ać <uprawni-ć/ać> (**sb to sth** <**to do sth**> kogoś do czegoś <do zrobienia czegoś>); **to be ~d to —** mieć prawo do ...

entity ['entiti] *s* 1. jednostka 2. istota 3. (realne) istnienie 4. rzecz realnie istniejąca

entomb [in'tu:m] *vt* 1. pogrzebać 2. być grobem (**sb** dla kogoś); służyć (**sb** komuś) za grób

entombment [in'tu:mmənt] *s* złożenie do grobu

entomological [,entəmə'lɔdʒikəl] *adj* entomologiczny

entomologist [,entə'mɔlədʒist] *s* entomolog

entomology [,entə'mɔlədʒi] *s* entomologia

entomophagous [entə'mɔfəgəs] *adj* owadożerny

entomophilous [entə'mɔfiləs] *adj bot* owadopylny

entophyte ['entou,fait] *s bot* roślina pasożytnicza

entourage [,ɔntu'rɑ:ʒ] *s* 1. otoczenie 2. towarzystwo

en-tout-cas [ɑ̃:'tu:kɑ:] *s* parasol chroniący przed deszczem i słońcem

entozoon [,entou'zouɔn] *s* (*pl* **entozoa** [,entou'zouə]) *zoo* pasożyt

entr'acte ['ɔntrækt] *s* 1. antrakt, przerwa (między aktami) 2. wstawka (między aktami)

entrails ['entreilz] *spl* 1. wnętrzności; jelita 2. *przen* wnętrze (ziemi itd.)

entrain [in'trein] [I] *vt* za/ładować (wojsko) do pociągu [II] *vi* (*o wojsku*) wsi-ąść/adać do pociągu

entrammel [in'træməl] *vt* (**-ll-**) zapląt-ać/ywać; u/wikłać; s/pętać

entrance[1] ['entrəns] [I] *s* 1. wejście (drzwi itp. oraz czynność wchodzenia); wjazd; **to force an ~ into —** a) wedrzeć/wdzierać się do ... b) wyważ-yć/ać <wywal-ić/ać> drzwi do ...; **to make an ~** wejść/wchodzić 2. ukazanie się (aktora na scenie) 3. dostęp (do wnętrza czegoś) (dla osób, kurzu itp.) 4. wstęp; opłata za wstęp; **to give ~ to sb** wpu-ścić/szczać kogoś 5. objęcie (**into office** <**upon one's duties etc.**> urzędu <obowiązków itd.>) [II] *attr* (*o drzwiach itd*) wejściowy; (*o egzaminie itd*) wstępny; (*o opłacie itd*) za wstęp

entrance[2] [in'trɑ:ns] *vt* 1. wprawi-ć/ać w trans; pogrąż-yć/ać we śnie hipnotycznym; pogrąż-yć/ać w ekstazie 2. zachwyc-ić/ać; **to be ~d with** <**by**> **sb, sth** zachwyc-ić/ać się kimś, czymś; unosić się nad kimś, czymś; **to ~ sb with joy** wprawi-ć/ać kogoś w szał radości

entrant ['entrənt] *s* 1. początkując-y/a (w zawodzie) 2. uczestni-k/czka (**for a competition etc.** konkursu itp.) 3. człowiek wchodzący

entrap [in'træp] *vt* (**-pp-**) 1. wpędz-ić/ać w zasadzkę <w matnię>; usidl-ić/ać 2. podstępem doprowadz-ić/ać (**sb to destruction etc.** kogoś do zguby itd.; **sb into doing sth** <**promising sth etc.**> kogoś do zrobienia czegoś <do przyrzeczenia czegoś itd.>)

entreat [in'tri:t] [I] *vt* błagać <usilnie prosić> (**sb to do sth** kogoś, żeby coś zrobił; **sb's permission** <**indulgence etc.**> kogoś o pozwolenie <o wyrozumiałość itd.>) [II] *vi* błagać (**of sb to —** kogoś, żeby ... — coś zrobił) *zob* **entreating**

entreating [in'tri:tiŋ] [I] *zob* **entreat** [II] *adj* błagalny

entreaty [in'tri:ti] *s* usilna prośba; błaganie; **a look of ~** błagalne spojrzenie

entrechat [,ɑ̃:trə'ʃɑ:] *s chor* skok z równoczesnym uderzeniem obcasami <ze skrzyżowaniem nóg>

entrecote [,ɔntrə'kout] *s kulin* antrykot; kotlet

entrée ['ɔñtrei] *s* 1. wstęp (**to** <**into**> **a home etc.** do czyjegoś domu itd.) 2. *kulin* danie podawane między daniem rybnym a mięsnym

entrench [in'trentʃ] [I] *vt wojsk* ot-oczyć/aczać okopem, okop-ać/ywać [II] *vr* **~ oneself** 1. okop-ać/ywać się 2. *przen* zasł-onić/aniać <obwarow-ać/ywać> się (**behind** <**in**> **sth** czymś) [III] *vi* wykr-oczyć/aczać (**upon sth** przeciw czemuś)

entrenchment [in'trentʃmənt] *s* 1. okop; pierścień okopów 2. wykroczenie (**upon sth** przeciw czemuś)

entrepôt ['ɑ̃:trə,pou] *s* 1. składnica; magazyn; skład 2. port przeładunkowy <rozdzielczy>

entrepreneur [,ɔntrəprə'nə:] *s* 1. impresario 2. przedsiębiorca

entresol [,ɔntrə'sɔl] *s* antresola; wysoki parter

entropy ['entrəpi] *s fiz* entropia

entrust [in'trʌst] *vt* powierz-yć/ać (**sth to sb, sb with sth** coś komuś)

entry ['entri] *s* 1. wejście 2. wstęp; wkroczenie; wjazd; wlot; **to make one's ~** wejść/wchodzić; ukaz-ać/ywać się; **no ~** wstęp <wjazd> wzbroniony 3. *am* początek (okresu, miesiąca itd.) 4. *myśl* młode psy w sforze; *przen* młode pokolenie 5. *prawn* wejście w posiadanie; **illegal ~** włamanie się 6. *górn* wchód; wlot; chodnik 7. pozycja (w spisie, rejestrze, księgowości); zapis; *księgow* **bookkeeping by double ~** podwójna księgowość 8. notatka; artykuł (w encyklopedii itp.); hasło

(w słowniku) 9. *sport* lista uczestników; uczestni-k/czka (w zawodach); zgłoszenie (do zawodów) 10. *mar* deklaracja celna
entwine [in'twain] [I] *vt* 1. spl-eść/atać; **with arms ~d** z rękami założonymi na piersiach 2. przeplatać 3. opl-eść/atać (**with sth** czymś; **about sth** wokół czegoś) [II] *vi* 1. spl-eść/atać się 2. owi-nąć/jać się (**round sth** wokół czegoś)
entwist [in'twist] *vt* wpl-eść/atać
enucleate [i'nju:kli,eit] *vt* 1. *med* wyłu-szczyć/skiwać 2. wyjaśni-ć/ać; wyświetl-ić/ać
enucleation [i,njukli'eiʃən] *s* 1. *med* wyłu-szczenie/skiwanie 2. wyjaśni-enie/anie; wyświetl-enie/anie (zagadnienia itd.)
enumerate [i'nju:mə,reit] *vt* 1. wylicz-yć/ać 2. po/liczyć; sporządz-ić/ać wykaz (**sth** czegoś)
enumeration [i,nju:mə'reiʃən] *s* 1. wylicz-enie/anie 2. policzenie; wykaz
enunciate [i'nʌnsi,eit] [I] *vt* 1. wyra-zić/żać <wypowi-edzieć/adać> (opinię itd.); głosić 2. ogł-osić/aszać [II] *vi* wymawiać (dobrze, źle itd.); mieć wymowę <dykcję> (**clearly etc.** wyraźną itd.)
enunciation [i,nʌnsi'eiʃən] *s* 1. wyrażenie <wypowiedzenie> (opinii itd.); wypowiedź; enuncjacja 2. *mat* twierdzenie 3. wymowa, dykcja
enure = **inure**
enuresis [,enjuə'ri:sis] *s med* moczenie bezwiedne
envelop [in'veləp] *vt* 1. owi-nąć/jać <okry-ć/wać, osnu-ć/wać> (**in sth** czymś); zawi-nąć/jać <spowi-ć/jać> (**in sth** w coś) 2. (*o płomieniach, ogniu*) ob-jąć/ejmować 3. *wojsk* okrąż-yć/ać; ot-oczyć/aczać
↑**envelope** ['envi,loup] *s* 1. koperta (na list) 2. otoczka; pokrywka; *bot* powłoka 3. *mat* obwiednia
envelopment [in'veləpmənt] *s* 1. owinięcie; okrycie; spowinięcie 2. *wojsk* okrążenie
envenom [in'venəm] *vt* 1. *dosł i przen* zatru-ć/wać; truć 2. podsyc-ić/ać (kłótnię itp.); zaogni-ć/ać (dyskusję itd.)
enviable ['enviəbl] *adj* godny pozazdroszczenia
envious ['enviəs] *adj* 1. zawistny 2. zazdrosny (**of sb, sth** o kogoś, coś); (*o oczach, spojrzeniu*) pełen zazdrości; **to make sb ~** wzbudz-ić/ać w kimś zazdrość
environ [in'vaiərən] *vt* ot-oczyć/aczać; opas-ać/ywać; okrąż-yć/ać
↑**environment** [in'vaiərənmənt] *s* otoczenie; środowisko
↑**environmental** [in,vaiərən'mentəl] *adj* środowiskowy; wywołany wpływem środowiska; (*o wpływie itd*) środowiska
environs ['envirənz] *spl* okolica; sąsiedztwo (miasta itd.)
envisage [in'vizidʒ] *vt* 1. patrzyć w oczy <spojrzeć w twarz> (**a danger etc.** niebezpieczeństwu itd.) 2. stanąć w obliczu (**sth** czegoś — trudności itp.) 3. wyobra-zić/żać sobie; widzieć (**sth in a certain light** coś w pewnym świetle)
envoy[1] ['envɔi] *s* 1. wysłanni-k/czka 2. *dypl* poseł
envoy[2] ['envɔi] *s* 1. końcowa zwrotka utworu poetyckiego 2. wiersz dedykacyjny
envy ['envi] [I] *s* 1. zawiść; **out of ~** przez zawiść 2. zazdrość (**of sb** o kogoś; **of** <**at**> **sth** z powodu czegoś <o coś>) 3. przedmiot zazdrości [II] *vt* (**envied** ['envid], **envied; envying** ['enviiŋ]) zazdrościć (**sb** komuś; **sb sth** komuś czegoś); być zazdrosnym (**sth** o coś); **to be envied** być przedmiotem zazdrości; **he is envied by everybody** wszyscy mu zazdroszczą
enwind [in'waind] *vt* opl-eść/atać (coś)
enwrap [in'ræp] *vt* (**-pp-**) 1. owi-nąć/jać; spowi-ć/jać; zawi-nąć/jać (coś w coś) 2. *przen* pogrąż-yć/ać (kogoś <coś> w czymś)
enwreathe [in'ri:ð] *vt* 1. ozd-obić/abiać wieńcem <girlandą> 2. opl-eść/atać
enzootic [,enzou'ɔtik] [I] *adj* (*o chorobie itp*) miejscowy; właściwy jakiejś okolicy [II] *s* enzootia, miejscowa choroba bydła
enzyme ['enzaim] *s chem* ferment, enzym; zaczyn
eocene ['i:ou,si:n] *s geol* eocen
eolithic [,i:ou'liθik] *adj* eolityczny
eon = **aeon**
epact ['i:pækt] *s astr* epakta
eparch ['epɑ:k] *s* eparch
eparchy ['epɑ:ki] *s* eparchia
epaulette ['epɔ:,let] *s* epolet; szlifa; **to win one's ~s** zdobyć szlify oficerskie
epenthesis [e'penθisis] *s jęz* epenteza
epenthetic [,epen'θetik] *adj jęz* epentetyczny, wtrącony
epergne [i'pə:n] *s* patera
ephebe [e'fi:bi:] *s* efeb
ephedrin(e) ['efədrin] *s farm* efedryna
ephelis [e'fi:lis] *s* (*pl* **ephelides** [e'fi:li,di:z]) piega
ephemera [i'femərə] *s* 1. *zoo* efemeryda, jętka jednodniówka 2. *przen* efemeryda
ephemeral [i'femərəl] *adj* efemeryczny
ephemeris [i'femərɪs] *s* (*pl* **ephemerides** [,efi'meri,di:z]) *astr* efemeryda
ephemeron [i'femərɔn] *s* (*pl* **~s, ephemera** [i'femərə]) = **ephemera** 1.
ephor ['i:fɔ:] *s* (*u staroż. Greków*) efor
epic ['epik] [I] *adj* epiczny [II] *s* epika
epicedium [,epi'si:diəm] *s* oda żałobna
epicene ['epi,si:n] [I] *adj gram* (*o wyrazie*) rodzaju wspólnego [II] *s* hermafrodyta
epicentre ['epi,sentə], **epicentrum** [,epi'sentrəm] *s geol* epicentrum
epicranium [epi'kreiniəm] *s anat* naczaszna
epicure ['epi,kjuə] *s* 1. epikurejczyk 2. smakosz
Epicurean [,epikjuə'riən] [I] *adj filoz* epikurejski [II] *s filoz* epikurejczyk
epicurism ['epikjuə,rizəm] *s filoz* epikureizm
epicycle ['epi,saikl] *s geom* epicykl
epicycloid [,epi'saiklɔid] *s geom* epicykloida
epidemic [epi'demik] [I] *adj* epidemiczny [II] *s* epidemia
epidemiology [,epi,di:mi'ɔlədʒi] *s* epidemiologia
epidermic [,epi'də:mik] *adj anat* naskórny
epidermis [,epi'də:mis] *s anat* naskórek
epidiascope [,əpi'daiə,skoup] *s* epidiaskop
epigastric [,epi'gæstrik] *adj anat* nadbrzuszny
epigene ['epi,dʒi:n] *adj geol* epigenetyczny
epiglottis [,epi'glɔtis] *s anat* nagłośnia
epigone ['epi,goun] *s* epigon/ka
epigram ['epi,græm] *s* epigramat
epigramatic [,epigrə'mætik] *adj* 1. epigramatyczny 2. zwięzły
epigraph ['epi,grɑ:f] *s* epigraf
epilepsy ['epi,lepsi] *s med* epilepsja, padaczka
epileptic [,epi'leptik] [I] *s* epilepty-k/czka [II] *adj* epileptyczny
epilogue ['epi,lɔg] *s* epilog
Epiphany [i'pifəni] *s* święto Trzech Króli

epiphyte ['epi,fait] *s bot* epifit

episcopacy [i'piskəpəsi] *s* episkopat

episcopal [i'piskəpəl] *adj* biskupi; **Episcopal Church** Kościół episkopalny

episcopalian [i,piskə'peiliən] [I] *adj* (*o Kościele itd*) episkopalny [II] *s* człon-ek/kini Kościoła episkopalnego

episcopate [i'piskəpit] *s* 1. episkopat 2. biskupstwo

episode ['epi,soud] *s* epizod

episodic [,epi'sɔdik] *adj* epizodyczny

epistemology [e,pistə'mɔlədʒi] *s filoz* epistemologia, teoria poznania

epistle [i'pisl] *s* 1. list apostolski 2. epistoła

epistrophe [e'pistrəfi] *s ret* epistrofa

epistyle ['epi,stail] *s arch* epistyl, architraw

epitaph ['epi,tɑ:f] *s* epitafium

epithalamium [,epiθə'leimiəm] *s* (*pl* **~s, epithalamia** [,epiθə'leimiə]) epitalamium

epithelium [,epi'θi:ljəm] *s anat* nabłonek

epithet ['epiθet] *s* epitet

epitome [i'pitəmi] *s* skrót; streszczenie

epitomize [i'pitə,maiz] *vt* stre-ścić/szczać

epizoon [,epi'zouɔn] *s* (*pl* **epizoa** [,epi'zouə]) *zoo* pasożyt naskórny

epizootic [,epizou'ɔtik] *adj wet* epizootyczny

epizooty [,epi'zouəti] *s wet* epizootia, pomorek, zaraza na zwierzęta

epoch ['i:pɔk] *s* epoka

epochal ['epɔkəl], **epoch-making** ['i:pɔk,meikiŋ] *adj* epokowy

epode ['epoud] *s prozod* epoda

eponym ['epənim] *s hist* eponim

epopee ['epə,pi:] *s* epopeja

epos ['epɔs] *s* epos

epsilon [ep'sailən] *s gr litera* epsilon

Epsom ['epsəm] *spr* wieś, w której odbywają się słynne wyścigi Derby; **~ salts** sól gorzka

equability [,ekwə'biliti] *s* równość (usposobienia, klimatu itp.); równomierność

equable ['ekwəbl] *adj* (*o usposobieniu*) zrównoważony; (*o klimacie itd*) równy; równomierny; jednaki

equal ['i:kwəl] [I] *adj* 1. równy (**with sb, sth** komuś, czemuś — rozmiarami, rangą, wiekiem itd.); (*o liczbach, znaczeniu itd*) **to be ~ to** — równać się... (czemuś); **twice three is ~ to six** dwa razy trzy równa się sześć 2. jednakowy, jednaki; **all things being ~** w takich samych warunkach; **on ~ terms** a) na równych <jednakowych> warunkach b) jak równi z równymi; **to get ~ with sb** a) zemścić się na kimś b) zrewanżować <odpłacić> się komuś 3. na wysokości (zadania); **to be ~ to doing sth** być w stanie coś zrobić; **to be ~ to sb's expectations** nie zawieść czyichś nadziei; **to be ~ to sth** a) (*także* **to be ~ to the occasion**) sta-nąć/ć na wysokości zadania b) dorównać czemuś c) móc się uporać z czymś; czuć się na siłach do czegoś; podołać czemuś; **not to be ~ to sth** nie dor-osnąć/astać do czegoś; **I didn't feel ~ to (doing) it** nie miałem odwagi na to [II] *s* (człowiek) równy (innemu); **he <she etc.> has no ~** nikt mu <jej itd.> nie dorówna; **to live as ~s** żyć jak równ-y/i z równym/i; **to mix with one's ~s** obcować z równymi (sobie) [III] *vt* (**-ll-**) równać się (**sb, sth** z kimś, czymś); dorówn-ać/ywać (**sb, sth** komuś, czemuś); stać na jednym szczeblu, (**sb, sth** z kimś, czymś); **not to be ~led** niezrównany

equalitarian [i,kwɔli'tɛəriən] *s* zwolenni-k/czka równości praw

equality [i'kwɔliti] *s* równość; **sign of ~** znak równania; **on an <on a footing of> ~ with sb** na płaszczyźnie równości <na równej stopie> z kimś

equalization [,i:kwəlai'zeiʃən] [I] *s* zrównanie; wyrównywanie [II] *attr* (*o funduszu itd*) wyrównawczy

equalize ['i:kwə,laiz] [I] *vt* zrówn-ać/ywać; wyrówn-ać/ywać [II] *vi* zrówn-ać/ywać się; s/kompensować się *zob* **equalizing**

equalizer ['i:kwə,laizə] *s techn* wyrównywacz; kompensator

equalizing ['i:kwə,laiziŋ] [I] *zob* **equalize** [II] *adj* wyrównawczy; wyrównujący; *techn* **~ gear** dyferencjał

equally ['i:kwəli] *adv* 1. równo; jednakowo; tak samo; **~ well** równie dobrze 2. w równym stopniu; w równej mierze

equanimity [,i:kwə'nimiti] *s* spokój (umysłu)

equate [i'kweit] *vt* z/równać; wyrówn-ać/ywać

equation [i'kweiʃən] *s* 1. wyrównywanie <bilansowanie> (rozchodu i przychodu, podaży i popytu itd.) 2. *mat astr* równanie 3. *fiz* bilans (cieplny)

equator [i'kweitə] *s* równik

equatorial [,ekwə'tɔ:riəl] *adj* równikowy; tropikalny

equerry ['ekwəri] *s* koniuszy

equestrian [i'kwestriən] [I] *adj* (*o posłańcu itd*) konny; (*o pokazie itd*) jeździecki, konnej jazdy; (*o ćwiczeniach itd*) w konnej jeździe [II] *s* jeździec

equiangular [,i:kwi'æŋgjulə] *adj* równokątny

equidistant ['i:kwi'distənt] *adj* równoodległy; równoległy

equilateral ['i:kwi'lætərəl] *adj* równoboczny

equilibrate [,i:kwi'laibreit] *vt vi* z/równoważyć (się)

equilibration [,i:kwilai'breiʃən] *s* zrównoważenie; równowaga

equilibrist [i:'kwilibrist] *s* ekwilibryst-a/ka, linoskoczek

equilibrium [,i:kwi'libriəm] *s* równowaga

equimultiple ['i:kwi'mʌltipl] *adj* (*o liczbach*) równopodzielny, współwielokrotny

equine ['i:kwain] *adj* koński; **the ~ species** zwierzęta jednokopytne

equinoctial [,i:kwi'nɔkʃəl] [I] *adj* równonocny [II] *s* 1. (*także* **~ line**) linia równonocna; równik niebieski 2. *pl* **~s** wiatry <burze> towarzyszące zrównaniu dnia z nocą

equinox ['i:kwi,nɔks] *s* zrównanie dnia z nocą

equip [i'kwip] *vt* (**-pp-**) 1. zaopat-rzyć/rywać <wyposaż-yć/ać> (**with sth** w coś); wy/ekwipować 2. *wojsk techn* uzbr-oić/ajać

equipage ['ekwipidʒ] *s* 1. ekwipaż; pojazd 2. zaopatrzenie; wyposażenie; ekwipunek

equipment [i'kwipmənt] *s* 1. zaopatrzenie; wyposażenie; sprzęt; ekwipunek; wyekwipowanie 2. *techn* uzbrojenie

equipoise ['ekwi,pɔiz] [I] *s* 1. równowaga 2. przeciwwaga [II] *vt* 1. z/równoważyć 2. przeciwważyć

equipollence [,i:kwi'pɔləns] *s* 1. równa moc 2. równowartość

equipollent [,i:kwi'pɔlənt] *adj* 1. jednakowej mocy 2. równowartościowy

equiponderant [,i:kwi'pɔndərənt] *adj* równoważny

equipotential [,i:kwipə'tenʃəl] *adj fiz* ekwipotencjalny; wyrównawczy

equisetum [ˌekwi'si:təm] *s* (*pl* **~s, equiseta** [ˌekwi'si:tə]) *bot* skrzyp
equitable ['ekwitəbl] *adj* sprawiedliwy; słuszny; godziwy
equitation [ˌekwi'teiʃən] *s* konna jazda; **~ school** szkoła konnej jazdy
equity ['ekwiti] *s* 1. sprawiedliwość; słuszność; **I couldn't in ~ —** było by niesprawiedliwie, gdybym... 2. *am prawn* część majątku pozostała po zaspokojeniu wierzytelnych pretensji 3. prawo (wykupu itd.) 4. **~ securities** papiery bezprocentowe; akcje zwykłe 5. *teatr* związek zawodowy artystów scenicznych
equivalence [i'kwivələns] *s* równowartość; równoważność
equivalent [i'kwivələnt] [I] *adj* równoważny; równoznaczny; równowartościowy [II] *s* 1. równowartość 2. równoważnik, ekwiwalent
equivocal [i'kwivəkəl] *adj* 1. dwuznaczny 2. (*o odpowiedzi*) wymijający 3. (*o człowieku, charakterze, transakcji*) wątpliwej natury; podejrzany
equivocality [iˌkwivə'kæliti] *s* 1. dwuznaczność 2. dwuznacznik
equivocate [i'kwivəˌkeit] *vi* mówić dwuznacznie <wymijająco>; szukać <używać> wykrętów
equivoke, equivoque ['ekwiˌvouk] *s* 1. dwuznacznik 2. kalambur
era ['iərə] *s* era
eradiate [i'reidiˌeit] *vi lit* promieniować
eradiation [iˌreidi'eiʃən] *s* promieniowanie
eradicable [i'rædikəbl] *adj* możliwy do wykorzenienia <do wytępienia>
eradicate [i'rædiˌkeit] *vt* wyr-wać/ywać z korzeniami; *dosł i przen* wykorzeni-ć/ać <wypleni-ć/ać> (rośliny, wady itp.); wy/tępić
eradication [iˌrædi'keiʃən] *s* wykorzenienie; wytępienie
erasable [i'reizəbl] *adj* możliwy do wytarcia <do zmazania>
erase [i'reiz] *vt* 1. wy-trzeć/cierać; zeskrob-ać/ywać 2. wymaz-ać/ywać; zmaz-ać/ywać; za-trzeć/cierać
eraser [i'reizə] *s* 1. guma do wycierania 2. nożyk do wyskrobywania
erasure [i'reiʒə] *s* 1. wymazane miejsce (w tekście, liście itp.) 2. zeskrob-anie/ywanie; wymaz-anie/ywanie; wy-tarcie/cieranie 3. zn-iesienie/oszenie; s/kasowanie
erbium ['ə:biəm] [I] *s chem* erb (pierwiastek) [II] *attr* erbowy
ere [ɛə] [I] *praep poet* przed; do (wieczora, rana itd.); **~ long** niebawem; nie(za)długo; wkrótce; wnet; **~ now** już przedtem [II] *conj* (za)nim
Erebus ['eribəs] *spr* Ereb; otchłań
erect [i'rekt] [I] *adj* 1. prosty; sztywny; naprężony; wyprostowany; pionowy; podniesiony; stojący; (*o ogonie*) zadarty 2. (*o włosach*) zjeżony 3. (*o głowie*) podniesiony; zadarty 4. (*o uszach*) nastroszony [II] *vt* 1. wyprostow-ać/ywać; napręż-yć/ać; najeżyć; nastroszyć; podn-ieść/osić <za-drzeć/dzierać> (głowę) 2. ustawi-ć/ać; z/montować 3. z/budować; wzn-ieść/osić; wystawi-ć/ać 4. naprostow-ać/ywać 5. ustan-owić/awiać <u/tworzyć> (instytucję itd.) *zob* **erecting**
erectile [i'rektail] *adj* (*o tkance, organie*) wyprężny, wyprostny, wzwodny
erecting [i'rektiŋ] [I] *zob* **erect** *v* [II] *s* z/montowanie; **~ shop** montownia
erection [i'rekʃən] *s* 1. wyprostowanie; naprężenie; zjeżenie; nastroszenie; podniesienie <zadarcie> (głowy); *fizj* erekcja 2. ustawienie; zmontowanie 3. zbudowanie; budowa; wzn-iesienie/oszenie (gmachu itd.) 4. budowla; gmach; budynek 5. ustanowienie <utworzenie> (instytucji itd.)
erector [i'rektə] *s techn* 1. erektor; podajnik 2. urządzenie montażowe
eremite ['eriˌmait] *s* pustelni-k/ca, eremita
eremitic [ˌeri'mitik] *adj* pustelniczy
erethism ['eriˌθizəm] *s med* nadmierna pobudliwość
erewhile [ɛə'wail] *adv poet* ongiś
erg [ə:g], **ergon** ['ə:gon] *s fiz* erg
ergo ['ə:gou] *adv* ergo, a więc
ergon *zob* **erg**
ergot ['ə:gət] *s bot* sporysz
ergotine ['ə:gətin] *s farm* ergotyna
ergotism ['ə:gəˌtizəm] *s med* rojnica, zatrucie sporyszem
ericaceae [ˌeri'keisiˌi:] *spl bot* wrzosowate (rośliny)
Erin ['iərin] *spr* Irlandia (dawna nazwa)
eristic [e'ristik] *s* erystyka, sztuka dyskutowania
erk [ə:k] *s sl* rekrut
erl-king ['ə:lˌkiŋ] *s* 1. król elfów 2. zły duch
ermine ['ə:min] *s* 1. *zoo* gronostaj 2. futro gronostajowe; *przen* toga sędziowska
erne [ə:n] *s zoo* orzeł bielik
erode [i'roud] *vt* wygry-źć/zać; wyż-reć/erać; wy/żłobić; wytrawi-ć/ać
erogenous [e'rɔdʒinəs] *adj* budzący pożądanie płciowe; podniecający; wyzywający
erosion [i'rouʒən] *s* 1. *geol* erozja 2. *med* erozja, nadżerka
erosive [i'rousiv] *adj* erozyjny
erotic [i'rɔtik] [I] *adj* erotyczny [II] *s* wiersz erotyczny
eroticism [e'rɔtiˌsizəm] *s* lubieżność
erotism ['erəˌtizəm] *s* erotyzm
erotomania [iˌroutə'meiniə] *s* erotomania
err [ə:] *vi* 1. z/błądzić; zboczyć 2. *dosł i przen* z/grzeszyć; **not to ~ on the side of —** nie grzeszyć zbytkiem... (uczciwości, skromności itd.) 3. po/mylić się; być w błędzie; popełni-ć/ać bł-ąd/ędy 4. (*o wypowiedzi*) być nieścisłym *zob* **erring**
errand ['erənd] *s* 1. zlecenie; polecenie; sprawa (do załatwienia); sprawunek; **to go <run> (on) ~s** załatwiać polecenia <sprawunki> (**for sb** komuś); biegać za (czyimiś) sprawami 2. zadanie; cel; **what is his ~?** z czym (on) przychodzi?; (on) w jakiej sprawie?
errand-boy ['erəndˌbɔi] *s* chłopiec na posyłki; goniec
errant ['erənt] [I] *adj* 1. wędrowny; tułaczy 2. błędny [II] *s* błędny rycerz
errantry ['erəntri] *s* życie błędnego rycerza; donkiszoteria
↑**erratic** [i'rætik] *adj* 1. wędrowny 2. (*o funkcjonowaniu itp*) nierówny 3. (*o człowieku, poczynaniach*) kapryśny; niekonsekwentny; dziwaczny; narwany 4. (*o głazach*) narzutowy
erratum [i'reitəm] *s* (*pl* **errata** [i'reitə]) błąd druku <drukarski>
↑**erring** ['ə:riŋ] [I] *zob* **err** [II] *adj* zbłąkany
erroneous [i'rounjəs] *adj* błędny; mylny; fałszywy
erroneousness [i'rounjəsnis] *s* mylność; fałszywość
↑**error** ['erə] *s* 1. błąd; pomyłka; omyłka; **clerical ~** błąd w przepisywaniu; **~ of judgment** mylny sąd;

~s and omissions excepted z zastrzeżeniem błędów i opuszczeń; (*o towarach itd*) **sent in ~** mylnie skierowany 2. odchylenie 3. *przen* grzech
ersatz [ˈɛəzæts] *s* namiastka
Erse [əːs] [I] *s* język galicki (szkocko-celtycki) [II] *adj* galicki (szkocko-celtycki)
erst [əːst], **erstwhile** [ˈəːstwail] † *adv* ongi
erubescence [ˌeruːˈbesns] *s* czerwoność (twarzy); zarumienienie, rumianość
erubescent [ˌeruˈbesnt] *adj* czerwony; rumiany
eructate [iˈrʌkteit] *vi* bek-nąć/ać; czk-nąć/ać; **he ~d** odbiło mu się; czknął
eructation [ˌiːrʌkˈteiʃən] *s* odbijanie się; czk-nięcie/anie
erudite [ˈeruˌdait] [I] *adj* uczony; (*o człowieku*) o wielkiej wiedzy <erudycji> [II] *s* erudyta
erudition [ˌeruˈdiʃən] *s* erudycja; wiedza
erupt [iˈrʌpt] *vi* 1. (*o zębach*) wyrzynać się 2. (*o wulkanie*) wybuchać
eruption [iˈrʌpʃən] *s* 1. wybuch (wulkanu, namiętności, wojny, epidemii itd.); *geol* erupcja 2. *med* wysypka 3. *med* wyrzynanie się zębów
eruptive [iˈrʌptiv] *adj* 1. wybuchowy 2. *med* wysypkowy 3. *geol* erupcyjny
erysipelas [ˌeriˈsipiləs] *s med* róża
erythema [ˌeriˈθiːmə] *s med* rumień
escalade [ˌeskəˈleid] [I] *s* szturm; *hist* wdzieranie się na mury miasta przy pomocy drabin oblężniczych [II] *vt* wedrzeć/wdzierać się szturmem (**sth** na coś — mury miasta)
escalator [ˈeskəˌleitə] *s* ruchome schody
escallop [isˈkɔləp] = **scallop**
escapade [ˌeskəˈpeid] *s* eskapada; wybryk młodzieńczy; bryknięcie; ucieczka
escape [isˈkeip] [I] *vt* 1. unik-nąć/ać (**sth** czegoś — nieszczęścia itp.); **to ~ doing sth** o mało nie zrobić czegoś; **he (just) ~d being killed** o mało nie został zabity 2. ujść/uchodzić (**sth** czegoś — śmierci, kary itp.; *także* uwagi) 3. (*o zdobyczy, westchnieniu, wyrazie, krzyku itp*) wyr-wać/ywać się **sb** komuś) 4. ucie-c/kać <wyl-ecieć/atywać> z pamięci (**sb** czyjejś); **your meaning ~s me** nie rozumiem, o co ci <wam> chodzi [II] *vi* 1. ucie-c/kać; um-knąć/ykać; u/ratować się ucieczką; ujść/uchodzić (z życiem); **he ~d with a fine <fright etc.>** skończyło się na mandacie karnym <na strachu itd.> 2. wydoby-ć/wać się; (*o parze, krwi itd*) ujść/uchodzić; (*o gazie*) ul-otnić/atniać się; (*o wodzie*) przeciekać; upływać *zob* **escaped** [III] *s* 1. ucieczka; umknięcie; zmykanie; **to have a narrow ~** o włos uniknąć nieszczęścia; **I had a narrow ~** niewiele brakowało (a byłoby nieszczęście); **to make one's ~** uciec; zbiec 2. ocalenie (chorego itd.) 3. ujście; wylot; *górn* szyb ucieczkowy 4. nieszczelność; wydobywanie się <uchodzenie> (pary); ulatnianie się (gazów); przeciekanie <wypływ> (wody) 5. *bot* dziczka
escaped [isˈkeipt] [I] *zob* **escape** *v*; **~ prisoner <convict> = escapee** [II] *adj* zbiegły
escapee [ˌeskeiˈpiː] *s* zbieg, zbiegły więzień
escapement [isˈkeipmənt] *s* 1. ujście; uchodzenie 2. *techn* przelew 3. (*u zegarka*) wychwyt 4. *górn* urządzenie wychwytowe 5. *górn* urządzenie hamujące 6. (u maszyny do pisania) wyzwalacz
escape-pipe [isˈkeipˌpaip] *s* rura wylotowa
escape-valve [isˈkeipˌvælv] *s* klapa <zawór> bezpieczeństwa

escapism [isˈkeipizəm] *s psych* eskapizm, uchylanie się od życia <od obowiązków, trudności itd.>
escapist [isˈkeipist] *s psych* człowiek uchylający się od życia <od obowiązków, trudności itd.>
escarp [isˈkɑːp] *s fort* skarpa <szkarpa> (rowu fortecznego)
eschalot [ˈeʃəlɔt] = **shallot**
eschar [ˈeskɑː] *s med* strup
escharotic [ˌeskəˈrɔtik] [I] *adj* kaustyczny [II] *s* środek kaustyczny
eschatology [ˌeskəˈtɔlədʒi] *s teol* eschatologia
escheat [isˈtʃiːt] [I] *s prawn* bezdziedziczność; przejście bezdziedzicznego majątku na rzecz państwa [II] *vt* s/konfiskować (majątek) [III] *vi* (*o majątku bezdziedzicznym*) prze-jść/chodzić na rzecz państwa
eschew [isˈtʃuː] *vt* unik-nąć/ać (**sth** czegoś); powstrzym-ać/ywać się (**sth** od czegoś); z/rezygnować (**sth** z czegoś)
eschscholtzia [əˈʃɔltsiə] *s bot* mak kalifornijski
escort [ˈeskɔːt] [I] *s* 1. eskorta; konwój; straż 2. mężczyzna towarzyszący kobiecie; towarzystwo (mężczyzny); kawaler; chłopiec [II] *attr* konwojujący (statek itd.) [III] *vt* [isˈkɔːt] 1. eskortować; konwojować 2. towarzyszyć (**sb** komuś); odprowadz-ić/ać 3. *am* zalecać się (**sb** komuś, do kogoś)
escritoire [ˌeskriˈtwɑː] *s* sekretarzyk; biurko
escrow [esˈkrou] *s prawn* pisemne zobowiązanie złożone u osoby trzeciej celem oddania adresatowi po spełnieniu określonych warunków; **in ~** na przechowaniu
esculent [ˈeskjulənt] [I] *adj* jadalny [II] *s* artykuł żywnościowy
esculin [ˈeskjulin] *s chem* eskulina
escutcheon [isˈkʌtʃən] *s* 1. tarcza herbowa; **a blot on sb's ~** plama na czyjejś reputacji 2. (*w zamku u drzwi*) blaszka (przykrywająca dziurkę od klucza)
eskar, esker [ˈeskə] *s geol* esker (żwir polodowcowy)
Eskimo [ˈeskiˌmou] [I] *s* (*pl* **Eskimo, ~s, ~es**) Eskimos/ka [II] *adj* eskimoski
esophagus [iːˈsɔfəgəs] = **oesophagus**
esoteric [ˌesouˈterik] *adj* ezoteryczny
espagnolette [isˌpæniəˈlet] *s* zakrętka (u okna)
espalier [isˈpæljə] *s* 1. krata drewniana do rozpinania roślin 2. drzewo (owocowe) rozpięte na kracie
esparto(-grass) [esˈpɑːtou(ˌgrɑːs] *s bot* ostnica
especial [isˈpeʃəl] *adj* specjalny; szczególny; osobliwy; **for your ~ benefit** właśnie dla twego <waszego> dobra; **in ~** szczególnie
especially [isˈpeʃəli] *adv* specjalnie; szczególnie; zwłaszcza; przede wszystkim
Esperanto [ˌespəˈræntou] *s* esperanto
espial [isˈpaiəl] *s* podglądanie; szpiegowanie; przeszpiegi
espionage [ˌespiəˈnɑːʒ] *s* szpiegostwo; wywiad
esplanade [ˌespləˈneid] *s* esplanada
espousal [isˈpauzəl] *s* 1. orędownictwo; poparcie; obrona 2. *pl* **~s** zaręczyny; zaślubiny
espouse [isˈpauz] *vt* 1. poślubić; ożenić się (**sb** z kimś) 2. wyda-ć/wać (kobietę) za mąż 3. zosta-ć/wać zwolenni-kiem/czką <orędowni-kiem/czką, obroń-cą/czynią> (**a cause** sprawy)
esprit [ˈespriː] *s* 1. duch 2. dowcip

esprit de corps ['espri:-də'ko:] *s* duch zespołowy; poczucie solidarności
espy [is'pai] *vt* (**espied** [is'paid], **espied; espying** [is'paiiŋ]) 1. spostrze-c/gać 2. wypat-rzyć/rywać; wyśledzić
Esq. [is'kwaiə] *skr* **Esquire** tytuł grzecznościowy pisany na listach po imieniu i nazwisku adresata bez dodawania innych tytułów
Esquimau ['eski,mou] (*pl* **~x** ['eski,mouz]) = **Eskimo**
Esquire = **Esq.**
ess [es] *s* 1. *litera* s 2. przedmiot kształtu litery s
essay ['esei] [I] *s* 1. próba (**at sth** czegoś) 2. opracowanie (literackie, szkolne) 3. esej, szkic, rozprawka [II] *vt* [e'sei] *lit* 1. wypróbow-ać/ywać, podda-ć/wać (kogoś, coś) próbie 2. s/próbować (**sth** czegoś; **to do sth** zrobić coś)
essayist ['eseiist] *s* eseista
essence ['esns] *s* 1. istota 2. (istotna) treść; **the ~ of the matter** sedno sprawy 3. esencja; ekstrakt; wyciąg; olej, olejek 4. *przen* szczyt (głupoty itd.)
essential [i'senʃəl] [I] *adj* 1. istotny 2. zasadniczy; podstawowy 3. niezbędny <konieczny> (**to sth** do czegoś); **it is ~ that...** jest rzeczą niezbędną, żeby... [II] *spl* **~s** rzeczy niezbędne; elementy zasadnicze
essentially [i'senʃəli] *adv* 1. istotnie 2. zasadniczo 3. nade wszystko; w pierwszym rzędzie 4. z natury
establish [is'tæbliʃ] [I] *vt* 1. za-łożyć/kładać; zaprowadz-ić/ać; ustan-owić/awiać 2. ustal-ić/ać; **to ~ a reputation for...** wyrobić sobie reputację <sławę>... (człowieka zdolnego, mądrego itd.) 3. dow-ieść/odzić (**sth** czegoś) 4. uzna-ć/wać (wyznanie) za panujące w kraju; **the Established Church** religia panująca, Kościół anglikański [II] *vr* **~ oneself** osiedl-ić/ać <za/instalować> się; **to ~ oneself in business** założyć <otworzyć> przedsiębiorstwo
establishment [is'tæbliʃmənt] *s* 1. za-łożenie/kładanie; otwarcie (domu handlowego, fabryki, pracowni itd.); zaprowadz-enie/anie; ustan-owienie/awianie 2. zakład; przedsiębiorstwo; firma; **private ~** dom (ognisko domowe); **to keep a separate ~** prowadzić osobny dom (poza małżeńskim) 3. personel (zakładu); służba (domu prywatnego) 4. ustal-enie/anie (faktu, zjawiska itd.); dowodzenie 5. utwierdz-enie/anie 6. *wojsk* stan liczebny; organizacja <stopa> (wojenna, pokojowa) 7. religia panująca (w kraju)
estate [is'teit] *s* 1. stan (jako pozycja człowieka w świecie i jako warstwa społeczna); **of high <low> ~** wysokiego <niskiego> stanu; *żart* **the fourth ~** prasa; (*we Francji*) **the Third Estate** burżuazja; (*w Anglii*) **the three ~s** duchowieństwo, arystokracja i gminy 2. posiadłość ziemska; dobra 3. mienie; majątek; **~ duty** podatek spadkowy 4. (*także* **real ~**) nieruchomość; **~ agent** pośrednik w sprawach kupna i sprzedaży nieruchomości 5. **personal ~** ruchomości 6. *pl* **housing ~s** kolonie <osiedla> budowlane
esteem [is'ti:m] [I] *vt* 1. szanować; cenić; *handl* **your ~ed letter** cenne pismo Panów <Wasze> 2. uważać <mieć> (kogoś, coś) za...; **to ~ oneself happy** uważać się za szczęśliwego; **I shall ~ it (as) a favour** a) będę to uważał za przysługę <za łaskę> b) będę się czuł zaszczyconym <szczęśliwym> [II] *s* szacunek; **to hold sb in high <low> ~** mieć o kimś pochlebne <niepochlebne> zdanie; **to rise <fall> in sb's ~** zyskać <stracić> czyjś szacunek
ester ['estə] *s chem* ester
Esthonian [es'tounian] [I] *adj* estoński [II] *s* Esto-ńczyk/nka
estimable ['estiməbl] *adj* godny poszanowania; zasługujący na szacunek
estimate ['esti,meit] [I] *vt* oceni-ć/ać; oblicz-yć/ać; o/szacować (**sth at so much** coś na daną kwotę) [II] *s* ['estimit] 1. ocena; obliczenie; oszacowanie; **at the lowest ~** najmniej; najskromniej licząc; **rough ~** obliczenie przybliżone <*pot* z grubsza; na oko> 2. kosztorys 3. *pl* **~s** preliminarz budżetowy
estimation [,esti'meiʃən] *s* 1. ocena; obliczenie; oszacowanie (kosztów itd.) 2. zdanie; mniemanie; sąd; **in my ~** moim zdaniem; według mnie 3. szacunek; **to be in ~** cieszyć się szacunkiem; **to hold in ~** szanować; cenić
estimative ['esti,meitiv] *adj* szacunkowy
estimator [,esti'meitə] *s* taksator; sporządzający kosztorys
estival [is'taivəl] = **aestival**
estop [is'tɔp] *vt* (**-pp-**) nie dopu-ścić/szczać (**sb from sth** <**from doing sth**> kogoś do czegoś <do zrobienia czegoś>); wyklucz-yć/ać (**from sth** od czegoś)
estovers [is'touvəz] *spl prawn* rzeczy niezbędne <pierwszej potrzeby> przyznane prawnie (drzewo na opał, mieszkanie, alimenty itp.)
estrade [es'tra:d] *s* estrada
estrange [is'treindʒ] *vt* 1. zra-zić/żać sobie (kogoś); **to become ~d from sb** zniechęcić się do kogoś 2. odstręcz-yć/ać (kogoś od kogoś)
estrangement [is'treindʒmənt] *s* odsunięcie się od siebie (dwóch osób); chłód (w stosunkach); oziębienie stosunków
estreat [is'tri:t] *vt prawn* odpis-ać/ywać (dokument) dla celów sądowych
estuary ['estjuəri] *s* ujście (rzeki)
esurient [i'sjuəriənt] *adj* 1. *żart* głodny; zgłodniały 2. w nędzy 3. chciwy
eta ['i:tə] *s gr litera* eta
etcetera [it'setərə] [I] = **etc.** i tak dalej, itd. [II] *spl* **~s** dodatki; przynależności
etch [etʃ] *vt* wytrawi-ć/ać; wy/ryć (na metalu) *zob* **etching**
etcher ['etʃə] *s* 1. grawer; rytownik 2. akwaforcista
etching ['etʃiŋ] [I] *zob* **etch** [II] *s* 1. rytowanie; rytownictwo; wytrawianie (na metalu) 2. akwaforta
etching-needle ['etʃiŋ,ni:dl] *s* rylec
eternal [i'tə:nl] [I] *adj* 1. wieczny; wiekuisty; nieśmiertelny 2. *przen* bezustanny 3. odwieczny [II] *s* **the Eternal** Nieśmiertelny; Bóg
eternalize [i'tə:nə,laiz] *vt* uwieczni-ć/ać
eternity [i'tə:niti] *s* 1. wieczność 2. *pl* **eternities** wieczne prawdy
eternize [i:'tə:naiz] = **eternalize**
etesian [i'ti:ʒjən] *adj* coroczny; **~ winds** pasaty północno-zachodnie na Morzu Śródziemnym
ethane ['eθein] *s chem* etan
ether ['i:θə] *s* 1. *fiz chem* eter; *radio* **over the ~** na falach eteru 2. *poet* sklepienie niebieskie

ethereal [i'θiəriəl] *adj* 1. *chem* eteryczny; lotny 2. *przen* eteryczny; wiotki; zwiewny; nieziemski
ethereality [i,θiəri'æliti] *s* eteryczność; wiotkość
etherize ['i:θə,raiz] *vt* uśpić/usypiać <znieczul-ić/ać> eterem
ethic(al) ['eθik(əl)] *adj* etyczny
ethics ['eθiks] *s* etyka
Ethiopian [,i:θi'oupjən] [I] *adj* etiopski [II] *s* Etiop/ka
ethmoid ['eθmɔid] *adj anat* sitowy
ethnic(al) ['eθnik(əl)] *adj* 1. etniczny 2. *rel* pogański
ethnographic(al) [,eθnə'græfik(əl)] *adj* etnograficzny
ethnologic(al) [,eθnə'lɔdʒik(əl)] *adj* etnologiczny
ethnology [eθ'nɔlədʒi] *s* etnologia
ethology [i'θɔlədʒi] *s* etologia
ethyl ['eθil] *s chem* etyl
etiolate ['i:tiou,leit] [I] *vt* nadwątlać (roślinę) [II] *vi* (*o roślinie*) z/blednąć; z/więdnąć
etiology [,i:ti'ɔlədʒi] *s* etiologia
etiquette [,eti'ket] *s* etykieta; ceremoniał
etna ['etnə] *s* lampka spirytusowa
Eton ['i:tn] *spr* miejscowość słynąca ze szkoły o wiekowej tradycji; ~ **collar** sztywny biały kołnierzyk, wykładany na kołnierz marynarki; ~ **jacket** krótka marynarka chłopięca sięgająca do pasa
Etonian [i'tounjən] *s* uczeń <wychowanek> szkoły w Eton
Etruscan [i'trʌskən] [I] *adj* etruski [II] *s* Etrusk
étude ['eitju:d] *s muz* etiuda
etui, etwee [e'twi:] *s* etui; futerał
etymologic(al) [,etimə'lɔdʒik(əl)] *adj* etymologiczny
etymology [,eti'mɔlədʒi] *s* etymologia
etymon ['etimɔn] *s jęz* etymon
eucalyptus [,ju:kə'liptəs] [I] *s* (*pl* **eucalypti** [,ju:kə'liptai], **~es**) *bot* eukaliptus [II] *attr* eukaliptusowy
Eucharist ['ju:kərist] *s rel* eucharystia
eucharistic(al) [,ju:kə'ristik(əl)] *adj rel* eucharystyczny
euchre ['ju:kə] [I] *s* amerykańska gra w karty [II] *vt* 1. pobić (przeciwnika) w grze w „euchre" 2. *przen* zapędzić (kogoś) w kozi róg
Euclid ['ju:klid] *spr pot* geometria euklidesowa
Euclidean [ju:'klidiən] *adj* euklidesowy; Euklidesa
eud(a)emonism [ju:'di:mə,nizəm] *s filoz* eudajmonizm
eudiometer [,ju:di'ɔmitə] *s chem* eudiometr
eugenic [ju:'dʒenik] *adj* eugeniczny
eugenics [ju:'dʒeniks] *s* eugenika
eulogist ['ju:lədʒist] *s* panegiryst-a/ka; chwal-ca/czyni
eulogize ['ju:lə,dʒaiz] *vt* wychwalać
eulogy ['ju:lədʒi] *s* pochwała
eunuch ['ju:nək] *s* eunuch
euonymus [ju'ɔniməs] *s bot* trzmielina
eupeptic [ju:'peptik] *adj* 1. dobrze trawiący 2. *przen* o pogodnym usposobieniu
euphemism ['ju:fi,mizəm] *s* eufemizm
euphemistic [,ju:fi'mistik] *adj* eufemistyczny
euphonical [ju:'fɔnikəl], **euphonious** [ju:'founjəs] *adj* mile brzmiący, eufoniczny
euphony ['ju:fəni] *s* eufonia
euphorbia [ju:'fɔ:biə] *s bot* euforbia, wilczomlecz
euphoria [ju'fɔ:riə], **euphory** ['jufəri] *s psych* euforia, błogostan
euphrasy ['ju:frəsi] *s bot* świetlik; szelężnik
euphuism ['ju:fju,izəm] *s lit* eufuizm, sztuczny <kwiecisty> styl
Eurasian [juə'reiʒiən] *adj* Eurazjat-a/ka (potomek Europejczyka i Azjatki albo odwrotnie)
eurhythmics [juə'riθmiks] *s* rytmika
European [,juərə'piən] [I] *adj* europejski [II] *s* Europej-czyk/ka
europeanize [,juərə'piə,naiz] *vt* z/europeizować; **to become ~d** z/europeizować się
europium [juə'roupiəm] [I] *s chem* europ (pierwiastek) [II] *attr chem* europowy
eusol ['ju:səl] *s* nazwa rozczynu antyseptycznego
Eustachian [ju:s'teikiən] *adj anat* ~ **tube** trąbka Eustachiusza
eutectic [ju:'tektik] *adj techn* eutektyczny, łatwo topliwy
euthanasia [,ju:θə'neizjə] *s* 1. eutanazja 2. lekki zgon
eutheria [ju'θiəriə] *spl zoo* ssaki wyższe, łożyskowce
evacuant [i'vækjuənt] [I] *adj* przeczyszczający [II] *s* środek na przeczyszczenie <na wypróżnienie>
evacuate [i'vækju,eit] *vt* 1. opróżni-ć/ać <wypróżni-ć/ać> (**sth of its contents** coś z zawartości — żołądek, naczynie itd.) 2. *wojsk* ewakuować 3. *techn* usu-nąć/wać (gaz, powietrze)
evacuation [i,vækju'eiʃən] *s* 1. opróżnienie 2. *fizj* wypróżnienie 3. *wojsk* ewakuacja; ~ **area** strefa ewakuacji; *am* **Evacuation Day** 25 listopada, rocznica ewakuacji Nowego Jorku przez Anglików w 1783 r. 4. *pl* **~s** *med* odchody 5. *techn* usu-nięcie/wanie (gazów, powietrza)
evacuee [i,vækju'i:] *s* wysiedleniec
evade [i'veid] *vt* 1. unik-nąć/ać <ujść/uchodzić> (**sth** czegoś); wym-knąć/ykać się (**sb, sth** komuś, czemuś) 2. uchyl-ić/ać się (**sth** od czegoś) 3. ob-ejść/chodzić (prawo, przepis itd.)
evaluate [i'vælju,eit] *vt* oceni-ć/ać; o/szacować
evaluation [i,vælju'eiʃən] *s* ocena; oszacowanie; ewaluacja
evanesce [,i:və'nes] *vi* znik-nąć/ać; zanik-nąć/ać; z/ginąć; za-trzeć/cierać się
evanescence [,i:və'nesns] *s* 1. przelotność; efemeryczność 2. zanikanie; zanik; znikanie
evanescent [,i:və'nesnt] *adj* 1. przelotny; efemeryczny 2. zanikający; znikający 3. *mat* infinitezymalny, nieskończonościowy
evangelic [,i:væn'dʒelik] *adj* ewangeliczny; (*o prawdach, naukach itd*) Pisma św.
evangelical [,i:væn'dʒelikəl] [I] *adj* 1. = **evangelic** 2. protestancki [II] *s* ewangeli-k/czka; protestant/ka
evangelist [i'vændʒilist] *s* ewangelista
evangelize [i'vændʒi,laiz] [I] *vt* nawracać [II] *vi* głosić ewangelię
evanish [i'væniʃ] *vi poet* znik-nąć/ać
evaporate [i'væpə,reit] [I] *vi* 1. wy/parować 2. ul-otnić/atniać się 3. *przen* znik-nąć/ać; um-rzeć/ierać [II] *vt* odparow-ać/ywać; wyparow-ać/ywać
evaporation [i,væpə'reiʃən] *s* 1. parowanie 2. ulatnianie się 3. wyparowywanie; odparowywanie
evaporative [i'væpə,reitiv] *adj* (*o przyrządzie*) do odparowywania; (*o czynności, zdolności*) parowania <wytwarzania pary>
evaporator [i'væpə,reitə] *s* wyparka; parnik; ewaporator
evaporimeter [i,væpə'rimitə] *s meteor* ewaporymetr
evasion [i'veiʒən] *s* 1. unik-nięcie/anie; wym-knięcie/ykanie się; uchyl-enie/anie się (**of sth** od czegoś); obejście (**ustawy itd.**); oszustwo (podat-

kowe) 2. wykręt; wybieg; wymówka; **to resort to ~s** wym-ówić/awiać się; używać wybiegów

evasive [i'veisiv] *adj* wymijający; wykrętny; nieuchwytny

evasiveness [i'veisivnis] *s* wymijający charakter (odpowiedzi itd.)

eve [i:v] *s* 1. *poet* wieczór 2. wigilia; **Christmas Eve** wilia 3. przeddzień; **on the ~ of_** w przededniu... (czegoś)

evection [i'vekʃən] *s astr* ewekcja

even[1] ['i:vən] [I] *adj* 1. (*o powierzchni itd*) równy; gładki; płaski; **~ with sth** (będący) na równi <równo> z czymś; **to make ~** wyrówn-ać/ywać 2. (*o odstępach, temperaturze, usposobieniu itd*) równy; jednaki; jednostajny; **~ odds** równe szanse; **to be ~ with sb** a) mieć załatwione z kimś porachunki b) być skwitowanym <kwita> z kimś c) (*w grach*) mieć równy zapis <wyrównaną grę> z kimś; **to get ~ with sb** a) zrównać się z kimś b) odpłacić <zrewanżować się> komuś; *druk* **to make the lines ~** spacjować dla wyrównania 3. (*o pulsie, kroku itd*) równomierny; regularny 4. (*o liczbach*) parzysty 5. *handl* **~ date** dnia dzisiejszego 6. sprawiedliwy 7. (*o uymianie, transakcji giełdowej itp*) po kursie pari, al pari [II] *vt* 1. wyrówn-ać/ywać; wygładz-ić/ać 2. (*także* **~ out**) ujednostajni-ć/ać 3. (*także* **~ up**) z/równoważyć 4. *am w zwrocie:* **to ~ up on sb** odpłacić komuś

even[2] ['i:vən] *adv* 1. nawet; *przed stopniem wyższym*: jeszcze (bardziej, lepiej itd.); **~ if** <**though**> chociażby (nawet); **~ so** a) (po)mimo tego b) nawet gdyby tak było; **~ then** a) nawet wtedy b) mimo wszystko; **never ~** ani nie; **he never ~ stirred** ani (nie) drgnął 2. akurat; właśnie; **~ as** a) właśnie <w momencie> gdy b) † *przed rzeczownikiem lub zdaniem pobocznym*: tak jak; **~ now** a) nawet teraz b) w tej chwili 3. równo; równomiernie

even[3] ['i:vən] *s poet* wieczór; **at ~** wieczorem

even-handed ['i:vən'hændid] *adj* sprawiedliwy; bezstronny

evening ['i:vniŋ] [I] *s* 1. wieczór (pora dnia i zebranie); wieczorek; **in the ~** wieczorem; **this ~** dzisiaj wieczorem 2. *lit w zwrocie:* **the ~ of life** schyłek życia [II] *attr* 1. wieczorny 2. wieczorowy

evenminded ['i:vən'maindid] *adj* 1. spokojny; zrównoważony 2. bezstronny

evenness ['i:vənnis] *s* 1. równość 2. jednostajność 3. spokój 4. bezstronność

evensong ['i:vən,sɔŋ] *s* wieczorne nabożeństwo (anglikańskie)

event [i'vent] *s* 1. wypadek; przypadek; **at all ~s** w każdym razie; **in the ~ of_** w wypadku <w razie>... (czegoś); **in the ~ of my being late etc.** w razie, gdybym się spóźnił itd.; **the natural course of ~s** naturalny bieg rzeczy 2. wydarzenie 3. wynik, rezultat; **in either ~** bez względu na wynik; tak czy owak 4. punkt (programu); *sport* konkurencja 5. *pl* **~s** *sport* zawody

even-tempered ['i:vən'tempəd] *adj* o równym usposobieniu; równy; zrównoważony

eventful [i'ventful] *adj* 1. (*o życiu itd*) burzliwy; obfitujący w wydarzenia; urozmaicony 2. (*o dniu itd*) pamiętny; doniosły

eventide ['i:vən,taid] *s poet* wieczór

eventless [i'ventlis] *adj* bez wypadków; bez szczególnych wydarzeń; spokojny

eventual [i'ventjuəl] *adj* 1. możliwy; przypuszczalny 2. ostateczny; końcowy

eventuality [i,ventju'æliti] *s* możliwość; ewentualność

eventualize [i'ventjuə,laiz] *vi am* stać się; do-jść/chodzić do skutku

eventually [i'ventjuəli] *adv* ostatecznie; w końcu; koniec końcem

eventuate [i'ventju,eit] *vi* 1. zakończyć się (**in sth** czymś) 2. wynik-nąć/ać 3. do-jść/chodzić do skutku

ever ['evə] *adv* 1. kiedykolwiek; **hardly** <**scarcely**> **~** rzadko kiedy; *w pytaniach*: kiedy; **have you ~ been there?** czy by-łeś/liście tam kiedy? 2. *po stopniu wyższym*: jeszcze <wciąż, coraz (to)> (gorzej, lepiej itd.); **larger than ~** jeszcze większy niż przedtem 3. *z przymiotnikiem*: **as big** <**pretty, good, well etc.**> **as ~** wciąż tak samo gruby <ładny, dobry, zdrów itd.>; taki gruby <ładny, dobry, zdrowy itd.>, jaki był <jak zawsze> 4. *z przysłówkiem*: **as far** <**noisily, mildly, lavishly etc.**> **as ~** tak samo daleko <hałaśliwie, łagodnie, hojnie itd.> jak przedtem 5. zawsze; wciąż; **to be for ~ grumbling** <**hurrying, laughing etc.**> wciąż narzekać <śpieszyć się, śmiać się itd.>; **~ after** <**since**> (już) od tego czasu; **for ~** na zawsze; **for ~ and a day** do grobowej deski; **for ~ and ~** na wieki wieków; *w zdaniu przeczącym*: nigdy; **nobody ~ calls** nikt nas nigdy nie odwiedza; **nothing ~ happens here** tu się nigdy nic nie dzieje; (*w liście przed podpisem*) **yours ~** zawsze oddany 6. *w zwrocie*: **~ and anon** <**again**> co jakiś czas; wciąż 7. *wyraża nacisk*: **as quick** <**loud, clean etc.**> **as ~ you can** tak szybko <głośno, czysto itd.> jak tylko potrafi-sz/cie <jak się tylko da>; jak najszybciej <najgłośniej, najczyściej itd.> 8. *po przymiotniku w stopniu najwyższym*: a) na świecie, pod słońcem; **the best friends ~** najlepsi przyjaciele pod słońcem b) istniejący; dotąd (wyprodukowany, spotykany itd.); **the largest** <**fastest etc.**> **~** największy <najszybszy itd.> istniejący <na świecie> 9. *pot* **~ so** bardzo; nadzwyczajnie; szalenie; **thanks ~ so much** strasznie (ci) dziękuję 10. (*w zdaniu przyzwalającym*) **~ so** + *przymiotnik*: naj- w świecie; nie wiem jak...; **be he ~ so rich** <**diligent, skilful etc.**> niech będzie najbogatszy <najpilniejszy, najzręczniejszy itd.> w świecie; niech będzie <żeby był> nie wiem jak bogaty <pilny, zręczny itd.>; **be it ~ so humble** niech będzie najskromniejsze 11. *przed stopniem wyższym*: **~ so much** o wiele (lepiej, krócej itd.) 12. *wyraża zdziwienie*: do <u> licha, na miły Bóg; **how ~ did you manage?** jakim cudem tyś <wyście> zdoła-ł/li to zrobić?; **what ~ shall we do?** cóż my u licha zrobimy? 13. *w zwrocie:* **did you ~?** niemożliwe!

everglade ['evə,gleid] *s* błotnista okolica; *am* **Everglades** błotnista okolica w płd. Florydzie

evergreen ['evə,gri:n] [I] *adj* zawsze <wiecznie> zielony; zimozielony [II] *s* roślina zawsze <wiecznie> zielona; roślina zimozielona

everlasting [,evə'la:stiŋ] [I] *adj* 1. wieczny; wiekuisty; nieśmiertelny 2. nieustanny; stały; ciągły 3. trwały [II] *s* 1. wieczność; **for ~** wiecznie;

from ~ od wieków; odwiecznie 2. *bot* nieśmiertelnik 3. materiał nie do zdarcia

evermore [ˈevəˈmɔ:] *adv w zwrocie*: **for ~** na zawsze, na wieki

eversion [iˈvə:ʃən] *s med* wynicowanie <odwinięcie> (powieki itd.)

evert [iˈvə:t] *vt med* wynicow-ać/ywać; odwi-nąć/jać (powiekę)

every [ˈevri] *adj* 1. każdy; wszelki; **~ bit** w zupełności; całkowicie; **~ bit as good <pretty etc.>** równie dobry <ładny itd.>; wcale <nic> nie gorszy <brzydszy itd.>; **~ bit <inch> a democrat** demokrat-a/ka do szpiku kości <w każdym calu>; **~ one** każdy bez wyjątku; co do jednego; **~ one of us <you, them>** każdy z nas <z was, z nich>; my <wy, oni> wszyscy; **~ time** a) za każdym razem (gdy) b) *pot* bezwarunkowo; bez wahania; *am* **~ which way** na wszystkie strony 2. *w zwrotach wyrażających powtarzanie się czegoś*: co; **~ day** codziennie; **~ five minutes** co pięć minut; **~ now and then** co jakiś czas; **~ other day** co drugi dzień

everybody [ˈevriˌbɔdi] *pron* każdy; wszyscy; **~ else** wszyscy inni <pozostali>; *pot* cała reszta (ludzi)

everyday [ˈevriˌdei] *adj* 1. codzienny 2. powszedni; (*o ubraniu*) roboczy, codzienny 3. pospolity; banalny; oklepany

Everyman [ˈevriˌmæn] *s* szary człowiek <obywatel>

everyone [ˈevriˌwʌn] *pron* każdy; wszyscy; **~ knows ~** wszyscy się znają

everything [ˈevriˌθiŋ] *pron* wszystko; **~ you can** wszystko, co może-sz/cie <co tylko potrafi-sz/cie>; **he has money but money isn't ~** on ma pieniądze, ale (pieniądze) to jeszcze nie wszystko

everyway [ˈevriˌwei] *adv* 1. na wszystkie sposoby 2. pod każdym względem

everywhere [ˈevriˌwɛə] *adv* wszędzie; **~ you go <look etc.>** gdziekolwiek pójdzie-sz/cie <spojrzy-sz/cie itd.>

evict [iˈvikt] *vt* 1. wy/eksmitować <wyrzuc-ić/ać> (lokatora) 2. odzysk-ać/iwać; od-ebrać/bierać (**property of <from> sb** mienie od kogoś)

eviction [iˈvikʃən] *s* 1. eksmisja; wyeksmitowanie 2. odzyskanie (mienia)

evidence [ˈevidəns] [I] *s* 1. jawność; oczywistość; (*o kimś*) **in ~** na widoku (publicznym); **not in ~** nieobecny 2. znak; oznaka; świadectwo; **to bear <give> ~ of sth** świadczyć o czymś 3. dow-ód/ody 4. zeznani-e/a; **to bear <give> ~** złożyć/składać zeznania; **to call sb in ~** zawezwać kogoś na świadka 5. *prawn* świad-ek/kowie; **to turn King's ~** wydać współwinnych [II] *vt* świadczyć (**sth** o czymś); dowodzić (**sth** czegoś); za/manifestować [III] *vi* za/świadczyć (**for <against> sb** na czyjąś korzyść <przeciwko komuś>)

evident [ˈevidənt] *adj* jawny; jasny; widoczny; oczywisty

evidential [ˌeviˈdenʃəl] *adj* 1. dowodowy; dowodny 2. świadczący (**of sth** o czymś); dowodzący (**of sth** czegoś)

evil [ˈi:vl] [I] *adj* 1. zły; nieszczęsny; fatalny; **~ eye** urok; urzeczenie; **the Evil One** szatan, bies 2. złośliwy (język) [II] *adv* źle; **to speak ~ of others** źle się o innych wyrażać; obmawiać <oczerniać> innych [III] *s* zło; **of two ~s** z dwojga złego; **the King's ~** skrofuły

evil-doer [ˈi:vlˌduə] *s* złoczyńca

evil-eyed [ˈi:vlˈaid] *adj* (człowiek) o złym spojrzeniu; **to be ~** urzekać wzrokiem

evil-minded [ˈi:vlˈmaindid] *adj* złośliwy

evil-smelling [ˈi:vlˈsmeliŋ] *adj* cuchnący

evil-tongued [ˈi:vlˈtʌŋd] *adj* oszczerczy; plotkarski; *pot* bajczarski

evince [iˈvins] *vt* okaz-ać/ywać <da-ć/wać> dowody (**sth** czegoś); przejawi-ć/ać

eviscerate [iˈvisəˌreit] *vt* 1. wy/patroszyć 2. *przen* wyjał-owić/awiać (utwór literacki itp.)

evocation [ˌevouˈkeiʃən] *s* 1. wywoływanie (duchów, wspomnień, uśmiechu itd.) 2. *prawn* przeniesienie (sprawy) do sądu wyższej instancji

evoke [iˈvouk] *vt* 1. wywoł-ać/ywać (duchy, wspomnienia, uśmiech itd.) 2. przen-ieść/osić (sprawę) do sądu wyższej instancji

evolute [ˈi:vəˌlu:t] *s geom* ewoluta

evolution [ˌi:vəˈlu:ʃən] *s* 1. rozwój; *przen* rozwój (wydarzeń) 2. *biol* ewolucja (rozwój) 3. *wojsk lotn chor* ewolucja 4. *mat* wyciągnięcie pierwiastka 5. wydzielanie się (gazów itd.)

evolutional [ˌi:vəˈlu:ʃənl], **evolutionary** [ˌi:vəˈlu:ʃnəri] *adj* ewolucyjny

evolutionism [ˌi:vəˈlu:ʃəˌnizəm] *s filoz* ewolucjonizm

evolve [iˈvɔlv] [I] *vt* 1. rozwi-nąć/jać 2. ułożyć/układać (projekt/y); **to ~ from one's inner consciousness** wymyśl-ić/ać 3. wydziel-ić/ać (ciepło itd.) [II] *vi* 1. rozwi-nąć/jać się 2. wydziel-ić/ać się; wypływać <wyciekać> (z czegoś)

evolvent [iˈvɔlvənt] *s geom* ewolwenta

evulsion [iˈvʌlʃən] *s* wyrwanie

ewe [ju:] *s* owca; **~ lamb** a) jagnię; owieczka b) *przen* najdroższy skarb

ewe-neck [ˈju:ˌnek] *s* (*u konia*) łabędzia szyja

ewe-necked [ˈju:ˌnekt] *adj* (*o koniu*) z łabędzią szyją

ewer [ˈjuə] *s* dzban, dzbanek

ex¹ [eks] *praep handl* 1. z (magazynu itd.), ze (statku itd.); loco (skład, statek itp.) 2. bez (dywidendy itd.)

ex²- [eks-] *przedrostek* były ... (żołnierz, minister itd.)

exacerbate [eksˈæsəˌbeit] *vt* 1. rozjątrz-yć/ać; rozdrażni-ć/ać (kogoś); podrażni-ć/ać (ranę itd.) 2. zaostrz-yć/ać (ból itd.) 3. pog-orszyć/arszać

exacerbation [eksˌæsəˈbeiʃən] *s* 1. rozjątrzenie; rozdrażnienie; podrażnienie (rany itd.) 2. zaostrzenie (bólu itd.) 3. pogorszenie

exact¹ [igˈzækt] *adj* 1. ścisły; dokładny; (*o wyrazie itp*) właściwy; **his ~ words** jego własne słowa 2. punktualny 3. srogi; ostry 4. (*o kwocie*) dokładnie obliczony <odliczony>

exact² [igˈzækt] *vt* 1. wymagać <żądać> (**sth** czegoś) 2. wy/egzekwować; wymu-sić/szać (**sth from sb** coś na kimś); wydu-sić/szać (**sth from sb** coś od kogoś) *zob* **exacting**

exacting [igˈzæktiŋ] [I] *zob* **exact²** [II] *adj* 1. (*o człowieku*) wymagający 2. (*o pracy*) wytężony

exaction [igˈzækʃən] *s* wymuszanie; wyduszanie; zdzieranie; zdzierstwo; ściąganie (podatków itd.)

exactitude [igˈzæktiˌtju:d] *s* 1. ścisłość; dokładność 2. punktualność

↑**exactly** [igˈzæktli] *adv zob* **exact¹**; *potwierdzająco*: właśnie!

exactness [igˈzæktnis] *s* 1. = **exactitude** 2. precyzja

exactor [ig'zæktə] *s* 1. poborca 2. zdzierca

exaggerate [ig'zædʒə,reit] [I] *vt* 1. wyolbrzymi-ć/ać 2. przesadz-ić/ać (**sth** w czymś) [II] *vi* przesadz-ić/ać; szarżować; wpa-ść/dać w przesadę *zob* **exaggerated**

exaggerated [ig'zædʒə,reitid] [I] *zob* **exaggerate** [II] *adj* 1. wyolbrzymiony 2. przesadny 3. zbytni

exaggeratedly [ig,zædʒ'reitidli] *adv* przesadnie; z przesadą

exaggeration [ig,zædʒə'reiʃən] *s* 1. przesada 2. wyolbrzymienie

exalt [ig'zɔ:lt] *vt* 1. podn-ieść/osić (w randze); wyn-ieść/osić (**to a dignity** do godności) 2. chwalić, wychwalać 3. *lit* pobudz-ić/ać (wyobraźnię) 4. *przen* wzm-ocnić/acniać (barwę itd.) *zob* **exalted**

exaltation [,egzɔ:l'teiʃən] *s* 1. podniesienie; wyniesienie (**to a dignity** do godności <na stanowisko>) 2. wychwalanie; zachwyt 3. egzaltacja 4. *przen* wzmocnienie (barwy)

exalted [ig'zɔ:ltid] [I] *zob* **exalt** [II] *adj* 1. (*o stanowisku itd*) wysoki 2. (*o uczuciach*) podniosły 3. (*o człowieku*) na wysokim stanowisku 4. (*o usposobieniu*) egzaltowany

exam [ig'zæm] *pot* = **examination**

examinant [ig'zæminənt] *s* egzaminator

examination [ig,zæmi'neiʃən] *s* 1. egzamin; **to pass an ~** zdać egzamin; **to sit for** <**to take**> **an ~** przyst-ąpić/ępować do egzaminu; zdawać egzamin 2. inspekcja; rewizja; kontrola 3. badanie; **under ~** badany; rozpatrywany 4. oględziny 5. *prawn* przesłuchanie; śledztwo; **to undergo ~** być przesłuchiwanym 6. rewizja (celna)

examination-paper [ig,zæmi'neiʃən,peipə] *s* pytania egzaminacyjne

examine [ig'zæmin] [I] *vt* 1. prze/egzaminować; podda-ć/wać egzaminowi 2. z/badać; podda-ć/wać badaniu 3. przeprowadz-ić/ać inspekcję <kontrolę, rewizję> (**sth** czegoś) 4. *prawn* przesłuch-ać/iwać; przeprowadz-ić/ać śledztwo [II] *vi* z/badać (**into a matter** sprawę)

examinee [ig,zæmi'ni:] *s* osoba poddawana egzaminowi; kandydat/ka

examiner [ig,zæmi'nə] *s* 1. inspektor/ka 2. egzaminator/ka

example [ig'zɑ:mpl] *s* przykład; wzór; **for ~** na przykład; **without ~** bezprzykładny; bez precedensu; **to make an ~ of** — ukarać (kogoś) dla przykładu; z/robić (kogoś) kozłem ofiarnym; **to set an ~** da-ć/wać przykład; **to take ~ by sb** brać przykład z kogoś; pójść za czyimś przykładem

exanimate [iks'ænimit] *adj lit* nieżywy; bez życia

exanthema [,eksæn'θi:mə] *s* (*pl* **~ta** [,eksæn'θi:mətə]) *med* wysypka

exarch ['eksɑ:k] *s* egzarcha

exasperate [ig'zɑ:spə,reit] *vt* 1. rozdrażni-ć/ać; z/irytować 2. podrażni-ć/ać (ranę itd.) 3. wzm-óc/agać (ból itd.) *zob* **exasperated, exasperating**

exasperated [ig'zɑ:spə,reitid] [I] *zob* **exasperate** [II] *adj* zirytowany <wyprowadzony z równowagi, zdenerwowany, rozgniewany, rozwścieczony> (**at** <**by**> **sth** czymś)

exasperating [ig'zɑ:spə,reitiŋ] [I] *zob* **exasperate** [II] *adj* irytujący; denerwujący; nieznośny

exasperation [ig,zɑ:spə'reiʃən] *s* 1. rozdrażnienie; irytacja 2. zadrażnienie

excavate ['ekskə,veit] [I] *vt* 1. wykop-ać/ywać 2. wydrąż-yć/ać 3. wyb-rać/ierać (ziemię) 4. pogłębi-ć/ać (kanał itp.) [II] *vi* przeprowadz-ić/ać prace wykopaliskowe

excavation [,ekskə'veiʃən] *s* 1. kopanie (ziemi); wykopywanie 2. wydrążenie 3. wybieranie (ziemi) 4. prace wykopaliskowe 5. pogłębianie 6. *górn* wyrobisko; wykop

excavator ['ekskə,veitə] *s* ekskawator; czerparka; koparka; pogłębiarka

exceed [ik'si:d] [I] *vt* 1. przewyższ-yć/ać; przekr-oczyć/aczać; przen-ieść/osić 2. prześcig-nąć/ać (kogoś w czymś) [II] *vi* przeb-rać/ierać miarę; dopu-ścić/szczać się ekscesów *zob* **exceeding**

exceeding [ik'si:diŋ] [I] *zob* **exceed** [II] *adj* niezmierny; nadzwyczajny [III] *adv* niezmiernie; nadzwyczajnie

excel [ik'sel] *v* (**-ll-**) [I] *vt* przewyższ-yć/ać; prześcig-nąć/ać [II] *vi* celować (**in** <**at, in doing**> **sth** w czymś)

excellence ['eksələns] *s* 1. doskonałość; znakomitość 2. wyższość 3. zaleta 4. *szk* celujące wyniki

excellency ['eksələnsi] *s* ekscelencja; **Your Excellency** Ekscelencjo; Wasza Ekscelencja

excellent ['eksələnt] *adj* doskonały; znakomity; świetny; *szk* celujący

excelsior [ek'selsi,ɔ:] [I] *s am* wełna drzewna [II] *attr am* **the Excelsior State** stan Nowy Jork

except [ik'sept] [I] *vt* 1. wyklucz-yć/ać; wyłącz-yć/ać; **the present company ~ed** o obecnych się nie mówi 2. sprzeciwi-ć/ać się (**against sb, sth** komuś, czemuś) *zob* **excepting** [II] *praep* (o)prócz (kogoś, czegoś); poza (kimś, czymś); wyjąwszy; z wyjątkiem (kogoś, czegoś); **~ for** — poza ... (czymś); pomijając ...; **~ that** — prócz tego, że ...; z tym zastrzeżeniem <wyjątkiem>, że...; **~ when** — chyba, że ...; tylko nie wtedy, gdy...; wyjąwszy te wypadki, w których ...; **~ where tylko nie** tam, gdzie...; wyjąwszy te miejsca, gdzie... [III] *conj* chyba że <żeby>

excepting [ik'septiŋ] [I] *zob* **except** *v*; **not ~** — nie wyłączając ... [II] *praep conj* = **except** *praep conj*

exception [ik'sepʃən] *s* 1. wyjątek (**to a rule** od reguły); **with the ~ of** — z wyjątkiem ... (kogoś, czegoś) 2. obiekcja; zarzut; zastrzeżenie; **it is liable to ~** to może być zakwestionowane; **to take ~ to sth** a) przeciwstawiać się czemuś b) obrazić się o coś; czuć się dotkniętym czymś

exceptionable [ik'sepʃənəbl] *adj* naganny; **nothing ~** nic złego

exceptional [ik'sepʃənl] *adj* 1. wyjątkowy 2. nadzwyczajny

exceptionality [ik'sepʃə'næliti] *s* wyjątkowość; wyjątkowy charakter (czegoś)

exceptive [ik'septiv] *adj* 1. wyłączający 2. wyjątkowy

excerpt ['eksə:pt] [I] *s* wyjątek (z dzieła, pisma itp.) [II] *vt* [ek'sə:pt] wybierać (ustępy z dzieła itp.)

excerption [ek'sə:pʃən] *s* 1. wybieranie (ustępów z dzieła) 2. przytoczenie (ustępu z dzieła); cytat

excess [ik'ses] [I] *s* 1. nadmiar; **~ of enthusiasm** <**kindness etc.**> zbytek entuzjazmu <uprzejmości itd.>; **in** <**to**> **~** w nadmiarze; **to be in ~** zbywać; stanowić nadwyżkę; **to carry sth to ~** doprowadz-ić/ać coś do przesady 2. *pl* **~es** a) okrucieństwa; ekscesy b) nieumiarkowanie (w jedzeniu, piciu); nadużycia 3. nadwyżka; **in ~ of** powyżej; ponad [II] *attr* nadmierny; przekraczający (dozwoloną) normę; nad-; **~ fare** dopłata (do biletu); **~ luggage** nadwyżka bagażu; **~ profits duty** podatek od zysków wojennych; **~ weight** nadwaga

excessive [ik'sesiv] *adj* 1. nadmierny; zbytni; przesadny 2. nieumiarkowany; niepohamowany

exchange [iks'tʃeindʒ] [I] *vt* zamieni-ć/ać; wymieni-ć/ać; z/robić zamianę (**sth** czegoś); **to ~ greetings** pozdrowić się wzajemnie; **to ~ sth with sb** zamieniać się czymś z kimś; **to ~ words with sb** mieć z kimś wymianę słów [II] *vi* 1. (*o środkach płatniczych*) być wymienianym <przyjmowanym do wymiany> (**for** — za <na> ...) 2. przenieść się w drodze zamiany (**from one regiment etc. into another** z jednego pułku itd. do innego) [III] *s* 1. zamiana; wymiana; **bill of ~** weksel; **first <second> of ~** prima <secunda> weksel; *giełd* **rate of ~** kurs (waluty) 2. *giełd* kurs; **daily ~** kurs dnia; **difference of ~** różnica kursów 3. **foreign ~** waluta; dewizy 4. giełda 5. centrala telefoniczna [IV] *attr* 1. wymienny 2. dewizowy; walutowy 3. giełdowy

exchangeable [iks'tʃeindʒəbl] *adj* wymienny; **paper money is ~ for coin** pieniądz papierowy wymienia się na monetę

exchange-value [iks'tʃeindʒ,vælju:] *s* równowartość

exchequer [iks'tʃekə] *s* skarb państwa; ministerstwo skarbu; *pot* zasoby pieniężne; **~ bill** obligacja państwowa

excipient [ek'sipiənt] *s farm* rozczynnik <zaróbka> (leku)

excisable [ek'saizəbl] *adj* podlegający opłatom akcyzowym

excise[1] [ek'saiz] [I] *s* akcyza (urząd i opłata); **~ law** ustawa regulująca sprzedaż trunków; **~ officer** akcyźnik, poborca akcyzy [II] *vt* 1. obłożyć akcyzą 2. *pot* zedrzeć/zdzierać (**sb** z kogoś)

excise[2] [ek'saiz] *vt* 1. wyci-ąć/nać <usu-nąć/wać> (ustęp z książki, narząd z organizmu itp.) 2. naci-ąć/nać

exciseman [ek'saizmən] *s* (*pl* **excisemen** [ek'saizmən]) poborca akcyzy

excision [ek'siʒən] *s* 1. wycięcie; usunięcie 2. nacięcie

excitability [ik,saitə'biliti] *s* pobudliwość

excitable [ik'saitəbl] *adj* pobudliwy

excitant ['eksitənt] [I] *adj* (*o środku*) pobudzający [II] *s* środek pobudzający

excitation [,eksi'teiʃən] *s* 1. pobudzenie 2. wzbudzenie

excite [ik'sait] *vt* 1. pobudz-ić/ać; podniec-ić/ać 2. wzniec-ić/ać; wzbudz-ić/ać <wywoł-ać/ywać> (podziw, zainteresowanie, zamieszki itd.) 3. podburz-yć/ać *zob* **excited, exciting**

excited [ik'saitid] [I] *zob* **excite** [II] *adj* podniecony; **to get ~** podniec-ić/ać <z/denerwować> się; **don't get ~** nie denerwuj/cie się; spokojnie!; spokój!

excitement [ik'saitmənt] *s* podniecenie; zdenerwowanie

exciting [ik'saitiŋ] [I] *zob* **excite** [II] *adj* emocjonujący; pasjonujący

exclaim [iks'kleim] [I] *vt* zawołać (**that** — że ...) [II] *vi* 1. wykrzyk-nąć/iwać; za/wołać 2. za/protestować (**at <against> sth** przeciwko czemuś)

exclamation [,eksklə'meiʃən] *s* okrzyk; krzyk; **note <point> of ~**, *am* **~ mark <point>** wykrzyknik

exclamatory [eks'klæmətəri] *adj* wykrzyknikowy

exclude [iks'klu:d] *vt* wyklucz-yć/ać; wyłącz-yć/ać; **to be ~d from** — a) być <zostać> wykluczonym <wyłączonym> z ... b) nie mieć dostępu do ...; **to ~ sb <sth> from** — zam-knąć/ykać komuś <czemuś> dostęp do ...; **excluding** — wyłączając <z wyłączeniem> ...

exclusion [iks'klu:ʒən] *s* wykluczenie (**from sth** z czegoś, skądś); niedopuszczenie (**from sth** do czegoś); **to the ~ of** — z wyłączeniem ...

exclusive [iks'klu:siv] [I] *adj* 1. wyłączny; jedyny; **things mutually ~** rzeczy wykluczające się wzajemnie 2. ekskluzywny 3. *am* wyborowy; pierwszorzędny 4. (*o prawach itd*) zastrzeżony [II] *adv* wyłącznie; **~ of** — wyłączając ...; nie licząc (w tym) ... (dodatków, kosztów ubocznych itp.); **page 1 to 5 ~** od strony 1 do 5 wyłącznie

exclusiveness [iks'klu:sivnis] *s* ekskluzywność

exclusivism [iks'klu:si,vizəm] *s* ekskluzywizm, wyłączność

excogitate [eks'kɔdʒi,teit] *vt* wymyślić; u/knuć; wykoncypować; wykombinować

excommunicate [,ekskə'mju:ni,keit] *vt* wykląć; ekskomunikować; rzucić ekskomunikę <klątwę> (**sb** na kogoś)

excommunication ['ekskə,mju:ni'keiʃən] *s* klątwa; wyklęcie; ekskomunika

excoriate [eks'kɔ:ri,eit] *vt* 1. zedrzeć/zdzierać skórę (**a finger etc.** z palca itd.); zedrzeć/zdzierać <otrzeć/ocierać> (skórę) 2. *przen* ostro s/krytykować

excoriation [eks,kɔ:ri'eiʃən] *s med* otarcie skóry, przeczos

excrement ['ekskrimənt] *s* stolec; kał; odchody; ekskrementy

excremental [,ekskri'mentl] *adj* kałowy; odchodowy

excrescence [iks'kresns] *s* narośl

excrescent [iks'kresnt] *adj* 1. zbyteczny 2. *jęz* epentetyczny, wtrącony, dodatkowo powstały

excreta [eks'kri:tə] *spl* wydaliny; odchody

excrete [eks'kri:t] *vt* wydzielać (z organizmu)

excretive [eks'kri:tiv], **excretory** [eks'kri:təri] *adj* wydzielniczy

excruciate [iks'kru:ʃi,eit] *vt* męczyć, dręczyć *zob* **excruciating**

excruciating [iks'kru:ʃi,eitiŋ] [I] *zob* **excruciate** [II] *adj* dręczący; rozdzierający (ból)

exculpate ['ekskʌl,peit] *vt* 1. usprawiedliwi-ć/ać 2. uniewinni-ć/ać

exculpation [,ekskʌl'peiʃən] *s* 1. usprawiedliwienie 2. uniewinnienie

exculpatory [eks'kʌlpətəri] *adj* 1. usprawiedliwiający 2. uniewinniający

excurrent [eks'kʌrənt] *adj* 1. tętnicowy 2. (*o kanale, przewodzie itd*) ujściowy 3. *bot* wystający

excursion [iks'kə:ʃən] [I] *s* 1. wycieczka; przejażdżka; *wojsk* wypad 2. *astr* odchylenie, dygresja [II] *attr* wycieczkowy; zniżkowy (bilet itd.)

excursionist [iks'kə:ʃənist] *s* wycieczkowicz; turyst-a/ka; krajoznawca

excursive [iks'kə:siv] *adj* 1. dygresyjny, odbiegający od tematu 2. (*o stylu*) nie powiązany

excusable [iks'kju:zəbl] *adj* wybaczalny; do wybaczenia

excuse [iks'kju:z] [I] *vt* 1. wy/tłumaczyć; usprawiedliwi-ć/ać; wybaczyć; **to ~ sb's laziness** <**sb for his laziness, sb his laziness, sb's being lazy**> usprawiedliwić czyjeś próżniactwo; wybaczyć komuś jego próżniactwo; **~ me** przepraszam; proszę mi wybaczyć; **~ my coming late** przepraszam, że się spóźniłem 2. uw-olnić/alniać (**from sth** <**from doing sth**> od czegoś <od zrobienia czegoś>) [II] *vr* **~ oneself** 1. usprawiedliwi-ć/ać <wy/tłumaczyć> się; przepr-osić/aszać 2. uw-olnić/alniać się (**from sth** od czegoś) [III] *s* [iks'kju:s] 1. wytłumaczenie; usprawiedliwienie; **give them my ~s** przeproś/cie ich ode mnie; **in ~ of sth** na <jako> usprawiedliwienie <dla usprawiedliwienia> czegoś 2. wymówka; pretekst; **to make ~s** a) przepr-osić/aszać; usprawiedliwi-ć/ać się b) wym-ówić/awiać się

exeat ['eksi,æt] *s szk* zwolnienie; urlop

execrable ['eksikrəbl] *adj* wstrętny; ohydny; nienawistny; znienawidzony

execrate ['eksi,kreit] [I] *vt* mieć obrzydzenie (**sth** do czegoś); nienawidzić (**sth** czegoś) [II] *vi* złorzeczyć; przeklinać; kląć

execration [,eksi'kreiʃən] *s* 1. obrzydzenie; nienawiść 2. złorzeczenie; przeklinanie

executant [ig'zekjutənt] *s* wykonaw-ca/czyni

execute ['eksi,kju:t] *vt* 1. wykon-ać/ywać; spełni-ć/ać; przeprowadz-ić/ać; dokon-ać/ywać (**sth** czegoś) 2. nada-ć/wać ważność (**a document** dokumentowi) 3. stracić (skazańca)

execution [,eksi'kju:ʃən] *s* 1. wykonanie; spełnienie; przeprowadzenie; dokonanie 2. nadanie ważności (**of a deed** aktowi prawnemu) 3. stracenie <egzekucja> skazańca 4. spustoszenie; zniszczenie; *dosł i przen* **to do ~** siać spustoszenie (wśród wrogów, wielbicieli itd.) 5. *prawn* egzekucja; zajęcie (mienia)

executioner [,eksi'kju:ʃnə] *s* kat; oprawca

executive [ig'zekjutiv] [I] *adj* 1. wykonawczy 2. *am* **~ order** dekret <zarządzenie> prezydenta 3. *am* **~ session** tajne <zamknięte> posiedzenie [II] *s* 1. wykonaw-ca/czyni 2. egzekutywa; władza wykonawcza 3. organ wykonawczy 4. *am* pracowni-k/ca na kierowniczym stanowisku; samodzieln-y/a pracowni-k/ca

executor [ig'ze,kju:tə] *s* 1. wykonawca 2. [ig'zekjutə] wykonawca testamentu

executory [ig'zekjutəri] *adj prawn* (*o postanowieniu itd*) wykonawczy; **~ devise** rozporządzenie co do postępowania <wykonywania> w przyszłości

executrix [ig'zekjutriks] *s* (*pl* **~es, executrices** [ig'zekjutri,si:z]) wykonawczyni

exegesis [,eksi'dʒi:sis] *s* egzegeza; tłumaczenie (Biblii itp.)

exegete ['eksi,dʒi:t] *s teol* egzegeta

exemplar [ig'zemplə] *s* wzór; przykład; model; ideał

exemplary [ig'zempləri] *adj* 1. wzorowy 2. przykładny 3. przykładowy; (*o karze itd*) wymierzony dla odstraszającego przykładu

exemplification [ig,zemplifi'keiʃən] *s* 1. zilustrowanie; przykład 2. kopia; duplikat (dokumentu)

exemplify [ig'zempli,fai] *vt* (**exemplified** [ig'zempli,faid], **exemplified; exemplifying** [ig'zimpli,faiiŋ]) 1. z/ilustrować; za/demonstrować 2. być przykładem (**sth** czegoś) 3. sporządz-ić/ać kopię <duplikat> (**a deed** aktu prawnego)

exempt [ig'zempt] [I] *vt* uw-olnić/alniać <zw-olnić/alniać> (**from sth** od czegoś) [II] *adj* wolny <uwolniony> (**from sth** od czegoś) [III] *s* 1. człowiek zwolniony (**from sth** od czegoś — pewnych obowiązków, opłat itd.) 2. = **exon**

exemption [ig'zempʃən] *s* uwolnienie <zwolnienie> (**from sth** od czegoś)

exequatur [,eksi'kweitə] *s dypl* exequatur

exequies ['eksikwiz] *spl* egzekwie

exercise ['eksə,saiz] [I] *s* 1. wykonywanie; pełnienie <spełnianie> (obowiązków) 2. przejawi-enie/anie <wykaz-anie/ywanie> (czegoś — zalet itd.); posługiwanie się <operowanie> (czymś — wyobraźnią itd.); **fiction-writing requires the ~ of imagination** powieściopisarstwo wymaga (udziału) wyobraźni 3. gimnastyka; ruch 4. ćwiczenie; *wojsk* musztra; *szk* zadanie; opracowanie 5. *pl* **religious ~s** praktyki religijne 6. *pl* **~s** *am* uroczystości [II] *vt* 1. wykon-ać/ywać; spełni-ć/ać, pełnić; **to ~ authority** mieć <sprawować> władzę 2. s/korzystać (**a right** z prawa, przywileju) 3. przeg-onić/aniać (konia) 4. za/niepokoić; u/dręczyć [III] *vi* ćwiczyć <gimnastykować> się; wykonywać ćwiczenia; trenować (się)

exercise-book ['eksəsaiz,buk] *s* zeszyt (szkolny)

exercitation [eg,zə:si'teiʃən] *s* 1. ćwiczenie; wprawianie się (**of sth** w czymś) 2. *lit* dysertacja 3. *lit* wprawianie się w krasomówstwie

exergue [ek'sə:g] *s* egzerga

exert [ig'zə:t] [I] *vt* 1. stosować; posłu-żyć/giwać się (**sth** czymś) 2. wyw-rzeć/ierać (wpływ, nacisk itd.) 3. wytęż-yć/ać <natęż-yć/ać> (siły) [II] *vr* **~ oneself** wysil-ić/ać <natęż-yć/ać, wytęż-yć/ać> się; do-łożyć/kładać starań; nie szczędzić trudów; zabiegać (**for sth** o coś)

exertion [ig'zə:ʃən] *s* 1. stosowanie (czegoś); posługiwanie się (**of sth** czymś) 2. wywieranie (wpływu, nacisku itd.) 3. wytężenie (sił); wysiłek; natężenie; *pl* **~s** starania; zabiegi

exes ['eksiz] *spl sl* wydatki

Exeter Hall ['eksitə'hɔ:l] *spr* wielka sala zebrań w Londynie

exeunt ['eksiənt] *vi 3 pers pl praes teatr* (*o aktorach*) wychodzą

exfoliate [eks'fouli,eit] *vt vi* odłup-ać/ywać (się); łuszczyć (się)

exfoliation [eks,fouli'eiʃən] *s* łuszczenie się

exhalation [,eksə'leiʃən] *s* 1. wyziew; opar 2. wydzielanie <wydawanie> (zapachu itd.) 3. parowanie; wyparowywanie 4. wydech; wydychanie 5. wybuch (gniewu)

exhale [eks'heil] [I] *vt* 1. wydziel-ić/ać <wydawać> (zapach itd.) 2. wydychać 3. wyzionąć (ducha) 4. da-ć/wać upust (**one's anger etc.** złości itd.) [II] *vi* wydziel-ić/ać się

exhaust [ig'zɔ:st] [I] *vt* 1. wyciąg-nąć/ać (powietrze itp.) wypompow-ać/ywać; wys-sać/ysać 2. wypuścić/szczać (parę itp.) 3. wyjał-owić/awiać (glebę) 4. wyczerp-ać/ywać (kogoś, coś — zasoby, temat itd.) 5. wypróżni-ć/ać (**of sth** z czegoś) *zob* **exhausted, exhausting** [II] *s* 1. *techn* wydmuch; wydech; (*także* **~ pipe**) rura wydmuchowa <wydechowa>; *auto* **~ box** tłumik; **~ valve** zawór wydechowy 2. gazy spalinowe 3. wyciąg; **dust ~** odpyl-enie/anie [III] *attr* wydmuchowy; **~ steam** zużyta para

exhausted [ig'zɔ:stid] [I] *zob* **exhaust** *v* [II] *adj* wyczerpany; bez sił

exhauster [ig'zɔ:stə] *s techn* ekshaustor; wentylator ssący; aspirator; wywietrznik; **dust ~** odkurzacz, odpylacz

exhausting [ig'zɔ:stiŋ] [I] *zob* **exhaust** *v* [II] *adj* wyczerpujący

exhaustion [ig'zɔ:stʃən] *s* 1. wyciąg-nięcie/anie (powietrza itp.); wypompow-anie/ywanie; wys-sanie/ysanie 2. wyjał-owienie/awianie (gleby) 3. wyczerpanie

exhaustive [ig'zɔ:stiv] *adj* wyczerpujący; gruntowny

exhibit [ig'zibit] [I] *vt* 1. wystawi-ć/ać (na pokaz) 2. okaz-ać/ywać; da-ć/wać dowody (**sth** czegoś); wykaz-ać/ywać 3. przedstawi-ć/ać (oczom) widok (**sth** czegoś) 4. z/robić pokaz (**sth** czegoś) 5. przed-łożyć/kładać 6. † za/stosować (lekarstwo) [II] *vi* wystawi-ć/ać; wziąć/brać udział w wystawie [III] *s* 1. eksponat; okaz (wystawowy) 2. *kino* fotos 3. *prawn* dowód rzeczowy 4. pokaz 5. wystawa; wystawi-enie/anie

exhibition [ˌeksi'biʃən] *s* 1. wystawa 2. pokaz; *am* popis ucz-niów/ennic; *handl* **~ room** salon pokazowy; **to make an ~ of oneself** z/robić z siebie widowisko <przedstawienie> 3. stypendium 4. † za/stosowanie (lekarstwa)

exhibitioner [ˌeksi'biʃn̩ə] *s* stypendyst-a/ka

exhibitionist [ˌeksi'biʃn̩ist] *s med* ekshibicjonist-a/ka

exhibitor [ig'zibitə] *s* wystaw-ca/czyni

exhilarant [ig'zilərənt] [I] *adj* (*o środku*) rozweselający [II] *s* środek rozweselający

exhilarate [ig'ziləˌreit] *vt* ożywi-ć/ać; roz/radować; doda-ć/wać ducha <animuszu, bodźca> (**sb** komuś); rozwesel-ić/ać *zob* **exhilarating**

exhilarating [ig'ziləˌreitiŋ] [I] *zob* **exhilarate** [II] *adj* (*o wieściach itp*) radosny

exhilaration [igˌzilə'reiʃən] *s* ożywienie; uradowanie; radość

exhort [ig'zɔ:t] *vt* 1. napominać 2. nawoływać <usilnie namawiać> (**to sth** <**to do sth**> do czegoś <do zrobienia czegoś>); zaklinać (**sb to do sth** kogoś, żeby coś zrobił) 3. bronić (**a cause** sprawy) 4. forsować (reformę itp.)

exhortation [ˌegzɔ:'teiʃən] *s* 1. napomnienie 2. namowy <namawianie, nawoływanie> (**to sth** <**to do sth**> do czegoś <do zrobienia czegoś>) 3. *kość* egzorta

exhortative [ig'zɔ:tətiv] *adj* 1. upominający 2. nawołujący

exhumation [ˌekshju:'meiʃən] *s* ekshumacja

exhume [eks'hju:m] *vt* przeprowadz-ić/ać ekshumację (**sb** czyichś zwłok), ekshumować

exigence ['eksidʒəns] *s* konieczna <nagląca> potrzeba; krytyczna sytuacja; konieczność; ostateczność; *pl* **~s** wymogi

exigency ['eksidʒənsi] = **exigence**

exigent ['eksidʒənt] *adj* 1. naglący; krytyczny 2. wymagający (**of sth** czegoś); **to be ~ of sth** wymagać czegoś

exigible ['eksidʒəbl] *adj* wymagający; (*o obowiązku itd*) którego spełnienia można <należy> wymagać (**against** <**from**> **sb** od kogoś)

exiguity [ˌeksi'gjuiti], **exiguousness** [eg'zigjuəsnis] *s* ciasnota; szczupłość (miejsca, dochodu itd.); znikomość (wyników)

exiguous [eg'zigjuəs] *adj* (*o miejscu, dochodach, wynikach*) szczupły; znikomy

exiguousness *zob* **exiguity**

exile ['eksail] [I] *s* 1. wygnanie; obczyzna; obce strony; banicja; tułaczka; emigracja; **in ~** na wychodźstwie; (*o rządzie itd*) emigracyjny; **to go into ~** wyemigrować 2. zesłaniec; emigrant/ka; banit-a/ka [II] *vt* skaz-ać/ywać na wygnanie; zesłać/zsyłać

exility [eg'ziliti] *s lit* cienkość; szczupłość

exist [ig'zist] *vi* 1. istnieć; znajdować się; trafi-ć/ać się 2. egzystować; utrzym-ać/ywać się przy życiu

existence [ig'zistəns] *s* istnienie; byt; egzystencja; **to be in ~** istnieć; znajdować się; **to come into ~** powsta-ć/wać; narodzić się; wyłonić się

existent [ig'zistənt] *adj* istniejący

existential [ˌegzis'tenʃəl] *adj* egzystencjalny

existentialism [ˌegzis'tenʃəˌlizəm] *s* egzystencjalizm

existentialist [ˌegzis'tenʃəlist] *s* egzystencjalist-a/ka

exit ['eksit] [I] *s* 1. wyjście; **to make one's ~** a) wy-jść/chodzić; znik-nąć/ać (z pokoju itd.) b) *przen* przenieść się na tamten świat, umrzeć 2. wyjście; ujście; wylot [II] *vi* 3. *pers sing praes teatr* (*o aktorze*) wychodzi

ex-libris [eks'laibris] *s* (*pl* **~**) ekslibris

exodus ['eksədəs] *s* masowe wywędrowanie, exodus

ex officio ['eksə'fiʃiou] *adv* z urzędu

exogamy [ek'sɔgəmi] *s* egzogamia

exogenous [ek'sɔdʒinəs] *adj* zewnętrzny; *biol* egzogeniczny, pozaustrojowy

exon ['eksən] *s hist* tytuł oficerów dowodzących okresowo królewską strażą przyboczną

exonerate [ig'zɔnəˌreit] *vt* uw-olnić/alniać (**from sth** od czegoś — od obowiązku, winy itd.); oczy-ścić/szczać (z zarzutu)

exoneration [igˌzɔnə'reiʃən] *s* uwolnienie (od obowiązku, winy itd.); oczyszczenie (z zarzutu)

exophthalmic [ˌeksou'fθælmik] *adj med* egzoftalmiczny; **~ goitre** choroba Basedowa

exophthalmus [ˌeksou'fθælməs] *s med* egzoftalmia, wytrzeszcz oczu

exorbitance [ig'zɔ:bitəns] *s* nadmierność; przesada; wygórowanie

exorbitant [ig'zɔ:bitənt] *adj* nadmierny; przesadny; wygórowany

exorcism ['eksɔ:ˌsizəm] *s kość* egzorcyzm

exorcize ['eksɔ:ˌsaiz] *vt kość* egzorcyzmować; wypędzać diabła

exordial [ek'sɔ:diəl] *adj* wstępny

exordium [ek'sɔ:diəm] *s* (*pl* **~s, exordia** [ek'sɔ:diə]) *s* wstęp

exosmose ['eksəzˌmous], **exosmosis** [ˌeksəz'mousis] *s biol* egzosmoza

exospore ['eksou'spɔ:] *s bot* egzospora

exoteric [ˌeksou'terik] *adj* 1. egzoteryczny 2. popularny; przystępny (dla niewtajemniczonych)

exothermic [ˌeksou'θə:mik] *adj chem* egzotermiczny

exotic [eg'zɔtik] [I] *adj* egzotyczny [II] *s* egzotyk; egzotyczna roślina; egzotyczny wyraz

exoticism [eg'zɔtiˌsizəm] *s* egzotyzm; barbaryzm (językowy)

exotism ['egzəˌtizəm] *s* egzotyka; egzotyczność

expand [iks'pænd] [I] *vt* 1. rozszerz-yć/ać; rozpręż-yć/ać; rozprzestrzeni-ć/ać 2. rozd-ąć/ymać; wypi-ąć/nać 3. rozwi-nąć/jać 4. rozpierać (serce) 5. rozpo-strzeć/ścierać (skrzydła) [II] *vi* 1. rozszerz-yć/ać <rozpręż-yć/ać, rozprzestrzeni-ć/ać>

się 2. rozd-ąć/ymać <wypi-ąć/nać> się 3. rozwi-nąć/jać <rozr-osnąć/astać> się 4. (*o człowieku*) sta-ć/wać się wylewnym

expander [iks'pændə] *s techn* 1. rozprężarka 2. rozszerzacz

expanse [iks'pæns] *s* obszar; przestrzeń

expansibility [iks,pænsə'biliti] *s* 1. rozprężalność 2. rozszerzalność 3. rozciągliwość

expansible [iks'pænsəbl] *adj* 1. rozprężalny 2. rozszerzalny 3. rozciągliwy

expansion [iks'pænʃən] [I] *s* 1. rozszerzenie (się); rozprężenie (się); rozciąganie (się); rozprzestrzenienie (się); *techn* **~ pipe** kompensator rurowy 2. na/pęcznienie 3. rozwinięcie (się); rozwój; rozrost 4. *fiz* rozszerzalność 5. *ekon* ekspansja [II] *attr* (*o maszynie parowej*) rozprężny; **double ~** dwuprężny

expansive [iks'pænsiv] *adj* 1. *fiz* rozszerzalny; rozprężalny; rozciągliwy 2. obszerny 3. (*o człowieku*) ekspansywny; wylewny

expansiveness [iks'pænsivnis] *s* 1. *fiz* rozszerzalność; rozciągliwość; rozprężalność 2. wylewność; ekspansywność

ex parte ['eks'pa:ti] [I] *adv prawn* jednostronnie [II] *adj prawn* jednostronny

expatiate [eks'peiʃi,eit] *vi* rozwodzić się (**upon** <**on**> **sth** nad czymś)

expatiation [eks,peiʃi'eiʃən] *s* rozwlekła rozprawa; rozwodzenie się (**on sth** nad czymś)

expatiatory [eks'peiʃiətəri] *adj* rozwlekły

expatriate [eks'pætri,eit] [I] *vt* skaz-ać/ywać na wygnanie; ekspatriować [II] *vr* **~ oneself** 1. wy/emigrować 2. zrze-c/kać się obywatelstwa

expatriation [eks,pætri'eiʃən] *s* 1. ekspatriacja 2. zrzeczenie się obywatelstwa

expect [iks'pekt] [I] *vt* 1. spodziewać się (**sb, sth,** kogoś, czegoś; **sth to happen** że coś się stanie; **sb to do sth** że ktoś coś zrobi); oczekiwać (**sb, sth** kogoś, czegoś); **to ~ sth from sb** spodziewać się czegoś po kimś <od kogoś>; **do you** <**they**> **~ me** <**him etc.**> **to —?** czy ja mam <on ma>... (coś zrobić)?; **he is ~ed to come** <**do it etc.**> on przypuszczalnie przyjdzie <zrobi to itd.>; **it was to be ~ed** należało <można było> się tego spodziewać; **to ~ the worst** być przygotowanym na najgorsze; **to ~ to see** <**hear, learn etc.**> spodziewać się, że się zobaczy <usłyszy, dowie itd.> 2. przypuszczać; sądzić, myśleć; **I ~ not** chyba nie; **I ~ so** chyba tak; przypuszczalnie [II] *vi pot w zwrocie:* (*o kobiecie*) **to be ~ing** być przy nadziei

expectancy [iks'pektənsi] *s* oczekiwanie; nadzieja; *prawn* **in ~** domniemany; przypuszczalny; prawowity

expectant [iks'pektənt] [I] *adj* oczekujący; **~ heir** domniemany <przypuszczalny, prawowity> spadkobierca; **~ mother** kobieta w ciąży; **~ policy** polityka wyczekiwania; **to be ~ of sth** oczekiwać czegoś [II] *s* kandydat/ka

expectation [,ekspek'teiʃən] *s* 1. oczekiwanie; nadzieja; przewidywanie; **beyond ~** nadspodziewanie; **contrary to ~** wbrew oczekiwaniom 2. prawdopodobieństwo; **~ of life** średnia długość życia 3. *pl* **~s** nadzieje <rachuby, widoki> na spadek

expectative [iks'pektətiv] [I] *adj* ekspektatywny [II] *s* oczekiwanie, † ekspektatywa

expectorant [eks'pektərənt] [I] *adj* (*o środku*) wykrztuśny [II] *s* środek wykrztuśny

expectorate [eks'pektə,reit] [I] *vt* odkaszl-nąć/iwać [II] *vi am* plu-nąć/ć, splu-nąć/wać

expectoration [eks,pektə'reiʃən] *s* 1. spluwanie, plucie 2. plwocina

expedience [iks'pi:djəns], **expediency** [iks'pi:djənsi] *s* 1. stosowność; celowość; praktyczność 2. korzyść; wygoda (własna) 3. oportunizm

expedient [iks'pi:djənt] [I] *adj* 1. stosowny; celowy; wskazany; praktyczny 2. korzystny; dogodny 3. oportunistyczny [II] *s* sposób; środek; wybieg; fortel

expedite ['ekspi,dait] *vt* 1. przyśpiesz-yć/ać 2. szybko załatwi-ć/ać

expedition [,ekspi'diʃən] *s* 1. wyprawa; ekspedycja 2. pośpiech; szybkość; **to use ~** pośpieszyć się; nie tracić czasu; **with ~** szybko

expeditionary [,ekspi'diʃənəri] *adj* ekspedycyjny; **the British Expeditionary Force** Brytyjski Korpus Ekspedycyjny

expeditious [,ekspi'diʃəs] *adj* szybki; pośpieszny **to be ~** szybko działać

expel [iks'pel] *vt* (**-ll-**) wyg-nać/aniać; wypędz-ić/ać wydal-ić/ać; wyklucz-yć/ać (**from a society etc.** z towarzystwa itd.); *chem* odpędz-ić/ać

expend [iks'pend] *vt* 1. wyda-ć/wać (pieniądze) 2. zuży-ć/wać; poświęc-ić/ać (czas); **to ~ care** do-łożyć/kładać starań 3. wyczerp-ać/ywać (siły, środki)

expenditure [iks'penditʃə] *s* 1. wydat-ek/ki 2. zużycie; strata

expense [iks'pens] *s* 1. wydat-ek/ki; koszt; **to go to ~** robić sobie wydatki; **to go to the ~ of —** pozwolić sobie na wydatek... (50 zł itd.); **to put sb to ~** nara-zić/żać kogoś na koszty <na wydatki>; **at the ~ of —** kosztem... (czyimś); na (czyjś) koszt; **free of ~** bezpłatny, bezpłatnie 2. ciężar (finansowy)

expensive [iks'pensiv] *adj* kosztowny; drogi; **that comes rather ~** to dosyć drogo wypada

expensiveness [iks'pensivnis] *s* duży koszt; wysoka cena

experience [iks'piəriəns] [I] *s* 1. przeżycie; doznanie; zdarzenie 2. doświadczenie; **a person with ~ in teaching** <**driving etc.**> doświadczony pedagog <kierowca itd.>; **facts within sb's ~** fakty, których ktoś był świadkiem <które ktoś zna z własnego doświadczenia>; **to speak from ~** mówić na podstawie własnego doświadczenia 3. doświadczenie życiowe; praktyka (zawodowa); **he has had much ~ in leading young people** on ma dużą praktykę w kierowaniu młodzieżą; **to lack ~** nie mieć a) doświadczenia życiowego b) praktyki (zawodowej) 4. *pl* **~s** wzruszenie <uniesienie> religijne [II] *vt* 1. dozna-ć/wać <doświadcz-yć/ać> (**sth** czegoś); ule-c/gać (**sth** czemuś) 2. przechodzić; przeżywać; *am* **to ~ religion** nawrócić się 3. dowi-edzieć/adywać się na podstawie własnego doświadczenia <z praktyki> (**sth** o czymś); **I have ~d that —** wiem z własnego doświadczenia, że... *zob* **experienced**

experienced [iks'piəriənst] [I] *zob* **experience** *v* [II] *adj* doświadczony; **to be ~ in sth** mieć doświadczenie w czymś; znać się na czymś

experiential [iks,piəri'enʃl] *adj* oparty na doświadczeniu; empiryczny

experiment [iks'perimənt] [I] *s* eksperyment; próba; *chem fiz* doświadczenie; **as an <by way of> ~** a) próbnie b) eksperymentalnie [II] *attr* doświadczalny [III] *vi* [iks'peri,ment] eksperymentować (**on <with> sth** na czymś)
experimental [eks,peri'mentl] *adj* doświadczalny; eksperymentalny
experimentalize [eks,peri'mentə,laiz] = **experiment** *v*
experimentation [eks,perimen'teiʃən] *s* eksperymentowanie
experimenter [iks,peri'mentə] *s* eksperymentator
expert ['ekspə:t] [I] *adj* 1. biegły (**in <at> sth** w czymś) 2. (*o pracy*) mistrzowski [II] *s* znaw-ca/czyni; specjalist-a/ka; ekspert; *prawn* biegły, rzeczoznawca; **~ opinion <advice>** opinia <porada> rzeczoznawc-y/ów; **~'s report** ekspertyza
expertise [,ekspə:'ti:z] *s* ekspertyza
expertness [eks'pə:tnis] *s* 1. znawstwo 2. mistrzostwo (**in sth** w czymś)
expiate ['ekspi,eit] *vt* odpokutować; zmazać (winę); pokutować (**a sin** za grzech)
expiation [,ekspi'eiʃən] *s* pokuta; odpokutowanie; *rel* (*w wyznaniu mojżeszowym*) **Day of Expiation** Sądny Dzień
expiatory ['ekspiətəri] *adj* pokutniczy
expiration [,ekspaiə'reiʃən] *s* 1. wydech 2. upływ (czasu); końcowy termin; wygaśnięcie (ważności, umowy itp.)
expiratory [iks'paiərətəri] *adj anat* wydechowy
expire [iks'paiə] [I] *vt* wydychać; wypu-ścić/szczać (powietrze z płuc) [II] *vi* 1. wyzionąć ducha; um--rzeć/ierać 2. (*o ogniu, świetle*) zgasnąć 3. (*o terminie, ważności umowy itp*) wygas-nąć/ać; upły--nąć/wać; (*o dokumencie itp*) stracić ważność; przedawni-ć/ać się
expiry [iks'paiəri] = **expiration** 2.
explain [iks'plein] [I] *vt* 1. objaśni-ć/ać; wyjaśni-ć/ać 2. wy/tłumaczyć (czyjeś postępowanie itd.) [II] *vr* **~ oneself** tłumaczyć się; wy/tłumaczyć swe postępowanie [III] *vi* udziel-ić/ać wyjaśnienia
~ away *vt* wytłumaczyć <usprawiedliwi-ć/ać> się (**sth** z czegoś)
explanation [,eksplə'neiʃən] *s* objaśnienie; wytłumaczenie; wyjaśnienie; **to say sth in ~ of one's conduct** powiedzieć coś dla wytłumaczenia swego postępowania <na swoje usprawiedliwienie>
explanatory [iks'plænətəri] *adj* objaśniający; tłumaczący
expletive [eks'pli:tiv] [I] *adj* uzupełniający; dopełniający; [II] *s* 1. uzupełniający <dopełniający> wyraz w zdaniu 2. łagodny okrzyk zniecierpliwienia <zdziwienia>
explicable ['eksplikəbl] *adj* wytłumaczalny
explicate ['ekspli,keit] *vt* rozwi-nąć/jać (myśl itp.)
explication [,ekspli'keiʃən] *s* 1. wyjaśnienie; objaśnienie 2. rozwinięcie (myśli itp.)
explicative [eks'plikətiv], **explicatory** [eks'plikətəri] *adj* objaśniający
explicit [iks'plisit] *adj* 1. jasny; wyraźny; dosadny; formalny; kategoryczny; sprecyzowany; bez niedomówień; dobitny; *rel* **~ faith** wiara absolutna <bez zastrzeżeń>; **to be ~** jasno się wypowiedzieć; mówić bez ogródek 2. (*o człowieku*) otwarty; szczery
explicitness [iks'plisitnis] *s* dosadność; dobitność; sprecyzowanie
explode [iks'ploud] [I] *vt* 1. obal-ić/ać (teorię itp.) 2. s/powodować wybuch (**sth** czegoś); wysadz-ić/ać (minę itp.); rozsadz-ić/ać (kocioł itp.) [II] *vi* 1. wybuch-nąć/ać; eksplodować 2. wyl-ecieć/atywać w powietrze 3. (*o człowieku*) wybuch-nąć/ać (śmiechem, gniewem itd.)
exploder [iks'ploudə] *s techn* 1. spłonka 2. zapalnik 3. zapalarka
exploit[1] ['eksplɔit] *s* czyn bohaterski; wyczyn
exploit[2] [iks'plɔit] *vt* wy/eksploatować (człowieka, kopalnię itd.); wyzysk-ać/iwać (człowieka); wyb--rać/ierać (złoże); wykorzyst-ać/ywać (zdolności itp.)
exploitation [,eksplɔi'teiʃən] *s* 1. eksploatacja (kopalni itd.); wybieranie (złoża) 2. wyzysk, wyzyskiwanie
exploiter [iks'plɔitə] *s* eksploatator/ka; wyzyskiwacz/ka
exploration [,eksplɔ:'reiʃən] *s* badanie (lekarskie itd.); przebadanie; wybadanie; odkrywanie (lądów); eksploracja
explorative [eks'plɔ:rətiv], **exploratory** [iks'plɔ:rətəri] *adj* poszukiwawczy; badawczy; odkrywczy; (*o rozmowie itd*) przeprowadzony dla zorientowania się w sytuacji
explore [iks'plɔ:] *vt* z/badać; wybadać; przeprowadz-ić/ać badania <poszukiwania> (**sth** czegoś)
explorer [iks'plɔ:rə] *s* 1. badacz/ka; odkryw-ca/czyni (lądów itp.) 2. *med* sonda
explosion [iks'plouʒn] *s* 1. wybuch (pocisku, gazu itp.; gniewu, śmiechu itp.); eksplozja 2. huk
explosive [iks'plousiv] [I] *adj* (*o materiale, temperamencie, spółgłosce*) wybuchowy [II] *s* materiał wybuchowy; **high ~** kruszący materiał wybuchowy
exponent [eks'pounənt] *s* 1. wyraziciel/ka; wykonaw-ca/czyni 2. przedstawiciel/ka 3. *mat* wykładnik (potęgowy)
exponential [,ekspou'nenʃəl] *adj* wykładniczy; wykładnikowy
export [eks'pɔ:t] [I] *vt* eksportować [II] *s* ['ekspɔ:t] 1. eksport; wywóz (z kraju) 2. artykuł eksportowy <wywozowy> 3. *pl* **~s** eksport (wszystkie eksportowane towary); **invisible ~s** eksport wewnętrzny [III] *attr* eksportowy; wywozowy
exportation [,ekspɔ:'teiʃən] *s* wywóz; wywożenie (z kraju)
exporter [eks'pɔ:tə] *s* eksporter
expose [iks'pouz] *vt* 1. wystaw-ić/ać (**goods** towary) na pokaz <na sprzedaż>; **sth to the air <the sunlight etc.>** coś na działanie powietrza <słońca itd.>; *wojsk* **one's flank to the enemy** flankę <skrzydło> nieprzyjacielowi; *kośc* **the Blessed <Holy> Sacrament** Najświętszy Sakrament) 2. nara-zić/żać 3. odsł-onić/aniać; wyjawi-ć/ać 4. ujawni-ć/ać; z/demaskować 5. naświetl-ić/ać (kliszę itp.) 6. porzuc-ić/ać (dziecko)
exposé [ekspou'zei] *s dypl* exposé
exposition [,ekspə'ziʃən] *s* 1. przedstawienie (czegoś); opis; s/komentowanie 2. wystawa (towarów) 3. *kośc* wystawienie (Najśw. Sakramentu) 4. *am* wystawa (sztuki itd.) 5. *fot* naświetlenie, ekspozycja 6. porzucenie (dziecka)
expositive [eks'pɔzitiv], **expository** [eks'pɔzitəri] *adj* objaśniający
expostulate [iks'pɔstju,leit] *vt* wym-ówić/awiać

(**with sb about** <**for, on**> **sth** komuś coś); czynić wymówki (**with sb** komuś)
expostulation [iks,pɔstju'leiʃən] *s* wymówki
expostulatory [iks'pɔstjulətəri] *adj* (*o liście itd*) z wymówkami
exposure [iks'pouʒə] *s* 1. wystawienie (na zimno, słońce itd.) 2. naraż-enie/anie (się); **to die of ~** zginąć z zimna 3. ujawni-enie/anie; z/demaskowanie 4. *fot* naświetlanie; czas naświetlania; ekspozycja; zdjęcie 5. porzucenie (dziecka) 6. wystawa (towarów) 7. obnaż-enie/anie 8. *górn* odkrywka; odsłonięcie 9. *arch* wystawa <orientacja> (budynku); **eastern ~** wystawa <położenie> wschodni-a/e (budynku)
expound [iks'paund] *vt* objaśni-ć/ać; tłumaczyć
express[1] [iks'pres] [I] *adj* 1. (*o podobiźnie*) wierny 2. (*o nakazie itp*) wyraźny; formalny; kategoryczny 3. (*o pociągu*) pośpieszny 4. (*o karabinie*) szybkostrzelny 5. (*o liście*) ekspres 6. (*o posłańcu*) umyślny; specjalny 7. *am* (*o agencji itp*) wysyłkowy [II] *adv* pośpiesznie; w trybie przyśpieszonym [III] *s* 1. pociąg pośpieszny 2. specjalny posłaniec
express[2] [iks'pres] [I] *vt* 1. wyra-zić/żać; wypowi-edzieć/adać 2. wycis-nąć/kać; wyż-ąć/ymać; wytł-oczyć/aczać [II] *vr* **~ oneself** wyra-zić/żać <wypowi-edzieć/adać, wysł-owić/awiać> się
express[3] [iks'pres] *vt am* wys-łać/yłać (coś) przesyłką ekspresową; wys-łać/yłać (list) ekspresem
expressible [iks'presəbl] *adj* dający się wyrazić; możliwy do wyrażenia <do wypowiedzenia>
expression [iks'preʃən] *s* 1. wyrażenie; wypowiedzenie; wysłowienie się; **beyond** <**past**> **~** nie dający się wyrazić <opisać>; **to give ~ to sth** wypowiedzieć coś; dać wyraz czemuś 2. wyrażenie; zwrot 3. *mat* wyrażenie; formułka 4. wyraz (twarzy itp.); ekspresja 5. wyci-śnięcie/skanie; wyżymanie; wytłoczenie
expressionism [iks'preʃə,nizəm] *s* ekspresjonizm
expressionless [iks'preʃənlis] *adj* bez wyrazu
expressive [iks'presiv] *adj* pełen wyrazu <ekspresji>; wyrazisty; **~ of a feeling** wyrażający uczucie
expressiveness [iks'presivnis] *s* wyrazistość
expressly [iks'presli] *adv* 1. wyraźnie; formalnie; kategorycznie 2. specjalnie
expropriate [eks'proupri,eit] *vt* wywłaszcz-yć/ać (**sb** kogoś; **sb from sth** kogoś z czegoś); zab-rać/ierać <zagarn-ąć/iać, s/konfiskować> (**sb's property** komuś <czyjąś> własność)
expropriation [eks,proupri'eiʃən] *s* wywłaszczenie; odebranie <zagarnięcie, konfiskata> własności
expulsion [iks'pʌlʃən] *s* wydalenie; wygnanie; wypędzenie; wyparcie
expulsive [iks'pʌlsiv] *adj* wydalający; wypędzający; wypierający
expunction [iks'pʌŋkʃən] *s* wykreślenie; opuszczenie
expunge [eks'pʌndʒ] *vt* wykreśl-ić/ać; wymaz-ać/ywać
expurgate ['ekspə:,geit] *vt* okr-oić/awać (książkę); usu-nąć/wać drastyczne ustępy (**a book** z książki) <niepożądane elementy (**a society** z towarzystwa)>; przeprowadz-ić/ać czystkę (**an army etc.** w armii itd.)
expurgation [,ekspə:'geiʃən] *s* okrawanie (książki); usu-nięcie/wanie drastycznych ustępów (**of a book** z książki); czystka
exquisite ['ekskwizit] [I] *adj* 1. znakomity; wyborny; wyśmienity 2. śliczny 3. rozkoszny 4. (*o zadowoleniu*) żywy 5. (*o bólu*) ostry; przeszywający 6. (*o słuchu*) subtelny; wysubtelniony [II] *s* piękniś; dandys; goguś; laluś
exquisiteness ['ekskwizitnis] *s* 1. wyśmienitość 2. doskonałość 3. ostrość (bólu) 4. rozkosz 5. wysubtelnienie (słuchu)
exsanguine [ek'sæŋwin] *adj* bezkrwisty; wykrwawiony; anemiczny
exscind [ek'sind] *vt* wyci-ąć/nać; usu-nąć/wać
exsert [ek'sə:t] *vt* wysu-nąć/wać (żądło itd.); wypu-ścić/szczać (pęd itd.)
ex-service ['eks'sə:vis] *attr* były wojskowy; **~ man** kombatant; zdemobilizowany (żołnierz, oficer)
exsiccate ['eksi,keit] *vt* osusz-yć/ać; wysusz-yć/ać *zob* **exsiccated**
exsiccated ['eksi,keitid] [I] *zob* **exsiccate** [II] *adj chem* bezwodny
exsiccation [,eksi'keiʃən] *s* osusz-enie/anie; wysusz-enie/anie
exsiccator ['eksi,keitə] *s chem* eksykator (aparat do suszenia preparatów)
extant [eks'tænt] *adj* istniejący jeszcze; pozostały; który ocalał <przetrwał, ostał się>
extasy = **ecstasy**
extemporaneous [eks,tempə'reinjəs], **extemporary** [eks'tempərəri] *adj* 1. zaimprowizowany; (zrobiony, powiedziany itd.) na poczekaniu; odręczny 2. (*o modlitwie*) z serca płynący
extempore [eks'tempəri] [I] *adv* improwizując; **to speak ~** improwizować [II] *adj* zaimprowizowany; (zrobiony, sporządzony, powiedziany itp.) bez przygotowania <na poczekaniu, od ręki>
extemporize [iks'tempə,raiz] [I] *vi* mówić <grać> bez przygotowania <z głowy>; improwizować [II] *vt* 1. za/improwizować 2. wypowiedzieć (modlitwę) wprost z serca
extend [iks'tend] [I] *vt* 1. rozciąg-nąć/ać; wyciąg-nąć/ać 2. (*o szyku wojska, działalności, także gram*) rozwi-nąć/jać 3. przedłuż-yć/ać; wydłuż-yć/ać; s/prolongować 4. rozszerz-yć/ać; rozprzestrzeni-ć/ać; powiększ-yć/ać; rozbudow-ać/ywać 5. okaz-ać/ywać (uprzejmość itp.); wyra-zić/żać <pos-łać/yłać> (podziękowanie itp.); *am* **to ~ a welcome** powitać 6. s/forsować; wysil-ić/ać, wytęż-yć/ać 7. przepis-ać/ywać (stenograficzny tekst) 8. wyszczególni-ć/ać pozycje (**sth** czegoś — faktury itp.) 9. *prawn* zaj-ąć/mować (mienie) [II] *vi* 1. rozciąg-nąć/ać <wyciąg-nąć/ać> się 2. (*o szyku wojska, działalności, także gram*) rozwi-nąć/jać się 3. przedłuż-yć/ać <wydłuż-yć/ać> się 4. rozszerz-yć/ać <rozprzestrzeni-ć/ać, powiększ-yć/ać, rozbudow-ać/ywać> się 5. s/forsować <wysil-ić/ać, wytęż-yć/ać> się 6. ciągnąć się (w czasie i przestrzeni); sięgać (**to sth** do czegoś, po coś) *zob* **extended, extending**
extended [iks'tendid] [I] *zob* **extend** [II] *adj am* długi; przeciągający się; przewlekły
extending [iks'tendiŋ] [I] *zob* **extend** [II] *adj* rozsuwalny; (*o stole itd*) do rozsuwania <do wysuwania>
extensibility [iks,tensə'biliti] *s* rozciągliwość
extensile [eks'tensail] *adj* rozciągliwy
extension [iks'tenʃən] *s* 1. rozciąganie; wyciąganie 2. *wojsk* rozwinięcie <rozciągnięcie> (szyku) 3. *gram* rozwinięcie (podmiotu, orzeczenia) 4. prze-

dłużenie <wydłużenie, rozprzestrzenienie> (się); **~ ladder** drabina rozsuwana <wysuwana>; **~ (telephone)** telefon <numer> wewnętrzny; **university ~** popularne kursy z zakresu wyższych studiów 5. rozszerzenie <powiększenie> (się); wzrost; rozwój 6. zasięg; rozległość 7. *am* pawilon; skrzydło (budynku); dobudówka

extensive [iks'tensiv] *adj* 1. obszerny; rozległy; szeroko rozgałęziony 2. ekstensywny

extensiveness [iks'tensivnis] *s* rozległość

extensometer [ˌekstən'sɔmitə] *s techn* tensometr

extensor [iks'tensə] *s anat* prostownik (mięsień)

extent [iks'tent] *s* 1. obszar; rozmiar 2. rozciągłość 3. zasięg 4. wysokość (kwoty odszkodowania itp.) 5. miara; stopień; **to some ~** w pewnej mierze; do pewnego stopnia; w pewnym stopniu; **to what ~?** w jakich granicach? 6. *prawn* oszacowanie (majątku) 7. *prawn* zajęcie (mienia)

extenuate [eks'tenjuˌeit] *vt* 1. *†* osłabi-ć/ać 2. umniejsz-yć/ać *zob* **extenuating**

extenuating [eks'tenjuˌeitiŋ] [I] *zob* **extenuate** [II] *adj* **~ circumstances** okoliczności łagodzące

extenuation [eksˌtenju'eiʃən] *s* 1. osłabienie 2. umniejszenie; **in ~ of** ... na usprawiedliwienie... (przestępstwa)

extenuatory [eks'tenjuətəri] *adj* (*o okolicznościach itd*) łagodzący <zmniejszający> winę

exterior [eks'tiəriə] [I] *adj* zewnętrzny [II] *s* 1. zewnętrzna strona; fasada; **on the ~** zewnętrznie; na <od> zewnątrz 2. powierzchowność (człowieka)

exterminate [eks'tə:miˌneit] *vt* 1. wy/tępić; wy/niszczyć 2. wykorzeni-ć/ać

extermination [eksˌtə:mi'neiʃən] *s* 1. wytępienie; wyniszczenie 2. wykorzenienie

exterminator [eks'tə:miˌneitə] *s* środek tępiący (robactwo itd.) <przeciwko szkodnikom itd.>

exterminatory [eks'tə:minətəri] *adj* eksterminacyjny

extern [eks'tə:n] [I] *adj* zewnętrzny [II] *s* 1. eksternista 2. pacjent/ka dochodząc-y/a

external [eks'tə:nl] [I] *adj* 1. zewnętrzny 2. (*o handlu itd*) zagraniczny [II] *spl* **~s** 1. powierzchowność; aspekt <wygląd> zewnętrzny; pozory 2. okoliczności <momenty> uboczne

externality [ˌekstə:'næliti] *s* zewnętrzność

externalize [eks'tə:nəˌlaiz] *vt* uzewnętrzni-ć/ać

exterritorial ['eksteri'tɔ:riəl] *adj* eksterytorialny

exterritoriality [eksˌteritɔri'æliti] *s* eksterytorialność

extinct [iks'tiŋkt] *adj* 1. (*o ogniu, wulkanie, uczuciach*) wygasły 2. (*o szczepie ludzkim, zwierzętach, roślinach itp*) wymarły; (*o zwyczajach itd*) zanikły; **to become ~** wygas-nąć/ać; wym-rzeć/ierać; zanik-nąć/ać; za/ginąć; wy-jść/chodzić z użycia

extinction [iks'tiŋkʃən] *s* 1. ugaszenie; zgaszenie; wygaśnięcie 2. wymarcie 3. zanik; zaginięcie 4. zagłada; wytępienie 5. zniesienie, skasowanie 6. umorzenie (długu itp.) 7. wyjście z użycia 8. *astr* ekstynkcja

extinguish [iks'tiŋgwiʃ] *vt* 1. z/gasić (ogień, światło, wapno); s/tłumić (pożar, uczucia); położyć/kłaść kres (**sth** czemuś — nadziejom itd.); od-ebrać/bierać (nadzieję) 2. z/niszczyć; wy/tępić 3. zn-ieść/osić, s/kasować 4. umorzyć (dług) 5. zaćmi-ć/ewać (kogoś) 6. od-ebrać/bierać argumenty (**an opponent** przeciwnikowi); *pot* zatkać (kogoś)

extinguisher [iks'tiŋgwiʃə] *s* 1. gaśnica 2. gasidło (do świec)

extinguishment [iks'tiŋgwiʃmənt] *s* 1. zgaszenie; ugaszenie 2. zniesienie, skasowanie 3. zniszczenie; wytępienie 4. umorzenie (długu)

extirpate ['ekstə:ˌpeit] *vt* 1. wykorzeni-ć/ać; wy/trzebić 2. wy/tępić (naród, chwasty, herezję itd.) 3. wyci-ąć/nać

extirpation [ˌekstə:'peiʃən] *s* 1. wykorzenienie; wytrzebienie 2. wytępienie (narodu, chwastów, herezji itd.) 3. wycięcie

extirpator ['ekstə:ˌpeitə] *s roln* ekstyrpator

extol [iks'tɔl] *vt* (**-ll-**) wychwalać; **to ~ sb to the skies** wynosić kogoś pod niebiosa

extort [iks'tɔ:t] *vt* 1. wy-drzeć/dzierać (**sth from** <**out of**> **sb** coś komuś — pieniądze, obietnicę itd.) 2. zedrzeć/zdzierać 3. wymu-sić/szać; **to ~ a meaning** sztucznie z/interpretować

extortion [iks'tɔ:ʃən] *s* 1. wydarcie (obietnicy) 2. zdzieranie; zdzierstwo 3. wymusz-enie/anie

extortionate [iks'tɔ:ʃnit] *adj* zdzierczy

extortioner [iks'tɔ:ʃnə] *s* szantażyst-a/ka

extortive [iks'tɔ:tiv] *adj* (*o środkach*) wymuszania

extra[1] ['ekstrə] [I] *adj* 1. dodatkowy; **~ fare** <**charge, pay, postage**> dopłata; **~ weight** <**luggage**> nadwyżka wagi <bagażu> 2. luksusowy 3. nadzwyczajny; szczególny; specjalny [II] *adv* 1. ponad (normę itp.) 2. nadzwyczajnie; *pot* ekstra 3. dodatkowo 4. osobno (płatny, dorobiony itd.) [III] *s* 1. dodatek (do rachunku, programu itd.) 2. nadzwyczajne wydanie (gazety) 3. *teatr* statyst-a/ka

extra-[2] ['ekstrə-] *przedrostek* poza- (pozaeuropejski, pozasądowy itd.)

extract [iks'trækt] [I] *vt* 1. wypis-ać/ywać (wyjątki z książki itp.) 2. wyprowadz-ić/ać (wniosek itd.) 3. czerpać (przyjemność itd. — z czegoś) 4. *fiz chem* wyciąg-nąć/ać, wydoby-ć/wać; z/robić wyciąg <ekstrakt> (**sth** z czegoś); *mat* wyciąg-nąć/ać (pierwiastek) 5. wyr-wać/ywać (ząb); wyj-ąć/mować (pocisk z rany) 6. wymu-sić/szać (pieniądze, zeznanie itd.); wyłudz-ić/ać [II] *s* ['ekstrækt] 1. ekstrakt, wyciąg 2. wyjątek (z książki itp.) 3. *pl* **~s** wypisy (szkolne itd.)

extraction [iks'trækʃən] *s* 1. wydobycie; wyciągnięcie; wyrwanie; wyjęcie; ekstrakcja 2. pochodzenie; ród 3. wyprowadzenie (wniosku itd.)

extractive [iks'træktiv] *adj* wyciągowy; ekstrakcyjny; ekstraktowy

extractor [iks'træktə] *s* 1. *techn* wyciągacz 2. *chem* ekstraktor 3. *dent* kleszcze

extradite ['ekstrəˌdait] *vt prawn* ekstradować

extradition [ˌekstrə'diʃən] *s prawn* ekstradycja

extrados [eks'treidɔs] *s arch* zewnętrzna strona łuku sklepienia; grzbiet łuku

extrajudicial [ˌekstrədʒu'diʃəl] *adj* 1. pozasądowy 2. nie podlegający kompetencji sądu

extramundane [ˌekstrə'mʌndein] *adj* pozaświatowy

extramural ['ekstrə'mjuərəl] *adj* (*o wykładowcy*) spoza uniwersytetu; (*o nauczaniu*) pozauniwersytecki

extraneous [eks'treinjəs] *adj* 1. obcy (**to sb, sth** dla kogoś, czegoś); nie związany (**to sth** z czymś) 2. uboczny

extraordinariness [iks'trɔ:dnrinis] *s* niezwykłość; nadzwyczajny charakter (czegoś)

extraordinary [iks'trɔ:dnri] [I] *adj* nadzwyczajny; niezwykły; *pot* zadziwiający; fantastyczny [II] *spl* **extraordinaries** nadzwyczajna racja <dodatkowy przydział> (żywności itd.)

extrapolation [ˌekstræpəˈleiʃə] *s mat* ekstrapolacja
extra-special [ˈekstrəˈspeʃəl] *s* drugie nadzwyczajne wydanie (gazety)
extrauterine [ˌekstrəˈju:təˌrain] *adj med* pozamaciczny
extravagance [iksˈtrævigəns] *s* 1. ekstrawagancja; wybryk; szaleństwo 2. marnotrawstwo; rozrzutność; lekkomyślność
extravagant [iksˈtrævigənt] *adj* 1. nadmierny; przesadny 2. rozrzutny; marnotrawny; lekkomyślny 3. (*o cenie*) wygórowany; szalony; niedostępny
extravaganza [eksˌtrævəˈgænzə] *s* fantazja (utwór muzyczny lub literacki)
extravagate [iksˈtrævəˌgeit] *vi* 1. zb-oczyć/aczać (z właściwej drogi) 2. *przen* prze-jść/chodzić <przekr-oczyć/aczać> granice
extravasate [eksˈtrævəˌseit] [I] *vt med* wynaczyni-ć/ać [II] *vi* wylewać się
extravasation [eksˌtrævəˈseiʃən] *s med* 1. wylew (z naczynia) 2. wybroczyna
extra-violet [ˌekstrəˈvaiəlit] *adj* ultrafioletowy
extreme [iksˈtri:m] [I] *adj* 1. (*w przestrzeni*) najdalszy; **at the ~ end** na samym końcu 2. (*w kolejności*) ostateczny; ostatni; **~ old age** późna starość; *rel* **~ unction** ostatnie namaszczenie; **~ youth** pierwsza młodość 3. (*w stopniu, intensywności*) skrajny; krańcowy; ostateczny; najwyższy; niesłychany; niezwykły 4. (*o człowieku, jego poglądach itd*) radykalny; nieumiarkowany [II] *s* 1. kraniec; ostateczna <ostatnia> granica; **~s meet** przeciwieństwa się spotykają <schodzą> 2. ostateczność; **to go to ~s** wpadać w ostateczność <w krańcowość> 3. krańcowość; skrajność 4. *mat* ekstremum
extremely [iksˈtri:mli] *adv* nadzwyczajnie; niezmiernie; w najwyższym stopniu; niezwykle; *pot* szalenie
extremeness [iksˈtri:mnis] *s* krańcowość
extremist [iksˈtri:mist] *s* ekstremist-a/ka
extremity [iksˈtremiti] *s* 1. koniec (liny, ulicy itd.); koniuszek; kraniec 2. ostateczność; krańcowość; skrajność 3. *anat* kończyna 4. potrzeba; krytyczna sytuacja; ciężkie położenie 5. *pl* **extremities** ostateczne środki
extricable [ˈekstrikəbl] *adj* możliwy do wywikłania <do rozwikłania>
extricate [ˈekstriˌkeit] *vt* 1. wywikłać; wypląt-ać/ywać; *dosł i przen* wyciąg-nąć/ać (z błota, trudnego położenia) 2. *chem* wyzw-olić/alać <oddziel-ić/ać> (gaz)
extrication [ˌekstriˈkeiʃən] *s* 1. wywikłanie; wyplątanie; *dosł i przen* wyciągnięcie (z błota, trudnego położenia) 2. wyzwolenie <oddzielanie> (gazu)
extrinsic [eksˈtrinsik] *adj* 1. zewnętrzny (**to sth** w stosunku do czegoś); działający z zewnątrz 2. obcy <niewłaściwy> (komuś, czemuś); nie tkwiący w istocie <nie należący do istoty> (**to sth** czegoś) 3. (*o wartości*) nominalny; zewnętrzny
extrorse [iksˈtrɔ:s] *adj bot* (*o pylniku*) odchylony na zewnątrz
extroversion [ˌekstrouˈvə:ʃən] *s psych* ekstrawersja
extrovert [ˈekstrouˌvə:t] *s psych* ekstrawerty-k/czka
extrude [eksˈtru:d] *vt* 1. wyrzuc-ić/ać (kogoś, coś) 2. *techn* wyp-chnąć/ychać (koks itd.); wytł-oczyć/aczać (metal)
extrusion [eksˈtru:ʒən] *s* 1. wyrzucenie 2. *techn* wypychanie (koksu itd.); wytłaczanie (metalu) 3. *geol* ekstruzja (wylanie się magmy na powierzchnię ziemi)
extrusive [eksˈtru:siv] *adj geol* wylewny, ekstruzywny
exuberance [igˈzju:bərəns] *s* 1. bujność; obfitość; bogactwo 2. wylewność
exuberant [igˈzju:bərənt] *adj* 1. bujny; obfity; bogaty; **in ~ health** tryskający zdrowiem 2. wylewny
exuberate [igˈzju:bəˌreit] *vi* 1. obfitować (**in sth** w coś) 2. oddawać się (**in sth** czemuś)
exudation [ˌeksju:ˈdeiʃən] *s* wydzielanie (się) cieczy; wyciekanie; *med* wysięk, wysiękanie; pocenie się
exude [igˈzju:d] [I] *vt* wydziel-ić/ać; wyp-ocić/acać [II] *vi* wydziel-ić/ać się; wycie-c/kać
exult [igˈzʌlt] *vi* 1. unosić się radością (**at** <**in**> **sth** z powodu czegoś) 2. za/triumfować (**over sb** nad kimś)
exultant [igˈzʌltənt] *adj* 1. unoszący się radością; nie posiadający się z radości 2. (*o okrzyku itd*) triumfu
exultation [ˌegzʌlˈteiʃən] *s* 1. uniesienie radości 2. triumf
exuviae [igˈzju:viˌi:] *spl* wylina (zrzucona przez zwierzę skóra, łuska itp.)
exuviate [igˈzju:viˌeit] *vt* zrzucać <ronić> (skórę, rogi itd.)
ex voto [eksˈvoutou] *s rel* wotum (ofiarowane w wyniku ślubowania)
eyas [ˈaiəs] *s zoo* sokolę
eye [ai] [I] *s* 1. oko; wzrok; **to be in the public ~** być na widoku publicznym; **to have an ~ for sth** umieć się poznać na czymś; **to have an ~ to sth** nie tracić czegoś z oka; **to have one's ~s** <**to keep an ~, to keep a sharp ~**> **on sb** pilnować kogoś; nie spuszczać kogoś z oka; **to make ~s at sb, to give sb the glad ~** robić do kogoś oko; kokietować kogoś (wzrokiem); **to make sb open his ~s** zgotować komuś niespodziankę; **to open sb's ~s to sth** otworzyć komuś oczy na coś; **to see ~ to ~ with sb** zgadzać się z kimś; **to shut** <**close**> **one's ~s to sth** przym-knąć/ykać oczy na coś; *wojsk* **~s right** <**left**>**!** w prawo <w lewo> patrz!; **I can see it with half an ~** to jest dla mnie oczywiste; **in the ~ of the law** w oczach <z punktu widzenia> prawa; **my ~!** niemożliwe!; nie do wiary!; **up to the ~s in work** <**debt**> po uszy w robocie <w długach>; **where are your ~s?** gdzie ma-sz/cie oczy?; **with an ~ to —** mając na celu <na oku> 2. (*w drzwiach*) judasz 3. (*u igły*) uszko 4. *bot* oczko 5. (*w kartoflu*) oczko 6. (*w różnych narzędziach*) otwór, otworek 7. *górn* zrąb szybu; nadszybie 8. (*u liny*) pętla [II] *attr* oczny; okulistyczny [III] *vt* (**eyed** [aid], **eyed; eyeing** [ˈaiiŋ]) 1. przypat-rzyć/rywać <przy-jrzeć/glądać> się (**sb, sth** komuś, czemuś) 2. patrzyć (niechętnie, zazdrosnym okiem itp.) (**sb, sth** na kogoś, coś) 3. z/mierzyć wzrokiem (kogoś) *zob* **eyed**
eye-ball [ˈaiˌbɔ:l] *s* gałka oczna
eye-bath [ˈaiˌbɑ:θ], **eye-cup** [ˈaiˌkʌp] *s* kieliszek do przemywania oczu
eye-bolt [ˈaiˌboult] *s techn* sworzeń z uchem; śruba oczkowa
eye-bright [ˈaiˌbrait] *s bot* świetlik
eyebrow [ˈaiˌbrau] *s* brew

eye-cup *zob* **eye-bath**
eyed [aid] I *zob* **eye** *v* II *adj* cętkowany; kropkowany; nakrapiany
eye-glass ['ai,glɑ:s] *s* 1. monokl 2. *pl* **~es** a) pince-nez, binokle b) lorgnon 3. okular 4. lupa (zegarmistrzowska)
eyehole ['ai,houl] *s* 1. oczodół 2. wziernik; judasz; otworek
eyelash ['ai,læʃ] *s* rzęsa
eye-lens ['ai,lenz] *s* 1. *anat* soczewka (oka) 2. okular (mikroskopu itp.)
eyelet ['ailit] *s* 1. *anat* oczko 2. otworek; dziureczka 3. pętla; oko, oczko
eyelid ['ai,lid] *s* powieka; *przen* **to hang on by the ~s** wisieć na nitce
eye-opener ['ai,oupnə] *s* 1. niespodzianka; rewelacja 2. kieliszek (wypity) „na dzień dobry"
eye-piece ['ai,pi:s] *s* okular (mikroskopu itp.)
eye-servant ['ai,sə:vənt] *s* sługa niesumienn-y/a <wymagając-y/a ciągłej kontroli>
eye-shade ['ai,ʃeid], **eye-shield** ['ai,ʃi:ld] *s* daszek; osłona oczu
eyeshot ['ai,ʃɔt] *s* pole widzenia; **out of ~** niewidoczny; **within ~** widoczny
eyesight ['ai,sait] *s* wzrok (zmysł)
eyesore ['ai,sɔ:] *s* 1. ból oka 2. *przen* szkarada; ohyda; obrzydliwość
eye-splice ['ai,splais] *s* pętla, ucho liny (splecione)
eye-stalk ['ai,stɔ:k] *s zoo* słupek oka (skorupiaka)
eye-strain ['ai,strein] *s* zmęczenie oczu
eye-teeth *zob* **eye-tooth**
eye-tooth ['ai,tu:θ] *s* (*pl* **eye-teeth** ['ai,ti:θ]) kieł (górnej szczęki); ząb oczny
eyewash ['ai,wɔʃ] *s* 1. płyn do przemywania oczu 2. banialuki; *przen* piasek rzucony w oczy; mydlenie oczu
eye-water ['ai,wɔ:tə] *s* 1. łzy 2. *med* ciałko szkliste (oka) 3. *farm* płyn do przemywania oczu
eye-witness ['ai,witnis] *s* świadek naoczny
eyewort ['ai,wə:t] = **eye-bright**
eyot [eit] *s* wysepka na rzece
eyre [ɛə] *s hist* objazd; **Justices in Eyre** sąd objazdowy
eyrie ['aiəri] = **aerie**

F

F, f [ef] *s* (*pl* **fs, f's** [efs]) 1. *litera* f 2. *muz* f; **f flat** fes; **f sharp** a) fis b) *żart* pchła
fa [fɑ:] *s muz* fa
Fabian ['feibiən] I *adj* fabiański; kunktatorski; (*o polityce*) wyczekiwania II *s* fabian-in/ka; **~ Society** fabianie
fable ['feibl] *s* 1. bajka, bajeczka; **old wives' ~s** babskie gadanie 2. fabuła
fabled ['feibld] *adj* sławny; legendarny
fabric ['fæbrik] I *s* 1. gmach; budowla 2. *przen* struktura; kadłub; szkielet 3. tkanina; materiał; *pl* **~s** tekstylia; wyroby tekstylne II *attr* płócienny; sukienny; **~ gloves** rękawiczki niciane
fabricate ['fæbri,keit] *vt* 1. wytw-orzyć/arzać 2. zmyśl-ić/ać; wyssać z palca 3. s/fałszować (dokument)
fabrication [,fæbri'keiʃən] *s* 1. wytw-orzenie/arzanie, produkcja; wyrób 2. zmyśl-enie/anie 3. rzecz zmyślona <wyssana z palca> 4. s/fałszowanie
fabricator ['fæbri,keitə] *s* 1. † fabrykant 2. łgarz 3. fałsze-rz/rka
fabulist ['fæbjulist] *s* 1. bajkopisarz 2. łgarz
fabulous ['fæbjuləs] *adj* 1. legendarny; z bajki 2. bajeczny; fantastyczny; niewiarygodny
façade [fə'sɑ:d] *s* fasada <front> (budynku)
face [feis] I *s* 1. twarz; oblicze; **what a ~!** co za gęba!; **to look sb in the ~** patrzyć komuś w oczy; **to set one's ~ against sth** sprzeciwi-ć/ać się czemuś; **to set one's ~ for ...** skierować się ku ... (czemuś); **to show one's ~** pokazać się; **to tell sb sth to his ~** powiedzieć komuś coś w oczy; **~ to ~** twarzą w twarz; **to bring two parties ~ to ~** s/konfrontować strony; **to meet sb ~ to ~, to come ~ to ~ with sb** spotkać się z kimś nos w nos; **~ to ~ with sth** w obliczu <wobec> czegoś; **in the ~ of ...** a) wobec <w obliczu> ... (niebezpieczeństwa itd.) b) wbrew ..., na przekór ...; nie zważając na ...; **to fly in the ~ of ...** a) prowokować <wyzywać> ... (los itd.) b) zaprzeczać ... (faktom itd.) c) pogwałcić ... (traktat itd.) 2. mina; grymas; wyraz twarzy; fizjonomia; **a long ~** smutna mina; **to make <pull> ~s** robić <stroić> miny; wykrzywiać się; **to put a good ~ on a bad business** robić dobrą minę do złej gry; **to put on a ~ to suit the occasion** przybrać odpowiednią minę 3. prestiż; powaga; *lit* kontenans; **to keep a straight ~** nie tracić powagi; **to save one's ~** u/ratować <zachow-ać/ywać> pozory 4. czoło; czelność; śmiałość; zuchwalstwo; **to have the ~ to ...** być na tyle zuchwałym <mieć czoło, czelność>, żeby ... (coś zrobić, powiedzieć itd.) 5. pozór; wygląd; **to put a new ~ on things** nadać sprawie inny wygląd <nowy aspekt>; **on the ~ of it** na pozór; na pierwszy rzut oka 6. powierzchnia; oblicze (ziemi itd.) 7. faseta; płaszczyzna 8. czołowa strona (monety, medalu); przód 9. prawa strona (tkaniny) 10. *górn* przodek 11. frontowa ściana (skały itp.) 12. tarcza (zegara) II *attr* 1. (*o pudrze itd*) do twarzy 2. **~ value** wartość nominalna; *przen* **to take sth at its ~ value** a) wziąć/brać coś za dobrą monetę b) z/rozumieć <wziąć/brać> coś dosłownie III *vt* 1. stawi-ć/ać czoło (**sth** czemuś); patrzyć śmiało w oczy (**sth** czemuś — niebezpieczeństwu itp.) 2. sta-nąć/wać (**sb, sth** wobec kogoś, czegoś, przed kimś, czymś); **to be ~d with (difficulties etc.)** napot-kać/ykać (trudności itp.); **to ~ the facts** konstatować fakty; liczyć się z faktami; *przen* **to ~ the music** a) stawi-ć/ać czoło burzy; podda-ć/wać się krytyce b) wy/pić piwo, którego się nawarzyło; połknąć gorzką pigułkę 3. być obróconym <obr-ócić/acać się, sta-nąć/wać, usiąść/siedzieć> twarzą (**sth** w kierunku czegoś); stawać frontem <twarzą> (**sth** do czegoś); stać <znajdować się, być położo-

nym> (**sth** naprzeciw czegoś) 4. pokry-ć/wać <oblicować, wy-łożyć/kładać> (coś czymś); da-ć/wać nawierzchnię (**sth** czemuś); da-ć/wać wyłogi (**a garment** w ubraniu) 5. wy-łożyć/kładać (kartę) 6. zabarwi-ć/ać (herbatę itd.) [IV] *vi* 1. (*o człowieku*) być zwróconym ku czemuś <w kierunku czegoś> 2. (*o oknach*) wychodzić (na wschód itd.); (*o budynku itp*) być zwróconym (ku północy itd.), patrzyć (na południe itd.) 3. (*o człowieku*) **to ~ both ways** działać na dwie strony; siedzieć na dwóch stołkach; być dwulicowym

~ about [I] *vi wojsk* z/robić w tył zwrot [II] *vt* obr-ócić/acać (oddział)

~ down *vt* 1. zmieszać <onieśmiel-ić/ać> (kogoś) 2. nie zważać (**sth** na coś); z/ignorować

~ out *vt* 1. dopiąć (**sth** czegoś) 2. nadrabiać bezczelnością; bezczelnie upierać się (**a lie** przy kłamstwie)

~ round *vi* zwrócić się (**on one's pursuers** przeciw swoim prześladowcom)

~ up *vi* stawi-ć/ać czoło (**to sth** czemuś)

zob **facing**

face-ache ['feis,eik] *s* newralgiczny ból twarzy

face-card ['feis,ka:d] *s am karc* figura

face-guard ['feis,ga:d] *s* maska ochronna (twarzy)

face-harden ['feis,ha:dn] *vt metal* za/hartować powierzchniowo; nawęgl-ić/ać (stal)

face-lifting ['feis,liftiŋ] *s* operacyjne usuwanie zmarszczek

facer ['feisə] *s* 1. uderzenie w twarz; policzek 2. niespodziewana trudność; **that's a ~!** masz, babo, placek!

facet ['fæsit] *s* 1. faseta <ścianka> (brylantu itd.) 2. *arch* pole między kanelami kolumny

facetiae [fə'si:ʃi,i:] *spl* 1. facecje; krotochwile 2. pikantne książki humorystyczne

facetious [fə'si:ʃəs] *adj* krotochwilny; żartobliwy

facetiousness [fə'si:ʃəsnis] *s* 1. krotochwilny <żartobliwy> charakter (przemówienia itd.) 2. krotochwila; żart

facia ['fæʃiə] *s* wywieszka; szyld

facial ['feiʃəl] [I] *adj anat* twarzowy; (*o wyrazie, konturze itd*) twarzy [II] *s* masaż twarzy

facies ['feiʃi,i:z] *s geol* facja

facile ['fæsail] *adj* 1. łatwy; lekki; nie wymagający wysiłku; **to be ~ in doing sth** mieć łatwość w czymś 2. (*o człowieku*) ustępliwy; zgodny

facilitate [fə'sili,teit] *vt* ułatwi-ć/ać; uprzystępni-ć/ać; udog-odnić/adniać

facilitation [fə,sili'teiʃən] *s* ułatwi-enie/anie; uprzystępni-enie/anie

facility [fə'siliti] *s* 1. łatwość 2. ustępliwość; giętkość (usposobienia); zgodliwość 3. *pl* **facilities** ułatwienia; udogodnienia; odpowiednie <dobre> warunki; **to give <offer> facilities for <of> doing sth** ułatwi-ć/ać <umożliwi-ć/ać> zrobienie czegoś

facing ['feisiŋ] [I] *zob* **face** *v* [II] *s* 1. oblicowanie; wykładzina; nawierzchnia 2. *pl* **~s** wyłogi 3. *pl* **~s** *wojsk* zwroty (w musztrze); *przen* **to put sb through his ~s** wybadać kogoś

facsimile [fæk'simili] [I] *s* 1. kopia; odpis 2. wzór (podpisu); pieczątka (z czyimś podpisem) [II] *vt* sporządz-ić/ać odpis <kopię> (**sth** czegoś)

fact [fækt] *s* 1. fakt; okoliczność; **a matter of ~** fakt niezbity; **an accomplished ~** fakt dokonany; **as a matter <in point> of ~** a) prawdę powiedziawszy b) właściwie; ściśle rzecz biorąc; w istocie rzeczy; w rzeczy samej c) jeżeli o to chodzi, to ... d) faktem jest, że ...; **I know it for a ~** wiem na pewno, że tak jest; **in the ~** na gorącym uczynku; **the ~ (of the matter) is _** fakt faktem, że ...; rzecz w tym, że ...; **the ~s of a case** faktyczny stan sprawy; **the ~s of life** sprawy seksualne; **the ~ that _** to, że ...; **to explain the ~s of life to a child** uświad-omić/amiać dziecko seksualnie 2. rzeczywistość; **in ~** faktycznie; w rzeczywistości; rzeczywiście; istotnie 3. źródło <podstawa> twierdzenia

factice ['fæktis] *s chem* faktys, kauczuk olejny

faction ['fækʃən] *s* 1. frakcja; odłam 2. wichrzenie; warcholstwo

factious ['fækʃəs] *adj* wichrzycielski, warcholski

factiousness ['fækʃəsnis] *s* wichrzycielstwo; warcholstwo

factitious [fæk'tiʃəs] *adj* sztuczny; nienaturalny; udawany

factitive ['fæktitiv] *adj gram* (*o czasowniku, dopełnieniu*) faktytywny

factor ['fæktə] *s* 1. agent komisowy; pośrednik; faktor 2. *szkoc* rządca (majątku) 3. *mat* mnożnik; czynnik 4. współczynnik 5. czynnik; parametr; element; moment; okoliczność

factorage ['fæktəridʒ] *s* 1. komis; faktorstwo 2. prowizja

factorial [fæk'tɔ:riəl] *s mat* silnia

factory ['fæktəri] [I] *s* 1. fabryka 2. (*w Indiach itd*) faktoria [II] *attr* przemysłowy; fabryczny; **Factory Acts** ustawy o ochronie pracy

factotum [fæk'toutəm] *s* totumfacki

factual ['fæktjuəl] *adj* faktyczny

factum ['fæktəm] *s* zestawienie faktów

facula ['fækjulə] *s* (*pl* **faculae** ['fækju,li:]) *astr* pochodnia (na słońcu)

facultative ['fækəltətiv] *adj* 1. fakultatywny; do wyboru; dowolny; nie obowiązujący 2. możliwy; przypadkowy

faculty ['fækəlti] *s* 1. zdolność (robienia czegoś, myślenia itd.); **in possession of all one's faculties** w pełni władz umysłowych; całkowicie przytomny 2. zdolność, dar 3. *uniw* wydział 4. *am* ogół wykładowców 5. *pot* medycyna; *zbior* lekarze 6. prawo (**to do sth** robienia czegoś)

fad [fæd] *s* mania; kaprys; chwilowa moda; fanaberia; dziwactwo; *pot* konik; bzik

faddiness ['fædinis] *s* dziwactwo

faddist ['fædist] *s* dziwa-k/czka

faddy ['fædi] *adj* (**faddier** ['fædiə], **faddiest** ['fædiist]) zgodny z chwilową modą

fade [feid] [I] *vi* 1. z/więdnąć; przekwit-nąć/ać 2. wy/blaknąć; wy/płowieć; wy/pełznąć 3. zanik-nąć/ać; z/gasnąć; za-trzeć/cierać się (w pamięci) 4. (*o dźwięku*) zam-rzeć/ierać [II] *vt* 1. (*o słońcu itd*) s/trawić (kolory) 2. *kino* zl-ać/ewać (dwie sceny)

~ away *vi* 1. znik-nąć/ać, zanik-nąć/ać 2. z/marnieć; gwałtownie s/chudnąć 3. *pot* wynieść się

~ in<out> *vi kino* zlewać się (z poprzednią <następną> sceną)

zob **faded, fading**

fade-away ['feidə'wei] *s am pot* 1. śmierć 2. zniknięcie; **to make a ~** a) umrzeć b) zniknąć

faded ['feidid] [I] *zob* **fade** [II] *adj* 1. zwiędły; przekwitły 2. wyblakły; spłowiały 3. (*o urodzie*) przekwitły

fadeless ['feidlis] *adj* 1. nie więdnący 2. nie płowiejący
fading ['feidiŋ] [I] *zob* **fade** [II] *s radio* zanik fali
f(a)ecal ['fi:kəl] *adj* kałowy; stolcowy; odchodowy; fekalny
f(a)eces ['fi:si:z] *spl* 1. *chem* osad 2. *fizj* kał; stolec
faerie, faery ['feiəri] [I] *s* zaczarowany kraj [II] *adj* czarodziejski
fag [fæg] *v* (**-gg-**) [I] *vi* 1. harować; mozolić się 2. obsługiwać (**for a senior** starszego ucznia) *zob* **fag** *s* [II] *vr* **~ oneself** mozolić się [III] *vt* 1. wyczerp-ać/ywać; z/męczyć; zamęcz-yć/ać 2. posługiwać się (**sb** kimś — młodszym uczniem itp.)
~ out [I] *vi* (*w krykiecie*) gonić za piłką; grać jako goniec [II] *vr* **~ oneself** zmordować się *zob* **fagged, fagging** [IV] *s* 1. mozolna praca; *pot* harówka 2. wyczerpanie 3. (*w internatach*) młodszy uczeń wyznaczony do obsługiwania starszego 4. *sl* papieros
fag-end ['fæg'end] *s* 1. niedopałek 2. odpadek; odłamek; resztka; okruch; koniuszek
fagged [fægd] [I] *zob* **fag** *v* [II] *adj* wyczerpany; **~ out** ledwie żywy; *pot* skonany
fagging ['fægiŋ] [I] *zob* **fag** *v* [II] *adj* wyczerpujący
fag(g)ot ['fægət] [I] *s* 1. wiązka (chrustu, patyków, suchego drzewa) 2. *metalurg* paczka do zgrzewania (w piecu pudlarskim) 3. *hist* spalenie na stosie [II] *vt* wiązać (chrust, patyki, suche drzewo) w wiązki
Fahrenheit ['færən,hait] *spr* **~ thermometer** termometr Fahrenheita
faience [fai'ɑ̃:s] *s* fajans
fail [feil] [I] *vi* 1. za/braknąć; zaw-ieść/odzić; nie dopis-ać/ywać; wykaz-ać/ywać brak (czegoś); **my heart ~ed me** zabrakło mi odwagi 2. nie spełnić (swego) zadania; omieszkać; zaniechać; zaniedb-ać/ywać (**in one's duties** swe obowiązki); **to ~ to do sth** nie spełnić <nie zrobić> czegoś; **don't ~ to come** nie omieszkaj/cie przyjść; przyjdź/cie niezawodnie <na pewno>; **I ~ to understand** nie rozumiem 3. (*o motorze itp*) zepsuć się; zdefektować 4. niknąć, zanikać; słabnąć; gasnąć; zamierać; (*o człowieku*) tracić siły 5. dozna-ć/wać niepowodzenia; *szk* ści-ąć/nać się <przepa-ść/dać> (przy egzaminie); obl-ać/ewać egzamin 6. (*o usiłowaniu itp*) nie uda-ć/wać się 7. z/bankrutować 8. *prawn w zwrocie:* **to ~ in a suit** przegrać proces [II] *vt* 1. zdradz-ić/ać; z/robić zawód (**sb** komuś) 2. *pot* obl-ać/ewać (kogoś) przy egzaminie *zob* **failing** [III] *s w zwrocie:* **without ~** niezawodnie; niechybnie; bezwarunkowo; na pewno
failing ['feiliŋ] [I] *zob* **fail** *v* [II] *s* (*u człowieka*) brak; słabość; niedociągnięcie; wada [III] *praep* w braku (**sth** czegoś); w razie niezrobienia (**sth** czegoś); **~ all else** gdy wszystko inne zawiedzie; **~ payment** w razie niezapłacenia <nieuiszczenia, nieuregulowania>; **~ which** w przeciwnym razie; **whom ~, ~ whom** — a w razie jego nieobecności...
failure ['feiljə] *s* 1. brak 2. zaniechanie <zaniedbanie> (czegoś); niezrobienie (czegoś); niemożność (**to do sth** zrobienia czegoś); **~ to come** <**pay etc.**> nieprzyjście, niezapłacenie itd. 3. niepowodzenie; fiasko; nieudanie się; **to be** <**prove**> **a ~** nie udać się; spalić na panewce 4. niedopisanie 5. nieudany pomysł 6. defekt; awaria; uszkodzenie; *med* niedomoga <wada> (serca itd.) 7. bankructwo 8. *szk* oblanie egzaminu; nieprzejście 9. (*o człowieku*) wykolejeniec; **to be** <**prove**> **a ~** zawieść nadzieje; wykazać brak zdolności; okazać się kiepskim (malarzem, pisarzem itd.)
fain [fein] [I] *adj praed lit* 1. zmuszony <doprowadzony> (**to do sth** do zrobienia czegoś) 2. chętny; gotów; rad [II] *adv lit* chętnie
fain(s) [fein(z)] *interj szk* **~ I!** nie chcę!; nie będę!
faint [feint] [I] *adj* 1. nieśmiały; **~ heart never won fair lady** do odważnych świat należy 2. słaby; omdlały; **to feel ~** czuć się słabo 3. (*o kolorach itp*) słaby; blady; niewyraźny; ledwo widoczny; (*o wietrze*) lekki; **~ paper** papier cienko liniowany 4. (*o pochwałach, próbach itd*) słaby; od niechcenia 5. (*o dźwiękach itd*) nikły 6. (*o atmosferze*) ciężki; duszny 7. (*o zapachu*) mdły 8. (*o nadziei itp*) słaby; **not the ~est hope** (nie ma) najmniejszej nadziei; **I haven't the ~est idea** nie mam najmniejszego wyobrażenia <zielonego pojęcia> [II] *vi* (*także* **~ away**) zemdleć; zasłabnąć [III] *s* zemdlenie; utrata przytomności; **she was in a dead ~** była w głębokim omdleniu; (całkowicie) straciła przytomność
faint-hearted ['feint'hɑ:tid] *adj* bojaźliwy; tchórzliwy
faint-heartedness ['feint'hɑ:tidnis] *s* bojaźliwość; brak odwagi
faintness ['feintnis] *s* 1. słabość 2. brak wyrazistości 3. nikłość 4. uczucie omdlewania
faints [feints] *spl chem* nieczysty alkohol otrzymywany przy destylacji, fuzel
fair¹ [fɛə] *s* jarmark, targ; targowisko; targi (międzynarodowe); **fancy ~** wenta dobroczynna; **a day after the ~** za późno; (jak) musztarda po obiedzie
fair² [fɛə] *[I] *adj* 1. (*o płci, słowach, pogodzie*) piękny 2. (*o kolorze włosów*) jasny; blond 3. (*o cerze*) biały; jasny 4. (*o reputacji, egzemplarzu pisma, dokumentu itd*) czysty; bez skazy; **~ copy** czystopis 5. *z naciskiem:* prawdziwy; istny; skończony; *am* **for ~** naprawdę; całkowicie; zupełnie 6. sprawiedliwy, rzetelny; słuszny; prawy; szlachetny; **~ play** a) gra według przepisów; szlachetne postępowanie b) *przen* sprawiedliwość; bezstronność; **as is only ~** po sprawiedliwości; jak (tego) sprawiedliwość wymaga; **by ~ means or foul** wszelkimi środkami; nie przebierając w środkach 7. *szk* (*o stopniu*) dostateczny 8. nie najgorszy; możliwy; dość dobry; zadowalający; **it's ~ to middling** ujdzie; **to be in a ~ way to** — mieć niezłe szanse ... (zrobienia czegoś) 9. niemały; spory; dość pokaźny 10. (*o wietrze*) pomyślny 11. **~ and square** a) uczciwy b) sprawiedliwy c) (*o ciosie*) dobrze wymierzony [II] *adv* 1. grzecznie; **to speak sb ~** mówić do kogoś grzecznie 2. (przepis-ać/ywać) na czysto 3. uczciwie; sprawiedliwie; **~ and square** a) uczciwie b) sprawiedliwie 4. naprawdę; zupełnie; całkowicie 5. (uderzyć) w sam <prosto w> (nos itd.) <w samą (szczękę itd.)>
fair³ [fɛə] *vt* nada-ć/wać linię opływową (**an aircraft, a car etc.** samolotowi, samochodowi itd.)
fair-dealing ['fɛə'di:liŋ] *adj* (*o kupcu*) uczciwy
fair-faced ['fɛə'feist] *adj* ładny; przystojny; urodziwy
fair-haired ['fɛə'hɛəd] *adj* jasnowłosy, blond

fairing ['fɛəriŋ] *s* gościniec (upominek z jarmarku)
fairly ['fɛəli] *adv* 1. sprawiedliwie; słusznie; bezstronnie 2. uczciwie; rzetelnie 3. naprawdę; zupełnie; całkowicie 4. *przed przymiotnikiem i przysłówkiem:* dość; wcale; ~ **good** dość dobry; nie najgorszy; możliwy 5. wręcz; po prostu; wprost
fairness ['fɛənis] *s* 1. *poet* piękność; uroda 2. jasność (włosów, cery) 3. sprawiedliwość; bezstronność; **in all** ~ po sprawiedliwości; oddając (mu, jej itd.) sprawiedliwość 4. uczciwość
fair-sized ['fɛə'saizd] *adj* sporych rozmiarów; dość duży; niemały
fair-spoken ['fɛə'spoukən] *adj* 1. uprzejmy 2. operujący pięknymi słowami <obietnicami>
fairway ['fɛə,wei] *s mar* tor wodny, farwater
fair-weather ['fɛə,weðə] *attr* 1. (*o statku*) nadający się do żeglugi tylko w piękną pogodę 2. (*o przyjacielu*) interesowny; niestały
fairy ['fɛəri] [I] *s* wróżka; czarodziejka [II] *adj* 1. czarodziejski 2. bajeczny; jak z bajki
fairyland ['fɛəri,lænd] *s* kraina czarów <z bajki>; zaczarowany kraj
fairy-tale ['fɛəri,teil] *s* bajka, bajeczka
faith [feiθ] [I] *s* 1. wiara (**in sb, sth** w kogoś, coś); ufność; zaufanie (**in sb, sth** do kogoś, czegoś); **to pin one's** ~ **on** <**to**> **sb, sth** pokładać nadzieję w kimś, czymś; **to put one's** ~ **in sb** ufać komuś; **in good** <**bad**> ~ w dobrej <złej> wierze; **in all good** ~ w najlepszej wierze; **on the** ~ **of** ... opierając się na...; w oparciu o... 2. wiara, wyznanie; **political** ~ credo polityczne; **to die in the** ~ umrzeć pojednanym z Bogiem 3. słowność; **to keep** <**break**> ~ **with sb** dotrzym-ać/ywać <nie dotrzym-ać/ywać> danego komuś słowa; **to pledge** <**give**> **one's** ~ da-ć/wać słowo [II] † *interj* na Boga!
faith-cure ['feiθ,kjuə] *s* 1. uzdrowienie wiarą 2. autosugestia
faithful ['feiθful] [I] *adj* 1. wierny; oddany 2. (*o podobiźnie, tłumaczeniu itd*) wierny; dokładny 3. (*o pracy*) sumienny; skrupulatny [II] *spl* **the** ~ (*zw o mahometanach*) wierni; wierzący; wyznawcy
faithfully ['feiθfuli] *adv* 1. wiernie; z oddaniem; (*w listach*) **yours** ~ z wysokim poważaniem 2. dokładnie 3. sumiennie; skrupulatnie; **to promise** ~ formalnie <solennie> obiecać
faithfulness ['feiθfulnis] *s* 1. wierność; oddanie 2. dokładność
faith-healing ['feiθ,hi:liŋ] *s* leczenie <uzdrawianie> wiarą
faithless ['feiθlis] *adj* niewierny; zdradziecki
faithlessness ['feiθlisnis] *s* niewierność; niedotrzymanie wiary; zdrada; odstępstwo
fake[1] [feik] [I] *vt* zwi-nąć/jać (linę) [II] *s* zwój (liny)
fake[2] [feik] [I] *vt* (*także* ~ **up**) s/fałszować; podr-obić/abiać; *przen* s/fabrykować; ukry-ć/wać wady (sprzedawanego zwierzęcia); zmyśl-ić/ać (opowiadanie itp.) [II] *s sl* szwindel; kant; lipa; podróbka; fałszerstwo; szachrajstwo
faker ['feikə] *s* oszust/ka
fakir ['fa:kiə] *s* 1. fakir 2. *am przen* szarlatan; znachor
falcate ['fælkeit] *adj bot* sierpowaty
falchion ['fɔ:ltʃən] *s* 1. *hist* bułat 2. *poet* miecz
falciform ['fælsi,fɔ:m] *adj anat* sierpowaty

falcon ['fɔ:lkən] *s* sokół <sokolica> (używan-y/a **do** polowania)
falconer ['fɔ:lkənə] *s* sokolnik
falconet ['fɔ:lkənit] *s zoo* sokolik
falconry ['fɔ:lkənri] *s* 1. polowanie z sokołem 2. sokolnictwo
falderal ['fældə'ræl] *s* 1. świecidełko; bawidełko; cacko 2. *muz* przyśpiew
faldstool ['fɔ:ld,stu:l] *s* 1. biskupi tron 2. klęcznik
Falernian [fə'lə:niən] *adj* ~ **wine** falern (wino)
fall [fɔ:l] [I] *vi* (**fell** [fel], **fallen** ['fɔ:lən]) 1. spa-ść/dać; runąć; zwalić się; upa-ść/dać; przewr-ócić/acać <wywr-ócić/acać> się (**over sth** na czymś); pot-knąć/ykać się (o coś); (*o rzece*) wpadać (**into** ... do...); **her eyes fell** spuściła oczy; **to** ~ **down a well** wpa-ść/dać do studni; **to** ~ **down the stairs** spa-ść/dać ze schodów; **to** ~ **in love** zakochać się; **to** ~ **into a house** <**sb's hands, a trap, a rage, a habit**> wpa-ść/dać do domu <w czyjeś ręce, w pułapkę, w furię, w nałóg>; **to** ~ **into sections** rozpadać <dzielić> się na sekcje; **to** ~ **off a ladder** spa-ść/dać z drabiny; **to** ~ **on sb's neck** <**on one's food, on the enemy**> rzuc-ić/ać się komuś na szyję <na jedzenie, na wroga>; **to** ~ **out of sth** wypa-ść/dać z czegoś; **to** ~ **over one another for sth** zabijać się o coś; **to** ~ **under a category** należeć do kategorii; podpadać pod kategorię 2. (*o nocy, kurtynie teatr. itd*) zapa-ść/dać 3. (*o święcie itd*) przypa-ść/dać (**on a certain day** w danym dniu) 4. zginąć (**by the sword** od miecza) 5. ule-c/gać (**to temptation** pokusie) 6. (*o budynku itd*) zawalić się 7. rozpa-ść/dać się (**to pieces** na kawałki); *pot* rozl-ecieć/atywać się 8. opa-ść/dać; zwis-nąć/ać; obniż-yć/ać się; ule-c/gać zniżce 9. (*o wietrze, morzu*) ucisz-yć/ać się 10. podupa-ść/dać; **his face fell** zrzedła mu mina; **to** ~ **in esteem** stracić szacunek 11. (*o zwolennikach itp*) odpa-ść/dać (**from sb** od kogoś) 12. przypadać (**to sb** komuś; **to sb's share** komuś w udziale); **it** ~**s on me to** ... spada na mnie obowiązek ... (zrobienia czegoś) 13. *z przymiotnikiem:* **to** ~ **dumb** oniemieć; **to** ~ **flat** nie odnieść skutku; **to** ~ **sick** zachorować; (*o stanowisku*) **to** ~ **vacant** opróżni-ć/ać się; za/wakować 14. *w zwrocie:* **to** ~ **to sth** <**to doing sth**> zabrać się do czegoś <do robienia czegoś>; zacz-ąć/ynać coś robić 15. (*o zwierzętach*) urodzić się; ocielić <oźrebić, okocić, oprosić, oszczenić> się 16. trafi-ć/ać (**upon sb, sth** na kogoś, coś) 17. *w zwrotach:* **to** ~ **for sb** zakochać się w kimś; ule-c/gać czyjemuś urokowi; **to** ~ **for sth** a) uzna-ć/wać zalety czegoś b) przyj-ąć/mować coś entuzjastycznie c) odn-ieść/osić się z uznaniem do czegoś
~ **away** *vi* odpa-ść/dać; *pot* odl-ecieć/atywać
~ **back** *vi* 1. upa-ść/dać <przewr-ócić/acać się> w tył <do tyłu> 2. *wojsk* cof-nąć/ać się 3. poratować się (**on** <**upon**> **sth** czymś); zna-leźć/jdować oparcie (**on** <**upon**> **sth** w czymś)
~ **behind** *vi* ociągać się; pozosta-ć/wać w tyle
~ **down** *vi* 1. upa-ść/dać, spa-ść/dać; przewr-ócić/acać się 2. (*o budynku itd*) runąć; za/walić się 3. (*o projekcie itd*) nie uda-ć/wać się; przepa-ść/dać; *pot* wziąć/brać w łeb 4. (*przy egzaminie*) przepa-ść/dać
~ **in** *vi* 1. zapa-ść/dać <zawal-ić/ać, osu-nąć/wać> się 2. stawać w szeregu; *wojsk* ~ **in!** zbiórka! 3. (*o dzierżawie*) s/kończyć się; wy-

gas-nąć/ać 4. (*o gruncie*) być do nabycia 5. (*o długu*) być płatnym; mieć termin płatności (w dniu...) 6. *w zwrocie:* **to ~ in with sb** spot-kać/ykać <nat-knąć/ykać się na> kogoś 7. *w zwrocie:* **to ~ in with sth** zg-odzić/adzać się z czymś, na coś; za/stosować się do czegoś

~ off *vi* 1. odpa-ść/dać 2. zmniejsz-yć/ać się; o/słabnąć; z/wolnieć; z/maleć; zanikać; przemijać 3. (*o sterze*) nie działać 4. (*o poddanych*) z/buntować się

~ out *vi* 1. wypa-ść/dać 2. roz-ejść/chodzić się; *wojsk* **~ out!** rozejść się! 3. poróżnić się (**with sb** z kimś) 4. (*o okolicznościach, zdarzeniach*) złożyć/składać się <wypa-ść/dać> (dobrze, źle)

~ over *vi* przewr-ócić/acać się

~ through *vi* nie do-jść/chodzić do skutku; skończyć się fiaskiem

~ to *vi* 1. zam-knąć/ykać się 2. zab-rać/ierać się energicznie <ochoczo> (do pracy, jedzenia itd.)

zob **fallen** [II] *s* 1. upadek; opadanie; zwalenie <wywrócenie> się; *górn* zawał; *teatr* zapadnięcie (kurtyny); **to ride for a ~** a) jechać na oślep <na złamanie karku> b) narażać się na pewną zgubę 2. (*w zapaśnictwie*) runda; **to try a ~ with sb** zmierzyć się z kimś 3. opad (śniegu, deszczu); **a heavy ~ of rain** ulewa 4. pomiot jagnięcy 5. schyłek (dnia itd.) 6. *am* jesień 7. (*zw pl*) wodospad 8. spadek; ubytek; obniżka; opad-nięcie/anie; zmniejsz-enie/anie się 9. nachylenie; pochyłość 10. wyrąb

fallacious [fə'leiʃəs] *adj* błędny; złudny; zwodniczy

fallaciousness [fə'leiʃəsnis] *s* fałsz; złudność; zwodniczość

fallacy ['fæləsi] *s* 1. błąd 2. sofizmat; fałszywe rozumowanie 3. złuda; ułuda

fal-lal ['fæl'læl] *s* fatałaszek

fallen ['fɔ:lən] [I] *zob* **fall** *v* [II] *adj* 1. opadły 2. upadły 3. pokonany 4. poległy

fallibility [,fæli'biliti] *s* omylność

fallible ['fæləbl] *adj* omylny

Fallopian [fə'loupiən] *adj anat* **~ tube** jajowód

fall-out ['fɔ:l,aut] *s* pył radioaktywny

fallow[1] ['fælou] [I] *adj* ugorowy; **to lie ~** leżeć odłogiem; ugorować [II] *s* ugór; odłóg [III] *vt* pozostawi-ć/ać na ugór

fallow[2] ['fælou] *adj* płowy

fallow-deer ['fælou,diə] *s zoo* daniel

false [fɔ:ls] [I] *adj* 1. fałszywy; błędny 2. podrobiony 3. zdradliwy; kłamliwy 4. fałszywy; zdradziecki; niewierny; obłudny; **~ swearing** krzywoprzysięstwo; **to be ~ to __** zdradz-ić/ać... (kogoś) 5. (*o włosach, zębach itd*) fałszywy; sztuczny; **~ bottom** podwójne dno; **~ mirror** krzywe zwierciadło [II] *adv* fałszywie; zdradliwie; **to play sb ~** a) zdradz-ić/ać kogoś b) zaw-ieść/odzić kogoś c) oszuk-ać/iwać kogoś

false-hearted ['fɔ:ls'hɑ:tid] *adj* perfidny

falsehood ['fɔ:lshud] *s* 1. nieprawdziwość; kłamliwość 2. kłamstwo; nieprawda

falseness ['fɔ:lsnis] *s* 1. fałsz; fałszywość; nieścisłość 2. niewierność; zdrada (małżeńska)

falsetto [fɔ:l'setou] *s* falset

falsework ['fɔ:ls,wə:k] *s bud* deskowanie do betonu; szalowanie; **arched ~** krążyna

falsification ['fɔ:lsifi'keiʃən] *s* 1. s/fałszowanie 2. falsyfikat

falsifier ['fɔ:lsi,faiə] *s* fałsze-rz/rka

falsify ['fɔ:lsi,fai] *vt* (**falsified** ['fɔ:lsi,faid], **falsified; falsifying** ['fɔ:lsi,faiiŋ]) 1. s/fałszować; podr-obić/abiać 2. zaw-ieść/odzić <oszuk-ać/iwać> (nadzieje itp.)

falter ['fɔ:ltə] *vi* 1. chwiać się na nogach; iść chwiejnym krokiem; pot-knąć/ykać się 2. zająknąć/jąkać się; mówić niepewnym <drżącym> głosem 3. za/wahać się 4. stracić odwagę; zachwiać się *zob* **faltering**

faltering ['fɔ:ltəriŋ] [I] *zob* **falter** [II] *adj* 1. (*o kroku*) chwiejny 2. (*o głosie*) niepewny; drżący 3. (*o odwadze, pamięci*) słabnący

falteringly ['fɔ:ltəriŋli] *adv* 1. (iść) chwiejnym krokiem 2. (mówić) niepewnym <drżącym> głosem

fame [feim] *s* 1. sława; rozgłos 2. wieść; fama; **house of ill ~** dom publiczny

famed [feimd] *adj* sławny; głośny; znany; **to be ~ for __** słynąć z... (czegoś)

familial [fə'miliəl] *adj* (*o chorobie, cesze*) rodzinny

familiar [fə'miliə] [I] *adj* 1. poufały; familiarny 2. rodzinny; domowy 3. znany; znajomy; nieobcy 4. obeznany; wprawny; **to be ~ with sth** a) być z czymś obeznanym b) mieć w czymś wprawę c) znać coś; orientować się w czymś d) umieć się obchodzić z czymś; **to grow <make> oneself ~ with sth** zapozna-ć/wać się z czymś; wprawi-ć/ać się w czymś 5. bezceremonialny 6. pozostający w bliskich stosunkach (z kimś); **to be ~ with sb** być z kimś w bliskich stosunkach [II] *s* 1. domowni-k/ca 2. blisk-i/a przyjaci-el/ółka

familiarity [fə,mili'æriti] *s* 1. zażyłość; poufałość; familiarność 2. znajomość (**with sb** z kimś; **with sth** czegoś)

familiarize [fə'miljə,raiz] [I] *vt* 1. s/popularyzować 2. zaznaj-omić/amiać <osw-oić/ajać> (**sb with sth** kogoś z czymś) [II] *vr* **~ oneself** zapozna-ć/wać <osw-oić/ajać> się (**with sth** z czymś)

family ['fæmili] [I] *s* (*także bot zoo itd*) rodzina [II] *attr* rodzinny; **~ butcher** rzeźnik detalista; **~ hotel** hotel udzielający ulg rodzinom; **~ man** a) domator b) człowiek żonaty; **~ tree** drzewo genealogiczne; **in a ~ way** poufale; (*o kobiecie*) **in the ~ way** w ciąży; ciężarna; przy nadziei

famine ['fæmin] [I] *s* 1. głód 2. brak [II] *attr* głodowy

famish ['fæmiʃ] [I] *vt* za/głodzić; wygłodzić; za/morzyć głodem [II] *vi* głodować; *pot* **to be ~ing** być głodnym jak wilk; umierać z głodu

famous ['feiməs] *adj* 1. sławny <słynny, znany> (**for sth** z czegoś); znakomity 2. *pot* kapitalny; świetny; nie byle jaki

famulus ['fæmjuləs] *s* (*pl* **famuli** ['fæmju,lai]) pomocnik magika

fan[1] [fæn] *s sl* miłośni-k/czka; entuzjast-a/ka; zwariowan-y/a amator/ka (czegoś); *sport* kibic

fan[2] [fæn] [I] *s* 1. *roln* wialnia 2. wachlarz 3. wentylator 4. skrzydło śmigła; śmiga (torpedy itd.) [II] *attr* wachlarzowaty [III] *vt* (**-nn-**) 1. *roln* wiać (zboże) 2. owi-ać/ewać; orzeźwiać powiewem wiatru 3. wachlować 4. (*także* **~ up**) rozniec-ić/ać <podsyc-ić/ać> (ogień, namiętności itd.)

~ out *vt vi* roz-łożyć/kładać (się) wachlarzem

fanatic(al) [fə'nætik(əl)] [I] *adj* fanatyczny; zagorzały; zaślepiony [II] *s* fanaty-k/czka; zagorzalec

fanaticism [fə'næti,sizəm] *s* fanatyzm; zaślepienie; zagorzałość

fanaticize [fə'næti,saiz] I *vt* doprowadz-ić/ać (kogoś) do fanatyzmu II *vi* zachow-ać/ywać się jak fanaty-k/czka

fancier ['fænsiə] *s* miłośni-k/czka (zwierząt); hodow-ca/czyni

fanciful ['fænsiful] *adj* 1. kapryśny; miewający zachcianki 2. dziwaczny; fantazyjny; wyszukany 3. zmyślony; wzięty z fantazji

fancy ['fænsi] I *s* 1. wyobraźnia; fantazja 2. wrażenie; **I have a ~ that —** mam wrażenie <zdaje mi się>, że... 3. kaprys; pomysł; **the ~ took him to —** wpadł na pomysł, żeby... 4. upodobanie; gust; **to take a ~ to —** upodobać sobie (kogoś, coś); **it took my ~** spodobało mi się 5. *pl* **the fancies** miłośnicy (zwłaszcza boksu) II *adj* 1. fantazyjny; **~ articles <goods, work>** a) galanteria b) robótki kobiece; **~ dress** kostium maskaradowy; **~ fair** wenta robótek kobiecych 2. luksusowy; wyszukany 3. (*o cenie itd*) fantastyczny; ekstrawagancki; koniunkturalny; zależny od czyjegoś kaprysu 4. ozdobny; różnokolorowy; pstrokaty; **~ man** a) sympatia (dziewczyny) b) *sl* sutener III *vt* (**fancied** ['fænsid], **fancied; fancying** ['fænsiiŋ]) 1. wyobra-zić/żać <przedstawi-ć/ać> sobie; zmyśl-ić/ać; wymyśl-ić/ać 2. *wyrażając zdziwienie*: **~ meeting you!** ot, spotkanie!; **~ you doing such a thing!** żebyś/cie ty <wy> coś podobnego zrobi-ł/li!; **just ~ !** patrzcie!; niemożliwe! 3. *wyrażając przypuszczenie*: chyba; **I ~ he is out** on chyba wyszedł 4. upodobać sobie (**kogoś, coś**); **I don't ~ his looks** nie podoba mi się jego wygląd 5. poczuć sympatię (**sb** do kogoś) 6. mieć ochotę (**sth** na coś) 7. hodować IV *vr* **~ oneself** a) być zadowolonym z siebie <† zadufanym w sobie> b) być zakochanym we własnej osobie

fancy-ball ['fænsi'bɔ:l], **fancy-dress ball** ['fænsi 'dres,bɔ:l] *s* bal maskowy

fancy-free ['fænsi'fri:] *adj* w nikim nie zakochany

fandangle [fæn'dæŋgl] *s pot* 1. fantazyjny ornament; błyskotka 2. *zbior* głupstwa

fandango [fæn'dæŋgou] *s* (*pl* **~s, ~es**) 1. fandango (melodia i taniec) 2. *am* pląsy; bal

fane [fein] *s poet* świątynia

fanfare ['fænfεə] *s* fanfara

fanfaronade [,fænfærə'nɑ:d] *s* fanfaronada

fang [fæŋ] I *s* 1. kieł 2. ząb jadowy węża 3. sztyft 4. korzeń 5. *górn* podchwyt klatki 6. *górn* lutnia wentylacyjna II *vt* zal-ać/ewać (pompę)

fanged [fæŋd] *adj* (*o ssaku*) z kłami; (*o wężu*) z zębem jadowym; (*o narzędziu*) ze sztyftem

fanlight ['fæn,lait] *s bud* nadświetle, półkoliste okno nad drzwiami

fanner ['fænə] *s* 1. *roln* wialnia 2. wentylator

fanny ['fæni] *s* 1. *sl* srom (niewieści) 2. *am* zadek; *wulg* dupa; *pot mar* **~ Adams** konserwa; mięso z puszki

fanon ['fænən] *s kośc* manipularz

fan-tail ['fæn,teil] *s* 1. gołąb gardłacz <garłacz> 2. palnik w lampie gazowej

fantasia [fæn'teiziə] *s muz* fantazja

fantast ['fæntæst] *s* fantast-a/ka; marzyciel/ka

fantastic [fæn'tæstik] *adj* dziwaczny; ekscentryczny; fantastyczny

fantasticality [fən,tæsti'kæliti] *s* fantastyczność; dziwaczność

fantasy ['fæntəsi] *s* 1. fantazja; wyobraźnia 2. kaprys; zachcianka 3. = **fantasia**

fantoccini ['fæntou'tʃi:ni] *spl* 1. marionetki 2. teatr marionetek

far [fɑ:] I *adj* (**farther** ['fɑ:ðə], **further** ['fə:ðə], **farthest** ['fɑ:ðist], **furthest** ['fə:ðist]) daleki; odległy; **the ~ end** drugi koniec (deski itd.) II *adv* 1. (*w przestrzeni*) daleko; w wielkiej odległości; **as ~ as** aż do *zob* **far** 2.; **as ~ as the eye can reach** jak okiem sięgnąć; **~ away <off>** hen, daleko; **he is not ~ off sixty** niewiele mu brakuje do sześćdziesiątki; **~ and wide <near>** wszędzie; ze wszystkich stron; **~ from** z dala od; **~ into —** a) głęboko w... b) daleko w głąb...; **from ~** z daleka; z wielkiej odległości; **how ~ ?** jak daleko?; dokąd? *zob* **far** 2.; **thus ~** dotąd *zob* **far** 3. 2. *w znaczeniu nasilenia czynności*: w znacznym stopniu; **as ~ as** o ile; **as ~ as that goes** co do tego; jeśli o to idzie; **by ~ , ~ and away** o wiele; o całe niebo; bez porównania; **~ from it** bynajmniej; żadną miarą; *pot* gdzie tam!; broń Boże!; **how ~ ?** jak dalece?; do jakiego stopnia?; **in so ~** as o tyle, że; **so ~ so good** (jak) dotąd dobrze; (jak) dotąd wszystko w porządku; **to be ~ from doing sth <from being inclined etc.>** bynajmniej nie chcieć czegoś zrobić <nie być wcale skłonnym itd.>; być dalekim od tego, żeby coś (chcieć) zrobić; **to go ~ to —** przyczyni-ć/ać się w wielkiej mierze do ...; **it won't go very ~** niewiele pomoże; **to go so ~ as to —** posunąć się do tego <pozwolić sobie na to>, żeby...; **that's going too ~ !** a) to już jest przesada! b) tego już za wiele! 3. (*w czasie*) **as ~ back** a) już b) aż; **~ into the night** do późna w nocy; **so ~** (jak) dotąd; do tej pory; dotychczas

farad ['færəd] *s elektr* farad

far-away ['fɑ:rə,wei] *adj* 1. daleki; odległy; nieobecny 2. (*o spojrzeniu*) błędny; nieprzytomny

far-between ['fɑ:-bə'twi:n] *adj praed z rzeczownikiem w pl*: rozstawi-eni/one <rozmieszcz-eni/one, powtarzając-y/e się> w dużych odstępach

farce[1] [fɑ:s] *s* farsa

farce[2] [fɑ:s] † *vt* 1. *kulin* faszerować 2. *przen* na/szpikować (utwór lit. itd. obcymi wyrazami itd.)

farcemeat ['fɑ:s,mi:t] *s kulin* farsz; nadzienie

farcical ['fɑ:sikəl] *adj* groteskowy; śmieszny

farcy ['fɑ:si] *s wet* nosacizna (u konia itd.)

fardel ['fɑ:dəl] † *s* tłumok; ciężar

fardel-bag ['fɑ:dəl,bæg] *s zoo* trzeci żołądek przeżuwacza

fare [fεə] I *vi* 1. † podróżować 2. zna-leźć/jdować się w położeniu (**well, ill** dobrym, trudnym, kiepskim); mieć się (**well, ill** dobrze, źle); **how did it ~ with you?** jak ci <wam> się powiodło?; **you may go farther <further> and ~ worse** nie chciej/cie zbyt wiele 3. jadać; odżywiać się II *s* 1. opłata za przejazd; cena biletu; **what is the ~?** ile się należy (za przejazd)? 2. pasażer/ka (taksówki itp.) 3. pożywienie; jedzenie; wikt; odżywianie się; wyżywienie; stół, kuchnia; dieta; **bill of ~** jadłospis, spis <karta> (potraw); menu; **to be fond of good ~** lubić dobrze zjeść

farewell ['fεə'wel] I *interj* żegnaj/cie! II *s* pożegnanie; **to bid ~ to sb, to take a <one's> ~ of sb** pożegnać się z kimś III *attr* ['fεəwel] pożegnalny

far-famed ['fɑ:'feimd] *adj* sławny; głośny; znakomity; słynny

far-fetched ['fɑ:'fetʃt] *adj* wyszukany; (*o argumencie itd*) naciągnięty

far-flung ['fɑ:'flʌŋ] *adj* 1. rozległy 2. zakrojony na szeroką <wielką> skalę

farina [fə'rainə] *s* 1. mąka; mączka (drobno sproszkowana substancja) 2. *bot* pyłek (kwiatowy) 3. krochmal, skrobia

farinacious [ˌfæri'neiʃəs] *adj* mączny; skrobiowy

farinose ['færiˌnous] *adj* 1. mączny 2. *bot zoo* posypany pyłkiem

farl [fɑ:l] *s szkoc* placek owsiany

↑**farm** [fɑ:m] [I] *s* 1. zagroda; gospodarstwo rolne; folwark; ferma 2. hodowla 3. *am* domek na wsi; rezydencja wiejska 4. = **baby-farm** [II] *vt* 1. uprawiać (ziemię) 2. dzierżawić (majątek, pobór podatków itd.) 3. (*także* ~ **out**) odda-ć/wać w dzierżawę (majątek, pobór podatków itd.) 4. wziąć/brać (*zw* dzieci) na utrzymanie za umówioną opłatą [III] *vi* gospodarować; uprawiać rolę; pracować na roli; prowadzić gospodarstwo rolne *zob* **farming**

↑**farmer** ['fɑ:mə] *s* 1. rolnik; gospodarz; farmer; hodowca 2. dzierżaw-ca/czyni (majątku, poboru podatków itp.)

farm-hand ['fɑ:mˌhænd] *s* parobek; robotni-k/ca roln-y/a

farmhouse ['fɑ:mˌhaus] *s* zagroda; dom mieszkalny w gospodarstwie rolnym

farming ['fɑ:miŋ] [I] *zob* **farm** *v* [II] *s* gospodarka; gospodarowanie

farmstead ['fɑ:mˌsted] *s* zagroda z zabudowaniami

farmyard ['fɑ:mˌjɑ:d] *s* podwórze gospodarskie

farness ['fɑ:nis] *s* dal; oddalenie

faro ['fɛərou] *s* faraon (gra w karty)

farrago [fə'rɑ:gou] *s* (*pl* ~**s**, ~**es**) mieszanina; *przen* bigos; groch z kapustą

far-reaching ['fɑ:'ri:tʃiŋ] *adj* 1. dalekosiężny 2. brzemienny w następstwa 3. doniosły; ważny

farrier ['færiə] *s* 1. kowal 2. weterynarz

farriery ['færiəri] *s* 1. zawód podkuwacza 2. weterynaria

farrow ['færou] [I] *s* pomiot maciory; **sow in** ~ maciora prośna [II] *vi* oprosić się [III] *vt* urodzić (prosięta)

far-seeing ['fɑ:'si:iŋ] *adj* przewidujący; dalekowzroczny

far-sighted ['fɑ:'saitid] *adj* 1. dalekowzroczny; **to be** ~ być dalekowidzem 2. *przen* przewidujący; dalekowzroczny

far-sightedness ['fɑ:'saitidnis] *s dosł i przen* dalekowzroczność, † dalekowidzenie

fart [fɑ:t] [I] *vi wulg* pier-dnąć/dzieć [II] *s wulg* pierdnięcie; bździna

farther ['fɑ:ðə] *zob* **far** [I] *adj* 1. dalszy; **at the** ~ **end** na drugim końcu; ~ **back** wcześniejszy 2. dodatkowy; dalszy [II] *adv* 1. (*w przestrzeni*) dalej; ~ **off** dalej, w (nieco) większym oddaleniu; ~ **on** dalej (naprzód); w dalszym ciągu (tekstu); **no** ~, **not any** ~ dalej (już) nie; ale nie dalej; **I'll see you** ~ **first** daj/cie mi spokój; idź/cie do diabła!; **nothing is** ~ **from my thoughts** ani myślę; ani mi to w głowie; (*w czasie*) ~ **back** jeszcze wcześniej 2. ponadto; poza tym; prócz tego

farthermost ['fɑ:ðəˌmoust] *adj* najdalszy; najodleglejszy

farthest ['fɑ:ðist] *zob* **far** [I] *adj* najdalszy; najodleglejszy [II] *adv* najdalej; **at (the)** ~ a) (*w przestrzeni*) najdalej b) (*w czasie*) najpóźniej

farthing ['fɑ:ðiŋ] *s* ćwierć pensa; *przen* grosz; **it is not worth a brass** ~ niewart centa <grosza>; **without a** ~ bez (złamanego) grosza

farthingale ['fɑ:ðiŋˌgeil] *s* krynolina

fasces ['fæsi:z] *spl* pęk rózg liktorskich

fascia ['feiʃə] *s* (*pl* **fasciae** ['fæʃiˌi:], ~**s**) 1. *arch* pasek; listwa 2. pas, pasek 3. szyld 4. ['fæʃiə] *anat* powięź

fascial ['fæʃiəl] *adj anat* powięziowy

fasciated ['fæʃiˌeitid] *adj* 1. *bot* zrośnięty 2. prążkowany

fascicle ['fæsikl] *s* 1. wiązka; pęk, pęczek 2. zeszyt (książki wydawanej seriami)

fasciculated [fə'sikjuˌleitid] *adj bot* związany w pęk; krzewiasty

fascinate ['fæsiˌneit] *vt* 1. fascynować; urze-c/kać; † (*o wężu itd*) hipnotyzować (ofiarę) 2. *przen* przyku-ć/wać uwagę; o/czarować; zachwyc-ić/ać *zob* **fascinating**

fascinating ['fæsiˌneitiŋ] [I] *zob* **fascinate** [II] *adj* 1. fascynujący 2. czarujący; zachwycający

fascination [ˌfæsi'neiʃən] *s* 1. fascynacja; oczarowanie; urzeczenie; olśnienie 2. urok; czar

fascine [fæ'si:n] *s* faszyna; ~ **dwellings** mieszkania nawodne

fascism ['fæʃizəm] *s* faszyzm

fascist ['fæʃist] [I] *s* faszyst-a/ka [II] *adj* faszystowski

fash [fæʃ] *szkoc* [I] *s* kłopot; niepokojenie [II] *vt* sprawi-ć/ać kłopot (**sb** komuś); niepokoić

↑**fashion** ['fæʃən] [I] *s* 1. fason; krój; styl 2. wzór; **(in the) French** <**Greek etc.**> ~ na wzór francuski <grecki itd.>; **after a** ~ jako tako; o tyle, o ile; do pewnego stopnia; **after the** ~ **of** __ na wzór... (czyjś); naśladując... (kogoś) 3. zwyczaj; **as is his** ~ swoim zwyczajem; jak to zwykł robić 4. moda; **a man of** ~ elegant; **in (the)** ~ modny; **in the latest** ~ według najnowszej mody; **out of** ~ niemodny; **to be all the** ~ cieszyć się wielkim wzięciem; **to bring sth into** ~ zaprowadzić modę na coś [II] *vt* kształtować; fasonować; modelować; ur-obić/abiać (na wzór czegoś); **to** ~ **sth** nada-ć/wać czemuś kształt; **to** ~ **sth to** <**into**> **sth** nada-ć/wać czemuś (glinie itd.) kształt czegoś

fashionable ['fæʃnəbl] [I] *adj* modny; elegancki; wytworny [II] *spl* ~**s** elegancki świat

fashionmonger ['fæʃənˌmʌŋgə] *s* niewolni-k/ca mody

fast[1] [fɑ:st] [I] *vi* 1. pościć 2. być na czczo 3. powstrzymywać się (**from sth** od czegoś) *zob* **fasting** [II] *s* post; **the Lenten Fast** Wielki Post; **to break one's** ~ a) przerwać post b) zjeść śniadanie

↑**fast**[2] [fɑ:st] [I] *adj* 1. mocny; silny; przymocowany; umocowany; silnie uwiązany <związany>; **to be** ~ **in the mud** ugrzęznąć; **to have a** ~ **hold of sth** mocno coś trzymać; **to make** ~ a) umocować; przymocować b) mocno uwiązać <przywiązać> 2. (*o drzwiach, oknie itd*) dobrze zamknięty; zabezpieczony 3. (*o kolorach*) trwały 4. (*o przyjaciołach*) serdeczny; wierny; oddany 5. (*o łódce itd*) przycumowany 6. szybki; bystry; chyży; (*o koniu*) rączy; (*o prądzie*) wartki; (*o pociągu*) pośpieszny; (*o zegarku*) **to be** ~ śpieszyć; *am* (*o wadze*) **to** be ~ przeważać 7. hulaszczy; swobodnych obyczajów 8. lekkomyślny; **to play ~ and loose** być niesolidnym <niesłownym, niepewnym>; **to play ~ and loose with sb's affections** igrać z czyjąś miłością; zdradzać kogoś 9. (*o korcie tenisowym itp*) nadający się do szybkiej gry 10. (*o bakteriach*) odporny [II] *adv* 1. mocno; silnie; z całych sił; **to be ~ asleep** spać głębokim snem <jak zabity>; **to stand ~** nie drgnąć; trzymać się mocno; (*o wozie itp*) **to stick ~** utknąć 2. **~ dyed** trwale farbowany 3. *poet* **~ by** tuż, tuż; **~ beside** tuż obok 4. szybko; bystro; chyżo; rączo; wartko *zob* **fast**[2] *adj*; **run as ~ as you can** pędź/cie co tchu 5. lekkomyślnie; **to live ~** hulać; prowadzić hulaszcze życie

fast-day ['fɑ:st,dei] *s* dzień postny

fasten ['fɑ:sn] [I] *vt* 1. przymocow-ać/ywać; przytwierdz-ić/ać; **to ~ one's eyes on** _ utkwić wzrok w... (kimś, czymś); **to ~ one's mind on sth** stale o czymś myśleć; **to ~ sth upon <on> sb** przyczepi-ć/ać coś komuś; imputować coś komuś 2. zam-knąć/ykać <zabezpiecz-yć/ać> (drzwi, okno itp.) 3. spi-ąć/nać <z/wiązać, zlepi-ć/ać> (**together** razem) 4. (*także* **~ up**) zawiąz-ać/ywać; zapi-ąć/nać; zahacz-yć/ać; zabi-ć/jać gwoździami; zakręc-ić/ać; uwiąz-ać/ywać (psa itd.); upi-ąć/nać (włosy) 5. zacis-nąć/kać [II] *vi* 1. przymocow-ać/ywać <przytwierdz-ić/ać> się 2. zam-knąć/ykać się 3. spi-ąć/nać <z/wiązać, zlepi-ć/ać> się 4. zawiąz-ać/ywać <zapi-ąć/nać, zahacz-yć/ać, zakręc-ić/ać, upi-ąć/nać, zacis-nąć/kać, przyczepi-ć/ać> się

~ down *vt* przymocow-ać/ywać; przytwierdz-ić/ać; przybi-ć/jać; przykręc-ić/ać; przyczepi-ć/ać; przycis-nąć/kać

~ off *vt* (*w hafcie itp*) zatrzym-ać/ywać <zawiąz-ać/ywać> (nitkę)

~ up *vt* = **~** *vt* 4.

fastener ['fɑ:snə] *s* zamknięcie, zamykacz; złącze; spinacz; spinka; zatrzask; zasuwa; klamra; skowa; skobel; **sliding <lightning> ~** zamek błyskawiczny

fasti ['fæstai] *spl* (*u staroż. Rzymian*) roczniki

fastidious [fæs'tidiəs] *adj* wybredny; wymyślny; grymaśny; wymagający (**about sth** pod względem czegoś)

fastidiousness [fæs'tidiəsnis] *s* wybredność; wymyślność; grymasy; wymagania

fasting ['fɑ:stiŋ] [I] *zob* **fast**[1] *v* [II] *adj* (będący) na czczo

fasting-day ['fɑ:stiŋ,dei] = **fast-day**

fastness ['fɑ:stnis] *s* 1. solidność; krzepkość; moc 2. trwałość 3. szybkość; bystrość; chyżość 4. swoboda obyczajów 5. *lit* twierdza 6. kryjówka; schron

fat [fæt] [I] *adj* (-tt-) 1. tłusty; (*o zwierzęciu*) tuczny; (*o ziemi*) tłusty; żyzny; **a ~ job** a) wygodna posadka b) dobry interes; *sl* **a ~ lot** a) *iron* dużo b) *wykrzyknikowo*: diabła tam!; phi!; **a ~ lot I care** figę mnie to obchodzi!; **to grow ~** tyć 2. (*o człowieku*) tępy [II] *s* tłuszcz; sadło; **the ~ is in the fire** wsadzono kij w mrowisko; będzie awantura; **to live on the ~ of the land** mieć wszystkiego w bród; **to put on ~** przytyć

fatal ['feitl] *adj* 1. nieuchronny 2. fatalny; nieszczęsny; zgubny 3. rozstrzygający; decydujący 4. śmiertelny

fatalism ['feitə,lizəm] *s* fatalizm

fatalist ['feitəlist] *s* fatalista

fatalistic [,feitə'listik] *adj* fatalistyczny

fatality [fə'tæliti] *s* 1. nieuchronny los 2. zgubny wpływ; zgubne działanie; fatalność 3. nieszczęście; fatalny wypadek 4. ofiara (wojny, wypadku)

fata morgana ['fɑ:tə mɔ:'gɑ:nə] *s* fatamorgana; miraż

fate [feit] [I] *s* 1. los; przeznaczenie; dola; fatum 2. zguba; śmierć [II] *vt zw w stronie biernej*: **it was ~d that** _ los zrządził, że...; sądzone było, że... *zob* **fated**

fated ['feitid] [I] *zob* **fate** *v* [II] *adj* 1. fatalny 2. nieuchronny 3. skazany (**to** _ na to, żeby...) 4. skazany na zagładę

fateful ['feitful] *adj* 1. proroczy 2. rozstrzygający 3. fatalny 4. nieuchronny

fat-faced ['fæt'feist] *adj* pyzaty

fat-guts ['fæt,gʌts] *s pot* brzuchacz

fathead ['fæt,hed] *s pog* tępa pała; bałwan; jołop

fat-hen ['fæt,hen] *s bot* komosa biała, lebioda

father ['fɑ:ðə] [I] *s* 1. ojciec; rodzic, rodziciel; **God the Father** Bóg Ojciec; **to be ~ to** _ z/rodzić... (kogoś, coś); być ojcem... (kogoś, czegoś); **the child is ~ to the man** czym skorupka za młodu nasiąknie, tym na starość trąci; **like a ~** po ojcowsku 2. *pl* **~s** a) przodkowie b) ojcowie (miasta itd.) 3. *tytuł nadawany duchownym*: **Father X** a) (*o zakonniku*) Wielebny Ojciec X b) (*o duchownym świeckim*) Wielebny Ksiądz X; **~ confessor** spowiednik; ojciec duchowny 4. starszy (związku, cechu itp.) [II] *vt* 1. zrodzić; spłodzić; dać początek (**sb, sth** komuś, czemuś) 2. usynowić 3. ojcować (**sb, sth** komuś, czemuś) 4. przyzna-ć/wać się do autorstwa (**sth** czegoś) <do ojcostwa (**sb** wobec kogoś)> 5. przypis-ać/ywać (**sb** komuś) autorstwo <ojcostwo>

fatherhood ['fɑ:ðə,hud] *s* 1. ojcostwo 2. starszeństwo (w służbie itp.)

father-in-law ['fɑ:ðərin,lɔ:] *s* (*pl* **fathers-in-law** ['fɑ:ðəzin,lɔ:]) teść

fatherland ['fɑ:ðə,lænd] *s* ojczyzna

fatherless ['fɑ:ðəlis] *adj* bez ojca; osierocony

fatherlike ['fɑ:ðə,laik], **fatherly** ['fɑ:ðəli] [I] *adj* ojcowski [II] *adv* po ojcowsku

fathom ['fæðəm] [I] *s* (*pl* **fathom, ~s**) miara długości stosowana przy mierzeniu a) głębokości (= 1,829 m) b) objętości drewna, węgla, rudy (= 6 stóp[3]); sąg [II] *vt* 1. *dosł* sondować 2. *przen* zgłębi-ć/ać; poj-ąć/mować; z/rozumieć

fathomless ['fæðəmlis] *adj* 1. (*o przepaści itp*) bezdenny 2. (*o tajemnicy*) niezgłębiony

fathomline ['fæðəm,lain] *s* sonda (do mierzenia głębokości)

fatidical [fei'tidikəl] *adj* posiadający dar prorokowania; proroczy

fatigue [fə'ti:g] [I] *s* 1. zmęczenie; *techn* zmęczenie (materiału) 2. wyczerpując-a/e prac-a/e <zadanie, przedsięwzięcie> 3. *wojsk* robota karna; **to be on ~** być wyznaczonym do wykonania roboty karnej; **~ party** oddział wyznaczony do wykonania roboty karnej [II] *vt* z/męczyć

fatigue-cap [fə'ti:g,kæp] *s wojsk* furażerka

fatigue-dress [fə'ti:g,dres] *s wojsk* mundur roboczy

fatling ['fætliŋ] *s* młode zwierzę opasowe <tuczne>

fatness ['fætnis] *s* 1. tusza; korpulentność 2. otłuszczenie

fatted ['fætid] *adj* tuczony; *bibl i przen* **the ~ calf** tłuste cielę

fatten ['fætn] [I] *vt* 1. u/tuczyć 2. użyźni-ć/ać (glebę) [II] *vi* u/tyć

fattener ['fætnə] *s* tuczyciel

fattish ['fætiʃ] *adj* tłustawy; zażywny; grubawy

fatty ['fæti] [I] *adj* (**fattier** ['fætiə], **fattiest** ['fætiist]) 1. *chem med* tłuszczowy; **~ degeneration** zwyrodnienie tłuszczowe; **~ tumor** tłuszczak 2. oleisty [II] *s* tłuścio-ch/szka; grubas

fatuity [fə'tjuiti] *s* głupota

fatuous ['fætjuəs] *adj* 1. (*o człowieku*) głupi; durny; głupio zarozumiały 2. (*o uśmiechu, wyrazie twarzy*) głupkowaty

fat-witted ['fæt,witid] *adj* tępy; głupi

faucal ['fɔ:kəl] *adj fonet* gardłowy

fauces ['fɔ:si:z] *spl anat* gardło

faucet ['fɔ:sit] *s* 1. czop 2. tuleja 3. *am* kurek (wodociągowy)

faugh [fɔ:] *interj wyraża obrzydzenie*: pfuj!

fault [fɔ:lt] [I] *s* 1. wada; usterka; brak; defekt; niedociągnięcie; **to a ~** do przesady; **to find ~ with** s/krytykować; z/ganić; czepiać się (kogoś); **to have no ~ to find with** ___ nie mieć nic do zarzucenia... (komuś) 2. błąd; wina; **to be at ~** a) zaw-ieść/odzić; nie dopisać b) (*także* **to be in ~**) ponosić winę (**in an accident** za wypadek); **whose ~ is it?** kto temu winien?; kto (tu) zawinił?; **to be at ~** a) (*o psach*) zgubić trop zwierza b) *przen* (*o człowieku*) być w kłopocie; nie wiedzieć, jak wybrnąć <co robić> 3. *geol* uskok 4. *elektr* upływ prądu [II] *vt vi* przemie-ścić/szczać (się)

faultfinder ['fɔ:lt,faində] *s* krytyk; człowiek szukający dziury w całym

fault-finding ['fɔ:lt,faindiŋ] [I] *adj* krytykujący; szykanujący; szukający dziury w całym [II] *s* krytyka; s/krytykowanie; szykany; szykanowanie; szukanie dziury w całym

faultiness ['fɔ:ltinis] *s* wadliwość; nieprawidłowość

faultless ['fɔ:ltlis] *adj* bezbłędny; bez zarzutu; nienaganny; doskonały

faulty ['fɔ:lti] *adj* (**faultier** ['fɔ:ltiə], **faultiest** ['fɔ:ltiist]) wadliwy; nieprawidłowy; błędny; nieścisły

faun [fɔ:n] *s* faun

fauna ['fɔ:nə] *s* (*pl* **faunae** ['fɔ:ni:], **~s**) fauna

faux pas ['fou'pɑ:] *s* (*pl* **faux pas** ['fou'pɑ:z]) gafa; faux pas; kompromitacja; lapsus

favour ['feivə] [I] *s* 1. łaska; przychylność; życzliwe usposobienie; życzliwość; względy; **to be in ~ with sb** cieszyć się czyjąś życzliwością; mieć u kogoś względy; być przez kogoś mile widzianym; **to be out of ~** być w niełasce; być niemile widzianym; (*o kobiecie*) **to bestow her ~s on sb** darzyć kogoś względami 2. uprzejmość; przysługa; **to ask a ~ of sb** prosić kogoś o przysługę; zwrócić się do kogoś z prośbą; (*na listach*) **by ~ of** ___ przez grzeczność... (czyjąś) 3. *handl* cenne pismo (Wasze, Panów) 4. stronniczość (**towards sb** wobec kogoś); forytowanie (**towards sb** kogoś); protekcja (**towards sb** okazywana komuś) 5. osłona (nocy itp.) 6. pożytek; korzyść; **in ~ of sb, in sb's ~** na rzecz czyjąś, na czyjąś korzyść 7. aprobata; **to be in ~ of sth** być za czymś; być zwolennikiem czegoś; popierać coś 8. kokarda, kokardka [II] *vt* 1. faworyzować; wołeć; przekładać; da-ć/wać pierwszeństwo (**sb, sth** komuś, czemuś); **I don't ~ the idea** nie jestem za tym; to mi się nie uśmiecha 2. zaszczyc-ić/ać; obdarz-yć/ać; darzyć względami 3. forytować; wyróżni-ć/ać 4. sprzyjać (**sb, sth** komuś, czemuś) 5. potwierdz-ić/ać (pogłoskę itp.); pop-rzeć/ierać (teorię itd.) 6. *pot* być podobnym (**sb** do kogoś)

favourable ['feivərəbl] *adj* 1. życzliwy; łaskawy 2. pomyślny; sprzyjający 3. korzystny (**to sb, sth** dla kogoś, czegoś)

favourite ['feivərit] [I] *s* 1. ulubieni-ec/ca (**with sb, of sb, sb's** czyj-ś/aś) 2. *sport* faworyt/ka [II] *adj* ulubiony

favouritism ['feivəri,tizəm] *s* faworytyzm; system protekcyjny; *pot* protekcja, plecy

favus ['feivəs] *s med* grzybica woszczynowa

fawn[1] [fɔ:n] [I] *s* 1. młody jeleń, *rz* jelenię; (*o łani*) **in ~** cielna 2. kolor płowy [II] *adj* płowy [III] *vt* urodzić (jelenię) [IV] *vi* (*o łani*) ocielić się

fawn[2] [fɔ:n] *vi* 1. (*o psie*) łasić się 2. (*o człowieku*) płaszczyć się (**upon sb** przed kimś)

fay[1] [fei] *s lit* wróżka

fay[2] [fei] [I] *vt* dopasow-ać/ywać [II] *vi* (*o deskach*) być dopasowanym; *am* **to ~ in with sth** być dostrojonym <dostosowanym> do czegoś

faze [feiz] *vt am* za/niepokoić

fealty ['fi:əlti] *s hist* wierność lennicza; **oath of ~** hołd (lenniczy)

fear [fiə] [I] *s* strach; obawa; bojaźń; lęk; przerażenie; **~s for sb** obawy o kogoś; **for ~ of <that, lest>** ___ z obawy przed <żeby, żeby **nie**>...; **in ~ of sb, sth** w strachu przed kimś, czymś; **no ~!** nie ma obawy!; nigdy w życiu!; **to put the ~ of God into sb** napędzić komuś stracha; nastraszyć kogoś; **without ~ or favour** bezstronnie; bez żadnych względów [II] *vt* 1. bać się <obawiać się, lękać się> (**sb, sth** kogoś, czegoś); mieć stracha (**sb, sth** przed kimś, czymś); **don't you ~!, never you ~!** nie bój/cie się!; bądź/cie (o to) spokojn-y/i! 2. oczekiwać (**sth** czegoś) ze strachem; **to ~ the worst** spodziewać się najgorszego *zob* **feared**

feared ['fiəd] [I] *zob* **fear** *v* [II] *adj* straszny; budzący strach <obawę, lęk>

fearful ['fiəful] *adj* 1. straszny; straszliwy; przeraźliwy 2. bojaźliwy; bojący się; **to be ~ of sth** bać się czegoś; **to be ~ to do sth** bać się coś zrobić; **~ lest** ___ w obawie, żeby nie... 3. pełen czci

fearless ['fiəlis] *adj* nieustraszony; **to be ~ of**___ nie bać się... (czegoś — przyszłości itd.)

fearnought ['fiə,nɔ:t] *s tekst* kastor (rodzaj filcu)

fearsome ['fiəsəm] *adj* przerażający

feasibility [,fi:zə'biliti] *s* wykonalność; możliwość przeprowadzenia

feasible ['fi:zəbl] *adj* 1. wykonalny; możliwy do przeprowadzenia 2. (*o opowiadaniu itp*) prawdopodobny

feast [fi:st] [I] *s* 1. święto; uroczystość 2. biesiada; *dosł i przen* uczta [II] *vi* ucztować; biesiadować; rozkoszować <delektować> się (**upon sth** czymś) [III] *vt* pod-jąć/ejmować; po/częstować; **to ~ one's eyes on sth** napawać oczy <rozkoszować się> pięknem czegoś

~ away *vt* przehulać (**the night** całą noc)

feast-day ['fi:st,dei] *s* dzień świąteczny; święto

feat [fi:t] *s* 1. czyn bohaterski 2. wyczyn; *pot* (dokazana) sztuka

feather ['feðə] [I] *s* 1. (*u ptaka, strzały*) pióro, piórko; lotka; **fine ~s make fine birds** jak cię widzą, tak cię piszą; **to crop sb's ~s** utrzeć komuś nosa; **to show the white ~** stchórzyć 2. opierzenie; *przen* **birds of a ~** ludzie jednego pokroju; **in full ~** a) (*o ptaku*) opierzony b) (*o człowieku*) wystrojony; wyelegantowany; **in high ~** w doskonałym humorze 3. *myśl* dzikie ptactwo 4. *wojsk* pióropusz; **that's a ~ in your cap** to ci przynosi zaszczyt; masz się czym pochwalić 5. *techn* klin podłużny; wpust 6. skaza (w szlachetnym kamieniu) 7. *wiośl* trzymanie wiosła na płask 8. grzywa (fali morskiej) 9. sterczący kosmyk włosów [II] *vt* 1. upierz-yć/ać; ozd-obić/abiać <wy-łożyć/kładać> piórami; *przen* **to ~ one's nest** por-óść/astać w piórka; wzbogac-ić/ać się 2. zlotkować <zbarczyć> (ptaka); *myśl* strącić pióra (z ptaka wystrzałem, nie zabijając go) 3. *myśl* nastawi-ć/ać (psy) na trop 4. *stol* fugować (deski) 5. *wiośl* trzymać (wiosło) na płask [III] *vi* 1. opierz-yć/ać się 2. (*o zbożu*) falować 3. (*o fali*) pokry-ć/wać się grzywami 4. *myśl* (*o psie*) wystawiać *zob* **feathered, feathering**

feather-bed ['feðə,bed] *s* 1. pierzyna 2. piernat

feather-brained ['feðə,breind] *adj* 1. trzpiotowaty 2. *przen* bez głowy

feathered ['feðəd] [I] *zob* **feather** *v* [II] *adj* upierzony

feather-edge ['feðər,edʒ] *s stol* fuga; spoina

feather-grass ['feðə,grɑ:s] *s bot* ostnica

feather-headed ['feðə,hedid] = **feather-brained**

feathering ['feðəriŋ] [I] *zob* **feather** *v* [II] *s* 1. upierzenie 2. pióro u strzały 3. *arch* ulistnienie, ornament roślinny 4. *stol* fugowanie 5. *wiośl* trzymanie wiosła na płask

featherstitch ['feðə,stitʃ] [I] *s* ścieg gałązkowy [II] *vt* wyszy-ć/wać ściegiem gałązkowym

featherweight ['feðə,weit] *s sport* waga piórkowa

feathery ['feðəri] *adj* 1. pierzasty 2. miękki <lekki> jak puch

feature ['fi:tʃə] [I] *s* 1. rys (twarzy itd.); cecha (znamienna) 2. osobliwość; właściwość 3. nierówność (terenu) 4. film; **double-~ programme** program z dwoma filmami długometrażowymi; **~ film <picture>** główny film programu [II] *vt* 1. cechować; znamionować; stanowić osobliwość <wyróżniającą cechę> (**sth** czegoś) 2. opis-ać/ywać 3. przedstawi-ć/ać (kogoś); od-egrać/grywać (rolę) 4. (*o gazecie*) uwypukl-ić/ać; uwydatni-ć/ać; wyróżni-ć/ać odmiennymi <dużymi> literami (wiadomość itp.)

featureless ['fi:tʃəlis] *adj* niczym się nie wyróżniający; nie zajmujący

febrifuge ['febri,fju:dʒ] [I] *adj* (*o środku*) przeciwgorączkowy [II] *s* środek przeciwgorączkowy

febrile ['fi:brail] *adj* gorączkowy

February ['februəri] [I] *s* luty [II] *attr* lutowy

fecal, fecies *zob* **faecal, faecies**

feckless ['feklis] *adj* 1. niedołężny 2. nieudolny

feculence ['fekjuləns] *s* mętność; nieczystość

feculent ['fekjulənt] *adj* 1. mętny; nieczysty; zanieczyszczony 2. śmierdzący

fecund ['fi:kənd] *adj* 1. płodny 2. (*o glebie*) żyzny, urodzajny

fecundate ['fi:kʌn,deit] *vt* 1. zapł-odnić/adniać 2. użyźni-ć/ać

fecundation [,fi:kʌn'deiʃən] *s* 1. zapłodnienie 2. użyźnienie

fecundity [fi'kʌnditi] *s* 1. płodność 2. żyzność <urodzajność> (gleby)

fed *zob* **feed** *v*

federal ['fedərəl] [I] *adj* federalny; **the Federal City** Waszyngton [II] *s am hist* federalista

federalism ['fedərə,lizəm] *s* federalizm

federalist ['fedərəlist] *s* federalist-a/ka; zwolenni-k/czka federacji

federalization [,fedərəlai'zeiʃən] *s* zjednoczenie (stanów) w federację

federate ['fedə,reit] [I] *vt vi* z/jednoczyć (się) [II] *adj* ['fedərit] federacyjny

federation [,fedə'reiʃən] *s* federacja, związek; zjednoczenie

federative ['fedərətiv] *adj* federalny, związkowy

fedora [fə'dɔ:rə] *s am* kapelusz filcowy (z zawiniętym podłużnym rondem)

fee [fi:] [I] *s* 1. *prawn* majątek dziedziczny; **property held in ~ simple** własność bez ograniczeń 2. honorarium 3. opłata; składka (członkowska itd.) 4. napiwek; wynagrodzenie (za usługę) [II] *vt* (**feed** [fi:d], **feed; feeing** ['fi:iŋ]) 1. wynagr-odzić/adzać; opłac-ić/ać 2. da-ć/wać napiwek <wynagrodzenie> (**sb** komuś) 3. naj-ąć/mować (kogoś)

feeble ['fi:bl] *adj* 1. słaby 2. kiepski

feeble-minded ['fi:bl'maindid] *adj* 1. ograniczony (pod względem inteligencji) 2. umysłowo niedorozwinięty

feed[1] [fi:d] *v* (**fed** [fed], **fed**) [I] *vt* 1. po/żywić; odżywi-ć/ać; wyżywi-ć/ać; na/karmić; *przen* **to ~ one's eyes on sth** napawać się widokiem czegoś; *pot* **to ~ one's face** wci-ąć/nać; zajadać 2. za/prowiantować; dostarcz-yć/ać żywności (**sb** komuś) 3. paść; wypasać 4. być pożywieniem (**animals etc.** dla zwierząt itd.) 5. zasil-ić/ać (maszynę); podawać materiał zasilający <paliwo, surowiec> (**a machine** maszynie); na-łożyć/kładać <do-łożyć/kładać> paliwa <węgla itp.> (**the stove etc.** do pieca itd.); (*w piłce nożnej*) **to ~ the forwards** podawać piłkę napastnikom [II] *vi* 1. żywić <odżywiać> się (**on sth** czymś); **to ~ on sb** żyć czyimś kosztem 2. paść się

~ up *vt* 1. u/tuczyć 2. przekarmi-ć/ać; *przen* **to be fed up with sb, sth** mieć dość kogoś, czegoś; być znudzonym kimś, czymś; mieć kogoś, czegoś powyżej uszu <dziurek od nosa>; **I am fed up with it** to mi (już) bokiem wyłazi *zob* **feeding** [III] *s* 1. pasza; pokarm; furaż; obrok; **off one's ~** a) (*o koniu*) bez chęci do jedzenia b) (*o człowieku*) bez apetytu 2. pasienie; wypasanie; **out at ~** na pastwisku 3. *pot* wyżerka; uczta 4. *am* strawa; jadło; jedzenie 5. *techn* zasilanie (maszyny); posuw; nadawa; nadawany (do maszyny) materiał zasilający; urządzenie zasilające

feed[2] *zob* **fee** *v*

feed-back ['fi:d,bæk] *s radio* sprzężenie zwrotne

feed-box ['fi:d,bɔks] *s* żłób; koryto

feeder ['fi:də] [I] *s* 1. jadacz; **to be a large <small> ~** dużo <mało> jadać 2. żywiciel/ka; karmiciel/ka 3. *roln* podkarmiaczka (maszyna) 4. flaszeczka (niemowlęcia) 5. podbródek (dziecka) 6. dopływ (rzeki) 7. *geol* żyła boczna 8. *elektr* kabel zasilający 9. *techn* urządzenie zasilające; podajnik; zapychak; dozownik [II] *attr* zasilający; doprowadzający; *kolej* **~ line** boczna linia kolejowa

feeding ['fi:diŋ] [I] *zob* **feed**[1] *v* [II] *adj* 1. (*o urządzeniu itd*) zasilający; doprowadzający 2. (*o burzy*) wzmagający się [III] *s* karmienie; **~ ground** pastwisko; żerowisko; **~ time** pora karmienia (zwierząt)

feeding-bottle ['fi:diŋ,bɔtl] *s* flaszeczka (niemowlęcia)
feed-pipe ['fi:d,paip] *s techn* rura zasilająca
feed-pump ['fi:d,pʌmp] *s techn* pompa zasilająca
feed-tank ['fi:d,tæŋk], **feed-trough** ['fi:d,trɔf] *s techn* zbiornik zasilający
fee-faw-fum ['fi:'fɔ:'fʌm] [I] *interj żart* a teraz cię zjem! [II] *s* strachy na Lachy
feel [fi:l] *v* (**felt** [felt], **felt**) [I] *vt* 1. po/czuć (**sb do** <**doing**> **sth, that sb is doing sth** że ktoś coś robi); uczu-ć/wać; wyczu-ć/wać; odczu-ć/wać; dozna-ć/wać uczucia (**sth** czegoś); mieć <żywić> (uczucie); **to ~ pity** <**sympathy**> **for sb** litować się nad kimś <współczuć komuś> 2. dot-knąć/ykać (**sth** czegoś); po/macać 3. wy/próbować <z/badać> (palcami, dotknięciem); **to ~ one's way** iść po omacku; **to ~ the pulse** z/mierzyć <wy-czu-ć/wać> puls; **to ~ the weight of sth** s/próbować <*pot* zobaczyć>, ile coś waży 4. czuć <uważać> (**that** ... że ...); **to ~ it advisable** <**necessary etc.**> **to do sth** uważać za wskazane <konieczne itd.> coś zrobić; **I ~ it my duty to**... uważam za swój obowiązek... 5. (*o statku*) reagować (na ster) [II] *vi* 1. czuć, mieć czucie; **a corpse does not ~** trup nie czuje <nie ma czucia> 2. po/czuć się; mie-ć/wać się; **to ~ quite oneself** dobrze się czuć; **not to ~ quite oneself** czuć się nieswojo 3. *z przymiotnikiem:* być (zdrowym, chorym itd.); **do you ~ well?** czy jesteś/cie zdr-ów/owi?; **I ~ cold** <**sad, gay etc.**> jest mi zimno <smutno, wesoło itd.> 4. (*o przedmiocie w dotyku*) robić wrażenie (**like wood** <**stone etc.**> drewna <kamienia itd.>); **it ~s soft** to jest miękkie (w dotyku) 5. poszuk-ać/iwać <szukać> dotknięciem <palcami, po omacku> (**for** <**after**> **sth** czegoś) 6. współczuć (**for** <**with**> **sb** komuś) 7. mieć ochotę <być gotowym> (**like doing sth** coś zrobić); *z rzeczownikiem:* **to ~ like** ... mieć ochotę na ... (coś — filiżankę kawy, kawałek tortu itd.); **I ~ like a cup of tea** chętnie bym się napił (filiżankę) herbaty 8. mieć wrażenie (**as if** ... że ...) ‖ **to ~ strongly about sth** a) być czułym na punkcie czegoś b) mieć mocne przekonanie o czymś ‖ **to ~ up to doing sth** być w stanie <czuć się na siłach> coś zrobić
~ out *vt* wymac-ać/ywać (**sth** możliwości czegoś)
zob **feeling** [III] *s* dotyk; dotknięcie; czucie; **cold** <**rough etc.**> **to the ~** zimny <szorstki itd.> w dotyku; **to have a rough** <**smooth etc.**> **~** być szorstkim <gładkim itd.> w dotyku; **have a ~** dotknąć (raz)
feeler ['fi:lə] *s* 1. *dosł i przen* macka; czułek; *przen* balon próbny 2. *wojsk* szperacz
feeling ['fi:liŋ] [I] *zob* **feel** *v* [II] *s* 1. czucie; dotykanie; dotyk; dotknięcie 2. uczucie (czegoś) 3. uczucie; poczucie; wrażenie; **to hurt sb's ~s** zranić czyjeś uczucia; dotknąć kogoś (w jego uczuciach); urazić kogoś 4. uczucie; nastawienie (**towards sb, sth** do kogoś, czegoś); **good ~** życzliwość; **hard ~** uraza; animozja; **the general ~** ogóln-e/y nastawienie <nastrój> (zebranych itd.) 5. wrażliwość (**for sth** na coś) 6. emocja; wzruszenie; podniecenie; namiętności; **~ ran high** a) namiętności rozgorzały; było wielkie podniecenie <rozgoryczenie> b) ludzie byli podminowani [III] *adj* 1. czuły 2. wzruszony 3. (*o uczuciu*) głęboki; szczery
fee-simple ['fi:'simpl] *s prawn* majątek dziedziczny
feet *zob* **foot** *s*
fee-tail ['fi:'teil] *s prawn* majątek z ograniczonymi prawami własności
feign [fein] *vt* 1. uda-ć/wać; symulować 2. wymy-śl-ić/ać <zna-leźć/jdować> (wymówkę)
feint [feint] [I] *s* 1. udawanie; *wojsk* manewr mylący przeciwnika; **to make a ~ of doing sth** udawać, że się coś robi 2. *szerm* finta [II] *vi* 1. *wojsk* wykonać manewr mylący przeciwnika 2. *szerm* zrobić fintę
feint-ruled ['feint,ru:ld] *adj* (*o papierze*) liniowany (cienko)
feldspar ['feldspa:] *s miner* skaleń, szpat polny
felicific [,fi:li'sifik] *adj* przynoszący <dający> szczęście
felicitate [fi'lisi,teit] *vt* 1. † uszczęśliwi-ć/ać 2. po/gratulować (**sb upon** <**on**> **sth** komuś czegoś)
felicitation [fi,lisi'teiʃən] *s* (*zw pl*) gratulacje; **to offer sb one's ~s** po/gratulować komuś
felicitous [fi'lisitəs] *adj* 1. szczęśliwy; trafny; udany; szczęśliwie dobrany (wyraz itd.) 2. † błogi
felicity [fi'lisiti] *s* 1. szczęście; błogość 2. trafność <szczęśliwy dobór> (wyrazu, zwrotu itd.) 3. szczęśliwie <trafnie> dobrany wyraz <zwrot itd.>
felid ['fi:lid] *s zoo* kot, zwierzę z rodziny kotów
felidae ['fi:li,di:] *spl zoo* koty, zwierzęta z rodziny kotów
feline ['fi:lain] [I] *adj* koci [II] *s* = **felid**
felinity [fi'liniti] *s* kocia <fałszywa> natura
fell[1] [fel] *s* 1. futro <skóra> (zwierzęcia) 2. runo; **a ~ of hair** czupryna
fell[2] [fel] *s* góra; szczyt; turnia
fell[3] [fel] *adj lit* okrutny; dziki; srogi; ponury
fell[4] [fel] [I] *vt* 1. powalić, zwalić; wyrąbać (drzewo); ogłusz-yć/ać (byka itd.) 2. obrzuc-ić/ać (szew) [II] *s* wyrąb (drzewa)
fell[5] *zob* **fall** *v*
fellah ['felə] *s* (*pl* **~een** [,felə'hi:n], **~s**) fellach
feller[1] ['felə] *s* drwal
feller[2] ['felə] *żart* = **fellow**
fellmonger ['fel,mʌŋgə] *s* futrzarz; skórnik
felloe ['felou] *s* 1. obwód koła (u wozu) 2. dzwono (koła)
fellow[1] ['felou] *s* 1. towarzysz; kolega 2. (*o człowieku*) podobny; drugi taki sam; rywal; (*o rzeczy*) drugi do pary 3. członek (towarzystwa naukowego); *uniw* wykładowca; adiunkt; stypendysta prowadzący ćwiczenia 4. człowiek; jegomość; *pot* facet; gość; typ; **a good ~** porządny chłop; (*o chłopcu*) dobry chłopak; **lucky ~** szczęściarz; **my good ~** a) mój drogi b) człowieku!; **old ~** bracie!; przyjacielu!; **poor ~!** biedak!, biedaczysko!; **what do you ~s think?** co wy, chłopcy, na to?
†**fellow**[2] ['felou] *w złożeniach*: współ-; **~-delinquent** <**-traveller etc.**> współwinny <(współ)towarzysz podróży itp.>
fellow-citizen ['felou'sitizən], **fellow-countryman** ['felou'kʌntrimən]) *s* (*pl* **fellow-countrymen** ['felou'kʌntrimən]) współobywatel; rodak
fellow-creature ['felou'kri:tʃə] *s* bliźni
fellow-feeling ['felou'fi:liŋ] *s* 1. wspólnota uczuć 2. sympatia
fellowship ['felouʃip] *s* 1. współudział; wspólnota;

solidarność; **good ~** koleżeństwo; braterskie uczucia; poczucie jedności 2. towarzystwo; związek; zjednoczenie; bractwo 3. członkostwo (towarzystwa naukowego); stanowisko wykładowcy <adiunkta, stypendysty, prowadzącego ćwiczenia>
felly ['feli] = **felloe**
felo-de-se ['fi:loudi:'si:] *s* (*pl* **felones-de-se** ['felə ˌni:zdi:'si:], **felos-de-se** ['fi:louzdi:'si:]) *prawn* 1. samobój-ca/czyni 2. samobójstwo
felon[1] ['felən] I *s* przestęp-ca/czyni; zbrodnia-rz/rka II *adj poet* okrutny; przestępczy; zbrodniczy
felon[2] ['felən] *s med* zastrzał; zanokcica
felonious [fi'lounjəs] *adj* przestępczy; zbrodniczy
felonry ['felənri] *s zbior* zbrodniarze; przestępcy; świat zbrodni
felony ['feləni] *s* przestępstwo; zbrodnia
felsite ['felsait] *s miner* felzyt
felspar ['felspa:] = **feldspar**
felt[1] [felt] I *s* 1. filc; pilśń 2. wojłok 3. **roofing <tarred> ~** papa II *attr* 1. filcowy 2. wojłokowy 3. papowy III *vt* 1. filcować; pilśnić 2. pokry-ć/wać wojłokiem 3. pokry-ć/wać papą
felt[2] *zob* **feel** *v*
feltstone ['felstən] *s miner* felzyt
felucca [fe'lʌkə] *s mar* feluka
female ['fi:meil] I *s* 1. *zoo* samica 2. *bot* okaz żeński (rośliny) 3. *pog* kobieta, baba II *adj* 1. płci żeńskiej; kobiecy; żeński; **male and ~** obojga płci 2. *zoo* samiczy 3. *techn* (*o śrubie itp*) żeński; drążony; z gwintem wewnętrznym
feme [fi:m] *s prawn* kobieta; **~ covert** kobieta zamężna, mężatka; **~ sole** kobieta niezamężna
feminality [ˌfemi'næliti] *s* 1. † kobiecość 2. cecha kobieca
femineity [ˌfemi'ni:iti] *s* kobiecość
feminine ['feminin] *adj* 1. kobiecy; niewieści 2. *gram* rodzaju żeńskiego
femininity [ˌfemi'niniti] *s* kobiecość; żeńskość
feminism ['femiˌnizəm] *s* feminizm
feminist ['feminist] *s* feminist-a/ka
feminity [fe'miniti] = **femininity**
feminize ['femiˌnaiz] I *vt* nada-ć/wać cechy kobiece <niewieście> (**sb, sth** komuś, czemuś) II *vi* z/niewieścieć
femoral ['femərəl] *adj anat* udowy
femur ['fi:mə] *s* (*pl* **~s, femora** ['femərə]) *anat* kość udowa
fen [fen] *s* bagnisko; moczar; zalewisko
fen(s) [fen(z)] = **fain(s)**
fenberry ['fenbəri] *s bot* borówka (czerwona), brusznica
fence [fens] I *s* 1. *sport* szermierka 2. płot; parkan; ogrodzenie; *am* **politicians on the other side of the ~** przeciwnicy polityczni; **to come down on the right side of the ~** stanąć po stronie zwycięzcy; *przen* **to sit on the ~** wyczekiwać; nie angażować się przedwcześnie 3. osłona <ochraniacz> (w narzędziu mechanicznym) 4. *pot* paser/ka 5. *pot* melina paserów II *vt* 1. o/chronić (ciało, budynek itd.) (**from <against> sth** przed czymś) 2. (*także* **~ in <round, about>**) ogr-odzić/adzać; zagr-odzić/adzać 3. (*także* **~ in**) zaopatrzyć (narzędzie mechaniczne) w osłonę <w ochraniacz> III *vi* 1. uprawiać szermierkę; *dosł i przen* szermować 2. *pot* uprawiać paserstwo 3. (*o koniu*) przeskakiwać przeszkody <płoty>
~ off *vt* 1. odparow-ać/ywać (cios itd.) 2. odgr-odzić/adzać (parkanem, żywopłotem itd.) *zob* **fencing**
fenceless ['fenslis] *adj* nie ogrodzony
fence-season ['fensˌsi:zən] *s myśl* czas ochronny
fencible ['fensibl] *adj hist* (*o żołnierzu*) zdolny tylko do obrony krajowej <do służby pomocniczej>
fencing ['fensiŋ] I *zob* **fence** *v* II *s* 1. szermierka 2. płot; ogrodzenie 3. paserstwo
fencing-cully ['fensiŋˌkʌli] *s* paser/ka
fencing-ken ['fensiŋˌken] *s* melina paserów
fend [fend] I *vt* o/bronić (**from sth** przed czymś) II *vi* zaspok-oić/ajać potrzeby (**for sb** czyjeś); zatroszczyć się (**for sb** o kogoś); **to ~ for oneself** dawać sobie radę; za/dbać o siebie
~ off *vt* 1. odparow-ać/ywać 2. o/chronić (**sth** przed czymś)
fender ['fendə] *s* 1. zderzak 2. *mar* odbijacz 3. krata ochronna przed kominkiem 4. błotnik 5. zasłona
fen-duck ['fenˌdʌk] *s zoo* kaczka krzyżówka
fenestrate(d) ['feniˌstreit(id)] *adj bot zoo* okienkowaty
fenestration [ˌfeni'streiʃən] *s bud* rozmieszczenie okien (w budynku)
fen-fire ['fenˌfaiə] *s* błędny ognik
Fenian ['fi:niən] *s hist* członek tajnej ligi walczącej o wyzwolenie Irlandii
fenks [feŋks] *spl* włókniste części <odpadki> tłuszczu wielorybiego
fennec ['fenik] *s zoo* lis północnoafrykański
fennel ['fenl] *s bot* koper
fennel-flower ['fenlˌflauə] *s bot* czarnuszka siewna
fenny ['feni] *adj* bagnisty
fen-pole ['fenˌpoul] *s* tyka, tyczka
fen-reeve ['fenˌri:v] *s* inspektor robót wodnomelioracyjnych na błotnistych obszarach Anglii zwanych „Fens"
fenugreek ['fenjuˌgri:k] *s bot* kozieradka
feoff [fef] *s hist* feudum, lenno
feoffee [fe'fi:] *s hist* lennik
feoffment ['fefmənt] *s hist* nadawanie (ziemi) w lenno
feracious [fə'reiʃəs] *adj* żyzny, urodzajny
ferae naturae ['fiəri:nə'tjuəri:] *adj po rzeczowniku lub praed:* (*o zwierzęciu*) żyjący w stanie dzikim
feral ['fiərəl] *adj* 1. dziki 2. powtórnie zdziczały
feretory ['feritəri] *s kośc* 1. feretron 2. relikwiarz
ferial ['fiəriəl] *adj* (*o dniu*) powszedni
ferine ['fiərain] = **feral**
Feringhee [fə'riŋgi] *s* (*w Indiach*) 1. Europej-czyk/ka 2. Portugal-czyk/ka; mieszaniec portugalsko-hinduski
ferment ['fə:ment] I *s* 1. *chem* ferment, zaczyn 2. *przen* ferment; wzburzenie (umysłów) II *vt* [fə'ment] podda-ć/wać fermentacji III *vi* [fə'ment] 1. s/fermentować 2. *przen* wzburzyć się; nurtować
fermentation [ˌfə:men'teiʃən] *s* 1. fermentacja; s/fermentowanie 2. *przen* wzburzenie (umysłów)
fermentative [fə:'mentətiv] *adj* fermentacyjny; wywołujący fermentację
fern [fə:n] *s bot* paproć
fernery ['fə:nəri] *s* miejsce porosłe paprocią
ferny ['fə:ni] *adj* porosły paprocią; obfitujący w paproć
ferocious [fə'rouʃəs] *adj* dziki; okrutny; srogi
ferocity [fə'rɔsiti] *s* dzikość; okrucieństwo; srogość
ferox ['ferɔks] *s zoo* pstrąg jeziorny
ferrate ['fereit] *s chem* nadżelazian

ferreous ['feriəs] *adj* żelazawy; żelazisty
ferret¹ ['ferit] I *s* 1. *zoo* fretka (odmiana łasicy) 2. *przen pot* szpicel II *vt* (-tt-) polować z fretką (**rabbits etc.** na króliki itd.) III *vi* (-tt-) 1. (*także* **to go ~ting**) polować z fretką 2. myszkować
~ out *vt* 1. wykurz-yć/ać 2. wykry-ć/wać; wy/szperać; *pot* wyniuchać
ferret² ['ferit] *s* taśma (jedwabna lub bawełniana)
ferrety ['feriti] *adj* 1. myszkujący 2. (*o oczach*) chytry
ferriage ['feriidʒ] *s* 1. przejazd promem 2. opłata za przejazd promem
ferric ['feric] *adj chem* żelazowy
ferriferous [fe'rifərəs] *adj* zawierający żelazo
Ferris ['feris] *spr* **~ wheel** koło diabelskie (w wesołym miasteczku)
ferrite ['ferait] *s miner* ferryt
ferro-alloy [ˌferou'æləi] *s* stop żelaza
ferro-concrete ['ferou'kɔŋkri:t] *s* żelazobeton
ferromagnetic ['feroumə'gnetik] *adj fiz* ferromagnetyczny
ferrotype ['ferouˌtaip] *s fot* ferrotypia
ferrous ['ferəs] *adj chem* żelazawy
ferruginous [fe'ru:dʒinəs] *adj* 1. żelazisty 2. rdzawy
ferrule ['feru:l] *s* 1. skuwka 2. okucie
ferry ['feri] *v* (**ferried** ['ferid], **ferried; ferrying** ['feriiŋ]) I *vt* 1. przew-ieźć/ozić <przeprawi-ć/ać> promem <statkiem regularnej komunikacji> 2. *lotn* dostawiać (samoloty) drogą powietrzną II *vi* przeprawi-ć/ać się promem (**across** <**over**> **a river** przez rzekę); po/jechać statkiem regularnej komunikacji III *s* 1. bród 2. (także **~-boat**) a) prom b) statek regularnej komunikacji przez cieśninę <przez morze, Atlantyk>
ferry-boat ['feriˌbout] *s* prom
ferry-bridge ['feriˌbridʒ] *s* statek-prom (przewożący pociągi z jednego brzegu cieśniny itd. na drugi)
ferryman ['feriman] *s* (*pl* **ferrymen** ['feriman]) przewoźnik
ferry-pilot ['feriˌpailət] *s lotn* pilot odstawiający samolot drogą powietrzną *zob* **ferry** *vt* 2.
fertile ['fə:tail] *adj* 1. urodzajny; żyzny; obfitujący (**in sth** w coś); rodzący (**of sth** coś); płodny 2. zapłodniony
fertility [fə:'tiliti] *s* urodzajność; płodność
fertilization [ˌfə:tilai'zeiʃən] *s* 1. użyźnianie; nawożenie 2. zapł-odnienie/adnianie 3. *bot* zapyl-enie/anie
fertilize ['fə:tiˌlaiz] *vt* 1. użyźni-ć/ać; nawozić 2. zapł-odnić/adniać 3. *bot* zapyl-ić/ać
fertilizer ['fə:tiˌlaizə] *s* 1. nawóz 2. czynnik zapładniający
ferula ['ferulə] *s bot* fenkuł (roślina baldaszkowata)
ferule ['feru:l] I *s szk †* feruła <linijka> do wymierzania kary cielesnej II *vt* u/karać ferułą <linijką>
fervency ['fə:vənsi] *s* żar; żarliwość; zapał; gorliwość; namiętność
fervent ['fə:vənt] *adj* gorący; (*o prośbie, modlitwie itd*) żarliwy; płomienny; gorliwy
fervid ['fə:vid] *adj* gorliwy; zapalony; ognisty; namiętny
fervour ['fə:və] *s* ferwor; zapał; żar; żarliwość; gorliwość; namiętność
Fescennine ['fesiˌnain] *adj* (*o wierszach*) sprośny; obelżywy
fescue ['feskju:] *s* 1. pałeczka do wskazywania (używana w szkole przy tablicy) 2. *bot* kostrzewa
festal ['festl] *adj* świąteczny; radosny
fester ['festə] I *vi* 1. ropieć; zaogni-ć/ać <jątrzyć> się 2. psuć <rozkładać> się; gnić 3. (*o uczuciu krzywdy, nienawiści itp*) rozsadzać <rozpierać> serce II *vt* s/powodować gnicie (**sth** czegoś) III *s* ropniak; ropiejąca rana; zajad
festival ['festəvəl] I *s* święto; festiwal II *adj* świąteczny; odświętny
festive ['festiv] *adj* 1. uroczysty; świąteczny 2. (*o stole itd*) biesiadny 3. (*o człowieku*) wesoły
festivity [fes'tiviti] *s* święto; uroczystość
festoon [fes'tu:n] I *s* feston; girlanda II *vt* ozd-obić/abiać festonami <girlandami>
fetch¹ [fetʃ] I *vt* 1. (*także* **go and ~**) pójść/iść (**sb, sth** po kogoś, coś); sprowadz-ić/ać; przyprowadz-ić/ać; przyn-ieść/osić; **~ and carry** a) aportować b) *przen* (*o człowieku*) wysługiwać się (**for sb** komuś); być na usługach (**for sb** czyichś) 2. wydoby-ć/wać; wywoł-ać/ywać; s/powodować; wycis-nąć/kać (łzy) 3. (*o towarze*) osiąg-nąć/ać (wysoką cenę); przyn-ieść/osić (dochód) 4. przem-ówić/awiać do wyobraźni (**sb** czyjeś); z/robić wrażenie (**sb** na kimś — publiczności itd.); zachwyc-ić/ać; roz/złościć ‖ **to ~ sb a blow** zdzielić <walnąć> kogoś; dać komuś szturchańca; **to ~ a compass** <**a circuit**> po/jechać okrężną drogą; z/robić objazd; **to ~ a groan** jęknąć; **to ~ a sigh** westchnąć
~ down *vt* 1. ściągnąć na dół 2. zestrzelić
~ out *vt* wywabi-ć/ać (plamę)
~ through *vi* dobrnąć
~ up I *vt* 1. wydźwig-nąć/ać <sprowadz-ić/ać> na górę 2. z/wymiotować 3. *am* wychow-ać/ywać (młodzież) II *vi* 1. do-trzeć/cierać (**at a port** do portu) 2. sta-nąć/wać; zatrzym-ać/ywać się 3. doprowadz-ić/ać (do czegoś)
zob **fetching** III *s* 1. podstęp 2. przestrzeń 3. odległość; **a far ~** daleka droga
fetch² [fetʃ] *s* sobowtór
fetcher ['fetʃə] *s* 1. goniec 2. *am* powab
fetching ['fetʃiŋ] I *zob* **fetch** *v* II *adj* 1. ujmujący 2. ponętny; nęcący
fete [feit] I *s* 1. święto; uroczystość; *†* feta 2. imieniny II *vt* u/fetować
fetial ['fi:ʃəl] *s* (*u staroż. Rzymian*) fecjał (kapłan)
fetid ['fetid] *adj* cuchnący
fetish ['fi:tiʃ] *s* fetysz
fetishism ['fi:tiˌʃizəm] *s* fetyszyzm
fetlock ['fetlɔk] *s* 1. włosy pęcinowe 2. = **fetterlock**
fetor ['fi:tə] *s* fetor, *pot* smród
fetter ['fetə] I *s* (*zw pl*) *dosł i przen* kajdany; okowy; więzy; pęta; **to burst one's ~s** zrzucić kajdany; zerwać okowy II *vt* zaku-ć/wać w kajdany; s/pętać (konia itd.); *przen* z/wiązać ręce i nogi (**sb** komuś); s/krępować
fetterless ['fetəlis] *adj* nieskrępowany
fetterlock ['fetəˌlɔk] *s* pęcina
fettle ['fetl] *s* samopoczucie; stan; forma; nastrój
fetus *zob* **foetus**
feu [fju:] I *s szkoc prawn* wieczysta dzierżawa II *vt* wydzierżawić na wieczność
feud¹ [fju:d] *s* nienawiść <wojna> (między rodzinami, klanami); wendeta
feud² [fju:d] *s hist* feudum, lenno

feudal ['fju:dl] *adj* feudalny
feudalism ['fju:də,lizəm] *s* feudalizm
feudality [fju:'dæliti] *s* system feudalny
feudatory ['fju:dətəri] [I] *adj* lenny [II] *s* lennik
fever ['fi:və] [I] *s* 1. gorączka 2. rozgorączkowanie; **a ~ of excitement** gorączkowe podniecenie; **~ hospital** szpital zakaźny [II] *vt* rozgorączkow-ać/ywać
fever-blisters ['fi:və'blistəz] *spl med* opryszczka wargowa
feverfew ['fi:və,fju:] *s bot* (złocień) maruna
fever-heat ['fi:və,hi:t] *s* temperatura gorączkowa
feverish ['fi:vəriʃ] *adj* 1. gorączkowy 2. rozgorączkowany 3. (*o klimacie*) malaryczny
feverishness ['fi:vəriʃnis] *s* gorączkowość
fever-trap ['fi:və,træp] *s* miejscowość malaryczna
few [fju] [I] *adj wiąże się z rzeczownikiem w pl*: 1. mało; niewiel-e/u; nieliczn-i/e; kilka; **a man of ~ words** człowiek małomówny; **every ~** co kilka; **the last ~** kilk-a/u ostatnich 2. **a ~** kilka, kilku, kilkoro; **a good ~, not <quite> a ~** sporo; niemało [II] *spl* **the ~** nieliczni; mniejszość
fewer ['fju:ə] *adj wiąże się z rzeczownikiem w pl*: mniej; mniej liczn-i/e; mniej częste; rzadsze
fewest ['fjuist] *adj wiąże się z rzeczownikiem w pl*: najmniej; najmniej liczn-i/e; najmniej częste; najrzadsze
fewness ['fju:nis] *s* mała <znikoma> liczba (czegoś)
fey [fei] *adj szkoc* 1. (znajdujący się) u progu śmierci 2. niespełna rozumu; **to go ~** stracić rozum
fez [fez] *s* fez
fiansé [fi'ãsei] *s* narzeczony
fiansée [fi'ãsei] *s* narzeczona
fiasco [fi'æskou] *s* fiasko
fiat ['faiæt] *s* 1. placet 2. dekret; rozporządzenie; *am* **~ money** niewymienny pieniądz papierowy zatwierdzony dekretem rządowym jako środek obiegowy
fib[1] [fib] [I] *s* kłamstwo; *pot* cygaństwo [II] *vi* (**-bb-**) kłamać; *pot* cyganić
fib[2] [fib] [I] *s* uderzenie; cios [II] *vt* (**-bb-**) okładać
fibber ['fibə] *s* kłamczuch/a
fibre ['faibə] *s* 1. włókno; **~ glass** włókno szklane 2. łyko 3. natura (człowieka); budowa; struktura; charakter 4. fibra (prasowana) 5. *bot* korzonek
fibril ['faibril] *s* włókienko
fibrillar ['faibrilə] *adj anat bot* włókienkowy
fibrillation [,faibri'leiʃən] *s med* włókienkowe skurcze <drgania, migotanie> przedsionków
fibrin ['faibrin] *s biol med chem* włóknik, fibryna
fibrinogen [fai'brinədʒin] *s biol* fibrynogen
fibrinous ['faibrinəs] *adj biol med chem* włóknikowy
fibroid ['faibrɔid] [I] *adj* włóknisty [II] *s med* włókniak
fibroma [fai'broumə] *s* (*pl* **~ta** [fai'broumətə], **~s**) *med* włókniak
fibrous ['faibrəs] *adj* włóknisty
fibster ['fibstə] = **fibber**
fibula ['fibjulə] *s* (*pl* **fibulae** ['fibju,li:], **~s**) *anat* strzałka
fichu ['fi:ʃu:] *s* chusteczka na szyję
fickle ['fikl] *adj* zmienny; niestały; płochy; wietrzny
fickleness ['fiklnis] *s* zmienność; niestałość; płochość; wietrzność
fictile ['fiktail] *adj* 1. ceramiczny 2. garncarski
fiction ['fikʃən] *s* 1. fikcja; fantazja; wymysł; zmyślenie; urojenie; **legal ~** fikcja prawna 2. beletrystyka; **works of ~** beletrystyka; utwory powieściowe
fictional ['fikʃənḷ] *adj* beletrystyczny; powieściowy
fictitious [fik'tiʃəs] *adj* 1. zmyślony; fikcyjny; wyimaginowany; urojony 2. udany; symulowany
fictive ['fiktiv] *adj* fikcyjny; wyimaginowany, wymyślony
fid [fid] *s mar* marszpikiel, swajka; rożek do wykonywania splotów
fiddle ['fidl] [I] *s* 1. *pot* skrzypce; **to play first ~** a) grać pierwsze skrzypce b) *przen* zaćmiewać innych (w towarzystwie); **to play second ~** a) grać drugorzędną rolę b) *przen* pozostawać w cieniu (w towarzystwie); **with a face as long as a ~** z nosem na kwintę 2. *mar* listwa u stołu (przytrzymująca zastawę, gdy się statek kołysze) [II] *vt* za/grać <za/rzępolić> (coś) **na** skrzypcach [III] *vi* 1. za/grać na skrzypcach 2. za/rzępolić 3. manipulować <majstrować, bawić się bezmyślnie> (czymś — guzikiem, kluczami itd.)
~ about *vi* marnować czas na głupstwach
~ away *vt w zwrocie*: **to ~ away one's time** zbijać bąki
zob **fiddling**
fiddle-block ['fi:dl,blɔk] *s techn* blok skrzypcowaty
fiddle-de-dee ['fidldi'di:] *interj s* głupstwo; bzdura; koszałki opałki
fiddle-faddle ['fidl,fædl] [I] *vi* zbijać bąki; zajmować się błahostkami [II] *s* fatałaszki; głupstwa; zawracanie głowy [III] *adj* drobiazgowy; małostkowy [IV] *interj* = **fiddle-de-dee**
fiddle-head ['fidl,hed] *s mar* figura rzeźbiona na dziobie statku
fiddler ['fidlə] *s* 1. skrzyp-ek/aczka 2. *pog* rzępoła 3. *zoo* odmiana kraba
fiddlestick ['fidl,stik] [I] *s* smyczek [II] *interj* (*także* **~s**) bzdury!; ...**great talent — great ~s!...** wielki talent — bzdury, nie talent! <jaki tam talent!>
fiddle-wood ['fidl,wud] *s* drzewo rosnące w Ameryce równikowej dostarczające trwałego drewna
fiddling ['fidliŋ] [I] *zob* **fiddle** *v* [II] *adj* 1. (*o człowieku*) drobiazgowy; małostkowy 2. (*o rzeczy*) błahy
fidelity [fi'deliti] *s* 1. wierność (**to sb** komuś) 2. wierność <dokładność, ścisłość> (tłumaczenia)
fidget ['fidʒit] [I] *vi* (*także* **~ about**) = **to have the ~s, to be in a ~** [II] *vt* denerwować <niepokoić> (kogoś) [III] *s* 1. (*zw pl*) nerwowość; niepokojenie się; **to have the ~s, to be in a ~** denerwować się; być niespokojnym; nie móc sobie miejsca znaleźć 2. (*o człowieku*) niespokojny duch
fidgetiness ['fidʒitinis] *s* 1. niepokój; nerwowość 2. niecierpliwość
fidgety ['fidʒiti] *adj* (**fidgetier** ['fidʒitiə], **fidgetiest** ['fidʒitiist]) 1. niespokojny; nerwowy; ruchliwy 2. niecierpliwy
fidibus ['fidibəs] *s* fidybus, zwitek papierowy do zapalania (świec, fajki itd.)
Fido ['faidou] *skr* **fog investigation and dispersal operations** *zob* **operations**
fiducial [fi'dju:ʃjəl] *adj* 1. oparty na zaufaniu <na wierze> 2. *prawn* powierniczy 3. *miern* **~ point** punkt odniesienia

fiduciary [fi'dju:ʃiəri] [I] *adj* = **fiducial** [II] *s prawn* powiernik
fie [fai] *interj* fe!; wstyd!
fief [fi:f] = **feoff**
fie-fie ['fai,fai] *interj dziec* be!
↑**field** [fi:ld] [I] *s* 1. *roln fiz wojsk* pole; pole bitwy <walki, chwały>; bitwa; **to hold the ~** nie ust--ąpić/ępować z pola; **to take the ~** ruszyć w pole; **fair ~ and no favour** równe szanse; **the beasts of the ~** dzikie zwierzęta 2. zagłębie (naftowe, węglowe) 3. *sport* boisko 4. tor (wyścigowy itd.) 5. obszar; przestrzeń; połać 6. teren; **~ work** (naukowa) praca terenowa 7. *plast* tło 8. pole (działania), dziedzina; zakres 9. *handl* rynek zbytu [II] *attr* (*o służbie w wojsku, szpitalu itd*) polowy; **~ dressing** opatrunek polowy [III] *vt* (*w krykiecie*) zatrzymywać i rzucać z powrotem (piłkę) [IV] *vi* (*w krykiecie*) grać przeciwko broniącej się drużynie
field-allowance ['fi:ld-ə,lauəns] *s wojsk* dodatek polowy (do poborów)
field-artillery ['fi:ld-ɑ:'tiləri] *s* artyleria polowa
field-cricket ['fi:ld,krikit] *s zoo* świerszcz polny
field-day ['fi:ld,dei] *s* 1. *wojsk* dzień rewii <przeglądu> 2. dzień polowania 3. dzień wycieczkowy 4. dzień doniosłych debat 5. *am* dzień poświęcony sportom i zapasom (atletycznym)
fielder ['fi:ldə] *s* (*w krykiecie*) jeden z graczy drużyny atakującej
fieldfare ['fi:ld,fɛə] *s zoo* kwiczoł
field-glass ['fi:ld,glɑ:s] *s* 1. lornetka polowa 2. okular (teleskopu itp.)
field-gun ['fi:ld,gʌn] *s* armata polowa
field-marshal ['fi:ld'mɑ:ʃəl] *s wojsk* marszałek polny
field-mouse ['fi:ld,maus] *s* (*pl* **field-mice** ['fi:ld,mais]) *zoo* mysz polna
field-officer ['fi:ld,ɔfisə] *s* oficer sztabowy (od stopnia majora do pułkownika)
field-sports ['fi:ld,spɔ:ts] *spl* sporty terenowe (myślistwo, wędkarstwo itd.)
field-work ['fi:ld,wə:k] *s wojsk* umocnienie polowe
fiend [fi:nd] *s* 1. *dosł i przen* diabeł, szatan 2. mania-k/czka; zagorzalec; fanaty-k/czka
fierce [fiəs] *adj* 1. dziki 2. zawzięty; zagorzały; zapalony 3. gwałtowny; srogi; niepohamowany; nieopanowany; nie do opanowania 4. *am* nieznośny; bolesny
fierceness ['fiəsnis] *s* 1. dzikość 2. zawziętość; zagorzałość; zapał 3. gwałtowność; srogość
fieri facias ['faiərai'feiʃi,æs] *s prawn* nakaz egzekucyjny
fieriness ['faiərinis] *s* 1. żar 2. ognistość; płomienność 3. porywczość; uniesienie; zapalczywość
fiery ['faiəri] *adj* 1. ognisty; płomienny; gorejący 2. zapalczywy; popędliwy; porywczy; choleryczny 3. *górn* gazowy, zawierający gaz palny; (*o gazie*) palny
fiesta [fi'estə] *s* świętowanie
fife [faif] [I] *s muz* piszczałka; fujarka [II] *vi* grać na piszczałce <na fujarce>
fifer ['faifə] *s* człowiek grający na fujarce <na piszczałce>
fife-rail ['faif,reil] *s mar* kołkownica przymasztowa
fifteen ['fif'ti:n] *num* [I] *adj* piętnaście; piętnaścioro; **a boy <girl> of ~** chłopiec <dziewczyna> piętnastoletni/a; **he <she, it> is ~ (years old)** on <ona, ono> ma piętnaście lat; **~ and six** piętnaście szylingów i sześć pensów, piętnaście i pół szylinga [II] *s* 1. piętnastka (numer obuwia, rękawiczek itd.) 2. drużyna (piętnastoosobowa) w rugby
fifteenth ['fif'ti:nθ] *num* [I] *adj* piętnasty; **the ~ of ...** piętnastego ... (lipca itd.) [II] *s* (jedna) piętnasta (część)
↑**fifth** [fifθ] *num* [I] *adj* piąty; **the ~ of ...** piątego ... (lipca itd.); **to smite sb under the ~ rib** zadać komuś śmiertelny cios; położyć kogoś trupem [II] *s* 1. (jedna) piąta (część) 2. *muz* kwinta
fifthly ['fifθli] *num adv* po piąte
fiftieth ['fiftiiθ] *num* [I] *adj* pięćdziesiąty [II] *s* (jedna) pięćdziesiąta (część)
fifty ['fifti] *num* [I] *adj* pięćdziesiąt; pięćdziesięcioro; **a man <woman> of ~** mężczyzna <kobieta> pięćdziesięcioletni/a; **he <she, it> is ~ (years old)** on <ona, ono> ma pięćdziesiąt lat; **to go ~-~** płacić po połowie; **a ~-~ basis** zasada równego podziału [II] *s* 1. pięćdziesiątka; **he <she> is over ~** przekroczył/a pięćdziesiątkę 2. *pl* **fifties** lata pięćdziesiąte (danego wieku <czyjegoś życia>)
fiftyfold ['fifti,fould] [I] *adj* pięćdziesięciokrotny [II] *adv* pięćdziesięciokrotnie
fig[1] [fig] *s dosł i przen* figa; **a ~ for ...!** kpię z ...!; **I don't care a ~ for ...** nic mnie ... nie obchodzi
fig[2] [fig] [I] *s pot* 1. strój; **in full ~** wystrojony; wyelegantowany 2. samopoczucie; **in good ~** w dobrej formie [II] *vt* (**-gg-**) 1. *w zwrocie:* **to ~ out <up> a horse** podci-ąć/nać konia 2. *w zwrocie:* **to ~ sb up <out>** wy/stroić kogoś
fight [fait] *v* (**fought** [fɔ:t], **fought**) [I] *vi* bić się <walczyć, s/toczyć bój> (**against <with> sb, sth** z kimś, czymś; **for sb, sth** o <za> kogoś, coś); **to ~ against disease <sleep etc.>** zwalczać chorobę <sen itd.>; mocować się z chorobą <z chęcią snu itd.> [II] *vt* 1. bić się <walczyć, mocować się, prowadzić wojnę> (**sb, sth** z kimś, czymś); **to ~ one's way** u/torować <wywalcz-yć/ać> sobie drogę <przejście>; iść przebojem 2. s/toczyć (walkę, bitwę, bój) 3. zwalcz-yć/ać; od-eprzeć/pierać 4. pu--ścić/szczać (koguty) <podjudz-ić/ać (psy)> do walki
~ back *vt* zwalcz-yć/ać; op-rzeć/ierać się (**a disease etc.** chorobie itp.)
~ down *vt* zwalcz-yć/ać; przezwycięż-yć/ać
~ off *vt* 1. roz-egrać/grywać (mecz, partię) 2. przezwycięż-yć/ać; op-rzeć/ierać się (**a disease etc.** chorobie itp.) 3. od-eprzeć/pierać (wroga)
~ out *vt* 1. rozstrzyg-nąć/ać przez walkę 2. bić się do końca
zob **fighting** [III] *s* 1. walka; bój; bitwa; **running ~** pogoń; **sham ~** walka pozorowana; **the ~ against disease** walka z chorobami; zwalczanie chorób 2. (*także* **free ~**) bójka; bijatyka; mocowanie się 3. duch bojowy; duch oporu; chęć zwycięstwa; **he <they etc.> still had ~ left in him <them etc.>** on <oni itd.> nie straci-ł/li ducha bojowego; **to show ~** nie poddawać się łatwo; stawiać silny opór
fighter ['faitə] *s* 1. wojownik; kombatant; żołnierz 2. bojowni-k/czka; szermierz (sprawy) 3. *lotn* myśliwiec, samolot myśliwski
↑**fighting** ['faitiŋ] [I] *zob* **fight** *v* [II] *s* = **fight** *s* [III] *attr* bojowy; *lotn* myśliwski (samolot)
fig-leaf ['fig,li:f] *s* (*pl* **fig-leaves** ['fig,li:vz]) liść figowy

figment ['figmənt] *s* wymysł; fikcja; rzecz sfingowana

fig-tree ['fig,tri:] *s bot* drzewo figowe

figuline ['figjulin] [I] *adj* gliniany [II] *s* 1. naczynie gliniane <z terakoty> 2. glina garncarska

figurant ['figjurənt] *s* tancerz, baletnik

figurante ['figjuə,rænt] *s* tancerka, baletnica

figuration [,figju'reiʃən] *s* 1. zobrazowanie 2. kształt; forma; rysunek; kontury 3. ornamentacja; upiększenie 4. *muz* figuracja

figurative ['figjurətiv] *adj* 1. (*o ceremoniale itd*) symboliczny, emblematyczny 2. (*o znaczeniu*) metaforyczny, przenośny 3. (*o stylu*) obrazowy

figure ['figə] [I] *s* 1. (*także geom*) figura; kształt; bryła 2. (*u człowieka*) budowa; figura; sylwetka 3. postać; **to cut a brilliant <poor etc.> ~** od-egrać/grywać świetną <nędzną itd.> rolę (w historii itp.); wspaniale <kiepsko> się spis-ać/ywać; **to cut a sorry ~** z/blamować się; *pot* wygłupi-ć/ać się; *am* **to cut no ~** nie od-egrać/grywać roli; nie mieć znaczenia 4. *plast* obraz, obrazek 5. ilustracja; rycina; wykres 6. (*w tańcu, łyżwiarstwie*) figura 7. *mat* cyfra; liczba; **two <three etc.> ~s** liczba dwu- <trzy- itd.> cyfrowa 8. cena 9. deseń; wzór; **a ~ of speech** a) metafora b) sposób wyrażania się 10. horoskop 11. *muz* figuracja [II] *vt* 1. wyobra-zić/żać (**sb, sth** kogoś, coś; **sth to oneself** coś sobie) 2. *am* oblicz-yć/ać; oceni-ć/ać 3. ozd-obić/abiać (wzorem) 4. po/znaczyć (cyframi); wypis-ać/ywać (kwoty) [III] *vi* 1. z/robić obliczenie; *am* **to ~ on sth** liczyć na coś 2. figurować 3. uwydatni-ć/ać się

~ out [I] *vi* składać się na <wynosić> (daną kwotę) [II] *vt* oblicz-yć/ać

~ up *vt* zlicz-yć/ać; z/sumować

zob **figured**

figured ['figəd] [I] *zob* **figure** *v* [II] *adj* ozdobny; wzorzysty; w deseń

figure-dance ['figə,da:ns] *s* taniec figurowy

figure-head ['figə,hed] *s* 1. *mar* galeon, galeona 2. *przen* (*o królu itp*) marionetka; malowana postać

figurine ['figju,ri:n] *s* figurynka, statuetka

figwort ['fig,wə:t] *s bot* trędownik

filament ['filəmənt] *s* 1. włókno, włókienko; nitka 2. *bot* nitka pyłkowa 3. *elektr* włókno (żarzenia); drucik żarowy 4. *geol* żyła mineralna

filamentous [,filə'mentəs] *adj* włóknisty; włókienkowaty

filaria [fi'lɛəriə] *s zoo* nitkowiec (pasożyt podskórny)

filature ['filə,tjuə] *s* 1. przędzalnia 2. nawijanie jedwabiu

filbert ['filbət] *s* orzeszek laskowy

filbert-tree ['filbət,tri:] *s bot* leszczyna

filch [filtʃ] *vt* u/kraść; *pot* ściągnąć, zwędzić; **to ~ an acre from a neighbour's field** wor-ać/ywać się sąsiadowi w grunt

file[1] [fail] [I] *s* 1. pilnik 2. *sl* facet/ka; gość; **a deep <sly, old> ~** cwania-k/czka; sprycia-rz/rka; szczwany lis [II] *vt* 1. (*także* **~ away**) s/piłować (pilnikiem) 2. *przen* wy/cyzelować *zob* **filing**

file[2] [fail] [I] *s* 1. registrator; klasyfikator 2. kartoteka; akta; archiwum 3. rocznik (gazety itp.) 4. plik (papierów itp.) [II] *vt* 1. włożyć/wkładać (do kartoteki itp.); s/chować <przechow-ać/ywać> (w registratorze, kartotece itp.); złożyć/składać do akt <do archiwum>; przechow-ać/ywać w aktach <w archiwum> 2. wn-ieść/osić (**with sb** na czyjeś ręce — podanie, skargę itp.)

file[3] [fail] [I] *s* 1. rząd; **in ~, in single <Indian> ~** rzędem; jeden za drugim; gęsiego 2. *wojsk* rota (dwaj żołnierze w dwuszeregu stojący jeden za drugim); **a ~ of men** dwaj żołnierze wyznaczeni do spełnienia zadania; **blank ~** ślepa rota 3. rząd pól na szachownicy [II] *vt* przepu-ścić/szczać (oddział); **to ~ troops** kazać oddziałowi przejść <przemaszerować> w dwurzędzie [III] *vi* 1. iść <prze-jść/chodzić> rzęd-em/ami <dwurzędem> 2. prze/defilować

file-dust ['fail,dʌst] *s* opiłki

file-leader ['fail,li:də] *s* czołowy (żołnierz itd. w rzędzie)

filemot ['fili,mɔt] [I] *adj* (*o kolorze*) żółto-brązowy [II] *s* kolor żółto-brązowy

filet ['filet] *s* filet, siatka, rodzaj koronki

filial ['filjəl] *adj* synowski

filiation [,fili'eiʃən] *s* synostwo; pochodzenie; rodowód; filiacja

filibeg ['fili,beg] *s* rodzaj spódniczki w stroju klanowym Szkotów

filibuster ['fili,bʌstə] [I] *s* 1. korsarz 2. *am parl* obstrukcjonista [II] *vi* 1. uprawiać korsarstwo 2. *am parl* robić obstrukcję

filigree ['fili,gri:] *s* filigran; robota filigranowa

filing ['failiŋ] [I] *zob* **file**[1] *v* [II] *spl* **~s** opiłki

Filipino [,fili'pi:nou] *s* Filipi-ńczyk/nka

fill [fil] [I] *vt* 1. napełni-ć/ać; zapełni-ć/ać; zasyp-ać/ywać; zal-ać/ewać; nal-ać/ewać do pełna; **to ~ the bill** a) być jedyną atrakcją programu b) *am* wystarcz-yć/ać 2. za/plombować (ząb) 3. zaj-ąć/mować <obsadz-ić/ać> (stanowisko); spełniać <pełnić> (funkcje, obowiązki) 4. *teatr* grać (rolę) 5. spełni-ć/ać (życzenie; *am także* wymagania) 6. *handl* wykon-ać/ywać (zamówienie) 7. *farm* wykon-ać/ywać (receptę) 8. nasyc-ić/ać 9. *fot* nabi-ć/jać (kasetę) [II] *vi* 1. napełni-ć/ać <wypełni-ć/ać, zapełni-ć/ać> się 2. (*o żaglach itp*) wyd-ąć/ymać się

~ in *vt* 1. zapełni-ć/ać 2. wypełni-ć/ać (wolne miejsca w formularzu itp.); wpis-ać/ywać (datę itd.)

~ out [I] *vt* 1. zapełni-ć/ać 2. nad-ąć/ymać; wyd-ąć/ymać 3. rozciąg-nąć/ać; wyciąg-nąć/ać [II] *vi* 1. zapełni-ć/ać się 2. wypełni-ć/ać <zaokrągl-ić/ać> się na twarzy; przyb-rać/ierać (na ciele) 3. rozciąg-nąć/ać <wyciąg-nąć/ać> się

~ up [I] *vt* 1. zapełni-ć/ać; zalepi-ć/ać; zasyp-ać/ywać 2. wypełni-ć/ać (formularz, czek itp.); wypis-ać/ywać 3. uzupełni-ć/ać [II] *vi* 1. zapełni-ć/ać się 2. wziąć/brać zapas benzyny <węgla>

zob **filled, filling** [III] *s* 1. pełność; pełnia; **to cry one's ~** wypłakać się; **to drink one's ~** napić się; ugasić pragnienie; **to eat one's ~** najeść się do syta; **to have one's ~ of sth** mieć czegoś do syta 2. ładunek; porcja, porcyjka; **to have a ~ of tobacco** nabić fajkę tytoniem

filled [fild] [I] *zob* **fill** *v* [II] *adj* (*o artykule żywnościowym, tkaninie itd*) zawierający domieszkę surowca zastępczego <namiastki>; fałszowany

filler ['filə] *s* 1. materiał wypełniający <uzupełniający>; wkład 2. napełniacz; ładowacz 3. lejek 4. kit (malarski)

fillet ['filit] [I] *s* 1. wstęga; wstążka; opaska; przepaska 2. bandaż 3. *kulin* filet 4. *kulin* polędwica 5. listwa, listewka; pasek; obwódka; lamówka 6. *introl* filet 7. *arch* pas; listwa; żebro [II] *vt* 1. przepas-ać/ywać (włosy) wstążką <przepaską> 2. ot-oczyć/aczać listwą <paskiem, obwódką>; ob/lamować 3. wycinać filety (**fish** z ryb)

filling ['filiŋ] [I] *zob* **fill** *v* [II] *s* 1. materiał wypełniający 2. plomba 3. kit (malarski) 4. *am kulin* farsz 5. zapas benzyny <węgla> 6. ładunek

filling-station ['filiŋ'steiʃən] *s* stacja benzynowa

fillip ['filip] [I] *vt* 1. da-ć/wać prztyczka (**sb** komuś) 2. lekko uderz-yć/ać 3. pobudz-ić/ać; ożywi-ć/ać [II] *s* 1. prztyczek; szczutek 2. bodziec, podnieta 3. bagatela; drobiazg; **it isn't worth a ~** to niewarte funta kłaków

fillister ['filistə] *s techn* 1. strugarka wpustowa 2. strug fugowy

filly ['fili] *s* 1. źrebica 2. (*o dziewczynie*) dzierlatka

↑**film** [film] [I] *s* 1. *kino fot* film 2. *fot med* błona 3. *pl* **~s** kino; kinematografia 4. warstewka, cienka powłoka; kożuch (na mleku); *fot* emulsja (na płycie); *bot* otoczka 5. *med* bielmo; plamka na rogówce 6. mgiełka; mgła [II] *attr* filmowy; kinowy; (*o bohaterze itd*) ekranu; **~ fan** kinoman/ka; **~ goer** amator/ka kina; *fot* **~ pack** błony cięte [III] *vt vi* 1. pokry-ć/wać (się) emulsją <cienką warstwą (**with sth** czegoś)> 2. s/filmować

film-star ['film,stɑ:] *s* gwiazda filmowa

filmy ['filmi] *adj* (**filmier** ['filmiə], **filmiest** ['fil miist]) 1. błoniasty 2. zamglony 3. (*o koronce, tkaninie itd*) cienki; lekki; przejrzysty

filoselle ['filou,sel] *s* filozela

↑**filter** ['filtə] [I] *s* filtr; cedzidło; sączek; oddzielacz [II] *vt* prze/filtrować; przesącz-yć/ać; przecedz-ić/ać; odcedz-ić/ać [III] *vi* przesącz-yć/ać się; *przen* przenikać *zob* **filtering**

filter-bed ['filtə,bed] *s* warstwa filtracyjna

filtering ['filtəriŋ] [I] *zob* **filter** *v* [II] *s* filtracja [III] *attr* filtracyjny

filter-paper ['filtə,peipə] *s* papier filtracyjny

filter-screen ['filtə,skri:n] *s fot* filtr

filth [filθ] *s* 1. brud; nieczystości; plugastwo; plugawość 2. sprośnoś-ć/ci

filthiness ['filθinis] *s* 1. brud/y; nieczystości; plugastwo; plugawość 2. zepsucie (moralne)

filthy ['filθi] *adj* (**filthier** ['filθiə], **filthiest** ['fil θiist]) 1. brudny; plugawy; ohydny; **~ lucre** niegodziwy zysk; *przen* brudne pieniądze 2. sprośny

filtrate ['filtreit] [I] *vt vi* = **filter** *v* [II] *s* ['filtrit] przesącz, filtrat

filtration [fil'treiʃən] *s* filtracja; filtrowanie; cedzenie; przecedzanie; sączenie

fimbriated ['fimbri,eitid] *adj* 1. obrzeżony; obramowany 2. *bot zoo* strzępiasty

↑**fin** [fin] *s* 1. płetwa, pletwa 2. *techn* żebro, żeberko 3. *lotn* lotka; statecznik 4. *sl* gruba łapa, ręka

finable ['fainəbl] *adj* karalny grzywną; podlegający karze grzywny

final ['fainəl] [I] *adj* 1. końcowy 2. ostateczny; nieodwołalny; rozstrzygający 3. *gram* celowy [II] *s* (*także pl* **~s**) 1. *sport* finał 2. *uniw* egzamin końcowy

finale [fi'nɑ:li] *s muz* finał

↑**finalist** ['fainəlist] *s* (*w zawodach, na konkursie itd*) finalist-a/ka

finality [fai'næliti] *s* 1. *filoz* finalizm, teleologia 2. nieodwołalność

finance [fi'næns] [I] *s* (*także pl* **~s**) finanse [II] *vt* s/finansować

financial [fi'nænʃəl] *adj* finansowy; **~ year** **rok** budżetowy

financier [fi'nænsiə] [I] *s* finansista [II] *vi* spekulować na giełdzie [III] *vt am w zwrotach*: **to ~ money out of sb** wyłudz-ić/ać pieniądze od kogoś; **to ~ one's money away** stracić pieniądze na spekulacjach giełdowych

finback ['fin,bæk] = **finner**

finch [fintʃ] *s zoo* zięba

find [faind] [I] *vt* (**found** [faund], **found**) 1. zna-leźć/jdować; odna-leźć/jdować; **to be found** znajdować się; **to ~ one's way** trafić; **to try to ~ sth** szukać czegoś 2. odkry-ć/wać 3. natrafi-ć/ać (**sth** na coś) 4. zastać (**sb** <**sth**> **somewhere** kogoś <coś> gdzieś; **sb doing sth** kogoś przy czymś); **to ~ oneself doing sth** przyłapać się na czymś; **to ~ sb in** <**out**> zastać <nie zastać> kogoś w domu 5. stwierdz-ić/ać (**that —** że...); **we ~ Aristotle saying —** u Arystotelesa czytamy... 6. do-jść/chodzić do wniosku <do tego>, że...; **how do you ~ this?** jak ci się to podoba?; **I ~ that I am mistaken** okazuje się, że jestem w błędzie; **this, I ~, is wrong** to, jak się okazuje <jak się dowiaduję>, jest mylne; **to ~ it impossible to —** nie móc <nie być w stanie, w możności>... (czegoś zrobić); **to ~ it in one's heart to do sth** zdobyć się na to, żeby coś zrobić; **to ~ it necessary to —** być zmuszonym... (coś zrobić); **to ~ sb guilty** uzna-ć/wać kogoś winnym; **to ~ sth good** <**easy, profitable**> a) przekon-ać/ywać się, że coś jest dobre <łatwe, korzystne> b) uważać coś za <że coś jest> dobre <łatwe, korzystne> 7. umiejsc-owić/awiać (wadę, szczelinę itd.) 8. zaopat-rzyć/rywać (**sth** w coś); dostarcz-yć/ać (**sth** czegoś; **sb in sth** komuś czegoś); **to ~ oneself** za/dbać o siebie; (*w ogłoszeniach o poszukiwaniu pracowników*) **all found** z pełnym utrzymaniem 9. *sąd* orze-c/kać (**sth** o czymś); wyda-ć/wać orzeczenie (**sth** o czymś, co do czegoś) [II] *vi sąd w zwrocie:* **to ~ for sb** rozstrzygnąć spór na czyjąś korzyść

~ out [I] *vt* wyna-leźć/jdować; wymyśl-ić/ać; odkry-ć/wać (tajemnicę, błąd, rozwiązanie zagadki itp.); **to ~ sb out** a) pozna-ć/wać czyjś prawdziwy charakter b) pozna-ć/wać czyjąś wartość c) (*także* **to ~ sb out in sth**) przyłap-ać/ywać kogoś na czymś [II] *vi* dowi-edzieć/adywać się (**about sth** o czymś)

zob **finding** [III] *s* 1. odkrycie 2. (znaleziony) skarb 3. *myśl ryb* (*zw* **a sure ~**) miejsce, gdzie się zawsze znajduje lisa <ryby>; *przen* miejsce, gdzie się niezawodnie znajdzie kogoś <coś>

finder ['faində] *s* 1. (*o człowieku*) poszukiwacz/ka; odkryw-ca/czyni 2. *techn* wykrywacz 3. *techn fot* wizjer; **range ~** odległościomierz

finding ['faindiŋ] [I] *zob* **find** *v* [II] *s* 1. odkrycie 2. zaopatrzenie (w pieniądze itd.) 3. *pl* **~s** *am* przybory (do maszyny itp.) 4. *pl* **~s** (zebrane) dane; wyniki badań; konkluzje; wnioski

fine[1] [fain] [I] *adj* 1. czysty (jakościowo) 2. rafinowany, oczyszczony 3. subtelny; delikatny 4. piękny; ładny; **it is a ~ thing to be able to —** pięknie jest móc...; **one of these ~ days** któregoś pięknego dnia; **that's all very ~, but —** tak, tak <to bardzo pięknie>, ale... 5. wspaniały; **it is a ~**

thing to wspaniałe <wspaniale> 6. *pot* świetny; a ~ **thing, indeed!** ładna historia!; ładne kwiatki!; **that's** ~! świetnie! 7. (*o tkaninie*) cienki; delikatny 8. (*o ciałach sypkich*) drobny; delikatny, miałki 9. (*o ostrzu, szpicu*) ostry; cienki 10. (*o nitce itd*) cienki 11. (*o słowach*) pochlebny 12. wytworny 13. (*o instrumencie itp*) precyzyjny 14. (*o piórach itd*) jaskrawy; barwny [II] *vt* 1. (*także* ~ **down**) oczy-ścić/szczać; klarować 2. (*także* ~ **away** <**down**>) a) na/ostrzyć b) ścieńcz-yć/ać [III] *vi* 1. oczy-ścić/szczać <klarować> się 2. ś/cienieć [IV] *adv w zwrotach:* **to cut it** ~ ledwo zdążyć <starczyć, zrobić>; **to talk** ~ operować pięknymi słówkami [V] *s* 1. piękna pogoda 2. *pl* ~**s** *górn* miał

fine² ['fain] [I] *s* 1. grzywna; kara pieniężna 2. zaliczka na czynsz ‖ **in** ~ w końcu; ostatecznie; krótko mówiąc; (jednym) słowem; koniec końców [II] *vt* u/karać grzywną [III] *vi* ui-ścić/szczać <za/płacić> zaliczkę na czynsz

fine-cut ['fain,kʌt] *adj* (*o tytoniu*) drobno krajany

fine-draw ['fain'drɔ:] *vt* (**fine-drew** ['fain'dru:], **fine-drawn** ['fain'drɔ:n]) zszy-ć/wać niewidocznym ściegiem; za/cerować niewidoczną cerą *zob* **fine-drawn**

fine-drawn ['fain'drɔ:n] [I] *zob* **fine-draw** [II] *adj* 1. (*o cerze*) niewidoczny 2. *przen* subtelny; delikatny 3. (*o sportowcu*) doprowadzony do minimum dopuszczalnej wagi

fine-drew *zob* **fine-draw**

fine-grained ['fain'greind] *adj* drobnoziarnisty

fine-looking ['fain,lukiŋ] *adj* przystojny

fineness ['fainnis] *s* 1. czystość (jakościowa); próba (metalu) 2. klarowność 3. wysoka jakość; doskonałość 4. elegancja; wytworność 5. piękno; piękny wygląd 6. miałkość 7. delikatność (tkaniny, włosów, uczuć itd.); subtelność

finery¹ ['fainəri] *s zbior* ozdoby stroju (kobiecego); **in all her** ~ cała wystrojona; wystrojona jak lalka

finery² ['fainəri] *s metal* piec pudlarski

fine-spoken ['fain,spoukn] *adj* operujący pięknymi słowami; umiejący zagadywać

fine-spun ['fain'spʌn] *adj* 1. (*o tkaninie*) delikatny; cienki 2. (*o rozumowaniu*) subtelny

finesse [fi'nes] [I] *s* 1. delikatne posunięcie 2. chytrość; przebiegłość; podstęp; wybieg 3. *karc* impas [II] *vt* 1. podejść <*pot* zażyć z mańki> (kogoś); **to** ~ **sb into doing sth** podstępnie doprowadzić kogoś do zrobienia czegoś 2. *karc* z/robić impas <za/impasować> (**the queen etc.** pod damę itd.) [III] *vi* 1. chytrze <przebiegle> działać <post-ąpić/ępować> 2. *karc* za/impasować

~ **away** *vt* wyłudz-ić/ać

fine-toothed ['fain,tu:θt] *adj* (*o grzebieniu*) gęsty

fine-wrought ['fain'rɔ:t] *adj* delikatnej roboty

finger ['fiŋgə] [I] *s* 1. palec (u ręki); **first** ~ palec wskazujący; **middle** ~ palec środkowy; **third** ~ palec serdeczny; **he** <**they etc.**> **didn't stir** <**lift**> **a** ~ palcem nie ruszy-ł/li; **his** ~**s are all thumbs** to skończon-y/a niezdara <fujara>; **it was done by the** ~ **of God** w tym (jest) palec boży; **to have sth at one's** ~ **ends** <**tips**> mieć coś w małym palcu; znać coś na wylot; **to lay a** ~ **on** tknąć; *przen* **to the** ~ **tips** do szpiku kości; **with a wet** ~ łatwo; *pot* śpiewająco 2. odrobina (**of brandy, bread etc.** wódki, chleba itd.) 3. *techn* strzałka; wskazówka; kciuk; ząb; występ 4. (*w broni palnej*) cyngiel [II] *vt* 1. (*także* ~ **over**) dot-knąć/ykać (**sth** czegoś); po/macać; przesuwać (coś) w palcach; przebierać palcami (**sth** po czymś — strunach gitary itd.) 2. bębnić (**sth** na czymś — fortepianie itd.) 3. wziąć/brać (łapówki itp.) *zob* **fingering¹**

finger-alphabet ['fiŋgər,ælfəbit] *s* alfabet głuchoniemych

fingerboard ['fiŋgə,bɔ:d] *s* 1. klawiatura 2. podziałka (instrumentu strunowego)

finger-bowl ['fiŋgə,boul] *s* miska, miseczka

finger-end ['fingər,end] *s* (*także* **finger end**) *zob* **finger** *s* 1.

finger-fern ['fiŋgə,fə:n] *s bot* śledzionka

finger-hole ['fiŋgə,houl] *s* otworek (w flecie itd.)

fingering¹ ['fiŋgəriŋ] [I] *zob* **finger** *v* [II] *s* dotknięcie (pianisty); ~ **exercises** palcówki

fingering² ['fiŋgəriŋ] *s* wełna do dziania pończoch

finger-language ['fiŋgə,læŋgwidʒ] *s* 1. = **finger-alphabet** 2. porozumie-nie/wanie się na migi

fingerling ['fiŋgəliŋ] *s zoo* młody łosoś

finger-mark ['fiŋgə,mɑ:k] *s* odcisk palc-a/ów

finger-nail ['fiŋgə,neil] *s* paznokieć; **to the** ~**s** do cna

finger-plate ['fiŋgə,pleit] *s* płytka na drzwiach chroniąca od brudu

fingerpost ['fiŋgə,poust] *s* drogowskaz

fingerprint ['fiŋgə,print] = **finger-mark**

fingerstall ['fiŋgə,stɔ:l] *s* palec skórzany <gumowy>, ochrona na palec

finger-tip ['fiŋgə,tip] *s* koniec palca *zob* **finger** *s* 1.

finial ['fainiəl] *s arch* kwiaton

finical ['finikəl], **finicking** ['finikiŋ], **finicky** ['finiki], **finikin** ['finikin] *adj* 1. drobiazgowy 2. wymuskany; *przen* wylizany; przesadny

finis ['fainis] *s* 1. koniec (w książce) 2. *lit* koniec żywota

finish ['finiʃ] [I] *vt* skończyć (**doing sth** coś robić); zakończyć; ukończyć; dokończyć (**sth** czegoś) [II] *vi* kończyć się; być zakończonym (**in a point etc.** spiczasto itd.); **to** ~ **by doing sth** na samym końcu <w końcu> zrobić coś; **he** ~**ed by marrying her** w końcu ożenił się z nią; (*w biegach, na wyścigach*) **to** ~ (**first, second etc.**) zająć (pierwsze, drugie itd.) miejsce; **to have** ~**ed with sb, sth** a) zerwać <skończyć> z kimś, czymś b) już więcej nie potrzebować kogoś, czegoś

~ **off** *vi* 1. wykończyć (kogoś, coś) 2. dobi-ć/jać (zwierzę)

~ **up** [I] *vt* dokończyć (**sth** czegoś); dojeść <dopić, dopisać, doczytać itd.> (do końca) [II] *vi* zakończyć

zob **finished, finishing** [III] *s* 1. koniec; *sport* finisz; **to fight (it out) to a** ~ bić się <walczyć> do ostatka <do upadłego>; **that was the** ~ **of him** to go wykończyło 2. *myśl* dobicie (lisa); **to be in at the** ~ a) asystować przy dobiciu lisa (na końcu polowania) b) doczekać się końca (sprawy, awantury itd.) c) *przen* być obecnym na uroczystości 3. wykończenie 4. *tekst* apretura, wykończanie

†**finished** ['finiʃt] [I] *zob* **finish** *v* [II] *adj* gładki; wygładzony

finisher ['finiʃə] *s* 1. *techn* wykończalnia 2. cios ostateczny; dobicie

finishing ['finiʃiŋ] [I] *zob* **finish** *v* [II] *adj* ostatni;

końcowy: **the ~ stroke** dobicie; **the ~ touches** ostatnie poprawki; końcowy retusz

finite ['fainait] [I] *adj* 1. ograniczony 2. *gram* (*o postaci czasownika*) określony 3. *mat* skończony [II] *s* rzecz skończona <wykończona, zakończona>

Finn [fin] *s* Fin/ka

finnan ['finən] *s* wędzony wątłusz <dorsz>

finned [find] *adj* 1. *zoo* (*o rybie itd*) posiadający płetwy 2. *techn* żebrowy; użebrowany

finner ['finə] *s zoo* pletwal (wieloryb)

Finnish ['finiʃ] [I] *adj* fiński [II] *s* język fiński

Finno-Ugrian ['finou'ju:griən] *adj* ugrofiński

finny ['fini] *adj* płetwisty, pletwisty; *lit* **the ~ tribe** mieszkańcy królestwa wód

fiord [fjɔ:d] *s* fiord

fiorin ['faiərin] *s bot* mietlica

fir [fə:] *s bot* 1. jodła; **Scotch ~** sosna zwyczajna 2. jedlina

fir-cone ['fə:,koun] *s* szyszka jodły

fire ['faiə] [I] *s* 1. ogień; *mar* **St Elmo's ~** ogień <światło> św. Elma; **to catch** <**take**> **~** zapalić <zająć> się; **to lay a ~** ułożyć stos; **to make a ~** napalić w piecu <w kominku>; **to make ~** zapal-ić/ać; **between two ~s** wzięty w dwa ognie; **to be on ~** palić się, płonąć 2. pożar; **to set ~ to sth, to set sth on ~** podpal-ić/ać coś; pod-łożyć/kładać ogień pod coś; wzniec-ić/ać pożar w czymś (w domu itd.); **he won't set the Thames on ~** (on) prochu nie wynajdzie 3. *auto* zapłon 4. zapał; ognistość; żar 5. *wojsk* ogień (karabinowy, artyleryjski); *zbior* strzały; strzelanina; *dosł i przen* **under ~** pod obstrzałem 6. *med* gorączka [II] *vt* 1. podpal-ić/ać; wzniec-ić/ać pożar (**sth** w czymś — domu itp.) 2. wzniec-ić/ać zapał (**sb** u kogoś); wzniec-ić/ać ogień <żar> (**sb** w czyimś sercu) 3. wypal-ić/ać (wyroby garncarskie, cegłę itp.) 4. za/palić (**a furnace, an engine etc.** pod kotłem, w lokomotywie itp.) 5. wysadz-ić/ać (minę itp.); s/powodować <wywoł-ać/ywać> wybuch (**a mine etc.** miny itp.) 6. strzel-ić/ać (**sth** z czegoś); **to ~ a salute** dać salwę; **to ~ a shot** wystrzelić; dać ognia; **to ~ (off) a gun** wystrzelić z karabinu <z armaty> 7. przypal-ić/ać, przyże-c/gać 8. *pot* wylać z posady; wymówić posadę (**sb** komuś) [III] *vi* 1. *lit* zapal-ić/ać się 2. wy/strzelić (**at** <**on**> **sb, sth** do kogoś, czegoś) 3. wybuch-nąć/ać

~ away [I] *vt* z/marnować (amunicję) [II] *vi w zwrocie:* **~ away!** a) zaczynaj/cie! b) mów/cie!

~ off *vt* wystrzelić

~ up *vi* wybuch-nąć/ać (gniewem); un-ieść/osić się

zob **firing**

fire-alarm ['faiər-ə,la:m] *s* 1. sygnał pożarowy 2. automat przeciwpożarowy

fire-arm ['faiər,a:m] *s* broń palna

fireback ['faiə,bæk] *s zoo* bażant jawajski

fire-ball ['faiə,bɔ:l] *s* 1. meteor 2. piorun kulisty

fire-bar ['faiə,ba:] *s* pręt rusztowy, rusztowina

fire-basket ['faiə,ba:skit] *s* kosz koksowy, *pot* koksiak

fire-box ['faiə,bɔks] *s techn* komora ogniowa paleniska

fire-brand ['faiə,brænd] *s* 1. głownia 2. *przen* podżegacz/ka

fire-brick ['faiə,brik] *s* cegła ogniotrwała

fire-bridge ['faiə,bridʒ] *s techn* mostek <przewał> ogniowy

fire-brigade ['faiə-bri,geid] *s* straż ogniowa <pożarna>

fire-clay ['faiə,klei] *s* glina ogniotrwała

fire-company [,faiə'kʌmpəni] *s* 1. ochotnicza straż pożarna 2. towarzystwo ubezpieczeń od ognia

fire-control ['faiə-kən,troul] *s* 1. *wojsk* kierowanie ogniem 2. urządzenie przeciwpożarowe

fire-damp ['faiə,dæmp] *s* gaz kopalniany, *chem* metan

fire-department ['faiə-di,pa:tmənt] *s* 1. wydział przeciwpożarowy (instytucji) 2. *am* straż ogniowa <pożarna>

fire-eater ['faiər,i:tə] *s* 1. pożeracz ognia (sztukmistrz) 2. *am* zawadiaka, hałaburda, haraburda

fire-engine ['faiər,endʒin] *s* pompa strażacka; sikawka

fire-escape ['faiər-is,keip] *s* wyjście <drzwi, schody> zapasowe (na wypadek pożaru)

fire-extinguisher ['faiər-iks,tiŋgwiʃə] *s* gaśnica

fire-fighter ['faiə,faitə] *s am* strażak

firefly ['faiə,flai] *s zoo* świetlik, robaczek świętojański

fire-grate ['faiə,greit] *s* ruszt

fire-guard ['faiə,ga:d] *s* 1. krata ochronna przed ogniskiem 2. *am* leśna straż ogniowa

fire-hose ['faiə,houz] *s* wąż (gumowy) strażacki

fire-insurance ['faiər-in,ʃuərəns] *s* ubezpieczenie od ognia

fire-irons ['faiər,aiənz] *spl* przybory do palenia w kominku

fire-light ['faiə,lait] *s* światło ognia płonącego w kominku

firelock ['faiə,lɔk] *s* rusznica

fireman ['faiəmən] *s* (*pl* **firemen** ['faiəmən]) 1. strażak 2. palacz (na lokomotywie itp.)

fire-office ['faiər,ɔfis] *s* biuro towarzystwa ubezpieczeń od ognia

fire-opal ['faiər,oupəl] *s miner* opal ognisty

fire-pan ['faiə,pæn] *s* piecyk przenośny

fireplace ['faiə,pleis] *s* 1. kominek 2. palenisko

fire-plug ['faiə,plʌg] *s* hydrant

fire-policy ['faiə,pɔlisi] *s* polisa ubezpieczenia od ognia

fireproof ['faiə,pru:f] *adj* ogniotrwały, ognioodporny; *teatr* **~ curtain** żelazna kurtyna

fire-protection ['faiə-prə,tekʃən] *s* ochrona przeciwpożarowa

firer ['faiərə] *s* 1. przyrząd do wysadzania ładunków materiałów wybuchowych 2. *górn* strzałowy (pracownik)

fire-raising ['faiə,reiziŋ] *s prawn* podpal-enie/anie

fire-screen ['faiə,skri:n] *s* parawanik przed kominkiem

fire-ship ['faiə,ʃip] *s hist mar* brander

fireside ['faiə,said] [I] *s* 1. kominek 2. *przen* ognisko domowe [II] *attr* (*o fotelu itp*) (stojący) przy kominku; (*o opowiadaniach, pogadankach itp*) (mówiony) przy kominku

fire-station ['faiə,steiʃən] *s* remiza straży pożarnej

fire-step ['faiə,step] *s wojsk* stopień strzelecki

fire-stone ['faiə,stoun] *s* skała ognioodporna; krzemień

fire-trap ['faiə,træp] *s* budynek nie mający należytego zabezpieczenia na wypadek pożaru

fire-tongs ['faiə,tɔŋz] *spl* szczypce do węgla

fire-wall ['faiə,wɔ:l] *s bud* mur ogniowy; przegroda ogniowa
fire-warden ['faiə,wɔ:dən] *s am* inspektor leśnej straży ogniowej
fire-water ['faiə,wɔ:tə] *s am* wódka; mocny napój alkoholowy
fire-weed ['faiə,wi:d] *s bot* nazwa roślin pojawiających się na pogorzeliskach: babka, wierzbówka itd.
fire-wood ['faiə,wud] *s* drewno opałowe
firework ['faiə,wə:k] *s* ogień sztuczny; *przen* **display of ~s** piękne słowa bez treści
firework-maker ['faiəwə:k,meikə] *s* pirotechnik
fire-worship ['faiə,wə:ʃip] *s* kult ognia
firing ['faiəriŋ] [I] *zob* **fire** *v* [II] *s* strzelanie; strzelanina; **~ party <squad>** oddział <pluton> egzekucyjny
firing-pin ['faiəriŋ,pin] *s* iglica (broni palnej)
firkin ['fə:kin] *s* 1. baryłeczka 2. miara objętości (= ok. 9 galonów)
firm[1] [fə:m] *s* 1. firma; dom handlowy; przedsiębiorstwo 2. **long ~** banda oszustów
firm[2] [fə:m] [I] *adj* 1. (*o ciele itp*) jędrny; twardy; zbity 2. (*o słupie, gwoździu itd*) mocny; silnie osadzony <wbity, tkwiący>; pewny; **to be ~ on one's legs** stać na mocnych nogach; pewnie stać <chodzić> 3. (*o kroku*) energiczny, pewny, sprężysty 4. (*o prawie itd*) niezmienny; stały 5. (*o przyjaźni itd*) wierny, niezachwiany, trwały; niezawodny 6. (*o decyzji itp*) stanowczy, zdecydowany 7. (*o przekonaniu itp*) mocny 8. (*o ofercie, obietnicy itd*) wiążący; niezmienny [II] *adv* mocno, silnie; twardo; **to stand ~** nie ust-ąpić/ępować [III] *vt* 1. um-ocnić/acniać; mocno osadz-ić/ać 2. ubi-ć/jać (ziemię) [IV] *vi* um-ocnić/acniać się
firmament ['fə:məmənt] *s* firmament, sklepienie niebieskie
firman ['fə:mən] *s* (*w dawnej Turcji*) firman, ferman
firmer ['fə:mə] *s* (*także* **~-chisel**) dłuto płaskie
firmness ['fə:mnis] *s* 1. jędrność 2. moc 3. stałość; trwałość 4. stanowczość 5. energia *zob* **firm**[2] *adj*
firn [fə:n] *s* firn
†**first** [fə:st] [I] *adj* 1. pierwszy; **~ aid** pierwsza <doraźna> pomoc lekarska; opatrunek; **~ floor** a) pierwsze piętro b) *am* parter; *am* **~ lady** żona prezydenta St. Zjedn.; **~ name** imię chrzestne; **what is your ~ name?** jak ci na imię?; **~ speed** pierwszy bieg; **~ thing** przede wszystkim; zaraz; bezzwłocznie; **~ thing in the morning** zaraz z rana; **head ~** głową naprzód; **in the ~ place** najpierw; przede wszystkim; **to put ~ things ~** da-ć/wać pierwszeństwo rzeczom najważniejszym 2. *adj praed* **you come <speak etc.> ~** ty <wy> jesteś/cie <mówi-sz/cie, itd.> pierw-szy/si [II] *s* 1. pierwsz-y/a człowiek <rzecz>; **the ~ to arrive** pierw-szy/si, któ-ry/rzy przyby-ł/li 2. pierwszy dzień w miesiącu; **the ~ of May etc.** pierwszego maja itd.; **the ~ of the year** a) 1. stycznia b) *am* początek roku 3. początek; **from ~ to last** od początku do końca; **from the ~** od samego początku 4. **at ~** najpierw; z początku 5. *pl* **~s** wyroby pierwszej jakości 6. **~ of exchange** prima weksel 7. (= **first class**) pierwsza klasa (w pociągu itd.) [III] *adv* 1. po pierwsze 2. z początku; najpierw; **~ of all, ~ and foremost** przede wszystkim; najpierw; *am* **~ off** od razu; na pierwszy rzut oka; **to come ~** być pierwszym <najważniejszym> 3. po raz pierwszy 4. prędzej; rączej
first-aid ['fə:st'eid] *s* pierwsza <doraźna> pomoc (lekarska); opatrunek; **~ station** punkt opatrunkowy
firstborn ['fə:st,bɔ:n] [I] *adj* (*o synu*) pierworodny [II] *s* syn pierworodny
first-class ['fə:st'klɑ:s] *adj* 1. (*o wagonie itd*) pierwszej klasy 2. (*o towarze*) najlepszej jakości 3. *pot* pierwszorzędny; wspaniały; **that's ~!** to jest pierwszorzędne! 4. *am* **~ matter** list zamknięty; *zbior* listy zamknięte
first-day ['fə:st,dei] *s* (*u kwakrów*) niedziela
first-foot(er) ['fə:st,fut(ə)] *s szkoc* pierwszy gość w Nowym Roku
first-footing ['fə:st,futiŋ] *s szkoc* pierwsze wizyty w Nowym Roku (bardzo gościnnie przyjmowane)
first-fruits ['fə:st,fru:ts] *spl* pierwsze plony; pierwociny
first-hand ['fə:st'hænd] *adj* (*o wiadomości itd*) z pierwszej ręki
firstling ['fə:stliŋ] *s* 1. pierwszy przychówek 2. *pl* **~s = first-fruits**
firstly ['fə:stli] *adv* po pierwsze
first-night ['fə:st,nait] *s teatr* premiera
first-nighter ['fə:st,naitə] *s teatr* stały bywalec na premierach
first-rate ['fə:st'reit] *adj* 1. znakomity 2. pierwszorzędny 3. (*o okręcie wojennym*) pierwszej kategorii
firth [fə:θ] *s szkoc* zatoka
fisc [fisk] *s* skarb państwa
fiscal ['fiskəl] *adj* finansowy; skarbowy; **~ year** rok budżetowy
†**fish**[1] [fiʃ] [I] *s* (*pl* **~es**, *zbior* **fish**) 1. ryba; **all's ~ that comes to his net** on łapie wszystko, co mu do ręki wpada; **neither ~, nor fowl, nor good red herring** ni pies ni wydra; ni to ni owo; **there's as good ~ in the water as ever came out of it** nie ten/ta to inn-y/a; bez nie-go/j świat się nie zawali; **to drink like a ~** pić jak szewc; **to feed the ~es** a) leżeć na dnie morza b) mieć morską chorobę; **to have other ~ to fry** mieć dosyć innych zmartwień; mieć co innego do roboty 2. człowiek; *pot* facet/ka; gość; typ; bubek 3. *astr* **the Fishes** Ryby [II] *attr* rybny; (*o potrawie itd*) z ryby [III] *vi* 1. łowić (**for trout, salmon etc.** pstrągi, łososie itd.); chodzić na ryby; uprawiać wędkarstwo 2. poławiać (**for pearls** perły); *przen* **to ~ for compliments** szukać pochwał 3. trudnić się rybołówstwem [IV] *vt* 1. z/łowić (ryb-ę/y) 2. wydoby-ć/wać <wyciąg-nąć/ać> (**sth out of sb** coś od kogoś — tajemnicę itd.; **sth out of sth** coś z czegoś — z kieszeni itd.); **to ~ sth out of sb** naciągnąć kogoś na coś (na podarunek itd.)
~ out *vt* 1. wył-owić/awiać (zwłoki itd.) 2. wyłowić cały rybostan (**a river, a pond** z rzeki, ze stawu)
~ up *vt* wył-owić/awiać (zwłoki itd.)
zob **fishing**
fish[2] [fiʃ] [I] *s* (*także* **~plate**) łubek; nakładka [II] *vt* łubkować; wzm-ocnić/acniać łubkami <podkładkami>; naprawi-ć/ać; dosztukow-ać/ywać
fish[3] [fiʃ] *s* fiszka; † liczman
fish-ball ['fiʃ,bɔ:l] *s kulin* krokiet z ryby
fish-basket ['fiʃ,bɑ:skit] *s* kosz na ryby (wędkarza)
fish-bolt ['fiʃ,boult] *s techn* śruba łubkowa; sworzeń

fish-bone ['fiʃ,boun] *s* ość
fish-bowl ['fiʃ,boul], **fish-globe** ['fiʃ,gloub] *s* kuliste akwarium na złote rybki
fish-carver ['fiʃ,kɑ:və] *s* 1. nóż do ryby 2. łopatka do ryby
fish-day ['fiʃ,dei] *s* dzień postny <bezmięsny>
fish-dealer ['fiʃ,di:lə] *am* = **fish-monger**
fisher ['fiʃə], **fisherman** ['fiʃəmən] *s* (*pl* **fishermen** ['fiʃəmən]) rybak
fishery ['fiʃəri] *s* 1. rybołówstwo 2. teren połowu ryb
fish-glue ['fiʃ,glu:] *s* klej rybi
fish-hawk ['fiʃ,hɔ:k] *s zoo* rybołów (ptak)
fish-hook ['fiʃ,huk] *s* haczyk do wędki
fishiness ['fiʃinis] *s* 1. smak <zapach> rybi 2. mętny <podejrzany, nieczysty> charakter (czegoś)
fishing ['fiʃiŋ] I *zob* **fish¹** *v*; **to go ~** pójść/chodzić na ryby II *s* 1. rybołówstwo 2. wędkarstwo 3. poławianie <połów> (pereł) III *attr* 1. (*o stawie, rzece*) rybny 2. (*o łodzi, sieci itd*) rybacki 3. wędkarski
fishing-line ['fiʃiŋ,lain] *s* linka do wędki
fishing-rod ['fiʃiŋ,rɔd] *s* wędka
fishing-tackle ['fiʃiŋ,tækl] *s zbior* przybory wędkarskie
fish-joint ['fiʃ,dʒɔint] *s* 1. *kolej* połączenie łubkowe 2. *stol* połączenie stykowe
fish-kettle ['fiʃ,ketl] *s* rondel do gotowania ryb
fish-market ['fiʃ,mɑ:kit] *s* targ rybny
fishmonger ['fiʃ,mʌŋgə] *s* właściciel/ka sklepu rybnego
fish-pass ['fiʃ'pɑ:s] *s* przepływka (dla ryb w tamie)
fish-plate ['fiʃ,pleit] *s techn* łubek; nakładka
fishpond ['fiʃ,pɔnd] *s* staw rybny
fish-pot ['fiʃ,pɔt] *s* więcierz
fish-skin ['fiʃ,skin] *s* rybia skóra; *med* **~ disease** rybia łuska
fish-slice ['fiʃ,slais] = **fish-carver**
fish-smoking ['fiʃ,smoukiŋ] *s* wędzenie ryb
fish-story ['fiʃ,stɔ:ri] *s am pot* duby smalone
fish-tail ['fiʃ,teil] I *s* rybi ogon II *adj* kształtu rybiego ogona; *techn* **~ burner** palnik motylkowy; **~ wind** zmienny wiatr
fish-train ['fiʃ,trein] *s* pociąg do transportu ryb
fish-wife ['fiʃ,waif] *s* (*pl* **fish-wives** ['fiʃ,waivz]) handlarka ryb
fishy ['fiʃi] *adj* (**fishier** ['fiʃiə], **fishiest** ['fiʃiist]) 1. rybny; rybi; **~ eyes** błędny wzrok 2. obfitujący <bogaty> w ryby 3. (*o posiłku*) z dań rybnych 4. (*o sprawie, interesie*) podejrzany; nieczysty
fissibility [,fisi'biliti] *s* rozszczepialność
fissile ['fisail] *adj* rozszczepialny; łupliwy
fission ['fiʃən] *s* 1. rozszczepi-enie/anie; roz-erwa-nie/rywanie 2. *biol* podział; rozmnażanie się przez podział 3. *fiz* rozszczepienie atomu; **~ bomb** bomba atomowa
fissionable ['fiʃənəbl] *adj* rozszczepialny
fissiparous [fi'sipərəs] *adj biol* rozmnażający się przez podział
fissure ['fiʃə] I *s* szczelina; rysa; pęknięcie II *vt* s/powodować pęknięcie (**sth** czegoś); rozszczepi-ć/ać III *vi* pęk-nąć/ać; rozszczepi-ć/ać się
fist [fist] I *s* 1. pięść; **put your ~s up** stawaj do walki; broń się 2. *pot* pismo, charakter pisma 3. *pot* łapa, ręka II *vt* 1. uderzyć <zdzielić, palnąć> pięścią 2. uchwycić/chwytać; trzymać
fistic(al) ['fistik(əl)] *adj żart* pięściarski
fisticuffs ['fisti,kʌfs] *spl* rękoczyny
fistula ['fistjulə] *s med* fistuła, przetoka
fistular ['fistjulə], **fistulous** ['fistjuləs] *adj med* przetokowy
fit¹ [fit] *s* 1. atak <napad> (choroby itp.); paroksyzm; **to give sb ~s** a) pobić kogoś na głowę <na kwaśne jabłko>, b) *am* skrzyczeć kogoś; **to send sb into ~s** doprowadzić kogoś do szału <do wściekłości, rozstroju nerwowego itd.>; **by ~s and starts** zrywami; sporadycznie; nierówno 2. chwila (złego humoru, lenistwa, roztargnienia itd.); odruch
fit² [fit] *adj* (**-tt-**) 1. nadający się <zdatny> (**for sth** do czegoś, na coś; **to eat, to drink etc.** do jedzenia, picia itd.); **not to be ~ to be seen** nie móc się pokazać (gościom); **to be ~ for sth** nadawać się do czegoś 2. odpowiedni (**for sth** do czegoś, na coś); właściwy (**for sth** do czegoś); godny (**for sb, sth** kogoś, czegoś); **to think <see> ~ to do sth** uważać za właściwe <stosowne> coś zrobić; uważać, że należy coś zrobić 3. zdolny (**for sth** do czegoś); **to be ~ to do sth** być zdolnym do robienia czegoś (do noszenia broni itd.) 4. gotów; skłonny; **to feel ~ to do sth** być gotowym coś zrobić 5. doprowadzony do (ostatnich) granic (upadku, szału itd.); **we laughed ~ to burst** o mało nie pękliśmy ze śmiechu 6. w dobr-ej/ym formie <kondycji, nastroju>; **to be as ~ as a fiddle** czuć się jak ryba w wodzie; **to keep ~** zachow-ać/ywać dobrą formę
fit³ [fit] I *s* przystosow-anie/ywanie; dopasow-anie/ywanie; dostosow-anie/ywanie; (*o ubiorze*) **to be a good <bad> ~** dobrze <źle> leżeć II *vt* (**-tt-**) 1. być stosownym (**sb, sth** dla kogoś, czegoś); wypadać (**sb to do sth** komuś coś zrobić) 2. odpowiadać (**sb, sth** komuś, czemuś — celowi itd.); zgadzać się (**sb, sth** z kimś, czymś) 3. pasować <nada-ć/wać się> (**sth** do czegoś); być dopasowanym <dostosowanym> (**sth** do czegoś); (*o ubiorze*) leżeć (**sb** na kimś); **it ~s you like a glove** leży na tobie jak ulany; **to be ~ted for sth** nadawać się do czegoś; **to ~ tight** być ściśle <ciasno> dopasowanym 4. dostosow-ać/ywać <dopasow-ać/ywać> (coś do czegoś); dob-rać/ierać 5. przygotow-ać/ywać <przyspos-obić/abiać> (**sb for sth** kogoś do czegoś) 6. zaopat-rzyć/rywać (**sb with sth** kogoś w coś) 7. *techn* z/montować III *vi* (**-tt-**) 1. pasować <nadawać się dobrze> (**into sth** do czegoś) 2. *am* przygotow-ać/ywać się (**into sth** do czegoś)
~ in I *vt* 1. wprawi-ć/ać 2. dostr-oić/ajać 3. uzg-odnić/adniać II *vi* pasować; nadawać się; harmonizować; zgadzać się
~ on *vt* 1. przymierz-yć/ać (ubranie) 2. za-łożyć/kładać 3. dopasow-ać/ywać; dob-rać/ierać
~ out <**up**> *vt* 1. zaopat-rzyć/rywać <wy/ekwipować, wyposaż-yć/ać> (**sb with sth** kogoś w coś); uzbr-oić/ajać (**with sth** w coś) 2. u/meblować (**with sth** czymś)
zob **fitting**
fitch [fitʃ] *s* 1. skóra tchórza (zwierzęcia) 2. szczotka <pędzel> z włosów tchórza
fitchew ['fitʃu:] *s zoo* tchórz
fitful ['fitful] *adj* kapryśny; nierówny (w usposobieniu itd.)
fitment ['fitmənt] *s* 1. mebel 2. uzbrojenie <armatura> (maszyny, fabryki itd.)

fitness ['fitnis] *s* 1. stosowność <nadawanie się> (**for sth** do czegoś); przystosowanie 2. trafność (uwagi itp.) 3. to, co nakazuj-ą/e dobre obyczaje <przyzwoitość>

fit-out ['fit'aut] *s* zaopatrzenie; ekwipunek; wyekwipowanie; wyposażenie

fitter ['fitə] *s* 1. monter 2. ślusarz; mechanik 3. krawiec dokonujący przymiarek

fitting ['fitiŋ] [I] *zob* **fit³** *v* [II] *adj* 1. stosowny 2. (*o uwadze itp*) trafny 3. (*o ubiorze*) (dobrze, źle itd.) leżący <skrojony, uszyty> [III] *s* 1. przystosow-anie/ywanie; dostosow-anie/ywanie 2. za/instalowanie; instalacja 3. z/montowanie; **~ shop** montownia 4. (*u krawca*) przymiarka 5. *pl* **~s** przyrządy; przybory 6. *pl* **~s** instalacje; urządzenia; armatura

fit-up ['fit'ʌp] [I] *s* 1. *teatr* scena przenośna 2. akcesoria sceniczne [II] *attr* (*o trupie aktorów*) wędrowny

five [faiv] *num* [I] *adj* pięć; pięcioro; **a child** <**boy, girl**> **of ~** dziecko <chłopiec, dziewczynka> pięcioletnie <pięcioletni/a>; **he** <**she, it**> **is ~ (years old)** on <ona, ono> ma pięć lat; **~ o'clock** piąta godzina; **~ and six** pięć szylingów i sześć pensów, pięć i pół szylinga [II] *s* 1. piątka (cyfra, numer obuwia, rękawiczek itd.) 2. pięciofuntowy banknot 3. pięć punktów (zdobytych w krykiecie) 4. *pl* **~s** *pot* pięć palców, ręka

five-figured ['faiv'figəd] *adj* pięciocyfrowy

five-finger ['faiv'fiŋgə] [I] *s bot* 1. pięciornik rozłogowy 2. pierwiosnek wyniosły [II] *attr* pięciopalcowy

fivefold ['faiv,fould] [I] *adj* pięciokrotny; pięcioraki [II] *adv* pięciokrotnie; pięciorako

fiveleaf ['faiv,li:f] *s bot* pięciornik

five-o'clock ['faiv-ə'klɔk] *attr* **~ tea** herbatka; podwieczorek

fivepence ['faifpəns] *s* pięć pensów (**kwota**)

fivepenny ['faifpəni] *adj* pięciopensowy

five-per-cents ['faiv-pə:'sents] *spl* pięcioprocentowe papiery wartościowe

fiver ['faivə] *s* 1. banknot pięciofuntowy <*am* pięciodolarowy> 2. (*w krykiecie*) pięć punktów

fives [faivz] *s* rodzaj gry w piłkę ręczną uprawianej na boisku zwanym "fives-court"

five-year ['faiv,jə:] *adj* pięcioletni

fix¹ [fiks] *s* 1. dylemat; kłopot, tarapaty; trudna sytuacja; *pot* bigos; **to get into a ~** narobić sobie biedy 2. *am* stan (dobry, zły) 3. *mar* pozycja uzyskana przez namiar 4. *mar* namiar pozycji

fix² [fiks] [I] *vt* 1. przytwierdz-ić/ać; umocow-ać/ywać; przymocow-ać/ywać; przyczepi-ć/ać; utkwić; *przen* wp-oić/ajać; **to ~ in one's mind** utrwal-ić/ać sobie w pamięci 2. skupi-ć/ać <s/koncentrować> (**one's attention** <**mind**> **on sth** uwagę <myśl> na czymś) 3. *fot* utrwal-ić/ać; *chem* utrwal-ić/ać (azot itd.) 4. za-łożyć/kładać (obóz, siedzibę) 5. ustal-ić/ać; oznacz-yć/ać; wymieni-ć/ać; wyznacz-yć/ać 6. (*także* **to ~ with one's eyes**) utkwić wzrok (**sb, sth** w kimś, czymś); *†* fiksować wzrokiem (kogoś) 7. *am* załatwi-ć/ać <uporać> się (**sb, sth** z kimś, czymś); zaj-ąć/mować się (**sb, sth** kimś, czymś) 8. (*także* **~ up**) a) naprawi-ć/ać, doprowadz-ić/ać do porządku b) załatwi-ć/ać; przygotow-ać/ywać; urządz-ić/ać [II] *vi* 1. *chem* z/gęstnieć; s/twardnieć; sta-nąć/wać; ści-ąć/nać się; s/krzepnąć 2. z/decydować się (**on sth** na coś)

~ up *vt* 1. = **~** *vt* 8. 2. zaj-ąć/mować się (**sb** kimś); dać (**sb** komuś) to, czego potrzebuje (jedzenie, ubranie, nocleg itd.); ulokować (kogoś) *zob* **fixed**

fixate ['fikseit] *vt* wlepi-ć/ać oczy (**sb, sth** w kogoś, coś)

fixation [fik'seiʃən] *s* 1. fiksowanie, utrwalanie 2. *chem* wiązanie (azotu itd.); umocowanie; zgęszczenie; *†* fiksaż 3. mania

fixative ['fiksətiv] [I] *adj* utrwalający [II] *s* utrwalacz, *†* fiksatyw

fixature ['fiksətʃə] *s* fiksatuar, pomada do włosów

fixed ['fikst] [I] *zob* **fix²** [II] *adj* 1. stały; niezmienny; nieruchomy; niewzruszony; **~ idea** idée fixe; mania; *pot* bzik; **~ star** gwiazda stała; **~ price** cena stała; **~ property** własność nieruchoma 2. *chem* stały; nielotny 3. *am* **well ~** dobrze sytuowany

fixedly ['fiksidli] *adv* niewzruszenie; **to look ~ at** — nie odrywać oczu od ...

fixedness ['fiksidnis] *s* stałość; trwałość; niewzruszoność; niezmienny charakter (czegoś)

fixer ['fiksə] *s* 1. monter 2. *am* pośredni-k/czka zdobywając-y/a względy u władz

fixings ['fiksiŋz] *spl* 1. przybory 2. przyozdobienie (ubioru); garnirowanie (półmiska)

fixity ['fiksiti] *s* 1. stałość; trwałość; niewzruszoność 2. *chem* stałość

fixture ['fikstʃə] *s* 1. przynależność; (przynależne do realności) urządzenie; (*w maszynie*) część armatury <przynależnych przyborów> 2. *pl* **~s** rzeczy na stałe przytwierdzone <wbudowane> 3. domowni-k/ca; zadomowiony gość; **to be a ~ somewhere** utknąć gdzieś na dobre 3. *sport* termin <data> imprezy 4. *sport* impreza

fizgig¹ ['fiz,gig] *s* 1. trzpiot/ka; kokietka 2. *pirotechn* raca

fizgig² ['fiz,gig] *s* harpun z trzema zębami

fizz [fiz] [I] *vi* 1. za/syczeć; za/szumieć 2. musować [II] *s* 1. syczenie, syk 2. musowanie 3. *pot* szampan

fizzle ['fizl] [I] *vi* za/syczeć

~ out *vi* 1. wy/palić się z sykiem 2. *przen* spalić na panewce

[II] *s* 1. syczenie, syk 2. fiasko, *pot* klapa

fizzy ['fizi] [I] *adj* (**fizzier** ['fiziə], **fizziest** ['fiziist]) musujący; gazowany [II] *s pot* szampan

flabbergast ['flæbə,gɑ:st] *vt pot* zdumie-ć/wać; oszoł-omić/amiać

flabbiness ['flæbinis] *s* sflaczałość; zwiotczałość

flabby ['flæbi] *adj* (**flabbier** ['flæbiə], **flabbiest** ['flæbiist]) 1. sflaczały; zwiotczały; obwisły 2. słaby; ślamazarny; bez charakteru

flabellate [flə'belit], **flabelliform** [flə'beli,fɔ:m] *adj bot zoo* wachlarzowaty

flaccid ['flæksid] *adj* 1. sflaczały; flakowaty; miękki 2. słaby

flaccidity [flæk'siditi] *s* sflaczałość; flakowatość

flag¹ [flæg] *s bot* 1. kosaciec; tatarak 2. źdźbło, liść (zboża)

flag² [flæg] [I] *s* (*także* **~ stone**) płyta chodnikowa; kamień brukowy [II] *vt* (**-gg-**) wy-łożyć/kładać (chodnik) płytami kamiennymi

flag³ [flæg] *s* (*także* **~-feather**) lotka (u ptaka)

flag⁴ [flæg] *vi* (**-gg-**) 1. obwisać; zwis-nąć/ać 2. (*o roślinie*) przywiędnąć 3. (*o człowieku*) stracić siły <ożywienie>; *pot* oklapnąć 4. (*o uwadze itp*) osłabnąć; (*o rozmowie towarzyskiej*) zacząć kuleć

flag^5 [flæg] [I] *s sl* 1. flaga; chorągiew, chorągiewka; bandera 2. puszysty ogon (setera i niektórych psów myśliwskich) [II] *vt* (**-gg-**) 1. ozd-obić/abiać flagami 2. za/sygnalizować chorągiewką 3. wytycz-yć/ać chorągiewkami

flag-captain ['flæg'kæptin] *s* kapitan statku admiralskiego

flag-day ['flæg,dei] *s* 1. dzień kwiatka (zbiórki ulicznej na cel dobroczynny) 2. *am* (*także* **Flag--Day**) 14.VI (rocznica przyjęcia przez St. Zjedn. flagi narodowej)

flagellant ['flædʒilənt] *s hist* biczownik

flagellate ['flædʒə,leit] *vt* biczować

flagellation [,flædʒe'leiʃən] *s* biczowanie

↑**flagellum** [flə'dʒeləm] *s* (*pl* **flagella** [flə'dʒelə]) *bot* rozłóg

flageolet^1 [,flædʒə'let] *s muz* flażolet

flageolet^2 [,flædʒə'let] *s bot* odmiana fasoli

flag-feather ['flæg,feðə] = **flag^3**

flagging^1 ['flægiŋ] [I] *zob* **flag^1** [II] *adj* obwisły; zwisający 2. (*o roślinie*) przywiędły 3. (*o uwadze, zainteresowaniu itd*) słabnący; **the conversation was ~** rozmowa nie kleiła się

flagging^2 ['flægiŋ] [I] *zob* **flag^2** [II] *s zbior* płyty chodnikowe

flagging^3 ['flægiŋ] [I] *zob* **flag^3** [II] *s zbior* flagi; **the town was gay with ~** miasto jaskrawiło się od flag

flagitious [flə'dʒiʃəs] *adj* zbrodniczy; ohydny

flagman ['flægmən] *s* (*pl* **flagmen** ['flægmən]) sygnalizator

flag-officer ['flæg,ɔfisə] *s* admirał; dowódca zespołu okrętów

flagon ['flægən] *s* 1. karafka (z uchem); dzban 2. duża, pękata flaszka do wina

flagrancy ['fleigrənsi] *s* ohyda (zbrodni itp.); sromotność; skandaliczność

flagrant ['fleigrənt] *adj* 1. (*o zbrodni*) ohydny; sromotny; skandaliczny 2. (*o zbrodniarzu*) jawny; notoryczny

flagship ['flæg,ʃip] *s* okręt admiralski

flag-staff ['flæg,stɑ:f] *s* drzewce

flagstone ['flæg,stoun] = **flag^2** *s*

flag-wagging ['flæg,wægiŋ] *s* 1. sygnalizowanie chorągiewką 2. *przen* pobrzękiwanie szabelką

flail [fleil] *s* cep

flair [fleə] *s* spryt (**for sth** do czegoś); **to have a ~ for sth** a) wiedzieć gdzie czego szukać; umieć coś znaleźć b) *pot* mieć dryg <smykałkę> do czegoś

flak [flæk] *s* (niemiecka) artyleria przeciwlotnicza

flake^1 [fleik] [I] *s* 1. łuska 2. płatek (śniegu itd.); plasterek 3. iskierka 4. *bot* goździk <gwoździk> prążkowany [II] *vt* okry-ć/wać (ziemię itp.) płatkami [III] *vi* 1. (*o śniegu itd*) padać płatkami 2. (*także* **~ away** <**off**>) łuszczyć się; odpadać płatami

flake^2 [fleik] *s* przyrząd do suszenia ryb

flake-white ['fleik'wait] *s chem* chlorek bizmutylu

flaky ['fleiki] *adj* 1. (*o śniegu, wełnie itp*) puszysty 2. łuszczasty, łuskowaty; płatkowaty

flam [flæm] *s pot* bujanie; bujda; naciąganie

flambeau ['flæmbou] *s* (*pl* **~s**, **~x** ['flæmbouz]) pochodnia

↑**flamboyant** [flæm'bɔiənt] *adj* 1. *arch* strzelisty 2. (*o stylu*) kwiecisty; przeładowany ozdobami

↑**flame** [fleim] [I] *s* 1. płomień, płomyk 2. *przen* ogień; blask; żar (namiętności); **to fan the ~** podsyc-ić/ać ogień <namiętności> 3. *żart* flama, miłość [II] *vi* 1. *dosł i przen* za/płonąć (rumieńcem, namiętnością itp.); buch-nąć/ać płomieniem; sta--nąć/wać w płomieniach 2. (*o klejnocie*) rzucać ognie

~ out <**up**> *vi dosł i przen* wybuchnąć (płomieniem, gniewem itd.)

zob **flaming**

flame-thrower ['fleim,θrouə] *s* miotacz ognia

flaming ['fleimiŋ] [I] *zob* **flame** *v* [II] *adj* 1. (*o słońcu*) prażący 2. jaskrawy

flamingo [flə'miŋgou] *s* (*pl* **~es**, **~s**) *zoo* flaming, czerwonak

flamy ['fleimi] *adj poet* płomienny; płomienisty

flan [flæn] *s kulin* babeczka

↑**flange** [flændʒ] [I] *s techn* kołnierz, kryza, *pot* flansza; listewka; obrzeże (koła wagonu itd.) [II] *vt* wywi-nąć/jać brzeg (**sth** czegoś); zak-ończyć/ańczać (rurę itd.) kołnierzem <(wentyl itd.) kryzą, (belkę) listewką, (koło) obrzeżem>

flank [flæŋk] [I] *s* 1. bok; (*u zwierzęcia*) pachwina 2. skrzydło (budynku; *wojsk* oddziału) 3. stok (góry) 4. *techn* powierzchnia boczna (zęba koła zębatego itd.) [II] *attr wojsk* (*o ogniu*) boczny, flankowy [III] *vt* 1. stać <leżeć, znajdować się> po obu stronach (**sb, sth** kogoś, czegoś) 2. *wojsk* o/chronić skrzydła (**an army etc.** armii itd.); 3. *wojsk* być na skrzyd-le/łach (**a division etc.** dywizji itd.) 4. *wojsk* oskrzydl-ić/ać

flanker ['flæŋkə] *s wojsk* 1. umocnienie flankowe 2. flankier

↑**flannel** ['flænl] [I] *s* 1. flanela (materiał wełniany, barchan) 2. ścierka flanelowa 3. *pl* **~s** ubranie <spodnie> flanelowe <sportowe> [II] *adj* flanelowy [III] *vt* (**-ll-**) ub-rać/ierać we flanelę (dziecko itd.) *zob* **flannelled**

flannelette [,flænḷ'et] *s* flaneleta, imitacja flaneli

flannelled ['flænld] [I] *zob* **flannel** *v* [II] *adj* w ubraniu flanelowym; w spodniach flanelowych

↑**flap** [flæp] [I] *s* 1. lekkie uderzenie; *pot* pacnięcie 2. trzepotanie 3. klapa, klapka; zapadka 4. brzeg (kapelusza) 5. poła (surduta) 6. ucho <języczek> (trzewika) 7. nakrywka (u ryby) 8. packa (na muchy) [II] *vt* (**-pp-**) trzepnąć; *pot* pacnąć [III] *vi* (**-pp-**) trzepotać

flapdoodle ['flæp,du:dl] *s* duby smalone; bzdury

flap-eared ['flæp,iəd] *adj* klapouchy

↑**flapjack** ['flæp,dʒæk] *s* 1. *kulin* rodzaj placka; *am* naleśnik 2. płaska puderniczka

flapper ['flæpə] *s* 1. packa na muchy 2. bijak (cepa) 3. podlotek (ptak i dziewczyna); *pot* podfruwajka 4. śmiała osóbka 5. płetwa <pletwa> (foki itd.); *pot* **~ bracket** siodełko (na motocyklu) 6. kołatka; grzechotka 7. klapa (stołu) 8. *zoo* ogon skorupiaka 9. dzikie kaczę 10. młoda kuropatwa 11. *sl* graba, łapa, ręka

↑**flare** [flɛə] [I] *vi* 1. migotać 2. wybrzuszać się [II] *vt* rozszerz-yć/ać; nada-ć/wać kształt kloszowy (**sth** czemuś)

~ out <**up**> *vi* 1. *dosł i przen* wybuchnąć (płomieniem, gniewem itd.) 2. zabłysnąć

zob **flaring** [III] *s* 1. płomień; błysk; migotliwe światło reflektora 2. rakieta; sygnał świetlny 3. ogień bengalski 4. *dosł i przen* wybuch (płomienia, gniewu itd.) 5. przejaskrawienie 6. wybrzuszenie

flare-up ['flɛər'ʌp] *s* 1. błysk 2. gwałtowna sprzeczka 3. szumna zabawa

flaring ['flɛəriŋ] [I] *zob* **flare** *v* [II] *adj* jaskrawy; (*o kolorach itp*) krzykliwy

flash[1] [flæʃ] *adj* 1. jaskrawy; krzykliwy 2. sfałszowany, fałszywy 3. złodziejski, gwarowy

flash[2] [flæʃ] [I] *s* 1. błysk (światła, dowcipu); błyskawica; przebłysk (talentu itp.); chwila natchnienia; **a ~ in the pan** fiasko, *pot* klapa; **in a ~** w jednej chwili; w okamgnieniu; błyskawicznie 2. wybuch (gniewu itp.) 3. *am* wiadomość z ostatniej chwili 4. *pot* chęć błyszczenia <imponowania> 5. żargon złodziejski 6. prąd <strumień> wody [II] *vi* 1. błys-nąć/kać; zabłysnąć; iskrzyć się; rzucać ognie; (*o oczach*) miotać błyskawice; (*o talencie*) przebłyskiwać; **it ~ed upon me <across my mind>** strzeliła mi do głowy myśl 2. mignąć; przemknąć 3. (*o rzece*) rwać; (*o strumieniu wody*) napierać [III] *vt* 1. za/świecić; błys-nąć/kać (**sth** czymś) 2. nada-ć/wać (telegraficznie, przez radio) 3. powle-c/kać (szkło) barwną powłoką *zob* **flashing**

flash-back ['flæʃ,bæk] *s* 1. odrzut płomienia 2. scena z przeszłości (w filmie, powieści itp.)

flash-board ['flæʃ,bɔ:d] *s* zastawa (śluzy)

flasher ['flæʃə] *s* migacz sygnalizujący

flashiness ['flæʃinis] *s* błyskotliwość

flashing ['flæʃiŋ] [I] *zob* **flash** *v* [II] *s* obróbka (blacharska)

flashing-point ['flæʃiŋ,pɔint] *s* *techn* temperatura zapłonu

flash-lamp ['flæʃ,læmp] *s* 1. lampa sygnalizacyjna 2. latarka (kieszonkowa) 3. *fot* lampa błyskowa; flesz

flash-light ['flæʃ,lait] *s* *fot* flesz

flash-over ['flæʃ'ouvə] *s* *elektr* przeskok iskrowy; wyładowania iskrowe

flash-point ['flæʃ,pɔint] = **flashing-point**

flashy ['flæʃi] *adj* (**flashier** ['flæʃiə], **flashiest** ['flæʃiist]) błyskotliwy

flask [flɑ:sk] *s* 1. płaska flaszka kieszonkowa (często w skórzanym futerale); manierka; butla; opleciona flaszka do wina 2. prochownica 3. *chem* kolba; retorta 4. *techn* skrzynka formierska

flasket ['flɑ:skit] *s* 1. kosz na bieliznę 2. mała flaszka kieszonkowa *zob* **flask** 1.

flat[1] [flæt] *s* 1. mieszkanie (w domu czynszowym) 2. piętro

flat[2] [flæt] [I] *adj* (-tt-) 1. płaski; spłaszczony; *techn* **~ iron** płaskownik, płaskie żelazo; **to fall <lie> ~** upaść <leżeć rozciągnięty> jak długi <plackiem>; (*o żarcie, utworze lit.*) **to fall ~** nie wywołać żadnego wrażenia; spalić na panewce 2. (*o terenie*) równy 3. (*o łuku, nosie itd*) przypłaszczony 4. (*o gumach, oponie*) **to go ~** siąść, *pot* nawalić 5. (*o wypowiedzi*) kategoryczny; stanowczy; **that's ~!** sprawa załatwiona!; i basta! 6. nudny; bezbarwny; monotonny; jednostajny; (*o utworze lit. itp*) płytki 7. (*o piwie itp*) zwietrzały; (*o winie*) mdły; (*o człowieku*) tępy 8. (*o cenach, podatkach*) jednolity 9. *muz* z bemolem; **G <A, D etc.> ~** ges <as, des itd.> 10. (*o głosie*) matowy; **in a ~ voice** apatycznie; **to sing ~** a) fałszować b) detonować 11. ospały; bez życia; **a ~ calm** martwa cisza (na morzu); **a ~ market** zastój (w handlu); brak ożywienia na rynku <na giełdzie> 12. *gram* (*o przysłówku*) bez końcówki „-ly"; (*o bezokoliczniku*) bez dodatku „to" 13. *sl* wypłukany (z pieniędzy) [II] *s* 1. spłaszczenie; płaszczyzna; **the ~ of a sabre** płaz szabli; **the ~ of the hand** dłoń; *plast* **on the ~** na papierze; w dwóch wymiarach 2. równina; nizina; mielizna 3. *górn* piętro; poziom 4. płaski kosz 5. *teatr* dekoracja; **to join the ~s** powiązać ze sobą (części czegoś) 6. poła (dachu) 7. *mar* wręga 8. płaskodenna łódź 9. *sl* kiep; prostak 10. *muz* bemol; **the ~s and sharps** czarne klawisze [III] *adv* (-tt-) 1. płasko, na płask 2. kategorycznie; stanowczo ‖ **to go ~ out** a) po/pędzić (dokądś) b) wytęż-yć/ać wszystkie siły [IV] *vt* (-tt-) 1. rozpłaszcz-yć/ać; walcować 2. z/matować (farbę) *zob* **flatting**

flat-boat ['flæt,bout] *s* łódź płaskodenna

flat-bottomed ['flæt'bɔtəmd] *adj* płaskodenny

flat-car ['flæt,kɑ:] *s* *am* *kolej* wagon-platforma

flat-feet *zob* **flat-foot**

flat-fish ['flæt,fiʃ] *s* *zoo* płaszczka (ryba)

flat-foot ['flæt,fut] *s* (*pl* **flat-feet** ['flæt,fi:t]) 1. *med* człowiek o płaskiej stopie 2. *am sl* policjant; szpicel

flat-footed ['flæt'futid] *adj* 1. (*o człowieku*) o płaskich stopach 2. *am* kategoryczny; bez ogródek

flat-iron ['flæt'aiən] *s* żelazko do prasowania

flatness ['flætnis] *s* 1. płaskość; spłaszczenie 2. kategoryczność; stanowczość (wypowiedzi) 3. nuda; monotonia; jednostajność 4. brak ożywienia (na rynku, giełdzie) 5. zwietrzałość (piwa); mdły smak (wina) 6. płytkość (utworu lit. itp.) 7. płaskotorowość (trajektorii)

flatten ['flætn] *v* [I] *vt* 1. spłaszcz-yć/ać; wyrówn-ać/ywać; wyprostow-ać/ywać; wygładz-ić/ać; rozprasow-ać/ywać 2. przygnębi-ć/ać; z/deprymować; s/konsternować 3. z/matować (farbę) [II] *vi* 1. rozpłaszcz-yć/ać się 2. (*o piwie*) z/wietrzeć; (*o winie*) sta-ć/wać się mdłym; s/tracić smak 3. (*w śpiewie*) fałszować 4. z/matowieć

~ out *vi* *lotn* wyrówn-ać/ywać lot

flatter[1] ['flætə] *s* płaski młot; gładzik kowalski

flatter[2] ['flætə] [I] *vt* 1. pochlebiać <przypochlebiać się, schlebiać> (**sb** komuś) 2. łechtać (**sb** czyjąś) próżność 3. *przen* pieścić (oko, ucho) [II] *vr* **~ oneself** pochlebiać sobie; chlubić się (**on sth** czymś) *zob* **flattering**

flatterer ['flætərə] *s* pochleb-ca/czyni

flattering ['flætəriŋ] [I] *zob* **flatter**[2] [II] *adj* 1. schlebiający 2. pochlebny

flattery ['flætəri] *s* pochlebstwo; schlebianie (**of sb** komuś)

flattie ['flæti] *s* *sl* policjant

flatting ['flætiŋ] [I] *zob* **flat** *v* [II] *s* walcowanie [III] *attr* **~ mill** walcownia

flattish ['flætiʃ] *adj* przypłaszczony

flatulence ['flætjuləns], **flatulency** ['flætjulənsi] *s* 1. *med* wzdęcie; bębnica; wiatry 2. napuszoność; pompatyczny styl

flatulent ['flætjulənt] *adj* 1. *med* wzdęty 2. napuszony; pompatyczny

flatus ['fleitəs] *s* *med* gazy w przewodzie pokarmowym

flatware ['flæt,wɛə] *s* *zbior* 1. sztućce 2. spodki; talerze; półmiski

flatways ['flæt,weiz], **flatwise** ['flæt,waiz] *adv* płasko; na płask

flatwork ['flæt,wə:k] *s* bielizna nie wymagająca prasowania po maglu (pościelowa, ręczniki itd.)

flaunt [flɔ:nt] [I] *vi* 1. (*o fladze itp*) dumnie powiewać 2. (*o człowieku*) paradować; puszyć się

[II] *vt* wystawiać (coś) na pokaz; pysznić <popisywać> się (**sth** czymś) *zob* **flaunting** [III] *s* ostentacja; popisywanie się (**of sth** czymś); paradowanie; pozowanie; poza

flaunting ['flɔ:ntiŋ] [I] *zob* **flaunt** *v* [II] *adj* dumny; pyszny; ostentacyjny

flautist ['flɔ:tist] *s* flecist-a/ka

flavescent [flə'vesnt] *adj* żółkniejący

flavin(e) ['flævin] *s chem* flawin (środek antyseptyczny i żółty barwnik)

flavour ['fleivə] [I] *s* 1. smak 2. zapach 3. *dosł i przen* posmak [II] *vt* 1. przyprawi-ć/ać (potrawę) 2. *przen* nada-ć/wać posmak (**sth with sth** czemuś czegoś) [III] *vi* mieć posmak (**of sth** czegoś) *zob* **flavoured, flavouring**

flavoured ['fleivəd] [I] *zob* **flavour** *v* [II] *adj* o smaku <o zapachu> (**with sth** czegoś); ze smakiem <z zapachem> (**with sth** czegoś)

flavouring ['fleivəriŋ] [I] *zob* **flavour** *v* [II] *s* przyprawa

flavourless ['fleivəlis] *adj* bez smaku <zapachu>

flavoursome ['fleivəsəm] *adj* smaczny; o przyjemnym <wyraźnym> smaku

flaw^1 [flɔ:] *s mar* szkwał

flaw^2 [flɔ:] [I] *s* 1. skaza; wada; usterka 2. *prawn* usterka (odbierająca ważność aktowi itp.) 3. rysa; szczelina; pęknięcie 4. słaby punkt (argumentu itp.) [II] *vt* uszk-odzić/adzać; ze/szpecić [III] *vi* porysować się

flaw-detection ['flɔ:-de,tekʃən] *s techn* defektoskopia

flawless ['flɔ:lis] *adj* bez skazy

flawy ['flɔ:i] *adj* wadliwy; ze skazą

flax [flæks] *s bot* len

flax-comb ['flæks,koum] *s* cierlica, międlica

flax-dressing ['flæks,dresiŋ] *s* czesanie lnu

flaxen ['flæksən] *adj* 1. lniany 2. (*o kolorze*) płowy; słomkowy

flaxen-haired ['flæksən,hεəd] *adj* jasnowłosy

flax-seed ['flæks,si:d] *s* siemię lniane

flay [flei] *vt* 1. łupić; *dosł i przen* obłupi-ć/ać <ob-edrzeć/dzierać> ze skóry 2. ostro s/krytykować; nie zostawi-ć/ać <pozostawi-ć/ać> suchej nitki (**sb** na kimś)

flayer ['fleiə] *s* zdzierca

flea [fli:] *s* pchła; **a ~ in the ear** bura; nagana; **to send sb away with a ~ in his ear** dać komuś cierpką <ostrą> odprawę

flea-bane ['fli:,bein] *s bot* płesznik

flea-beetle ['fli:,bi:tl] *s zoo* pchła ziemna

flea-bite ['fli:,bait] *s* 1. ukąszenie pchły 2. bagatela, drobnostka 3. drobna przykrość 4. cętka (na skórze konia)

flea-bitten ['fli:,bitn] *adj* 1. pokąsany przez pchły 2. (*o koniu*) cętkowany

flea-dock ['fli:,dɔk] *s bot* lepiężnik pospolity, podbiał

fleam [fli:m] *s wet* lancet

flea-wort ['fli:,wə:t] = **flea-bane**

fleck [flek] [I] *s* 1. plamka; pieg 2. pyłek [II] *vt* nakrapiać; cętkować

flecker ['flekə] = **fleck** *v*

flection *zob* **flexion**

fled *zob* **flee**

fledge [fledʒ] *vt* 1. (*o przyrodzie*) zaopatrzyć (ptaka) w pióra 2. (*o człowieku*) zaopat-rzyć/rywać w pióra (strzałę itp.) *zob* **fledged**

fledged [fledʒd] [I] *zob* **fledge** [II] *adj* opierzony; *przen* **fully ~** w pełni zdatny (do czegoś); **a fully ~ artist** dojrzały artysta

fledgeling ['fledʒliŋ] *s* świeżo opierzony ptak; *przen* żółtodziób; gołowąs

flee [fli:] *v* (**fled** [fled], **fled**) [I] *vi* ucie-c/kać (z czegoś, skądś; przed kimś, czymś); u/ratować się ucieczką; pierzch-nąć/ać; zbie-c/gać; zemknąć/zmykać; czmych-nąć/ać; znik-nąć/ać [II] *vt* ucie-c/kać (**a town etc.** z miasta itd.); unik-nąć/ać (**sb sth** kogoś, czegoś)

fleece [fli:s] [I] *s* 1. runo; wełna; strzyża 2. (chmury) baranki 3. *bot tekst* kutner [II] *vt* 1. o/strzyc 2. ob-edrzeć/dzierać (kogoś) ze skóry; z/łupić; o/grabić 3. pokry-ć/wać (jak gdyby) runem

fleecy ['fli:si] *adj* wełnisty; kędzierzawy; **~ clouds** baranki (chmury)

fleer [fliə] [I] *vi* 1. wyszydz-ić/ać; wydrwić; za/drwić (**at sb, sth** z kogoś, czegoś) 2. uśmiechać się szyderczo [II] *s* 1. szyderczy uśmiech 2. drwina

fleet^1 [fli:t] *s* 1. flota; flotylla; **aerial ~** lotnictwo; flota lotnicza 2. marynarka wojenna 3. sznur (pojazdów itp.)

fleet^2 [fli:t] *adj poet* szybki; bystry; rączy; chyży

fleet^3 [fli:t] *vi* szybko mijać; uciekać *zob* **fleeting**

fleet^4 [fli:t] *s* 1. rzeczułka 2. zatoczka 3. **the Fleet** nazwa dopływu Tamizy 4. **the Fleet** nazwa dawnego więzienia dla niewypłacalnych dłużników; **Fleet parson** pastor wątpliwej reputacji udzielający ślubów potajemnych, zwanych „Fleet marriages" 5. *przen* **Fleet Street** prasa (londyńska)

fleeting ['fli:tiŋ] [I] *zob* **fleet**^{3} [II] *adj* przelotny; przemijający; krótkotrwały

fleetness ['fli:tnis] *s* przelotność; krótkotrwałość

Fleming ['flemiŋ] *s* 1. Flamand-czyk/ka 2. język flamandzki

Flemish ['flemiʃ] *adj* flamandzki; flandryjski

flemish ['flemiʃ] *vt myśl* (*o psie*) wystawiać

flench [flentʃ], **flense** [flens], **flinch** [flintʃ] *vt* roz-ebrać/bierać (wieloryba)

flesh [fleʃ] [I] *s* 1. ciało; **~ and blood** natura ludzka; **one's ~ and blood** własna rodzina; **sins of the ~** grzechy ciała <nieczystości>; **it's more than ~ and blood can bear** to przechodzi wytrzymałość ludzką; **the ~ creeps** przechodzą ciarki; skóra cierpnie; **to go the way of all ~** przenieść się do wieczności; obrócić się w proch; **to lose ~** s/tracić na wadze; s/chudnąć; **to put on ~** przyb-rać/ierać na wadze; przy/tyć; (*o zwierzęciu*) **in ~** utuczony; tuczny; **in the ~** we własnej osobie; **to see sb in the ~** zobaczyć kogoś na własne oczy 2. *rz* mięso 3. miąższ (owoców) [II] *vt* 1. przyucz-yć/ać (psa) do smaku krwi 2. tuczyć (zwierzę) 3. *lit* zaspokoić (zemstę itp.) 4. *garb* odmięśni-ć/ać (skórę) [III] *vi* tyć

flesh-brush ['fleʃ,brʌʃ] *s* szczotka do nacierania ciała

flesh-colour ['fleʃ,kʌlə] *s* kolor cielisty

flesher ['fleʃə] *s szkoc* rzeźnik

flesh-fly ['fleʃ,flai] *s zoo* mucha mięsna, ścierwnica

flesh-glove ['fleʃ,glʌv] *s* rękawica do nacierania ciała

fleshiness ['fleʃinis] *s* mięsistość

fleshings ['fleʃiŋz] *spl* 1. trykoty koloru cielistego 2. *garb* klejówka (produkt odmięśniania)

fleshly ['fleʃli] *adj* 1. cielesny 2. zmysłowy

flesh-pot ['fleʃ,pɔt] *s* 1. garnek; rondel 2. *pl* **~s** *przen* dostatek
flesh-tights ['fleʃ,taits] = **fleshings** 1.
flesh-wound ['fleʃ,wu:nd] *s* rana powierzchowna
fleshy ['fleʃi] *adj* (*o człowieku, owocu*) mięsisty
fleur-de-lis ['flə:də'li:] *s* (*pl* **fleurs-de-lis** ['flə:də'li:z]) 1. *bot* irys 2. lilia burbońska
fleuret [flu:'ret] *s* kwiatek (motyw zdobniczy)
fleuron ['flə:rɔŋ] *s arch* kwiaton
fleury ['fluəri] *adj* zdobiony liliami burbońskimi
flew *zob* **fly**[2] *v*
flews [flu:z] *spl* obwisłe wargi (buldoga itp.)
flex[1] [fleks] *s elektr* giętki przewód izolowany
flex[2] [fleks] *vt* zgi-ąć/nać
flexibility ['fleksə'biliti] *s* 1. *dosł i przen* giętkość; elastyczność 2. łatwość przystosowania się
flexible ['fleksəbl] *adj* 1. *dosł i przen* giętki; elastyczny 2. łatwo przystosowujący się 3. ustępliwy
flexile ['fleksil] *adj* 1. giętki 2. ruchomy
flexion, flection ['flekʃən] *s* 1. zgięcie 2. krzywa 3. *gram* fleksja
flexional ['flekʃənl] *adj gram* fleksyjny
flexor ['fleksə] *s anat* mięsień zginający
flexuose ['fleksju,ous], **flexuous** ['fleksjuəs] *adj* zaginający się; kręty; krzywy; falisty
flexure ['flekʃə] *s* 1. zgięcie 2. *geol* fałd, fałda
flibbertigibbet ['flibəti'dʒibit] *s* 1. trzpiot/ka 2. gaduła; *pot* papla
flick[1] [flik] [I] *vt* 1. trzasnąć; śmignąć 2. dać prztyczka (**sb** komuś) 3. trzepnąć
~ away <**off**> *vt* strzepnąć
[II] *s* 1. trzask; trzaśnięcie; śmignięcie 2. prztyk 3. trzepnięcie; szarpnięcie; błyskawiczny ruch ręki
flick[2] [flik] *s pot* film; *pl* **~s** *pot* kino
flicker[1] ['flikə] [I] *vi* 1. za/migotać; za/błysnąć 2. za/drgać; za/mrugać; za/trzepotać [II] *s* 1. migotanie; **a ~ of hope** iskierka nadziei 2. drganie; mruganie; trzepotanie
flicker[2] ['flikə] *s zoo* dzięcioł północnoamerykański
flier ['flaiə] = **flyer**
↑**flight**[1] [flait] [I] *s* 1. lot 2. odlot 3. przelot 4. *dosł i przen* wzlot; **~ of fancy** a) błysk dowcipu b) wybryk fantazji; fantazjowanie; **to have a ~ of wit** za/błysnąć dowcipem 5. wędrówka (ptaków, owadów) 6. stado (ptaków); **in the first ~** w czołówce; wśród najlepszych <pierwszych> 7. eskadra (samolotów) 8. kondygnacja (schodów); seria; szereg; rząd 9. grad (strzał) [II] *vt* strzel-ić/ać (**sth** do czegoś — ptactwa itd.) w locie
flight[2] [flait] *s* ucieczka; pierzchnięcie; czmychnięcie; **to put to ~** zmu-sić/szać do ucieczki; rozpr-oszyć/aszać; **to take to ~** ucie-c/kać; pierzch-nąć/ać; pójść/iść w rozsypkę
flight-deck ['flait,dek] *s* pokład lotniczy (lotniskowca)
flight-feather ['flait,feðə] *s zoo* lotka
flightiness ['flaitinis] *s* wietrzność; kapryśność; niestałość
flight-lieutenant ['flait-lef'tenənt] *s* kapitan lotnictwa
flight-muscle ['flait,mʌsl] *s zoo* mięsień poruszający skrzydło
flight-path ['flait,pɑ:θ] *s* tor (samolotu, pocisku)
↑**flighty** ['flaiti] *adj* (**flightier** ['flaitiə], **flightiest** ['flaitiist]) wietrzny; kapryśny; niestały
flim-flam ['flim,flæm] [I] *s* bzdury; głupstwa [II] *vt* (**-mm-**) oszuk-ać/iwać; *am* **to ~ sb out of sth** wyłudzić coś od kogoś
flimsiness ['flimzinis] *s* 1. słabość; kruchość; lichość; marność 2. błahość; bezpodstawność
flimsy ['flimzi] [I] *adj* (**flimsier** ['flimziə], **flimsiest** ['flimziist]) 1. słaby; kruchy; lichy; marny 2. błahy; bezpodstawny [II] *s sl* 1. banknot 2. bibuła 3. brulion; papier do notatek
flinch[1] ['flintʃ] *vi* 1. cof-nąć/ać <wzdragać> się (**from sth** przed czymś); uchylać się (**from sth** od czegoś) 2. zżymać się (**from sth** na coś); **without ~ing** nie drgnąwszy; nie mrugnąwszy okiem
flinch[2] *zob* **flench**
flinders ['flindəz] *spl* drzazgi; **to break** <**fly**> **into ~** rozlecieć się w szczątki
fling [fliŋ] *v* (**flung** [flʌŋ], **flung**) [I] *vt* 1. rzuc-ić/ać <cis-nąć/kać, miotać> (**sth** coś, czymś); **to ~ caution to the winds** a) na nic nie zważać; machnąć ręką na głos <na nakazy> rozsądku b) rzucić się w coś bez opamiętania; **to ~ dirt at sb** obrzuc-ić/ać kogoś błotem; **to ~ one's arms round sb's neck** zarzucić komuś ręce na szyję; **to ~ out of the window** wyrzucać (pieniądze) przez okno <w błoto>; **to ~ sth in sb's teeth** w oczy komuś coś zarzucać; wykłuwać komuś czymś oczy 2. wykon-ać/ywać gwałtown-y/e ruch/y (**an arm, a leg** ręką, nogą) 3. rozrzuc-ić/ać, porozrzucać 4. rozsiewać <wydawać> (zapach itp.) [II] *vr* **~ oneself** 1. narzucać się (**at sb** komuś) 2. rzucić się (**into sth** do czegoś, w coś, w wir czegoś) 3. zdać się (**on sb's compassion etc.** na czyjeś dobre serce itd.) [III] *vi* wypa-ść/dać <wyl-ecieć/atywać> (**out of the room** z pokoju itd.)
~ about [I] *vt* rzucać <ciskać> (coś, się) na wszystkie strony [II] *vi w zwrocie*: **to ~ about with one's legs** wierzgać
~ aside *vt* odrzuc-ić/ać <cis-nąć/kać> na bok
~ back *vt* odrzuc-ić/ać
~ down *vt* zrzuc-ić/ać <cis-nąć/kać> na ziemię
~ off [I] *vt* zrzuc-ić/ać z siebie [II] *vi* wypaść <wylecieć> (z pokoju itd.)
~ on *vt* narzuc-ić/ać (ubranie itd.) na siebie
~ open *vt* otworzyć <roztworzyć, rozewrzeć> gwałtownym ruchem
~ out [I] *vt* wyrzuc-ić/ać; **to ~ out one's arms** wyciągnąć ręce wymownym gestem [II] *vi* wierzg-nąć/ać; **to ~ out at sb** napaść na kogoś
~ to *vt* zatrzasnąć (drzwi itd.)
~ up *vt* 1. podrzucić; podciągnąć (coś) gwałtownym ruchem; (*o koniu*) **to ~ up its heels** wierzgnąć; **to ~ up one's hands** podnieść ręce do nieba 2. cis-nąć/kać w kąt; rzuc-ić/ać; zarzuc-ić/ać; dać sobie spokój (**sth** z czymś)
[IV] *s* 1. rzut; **to be in full ~** być w pełni rozkwitu; doskonale prosperować; *przen* **to have a ~ at sth** spróbować czegoś; **to have one's ~** zabawić <wyszumieć> się 2. szurnięcie; gwałtowny ruch 3. wierzgnięcie (konia) 4. przytyk <złośliwość, docinek> (**at sb** pod czyimś adresem); **to have a ~ at sb** zakpić z kogoś; dociąć komuś 5. skoczny taniec
↑**flint** [flint] *s* 1. krzemień; *przen* kamień, głaz; **to get water out of a ~** dokonywać cudów; być cudotwórcą; **to set one's face like a ~ against sth** stanąć murem przeciw czemuś; **to skin a ~** być sknerą 2. krzesiwo (do hubki) 3. kamyczek do zapalniczki

flint-glass [ˈflintˈglɑ:s] *s* szkło ołowiowe

flint-lock [ˈflintˌlɔk] *s* 1. zamek skałkowy (strzelby) 2. skałkówka (strzelba)

↑**flinty** [ˈflinti] *adj* (**flintier** [ˈflintiə], **flintiest** [ˈflint iist]) krzemienisty; *przen* kamienny

flip¹ [flip] *s* słodzone piwo grzane z wódką

flip² [flip] [I] *vt* (**-pp-**) 1. przztyk-nąć/ać 2. trzas--nąć/kać; trzepnąć 3. szarp-nąć/ać 4. cisnąć [II] *s* prztyk; szczutek; szybki ruch; potrącenie; trzepnięcie; **to have a ~ in an aeroplane** przelecieć się samolotem

flip-flap [ˈflipˌflæp] *s* 1. koziołek (obrót przez głowę) 2. rodzaj karuzeli 3. rodzaj ognia sztucznego

flippancy [ˈflipənsi] *s* nonszalancja; lekceważenie; swobodne <bezceremonialne> zachowanie się

flippant [ˈflipənt] *adj* nonszalancki <lekceważący, bezceremonialny, swobodny> (w zachowaniu)

flipper [ˈflipə] *s* **1.** płetwa, pletwa; błona pławna 2. *sl* łapa, ręka

flipperty-flopperty [ˈflipətiˈflɔpəti] *adj* luźny; luźno wiszący; dyndający

flirt [flə:t] [I] *vt* 1. rzucić (coś) szybkim ruchem 2. przytknąć; dać prztyczka (**sb** komuś) 3. nerwowo poruszać <bawić się> (**sth** czymś — wachlarzem itp.) 4. wymachiwać szybko (**sth** czymś); (*o psie*) merdać (**its tail** ogonem) [II] *vi* 1. szarpać <trzepotać> się 2. flirtować [III] *s* 1. prztyk; szybki ruch; machnięcie 2. flircia-rz/rka; kokietka

flirtation [flə:ˈteiʃən] *s* flirt; **to carry on a ~** po/flirtować

flirtatious [flə:ˈteiʃəs] *adj* flirciarski; kokieteryjny

flit [flit] [I] *vi* (**-tt-**) 1. przeprowadz-ić/ać się cichaczem; wyn-ieść/osić <wym-knąć/ykać> się 2. mig-nąć/ać <przem-knąć/ykać> się; przel-ecieć/atywać; ukaz-ać/ywać się w przelocie; **to ~ to and fro** fruwać

~ about *vi* fruwać

zob **flitting** [II] *s* wyprowadzenie się; przeprowadzka (przeważnie potajemna)

flitch [flitʃ] [I] *s* połeć (słoniny itp.); okrawek (drzewa itd.) [II] *vt* po/krajać <roz-ebrać/bierać (zabite zwierzę na części)

flitter [ˈflitə] *vi* fruwać; latać

flitter-mouse [ˈflitəˌmaus] *s* (*pl* **flitter-mice** [ˈflitə ˌmais]) *zoo* nietoperz

flitting [ˈflitiŋ] [I] *zob* **flit** *v* [II] *s* = **flit** *s* [III] *adj* przelotny; przemijający

flivver [ˈflivə] *s am sl* mały <tani> samochód; grat

↑**float** [flout] [I] *vi* płynąć <pływać, unosić się> (na wodzie, w powietrzu); szybować; bujać [II] *vt* 1. spławiać (dłużyce) 2. pu-ścić/szczać w obieg (pogłoskę itp.) 3. otw-orzyć/ierać <za-łożyć/kładać> (przedsiębiorstwo) 4. rozpis-ać/ywać (pożyczkę) 5. uruch-omić/amiać <wprowadz-ić/ać w życie> (plan, system itp.) 6. zal-ać/ewać; zat-opić/apiać 7. (*o wodzie, wietrze*) nieść 8. (*o murarzu*) wygładz-ić/ać (tynk)

~ off *vt* spu-ścić/szczać na wodę

zob **floating** [III] *s* 1. *wędk techn* pływak 2. tratwa 3. pęcherz pławny 4. pływające masy wodorostów <kry> 5. łopatka koła wodnego 6. *teatr* rampa 7. platforma na kołach dźwigająca żywy obraz (w pochodzie); wóz do przewożenia bydła <mleka, ciężkich przedmiotów> 8. tarka (murarska) 9. pilnik o nacięciu pojedynczym

floatable [ˈfloutəbl] *adj* spławny

floatage [ˈfloutidʒ] *s* 1. unoszenie się na wodzie 2. tonaż statków rzecznych 3. szczątki rozbitego statku 4. prawo przywłaszczania sobie unoszących się na morzu przedmiotów 5. nadwodna część statku

↑**floatation** [flouˈteiʃən] *s* 1. wodnica <linia wodna> statku 2. spławianie 3. założenie (przedsiębiorstwa)

floater [ˈfloutə] *s* 1. pływak (człowiek) unoszący się na wodzie 2. założyciel (przedsiębiorstwa) 3. *am* przekupny wyborca 4. *bank* papier wartościowy

float-grass [ˈfloutˌgrɑ:s] *s bot* manna

↑**floating** [ˈfloutiŋ] [I] *zob* **float** *v* [II] *adj* ruchomy; nie umocowany; **~ bridge** most pontonowy; **~ capital** kapitał obrotowy; **~ dock** dok pływający; **~ kidney** wędrująca nerka; **~ light** pława <boja> świetlna; **~ population** ludność niestała; *med* **~ rib** żebro wolne

↑**floccose** [ˈflɔkous], **flocculent** [ˈflɔkjulənt], **flocculous** [ˈflɔkjuləs] *adj bot* kosmaty; kosmykowaty

flock¹ [flɔk] *s* 1. kosmyk; kłak 2. (*także pl* **~s**) wyczeski 3. *pl* **~s** *chem* osad

flock² [flɔk] [I] *s dosł i przen* stado; *przen* gromada; tłum; **in ~s** tłumnie [II] *vi* (*także* **~ together**) tłoczyć <gromadzić> się (tłumnie); tłumnie ot-oczyć/aczać (**about sb** kogoś); **to ~ after sb** gromadą chodzić za kimś

~ in <**out**> *vi* tłumnie wchodzić <wychodzić>

floe [flou] *s* kra

flog [flɔg] *vt* (**-gg-**) chłostać; smagać batem; **to ~ learning into** <**laziness out of**> **a pupil** za pomocą rózgi wbi-ć/jać uczniowi naukę do głowy <wy/leczyć ucznia z lenistwa>; **to ~ a dead horse** męczyć się na próżno; **to ~ a willing horse** przeciążać pracą dobrego pracownika; *zob* **flogging**

flogging [ˈflɔgiŋ] [I] *zob* **flog** [II] *s* chłosta; **to give sb a ~** wychłostać kogoś

↑**flood** [flʌd] [I] *s* 1. powódź; zalew; *bibl* **the Flood** potop 2. *przen* potok/i (światła, słów, łez itd.) 3. *poet* strumień; rzeka; morze 4. wylew (rzeki) 5. przypływ (morza) [II] *vt* 1. zal-ać/ewać; zat-opić/apiać; *przen* zasypywać (listami, pytaniami itd.) 2. (*o deszczach*) przepełni-ć/ać (rzekę); s/powodować przybór wody (**a river** na rzece) [III] *vi* 1. wezbrać/wzbierać 2. (*o rzece*) wyl-ać/ewać; wyst--ąpić/ępować z brzegów 3. *med* mieć krwotok

~ in *vi* napły-nąć/wać <nad-ejść/chodzić> masowo

flood-gate [ˈflʌdˌgeit] *s* śluza; zastawa; *przen* **to open the ~s** dać upust (czemuś)

↑**floodlight** [ˈflʌdˌlait] [I] *s* światło reflektorów; iluminacja [II] *vt* (**floodlit** [ˈflʌdˌlit], **floodlit**) oświetl-ić/ać reflektorami; iluminować

floodlit *zob* **floodlight** *v*

flood-tide [ˈflʌdˌtaid] *s* przypływ (morza)

↑**floor** [flɔ:] [I] *s* 1. podłoga 2. *geol* dno (jeziora itp.); *górn* spąg 3. dolna granica (cen itd.) 4. *parl* sala (obrad); **to take the ~** a) *parl* zabrać głos, przemówić b) (*w kawiarni*) zatańczyć 5. piętro; **first ~** a) pierwsze piętro b) *am* parter; **ground ~** parter 6. klepisko [II] *vt* 1. ułożyć/układać podłogę (**a room** w pokoju) 2. powalić (przeciwnika) 3. *pot* zatkać (kogoś); rozprawi-ć/ać się (**sb** z kimś) 4. *szk* oblać (kogoś przy egzaminie); kazać usiąść (**a pupil** uczniowi nie umiejącemu lekcji) 5. rozwiąz-ać/ywać (zadanie); **to ~ a paper** dać dobre

odpowiedzi na wszystkie pytania egzaminacyjne *zob* **flooring**
floor-board ['flɔ:ˌbɔ:d] *s* podłoga (samochodu, samolotu)
floor-cloth ['flɔ:ˌklɔ:θ] *s* 1. rodzaj linoleum 2. ścierka do podłóg
floorer ['flɔ:rə] *s* 1. druzgocący cios; *dosł i przen* uderzenie 2. podchwytliwe pytanie
flooring ['flɔ:riŋ] [I] *zob* **floor** *v* [II] *s* podłoga
floor-lamp ['flɔ:ˌlæmp] *s* lampa stojąca na podłodze
floor-leader ['flɔ:ˌli:də] *s am* członek Kongresu <Izby Reprezentantów> wyznaczony na rzecznika partii w czasie debat
floor-polish ['flɔ:ˌpɔliʃ] *s* pasta do podłóg
floor-space [flɔ:'speis] *s* miejsce (w pokoju itp.)
floor-walker ['flɔ:ˌwɔ:kə] *s* pracowni-k/ca mając-y/a nadzór nad porządkiem w sklepie wielobranżowym
flop [flɔp] [I] *s* 1. głuchy odgłos upadku <uderzenia>; buchnięcie; plusk; **to come down with a ~** buchnąć na ziemię <do wody> 2. trzepotanie 3. upadek; spadek; fiasko; niepowodzenie; nieudanie się; *pot* klapa, plajta; **to be a ~** nie udać się; zawieść 4. człowiek, który zawiódł pokładane w nim nadzieje; ślamazara; fajtłapa; niedołęga 5. *am sl* łóżko [II] *vi* (**-pp-**) 1. buchnąć; plusnąć; (*także* **~ down**) upaść <usiąść> z głuchym odgłosem; klapnąć 2. trzepotać 3. zmienić front; przejść na stronę wroga [III] *interj* buch!; bęc!; **to go ~** a) zbankrutować, *pot* splajtować b) (*o sztuce*) zejść z afisza
flop-house ['flɔpˌhaus] *s* dom noclegowy
floppy ['flɔpi] *adj* (**floppier** ['flɔpiə], **floppiest** ['flɔpiist]) 1. miękki, niesztywny; sflaczały; zwiotczały 2. (*o człowieku*) rozlazły; bez energii; ślamazarny
flora ['flɔ:rə] *s* (*pl* **florae** ['flɔ:ri:], **~s**) flora; roślinność
floral ['flɔ:rəl] *adj* 1. kwiatowy 2. roślinny
Florentine ['flɔrənˌtain] [I] *adj* florencki; *bot* **~ iris** irys biały <bladoniebieski> [II] *s* Florentyńczyk/nka
florescence [flɔ:'resns] *s* kwitnienie; okres kwitnienia
floret ['flɔ:rit] *s bot* kwiatek (pojedynczy kwiat kwiatostanu złożonego)
floriculture ['flɔ:riˌkʌltʃə] *s* uprawa kwiatów; kwiaciarstwo
florid ['flɔrid] *adj* 1. kwiecisty 2. ozdobny; przeładowany ozdobami 3. rumiany <czerwony> (na twarzy) 4. (*o barwach*) krzykliwy
floridity [flɔ'riditi] *s* 1. kwiecistość 2. czerwony kolor <czerwoność> twarzy 3. *zbior* krzykliwe barwy (czegoś)
florin ['flɔrin] *s* 1. floren 2. (*w Anglii*) moneta dwuszylingowa
florist ['flɔrist] *s* 1. kwiacia-rz/rka; **a ~'s shop** kwiaciarnia 2. ogrodni-k/czka uprawiając-y/a kwiaty
floscule ['flɔskju:l] = **floret**
floss [flɔs] *s* 1. jedwab odpadkowy 2. oprząt
floss-silk ['flɔsˌsilk] *s* filozela; pela
flossy ['flɔsi] *adj* 1. jedwabisty; puszysty 2. *am sl* elegancki
flotation [flou'teiʃən] = **floatation**
flotilla [flou'tilə] *s* flotylla
flotsam ['flɔtsəm] *s* 1. szczątki rozbitego statku unoszące się na morzu 2. ikra ostryg
flounce[1] [flauns] [I] *vi* 1. miotać <szamotać> się 2. żachnąć się; **to ~ out of a room** wypaść z pasją z pokoju [II] *s* 1. miotanie <szamotanie> się 2. żachnięcie; gwałtowny ruch oburzenia <zniecierpliwienia>
flounce[2] [flauns] [I] *s* falbanka [II] *vt* przyb-rać/ierać (suknię itd.) falbank-ą/ami
flounder[1] ['flaundə] *s zoo* płastuga, flądra
flounder[2] ['flaundə] [I] *vi* brnąć; grzęznąć; potykać się; **to ~ in a speech <an explanation>** za/ plątać się w przemówieniu <w wyjaśnieniach> [II] *s* brnięcie; potykanie się; nieudolne starania <zabiegi>
flour ['flauə] [I] *s* 1. mąka; **~ mill** młyn 2. mączka; pył; *zoo* **~ mite** rozkruszek mączny; *zoo* **~ moth** molik mączny [II] *vt* 1. posyp-ać/ywać mąką 2. ze/mleć
flour-box ['flauəˌbɔks], **flour-dredger** ['flauəˌdredʒə] *s* sitko
flourish ['flʌriʃ] [I] *vi* 1. (*o roślinności*) kwitnąć; bujnie rosnąć; **they are <he is> ~ing** świetnie im <mu> się powodzi 2. (*o wybitnych osobistościach*) działać 3. (*o instytucji, przedsiębiorstwie*) kwitnąć; rozwijać się 4. (*o człowieku*) być u szczytu (kariery itd.); (*o talentach itd*) być w rozkwicie 5. stosować ozdoby <kwiatki> retoryczne 6. (*o trąbkach*) rozbrzmiewać; zabrzmieć [II] *vt* 1. wywijać <wymachiwać> (**sth** czymś) 2. popis-ać/ywać się (**sth** czymś) 3. ozd-obić/abiać zakrętasem <kwiatkami retorycznymi> *zob* **flourishing** [III] *s* 1. zakrętas 2. flores; ozdoba; kwiatek retoryczny 3. wymachiwanie <wywijanie> (**of sth** czymś); szeroki gest 4. *muz* przygrywka; fanfara; tusz 5. *przen* szumna reklama
flourishing ['flʌriʃiŋ] [I] *zob* **flourish** *v* [II] *adj* kwitnący
floury ['flauəri] *adj* 1. posypany mąką 2. upudrowany 3. mączysty
flout [flaut] *vt* [I] 1. wyszydz-ić/ać 2. z/lekceważyć [II] *vi* szydzić <kpić> (**at sb, sth** z kogoś, czegoś) [III] *s* szyderstwo; kpiny
flow [flou] [I] *vi* 1. *dosł i przen* po/płynąć 2. (*o rzece*) wpadać (do morza itd.) 3. trys-nąć/kać 4. przepływać 5. wypływać (**from sth** z czegoś) 6. uchodzić <wyciekać> (**out of sth** z czegoś) 7. (*o krwi*) krążyć 8. (*o włosach*) falować; spływać; (*o szatach*) układać się w fałdy 9. obfitować (**with sth** w coś)
~ down *vi* ściekać; spływać
~ in *vi* 1. (*o cieczach*) napływać; (*o ludziach*) napływać <nadchodzić> masowo <falą>
~ off *vi* ściekać; odpływać
zob **flowing** [II] *s* 1. cieknięcie; dopływ 2. prąd; strumień; potok 3. przepływ 4. przypływ (morza) 5. wylew (Nilu itd.) 6. falowanie 7. napływ; **~ of spirits** werwa; **~ of the soul** zwierzenia; wynurzenia
flowage ['flouidʒ] *s geol* spływanie <spływ> (lodowca itp.)
flower ['flauə] [I] *s* 1. kwiat; kwiecie; **in ~** kwitnący; w kwieciu; **in the ~ of one's age** w kwiecie wieku; **no ~s** uprasza się nie składać kwiatów ani wieńców; **to burst into ~** rozkwit-nąć/ać 2. kwitnienie; rozkwitanie; *przen* rozkwit 3. *pl chem* **~s of sulphur** kwiat siarczany; **~s**

of zinc biel cynkowa 4. *przen* kwiat <śmietanka, elita> (towarzystwa itd.) [II] *attr* (*o wystawie, targu itd*) kwiatowy [III] *vt* ozd-obić/abiać kwiatami [IV] *vi* zakwit-nąć/ać; *przen* rozwi-nąć/jać się *zob* **flowered**

flower-bed ['flauə,bed] *s* kwietnik; klomb; rabata; grządka kwiatów

flower-de-luce ['flauə-də'lju:s] = **fleur-de-lis**

flowered ['flauəd] [I] *zob* **flower** *v* [II] *adj* = **flowery**

flowerer ['flauərə] *s w zwrotach*: **early** <**late, abundant**> ~ roślina wcześnie <późno, obficie> kwitnąca

flower-piece ['flauə,pi:s] *s plast* kwiaty (jako motyw)

flower-pot ['flauə,pɔt] *s* doniczka

flower-show ['flauə,ʃou] *s* wystawa kwiatowa

flower-stand ['flauə,stænd] *s* żardyniera, żardynierka

flowery ['flauəri] *adj* 1. ukwiecony 2. kwiecisty

flowing ['flouiŋ] [I] *zob* **flow** *v* [II] *adj* 1. płynny; potoczysty 2. płynący; ~ **tide** przypływ (morza) 3. fałdzisty; falisty

flown *zob* **fly**^{2} *v*

flu [flu:] *s pot* influenca, grypa

fluctuate ['flʌktju,eit] *vi* 1. nie być stałym; zmieniać się; ulegać wahaniom 2. wahać się (**between... and** — między ... a ...); oscylować

fluctuation [,flʌktju'eiʃən] *s* wahanie się; chwiejność; fluktuacja

flue^{1} [flu:] *s* rodzaj sieci rybackiej; † drugubica

flue^{2} [flu:] *s* 1. przewód kominowy 2. rura płomienicowa (kotła)

flue^{3} [flu:] *s* puszek

flue^{4} [flu:] = **flu**

flue^{5} [flu:] [I] *vt bud* zrobić ościeżynę <ukośne rozszerzenie> (**a wall** w murze); ukosować [II] *vi* rozszerzać się ukośnie

fluency [fluənsi] *s* płynność; potoczystość; biegłość; łatwość wysławiania się

fluent ['fluənt] *adj* 1. płynny; potoczysty; biegły 2. (*o liniach*) gładki; falisty 3. *mat* zmienny

fluff [flʌf] [I] *s* 1. puszek; meszek na suknie; kłaczki 2. *pot teatr* sfuszerowana <źle wyuczona> rola [II] *vt* 1. spulchni-ć/ać; *garb* wy/szlifować (skórę) 2. roztrzep-ać/ywać (włosy) 3. (*o ptakach*) otrzep-ać/ywać (piórka) 4. *pot* s/fuszerować (rolę)

fluffy ['flʌfi] *adj* (**fluffier** ['flʌfiə], **fluffiest** ['flʌfiist]) 1. puszysty 2. pokryty <porosły> meszkiem 3. *sl* pod gazem, zawiany, pijany

fluid ['fluid] [I] *adj dosł i przen* płynny [II] *s* 1. płyn, ciecz; fluid 2. *górn* płuczka

fluidity [flu'iditi] *s dosł i przen* płynność; ciekłość

fluke^{1} [flu:k] *s* 1. *zoo* płaszczka; flądra 2. *zoo* motylica wątrobowa (pasożyt) 3. nerkowaty gatunek ziemniaka

fluke^{2} [flu:k] *s* 1. łapa (kotwicy) 2. grot, żeleźce 3. *pl* ~**s** *zoo* ogon wieloryba

fluke^{3} [flu:k] [I] *s* szczęście; szczęśliwy traf [II] *vi* 1. mieć szczęście; **he** ~**d** udało mu się [III] *vt* szczęśliwie <fuksem> trafić (**sth** w <na> coś, do czegoś)

fluky ['flu:ki] *adj* (**flukier** ['flu:kiə], **flukiest** ['flu:kiist]) 1. szczęśliwy; udany 2. niepewny

flume [flu:m] *s* kanał wodny; rynna; koryto; spławiak; młynówka

flummery ['flʌməri] *s* 1. *kulin* rodzaj kremu 2. puste słowa; bzdury

flummox ['flʌməks] *vt sl* zmieszać; s/peszyć; wprawi-ć/ać w zakłopotanie

flump [flʌmp] [I] *vt* rzuc-ić/ać (**sth** coś, czymś — o ziemię itd.) [II] *vi* upaść z głuchym odgłosem ~ **about** *vi* ciężko się poruszać [III] *s* głuchy odgłos padającego przedmiotu [IV] *interj* buch!

flung *zob* **fling** *v*

flunk [flʌŋk] [I] *s am sl* oblanie egzaminu [II] *vt am sl* obl-ać/ewać (**egzamin**) [III] *vi am sl* 1. obl-ać/ewać egzamin 2. dać za wygraną

flunkey ['flʌŋki] *s* lokaj; *przen* (czyjś) pachołek

flunkeyism ['flʌŋki,izəm] *s* służalczość

fluor ['fluɔ:] *s miner* fluor

fluoresce [fluə'res] *vi fiz* fluoryzować

fluorescence [fluə'resns] *s fiz* fluorescencja

fluorescent [fluə'resnt] *adj fiz* fluoryzujący

fluoroscope ['fluərə,skoup] *s fiz* fluoroskop

fluoride ['fluə,raid] *s chem* fluorek

fluorine ['fluə,ri:n] [I] *s chem* fluor [II] *attr* fluorowy

fluorite ['fluə,rait] *s miner* fluoryt

fluor-spar ['fluɔ:'spa:] *s handl* fluoryt

flurry ['flʌri] [I] *s* 1. szkwał 2. *am* ulewa; śnieżyca 3. poruszenie; zamieszanie; podniecenie; *am* popłoch (na giełdzie); **in a** ~ podniecony 4. ostatnie podrygi (zwierzęcia) [II] *vt* (**flurried** ['flʌrid], **flurried**; **flurrying** ['flʌriiŋ]) podniec-ić/ać; porusz-yć/ać (kogoś); wstrząs-nąć/ać (**sb** kimś); **to get flurried** stracić głowę

flush^{1} [flʌʃ] [I] *s* 1. strumień (wody) 2. pęd (rośliny); puszczenie pędów 3. przypływ (uczucia, krwi); upojenie (zwycięstwem itp.); zarumienienie się; wypieki; napad (gorączki) 4. blask; rozkwit; **the first** ~ **of youth** kwiat <świeżość> młodości; **the full** ~ **of health** kwitnące zdrowie 5. obfitość 6. muszla (w ustępie); ustęp, klozet [II] *vi* 1. (*także* ~ **forth** <**out, up**>) trys-nąć/kać; buch-nąć/ać 2. za/czerwienić <za/rumienić> się; (*o krwi*) uderz-yć/ać 3. (*o roślinie*) pu-ścić/szczać pędy [III] *vt* 1. spłuk-ać/iwać (silnym strumieniem wody) 2. wywoł-ać/ywać rumieniec (na twarzy)
~ **over** *vi* przel-ać/ewać się

flush^{2} [flʌʃ] [I] *vt* zrównać (jedno z **drugim**) [II] *adj* 1. pełny po brzegi; (*o rzece*) wezbrany 2. nie szczędzący (**with sth** czegoś) 3. (*o pieniądzach itd*) **to be** ~ obfitować; nie brakować; ~ **of money** dobrze zaopatrzony <bogaty> w pieniądze 4. (znajdujący się) w jednej płaszczyźnie <w równej linii> (z **czymś**); (*o nicie, śrubie itd*) wpuszczony

flush^{3} [flʌʃ] [I] *vi* (*o stadzie ptaków*) zerwać/zrywać się [II] *vt* s/płoszyć (stado ptaków) [III] *s* stado (ptaków w locie)

flush^{4} [flʌʃ] *s karc* sekwens

flushness ['flʌʃnis] *s* obfitość <bogactwo> (czegoś)

fluster ['flʌstə] [I] *s* podniecenie; **in a** ~ podniecony [II] *vt* podniec-ić/ać; wzburz-yć/ać; **to get** ~**ed** podniec-ić/ać się; s/tracić głowę [III] *vi* 1. podniec-ić/ać <wzburz-yć/ać> się; s/tracić głowę 2. zaprósz-yć/ać sobie głowę (trunkiem)

flute [flu:t] [I] *s* 1. *muz* flet 2. *arch* kanelura; żłobek, rowek [II] *vt* 1. za/grać na flecie 2. wyżł-obić/abiać

flute-player ['flu:t,pleiə], **flutist** ['flu:tist] *s* flecist-a/ka

flutter ['flʌtə] [I] *vi* 1. trzepotać skrzydłami 2. fruwać 3. poruszać się nerwowo 4. (*o sercu*) kołatać 5. drżeć; z/denerwować <z/emocjonować> się [II] *vt* 1. za/trwożyć; za/niepokoić; **wz/budzić** niepokój (**sb** w kimś) 2. wywoł-ać/ywać podniecenie (**sb** u kogoś) 3. poruszać (**sth** czymś — wachlarzem itd.); machać (**sth** czymś — chusteczką itd.); wymachiwać (**sth** czymś) 4. (*o ptaku*) trzepotać (**its wings** skrzydłami) [III] *s* 1. trzepotanie 2. mruganie (powieki) 3. bicie (serca) 4. fruwanie <powiewanie> (materii na wietrze) 5. podniecenie; emocja; niepokój; **to be in a ~** być podnieconym; emocjonować się 6. sensacja; poruszenie 7. emocja hazardu; **to have a little ~** zaryzykować drobną kwotę (na wyścigach itp.)

fluty ['flu:ti] *adj* (**flutier** ['flu:tiə], **flutiest** ['flu:tiist]) (*o głosie itp*) cienki

fluvial ['flu:viəl] *adj* rzeczny

flux [flʌks] [I] *s* 1. upływ 2. *dosł i przen* strumień, potok 3. przypływ (morza) 4. przepływ 5. ciągłe zmiany; **the country is in a ~** w kraju kotłuje się <zmiany następują jedna po drugiej> 6. *techn* topnik [II] *vt* s/topić, rozt-opić/apiać [III] *vi* 1. s/topić <rozt-opić/apiać> się 2. upły-nąć/wać

fluxible ['flʌksibl] *adj* topliwy

fluxion ['flʌkʃən] *s* 1. *med* napływ; obrzmienie zapalne 2. *mat* **the method of ~s** rachunek różniczkowy

fluxional ['flʌkʃənl] *adj mat* różniczkowy

fluxionary ['flʌkʃnəri] = **fluxional**

fly[1] [flai] *s zoo* mucha; *wędk* muszka; **a ~ in the ointment** łyżka dziegciu w beczce miodu; **a ~ on the wheel** samochwał; *sl* **there are no flies on him** on jest wzorem; nie można mu nic zarzucić

fly[2] [flai] *v* (**flew** [flu:], **flown** [floun]; **flying** ['flaiiŋ]) [I] *vi* 1. po/lecieć; odl-ecieć/atywać; przel-ecieć/atywać; przyl-ecieć/atywać; fru-nąć/wać; pofrunąć; (*o korku itp*) wylecieć; **to catch sth ~ing** złapać coś w locie; **to let ~** a) rzucić, cisnąć; wypuścić (strzałę) b) wystrzelić; **to make the feathers ~** rozpętać burzę; zrobić awanturę; **to make the money ~** rozrzutnie gospodarować; nie liczyć się z pieniędzmi 2. (*o fladze, sukni itd*) powiewać 3. *przen* rzucić się (**at sb** na kogoś; **at sb's throat** komuś do gardła); zwymyślać (**at sb** kogoś); *przen* **to ~ high** mieć wysokie aspiracje; **to ~ in pieces** rozlecieć się w kawałki; **to ~ into a passion** <**rage, temper**> un-ieść/osić się; wpa-ść/dać w pasję; **to ~ off the handle** a) (*o siekierze itp*) spaść z trzonka b) (*o człowieku*) unieść się 4. ucie-c/kać; pierzch-nąć/ać; rozl-ecieć/atywać się [II] *vt* 1. ucie-c/kać (**sth** z czegoś — więzienia itd.) 2. pu-ścić/szczać (w powietrze — ptaka, latawca) 3. lecieć <latać> (**a plane** samolotem) 4. przew-ieźć/ozić (kogoś, coś) samolotem 5. *mar w zwrocie*: **to ~ a flag** płynąć pod banderą

~ about *vi* latać <fruwać> tu i tam

~ away *vi* odl-ecieć/atywać

~ by *vi* 1. przel-ecieć/atywać obok 2. (*o czasie itp*) przemi-nąć/jać

~ off *vi* odl-ecieć/atywać

~ open *vi* otworzyć <roztworzyć> się **nagle**

~ out *vi* wyl-ecieć/atywać

~ past *vi lotn* przedefilować

~ up *vi* wzn-ieść/osić się w powietrze

zob **flying** [III] *s* 1. lot; **to catch sth on the ~** złapać coś w locie 2. dorożka 3. (*w ubraniu*) rozprucie; rozporek 4. klapa (namiotu) 5. powiewająca część **flagi** 6. *teatr* nadscenie 7. puch (przędzalniczy) 8. (*w różnych instrumentach*) młynek; skrzydełko; balansjer

fly[3] [flai] *adj sl* cwany; sprytny; **he's ~** to cwaniak <spryciarz>

fly-agaric ['flai'ægərik] *s* muchomór (grzyb)

fly-away ['flai-ə'wei] *adj* 1. (*o części ubioru*) luźny; powiewny 2. (*o człowieku*) roztrzepany 3. (*o pomyśle*) fantastyczny

fly-bane ['flai,bein] *s bot* muchomór; lepnica; smółka

fly-bitten ['flai,bitn] *adj* 1. pokąsany przez muchy 2. popstrzony

fly-blow ['flai,blou] *s* musze jajo

fly-blown ['flai,bloun] *adj* 1. popstrzony przez muchy 2. *dosł i przen* spaskudzony

flyboat ['flai,bout] *s mar* flibot (mały szybki statek)

fly-book ['flai,buk] *s wędk* zbiór sztucznych muszek

fly-by-night ['flai-bai'nait] *s* 1. (*o człowieku*) nocny ptak 2. człowiek nie zasługujący na zaufanie <niepewny>

fly-catcher ['flai,kætʃə] *s* 1. łapka na muchy 2. *zoo* muchołówka (ptak)

flyer ['flaiə] *s* 1. latawiec 2. lotni-k/czka 3. szybkościowiec; *am* pociąg pośpieszny 4. *sport* salto mortale

fly-fishing ['flai,fiʃiŋ] *s* łowienie ryb **na muszki**

fly-flap ['flai,flæp] *s* packa na muchy

flying ['flaiiŋ] [I] *zob* **fly**[2] *v* [II] *adj* 1. latający; lotny 2. lotniczy; (*o oficerze itd*) lotnictwa; **~ man** lotnik 3. przelotny; krótkotrwały 4. rozwiany; **with ~ colours** a) z rozwiniętą flagą b) *przen* z honorem; zaszczytnie 5. (*w piłce nożnej*) **~ kick** wykop z ręki

flying-boat ['flaiiŋ,bout] *s* wodnopłatowiec

flying-bridge ['flaiiŋ,bridʒ] *s* most pontonowy

flying-buttress ['flaiiŋ,bʌtris] *s bud* łuk przyporowy

flying-fish ['flaiiŋ,fiʃ] *s zoo* ryba latająca

flying-officer ['flaiiŋ,ɔfisə] *s* porucznik lotnictwa

fly-leaf ['flai,li:f] *s* (*pl* **fly-leaves** ['flai,li:vz]) 1. czysta kartka w książce przed kartką tytułową; przedtytuł 2. ulotka

flyman ['flaimən] *s* (*pl* **flymen** ['flaimən]) 1. dorożkarz 2. *teatr* pomocnik teatralny pracujący za kulisami

fly-net ['flai,net] *s* siatka od much

fly-nut ['flai,nʌt] *s techn* nakrętka skrzydełkowa <motylkowa>

fly-paper ['flai,peipə] *s* lep na muchy

fly-past ['flai,pɑ:st] *s wojsk* defilada lotnicza

fly-sheet ['flai,ʃi:t] *s* ulotka

fly-swatter ['flai,swɔtə] *s* packa na muchy

fly-the-garter ['flaiðə'gɑ:tə] = **leap-frog**

fly-title ['flai,taitl] *s druk* przedtytuł

fly-trap ['flai,træp] *s* łapka na muchy

fly-weight ['flai,weit] *s* (*w boksie*) waga musza

fly-wheel ['flai,wi:l] *s mech* koło zamachowe

foal [foul] [I] *s* źrebię; (*o klaczy*) **with** <**in**> **~** źrebna [II] *vi* ożrebić się

foam [foum] [I] *s* piana; (*o koniu*) **in a ~** spieniony [II] *attr* pianowy; **~ bath** kąpiel piankowa; **~ extinguisher** gaśnica pianowa; **~ powder**

proszek do kąpieli piankowej [III] *vi dosł i przen* s/pienić się

foamy ['foumi] *adj* 1. pienisty 2. spieniony

fob¹ [fɔb] *s* 1. kieszonka na zegarek 2. *am* łańcuszek do zegarka

fob² [fɔb] *vt* (**-bb-**) oszukiwać; *pot przen* **to ~ sb off with sth** <**sth off on sb**> nabić kogoś w butelkę; sprzedać komuś coś (tandetnego) za drogie pieniądze

focal ['foukəl] *adj fiz opt* ogniskowy

focalize ['foukə,laiz] *vt* z/ogniskować

focal-plane ['foukəl,plein] *attr fot w zwrocie*: **~ shutter** przesłona szczelinowa

fo'c'sle ['fouksl] = **forecastle**

focus ['foukəs] [I] *s* (*pl* **foci** ['fousai], **~es**) 1. *fiz opt* ognisko; **in** <**out of**> **~** ostry <nieostry>, nastawiony <nie nastawiony> na ostrość 2. *fiz opt* ogniskowa 3. siedlisko; centrum; skupienie [II] *vt* (**-s-**, **-ss-**) 1. z/ogniskować; skupi-ć/ać; ześrodkow-ać/ywać 2. nastawi-ć/ać (obraz) na ostrość [III] *vi* (**-s-**, **-ss-**) z/ogniskować <skupi-ć/ać, ześrodkow-ać/ywać> się

fodder ['fɔdə] [I] *s* pasza; żywność; obrok [II] *vt* karmić (bydło); da-ć/wać paszę <obrok> (**cattle etc.** bydłu itp.)

foe [fou] *s* wróg; przeciwnik

foetus, fetus ['fi:təs] *s* płód; zarodek

fog¹ [fɔg] [I] *s* potraw, druga trawa; trawa nie skoszona przed zimą [II] *vt* (**-gg-**) 1. zostawi-ć/ać trawę nie skoszoną na zimę (**a meadow** na łące) 2. wypasać (bydło) na potrawie

fog² [fɔg] [I] *s* 1. mgła; **in a ~** a) zamglony b) w kłopocie 2. para (na szybach itp.) 3. *fot* zamglenie [II] *vt* (**-gg-**) 1. zamglić 2. o/tumanić; pomieszać wszystko w głowie (**sb** komuś); wprawi-ć/ać (kogoś) w zakłopotanie [III] *vi* (**-gg-**) *kolej* za-łożyć/kładać sygnały mgłowe (na trasie)

~ off *vi* (*o roślinie*) z/gnić z nadmiaru wilgoci

fog-bank ['fɔg,bæŋk] *s* obłok mgły

fog-bound ['fɔg,baund] *adj* unieruchomiony <uwięziony> przez mgłę <we mgle>

fogey ['fougi] *s* (*zw* **old ~**) *pot* stary piernik

fogginess ['fɔginis] *s* mglistość

foggy ['fɔgi] *adj* (**foggier** ['fɔgiə], **foggiest** ['fɔgiist]) 1. *dosł i przen* mglisty; **it's ~** jest mgła 2. zamglony; mglisty; niejasny; niewyraźny; **a ~ idea of ...** zielone <blade> pojęcie o...; **I haven't the foggiest idea** nie mam zielonego <bladego, najmniejszego> pojęcia

fog-horn ['fɔg,ho:n] *s* syrena mgłowa <używana w czasie mgły>

fog-signal ['fɔg,signl] *s* sygnał mgłowy <stosowany w czasie mgły>

fogy ['fougi] = **fogey**

foible [fɔibl] *s* słabostka; słabość

foil¹ [fɔil] [I] *s* 1. *arch* przyłucze 2. folia; listek; płatek; staniol; *jub* folia, † folga 3. posrebrzenie (lustra) 4. tło (dla czyjejś piękności itp.) [II] *vt* uwydatni-ć/ać

foil² [fɔil] *s* floret

foil³ [fɔil] [I] *s* trop; ślad [II] *vt* 1. (*o zwierzętach*) *w zwrocie*: **to ~ the scent** za-trzeć/cierać swój ślad 2. *przen* pokon-ać/ywać (wroga); udaremni-ć/ać (**sb in his attempt** czyjeś wysiłki); po/krzyżować (**sb's plans** komuś <czyjeś> plany); obr-ócić/acać wniwecz; odparow-ać/ywać (cięcie itp.)

foist [fɔist] *vt* 1. potajemnie wprowadz-ić/ać <wsu-nąć/wać> 2. (*także* **~ off**) narzuc-ić/ać <podrzuc-ić/ać> (**sth on sb** coś komuś)

fold¹ [fould] [I] *s dosł i przen* owczarnia; zagroda [II] *vt* zam-knąć/ykać w <zapędz-ić/ać do> owczarni (owce)

fold² [fould] [I] *s* 1. fałd, fałda; zagięcie; zakładka 2. skrzydło (drzwi, parawanu) [II] *vt* 1. złożyć/składać; zagi-ąć/nać; *dosł i przen* **to ~ one's arms** za-łożyć/kładać ręce; **to ~ sb in one's arms** <**to one's breast**> wziąć/brać kogoś w objęcia; przy/tulić kogoś do siebie 2. zawi-nąć/jać (w papier itd.); spowi-ć/jać (**in a mist etc.** mgłą itd.) [III] *vi* składać się

~ back <**down**> *vt* odwi-nąć/jać; odgi-ąć/nać

~ up *vt* zawi-nąć/jać

zob **folding**

folder ['fouldə] *s* 1. *druk* falcownik (przyrząd) 2. broszurka; prospekt 3. teczka; skoroszyt 4. *pl* **~s** lornetka (składana)

folding ['fouldiŋ] [I] *zob* **fold²** *v* [II] *adj* składany; składający się; do składania [III] *s* 1. fałd, fałda; *geol* sfałdowanie 2. plisowanie

foliaceous [,fouli'eiʃəs] *adj* 1. liściowaty 2. liściasty

foliage ['fouliidʒ] *s* 1. *bot* liście; listowie; ulistnienie 2. *arch* liścianka

foliar ['fouliə] *adj bot* liściowy

foliate ['fouli,eit] [I] *vt* 1. *techn* laminować, dzielić na warstwy 2. posrebrz-yć/ać (zwierciadło) 3. ozd-obić/abiać ornamentem w kształcie liści 4. *druk* numerować kartki (**a book** książki) [II] *vi* (*o skale itd*) dzielić <rozłupywać> się na blaszki <na warstwy> [III] *adj* ['fouliit] 1. *bot* ulistniony 2. liściowy; liściowaty

foliation [,fouli'eiʃən] *s* 1. *bot* ulistnienie 2. *geol* uwarstwienie; budowa warstwowa; foliacja 3. ozdabianie liścianką 4. *druk* numeracja kartek (w książce)

folio ['fouli,ou] *s* 1. *księgow druk introl* folio 2. numer kolejny stronicy <książki itd.> 3. stronica (dokumentu, obejmująca 72 lub 90 wyrazów)

folk [fouk] *s* lud; **country ~** wieśniacy; *pl* **~s** ludzie; **my ~s** moi krewni; moja rodzina

folk-dance ['fouk,da:ns] *s* taniec ludowy

folklore ['fouk,lɔ:] *s* 1. folklor 2. ludoznawstwo

folk-song ['fouk,sɔŋ] *s* pieśń ludowa

follicle ['fɔlikl] *s* 1. *zoo* kokon, oprzęd 2. *bot* torebka 3. *anat* mieszek; pęcherzyk

follicular [fɔ'likjulə] *adj anat* mieszkowy; pęcherzykowy; grudkowy

follow ['fɔlou] [I] *vt* 1. pójść/iść za <nast-ąpić/ępować po> (**sb, sth** kimś, czymś); **to ~ one's nose** iść prosto przed siebie; **to ~ sb's example** pójść za czyimś przykładem; **to ~ sb with one's eyes** wodzić za kimś oczami; **to ~ suit** a) pójść/iść za czyimś przykładem b) *karc* doda-ć/wać <zagrać> do koloru; **~ed by ...** po którym następuje <nastąpiły> ...; **a man ~ed by his dog** mężczyzna a (tuż) za nim pies; **the meeting was ~ed by a dance** po zebraniu odbyły się tańce; **to be ~ed (by consequences etc.)** pociągać za sobą (skutki itd.) 2. śledzić (**sb, sth** kogoś, coś) 3. iść <jechać> (**a path, a road etc.** ścieżką, drogą itd.) 4. być zwolenni-kiem/czką <stronni-kiem/czką> (**sb** czy-imś/jąś) 5. być następ-cą/czynią (**sb** czy-imś/jąś) 6. ścigać; gonić (**sb, sth** kogoś, coś, za kimś, czymś); poszukiwać (**sb, sth** kogoś, czegoś) 7. za/

stosować; stosować się (**sth** do czegoś — mody itd.); słuchać (**one's conscience etc.** głosu sumienia itd.) 8. uprawiać (zawód); **to ~ the plough** być rolnikiem; **to ~ the sea** być żeglarzem 9. nadąż-yć/ać (**sb** za kimś; *także* za czyjąś myślą) 10. rozumieć 11. słuchać (**sth** czegoś); uważać (**sb** na to, co ktoś mówi itp.) [II] *vi* 1. nast-ąpić/ępować; **as ~s** jak następuje; następująco; w następujących słowach; **to ~ in sb's footsteps** naśladować kogoś 2. wynik-nąć/ać <wypły-nąć/wać> (**from sth** z czegoś)

~ on *vi* 1. nastąpić <odbyć się, mieć miejsce> w późniejszym czasie 2. iść <jechać> dalej w tym samym kierunku

~ out *vt* doprowadz-ić/ać (coś) do skutku

~ up *vt* 1. ścigać 2. wykorzystać <wyzyskać> (przewagę itp.) 3. powtórzyć (czynność) 4. nie ustawać w pogoni (**sb, sth** za kimś, czymś) *zob* **following**

follower ['fɔlouə] *s* 1. stronni-k/czka; zwolenni-k/czka; ucze-ń/nnica 2. adorator <*pot* absztyfikant> (pokojówki, pomocnicy domowej) 3. *pl* **~s** orszak, świta 4. *techn* element napędzany; wtórnik

↑**following** ['fɔlouiŋ] [I] *zob* **follow** [II] *s* 1. **the ~** to, co następuje 2. orszak; świta 3. posłuch; autorytet 4. liczba stronników <zwolenników>; **a great ~** wielu zwolenników [III] *adj* następujący; następny; **the ~ day** nazajutrz; *x* **days ~** *x* dni z rzędu

follow-up ['fɔlou'ʌp] *attr* (*o nauce itd*) uzupełniający

folly ['fɔli] *s* 1. szaleństwo; pozbawienie <utrata> rozumu 2. (*także* **an act** <**a piece**> **of ~**) szaleństwo; szalony czyn; kaprys; fantazja

foment [fou'ment] *vt* 1. *med* nagrzewać <naparzać> (ucho, rękę itp.) 2. podniec-ić/ać; pobudz-ić/ać <podżegać> (**sth** do czegoś)

fomentation [ˌfoumen'teiʃən] *s* 1. ciepły okład wilgotny 2. pobudzanie <podżeganie> (do buntu itd.)

fomenter [fou'mentə] *s* podżegacz/ka

fomes ['foumi:z] *s* (*pl* **fomites** ['foumiˌti:z]) substancja <materiał> w któr-ej/ym łatwo zatrzymują się bakterie; *pl* **fomites** bielizna <odzież> zakaźnie chorego

fomites *zob* **fomes**

fond [fɔnd] *adj* 1. czuły; zaślepiony 2. (*o nadziei itp*) wypieszczony; słodki 3. zamiłowany; **to be ~ of sb, sth** lubić kogoś, coś; **to be ~ of sth** mieć zamiłowanie do czegoś

fondant ['fɔndənt] *s* pomadka (cukierek)

fondle ['fɔndl] [I] *vt* pieścić; pieszczotliwie <z czułością> bawić się (**sb's fingers** <**hair etc.**> czyimiś palcami <włosami itd.>) [II] *vi* pieścić się (**with sb, sth** z kimś, czymś)

fondly ['fɔndli] *adv* 1. naiwnie; w naiwności ducha <serca> 2. czule; z czułością

fondness ['fɔndnis] *s* 1. czułość; miłość 2. zamiłowanie <pociąg> (**for sth** do czegoś)

font[1] [fɔnt] *s* 1. *kośc* chrzcielnica 2. zbiornik (lampy) 3. *poet* źródło (czegoś)

font[2] [fɔnt] = **fount**[2]

fontal ['fɔntl] *adj* 1. pierwotny 2. źródlany 3. chrzestny

fontanel(le) [ˌfɔntə'nel] *s anat* ciemiączko

↑**food** [fu:d] [I] *s* żywność; jedzenie; jadło; pożywienie; strawa; wyżywienie; *dosł i przen* żer; pokarm; **good ~** dobra kuchnia [II] *attr* żywnościowy; odżywczy

food-controller ['fu:d-kənˌtroulə] *s* inspektor żywnościowy

food-stuffs ['fu:dˌstʌfs] *spl* artykuły żywnościowe

↑**fool**[1] [fu:l] [I] *s* 1. głupiec; kiep; dureń; wariat/ka; **born ~** skończony idiota; **he is no ~** to chytra sztuka; **some ~ of a** — jakiś głupi... (mechanik, polityk itd.); *pot* **you silly ~!** ty frajerze!; **to go on a ~'s errand** daremnie s/tracić czas; **to make a ~ of oneself** zbłaźnić się; **to make a ~ of sb** okpić kogoś; wystrychnąć kogoś na dudka; **to play** <**act**> **the ~ = ~** *vi* 1. 2. bła-zen/źnica [II] *vi* 1. błaznować; wygłupi-ć/ać się 2. *pot* (nieumiejętnie) majstrować (**with sth** przy czymś) [III] *vt* okpi-ć/wać; wystrychnąć na dudka; **to ~ sb out of sth** wyłudzić coś od kogoś

~ about <**around**> *vi* wałęsać się; chodzić <kręcić się> bez celu; chodzić jak głupi

~ away *vt* z/marnować

fool[2] [fu:l] *s kulin* rodzaj kremu

foolery ['fu:ləri] *s* 1. (*także* **a piece of ~**) głupstwo; głupota 2. błazeństwo

fool-hardiness ['fu:lˌha:dinis] *s* ryzykanctwo; szaleństwo

fool-hardy ['fu:lˌha:di] *adj* (**fool-hardier** ['fu:lˌha:diə], **fool-hardiest** ['fu:lˌha:diist]) nieroztropny; szaleńczy; **a ~ man** ryzykant, śmiałek

foolish ['fu:liʃ] *adj* głupi; niemądry; nierozsądny; **to feel ~** czuć się głupio; **to look ~** głupio wyglądać; mieć głupią minę

foolishness ['fu:liʃnis] *s* głupstwo; głupota

fool-proof ['fu:lˌpru:f] *adj* (*o mechanizmie*) bezpieczny nawet przy nieumiejętnym <nierozsądnym> obchodzeniu się; nie do zepsucia; **it's absolutely ~** nawet dziecko tego nie zepsuje

foolscap ['fu:lskæp] *s* papier kancelaryjny; papier drukarski (różnego formatu)

fool's-cap, foolscap ['fu:lzˌkæp] *s* 1. czapka błazeńska 2. ośla czapka

fool's-parsley ['fu:lzˌpa:sli] *s bot* blekot pospolity; szalej

↑**foot** [fut] [I] *s* (*pl* **feet** [fi:t]) 1. stopa; noga; **at a ~'s pace** wolnym krokiem; stępa; **on ~** a) piechotą b) na nogach (= nie w łóżku); **under ~** pod nogami; **to carry somebody off his feet** a) zbić z nóg kogoś b) porwać <zachwycić> kogoś; *dosł i przen* **to fall on one's feet** spaść na wszystkie cztery łapy; *przen* **to find one's feet** a) nab-rać/ierać doświadczenia b) da-ć/wać sobie radę; **to get one's ~ in** zainstalować <wkręcić> się (gdzieś); **to have one ~ in the grave** być jedną nogą w grobie; *dosł i przen* **to keep one's feet** nie tracić równowagi; utrzymywać się na nogach; **to knock sb off his feet** zbić kogoś z nóg; **to put one's best ~ forward** <**foremost**> a) ruszyć z kopyta b) dołożyć wszelkich starań; **to put one's ~ in it** popełnić gafę; **to set on ~** uruchomić; zapoczątkować 2. chód; **a light** <**heavy**> **~** lekki <ciężki> chód; **swift of ~** chyży; bystry 3. noga (zwierzęcia); kopyto 4. *wojsk* piechota 5. stopa (pończochy itp.); noga <nóżka> (mebla) 6. spód; dolna część, dół; koniec (spisu, listy); **at the ~ of the mountain** u stóp góry; **at the ~ of the page** u dołu stronicy; na dole; **see at ~** zobacz poniżej 7. (*miara*) stopa (= 30,48 cm) 8. *prozod* stopa [II] *vt* 1. za/tańczyć (coś); **to ~ it** a) za/tańczyć; po-

tańczyć sobie b) pójść/iść piechotą 2. dor-obić/abiać stopę (**sth** do czegoś — pończochy itd.) 3. *pot* wyrównać (**the bill** rachunek); **to ~ the bill** a) wybulić b) *przen* ponieść skutki (złego) 4. zsumować <zliczyć> (**an account** kolumnę cyfr)
~ up [I] *vi* (*o rachunku*) wynosić (**to so much** daną sumę) [III] *vt w zwrocie*: **to ~ up an account** zsumować <zliczyć> kolumnę cyfr
zob **footing**

footage ['futidʒ] *s* długość w stopach

football ['fut,bɔ:l] *s* piłka nożna, futbol

footballer ['fut,bɔ:lə] *s* piłkarz

footboard ['fut,bɔ:d] *s* 1. stopień (wagonu itd.) 2. podnóżek (powozu) 3. *techn* pedał

foot-boy ['fut,bɔi] *s* goniec

foot-brake ['fut,breik] *s* hamulec nożny

foot-bridge ['fut,bridʒ] *s* kładka

foot-candle ['fut,kændl] *s fiz* stopoświeca (jednostka natężenia światła)

foot-drill ['fut,dril] *s* świder nożny

footer ['futə] *sl* = **football**

footfall ['fut,fɔ:l] *s* krok (odgłos stąpania)

foot-gear ['fut,giə] = **foot-wear**

foot-guards ['fut,gɑ:dz] *spl* królewska gwardia piesza

foot-hills ['fut,hilz] *spl geogr* podgórze; **the ~ of the Carpathians** Podkarpacie

foothold ['fut,hould] *s* oparcie (dla nóg); **to get a ~** mocno <pewnie> stanąć; **to lose one's ~** stracić równowagę <oparcie>

footing ['futiŋ] [I] *zob* **foot** *v* [III] *s* 1. oparcie (dla nóg); **to miss one's ~** nie trafić na stopień (schodów przy schodzeniu) 2. punkt oparcia; ostoja; **to gain a ~** osiąść (gdzieś); *przen* zapuścić korzenie (w jakimś środowisku) 3. stopa <liczebność sił zbrojnych> (**wojenna, pokojowa** itd.) 4. poziom; **on an equal ~** na równej stopie; **on the same ~** na równi 5. stosunki wzajemne; **on a good <bad> ~ with sb** w dobrych <złych> stosunkach z kimś 6. wstąpienie do organizacji <na uniwersytet itp.>; **to pay one's ~** wkupić się (do towarzystwa) 7. dorobienie stopy (do pończochy itp.) 8. *bud* podstawa (muru) 9. (*także* **~ up**) zsumowanie

foot-iron ['fut,aiən] *s* 1. † pęta (na nogi) 2. słupołaz/y (przyrząd)

footle ['fu:tl] [I] *vi sl* wygłupi-ć/ać się
~ away *vt* z/marnować na głupstwa (**one's time** czas)
zob **footling** [III] *s sl* głupstw-o/a

footless ['futlis] *adj* 1. bez nogi 2. *am* = **futile**

footlights ['fut,laits] *spl teatr* rampa; *przen* światło reflektorów; *przen* **to get across the ~** nawiązać kontakt z widownią

footling ['fu:tliŋ] [I] *zob* **footle** *v* [III] *adj* błahy

foot-loose ['fut,lu:s] *adj* (*o człowieku*) niczym nie skrępowany

footman ['futmən] *s* (*pl* **footmen** ['futmən]) 1. lokaj 2. piechur

foot-mark ['fut,mɑ:k] *s* ślad (stopy)

foot-note ['fut,nout] *s* notatka (u dołu stronicy); odnośnik

foot-pace ['fut,peis] *s* powolny krok; **at a ~** stępa

foot-pad ['fut,pæd] *s* rozbójnik

foot-passenger ['fut,pæsindʒə] *s* pieszy

foot-path ['fut,pɑ:θ] *s* 1. ścieżka 2. chodnik

foot-plate ['fut,pleit] *s* 1. stopień wagonu 2. pomost (lokomotywy)

foot-pound ['fut,paund] *s mech* jednostka pracy potrzebnej do podniesienia 1 funta na wysokość 1 stopy

footprint ['fut,print] = **foot-mark**

foot-race ['fut,reis] *s* bieg/i

footrest ['fut,rest] *s* podnóżek

foot-rope ['fut,roup] *s mar* linka brzeźna (żagla)

foot-rot ['fut,rɔt] *s wet* zgnilizna kopyt (u owiec i bydła)

foot-rule ['fut,ru:l] *s* miara <liniał> długości 1 stopy

foots [futs] *spl* 1. wytłoki 2. osad

foot-scraper ['fut,skreipə] *s* skrobaczka (do obuwia)

foot-slog ['fut,slɔg] *vi* (**-gg-**) *pot* iść pieszo

foot-slogger ['fut,slɔgə] *s sl* piechur (*także* żołnierz)

foot-soldier ['fut,souldʒə] *s wojsk* piechur

footsore ['fut,sɔ:] *adj* z bolącymi <obolałymi> nogami; **to be ~** mieć obolałe nogi

footstalk ['fut,stɔ:k] *s bot* szypułka

footstep ['fut,step] *s* 1. odgłos (czyjegoś) kroku; **I hear ~s** słyszę (jakieś) kroki 2. ślad (stopy); *dosł i przen* **to follow <tread> in sb's ~s** iść czyimiś śladami

footstool ['fut,stu:l] *s* podnóżek; *am przen* **God's ~** ziemia

foot-sure ['fut,ʃuə] = **sure-footed**

foot-warmer ['fut,wɔ:mə] *s* ogrzewacz do nóg; termofor

footway ['fut,wei] *s* 1. ścieżka 2. *górn* szyb drabinowy <ratunkowy>

foot-wear ['fut,wεə] *s* obuwie

footworn ['fut,wɔ:n] *adj* 1. wydeptany; wytarty ludzkimi stopami 2. = **footsore**

foozle ['fu:zl] *sl* [I] *s* partactwo; fuszerka [III] *vt* s/partaczyć; s/fuszerować

fop [fɔp] *s* laluś; modniś; fircyk

foppery ['fɔpəri] *s* wymuskanie; strojność

foppish ['fɔpiʃ] *adj* wymuskany; wystrojony; *pot* wyfiokowany

for^1 [fɔ:] *praep* 1. *przeznaczenie i przyczyna*: dla; **~ me** dla mnie; **to do sth ~ money** zrobić coś dla pieniędzy 2. *zamiana, wymiana*: a) za; zamiast; **A ~ Andrew** A jak Andrzej; **he took me ~ my brother** wziął mnie za brata; **3 oranges ~ twopence** 3 pomarańcze za dwa pensy b) jako; **he was sold ~ a slave** został sprzedany jako niewolnik 3. *cel*: na; dla; **~ example** na przykład; **what ~?** na co?; po co? 4. *kierunek*: do; **he has left ~ America** wyjechał do Ameryki; **the train ~ London** pociąg do Londynu 5. *przyczyna*: z; **~ joy <fear, pity>** z radości <ze strachu, z litości> 6. na przestrzeni; **we didn't see a house ~ two miles** nie widzieliśmy ani jednego domu na przestrzeni dwóch mil 7. *przeciąg czasu*: a) *przy czasie present-perfect*: od; **I have been here ~ 3 days** jestem tutaj od 3 dni b) *przy czasie past*: przez; **we waited ~ an hour** czekaliśmy godzinę c) *przy czasie teraźniejszym i przyszłym w zdaniach pytających i twierdzących*: na; **how long are you <will you be> going ~?** — **~ three weeks** na jak długo (po)jedzie-sz/cie? — na trzy tygodnie d) *przy czasie przyszłym w zdaniach przeczących*: nie wcześniej jak <niż>...; dopiero za...; **he won't be back ~ 2—3 days** nie wróci wcześniej jak <wróci dopiero> za 2 — 3 dni 8. *przedstawicielstwo*: **the member ~ L.** poseł okręgu L. 9. *z bier-*

nikiem i bezokolicznikiem: żeby; że; **~ sb to do sth** żeby ktoś coś zrobił; **it's usual ~ the mother to accompany the daughter** zwyczaj jest taki, że matka towarzyszy córce; **it's ~ you to —** twoją <waszą> rzeczą jest...; **it's not ~ me to decide** nie ja tu decyduję 10. za (kimś, czymś); po stronie (czyjejś); **to be ~ sth** być za czymś <zwolennikiem czegoś> 11. po (kogoś, coś); **send ~ a doctor** <**a bottle of wine**> poślij/cie po lekarza <po flaszkę wina> 12. jak na; zważywszy; **he is tall ~ his age** on jest wysoki jak na swój wiek; **it was warm ~ a winter day** ciepło było jak na dzień zimowy 13. co do; co się tyczy; **~ myself** co do mnie; **~ the rest** co do <co się tyczy> reszty <pozostałych>; **I ~ one** co do mnie; osobiście, ja... 14. mimo; wbrew; **~ all that** mimo wszystko; **~ all you may say** cokolwiek byś/cie powiedzi-ał/eli; wbrew temu, co byś/cie mógł/mogli powiedzieć; mów/cie co chce-sz/cie 15. o (coś); **to call ~ bread** wołać o chleb || **word ~ word** słowo w słowo; dosłownie

for² [fɔ:] *conj* (*także lit* **~ that —**) ponieważ; gdyż; bowiem, albowiem

forage ['fɔridʒ] I *s* 1. furaż; furażowanie; pasza; obrok; pożywienie 2. plądrowanie II *vi* 1. furażować; **to ~ for oneself** po/radzić sobie 2. *przen* po/szukać; **to ~ in** <**among**> **sth —** przetrząsać coś... (w poszukiwaniu czegoś) III *vt* s/plądrować

forage-cap ['fɔridʒ,kæp] *s wojsk* czapka; furażerka

forager ['fɔridʒə] *s* furażer

foramen [fɔ'reimən] *s* (*pl* **foramina** [fɔ'ræminə]) otwór

forasmuch [fərəz'mʌtʃ] *conj* ponieważ; skoro; wobec tego, że; zważywszy, że

foray ['fɔrei] I *s* najazd II *vt* naje-chać/żdżać; s/plądrować III *vi* dokon-ać/ywać najazd-u/ów

forbade *zob* **forbid**

forbear¹ ['fɔ:bɛə] *s* przodek; antenat/ka

forbear² [fɔ:'bɛə] *v* (**forbore** [fɔ:'bɔ:], **forborne** [fɔ:'bɔ:n]) I *vi* 1. powstrzym-ać/ywać się (**from sth** od czegoś); zaniechać (**sth** czegoś) 2. być cierpliwym <wyrozumiałym> (**with sb** dla kogoś) II *vt* powstrzym-ać/ywać się (**sth, doing sth, to do sth** od czegoś, od zrobienia czegoś)

forbearance [fɔ:'bɛərəns] *s* 1. wyrozumiałość; cierpliwość 2. powstrzymywanie się (**from** <**of**> **doing sth, to do sth** od czegoś, od robienia czegoś); zaniechanie

forbid [fə'bid] *vt* (**forbade** [fə'beid], **forbidden** [fə'bidn]; **forbidding** [fə'bidiŋ]) 1. zakaz-ać/ywać <zabr-onić/aniać> (**sb sth** czegoś komuś; **sb to do sth** komuś coś robić); **to ~ sb the country** <**the house**> zabronić komuś wjazdu <powrotu, wstępu> do kraju <do domu>; **I am ~den tea** <**to drink tea**> zakazano <nie wolno> mi pić herbaty; **God ~!** niech Bóg broni!; broń Boże! 2. (*o okoliczności itp*) nie pozw-olić/alać (**sth** na coś) *zob* **forbidding**

forbidden *zob* **forbid**

forbidding [fə'bidiŋ] I *zob* **forbid** II *adj* 1. ponury; posępny; odpychający 2. groźny

forbore *zob* **forbear²**

forborne *zob* **forbear²**

forby(e) [fɔ:'bai] *szkoc* I *praep* poza (czymś); prócz (czegoś) II *adv* poza tym; ponadto

force [fɔ:s] I *s* 1. siła; moc; przemoc; gwałt; **by ~** siłą; przemocą; **by sheer ~** gwałtem; **in ~** licznie; w wielkiej liczbie; **in full ~** w pełnym składzie 2. policja 3. potęga (polit. itd.) 4. *pl* **~s** wojska 5. działanie <skuteczność> (leku itp.) 6. sens; znaczenie; *gram* **with passive ~** w znaczeniu biernym 7. ważność (ustawy itp.); **to be in ~** obowiązywać; być w mocy; być ważnym; **to come into ~** wchodzić w życie; **to put into ~** wprowadzić w życie 8. *fiz* czynnik II *vt* 1. zmu-sić/szać, przymu-sić/szać, wymu-sić/szać; zniew-olić/alać (**sth** do czegoś); **to ~ a smile** zdobyć się na uśmiech; **to ~ one's way** <**a passage**> utorować sobie drogę; przedrzeć się siłą 2. pędzić (roślinę) 3. narzuc-ić/ać (**sth upon sb** coś komuś) 4. siłą wprowadz-ić/ać <wepchnąć/wpychać, wsu-nąć/wać> (**sth into sth** coś do czegoś) 5. przyśpiesz-yć/ać 6. s/forsować

~ back *vt* 1. od-epchnąć/pychać; powstrzym-ać/ywać 2. zmu-sić/szać do odwrotu

~ down *vt* zepchnąć/spychać na dół

~ in *vt* 1. wyłam-ać/ywać <wywal-ić/ać, wyważ-yć/ać> (drzwi) 2. siłą wepchnąć/wpychać

~ out *vt* wyp-chnąć/ychać

~ up *vt* wyp-chnąć/ychać w górę

zob **forced**

forced [fɔ:st] I *zob* **force** *v* II *adj* 1. przymusowy 2. wymuszony 3. forsowny 4. (*o roślinie*) pędzony; **~ vegetables etc.** cieplarniane jarzyny itd. 5. *techn* sztuczny; mechaniczny

force-feed ['fɔ:s,fi:d] *s techn* zasilanie pod ciśnieniem

forceful ['fɔ:sful] *adj* 1. pełen siły 2. skuteczny 3. gwałtowny

force-land ['fɔ:s,lænd] *vi* dokon-ać/ywać przymusowego lądowania

forceless ['fɔ:slis] *adj* bezsilny

force-meat ['fɔ:s,mi:t] *s kulin* farsz; nadzienie; **~ balls** pulpety

forceps ['fɔ:seps] *s* (*pl* **~**) *med* kleszcze

force-pump ['fɔ:s,pʌmp] *s techn* pompa tłocząca

forcible ['fɔ:səbl] *adj* 1. dokonany przemocą <przy użyciu przemocy>; bezprawny 2. (*o języku, stylu*) mocny; dosadny 3. (*o słowach itd*) przekonywający

ford [fɔ:d] I *s* bród II *vt* przeprawi-ć/ać się brodem (**sth** przez coś — rzekę itp.)

fordone [fɔ:'dʌn] *adj* wyczerpany; (znajdujący się) u kresu sił

fore [fɔ:] I *adj* 1. przedni 2. *mar* dziobowy; *w złożeniach*: fok-, for- II *s* przód; czoło; **to the ~** a) na widoku b) (*o pieniądzach itd*) pod ręką; **to come to the ~** wysunąć się na czoło; odznaczyć się

fore-and-aft ['fɔ:rənd'ɑ:ft] *adj mar* idący <ciągnący się> od dziobu do rufy; **~ sail** sztaksel; **~ cap** czapka z daszkiem z przodu i z tyłu

forearm¹ ['fɔ:r'ɑ:m] *s anat* przedramię

forearm² [fɔ:r'ɑ:m] *vt* uzbr-oić/ajać (kogoś w przewidywaniu niebezpieczeństwa)

forebode [fɔ:'boud] *vt* 1. (*o zjawiskach*) zapowiadać (coś złego); wróżyć (nieszczęście itp.) 2. (*o człowieku*) przeczuwać *zob* **foreboding**

foreboding [fɔ:'boudiŋ] I *zob* **forebode** II *s* przeczucie (czegoś złego)

forecabin ['fɔ:,kæbin] *s* kabina dziobowa

forecast [fɔ:'kɑ:st] I *vt* (*praet* **forecasted** [fɔ:'kɑ:stid], **forecast**, *pp* **forecasted, forecast**) przewi-dzieć/dywać; zapowi-edzieć/adać II *s* ['fɔ:,kɑ:st]

przewidywani-e/a; prognoza; **weather ~** przewidywany stan <prognoza> pogody
forecastle ['fouksl] *s mar* pokład dziobowy; forkasztel
foreclose [fɔ:'klouz] *vt* 1. wyklucz-yć/ać; być przeszkodą (**sth** do czegoś) 2. z góry rozstrzyg-nąć/ać (kwestię); przesądz-ić/ać (**sth** coś, o czymś) 3. *prawn* wyklucz-yć/ać; nie dopu-ścić/szczać (**sth** do czegoś)
foreclosure [fɔ:'klouʒə] *s prawn* wykluczenie
foredeck ['fɔ:ˌdek] *s mar* bak; pokład dziobowy
foredoom [fɔ:'du:m] *vt* 1. potępi-ć/ać z góry 2. przesądz-ić/ać (**sth** coś, o czymś) 3. zapowi-edzieć/adać; przepowi-edzieć/adać
forefather ['fɔ:ˌfɑ:ðə] *s* przodek; antenat
fore-feet *zob* **fore-foot**
forefinger ['fɔ:ˌfiŋgə] *s* palec wskazujący
fore-foot ['fɔ:ˌfut] *s* (*pl* **fore-feet** ['fɔ:ˌfi:t]) przednia noga (zwierzęcia); **to cross a ship's ~** przeciąć statkowi drogę
fore-front ['fɔ:ˌfrʌnt] *s* 1. czoło; **in the ~** na czele 2. *wojsk* przednia linia frontu
forego[1] [fɔ:'gou] = **forgo**
forego[2] [fɔ:'gou] *vi* (**forewent** [fɔ:'went], **foregone** [fɔ:'gɔn]) poprzedz-ić/ać *zob* **foregoing, foregone**
foregoing [fɔ:'gouiŋ] [I] *zob* **forego**[2] [II] *s* **the ~** powyższe [III] *adj* powyższy; poprzedni; uprzedni
foregone [fɔ:'gɔn] [I] *zob* **forego**[2] [II] *adj* 1. miniony 2. przesądzony
foreground ['fɔ:ˌgraund] *s* 1. przedni plan (obrazu); *przen* **in the ~** na pierwszym planie; na przedzie; na widoku; **to bring into the ~** wysunąć na pierwszy plan 2. *wojsk* przedpole
forehand ['fɔ:ˌhænd] *s* 1. przód konia 2. *tenis* forhend
forehanded ['fɔ:ˌhændid] *adj* 1. (*o czymś*) na czasie; w porę przygotowany 2. *am* (*o kimś*) przewidujący; zapobiegliwy 3. *am* (*o człowieku*) dobrze sytuowany
forehead ['fɔrid] *s anat* czoło
↑**foreign** ['fɔrin] *adj* 1. obcy (**to sb, sth** komuś, czemuś) 2. zagraniczny; obcokrajowy; cudzoziemski; **~ correspondent** korespondent zagraniczny (pisma); **Foreign Office** ministerstwo spraw zagranicznych; **Foreign Secretary** minister spraw zagranicznych 3. *am* (*o człowieku*) z inne-go/j stanu <federacji>
foreigner ['fɔrinə] *s* cudzoziem-iec/ka; obcokrajowiec
forejudge [fɔ:'dʒʌdʒ] *vt* z góry osądz-ić/ać <rozstrzyg-nąć/ać>; przesądz-ić/ać (**sth** coś, o czymś)
foreknowledge ['fɔ:'nɔlidʒ] *s* 1. uprzednia znajomość 2. przeczu-cie/wanie
forel ['fɔrəl] *s* rodzaj pergaminu (do oprawy ksiąg)
foreland ['fɔ:lənd] *s* przylądek; cypel; *geol* przedgórze
foreleg ['fɔ:ˌleg] *s* przednia noga
forelock[1] ['fɔ:ˌlɔk] *s* lok <pukiel włosów> nad czołem; grzywka; *przen* **to take time <the occasion> by the ~** nie przegapić szczęśliwej chwili
forelock[2] ['fɔ:ˌlɔk] *s techn* zatyczka
foreman ['fɔ:mən] *s* (*pl* **foremen** ['fɔ:mən]) 1. *sąd* starszy przysięgły 2. kierownik warsztatu; sekcyjny; brygadzista; *górn* sztygar; przodowy
foremast ['fɔ:ˌmɑ:st] *s mar* fokmaszt
foremost ['fɔ:moust] [I] *adj* pierwszy; przedni; czołowy; główny; **head <feet> ~** głową <nogami> naprzód [II] *adv w zwrocie*: **first and ~** przede wszystkim; w pierwsz-ym/ej rzędzie <linii>
forename ['fɔ:ˌneim] *s* imię
forenoon ['fɔ:ˌnu:n] *s* przedpołudnie; **in the ~** przed południem
forensic [fə'rensik] *adj* (*o krasomówstwie*) adwokacki; (*o medycynie itd*) sądowy
fore-ordain ['fɔ:r-ɔ:'dein] *vt* 1. przeznacz-yć/ać (**to sth** do czegoś) 2. z góry postan-owić/awiać
fore-part ['fɔ:ˌpɑ:t] *s* 1. przód; front 2. czoło (pociągu itd.) 3. początek
forepeak ['fɔ:ˌpi:k] *s mar* forpik; skrajnik dziobowy
foreplane ['fɔ:ˌplein] *s* strug równiak
foreran *zob* **forerun**
fore-reach ['fɔ:ˌri:tʃ] *vt mar* wyprzedz-ić/ać (statek)
forerun [fɔ:'rʌn] *vt* (**foreran** [fɔ:'ræn], **forerun**; **forerunning** [fɔ:'rʌniŋ]) poprzedz-ić/ać; zwiastować
forerunner ['fɔ:ˌrʌnə] *s* zwiastun
foresail ['fɔ:ˌseil] *s mar* fok (żagiel)
foresaw *zob* **foresee**
foresee [fɔ:'si:] *vt* (**foresaw** [fɔ:'sɔ:], **foreseen** [fɔ:'si:n]) przewi-dzieć/dywać
foreseeable [fɔ:'si:əbl] *adj* (możliwy) do przewidzenia; **the ~ future** najbliższa <dająca się przewidzieć> przyszłość
foreseen *zob* **foresee**
foreshadow [fɔ:'ʃædou] *vt* zapowi-edzieć/adać; być zapowiedzią (**sth** czegoś); **to be ~ed** zapowiadać się
foreshore ['fɔ:'ʃɔ:] *s* przybrzeże odsłonięte w czasie odpływu
foreshorten [fɔ:'ʃɔ:tn] *vt* narysować w skrócie perspektywicznym *zob* **foreshortening**
foreshortening [fɔ:'ʃɔ:tniŋ] [I] *zob* **foreshorten** [II] *s plast* skrót (perspektywiczny)
foreside ['fɔ:ˌsaid] *s* przód
foresight ['fɔ:ˌsait] *s* 1. przewidywanie; przezorność; zapobiegliwość; **to have ~** być przewidującym <przezornym, zapobiegliwym> 2. (*w przyrządzie celowniczym*) muszka
foreskin ['fɔ:ˌskin] *s anat* napletek
↑**forest** ['fɔrist] [I] *s* 1. las 2. teren łowiecki [II] *attr* leśny [III] *vt* zalesi-ć/ać
forestall [fɔ:'stɔ:l] *vt* 1. uprzedz-ić/ać (kogoś, coś — wypadki itd.); ubie-c/gać 2. skupować (towar) w celach spekulacyjnych
forester ['fɔristə] *s* 1. leśniczy 2. mieszkaniec las-u/ów 3. ptak <zwierzę> leśn-y/e 4. *zoo* gatunek ćmy
forest-fly ['fɔristˌflai] *s zoo* narzepik koński, mucha końska
forestry ['fɔristri] *s* leśnictwo (nauka)
foretaste ['fɔ:ˌteist] *s* przedsmak
fore-teeth *zob* **fore-tooth**
foretell [fɔ:'tel] *vt* (**foretold** [fɔ:'tould], **foretold**) 1. przepowi-edzieć/adać 2. *przen* wróżyć; zapowiadać
forethought ['fɔ:ˌθɔ:t] *s* 1. premedytacja 2. przezorność; zapobiegliwość
foretime ['fɔ:ˌtaim] *s lit* minione czasy
foretoken [fɔ:'toukən] [I] *s* omen; wróżba [II] *vt* zapowi-edzieć/adać
foretold *zob* **foretell**
fore-tooth ['fɔ:ˌtu:θ] *s* (*pl* **fore-teeth** ['fɔ:ˌti:θ]) ząb przedni; siekacz

foretop ['fɔ:ˌtɔp] *s* 1. grzywa (końska) 2. *mar* bocianie gniazdo
fore-top-gallant ['fɔ:tɔpˌgælənt] *attr mar* ~ **mast** fokmaszt; ~ **sail** forbramsel
foretype ['fɔ:ˌtaip] *s* prototyp
forever [fə'revə] *am* = **for ever** *zob* **ever** 5.
forevermore [fə'revəˌmɔ:] = **for evermore** *zob* **evermore**
forewarn [fɔ:'wɔ:n] *vt* przestrze-c/gać (**against sth** przed czymś); uprzedz-ić/ać (**against sth** o czymś)
forewent *zob* **forego²**
forewoman ['fɔ:ˌwumən] *s* (*pl* **forewomen** ['fɔ:ˌwimin]) 1. *sąd* rzeczniczka kobiet — sędziów przysięgłych 2. nadzorująca robotnica; sekcyjna
foreword ['fɔ:ˌwə:d] *s* przedmowa; słowo wstępne
foreyard ['fɔ:ˌja:d] *s mar* fokreja
forfeit ['fɔ:fit] [I] *s* 1. grzywna 2. zastaw; fant 3. utrata przez konfiskatę [II] *vt* 1. stracić wskutek konfiskaty 2. utracić; postradać
forfeiture ['fɔ:fitʃə] *s* 1. utrata 2. konfiskata
forfend [fɔ:'fend] † *vt* odwr-ócić/acać (cios)
forficate ['fɔ:fikit] *adj zoo* szczypcowaty
forgather [fɔ:'gæðə] *vi* zebrać/zbierać się
forgave *zob* **forgive**
forge [fɔ:dʒ] [I] *s* 1. kuźnia 2. zakłady metalurgiczne [II] *vt* 1. u/kuć 2. s/fałszować <podr-obić/abiać> (podpis itp.) 3. zmyśl-ić/ać (wymówkę itp.) [III] *vi* (*zw* ~ **ahead**) posuwać się naprzód; robić postępy; wykuwać sobie przyszłość
forger ['fɔ:dʒə] *s* 1. kowal 2. fałsze-rz/rka; podrabiacz
forgery ['fɔ:dʒəri] *s* 1. s/fałszowanie <podr-obienie/abianie> (podpisu itp.) 2. fałszerstwo 3. podrobiony dokument
forget [fə'get] *v* (**forgot** [fə'gɔt], **forgotten** [fə'gɔtn]; **forgetting** [fə'getiŋ]) [I] *vt* 1. zapom-nieć/inać (**sb, sth** o kimś, o czymś, kogoś, czegoś) 2. nie pamiętać <nie przypominać sobie> (**sb, sth** kogoś, czegoś); **never to be forgotten** niezapomniany; **to be forgotten** pójść w niepamięć 3. opu-ścić/szczać; przeoczyć; zaniedb-ać/ywać (**sb, sth** kogoś, coś, czegoś) [II] *vr* ~ **oneself** zapominać się *zob* **forgotten**
forgetful [fə'getful] *adj* 1. zapominalski; **to be** ~ zapominać; mieć krótką <złą> pamięć 2. niepomny (**of warning etc.** przestrogi itd.); lekceważący (**of danger etc.** niebezpieczeństwo itd.); nie zważający (**of danger etc.** na niebezpieczeństwo itd.)
forgetfulness [fə'getfulnis] *s* brak pamięci; zła pamięć; **a moment of** ~ chwila zapomnienia
forget-me-not [fə'getmiˌnɔt] *s bot* niezapominajka
forgive [fə'giv] *vt* (**forgave** [fə'geiv], **forgiven** [fə'givn]) odpu-ścić/szczać (**sb for sth** komuś coś — grzechy itp.); darować (**sb for sth** komuś coś — winę, dług itp.); wybacz-yć/ać <przebacz-yć/ać> (**sb for sth** komuś coś); **I have not been** ~**n my errors** nie wybaczono mi moich błędów; pamiętają mi moje błędy *zob* **forgiving**
forgiveness [fə'givnis] *s* 1. odpuszczenie (grzechów); darowanie (winy, długu itp.) 2. wybaczenie; przebaczenie
forgiving [fə'giviŋ] [I] *zob* **forgive** [II] *adj* wyrozumiały; pobłażliwy; **to be** ~ nie pamiętać cudzych przewinień
forgo [fɔ:'gou] *vt* (**forwent** [fɔ:'went], **forgone** [fɔ:'gɔn]) zrze-c/kać się (**sth** czegoś); powstrzym-ać/ywać się (**sth** od czegoś); ob-yć/ywać się (**sth** bez czegoś)
forgone *zob* **forgo**
forgot *zob* **forget**
forgotten *zob* **forget**
fork [fɔ:k] [I] *s* 1. widelec 2. *roln karc* widły 3. rozwidlona podpórka 4. *techn* widełki 5. rozwidlenie 6. = **tuning-fork** [II] *vi* 1. rozwidl-ić/ać się 2. (*na gościńcu*) skręc-ić/ać (w prawo, lewo) [III] *vt* spulchni-ć/ać (ziemię)
~ **out** <**up**> *vt vi pot* wy/bulić (pieniądze)
zob **forked**
forked [fɔ:kt] [I] *zob* **fork** *v* [II] *adj* widlasty; rozwidlony
forlorn [fə'lɔ:n] *adj* 1. beznadziejny; stracony; ~ **hope** oddział skazany na stracenie 2. opuszczony; samotny 3. niepocieszony; (*o wyglądzie*) smutny
↑**form** [fɔ:m] [I] *s* 1. kształt; postać; forma; odmiana 2. formalność; **in** (**due, proper**) ~ należyty, należycie; formalny, formalnie; przepisowy, przepisowo 3. konwenanse; formy towarzyskie; **in bad** ~ niewłaściwy; **in good** ~ przyjęty (w towarzystwie) 4. formułka; **a** ~ **of speech** sposób wyrażania się; **it's a** ~ **of speech** tak się mówi 5. formularz, druk 6. forma (sportowca itp.); nastrój <usposobienie, werwa> (mówcy, pisarza itp.) 7. *szk* klasa; ~ **master** wychowawca 8. ławka 9. legowisko (zająca) 10. *druk* forma [II] *vt* 1. u/kształtować; u/formować; u/konstytuować; fasonować; ur-obić/abiać; **to** ~ **sth into sth** nada-ć/wać czemuś kształt czegoś 2. z/organizować; z/montować 3. u/tworzyć 4. wyr-obić/abiać sobie (**pojęcie**); uło-żyć/układać (plan); stwarzać sobie (**wątpliwości**); nab-rać/ierać (**sth** czegoś — **przyzwyczajenia itd.**) 5. *wojsk* ustawi-ć/ać (**kolumnę**); (*o oddziale*) **to** ~ **a column** ustawi-ć/ać się w kolumnę 6. stanowić (część czegoś, zespół itd.) [III] *vi* 1. kształtować się 2. (*także* ~ **up**) *wojsk* ustawi-ć/ać się w szeregi *zob* **formed**
formal ['fɔ:məl] *adj* 1. formalny; oficjalny 2. urzędowy; przepisowy 3. wyraźny; kategoryczny 4. zewnętrzny; pozorny; zrobiony dla pozoru 5. uroczysty; ceremonialny; sztywny 6. formalistyczny 7. *plast* konwencjonalny
formaldehyde [fɔ:'mældiˌhaid] *s chem* aldehyd mrówkowy
formalin ['fɔ:məlin] *s chem* formalina
formalism ['fɔ:məˌlizəm] *s* formalizm
formalist ['fɔ:məlist] *s* formalist-a/ka
formality [fɔ:'mæliti] *s* 1. formalność 2. sztywność (zachowania itd.) 3. etykieta
formalize ['fɔ:məˌlaiz] [I] *vt* u/kształtować; nada-ć/wać kształt (**sth** czemuś) [II] *vi* formalizować
format ['fɔ:mæt] *s* format
formation [fɔ:'meiʃən] *s* 1. budowa; uformowanie <ukształtowanie, utworzenie> (się); powstawanie 2. *wojsk geol* formacja; *geol* utwór
formative ['fɔ:mətiv] *adj* 1. kształtujący 2. słowotwórczy
form-drag ['fɔ:mˌdræg] *s fiz* opór kształtu
forme [fɔ:m] = **form** *s* 9.
formed [fɔ:md] *zob* **form** *v*; ~ **to** _ stworzony do tego, żeby... (**command etc.** rozkazywać itd.)
former¹ ['fɔ:mə] *s* 1. formierz, giser 2. wzornik; matryca
former² ['fɔ:mə] [I] *adj* 1. poprzedni; pierwszy

(z dwu wymienionych) 2. dawny; były; miniony [II] *pron* pierwszy (z dwu wymienionych)
formerly ['fɔ:məli] *adv* dawniej; przedtem; poprzednio; ongiś; w dawnych czasach
formic ['fɔ:mik] *adj chem* (*o kwasie*) mrówkowy
formicarium [ˌfɔ:mi'kɛəriəm] *s* mrowisko
formicate ['fɔ:miˌkeit] *vi* mrowić się (**with vermin etc.** od robactwa itd.)
formication [ˌfɔ:mi'keiʃən] *s* mrowienie
formidable ['fɔ:midəbl] *adj* 1. straszny; groźny 2. ogromny; potężny
formless ['fɔ:mlis] *adj* bezkształtny
formula ['fɔ:mjulə] *s* (*pl* **formulae** ['fɔ:mjuˌli:], **~s**) 1. formułka 2. przepis; recepta 3. *mat chem* wzór
formulary ['fɔ:mjuləri] *s* 1. zbiór formułek 2. *med* zbiór recept, receptariusz
formulate ['fɔ:mjuˌleit] *vt* s/formułować; z/redagować; wyra-zić/żać; wypowi-edzieć/adać
formulation [ˌfɔ:mju'leiʃən] *s* sformułowanie; zredagowanie; wyrażenie; wypowiedzenie
formulism ['fɔ:mjuˌlizəm] *s* przywiązanie do formułek
fornicate ['fɔ:niˌkeit] *vi* cudzołożyć
fornication [ˌfɔ:ni'keiʃən] *s* cudzołóstwo
fornicator ['fɔ:niˌkeitə] *s* cudzołożni-k/ca
forrader ['fɔrədə] *adv pot* naprzód; dalej; **they weren't any ~** nic im to nie pomogło
forrel ['fɔrəl] = **forel**
forsake [fə'seik] *vt* (**forsook** [fə'suk], **forsaken** [fə'seikən]) opu-ścić/szczać; porzuc-ić/ać; zaniechać (**sth** czegoś); zap-rzeć/ierać się (**sb, sth** kogoś, czegoś) *zob* **forsaken**
forsaken [fə'seikən] [I] *zob* **forsake** [II] *adj* opuszczony; zapomniany
forsook *zob* **forsake**
forsooth [fə'su:θ] *adv lit* zaiste; doprawdy
forspent [fə'spent] † *adj* wyczerpany
forswear [fɔ:'swɛə] *vt* (**forswore** [fɔ:'swɔ:], **forsworn** [fɔ:'swɔ:n]) odprzysi-ąc/ęgać; wyp-rzeć/ierać się (**sb, sth** kogoś, czegoś); zaprzecz-yć/ać pod przysięgą (**sth** czemuś); **~ oneself** krzywoprzysięgać *zob* **forsworn**
forswearer [fɔ:'swɛərə] *s* krzywoprzysięzca
forswore *zob* **forswear**
forsworn [fɔ:'swɔ:n] [I] *zob* **forswear** [II] *adj* krzywoprzysięski
forsythia [fɔ:'saiθiə] *s bot* forsycja (krzew ozdobny)
fort [fɔ:t] *s wojsk* fort
forte[1] [fɔ:t] *s* (**sb's** czyjaś) mocna <silna> strona
forte[2] ['fɔ:ti] *adj adv muz* forte; silny, silnie
forth [fɔ:θ] *adv* (*w przestrzeni, w czasie i w czynności*) naprzód; **and so ~** i tak dalej, itd.; **back and ~** tam i z powrotem; **from this time ~** odtąd; w przyszłości *Uwaga: nadaje czasownikom specyficzne znaczenie* (*przy nich podane*)
forthcoming [fɔ:θ'kʌmiŋ] *adj* przyszły; nadchodzący; **to be ~** nadchodzić; zbliżać się; (*o wydawnictwie*) mieć się ukazać
forthright ['fɔ:θ'rait] [I] *adv* 1. prosto; otwarcie; szczerze 2. natychmiast [II] *adj* ['fɔ:θˌrait] prosty; otwarty; szczery
forthwith ['fɔ:θ'wið] *adv* natychmiast; bezzwłocznie
fortieth ['fɔ:tiiθ] *num* [I] *adj* czterdziesty [II] *s* (jedna) czterdziesta (część)
fortification [ˌfɔ:tifi'keiʃən] *s* 1. fortyfikacja; umocnienie 2. wzmocnienie (kwasu, wina)
fortify ['fɔ:tiˌfai] *vt* (**fortified** ['fɔ:tiˌfaid], **fortified; fortifying** ['fɔ:tiˌfaiiŋ]) 1. wzm-ocnić/acniać; obwarow-ać/ywać (miasto) 2. pokrzepi-ć/ać 3. pop-rzeć/ierać (faktami itp.) 4. za/hartować (kogoś, się)
fortissimo [fɔ:'tisiˌmou] *adj adv muz* fortissimo, bardzo silny <silnie>
fortitude ['fɔ:tiˌtju:d] *s* hart (ducha)
fortnight ['fɔ:tˌnait] *s* dwa tygodnie; **a ~'s rest** dwutygodniowy odpoczynek; **this day <to-day> a ~** od dziś za dwa tygodnie
fortnightly ['fɔ:tˌnaitli] [I] *adj* dwutygodniowy [II] *adv* co dwa tygodnie
fortress ['fɔ:tris] *s* forteca, twierdza, warownia
fortuitous [fɔ:'tjuitəs] *adj* przypadkowy
fortuitousness [fɔ:'tjuitəsnis] *s* przypadkowość
fortuity [fɔ:'tjuiti] *s* 1. przypadkowość 2. przypadek
fortunate ['fɔ:tʃnit] *adj* 1. szczęśliwy; **to be ~** mieć szczęście; **I was ~ in finding —, I was ~ enough <so ~ as> to find —** udało mi się znaleźć... 2. pomyślny; udany; **how ~!** jak to dobrze!
fortunately ['fɔ:tʃnitli] *adv* 1. szczęśliwie; pomyślnie 2. na szczęście
fortune ['fɔ:tʃən] *s* 1. traf; przypadek; ślepy los, *mitol* **Fortune** Fortuna; **a soldier of ~** najemnik; kondotier; **by ~** przypadkiem; przypadkowo; **good ~** szczęśliwy traf; szczęście; **ill <bad> ~** nieszczęście; pech; **to tell ~s by cards** wróżyć z kart; **to try one's ~** spróbować <zdać się na los> szczęścia 2. majątek; bogactw-o/a; **a man of ~** człowiek majętny
fortune-hunter ['fɔ:tʃənˌhʌntə] *s* mężczyzna polujący na żonę z posagiem
fortune-teller ['fɔ:tʃənˌtelə] *s* wróżbita; wróżka
fortune-telling ['fɔ:tʃənˌteliŋ] *s* wróżenie (z kart itp.)
forty ['fɔ:ti] *num* [I] *adj* 1. czterdzieści; czterdzieścioro; **a man <woman> of ~** mężczyzna <kobieta> czterdziestoletni/a; **he <she, it> is ~ (years old)** on <ona, ono> ma czterdzieści lat; **~ winks** drzemka poobiednia; *kość* **the ~ hours** czterdziestogodzinne nabożeństwo [II] *s* 1. czterdziestka, **he <she> is over ~** przekroczył/a czterdziestkę 2. *pl* **forties** lata czterdzieste (danego wieku, czyjegoś życia)
forty-niner [ˌfɔ:ti'nainə] *s am* poszukiwacz złota w Kalifornii w r. 1849
forum ['fɔ:rəm] *s dosł i przen* forum
forward ['fɔ:wəd] [I] *adj* 1. przedni 2. skierowany ku przodowi; **~ and backward movement** ruch wahadłowy; **~ movement** ruch naprzód 3. postępowy 4. przedwczesny; (*o roślinach*) wczesny 5. śmiały; z tupetem; bezczelny 6. chętny <rwący się> (**to do sth** do czegoś) 7. *handl* (*o umowie, dostawie*) terminowy [II] *vt* 1. przes-łać/yłać; pos-łać/yłać; wy/ekspediować 2. pos-łać/yłać <przes-łać/yłać> dalej (w razie zmiany adresu) 3. pop-rzeć/ierać 4. przyspiesz-yć/ać (rozwój itp.); pędzić (rośliny) *zob* **forwarding** [III] *adv* (*także* **~s**) 1. naprzód; ku przodowi; przed siebie; **to come <step> ~** wystąpić 2. na widoku; w centrum powszechnej uwagi 3. (*w czasie*) naprzód; na przyszłość; z góry; przedterminowo; **from that day ~** od tego już czasu *Uwaga: nadaje czasownikom specyficzne znaczenie* (*przy nich podane*) [IV] *s* (*w piłce nożnej*) gracz w ataku; napastnik; **~ centre** środkowy napastnik
forwarder ['fɔ:wədə] *s* 1. spedytor 2. wysyłający-y/a

forwarding ['fɔ:wədiŋ] [I] *zob* **forward** *v* [II] *attr* spedycyjny; ~ **agency** dom spedycyjny; ~ **agent** spedytor
forwardness ['fɔ:wədnis] *s* 1. postęp 2. przedwczesność; przyśpieszony rozwój 3. ochoczość <gotowość> (do czegoś) 4. śmiałość; tupet; bezczelność
forwards *zob* **forward** *adv*
forwent *zob* **forgo**
forworn [fɔ:'wɔ:n] = **forspent**
fossa ['fɔsə] *s* (*pl* **fossae** ['fɔsi:]) *anat* dół; jama; rów; bruzda
fosse [fɔs] *s* 1. rów; fosa 2. = **fossa**
fossick ['fɔsik] *vi austral sl* szperać
fossil ['fɔsl] [I] *s* 1. skamieniałość; skamielina 2. *przen* człowiek o przestarzałych <przedpotopowych> poglądach [II] *adj* 1. kopalny; skamieniały 2. *przen* przestarzały; archaiczny; przedpotopowy
fossilize ['fɔsi,laiz] [I] *vt* zamieniać w kamień [II] *vi* skamienieć *zob* **fossilized**
fossilized ['fɔsi,laizd] [I] *zob* **fossilize** [II] *adj* 1. skamieniały 2. *przen* przestarzały; archaiczny; przedpotopowy
fossorial [fɔ'sɔ:riəl] *adj zoo* ryjący
foster ['fɔstə] *vt* 1. wychow-ać/ywać; wykarmi-ć/ać 2. żywić (uczucie); wy/pieścić (nadzieję itp.); pop-rzeć/ierać; podsycać 3. sprzyjać (**sth** czemuś)
fosterage ['fɔstəridʒ] *s* 1. wy/karmienie; okres karmienia; **during a child's** ~ gdy dziecko było przy mamce 2. obowiązki mamki <karmicielki> 3. wynagrodzenie mamki <karmicielki>
foster-brother ['fɔstə,brʌðə] *s* brat mleczny
foster-child ['fɔstə,tʃaild] *s* (*pl* **foster-children** ['fɔstə,tʃildrən]) wychowan-ek/ka; przybrane dziecko
fosterer ['fɔstərə] *s* 1. opiekun; wychowawca; piastun 2. inspirator; podżegacz
foster-father ['fɔstə,fa:ðə] *s* opiekun; wychowawca
fosterling ['fɔstəliŋ] = **foster-child**
foster-mother ['fɔstə,mʌðə] *s* mamka; karmicielka; **artificial** ~ wylęgarnia
fostress ['fɔstris] *s* opiekunka; piastunka; niańka
fought *zob* **fight** *v*
foul [faul] [I] *adj* 1. cuchnący; śmierdzący; smrodliwy; wstrętny; obrzydliwy; odrażający; plugawy; (*o pogodzie*) brzydki; ~ **weather** niepogoda; słota; burzliwy czas; ~ **wind** wiatr przeciwny 2. nieczysty; ~ **copy** brulion 3. zepsuty; zgniły 4. ordynarny 5. sprośny; ~ **talk** sprośności 6. podły; haniebny; **a** ~ **deed** podłość 7. zanieczyszczony; zatkany 8. *sport* nieprzepisowy; niedozwolony; ~ **play** a) faulowanie b) *przen* nieczysta gra; **by fair means or** ~ nie przebierając w środkach 9. (*o sznurze itp*) splątany [II] *vt* 1. s/kalać; s/plugawić; s/paskudzić 2. zanieczy-ścić/szczać; za/brudzić 3. zat-kać/ykać; za/tarasować; s/powodować zator (**a road etc.** na drodze itp.) 4. najechać (**sth** na coś — statek itp.); zderzyć się (**sb, sth** z kimś, czymś) 5. *sport* s/faulować [III] *s* 1. *sport* sfaulowanie, faul 2. kolizja; zderzenie 3. podłość; **through** ~ **or fair** nie przebierając w środkach [IV] *adv* nieuczciwie; nieprzepisowo; **to play sb** ~ z/robić komuś świństwo; **to run** <**fall**> ~ **of sth** zderz-yć/ać się z czymś; naje-chać/żdżać na coś
foulard ['fula:] *s* fular
foul-mouthed ['faul'mauðd] *adj* (*o człowieku*) (z lubością) używający sprośnych <wulgarnych, trywialnych> wyrazów; wulgarny w mowie; *pot* z niewyparzoną gębą
foulness ['faulnis] *s* 1. smród; obrzydliwość; plugawość 2. zanieczyszczenie; zepsucie; gnicie 3. ordynarność 4. sprośność 5. podłość
foul-spoken ['faul,spoukən], **foul-tongued** ['faul,tʌŋd] *adj* ordynarny; rubaszny
foumart ['fuma:t] *s zoo* tchórz
found[1] *zob* **find** *v*
found[2] [faund] *vt* 1. za-łożyć/kładać; u/tworzyć 2. u/fundować 3. op-rzeć/ierać (coś, się — na czymś)
found[3] [faund] *vt* odl-ać/ewać; z/robić odlew (**sth** czegoś, z czegoś)
foundation [faun'deiʃən] *s* 1. za-łożenie/kładanie; u/tworzenie 2. u/fundowanie; fundacja 3. fundament; podwalina 4. podstawa (**of sth** do czegoś); **rumour without** ~ bezpodstawna pogłoska
foundationer [faun'deiʃṇə] *s* stypendyst-a/ka
foundation-stone [faun'deiʃən,stoun] *s* kamień węgielny
founder[1] ['faundə] *s* założyciel; fundator
founder[2] ['faundə] *s* odlewnik, giser
founder[3] ['faundə] [I] *vi* 1. zawalić <zapaść> się; runąć 2. (*o koniu*) dosta-ć/wać ochwatu 3. (*o statku*) zatonąć [II] *vt* 1. ochwac-ić/ać <okulawi-ć/ać, zaje-ździć/żdżać, nadweręż-yć/ać> (konia) 2. zat-opić/apiać (statek) [III] *s wet* (*u konia*) ochwat
foundling ['faundliŋ] *s* podrzutek; znajda
foundress ['faundris] *s* założycielka; fundatorka
foundry ['faundri] *s* odlewnia; *druk* ~ **proof** korekta łamana
fount[1] [faunt] *s* 1. źródło (czegoś) 2. zbiornik (lampy naftowej)
fount[2] [fɔnt] *s druk* asortyment czcionek
fountain ['fauntin] *s* 1. pijalnia publiczna; **soda** ~ **bar**; pijalnia napojów bezalkoholowych 2. fontanna; wodotrysk 3. *przen* źródło <studnia> (czegoś) 4. zbiornik (lampy naftowej, pióra wiecznego)
fountain-head ['fauntin'hed] *s dosł i przen* źródło
fountain-pen ['fauntin'pen] *s* pióro wieczne
four [fɔ:] *num* [I] *adj* 1. cztery; czworo; **a child** <**boy, girl**> **of** ~ dziecko <chłopiec, dziewczynka> czteroletnie <czteroletni/a>; **he** <**she, it**> **is** ~ **(years old)** on <ona, ono> ma cztery lata; ~ **and six** cztery szylingi i sześć pensów, cztery i pół szylinga [II] *s* 1. czwórka (cyfra, numer obuwia, rękawiczek itd.); **on all** ~**s** na czworakach; **to be on all** ~**s with sth** zgadzać się z czymś 2. *pl* ~**s** *wojsk* czwórki 3. *pl* ~**s** czteroprocentowe papiery wartościowe
four-ale ['fɔ:r,eil] *s* piwo w cenie czterech pensów za litr
four-course ['fɔ:,kɔ:s] *attr* 1. (*o posiłku*) z czterech dań 2. *roln* (*o płodozmianie*) czteroletni; ~ **rotation** czteropolówka
four-dimensional ['fɔ:-di'menʃṇl] *adj* czterowymiarowy
four-figured ['fɔ:'figəd] *adj* czterocyfrowy
four-flusher ['fɔ:,flʌʃə] *s am sl* oszust/ka
fourfold ['fɔ:,fould] [I] *adj* czterokrotny; czworaki [II] *adv* czterokrotnie; czworako
four-footed ['fɔ:'futid] *adj* czworonożny, czworonogi
four-handed ['fɔ:'hændid] *adj* 1. (*o małpach*) czwororęki 2. (*o grze*) na cztery osoby 3. *muz* na cztery ręce
four-horse ['fɔ:'hɔ:s] *adj* (*o pojeździe*) czterokonny

four-in-hand ['fɔ:rin'hænd] *s* zaprzęg czterokonny
four-leaf ['fɔ:'li:f] *adj* (*o koniczynie*) czterolistny
four-legged ['fɔ:,legd] *adj* czworonożny, czworonogi
four-oar ['fɔ:r'ɔ:] *adj* (*o łódce*) na cztery wiosła; **~ boat** czterowiosłówka
four-o'clock ['fɔ:r-ə'klɔk] *s bot* dziwaczek (roślina z rodzaju nocnicowatych)
four-part ['fɔ:'pa:t] *adj muz* (*o utworze*) na cztery głosy
fourpence ['fɔ:pəns] *s* cztery pensy (kwota)
fourpenny ['fɔ:pəni] *adj* czteropensowy
four-poster ['fɔ:'poustə] s łóżko z baldachimem
four-pounder ['fɔ:'paundə] *s wojsk* armata o kulach czterofuntowych
fourragere [,furə'ʒɛə] *s wojsk* odznaczenie jednostki noszone przez wojskowych na ramieniu
four-rowed ['fɔ:'roud] *adj* (*o kłosie jęczmienia*) czterorzędowy
fourscore ['fɔ:'skɔ:] *adj* osiemdziesiąt
four-seater ['fɔ:'si:tə] *s* samochód czteroosobowy
foursome ['fɔ:səm] [I] *s* czwórka (do jakiejś gry — brydża **itd.**) [II] *adj* (grany) w cztery osoby
four-square ['fɔ:'skwɛə] *adj* kwadratowy
four-stroke ['fɔ:,strouk] *adj techn* czterotaktowy
fourteen ['fɔ:'ti:n] *num* [I] *adj* czternaście; czternaścioro; **a boy <girl> of ~** chłopiec <dziewczyna> czternastoletni/a; **he <she, it> is ~ (years old)** on <ona, ono> ma czternaście lat; **~ and six** czternaście szylingów i sześć pensów, czternaście i pół szylinga [II] *s* czternastka (cyfra, numer obuwia itd.)
fourteenth ['fɔ:'ti:nθ] *num* [I] *adj* czternasty; **the ~ of —** czternastego... (lipca itd.) [II] *s* (jedna) czternasta (część)
fourth [fɔ:θ] *num* [I] *adj* 1. czwarty; **the ~ of —** czwartego ... (lipca itd.) 2. czwarty do gry (do brydża itd.) 3. *am* **the Fourth of July** 4 lipca (święto narodowe) [II] *s* (jedna) czwarta (część)
fourthly ['fɔ:θli] *num adv* po czwarte
four-way ['fɔ:'wei] *adj techn* (*o zaworze*) czterodrogowy
four-wheeled ['fɔ:'wi:ld] *adj* czterokołowy
four-wheeler ['fɔ:'wi:lə] *s* dorożka
foveolate [fou'viə,leit] *adj anat* dołkowaty
fowl [faul] [I] *s* 1. *lit* ptak; ptactwo (dzikie) 2. drób (*także* potrawa) [II] *vi* polować na dzikie ptactwo
fowler ['faulə] *s* 1. ptasznik 2. myśliwy polujący na dzikie ptactwo
fowling-piece ['fauliŋ,pi:s] *s* strzelba myśliwska, śrutówka; flower, *†* flobert
fowl-run ['faul,rʌn] *s* wybieg dla drobiu
fox [fɔks] [I] *s* 1. lis 2. *am* = **freshman** [II] *vt* 1. pokry-ć/wać rudymi plamami (papier itp.) 2. odn-owić/awiać (obuwie) 3. oszuk-ać/iwać 4. zamr-oczyć/aczać [III] *vi* 1. chytrzyć 2. (*o papierze itp*) pokry-ć/wać się rudymi plamami 3. (*o piwie*) s/kwaśnieć
foxbane ['fɔks,bein] *s bot* tojad
fox-brush ['fɔks,brʌʃ] *s* kita (lisia)
fox-fire ['fɔks,faiə] *s* fosforyzowanie (próchna itp.)
foxglove ['fɔks,glʌv] *s bot* naparstnica
foxhound ['fɔks,haund] *s zoo* wyżeł
fox-hunting ['fɔks,hʌntiŋ] *s* polowanie na lisa
foxlike ['fɔks,laik] *adj* lisi
foxtail ['fɔks,teil] *s bot* wyczyniec
fox-terrier ['fɔks,teriə] *s zoo* foksterier
foxtrot ['fɔkstrɔt] *s* fokstrot
foxy ['fɔksi] *adj* (**foxier** ['fɔksiə], **foxiest** ['fɔksiist]) 1. lisi 2. rudy 3. (*o piwie*) kwaśny; skwaśniały 4. (*o papierze*) pokryty rudymi plamami
foyer ['fɔiei] *s* foyer
fracas ['fræka:] *s* awantura; burda; *pot* rozróba
fraction ['frækʃən] *s* 1. ułamek; część; odłam; frakcja 2. *mat* ułamek 3. *chem* frakcja
fractional ['frækʃənḷ] *adj* 1. *mat* ułamkowy 2. *chem* frakcjonowany; frakcjonalny; frakcyjny
fractionate ['frækʃə,neit] *vt chem* frakcjonować (naftę itd.)
fractionize ['frækʃə,naiz] *vt* po/dzielić na części <na ułamki>
fractious ['frækʃəs] *adj* 1. krnąbrny; nieposłuszny 2. kłótliwy
fracture ['fræktʃə] [I] *s* złamanie; pęknięcie; *miner* przełam [II] *vt vi* z/łamać (się)
frae [frei] *szkoc* = **from**
fraenium ['fri:nəm] *s* (*pl* **fraena** ['fri:nə]) *anat* wędzidełko
fragile ['frædʒail] *adj* 1. kruchy; łamliwy; delikatny 2. *przen* słabowity; wątły
fragility [frə'dʒiliti] *s* 1. kruchość; łamliwość; delikatność 2. *przen* słabowitość; wątłość
fragment ['frægmənt] *s* fragment; urywek; ułamek; odłamek; okruch
fragmentary ['frægməntəri] *adj* fragmentaryczny; urywkowy
fragmentation [,frægmen'teiʃən] *s* rozpryskiwanie się; **~ bomb** bomba rozpryskowa
fragrance ['freigrəns] *s* zapach, woń; aromat
fragrant ['freigrənt] *adj* pachnący (**of <with> sth** czymś); aromatyczny; rozsiewający zapach <przyjemną woń>
frail[1] [freil] *s* kosz, koszyk; plecionka
frail[2] [freil] *adj* 1. kruchy; łamliwy 2. przemijający; przelotny 3. słaby; słabowity; wątły 4. (*o kobiecie*) lekkomyślna
frailness ['freilnis] *s* 1. kruchość 2. przelotność (wrażeń itp.) 3. słabość; wątłość
frailty ['freilti] *s* 1. słabość 2. chwila słabości
fraise [freiz] *s* 1. *fort* kolec 2. *techn* frez
framboesia [fræm'bi:ziə] = **yaws**
frame [freim] [I] *vt* 1. u/kształtować; ułożyć/układać; złożyć/składać; z/montować; zestawi-ć/ać 2. dostr-oić/ajać 3. wykoncypować; wymyśl-ić/ać; 4. przedstawi-ć/ać sobie 5. u/knuć 6. wypowi-edzieć/adać; wym-ówić/awiać 7. oprawi-ć/ać (w ramę); obramow-ać/ywać [II] *vi* zapowiadać się (dobrze, źle)
~ up *vt sl* 1. u/knuć; u/kartować 2. s/fałszować (wyniki wyborów itd.)
zob **framing** [III] *s* 1. budowa; struktura; konstrukcja; zrąb; *przen* ciało; **~ of mind** nastrój; usposobienie (do czegoś) 2. szkielet (konstrukcji) 3. rama; oprawa; obramowanie 4. układ; porządek (społeczny) 5. skład (rządu) 6. krosno; warsztat (tkacki itd.) 7. *ogr* inspekt [IV] *attr* (*o antenie itd*) ramowy
frame-house ['freim,haus] *s* dom drewniany
framer ['freimə] *s* 1. autor (projektu itd.) 2. ramiarz, ramkarz (oprawiający obrazy)
frame-saw ['freim,sɔ:] *s* piła ramowa
frame-up ['freim'ʌp] *s am* sfabrykowanie (oskarżenia itp.)
frame-work ['freim,wə:k] *s* 1. zrąb; struktura; szkie-

let; kadłub 2. kompetencje <ramy> (instytucji itp.) 3. podbudowa; wiązanie (dachu)

framing ['freimiŋ] [I] *zob* **frame** *v* [II] *s* 1. konstrukcja; układ; kompozycja 2. koncepcja 3. obramowanie; ram-a/y 4. s/fabrykowanie (oskarżenia itp.)

franc [fræŋk] *s* frank

franchise ['fræntʃaiz] *s* 1. przywilej 2. *am* koncesja 3. prawa obywatelskie 4. prawo wyborcze

Franciscan [fræn'siskən] [I] *adj* franciszkański [II] *s* franciszkan-in/ka

francolin ['fræŋkəlin] *s zoo* ptak z rodziny kuropatw

frangible ['frændʒibl] *adj* łamliwy

frangipane ['frændʒi,pein] *s kulin* 1. krem migdałowy 2. ciastko z kremem migdałowym

frangipani ['frændʒi,pæni] *s* 1. *bot* uroczyn czerwony (drzewo zachodnioindyjskie) 2. perfumy otrzymane z uroczynu czerwonego 3. *kulin* krem migdałowy

frank[1] [fræŋk] *adj* szczery; otwarty; **to be quite ~** szczerze mówiąc

frank[2] [fræŋk] *vt* 1. uw-olnić/alniać od obowiązku <od podatku, od opłaty> 2. (*o liście polecającym*) umożliwi-ć/ać wstęp (**sb to** — komuś do ...); **to ~ sb to a circle** zapewnić komuś przyjęcie w jakimś środowisku 3. przew-ieźć/ozić

frankfurter, frankforter ['fræŋkfətə] *s am kulin* parówka

frankincense ['fræŋkin,sens] *s* kadzidło

franklin ['fræŋklin] *s hist* wolny kmieć

frankly ['fræŋkli] *adv* 1. szczerze; otwarcie 2. szczerze mówiąc; jeśli mam być szczery

frankness ['fræŋknis] *s* szczerość; otwartość

frantic ['fræntik] *adj* 1. oszalały; **to be ~** a) szaleć b) *pot* wściekać się; **to be ~ with** — szaleć z ... (radości itd.); *pot* **to drive sb ~** doprowadzić kogoś do szału <do białej gorączki> 2. zapamiętały; frenetyczny 3. *pot* szalony (ból itd.)

frap [fræp] *vt* (**-pp-**) *mar* mocno z/wiązać; uwiąz-ać/ywać

frappé ['fræpei] *adj* (*o napoju itd*) zimny; mrożony

frass [fræs] *s zoo* kał <wydzieliny> owadów

fraternal [frə'tə:nl] *adj* braterski; bratni; † bracki

fraternity [frə'tə:niti] *s* 1. braterstwo 2. bractwo 3. *am* korporacja <stowarzyszenie> (studentów)

fraternization [,frætənai'zeiʃən] *s* bratanie się

fraternize ['frætə,naiz] *vi* z/bratać się

fratricidal [,freitri'saidl] *adj* bratobójczy

fratricide ['freitri,said] *s* 1. bratobój-ca/czyni 2. bratobójstwo

frau ['frau] *s* (*pl* **~en** ['frauən]) pani (przed nazwiskiem Niemki)

fraud [frɔ:d] *s* 1. oszustwo; szalbierstwo 2. oszust/ka; szalbierz, naciągacz/ka 3. pułapka na naiwnych

fraudulence ['frɔ:djuləns] *s* oszukańczy charakter (transakcji itd.)

fraudulent ['frɔ:djulənt] *adj* oszukańczy; szalbierski

fraught [frɔ:t] *adj* 1. zaopatrzony (**with sth** w coś) 2. *lit* pełny (**with sth** czegoś); obfitujący <bogaty> (**with sth** w coś); tchnący (**with sth** czymś); brzemienny (**with consequences etc.** w następstwa itd.); najeżony (**with perils etc.** niebezpieczeństwami itp.)

fraxinella [,fræksi'nelə] *s bot* dyptam, dyptan

fray[1] [frei] *s* walka; bójka; burda; **eager for the ~** rwący się do walki <do boju>; **in the thick of the ~** w ogniu <w wirze> walki

fray[2] [frei] [I] *vt* 1. (*o jeleniu itp*) *w zwrocie*: **to ~ its head** czochrać się 2. wy-trzeć/cierać <wystrzępi-ć/ać> (ubranie itd.); **to ~ sb's nerves** działać komuś na <szarpać komuś> nerwy [II] *vi* (*o tkaninie, sznurze itd*) strzępić się [III] *s* wytarte <wystrzępione> miejsce

frazil ['freizil] *s* (*w Kanadzie*) lód denny

frazzle ['fræzl] *am pot* [I] *vt* wystrzępi-ć/ać [II] *vi* 1. strzępić się 2. konać ze zmęczenia [III] *s* strzęp; **to beat to ~** a) zbić na kwaśne jabłko b) zmordować; wymęczyć; **done to a ~** skonany

freak [fri:k] [I] *s* 1. kaprys; wybryk 2. potwór 3. fenomen [II] *attr* fantazyjny

freaked [fri:kt] *adj* pstry; w plamy; w paski

freakish ['fri:kiʃ] *adj* 1. kapryśny 2. niezwykły; dziwaczny

freckle ['frekl] [I] *vt* wywoł-ać/ywać plamki (**the skin** na skórze) [II] *vi* pokry-ć/wać się plamkami <piegami> *zob* **freckled** [III] *s* 1. plamka (na skórze) 2. *pl* **~s** piegi

freckled ['frekld] [I] *zob* **freckle** *v* [II] *adj* 1. piegowaty 2. nakrapiany; cętkowany

free [fri:] [I] *adj* 1. wolny (**from sth** od czegoś); swobodny; **~ speech** swoboda wypowiadania się; wolność słowa; **~ wheel** woln-e/y koło <bieg> (w rowerze itd.); **to be ~ of a city** mieć obywatelstwo miasta; **to be ~ of sb's house** mieć wolny wstęp do czyjegoś domu; **to be ~ to do sth** móc coś z/robić; mieć możność z/robienia czegoś; **you are ~ to go** <**say etc.**> może-sz/cie iść <mówić itd.>; nic nie stoi na przeszkodzie, żebyś/cie posz-edł/li <powiedzi-ał/eli itd.>; **to get** <**shake, wrench**> **oneself ~** uwolnić <*pot* odczepić> się; **to give sb a ~ hand** dać komuś swobodę działania <wolną rękę>; **to make ~ use of sth** używać czegoś bez ograniczeń; **to make ~ with sb** za dużo <wiele> sobie pozwalać wobec kogoś; **to set ~** uwolnić 2. wolny; niezależny 3. wolny; nie zajęty; **to be ~** mieć (wolny) czas 4. wolny (od opłaty); nie podlegający (**of sth** czemuś — opodatkowaniu itd.); **~ on board** (= **f.o.b.**) loco statek 5. bezpłatny 6. dobrowolny (datek itp.) 7. nieskrępowany <swobodny> (w obejściu, mowie itd.); **~ and easy** bez ceremonii, bez żenady 8. hojny; **to be ~ with** (**one's money etc.**) nie skąpić <nie szczędzić, nie żałować> (pieniędzy itd.); hojnie szafować (pieniędzmi itd.) 9. nie zawierający (**from iron etc.** żelaza itd.); *chem* nie związany; rodzimy [II] *adv* 1. wolno; swobodnie 2. bezpłatnie [III] *vt* (**freed** [fri:d], **freed; freeing** ['fri:iŋ]) 1. uw-olnić/alniać; oswob-odzić/adzać 2. wyzw-olić/alać; wybawi-ć/ać 3. oczy-ścić/szczać (**of** <**from**> **sth** z czegoś)

freeboard ['fri:,bɔ:d] *s mar* wolna burta

freebooter ['fri:,bu:tə] *s* korsarz

freeborn ['fri:,bɔ:n] *adj* wolno urodzony

freedman ['fri:dmən] *s* (*pl* **freedmen** ['fri:dmən]) *hist* wyzwoleniec

freedom ['fri:dəm] *s* 1. wolność; swoboda; niezależność 2. uwolnienie <wyzwolenie> (**from sth** od czegoś) 3. niekrępowanie się; **to take ~s with sb** pozwalać sobie na poufałości z kimś 4. prawo (**of sth** do czegoś); swobodne korzystanie (**of sth** z czegoś); wolny wstęp (**of sth** do czegoś); **~ of a city** obywatelstwo miasta

free-hand ['fri:,hænd] *adj* (*o rysunku*) odręczny
free-handed ['fri:,hændid] *adj* szczodry; hojny
free-hearted ['fri:'ha:tid] *adj* szczery; otwarty; impulsywny
freehold ['fri:,hould] [I] *s* grunt posiadany na własność [II] *adj* (*o gruncie*) posiadany na własność <bez ograniczeń>
freeholder ['fri:,houldə] *s* właściciel/ka (gruntu)
freely ['fri:li] *adv* 1. swobodnie 2. obficie; hojnie 3. nieskrępowanie; nieprzymuszenie; bez skrępowania, bez żenady 4. dobrowolnie; z własnej woli
freeman ['fri:mən] *s* (*pl* **freemen** ['fri:mən]) obywatel (państwa, miasta)
freemartin ['fri:ma:tin] *s* bezpłodna krowa
freemason ['fri:,meisn] *s* mason
freemasonry ['fri:,meisnri] *s* masoneria, wolnomularstwo
freesia ['fri:ziə] *s bot* frezja, pachnący irys południowoafrykański
free-spoken ['fri:'spoukən] *adj* szczery; otwarty; **a ~ man** weredyk; **to be ~** mówić bez ogródek
freestone ['fri:,stoun] *s* kamień ciosowy; piaskowiec
free-stone ['fri:,stoun] *s* pestka nie przylegająca do miąższu owocu
freethinker ['fri:'θiŋkə] *s* wolnomyśliciel/ka
free-thinking ['fri:,θiŋkiŋ] [I] *s* wolnomyślicielstwo [II] *adj* wolnomyślicielski
free-trader ['fri:'treidə] *s ekon* zwolennik wolnego handlu
free-wheel ['fri:'wi:l] [I] *attr* (*o rowerze*) wolnobieżny; z wolnym kołem <biegiem> [II] *vi* 1. (*o rowerzyście*) jechać na wolnym biegu 2. (*o automobiliście*) jechać z wyłączonym motorem
free-will ['fri:'wil] *attr* dobrowolny
freeze [fri:z] *v* (**froze** [frouz], **frozen** ['frouzn]) [I] *vi* 1. marznąć; **I am freezing** marznę; zimno mi; **it is freezing (hard)** jest (silny) mróz; **to make sb's blood ~** ścinać krew w żyłach 2. zamarzać; **the smile froze on her lips** uśmiech zamarł na jej ustach; **to ~ fast to** __ przymarznąć do ... (czegoś) 3. *chem* krzepnąć [II] *vt* 1. zamr-ozić/ażać 2. mrozić (**the blood in one's veins** krew w żyłach)
~ out *vt* wyrugować (konkurenta itp.)
~ over <**up**> *vi* (*o rzece itd*) zamarz-nąć/ać
zob **freezing** [III] *s* mróz, mrozy; **the ~ came** nastał/y mróz <mrozy>
freezer ['fri:zə] *s* przyrząd do zamrażania; chłodnia; zamrażarka; zamrażalnia
freezing ['fri:ziŋ] [I] *zob* **freeze** *v* [II] *adj* 1. zamrażający 2. (*o wietrze itd*) mroźny; lodowaty 3. (*o zachowaniu się*) lodowaty; oziębły [III] *s* 1. zamarzanie 2. zamrażanie
freezing-point ['fri:ziŋ,point] *s* punkt zamarzania
freight [freit] [I] *s* 1. fracht (koszt przewozu i ładunek) 2. zafrachtowanie 3. przewóz (towaru) statkiem (*am także* koleją) [II] *attr am* towarowy (pociąg, wagon) [III] *vt* 1. za/frachtować (statek) 2. na/ładować (statek) 3. przewozić (towar) statkiem (*am także* koleją)
freightage ['freitidʒ] *s* 1. zafrachtowanie 2. fracht 3. przewóz (towaru) statkiem (*am także* koleją)
freighter ['freitə] *s* 1. strona frachtująca statek 2. strona wysyłająca towar 3. frachtowiec (statek) 4. *am.* wagon towarowy
French [frentʃ] *adj* francuski; **~ bean** fasola; **~ heel** francuski obcas; **~ horn** waltornia; **~ letter** prezerwatywa; **~ polish** politura drzewna; **~ roof** dach mansardowy; **~ telephone** słuchawka z mikrofonem; **~ toast** grzanka smażona na tłuszczu; **~ window** oszklone drzwi; **to take ~ leave** wyjść po angielsku [II] *s* 1. język francuski; **~ master** <**lesson**> nauczyciel <lekcja> francuskiego 2. *pl* **the ~** Francuzi
Frenchie ['frentʃi] *s uj* francuzik
frenchify ['frentʃi,fai] *v* (**frenchified** ['frentʃi,faid], **frenchified**; **frenchifying** ['frentʃi,faiiŋ]) [I] *vt* s/francuzić [II] *vi* s/francuzieć
Frenchman ['frentʃmən] *s* (*pl* **Frenchmen** ['frentʃmən]) Francuz
Frenchwoman ['frentʃ,wumən] *s* (*pl* **Frenchwomen** ['frentʃ,wimin]) Francuzka
Frenchy ['frentʃi] *s żart* Francuz/ka
frenum ['fri:nəm] = **fraenum**
frenzied ['frenzid] [I] *zob* **frenzy** *v* [II] *adj* oszalały; **~ rage** dziki szał
frenzy ['frenzi] [I] *s* szał; szaleństwo [II] *vt* (**frenzied** ['frenzid], **frenzied**; **frenzying** ['frenziiŋ]) doprowadz-ić/ać do szału *zob* **frenzied**
frequency ['fri:kwənsi] *s* 1. częstość; częste powtarzanie się <ukazywanie się> (czegoś) 2. *elektr* częstotliwość; **~ meter** częstościomierz, częstotliwościomierz; **~ response** charakterystyka częstotliwościowa
frequent[1] ['fri:kwənt] *adj* częsty; rozpowszechniony; (będący) na porządku dziennym
frequent[2] [fri'kwent] *vt* 1. uczęszczać <często chodzić> (**a place** dokądś — do teatru itd., na coś — na koncerty itd.) 2. obcować (**sb** z kimś); odwiedzać <bywać u> (**sb** kogoś)
frequentation [,fri:kwen'teiʃən] *s* uczęszczanie (**of a place** dokądś); **~ of a person** częste przebywanie w czyimś towarzystwie
frequentative [fri'kwentətiv] *adj gram* częstotliwy; wielokrotny
frequenter [fri'kwentə] *s* 1. bywalec 2. stały gość
fresco ['freskou] [I] *s* (*pl* **~s, ~es**) fresk [II] *vt* pokry-ć/wać freskami
fresh [freʃ] [I] *adj* 1. (*o powietrzu, pieczywie, kwiatach, cerze itd*) świeży; (*o zajściu itd*) świeży; niedawny; **~ news** najnowsze wiadomości; (*w napisie*) **~ paint** świeżo malowane; **~ water** a) świeża woda b) słodka woda; **it is ~ in my memory** mam to świeżo w pamięci 2. świeżo przybyły (**from college, London etc.** z uniwersytetu, Londynu itd.) 3. nowy <dalszy> (rozdział itd.) 4. rześki; raźny; wypoczęty; **~ as a daisy** rześki; żwawy jak rybka 5. *am* śmiały; zuchwały 6. *pot* podchmielony 7. niedoświadczony [II] *adv* świeżo; niedawno; dopiero co [III] *s* 1. świeżość; chłód 2. napływ świeżej wody w rzece
freshen ['freʃn] [I] *vt* 1. odśwież-yć/ać 2. ochł-odzić/adzać [II] *vi* 1. nab-rać/ierać świeżości 2. pochłodnieć
fresher ['freʃə] = **freshman**
freshet ['freʃit] *s* 1. potok wpadający do morza 2. wezbrany potok
freshly ['freʃli] *adv* 1. świeżo; niedawno; dopiero co; ostatnio 2. świeżo; ze świeżym wyglądem
freshman ['freʃmən] *s* (*pl* **freshmen** ['freʃmən]) student pierwszego roku
fresh-water ['freʃ,wo:tə] *adj* słodkowodny
fret[1] [fret] [I] *vt* (**-tt-**) ozd-obić/abiać sufit <sklepienie> wypukłym deseniem z prostokątów [II] *s* wypukła ozdoba z prostokątów

fret[2] ['fret] *s* podziałka (na szyjce gitary itd.)
fret[3] [fret] *v* (**-tt-**) [I] *vt* 1. gryźć; podgryzać; wygryzać 2. niepokoić; trapić; denerwować; irytować 3. marszczyć (zwierciadło wody); wzburz-yć/ać 4. po/strzępić (sznur) [II] *vi* (*także vr* ~ **oneself**) niepokoić <denerwować, irytować> się; trapić <martwić> się (**about sb, sth** kimś, czymś, o kogoś, coś); gryźć <przejmować> się; **to ~ and fume** złościć <wściekać> się [III] *s* rozdrażnienie; niepokój; zdenerwowanie; utrapienie; irytacja; **to be in a** <**on the**> ~ irytować się
fretful ['fretful] *adj* 1. niespokojny; nerwowy 2. drażliwy 3. strapiony 4. wzburzony
fretfulness ['fretfulnis] *s* 1. niepokój; irytacja; zdenerwowanie 2. wzburzenie
fret-saw ['fret,sɔ:] *s* włośnica, laubzega, piłka ręczna
fretwork ['fret,wə:k] *s* 1. wypukła ozdoba sufitowa 2. robota laubzegowa
friability [,fraiə'biliti] *s* kruchość; miałkość
friable ['fraiəbl] *adj* kruchy; miałki; sypki
friar ['fraiə] *s* 1. zakonnik; mnich; **Black Friars** dominikanie; **Grey Friars** franciszkanie; **White Friars** karmelici 2. *druk* biała plama
friary ['fraiəri] *s* klasztor
fribble ['fribl] [I] *vi* baraszkować [II] *s* trzpiot/ka
fricandeau [,frikæn'dou] *s kulin* frykando (pieczeń cielęca naszpikowana słoniną)
fricassee [,frikə'si:] *s kulin* potrawka
fricative ['frikətiv] [I] *adj fonet* (*o głosce*) szczelinowy, trący [II] *s fonet* głoska szczelinowa <trąca>
friction ['frikʃən] *s* 1. tarcie; nacieranie 2. ucieranie (żółtka itp.)
frictional ['frikʃənl] *adj* tarciowy, cierny
friction-clutch ['frikʃən,klʌtʃ] *s techn* sprzęgło cierne
friction-disk ['frikʃən,disk] *s techn* tarcza cierna
friction-gear ['frikʃən,giə] *s techn* cierna przekładnia (biegów)
Friday ['fraidi] *s* piątek; **Good ~** Wielki Piątek
fried [fraid] *zob* **fry**[2] *v*; **~ eggs** jajka sadzone; **~ potatoes** frytki
friend [frend] *s* 1. przyjaci-el/ółka; **a ~ in need is a ~ indeed** przyjaci-ela/ół poznaje się w potrzebie; **to become** <**make**> **~s again** pogodzić <przeprosić> się; **to be ~s with sb** przyjaźnić się z kimś; **to make ~s with sb** zaprzyjaźnić się z kimś 2. znajom-y/a 3. kole-ga/żanka; *parl* (*między posłami*) **my honourable ~** mój szanowny kolega; *sąd* (*między adwokatami*) **my learned ~** mój szanowny kolega 4. *handl* klient/ka; znajom-y/a z terenu handlowego 5. **Friend** kwakier/ka; **the Society of Friends** kwakrzy
friendless ['frendlis] *adj* opuszczony; samotny
friendliness ['frendlinis] *s* życzliwość
friendly ['frendli] *adj* (**friendlier** ['frendliə], **friendliest** ['frendliist]) 1. przyjacielski; przyjazny; życzliwy; zaprzyjaźniony; **~ society** towarzystwo wzajemnej pomocy; **to become** <**be**> **~ with sb** zaprzyjaźnić <przyjaźnić> się z kimś 2. pomyślny
friendship ['frendʃip] *s* przyjaźń
Friesian ['fri:zjən] = **Frisian**
frieze[1] [fri:z] [I] *s* ratyna (tkanina) [II] *vt* kędzierzawić (tkaninę)
frieze[2] [fri:z] *s* 1. *arch* fryz 2. szlak <lampas> (w tapetach itd.)
frigate ['frigit] *s* 1. *mar* fregata (statek) 2. (*także* **~-bird**) *zoo* fregata (ptak)
fright [frait] [I] *s* 1. strach; przerażenie; **to give sb a ~** nastraszyć <przestraszyć, zastraszyć> kogoś; **to take ~** przestraszyć się 2. *dosł i przen* straszydło; strach na wróble [II] *vt lit* przestraszyć
frighten ['fraitn] *vt* przestraszyć; nastraszyć; zastraszyć; przera-zić/żać; **to ~ sb into sth** <**doing sth**> strachem wymusić coś <zrobienie czegoś> na kimś
~ away <**off**> *vt* odstrasz-yć/ać; s/płoszyć
zob **frightened**
frightened ['fraitnd] [I] *zob* **frighten** [II] *adj* przestraszony; zastraszony; wylękniony; **to be ~ at** <**of**> **sth** bać <przerazić> się czegoś; **to be ~ of doing sth** bać się coś zrobić
frightful ['fraitful] *adj* straszny; straszliwy; przerażający
frigid ['fridʒid] *adj* 1. *dosł i przen* zimny; lodowaty; **~ zone** strefa zimna 2. (*o kobiecie*) niepobudliwa (płciowo), *pot* zimna
frigidity [fri'dʒiditi], **frigidness** ['fridʒidnis] *s* 1. lodowatość 2. *przen* oziębłość 3. brak pobudliwości płciowej (u kobiety)
frigorific [,frigə'rifik] *adj* chłodzący; oziębiający; **~ mixture** chłodziwo, mieszanka chłodząca
frill [fril] [I] *vt* przybierać <obrębiać> falbankami; plisować; rurkować [II] *s* 1. falbanka; kryza; żabot; **Newgate ~** broda noszona półkolem dokoła ogolonego podbródka 2. *pl* **~s** fochy; fanaberie; **to put on ~s** stroić fochy 3. *kulin* papiloty (do ozdabiania półmiska)
frillies ['friliz] *spl* bielizna z falbankami
frilling ['friliŋ] [I] *zob* **frill** *v* [II] *s* krez-a/y; żabot/y
frilly ['frili] *adj* plisowany
fringe [frindʒ] [I] *s* 1. frędzla 2. obrębek 3. grzywka 4. skraj; brzeg 5. peryferie (miasta) 6. bordiura; lamówka; obwódka; **Newgate ~** = **Newgate frill** *zob* **frill** *s* 1. [II] *vt* 1. przyb-rać/ierać frędzlami 2. obramow-ać/ywać; obrębi-ć/ać [III] *vi* 1. wy/strzępić się; tworzyć frędzle 2. graniczyć (**upon sth** z czymś); być <stać> na pograniczu (**upon sth** czegoś) *zob* **fringing**
fringing ['frindʒiŋ] [I] *zob* **fringe** *v* [II] *s* 1. frędzl-a/e 2. obwódka
fringy ['frindʒi] *adj* tworzący obwódkę
frippery ['fripəri] *s* 1. fatałaszki 2. świecidełka
Frisian ['friziən] [I] *s* Fryzyj-czyk/ka [II] *adj* fryzyjski
frisette [fri'zet] *s* grzywka ze sztucznych loczków
frisk [frisk] [I] *vi* brykać [II] *vt* 1. (*o psie*) merdać (**its tail** ogonem) 2. *am* z/rewidować [III] *s* sus; skok
friskiness ['friskinis] *s* ożywienie; chęć brykania; swawolność
frisky ['friski] *adj* (**friskier** ['friskiə], **friskiest** ['friskiist]) ożywiony; swawolny; rozbrykany
frit [frit] [I] *s* stopione składniki szkliwa, masa szklana; prażonka, fryta [II] *vt* (**-tt-**) spie-c/kać, frytować; s/topić masę szklaną
frit-fly ['frit,flai] *s zoo* mucha szwedzka
frith [friθ] = **firth**
fritillary [fri'tiləri] *s bot* szachownica
fritter[1] ['fritə] *s* rodzaj naleśnika
fritter[2] ['fritə] *vt* (*także* **~ away** <**down**>) rozdr-obnić/abniać; z/marnować (czas, energię itd.) na drobiazgi; roz/trwonić (pieniądze, majątek itd.)

Fritz [frits] *spr pog* Szwab, Niemiec

frivol ['frivəl] *vi* (-ll-) baraszkować; próżnować **~ away** *vt* roz/trwonić <z/marnować> (**one's time** <**money etc.**> czas, pieniądze itd.)

frivolity [fri'vɔliti] *s* 1. błahość 2. błahostka; **to talk frivolities** mówić o rzeczach błahych 3. frywolność; lekkomyślność

frivolous ['frivələs] *adj* 1. frywolny; lekkomyślny; płochy; pusty; powierzchowny 2. błahy; marny

frizz[1] [friz] [I] *vt* u/wić <s/kręcić> w kędziory [II] *vi* wić <kędzierzawić> się [III] *s* 1. kędzierzawienie <wicie> się (włosów) 2. kędzierzaw-e/a włosy <czupryna>

frizz[2] [friz] *vi* za/skwierczeć; smażyć się

frizzle[1] ['frizl] [I] *vt* u/smażyć [II] *vi* za/skwierczeć; smażyć się

frizzle[2] ['frizl] [I] *vt* s/kręcić (włosy) w kędziory <na barana> [II] *vi* kędzierzawić się

frizzly ['frizli] = **frizzy**

frizzy ['frizi] *adj* (**frizzier** ['friziə], **frizziest** ['friziist]) (*o włosach*) kędzierzawy; skręcony silnie <na barana>

fro [frou] *adv w zwrocie*: **to and ~** tam i z powrotem

frock [frɔk] *s* 1. sukienka 2. habit (mnisi) 3. (*także* **~-coat**) surdut; anglez 4. sweter (marynarza) 5. *wojsk* mundur

frock-coat ['frɔk,kout] = **frock** 3.

frog[1] [frɔg] *s* 1. *zoo* żaba 2. *sl pog* Francuz

frog[2] [frɔg] *s wojsk* 1. pendent 2. sutasz 3. guzik kształtu oliwki

frog[3] [frɔg] *s* strzałka (w kopycie konia)

frog[4] [frɔg] *s kolej* krzyżownica

frog-fish ['frɔg,fiʃ] *s zoo* żabnica (ryba)

froggy ['frɔgi] *adj* żabi

frog-hopper ['frɔg,hɔpə] *s zoo* pluskwiak kraskowaty

frog-in-the-throat ['frɔginðə,θrout] *s* 1. chrypka 2. ból gardła

frogman ['frɔgmən] *s* (*pl* **frogmen** ['frɔgmən]) płetwonurek

frog-march ['frɔg,mɑ:tʃ] *s* niesienie opornego twarzą do ziemi przez 4 ludzi trzymających go za ręce i nogi

frog-spawn ['frɔg,spɔ:n] *s biol* skrzek (żabi)

frolic ['frɔlik] [I] *s* figiel; swawola; wybryk [II] *vi* (**frolicked** ['frɔlikt], **frolicked; frolicking** ['frɔlikiŋ]) figlować; swawolić; dokazywać

frolicsome ['frɔliksəm] *adj* figlarny; swawolny

from [frɔm] *praep* 1. *wydostanie się skądś*: z; **~ home** z domu 2. *dolna granica*: od; **~ four to six** od czterech do sześciu 3. *początek okresu czasu*: od; **~ a boy** od dzieciństwa; **~ that day** od tego dnia; **~ ... till** — od ... do ... 4. *oddalenie*: od; **~ the river** od rzeki 5. *rozstanie się, usunięcie, uwolnienie*: z; od; **released ~ prison** uwolniony z więzienia; **to refrain ~ laughing** powstrzymać się od śmiechu 6. *ochrona*: przed (czymś); od (czegoś); **a shelter ~ the rain** schronienie przed deszczem; **protection ~ lightning** ochrona od pioruna 7. *zmiana stanu*: z; **~ being attacked he became the aggressor** z napastowanego stał się napastnikiem 8. *odróżnianie*: od; **to distinguish the good ~ the bad** odróżniać dobre od złego 9. *pochodzenie*: z; **he comes ~ M.** pochodzi z M. 10. *źródło*: od; **a letter ~ my father** list od (mego) ojca 11. *naśladowanie*: z; według; **~ nature** z natury; **~ the original** według oryginału 12. *przyczyna, pobudka*: z (czegoś); **~ fatigue** ze zmęczenia 13. *z przysłówkiem i przyimkiem*: **~ above** z góry; **~ afar** z daleka; **~ below** z dołu; **~ henceforth** od tego czasu; **~ here** <**hence**> stąd; **~ outside** z zewnątrz; **~ over** znad (czegoś); **~ there** <**thence**> stamtąd; **~ under** spod (czegoś)

frond [frɔnd] *s* liść (paproci, palmy)

frondescence [frɔn'desns] *s bot* ulistnienie (paproci, palmy)

front [frʌnt] [I] *s* 1. przód; czoło (gromady itp.); front (budynku itp.); fasada; wystawa (sklepu); **further in ~** bardziej do przodu; **in ~** na przedzie; **in ~ of** — przed ...; **to come to the ~** wysunąć się na czoło; wystąpić na widownię; **to send sb on in ~** posłać kogoś na czoło <na przód> 2. *wojsk* front 3. czoło; twarz; **~ to ~** twarzą w twarz 4. czoło (śmiałość); **to have the ~ to do sth** mieć czoło <czelność> coś zrobić; **to show a bold ~** nie s/tracić pewności siebie 5. grzywka 6. gors (koszuli); plastron 7. (*w miejscowości nadmorskiej*) plaża [II] *attr* frontowy [III] *adj* 1. przedni; czołowy; **~ bench** ława ministerialna (w parlamencie); **~ page** pierwsza stronica (w gazecie) 2. *fonet* przedniojęzykowy [IV] *vt* 1. stawi-ć/ać czoło (**sb, sth** komuś, czemuś); nie bać <nie przestraszyć, nie ulęknąć> się (**sb, sth** kogoś, czegoś) 2. s/konfrontować 3. wy-łożyć/kładać fasadę (**a house** domu — kamieniem itp.) [V] *vi* stać frontem (**on** <**upon, to, towards**> **sth** do czegoś — morza itd.); patrzyć (**north etc.** na północ itd.)

frontage ['frʌntidʒ] *s* 1. długość frontu (budynku, parceli itd.) 2. front (budynku, oddziału wojska) 3. *arch* wystawa (budynku)

frontal ['frʌntl] [I] *adj* czołowy; *wojsk* frontalny [II] *s* 1. *arch* fronton 2. opaska (na czoło) 3. *kość* obrus (na ołtarzu)

frontier ['frʌntiə] [I] *s* 1. granica 2. *am* granica posuwania się osadników [II] *attr* pograniczny

frontier(s)man ['frʌntiə(z)mən] *s* (*pl* **frontier(s)men** ['frʌntiə(z)mən]) 1. mieszkaniec pogranicza 2. *am* człowiek z lasu

frontispiece ['frʌntis,pi:s] *s* 1. *arch* główna fasada 2. *druk* frontyspis

frontlet ['frʌntlit] *s* 1. przepaska 2. łeb (zwierzęcia) 3. *hebr rel* filakteria, tifilim

fronton ['frʌntən] *s arch* fronton; przyczółek

front-page ['frʌnt,peidʒ] *attr* (*o podanej wiadomości*) na pierwszej <tytułowej> stronie (gazety); sensacyjny

front-view ['frʌnt,viu:] *s arch* elewacja

frontward(s) ['frʌntwəd(z)] *adv* ku frontowi

frore [frɔ:] *adj poet* zmarznięty; zamarznięty

frost [frɔst] [I] *s* 1. mróz; **black ~** mróz bez oszronienia; **glazed ~** gołoledź; **Jack Frost** personifikacja mrozu; **sharp ~** silny mróz; **white** <**ground**> **~** szron; przymrozek 2. *przen* oziębłość (zachowania się) 3. *sl* fiasko [II] *vt* 1. z/mrozić (rośliny); omrozić (szyby) 2. posyp-ać/ywać cukrem <pudrem itp.> 3. przyprószyć (włosy siwizną) 4. po/lukrować (tort) 5. z/matować (szkło) 6. ostro podku-ć/wać (konia) *zob* **frosted, frosting**

frost-bite ['frɔst,bait] *s* odmrożenie

frost-bitten ['frɔst,bitn] *adj* odmrożony

frost-bound ['frɔst,baund] *adj* unieruchomiony przez mróz; w okowach lodu

frost-cleft ['frɔst,kleft], **frost-crack** ['frɔst,kræk] *s* pęknięcie <szczelina> od mrozu

fros'ed ['frɔstid] [I] *zob* **frost** *v* [II] *adj* 1. oszroniony 2. (*o szkle*) matowy
frostiness ['frɔstinis] *s dosł i przen* lodowatość
frosting ['frɔstiŋ] [I] *zob* **frost** *v* [II] *s* lukier
frost-work ['frɔst,wə:k] *s* mróz (na szybach)
frosty ['frɔsti] *adj* (**frostier** ['frɔstiə], **frostiest** ['frɔstiist]) 1. mroźny; *dosł i przen* lodowaty 2. oszroniony
froth [frɔθ] [I] *s* 1. piana, pianka 2. szumowiny 3. *przen* puste <czcze> słowa [II] *vi* pienić się [III] *vt* ubi-ć/jać (białko); rozpieni-ć/ać (mydło)
frothy ['frɔθi] *adj* (**frothier** ['frɔθiə], **frothiest** ['frɔθiist]) 1. pienisty 2. (*o słowach*) pusty; czczy
frou-frou ['fru:,fru:] *s* szelest, szmer
froward ['frouəd] † *adj* uparty; przekorny
frown [fraun] [I] *vi* 1. z/marszczyć brwi; z/robić <przyb-rać/ierać> srogą <niezadowoloną> minę 2. boczyć się <krzywo patrzyć> (**at** <**on, upon**> **sb, sth** na kogoś, coś) [II] *vt* wyra-zić/żać swą miną (dezaprobatę, niezadowolenie)
~ **down** *vt* s/peszyć (kogoś) srogą miną
[III] *s* zmarszczenie brwi; mars na czole; kose spojrzenie; wyraz <spojrzenie> dezaprobaty
frowst [fraust] [I] *vi* siedzieć w zaduchu [II] *s* zaduch; stęchłe powietrze
frowsty ['frausti] *adj* duszny; stęchły
frowzy ['frauzi] *adj* 1. (*o powietrzu*) duszny; stęchły 2. (*o ubraniu itd*) niechlujny
froze *zob* **freeze** *v*
frozen *zob* **freeze** *v*
fructification [,frʌktifi'keiʃən] *s* owocowanie
fructify ['frʌkti,fai] *v* (**fructified** ['frʌkti,faid], **fructified; fructifying** ['frʌkti,faiiŋ]) [I] *vt* zapł-odnić/adniać [II] *vi* owocować
fructose ['frʌktouz] *s chem* fruktoza, cukier owocowy
frugal ['fru:gəl] *adj* 1. oszczędny; **to be ~ of sth** oszczędzać coś 2. (*o jedzeniu* itd.) skromny
frugality [fru'gæliti] *s* 1. oszczędność 2. skromność (w jedzeniu); umiarkowanie
fruit [fru:t] [I] *s* 1. *dosł i przen* owoc/e; **stewed ~** kompot owocowy; **to bear ~** owocować 2. plon [II] *attr* owocowy; **~ salad** sałatka owocowa; **~ sugar** fruktoza [III] *vi* owocować
fruitage ['fru:tidʒ] *s* 1. owocowanie 2. owoce
fruitarian [fru:'tɛəriən] *s* jarosz/ka żywiąc-y/a się przeważnie owocami
fruit-cake ['fru:t,keik] *s* placek <ciastko> z owocami
fruiter ['fru:tə] *s* 1. statek dla przewozu owoców 2. dobrze rodzące drzewo owocowe 3. sadownik
fruiterer ['fru:tərə] *s* owoca-rz/rka
fruitful ['fru:tful] *adj* 1. owocujący; (*o glebie*) żyzny 2. płodny 3. owocny; bogaty (**in** <**of**> **sth** w coś — następstwa itd.)
fruitfulness ['fru:tfulnis] *s* 1. płodność 2. żyzność (gleby)
fruition [fru'iʃən] *s* 1. urzeczywistnienie (się) <realizacja> (projektu, nadziei itp.); **to come to ~** urzeczywistnić się 2. zadowolenie z korzystania <z posiadania>
fruitless ['fru:tlis] *adj* 1. (*o drzewie itp*) niepłodny 2. (*o staraniach itp*) bezowocny
fruitlet ['fru:tlit] *s bot* pojedynczy owoc grona
fruity ['fru:ti] *adj* (**fruitier** ['fru:tiə], **fruitiest** ['fru:tiist]) 1. owocowy; o smaku owocu 2. *sl* pikantny
frumentaceous [,fru:mən'teiʃəs] *adj* zbożowy
frumenty ['fru:mənti] *s* kasza pszenna na mleku
frump [frʌmp] *s* wyfiokowana i kłótliwa kobieta; **old ~** megiera
frumpish ['frʌmpiʃ] *adj* (*o kobiecie*) wyfiokowana i kłótliwa
frustrate [frʌs'treit] *vt* 1. unicestwi-ć/ać; z/niweczyć; rozwi-ać/ewać (nadzieje itp.) 2. udaremni-ć/ać (zamach itp.); po/krzyżować (plany itp.) 3. zaw-ieść/odzić (kogoś)
frustration [frʌs'treiʃən] *s* 1. zawód; zawiedzione nadzieje 2. unicestwienie <zniweczenie, rozwianie> (zamiaru, nadziei itp.) 3. udaremnienie <pokrzyżowanie> (planów itp.)
frustule ['frʌstju:l] *s zoo* skorupa okrzemka
frustum ['frʌstəm] *s* (*pl* **frusta** ['frʌstə], **~s**) *geom* 1. stożek ścięty 2. bryła foremna ścięta
frutescent [fru:'tesnt] *adj bot* korzenisty; krzaczasty
fruticose ['fru:ti,kous] *adj bot* krzewiasty; krzaczasty
fry[1] [frai] *s* 1. rój rybek; narybek; drobne rybki 2. *przen* dzieci; drobiazg 3. *przen* ludzie bez znaczenia; byle kto; hołota
fry[2] [frai] [I] *vt vi* (**fried** [fraid], **fried; frying** ['fraiiŋ]) u/smażyć (się) *zob* **fried** [II] *s* 1. smażone mięso 2. smażona ryba 3. podróbki, dróbka
fryer ['fraiə] *s* 1. człowiek smażący potrawę 2. naczynie do smażenia; patelnia; rondel
frying-pan ['fraiiŋ,pæn] *s* patelnia; **out of the ~ into the fire** z deszczu pod rynnę
fubby ['fʌbi], **fubsy** ['fʌbsi] *adj* przysadkowaty
fuchsia ['fju:ʃə] *s bot* fuksja
fuchsin(e) ['fu:ksi:n] *s* fuksyna
fucus ['fju:kəs] *s* (*pl* **fuci** ['fju:sai]) *bot* morszczyn (wodorost)
fuddle [fʌdl] [I] *vt* upi-ć/jać; zamroczyć; **to get ~d** upić się [II] *vi* upi-ć/jać się [III] *s pot* 1. biba, popijawa, pijatyka 2. zamroczenie (alkoholem); **to be in a ~** być pod dobrą datą; mieć w czubie
fudge [fʌdʒ] [I] *s* 1. partactwo; sklecenie; fuszerka 2. brednie; banialuki 3. karmelki 4. wiadomości z ostatniej chwili [II] *interj* nonsens! [III] *vt* 1. s/partaczyć (robotę); s/klecić 2 s/fałszować (rachunki itp.)
fuel [fjuəl] [I] *s* opał; paliwo; **to add ~ to the flame** dolewać oliwy do ognia [II] *vt* (**-ll-**) dostarcz-yć/ać paliwa <opału> (**a ship etc.** okrętowi itd.); zaopat-rzyć/rywać w paliwo <w opał> [III] *vi* (**-ll-**) zaopat-rzyć/rywać się w paliwo <w opał>
fug [fʌg] [I] *s pot* zaduch; ciężkie <zadymione> powietrze [II] *vi* (**-gg-**) kisnąć w zaduchu
fugacious [fju'geiʃəs] *adj* 1. przelotny; krótkotrwały; nietrwały 2. *chem* lotny
fugacity [fju'gæsiti] *s* 1. krótkotrwałość 2. *chem* lotność
fuggy ['fʌgi] *adj* (**fuggier** ['fʌgiə], **fuggiest** ['fʌgiist]) duszny; zatęchły
fugitive ['fju:dʒitiv] [I] *adj* 1. zbiegły 2. przelotny; krótkotrwały; nietrwały [II] *s* zbieg; uciekinier/ka; dezerter/ka
fugleman ['fju:glmæn] *s* (*pl* **fuglemen** ['fju:glmen]) 1. *wojsk* żołnierz przed frontem oddziału pokazujący ruchy, jakie oddział ma wykonywać 2. przywódca; rzecznik
fugue [fju:g] *s muz* fuga
fulcrum ['fʌlkrəm] *s* (*pl* **fulcra** ['fʌlkrə], **~s**) 1. punkt podparcia <zawieszenia, obrotu> 2. *pl* **fulcra** *bot* podpory (organy roślin służące do przy-

czepiania się) 3. *przen* środek (prowadzący do pewnego celu)

fulfil [ful'fil] *vt* (**-ll-**) 1. spełni-ć/ać (warunek itp.) 2. wypełni-ć/ać (obowiązek itp.); wywiąz-ać/ywać się (**a task etc.** z zadania itp.) 3. wysłuchać (**a request** prośby); zadośćuczynić, czynić zadość (**a wish** życzeniu) 4. wykon-ać/ywać (rozkaz itp.) 5. odpowiadać (**conditions etc.** warunkom itp.) 6. skończyć (**sth** coś); dokonać (**sth** czegoś)

fulfilment [ful'filmənt] *s* 1. spełnienie (warunku itp.) 2. wypełnienie (obowiązku itp.); wywiązanie się (z zadania itp.) 3. wysłuchanie (prośby); zadośćuczynienie (**of a wish** życzeniu) 4. wykonanie (rozkazu itp.) 5. odpowiadanie (**of conditions etc.** warunkom itp.) 6. skończenie <dokonanie> (czegoś)

fulgent ['fʌldʒənt] *adj poet* błyszczący; jaśniejący

fulgurate ['fʌlgjuə,reit] *vi* błyskać

fulgurite ['fʌlgjuə,rait] *s* 1. *miner* fulguryt, rurka <strzałka> piorunowa 2. rodzaj materiału wybuchowego

fuliginous [fju'lidʒinəs] *adj* sadzowaty

full¹ [ful] [I] *adj* 1. pełny; napełniony; zapełniony; (*o człowieku*) pełen (nadziei itd.); **a ~ face** pełna <pyzata> twarz; (*o naczyniu itd*) **~ up** pełny po brzegi; (*o sali itd*) szczelnie zapełniony; przepełniony; *pot* nabity; (*w autobusie itd*) **~ up!** nie ma miejsc (wolnych)!; **to be ~ of** ... mieć pełno ... (czegoś — pomysłów itd.) 2. (*o figurze*) pełny; okrągły 3. syty; nasycony; najedzony 4. obfity 5. (*o szczegółach itd*) dokładny; **with ~ particulars** dokładnie; szczegółowo; wyczerpująco 6. cały; całkowity; kompletny; **~ dress** strój wieczorowy <galowy>; frak; **~ moon** pełnia; **~ pay** pełne pobory <wynagrodzenie> (bez potrąceń); **~ powers** pełnomocnictwo; **~ stop** kropka; **two ~ hours** całe <*pot* bite> dwie godziny; **it was ~ summer** lato było w pełni; było to w pełni lata; **things came to a ~ stop** wszystko stanęło; **to work ~ time** być na pełnym etacie; **at ~ gallop** galopem; **at ~ length** (upaść) jak długi; **at ~ speed** w największym pędzie; *dosł i przen* pełną parą; **in ~ daylight** w biały dzień; **of ~ age** pełnoletni 7. pełnowartościowy; **~ member** członek zwyczajny (akademii itd.) 8. luźny; obszerny; bufiasty; fałdzisty 9. pochłonięty <zaabsorbowany> (**of sth** czymś) [II] *s* pełnia (księżyca, sezonu itd.); szczyt (sławy itd.); **in ~** dokładnie; w całej rozciągłości; bez skróceń; **name in ~** pełne imię i nazwisko; **to pay in ~** za/płacić w całości; **to the ~** a) do najwyższych granic; do najwyższego stopnia b) do syta [III] *vt* uszyć (coś) luźno <fałdziście> [IV] *adv* 1. w pełni; całkowicie; nie mniej niż <jak> ...; **~ well** (wiedzieć) doskonale <bardzo dobrze> 2. prosto (w twarz, piersi itd.) 3. dokładnie; w sam (nos, środek itd.) 4. *lit w zwrocie:* **~ many a time** wiele razy

full² [ful] *vt* pilśnić, folować

full-blooded ['ful'blʌdid] *adj* pełnokrwisty

full-blown ['ful'bloun] *adj* rozwinięty

full-bodied ['ful'bɔdid] *adj* (*o człowieku*) zażywny 2. (*o winie*) mocny

full-bottomed ['ful'bɔtəmd] *adj* **~ wig** peruka à la Ludwik XIV <w stylu Ludwika XIV>

full-cheeked ['ful'tʃi:kt] *adj* pyzaty

full-dress ['ful'dres] *attr* 1. (*o stroju*) wieczorowy; galowy; (*o obiedzie, kolacji*) uroczysty 2. *teatr* (*o próbie*) generalny 3. *parl* (*o debacie*) zapowiedziany; w sprawie najwyższej wagi

fuller¹ ['fulə] *s* folusznik, pilśniarz; *geol* **~'s earth** ziemia foluszowa (glinka absorbująca tłuszcz); *bot* **~'s thistle** szczeć

fuller² ['fulə] *s* młotek do żłobienia żelaza <do nitowania>; matownik

full-face ['ful'feis] = **full-faced** 3.

full-faced ['ful'feist] *adj* 1. z okrągłą twarzą; pyzaty 2. (*o podobiźnie*) en face; skierowany twarzą do patrzącego 3. *druk* tłusty

full-fashioned ['ful'fæʃənd] *adj* (*o pończosze*) dostosowany do kształtu łydki

full-fledged ['ful'fledʒd] *adj* 1. upierzony 2. *przen* (*o artyście itd*) dojrzały; skończony

fulling-mill ['fuliŋ,mil] *s* pilśniarnia, foluszarnia

full-length ['ful'leŋθ] *attr* (*o portrecie*) przedstawiający osobę w pozycji stojącej <w całej postaci>

full-mouthed ['ful'mauθt] *adj* 1. (*o bydle*) ze wszystkimi zębami 2. (*o psie*) głośno szczekający 3. (*o wymowie, stylu*) szumny

ful(l)ness ['fulnis] *s* 1. pełność; pełnia; **the ~ of the heart** nadmiar uczuć; **the ~ of time** godzina przeznaczenia 2. obszerność (ubioru) 3. drobiazgowość; dokładność; gruntowność 4. bogactwo szczegółów 5. pełnia (głosu, tonów) 6. okrągłość (zdań)

full-page ['ful'peidʒ] *attr* (*o rycinie itp*) całostronicowy

full-pay ['ful'pei] *attr* (*o urlopie*) pełnopłatny

full-sized ['ful'saizd] *adj* wielkości naturalnej

full-throated ['ful'θroutid] *adj* (*o śpiewie itp*) na całe gardło

full-time ['ful'taim] *attr* pełnoetatowy

fully ['fuli] *adv* 1. pełno 2. w pełni; całkowicie; w całości; w zupełności 3. szczegółowo; obszernie 4. do syta 5. co najmniej; *pot* **~ two hours** dobre dwie godziny

fulmar ['fulmə] *s zoo* mewa arktyczna

fulminant ['fʌlminənt] *adj* piorunujący

fulminate ['fʌlmi,neit] [I] *vi* 1. za/grzmieć; wybuch-nąć/ać 2. błyskać 3. piorunować (**against sb, sth** na kogoś, coś) [II] *s chem* piorunian

fulminatory ['fʌlminətəri] *adj* grzmiący

fulminic [fʌl'minik] *adj chem* (*o kwasie*) piorunowy; **~ acid** piorunian

fulness ['fulnis] *zob* **fullness**

fulsome ['fulsəm] *adj* (*o pochwałach, pochlebstwach itp*) niesmaczny; obrzydliwie przesadny; **~ praise** kadzenie (**of sb** komuś)

fulvous ['fʌlvəs] *adj* płowy

fumade [fju'meid] *s* wędzona sardynka

fumarole ['fju:mə,roul] *s geol* fumarola

fumble ['fʌmbl] [I] *vi* gmerać <grzebać> się (**at** <**with**> **sth** w <z> czymś); szperać (**for** <**after**> **sth** za czymś); grzebać (**at sth** w czymś); **to ~ for words** zająkiwać się; szukać słów [II] *vt* 1. s/partaczyć; s/fuszerować 2. *sport* niezdarnie zatrzym-ać/ywać (piłkę) [III] *s* 1. gmeranie; grzebanie się; dłubanie (w czymś) 2. partactwo; niezdarne <niedołężne> obchodzenie się (z czymś)

fume [fju:m] [I] *s* 1. gryzący dym; opar 2. *pl* **~s** wyziewy; gazy spalinowe; **the ~s of wine** a) opary wina b) *przen* zamroczenie 3. zapach, woń 4. napad <wybuch> gniewu; **to be in a ~** unosić się gniewem [II] *vi* 1. dymić się; kopcić 2. (*o dymie* *itp*) wydoby-ć/wać <unosić> się 3. unosić się gniewem; wściekać się [III] *vt* 1. wędzić 2. okadz-ić/ać

fumigate ['fju:miˌgeit] *vt* zadymiać; okadz-ić/ać; z/dezynfekować (przez wykadzenie dymem)

fumigation [ˌfju:mi'geiʃən] *s* zadymienie; okadzenie; z/dezynfekowanie (przez wykadzenie dymem)

fumitory ['fju:mitəri] *s bot* dymnica

fumy ['fju:mi] *adj* dymiący; kopcący; wydzielający opary

fun [fʌn] *s* zabawa; uciecha; śmiech; **a bit of ~** żart; *pot* heca; **~ fair** wesołe miasteczko; **what ~!** ależ to zabawne!; *pot* co za heca!; **he is great ~** on jest bardzo zabawny; **I don't see the ~ of it** nie widzę w tym nic śmiesznego; **to have ~** bawić się; **to make ~ of, to poke ~ at —** wyśmiewać ... (kogoś, coś); kpić <żartować> z ... (kogoś, czegoś); **for ~** dla żartu; dla śmiechu; z żartu; z figlów; **in ~** w żartach

funambulist [fju'næmbjulist] *s* linoskoczek

function ['fʌnkʃən] [I] *s* 1. funkcja; czynność; działanie; praca 2. obowiązek 3. uroczystość; impreza 4. *mat* funkcja [II] *vi* działać; funkcjonować

functional ['fʌŋkʃənl] *adj* czynnościowy; funkcjonalny

functionary ['fʌŋkʃnəri] *s* funkcjonariusz; pracowni-k/czka; urzędni-k/czka

fund [fʌnd] [I] *s* 1. fundusz; kasa (zapomogowa itd.) 2. zapas; zasób; źródło (uciechy, dobroci itd.) 3. *pl* **~s** kapitał; środki; fundusze; pieniądze; państwowe papiery wartościowe; ***bank* no ~s** brak pokrycia; **to be in ~s** mieć gotówkę [II] *vt* 1. s/konsolidować (dług państwowy) 2. u/lokować (pieniądze) w państwowych papierach wartościowych

fundament ['fʌndəmənt] *s anat* pośladki, siedzenie

fundamental [ˌfʌndə'mentl] [I] *adj* zasadniczy; istotny; podstawowy; pierwszorzędny; fundamentalny [II] *s* podstawowa zasada; nakaz; podstawa

fundamentalism [ˌfʌndə'mentəˌlizəm] *s am* fundamentalizm (zachowawczy ruch religijny)

fundamentality [ˌfʌndəmen'tæliti] *s* fundamentalność; podstawowy charakter (czegoś)

funeral ['fju:nərəl] [I] *s* 1. pogrzeb; *am* **that's your ~** to twoje <wasze> zmartwienie; niech już ciebie <was> o to głowa boli 2. orszak pogrzebowy, kondukt [II] *adj* pogrzebowy; żałobny; **~ urn** urna z prochami

funereal [fju'niəriəl] *adj* pogrzebowy; żałobny

fungal ['fʌŋgəl] *adj* grzybowy

fungible ['fʌndʒibl] *adj prawn* zamienny

fungicidal [ˌfʌndʒi'saidl] *adj* grzybobójczy

fungoid ['fʌŋgoid], **fungous** ['fʌŋgəs] *adj med* grzybowaty; grzybowy

fungus ['fʌŋgəs] *s* (*pl* **fungi** ['fʌŋgai], **~es**) grzyb

funicular [fju'nikjulə] *adj* (*o kolejce*) linowy

funk [fʌŋk] [I] *s sl* 1. strach; trema; **to be in a ~** mieć pietra; **to be in a blue ~** panicznie się bać 2. (*o człowieku*) tchórz [II] *vi sl* mieć pietra <stracha> [III] *vt sl* s/pietrać <zlęknąć/lękać> się (**sb, sth** kogoś, czegoś); s/tchórzyć (**sb, sth** przed kimś, czymś)

funk-hole ['fʌŋkˌhoul] *s sl wojsk* 1. schron 2. kryjówka dekownika

funky ['fʌŋki] *adj* (**funkier** ['fʌŋkiə], **funkiest** ['fʌŋkiist]) *pot* tchórzliwy; **to feel ~** = **funk** *vi*

funnel ['fʌnl] *s* 1. komin (maszyny parowej itp.) 2. przewód wentylacyjny 3. lejek, lej 4. *chem* rozdzielacz

funnel-shaped ['fʌnlˌʃeipt] *adj* lejowaty

funny ['fʌni] *adj* (**funnier** ['fʌniə], **funniest** ['fʌniist]) 1. zabawny; śmieszny; komiczny; humorystyczny; **~ man** komik; **he is trying to be ~** on sili się na dowcip <*pot* wygłupia się> 2. dziwny; niesamowity; *pot* **I came over all ~** poczuł-em/am się nieswojo

funny-bone ['fʌniˌboun] *s* czułe miejsce w łokciu

fur [fə:] [I] *s* 1. futro; sierść (zwierzęcia); skóra futerkowa; **to make the ~ fly** wywołać awanturę 2. zwierzyna; **~ and feather** dziczyzna 3. *med* nalot na języku 4. osad; winnik; kamień kotłowy 5. *bot* puszek [II] *attr* futrzany; **~ coat** futro (płaszcz futrzany); **~ trade** futrzarstwo; handel futrami [III] *vt* (**-rr-**) 1. podszyć futrem 2. *med* obłożyć/okładać (język) 3. osi-ąść/adać (**sth** na czymś — ścianach kotła itd.) 4. oczy-ścić/szczać (z kamienia kotłowego); usu-nąć/wać kamień (**a boiler** z kotła) 5. o/trzcinować (sufit itp.) 6. zaprawi-ć/ać (szpary między deskami); *pot* szpanować *zob* **furring**

furbelow ['fə:biˌlou] *s* 1. falbanka 2. *pl* **~s** stroje 3. *bot* gatunek wodorostu

furbish ['fə:biʃ] *vt* (*także* **~ up**) 1. o/czyścić (do blasku); wy/polerować; odn-owić/awiać; *pot* wy/pucować 2. *przen* odśwież-yć/ać (wiadomości)

furcate ['fə:keit] [I] *adj* rozwidlony [II] *vi* rozwidl-ić/ać się

furcation [fə:'keiʃən] *s* rozwidlenie

furfur ['fə:fə] *s* łupież

furfuraceous [ˌfə:fə'reiʃəs] *adj* 1. łupieżowaty 2. otrębiany; otrębiasty; otrębowaty

furious ['fjuəriəs] *adj* 1. wściekły; rozjuszony; **~ driving** szaleńcza jazda; **the fun became fast and ~** zabawa stała się dzika; **to be ~ with sb** wście-c/kać się na kogoś; **to get ~** wpaść w furię 2. (*o walce itp*) zawzięty 3. (*o wietrze itp*) gwałtowny

furl [fə:l] [I] *vt* 1. zwi-nąć/jać 2. złożyć/składać <zam-knąć/ykać> (wachlarz, parasol itd.) [II] *vi* złożyć/składać <zam-knąć/ykać> się [III] *s* 1. zwitek (papieru itp.) 2. zwinięcie (żagla itd.)

furlong ['fə:lɔŋ] *s* miara długości (= ok. 201 m = = 1/8 mili = 220 jardów)

furlough ['fə:lou] [I] *s* urlop [II] *vt* udziel-ić/ać urlopu (**sb** komuś)

furmenty ['fə:mənti] = **frumenty**

furnace ['fə:nis] *s* 1. piec; **blast ~** piec hutniczy; **house-heating ~** kocioł do centralnego ogrzewania 2. *przen* piekło 3. palenisko

furnish ['fə:niʃ] *vt* 1. dostarcz-yć/ać <udziel-ić/ać> (**sth** czegoś — informacji itp.) 2. zaopat-rzyć/rywać <wyposaż-yć/ać, uzbr-oić/ajać> (**with sth** w coś) 3. u/meblować

furnisher ['fə:niʃə] *s* dostaw-ca/czyni

furnishings ['fə:niʃiŋz] *spl* wyposażenie; urządzenie; umeblowanie

furniture ['fə:nitʃə] *s* 1. meble; umeblowanie; urządzenie; wyposażenie; **a piece of ~** mebel; **a set <suite> of ~** garnitur (mebli); **mental ~, ~ of the mind** zasób wiadomości 2. zawartość 3. okucie (drzwi itd.) 4. *druk* szteg; sztabik 5. *mar* takielunek

furore [ˌfjuə'rɔ:ri] *s* furora; **to create <make> a ~** z/robić furorę

furrier ['fʌriə] *s* kuśnierz
furriery ['fʌriəri] *s* 1. kuśnierstwo 2. handel futrami 3. *zbior* futra
furring ['fə:riŋ] I *zob* **fur** *v* II *s* 1. pelisa 2. = **fur** *s* 3., 5. 3. o/czyszczenie (kotła) z kamienia
furrow ['fʌrou] I *s* 1. *dosł i przen* bruzda 2. głęboka zmarszczka 3. koleina 4. *techn* rowek; wyżłobienie II *vt* 1. z/orać (ziemię); pruć (wodę) 2. *dosł i przen* z/ryć 3. wy/żłobić 4. rowkować
furrowy ['fʌroui] *adj* zryty; poryty; żłobiony; *dosł i przen* zorany; cały w bruzdach
furry ['fə:ri] *adj* (**furrier** ['fə:riə], **furriest** ['fə:riist]) 1. futrzany 2. puszysty 3. winnikowy; osadowy
further ['fə:ðə] I *adj* 1. = **farther** *adj* 2. dalszy; dodatkowy; uzupełniający; **~ consideration** bliższe rozpatrzenie; **without ~ ado** bez większych ceremonii; **without ~ loss of time** bez dalszej zwłoki II *adv* 1. = **farther** *adv* 2. dalej; więcej; dłużej (coś robić); dodatkowo; w uzupełnieniu (czegoś); **not any ~** (już) więcej <dalej> nie; **until you hear ~** do czasu otrzymania dalszych wieści <instrukcji>; **to go ~ into sth** zapoznać się bliżej z czymś; wnikać w coś; **to go no ~ into the matter** poprzestać na tym, co jest 3. (*w czasie*) **~ back** jeszcze dawniej <wcześniej> III *vt* pop-rzeć/ierać; pom-óc/agać (**sth** w czymś); przy-jść/chodzić z pomocą (**sb** komuś); sprzyjać (**sth** czemuś); ułatwi-ć/ać; podtrzym-ać/ywać (czyjeś nadzieje itd.)
furtherance ['fə:ðərəns] *s* poparcie; przyjście z pomocą; wspom-ożenie/aganie
furtherer ['fə:ðərə] *s* 1. zwolenni-k/czka; człowiek popierający (projekt itd.) 2. protektor/ka
furthermore ['fə:ðə'mɔ:] *adv* ponadto; poza tym; w dodatku
furthermost ['fə:ðə,moust] *adj* = **farthermost**
furthest ['fə:ðist] = **farthest**
furtive ['fə:tiv] *adj* 1. ukradkowy; potajemny; **to cast a ~ glance** spojrzeć ukradkiem 2. skradający się
furtively ['fə:tivli] *adv* ukradkiem; potajemnie; chyłkiem
furuncle ['fjuərʌŋkl] *s med* czyrak, furunkuł
fury ['fjuəri] *s* 1. furia; pasja; szał; wściekłość 2. siła <gwałtowność> (burzy, wiatru) 3. megiera; jędza
furze [fə:z] *s bot* janowiec
furzy ['fə:zi] *adj* porosły janowcem
fusain [fu'zɛ̃] *s* 1. węgiel do rysowania 2. ['fju:zein] *geol* fuzyt
fusarole ['fju:zə,roul] *s arch* jajownik
fuscous ['fʌskəs] *adj* ciemnobrązowy
fuse [fju:z] I *s* 1. zapalnik (pocisku) 2. lont 3. *elektr* bezpiecznik; *pot* stopka; korek; lamelka II *vt* 1. st-opić/apiać; **to ~ together** spawać 2. zaopat-rzyć/rywać (pocisk) w zapalnik III *vi* st-opić/apiać się; (*o bezpieczniku*) spal-ić/ać się; (*o kościach*) zr-osnąć/astać się
fusee [fju:'zi:] *s* 1. bębenek (zegarka); *techn* bęben 2. *wet* narośl kostna; martwa kość 3. nie gasnąca na wietrze zapałka
fusel ['fju:zl] *s* fuzel, niedogon; **~ oil** alkohol amylowy
fuselage ['fju:zi,la:ʒ] *s* kadłub samolotu
fusibility [,fju:zə'biliti] *s* topliwość
fusible ['fju:zəbl] *adj* topliwy
fusiform ['fju:zi,fɔ:m] *adj* wrzecionowaty
fusil ['fju:zil] *s* muszkiet
fusilier [,fju:zi'liə] *s* strzelec
fusillade [,fju:zi'leid] I *s* strzelanina II *vt* rozstrzel-ać/iwać masowo
fusion ['fju:ʒən] *s* 1. st-opienie/apianie; spawanie 2. fuzja; s/fuzjowanie; zl-anie/ewanie się
fuss [fʌs] I *s* 1. zamieszanie; wrzawa; hałas; awantura; historia; podniecenie 2. krzątanina; zachody; zabiegi; **to make a ~ of sb** nadskakiwać komuś; kręcić się koło kogoś 3. ceremonie 4. denerwowanie się drobiazgami II *vi* 1. awanturować się; z/robić zamieszanie <historie, wrzawę> 2. krzątać się; być zaaferowanym; podniecać się (drobiazgami itp.) 3. zabiegać (**over** <**around**> **sb, sth** koło kogoś, czegoś); denerwować <niepokoić> się (**about sth** czymś) III *vt* 1. niepokoić; *pot* zawracać głowę (**sb** komuś) 2. denerwować
fussy ['fʌsi] *adj* (**fussier** ['fʌsiə], **fussiest** ['fʌsiist]) 1. grymaśny; kapryśny; rozkapryszony; zrzędny 2. drobiazgowy; **to be ~** robić trudności <historie, subiekcje, kłopoty> 3. ruchliwy 4. denerwujący 5. (*o ubiorze, stylu*) wyszukany; przeładowany ozdobami
fustian ['fʌstiən] I *s* 1. barchan 2. górnolotna mowa II *adj* 1. barchanowy 2. (*o stylu*) napuszony; (*o mowie*) górnolotny
fustic ['fʌstik] *s* żółte drzewo farbiarskie
fustigate ['fʌsti,geit] *vt żart* okładać kijem
fustiness ['fʌstinis] *s* stęchlizna
fusty ['fʌsti] *adj* (**fustier** ['fʌstiə], **fustiest** ['fʌstiist]) 1. *dosł i przen* stęchły; trącący stęchlizną 2. zacofany; obskurancki; zaściankowy
futchel ['fʌtʃəl] *s* śnica (wozu)
futharc, futhark ['fu:ða:k], **futhorc, futhork** ['fu:ðɔ:k] *s* alfabet runiczny
futile ['fju:tail] *adj* 1. daremny; próżny; bezskuteczny; bezowocny 2. błahy; czczy 3. płytki; powierzchowny
futility [fju'tiliti] *s* 1. daremność; próżność; bezskuteczność; bezowocność 2. błahość; czczość 3. płytkość; powierzchowność (sądu itd.)
futtock ['fʌtək] *s mar* wręga środkowa (belka poprzecznego wiązania szkieletu statku)
future ['fju:tʃə] I *adj* przyszły II *s* 1. przyszłość; **for the ~** a) w przyszłości; odtąd; b) następnym razem 2. *gram* czas przyszły 3. *pl* **~s** sprzedaż terminowa
futurism ['fju:tʃə,rizəm] *s* futuryzm
futurist ['fju:tʃərist] *s* futurysta
futuristic ['fju:tʃə'ristik] *adj* futurystyczny
futurity [fju'tjuəriti] *s* 1. przyszłość 2. *pl* **futurities** przyszłe wydarzenia 3. przyszły byt
fuze [fju:z] = **fuse**
fuzee [fju:'zi:] = **fusee**
fuzz [fʌz] I *s* 1. koty <kłaki> (z kurzu pod meblami itd.) 2. puch, puszek 3. kędziory 4. *am pot* szpicel II *vi* wić się; kędzierzawieć III *vt* skręc-ić/ać (włosy) na barana
fuzz-ball ['fʌz,bɔ:l] *s bot* purchawka
fuzziness ['fʌzinis] *s* 1. kędzierzawość 2. zamazany <niewyraźny> obraz; brak wyrazistości
fuzzy ['fʌzi] *adj* (**fuzzier** ['fʌziə], **fuzziest** ['fʌziist]) 1. (*o włosach*) kręty; kędzierzawy 2. (*o obrazie*) zamazany; niewyraźny 3. (*o materii*) puszysty
fuzzy-wuzzy ['fʌzi'wuzi] *s sl* wojownik sudański
fylfot ['filfɔt] *s* swastyka

G

G, g [dʒi:] [I] *s* (*pl* **gs, g's** [dʒi:z]) 1. *litera* g 2. *muz* g; **g sharp** gis; **g flat** ges [II] *attr* **G clef** klucz wiolinowy <skrzypcowy>; **G string** struna g

gab[1] [gæb] [I] *vi* (**-bb-**) *pot* gadać [II] *s pot* gadanie; gadanina; **the gift of the ~** swada

gab[2] [gæb] *s techn* 1. hak 2. czop mimośrodu

gabardine ['gæbə,di:n] = **gaberdine**

gabble ['gæbl] [I] *vi* 1. za/mamrotać; za/bełkotać 2. za/trajkotać 3. za/gęgać [II] *vt* od/klepać (lekcję, pacierz itd.) [III] *s* 1. mamrotanie; bełkot 2. klepanie (pacierza itp.) 3. trajkotanie 4. gęganie (gęsi)

gabbler ['gæblə] *s* trajkotka; gaduła

gabbro ['gæbrou] *s geol* gabro

gabby ['gæbi] *adj am* gadatliwy

gaberdine ['gæbə,di:n] *s* gabardyna

gabion ['geibiən] *s* kosz szańcowy

gabionade [,geibiə'neid] *s* oszańcowanie z koszów szańcowych

gable ['geibl] *s bud* szczyt (w obrębie dachu)

gabled ['geibld] *adj bud* (*o domu, ścianach*) zakończony szczytami; (*o dachu*) ze szczytami

gable-end ['geibl'end] *s bud* ściana szczytowa

gable-window ['geibl'windou] *s bud* okno w szczycie dachu

gaby ['geibi] *s* dureń; cap; cymbał; głąb

gad[1] [gæd] † *interj wyraża zdziwienie*: no, no!

gad[2] [gæd] [I] *vi* (**-dd-**) (*zw* **~ about**) wałęsać <włóczyć, szwendać> się [II] *s w zwrocie*: **to be on the ~** = **to ~ about**

gad[3] [gæd] *s* 1. grot; ostrze 2. *górn* przecinak; klin do rozłupywania skały

gadabout ['gædə,baut] *s* łazęga; włóczykij

gadder ['gædə] *s* 1. = **gadabout** 2. *górn* wiertarka; wiertnica

gad-fly ['gæd,flai] *s zoo* giez; bąk

gadget ['gædʒit] *s* 1. przyrząd; wynalazek; urządzenie 2. *sl* gips; interes, interesik; **what's that ~ called?** jak się ten interes nazywa?

gadidae ['gædi,di:] *spl zoo* ryby wątłuszowate

gadoid ['gædɔid] [I] *s zoo* ryba z gatunku wątłuszowatych [II] *adj zoo* wątłuszowaty

gadolinium [,gædə'linjəm] [I] *s chem* gadolin (pierwiastek) [II] *attr chem* gadolinowy

gadroon [gæ'dru:n] *s arch* fryz żłobkowany

gadwall ['gædwɔ:l] *s zoo* kaczka grzechotka (dzika)

Gael [geil] *s* szkocki Celt

Gaelic ['geilik] [I] *adj* celtycki, gaelicki [II] *s* język gaelicki <celtycki>

gaff[1] [gæf] [I] *s* 1. oszczep <ość rybacka> do polowania na ryby 2. ostrogi przypinane kogutom walczącym na arenie [II] *vt* upolować (rybę) oszczepem

gaff[2] [gæf] *s sl* 1. *w zwrocie*: **to blow the ~** zdradzić tajemnicę 2. *am w zwrotach*: **to stand the ~** być kozłem ofiarnym; **someone will have to stand the ~** na kimś musi się to skrupić

gaff[3] [gæf] *s sl* teatrzyk rewiowy; podrzędny kabarecik

gaff[4] [gæf] *vi* pokątnie uprawiać hazard; grać w orła i reszkę

gaffer ['gæfə] *s* 1. staruszek 2. szef; nadzorujący robotnik

gag [gæg] *v* (**-gg-**) [I] *vt* 1. za/kneblować usta (**sb** komuś); *przen* na-łożyć/kładać kaganiec (**sb, the press etc.** komuś, prasie itd.) 2. *parl* zam-knąć/ykać obrady 3. oszuk-ać/iwać [II] *vi* 1. (*o aktorze*) doda-ć/wać własne słowa <dowcipy> do roli 2. uprawiać oszukańczy proceder [III] *s* 1. knebel 2. *med* rozwieracz ust 3. *parl* zamknięcie debat 4. *teatr* własne słowa <dowcipy> dorzucone przez aktora do roli 5. *sl* naciąganie gości; oszukaństwo; kłamstwo

gaga ['gægɑ:] *adj sl* zramolały

gage[1] [geidʒ] [I] *s* 1. † zastaw; fant 2. rękojmia; **to give <leave> sth in ~** da-ć/wać <zostawi-ć/ać> coś w zastaw <jako rękojmię> 3. symbol wezwania do walki; rękawica; **to throw down the ~ to sb** rzucić komuś rękawicę; wyzwać kogoś do walki [II] *vt* 1. za-łożyć/kładać (coś), da-ć/wać w zastaw 2. ręczyć (**sth** czymś)

gage[2] [geidʒ] = **gauge** *s* 9.

gage[3] [geidʒ] = **greengage**

gaggle [gægl] [I] *s* stado (gęsi) [II] *vi* gęgać

gaiety ['geiəti] *s* 1. wesołość 2. *pl* **gaieties** zabawa (ludowa) 3. barwność (stroju itd.)

gaily ['geili] *adv* wesoło; radośnie; z radością *zob* **gay**

gain [gein] [I] *vt* 1. zysk-ać/iwać <zar-obić/abiać, wygr-ać/ywać> (**by sth** na czymś); mieć zysk (**by sth** z czegoś, przez coś) 2. zdoby-ć/wać (nagrodę, czyjeś serce, sympatię itd.); **to ~ ground** z/robić postępy; (*o morzu*) **to ~ ground on the land** podmy-ć/wać <pod-erwać/rywać> brzeg; **to ~ one's cause** wygr-ać/ywać sprawę <spór>; **to ~ one's destination** osiąg-nąć/ać cel; **to ~ sb over** przeciąg-nąć/ać kogoś na swoją stronę; **to ~ strength** wr-ócić/acać do sił; **to ~ the ear of** __ zdobyć posłuch u ... (kogoś); **to ~ the upper hand** wziąć/brać górę; **to ~ the victory** odn-ieść/osić zwycięstwo; **to ~ time** zyskać na czasie 3. odzysk-ać/iwać 4. (*o zegarku*) śpieszyć (**x minutes** *x* minut) [II] *vi* 1. zysk-ać/iwać (**by sth** na czymś); **to ~ in weight <in popularity>** zysk-ać/iwać na wadze <na popularności> 2. mieć korzyść (**by sth** z czegoś) 3. (*o zegarku*) śpieszyć się; iść naprzód 4. pozostawi-ć/ać w tyle <prześcig-nąć/ać, wyprzedz-ić/ać, z/dystansować> (**on one's competitors <pursuers>** współzawodników <ścigających>) *zob* **gaining** [III] *s* 1. zysk; zarobek 2. przybytek; wzrost; powiększenie; podniesienie 3. udoskonalenie 4. korzyść 5. *górn* przecinka

gainer ['geinə] *s* 1. (człowiek) wygrywający 2. *sport* fantazyjny skok do wody z trampoliny

gainful ['geinful] *adj* 1. korzystny; zyskowny 2. zachłanny

gaining ['geiniŋ] [I] *zob* **gain** *v* [II] *spl* **~s** zysk/i

gainsay [gein'sei] *vt* (*praet* **gainsayed** [gein'seid], **gainsaid** [gein'seid], *pp* **gainsayed, gainsaid**) zaprzecz-yć/ać (**sth** czemuś); wyp-rzeć/ierać się (**sth** czegoś); za/kwestionować; **that cannot be gainsaid, there's no ~ing it** to jest niezaprzeczalne; nie można temu zaprzeczyć

gainst, 'gainst ['geinst] *poet* = **against**

gait[1] [geit] *s* 1. chód; sposób chodzenia <poruszania

się>; **an unsteady ~** niepewny <chwiejny> krok 2. bieg (konia)

gait[2] ['geit] [I] *s dial* snop [II] *vt* z/wiązać (zboże) w snopki

gaiter ['geitə] *s* 1. kamasz 2. getr; *przen* **ready to the last ~ button** zapięty na ostatni guzik; w pełnej gotowości

gaitered ['geitəd] *adj* w kamaszach; w getrach; z kamaszami <z getrami> na nogach

gal [gæl] *sl* = **girl**

gala ['gɑ:lə] [I] *s* gala; zabawa; uroczystość [II] *attr* galowy; **~ day** galówka; **~ week** tydzień zabaw i festynów

galactic [gə'læktik] *adj astr* galaktyczny

galactogogue [gə'læktə,gɔg] *adj* (*o środku*) mlekopędny

galactose [gə'læktous] *s chem* galaktoza

galantine ['gælən,ti:n] *s kulin* galantyna

galanty-show ['gælənti,ʃou] *s* chińskie cienie

galatea [,gælə'tiə] *s* rodzaj drelichu

galaxy ['gæləksi] *s* 1. *astr* **the Galaxy** Droga Mleczna 2. *przen* plejada; rój (pięknych kobiet itp.)

galbanum ['gælbənəm] *s chem farm* galban, galbanum; żywica gumowa

gale[1] [geil] 1. *s* poryw wiatru; burza; sztorm; zawierucha; *am* **a ~ of laughter** wybuch <salwa> śmiechu; **it is blowing a ~** jest zawierucha 2. *poet* zefir

gale[2] [geil] *s bot* woskownica

gale[3] [geil] *s* czynsz; **hanging ~** zaległości czynszowe

galea ['geiliə] *s* 1. *zoo* narośl rogowata 2. *bot* tojad pstry 3. *med* czepiec

galeeny [gə'li:ni] *s zoo* perliczka

galena [gə'li:nə] *s miner* galena, błyszcz ołowiu

galenic [gə'lenik] *adj* (*o lekach*) pochodzenia roślinnego

galimatias [,gæli'mæʃiɑ:] *s* bezładna gadanina

galingale ['gæliŋ,geil] *s* 1. *bot* cibora 2. *kulin* korzenie aromatyczne

galiot ['gæliɔt] = **galliot**

galipot ['gæli,pɔt] *s* galipot

gall[1] [gɔ:l] *s* 1. żółć 2. *przen* gorycz; *przen* **~ and wormwood** kielich goryczy 3. *anat* woreczek żółciowy 3. *am* tupet; nachalność

gall[2] [gɔ:l] [I] *s* 1. otarcie (skóry); odgniecione miejsce; odparzelina 2. uraza 3. skaza 4. (*w terenie*) łysina, golizna [II] *vt* 1. otrzeć/ocierać <odgni-eść/atać, odparz-yć/ać> (skórę) 2. ura-zić/żać; po/drażnić; z/irytować *zob* **galling**

gall[3] [gɔ:l] *s bot* galas; orzeszek galasowy

gallant ['gælənt] [I] *adj* 1. piękny; wspaniały 2. dzielny; waleczny; rycerski 3. [gə'lænt] szarmancki 4. [gə'lænt] miłosny [II] *s* [gə'lænt] 1. galant, szarmant; bawidamek 2. elegant [III] *vt* [gə'lænt] emablować (**the ladies** panie) [IV] *vi* [gə'lænt] emablować (**with the ladies** panie)

gallantry ['gæləntri] *s* 1. dzielność; waleczność; rycerskość 2. galanteria, wykwintność w obejściu 3. przygoda miłosna, miłostka

gall-bladder ['gɔ:l,blædə] *s anat* woreczek żółciowy

galleass ['gæliəs] = **galliass**

galleon ['gæliən] *s hist mar* galeon, galion

gallery ['gæləri] *s* 1. galeria; arkady; krużganek; pasaż; **to play to the ~** grać dla galerii 2. *górn* chodnik 3. *am* balkon 4. (*u mebla*) galeryjka 5. *kośc* chór

galley ['gæli] *s* 1. galera 2. *pl* **~s** galery; ciężkie roboty; katorga 3. *mar* kuchnia (na statku, okręcie) 4. *druk* szufelka 5. *druk* odbitka szczotkowa 6. *druk* wierszownik

galley-proof ['gæli,pru:f] *s druk* odbitka <korekta> szczotkowa

galley-slave ['gæli,sleiv] *s* galernik

galley-worm ['gæli,wə:m] *s zoo* wij

gall-fly ['gɔ:l,flai] *s zoo* galasówka (owad)

galliass ['gæliəs] *s hist* galeas <† galeasa> (statek wiosłowo-żaglowy)

Gallic[1] ['gælik] *adj* galijski

gallic[2] ['gælik] *adj chem* (*o kwasie*) galusowy

gallicism ['gæli,sizəm] *s* galicyzm

galligaskins [,gæli'gæskinz] *spl* 1. szarawary; hajdawery 2. getry

gallimaufry [,gæli'mɔ:fri] *s* mieszanina; *przen* bigos; groch z kapustą

gallinacean [,gæli'neiʃən] [I] *adj zoo* (*o ptaku*) kurowaty <grzebiący> [II] *s zoo* kurak

gallinaceous [,gæli'neiʃəs] *adj zoo* kurowaty

gallinazo [,gæli'nɑ:zou] *s zoo* sęp amerykański

galling ['gɔ:liŋ] [I] *zob* **gall[2]** *v* [II] *adj* irytujący; drażniący; dotkliwy

galliot ['gæliət] *s hist mar* galiota, galeota

gallipot ['gæli,pɔt] *s* słoik (apteczny)

gallium ['gæliəm] [I] *s chem* gal (pierwiastek) [II] *attr chem* galowy; galawy

gallivant [,gæli'vænt] *vi* 1. gonić za kobietami 2. wałęsać się

gall-nut ['gɔ:l,nʌt] *s* orzeszek galasowy

gallon ['gælən] *s* galon (= 4,54 l; *am* = 3,78 l)

galloon [gə'lu:n] *s* galon (na ubiorze)

gallop ['gæləp] [I] *vi* jechać <pędzić> galopem; galopować; cwałować; *przen* **to ~ through a book** połknąć książkę; *przen* **to ~ through prayers etc.** odklepać pacierze itd. [II] *vt* pu-ścić/szczać (konia) w cwał [III] 1. galop; cwał; **at full ~** galopem; co tchu 2. galopada

gallopade [,gælə'peid] *s* galopada (dawny taniec)

galloper ['gæləpə] *s* 1. koń <jeździec> galopujący 2. adiutant 3. lekkie działo

galloway ['gælə,wei] *s* 1. drobny koń pochodzący z okręgu Galloway w Szkocji 2. bydło rogate z Galloway

gallows ['gælouz] [I] *s i spl* 1. szubienica 2. *gimn* kobylica 3. (*tylko pl*) szelki [II] *attr w zwrocie:* **to have a ~ look** mieć wygląd szubienicznika

gallows-bird ['gælouz,bə:d] *s* szubienicznik

gallows-tree ['gælouz,tri:] *s* szubienica

gall-stone ['gɔ:l,stoun] *s med* kamień żółciowy

Gallup ['gæləp] *spr* **~ poll** ankieta (przedwyborcza itd.)

galoot [gə'lu:t] *s* niezdara; safanduła; *przen* niedźwiedź

galop ['gæləp] *s* galop, galopka

galore [gə'lɔ:] [I] *adv* w bród [II] *s* mnóstwo; obfitość

galosh [gə'lɔʃ] *s* 1. śniegowiec; kalosz 2. okład (u buta)

galumph [gə'lʌmf] *vi* podskakiwać radośnie

galvanic [gæl'vænik] *adj* 1. galwaniczny 2. *przen* (*o uśmiechu*) wymuszony

galvanism ['gælvə,nizəm] *s elektr* galwanizm

galvanization [,gælvənai'zeiʃən] *s elektr* galwanizacja; galwanizowanie

galvanize ['gælvə,naiz] *vt* 1. *elektr* galwanizować; po/cynkować (blachę) 2. ożywi-ć/ać; wstrząs-nąć/

ać (**sb, sth** kimś, czymś); *przen* z/elektryzować (kogoś, społeczeństwo itd.); **to ~ sb into life** <**into action**> pobudzić kogoś do życia <do czynu>

galvanometer [ˌgælvəˈnɔmitə] *s elektr fiz* galwanometr

galvanoplasty [ˌgælvəˈnɔpləsti] *s* galwanoplastyka

gam [gæm] *s* 1. stado wielorybów 2. zebranie towarzyskie załóg statków wielorybniczych

gamba [ˈgæmbə] *s muz* gamba

gambade [gæmˈbeid] *s* 1. gambada, skok (konia) 2. wyskok; eskapada

gambet(ta) [gæmˈbet(ə)] *s zoo* brodziec krwawodzioby

gambier [ˈgæmbiə] *s chem garb* gambir

gambit [ˈgæmbit] *s szach i przen* gambit

gamble [ˈgæmbl] [I] *vi* 1. uprawiać hazard; za/ryzykować; igrać (**with sth** z czymś) 2. spekulować (na giełdzie itp.)

~ away *vt* przegrać <przepuścić> przy stole gry (**one's fortune etc.** majątek itd.)

zob **gambling** [III] *s* 1. hazard 2. *przen* ryzykown-y/e krok <przedsięwzięcie>; **it's pure ~** a) to (jest) kwestia szczęścia b) to (jest) zdanie się na los szczęścia

gambler [ˈgæmblə] *s* 1. gracz; karcia-rz/rka 2. ryzykant/ka 3. spekulant/ka

gambling [ˈgæmbliŋ] [I] *zob* **gamble** *v* [II] *s* 1. hazard; gry hazardowe 2. spekulacja; spekulowanie

gambling-den [ˈgæmbliŋˌden], **gambling-house** [ˈgæmbliŋˌhaus], **gambling-hell** [ˈgæmbliŋˌhel], *am* **gambling-joint** [ˈgæmbliŋˌdʒɔint] *s* jaskinia <dom> gry; szulernia

gamboge [gæmˈbuːʒ] *s* gumiguta

gambol [ˈgæmbəl] [I] *vi* (**-ll-**) podskakiwać; skakać; wywracać koziołki; swawolić; dokazywać [II] *s* 1. skok; podskok 2. *pl* **~s** koziołki; † gambady

gambrel [ˈgæmbrəl] *s* 1. *zoo* pęcina 2. drąg do zawieszania ubitego wołu 3. *bud* **~ roof** dwuspadowy dach

game[1] [geim] [I] *s* 1. gra; **a round ~** gra o dowolnej liczbie uczestników; **a square ~** gra w cztery osoby; **to beat sb at his own ~** pokonać kogoś jego własną bronią; **to have the ~ in one's hands** mieć wygraną sprawę; **to play a dangerous ~** uprawiać niebezpieczną grę; **to play a good** <**poor**> **~** przyjemnie <nieprzyjemnie> grać; **he plays a good** <**poor**> **~** przyjemnie <nieprzyjemnie> się z nim gra; **to play a rough ~** grać brutalnie; **to play the** <**a square**> **~** a) grać uczciwie b) *przen* postępować uczciwie <lojalnie> 2. sport; **cricket is a ~ we do not know** krykiet (jest) to sport u nas nieznany 3. zabawa; **to make ~ of sb** zabawi-ć/ać się czyimś kosztem; za/żartować z kogoś; *pot* **what a ~!** to ci heca!; *pl* **~s** *szk* gry i zabawy 4. *pl* **~s** zawody; igrzyska (olimpijskie); **Olympic Games** olimpiada 5. sztuczki; knowania; machinacje; **none of your ~s** tylko bez tych sztuczek; **the ~ is up** podstęp się nie udał; **what's his ~?** co on tam knuje?; do czego on zmierza?; **I see through your ~** ja cię <was> przejrzałem; **so that's your little ~** więc ta-ki/cy z ciebie <was> cwania-k/cy!; **to have a ~ with sb** naciągać <nabierać> kogoś; **to play a winning ~** mieć pewną wygraną; **to play a losing ~** nie móc wygrać 6. rozgrywka (ligowa itp.); mecz 7. partia; *tenis* gem; *tenis* **~ all** a) obie strony (są) po partii b) równowaga; *tenis* **~ ball** piłka gemowa 8. *pl* **~s** przybory sportowe; gry towarzyskie (jako artykuł handlu) 9. *myśl* zwierzyna, **big ~** gruba zwierzyna; **big ~ shooting** polowanie na grubego zwierza 10. *kulin* dziczyzna 11. stado (łabędzi) [II] *vi* uprawiać hazard

~ away *vt* przegrywać w karty <w ruletę itd.> (**one's money etc.** pieniądze itd.); **to ~ away one's time** tracić <marnować> czas przy stole gry

zob **gaming**

game[2] [geim] *adj* odważny; dzielny; dziarski; ochoczy; **to be ~** nie bać się; nie zawieść oczekiwań; *pot* nie skrewić; **to be ~ for sth** <**to do sth**> okazywać gotowość <ochotę> do czegoś <do zrobienia czegoś>; **to die ~** um-rzeć/ierać bez trwogi

game[3] [geim] *adj* (*o ręce, nodze*) chory; bolący; skaleczony; (*o nodze*) chromy; kulawy

game-act [ˈgeimˈækt] = **game laws**

game-bag [ˈgeimˌbæg] *s* torba myśliwska

game-cock [ˈgeimˌkɔk] *s* kogut do walk na arenie

game-keeper [ˈgeimˌkiːpə] *s* leśnik; gajowy

game-laws [ˈgeimˌlɔːz] *spl* ustawy o ochronie zwierzyny

game-licence [ˈgeimˌlaisəns] *s* karta łowiecka

gameness [ˈgeimnis] *s* dziarskość; dzielność *zob* **game**[2]

game-preserve [ˈgeim-priˈzəːv] *s* rezerwat; teren, na którym polowanie jest zakazane

game-preserver [ˈgeim-priˌzəːvə] *s* hodowca zwierzyny łownej

gamesome [ˈgeimsəm] *adj* wesoły; krotochwilny; figlarny

gamester [ˈgeimstə] *s* gracz; karcia-rz/rka

game-tenant [ˈgeimˈtenənt] *s* dzierżawca terenu <rewiru> łowieckiego

gametes [gəˈmiːts] *spl biol* gamety, komórki rozrodcze

gamin [ˈgæmɛ̃ː] *s* ulicznik

gaming [ˈgeimiŋ] [I] *zob* **game**[1] *v* [II] *s* hazard; karciarstwo

gaming-house [ˈgeimiŋˌhaus] *s* dom <jaskinia> gry

gaming-table [ˈgeimiŋˌteibl] *s* 1. stół gry 2. *przen* hazard; gra; gry hazardowe

gamma [ˈgæmə] *s* 1. *gr litera* gamma 2. *zoo* (także **~ moth**) błyszczka (ćma)

gammadion [gəˈmeidiən] *s* swastyka

gammer [ˈgæmə] *s* staruszka; stara babcia

gammon[1] [ˈgæmən] [I] *s* szynka; udziec wieprzowy; **~ and spinach** a) wieprzowina ze szpinakiem b) *przen* bzdury [II] *vt* u/wędzić <za/solić> (wieprzowinę)

gammon[2] [ˈgæmən] *s* pełna wygrana w tryktraku

gammon[3] [ˈgæmən] [I] *s pot* bzdury [II] *vt pot* naciągać <oszukiwać> (kogoś) [III] *vi pot* 1. pleść bzdury; bzdurzyć 2. udawać (**to do sth** że się coś robi)

gamp [gæmp] *s pot* wyświechtany parasol

gamut [ˈgæmət] † *s muz* 1. gama; *przen* **the whole ~ of ...** cała skala ... (czegoś); wszystkie odcienie <stopnie, stadia>... (czegoś) 2. skala głosu <instrumentu> 3. tonacja majorowa

gamy [ˈgeimi] *adj* (**gamier** [ˈgeimiə], **gamiest** [ˈgeimiist]) 1. bogaty <obfitujący> w dziczyznę 2. (*o mięsie*) skruszały 3. *am* dzielny; śmiały

gander [ˈgændə] *s* 1. *zoo* gąsior 2. prostak; gamoń: ciemięga

gang [gæŋ] [I] *s* 1. brygada <drużyna, ekipa, obsa-

da> (robotników) 2. banda <zgraja, szajka> (złodziei itp.) 3. komplet (narzędzi) II *vi* 1. (*także* ~ **up**) po/łączyć się w bandę <w szajkę, zgraję> 2. działać wspólnie 3. *szkoc* = **go** *v*

gang-board [ˈgæŋˌbɔ:d] *s mar* kładka <pomost> (do wchodzenia na statek)

ganger [ˈgæŋə] *s* brygadzista; drużynowy; przodownik; starszy robotnik

ganglion [ˈgæŋgliən] *s* (*pl* **ganglia** [ˈgæŋgliə]) 1. *anat* ganglion, zwój nerwowy 2. ośrodek <centrum> (działalności itp.)

ganglionic [gæŋgliˈɔnik] *adj anat* zwojowy

gang-plank [ˈgæŋˌplæŋk] = **gang-board**

gangrene [ˈgæŋgri:n] I *s med* zgorzel, gangrena II *vt* z/gangrenować III *vi* ule-c/gać gangrenie

gangrenous [ˈgæŋgrənəs] *adj med* zgorzelinowy; gangrenowaty; zgangrenowany

gangsman [ˈgæŋzmən] = **ganger**

gangster [ˈgæŋstə] *s* gangster; bandyta

gangue [gæŋ] *s* skała płonna przy minerałach użytecznych; złoże kruszcowe

gangway [ˈgæŋˌwei] *s* 1. = **gang-board** 2. *mar* schodnia; ~ **ladder** schodki zaburtowe 3. przejście (między rzędami krzeseł, ławek) 4. (*w parlamencie*) przejście między przednimi a tylnymi ławami; **members above <below> the** ~ posłowie ważniejsi <mniej ważni> 5. *górn* chodnik

ganister [ˈgænistə] *s* glinka ogniotrwała

gannet [ˈgænit] *s zoo* głuptak biały (ptak)

ganoid [ˈgænɔid] I *adj zoo* kostołuski II *s zoo* ryba kostołuska

gantline [ˈgæntˌlain] *s mar* lina zawieszona na bloku

gantry [gæntri] *s* 1. kętnar <legar> (pod beczkę itd.) 2. *techn* żuraw <dźwig> przesuwalny <wózkowy, ramowy>; suwnica bramowa; podnośnik 3. *techn* pomost <rusztowanie> na słupach 4. *kolej* pomost nad torami z umieszczonymi na nim semaforami

Ganymede [ˈgæniˌmi:d] *spr żart* (*o kelnerze itp*) podczaszy

gaol [dʒeil] I *s* więzienie; **four <five etc.> years'** ~, **four <five etc.> years in** ~ cztery <pięć itd.> lat więzienia; **to put in <send to>** ~ osadzić w więzieniu; wsadzić do więzienia II *vt* uwięzić

gaol-bird [ˈdʒeilˌbə:d] *s* 1. więzień, aresztant 2. szubienicznik; zbrodniczy typ

gaol-delivery [ˈdʒeil-diˌlivəri] *s* 1. gromadna ucieczka z więzienia 2. opróżnienie więzienia w wyniku rozpatrzenia wszystkich zaległych spraw

gaoler [ˈdʒeilə] *s* dozorca <strażnik> więzienny

gaol-fever [ˈdʒeilˌfi:və] *s* tyfus

gap [gæp] *s* 1. otwór; szpara; luka; szczerba; wyrwa; wyłom; przerwa; odstęp; przepaść (dzieląca poglądy itp.) 2. *am* przełęcz

gape [geip] I *vi* 1. ziewać 2. gapić się (**at sb, sth** na kogoś, coś) 3. zionąć, ziać; stać otworem 4. (*o ubraniu*) rozłazić się (w szwach) 5. (*o deskach*) rozstępować się *zob* **gaping** II *s* 1. rozwarcie; otwór; *pot* rozdziawienie 2. ziewanie 3. gapienie się; przyglądanie się z otwartymi ustami 4. *pl* ~**s** (*u kurcząt*) chorobliwe ziewanie; *przen* (*u człowieka*) napad ziewania

gaper [ˈgeipə] *s zoo* 1. kleszczak (ptak) 2. małgiew piaskołaz (małż) 3. strzępiel (ryba)

gape-seed [ˈgeipˌsi:d] *s żart* 1. gapienie się 2. widowisko 3. gap (człowiek)

gaping [ˈgeipiŋ] I *zob* **gape** *v* II *adj* (*o ustach*) rozwarty, *pot* rozdziawiony; (*o przepaści itp*) ziejący; (*o ranie*) otwarty

gap-toothed [ˈgæpˌtu:θt] *adj* (*o człowieku*) z rzadko rozstawionymi zębami

garage [ˈgærɑ:ʒ] I *s* garaż II *vt* za/garażować

garb [gɑ:b] I *s* ubiór; strój; odzież; kostium (narodowy itp.) II *vt vr* ub-rać/ierać <odzi-ać/ewać, wy/stroić> (się)

garbage [ˈgɑ:bidʒ] *s* 1. odpadki (rzeźnickie) 2. śmieci 3. *przen* **literary** ~ bezwartościowe publikacje; *pot* śmieci; *am* ~ **barrel** <**can**> skrzynia na śmieci

garble [ˈgɑ:bl] *vt* 1. przekręc-ić/ać <fałszywie przedstawi-ć/ać> (fakty itp.); okr-oić/awać (mowę, artykuł itd.); zniekształc-ić/ać (przez opuszczenia) 2. † wybierać

garçon [ˈgɑ:sɔ̃:] *s* 1. boy (hotelowy) 2. kelner

garden [ˈgɑ:dn] I *s* 1. ogród; **market** ~ gospodarstwo ogrodnicze <warzywne>; **the Garden of England** południowe hrabstwa Anglii; *sl* **to lead up the** ~ oszukać 2. *pl* ~**s** ogród (botaniczny, miejski) 3. *pl* ~**s** ogrodowa dzielnica miasta 4. **the Garden** = **Covent Garden** II *attr* ogrodowy III *vi* uprawiać ogród; zajmować <bawić> się ogrodnictwem *zob* **gardening**

garden-city [ˈgɑ:dnˌsiti] *s* miasto-ogród

garden-cress [ˈgɑ:dnˌkres] *s bot* pieprzyca ogrodowa

gardener [ˈgɑ:dnə] *s* ogrodni-k/czka

garden-frame [ˈgɑ:dnˌfreim] *s* inspekt

garden-glass [ˈgɑ:dnˌglɑ:s] *s* klosz

gardenia [gɑ:ˈdi:niə] *s bot* gardenia

gardening [ˈgɑ:dniŋ] I *zob* **garden** *v* II *s* ogrodnictwo

garden-mould [ˈgɑ:dnˌmould] *s* ziemia ogrodowa

garden-party [ˈgɑ:dnˌpɑ:ti] *s* przyjęcie towarzyskie pod gołym niebem <na świeżym powietrzu>; zabawa ogrodowa

garden-plot [ˈgɑ:dnˌplɔt] *s* ogródek

garden-produce [ˈgɑ:dnˌprɔdju:s], **garden-stuff** [ˈgɑ:dnˌstʌf] *s* ogrodowizna (kwiaty i warzywa)

garden-warbler [ˈgɑ:dnˌwɔ:blə] *s zoo* gajówka <pokrzewka> (ptak wróblowaty)

garefowl [ˈgɛəˌfaul] *s zoo* alka krzywonosa (ptak)

garfish [ˈgɑ:ˌfiʃ] *s zoo* belona (ryba)

garganey [ˈgɑ:gəni] *s zoo* cyranka (kaczka)

gargantuan [gɑ:ˈgæntjuən] *adj* olbrzymi

garget [ˈgɑ:git] *s wet* 1. zapalenie gardła u bydła i trzody 2. zapalenie wymion u krów i owiec

gargle [ˈgɑ:gl] I *vt* płukać (gardło) II *vi* płukać gardło III *s* 1. płukanie gardła 2. płyn do płukania gardła

gargoyle [ˈgɑ:gɔil] *s* gargulec (otwór rynny kształtu chimery); *arch* chimera

garibaldi [ˌgæriˈbɔ:ldi] *s* 1. czerwona bluzka 2. rodzaj herbatnika z rodzynkami

garish [ˈgɛəriʃ] *adj* 1. (*o stroju, barwach*) jaskrawy; krzykliwy 2. (*o świetle*) jasny; oślepiający

garishness [ˈgɛəriʃnis] *s* 1. jaskrawość; krzykliwe barwy 2. blask

garland [ˈgɑ:lənd] I *s* 1. wieniec, wianuszek 2. girlanda 3. *przen* palma zwycięstwa II *vt* 1. na-łożyć/kładać wieniec (**sb** komuś) 2. ozd-obić/abiać girlandami

garlic [ˈgɑ:lik] *s bot* czosnek; **a clove of** ~ ząbek czosnku

garment [ˈgɑ:mənt] I *s* 1. część garderoby 2. *pl* ~**s** odzież; ubiór; strój; szaty II *vt poet* odzi-ać/ewać

garner ['gɑ:nə] [I] *s poet* 1. spichlerz; skład 2. zbiór [II] *vt* zebrać/zbierać; złożyć/składać

garnet ['gɑ:nit] *s* granat (kamień szlachetny)

garnish ['gɑ:niʃ] [I] *vt* 1. garnirować (potrawę) 2. ozd-obić/abiać; upiększ-yć/ać 3. *prawn* ostrze--c/gać (kogoś) przed płaceniem pieniędzy osobie trzeciej, która sama jest dłużnikiem; przypozwać [II] *s* 1. garnirowanie (potraw) 2. *zbior* ozdoby <upiększenia> literackie

garniture ['gɑ:nitʃə] *s* 1. *zbior* akcesoria 2. *zbior* ozdoby (stroju itd.) 3. dekoracja; garnirowanie

garotte [gə'rɔt] = **garrotte**

garpike ['gɑ:,paik] = **garfish**

garret ['gærət] *s* 1. mansarda; poddasze; strych 2. *sl* łeb; głowa; **to be wrong in the ~** mieć bzika <fioła, kuku na muniu>; mieć zajączki <kanarki> w głowie

garreteer [,gærə'tiə] *s* 1. mieszkan-iec/ka mansardy 2. ubog-i/a literat/ka

garrison ['gærisn] [I] *s wojsk* garnizon; załoga; **to be in ~** być stacjonowanym [II] *attr* garnizonowy [III] *vt wojsk* rozmie-ścić/szczać oddział/y (**a town** w mieście)

garron ['gærən] *s* (*w Szkocji, Irlandii*) drobny <marny> koń

garrot ['gærət] *s* kaczka morska

gar(r)otte [gə'rɔt] [I] *s* 1. garota (narzędzie tortur i kara śmierci przez uduszenie) 2. zaduszenie (ofiary) w celu obrabowania [II] *vt* 1. garotować (wykonać karę śmierci przez uduszenie) 2. zadusić (kogoś) celem obrabowania

garrulity [gæ'ru:liti], **garrulousness** ['gærələsnis] *s* 1. gadulstwo; gadatliwość 2. rozwlekłość (stylu)

garrulous ['gærələs] *adj* 1. rozmowny; gadatliwy 2. (*o ptaku*) szczebiotliwy 3. (*o potoku*) szemrzący

garrulousness *zob* **garrulity**

garter ['gɑ:tə] [I] *s* podwiązka; **the Garter** Order Podwiązki [II] *vt* za-łożyć/kładać podwiązkę (**one's leg** na nogę)

garth [gɑ:θ] *s poet* dziedziniec; wirydarz

gas [gæs] [I] *s* 1. gaz 2. czcze słowa; przechwałki 3. *am* benzyna; paliwo; *sl* **to step on the ~** doda-ć/wać gazu 4. *górn* metan, gaz kopalniany 5. narkoza; uśpienie [II] *vt* (**-ss-**) 1. z/gazować; *wojsk* przeprowadz-ić/ać atak gazowy (**sb, sth** na kogoś, coś); zagazow-ać/ywać (nieprzyjaciela, okolicę itd.) 2. o/truć <zatru-ć/wać> gazem 3. da--ć/wać narkozę (**sb** komuś); uśpić/usypiać przed zabiegiem [III] *vi* (**-ss-**) 1. wydziel-ić/ać gaz 2. *am* nabierać benzyny <paliwa> 3. *sl* dużo gadać; chwalić się

gas-alarm ['gæs-ə,lɑ:m] *s* alarm gazowy

gas-attack ['gæs-ə,tæk] *s* atak gazowy

gas-bag ['gæs,bæg] *s* 1. balon 2. *sl lotn* sterowiec 3. *sl* gaduła; samochwał

gas-bomb ['gæs,bɔm] *s* bomba gazowa

gas-bracket ['gæs,brækit], **gas-burner** ['gæs,bə:nə] *s* palnik gazowy

gas-coal ['gæs,koul] *s górn* węgiel gazowy

gasconnade [,gæskə'neid] *s* gaskonada, przechwałki; samochwalstwo

gas-cooker ['gæs,kukə] *s* kuchenka gazowa

gaselier, gasolier [,gæsə'liə] *s* świecznik gazowy

gas-engine ['gæs,endʒin] *s* silnik gazowy

gaseous ['geiziəs] *adj* gazowy

gas-fire ['gæs,faiə] *s* grzejnik gazowy

gas-fitter ['gæs,fitə] *s* monter

gas-fittings ['gæs,fitiŋz] *spl* instalacja gazowa

gash [gæʃ] [I] *vt* rozci-ąć/nać; roz/płatać; zaci-ąć/nać się (**one's cheek** w policzek przy goleniu itp.) [II] *s* 1. głębokie cięcie 2. szrama; blizna 3. *techn* nacięcie

gas-helmet ['gæs,helmit] *s* maska gazowa

gas-holder ['gæs,houldə] *s* zbiornik gazowy

gas-house ['gæs,haus] *s am* gazownia

gasification [,gæsifi'keiʃən] *s* 1. nasycenie gazem 2. przemiana w gaz, gazyfikacja

gasiform ['gæsi,fɔ:m] *adj* gazowy; w <o> postaci gazu; lotny

gasify ['gæsi,fai] *v* (**gasified** ['gæsi,faid], **gasified: gasifying** ['gæsi,faiiŋ]) [I] *vt* 1. nasyc-ić/ać gazem 2. przemieni-ć/ać w gaz [II] *vi* przemieni-ć/ać się w gaz

gas-jet ['gæs,dʒet] *s* palnik gazowy

gasket ['gæskit] *s techn* uszczelka; podkładka

gas-light ['gæs,lait] *s* światło gazowe <lampy gazowej>; *fot* **~ paper** papier chloro-bromo-srebrny

gas-main ['gæs,mein] *s* główny rurociąg gazowy

gas-man ['gæs,mæn] *s* (*pl* **gas-men** ['gæs,men]) monter

gas-mantle ['gæs,mæntl] *s* siateczka żarowa

gas-mask ['gæs,mɑ:sk] *s* maska gazowa

gas-meter ['gæs,mi:tə] *s* gazomierz

gasogene ['gæsə,dʒi:n] *s* gazownica

gasolene, gasoline ['gæsə,li:n] *s* 1. gazolina 2. *am* benzyna

gasolier [,gæsə'liə] = **gaselier**

gasoline *zob* **gasolene**

gasometer [gæ'sɔmitə] *s* gazometr, zbiornik gazu

gas-oven ['gæs,ʌvn] *s* piekarnik gazowy

gasp [gɑ:sp] [I] *vi* 1. (*także* **to ~ for breath**) chwytać <łapać> powietrze; ciężko oddychać; sapać (**with rage etc.** ze złości itd.) 2. stracić oddech (ze zdziwienia itp.); zatchnąć się; **it made me ~, I ~ed** dech we mnie zaparło 3. łaknąć (**for sth** czegoś)

~ out *vt* wysapać (kilka słów itd.); **to ~ out life** wyzionąć ducha

zob **gasping** [II] *s* łapanie tchu; chwytanie powietrza; **one's last ~** ostatnie tchnienie; **to breathe in ~s** mieć przerywany oddech; **we gave a ~** dech nam zaparło; **at the last ~** ledwo żywy; **to the last ~** do ostatniego tchu

gasper ['gɑ:spə] *s sl* gwóźdź, knot; kiepski <podły> papieros

gasping ['gɑ:spiŋ] [I] *zob* **gasp** *v* [II] *s* ciężki <przerywany> oddech [III] *adj* 1. bez tchu; nie mogący złapać tchu 2. konający; wydający ostatnie tchnienie

gas-pipe ['gæs,paip] *s* rura gazowa

gas-plant ['gæs,plɑ:nt] *s* gazownia; generator

gas-proof ['gæs,pru:f] *adj* gazoszczelny

gas-range ['gæs,reindʒ] *s* kuchenka gazowa

gas-ring ['gæs,riŋ] *s* (kuchenny) palnik gazowy

gas-shell ['gæs,ʃel] *s* pocisk gazowy

gas-shelter ['gæs,ʃeltə] *s* schron przeciwgazowy

gas-stove ['gæs,stouv] *s* kuchenka gazowa

gassy ['gæsi] *adj* (**gassier** ['gæsiə], **gassiest** ['gæsiist]) 1. gazowy 2. (*o wodzie itp*) nagazowany 3. (*o winie*) musujący

gas-tank ['gæs,tæŋk] *s* zbiornik gazowy

gasteropod ['gæstərə,pɔd] [I] *s zoo* mięczak brzuchonogi [II] *adj zoo* brzuchonogi

gas-tight ['gæs,tait] *adj* gazoszczelny

gastric ['gæstrik] *adj* żołądkowy; gastryczny; *med* **~ fever** tyfus brzuszny; *med* **~ ulcer** wrzód żołądka
gastritis [gæs'traitis] *s med* nieżyt żołądka
gastroenteritis ['gæstrou-entə'raitis] *s med* nieżyt żołądka i jelit
gastronome ['gæstrə,noum] *s* smakosz
gastronomy [gæs'trɔnəmi] *s* 1. sztuka kulinarna; gastronomia 2. smakoszostwo
gas-warfare ['gæs,wɔ:fεə] *s* wojna chemiczna
gasworks ['gæs,wə:ks] *s* gazownia
gat [gæt] *s am sl* spluwa, rewolwer
gate[1] [geit] [I] *s* 1. brama; wrota; *uniw* **to break ~s** nie wrócić do kolegium w godzinach przepisowych; *am* **to get <give> the ~** zostać wyproszonym <wyprosić> za drzwi 2. tama; zasuwa; stawidło; zawór 3. bariera; szlaban 4. publiczność (na meczu itp.); wpływy kasowe (ze wstępów na mecz itp.) [II] *vt* zakaz-ać/ywać (**students, schoolboys** studentom, uczniom) wychodzenia z kolegium <ze szkoły>
gate[2] [geit] *s* 1. (*w nazwach ulic*) ulica 2. *górn* chodnik
gate-bill ['geit,bil] *s uniw* grzywna (za niestosowanie się do przepisu nakazującego obecność w obrębie kolegium w oznaczonych godzinach)
gate-crash ['geit,kræʃ] *vi* przedosta-ć/wać <przekra-ść/dać> się bez biletu wstępu na stadion <bez zaproszenia do sali balowej itd.>
gate-crasher ['geit,kræʃə] *s* widz <gość>, który przedostał <przekradł> się bez biletu wstępu <bez zaproszenia>
gate-house ['geit,haus] *s* stróżówka
gate-keeper ['geit,ki:pə] *s* 1. portier 2. *kolej* dróżnik; † budnik
gate-legged ['geit,legd] *adj* **~ table** stół z trójdzielną płytą opuszczaną po bokach
gate-money ['geit,mʌni] *s* wpływy kasowe (ze wstępów na mecz itp.)
gate-post ['geit,poust] *s* słupek (bramy); **between me and you and the ~** między nami mówiąc
gateway ['geit,wei] *s* 1. brama wjazdowa; przejście; furtka (w żywopłocie itd.) 2. *górn* chodnik
gather ['gæðə] [I] *vt* 1. zebrać/zbierać; z/gromadzić; nagromadzić; nab-rać/ierać (**breath, strength etc.** oddechu, siły itd.); rwać (kwiaty itp.); zebrać/zbierać <sprząt-nąć/ać> (plony) z pola; ściąg-nąć/ać <pobierać> (podatki); *lit* **to be ~ed to one's fathers** dokonać żywota; przenieść się do wieczności; **to ~ dirt** za/brudzić <zat-kać/ykać> się; (*o wrzodzie*) **to ~ head** nabierać; **to ~ rust** rdzewieć; **to ~ speed** nabierać szybkości; (*o statku*) **to ~ way** ruszyć w drogę, odpłynąć 2. wywnioskować <wnosić> (coś z czegoś) [II] *vi* 1. zebrać/zbierać <z/gromadzić> się 2. narastać; (*o rzece itp*) wezbrać/wzbierać; (*o wrzodzie*) nabierać; (*o ranie itp*) obierać 3. wy/wnioskować <z/rozumieć> (**from sth that** ___ z czegoś, że ...)
~ up *vt* zebrać/zbierać (w garść itd.; z ziemi); podciąg-nąć/ać; podkas-ać/ywać; z/marszczyć; ułożyć/układać w fałdy
zob **gathering**
gathering ['gæðəriŋ] [I] *zob* **gather** [II] *s* 1. zebranie; zgromadzenie 2. sprzęt <zbiór> (plonów) 3. nagromadzenie; gromada 4. *med* ropień; wrzód; 5. fałd, fałda
gathers ['gæðəz] *spl* fałdy; obrąbek
Gatling ['gætliŋ] *spr* amerykański karabin maszynowy
gauche [gouʃ] *adj* 1. (*o wypowiedzi itd*) niezręczny; nietaktowny 2. (*o człowieku*) bez ogłady
gaucherie ['gouʃə,ri:] *s* 1. niezręczność 2. brak ogłady
gaucho ['gautʃou] *s* gauczo, gauczos (pasterz)
gaud [gɔ:d] *s* 1. błyskotka 2. *pl* **~s** huczna zabawa
gaudiness ['gɔ:dinis] *s* 1. jaskrawość <krzykliwość> (barw) 2. barwność (tłumu itd.) 3. wystawność; parada 4. górnolotność <napuszoność> (stylu)
gaudy ['gɔ:di] [I] *s* 1. uroczysty obchód 2. komers (wychowanków uczelni) [II] *adj* (**gaudier** ['gɔ:diə], **gaudiest** ['gɔ:diist]) 1. (*o barwach*) jaskrawy; krzykliwy 2. (*o tłumie*) barwny 3. (*o uczcie itp*) wystawny; paradny; zbytkowny 4. (*o stylu*) górnolotny; szumny; napuszony
gaudy-day ['gɔ:di,dei] *s uniw* doroczny zjazd koleżeński
gauffer ['gɔ:fə] = **goffer**
gauge [geidʒ] [I] *s* 1. miara; skala; wskaźnik; **to take sb's ~** oceni-ć/ać czyjąś wartość <czyjeś zdolności> 2. przyrząd pomiarowy 3. szerokość <rozstaw> toru 4. sprawdzian; probierz; kryterium 5. rozmiar <wymiar> (blachy, drutu itd.); kaliber; średnica 6. zanurzenie (statku) 7. *stol* znacznik 8. *druk* mierzyca 9. *mar* (*także* **gage**) wzajemne położenie dwóch statków w stosunku do siebie <do wiatru>; **to have the weather ~ of** ___ mieć przewagę nad ... (kimś) [II] *vt* 1. z/mierzyć; s/kalibrować; wy/cechować 2. oceni-ć/ać; o/szacować *zob* **gauging**
gauge-glass ['geidʒ,glɑ:s] *s techn* szkiełko <rurka> kontroln-e/a
gauger ['geidʒə] *s* miernik; wskaźnik
gauging ['geidʒiŋ] [I] *zob* **gauge** *v* [II] *s* mierzenie [III] *attr* mierniczy; **~ rod <line, rule, stick>** pręt mierniczy
gaunt [gɔ:nt] *adj* 1. wychudzony; wycieńczony; wymizerowany 2. ponury; posępny
gauntlet[1] ['gɔ:ntlit] *s* rękawica; *hist* rękawica (zbroi)
gauntlet[2] ['gɔ:ntlit] *s wojsk mar w zwrocie*: **to run the ~** a) prze/biec pomiędzy dwoma rzędami chłoszczących żołnierzy <marynarzy> b) *przen* ule-c/gać surowej krytyce
gauntness ['gɔ:ntnis] *s* wychudzenie; chudość; wymizerowanie; wycieńczenie
gauntry ['gɔ:ntri] = **gantry**
gauze [gɔ:z] *s* 1. gaza 2. siatka druciana; gaza metalowa 3. mgiełka
gauzy ['gɔ:zi] *adj* lekki <cienki, przejrzysty> jak mgiełka
gave *zob* **give**[1]
gavel[1] ['gævl] *s* pokos
gavel[2] ['gævl] *s am* młotek (licytatora itp.)
gavelkind ['gævl,kaind] *s hist prawn* posiadanie ziemi z obowiązkiem równego podziału między spadkobierców
gavial ['geiviəl] *s zoo* gawial (krokodyl)
gavotte [gə'vɔt] *s* gawot (taniec i utwór muzyczny)
gawk [gɔ:k] *s* gamoń; gawron; jołop
gawkiness ['gɔ:kinis] *s* niezdarność; niezgrabność
gawky ['gɔ:ki] *adj* (**gawkier** ['gɔ:kiə], **gawkiest** ['gɔ:kiist]) niezdarny; gamoniowaty
gay [gei] *adj* 1. wesoły; **he is a ~ fellow** on się lubi zabawić 2. barwny; pstry 3. (*o kolorach*)

żywy; jaskrawy 4. rozwiązły; rozpustny; **~ life** rozwiązły tryb życia

gaze [geiz] [I] *vi* przyglądać <przypatrywać> się (**at sb, sth** komuś, czemuś); wpatrywać się (**at sb, sth** w kogoś, coś) [II] *s* spojrzenie; **a horrible sight met his ~** straszny widok przedstawił się jego oczom; **exposed to the public ~** wystawiony na widok publiczny

gazebo [gə'zi:bou] *s arch* balkon; okno wykuszowe z rozległym widokiem

gazelle [gə'zel] *s zoo* gazela

gazette [gə'zet] [I] *s* 1. † gazeta 2. **Gazette** urzędowe pismo ogłaszające bankructwa <nominacje, przeniesienia itd.> [II] *vt* ogł-osić/aszać w "Gazette"; **to be ~d** być wymienionym (z powodu nominacji itd.) w "Gazette"

gazetteer [ˌgæzi'tiə] *s* 1. słownik <wykaz> nazw geograficznych 2. *am* dziennika-rz/rka

gazogene ['gæzəˌdʒi:n] = **gasogene**

gean [gi:n] *s bot* czereśnia; trześnia

gear [giə] [I] *s* 1. *zbior* przybory; narzędzia; instrumenty; zestaw narzędzi <instrumentów> 2. mechanizm; układ (korbowy, rozrządu itd.) 3. przekładnia; tryb/y; transmisja; napęd; **in ~** a) *auto* na biegu; z włączonym biegiem b) (*o maszynie*) w ruchu; **out of ~** a) *auto* z wyłączonym biegiem; na luzie b) (*o maszynie*) wyłączony; nieczynny c) *przen* zepsuty; zdezorganizowany; **to throw into ~** włącz-yć/ać bieg; **to throw out of ~** a) wyłącz-yć/ać bieg b) *przen* ze/psuć; z/dezorganizować 4. *auto* bieg; **low <high> ~** pierwszy <trzeci, czwarty> bieg; **neutral ~** bieg jałowy; *pot* luz 5. uprząż 6. ruchomości [II] *vt* 1. włącz-yć/ać (napęd); pu-ścić/szczać w ruch 2. zaprzęg-nąć/ać [III] *vi* włącz-yć/ać <zazębi-ć/ać> się

~ up <down> *vt* 1. przerzuc-ić/ać bieg na większe <na mniejsze> obroty 2. *przen* zakroić na dużą <na małą> skalę

zob **gearing**

gear-box ['giəˌbɔks], **gear-case** ['giəˌkeis] *s auto* skrzynia <skrzynka> biegów

gearing ['giəriŋ] [I] *zob* **gear** *v* [II] *s* 1. mechanizm napędowy 2. przekładnia

gear-lever ['giəˌli:və] *s* dźwignia zmiany biegów

gear-shift ['giəˌʃift] *s am* zmiana biegów; **~ lever** lewarek przekładniowy

gear-wheel ['giəˌwi:l] *s* koło zębate; tryb

gecko ['gekou] *s* (*pl* **~s, ~es**) *zoo* gekon (jaszczurka)

gee [dʒi:] *interj* 1. *am wyraża zdziwienie itp*: Jezu!; ojej!; hoho! 2. (*do konia*) hetta (w prawo)!

gee-gee ['dʒi:ˌdʒi:] *s pot* konik

geese *zob* **goose**

geezer ['gi:zə] *s sl* (stary) pryk; starusz-ek/ka; dziadek; starowina

Gehenna [gi'henə] *s* gehenna

geisha ['geiʃə] *s* (*pl* **~, ~s**) gejsza

gel [dʒel] *s chem* żel, gel

gelatine [ˌdʒelə'ti:n] *s* żelatyna; **blasting ~** żelatyna wybuchowa

gelatinize [dʒi'lætiˌnaiz] *vt* żelatynizować; z/galaretowacić

gelatinous [dʒi'lætinəs] *adj* galaretowaty

gelation [dʒi'leiʃən] *s chem* żelowanie, żelatynowanie

geld [geld] *vt* wy/kastrować (zwierzę); trzebić; czyścić; wałaszyć *zob* **gelding**

gelding ['geldiŋ] [I] *zob* **geld** [II] *s* wałach

gelid ['dʒelid] *adj* zimny; lodowaty

gelignite ['dʒeligˌnait] *s* nitroglicerynowy materiał wybuchowy

gem [dʒem] *s* 1. klejnot 2. *przen* perła 3. *druk* diament 4. gemma

geminate ['dʒemiˌneit] [I] *vt* podw-oić/ajać [II] *adj* ['dʒeminit] parzysty; podwójny [III] *s jęz* geminata, podwójna spółgłoska

gemination [ˌdʒemi'neiʃən] *s jęz* podwojenie (litery, głoski)

Gemini ['dʒemiˌnai] *s astr* Bliźnięta

gemma ['dʒemə] *s* (*pl* **gemmae** ['dʒemi:]) 1. *bot zoo* pączek 2. *biol* zawiązek

gemmate ['dʒemeit] *vi bot zoo* pączkować

gemmation [dʒe'meiʃən] *s bot zoo* pączkowanie

gemsbok ['gemzbɔk] *s zoo* duża antylopa o długich smukłych prostych rogach

gen [dʒen] *s sl wojsk* wiadomość podawana wszystkim oficerom i żołnierzom

gendarme ['ʒɑ̃:dɑ:m] *s* żandarm

gendarmerie [ʒɑ̃:'dɑ:məri] *s* żandarmeria

gender ['dʒendə] *s* rodzaj; *żart* płeć

gene [dʒi:n] *s biol* gen

genealogical [ˌdʒi:niə'lɔdʒikəl] *adj* genealogiczny

genealogy [ˌdʒi:ni'ælədʒi] *s* genealogia

general ['dʒenərəl] [I] *adj* 1. ogólny; generalny; powszechny; **~ practitioner** doktor medycyny nie specjalizujący się <praktykujący ogólnie>; **~ purpose** uniwersalny; **~ servant** pomoc (domowa) do wszystkiego; **~ store** powszechny dom towarowy; **as a ~ rule** z reguły; **in ~** zwykle; zazwyczaj 2. naczelny; główny 3. ogólnikowy; nieścisły; nie sprecyzowany; szkicowy; ramowy [II] *s* 1. generał; wódz 2. ogólnik 3. † ogół; pospólstwo 4. = **~ servant**

generalissimo [ˌdʒenərə'lisiˌmou] *s* generalissimus

generality [ˌdʒenə'ræliti] *s* 1. powszechność; uniwersalność 2. ogólnik; banał 3. ogół

generalization [ˌdʒenərəlai'zeiʃən] *s* uogólni-enie/anie

generalize ['dʒenərəˌlaiz] [I] *vt* 1. uogólni-ć/ać 2. rozpowszechni-ć/ać [II] *vi* mówić ogólnikami

generally ['dʒenərəli] *adv* ogólnie; powszechnie; w ogóle; zazwyczaj; najczęściej

generalship ['dʒenərəlʃip] *s* 1. stopień <ranga> generała 2. generalstwo 3. dowództwo; przewodnictwo 4. sztuka dowodzenia

generate ['dʒenəˌreit] *vt* 1. u/rodzić; wytw-orzyć/arzać; s/płodzić; wy/produkować 2. wywoł-ać/ywać; s/powodować 3. *geom* tworzyć (powierzchnię itd.) *zob* **generating**

generating ['dʒenəˌreitiŋ] [I] *zob* **generate** [II] *adj* **~ station** elektrownia; siłownia

generation [ˌdʒenə'reiʃən] *s* 1. rodzenie się; powstawanie 2. wytw-orzenie/arzanie; produkcja; produkowanie 3. pokolenie, generacja; ród

generative ['dʒenəˌreitiv] *adj* 1. rodny 2. rodzący 3. produkcyjny; wytwórczy 4. produkujący; wytwarzający; wywołujący

generator ['dʒenəˌreitə] *s* 1. generator 2. prądnica 3. sprawca 4. *mat* = **generatrix**

generatrix ['dʒenəˌreitriks] *s* (*pl* **generatrices** ['dʒenəˌreitriˌsi:z]) *mat* (linia) tworząca

generic [dʒi'nerik] *adj* 1. rodzajowy 2. ogólny

generosity [ˌdʒenə'rɔsiti] *s* 1. hojność; szczodrość,

szczodrobliwość 2. wspaniałomyślność; wielkoduszność
generous ['dʒenərəs] *adj* 1. hojny; szczodry; szczodrobliwy 2. wspaniałomyślny; wielkoduszny 3. suty; obfity; bogaty 4. (*o glebie*) żyzny 5. (*o winie*) mocny; pokrzepiający
genesis ['dʒenisis] *s* geneza; początek; powsta-nie/wanie
genet ['dʒenit] *s* 1. *zoo* genetta 2. futro genetty
genetic [dʒi'netik] *adj* genetyczny
genetics [dʒi'netiks] *s* genetyka
geneva [dʒi'ni:və] *s* dżyn jałowcowy
Geneva [dʒi'ni:və] *spr attr* genewski
genial[1] ['dʒi:njəl] *adj* 1. wesoły; jowialny; towarzyski 2. dobrotliwy 3. rozweselający; ożywczy; wzmacniający 4. (*o klimacie*) łagodny; przyjemny 5. *rz* genialny
genial[2] [dʒi'naiəl] *adj anat* bródkowy
geniality [,dʒi:ni'æliti] *s* 1. jowialność; towarzyskość 2. dobrotliwość 3. ożywcze działanie 4. łagodność (klimatu)
geniculate [dʒi'nikjulit] *adj biol* kolankowaty
genista [dʒi'nistə] *s bot* janowiec
genital ['dʒenitl] [I] *adj* rodny; płciowy; [II] *spl* **~s** części rodne; genitalia
genitive ['dʒenitiv] *s gram* dopełniacz
genito-urinary ['dʒenitou'ju:ərinəri] *adj med* moczowo-płciowy
genius ['dʒi:njəs] *s* 1. (*bez pl*) duch (czyjś — dobry, zły); **~ loci** ['lousai] miejscowa <lokalna> atmosfera 2. (*bez pl*) geniusz; talent (**for sth** do czegoś); **a man of ~** człowiek genialny; geniusz; **a work of ~** genialne dzieło; wytwór geniuszu 3. (*pl* **genii** ['dʒi:ni,ai]) duch; skrzat; krasnoludek 4. (*pl* **~es**) (*o człowieku*) geniusz; **he is no ~** geniuszem (on) nie jest; (on) prochu nie wymyśli
genocide ['dʒenou,said] *s* ludobójstwo
genre [ʒɑ̃:r] *s* rodzaj <gatunek> (powieści itp.); kategoria
genre-painting ['ʒɑ̃:r,peintiŋ] *s* malarstwo rodzajowe
gens [dʒenz] *s* (*pl* **gentes** ['dʒenti:z]) ród
gent [dʒent] *wulg handl* = **gentleman**
genteel [dʒen'ti:l] *adj* 1. *iron* należący do dobrego <lepszego> towarzystwa; w dobrym tonie; dystyngowany; elegancki 2. pretensjonalny
gentian ['dʒenʃiən] *s bot* goryczka
gentile ['dʒentail] *s* 1. człowiek niemojżeszowego wyznania 2. *am* niemormon
gentility [dʒen'tiliti] *s* 1. szlacheckie urodzenie; piękne <dobre> maniery; dystynkcja (w zachowaniu) 2. *iron* dobre <lepsze> towarzystwo; elegancja; **shabby ~** pozowanie na majętnego człowieka; stwarzanie pozorów należenia do kół zamożnych
gentle ['dʒentl] [I] *adj* 1. szlachecki; dobrze urodzony; właściwy szlachcicowi 2. szlachetny; † **~ reader** miły <szanowny, szlachetny> czytelniku; **the ~ craft** wędkarstwo 3. łagodny; delikatny; subtelny; umiarkowany; **the ~ sex** płeć nadobna <piękna> 4. (*o głosie*) cichy; miękki [II] *vt* ujeżdżać (konia) [III] *s* 1. przynęta z muszej larwy 2. *pl* **~s** *wulg* panowie; państwo
gentlefolk(s) ['dʒentḷ,fouk(s)] *spl* ludzie pochodzenia szlacheckiego <z kulturalnego środowiska>; sfery zamożne i wykształcone
gentleman ['dʒentlmən] *s* (*pl* **gentlemen** ['dʒentlmən]) 1. pan; szlachcic; człowiek z kulturalnego środowiska <ze szlacheckiego rodu>; **~ at large** a) członek świty królewskiej bez określonych funkcji b) *żart* człowiek bez określonego zajęcia; **~ in waiting** szambelan królewski 2. człowiek honorowy <dobrze wychowany, kulturalny>; dżentelmen; **a ~'s agreement** porozumienie oparte na zaufaniu <na honorze>; **he is no ~** on się nie umie zachować; **to behave like a ~** post-ąpić/ępować honorowo; zachow-ać/ywać się kulturalnie 3. *pl* **Gentlemen** (*w mowie bezpośredniej i listach*) Szanowni Panowie 4. mężczyzna, pan; **a ~ has called** jakiś pan przyszedł; **~'s gentleman** lokaj; **~'s hairdresser** fryzjer męski; **the old ~ (in black)** diabeł; (*o tancerce*) **to dance** <**take**> **~** prowadzić (w tańcu); (*w napisie*) **Gentlemen** (toaleta) dla Panów
gentleman-at-arms ['dʒentlmənət'ɑ:mz] *s* (*pl* **gentlemen-at-arms** ['dʒentlmənət'ɑ:mz]) członek królewskiej gwardii przybocznej
gentleman-commoner ['dʒentlmən'kɔmənə] *s* (*pl* **gentlemen-commoners** ['dʒentlmən'kɔmənəz]) uprzywilejowany student (w Oxfordzie i Cambridge)
gentleman-farmer ['dʒentlmən'fɑ:mə] *s* (*pl* **gentlemen-farmers** ['dʒentlmən'fɑ:məz]) ziemianin
gentlemanlike ['dʒentlmən,laik] = **gentlemanly**
gentlemanliness ['dʒentlmənlinis] *s* 1. zachowanie się <postępowanie> godne człowieka honorowego, poczucie honoru 2. dobre maniery <wychowanie> kultura (człowieka)
gentlemanly ['dʒentlmənli] *adj* 1. (*o zachowaniu itd*) dżentelmeński; honorowy; godny człowieka honoru 2. (*o człowieku*) honorowy; z poczuciem honoru 3. (*o człowieku*) kulturalny; z ogładą, z polorem; dobrze wychowany <ułożony> 4. szanujący się
gentleness ['dʒentlnis] *s* łagodność; delikatność
gentlewoman ['dʒentl,wumən] *s* (*pl* **gentlewomen** ['dʒentl,wimin]) 1. pani z kulturalnego domu; szlachcianka; dama 2. † pani dworu
gently ['dʒentli] *adv* 1. † **~ born** szlachetnie urodzony; szlachetnego rodu 2. łagodnie; delikatnie 3. cicho; uważnie; **~ does it!** ostrożnie!
gentry ['dʒentri] *s* 1. szlachta; ziemiaństwo 2. *przeważnie lekceważąco*: światek <świat> (pewnego typu ludzi); ludzie
gents [dʒents] *spl* (*w napisie*) dla Panów (toaleta)
genual ['dʒenjuəl] *adj* (*o stawie*) kolanowy
genuflect ['dʒenju,flekt] *vi* uklęknąć; upaść na kolana
genuflection, genuflexion [,dʒenju'flekʃən] *s* przyklęknięcie
genuine ['dʒenjuin] *adj* 1. prawdziwy; autentyczny; *handl* **~ article** dobry towar; autentyczny wyrób; **~ purchaser** poważn-y/a odbior-ca/czyni <klient/ka> 2. (*o zwierzęciu*) rasowy; czystej rasy <krwi> 3. (*o człowieku*) szczery; bezpretensjonalny; naturalny 4. (*o uczuciu*) niekłamany 5. *med* rodzimy; samoistny; pierwotny
genuineness ['dʒenjuinnis] *s* 1. autentyczność <prawdziwość> (dokumentu itp.) 2. szczerość
genus ['dʒi:nəs] *s* (*pl* **genera** ['dʒenərə]) 1. *biol* rodzaj 2. kategoria; klasa
geocentric [,dʒiou'sentrik] *adj* geocentryczny
geode ['dʒioud] *s geol* geoda; druza
geodesic [,dʒiou'desik] *adj* geodezyjny

geodesy [dʒi'ɔdisi] *s* geodezja
geodetic [dʒiou'detik] = **geodesic**
geodynamics [ˌdʒioudai'næmiks] *s* geodynamika
geognosy [dʒi'ɔgnəsi] *s* geologia, † geognozja
geographer [dʒi'ɔgrəfə] *s* geograf
geographic(al) [dʒiə'græfik(əl)] *adj* geograficzny
geography [dʒi'ɔgrəfi] *s* geografia
geologic(al) [dʒiə'lɔdʒik(əl)] *adj* geologiczny
geologist [dʒi'ɔlədʒist] *s* geolog
geologize [dʒi'ɔləˌdʒaiz] [I] *vi* zajmować się geologią [II] *vt* badać geologię (**a region etc.** okolicy itd.)
geology [dʒi'ɔlədʒi] *s* geologia
geometer [dʒi'ɔmitə] *s* 1. mierniczy; geometra 2. *zoo* miernikowiec 3. *zoo* gąsienica miernikowca
geometric(al) [dʒiə'metrik(əl)] *adj* geometryczny; **~ progression** <**style etc.**> postęp <styl itd.> geometryczny; **~al continuity** ciągłość geometryczna
geometry [dʒi'ɔmitri] *s* geometria
geophysics [ˌdʒiou'fiziks] *s* geofizyka
George [dʒɔːdʒ] *s* klejnot stanowiący część insygniów Orderu Podwiązki; **~ noble** moneta z czasów Henryka VIII
georgette [dʒɔː'dʒet] *s tekst* żorżeta
Georgian[1] ['dʒɔːdʒjən] [I] *adj* gruziński [II] *s* Gruzin/ka
Georgian[2] ['dʒɔːdʒjən] *adj* georgiański; (z) czasów króla Jerzego I <II, III, IV, V, VI>
georgic ['dʒɔːdʒik] [I] *adj* sielski [II] *s* georgika (księga utworu Wergiliusza)
geotropism [dʒi'ɔtrəˌpizəm] *s bot* geotropizm
geranium [dʒi'reinjəm] *s bot* bodziszek; geranium; pelargonia
gerfalcon ['dʒəːfɔːlkən] *s zoo* sokół islandzki; białozór
geriatrics [ˌdʒeri'ætriks] *s med* geriatria (nauka o chorobach wieku starczego)
germ [dʒəːm] [I] *s* 1. zarodek; zawiązek; *przen* **to kill in the ~** stłumić w zarodku 2. zarazek, bakcyl; drobnoustrój [II] *vi* za/kiełkować
German[1] ['dʒəːmən] [I] *s* 1. Niem-iec/ka 2. język niemiecki; **High** <**Low**> **~** język górnoniemiecki <dolnoniemiecki> [II] *adj* niemiecki; *med* **~ measles** różyczka; *druk* **~ text** gotyk (pismo)
german[2] ['dʒəːmən] *adj* rodzon-y/a (**brother, sister** brat, siostra); **cousin ~** brat <siostra> cioteczn-y/a <stryjeczn-y/a>
germander [dʒəː'mændə] *s bot* ożanka czosnkowa; czosnkowe ziele; przetacznik
germane [dʒəː'mein] *adj* związany (**to the matter** z tematem), należący (**to the matter** do tematu)
Germanic [dʒəː'mænik] *adj* germański
Germanism ['dʒəːməˌnizəm] *s* 1. germanizm 2. umiłowanie kultury niemieckiej <niemieckości>
germanium [dʒəː'meiniəm] [I] *s chem* german (pierwiastek) [II] *attr chem* germanowy
germanization [ˌdʒəːmənai'zeiʃən] *s* germanizacja, zniemczenie
germanize ['dʒəːməˌnaiz] *vt* z/germanizować, z/niemczyć
germanizer ['dʒəːməˌnaizə] *s* germanizator
germicidal [ˌdʒəːmi'saidl] *adj* bakteriobójczy
germicide ['dʒəːmiˌsaid] [I] *s* środek bakteriobójczy [II] *adj* = **germicidal**
germinal ['dʒəːminl] *adj* 1. zarodkowy; zarodnikowy; zawiązkowy 2. (znajdujący się) w zaczątku; kiełkujący
germinant ['dʒəːminənt] *adj dosł i przen* kiełkujący
germinate ['dʒəːmiˌneit] [I] *vi* za/kiełkować; wschodzić [II] *vt* doprowadz-ić/ać do kiełkowania
germinating-bed ['dʒəːmiˌneitiŋˌbed] *s* kiełkownik (urządzenie do sprawdzania siły kiełkowania nasion)
germination [ˌdʒəːmi'neiʃən] *s* kiełkowanie; wschodzenie
gerontocracy [ˌdʒerɔn'tɔkrəsi] *s* rządy starców
gerrymander ['geriˌmændə] [I] *vt* oddziaływać machinacjami (**an election** na wynik wyborów); **to ~ a constituency** przez machinacje zmieni-ć/ać skład okręgu wyborczego [II] *s* podstępny chwyt <machinacja> przedwyborcz-y/a
gerund ['dʒerənd] *s gram* gerundium, rzeczownik odsłowny
gesso ['dʒesou] *s* gips
gestation [dʒes'teiʃən] *s* ciąża; okres ciąży
gestatorial [ˌdʒestə'tɔːriəl] *adj* **~ chair** tron, na którym noszą papieża w czasie niektórych uroczystości
gesticulate [dʒes'tikjuˌleit] [I] *vi* gestykulować [II] *vt* wyra-zić/żać (coś) gestami
gesticulation [dʒesˌtikju'leiʃən] *s* gestykulacja
gesture ['dʒestʃə] [I] *s* ruch ręką <ciałem>; gest [II] *vi vt* = **gesticulate**
get [get] *v* (*praet* **got** [gɔt], *pp* **got, gotten** ['gɔtn]; **getting** ['getiŋ]) [I] *vt* 1. dosta-ć/wać; otrzym-ać/ywać; naby-ć/wać; wystarać <postarać> się (**sth** o coś); za/wołać, sprowadzić (lekarza itd.); zaopat-rzyć/rywać się (**sth** w coś); zdoby-ć/wać (bogactwo, sławę, nagrodę); zysk-ać/iwać (**by sth** na czymś, przez coś); *radio* odbierać <z/łapać> (stację); mieć (piękny widok, słońce w oczy itd.); nabawi-ć/ać się (**an illness** choroby); trafić (kogoś, coś — ze strzelby, pociskiem, pięścią itd.); **I don't ~ you** <**your meaning**> a) nie rozumiem cię <was>; nie wiem, o co ci <wam> chodzi b) nie dosłyszałem cię <was>; *pot* **that's got him!** to mu dogodziło!; **to ~ a sight of sth** ujrzeć <zobaczyć> coś; **to ~ it** dostać za swoje; *pot* beknąć; **to ~ one's living** zar-obić/abiać na życie; **to ~ one's way** postawić na swoim; **to ~ religion** nawrócić się; **to ~ wind of sth** dowiedzieć się o czymś; **what has got him?** co mu się stało?; co go napadło?; **you've got me there** złapa-łeś/liście <zagi-ąłeś/ęliście> mnie 2. przyn-ieść/osić; poda-ć/wać; **~ me a pen** skocz po pióro 3. pos-łać/yłać; przew-ieźć/ozić; odn-ieść/osić; zan-ieść/osić; odprowadz-ić/ać; odstawi-ć/ać (kogoś, coś — dokądś); pom-óc/agać (**sb** komuś — wyjść na górę itd.); **to ~ sb into trouble** narobić komuś kłopotu <*pot* bigosu>; *pot* wpakować kogoś w kabałę; **he got her with child** <**into trouble**> (ona) zaszła z nim w ciążę; **to ~ sth by heart** nauczyć się czegoś na pamięć 4. *przed rzeczownikiem lub zaimkiem w bierniku i imiesłowem czynnym:* zmusić (kogoś, coś) do zrobienia czegoś; **to ~ sb working** zmusić kogoś do pracy; *am* **that got him guessing** to mu dało do myślenia; to mu zabiło klina w głowę 5. *przed rzeczownikiem lub zaimkiem w bierniku i bezokolicznikiem:* nakł-onić/aniać <nam-ówić/awiać, zmu-sić/szać, upr-osić/aszać> (**sb to do sth** kogoś, żeby coś zrobił

<do zrobienia czegoś>); *w zdaniach przeczących z* **can**: nie móc doprowadzić do <doprosić się, doczekać się> tego, żeby (ktoś coś zrobił); nie móc nakłonić <namówić, zmusić> (kogoś do zrobienia czegoś); **to ~ sth to __** doprowadzić do tego, żeby ... (coś się stało); **to ~ sth to work** <**move**> puścić coś w ruch; ruszyć coś z miejsca; **to ~ the fire to burn** rozpalić ogień 6. *przed rzeczownikiem lub zaimkiem w bierniku i imiesłowem biernym:* **to ~ one's arm broken** złamać sobie rękę; **to ~ one's hair cut** <**one's shoes cleaned, one's clothes pressed**> dać się ostrzyć <wyczyścić sobie obuwie, odprasować sobie ubranie>; **to ~ one's work finished** skończyć pracę; **to ~ one's wrist dislocated** zwichnąć sobie rękę; **to ~ sth done** postarać się o to, żeby coś zostało zrobione; **to ~ sth done by sb** postarać się o to, żeby ktoś coś zrobił 7. *przed rzeczownikiem lub zaimkiem w bierniku z przymiotnikiem odpowiada polskiemu czasownikowi odprzymiotnikowemu*: **to ~ one's feet wet** przemoczyć sobie nogi; **to ~ one's shoes clean** wyczyścić sobie obuwie; **to ~ sth ready** przygotować coś 8. *w czasie prsesent-perfect odpowiada czasowi teraźniejszemu czasowników*: a) mieć — *gdy następuje rzeczownik jako dopełnienie*: **I have got no time** nie mam czasu; **have you got a match?** czy masz zapałkę? b) musieć — *gdy następuje bezokolicznik z* **to**: **you have got to work** <**know, come**> musi-sz/cie pracować <wiedzieć, przyjść> 9. wydoby-ć/wać (węgiel itd.) 10. (*o zwierzętach*) mieć (młode); u/rodzić 11. *z przyimkami*: **~ aboard; to ~ sth aboard a ship** załadować coś na statek; **~ down; to ~ sth down the stairs etc.** ściąg-nąć/ać <zn-ieść/osić> coś z góry po schodach itd.; **~ into; to ~ sth into __** wciąg-nąć/ać <wprowadz-ić/ać, wepchnąć/wpychać> coś do...; **~ off; to ~ sth off __** zd-jąć/ejmować coś z... (czegoś); usu-nąć/wać (plamy itd.) z...; **to ~ sth off one's hands** pozbyć się czegoś; **~ on; to ~ sth on a cart etc.** załadować coś na wóz itd.; **~ over; to ~ sth over __** przen-ieść/osić coś przez... (przeszkodę itd.); **~ round; to sth round a tree** <**post etc.**> ot-oczyć/aczać <okręc-ić/ać; obwi-nąć/jać> czymś drzewo <słup itd.>); **~ through; to ~ sth through __** przepu-ścić/szczać <przeciąg-nąć/ać; przep-chnąć/ychać> coś przez... (coś); **~ to; to ~ sb to bed** ułożyć/układać kogoś spać; **~ up; to ~ sth up the stairs etc.** wciąg-nąć/ać <wn-ieść/osić> coś na górę <do góry> schodami itd. [II] *vi* 1. *z przymiotnikiem*: a) *odpowiada polskiemu czasownikowi odprzymiotnikowemu*: **to ~ rich** <**poor, old, angry, red, green, cold, hot, tired**> wzbogacić <zubożeć, zestarzeć, rozgniewać, zaczerwienić, zazielenić, oziębi-ć/ać, zagrzać, zmęczyć> się b) robić <stawać> się; **flowers are ~ting scarce** kwiaty stają się rzadsze; jest coraz mniej kwiatów; **it's ~ting late** <**cold, warm**> robi się późno <zimno, ciepło>; **the weather was ~ting worse** pogoda stawała się coraz gorsza <psuła się coraz bardziej> 2. *przed imiesłowem biernym*: a) zostać (zabitym, rannym, schwytanym, zwolnionym z posady itd.) b) *odpowiada czasownikowi zwrotnemu*: **to ~ dressed** <**shaved, drowned, married, drunk**> ubrać <ogolić, utopić, pobrać, upić> się c) dać <pozwolić> się (ogolić, złapać, zaskoczyć itd.) 3. *przed imiesłowem czynnym*: zacząć..., zabrać się do...; **~ working!** zabierz/cie się do roboty!; **we got talking about the future** zaczęliśmy mówić o przyszłości 4. przyby-ć/wać <przy-jść/chodzić, przyje-chać/żdżać, przybie-c/gać, przyl-ecieć/atywać, przypły-nąć/wać, do-jść/chodzić, doje-chać/żdżać, dobie-c/gać, dol-ecieć/atywać, dopły-nąć/wać> (**somewhere** dokądś); *am przen* **to ~ there** osiągnąć powodzenie; **we're not ~ting anywhere, we're ~ting nowhere** stoimy w miejscu; tracimy czas; to nam nic nie daje 5. *przed bezokolicznikiem z* **to**: dojść do <doczekać się> tego, żeby coś zrobić <móc zrobić>; wreszcie <w końcu> coś zrobić; **to ~ to know sth** dowiedzieć się o czymś, **I never got to know him** nie doszło do tego <nie doczekałem się tego>, żebym go poznał; **we got to like him** w końcu polubiliśmy go 6. *z przyimkami lub wyrażeniami przyimkowymi*: **~ above; to ~ above oneself** przecenić się; **~ across; to ~ across __** przedosta-ć/wać się <prze-jść/chodzić, przeje-chać/żdżać, przebie-c/gać, przepły-nąć/wać, przel-ecieć/atywać, prze-leźć/łazić> przez... (coś); **~ at; to ~ at __** a) do-trzeć/cierać <dostać się> do... (kogoś, czegoś); odszukać <znaleźć>... (coś) b) pojąć... (coś) c) przekupić... (kogoś); **~ into; to ~ into sth** wejść/wchodzić <wepchnąć/wpychać się, wleźć/włazić> do czegoś; **to ~ into a habit** nabrać przyzwyczajenia; **to ~ into a rage** wpaść w szał; wściec się; **~ off; to ~ off __** zejść z... (drogi, dachu, trawnika itd.); zsiąść z... (konia, roweru itd.); **~ on; to ~ on __** wspi-ąć/nać się <wsi-ąść/adać> na... (coś); **to ~ on one's feet** stanąć na nogi; **to ~ on sb's nerves** działać komuś na nerwy; **~ over; to ~ over __** a) = **to ~ across** b) przesk-oczyć/akiwać przez... c) przezwycięż-yć/ać <opanow-ać/ywać>... (trudności, uczucie) d) przeby-ć/wać... (chorobę); **to ~ over a loss** przeboleć stratę; **~ round; to ~ round __** a) ob-ejść/chodzić <obje-chać/żdżać, opły-nąć/wać>... (coś) b) ugłaskać... (kogoś) c) unik-nąć/ać... (czegoś); omi-nąć/jać... (coś); **~ through; to ~ through __** a) przedosta-ć/wać się przez... (coś) b) uporać się <poradzić sobie> z... (czymś); odr-obić/abiać... (pracę); **~ to; to ~ to __** a) zab-rać/ierać się do.... (czegoś); przyst-ąpić/ępować do... (czegoś) b) dostać się <do-trzeć/cierać> do... (kogoś, czegoś — celu itp.) <na... (coś — dworzec, komisariat itd.)> c) (*o zagubionym przedmiocie*) podziać się; **where's my book got to?** gdzie się moja książka podziała?; **~ up; to ~ up a hill etc.** wy-jść/chodzić <wydostać się> na szczyt itd.; **~ upon = ~ on**

~ aboard *vi* wsi-ąść/adać na statek; zaokrętować się

~ about *vi* 1. poruszać się (z miejsca na miejsce) 2. (*o wiadomości*) roz-ejść/chodzić się

~ abroad *vi* (*o wiadomości*) roz-ejść/chodzić się

~ across [I] *vt* 1. zna-leźć/jdować zrozumienie; wywoł-ać/ywać oddźwięk; **to ~ a joke across to the public** znaleźć u publiczności zrozumienie dla swego dowcipu [II] *vi* przedosta-ć/wać <przeprawi-ć/ać> się na drugą stronę (rzeki itd.)

~ ahead *vi* 1. z/robić postępy 2. wysu-nąć/wać się na czoło

~ along *vi* 1. da-ć/wać sobie radę 2. z/robić postępy; **how are you ~ting along?** a) jak ci

<wam> idzie (praca itd.)? b) jak ci <wam> się powodzi? 3. współpracować <współżyć> (z kimś)

~ away [I] *vi* 1. od-ejść/chodzić; odje-chać/żdżać; wyje-chać/żdżać; wydosta-ć/wać <wy-rwać> się (skądś); *pot* **~ away with you!** a) wynoś/cie się!; idźże!, idźcież! b) żartuje-sz/cie!; *pot* **there's no ~ting away from it** to jest fakt niezaprzeczalny; nie ukryje się tego; nic się na to nie poradzi 2. (*o złodzieju itp*) umknąć; **he got away with it** udało <*pot* upiekło> mu się; **you can't ~ away with that** to ci <wam> się nie uda; nie puszczę ci <wam> tego płazem [II] *vt* od-erwać/rywać (**sb** <**sth**> **from** __ kogoś <coś> od...)

~ back [I] *vi* 1. wr-ócić/acać 2. *am* odpłac-ić/ać się pięknym za nadobne (**at sb** komuś) [II] *vt* otrzymać <dostać> (coś) z powrotem; odzyskać; **to ~ one's own back on sb** ze/mścić się na kimś; z/rewanżować się komuś

~ down *vi* zejść/schodzić; zleźć/złazić; **to ~ down to facts** zacząć operować faktami; dotrzeć <dobrać się> do sedna rzeczy; *pot* **to ~ down to one's work** zabrać się do pracy

~ forward *vi* iść; posu-nąć/wać się naprzód; **to ~ forward with one's work** robić postępy w pracy

~ in [I] *vi* 1. wejść/wchodzić; wsi-ąść/adać; dosta-ć/wać <przedosta-ć/wać, wśliz-nąć/giwać, wepchnąć/wpychać> się do środka 2. (*o pociągu*) wje-chać/żdżać; przyje-chać/żdżać 3. (*o pośle do parlamentu*) zosta-ć/wać wybranym ‖ **to ~ in with sb** wkra-ść/dać się w czyjeś łaski; zaprzyjaźnić się z kimś [II] *vt* 1. zawieźć/ozić; przyw-ieźć/ozić; wn-ieść/osić; wepchnąć/wpychać; wcis-nąć/kać; wprowadz-ić/ać 2. zebrać/zbierać (plony) 3. od-ebrać/bierać (dług)

~ off [I] *vi* 1. zsi-ąść/adać (z konia itd.); wysi-ąść/adać (z tramwaju itd.) 2. poradzić sobie <uporać się> (**with sth** z czymś); wyjść cało <obronną ręką> (z opresji); *pot* **to ~ off with a boy** z/łapać <zdoby-ć/wać sobie> chłopca (na męża) ‖ **to ~ off to sleep** zas-nąć/ypiać [II] *vt* 1. nauczyć się na pamięć (**sth** czegoś) 2. wys-łać/yłać (**a parcel etc.** paczkę itd.) 3. zd-jąć/ejmować <od-erwać/rywać> (**a lid etc.** wieko itd.)

~ on [I] *vt* wdzi-ać/ewać (**one's clothes etc.** ubranie itd.) [II] *vi* 1. posuwać się naprzód; **to be ~ting on for forty** <**fifty etc.**> zbliżać się do czterdziestki <do pięćdziesiątki itd.>; **it's ~ting on for 1** <**2, 3 etc.**> zbliża się godzina 1 <2, 3 itd.> 2. mieć powodzenie (**in life** w życiu); **he is ~ting on** powodzi mu się dobrze; **how are you ~ting on?** a) jak się ma-sz/cie? b) jak ci <wam> się powodzi? 3. robić (coś) dalej; **to ~ on with one's work** <**reading etc.**> pracować <czytać itp.> dalej 4. robić postępy (**with one's work** <**reading etc.**> w pracy <w lekturze itd.>); dać sobie radę (**with sth** z czymś); **how did you ~ on with your examination** <**work etc.**>**?** jak ci <wam> się powiodło na egzaminie <w pracy itd.>?; **to ~ on without sth** ob-ejść/ywać się <da-ć/wać sobie radę> bez czegoś 5. współżyć; **to ~ on (well) with sb** zgadzać się <dobrze żyć> z kimś; **they don't ~ on well together** nie żyją dobrze z sobą; **easy to ~ on with** łatwy w pożyciu; **~ on with you!** idźże!; nie wierzę! ‖ *am* **to ~ on to a trick** poznać się na sztuczce; **they are beginning to ~ on to him** zaczynają go poznawać

~ out [I] *vt* wyj-ąć/mować <wyciąg-nąć/ać, wydosta-ć/wać, wyprowadz-ić/ać, wyp-chnąć/ychać, wydoby-ć/wać> (coś z czegoś); wydoby-ć/wać (coś od kogoś); **to ~ sth out of it** coś na tym zyskać; coś z tego mieć [II] *vi* wy-jść/chodzić <wysi-ąść/adać, wydosta-ć/wać się, wyr-wać/ywać się, wy-leźć/łazić> (z czegoś); **the secret got out** tajemnica wydała się; *pot* **~ out!** a) wyjdź/cie stąd <stamtąd>! b) idźże!, idźcież!; nie blaguj/cie!; **~ out of here!** wynoś/cie się stąd!; *pot* **to ~ out of a duty** wymigać <wykręcić> się od obowiązku; **to ~ out of hand** wyrwać się (komuś); wyemancypować <wyzwolić> się; **to ~ out of sb's way** usunąć się komuś z drogi; **to ~ out of sight** zniknąć z oczu; **to ~ out of the habit of doing sth** odzwyczaić się od czegoś

~ over [I] *vi* przedosta-ć/wać się na drugą stronę [II] *vt* s/kończyć (**sth** z czymś); (*także* **to have got sth over**) mieć coś za sobą

~ round [I] *vi* dosta-ć/wać się <do-trzeć/cierać, do-jść/chodzić> (**to sb, sth** do kogoś, czegoś) [II] *vt* docucić się (zemdlonej osoby)

~ through *vi* 1. przedosta-ć/wać się (**to a place** dokądś); (*o kandydacie*) zda-ć/wać (egzamin); (*o projekcie*) prze-jść/chodzić; zostać przyjętym 2. skończyć (**with sth** z czymś); doprowadzić do pomyślnego końca <zdołać przeprowadzić> (**with sth** coś) 3. otrzym-ać/ywać połączenie telefoniczne <rozmówić się telefonicznie> (**to sb** z kimś)

~ together [I] *vi* zebrać/zbierać się [II] *vt* zebrać/zbierać (coś, ludzi)

~ under *vt* opanow-ać/ywać (pożar, rewoltę itd.)

~ up [I] *vi* 1. wsta-ć/wać (z miejsca, łóżka itd.); podn-ieść/osić się 2. wspi-ąć/nać się 3. do-trzeć/cierać <do-jść/chodzić; doczytać> (**to sth, to a place** do czegoś, dokądś) 4. *w zwrocie*: **to ~ up** na/psocić [II] *vt* 1. podn-ieść/osić; wydźwig-nąć/ać; wyciąg-nąć/ać; wystawi-ć/ać; wyn-ieść/osić 2. o/budzić (**sb** kogoś); **to ~ sb's back up** roz/złościć kogoś; *sl* **to ~ the wind up** nastraszyć się; stchórzyć 3. ubrać; wystroić (**sb, oneself** kogoś, się); **to get oneself up** wymalować się 4. urządz-ić/ać <ułożyć/układać> (korzystnie, ładnie itd.); wystawi-ć/ać (sztukę teatralną); **to ~ up sb's hair** u/czesać kogoś; z/robić komuś fryzurę 5. wytw-orzyć/arzać; **to ~ up steam** a) *mar* palić pod kotłami b) *przen* nabierać energii; zbierać siły

get-at-able ['get'ætəbl] *adj* dostępny; przystępny

get-away ['get-ə,wei] *s* ucieczka; **to make a ~** ucie-c/kać; um-knąć/ykać; wym-knąć/ykać się

get-out ['get,aut] *s pot* ucieczka

getter ['getə] *s* 1. rodziciel/ka 2. *górn* rębacz 3. *górn* urabiarka (maszyna)

get-up ['getʌp] *s* 1. strój; ubiór; szata zewnętrzna (książki) 2. wygląd 3. *teatr* reżyseria; wy/reżyserowanie

geum ['dʒi:əm] *s bot* kuklik

gewgaw [ˈgjuːˌgɔː] *s* błyskotka; ozdóbka

geyser[1] [ˈgaizə] *s* 1. *geol* gejzer 2. [ˈgiːzə] piec gazowy <automat> (w łazience)

geyser[2] [ˈgaizə] = **geezer**

ghastliness [ˈgɑːstlinis] *s* 1. okropność <ohyda> (zbrodni itd.) 2. upiorna <śmiertelna> bladość

ghastly [ˈgɑːstli] [I] *adj* (**ghastlier** [ˈgɑːstliə], **ghastliest** [ˈgɑːstliist]) 1. okropny; (*o zbrodni itp*) ohydny; **~ smile** grymas <wykrzywienie> ust 2. upiornie <śmiertelnie> blady [II] *adv* okropnie <upiornie, śmiertelnie> (blady itd.)

gha(u)t [gɔːt] *s* (*w Indiach*) 1. pasmo górskie 2. przełęcz 3. schody prowadzące do rzeki i stanowiące przystań

ghee [giː] *s* (*w Indiach*) masło z mleka bawolic

gherkin [ˈgəːkin] *s* korniszon

ghetto [ˈgetou] *s* getto

Ghibelline [ˈgibiˌlain] *s hist* gibelin

↑**ghost** [goust] [I] *s* 1. duch; **the Holy Ghost** Duch Święty; **to give up the ~** wyzionąć ducha 2. upiór; widmo; duch; **there are ~s in the room** w tym pokoju straszy; **to raise a ~** wywoł-ać/ywać ducha 3. *przen* cień; **a ~ of one's former self** cień dawnego człowieka; **the ~ of a chance <doubt>** najmniejsza szansa <wątpliwość>; **the ~ of a smile** cień uśmiechu 4. „murzyn" (literacki) [II] *vt vi* pisać (dzieło literackie) przy pomocy „murzyna"

ghostly [ˈgoustli] *adj* 1. † duchowy; **our ~ enemy** szatan 2. upiorny

ghost-story [ˈgoustˌstɔːri] *s* opowiadanie o duchach <o upiorach, strachach>

ghoul [guːl] *s* upiór; wampir

GI [ˈdʒiːˈai] [I] *s* (*pl* **GI's** [ˈdʒiːˈaiz]) żołnierz amerykański [II] *attr* żołnierski; wojskowy; fasowany; **~ bride** Angielka — narzeczona <żona> amerykańskiego wojskowego; **~ Jane <Joan>** kobieta-żołnierz w armii amerykańskiej; **~ Joe** żołnierz amerykański

↑**giant** [ˈdʒaiənt] [I] *s* 1. olbrzym; wielkolud; *przen* tytan 2. *mar* monitor [II] *adj* olbrzymi; gigantyczny; *sport* **~ stride** kołobieg, krążnik; **~ strides** siedmiomilowe kroki

giantess [ˈdʒaiəntis] *s* olbrzymka

giantlike [ˈdʒaiəntˌlaik] *adj* olbrzymi; gigantyczny

giaour [ˈdʒauə] *s* (*u mahometan*) giaur, niewierny

gib [gib] *s techn* zawłoka; zatyczka; klin; **~ and cotter** klin i przeciwklin

gibber [ˈdʒibə] [I] *vi* szwargotać; mamrotać [II] *s* szwargot; mamrotanie

gibberish [ˈgibəriʃ] *s* 1. szwargot; mamrotanie 2. żargon

gibbet [ˈdʒibit] [I] *s* 1. szubienica 2. śmierć przez powieszenie 3. *techn* wysięgnik dźwigu [II] *vt* 1. powiesić 2. wystawić na pośmiewisko <na pohańbienie> 3. *przen* postawić pod pręgierzem opinii publicznej

gibbon [ˈgibən] *s zoo* gibon (małpa)

gibbose [ˈgibous], **gibbous** [ˈgibəs] *adj* 1. wypukły 2. garbaty 3. *astr* (*o księżycu*) w fazie między kwadrą a pełnią

gibbosity [giˈbɔsiti] *s* 1. wypukłość 2. garb

gibbous *zob* **gibbose**

gibe [dʒaib] [I] *vi* kpić <drwić, szydzić, naigrawać się> (**at sb** z kogoś) [II] *vt* wyszydzać; wyśmiewać [III] *s* kpina, drwina; szyderstwo

giber [ˈdʒaibə] *s* kpiarz, drwinkarz; szyderca

giblets [ˈdʒiblits] *spl* podróbki <podroby, dróbka> (gęsie itp.)

gibus [ˈdʒaibəs] *s* szapoklak

gid [gid] *s wet* (*u owiec*) kołowacizna

giddiness [ˈgidinis] *s* 1. zawr-ót/oty głowy 2. roztrzepanie; roztargnienie 3. lekkomyślność; trzpiotostwo, trzpiotowatość

giddy [ˈgidi] [I] *adj* (**giddier** [ˈgidiə], **giddiest** [ˈgidiist]) 1. mający <cierpiący na> zawr-ót/oty głowy; **to be <feel> ~** mie-ć/wać zawr-ót/oty głowy; **I feel ~** kręci mi się w głowie 2. (*o wysokości*) zawrotny; (*o przepaści itp*) przyprawiający o zawrót głowy 3. (*o człowieku*) roztargniony; roztrzepany; lekkomyślny; trzpiotowaty; **~ goat** figla-rz/rka; **~ pate** roztrzepaniec [II] *vt* (**giddied** [ˈgidid], **giddied**; **giddying** [ˈgidiiŋ]) przyprawi-ć/ać o zawrót głowy

gift [gift] [I] *s* 1. dar; prezent; upominek; *prawn* **deed of ~** darowizna; **by ~** w prezencie, w darze; **to make a ~ of sth to sb** podarować coś komuś; **I wouldn't have <take> it as a ~** nie chcę <nie wziąłbym> tego nawet za darmo 2. premia; nagroda 3. dar <uzdolnienie, talent> (**for sth** do czegoś) [II] *attr* 1. darowany 2. nadający się <odpowiedni> na prezent [III] *vt* 1. obdarz-yć/ać (**with sth** czymś) 2. ofiarować <złożyć w darze> (**sb with sth** coś komuś) *zob* **gifted**

gifted [ˈgiftid] [I] *zob* **gift** *v* [II] *adj* utalentowany

gift-horse [ˈgiftˌhɔːs] *s w zwrocie*: **never look a ~ in the mouth** darowanemu koniowi nie zagląda się w zęby

gig[1] [gig] *s* 1. gig, kabriolet, dwukółka 2. gig, łódź wyścigowa 3. *techn* kołowrót 4. *górn* dźwig; wyciąg szybowy 5. *tekst* draparka

gig[2] [gig] [I] *s* rodzaj oszczepu do łowienia ryb [II] *vt* (**-gg-**) łowić (ryby) za pomocą oszczepu

gigantic [dʒaiˈgæntik] *adj* olbrzymi; gigantyczny

giggle [ˈgigl] [I] *vi* chichotać [II] *s* chichot, chichotanie

gig-lamps [ˈgigˌlæmps] *spl sl* okulary

giglet, giglot [ˈgiglit] *s* chichotka (dziewczyna)

gigman [ˈgigmən] *s* filister; kołtun

gigmanity [gigˈmæniti] *s zbior* filistrzy; kołtuneria

gig-mill [ˈgigˌmil] *s tekst* draparka

gigolo [ˈdʒigəˌlou] *s* 1. fordanser 2. sutener

GIJ [ˈdʒiːaiˈdʒei] = **GI Jane** *zob* **GI**

gild[1] [gild] = **guild**

gild[2] [gild] *vt* złocić; pozł-ocić/acać; upiększ-yć/ać; **to ~ the pill** osłodzić pigułkę *zob* **gilded, gilding**

gilded [ˈgildid] [I] *zob* **gild**[2] [II] *adj* pozłacany; **~ youth** złota młodzież; **the Gilded Chamber** Izba Lordów

gilder [ˈgildə] *s* pozłotnik

gilding [ˈgildiŋ] [I] *zob* **gild**[2] [II] *s* pozłota; złocenie

↑**gill**[1] [gil] [I] *s* 1. skrzele 2. *pl* **~s** (*u drobiu*) dzwonki; (*u indyka*) korale 3. (*u grzyba*) blaszki 4. (*u człowieka*) drugi podbródek; **to look rosy <green, yellow> about the ~s** mieć różową <zieloną, żółtą> cerę [II] *vt* 1. wypatroszyć (rybę) 2. złapać (rybę) za skrzele 3. oczyścić (grzyb) z blaszek

gill[2] [gil] *s* 1. głęboki lesisty wąwóz <parów, wądół, jar>; dolina o stromych zalesionych zboczach 2. potok górski

gill[3] [dʒil] *s* ćwierć kwarty angielskiej (= 0,142 l; *am* 0,118 l)

Gill[4] [dʒil] *s* dziewczyna; ukochana; sympatia

gillaroo [ˈgiləˌruː] *s zoo* pstrąg irlandzki

gillie ['gili] *s* 1. *hist* giermek (szkockiego wojownika) 2. pomocnik myśliwego <wędkarza>
gillyflower ['dʒili,flauə] *s bot* 1. *rz* goździk, gwoździk 2. nazwa niektórych kwiatów pachnących podobnie do goździka: lewkonia, lak wonny
gilt [gilt] I *adj* pozłacany, złocony II *s* pozłota; złocenie; **to take the ~ off a great name** odbrązowić wielkiego człowieka; **that takes the ~ off the gingerbread** ot, i prysnął czar
gilt-edged ['gilt,edʒd] *adj* 1. (*o książce itp*) ze złoconymi brzegami 2. *przen* (*o wiadomości itp*) cenny; pewny; niezawodny; *pot* murowany; **~ securities** obligacje państwowe
gimbals ['dʒimbəlz] *spl techn* zawieszenie kardanowe
gimcrack ['dʒim,kræk] *adj* efektownie wyglądający a tandetny; (*o ozdobach, biżuterii itp*) szychowy; tombakowy
gimcrackery ['dʒim,krækəri] *s* efektownie wyglądająca tandeta; szych; tombak
gimlet ['gimlit] I *s* świder ręczny; **~ eyes** świdrujące oczy II *vt* prze/świdrować
gimp [gimp] *s* 1. galon; kordonek 2. *wędk* żyła, żyłka
gin[1] [dʒin] I *s* 1. sidło; potrzask; pułapka 2. winda z kołowrotem; wciągarka; kołowrót z pionowym bębnem; kozioł 3. *tekst* odziarniarka II *vt* (**-nn-**) 1. z/łapać w sidła <w potrzask, pułapkę> 2. oczy-ścić/szczać (bawełnę) z nasion
gin[2] [dʒin] *s* 1. *austral* kobieta; żona; kobieta tubylcza 2. *am* prostytutka murzyńska
gin[3] [dʒin] *s* dżyn; *am* **~ sling** napój ze słodzonego dżynu z wodą
gin-fizz ['dʒin,fiz] *s* napój z dżynu, wody sodowej i cytryny
ginger ['dʒindʒə] I *s* 1. imbir 2. *przen* werwa, ogień, życie, animusz; pieprzyk II *adj* rudy; ryży III *vt* 1. przyprawi-ć/ać (napój itd.) imbirem 2. sztucznie podniec-ić/ać (konia wyścigowego) 3. ożywi-ć/ać (produkcję itd.)
ginger-ale ['dʒindʒər'eil], **gingerbeer** ['dʒindʒə'biə], *pot* **ginger-pop** ['dʒindʒə,pɔp] *s* gazowany napój przyprawiony imbirem
gingerbread ['dʒindʒə,bred] *s* rodzaj piernika przyprawionego imbirem; **~ work** marne <tandetne, bezwartościowe> ozdoby
ginger-haired ['dʒindʒə,hɛəd] *adj* ryży; rudy
gingerly ['dʒindʒəli] I *adv* ostrożnie; uważnie; delikatnie II *adj* ostrożny; uważny; delikatny
ginger-pop *zob* **ginger-ale**
ginger-race ['dʒindʒə,reis] *s* korzeń imbiru
gingery ['dʒindʒəri] *adj* 1. przyprawiony imbirem; ostry (w smaku); *przen* pieprzny; pikantny 2. rudy; ryży 3. porywczy; w gorącej wodzie kąpany; gniewliwy
gingham ['giŋəm] *s* 1. kratkowany <pasiasty> materiał wełniany <bawełniany> z farbowanej przędzy 2. *pot* duży parasol
gingili ['dʒindʒili] *s bot* sezam; **~ oil** olej sezamowy
gingival [dʒin'dʒaivəl] *adj* dziąsłowy
ginglymus ['dʒiŋglimәs] *s anat* staw zawiasowy
ginnery ['dʒinəri] *s* oczyszczalnia bawełny
gin-palace ['dʒin,pælis] *s* wystawnie urządzony bar
gin-shop ['dʒin,ʃɔp] *s* bar
gin-sling ['dʒin,sliŋ] *zob* **gin[3]**
gippo ['dʒipou] *s sl wojsk* zupa; sos; gulasz
gippy ['dʒipi] *s sl wojsk* żołnierz egipski
gipsy ['dʒipsi] I *s* 1. Cygan/ka 2. (*o dziewczynie*) *pot* czarnula II *attr* **~ bonnet** czepek przykrywający uszy; *bot* **~ rose** driakiew; **~ table** przenośny stolik na trójnogu
giraffe [dʒi'ra:f] *s zoo* żyrafa
girandole ['dʒirən,doul] *s* 1. żyrandol 2. pająk wodny (wodotrysk) 3. ogień sztuczny 4. wisiorek; pendent; kolczyk wiszący
girasol ['dʒirə,sɔl], **girasole** ['dʒirə,soul] *s miner* opal ognisty
gird[1] [gə:d] *v* (*praet* **girded** ['gə:did], **girt** [gə:t], *pp* **girded, girt**) I *vt* 1. opas-ać/ywać; ot-oczyć/aczać; okrąż-yć/ać 2. (*także* **~ on**) przypas-ać/ywać (miecz itd.); **to ~ (up) one's loins** = **~ oneself** 3. *w zwrocie*: **to ~ sb with authority** nada-ć/wać komuś władzę II *vr* **~ oneself** przygotow-ać/ywać się (**for sth** do czegoś — działania, walki itd.) *zob* **girt**
gird[2] [gə:d] I *vi* kpić <drwić, szydzić> (**at sb, sth** z kogoś, czegoś) II *s* kpina, drwina; szyderstwo
girder ['gə:də] *s bud* belka główna; dźwigar; spągnica; stropnica; wiązar
girdle ['gə:dl] I *s* 1. pas, pasek 2. opaska; pierścień; obręcz 3. popręg 4. *med* **shoulder <pelvic> ~** pas barkowy <miednicowy> II *vt* opas-ać/ywać; ot-oczyć/aczać
girl [gə:l] I *s* 1. dziewczyna, dziewczynka, dzieweczka; dziewczę, dziewczątko; panienka; **~s' school** szkoła żeńska; *z przymiotnikiem*: a) **charming <nice etc.> ~** urocza <miła itd.> dziewczyna <osoba> b) **a French <Polish etc.> ~** młoda Francuzka <Polka itd.> c) **eldest <youngest> ~** najstarsza <najmłodsza> córka; **old ~ !** kochanie! 2. ukochana; sympatia 3. (*w sklepie*) ekspedientka; (*w domu*) pomocnica domowa; pokojówka 4. *pot* kobieta, niewiasta, osoba (płci żeńskiej) II *attr* **~ friend** a) koleżanka (innej kobiety <dziewczyny>) b) sympatia (chłopca); **Girl Guide** harcerka; **~ wife <typist>** młoda żona <maszynistka>
girlhood ['gə:lhud] *s* 1. wiek dziewczęcy 2. *zbior* dziewczęta (miasta, kraju itd.)
girlie ['gə:li] *s* dziewczątko
girlish ['gə:liʃ] *adj* dziewczęcy
girlishness ['gə:liʃnis] *s* dziewczęcość; dziewczęce zachowanie; wygląd dziewczęcy
girt [gə:t] I *zob* **gird[1]** II *s* obwód III *vt* z/mierzyć obwód (**sth** czegoś) IV *vi* mieć (*x* stóp itp.) obwodu <w obwodzie>
girth [gə:θ] I *s* 1. popręg 2. pas 3. obwód <wymiar> (w talii, biuście itd.); **of ample ~** korpulentny; zażywny II *vt* 1. poprężyć (konia) 2. z/mierzyć obwód (**sth** czegoś) 3. ot-oczyć/aczać; opas-ać/ywać III *vi* mieć w obwodzie (*x* cm, m itd.)
gist [dʒist] *s* istota; główna treść; esencja; osnowa; sens; **the ~ of the matter** sedno sprawy
gittern ['gitə:n] = **cittern**
give[1] [giv] *v* (**gave** [geiv], **given** ['givn]) I *vt* 1. da-ć/wać (**sth to sb, sb sth** coś komuś); **a book was given (to) him, he was given a book** dano mu książkę; **the river ~s its name to the province** od nazwy rzeki bierze swoją nazwę prowincja; **to ~ a dinner <an order>** wydać obiad <rozkaz>; **to ~ alms** rozdawać jałmużnę; **to ~ a message to sb** powiedzieć coś komuś (od kogoś); **to ~ as good as one gets** nie zostać komuś dłużnym; **to**

~ **information** <**one's blessing**> udziel-ić/ać informacji <błogosławieństwa>; *pot* **to ~ it (to) sb** a) obsztorcować <zbesztać> kogoś b) zbić kogoś; *pot* dać komuś bobu; **to ~ medicine** poda-ć/wać lekarstwo; **to ~ oneself time** znaleźć czas (na coś); **to ~ oneself trouble** zada-ć/wać sobie trud; **to ~ sb into custody** odda-ć/wać kogoś w ręce policji <władz>; **to ~ sb one's favour** <**confidence**> darzyć kogoś względami <zaufaniem>; **to ~ sb one's support** <**help**> udziel-ić/ać komuś poparcia <pomocy>; **to ~ sb ten minutes** <**two days etc.**> dać komuś dziesięć minut <dwa dni itd.> czasu; **to ~ sb's compliments to sb** pozdrowić kogoś od kogoś; **~ him my love** uściśnij/cie go <pozdrów/cie go serdecznie> ode mnie; **to ~ some minutes' time** użycz-yć/ać kilku minut swego czasu; **to ~ the news** poda-ć/wać <za/komunikować> wiadomość; *pot* **~ me the good old days!** nie ma to jak dobre dawne czasy!; **I ~ you our host** zdrowie gospodarza!; **it is a case of ~ and take** ustępstwa muszą być wzajemne; jeżeli żądasz uprzejmości, bądź sam uprzejmy 2. odda-ć/wać <poświęc-ić/ać> (**sb** <**sth**> **one's time** <**life etc.**> komuś <czemuś> czas <życie itd.>) 3. (*na zabawie, przyjęciu*) **to ~ a recitation** <**a song, a sonata**> zadeklamować, zaśpiewać piosenkę, zagrać sonatę 4. *z czasownikiem*: **to ~ sb to suppose** <**believe**> naprowadzić kogoś na myśl; zasugerować komuś; podsunąć komuś myśl; **to ~ sb to understand** dać komuś do zrozumienia [II] *vi* 1. być elastycznym; poddawać się 2. (*o kolorach*) wyblaknąć 3. (*o mrozie*) zelżeć 4. (*o pogodzie*) złagodnieć 5. (*o budynku itd*) zawalić się 6. (*o zamku, drzwiach itd*) ust-ąpić/ępować (pod naporem) 7. (*o skale itp*) osu-nąć/wać <ur-wać/ywać> się 8. rozda-ć/wać jałmużnę

~ **away** *vt* 1. da-ć/wać; rozda-ć/wać; po/darować; **that's giving it away** to jest za bezcen <za darmo>; **to ~ away the bride** prowadzić pannę młodą do ołtarza 2. zdradzić (**sb** <**oneself, a secret**> **away** kogoś <się, tajemnicę>) 3. s/kompromitować

~ **back** *vt* 1. zwr-ócić/acać (coś) 2. (*o ścianie, skale itd*) odbi-ć/jać (głos); (*o lustrze*) odbi-ć/jać (obraz)

~ **forth** *vt* 1. = **~ off** 2. wyda-ć/wać (głos) 3. ogł-osić/aszać (wiadomość itd.)

~ **in** [I] *vt* 1. poda-ć/wać (swe nazwisko) 2. wręcz-yć/ać (pakunek itd.) [II] *vi* 1. podda-ć/wać się 2. ule-c/gać (czemuś) 3. ust-ąpić/ępować (komuś) 4. uzna-ć/wać w końcu (**to sb's views etc.** czyjeś zapatrywania itd.)

~ **off** *vt* 1. wydzielać (gaz, zapach, ciepło) 2. (*o roślinach*) puszczać (pączki)

~ **out** [I] *vt* 1. rozda-ć/wać 2. ogł-osić/aszać 3. *am* udziel-ić/ać (**an interview** wywiadu) [II] *vr w zwrocie*: **to ~ oneself out for** __ podawać się za ... (kogoś) [III] *vi* (*o zapasie czegoś, pieniądzach itd*) wyczerpywać <kończyć> się; dobiegać końca

~ **over** [I] *vt* 1. odda-ć/wać <wręcz-yć/ać, przekaz-ać/ywać> (coś komuś) 2. przesta-ć/wać (**doing sth** coś robić); zarzuc-ić/ać (coś); wyzby-ć/wać się (**a habit etc.** przyzwyczajenia itd.); **to ~ sb over** stracić nadzieję uratowania kogoś 3. *w stronie biernej*: odda-ć/wać się (**to sth** czemuś — rozpuście itd.); **to be ~n over to evil courses** źle się prowadzić [II] *vi* (*o wietrze, deszczu*) usta-ć/wać

~ **up** [I] *vt* 1. odda-ć/wać (zdobycz itd.); wyda-ć/wać <wręcz-yć/ać> (coś komuś) 2. ustąpić (coś komuś) 3. zaniechać <zaprzesta-ć/wać> (**sth** czegoś); z/rezygnować (**sth** z czegoś); zarzuc-ić/ać (coś); złożyć/składać (urząd, koronę itd.); **to ~ up the game** <**the struggle**> podda-ć/wać się; **to ~ it up (as a bad job)** zaprzestać wysiłków; dać za wygraną; **I ~ it up** poddaję się; kapituluję; **to ~ sb up (for lost)** uważać kogoś za straconego; stracić nadzieję na odnalezienie <na uratowanie> kogoś; **I** <**we**> **gave** <**had given**> **you** <**him etc.**> **up** myślałem <myśleliśmy>, że nie przyjdziesz <nie przyjdzie> [II] *vr* **~ oneself up** 1. oddać się (**to the police etc.** w ręce policji itd.) 2. odda-ć/wać się (**to a vice etc.** nałogowi itd.); poświęc-ić/ać się (**to study etc.** nauce itd.)

zob **given**

give[2] [giv] *s* elastyczność; **there is no ~ in wooden shoes** drewniaki nie poddają <nie zginają> się

give-and-take ['giv-ən'teik] *s* kompromis; ustępstwa wzajemne; **, ~ policy** polityka wzajemnych ustępstw

↑**give-away** ['giv-ə,wei] [I] *s* mimowolne zdradzenie <wydanie> (tajemnicy itd.) [II] *attr handl w zwrocie*: **a ~ price** śmiesznie niska cena; *pot* darmocha

given ['givn] [I] *zob* **give**[1]; *oznacza uwarunkowanie*: **~ a leader they will act** jeżeli będą mieli wodza, przystąpią do czynu; **~ time and patience it may be done** jeżeli starczy <przy odpowiednim nakładzie> czasu i cierpliwości, to się da zrobić [II] *adj* 1. dany (czas, punkt itd.); ustalony; wiadomy; nadany; *am* **~ name** imię (chrzestne) 2. (*o człowieku*) ze skłonnością (**to sth** do czegoś); **to be ~ to** __ mieć skłonność <pociąg, zamiłowanie> do ... (czegoś); **I am ~ that way** taką już mam naturę; **he is not ~ that way** to nie leży w jego usposobieniu

giver ['givə] *s* daw-ca/czyni

gizzard ['gizəd] *s* 1. drugi żołądek (ptaka) 2. *pot* (*u człowieka*) gardło; *przen* **it sticks in my ~** nie mogę tego strawić; nie mogę się z tym pogodzić; **to fret one's ~** trapić się

glabrous ['gleibrəs] *adj* gładki; bezwłosy

glacé ['glæsei] *adj* 1. glansowany; satynowany; z połyskiem 2. *kulin* lukrowany

↑**glacial** ['gleisjəl] *adj* 1. *geol* lodowcowy, glacjalny 2. lodowaty; lodowy 3. *chem* skrystalizowany

glaciated ['gleisi,eitid] *adj* 1. pokryty lodowc-em/ami 2. wygładzony przez lodow-iec/ce

glaciation [,glæsi'eiʃən] *s geol* zlodowacenie

glacier ['glæsiə] [I] *s* lodowiec [II] *attr* lodowcowy

glacis ['glæsis] *s* (*pl* **glacis** ['glæsiz], **~es**) pochyłość; stok

glad [glæd] *adj* (**-dd-**) 1. rad (**of sth** czemuś, z czegoś); **only too ~** z największą przyjemnością <radością>; **to be ~ to do sth** chętnie coś zrobić; cieszyć się, że się coś robi; **I am ~ to hear it** cieszy mnie to; **I shall be ~ to __ (write, see, know etc.)** miło mi będzie ... (napisać, zobaczyć, dowiedzieć się itd.); z przyjemnością... (napiszę, zobaczę, dowiem się itd.); **they will be ~ to learn** <**know, hear**> ucieszą się wiadomością <z wiadomości>; **to make ~** uradować, ucieszyć ‖ **to**

give sb the ~ eye popatrzyć na kogoś słodkimi oczami <porozumiewawczo> 2. (*o dniu, wieści itd*) radosny ‖ *sl* **~ rags** odświętne ubranie; świąteczny strój

gladden ['glædn] *vt* uradować, ucieszyć

glade [gleid] *s* polana; przesieka, przecinka; poręba; wyrąb

gladiator ['glædi,eitə] *s* gladiator

gladiatorial [,glædiə'tɔ:riəl] *adj* gladiatorski; **~ fights** walki gladiatorów

gladiolus [,glædi'ouləs] *s* (*pl* **gladioli** [,glædi'oulai], **~es**) *bot* mieczyk, gladiolus

gladsome ['glædsəm] *adj* radosny; szczęśliwy; rozradowany

Gladstone ['glædstən] *spr* czterokołowy powóz dwuosobowy; **~ bag** rodzaj walizki

glair [glɛə] [I] *s* białko (jaja) [II] *vt* powle-c/kać białkiem

glairy ['glɛəri] *adj* śluzowy; białkowy

glamorous ['glæmərəs] *adj* czarowny; czarujący; fascynujący; wspaniały; olśniewający

glamour ['glæmə] *s* urok; czar; blask, splendor; przepych; świetność; **~ boy** wyjątkowo urodziwy chłopiec; **~ girl** dziewczyna <kobieta> wzbudzająca ogólny zachwyt; **scene of ~** wspaniałe widowisko; **to cast a ~ over sb** oczarować kogoś; **to lend a ~ to** <**to throw a ~ over**> **sth** dodać blasku <świetności> czemuś

glance[1] [gla:ns] *s miner* błyszcz; **iron ~** hematyt

glance[2] [gla:ns] [I] *vi* spojrzeć (**at sb, sth** na kogoś, coś); rzucić spojrzenie (**at sb** komuś); **to ~ around oneself** obejrzeć się; popatrzyć <rozejrzeć się> dokoła siebie; **to ~ through** <**over**> **sth** prze-jrzeć/glądać <obejrzeć/oglądać pobieżnie> coś; przekartkować (książkę itp.) 2. ześliznąć się (**off sth** po czymś); **to ~ aside** <**off**> **sth** odbi-ć/jać się od czegoś; **to ~ off** <**from**> **a subject** a) ucie-c/kać od tematu b) zaledwie dotknąć tematu 3. błyszczeć; połyskiwać [II] *vt w zwrocie*: **to ~ one's eye over** <**at**> **sth** rzucić okiem na coś

~ aside <**off**> *vi* (*o mieczu itp*) ześliz-nąć/giwać się

~ back *vt* odbi-ć/jać (promienie świetlne)

[III] *s* 1. spojrzenie; rzut oka; **to cast a ~** spojrzeć 2. rykoszet; odbicie się (pocisku itp.); ześliźnięcie się (pocisku po czymś) 3. błysk; połysk

glance[3] [gla:ns] *vt* wy/polerować

gland[1] [glænd] *s* 1. *anat* gruczoł; *pot* **swollen ~s** spuchnięte migdałki 2. *bot* żołądź

gland[2] [glænd] *s techn* 1. dławik 2. uszczelka dławikowa

glandered ['glændəd] *adj wet* dotknięty nosacizną

glanders ['glændəz] *spl wet* nosacizna

glandiform ['glændi,fɔ:m] *adj* gruczołowaty

glandular ['glændjulə] *adj* 1. gruczołowy 2. = **glandiform**

glandule ['glændju:l] *s* gruczołek

glans [glænz] *s anat bot* żołądź

glare[1] [glɛə] [I] *s* 1. blask; oślepiające światło 2. blichtr 3. prowokujące <wyzywające> spojrzenie 4. spojrzenie piorunujące <pełne wściekłości, nienawiści> 5. utkwiony wzrok [II] *vi* 1. świecić; jaśnieć; wydawać oślepiając-e/y światło <blask>; (*o słońcu*) razić oślepiającym blaskiem 2. rzuc-ić/ać spojrzeni-e/a piorunujące <pełne nienawiści, wściekłości> (**at sb** na kogoś, komuś); po/patrzyć z furią (**at sb** na kogoś); przeszy-ć/wać (**at sb** kogoś) wzrokiem pełnym wściekłości <nienawiści> 3. utkwić wzrok (**at sb, sth** w kimś, czymś); wytrzeszcz-yć/ać <wybałusz-yć/ać> oczy (**at sb, sth** na kogoś, coś) *zob* **glaring**

glare[2] [glɛə] *s am* gładka i przezroczysta powierzchnia <tafla>

glaring ['glɛəriŋ] [I] *zob* **glare**[1] *v* [II] *adj* 1. (*o świetle*) oślepiający; jaskrawy 2. (*o kolorach*) jaskrawy; rażący 3. (*o faktach itp*) oczywisty; rzucający się w oczy; rażący; skandaliczny 4. (*o spojrzeniu*) wściekły; groźny; **with ~ eyes** (patrzyć) z wściekłością <groźnie>

glass [gla:s] [I] *s* 1. szkło; **cut ~** kryształ 2. szklanka; lampka; kieliszek; **he has had a ~ (too much, too many)** (on) ma w czubie <jest pod dobrą datą>; **to call for ~es all round** pod-jąć/ejmować całe towarzystwo kieliszkiem <bombką piwa, lampką wina> 3. *zbior* wyroby szklane; **the ~ industry** szklarstwo 4. szyba; **stained ~** witraż/e 5. szkiełko (zegarka itp.) 6. soczewka 7. lustro, lusterko 8. *pl* **~es** okulary; szkła 9. lornetka; luneta 10. barometr 11. klepsydra (do mierzenia czasu) 12. inspekty; szklarnia; **under ~** w inspektach; w szklarni; pod szkłem [II] *attr* 1. szklany 2. o/szklony 3. (*o fabryce, obróbce itd*) szkła [III] *vt* 1. o/szklić 2. trzymać pod szkłem [IV] *vr* **~ oneself** *poet* odbijać się (w lustrze, wodzie)

glass-blower ['gla:s,blouə] *s* (*w hucie szkła*) dmuchacz (robotnik)

glass-case ['gla:s,keis] *s* gablotka; witryna

glass-cloth ['gla:s,klɔθ] *s* ścierka do wycierania szklanek

glass-culture ['gla:s,kʌltʃə] *s* uprawa inspektowa

glass-cutter ['gla:s,kʌtə] *s* 1. szlifierz kryształów 2. diament (do cięcia szkła)

glassful ['gla:sful] *s* szklanka (czegoś)

glass-house ['gla:s,haus] *s* 1. szklarnia 2. huta szkła 3. pracownia fotograficzna (ze szklanym dachem)

glassiness ['gla:sinis] *s* szklistość

glass-paper ['gla:s,peipə] *s* papier ścierny; szklak

glass-rod ['gla:s,rɔd] *s* pręcik szklany

glass-stoppered ['gla:s,stɔpəd] *adj* (*o butelce*) ze szklanym korkiem

glass-ware ['gla:s,wɛə] *s zbior* wyroby szklane

glass-wool ['gla:s,wul] *s* wata szklana

glass-work ['gla:s,wə:k] *s* 1. wyrób szkła 2. *zbior* wyroby szklane 3. witraż/e 4. *pl* **~s** huta szkła

glasswort ['gla:s,wə:t] *s bot* soliród zielny

glassy ['gla:si] *adj* (**glassier** ['gla:siə], **glassiest** ['gla:siist]) szklisty

Glaswegian [glæs'wi:dʒjən] [I] *s* mieszkan-iec/ka miasta Glasgow [II] *adj* (dotyczący) miasta Glasgow

Glauber ['glɔ:bə] *spr* **~'s salt(s)** sól glauberska

glaucoma [glɔ:'koumə] *s med* jaskra

glaucomatous [glɔ:'koumətəs] *adj med* jaskrowy

glaucous ['glɔ:kəs] *adj* 1. niebieskozielony; modry; siny 2. (*o owocu*) pokryty puszkiem

glaze [gleiz] [I] *vt* 1. o/szklić 2. glazurować; polewać; emaliować 3. satynować 4. *plast* laserować [II] *vi* 1. pokry-ć/wać się szkliwem <glazurą, emalią> 2. (*o oczach*) sta-ć/wać się szklistym *zob* **glazed, glazing** [III] *s* 1. szkliwo; polewa; glazura; emalia 2. *plast* laserunek 3. *kulin* warstwa galarety (na mięsie, rybie itd.)

glazed [gleizd] *zob* **glaze** *v*; **~ frost** gołoledź

glazier ['gleizjə] *s* szklarz

glazing ['gleiziŋ] [I] *zob* **glaze** *v* [II] *s* 1. szklenie (okien) 2. szkliwienie <glazurowanie> ceramiki 3. szkliwo; glazura 4. satynowanie (papieru itd.)
glazy ['gleizi] *adj* 1. szklący; lśniący 2. szklisty
gleam [gli:m] [I] *vi* za/błyszczeć; za/świecić (się); za/jaśnieć; za/iskrzyć się; za/migotać [II] *s* 1. promień <promyk> (światła, radości itd.); iskra; jasna smuga 2. blask; jasność; odblask; lśnienie; refleks; migotanie; odbicie światła; **a ~ of humour** przebłysk humoru
glean [gli:n] *vt* 1. zbierać pokłosie (**sth** czegoś) 2. zebrać/zbierać (wiadomości itd.)
gleaner ['gli:nə] *s* człowiek zbierający pokłosie
gleanings ['gli:niŋz] *spl* pokłosie
glebe [gli:b] *s* 1. *poet* gleba; rola 2. rola należąca do plebanii
glee [gli:] *s* 1. radość; wesołość; **in high ~** rozradowany; uszczęśliwiony 2. pieśń na głosy; **~ club** towarzystwo śpiewacze; chór
gleeful ['gli:ful] *adj* wesoły; rozradowany; pełen radości
gleet [gli:t] *s med* wysięk; wyciek
glen [glen] *s* dolina górska
glengarry [glen'gæri] *s* rodzaj furażerki (w stroju szkockim)
glenoid ['glenɔid] *adj anat* panewkowy; **~ cavity** dołek stawowy <panewkowy>
glib [glib] *adj* (**-bb-**) 1. gładki; powiedziany bez namysłu <bez zająknienia>; (*o mowie*) płynny; łatwy; potoczysty 2. (*o człowieku*) posiadający łatwość wysławiania się
↑**glibly** ['glibli] *adv* bez namysłu; bez zająknienia *zob* **glib**
glibness ['glibnis] *s* gładkość (wypowiedzi); łatwość (wypowiadania się); potoczystość (mowy); swada
glide [glaid] [I] *vi* 1. ślizgać <suwać> się; sunąć 2. szybować 3. (*o czasie*) płynąć; upływać 4. *przen* prześliznąć się (**over sth** po czymś) [II] *s* 1. ślizganie się; *lotn* ślizg; szybowanie 2. *fonet* głoska przejściowa
↑**glider** ['glaidə] *s* szybowiec
glim [glim] *s sl* światło; lampa; świeczka
glimmer ['glimə] [I] *vi* świecić słabym <przerywanym> światłem; rzucać nikłe światło; za/migotać; za/jaśnieć; **za**/lśnić się *zob* **glimmering** [II] *s* 1. słabe <nikłe, przerywane> światło; światełko; płomyk 2. promyk <przebłysk> (nadziei itd.) 3. błysk; migotanie
glimmering ['glimәriŋ] [I] *zob* **glimmer** *v* [II] *s* słabe pojęcie (**of sth** o czymś) [III] *adj* (*o świetle, nadziei itp*) słaby; nikły; (*o świetle*) migotliwy
glimpse [glimps] [I] *s* 1. przelotne spojrzenie; **to catch a ~ of** ... zobaczyć <ujrzeć> w przelocie ... (coś) 2. mignięcie [II] *vi* 1. zobaczyć <ujrzeć> w przelocie (**at** <**upon**> **sb, sth** kogoś, coś) 2. *poet* mignąć
glint [glint] [I] *vi* błys-nąć/kać; za/migotać; za/świecić; za/iskrzyć się; przebłyskiwać [II] *s* błysk; migotanie; lśnienie; odblask; iskra; refleks
glissade [gli'sɑ:d] [I] *vi* 1.ześliznąć się 2. zrobić glisadę [II] *s* 1. ześliźnięcie się 2. (*w tańcu*) glisada
glissando [gli'sændou] [I] *s muz* glissando, *pot* glis [II] *adv muz* glissando
glisten ['glisn] [I] *vi* błyszczeć; połyskiwać; lśnić; świecić; migotać; iskrzyć się [II] *s* blask; odblask; połysk; migotanie; iskrzenie się
glister ['glistə] † = **glisten**
glitter ['glitə] [I] *vi* błyszczeć; świecić się; połyskiwać; lśnić; rzucać ognie [II] *s* blask; połysk; ognie (brylantów itp.)
gloaming ['gloumiŋ] *s poet* zmrok; zmierzch
gloat [glout] *vi* pożerać oczami (**over** <**upon**> **sth** coś); napawać <rozkoszować> się (**over** <**upon**> **sth** czymś); unosić się (**over** <**upon**> **sth** nad czymś)
global ['gloubəl] *adj* 1. globalny; ogólny 2. światowy; ogólnoświatowy
globate ['gloubeit] *adj* kulisty
globe [gloub] *s* 1. kula; ciało kuliste 2. kula ziemska 3. globus 4. klosz 5. jabłko (emblemat władzy) 6. gałka (oczna)
globe-flower ['gloub,flauə] *s bot* pełnik europejski
globe-lightning ['gloub,laitniŋ] *s* piorun kulisty
globe-trotter ['gloub,trɔtə] *s* obieżyświat, globtroter
globose ['gloubous] = **globular**
globosity [glou'bɔsiti] *s* kulistość; sferyczność
globular ['glɔbjulə] *adj* kulisty; sferyczny
globule ['glɔbju:l] *s* kulka; ciałko kuliste
globulin ['glɔbjulin] *s biol chem* globulina
glomerate ['glɔmərit] *adj* kłębiasty; kłębowaty; kłębuszkowaty
gloom [glu:m] [I] *s* 1. ciemność; mrok; ponurość 2. przygnębienie; **to cast** <**throw**> **a ~ over** ... przygnębić <pogrążyć w ponurym nastroju> ... (kogoś) [II] *vi* 1. s/posępnieć; mieć posępną minę; patrzyć złym okiem (**at** <**on**> **sb, sth** na kogoś, coś) 2. (*o niebie*) zaciągnąć <zasnuć, zachmurzyć> się 3. posmutnieć [III] *vt* 1. zaciemni-ć/ać 2. zasmuc-ić/ać
gloomy ['glu:mi] *adj* (**gloomier** ['glu:miə], **gloomiest** ['glu:miist]) 1. ciemny; mroczny 2. ponury; posępny; smutny; przygnębiony; **to become ~** zasępi-ć/ać się; popa-ść/dać w przygnębienie; *przen* **to see the ~ side of things** widzieć wszystko w ciemnych barwach
glorification [,glɔ:rifi'keiʃən] *s* gloryfikacja, gloryfikowanie; wysławianie; wychwalanie
glorify ['glɔ:ri,fai] *vt* (**glorified** ['glɔ:ri,faid], **glorified; glorifying** ['glɔ:ri,faiiŋ]) chwalić; gloryfikować; wychwalać; wysławiać
gloriole ['glɔri,oul] *s* aureola; nimb
glorious ['glɔ:riəs] *adj* 1. sławny; chlubny; świetny; znakomity 2. wspaniały; przepiękny; *pot* **to have a ~ time** świetnie <znakomicie> się bawić; *iron* **a ~ mess** fantastyczny bałagan 3. podochocony; podchmielony
glory ['glɔ:ri] [I] *s* 1. sława; chwała; chluba; zaszczyt; cześć; **to go to ~** umrzeć; przenieść się do wieczności 2. wspaniałość; blask; piękność; splendor 3. aureola; nimb 4. *am* **Old Glory** flaga amerykańska [II] *vi* (**gloried** ['glɔ:rid], **gloried; glorying** ['glɔ:riiŋ]) chwalić się (**in sth** czymś); chlubić <szczycić, chełpić> się (**in sth** czymś, z czegoś)
gloss[1] [glɔs] [I] *s* 1. połysk 2. fałszywy blask [II] *vt* nadawać połysk (**sth** czemuś); polerować; *przen* **to ~ (over) the facts** koloryzować; upiększać fakty
gloss[2] [glɔs] [I] *s* 1. glosa, objaśnienie, przypisek; komentarz; interpretacja 2. błędny cytat [II] *vt* 1. zaopat-rzyć/rywać (tekst itp.) w glosy; s/komentować; z/interpretować 2. s/fałszować (tekst itp.); błędnie za/cytować [III] *vi* fałszywie tłumaczyć (**on** <**over**> **sth** coś)
glossal ['glɔsəl] *adj anat* językowy

glossary ['glɔsəri] *s* glosariusz
glossiness ['glɔsinis] *s* połysk; blask
glossitis [glɔ'saitis] *s med* zapalenie języka
glossology [glɔ'sɔlədʒi] *s* 1. językoznawstwo 2. terminologia
glossy ['glɔsi] *adj* (**glossier** ['glɔsiə], **glossiest** ['glɔsiist]) 1. połyskujący, z połyskiem; lśniący 2. gładki; słodki; nieszczery
glottis ['glɔtis] *s anat* głośnia
glove [glʌv] [I] *s* rękawiczka; rękawica; (*o ubiorze*) **to fit like a ~** leżeć jak ulany; **without ~s, with the ~s off** bez ceremonii; niemiłosiernie; bezlitośnie [II] *vt* wdzi-ać/ewać rękawiczkę <rękawicę> (**one's hand** na rękę); **to be ~d** być w rękawiczkach <w rękawicach>
glover ['glʌvə] *s* rękawicznik
glove-stretcher ['glʌv,stretʃə] *s* przyrząd do rozciągania palców rękawiczek
glow [glou] [I] *vi* 1. jarzyć <żarzyć> się; promienić się 2. promieniować (**with joy etc.** radością itd.) 3. (*o oczach*) iskrzyć się 4. (*o policzkach*) być rozpalonym 5. pałać 6. odczuwać przyjemne cieplo w żyłach *zob* **glowing** [II] *s* 1. jarzenie <żarzenie> (się); żar 2. jasność; og-ień/nie; czerwona poświata; łuna 3. uczucie ciepła przy przyśpieszonym obiegu krwi; **to be all in** <**of**> **a ~** być rozpalonym 4. rumie-niec/ńce 5. jaskrawość barw 6. żarliwość; zapał; gorące uczucia
glower ['glauə] [I] *vi* groźnie popatrzyć (**at sb** na kogoś) [II] *s* groźne spojrzenie
glowing ['glouiŋ] [I] *zob* **glow** *v* [II] *adj* 1. jarzący <żarzący> się; rozżarzony; *przen* (*o niebie*) w ogniu; płomienny 2. (*o oczach*) iskrzący się, roziskrzony 3. promienny; promieniejący; rozpromieniony 4. (*o policzkach*) rumiany; zaczerwieniony 5. (*o kolorach*) jaskrawy 6. żarliwy; **in ~ terms** w gorących słowach
glow-lamp ['glou,læmp] *s* żarówka
glow-worm ['glou,wə:m] *s zoo* robaczek świętojański
gloze [glouz] [I] *vi* 1. usprawiedliwi-ć/ać (**over sth** coś) 2. upiększ-yć/ać (**over sth** coś) [II] *vt* pochlebiać <schlebiać> (**sb** komuś)
glucinum [glu:'sainəm] [I] *s chem* beryl (pierwiastek) [II] *attr* berylowy
glucose ['glu:kous] *s* glukoza
glue [glu:] [I] *s* klej; klajster [II] *vt* s/kleić; zlepi-ć/ać; przylepi-ć/ać (**to sth** do czegoś, **on sth** na czymś); *przen* wlepi-ć/ać (oczy w kogoś, coś); **to ~ up a broken object** skleić <zlepić, polepić> potłuczony przedmiot; *przen* **to be ~d to sb** nie odstępować kogoś na krok
gluey ['glui] *adj* kleisty; lepki
glum [glʌm] *adj* (**-mm-**) ponury; posępny; pochmurny
glume [glu:m] *s* plewa kłosowa
glumness ['glʌmnis] *s* ponura <posępna> mina; ponury <posępny> wygląd
glut [glʌt] [I] *vt* (**-tt-**) 1. zasyc-ić/ać; nasyc-ić/ać; **to ~ one's eyes with sth** nasyc-ić/ać się widokiem czegoś 2. przesyc-ić/ać; przeładow-ać/ywać 3. zarzuc-ić/ać (rynek towarem) [II] *s* przesyt; przesycenie; przeładowanie; nadmiar
gluten ['glu:tən] *s chem* gluten
glutinous ['glu:tinəs] *adj* kleisty; lepki
glutton ['glʌtn] *s* 1. żarłok; *przen* **a ~ for books** pożeracz książek; *przen* **a ~ for work** człowiek niezmordowany 2. *zoo* rosomak
gluttonous ['glʌtn̩əs] *adj* żarłoczny
gluttony ['glʌtn̩i] *s* żarłoczność
glycerine [,glisə'ri:n] *s* gliceryna
glycin(e) ['glisin], **glycocoll** ['glaikou,kɔl] *s chem* glicyna
glycogen ['glikoudʒən] *s chem* glikogen, skrobia wątrobiana
glycol ['glikɔl] *s chem* glikol
glyptics ['gliptiks] *s plast* gliptyka
G-man ['dʒi:,mæn] *s* (*pl* **G-men** ['dʒi:,men]) *am* wywiadowca
gnarl[1] [na:l] *vi* war-knąć/czeć
gnarl[2] [na:l] *s* sęk; węzeł; narośl
gnarled [na:ld], **gnarly** ['na:li] *adj* 1. sękaty; guzowaty; chropowaty 2. wykrzywiony; zdeformowany
gnash [næʃ] *vt* zgrzytać (**one's teeth** zębami)
gnat [næt] *s* 1. *zoo* komar 2. *przen* drobna przykrość; **to strain at a ~** przejmować się drobnymi przykrościami
gnaw [nɔ:] [I] *vt* gryźć; ogryzać (**one's fingers etc.** sobie palce itd.) [II] *vi* 1. (*o gryzoniu*) gryźć (**at sth** coś); (*o psie itd*) ogryzać (**at a bone etc.** kość itd.) 2. (*o kwasach itd*) wgryzać <wżerać> się (**into sth** w coś) 3. (*o głodzie, wyrzutach sumienia itd*) dręczyć; szarpać, targać; nękać
~ **away** <**off**> *vt* 1. zgryźć (przedmiot) 2. (*o kwasie itd*) zżerać
gneiss [nais] *s geol* gnejs
gnome[1] [noum] *s* gnom; chochlik
gnome[2] [noum] *s* gnom, gnoma, sentencja
gnomic ['noumik] *adj* (*o wierszu itd*) gnomiczny
gnomon ['noumɔn] *s astr* gnomon (przyrząd)
gnostic ['nɔstik] [I] *s* **Gnostic** gnostyk [II] *adj* gnostyczny
gnosticism ['nɔsti,sizəm] *s filoz* gnostycyzm
gnu [nu:] *s zoo* gnu (antylopa)
go [gou] *v* (**went** [went], **gone** [gɔn]) [I] *vi* 1. uda-ć/wać się (**somewhere, to a place** dokądś); chodzić; pójść/iść; po/jechać, jeździć; po/lecieć; po/pędzić; (*o łańcuchu górskim itd*) ciągnąć się; (*o drodze itp*) prowadzić (dokądś); **to ~ a long way** a) pójść daleko b) odbyć daleką podróż; **to ~ a long way about** z/robić wielkie koło; daleko objeżdżać; nakładać drogi; **to ~ a long way to —** zadać sobie wiele trudu, żeby ...; **to ~ so far as to —** nie za/wahać się <posu-nąć/wać się do tego, żeby> ... (coś zrobić); **to ~ to prison** dostać się do więzienia; **to ~ to see** <**and see**> **sb** pójść do kogoś; **to ~ to somebody** udać <zwrócić> się do kogoś; **to let ~** puścić; **to let oneself ~** podda-ć/wać się (uczuciom, namiętności itd.); **as the saying ~es** jak to się mówi; **the story ~es that —** opowiadają, że ...; **you ~ first** <**next**> ty <wy> jesteś/cie pierw-szy/si <następn-y/i> 2. (*o maszynie itp*) chodzić; poruszać się; być poruszanym (**by steam, electricity etc.** parą, prądem itd.); **to keep ~ing** utrzymywać w ruchu; **to keep a patient ~ing** podtrzymywać chorego; **to set ~ing** puścić <wprawić> w ruch 3. mi-nąć/jać; **he's gone forty** (on) przekroczył czterdziestkę; **it has gone 12** minęła 12 godzina 4. liczyć się; mieć znaczenie; **what he says, ~es to,** co on mówi <każe> obowiązuje; jego słowa są rozkazem **as far as that ~es** o ile o to chodzi; **as times ~** jak na

obecne czasy; **to ~ far** wybić się; **let it ~ at that** poprzestańmy na tym; **she isn't a bad cook as cooks ~** jak na dzisiejszą kucharkę ona nieźle gotuje; **that ~es without saying** to jest rzecz zupełnie zrozumiała; to się rozumie samo przez się, **that's not dear as things ~** jak na dzisiejsze stosunki, to niedrogo 5. uchodzić, być przyjętym; **to ~ by <under> the name of ...** być znanym pod nazwiskiem ...; nazywać się ... 6. pójść/iść; od-ejść/chodzić; oddal-ić/ać się; (*o bólu, dolegliwości*) ust-ąpić/ępować 7. znik-nąć/ać; ucie-c/kać; zanik-nąć/ać 8. (*o towarze*) być cenionym (na *x* zł); **to be ~ing cheap** iść za bezcen; **these spoons are ~ing for ...** te łyżki są cenione na ... 9. *w present continuous z następującym czasownikiem w formie bezokolicznika równa się czasowi przyszłemu tego czasownika:* **he is ~ing to tell us** on nam powie; **we are ~ing to be there** będziemy tam 10. *przed czasownikiem z końcówką* **-ing: to ~ hunting <berry-picking, fishing, mushrooming>** pójść na polowanie <na jagody, na ryby, na grzyby>; **to ~ motoring** przejechać się samochodem 11. przyczyni-ć/ać się; **to ~ a long way to ...** bardzo się przyczynić do ... (czegoś); mieć duże znaczenie przy ... (czymś); **to ~ to make ...** składać się na <stanowić> ... (całość itd.); **all that ~es to make a statesman** wszystko to, co składa się na męża stanu; **to ~ to prove** dowodzić (że...); być jednym dowodem więcej (że...) 12. sięgać (głęboko itd.) 13. *z przymiotnikiem lub rzeczownikiem o zastosowaniu orzecznikowym:* a) zostać (czymś); stać się (jakimś, czymś); **to ~ communist** zostać komunist-ą/ką b) *odpowiada czasownikowi odprzymiotnikowemu:* **to ~ bad** zepsuć się; **to ~ mad** zwariować; **to ~ white <green, red>** z/bieleć, z/blednąć, z/zielenieć, po/czerwienieć 14. *z przyimkami:* **~ about** przyst-ąpić/ępować <zab-rać/ierać się> (do czegoś); **to ~ about one's work** odrabiać swoją pracę; odbywać zwykłe zajęcia; **~ about your business** nie wtrącaj/cie się; **~ after sth** starać <ubiegać> się o coś; **to ~ after women** gonić za kobietami; **~ against** a) być nieprzychylnym <niepomyślnym> b) sprzeciwi-ć/ać się (komuś, czemuś) c) iść <płynąć> przeciw (prądowi itd.); **~ along (the street etc.)** iść (ulicą itd.); **~ at** zabrać się energicznie (do czegoś); rzucić się (na coś); **~ behind (a decision etc.)** poddać (decyzję itd.) rewizji; ponownie rozpatrzyć; **to ~ behind sb's words** szukać ukrytej myśli w czyichś słowach; **~ between** pośredniczyć między (stronami); **~ beyond** przekr-oczyć/aczać <przewyższ-yć/ać> (coś); **~ by** a) mi-nąć/jać (coś) b) kierować się (czymś); **to ~ by appearances** sądzić z pozorów; **~ down; to ~ down a street** iść ulicą; **to ~ down the stairs** schodzić ze schodów; **~ for** pójść (po coś); **to ~ for a journey** wyruszyć w podróż; **to ~ for a walk <ride>** wyb-rać/ierać się na przechadzkę <na przejażdżkę> pójść/iść na spacer <przejechać się>; **to ~ for nothing <little>** nie mieć znaczenia <mieć niewielkie znaczenie>; (*o zwierzęciu*) **to ~ for sb** za/atakować <rzuc-ić/ać się na> kogoś; **~ into** wchodzić (do czegoś); **to ~ into a profession** obrać zawód; **to go into a question** zbadać <zgłębić, zagłębić się w> sprawę; **to ~ into details** wda-ć/wać się w szczegóły; **to ~ into hysterics** popaść w histerię; zacząć histeryzować; **to ~ into mourning** wdziać żałobę; **to ~ into Parliament** zostać posłem; **~ off** zejść/schodzić; **to ~ off the track** zejść/schodzić ze ścieżki; (*o pociągu*) **to ~ off the rails** wykoleić się; **to ~ off one's head** zwariować; **~ on; to ~ on a trip <voyage>** wyb-rać/ierać się w podróż; wyjechać; **to ~ on a visit** pójść/iść z wizytą <w odwiedziny> **(to sb** do kogoś); **to ~ on the parish <relief fund etc.>** przejść na utrzymanie społeczne <na zasiłek>; **~ out; to ~ out of business** zlikwidować przedsiębiorstwo; **to ~ out of fashion** wy-jść/chodzić z mody; **to ~ out of one's way** zboczyć; **to ~ out of one's way to ...** zadać sobie specjalny trud <specjalnie się trudzić, wysil-ić/ać się>, ażeby ... (coś zrobić, komuś pomóc); **~ over** a) przelecieć przez (coś) b) przejrzeć <przeczytać, obejrzeć> (coś) c) powtórzyć (rolę, lekcję itd.) d) poprawić <wyretuszować> (coś); *wojsk* **to ~ over the top <bags>** wyskoczyć z okopów; ruszyć do ataku; **~ round** a) krążyć dokoła (czegoś); okrąż-yć/ać (coś) b) ob-jąć/ejmować (coś); ok-olić/alać <ot-oczyć/aczać> (coś); **~ through** a) prze-jść/chodzić <przel-ecieć/atywać, przedosta-ć/wać się> przez (coś) b) odbywać (kurs, naukę, praktykę itd.) c) poddawać się (badaniom itd.) d) przeżywać; prze-jść/chodzić (przykrości, chorobę itd.) e) om-ówić/awiać <prze/dyskutować> (coś) f) z/badać (coś) g) powt-órzyć/arzać (coś); z/robić powtórkę (przedstawienia itd.) h) (*o dziele*) **to ~ through 10 <15 etc.> editions** osiągnąć 10 <15 itd.> wydań; **~ to; to ~ to law** udać się na drogę sądową; wszcząć kroki sądowe; **to ~ to pieces** rozl-ecieć/atywać się w kawałki; **to ~ to press** iść pod prasę <do druku>; **to ~ to ruin** rozpa-ść/dać się; **to ~ to war** przyst-ąpić/ępować do działań wojennych; rozpętać wojnę; **~ up; to ~ up a river** po/płynąć w górę rzeki; **to ~ up a tree** wspinać się po drzewie; wdrapać się na drzewo; *wojsk* **to ~ up the line** pójść na front; **to ~ up the stairs <a ladder etc.>** wejść/wchodzić na górę po schodach <po drabinie itd.>; **~ with** a) towarzyszyć (komuś, czemuś) b) dzielić pogląd (czyjś) c) harmonizować; pasować; **~ without** a) ob-ejść/chodzić <oby-ć/wać> się bez (czegoś) b) nie mieć (czegoś) || *pot* **he went and got married** wziął i ożenił się; **there you ~ again!** znowu zaczyna-sz/cie!; **they've gone and done it!** i patrz/cie! — zrobili to [II] *vt* 1. za/licytować (**clubs etc.** trefle itd.) 2. za-łożyć/kładać się; **I'll ~ you 10s** założę się z tobą o 10 szylingów || **to ~ an errand** załatwiać sprawunek <zlecenie, sprawę>; **to ~ great lengths to ...** zadawać sobie wiele trudu, żeby ...; **to ~ it** walić (naprzód); **~ it!** dalejże!; **to ~ it alone** działać na własną rękę; **to ~ one better** a) podn-ieść/osić cenę (na licytacji) b) prześcignąć <*pot* zakasować> (kogoś, coś)

~ about *vi* 1. chodzić (tu i tam); poruszać się; (*o pogłosce*) krążyć 2. chodzić <często się pokazywać, afiszować się> (**with sb** z kimś)

~ across *vi* przejść na drugą stronę; pojechać <przejechać, polecieć, przelecieć, popłynąć, przepłynąć> przez morze (z jednego kraju do drugiego)

~ ahead *vi* 1. posu-nąć/wać się naprzód 2. dalej coś robić; nie przestawać 3. nie namyślać się 4. zacz-ąć/ynać

~ along *vi* 1. iść sobie; **~ along with you!**

idźże!, idźcież!; nie wierzę! 2. kontynuować 3. odprowadz-ić/ać (**with sb** kogoś)

~ away *vi* od-ejść/chodzić; wyje-chać/żdżać; *pot* ul-otnić/atniać się

~ back *vi* 1. wr-ócić/acać; cof-nąć/ać się; **to ~ back on a promise** <**one's confession, one's word**> cofnąć obietnicę <zeznania, dane słowo> 2. sięgać wstecz (w czasie) 3. zdradzić (**on one's friend** przyjaciela)

~ by *vi* mijać; (*o czasie*) płynąć, upływać

~ down *vi* 1. zejść/schodzić; po/wędrować (na dół) 2. upa-ść/dać; **to ~ down on one's knees** paść na kolana 3. (*o studencie*) pojechać do domu 4. (*o kurtynie*) spadać 5. *pot* (*o jedzeniu, piciu*) smakować; być dobrym; (*o sztuce teatr.*) **to ~ down well** spotkać się z powodzeniem 6. (*o słońcu*) zachodzić 7. (*o statku*) zatonąć; (*o człowieku*) utonąć 8. (*w brydżu*) leżeć 9. (*o wodzie, temperaturze itd*) opadać 10. (*o wietrze*) słabnąć; cichnąć 11. (*o cenach itd*) spadać 12. (*o obrzęku*) sklęsnąć 13. (*o tradycji itd*) prze-jść/chodzić do potomności 14. (*o historii, kronice*) dochodzić (**to the XVII century etc.** do XVII wieku itd.)

~ in *vi* 1. wejść/wchodzić (do pokoju itd.) 2. wst-ąpić/ępować (do siebie, do domu itd.) 3. zmieścić się 4. zajmować <trudnić> się (**for sth** czymś) 5. zapisać się (**for a course of study** na kurs); przystąpić <zasiąść> (**for an examination** do egzaminu); wziąć <zgłosić> udział (**for a competition** w konkursie itp.) 6. przyłączyć się (**with sb** do kogoś)

~ off *vi* 1. wyrusz-yć/ać; oddal-ić/ać się; **to ~ off (into a faint)** zemdleć; **to ~ off (to sleep)** zasnąć; **to ~ off with a woman** <**girl**> uwieść kobietę <dziewczynę>; **to ~ off with sth** zab-rać/ierać coś; *pot* zwędzić coś 2. (*o broni palnej*) wystrzelić; (*o bombie itd*) wybuchnąć 3. przemi-nąć/jać 4. stracić smak <świeżość>; zepsuć się; zwietrzeć 5. (*o imprezie*) uda-ć/wać się 6. (*o telefonie*) odezwać się 7. (*o sygnale*) pokazać <odezwać> się

~ on *vi* 1. iść <posuwać się, postępować> naprzód; **to ~ on doing sth, to ~ on with sth** kontynuować coś; nie przerywać czegoś; **~ on reading** czytaj/cie dalej; **~ on with your work** pracuj/cie dalej; **to ~ on to sth** prze-jść/chodzić do czegoś innego <do innego tematu>; zacz-ąć/ynać robić coś (innego); **he went on to tell us** __ zaczął nam opowiadać ... 2. kontynuować podróż; iść <biec, biegać, jechać, lecieć, płynąć, podróżować> dalej 3. *w formie ciągłej*: a) robić postępy; radzić sobie; **how are things ~ing on?** co słychać?; **how are you ~ing on?** jak ci <wam> się powodzi? b) zbliżać się (**for** __ do ...); **I am ~ing on for sixty** zbliżam się do sześćdziesiątki; **it was ~ing on for twelve** zbliżała się (godzina) dwunasta 4. trwać; ciągnąć się 5. odbywać <dziać> się; **what's ~ing on here?** co się tu dzieje? 6. zachow-ać/ywać się; post-ąpić/ępować 7. awanturować <*pot* pieklić> się 8. ukaz-ać/ywać się na scenie (**as** __ jako ...) || **~ on!** idźże!; nieprawda!; nie może być!

~ out *vi* 1. wy-jść/chodzić (z pokoju, domu itd.); **out you ~!** wynoś/cie się!; **the tide ~es out** jest odpływ; **to ~ out (on strike)** zastrajkować; **to ~ out riding** przeje-chać/żdżać się; **to ~ out to business** pójść do handlu; zająć się handlem; przerzucić się na handel; **to ~ out walking** pójść/iść na spacer <na przechadzkę>; prze-jść/chadzać się || **my heart went out to him** <**her etc.**> a) poczułem sympatię do niego <do niej itd.> b) żal mi się go <jej itd.> zrobiło 2. wyje-chać/żdżać <pojechać/jeździć> (za granicę, do kolonii itd.) 3. bywać (u ludzi, w świecie itd.) 4. (*o komunikacie*) ukaz-ać/ywać się 5. znik-nąć/ać 6. ust-ąpić/ępować 7. (*o roku itd*) s/kończyć się; dobie-c/gać końca 8. (*o ogniu, świetle*) z/gasnąć; (*o ogniu*) wygas-nąć/ać

~ over *vi* 1. prze-jść/chodzić; przeje-chać/żdżać; przel-ecieć/atywać; przepły-nąć/wać; przebie-c/gać; przesk-oczyć/akiwać (na drugą stronę, na drugi brzeg, dokądś); **how long does it take to ~ over?** jak długo trwa podróż na drugą stronę? 2. prze-jść/chodzić (do wrogiego obozu, na stronę wroga)

~ round *vi* 1. ob-ejść/chodzić; obje-chać/żdżać 2. wst-ąpić/ępować (**to see sb** do kogoś) 3. obr-ócić/acać <kręcić> się; **my head ~es round** kręci mi się w głowie; mam zawrót głowy 4. (*o pogłosce itp*) krążyć; **to make sth ~ round** a) puścić coś w koło <w obieg> b) obracać coś; kręcić czymś 5. wystarczyć dla wszystkich; **there aren't enough oranges to ~ round** nie wystarczy pomarańczy dla wszystkich

~ through *vi* 1. prze-jść/chodzić (dokądś) 2. (*o uchwale*) prze-jść/chodzić; zostać przyjętym 3. przecierpieć (**with sth** coś); dobrnąć do końca (**with sth** czegoś)

~ together *vi* 1. iść razem <w parze>; (*o zjawiskach, nieszczęściach itd*) towarzyszyć (sobie) 2. (*o barwach itd*) zgadzać się; harmonizować (z sobą); pasować (do siebie)

~ under *vi* 1. (*o statku*) zatonąć; (*o człowieku*) utonąć 2. ule-c/gać 3. z/ginąć; *am* um-rzeć/ierać 4. (*o słońcu*) za-jść/chodzić; znik-nąć/ać

~ up *vi* 1. pójść/iść <wejść/wchodzić, wspi-ąć/nać się, wleźć/włazić> na górę; wzbi-ć/jać się <wzn-ieść/osić się> w górę; podskoczyć; **to ~ up in smoke** <**flames**> pójść z dymem; spłonąć 2. pojechać (**to town** do miasta <do śródmieścia, do stolicy>) 3. pod-ejść/chodzić (**to sb** do kogoś) 4. podn-ieść/osić się; *pot* (*o cenach itd*) podskoczyć 5. wylecieć w powietrze

zob **going, gone** [III] *s* (*pl* **~es**) 1. ruch; **to be on the ~** a) być w ruchu; poruszać się b) być pełnym wigoru; wykazywać aktywność; **to keep sb on the ~** nie dawać komuś spokoju <wytchnienia> 2. animusz, życie, werwa; energia; aktywność 3. próba; przedsięwzięcie; **a capital ~** świetne pociągnięcie; *pot* **all** <**quite**> **the ~** ostatni krzyk mody; **to have a ~ at sth** spróbować czegoś; **at one ~** za jednym zamachem; na raz; **it's a ~!** zgoda!; (**it's**) **no ~** nic z tego; **that was a near ~** niewiele brakowało 4. *pot* kłopot; **a rum ~** dziwna historia; **here's a ~!** ładna historia!; ładny interes!; ładne kwiatki! 5. porcja (w barze itd.)

goad [goud] [I] *s* 1. oścień 2. bodziec [II] *vt* 1. popędzać <poganiać> (bydło) 2. wzbudz-ić/ać (ciekawość itd.); pobudz-ić/ać (kogoś do czegoś); doda-ć/wać bodźca (**sb** komuś); podniec-ić/ać; s/prowokować; doprowadz-ić/ać (**sb to do sth** kogoś do zrobienia czegoś)

goaf [gouf] *s górn* 1. zroby 2. zawalisko

go-ahead ['gou-ə,hed] *adj* przedsiębiorczy; energiczny; rzutki

goal [goul] *s* 1. cel 2. (*w piłce nożnej*) gol, bramka 3. meta

goalie ['gouli] *pot* = **goal-keeper**

goal-keeper ['goul,ki:pə] *s sport* bramkarz

goal-line ['goul,lain] *s sport* linia bramkowa

goal-post ['goul,poust] *s sport* słupek bramki

go-as-you-please ['gouəzju:'pli:z] *attr* dowolny; niemetodyczny; chaotyczny

↑**goat** [gout] *s* 1. kozioł, koza; *am* **to get sb's ~** zirytować <rozzłościć> kogoś; **to play the ~** wygłupiać się 2. *astr* Koziorożec 3. satyr; lubieżnik 4. *am przen* kozioł ofiarny

goatee [gou'ti:] *s* kozia bródka

goat-herd ['gout,hə:d] *s* pastuch strzegący kóz

goatish ['goutiʃ] *adj* 1. koźli 2. (*o człowieku*) lubieżny

goat's-beard ['gouts,biəd] *s bot* kozibród łąkowy

goatskin ['gout,skin] *s* 1. koźla skóra; safian 2. bukłak

goat-sucker ['gout,sʌkə] *s zoo* kozodój (ptak)

goaty ['gouti] *adj* koźli

gob[1] [gɔb] *s* 1. *sl* gęba 2. *wulg* chark; plwocina

gob[2] [gɔb] *s* 1. *górn* zroby; skała płonna 2. *sl* kawał, bryła

gob[3] [gɔb] *s am* marynarz

gobbet ['gɔbit] *s* 1. † kęs (chleba, mięsa) 2. *szk* ustęp <odcinek, urywek> do przetłumaczenia

gobble[1] ['gɔbl] *vt vi* jeść chciwie i głośno; zmiatać (jedzenie) z talerza; żreć, pożerać

gobble[2] ['gɔbl] [I] *vi* gulgotać [II] *s* gulgot (indyka)

gobelin ['goubəlin] *s* gobelin

gobemouche ['gɔbmu:ʃ] *s* (*pl* **~s** ['gɔbmu:ʃ]) naiwniak

go-between ['goubi,twi:n] *s* 1. pośredni-k/czka 2. rajfur/ka, stręczyciel/ka

goblet ['gɔblit] *s* puchar; kielich; czara

goblin ['gɔblin] *s* 1. chochlik 2. *pot* banknot 1-funtowy

goby[1] ['goubi] *s zoo* byczek (ryba)

go-by[2] ['gou,bai] *s w zwrocie*: **to give the ~** a) przegonić; prześcignąć b) pomi-nąć/jać c) zignorować (kogoś) na ulicy

go-cart ['gou,ka:t] *s* 1. kojec na kółkach (do nauki chodzenia) 2. wózek dziecinny 3. wózek ręczny

god [gɔd] *s* 1. bóg; bóstwo; bożek; **the ~s** a) bogowie b) *teatr* publiczność na galerii 2. **God** (Pan) Bóg; **by God!** na Boga!; **for God's sake!** na miły Bóg!; **God's truth** święta prawda; **in God's name, in the name of God, by the living God!** na Boga świętego <żywego>!; **thank God!** dzięki Bogu!

god-child ['gɔd,tʃaild] *s* (*pl* **god-children** ['gɔd,tʃildrən]) chrześnia-k/czka

goddam(n) ['gɔdæm], **goddamned** ['gɔdæmd] *adj pot* przeklęty; cholerny; sakramencki

god-daughter ['gɔd,dɔ:tə] *s* chrześniaczka

goddess ['gɔdis] *s* bogini

godet ['goudei] *s kraw* godet

godetia [gou'di:ʃə] *s bot* godecja (roślina kwiatowa)

godfather ['gɔd,fa:ðə] [I] *s* ojciec chrzestny; **to stand ~ to sb** = **to ~** *vt* [II] *vt* być ojcem chrzestnym (sb czyimś); trzymać do chrztu

god-fearing ['gɔd,fiəriŋ] *adj* bogobojny

god-forsaken ['gɔd-fə,seikn] *adj* opuszczony; nędzny; zapadły; zapomniany przez Boga i ludzi

godhead ['gɔd,hed] *s* bóstwo; **the Godhead** Pan Bóg

godless ['gɔdlis] *adj* bezbożny

godlike ['gɔdlaik] *adj* boski

godliness ['gɔdlinis] *s* pobożność

godly ['gɔdli] *adj* (**godlier** ['gɔdliə], **godliest** ['gɔdliist]) pobożny

godmother ['gɔd,mʌðə] *s* matka chrzestna

godown ['gou,daun] *s* (*na Dalekim Wschodzie i w Indiach*) magazyn <skład> towarów

godparent ['gɔd,pεərənt] *s* ojciec chrzestny; matka chrzestna

God's-acre ['gɔdz,eikə] *s* cmentarz

godsend ['gɔdsend] *s* wybawienie; ratunek w trudnej sytuacji; **it was a ~ to me** to mi spadło z nieba

godson ['gɔd,sʌn] *s* chrześniak

god-speed ['gɔd,spi:d] *s* życzenia powodzenia <szczęśliwej drogi>

godwit ['gɔdwit] *s zoo* szlamnik (ptak brodzący)

goer ['gouə] *s* 1. *pot* energiczny człowiek 2. (*o koniu*) **to be a good <bad> ~** dobrze <źle> chodzić

gofer ['goufə], **goffer** ['gɔfə] *s* andrut

goffer ['goufə] [I] *vt* s/fałdować; za/plisować; karbować [II] *s* fałdowanie; plisowanie; karbowanie

go-getter ['gou'getə] *s am* człowiek rzutki <energiczny, przedsiębiorczy, zdobywający powodzenie>

goggle ['gɔgl] [I] *vi* 1. wytrzeszcz-yć/ać <wybałusz-yć/ać> oczy 2. przewracać oczami 3. (*o oczach*) być wyłupiastym <wytrzeszczonym> [II] *adj* (*o oczach*) wyłupiasty [III] *s* 1. wybałuszenie <wytrzeszczenie> oczu; wytrzeszcz 2. *pl* **~s** okulary ochronne; *pot* gogle 3. *sl* okulary (okrągłe) 4. *wet* kołowacizna (u owiec)

goggled ['gɔgld] *adj* w okularach ochronnych

going ['gouiŋ] [I] *zob* **go** *v* [II] *s* 1. chodzenie; jazda; **~s and comings** krzątanina; **the ~ was good** dobrze się szło <jechało>; *przen* **to go while the ~ is good** kuć żelazo póki gorące 2. tempo chodu 3. odejście; odjazd 4. stan drogi (po której się idzie); **rough ~** wyboje; nierówna <męcząca> droga [III] *adj* 1. (*o instytucji*) ruchliwy 2. istniejący; pod słońcem; **the best man ~** najlepszy człowiek pod słońcem

goings-on ['gouiŋz'ɔn] *spl* 1. zachowanie (się); postępowanie 2. rzeczy (które się dzieją); **strange ~ here** dziwne rzeczy się tu dzieją

goitre ['gɔitə] *s med* wole, struma

goitrous ['gɔitrəs] *adj med* wolowaty, mający wole, z wolem

↑**gold** [gould] [I] *s* 1. złoto; **a heart of ~** złote serce; **~ standard** parytet złota 2. kolor złocisty 3. środek tarczy (przy strzelaniu z łuku) [II] *adj* 1. złoty; *am* **a ~ brick** pułapka na naiwnych 2. złocisty 3. *chem* złotawy; złotowy

gold-beater ['gould,bi:tə] *s* klepacz złota

gold-cloth ['gould,klɔθ] *s tekst* brokat

gold-digger ['gould,digə] *s* 1. poszukiwacz złota 2. *am* awanturnica spekulująca na bogaczach

gold-diggings ['gould,digiŋz] *spl* 1. kopalnia złota 2. pokład złotodajny

gold-dust ['gould,dʌst] *s* piasek złotonośny

↑**golden** ['gouldən] *adj* 1. złoty; *am* **the Golden City**

San Francisco; **the ~ mean** złoty środek; **~ opinions** wielki szacunek 2. złocisty
golden-knop ['gouldən'nɔp] *s zoo* biedronka
golden-mouthed ['gouldn,mauθt] *adj* złotousty
gold-field ['gould,fi:ld] *s* 1. złoże złotonośne 2. kopalnie złota
goldfinch ['gould,fintʃ] *s zoo* szczygieł
gold-fish ['gould,fiʃ] *s* złota rybka
gold-foil ['gould,fɔil] = **gold-leaf**
goldilocks ['gouldi,lɔks] *s* 1. *bot* jaskier różnolistny 2. złotowłose dziecko
gold-leaf ['gould,li:f] *s* folia złota
gold-mine ['gould,main] *s* kopalnia złota
gold-plate ['gould,pleit] *s* plater złoty
gold-rush ['gould,rʌʃ] *s* gorączka złota
goldsmith ['gould,smiθ] *s* złotnik
golf [gɔlf] I *s* golf II *vi* grać w golfa
golf-club ['gɔlf,klʌb] *s* 1. klub golfowy 2. kij do gry w golfa
golf-course ['gɔlf,kɔ:s], **golf-links** ['gɔlf,liŋks] *s* teren do gry w golfa, pole golfowe
golfer ['gɔlfə] *s* gracz w golfa
golliwog ['gɔliwɔg] *s* groteskowa lalka; straszydło
golly ['gɔli] *interj wyraża zdziwienie*: ojej!
golosh [gə'lɔʃ] = **galosh**
goluptious [gə'lʌpʃəs] *adj żart* świetny; znakomity; pierwszorzędny
gombeen [gɔm'bi:n] *s irl* lichwa
gombeen-man [gɔm'bi:n,mæn] *s* (*pl* **gombeen-men** [gɔm'bi:n,men]) *irl* lichwiarz
gom(b)roon [gɔm'(b)ru:n] *s* imitacja perskiej porcelany
gomroon [gɔm'ru:n] = **gombroon**
gonad ['gɔnæd] *s anat* gruczoł płciowy, gonada
gondola ['gɔndələ] *s* 1. gondola 2. łódka <gondola> balonu 3. = **~-car**
gondola-car ['gɔndələ,ka:] *s kolej* platforma (towarowa); *górn* węglarka
gondolier [,gɔndə'liə] *s* gondolier
gone [gɔn] I *zob* **go** *v* II *adj* 1. beznadziejny; (*o człowieku, przedmiocie itd*) stracony 2. miniony 3. nieobecny; (będący, znajdujący się) poza domem; **I won't be ~ long** zaraz wrócę 4. (*zw* **far ~**) (daleko) posunięty; (*o mięsie*) skruszały; (*o człowieku*) podchmielony; (*o kobiecie*) w zaawansowanej ciąży 5. zakochany 6. zrujnowany
goner ['gɔnə] *s pot* człowiek skończony <stracony>
gonfalon ['gɔnfələn] *s kośc* chorągiew
gong[1] [gɔŋ] *s* gong
gong[2] [gɔŋ] *vt* (*o policji*) da-ć/wać sygnał zatrzymania się (**a motorist** kierowcy); **to be ~ed** otrzym-ać/ywać sygnał zatrzymania się (**by the police** od policji)
gongorism ['gɔŋgə,rizəm] *s* gongoryzm
gongster ['gɔŋstə] *s* policjant z brygady zmotoryzowanej
goniometer [,gouni'ɔmitə] *s* goniometr
gonococcus [,gɔnə'kɔkəs] *s* (*pl* **gonococci** [,gɔnə'kɔksai]) *med* gonokok, dwoinka rzeżączki
gonorrhoea [,gɔnə'riə] *s med* rzeżączka, *pot* tryper
good [gud] I *adj* (**better** ['betə], **best** [best]) 1. dobry; *pot* **a ~(sort of) chap** dobry chłop; poczciwa dusza; niezły gość; **a jolly ~ chap** kapitalny facet; *przy pożegnaniu*: **~ day** do widzenia!; **~ features** <looks> uroda; **she has plenty of ~ looks** nie brak jej urody; **Good Lord** <**Heavens**>! Boże ty mój!; **~ lungs** zdrowe płuca; *przy powitaniu*: **~ morning** <afternoon> dzień dobry!; **to bid sb ~ morning** przywitać się z kimś; **~ night** dobranoc!; **my ~ lady!** droga pani!; **my ~ man!** drogi panie!; **to be ~ enough** nadawać się; wystarczać (dla danego celu); **to be ~ for —** a) (*o ludziach*) czuć się na siłach... (coś zrobić) b) móc ręczyć za <być w stanie zapłacić>... (daną kwotę); c) (*o rzeczach*) służyć... (komuś), być zdrowym... (dla chorego itd.) d) (*o leku*) dobrze działać na <usuwać, łagodzić>... (ból); **~ for nothing** do niczego; nic niewart; **it's ~ to —** przyjemnie jest...; **to drink more than is ~ for one** wypić więcej niż się powinno <za dużo>; **as ~ as** a) równie dobry jak; nic nie gorszy od... b) tak jak by (zrobiony, skończony itd.); **as ~ as new** jak nowy; nowiusieńki; wcale nie używany; **it's as ~ as saying —** to się sprowadza do powiedzenia, że...; innymi słowy...; **to be as ~ as one's word** dotrzym-ać/ywać danego słowa; **to expect as ~ as one gets** nie oczekiwać od innych niczego lepszego, niż się im okazuje; **to give as ~ as one gets** odwzajemni-ć/ać się tym samym; **had as ~ —** najlepiej byłoby <będzie>...; **we** <**you etc.**> **had as ~ leave that alone** najlepiej będzie, jeżeli damy <da-sz/cie itd.> temu spokój; **to make ~** a) naprawić b) wynagrodzić (sobie, komuś coś — szkodę itp.) c) uzupełni-ć/ać (stratę) d) wywiąz-ać/ywać się (**sth** z czegoś) e) potwierdz-ić/ać f) dokon-ać/ywać (**sth** czegoś); **they made ~ their escape** zdołali uciec <zbiec> g) wzmocnić (swe stanowisko) h) udowodnić słuszność (roszczeń itp.) i) prosperować; cieszyć się powodzeniem życiowym j) nawrócić się; zmazać (stare) winy 2. (*o dokumencie itp*) ważny; prawdziwy; autentyczny 3. (*o pożywieniu*) smaczny; (*o mięsie itp*) **to keep ~** nie psuć się 4. korzystny 5. (*o dniu itd*) szczęśliwy 6. *potwierdzająco*: dobrze! 7. *w pochwałach*: **~ for you!** brawo!; **~ old John** a) ten zacny Janek b) brawo Janku! 8. zdolny (**at sth** do czegoś); **to be ~ at dancing** <**painting, carving etc.**> dobrze tańczyć <malować, rzeźbić itd.> 9. (*o człowieku*) z dobrym samopoczuciem; *am* **to feel ~** mieć dobre samopoczucie; dobrze się czuć; **I don't feel too ~ about it** a) nie zachwycam się tym b) niepokoi mnie to 10. cnotliwy; moralny; **a ~ girl** uczciwa <porządna> dziewczyna; **to lead a ~ life** żyć cnotliwie 11. (*o dzieciach itp*) grzeczny; **be a ~ boy** <**girl**> bądź grzeczn-y/a 12. uprzejmy; **be ~ enough** <**so ~ as**> **to —** zechciej/cie...; bądź/cie tak uprzejm-y/i i ...; **that's very ~ of you** to bardzo uprzejmie z twojej <waszej> strony; **to be ~ to sb** okaz-ać/ywać komuś uprzejmość 13. spory; **a ~ long time** sporo czasu; **a ~ 3 miles** dobre <nie mniej niż> 3 mile; **a ~ way** spory kawałek drogi 14. właściwy; odpowiedni; **in ~ time** w swoim <we właściwym> czasie II *s* 1. dobro; **for sb's ~** dla czyjegoś dobra; **he is up to no ~** nic dobrego nie zamyśla; **it's all to the ~** to się dobrze składa; **more harm than ~** więcej złego niż dobrego; (*o człowieku*) **to come to no ~** źle skończyć; **to do ~** dobrze czynić; **to return ~ for evil** odpłac-ić/ać się dobrym za złe; **for ~ and all** a) (już) na dobre b) na stałe 2. pożytek; **it's not a bit of ~** to na nic się nie zda; nic dobrego z tego nie wyniknie; **it's not a bit of** <**it's no**> **~** na nic się nie zda (**talking, crying etc.** gadanie, płacz itd.); nie warto <nie ma sensu> (prosić, na-

legać itd.) 3. strona "ma"; dobro rachunku; **to have ... to the ~** mieć ... zysku; mieć ... wygran-e/ych 4. *pl* **~s** towar/y; **~s train <station etc.>** pociąg <dworzec itd.> towarowy 5. *pl* **~s** ruchomości 6. *pl* **the ~** dobrzy (ludzie)
good-bye [gud'bai] [I] *s* pożegnanie; słowa pożegnania [II] *interj* do widzenia!, żegnaj/cie!
good-fellowship [ˌgud'felouʃip] *s* koleżeństwo; wzajemna życzliwość
good-for-nothing ['gudfəˌnʌθiŋ] *s* nicpoń
good-hearted ['gud'hɑːtid] *adj* (*o człowieku*) o dobrym sercu <życzliwy>
good-heartedness ['gud'hɑːtidnis] *s* dobre serce; życzliwość
good-humoured ['gud'hjuːməd] *adj* dobroduszny; łagodnego usposobienia; miły
goodish ['gudiʃ] *adj* 1. niezły 2. spory
good-looking ['gud'lukiŋ] *adj* przystojny
goodly ['gudli] *adj* (**goodlier** ['gudliə], **goodliest** ['gudliist]) 1. *lit* przystojny 2. spory; znaczny; pokaźny; niemały
goodman ['gudmæn] † *s* (*pl* **goodmen** ['gudmen]) gospodarz; mąż
good-natured ['gud'neitʃəd] *adj* dobroduszny; życzliwy; łagodnego usposobienia
goodness ['gudnis] *s* 1. dobroć; dobre serce; **to have the ~ to __** zechcieć ... (coś zrobić); być tak dobrym, żeby ... 2. *wykrzyknikowo*: **for ~' sake!** na litość boską!; **~ knows** Bóg wie (kiedy, kto itd.); **~ me <gracious>!** o mój Boże!; **I wish to ~** dałby Bóg; już bym bardzo chciał; **(my) ~!** Boże (mój)!; **thank ~!** chwała Bogu!; łaska boska!
good-tempered ['gudˌtempəd] *adj* (*o człowieku*) łagodny; równy; spokojny
goodwife ['gudˌwaif] † *s* (*pl* **goodwives** ['gud ˌwaivz]) *szkoc* gospodyni; żona
goodwill ['gud'wil] *s* 1. dobra wola 2. życzliwość 3. kurtuazja 4. *handl* wartość przedsiębiorstwa w postaci inwentarza, reputacji i wyrobionych stosunków
goodwives *zob* **goodwife**
goody ['gudi] *s* 1. cukierek 2. świętoszek
goody-goody ['gudiˌgudi] *adj* świętoszkowaty
goof [guːf] *s* głupiec; bęcwał
go-off ['gou'ɔf] *s* start
goofy ['guːfi] *adj* (**goofier** ['guːfiə], **goofiest** ['guːf iist] głupkowaty
googly ['guːgli] *s* (*w krykiecie*) piłka rzucona tak, że po dotknięciu ziemi skręca w bok
goo-goo ['guːˌguː] *attr w zwrocie*: **to make ~ eyes at sb** robić słodkie oczy do kogoś
goop [guːp] = **goof**
goopy ['guːpi] *adj* (**goopier** ['guːpiə], **goopiest** ['guːpiist]) zadurzony (**about a girl** w dziewczynie)
goosander [guː'sændə] *s zoo* tracz (ptak)
goose [guːs] *s* (*pl* **geese** [giːs]) 1. *zoo* gęś; **all his geese are swans** on zawsze przesadza; **~ club** drobny związek zawodowy o charakterze towarzystwa samopomocy *zob* **goose-club**; *przen pot* **to cook sb's ~** uszyć komuś buty 2. *kulin* gęsina, gęś 3. (*pl* **~s**) żelazko krawieckie (do prasowania)
gooseberry ['guzbəri] [I] *s bot* agrest; *przen* **to play ~** grać rolę przyzwoitki [II] *attr* agrestowy; **~ fool** krem agrestowy
goose-club ['guːsˌklʌb] *s* kasa oszczędnościowa umożliwiająca członkom nabycie tradycyjnej gęsi na święta Bożego Narodzenia
goose-flesh ['guːsˌfleʃ] *s przen* gęsia skórka
goose-foot ['guːsˌfut] *s bot* komosa biała
goose-grass ['guːsˌgrɑːs] *s bot* przytulia czepna
gooseherd ['guːsˌhəːd] *s* gęsiar-ek/ka
goose-neck ['guːsˌnek] *s* przewód <pręt, rura> esowat-y/a
goose-quill ['guːsˌkwil] *s* dudka gęsia; pióro gęsie (do pisania)
goose-skin ['guːsˌskin] = **goose-flesh**
goose-step ['guːsˌstep] *s wojsk* krok defiladowy
goosy ['guːsi] *adj* 1. głupi 2. nerwowy; zdenerwowany 3. *w zwrocie*: **to go ~** dostać gęsiej skórki
gopher ['goufə] [I] *s zoo* suseł; *am* **the Gopher State** stan Minnesota [II] *vi górn* 1. wykopać chodnik 2. prowadzić rabunkową eksploatację
Gordian ['gɔːdiən] *adj* (*o węźle*) gordyjski
gore¹ [gɔː] *s* posoka; rozlana <zakrzepła> krew
gore² [gɔː] [I] *s* 1. klin (w krawiectwie, pokryciu, w parasolu itd.) 2. enklawa [II] *vt* wszy-ć/wać (coś) klinem
gore³ [gɔː] *vt* u/bóść; przebi-ć/jać <przeszy-ć/wać> rogiem <ostrym przedmiotem>
gorge¹ [gɔːdʒ] *s* 1. † gardło; **one's ~ rises at it, it makes one's ~ rise** mdło się od tego robi 2. *geogr* gardziel; wąwóz; przełom 3. *fort* szyja
gorge² [gɔːdʒ] [I] *s* 1. obfity posiłek; *pot* wyżerka 2. przejedzenie <objedzenie> się [II] *vt* łykać; pożreć [III] *vi vr* **~ (oneself)** obj-eść/adać <zajadać, opychać> się
gorgeous ['gɔːdʒəs] *adj* wspaniały; cudowny; przepiękny; pyszny; okazały; wystawny
gorgeousness ['gɔːdʒisnis] *s* wspaniałość; przepych; okazałość; wystawność
gorget ['gɔːdʒit] *s* 1. *hist* naszyjnik (u zbroi oraz ozdoba) 2. kryza 3. *pot* (*u ptaka*) krawacik
gorgon ['gɔːgən] *s* 1. *mitol* gorgona 2. megiera; jędza
gorgonia [gɔː'gouniə] *s* (*pl* **gorgoniae** [gɔː'gouniˌiː], **~s**) *zoo* koralowiec ośmiopromienny (polip)
gorgonize ['gɔːgəˌnaiz] *vt* z/mrozić krew w żyłach (**sb** komuś)
Gorgonzola [ˌgɔːgən'zoulə] *spr* gatunek ostrego sera
gorilla [gə'rilə] *s zoo* goryl
gormandize ['gɔːmənˌdaiz] *vi* obj-eść/adać się
gorse [gɔːs] *s bot* janowiec ciernisty
gory ['gɔːri] *adj* (**gorier** ['gɔːriə], **goriest** ['gɔːriist]) 1. skrwawiony 2. morderczy
gosh [gɔʃ] *interj* na Boga!; ho! ho!; ojej!
goshawk ['gɔshɔːk] *s zoo* jastrząb gołębiarz
gosling ['gɔzliŋ] *s* gąsiątko
gospel ['gɔspəl] *s* ewangelia; **~ truth** święta prawda; **to preach the ~ of economy** głosić doktrynę oszczędności
gospeller ['gɔspələ] *s* celebrant czytający ewangelię; **hot ~** zagorzał-y/a protestant/ka
gossamer ['gɔsəmə] *s* 1. babie lato; pajęczyna 2. tkanina cienka jak pajęczyna 3. *am* lekki płaszcz nieprzemakalny
gossamery ['gɔsəməri] *adj* cienki jak pajęczyna
gossip ['gɔsip] [I] *s* 1. † kum/a 2. plotka-rz/rka 3. (*także* **a piece of ~**) plotka 4. plotkarstwo; plotkowanie 5. *dzien* kronika towarzyska 6. gawęda [II] *vi* 1. plotkować 2. gawędzić 3. *dzien* pis-ać/ywać artykuły popularne

gossiper ['gɔsipə] *s* plotka-rz/rka
gossipry ['gɔsipri] *s* plotkowanie; plotki
gossipy ['gɔsipi] *adj* 1. plotkarski 2. gawędziarski
gossoon [gə'su:n] *s irl* 1. chłopiec 2. lokaj
got *zob* **get**
Goth [gɔθ] *s* 1. Got 2. barbarzyńca
Gotham ['gɔtəm] *spr w zwrocie*: **wise man of ~** głupiec
Gothic ['gɔθik] [I] *adj* gotycki [II] *s* 1. gotyk 2. pismo gotyckie 3. język gotycki
gotten *zob* **get**
got-up ['gɔt'ʌp] *adj* (*o dowodzie itd*) sfabrykowany; sfałszowany; spreparowany
gouache [gu'ɑ:ʃ] *s plast* gwasz
gouge [gaudʒ] [I] *s* 1. dłubik, dłuto wklęsłe 2. *am* wyżłobienie 3. *am* oszustwo [II] *vt* 1. żłobkować; wyżł-obić/abiać; **to ~ out sb's eye** wyłupić komuś oko 2. *am* oszuk-ać/iwać
Goulard [gu:'lɑ:d] *spr* **~ water** woda gulardowa, roztwór octanu ołowiu
goulash ['gu:læʃ] *s kulin* gulasz
gourd [guəd] *s* 1. *bot* tykwa; dynia; **the ~ family** rośliny dyniowate 2. bania (naczynie)
gourmand ['guəmənd] [I] *s* 1. łakomczuch 2. smakosz [II] *adj* 1. łakomy 2. żarłoczny
gourmet ['guəmei] *s* smakosz
gout [gaut] *s* 1. *med* dna, podagra, skaza moczanowa 2. *zoo* **~ fly** niezmiarka paskowana (owad) 3. *lit* kropla, kropelka; plama
gout-weed ['gaut,wi:d] *s bot* kozia stopka, podagrycznik właściwy
gouty ['gauti] [I] *adj* podagryczny, dnawy; artretyczny [II] *spl* **gouties** boty
govern ['gʌvən] [I] *vt* 1. rządzić <kierować, zarządzać> (**sb, sth** kimś, czymś) 2. wpły-nąć/wać (**sb, sth** na kogoś, coś) 3. *gram* rządzić (**a case** przypadkiem) 4. panować (**one's passions, oneself** nad namiętnościami, sobą); trzymać w ryzach; ukr-ócić/acać; poskr-omić/amiać 5. † regulować [II] *vi* sprawować rządy *zob* **governing**
governable ['gʌvənəbl] *adj* uległy
governance ['gʌvənəns] *s* rządzenie; rządy; kierownictwo
governess ['gʌvənis] *s* 1. nauczycielka; instruktorka 2. guwernantka
governess-car(t) ['gʌvənis,kɑ:(t)] *s* powozik dwukołowy
governing ['gʌvəniŋ] [I] *zob* **govern** [II] *adj* zarządzający; **~ body** zarząd; rada <ciało> zarządzając-a/e
government ['gʌvənmənt] [I] *s* 1. rząd; **form of ~** ustrój 2. zarząd; kierownictwo; administracja; władze (instytucji) 3. prowincja; okręg; gubernia 4. *gram* rekcja [II] *attr* rządowy; **~ office** urząd; **Government Offices** ministerstwa w Londynie; **for sb's ~** komuś do wiadomości; dla czyjejś informacji
governmental [,gʌvən'mentl] *adj* rządowy
Government-House ['gʌvənmənt,haus] *s* gubernatorstwo; siedziba władz (kolonii itd.); rezydencja gubernatora
governor ['gʌvənə] *s* 1. (*także* **Governor General**) gubernator 2. komendant (więzienia itd.) 3. naczelnik 4. dyrektor naczelny (banku itd.) 5. członek zarządu (szkoły itd.) 6. *pot handl* szef 7. *pot* stary, ojciec 8. *techn* regulator (przyrząd)
gowan ['gauən] *s szkoc* stokrotka
gowk [gauk] *s szkoc* 1. kukułka 2. ciamajda; głupiec
gown [gaun] [I] *s* 1. suknia 2. toga; sutanna 3. (*w Oxfordzie i Cambridge*) uniwersytet (wykładowcy i studenci); **town and ~** miasto (ludność miejska) i uniwersytet [II] *vt* ubierać (kogoś) w suknię <w togę>; **~ed in white** w białej sukni; **~ed solicitor** adwokat w todze
gownsman ['gaunzmən] *s* (*pl* **gownsmen** ['gaunzmən]) 1. *uniw* wykładowca 2. *uniw* student 3. człowiek uprawniony do chodzenia w todze lub sutannie (sędzia, profesor, duchowny itd.)
grab [græb] *v* (**-bb-**) [I] *vt* 1. por-wać/ywać; chwy-cić/tać; *pot* **chap-nąć/ać** 2. za/grabić; prowadzić politykę rabunkową (**a colony** w stosunku do kolonii) 3. rzuc-ić/ać się (**sth** na coś) [II] *vi* rzuc-ić/ać się (**at sth** na coś) [III] *s* 1. szybki ruch dla chwycenia <dla porwania> czegoś; rzucenie się (**at sth** na coś); **to make a ~ at sth** = **to ~** *vt vi* 2. porwanie; zagrabienie; grabież; **to have the ~ on sb** mieć przewagę nad kimś 3. *techn* chwytak; uchwyt 4. *górn* ładowarka chwytakowa
grabber ['græbə] *s* człowiek zachłanny <szukający sposobu porwania, zagrabienia (czegoś)>
grabble ['græbl] *vi* 1. po omacku na czworakach szukać (**for sth** czegoś) 2. porywać (**for sth** coś) 3. (*o grupie chłopców itd*) wydzierać sobie (**for sth** coś)
grace [greis] [I] *s* 1. wdzięk; gracja; **airs and ~s** zmanierowanie 2. stosowność; **with a good <bad> ~** chętnie <niechętnie> 3. poczucie przyzwoitości; **I cannot with any ~ —** poczucie przyzwoitości nie pozwala mi ...; **to have the ~ to apologize etc.** być na tyle przyzwoitym, żeby przeprosić itd. 4. łaska; łaskawość; **an act of ~** akt łaski; amnestia; **the ~ of God** łaska boska; **to be in the good <bad> ~s of —** być w łaskach <w niełasce> u ... (kogoś); cieszyć <nie cieszyć> się względami ... (czyimiś); **in the year of ~ —** roku pańskiego ... 5. ulga; **a moment's ~** chwila wytchnienia; *bank* **days of ~** dni respektowe; respiro; **to give sb a week's <five days' etc.> ~** przedłużyć komuś termin płatności o tydzień <o pięć dni itd.> 6. *uniw* dopuszczenie do egzaminów 7. modlitwa (przed jedzeniem i po jedzeniu) 8. (*w tytule książąt i arcybiskupów*) **Your Grace** Wasza Miłość 9. *pl* **~s** *muz* ozdobniki 10. *mitol* **the Graces** Gracje [II] *vt* 1. zaszczyc-ić/ać 2. być ozdobą (**a gathering etc.** zebrania itp.) 3. *muz* ornamentować (utwór) ozdobnikami
grace-cup ['greis,kʌp] *s* kieliszek pożegnalny; strzemienne
graceful ['greisful] *adj* 1. pełen wdzięku <gracji>; wdzięczny 2. łaskawy
graceless ['greislis] *adj* 1. *teol* nie będący w stanie łaski 2. pozbawiony poczucia przyzwoitości; *pot* gałgański 3. bez wdzięku
grace-note ['greis,nout] *s muz* ozdobnik
gracile ['græsil] *adj* wiotki; smukły
gracious ['greiʃəs] [I] *adj* 1. łaskawy 2. miłościwy 3. miłosierny [II] *interj* **~ me!, my ~!, good ~!** na Boga!
graciousness ['greiʃəsnis] *s* 1. łaskawość 2. miłosierdzie (boskie) 3. gracja
gradate [grə'deit] [I] *vt* stopniować <s/tonować>

(barwy) [II] *vi* (*o barwach*) stopniować <s/tonować> się

gradation [grə'deiʃən] *s* 1. stopniowanie; gradacja 2. *pl* **~s** stopnie 3. *jęz* apofonia

grade [greid] [I] *s* 1. stopień 2. ranga; szczebel (służbowy) 3. *handl* jakość <klasa> (towaru) 4. gatunek 5. krzyżowanie (ras); krzyżówka 6. *am* nachylenie; pochyłość; wznoszenie się <opadanie> (drogi itd.); **crossing at ~** przejazd (przez tor kolejowy); **to be on the down ~** opadać; staczać się w dół; **to be on the up ~** wznosić się; piąć się w górę; **to make the ~** wejść/wchodzić <wje-chać/żdżać, wspi-ąć/nać się> na szczyt 7. *am* klasa (szkoły podstawowej) 8. *am* stopień <nota> (w szkole) [II] *vt* 1. s/klasyfikować; po/sortować 2. *am* postawić/stawiać stop-ień/nie (**an exercise etc.** za zadanie itd.) 3. po/krzyżować (rasy bydła itd.) 4. z/niwelować <z/równać, s/profilować> (drogę itd.) 5. s/tonować (barwy) 6. *jęz* odmieni-ć/ać drogą apofonii

grader ['greidə] *s górn* sortowacz (robotnik)

gradient ['greidiənt] *s* 1. nachylenie; pochyłość; stopień nachylenia 2. *mat fiz* gradient

gradin ['greidin] *s* 1. stopień <schodek> (amfiteatru) 2. *kośc* gradus (ołtarza)

gradine[1] ['greidi:n] = **gradin**

gradine[2] [grei'di:n] *s* dłuto rzeźbiarskie

gradual[1] ['grædjuəl] *adj* stopniowy

gradual[2] ['grædjuəl] *s kośc* graduał

graduate ['grædju,eit] [I] *vt* 1. stopniować 2. cechować; znaczyć stopniami; kalibrować 3. nada-ć/wać stopień naukowy (**sb** komuś); promować [II] *vi* 1. ukończyć wyższe studia; otrzymać stopień naukowy <dyplom> (**from a university etc.** wyższej uczelni itd.); promować się 2. stopniowo prze-jść/chodzić (**into sth** w coś) *zob* **graduated** [III] *s* ['grædjuit] 1. absolwent/ka 2. *am* abiturient/ka 3. menzurka

graduated ['grædju,eitid] [I] *zob* **graduate** *v* [II] *adj* (*o termometrze itd*) z podziałką; **~ cylinder** <**measure**> cylinder miarowy, menzura; **~ income-tax** progresywny podatek dochodowy

graduation [,grædju'eiʃən] *s* 1. stopniowanie 2. ukończenie wyższych studiów (*am także* szkoły średniej); promocja; promowanie 3. cechowanie; kalibrowanie; podziałka; **~ scale** podziałka stopniowa 4. sortowanie 5. *chem* zgęszczenie; tężenie

gradus ['greidəs] *s* słownik prozodii greckiej <łacińskiej>

graft[1] [gra:ft] [I] *s* 1. *ogr* szczep; zraz 2. *chir* przeszczep [II] *vt* za/szczepić; przeszczepi-ć/ać

graft[2] [gra:ft] *am* [I] *s* 1. łapówka 2. nieuczciwe dochody uboczne 3. przekupstwo [II] *vi* 1. brać łapówki 2. mieć nieuczciwe dochody uboczne

graft[3] [gra:ft] *s* 1. szufla 2. (pełna) szufla (ziemi itd.)

grafter[1] ['gra:ftə] *s am pot* łapownik

grafter[2] ['gra:ftə] *s* nóż ogrodniczy (do szczepień)

Grail [greil] *s rel* Gral

grain [grein] [I] *s* 1. ziarno; *zbior* zboże 2. ziarenko; *przen* odrobina; cień <szczypta> (zdrowego rozsądku, złośliwości itd.); *garb* groszek (na skórze) 3. gran (= 0,0648 g) 4. (*w drzewie, kamieniu*) słój; żyłka; ziarnistość 5. (*w materiale*) włókno 6. usposobienie <natura> (człowieka); **to go** <**be**> **against the ~ (with sb)** być przeciwnym <wstrętnym> (czyjejś) naturze <(czyjemuś) usposobieniu>; **it goes against the ~ for me to do it** robię to ze wstrętem 7. *garb* lico (skóry) 8. *pl* **~s** *brow* słodziny; wytłoczyny 9. koszenila (barwnik); **a philosopher in ~** urodzony filozof; **a rogue** <**ass**> **in ~** skończony łotr <osioł>; *przen* **to dye in ~** trwale u/farbować [II] *attr* (*o elewatorze itd*) zbożowy [III] *vt* 1. granulować, ziarnować 2. *garb* groszkować (skórę); szagrynować 3. słojować 4. trwale u/farbować 5. *garb* odwł-osić/aszać (skórę) *zob* **grained, graining**

grained [greind] [I] *zob* **grain** *v* [II] *adj* 1. ziarnkowaty; ziarnisty; uziarniony 2. słojowaty 3. włóknisty

grainer ['greinə] *s techn* granulator

grain-founder ['grein,faundə], **grain-sick** ['grein,sik] *s wet* wzdęcie

graining ['greiniŋ] [I] *zob* **grain** *v* [II] *s* 1. *garb* odwł-osienie/aszanie (skóry) 2. usłojenie (drzewa) 3. słojowanie (drewna)

grains [greinz] *s* rodzaj harpuna

grain-sick *zob* **grain-founder**

grain-side ['grein,said] *s garb* lico (skóry)

grainy ['greini] *adj* ziarnisty

grallatores [,grælə'tɔ:ri:z] *spl zoo* ptaki szczudłowate <brodzące>

gram [græm] = **gramme**

grama ['græmə] *s bot* trawa pastewna w zachodnich stanach St. Zjedn.

gramercy [grə'mə:si] † *interj* dzięki

graminaceous [,greimi'neiʃəs], **gramineous** [grei'miniəs] *adj* trawiasty

graminivorous [,græmi'nivərəs] *adj* trawożerny

gramma ['græmə] = **grama**

grammalogue ['græməlɔg] *s* (*w stenografii*) znacznik, logogram

grammar ['græmə] *s* 1. gramatyka (zasady i książka); **to speak** <**write**> **bad ~** mówić <pisać> niegramatycznie 2. *zbior* podstawy (jakiejkolwiek wiedzy)

grammarian [grə'meəriən] *s* gramatyk

grammar-school ['græmə,sku:l] *s* szkoła średnia ogólnokształcąca

grammatical [grə'mætikəl] *adj* 1. gramatyczny 2. gramatycznie poprawny

gramme [græm] *s* gram

gramme-atom ['græm'ætəm] *s chem fiz* gramoatom

gramme-calorie, gramme-calory ['græm'kæləri] *s* gramokaloria

gramophone ['græmə,foun] *s* gramofon; patefon

grampus ['græmpəs] *s* 1. *zoo* szablogrzbiet (wieloryb) 2. dychawiczn-y/a grubas <osoba>

granary ['grænəri] *s* spichlerz

grand [grænd] [I] *adj* 1. (*w tytułach*) wielki (książę, wezyr itd.) 2. (*o schodach, trybunie itd*) główny 3. (*o sumie*) ogólny 4. wspaniały; imponujący; okazały 5. (*o zachowaniu*) wielkopański 6. (*o towarzystwie*) wytworny; dostojny 7. *pot* paradny; świetny; znakomity; pierwszorzędny; niezrównany 8. wzniosły; uroczysty 9. (*o sprawie, kwestii itd*) doniosły; pierwszorzędnej wagi 10. (*o pomyłce itd*) fatalny 11. pełny; kompletny; **a ~ piano** fortepian skrzydłowy [II] *s* 1. *w zwrocie*: **to do the ~** imponować; pysznić się; pozować na wielkiego pana 2. = **~ piano** *zob* **~**

adj 11. 3. *am sl* 1000 dolarów 4. **the National Grand** słynne wyścigi konne w Liverpoolu

grand-aunt ['grænd,ɑ:nt] *s* stryjeczna <cioteczna> babka

grandchild ['græn,tʃaild] *s* (*pl* **grandchildren** ['græn,tʃildrən]) wnu-k/czka

gran(d)-dad ['græn,dæd] *s* dziadunio

granddaughter ['græn,dɔ:tə] *s* wnuczka

grandee [græn'di:] *s hiszp* grand

grandeur ['grændʒə] *s* 1. wielkość (duchowa) 2. wspaniałość; majestatyczność; majestat 3. pompa; blask

grandfather ['grænd,fɑ:ðə] *s* dziadek; **~ <~'s> clock** stojący zegar szafkowy

grandfatherly ['grænd,fɑ:ðəli] *adj* (*o miłości, radzie itd*) dziadka <dziadunia>; **in a ~ manner** jak przystało na (kochającego) dziadka

grandiloquence [græn'diləkwəns] *s* pompatyczna mowa; napuszoność; górnolotność

grandiloquent [græn'diləkwənt] *adj* pompatyczny; napuszony; górnolotny

grandiose ['grændi,ous] *adj* 1. wspaniały; imponujący; majestatyczny 2. pretensjonalny

grandiosity [,grændi'ɔsiti] *s* 1. wspaniałość; majestatyczność 2. pretensjonalność

grandma ['græn,mɑ:], **grandmamma** ['grænd-mə,mɑ:] *s* babunia

grandmother ['græn,mʌðə] [I] *s* babka, babcia [II] *vt* rozpieszczać (jak babcia)

grandmotherly [græn'mʌðəli] *adj* (*o miłości itd*) babki <babuni>; **in a ~ manner** jak przystało na (kochającą) babunię

grand-nephew ['græn,nevju:] *s* syn bratanka <siostrzeńca>

grandness ['grændnis] *s* 1. wspaniałość; majestatyczność 2. silenie się na coś imponującego

grand-niece ['græn,ni:s] *s* córka bratanka

grandpa ['græn,pɑ:], **grandpapa** ['grændpə'pɑ:] *s* dziadunio

grandparents ['græn,pɛərənts] *spl* dziadkowie

grandsire ['græn,saiə] *s lit* przodek

grandson ['græn,sʌn] *s* wnuk

grand-uncle ['grænd,ʌŋkl] *s* stryjeczny <wujeczny, cioteczny> dziadek

grange [greindʒ] *s* 1. folwark 2. *am* kółko rolnicze 3. † stodoła

grangerize ['greindʒə,raiz] *vt* uzupełni-ć/ać (książkę) ilustracjami po wydaniu

granite ['grænit] [I] *s geol* granit [II] *attr* granitowy; *am* **the Granite State** stan New Hampshire

granivorous [græ'nivərəs] *adj* ziarnożerny

grannie, granny ['græni] *s* babunia

grant [grɑ:nt] [I] *vt* 1. przyzna-ć/wać (**sb a prize <subvention etc.>** komuś nagrodę <subwencję itd.>); nada-ć/wać (własność itd.); udziel-ić/ać (**sth** czegoś); **God ~ it!** dałby Bóg! 2. wysłuchać (**sb, sth** kogoś, czegoś); spełni-ć/ać (prośbę, życzenie itd.) 3. przyzna-ć/wać (**the truth of what sb says, that sb is right** komuś rację); uzna-ć/wać (**the truth of sth, sth to be true** słuszność czegoś) 4. za-łożyć/kładać (**that —** że...) *zob* **granted, granting** [II] *s* 1. przyznanie <nadanie> (czegoś komuś) 2. darowizna 3. zasiłek; zapomoga 4. subwencja; dotacja 5. *am* koncesja gruntowa

granted ['grɑ:ntid] *zob* **grant** *v*; **~ that —** zakładając <założywszy> że...; zgoda!; **to take sth for ~** a) przesądzać; (z góry) zakładać (że...) b) przyjąć coś za rzecz naturalną <zrozumiałą, samo przez się zrozumiałą, oczywistą>; **to take too much for ~** a) uprzedzać fakty b) być zanadto pewnym czegoś

grantee [grɑ:n'ti:] *s prawn* obdarzon-y/a; now-y/a właściciel/ka

grant-in-aid ['grɑ:nt-in'eid] *s* (*pl* **grants-in-aid** ['grɑ:nts-in'eid]) subwencja; dotacja

granting ['grɑ:ntiŋ] [I] *zob* **grant** *v*; **~ that —** zakładając <założywszy>, że... [II] *s* 1. przyzna-nie/wanie (czegoś) 2. uzna-nie/wanie (czegoś) 3. przydział (czegoś)

grantor [grɑ:n'tɔ:] *s prawn* (ob)darowujący-y/a; cedent

granular ['grænjulə] *adj* ziarnisty

granulate ['grænju,leit] *vt* ziarnować; rozdrabniać; granulować; **~d sugar** miałki cukier

granulation [,grænju'leiʃən] *s* ziarnina; granulacja; uziarnianie

granulator ['grænju,leitə] *s* granulator; rozdrabniarka

granule ['grænju:l] *s* ziarnko

grape [greip] *s* 1. winogrono 2. *bot* winorośl, wino 3. *pl* **~s** winogrona 4. *wet* gruda (końska) 5. = **grape-shot**

grape-cure ['greip,kjuə] *s med* kuracja winogronowa

grape-fruit ['greip,fru:t] *s* grejpfrut

grape-gatherer ['greip,gæðərə] *s* (człowiek) zbierający winogrona; winobran-iec/ka

grape-gathering ['greip,gæðəriŋ] *s* winobranie

grapery ['greipəri] *s* cieplarnia dla uprawy wina

grape-shot ['greip,ʃɔt] *s* kartacz

grape-stone ['greip,stoun] *s* pestka winogrona

grape-sugar ['greip,ʃugə] *s* cukier gronowy

grape-vine ['greip,vain] *s* 1. winorośl; *am* **~ telegraph** źródło kaczek dziennikarskich 2. figura w jeździe na łyżwach

graph[1] [græf] *s* wykres; **~ paper** papier milimetrowy

graph[2] [græf] [I] *s* powielacz [II] *vt* powiel-ić/ać

graphic ['græfik] *adj* 1. graficzny 2. (*o opisie itd*) obrazowy; malowniczy

graphics ['græfiks] *s* grafika

graphite ['græfait] *s* grafit

graphology [græ'fɔlədʒi] *s* grafologia

graphometer [græ'fɔmitə] *s techn* grafometr (przyrząd do pomiaru kątów)

grapnel ['græpnəl] *s* 1. bosak; hak 2. *mar* drapacz (kotwica)

grapple ['græpl] [I] *s* 1. = **grapnel** 2. walka wręcz; mocowanie się; **to come to ~s with sb** wziąć się za bary z kimś [II] *vt* zahacz-yć/ać [III] *vi* 1. zahacz-yć/ać (**with a ship** statek) 2. mocno chwy-cić/tać (**with sb, sth** kogoś, coś) 3. wziąć/brać się za bary (**with sb** z kimś); mocować się (**with sb, sth** z kimś, czymś); borykać <zmagać> się (**with sth** z czymś — trudnościami itp.)

grappling-iron ['græpliŋ,aiən] = **grapnel**

grapy ['greipi] *adj* winogronowy; o smaku winogron

grasp [grɑ:sp] [I] *vt* 1. u/chwycić; *pot* złapać 2. ścis-nąć/kać; uścisnąć; mocno trzymać w rę-ce/kach; **to ~ the nettle** nie zawahać się; nie ulęknąć się; złapać byka za rogi 3. por-wać/ywać; **to ~ the occasion** nie przepu-ścić/szczać sposobności; nie zasypiać okazji <gruszek w popiele> 4. zrozumieć; pojąć; objąć myślą [II] *vt* 1. chwy-cić/tać (**at sth** za coś); sięg-nąć/ać (**at sth** po coś) 2. por-wać/ywać (**at sth** coś); rzuc-ić/ać się chciwie (**at sth** na coś); nie przepu-ścić/szczać (**at sth** czegoś) *zob* **grasping** [III] *s* 1. chwyt; uchwyt; chwycenie się (czegoś); trzymanie w rę-ce/kach <w garści, w pięści>; uścisk; mocny uścisk dłoni; **to have a strong ~** mieć siłę w rękach; **to have a strong ~ on sth** a) mocno coś trzymać b) *przen* mocno trzymać w rękach (instytucję itd.); **to lose one's ~ on sth** puścić <wypuścić> coś z rąk 2. władza (**on sb, sth** nad kimś, czymś); **to have sb within one's ~** mieć władzę nad kimś; trzymać kogoś w rękach <w szponach> 3. zasięg ręki; **beyond sb's ~** nieosiągalny dla kogoś; **within sb's ~** w zasięgu czyjejś ręki; na podorędziu u kogoś; osiągalny dla kogoś 4. pojęcie <zrozumienie, znajomość> (czegoś) 5. rękojeść; uchwyt

grasper ['gra:spə] *s techn* chwytak

grasping ['gra:spiŋ] [I] *zob* **grasp** *v* [II] *adj* zachłanny; chciwy; zaborczy

†**grass** [gra:s] [I] *s* 1. trawa; *bot* **~ of Parnassus** dziewięciornik błotny <pospolity>; **he can hear the ~ grow** on słyszy jak trawa rośnie; **not to let the ~ grow under one's feet** nie tracić czasu; **to send sb to ~** powalić kogoś na ziemię; zwalić kogoś z nóg; **while the ~ grows the horse starves** nim słońce wzejdzie, rosa oczy wyje 2. pastwisko; łąka; **~ widower** <**widow**> słomian-y/a wdowiec <wdowa>; **to put land under ~** obrócić pole w łąkę; zasiać trawę na gruncie; **to turn** <**put, send**> **(a horse etc.) to ~** puścić <wygnać, wyprowadzić> (konia itd.) na pastwisko <na łąkę>; **at ~** a) na pastwisku; na łące; na zielonej paszy b) *przen* na zielonej trawce; bez pracy, bez zajęcia 3. murawa; trawnik; **keep off the ~** a) nie wolno chodzić po trawnik-u/ach; nie niszczyć trawy b) (*gdy kobieta mówi do mężczyzny*) ręce przy sobie! 4. *górn* powierzchnia [II] *vt* 1. obsi-ać/ewać trawą 2. pu-ścić/szczać <wyg-onić/aniać, wyprowadz-ić/ać> (bydło) na pastwisko 3. bielić (len) 4. powalić <zwalić z nóg> (przeciwnika) 5. zestrzelić (ptaka) 6. złowić (rybę)

†**grasshopper** ['gra:s,hɔpə] *s zoo* konik polny, pasikonik zielony

grass-land ['gra:s,lænd] *s* łąka; pastwisko

grass-snake ['gra:s,sneik] *s zoo* zaskroniec

grassy ['gra:si] *adj* (**grassier** ['gra:siə], **grassiest** ['gra:siist]) trawiasty; porosły trawą; pokryty bujną trawą

grate[1] [greit] [I] *s* 1. krata 2. ruszt 3. palenisko [II] *vt* okratować *zob* **grating**[1]

grate[2] [greit] [I] *vt* 1. utrzeć/ucierać na tarce; **to ~ sth on ...** ze zgrzytem trzeć czymś po... (czymś) 2. za/zgrzytać (**one's teeth** zębami) [II] *vi* za/zgrzytać; **to ~ on the ear** drażnić słuch; **to ~ on the nerves** działać na nerwy *zob* **grating**[2]

grate-bar ['greit,ba:] *s* ruszt

grateful ['greitful] *adj* 1. wdzięczny; zobowiązany 2. (*o rzeczy*) miły; przyjemny 3. (*o liście*) wyrażający wdzięczność

gratefulness ['greitfulnis] *s* wdzięczność

grater ['greitə] *s* 1. tarka 2. raszpla, tarnik do drewna

graticule ['græti,kju:l] *s* 1. *opt* siatka nitek 2. siatka kartograficzna

gratification [,grætifi'keiʃən] *s* 1. zadowolenie; satysfakcja 2. zaspokojenie (namiętności itd.) 3. wynagrodzenie; gratyfikacja 4. łapówka

gratify ['græti,fai] *vt* (**gratified** ['græti,faid], **gratified; gratifying** ['græti,faiiŋ]) 1. zadow-olić/alać; da-ć/wać zadowolenie (**sb** komuś) 2. zaspok-oić/ajać (pragnienie itd.); spełni-ć/ać (życzenie itd.) 3. wynagr-odzić/adzać 4. dać łapówkę (**sb** komuś) *zob* **gratifying**

gratifying ['græti,faiiŋ] [I] *zob* **gratify** [II] *adj* przyjemny; miły; zachęcający

gratin ['grætɛ̃:] *s w zwrocie:* **au** [ou] **~** zapiekany (makaron itd.)

grating[1] ['greitiŋ] [I] *zob* **grate**[1] *v* [II] *s* 1. krata; okratowanie 2. ruszt

grating[2] ['greitiŋ] [I] *zob* **grate**[2] [II] *adj* 1. zgrzytliwy 2. drażniący; przykry

gratis ['greitis] [I] *adv* bezpłatnie, gratis, gratisowo [II] *adj* bezpłatny, gratisowy

gratitude ['græti,tju:d] *s* wdzięczność

gratuitous [grə'tjuitəs] *adj* 1. bezpłatny 2. dobrowolny 3. (*o obeldze itd*) niczym nie uzasadniony; niepotrzebny

gratuity [grə'tjuiti] *s* 1. napiwek; wynagrodzenie za usługę; (*w napisie*) **"no gratuities"** „uprasza się o niedawanie napiwków" 2. zasiłek wypłacany żołnierzom przy demobilizacji <więźniom wypuszczonym na wolność>

gratulatory ['grætju,leitəri] *adj* gratulacyjny

gravamen [grə'veimen] *s* (*pl* **gravamina** [grə'veiminə]) 1. skarga; zażalenie 2. istota <uzasadnienie> (oskarżenia)

grave[1] [greiv] *s* grób; mogiła; **a watery ~** śmierć przez utopienie; **family ~** grobowiec rodzinny; *przen* **someone is walking on my ~** dreszcz mnie przeszedł; śmierć mnie przeskoczyła; *przen* **to be on the brink of the ~** stać nad grobem; **to have one foot in the ~** być jedną nogą w grobie

grave[2] [greiv] *vt* (**graved** [greivd], **graven** ['greivən]) 1. † wykopać (grób) 2. wyryć *zob* **graven**

grave[3] [greiv] *adj* 1. poważny; uroczysty; **to look ~** mieć poważną minę 2. poważny; ważny; ważki; ciężki; doniosły; groźny; niepokojący 3. *jęz* **~ accent** accent grave (ˋ)

grave[4] [greiv] *vt mar* czyścić (**a ship, a ship's bottom** spód okrętu)

grave-clothes ['greiv,klouðz] *spl* całun

grave-digger ['greiv,digə] *s* grabarz

gravel ['grævəl] [I] *s* 1. żwir 2. piasek złotonośny 3. *med* piasek nerkowy [II] *vt* (**-ll-**) 1. posyp-ać/ywać żwirem 2. wprawi-ć/ać w zakłopotanie

gravel-blind ['grævəl,blaind] *adj med* niemalże <prawie> ślepy

graveless ['greivlis] *adj* (*o zmarłym*) nie pochowany

gravelly ['grævl̩i] *adj* 1. żwirowaty; piaszczysty 2. *med* (*o objawach*) spowodowany piaskiem nerkowym; (*o pacjencie*) cierpiący na piasek nerkowy

gravel-pit ['grævəl,pit] *s* żwirownia

graven ['greivən] *zob* **grave**[2]; **~ image** bożek; bałwan; **~ on sb's memory** wryty w czyjąś pamięć

graver ['greivə] *s* 1. rytownik; grawer 2. dłuto; rylec

Graves [greivz] *spr med* **~' disease** choroba Basedowa

gravestone ['greiv,stoun] *s* kamień nagrobny; płyta nagrobna; nagrobek

graveyard ['greiv,jɑ:d] *s* cmentarz

gravid ['grævid] *adj* brzemienna; ciężarna

gravimeter [grə'vimitə] *s geol fiz* grawimetr

gravimetric [,grævi'metrik] *adj* grawimetryczny; wagowy

graving-dock ['greiviŋ,dɔk] *s mar* dok suchy

gravitate ['grævi,teit] *vi* 1. ciążyć <grawitować> (**towards sb, sth** ku komuś, czemuś; do kogoś, czegoś) 2. osiadać; opadać

gravitation [,grævi'teiʃən] *s fiz* ciążenie (ciał), grawitacja

gravitational [,grævi'teiʃənl] *adj* grawitacyjny; *fiz* **~ pull** siła ciążenia

gravity ['græviti] *s* 1. powaga (oblicza, sytuacji itd.); poważna mina; **to view sth with utmost ~** zapatrywać się na coś bardzo poważnie 2. siła ciężkości; przyciąganie ziemskie; ciężar (gatunkowy); ciężkość; **centre of ~, ~ centre** środek ciężkości

gravy ['greivi] *s* 1. *kulin* sos od pieczeni 2. *am pot* dodatkowy zysk; osobista korzyść

gravy-boat ['greivi,bout] *s* sosjerka

gray [grei] = **grey**

grayling ['greiliŋ] *s zoo* lipień (ryba)

graze[1] [greiz] [I] *vt* 1. paść; wypasać (bydło, trawę) 2. (*także* **~ down**) spasać (pole, trawę) [II] *vi* paść się; skubać trawę; być na pastwisku

graze[2] [greiz] [I] *vt* 1. musnąć; zadrasnąć; zawadzić (**sth** o coś); dotknąć (**sth** czegoś) 2. zadrasnąć (**one's skin** sobie skórę) [II] *vi* musnąć <zadrasnąć> (**along** <**by, against**> **sth** coś) [III] *s* 1. odarcie <zdarcie> (skóry); za/draśnięcie 2. muśnięcie

grazer ['greizə] *s* pasące się zwierzę

grazier ['greiziə] *s* hodowca bydła

grease [gri:s] [I] *s* 1. tłuszcz; (*w kanalizacji*) **~ trap** odtłuszczacz; **wool in the ~** wełna potna 2. smar; maź 3. *wet* żabka (u konia) [II] *vt* [gri:z] 1. po/smarować; *przen* **to ~ sb's palm** dać komuś łapówkę; *sl* **like ~d lightning** piorunem; błyskawicznie 2. u/smarować <po/walać> tłuszczem 3. przyprawi-ć/ać (konia) o żabkę

grease-box ['gri:s,bɔks] *s* maźnica; smarownica

grease-gun ['gri:s,gʌn], **grease-injector** ['gri:s-in,dʒektə] *s techn* towotnica

grease-paint ['gri:s,peint] *s* szminka

grease-proof ['gri:s,pru:f] *adj* tłuszczoodporny

greaser ['gri:sə] *s* 1. smarownica 2. (*o człowieku*) smarowacz, smarownik 3. *am pog* Amerykan-in/ka hiszpańskiego pochodzenia; Meksykan-in/ka

greasiness ['gri:sinis] *s* tłustość; zatłuszczenie (ubrania itp.)

greasy ['gri:si] *adj* (**greasier** ['gri:siə], **greasiest** ['gri:siist]) 1. tłusty; mazisty 2. zatłuszczony; usmarowany <poplamiony> tłuszczem 3. *mar* **~ weather** ohydna pogoda; wstrętny czas 4. (*o zachowaniu*) służalczy; płaszczący się 5. *wet* **a ~ heel** żabka (u konia) 6. śliski

great[1] [greit] [I] *adj* 1. wielki (rozmiarem i przymiotami) 2. duży (rozmiarem); *pot* **~ big** duży; olbrzymi; potężny; *pot* wielgachny; **~ friends** serdeczni przyjaciele; † **~ with child** ciężarna, brzemienna 3. zamiłowany <lubujący się> (**in** <**on**> **sth** w czymś); **to be ~ on sth** być wielkim amatorem czegoś; bardzo lubić coś 4. uzdolniony; **to be a ~ dancer** świetnie tańczyć; **to be a ~ tennis-player** świetnie grać w tenisa; **to be ~ at sth** mieć zdolności do czegoś; wybi-ć/jać się <celować> w czymś 5. ważny; doniosły; **a ~ thing** ważna rzecz; **no ~ thing** nic ważnego 6. (*o opinii*) pochlebny; dodatni; **to have no ~ opinion of ___** mieć nieszczególne zdanie o ... (kimś, czymś) 7. *pot* wspaniały; znakomity; świetny; **he's ~** on jest kapitalny <niezrównany>; **to have a ~ time** wspaniale się za/bawić <ubawić>; **wouldn't it be ~ ___** czy nie świetnie by było ... [II] *s* 1. **the ~** wielcy (tego świata); wielkie umysły 2. *pl* **~s** ostatni egzamin do stopnia bakalaureusa na Uniwersytecie Oxfordzkim *zob* **greats**

great[2] [greit-] *przedrostek*: pra-

great-aunt ['greit'ɑ:nt] = **grand-aunt**

great-coat ['greit'kout] *s* płaszcz; palto; opończa

great-grandchild ['greit'græn,tʃaild] *s* prawnu-k/czka

great-granddaughter ['greit'græn,dɔ:tə] *s* prawnuczka

great-grandfather ['greit'grænd,fɑ:ðə] *s* pradziadek

great-grandmother ['greit'græn,mʌðə] *s* prababka

great-grandson ['greit'græn,sʌn] *s* prawnuk

great-hearted ['greit,hɑ:tid] *adj* wielkoduszny; wspaniałomyślny

greatly ['greitli] *adv* 1. wielce 2. poważnie 3. znacznie; bardzo 4. w wielkiej mierze; w znacznym <poważnym> stopniu 5. szlachetnie; wielkodusznie

greatness ['greitnis] *s* 1. wielkość; **~ of soul** wielkoduszność; szlachetność 2. wielki rozmiar; ogrom 3. znaczenie; powaga

greats [greits] [I] *spl zob* **great**[1] *s* [II] *s* (*u Oxfordzie*) szkoła filozofii i filologii klasycznej; **modern ~** szkoła filozofii i nauk ekonomicznych

great-uncle ['geit'ʌŋkl] = **grand-uncle**

greave [gri:v] *s* (*u zbroi*) nagolennik

greaves [gri:vz] *spl* skwarki

grebe [gri:b] *s zoo* perkoz (ptak)

Grecian ['gri:ʃən] [I] *adj* (*o stylu, nosie, profilu, węźle upiętym z włosów*) grecki; **~ bend** afektowany sposób chodzenia (modny w XIX w.) [II] *s* 1. hellenista 2. uczeń najwyższej klasy w szkole „Christ's Hospital"

greed [gri:d] *s* 1. chciwość; zachłanność; chęć zysku 2. żądza (władzy itd.)

greediness ['gri:dinis] *s* 1. = **greed** 2. łapczywość 3. żarłoczność

greedy ['gri:di] *adj* (**greedier** ['gri:diə], **greediest** ['gri:diist]) 1. chciwy; zachłanny; żądny (**of** <**for**> **sth** czegoś) 2. łapczywy 3. żarłoczny

greedy-guts ['gri:di,gʌts] *s* żarłok; obżartuch; pasibrzuch

Greek [gri:k] [I] *adj* 1. grecki 2. *rel* greckokatolicki 3. *rel* prawosławny [II] *s* 1. Gre-k/czynka 2. greka; język grecki; **it's all ~ to me** to dla mnie chińszczyzna 3. złodziej/ka; oszust/ka

green [gri:n] [I] *adj* 1. zielony; **to grow ~** zazielenić się; **po/zielenieć**; **~ belt** pierścień zieleni dokoła miasta; **~ cloth** stół gry; hazard; **~ crop** zielona pasza; **~ food** zielonka (dla bydła); **~ hide** surowa skóra (bydlęca); **~ manure** zielony nawóz; ~ **old age** czerstwa starość; ~ **stuff** <**goods**> warzywa; ~ **winter** bezśnieżna zima; ~ **wound** nie zagojona rana; **memories still** ~ świeże jeszcze wspomnienia; **to turn** ~ a) (*o człowieku*) z/zielenieć b) (*o roślinie*) po/zielenieć 2. młody; niedoświadczony; naiwny; ufny; **a** ~ **hand** nowicjusz/ka, *pot* naiwnia-k/czka [II] *s* 1. zieleń; kolor zielony; zieloność 2. zaranie (życia itp.); zielone lata 3. trawnik; murawa; łąka; **the village** ~ błonia wiejskie 4. *pl* ~**s** warzywa 5. *pot* niedoświadczenie; **do you see any** ~ **in my eye?!** nie ma głupich! [III] *vt* 1. okry-ć/wać (coś) zielenią 2. *pot* naciąg-nąć/ać; nab-rać/ierać; nabi-ć/jać w butelkę [IV] *vi* za/zielenić się; pokry-ć/wać się zielenią

green-back ['gri:n,bæk] *s am* banknot St. Zjedn.

green-book ['gri:n,buk] *s* zielona księga (oficjalna publikacja rządowa w Indiach)

greenery ['gri:nəri] *s* 1. zieleń 2. cieplarnia

green-eyed ['gri:n'aid] *adj* 1. zielonooki 2. zazdrosny

greenfinch ['gri:n,fintʃ] *s zoo* dzwoniec (ptak)

green-fly ['gri:n,flai] *s zoo* mszyca

greengage ['gri:n,geidʒ] *s bot* renkloda

greengrocer ['gri:n,grousə] *s* zielenia-rz/rka

greengrocery ['gri:n,grousəri] *s* 1. jarzyny (towar) 2. handel jarzynami

greenhorn ['gri:n,hɔ:n] *s* nowicjusz/ka; *pot* żółtodziób

greenhouse ['gri:n,haus] *s* cieplarnia

greening ['gri:niŋ] *s* jabłko zielone po dojrzeniu

greenish ['gri:niʃ] *adj* zielonkawy

Greenlander ['gri:n,lændə] *s* Grenland-czyk/ka

greenness ['gri:nnis] *s* 1. zieloność; zielony kolor 2. brak dojrzałości; niedojrzałość 3. świeżość; młody wiek 4. czerstwość (staruszka) 5. naiwność; brak doświadczenia

green-peak ['gri:n,pi:k] *s zoo* dzięcioł zielony

green-room ['gri:n,rum] *s teatr* poczekalnia artystów

green-sickness ['gri:n,siknis] *s med* blednica

greenstone ['gri:n,stoun] *s* ogólna nazwa zielonych skał zasadowych (nefryt, nerkowiec itd.)

greenstuff ['gri:n,stʌf] *s* 1. warzywa 2. zielonka; zielona pasza

greensward ['gri:n,swɔ:d] *s* murawa; trawa; trawnik

greenweed ['gri:n,wi:d] *s bot* janowiec barwierski

greenwood ['gri:n,wud] *s* las (zielony)

greenyard ['gri:n,jɑ:d] *s* zagroda dla zabłąkanych zwierząt

greet[1] [gri:t] *vt* po/witać; przywitać; pozdr-owić/awiać; **to** ~ **the ears** da-ć/wać się słyszeć; **to** ~ **the eyes** przedstawi-ć/ać się oczom *zob* **greeting**

greet[2] [gri:t] *vi szkoc* płakać

greeting ['gri:tiŋ] [I] *zob* **greet**[1] [II] *s* powitanie; przywitanie się; pozdrowienie

greeting-card ['gri:tiŋ,kɑ:d] *s* pocztówka z pozdrowieniami <z życzeniami, powinszowaniem>

gregarious [gre'gɛəriəs] *adj* 1. stadny; gromadny 2. towarzyski

Gregorian [gre'gɔ:riən] *adj* gregoriański

Gregory-powder ['gregəri,paudə] *s* (*także* **Gregory's powder**) środek przeczyszczający

gremial ['gri:miəl] *s kośc* gremiał (biskupia chusta jedwabna)

gremlin ['gremlin] *s sl lotn* zły duch (któremu przypisują kraksy)

grenade [gri'neid] *s* 1. *wojsk* granat 2. gaśnica

grenadier [,grenə'diə] *s* 1. *wojsk* grenadier 2. *zoo* ryba głębinowa z rodziny Macrouridae

grenadin ['grenədin], **grenadine** [,grenə'di:n] *s* 1. *kulin* nadziewan-a/y cielęcina <drób> 2. *bot* odmiana goździka

grenadine [,grenə'di:n] *s* 1. syrop granatowy (owocowy) 2. *tekst* grenadyna (tkanina)

gressorial [gre'sɔ:riəl] *adj zoo* (*o ptaku*) brodzący

Gretna-Green ['gretnə'gri:n] *spr* ~ **marriage** ślub udzielony zbiegłej z domu parze bez zwykłych formalności

grew *zob* **grow**

grey [grei] [I] *adj* 1. szary; popielaty; ~ **friar** franciszkanin; ~ **matter** mózg; szara substancja mózgu; *przen* rozum; ~ **monk** cysters; ~ **sister** tercjarka; **painted** ~ pomalowany na kolor szary <popielaty>; pomalowany na szaro <popielato>; **to grow** ~ po/szarzeć 2. (*o włosach, koniu*) siwy; **to turn** <**go**> ~ po/siwieć, osiwieć; **the** ~ **mare is the better horse** żona trzyma męża pod pantoflem 3. (*o kolorze twarzy*) blady; szary; **his face turned** ~ twarz mu zszarzała 4. stary; w podeszłym wieku 5. ciemny; ponury [II] *s* 1. szarość; szary kolor; **hair touched with** ~ szpakowate włosy; **the** ~ **of the morning** szara godzina 2. szare <popielate> ubranie; **to wear** ~ być ubranym w szarym kolorze 3. surowy stan (tkaniny); **goods in the** ~ tkaniny surowe 4. siwek (koń) 5. *farb* szarzeń 6. *am hist* mundur wojsk południowych w wojnie secesyjnej 7. *pl* **the Greys** drugi pułk dragonów szkockich 8. *pl* ~**s** *pot* popielate spodnie [III] *vt* po/malować na szaro [IV] *vi* 1. po/szarzeć 2. po/siwieć

greybeard ['grei,biəd] *s* 1. siwobrody staruszek 2. gliniany garnek

greycoat ['grei,kout] *s am hist* żołnierz wojsk południowych w wojnie secesyjnej

grey-haired ['grei,hɛəd] *adj* siwy; siwowłosy

grey-hen ['grei,hen] *s zoo* cieciorka (samica cietrzewia)

greyhound ['grei,haund] *s* chart; ~ **racing** wyścigi chartów; **ocean** ~ szybkobieżny statek transatlantycki

greyish ['greiiʃ] *adj* 1. szarawy 2. szpakowaty

greylag ['grei,læg] *s* (*także* ~ **goose**) szara gęś

greyness ['greinis] *s* szarość

greywacke ['grei,wækə] *s* szarogłaz; szarowaka (piaskowiec)

↑**grid** [grid] *s* 1. krata 2. ruszt 3. *elektr* siatka 4. sieć wysokiego napięcia 5. siatka geograficzna 6. sieć krzyżujących się linii <torów itd.> 7. = **gridiron**

griddle ['gridl] [I] *s* 1. rodzaj patelni 2. grube sito do przesiewania rudy [II] *vt* 1. przypie-c/kać na ruszcie 2. przesi-ać/ewać (rudę)

griddle-cake ['gridl,keik] *s kulin* rodzaj naleśnika

gride [graid] [I] *vt* przeci-ąć/nać <ciąć> (ze zgrzytem, skrzypiąc przeraźliwie); (*o pojeździe, narzędziu*) **to** ~ **its way** posu-nąć/wać się ze zgrzytem <skrzypiąc przeraźliwie> [II] *vi* posu-nąć/wać się ze zgrzytem <skrzypiąc przeraźliwie>; **to** ~ **against sth** a) przeci-ąć/nać coś ze zgrzytem <skrzypiąc przeraźliwie> b) zawadz-ić/ać o coś wydając ostry zgrzyt

~ **along** *vi* posu-nąć/wać się ze zgrzytem <skrzypiąc przeraźliwie>

[III] *s* zgrzyt

gridiron ['grid,aiən] *s* 1. ruszt (do przypiekania mięsa); **~ pendulum** wahadło wyrównawcze; *przen* **to be on the ~** być (jak) na mękach <na rozżarzonych węglach> 2. *mar* ruszt osadny 3. *mar* dok palczasty 4. *am* boisko do piłki nożnej 5. = **grid** 4. 6. *teatr* belkowanie nad sceną utrzymujące dekoracje

grief [gri:f] *s* smutek; żal; **to bring to ~** a) doprowadzić do upadku b) z/niweczyć; udaremni-ć/ać c) z/niszczyć; obr-ócić/acać wniwecz; **to come to ~** popaść w nieszczęście; mieć niepowodzeni-e/a; źle się skończyć

grief-stricken ['gri:f,strikən] *adj* pogrążony w smutku <w żalu>

grievance ['gri:vəns] *s* krzywda; skarga; zażalenie; **to air** <**state**> **one's ~s** skarżyć się; wystąpić z zażaleniem; **to have a ~ against sb** mieć powód do skargi na kogoś; mieć żal do kogoś

grieve [gri:v] [I] *vt* zasmuc-ić/ać; z/martwić [II] *vi* za/smucić <z/martwić> się (**at** <**for, about, over**> **sth** czymś); boleć (**at** <**for, about, over**> **sth** nad czymś)

grievous ['gri:vəs] *adj* 1. (*o stracie itd*) bolesny; ciężki 2. (*o błędzie*) ciężki; gruby; godny ubolewania 3. (*o ranie*) ciężki 4. (*o wieści itp*) smutny

grievousness ['gri:vəsnis] *s* poważny charakter (czegoś)

griff [grif] *s* (*w Indiach*) 1. świeżo przybył-y/a Europej-czyk/ka 2. nowicjusz/ka 3. Mulat/ka

griffin[1] ['grifin] = **griff**

griffin[2] ['grifin] *s* 1. gryf (bajeczny) 2. kobieta-dragon

griffon ['grifən] *s zoo* 1. gryfon (pies) 2. sęp płowy

grig [grig] *s zoo* 1. piskorz (ryba) 2. młody węgorz 3. konik polny; **merry as a ~** wesoły jak ptaszek 4. drobny gatunek drobiu

grill [gril] [I] *vt* 1. piec <przypiekać> (mięso) **na** ruszcie; zapiekać (ostrygi itd.) w muszli 2. *am przen* wymuszać zeznania (**sb** od kogoś — aresztowanego, więźnia) [II] *vi* przypiekać się na ruszcie [III] *s* 1. ruszt (do przypiekania mięsa, ryby); *am* **to put a prisoner on the ~** = **to ~** *vt* 2. 2. krata 3. restauracja, której specjalnością jest mięso z rusztu 4. mięso z rusztu

grillage ['grilidʒ] *s bud* ruszt (belkowy, żelbetowy)

grille [gril] *s* krata

grill-room ['gril,rum] = **grill** *s* 3.

grilse [grils] *s zoo* jednoroczny łosoś

grim [grim] *adj* (**-mm-**) 1. srogi; groźny; zawzięty; nieubłagany; nieugięty; **like ~ death** rozpaczliwie <kurczowo> (trzymać się czegoś) 2. ponury

grimace [gri'meis] [I] *s* grymas; wykrzywienie ust; **to make ~s** grymasić [II] *vi* robić grymas/y; wykrzywiać usta

grimalkin [gri'mælkin] *s* 1. stara kocica 2. złośnica

grime [graim] [I] *s* brud; plugastwo [II] *vt* za/brudzić; z/brukać; za/smolić

griminess ['graiminis] *s* brud; zabrudzenie; zbrukanie

grimness ['grimnis] *s* srogość; groza; zawziętość; nieugiętość

grimy ['graimi] *adj* (**grimier** ['graimiə], **grimiest** ['graimiist]) brudny; oblepiony **brudem**; kapiący od brudu

grin [grin] [I] *vi* (**-nn-**) 1. szczerzyć zęby 2. uśmiech-nąć/ać się szerokim uśmiechem; **to ~ and bear it** robić dobrą minę do złej gry; dzielnie znosić przeciwieństwa losu [II] *s* 1. szczerzenie zębów; grymas 2. uśmiech od ucha do ucha

grind [graind] *v*. (**ground** [graund], **ground**) [I] *vt* 1. ze/mleć; ze/śrutować; utrzeć/ucierać; utłuc; rozkrusz-yć/ać; rozdr-obić/abiać; ugni-eść/atać; z/miażdżyć; **to ~** (**down**) **the** (**faces of the**) **poor** uciskać <gnębić> warstwy ubogie; **to ~ one's teeth** zgrzytać zębami 2. obt-oczyć/aczać; wy/szlifować 3. na/ostrzyć 4. matować (szkło) 5. kręcić (**sth** czymś — rączką, korbą itd.); **to ~ a barrel organ** grać na katarynce 6. wymagać wytężonej pracy (**one's pupils** od uczniów); wbi-ć/jać naukę (**one's pupils** uczniom) do głowy [II] *vi* 1. da-ć/wać się zemleć 2. za/zgrzytać; za/skrzypieć 3. posuwać się ze zgrzytem <skrzypiąc> 4. *pot* harować <pracować, uczyć się> bez wytchnienia; *szk* kuć, wkuwać

~ down *vt* zetrzeć/ścierać (**to dust** na proch); **to ~ down the** (**faces of the**) **poor** *zob* **~** *vt* 1.

~ off *vt* zeszlifow-ać/ywać

~ out *vt w zwrocie*: **to ~ out an oath** zakląć przez zaciśnięte zęby

zob **grinding, ground** [III] *s* 1. skrzypienie; zgrzyt 2. z/mielenie 3. *pot* harówka; ciężka monotonna praca <robota>; *szk* kucie, wkuwanie 4. szybki spacer; ruch (dla zdrowia) 5. wyścigi konne z przeszkodami 6. *pot szk* kujon

grinder ['graində] *s* 1. szlifie-rz/rka 2. szlifierka (maszyna) 3. młyn; młynek 4. ścierak, toczydło 5. *anat* ząb trzonowy 6. *szk* korepetytor/ka 7. kamień młyński 8. *pl* **~s** *radio* trzaski

grindery ['graindəri] *s* 1. narzędzia <przybory> szewskie 2. *pap* ścieralnia masy drzewnej

grinding ['graindiŋ] [I] *zob* **grind** *v* [II] *adj* 1. zgrzytliwy; **~ sound** zgrzyt 2. (*o bólu*) rozdzierający [III] *s* 1. z/mielenie; przemiał 2. ze/szlifowanie 3. kruszenie; rozkrusz-enie/anie; **~ machine** szlifierka; **~ mill** a) kruszarka b) młyn

grindstone ['graind,stoun] *s* kamień młyński <szlifierski>; **to keep one's nose to the ~** harować bez wytchnienia

gringo ['griŋgou] *s* (*w Ameryce Płd i Meksyku*) cudzoziem-iec/ka; Amerykan-in/ka; Ang-lik/ielka

grip[1] [grip] [I] *s* 1. chwyt; uchwycenie; ści-śnięcie/skanie; zacisk; uścisk; zwarcie się; **to be at ~s with —** borykać <mocować> się z ...; **to come to ~s** zewrzeć/zwierać się; wziąć/brać się za bary; **to have a strong ~** mieć siłę w rękach <silną rękę>; **to lose one's ~ on sth** wypuścić coś z rąk 2. *przen* moc; władza; szpony; kleszcze; matnia 3. wywierane wrażenie <działanie> (na publiczność, czytelnika itd.) 4. opanowanie (tematu); panowanie (**of a situation** nad sytuacją) 5. rączka; rękojeść 6. łapka; chwytacz; zamocowanie 7. *am* walizeczka [II] *vt* (**-pp-**) 1. u/chwycić, chwytać; uścisnąć/ściskać; mocno trzymać w rękach 2. wyw-rzeć/ierać wrażenie (**the public, the reader** na publiczności, czytelniku); działać (**sb** na kogoś); przemawiać (**sb** do kogoś) 3. opanować (sytuację); (*o entuzjazmie itd*) ogarn-ąć/iać (społeczeństwo itd.) 4. uj-ąć/mować (rozumem) [III] *vi* (**-pp-**) (*o kołach*) chwytać

grip[2] [grip] *s* rów

gripe [graip] [I] *vt* 1. schwycić, chwy-cić/tać; uścisnąć, ścis-nąć/kać 2. wywoł-ać/ywać kolkę (**a horse** u konia itd.) 3. uciskać; ciemiężyć 4. *mar* umocować sejzingami [II] *vi mar* (*o statku*) płynąć pod wiatr wbrew położeniu steru [III] *s* 1. uchwycenie; uchwyt; **to come to ~s** zewrzeć/zwierać się; wziąć/brać się za bary 2. *przen* szpony; kleszcze; matnia 3. *pl* **~s** rżnięcie (w brzuchu); kolka 4. *pl* **~s** *mar* sejzingi

grippe [grip] *s* grypa

gripsack ['grip,sæk] *s am* walizeczka

grisaille [gri'zeil] *s plast* grisaille (sposób malowania)

griseous ['griziəs] *adj* szary; perłowy

grisette [gri'zet] *s* gryzetka

griskin ['griskin] *s* krzyżówka wieprzowa

grisly ['grizli] *adj* (**grislier** ['grizliə], **grisliest** ['grizliist]) przerażający

grist[1] [grist] *s* 1. ziarno (do zmielenia); mlewo; *przen* **to bring ~ to the mill** przynosić zysk <korzyść> 2. słód 3. *am pot* kupa <masa> (czegoś)

grist[2] [grist] *s* grubość (nitki, sznura)

gristle ['grisl] *s* chrząstka; *przen* **in the ~** w zarodku; niedojrzały

gristly ['grisli] *adj* chrząstkowaty

grist-mill ['grist,mil] *s* młyn

grit [grit] [I] *s* 1. piasek; pył kamienny; *przen* **to put <throw> ~ in the bearings** sypać piasek w tryby 2. gruboziarnisty piaskowiec 3. charakter; wytrzymałość; wytrwałość 4. *pl* (*w Kanadzie*) **the Grits** a) liberałowie b) radykałowie [II] *vt* (**-tt-**) 1. zacis-nąć/kać (zęby); za/zgrzytać (**one's teeth** zębami) 2. posyp-ać/ywać (ścieżkę itp.) piaskiem [III] *vi* (**-tt-**) za/zgrzytać

grits [grits] *spl* 1. łuszczony owies 2. kasza 3. śrut (jęczmienny itp.)

gritstone ['grit,stoun] *s* gruboziarnisty piaskowiec

grittiness ['gritinis] *s* chropowatość

gritty ['griti] *adj* (**grittier** ['gritiə], **grittiest** ['grit iist]) 1. piaszczysty 2. *am* (*o człowieku*) z charakterem

grizzle[1] ['grizl] *s* siwek (koń)

grizzle[2] ['grizl] [I] *vi* płakać; narzekać [II] *s* płacz; narzekanie; **to have a good ~** napłakać <wypłakać> się

grizzled ['grizld] *adj* siwy; posiwiały

grizzly[1] ['grizli] [I] *adj* 1. szary; siwy; **~ bear** = **~** *s* 2. szpakowaty [II] *s* niebezpieczny niedźwiedź północnoamerykański

grizzly[2] ['grizli] *s górn* przesiewacz rusztowy; sito rusztowe

groan [groun] [I] *vi* 1. jęczeć; stękać 2. (*o stole itp*) uginać się (od potraw) 3. jęczeć pod brzemieniem niesprawiedliwości 4. być spragnionym <łaknąć> (**for sth** czegoś)

~ down *vt w zwrocie*: **to ~ down a speaker** zagłuszyć mówcę pomrukiem niezadowolenia

~ out *vt* opowiadać (coś) lamentując

[II] *s* 1. jęk; stękanie 2. *pl* **~s** (*w sprawozdaniach z zebrań itp*) pomruki niezadowolenia

groat [grout] *s* dawna moneta 4-pensowa; **not worth a ~** niewart złamanego grosza

groats [grouts] *spl* kasza, krupy

grocer ['grousə] *s* właściciel/ka sklepu z towarami kolonialnymi <spożywczego>; **~'s (shop)** sklep towarów kolonialnych <spożywczy>; *med* **~'s itch** egzema

grocery ['grousəri] *s* 1. branża towarów kolonialnych <spożywczych> 2. *am* sklep spożywczy 3. *am* butelkowa sprzedaż napojów 4. *pl* **groceries** towary kolonialne; artykuły spożywcze

grog [grɔg] [I] *s* grog [II] *vi* (**-gg-**) popijać [III] *vt* (**-gg-**) wyparzyć (beczkę dla usunięcia resztek alkoholu)

grog-blossoms ['grɔg,blɔsəms] *spl* opryszczenie <zaczerwienienie> nosa wskutek pijaństwa

groggy ['grɔgi] *adj* (**groggier** ['grɔgiə], **groggiest** ['grɔgiist]) 1. podpity 2. na chwiejnych nogach 3. (*o koniu*) słaby w nogach 4. (*o meblu itp*) rozklekotany

grog-shop ['grɔg,ʃɔp] *s* bar

groin[1] [grɔin] *s* 1. *anat* pachwina 2. *arch* żebro <żebrowanie> sklepienia

groin[2] [grɔin] = **groyne**

groined [grɔind] *adj arch* żebrowany

grommet ['grɔmit] = **grummet**

gromwell ['grɔmwəl] *s bot* nawrot

groom [gru:m] [I] *s* 1. szambelan królewski 2. stajenny; parobek 3. pan młody [II] *vt* 1. obrządz-ić/ać <o/czyścić> (konia) 2. *am* przygotow-ać/ywać (kogoś) do objęcia stanowiska *zob* **groomed**

groomed [gru:md] [I] *zob* **groom** *v* [II] *adj* wypielęgnowany; staranny w ubiorze <w wyglądzie>

groomsman ['gru:mz mən] *s* (*pl* **groomsmen** ['gru:mz mən]) drużbą

groove [gru:v] [I] *s* 1. rowek; wyżłobienie; bruzda 2. gwint; *stol* wpust 3. *górn* sztolnia; szyb 4. rutyna 5. *przen* koleina [II] *vt* 1. wy/żłobić; rowkować 2. gwintować

groovy ['gru:vi] *adj* (**groovier** ['gru:viə], **grooviest** ['gru:viist]) ciasny; biurokratyczny; bez inicjatywy

grope [group] *vi* iść po omacku <na ślepo>; szukać po omacku (**for sth** czegoś) [II] *vt w zwrocie*: **to ~ one's way** iść po omacku <na ślepo>

gropingly ['groupiŋli] *adv* na ślepo; po omacku

grosbeak ['grous,bi:k] *s zoo* grubodziób (ptak)

gross[1] [grous] [I] *adj* 1. tłusty; gruby; wypasiony 2. (*o błędzie, postępku itd*) ordynarny; karygodny; rażący; skandaliczny 3. (*o rysach itd*) ordynarny; wulgarny 4. (*o zachowaniu*) grubiański; prostacki 5. (*o guście itd*) niewybredny; niewyszukany 6. (*o jedzeniu*) ordynarny; wstrętny; obrzydliwy; **~ feeder** obżartuch; żarłok 7. (*o żarcie, opowiadaniu itd*) sprośny; słony 8. (*o roślinności*) bujny 9. gęsty; nieprzeźroczysty 10. (*o wadze, wpływach kasowych itp*) brutto; bez potrąceń 11. całkowity [II] *s w zwrocie*: **in (the) ~** ogółem

gross[2] [grous] *s* (*pl* **~**) 1. gros (= 12 tuzinów) 2. masa

grossness ['grousnis] *s*. 1. grubość; tusza 2. ordynarność; karygodność; skandaliczność; ogrom (zbrodni itp.) 3. wulgarność; grubiaństwo; chamstwo 4. niewybredność 5. sprośność; nieprzyzwoitość

grotesque [grou'tesk] [I] *adj* groteskowy [II] *s* groteska

grotesqueness [grou'tesknis] *s* groteskowość

grotto ['grɔtou] *s* (*pl* **~es, ~s**) grota; **the Grotto** grota z muszelek, którą chłopcy pokazują przechodniom w dniu zakończenia połowu ostryg (5 sierpnia) dla zdobycia grosza

grouch [grautʃ] [I] *vi* gderać; zrzędzić [II] *s am pot* 1. zły humor 2. gderanie 3. gderacz, gdera; zrzęda

ground[1] [graund] *zob* **grind** *v*; **~ down with taxes** uginający się pod ciężarem podatków; **~ glass** matowe szkło

ground² [graund] [I] *s* 1. dno (morza); **to strike ~** gruntować; *przen* **to touch ~** do-jść/chodzić (w dyskusji) do rzeczy konkretnych 2. *pl* **~s** fusy; męty; osad 3. tło (obrazu itp.); **the middle ~** średni plan (obrazu) 4. podstawa; powód, przyczyna; podłoże; uzasadnienie; **on the ~s of** ... z racji <na podstawie> ... (czegoś); **to shift one's ~** zmieni-ć/ać argumentację <front> 5. ziemia; grunt; podłoga; **to dash sb's hopes to the ~** rozwiać <rozproszyć> czyjeś nadzieje; **to fall to the ~** a) upaść na ziemię <na podłogę> b) skończyć się niepowodzeniem <fiaskiem>; **above ~** a) na ziemi b) *górn* na powierzchni; *przen* **to be above ~** jeszcze żyć <zipać>; **below ~** w grobie; **down to the ~** gruntownie; całkowicie 6. grunt; teren; podłoże; **on firm ~** na twardym gruncie; **to be sure of one's ~** znać teren; *przen* **to cut the ~ from under sb's feet** wytrącić komuś broń z ręki; **to feel the ~** sondować teren; **to give ~** ustępować 7. nora (lisia); jama 8. teren <plac, pole> (ćwiczeń, manewrów, walki); obszar; **forbidden ~** teren zakazany; **to cover a lot of ~** a) przebyć spory kawał drogi b) omówić dużo spraw c) ob-jąć/ejmować duży wachlarz zagadnień; **to dispute one's ~** walczyć o swój stan posiadania; **to hold <stand, keep> one's ~** utrzymać się na swoich pozycjach; nie ustępować 9. *am elektr* ziemia, uziemienie; masa [II] *attr* 1. (*o czynszu itd*) gruntowy; (*o rybach*) denny 2. *wojsk* **~ forces** wojska lądowe; *wojsk lotn* **~ staff** obsługa naziemna [III] *vt* 1. op-rzeć/ierać (coś na czymś) 2. na/uczyć (kogoś) podstaw (**in Greek etc.** greki itd.) 3. zagruntować (obraz itd.) 4. złożyć/składać <postawić/stawiać> (coś) na ziemi; *wojsk* **~ arms!** do nogi broń! 5. *am* uziemi-ć/ać [IV] *vi mar* osi-ąść/adać na mieliźnie

groundage ['graundidʒ] *s mar* kotwiczne (opłata)

ground-angling ['graund,æŋgliŋ] *s wędk* łowienie gruntowe

groundedly ['graundidli] *adv* z uzasadnieniem

ground-fishing ['graund,fiʃiŋ] = **ground-angling**

ground-floor ['graund'flɔ:] *s* parter

ground-game ['graund,geim] *s myśl* zwierzyna (żyjąca na ziemi)

ground-hog ['graund,hɔg] *s zoo* świstak amerykański

ground-ice ['graund,ais] *s* lód denny

ground-ivy ['graund'aivi] *s bot* bluszczyk kurdybanek

ground-landlord ['graund'lændlɔ:d] *s* właściciel gruntu na którym stoi nieruchomość

groundless ['graundlis] *adj* bezpodstawny; gołosłowny

groundlessness ['graundlisnis] *s* bezpodstawność; gołosłowność

groundling ['graundliŋ] *s* 1. ryba denna 2. płożąca się roślina 3. (*w teatrze ery elżbietańskiej*) widz stojący na parterze; *przen* niewymagający <niewybredny> czytelnik <widz>

ground-man ['graund,mæn] *s* (*pl* **ground-men** ['graund,men]) 1. robotnik ziemny 2. człowiek obsługujący boisko sportowe

ground-nut ['graund,nʌt] *s* orzeszek ziemny

ground-pine ['graund,pain] *s bot* dąbrówka

ground-plan ['graund,plæn] *s bud* rzut poziomy (budynku)

ground-plate ['graund,pleit] *s bud* podwalina (leżąca na podmurowaniu)

ground-plot ['graund,plɔt] *s* parcela budowlana

ground-rent ['graund,rent] *s* renta gruntowa

ground-sea ['graund,si:] *s* fale morskie spowodowane ruchami ziemi

groundsel¹ ['graunsl] *s bot* starzec zwyczajny; krzyżownik

groundsel² ['graundsəl], **ground-sill** ['graund,sil] *s bud* podwalina

groundsman ['graundzmən] = **ground-man**

ground-squirrel ['graund,skwirəl] *s zoo* wiewiórka ziemna

ground-swell ['graund,swel] *s mar* fala denna

groundwork ['graund,wə:k] *s* podstawa; fundament; podłoże; podkład; tło; osnowa; kanwa (utworu)

group [gru:p] [I] *s* 1. grupa; *polit* frakcja 2. *lotn* pułk [II] *vt vi* u/grupować (się); roz/segregować (się) według grup

group-captain ['gru:p,kæptin] *s lotn* pułkownik lotnictwa

grouse¹ [graus] *s* (*pl* ~) *zoo* (*także* **red ~**) szkocka kuropatwa; **black ~** cietrzew; **hazel ~** jarząbek; **white ~** pardwa; **wood ~** głuszec

grouse² [graus] *vi sl* psioczyć; gderać

grouser ['grausə] *s sl* gderacz, gdera; zrzęda

grout¹ [graut] [I] *s* rzadka zaprawa murarska; **cement ~** rzadka zaprawa cementowa [II] *vt* zal-ać/ewać zaprawą murarską; natryskiwać cementem

grout² [graut] *vt* (*o świni*) ryć

grove [grouv] *s* gaj; lasek; aleja

grovel ['grɔvl] *vi* (**-ll-**) czołgać się; **to ~ in the dirt** tarzać się w błocie; **to ~ to <before> sb** płaszczyć <up-odlić/adlać> się przed kimś

groveller ['grɔvlə] *s* nędzny pochlebca; lizus

grow [grou] *v* (**grew** [gru:], **grown** [groun]) [I] *vi* 1. róść, rosnąć; porastać; podrastać; **to ~ again** odr-osnąć/astać 2. za/kiełkować; rozkrzewi-ć/ać się 3. wzr-osnąć/astać; **to ~ into ...** wyr-osnąć/astać na... (kogoś, coś); **to ~ into one <together>** zr-osnąć/astać się 4. rozr-osnąć/astać się; przyb-rać/ierać; wzm-óc/agać się 5. *z przyimkami*: **~ in; to ~ in wisdom <beauty etc.>** nab-rać/ierać mądrości <urody itd.>; sta-ć/wać się coraz mądrzejszym <piękniejszym itd.>; **~ on; to ~ on sb** a) (*o nałogu itd*) opanow-ać/ywać kogoś b) (*o widoku itd*) podobać się coraz bardziej komuś; **~ out; to ~ out of sth** wyr-osnąć/astać z czegoś 6. *przed przymiotnikiem*: stawać się; *najczęściej tłumaczy się przez czasowniki odprzymiotnikowe*: **to ~ old <angry, big, dark, less, smaller, younger>** po/starzeć, roz/złościć się, powiększ-yć/ać się, po/ciemnieć, zmniejsz-yć/ać się, z/maleć, od/młodnieć [II] *vt* 1. uprawiać (jarzyny, kwiaty itd.); sadzić 2. zapu-ścić/szczać (brodę, wąsy); **the stag ~s fresh antlers every year** jeleniowi wyrastają nowe rogi co roku

~ down *vi* rosnąć ku dołowi

~ downwards *vi* maleć

~ in *vi* (*o paznokciu*) wr-osnąć/astać (w ciało)

~ up *vi* (*o człowieku*) wyr-osnąć/astać; rozr-osnąć/astać się; (*o roślinach*) rozr-osnąć/astać <rozwi-nąć/jać> się; (*o zwyczaju itd*) rozpowszechni-ć/ać się

zob **growing, grown**

grower ['grouə] *s* 1. hodowca (kwiatów, drzew

owocowych itd.); plantator 2. *w określeniach*: **a fast <a slow etc.> ~** roślina rozwijająca się szybko <powoli itd.>

↑**growing** [ˈgrouiŋ] [I] *zob* **grow** [II] *s* 1. rozwój; rozrost; wzrastanie; rośnięcie 2. uprawa (kwiatów, jarzyn itd.) [III] *attr* rozwojowy; (*o miejscu itd*) do <dla> rozwoju; **~ pains** a) (*u dzieci*) bóle newralgiczne b) bóle reumatyczne

growl [graul] [I] *vi* 1. war-knąć/czeć; ry-knąć/czeć 2. mru-knąć/czeć, pomrukiwać; bur-knąć/czeć [II] *vt* (*także* **~ out**) mrukliwie powiedzieć <odburknąć> (coś) [III] *s* 1. warczenie; ryk 2. pomruk 3. grzmot

growler [ˈgraulə] *s* 1. mruk 2. *sl* drynda 3. *zoo* północnoamerykański gatunek okonia 4. *am sl* dzbanek do piwa 5. mniejsza góra lodowa

grown [groun] [I] *zob* **grow; ~ over with ivy etc.** porosły <pokryty> bluszczem itd.; **~ up** dorosły [II] *adj* w pełni rozwinięty; dorosły; (*o człowieku*) dojrzały

grown-up [ˈgrounˌʌp] *s* dorosły, osoba dorosła

↑**growth** [grouθ] *s* 1. wzrost; rośnięcie; rozwój; **full ~** pełnia <szczyt> rozwoju; **of foreign ~** produkcji <hodowli> zagranicznej; pochodzenia zagranicznego 2. porost (włosów, brody); **with a week's ~ on his chin** od tygodnia nie golony 3. rozrost, powiększenie się; przyrost 4. roczny zbiór (zboża, wina itd.) 5. *med* narośl; nowotwór

groyne [grɔin] *s* ostroga; tama poprzeczna; falochron

grub [grʌb] *v* (**-bb-**) [I] *vi* 1. harować 2. grzebać <szperać> (w ziemi, książkach itd.) 3. *sl* żreć, frygać, wci-ąć/nać [II] *vt* 1. ryć; kopać (ziemię); rozgrzeb-ać/ywać 2. oczy-ścić/szczać (ziemię) z pniaków <z korzeni itd.> 3. (*także* **~ up** <**out**>) wykarczow-ać/ywać (krzaki itd.) 4. *sl* nakarmić [III] *s* 1. larwa; gąsienica; pędrak; robak 2. *pog* pismak; gryzipiórek 3. brudas 4. (*w krykiecie*) piłka tocząca się po ziemi 5. *sl* żarcie; coś do zjedzenia; przekąska 6. *pot* wyżerka

grubber [ˈgrʌbə] *s* 1. karczownik 2. człowiek jedzący 3. graca; ekstyrpator

grubbiness [ˈgrʌbinis] *s* brud; niechlujstwo

grubbing-hoe [ˈgrʌbiŋˌhou] *s* motyka

grubby [ˈgrʌbi] *adj* (**grubbier** [ˈgrʌbiə], **grubbiest** [ˈgrʌbiist]) 1. (*o owocu itd*) robaczywy 2. (*o człowieku*) brudny; niechlujny

grub-stake [ˈgrʌbˌsteik] *s* narzędzia pracy pożyczone poszukiwaczowi za procent z wydobycia (złota itp.)

Grub-street [ˈgrʌbˌstri:t] *spr* nazwa ulicy londyńskiej, przy której zamieszkiwali zawodowi literaci w XVII w.; **~ hack** pismak

grudge [grʌdʒ] [I] *vt* 1. żałować (**sb sth** czegoś komuś); niechętnie przyzna-ć/wać (**sb sth** komuś coś) 2. zazdrościć (**sb sth** komuś czegoś); złym okiem patrzyć (**sb, sth** na kogoś, coś) *zob* **grudging** [II] *s* uraza; żal; ansa; **to bear <owe> sb a ~, to have a ~ against sb** mieć <żywić> do kogoś urazę; mieć z kimś na pieńku

grudging [ˈgrʌdʒiŋ] [I] *zob* **grudge** *v* [II] *s* niechęć [III] *adj* skąpy; wstrzemięźliwy (**of sth** w czymś — pochwałach itd.)

grudgingly [ˈgrʌdʒiŋli] *adv* 1. niechętnie; z niechęcią 2. zazdrośnie

gruel [gruəl] [I] *s* kleik (owsiany itp.); papka; *pot* **to get one's ~** dostać porządnie w skórę; **to give sb his ~** sprać kogoś [II] *vt* (**-ll-**) *sl* zada-ć/wać komuś bobu; srogo ob-ejść/chodzić się z kimś *zob* **gruelling**

gruelling [ˈgruəliŋ] [I] *zob* **gruel** *v* [II] *adj* wyczerpujący; **a ~ time** ciężkie chwile

gruesome [ˈgru:səm] *adj* okropny; straszny; makabryczny

gruesomeness [ˈgru:səmnis] *s* okropność; potworność; makabryczność

gruff [grʌf] *adj* 1. burkliwy; gburowaty 2. (*o głosie*) gruby

gruffness [ˈgrʌfnis] *s* 1. burkliwy ton 2. gburowatość

grumble [ˈgrʌmbl] [I] *vi* 1. mruczeć; gderać 2. narzekać <szemrać, sarkać, utyskiwać> (**at <about, over> sth** na coś) [II] *vt* mrukliwie powiedzieć; **to ~ (out) an answer** mrukliwie odpowiedzieć; odburknąć [III] *s* 1. mruczenie; gderanie 2. pomruk (niezadowolenia); szemranie; narzekanie; **to have the ~s** być w złym humorze

grumbler [ˈgrʌmblə] *s* zrzęda; gderacz, gdera; malkontent/ka

grume [gru:m] *s* skrzepła krew; skrzep

grummet [ˈgrʌmit] *s* 1. pierścień ze sznura 2. *techn* pierścień uszczelniający

grumous [ˈgru:məs] *adj* gęsty; lepki; skrzepły

grumpiness [ˈgrʌmpinis] *s* zły humor; zrzędność; gderliwość; nieprzystępność

grumpy [ˈgrʌmpi] *adj* (**grumpier** [ˈgrʌmpiə], **grumpiest** [ˈgrʌmpiist]) w złym humorze; zrzędny; gderliwy; nieprzystępny

Grundy [ˈgrʌndi] *spr* **Mrs ~** uosobienie pruderii

grundyism [ˈgrʌndiˌizəm] s pruderia

grunt [grʌnt] [I] *vi* chrząk-nąć/ać [II] *vt* mruknąć; wymruczeć; **to ~ out an answer** odmruknąć (coś) w odpowiedzi [III] *s* chrząk-nięcie/anie

grunter [ˈgrʌntə] *s* 1. mruk; zrzęda 2. *zoo* wieprz; świnia

gruntling [ˈgrʌntliŋ] *s zoo* wieprzek

gruyère [ˈgru:jeə] *s* grujer (gatunek sera)

grysbok [ˈgraisˌbɔk] *s zoo* mała szara antylopa południowoafrykańska

guaiac(um) [ˈgwaiək(əm)] *s* 1. drzewo gwajakowe 2. (*także* **~ gum** <**resin**>) *farm* żywica gwajakowa

guanaco [gwɑ:ˈnɑ:kou] *s zoo* guanako (ssak)

guano [ˈgwɑ:nou] *s* guano

guarantee [ˌgærənˈti:] [I] *s* 1. poręczyciel/ka; **to go ~ for sb** ręczyć za kogoś 2. gwarancja; poręka; poręczenie; rękojmia [II] *vt* 1. za/gwarantować; po/ręczyć (**sb, sth** za kogoś, coś) 2. ubezpiecz-yć/ać (**against <from> sth** od <na wypadek> czegoś)

guarantor [ˌgærənˈtɔ:] *s* poręczyciel/ka; **to stand as ~ for sb** ręczyć za kogoś

guaranty [ˈgærənti] *s prawn* gwarancja; poręka; poręczenie; rękojmia

↑**guard** [gɑ:d] [I] *vt* u/chronić; u/pilnować (**sb, sth** kogoś, czegoś); ustrzec, strzec (**sb, sth** kogoś, czegoś); osł-onić/aniać [II] *vr* **~ oneself** mieć się na baczności [III] *vi* zabezpiecz-yć/ać się (**against sth** przed czymś); przedsięwziąć środki ostrożności *zob* **guarded** [IV] *s* 1. baczność; postawa <poza, pozycja> obronna; **to be caught off one's ~** zostać <być> zaskoczonym; dać się zaskoczyć; **to be on <off> one's ~** mieć <nie mieć> się na baczności (**against sth** przed czymś); być <nie być> przygotowanym (**against sth** na coś); **to put <throw> sb off his ~** zmylić czyjąś czujność 2. *wojsk* warta;

straż; konwój; **to be on <stand> ~** być <stać> na warcie; **to mount ~** stanąć na warcie 3. wartownik; stróż; konwojent; *am* dozorca więzienny; **under ~** pod strażą, pod eskortą 4. kierownik (pociągu, dawniej dyliżansu) 5. *pl* **~s** *wojsk* gwardia 6. straż przyboczna 7. ochrona; osłona; zabezpieczenie; urządzenie ochronne
guard-boat ['ga:d,bout] *s* statek patrolowy
guarded ['ga:did] [I] *zob* **guard** *v* [II] *adj* ostrożny; (*o odpowiedzi*) wymijający
guard-house ['ga:d,haus] *s* wartownia
guardian ['ga:djən] *s* 1. opiekun/ka; obroń-ca/czyni; stróż/ka; **~ angel** anioł stróż 2. kustosz (muzeum itp.) 3. gwardian (klasztoru) 4. kurator/ka
guardianship ['ga:diənʃip] *s* opiekuństwo; opieka; kuratela
guard-rail ['ga:d,reil] *s* poręcz; balustrada
guard-room ['ga:d,rum] *s* wartownia
guard-ship ['ga:d,ʃip] *s mar* statek strażniczy
guardsman ['ga:dzmən] *s* (*pl* **guardsmen** ['ga:dzmən]) gwardzista
guava ['gwa:və] *s* drzewo tropikalne, którego owoce służą do wyrobu galarety
gubernatorial [,gjubənə'tɔ:riəl] *adj* gubernatorski
gudgeon[1] ['gʌdʒən] *s* 1. *zoo* kiełb; *przen* **to swallow a ~** połknąć haczyk 2. kiep; *pot* naiwniak
gudgeon[2] ['gʌdʒən] *s techn* czop wtłoczony <zawiasowy>; sworzeń
guelder-rose ['geldə,rouz] *s bot* buldeneż
guerdon ['gə:dən] [I] *s poet* nagroda [II] *vt* nagr-odzić/adzać
guernsey ['gə:nzi] *s* 1. sweter 2. rasa bydła mlecznego
guer(r)illa [gə'rilə] *s* 1. (*także* **~ war**) wojna podjazdowa; partyzantka 2. partyzant
guess [ges] [I] *vt* domyśl-ić/ać się (**sth** czegoś); zgad-nąć/ywać; odgad-nąć/ywać; rozwiąz-ać/ywać (zagadk-ę/i); **I should ~ your age at** ___ dałbym ci <pan-u/i> ... lat; **to ~ sb's weight <income etc.>** zgadnąć, ile ktoś waży <zarabia itd.> [II] *vi* sądzić; przypuszczać; domyśl-ić/ać się (czegoś); *am* **I ~** ___ chyba ...; pewnie ...; *am* **to keep sb ~ing** zaintrygować kogoś [III] *s* przypuszczenie; domysł; domniemanie; odgadywanie; wyczucie; **to make a ~** spróbować odgadnąć; zaryzykować przypuszczenie; **to make a lucky ~** zgadnąć; **give a ~** zgadnij/cie; **I give you three ~es** zgaduj/cie do trzech razy; **my ~ is as good as yours** trudno się tu czegoś domyślić; **at a <by> ~** przypuszczalnie; na oko; na wyczucie; na chybił trafił
guess-rope ['ges,roup] *s mar* lina holownicza
guess-work ['ges,wə:k] *s* przypuszczenie; domysł; zgadywanie; obliczenie <zdanie> oparte jedynie na domysłach
guest [gest] *s* 1. gość; **habitual ~** stał-y/a bywalec <gość, klient/ka>; **paying ~** pensjonariusz/ka; lokator/ka 2. (*w hotelu*) gość 3. pasożyt
guest-chamber ['gest,tʃeimbə] *s* pokój gościnny
guest-night ['gest,nait] *s* (*w klubie itp*) wieczór dla zaproszonych gości
guest-rope ['gest,roup] = **guess-rope**
guff [gʌf] *s am pot* głupstwa
guffaw [gʌ'fɔ:] [I] *vi* parsk-nąć/ać rubasznym śmiechem; za/śmiać się rubasznie [II] *s* rubaszny śmiech; parsknięcie (rubasznym śmiechem)
guggle ['gʌgl] [I] *vi* 1. za/bulgotać 2. za/rechotać [II] *s* 1. bulgotanie 2. rechot

guidance ['gaidəns] *s* 1. kierownictwo 2. informacja; **for sb's ~** komuś do wiadomości 3. poradnictwo (zawodowe)
guide [gaid] [I] *vt* 1. po/kierować (**sb, sth** kimś, czymś); po/prowadzić; nakierow-ać/ywać 2. być przewodnikiem <doradcą> (**sb** czyimś); być wskaźnikiem <wskazówką> (**sb** dla kogoś) *zob* **guiding** [II] *s* 1. przewodni-k/czka; przewodnik (książka); **sb's ~, philosopher and friend** czyjś mentor 2. dorad-ca/czyni; poradnik (książka); **railway ~** rozkład jazdy 3. wskaźnik; wskazówka 4. *górn* prowadnik szybowy 5. harcerka
guide-bar ['gaid,ba:] *s techn* prowadnica; wodzidło
guide-block ['gaid,blɔk] *s techn* wodzik
guide-book ['gaid,buk] *s* przewodnik (książka)
guide-post ['gaid,poust] *s* drogowskaz
guide-rail ['gaid,reil] *s techn* prowadnica; *kolej* szyna odbojowa <oporowa>
guide-rod ['gaid,rɔd] = **guide-bar**
guiding ['gaidiŋ] [I] *zob* **guide** *v* [II] *adj* (*o gwieździe, zasadzie itd*) przewodni
guidon ['gaidən] *s* proporczyk
guild [gild] *s* 1. gildia; cech 2. *kość* bractwo; konfraternia
guilder ['gildə] *s* gulden
guildhall ['gild,hɔ:l] *s* 1. sala zebrań cechu 2. ratusz
guile [gail] *s* podstęp; chytrość; przebiegłość; *przen* **to get sb by ~** wyprowadz-ić/ać kogoś w pole
guileful ['gailful] *adj* chytry; podstępny; przebiegły
guileless ['gaillis] *adj* szczery; otwarty
guilelessness ['gaillisnis] *s* szczerość; otwartość
guillemot ['gili,mɔt] *s zoo* nurzyk (ptak)
guillotine ['gilə,ti:n] [I] *s* 1. *hist* gilotyna 2. *introl* gilotyna, krajarka 3. gilotynowanie <skracanie> (debat w parlamencie) [II] *vt* [,gilə'ti:n] 1. ści-ąć/nać (kogoś) na gilotynie 2. *introl* ciąć <krajać> (papier) 3. z/gilotynować <skr-ócić/acać> (debaty w parlamencie)
guilt [gilt] *s* 1. wina 2. przestępstwo
guiltless ['giltlis] *adj* 1. niewinny 2. wolny (**of sth** od czegoś); **to be ~ of sth** a) nie znać <nie umieć> czegoś b) nie mieć <nie posiadać> czegoś
guiltlessness ['giltlisnis] *s* niewinność
guilty ['gilti] *adj* (**guiltier** ['giltiə], **guiltiest** ['giltiist]) 1. winny (**of sth** czegoś); **the ~ one** winowajca; **he was proved ~ of** ___ udowodniono mu popełnienie ... 2. (*o sumieniu*) nieczysty; niespokojny 3. (*o minie*) zmieszany; **with a ~ look** z miną winowajcy 4. (*o postępowaniu*) karygodny; niewłaściwy
guinea ['gini] *s* gwinea (= 21 szylingów)
guinea-fowl ['gini,faul] *s zoo* perliczka
guinea-pig ['gini,pig] *s* 1. *zoo* świnka morska 2. figurant pobierający wysokie honorarium w jakiejś instytucji z racji swego nazwiska, wpływów itd.
guinea-worm ['gini,wə:m] *s zoo* riszta <nitkowiec> (glista — pasożyt u ludzi i zwierząt)
guipure [gi:'puə] *s* gipiura (rodzaj koronki)
guise [gaiz] *s* 1. † strój; ubiór 2. powierzchowność; wygląd 3. pozór; maska; płaszczyk; pretekst
guitar [gi'ta:] *s* gitara
gulch [gʌlʃ] *s am* parów <wąwóz> (często złotodajny)
gules [gju:lz] [I] *s herald* czerwień [II] *adj herald* (*po rzeczowniku*) czerwony

gulf [gʌlf] [I] *s* 1. zatoka 2. *przen* przepaść 3. wir 4. *górn* złoże rudy 5. *uniw* dyplom bez odznaczenia [II] *vt* 1. pochł-onąć/aniać 2. wyda-ć/wać dyplom bez odznaczenia (**sb** komuś)
gull[1] [gʌl] *s zoo* mewa; rybitwa
gull[2] [gʌl] [I] *s* kiep; dudek; prostak; *pot* naiwniak [II] *vt* oszuk-ać/iwać; wystrychnąć na dudka
gullet [ˈgʌlit] *s anat* 1. przełyk 2. gardziel
gullibility [ˌgʌliˈbiliti] *s* łatwowierność; naiwność
gullible [ˈgʌləbl] *adj* łatwowierny; naiwny
gully[1] [ˈgʌli] [I] *s* 1. wąwóz, żleb 2. rów <kanał> odpływowy 3. potok [II] *vt* (**gullied** [ˈgʌlid], **gullied; gullying** [ˈgʌliiŋ]) wy/żłobić; po/ryć
gully[2] [ˈgʌli] *s szkoc* duży nóż
gully-hole [ˈgʌliˌhoul] *s* ściek (do kanałów)
gulp [gʌlp] [I] *vt* 1. (*także* **~ down**) łyk-nąć/ać; poł-knąć/ykać 2. (*zw* **~ back** <**down**>) hamować <tłumić> (łzy, wściekłość itd.); powstrzym-ać/ywać się (**one's tears** <**sobs**> od płaczu <łkania>) 3. wziąć/brać (coś) za dobrą monetę [II] *vi* dławić się; **he ~ed** ścisnęło go w gardle [III] *s* łyk; łyknięcie; haust, **at one ~** jednym haustem
gum[1] [gʌm] *s anat* dziąsło
gum[2] [gʌm] [I] *s* 1. guma (arabska, skrobiowa, elastyczna, do żucia) 2. klej roślinny; żywica 3. *med* ropa (w oczach) 4. (*także* **~-tree**) drzewo gumowe; **to be up a ~-tree** być w kłopocie <w sytuacji bez wyjścia> 5. *pl* **~s** *am* buty gumowe; *pot* gumiaki 6 *górn* drobny węgiel; wręby wrębybowiny [II] *vt* (**-mm-**) 1. powle-c/kać gumą, nagumować 2. po/lepić <zlepi-ć/ać> gumą [III] *vi* (**-mm-**) 1. wydzielać gumę <żywicę> 2. (*o tłoku, pilniku*) zanieczy-ścić/szczać się
~ down *vt* przylepi-ć/ać; przykle-ić/jać
~ together *vt* zlepi-ć/ać <skle-ić/jać> (razem)
~ up *vt* zanieczy-ścić/szczać (tłok, pilnik itd.)
gum[3] [gʌm] *s wulg wykrzyknikowo*: **by ~!, my ~!** coś podobnego!; jak Boga kocham!
gumbo [ˈgʌmbou] *s* 1. *bot* piżmak jadalny 2. zupa zagęszczona strąkami piżmaka 3. potrawa ze strąków piżmaka 4. *am* żargon Murzynów z Luizjany
gumboil [ˈgʌmˌbɔil] *s med* ropień dziąsła, fluksja
gum-boots [ˈgʌmˌbuːts] *spl* buty gumowe
gum-dragon [ˈgʌmˌdrægən] = **gum-tragacanth**
gum-juniper [ˈgʌmˌdʒuːnipə] *s* sandarak (rodzaj żywicy)
gumma [ˈgʌmə] *s* (*pl* **~s, ~ta** [ˈgʌmətə]) *med* kilak
gummy [ˈgʌmi] *adj* (**gummier** [ˈgʌmiə], **gummiest** [ˈgʌmiist]) 1. gumowy; kleisty; lepki 2. żywiczny 3. *med* kilakowy 4. *med* (*o oczach*) zaropiały
gumption [ˈgʌmpʃən] *s pot* smykałka; olej w głowie; spryt
gum-resin [ˈgʌmˌrezin] *s* gumożywica
gumshoe [ˈgʌmˌʃuː] [I] *s* 1. *am sl* szpicel 2. but gumowy <na gumie>; gumowiec; *pot* gumiak [II] *vt am sl* szpiclować; śledzić
gum-tragacanth [ˈgʌmˈtrægəˌkænθ] *s farm* guma tragakanta
gum-tree [ˈgʌmˌtriː] *zob* **gum**[2] *s* 4.
gun [gʌn] [I] *s* 1. armata; działo; *pl* **the ~s** artyleria; **as sure as a ~** niezbita prawda; *pot* rzecz murowana; *przen* **big ~** gruba ryba; ważna osobistość; *wykrzyknikowo*: **great ~s!** ho, ho!; oho!; no, no!; *żart* **son of a ~** gałgan, łobuz; (*o wietrze*) **to blow big ~s** dać <wiać> z piekielną siłą <jak wszyscy diabli>; **to stand** <**stick**> **to one's ~s** upierać się przy swoim zdaniu; nie odstąpić od swego zdania 2. wystrzał armatni 3. strzelba (myśliwska); karabin; *hist* muszkiet 4. strzelec; myśliwy 5. rewolwer 6. *techn* pistolet natryskowy <wydmuchowy> (do lakierowania) 7. *techn* torkretnica; smarownica wciskowa <tłoczkowa> [II] *vt* (**-nn-**) *am* zastrzelić (kogoś) z rewolweru [III] *vi* (**-nn-**) *am* polować (**for** <**after**> **sth** na coś — zwierzynę) *zob* **gunned, gunning**
gun-barrel [ˈgʌnˌbærəl] *s* lufa armatnia
gun-boat [ˈgʌnˌbout] *s mar wojsk* kanonierka
gun-carriage [ˈgʌnˌkæridʒ] *s wojsk* łoże <laweta> (działa)
gun-case [ˈgʌnˌkeis] *s* futerał na strzelbę
gun-cotton [ˈgʌnˌkɔtn] *s* bawełna strzelnicza; piroksylina
gun-fire [ˈgʌnˌfaiə] *s* 1. ogień armatni 2. wystrzał armatni dla podania czasu
gunite [ˈgʌnait] [I] *s* beton natryskiwany; torkret [II] *vt* natryskiwać betonem
gun-layer [ˈgʌnˌleiə] *s wojsk* celowniczy
gun-lock [ˈgʌnˌlɔk] *s* zamek broni palnej
gunman [ˈgʌnmən] *s* (*pl* **gunmen** [ˈgʌnmən]) *am* bandyta uzbrojony w rewolwer
gun-metal [ˈgʌnˌmetl] *s* 1. spiż; brąz armatni 2. imitacja brązu
gunned [gʌnd] [I] *zob* **gun** *v* [II] *adj w złożeniach*: **heavily-~** posiadający artylerię ciężką
gunnel[1] [ˈgʌnl̩] *s zoo* ostropletwiec (ryba z rodziny ślizgowatych)
gunnel[2] [ˈgʌnl̩] = **gunwale**
gunner [ˈgʌnə] *s* 1. kanonier; artylerzysta 2. *mar* podoficer <oficer> broni; *hist* **the ~'s daughter** działo, do którego przywiązywano marynarzy dla wymierzenia kary chłosty; **to kiss** <**marry**> **the ~'s daughter** zosta-ć/wać wychłostanym
gunnery [ˈgʌnəri] *s* 1. wiedza artyleryjska; balistyka 2. ogień artyleryjski
gunning [ˈgʌniŋ] [I] *zob* **gun** *v*; **to go ~** iść na polowanie [II] *s* polowanie
gunny [ˈgʌni] *s* 1. materiał jutowy na worki 2. worek jutowy
gunpowder [ˈgʌnˌpaudə] *s* 1. proch armatni; *hist* **~ plot** spisek prochowy; **~ works** prochownia; fabryka prochu 2. (*także* **~ tea**) herbata ziarnista
gun-room [ˈgʌnˌrum] *s* 1. *wojsk* magazyn broni 2. *mar* mesa młodszych oficerów na okręcie
gun-runner [ˈgʌnˌrʌnə] *s* przemytnik broni
gun-running [ˈgʌnˌrʌniŋ] *s* przemyt broni
gunshot [ˈgʌnˌʃɔt] *s* 1. wystrzał; postrzał; **~ wound** rana postrzałowa 2. zasięg <odległość> strzału <ognia artylerii>; **out of ~** poza zasięgiem ognia artylerii; **within ~** w zasięgu ognia artylerii
gun-shy [ˈgʌnˌʃai] *adj* (*zw o psie*) lękający się huku wystrzałów
gunsmith [ˈgʌnˌsmiθ] *s* rusznikarz; puszkarz
gunstick [ˈgʌnˌstik] *s* wycior
gunstock [ˈgʌnˌstɔk] *s* osada <łoże> strzelby <karabinu>
gunter [ˈgʌntə] *s* (*także* **Gunter's scale**) *mat* skala Guntera (przyrząd); **Gunter's chain** łańcuch mierniczy
gunwale [ˈgʌnl̩] *s mar* okrężnica (górna część burty statku)

gurgitation [ˌgəːdʒiˈteiʃən] *s* kotłowanie (się); kipiel
gurgle [ˈgəːgl] I *vi* 1. za/bulgotać 2. za/rechotać 3. za/gruchać II *s* bulgotanie; szemranie (potoku); **~s of laughter** rechot (śmiech)
gurjun [ˈgəːdʒən] *s farm* balsam guriunowy
gurnard [ˈgəːnəd], **gurnet** [ˈgəːnit] *s zoo* kurek (ryba)
gush [gʌʃ] I *vi* 1. trys-nąć/kać; wybuch-nąć/ać; (*o źródle*) bić; (*o łzach*) napły-nąć/wać (do oczu) 2. *przen* wywnętrzać się; otworzyć serce II *vt* (*o rurze itd*) trys-nąć/kać (**water, oil** wodą, naftą) III *s* 1. try-śnięcie/skanie <wytrysk, potok> (wody itd.) 2. wylanie; wylewność
gusher [ˈgʌʃə] *s* 1. wytrysk nafty 2. człowiek wylewny
gusset [ˈgʌsit] *s* 1. wstawka; klin 2. *techn* łubek, laszka; węgielnica
gust [gʌst] *s* 1. poryw <wybuch> (gniewu itp.) 2. (*także* **~ of rain**) (gwałtowna) ulewa 3. porywisty wiatr; gwałtowny podmuch <powiew> wiatru
gustation [gʌsˈteiʃən] *s* smakowanie <kosztowanie> (potraw)
gustatory [ˈgʌstətəri] *s anat* smakowy
gusto [ˈgʌstou] *s* 1. werwa; zapał; chęć 2. przyjemność; **to eat with ~** jeść ze smakiem <z apetytem>
gusty [ˈgʌsti] *adj* (**gustier** [ˈgʌstiə], **gustiest** [ˈgʌstiist]) 1. (*o pogodzie*) wietrzny 2. (*o wietrze*) porywisty, gwałtowny 3. (*o usposobieniu*) porywczy
gut [gʌt] I *s* 1. jelito 2. *pl* **~s** wnętrzności; patrochy; flaki; *wulg* brzuch; **greedy ~s** obżartuch 3. *pl* **~s** *przen* treść (książki itd.) 4. *pl* **~s** charakter; energia; odwaga; śmiałość 5. *chir* katgut 6. struna (instrumentu muz.) 7. *wędk* żyła, żyłka 8. wąskie przejście; zwężenie (drogi itp.); gardziel II *vt* (**-tt-**) 1. wy/patroszyć (zwierzę); sprawi-ć/ać (rybę) 2. (*o ogniu*) wypal-ić/ać <z/niszczyć> wnętrze <pozostawi-ć/ać gołe ściany> (**a building** budynku) 3. przysw-oić/ajać sobie (treść książki itp.) 4. stre-ścić/szczać (artykuł itp.) III *vi* (**-tt-**) *wulg* zażerać się
gutless [ˈgʌtlis] *adj* bez charakteru <energii, odwagi, śmiałości>
gutta-percha [ˈgʌtəˈpəːtʃə] *s* gutaperka
gutter [ˈgʌtə] I *s* 1. rynna 2. ściek; rynsztok 3. rów (odpływowy); rowek; wyżłobienie II *attr* (*o prasie itd*) brukowy; (*o wyrażeniu itd*) rynsztokowy III *vt* 1. zaopat-rzyć/rywać w rynny (budynek) <w ścieki (ulicę)> 2. wyżł-obić/abiać; karbować IV *vi* 1. (*o wodzie*) ściekać; ciec 2. (*o świeczce*) s/topić się; okapywać
gutter-child [ˈgʌtəˌtʃaild] *s* (*pl* **gutter-children** [ˈgʌtəˌtʃildrən]) ulicznik; dziecko ulicy; szlifibruk
gutter-man [ˈgʌtəmən] *s* (*pl* **gutter-men** [ˈgʌtəmən]) przekupień uliczny
guttersnipe [ˈgʌtəˌsnaip] *s* 1. = **gutter-child** 2. *am* pokątny makler giełdowy
guttiferous [gʌˈtifərəs] *adj bot* gumodajny; żywiczny
guttle [gʌtl] *vi* zajadać; łapczywie jeść; *wulg* zażerać się
guttural [ˈgʌtərəl] *adj* (*o dźwiękach, wymowie itp*) gardłowy
gutty [ˈgʌti] *s* pełna piłka gutaperkowa do golfa
guv'nor [ˈgʌvnə] *sl* = **governor; I say, ~!** panie mistrzu <starszy, szanowny>!
guy[1] [gai] I *s* 1. kukła przedstawiająca Guy Fawkesa (czołową postać spisku prochowego), obnoszona przez chłopców dla zdobycia grosza i palona w dniu 5 listopada 2. straszydło 3. *am pot* facet; gość; typ; **a regular ~** dobry <porządny> chłop <gość> 4. *pot* czmychnięcie; **to do a ~** zwiać; **to give sb the ~** zwiać komuś 5. *am pot* kawał; żart II *vt* (**guyed** [gaid], **guyed; guying** [ˈgaiiŋ]) ośmiesz-yć/ać; wystawi-ć/ać na pośmiewisko III *vi* (**guyed** [gaid], **guyed; guying** [ˈgaiiŋ] *sl* zwi-ać/ewać; drapnąć; ucie-c/kać
guy[2] [gai] I *s mar* uwięź; want; sztag; cuma II *vt* (**guyed** [gaid], **guyed; guying** [ˈgaiiŋ]) uwiązać; przycumować
guzzle [ˈgʌzl] I *vt* (*także* **~ away**) przepi-ć/jać <przej-eść/adać> (majątek itd.) II *vi* 1. jeść; łykać; *pot* zażerać się 2. pić; łykać; *pot* żłopać; chlać
guzzler [ˈgʌzlə] *s* 1. pija-k/czka 2. obżartuch
gwyniad [ˈgwiniˌæd] *s zoo* łosoś-głębiel
gybe [dʒaib] *vt mar* przerzucać (żagiel)
gyle [gail] *s brow* 1. war 2. kadź fermentacyjna; kocioł browarny
gym [dʒim] *s sl* 1. = **gymnasium** 1. 2. = **gymnastic, gimnastics**
gymkhana [dʒimˈkɑːnə] *s* (*w Indiach*) stadion
gymnasium [dʒimˈneizjəm] *s* (*pl* **~s, gymnasia** [dʒimˈneizjə]) 1. sala gimnastyczna 2. [gimˈnɑːziˌum] gimnazjum (szkoła średnia w niektórych krajach)
gymnast [ˈdʒimnæst] *s* gimnasty-k/czka
gymnastic [dʒimˈnæstik] I = **gimnastics** II *adj* gimnastyczny
gymnastics [dʒimˈnæstiks] *s* gimnastyka
gymnospermous [ˌdʒimnəˈspəːməs] *adj bot* nagozalążkowy
gynaecological [ˌgainikəˈlɔdʒikəl] *adj* ginekologiczny
gynaecologist [ˌgainiˈkɔlədʒist] *s* ginekolog
gynaecology [ˌgainiˈkɔlədʒi] *s* ginekologia
gynandrous [dʒaiˈnændrəs] *adj bot* szyjkonitkowy
gyp[1] [dʒip] I *s* 1. *uniw* służący do obsługi studentów 2. *am sl* kanciarz II *vt* (**-pp-**) *am sl* wy/kantować; oszuk-ać/iwać
gyp[2] [dʒip] *s sl* lanie; **to give sb ~** a) sprawi-ć/ać komuś lanie b) z/besztać kogoś
gyps [dʒips] = **gypsum**
gypsum [ˈdʒipsəm] I *s* gips II *vt* gipsować
gypsy [ˈdʒipsi] = **gipsy**
gyrate [ˈdʒaiəˌreit] *vi* obracać się w koło; kręcić się; wirować
gyration [ˌdʒaiəˈreiʃən] *s* obrót; wirowanie; ruch obrotowy
gyratory [ˈdʒaiərətəri] *adj* obrotowy; wirowy
gyre [ˈdʒaiə] *s poet* obrót; koło; wirowanie
gyrocompass [ˌgaiərouˈkʌmpəs] *s lotn mar* żyrokompas
gyropilot [ˈdʒaiərəˌpailət] *s lotn techn* giropilot, żyropilot, pilot automatyczny
gyroscope [ˈgaiərəˌskoup] *s techn* giroskop, żyroskop
gyrostat [ˈgaiərəˌstæt] *s techn* girostat, żyrostat
gyve [dʒaiv] I *vt poet* zaku-ć/wać w kajdany II *s* (*zw pl*) kajdany

H

H, h [eitʃ] *s* (*pl* **hs, h's** ['eitʃiz]) *litera* h; **silent h** nieme h; **to drop one's h's** *zob* **aitch**

ha [ɑ:] *interj* ha!

haar, harr [hɑ:] *s* zimna mgła morska

habeas corpus ['heibjəs'kɔ:pəs] *s praw* nakaz przyprowadzenia aresztowanego do sądu dla stwierdzenia legalności aresztu

haberdasher ['hæbə,dæʃə] *s* 1. szmuklerz; pasamonnik; właściciel/ka sklepu z pasmanterią 2. właściciel/ka sklepu z galanterią męską

haberdashery ['hæbə,dæʃəri] *s* 1. pasmanteria 2. galanteria męska

habergeon ['hæbədʒən] *s hist* koszulka pancerna

habiliment [hə'bilimənt] † *s żart* ubiór; *pl* **~s** szaty (uroczyste)

habilitate [hə'bili,teit] I *vt am* s/finansować (prace kopalniane, poszukiwania złota) II *vi* (*na niektórych uniwersytetach w Europie*) habilitować się

habit ['hæbit] I *s* 1. zwyczaj; przyzwyczajenie; nawyk; (*także* **bad ~**) nałóg; **to be in the** <**to make a**> **~ of doing sth** a) mieć zwyczaj <być przyzwyczajonym> coś robić b) nałogowo coś robić (palić, pić itd.); **to form** <**fall into, get into**> **the ~ of doing sth** przyzwyczaić się coś robić: nabrać przyzwyczajenia <maniery> robienia czegoś; **to get out of a ~** odzwyczaić się; *am* **the ~** narkotyzowanie się 2. *pl* **~s** obejście; maniery 3. (*zw* **~ of body**) budowa fizyczna 4. (*zw* **~ of mind**) usposobienie; układ psychiczny 5. habit (zakonny) 6. kostium damski do konnej jazdy 7. *bot* pokrój (drzewa itd.) 8. *miner* pokrój (kryształu itd.) II *vt* ub-rać/ierać; odzi-ać/ewać

habitable ['hæbitəbl] *adj* mieszkalny; nadający się do zamieszkania

habitant ['hæbitənt] *s* 1. † mieszkan-iec/ka 2. ['hæbitɔ̃:] (*w Kanadzie i Luizjanie*) obywatel/ka pochodzenia francuskiego

↑**habitat** ['hæbitæt] *s* środowisko

habitation [,hæbi'teiʃən] *s* 1. zamieszkiwanie 2. mieszkanie; miejsce pobytu <przebywania>

habitual [hə'bitjuəl] *adj* 1. zwykły; zwyczajny; normalny; powszedni 2. (*o człowieku*) nałogowy (pijak itd.); zatwardziały (grzesznik itd.); niepoprawny; notoryczny

habituate [hə'bitju,eit] *vt* przyzwycza-ić/jać <wdr-ożyć/ażać> (**sb, oneself to sth** <**to doing sth**> kogoś, się do czegoś)

habitude ['hæbi,tju:d] *s* 1. *lit* usposobienie 2. skłonność; nastawienie 3. przyzwyczajenie

habitué [hə'bitju,ei] *s* stały bywalec <gość>

hachures ['hæʃjuəz] *spl* kreskowanie <szrafirowanie> (mapy)

hacienda [,hæsi'endə] *s* (*w Hiszpanii i jej koloniach*) gospodarstwo hodowlane

↑**hack**^{1} [hæk] I *vt* 1. po/siekać; po/rąbać; po/ciąć; po/krajać; **to ~ one's chin** zaci-ąć/nać się (przy goleniu) 2. kop-nąć/ać (przeciwnika) w goleń 3. pokiereszować (pacjenta); pokrajać nieudolnie (pieczeń itd.) 4. obcios-ać/ywać II *vi* kaszleć suchym <urywanym> kaszlem *zob* **hacking** III *s* 1. kilof; oskard 2. nacięcie; cięcie; rana (cięta) 3. kopnięcie w goleń

hack^{2} [hæk] *s* 1. karmnik sokoła (do polowań); **hawk at ~** sokół w tresurze 2. rama do suszenia niewypalanych cegieł

hack^{3} [hæk] I *s* 1. wynajmowany koń 2. szkapa 3. koń pod wierzch 4. *am* wynajmowany pojazd konny 5. (*o człowieku*) zaharowujący się pracownik; najemnik; *przen* murzyn; **~ writer** pismak II *vt* 1. z/banalizować; powtarzać aż do znudzenia 2. wynaj-ąć/mować (konie, pojazdy) III *vi* 1. jechać konno nie spiesząc 2. harować

hackberry ['hæk,beri] = **hagberry**

hackee ['hæki:] *s zoo* amerykańska wiewiórka ziemna

hackery ['hækəri] *s* (*w Indiach*) wóz zaprzężony w woły

hacking ['hækiŋ] I *zob* **hack**^{1} *v* II *adj* (*o kaszlu*) suchy; urywany

hackle^{1} ['hækl] I *s* 1. ochlica <cierlica, grzebień> do czesania lnu 2. pióra szyjne <grzbietowe> (ptactwa domowego); **with his ~s up** a) (*o człowieku*) rozsierdzony; zaperzony; rozjuszony b) (*o psie*) z najeżonym grzbietem 3. *wędk* sztuczna muszka II *vt* czesać (len)

hackle^{2} ['hækl] *vt* 1. po/rąbać; po/siekać; z/masakrować 2. zaci-ąć/nać (skórę na brodzie itp.)

hackly ['hækli] *adj* poszarpany; ząbkowany; chropowaty; nierówny

hackmatack ['hækmə,tæk] *s bot* modrzew amerykański

hackney ['hækni] I *s* 1. koń wynajmowany 2. szkapa 3. powóz wynajmowany; dorożka II *vt* z/banalizować; s/pospolitować *zob* **hackneyed**

hackney-coach ['hækni,koutʃ] *s* powóz wynajmowany; dorożka

hackneyed ['hæknid] I *zob* **hackney** *v* II *adj* oklepany; tuzinkowy; banalny; szablonowy, stereotypowy; spowszedniały

hack-saw ['hæk,sɔ:] *s* piła do metali

hackstand ['hæk,stænd] *s am* postój dorożek

hack-work ['hæk,wə:k] *s* harówka

had *zob* **have** *v*

haddock ['hædək] *s zoo* łupacz (ryba)

hade [heid] I *s geol* 1. kąt rozstępu uskoku 2. nachylenie płaszczyzny uskoku II *vi* odchyl-ić/ać się od pionu

Hades ['heidi:z] *s* (*u staroż. Greków*) piekło; **what the ~?** co u diabła?

hadji ['hædʒi] *s* hadżi; muzułmanin, który odbył pielgrzymkę do Mekki

haemal ['hi:məl] *adj* dotyczący krwi

haematic [hi'mætik] *adj* 1. odnoszący się do krwi 2. zawierający krew

haematite ['hemə,tait] *s miner* hematyt

haemoglobin [ˌhi:mou'gloubin] *s* hemoglobina

haemophilia [ˌhi:mou'filiə] *s med* hemofilia, krwawiączka

haemorrhage ['hemərid3] *s med* krwotok

haemorrhagic [ˌhemə'rædʒik] *adj* krwotoczny

haemorrhoids ['hemə,rɔidz] *spl med* hemoroidy

haemostatic [ˌhi:mou'stætik] [I] *s med* środek hemostatyczny <wstrzymujący krwawienie> [II] *adj med* hemostatyczny, wstrzymujący krwawienie

hafnium ['hæfniəm] *s chem* hafn (pierwiastek)

haft [hɑ:ft] [I] *s* rączka; rękojeść; trzonek [II] *vt* oprawi-ć/ać; przyprawi-ć/ać rączkę <rękojeść, trzonek> (**a tool etc.** do narzędzia itd.)

hag[1] [hæg] *s* wiedźma; czarownica; jędza

hag[2] [hæg] *s* 1. trzęsawisko 2. ostrowek <wysepka> na bagnie

hagberry ['hægbəri] *s bot* czeremcha

hagfish ['hæg,fiʃ] *s* śluzica (pasożyt u ryb)

haggard ['hægəd] *adj* 1. (*o twarzy*) zmizerowany; wychudły; wynędzniały 2. (*o wzroku*) dziki; nieprzytomny 3. (*o sokole*) nieoswojony

haggis ['hægis] *s* szkocka potrawa narodowa z podróbek baranich

haggish ['hægiʃ] *adj* jędzowaty

haggle ['hægl] *vi* targować się

hagiology [ˌhægi'ɔlədʒi], **hagiography** [ˌhægi'ɔgrəfi] *s* żywoty świętych

hag-ridden ['hæg,ridn] *adj* (*o śnie*) koszmarny; (*o człowieku*) **to be ~** mieć koszmarne sny

hah [hɑ:] *interj* ha!

ha-ha [hɑ:'hɑ:] *s* niski płot; ogrodzenie

hail[1] [heil] [I] *s* grad [II] *vi* (*o gradzie*) padać; *przen* sypać się jak grad [III] *vt w zwrotach*: **to ~ (down) blows <curses, words etc.> on sb** spu-ścić/szczać grad uderzeń <lawinę przekleństw, potok słów itd.> na kogoś

hail[2] [heil] [I] *s* pozdrowienie; powitanie; za/wołanie; **within ~** w odległości umożliwiającej ustne porozumienie się [II] *vt* 1. przywitać; po/witać 2. obwoł-ać/ywać (**sb king etc.** kogoś królem itp.) 3. krzyknąć <zawołać> (**sb** do kogoś) 4. za/wołać <przywoł-ać/ywać> (taksówkę, dorożkę) [III] *vi* przyby-ć/wać <pochodzić> (skądś) [IV] *interj lit* witaj/cie!

hail-fellow ['heil,felou] *s* kompan; **to be ~ well met with sb** być z kimś za pan brat <w zażyłych stosunkach>

Hail Mary ['heil'mɛəri] *s* Zdrowaś Mario; *pot* zdrowaśka

hail-stone ['heil,stoun] *s* ziarnko gradu

hailstorm ['heil,stɔ:m] *s* burza gradowa

† **hair** [hɛə] *s* 1. włos, włosek; **by a ~'s breadth** o włos; **exact to a ~** dokładny na włos <na ułamek milimetra>; **not to turn a ~** ani nie mrugnąć; nic po sobie nie pokazać; **to split ~s** dzielić włos na czworo; **to take a ~ of the dog that bit you** klin klinem wybić 2. (*bez pl*) włosy (na głowie); **to comb one's ~** czesać się; **to do one's ~** a) u/czesać się b) mieć (określoną) fryzurę; **to have <get> one's ~ cut** dać się ostrzyc; **to lose one's ~** a) tracić włosy b) wściec/kać się; **to tear one's ~** wyrywać sobie włosy z głowy; **keep your ~ on** proszę się nie gorączkować; **one's ~ stands on end** włosy na głowie stają dęba 3. *zbior* (*także pl*) (*u człowieka*) włos/y (na ciele); (*u zwierzęcia*) włos/y; sierść; włosie; (*u rośliny*) włos, włosek; **against the ~** pod włos

hair-breadth ['hɛə,bredθ] *s* = **hair's breadth** *zob* **hair** 1.; **to have a ~ escape** o włos uniknąć nieszczęścia

hair-brush ['hɛə,brʌʃ] *s* szczotka do włosów

hair-cloth ['hɛə,klɔθ] *s* 1. włosianka 2. włosiennica

hair-cut ['hɛə,kʌt] *s* ostrzyżenie; **to have a ~** dać się ostrzyc

hair-cutting ['hɛə,kʌtiŋ] *s* strzyżenie; **~ saloon** zakład fryzjerski

hair-do ['hɛə,du:] *s* fryzura; uczesanie

hair-dresser ['hɛə,dresə] *s* fryzjer/ka

hairiness ['hɛərinis] *s* owłosienie; włochatość; kosmatość

hairless ['hɛəlis] *adj* bezwłosy

hair-line ['hɛə,lain] *s* 1. pałeczka (litery); **exact to a ~** dokładny na ułamek milimetra <*pot* na włos> 2. *pl* **~s** pęknięcia włoskowate 3. lina z włosia 4. tkanina w cieniutkie prążki

hair-net ['hɛə,net] *s* siatka na włosy

hair-oil ['hɛər,ɔil] *s* olejek do włosów

hair-pencil [hɛə,pensl] *s* mały pędzelek

hairpin ['hɛə,pin] *s* szpilka do włosów; **~ bend** serpentyna (drogi itp.)

hair-powder ['hɛə,paudə] *s* puder do włosów

hair-raiser ['hɛə,reizə] *s* opowiadanie <widok, przedstawienie>, od którego włosy stają na głowie

hair-raising ['hɛə,reiziŋ] *adj* (*o opowiadaniu, widoku, przedstawieniu itp*) podnoszący włosy na głowie

hair's-breadth ['hɛəz,bredθ] *zob* **hair** 1.

hair-shirt ['hɛə,ʃə:t] *s* włosiennica

hair-slide ['hɛə,slaid] *s* wsuwka; spinka do włosów

hair-splitting ['hɛə,splitiŋ] *adj* drobiazgowy; dzielący włos na czworo

hair-spring ['hɛə,spriŋ] *s* włos (w zegarku)

hair-stroke ['hɛə,strouk] = **hair-line** 1.

hair-trigger ['hɛə,trigə] *s myśl* luźnik (u strzelby)

hair-worm ['hɛə,wə:m] *s zoo* włosień, trychina; nitkowiec

hairy ['hɛəri] *adj* (**hairier** ['hɛəriə], **hairiest** ['hɛəriist]) owłosiony; włochaty; kosmaty; *sl* **~ heeled** nieokrzesany

hake [heik] *s zoo* dorsz, wątłusz

halation [hə'leiʃən] *s fot* aureola

halberd ['hælbəd] *s* halabarda

halberdier [ˌhælbə'diə] *s* halabardnik

halcyon ['hælsiən] *s zoo* zimorodek, halcjon; **~ days** dni ciszy <bezwietrzne>; *przen* okres błogiego spokoju <niezmąconego szczęścia>

hale[1] [heil] *adj* (*także* **~ and hearty**) (*o starszej osobie*) czerstwy; krzepki

hale[2] [heil] † *vt* ciągnąć

half [hɑ:f] [I] *s* (*pl* **halves** [hɑ:vz]) 1. połowa; **more than a ~** przeszło pół; **one and a ~** półtora; **to cry halves** żądać swojej części (czegoś); **to fold <cut> in ~** złożyć/składać <przeci-ąć/nać> na pół; **to go halves** dzielić się (z kimś) na pół <po połowie>; **by ~** o połowę (większy, mniejszy itd.); **too clever by ~** o wiele za sprytny; **to do things by halves** pracować niedbale; wywiązywać się połowicznie z obowiązków; **my better ~** moja połowica 2. semestr; półrocze [II] *adj* pół; **~ a crown** pół korony (= 2½ szylinga); **~ a pound** <**mile, minute, dozen**> pół funta <mili, minuty, tuzina>; **I have ~ a mind to** — namyślam się, czy nie ...; chętnie bym ...; gotów jestem... [III] *adv* 1. na pół, do połowy; **~ joking ~ serious** pół żartem, pół serio; **~ laughing ~ crying** śmiejąc się przez łzy; *sl* **not ~** strasznie; jak cholera; cholernie 2. *przed rzeczownikami*: cholerny, pieroński; **he didn't ~ swear** on klął jak cholera; **he isn't ~ a liar** on łże jak pies; **she isn't ~ smart** ona jest szalenie zgrabna 3. *wykrzyknikowo*: *sl* **not ~** ! jeszcze jak!; **~ past one** <**two, three etc.**>, *am* **~ after one** <**two, three etc.**> wpół do drugiej <do trzeciej, czwartej itd.>; **~ as big** o połowę mniejszy; **~ as much** o połowę mniej; **~ as much** <**many, big**> **again** półtora raza taki <tyle>; o połowę więcej <większy>

half-alive [ˈhɑ:f-əˈlaiv] *adj* pół <ledwo> żywy

half-and-half [ˈhɑ:fəndˈhɑ:f] [I] *s* mieszanka porteru i piwa po połowie [II] *adv* pół na pół (wina i wody itd.); (brać mleka i wody itd.) po połowie

half-back [ˈhɑ:fˈbæk] *s* (*w piłce nożnej*) obrońca; **the ~s** obrona

half-baked [ˈhɑ:fˈbeikt] *adj* 1. na pół upieczony; nie dopieczony; na pół surowy 2. (*o człowieku*) niedoświadczony 3. (*o planie itd*) nie przemyślany

half-binding [ˈhɑ:fˌbaindiŋ] *s* półskórek; oprawa półskórkowa

half-blood [ˈhɑ:fˌblʌd] *s* przyrodni/a brat <siostra>

↑ **half-boot** [ˈhɑ:fˈbu:t] *s* wysoki bucik

half-bound [ˈhɑ:fˈbaund] *adj* oprawiony w półskórek

half-bred [ˈhɑ:fˌbred], **half-breed** [ˈhɑ:fˌbri:d] *s* mieszaniec

half-brother [ˈhɑ:fˌbrʌðə] *s* przyrodni brat

half-caste [ˈhɑ:fˌkɑ:st] *s* Metys/ka

half-circle [ˈhɑ:fˌsə:kl] *s* półkole

half-cock [ˈhɑ:fˈkɔk] *s* (*o strzelbie*) *w zwrocie*: **at ~** na wpół odbezpieczony

half-cocked [ˈhɑ:fˈkɔkt] *adj* (*o strzelbie*) na wpół odbezpieczony; *przen am* **to go off ~** postąpić pochopnie

half-crown [ˈhɑ:fˈkraun] *s* półkoronówka (moneta = dwa i pół szylinga), pół korony (moneta, w *pl także* kwota); **three ~s** siedem i pół szylinga

half-dead [ˈhɑ:fˌded] *adj* pół <ledwo> żywy (ze strachu itd.); przymierający (głodem)

half-empty [ˈhɑ:fˌemti] *adj* na pół pusty; do połowy opróżniony

half-fare [ˈhɑ:fˌfɛə] *adj* (*o bilecie*) ze zniżką 50%; ulgowy; zniżkowy

half-hearted [ˈhɑ:fˈhɑ:tid] *adj* 1. niezdecydowany; (robiący coś) bez entuzjazmu <bez przekonania> 2. wymuszony

half-heartedly [ˈhɑ:fˈhɑ:tidli] *adv* 1. niezdecydowanie; bez entuzjazmu; bez przekonania 2. wymuszenie

half-holiday [ˈhɑ:fˈhɔlədi] *s* wolne popołudnie

half-hour [ˈhɑ:fˈauə] *s* pół godziny; **every ~** co pół godziny

half-hourly [ˈhɑ:fˈauəli] [I] *adj* półgodzinny [II] *adv* co pół godziny

half-length [ˈhɑ:fˈleŋθ] *s* (*także* **~ portrait**) popiersie

half-mast [ˈhɑ:fˈmɑ:st] *s w zwrocie*: **at ~** (*o fladze*) opuszczony do połowy masztu

half-measure [ˈhɑ:fˈmeʒə] *s* półśrodek

half-moon [ˈhɑ:fˈmu:n] *s* półksiężyc

half-nelson [ˈhɑ:fˈnelsn] *s* (*w zapaśnictwie*) półnelson; *przen* **to get a ~ on sb** trzymać kogoś w garści

half-pace [ˈhɑ:fˈpeis] *s bud* 1. wzniesiona podłoga (w wykuszu itd.) 2. spocznik dwubiegowy (w klatce schodowej)

half-pay [ˈhɑ:fˈpei] *s* zniżone pobory; (*o oficerze*) **on ~** na pół pensji (w dyspozycji dowództwa)

halfpence [ˈheipəns] *spl w zwrocie*: **three ~** półtora pensa

halfpenny [ˈheipni] [I] *s* (*pl* **halfpence** *o kwocie*; **halfpennies** [ˈheipniz] *o monetach półpensowych*) pół pensa [II] *attr* półpensowy

halfpennyworth [ˈheipniˌwə:θ], **ha'p'orth** [ˈheipəθ] *s w zwrocie*: **~ of** — za pół pensa ... (czegoś — cukierków, chleba itd.)

half-price [ˈhɑ:fˈprais] *s w zwrocie*: **at ~** za połowę ceny; ze zniżką 50%; **children ~** dzieci płacą pół biletu

half-round [ˈhɑ:fˈraund] *adj* półokrągły

half-seas-over [ˈhɑ:fsi:zˈouvə] *adj praed pot* pod dobrą datą; podpity

half-sister [ˈhɑ:fˌsistə] *s* przyrodnia siostra

half-sovereign [ˈhɑ:fˈsɔvrin] *s* pół suwerena (złota moneta ang. = 10 szylingów)

half-starved [ˈhɑ:fˈstɑ:vd] *adj* zagłodzony; niedożywiony

half-timbered [ˈhɑ:fˈtimbəd] *adj bud* (*o konstrukcji*) ryglowy; (*o murze*) pruski

half-time [ˈhɑ:fˈtaim] *s w zwrotach*: **~ system** zarządzenie, na mocy którego młodzież chodziła do szkoły pół dnia, a drugie pół dnia pracowała zarobkowo; **~ worker** robotni-k/ca zatrudnion-y/a na pół dniówki; **to work ~** pracować na pół dniówki; być na półetacie

half-timer [ˈhɑ:fˌtaimə] *s* uczeń przebywający pół dnia w szkole a drugie pół dnia pracujący zarobkowo *zob* **half-time**

half-tone [ˈhɑ:fˌtoun] *s fot* półton

half-truth [ˈhɑ:fˌtru:θ] *s* twierdzenie tylko częściowo zgodne z prawdą

half-way [ˈhɑ:fˈwei] *adv* w połowie drogi; **~ house** zajazd między dwiema miejscowościami; *przen* **to meet sb ~** pójść z kimś na kompromis <na ustępstwa>; pójść komuś na rękę

half-wit [ˈhɑ:fˌwit] *s* półgłówek; półgłupek

half-witted [ˈhɑ:fˈwitid] *adj* głupkowaty

half-year [ˈhɑ:fˈjə:] *s* półrocze; semestr

half-yearly [ˈhɑ:fˈjə:li] [I] *adj* półroczny; semestralny [II] *adv* półrocznie; semestralnie

halibut [ˈhælibət] *s zoo* kulbak (ryba), płastuga

halid [ˈhælid], **halide** [ˈhælaid] *s chem* halogenek

halidom [ˈhælidəm] † *s* świętość; **by my ~** ! na Boga Świętego!

halieutic [ˌhæliˈju:tik] *adj* rybacki

halite [ˈhælait] *s chem* halit, sól kamienna

halitosis [ˌhæliˈtousis] *s med* cuchnący oddech

hall [hɔ:l] *s* 1. sala; *uniw* refektorium, w którym

studenci jedzą wspólnie z wykładowcami; **the servant's ~** izba czeladna 2. hall (w hotelu itd.) 3. gmach publiczny 4. dwór 5. (*także* **entrance-~**) sień; westybul 6. hala (pomieszczenie)
hallelujah [ˌhæliˈluːjə] *interj* alleluja!
halliard [ˈhæljəd] = **halyard**
hall-mark [ˈhɔːlˈmɑːk] [I] *s* stempel probierczy; *przen* znamię <piętno> (geniuszu itp.) [II] *vt* o/stemplować stemplem probierczym
hallo [həˈlou] [I] *interj* 1. cześć!; czołem!; dzień dobry! 2. (*do obcego*) halo!; proszę pan-a/i! 3. (*wołanie na odległość*) halo!; hop! hop!; hej! 4. (*telefonując*) halo! [II] *s* okrzyk powitalny między znajomymi; **to say ~** przy/witać się
halloo [həˈluː] [I] *vt* szczuć (psy) [II] *interj* (*do psów*) huzia!
hallow[1] [ˈhælou] *vt* święcić; poświęc-ić/ać
hallow[2] [ˈhælou] [I] *vt* szczuć (psy) [II] *vi* krzyczeć; podn-ieść/osić alarm <larum>
Hallowe'en [ˈhælouˈiːn] *s* wigilia Wszystkich Świętych
Hallowmas [ˈhælouˌmæs] *s* dzień Wszystkich Świętych
hallucinate [həˈluːsiˌneit] *vt* wywoł-ać/ywać halucynacje (**sb** u kogoś)
hallucination [həˌluːsiˈneiʃən] *s* halucynacja
hallway [ˈhɔːlwei] *s am* 1. sień 2. korytarz
halm [hɑːm] = **haulm**
halma [ˈhælmə] *s* halma (gra towarzyska)
halo [ˈheilou] [I] *s* (*pl* **~es, ~s**) aureola; obwódka; otoczka; *przen* nimb [II] *vt* ot-oczyć/aczać aureolą <*przen* nimbem>
halogen [ˈhæloudʒin] *s chem* halogen
haloid [ˈhælɔid] *s chem* haloid
halt[1] [hɔːlt] [I] *vi* 1. przysta-nąć/wać; zatrzym-ać/ywać się 2. za/wahać się [II] *vt am* zatrzym-ać/ywać [III] *s* 1. postój; zatrzymanie się; **to come to a ~** sta-nąć/wać 2. miejsce postoju 3. przystanek kolejowy [IV] *interj* stój/cie!
halt[2] [hɔːlt] [I] *vi* 1. utykać; powłóczyć nogą; † chromać 2. za/wahać się [II] *adj* utykający; † chromy [III] *s* 1. utykanie; † chromanie 2. niezdecydowanie; wahanie się
halter [ˈhɔːltə] [I] *s* 1. uździenica; kantar; postronek 2. stryczek [II] *vt* 1. na-łożyć/kładać uździenicę (**a horse** koniowi) 2. za-łożyć/kładać stryczek (**sb** komuś)
halve [hɑːv] *vt* 1. przepoł-owić/awiać 2. po/dzielić na połowy 3. po/dzielić się po połowie (**sth** czymś) 4. zmniejsz-yć/ać do połowy 5. *stol* z/łączyć (belki) na zakład <na nakładkę>
halves *zob* **half** *s*
halyard [ˈhæljəd] *s mar* fał (lina)
ham [hæm] *s* 1. szynka; **~ and eggs** jajka smażone na szynce 2. *pl* **~s** *pot* zadek 3. (*także* **~ actor**) *sl* kiepski aktor
Hamburg [ˈhæmbəːg] [I] *s* 1. rasa drobiu 2. gatunek winogron [II] *attr kulin* **~ steak** sznycel siekany
hamburger [ˈhæmbəgə] *s* parówka (kiełbaska)
hame [heim] *s* rożek (u chomąta)
hamlet [ˈhæmlit] *s* mała wioska; sioło
hammer [ˈhæmə] [I] *s* 1. młot, młotek; **~ and tongs** z całych sił; nie szczędząc wysiłku; **to come under the ~** iść pod młotek; zostać sprzedanym z licytacji 2. młoteczek (u fortepianu) 3. kurek <iglica> (u broni palnej) [II] *vt* 1. bić młotem; kuć; klepać; **to ~ sth into shape** wykuć coś; **to ~ sth into sb's head** wbi-ć/jać komuś coś do głowy 2. walić (**sb, sth** w kogoś, coś); *przen* zada-ć/wać klęskę (**sb** komuś) 3. ogł-osić/aszać niewypłacalność (**sb** czyjąś — maklera giełdowego itd.) 4. *am pot* s/krytykować; przejechać się (**sb, sth** po kimś, czymś — **a literary composition** po utworze literackim) [III] *vi* walić <tłuc> (**at the door** w drzwi)
~ away *vi* pracować bez wytchnienia (**at sth** przy <nad> czymś)
~ down *vt* zaklep-ać/ywać (nit)
~ in *vt* wbi-ć/jać (gwóźdź)
~ out *vt* 1. wyklep-ać/ywać (metal) 2. *przen* wyklep-ać/ywać (lekcję itp.) 3. odbębni-ć/ać (na fortepianie — wprawki itp.)
zob **hammering**
hammer-beam [ˈhæməˌbiːm] *s bud* belka wspornikowa podparta
hammer-cloth [ˈhæməˌklɔθ] *s* przykrycie kozła (w powozie)
hammerer [ˈhæmərə] *s* klepacz, kowal
hammer-head [ˈhæməˌhed] *s* 1. obuch 2. *zoo* ryba-młot 3. *zoo* czaplowaty ptak afrykański
hammering [ˈhæməriŋ] [I] *zob* **hammer** *v* [II] *s* 1. kucie; klepanie młotem 2. grad uderzeń <razów>
hammer-lock [ˈhæməˌlɔk] *s* (*w zapaśnictwie*) przekręcenie ręki przeciwnika
hammerman [ˈhæməmən] *s* (*pl* **hammermen** [ˈhæməmən]) kowal
hammer-toe [ˈhæməˌtou] *s med* paluch młotowaty
hammock [ˈhæmək] *s* hamak; **~ chair** leżak
Hammond [ˈhæmənd] *spr muz* **~ organ** organy Hammonda
hamper[1] [ˈhæmpə] *s* kosz z pokrywką
hamper[2] [ˈhæmpə] [I] *vt* zawadzać <przeszk-odzić/adzać> (**sb** komuś); krępować <tamować> (**sb** czyjeś ruchy); s/pętać [II] *s* 1. zawada 2. *mar* zawadzające, lecz konieczne przybory żeglarskie
Hampton Court [ˈhæmtənˈkɔːt] *spr* dawna rezydencja królewska
hamshackle [ˈhæmˈʃækl] *vt* s/pętać (konia, krowę itp. łącząc linką głowę z przednią nogą)
hamster [ˈhæmstə] *s zoo* chomik
hamstring [ˈhæmˌstriŋ] [I] *s* ścięgno udowe [II] *vt* (*praet* **hamstringed** [ˈhæmˌstriŋd], **hamstrung** [ˈhæmˌstrʌŋ], *pp* **hamstringed, hamstrung**) podci-ąć/nać ścięgna w kolanie (**an animal** zwierzęciu); *przen* okaleczyć (kogoś)
hamstrung *zob* **hamstring** *v*
hand [hænd] [I] *s* 1. dłoń; ręka; (*u zwierzęcia*) przednia łapa; **the ~ of God** palec Boży; **~s off** ... ręce precz ... (**sth** od czegoś); **~s up!** ręce do góry!; **on one's ~s and knees** na czworakach; **to act with a high ~** post-ąpić/ępować jak despot-a/ka; nie liczyć się z nikim <z niczym>; **to bear <lend, give> sb a ~** przyjść komuś z pomocą; **not to lift a ~** nie kiwnąć palcem; **to be at ~** a) być pod ręką b) zbliżać się; być bliskim; **to be ~ in glove <~ and glove> with** ... być w dobrej komitywie <w porozumieniu, zmowie> z ...; **to be <go> ~ in ~ with** ... iść w parze z ...; **to change ~s** przejść w inne ręce; **to get out of ~** wy/emancypować <wyzw-olić/alać> się; **to get sth off one's ~s** a) uwolnić się od odpowiedzialności za coś b)

pozbyć się czegoś; **to get the upper ~ of ...** zdobyć przewagę nad ... (kimś); **to have a ~ in sth** maczać palce w czymś; **to have sb in the hollow of one's ~** trzymać kogoś na sznurku; **to have sb <sth> on one's ~s** mieć kogoś <coś> na swoich barkach; **to have sb <sth> well in ~** trzymać kogoś <coś> mocno w rękach; panować nad kimś, czymś; **to lay violent ~s on oneself** targnąć się na własne życie; **to lay violent ~s on sb** użyć siły w stosunku do kogoś; **to live from ~ to mouth** żyć z dnia na dzień; **to play into sb's ~s** działać na czyjąś korzyść; **it's playing into his ~s** to woda na jego młyn; **to put one's ~s to sth** przyłożyć rękę do czegoś; **my ~s are <I have my ~s> full** mam pełne ręce roboty <roboty po uszy>; **to take a ~** przyłączyć się; **to win ~s down** wygrać lekko <bez trudności, bez wysiłku>; **(news etc.) at first ~** (wiadomości itd.) z pierwszej ręki; **~ over ~, ~ over fist** szybko; **~ to ~** (walczyć, walka) wręcz; **in ~** w robocie; **made by ~** zrobiony <wykonany> ręcznie; **out of ~** z miejsca; na poczekaniu; natychmiast; bez zwłoki; **stock in ~** towar na składzie; **the matter in ~** omawiana sprawa; (*o liście itd*) **to ~** otrzymany; odebrany; **with a high ~** z łaskawą miną; jakby robił/a łaskę 2. strona; **on every ~, on all ~s** ze wszystkich stron; **on the one ~ ...** z jednej strony ..., **on the other ~ ...** z drugiej (zaś) strony ...; natomiast ...; **on the right <left> ~** po prawej <po lewej> stronie <ręce>; z prawej <z lewej> strony 3. robotni-k/ca; pracowni-k/ca; pomocni-k/ca 4. *pl* **~s** siły robocze; obsługa; **~s wanted** poszukuje się rąk do pracy 5. adept; **to be a good <poor> ~ at sth <at doing sth>** umieć coś <nie umieć czegoś> robić; **he is a good <poor> ~ at tennis <billiards>** on dobrze <źle> gra w tenisa <w bilard>; **he is no new ~ at it** to dla niego nie nowina; **to be an old ~ at sth** mieć w czymś wprawę 6. marynarz, majtek; (*na statku*) **all ~s** cała załoga 7. pismo; **a letter in one's own ~** własnoręcznie napisany <odręczny> list; **round <small, legible> ~** okrągłe <drobne, czytelne> pismo 8. podpis; **to set one's ~ to a deed** zaopatrzyć dokument w podpis 9. *karc* karty (na ręku u jednego partnera); **a good ~** dobre karty 10. *karc* partner/ka; grając-y/a; **a game for three ~s** gra w trzy osoby 11. *karc* partia; rober; **let's have a ~** zagrajmy (robra) 12. (*miara*) dłoń (= 4 cale) 13. wskaźnik 14. wskazówka (zegar-a/ka) 15. (*w zwrocie*: **~ of pork** golonka [II] *attr* ręczny; podręczny; przenośny [III] *vt* 1. wręcz-yć/ać; poda-ć/wać 2. *am sl w zwrocie*: **to ~ it to sb** uzna-ć/wać czyjąś wyższość 3. przes-łać/yłać 4. *mar* skr-ócić/acać (żagiel) 5. podać rękę (**sb** komuś); **to ~ a lady into <out of> a carriage** podać pani rękę przy wsiadaniu do <przy wysiadaniu z> powozu

~ about *vt* podawać z rąk do rąk

~ down *vt* 1. poda-ć/wać (coś komuś) z góry 2. przekaz-ać/ywać (potomności)

~ in *vt* 1. wręcz-yć/ać; poda-ć/wać 2. wn-ieść/osić (rezygnację itd.)

~ on *vt* poda-ć/wać dalej; przekaz-ać/ywać (tradycję itd.)

~ out *vt* wyda-ć/wać; wypłac-ić/ać (pobory)

~ over *vt* 1. wręcz-yć/ać; odda-ć/wać; dostarcz-yć/ać (**sth** czegoś); wypłac-ić/ać (pieniądze); **to ~ sb over to justice** oddać kogoś w ręce sprawiedliwości 2. przen-ieść/osić (coś na kogoś)

~ round *vt* podawać (flaszkę itd.) z rąk do rąk; pu-ścić/szczać w krąg

~ up *vt* poda-ć/wać (coś komuś) z dołu

hand-bag ['hænd,bæg] *s* torebka damska

handball ['hænd,bɔ:l] *s* handball, gra w piłkę ręczną

hand-barrow ['hænd,bærou] *s* 1. nosze 2. wózek ręczny

hand-bell ['hænd,bel] *s* dzwonek z rączką

hand-bill ['hænd,bil] *s* ulotka

hand-book ['hænd,buk] *s* 1. podręcznik 2. poradnik 3. *am* książka zapisów pośrednika w grze w totalizatora

hand-brace ['hænd,breis] *s* świder korbowy

hand-cart ['hænd,kɑ:t] *s* wózek ręczny

handcuff ['hænd,kʌf] [I] *s* (*zw pl*) kajdany [II] *vt* za-łożyć/kładać kajdany (**sb** komuś); zaku-ć/wać w kajdany (**sb** kogoś)

hand-driven ['hænd,drivən] *adj* o napędzie ręcznym

handful ['hændful] *s* 1. garść (czegoś); pełna garść 2. garstka (ludzi itd.) 3. kłopotliwe <niesforne> dziecko; narowisty koń

hand-gallop ['hænd,gæləp] *s* krótki galop

hand-glass ['hænd,glɑ:s] *s* 1. lupa z rączką 2. lustro z rączką 3. klosz ogrodniczy

hand-grenade ['hænd-gri,neid] *s* granat ręczny

handgrip ['hænd,grip] *s* 1. chwyt; uścisk ręki 2. uchwyt; rączka; rękojeść

handicap ['hændi,kæp] [I] *vt* (**-pp-**) 1. wyrówn-ać/ywać szanse (**sb, sth** czyjeś, czegoś) 2. upośledz-ić/ać; przeszk-odzić/adzać (**sb, sth** komuś, czemuś); być przeszkodą (**sb** dla kogoś); postawić/stawiać w gorszej sytuacji (**sb** kogoś) [II] *s* 1. *sport* handicap 2. for 3. przeszkoda; zawada

handicraft ['hændi,krɑ:ft] *s* rzemiosło; rękodzieło

handicraftsman ['hændi,krɑ:ftsmən] *s* (*pl* **handicraftsmen** ['hændi,krɑ:ftsmən]) rzemieślnik; rękodzielnik

handiwork ['hændi,wə:k] *s* praca (ręczna, własna); wykonanie; robota

handkerchief ['hæŋkətʃif] *s* chusteczka do nosa; chustka na szyję <na głowę>

handle ['hændl] [I] *vt* 1. dotykać (**sth** czegoś); badać palcami (tkaninę itp.); przebierać (coś) w palcach 2. manipulować (**sth** czymś); przesuwać; przemieszczać 3. posługiwać się (**sth** czymś); obsługiwać 4. po/kierować (**sth** czymś); załatwi-ć/ać <uporać> się (**sth** z czymś) 5. po/traktować; ob-ejść/chodzić się (**sb, sth** z kimś, czymś) 6. załatwi-ć/ać (interesy); **he ~s a lot of business <orders, money>** dużo spraw <zamówień, pieniędzy> przechodzi przez jego ręce 7. prowadzić (towar), sprzedawać; handlować (**sth** czymś) *zob* **handling** [II] *s* 1. rączka; uchwyt; rękojeść; trzonek; **to give a (new) ~ to ...** oprawi-ć/ać (na nowo)... (coś); dor-obić/abiać rączkę <trzonek itd.> do... (czegoś); **it has lost its ~** nie ma rączki <trzonka>; *przen* **to have a ~ to one's name** posiadać tytuł szlachecki 2. kij (miotły, szczotki do zamiatania); dźwignia (pompy); stylisko (kilofa, łopaty itd.) 3. pałąk (kosza itd.) 4. klamka <gałka>

(u drzwi) 5. ucho (konewki itp.) 6. korba, korbka 7. *przen* atut (dany przeciwnikowi przeciw samemu sobie)

handle-bar ['hændl,bɑ:] *s* kierownica (roweru itp.)

handling ['hændliŋ] [I] *zob* **handle** *v* [II] *s* manipulacja; obsługa; dostawa; przewóz; przetaczanie; usuwanie

hand-loom ['hænd,lu:m] *s* ręczny warsztat tkacki

hand-made ['hænd,meid] *adj* ręcznie zrobiony <wykonany>; ręcznej roboty

handmaid(en) ['hænd,meid(ən)] *s* † służebnica

hand-organ ['hænd,ɔ:gən] *s* katarynka

hand-out ['hænd'aut] *s am* 1. jałmużna 2. komunikat prasowy

hand-rail ['hænd,reil] *s* poręcz; bariera; balustrada

hand-saw ['hænd,sɔ:] *s* piła ręczna

hand-screw ['hænd,skru:] *s* 1. prasa ręczna 2. lewarek ręczny

handsel ['hænsəl] [I] *s* 1. podarek noworoczny 2. zadatek 3. przedsmak [II] *vt* (**-ll-**) 1. da-ć/wać podarek noworoczny (**sb** komuś) 2. zapoczątkow--ać/ywać

handshake ['hænd,ʃeik] *s* uścisk dłoni <ręki>

handsome ['hænsəm] *adj* 1. przystojny; piękny; **to grow ~** wyprzystojnieć 2. hojny; szczodry; **to do the ~ thing by sb** a) okazać hojność komuś b) ładnie postąpić wobec kogoś 3. (*o majątku, cenie itd*) pokaźny; znaczny; *pot* ładny ‖ **~ is that ~ does** nie urodzenie stanowi o szlachetności

handsomeness ['hænsəmnis] *s* 1. uroda; piękność 2. hojność; szczodrobliwość

handspike ['hænd,spaik] *s mar* drąg obrotowy; dźwignia

handwork ['hænd,wə:k] *s* praca ręczna <fizyczna>

handworker ['hænd,wə:kə] *s* robotni-k/ca; pracowni-k/ca fizyczn-y/a

handwriting ['hænd,raitiŋ] *s* pismo (charakter pisma)

handy ['hændi] *adj* (**handier** ['hændiə], **handiest** ['hændiist]) 1. zręczny; **to be ~ at sth** <**at doing sth**> zręcznie <zgrabnie> coś robić; umieć posługiwać się czymś; **~ girl** pomocnica krawiecka 2. poręczny; wygodny w użyciu; dogodny; **that would come in ~** to by się przydało; to by (mi, nam itd.) odpowiadało <dogadzało, było na rękę> 3. bliski; (znajdujący się) pod ręką <w pobliżu>

handy-dandy ['hændi'dændi] *s dziec* zabawa w pierścionek

handy-man ['hændi,mæn] *s* 1. majster do wszystkiego 2. marynarz

hang [hæŋ] *v* (**hung** [hʌŋ], **hung;** *gdy idzie o powieszenie (się) człowieka*: **hanged** [hæŋd], **hanged**) [I] *vt* 1. powiesić; zawie-sić/szać, uwiesić; rozwie-sić/szać; za/instalować (dzwonek elektryczny) 2. opu-ścić/szczać (głowę, uszy itd.) 3. powiesić/wieszać (kogoś na szubienicy); zawie-sić/szać (mięso żeby skruszało); **to be ~ed by the neck** zginąć na szubienicy; *w wyrażeniach zniecierpliwienia itp*: **~ (it all)!** niech diabli wezmą!; do licha! **~ the expense!** mniejsza o wydatek!; **~ you!** żeby cię <was> licho wzięło!; **I'll be ~ed if I know** czy ja wiem; *am* **to ~ the jury** nie podzielać zdania większości składu sędziów przysięgłych; **to let things go ~** machnąć ręką na wszystko 4. wy/tapetować; obi-ć/jać tapetami; obramować (okna firankami, drzwi portierą) ‖ **to ~ fire** a) (*o broni palnej*) wystrzelić z opóźnieniem b) (*o przedsięwzięciu itp*) wlec się; długo się ciągnąć [II] *vi* 1. wisieć; zwisać; **to ~ out of a window** wychyl-ić/ać się z okna; opa-ść/dać 2. (*o ciszy, ciemnościach*) zale-c/gać; (*o mgle*) osnu-ć/wać (**over the town etc.** miasto itd.); (*o czasie*) **to ~ heavy** <**heavily**> wlec się; **time ~s heavily on his hands** czas mu się dłuży; **to ~ about a neighbourhood** obracać się gdzieś; **to ~ around a woman** nie odstępować kobiety; chodzić za kobietą jak cień; *pot* kręcić się koło kobiety; (*o losach*) ważyć się; **to ~ in the balance** być nierozstrzygniętym 3. **to ~ on sb's lips** chciwie łowić czyjeś słowa 4. zależeć (**on sb, sth** od kogoś, czegoś) 5. (*o draperii itd*) układać się; (*o sukni*) leżeć; (*o włosach*) opadać <spadać> (na plecy)

~ about, *am* **~ around** *vi* wałęsać się; nic nie robić; *pot* obijać się

~ back *vi* ociągać się, zwlekać

~ behind *vi* wlec się z tyłu

~ down [I] *vi* zwisać [II] *vt* opuścić (**one's head** głowę)

~ on *vi* kurczowo się trzymać (**to sth** czegoś); nie opuszczać (**to sb, sth** kogoś, czegoś)

~ out [I] *vt* wywie-sić/szać; rozwie-sić/szać [II] *vi* 1. wisieć <zwisać> na zewnątrz; wychodzić; *pot* wyłazić 2. wychyl-ić/ać się 3. *sl* mieszkać

~ over *vi* 1. (*o skale itp*) nawisać 2. *am* przetrwać

~ together *vi* 1. trzymać się razem 2. (*o zeznaniach itd*) zgadzać <pokrywać> się

~ up *vt* 1. powiesić, zawie-sić/szać; **to ~ up the receiver** odwiesić <położyć> słuchawkę; przerwać połączenie telefoniczne 2. wstrzym--ać/ywać (robotę, projekt itd); zwlekać (**sth** z czymś); opóźni-ć/ać

zob **hanging** [III] *s* 1. nachylenie; pochyłość 2. udrapowanie; układanie się (sukni, draperii itd.) 3. powiązanie (myśli itd.) ‖ **I don't** <**he doesn't etc.**> **care a ~** wszystko mi <mu itd.> jedno; **to get the ~ of sth** zorientować się <*pot* połapać się> w czymś; wprawi-ć/ać się w czymś; włożyć się w coś

hangar ['hæŋə] *s* 1. *lotn* hangar 2. szopa

hang-dog ['hæŋ,dɔg] [I] *s* szubienicznik [II] *adj w zwrocie*: **a ~ look** mina winowajcy; wygląd szubienicznika

hanger ['hæŋə] *s* 1. wieszak; wieszadło; hak; kołek (do wieszania) 2. zawieszenie; zawieszony przedmiot; *am* wywieszka 3. nóż myśliwski; kordelas 4. wspornik 5. laska (w kaligrafii) 6. zalesiony stok

hanger-on ['hæŋer'ɔn] *s* (*pl* **hangers-on** ['hæŋəz'ɔn]) 1. pochleb-ca/czyni; pieczeniarz 2. *górn* zapychacz 3. *górn* sygnalista

hang-fire ['hæŋ,faiə] *s górn* niewypał

hanging ['hæŋiŋ] [I] *zob* **hang** *v* [II] *s* 1. wieszanie 2. powieszenie (zbrodniarza itp.) 3. *pl* **~s** draperie; kotary; obicia; portiery; firanki; **funeral ~s** żałobne draperie [III] *attr* 1. **~ committee** jury <jurorzy, komisja kwalifikacyjna> (wystawy obrazów) 2. **a ~ matter** sprawa gardłowa; **it's a ~ matter** za to można wisieć; to pachnie stryczkiem

hangman ['hæŋmən] *s* (*pl* **hangmen** ['hæŋmən]) kat

hang-nail ['hæŋ,neil] = **agnail**

hang-out ['hæŋ'aut] *s* 1. *sl* mieszkanie 2. *am* spelunka; melina

hang-over ['hæŋ,ouvə] *s* 1. przeżytek 2. kociokwik; zgaga po przepiciu

hank [hæŋk] *s* 1. motek (przędzy itp.); kłębek; zwój 2. *mar* strzemię linowe

hanker ['hæŋkə] *vi* 1. wzdychać (**after** <**for**> **sb, sth** za kimś, czymś, do kogoś, czegoś); łaknąć <pragnąć, pożądać> (**after** <**for**> **sth** czegoś) 2. tęsknić (**after** <**for**> **sb, sth** za kimś, czymś) *zob* **hankering**

hankering ['hæŋkəriŋ] [I] *zob* **hanker** [II] *s* 1. pragnienie <żądza> (**for sth** czegoś); **to have a ~ for** <**after**> **sb, sth** = **to hanker for** <**after**> **sb, sth** *zob* **hanker** 2. tęsknota

hanky ['hæŋki] *dziec* = **handkerchief**

hanky-panky ['hæŋki'pæŋki] *s* 1. hokus-pokus 2. oszustwo; szachrajstwo; matactwo; krętactwo

Hansard ['hænsəd] *spr* zbiór oficjalnych sprawozdań z posiedzeń parlamentu angielskiego

Hansardize ['hænsə,daiz] *vt w zwrocie:* **to ~ a member of Parliament** przytoczyć posłowi jego własne słowa zapisane w „Hansard"

Hanse ['hænsə] *s* (*także* **the Hanseatic** [,hæn si'ætik] **League**) *hist* Hanza

hansel ['hænsəl] = **handsel**

hansom ['hænsəm] *s* (*także* **~ cab**) keb, dwukołowy pojazd

Hanwell ['hænwel] *spr* miejscowość pod Londynem znana z zakładu psychiatrycznego

hap [hæp] [I] *s* † przypadek; traf [II] *vi* (**-pp-**) zdarz-yć/ać <trafi-ć/ać> się

ha'pence ['heipəns] = **halfpence**

ha'penny ['heipni] = **halfpenny**

haphazard ['hæp'hæzəd] [I] *s* (czysty) przypadek; **at** <**by**> **~** na los szczęścia; na chybił trafił; na ślepo [II] *adj* przypadkowy; dorywczy; niesystematyczny; **a ~ attempt** próba na los szczęścia <na ślepo>; **in a ~ way** = **at ~** [III] *adv* **to live ~** żyć bez planu

hapless ['hæplis] *adj* nieszczęśliwy; nieszczęsny; niefortunny

ha'p'orth *zob* **halfpennyworth**

happen ['hæpən] *vi* 1. zdarz-yć/ać <wydarz-yć/ać> się; sta-ć/wać się; dziać się; trafi-ć/ać <przytrafi-ć/ać> się; **to ~ again** powtórzyć się; **as it ~s** __ tak się składa, że ...; **it so ~ed that** __ tak się złożyło <stało>, że ... 2. mieć szczęście <nieszczęście> (**to do sth** coś zrobić); **to ~ to do** <**see, hear etc.**> **sth** przypadkowo coś zrobić <zobaczyć, usłyszeć itd.> 3. natknąć się <natrafić> (**on** <**upon**> **sth** na coś); napot-kać/ykać (**on** <**upon**> **sth** coś)

~ in *vi pot w zwrocie:* **to ~ in with sb** spotkać kogoś przypadkowo

zob **happening**

happening ['hæpniŋ] [I] *zob* **happen** [II] *s* wydarzenie

happily ['hæpili] *adv* 1. szczęśliwie 2. na szczęście; szczęśliwym trafem; szczęście chciało, że ... 3. trafnie (coś powiedzieć)

happiness ['hæpinis] *s* szczęście

happy ['hæpi] *adj* (**happier** ['hæpiə], **happiest** ['hæpiist]) 1. szczęśliwy; radosny; pełen radości; **to be ~ to do sth** z radością <chętnie, z rozkoszą> coś z/robić; **I am quite ~** chętnie się godzę; z całą <miłą> chęcią (**to go etc.** pójdę itd.); **I am (very) ~ that** __ jestem (bardzo) rad <cieszę się>, że ...; **to make sb ~** uszczęśliwi-ć/ać <uradować, ucieszyć> kogoś; **I don't feel (very) ~ about it** martwi mnie <nie podoba mi się> to 2. (*o powiedzeniu, myśli itd*) szczęśliwy; trafny; udany

happy-go-lucky ['hæpi-gou,lʌki] *adj* niefrasobliwy; beztroski

harangue [hə'ræŋ] [I] *s* przemowa; oracja [II] *vt* przem-ówić/awiać (**the crowd etc.** do tłumu itd.); wygł-osić/aszać oracj-ę/e (**the meeting etc.** do zebranych itd.)

harass ['hærəs] *vt* niepokoić; dokuczać (**sb** komuś); nękać

harbinger ['ha:bindʒə] [I] *s* 1. zwiastun 2. † kwatermistrz [II] *vt lit* zwiastować

harbour ['ha:bə] [I] *s* 1. schronienie; azyl; przytułek 2. przystań; port [II] *vt* 1. przygarn-ąć/iać; da-ć/wać schronienie <azyl, przytułek> (**sb** komuś) 2. być siedliskiem (**vermin, filth etc.** robactwa, brudu itd.) 3. żywić (nadzieję, nienawiść, podejrzenie itp.) [III] *vi* 1. s/chronić się 2. zawi-nąć/jać (**in a port** do portu)

harbour-dues ['ha:bə,dju:z] *spl* opłaty portowe

harbour-master ['ha:bə,ma:stə] *s* komendant portu

hard [ha:d] [I] *adj* 1. twardy; **to become ~** s/twardnieć; **as ~ as nails** a) w doskonałej formie b) bezlitosny; **~ cash** gotówka; *am* brzęcząca moneta 2. trudny; **it is ~ to understand** <**believe**> trudno to zrozumieć <w to uwierzyć>; **~ of hearing** głuchawy; o przytępionym słuchu 3. wymagający; srogi; surowy; twardy; brutalny; nieugięty; **to be ~ on sb** być surowym dla kogoś; surowo kogoś sądzić; **to say ~ things** <**words**> mówić przykre rzeczy <słowa>; **~ fact** fakt niezaprzeczalny; twarda rzeczywistość; **~ lines** <**luck**> pech; **~ swearing** najgorsze <karczemne> przekleństwa 4. (*o czasach, zadaniu, walce*) ciężki; **~ labour** ciężkie roboty; **~ work** ciężka <intensywna, pilna, wytężona> praca; **~ worker** człowiek ciężko <intensywnie> pracujący; **to be ~ on sb, sth** dawać się we znaki komuś, czemuś; **to have a ~ time of it** a) mieć ciężkie życie b) nabiedzić <namozolić> się 5. (*o uderzeniu itp*) silny, mocny; (*o mrozie*) silny, tęgi, ostry, siarczysty; **~ winter** ostra zima 6. stanowczy; **~ and fast** a) (*o przepisie itp*) wyraźny; surowy; twardy; nienaruszalny b) (*o statku*) na mieliźnie 7. (*o cenach, kursach giełd.*) mocny; o tendencji zwyżkowej 8. *jęz* twardy; nie zmiękczony [II] *s* 1. miejsce nadające się do lądowania 2. *sl* ciężkie roboty; katorga 3. *pl* **~s** odpadki lnu <konopi, wełny>; pakuły 4. *pl* **~s** *górn* węgiel twardy [III] *adv* 1. mocno, silnie; twardo; **as ~ as I** <**you etc.**> **can** z całych sił 2. ciężko <intensywnie. pilnie, z wytężeniem> (pracować itd.); z trudem; z wysiłkiem; niełatwo; **to die ~** nie poddawać się; drogo sprzedać swe życie; walczyć do ostatka; *przen* być zawziętym; **to think ~** wytęż-yć/ać mózg; skupić myśli; **to try ~** próbować z całych sił; dołożyć/kładać starań; starać się naprawdę; zdoby-ć/wać się na wysiłek; **it freezes ~** jest silny <ostry, tęgi, siarczysty> mróz 3. surowo (popatrzyć itd.) 4. usilnie (prosić) 5. siarczyście (kląć) 6. nadmiernie <bez umiaru> (pić itd.) 7. (*o deszczu*) rzęsiście (padać) 8. kiepsko; **it will go ~ with him** źle z nim będzie; to się na nim odbije 9. tuż; **~ by** blisko; w pobliżu; tuż (obok); **~ on** <**after, behind**> __ śladem...; tuż za... (kimś, czymś); **~ upon** <**at hand**> tuż obok; **to be ~ upon** __ zbliżać się do ... 10. ciężko; borykając się z trudnościami; **to be ~ pushed for money** <**for time**> nie wiedzieć, skąd wziąć pieniądze <czas>; **to be ~ put to it** a) być w trudnych warunkach <w kłopocie> b) być przypartym do muru c) nie wiedzieć co robić; **to be ~ put to it to do sth** nie wiedzieć <zachodzić w głowę> jak coś zrobić; **to be ~ up (for money)** nie mieć pieniędzy; *pot* być wypłukanym z pieniędzy

hardbake ['hɑ:d,beik] *s* karmelek migdałowy

hardbeam ['hɑ:d,bi:m] *s bot* grab zwyczajny

hard-bitten ['hɑ:d,bitn] *adj* (*o człowieku*) twardy; uparty; zawzięty (w walce)

hard-boiled ['hɑ:d'bɔild] *adj* 1. ugotowany na twardo 2. (*o człowieku*) twardy; uparty; bezwzględny

hard-earned ['hɑ:d'ə:nd] *adj* ciężko zapracowany; z trudem <z wysiłkiem> zdobyty

harden ['hɑ:dn] [I] *vt* 1. wzm-ocnić/acniać; z/robić twardym; *techn chem* utwardzać 2. uodpor-nić/niać; hartować (człowieka, rośliny, metale itd.) 3. znieczul-ić/ać (serce itd.) [II] *vi* 1. s/twardnieć 2. za/hartować się 3. (*o cenach itd*) u/stabilizować się *zob* **hardened**

hardened ['hɑ:dnd] [I] *zob* **harden** [II] *adj* 1. stwardniały 2. odporny; zahartowany; wzmocniony 3. (*o grzeszniku itd*) zatwardziały

hardener ['hɑ:dnə] *s* czynnik hartujący <powodujący stwardnienie>; *chem* utwardzacz

hard-faced ['hɑ:d'feist], **hard-favoured** ['hɑ:d'feivəd], **hard-featured** ['hɑ:d'fi:tʃəd] *adj* surowy; srogi; zacięty

hard-fisted ['hɑ:d'fistid] *adj* skąpy

hard-fought ['hɑ:d'fɔ:t] *adj* (*o walce*) zacięty; zawzięty; (*o zwycięstwie*) z trudem zdobyty; drogo okupiony

hard-handed ['hɑ:d'hændid] *adj* (*o człowieku*) o żelaznej ręce

hard-headed ['hɑ:d'hedid] *adj* praktyczny; trzeźwy; nie bawiący się w sentymenty

hard-hearted ['hɑ:d'hɑ:tid] *adj* nieczuły; bezlitosny; niemiłosierny

hardihood ['hɑ:di,hud] *s* 1. odwaga; śmiałość 2. czelność; tupet; bezwstyd

hardiness ['hɑ:dinis] *s* 1. wytrzymałość; odporność 2. = **hardihood**

hardly ['hɑ:dli] *adv* 1. surowo; srogo 2. z trudem, z trudnością, z wysiłkiem; **I can ~ say** <**believe**> trudno mi powiedzieć <uwierzyć> 3. ledwo; zaledwie; chyba nie; **I ~ know** nie bardzo wiem; **you'll ~ believe it** a) może i nie uwierzy-sz/cie w to b) trudno w to uwierzyć; **he** <**I etc.**> **had ~ ... when** __ ledwie zdążył <zdążyłem itd.> ... (coś zrobić) gdy ...; **~ any** prawie wcale (nie); mało co; (*o ludziach*) mało który; **~ anybody** <**anyone, anything**> mało kto <co>; prawie nikt <nic>; **~ anywhere** mało gdzie; prawie nigdzie; **~ ever** rzadko (kiedy); mało kiedy; prawie nigdy

hard-mouthed ['hɑ:d'mauθt] *adj* 1. (*o koniu*) nieczuły na wędzidło 2. (*o człowieku*) nieuległy; uparty 3. (*o człowieku*) rubaszny; nie liczący się ze słowami

hardness ['hɑ:dnis] *s* 1. twardość 2. odporność; zahartowanie 3. trudność; **~ of hearing** przytępiony słuch 4. srogość; surowość; brutalność; nieczułość 5. ostrość <surowość> (klimatu, reguły) 6. stabilizacja (cen)

hardock ['hɑ:dɔk] *s bot* łopian większy

hard-pan ['hɑ:d,pæn] *s geol* zlepieniec, konglomerat

hard-set ['hɑ:d,set] *adj* 1. (znajdujący się) w kłopocie 2. nieustępliwy; uparty 3. zgłodniały 4. stwardniały 5. (*o jajku*) zasiedziały

hard-shell ['hɑ:d,ʃel] *adj* 1. *zoo* (*o zwierzęciu*) mający pancerz kostny (żółw itp.) 2. *przen* bezwzględny; bezkompromisowy

hardship ['hɑ:dʃip] *s* 1. niewygoda; trud 2. brak; bieda; nędza; ubóstwo; niedostatek 3. doświadczenie (przez los); próba (życia)

hard-tack ['hɑ:d,tæk] *s* suchar

hardware ['hɑ:d,wɛə] *s* (*także* **~ goods**) towary żelazne

hardwood ['hɑ:d,wud] *s* twarde drewno

hardworking ['hɑ:d'wə:kiŋ] *adj* pracowity; ciężko pracujący

hardy ['hɑ:di] [I] *adj* (**hardier** ['hɑ:diə], **hardiest** ['hɑ:diist]) 1. odważny; śmiały 2. odporny; wytrzymały; *bot* trwały; **~ annual** a) *bot* roślina odporna na mróz b) problem powstający co roku; **half ~** nieodporny na mróz [II] *s* kowadełko blacharskie; przecinacz

hare [hɛə] *s zoo* zając || **to run with the ~ and hunt with the hounds** świecić Panu Bogu świeczkę i diabłu ogarek; **to start a ~** ożywić rozmowę poruszając nowy temat; **first catch your ~ (then cook him)** nie mów hop, póki nie przeskoczysz; **~ and hounds** rodzaj gry sportowej

hare-bell ['hɛə,bel] *s bot* dzwonek okrągłolistny

hare-brained ['hɛə,breind] *adj* roztrzepany; pustogłowy; postrzelony; lekkomyślny; (*o projekcie*) niedorzeczny; szalony

harelip ['hɛə'lip] *s* zajęcza warga

harem ['hɛərəm] *s* harem

hare's-foot ['hɛəz,fut] *s bot* kotki; koniczyna polna

haricot ['hæri,kou] *s* 1. *kulin* ragoût baranie 2. fasola

hark [hɑ:k] *vi* uważnie słuchać; **~ at him!** słuchaj/cie go!; **to ~ back** a) (*o psach*) wr-ócić/acać w poszukiwaniu tropu b) *przen* wr-ócić/acać do punktu wyjściowego; wciąż wracać do tego samego tematu

harl [hɑ:l] *s* 1. chorągiewka pióra 2. paździerz (lnu, konopi)

harlequin ['hɑ:likwin] *s* arlekin

harlequinade [,hɑ:likwi'neid] *s* arlekinada

Harley Street ['hɑ:li'stri:t] *s* 1. ulica Londynu zamieszkała przez znanych lekarzy 2. londyńskie sfery lekarskie

harlot ['hɑ:lət] *s* nierządnica, ladacznica, wszetecznica

harlotry ['hɑ:lətri] *s* nierząd; wszeteczeństwo

harm [hɑ:m] [I] *s* szkoda; krzywda; (wyrządzone) zło; skaleczenie; **to come to ~** doznać nieszczęścia; popaść **w** nieszczęście; **to do (sb) ~** za/szkodzić (komuś); **to mean no ~** zrobić <powie-

dzieć> coś w najlepszej intencji; **to see no ~ in sth** nie widzieć nic złego w czymś; **no ~ done** nic złego się nie stało; **out of ~'s way** a) znajdujący się w bezpiecznym miejscu; bezpieczny b) (*o dziecku itd*) pozbawiony możliwości psocenia; *pot* unieszkodliwiony; **there's no ~ in him** to nieszkodliwy człowiek; **there's no ~ in your <his etc.> —** nie zaszkodzi, jeśli ty <on itd.>... [II] *vt* zaszkodzić <wyrządzić coś złego> (**sb** komuś); pokaleczyć

harmattan [hɑ:'mætən] *s* harmatan (duszący wiatr pustynny)

harmful ['hɑ:mful] *adj* szkodliwy

harmfulness ['hɑ:mfulnis] *s* szkodliwość

harmless ['hɑ:mlis] *adj* nieszkodliwy; niewinny

harmlessness ['hɑ:mlisnis] *s* nieszkodliwość <niewinność> (środka itd.)

↑ **harmonic** [hɑ:'mɔnik] *adj* harmonijny; harmoniczny

harmonica [hɑ:'mɔnikə] *s* harmonijka ustna, organki

harmonious [hɑ:'mounjəs] *adj* harmonijny; harmoniczny; zgodny; melodyjny

harmonium [hɑ:'mounjəm] *s* fisharmonia, † harmonium

harmonize ['hɑ:mə,naiz] [I] *vi* (*o dźwiękach, kolorach itd*) harmonizować; zgadzać się; być zestrojonym [II] *vt* z/harmonizować; zestr-oić/ajać; uzg-odnić/adniać

harmony ['hɑ:məni] *s* 1. *muz* harmonia 2. harmonia; zgoda

↑ **harness** ['hɑ:nis] [I] *s* 1. uprząż; zaprzęg; rząd (konia); *przen* **double ~** życie <jarzmo> małżeńskie; **to die in ~** umrzeć na posterunku; **to run in single ~** być w stanie kawalerskim 2. *tk* nicielnica; urządzenie żakarda [II] *vt* na-łożyć/kładać uprząż (**a horse** koniowi); zaprzęg-nąć/ać; *przen* wprz-ąc/ęgać; z/użytkować (siłę wodną itp.)

harness-cask ['hɑ:nis,kɑ:sk] *s mar* beczka na solone mięso

harness-maker ['hɑ:nis,meikə] *s* rymarz

harp [hɑ:p] [I] *s muz* harfa [II] *vi* 1. grać na harfie 2. ględzić (**on sth** o czymś, na temat czegoś); **to be always ~ing on the same string** <**note**> powtarzać bez końca jedno i to samo; wciąż o jednym mówić

harper ['hɑ:pə], **harpist** ['hɑ:pist] *s* harfia-rz/rka

harpoon [hɑ:'pu:n] [I] *s* harpun [II] *vt* harpunować

harpooner [hɑ:'pu:nə] *s* harpunnik

harpsichord ['hɑ:psi,kɔ:d] *s muz hist* klawikord

↑ **harpy** ['hɑ:pi] *s mitol zoo* harpia; *przen* megiera; jędza

harquebus ['hɑ:kwibəs] *s hist* arkabuz, arkebuz

harr *zob* **haar**

harridan ['hæridən] *s* wiedźma; czarownica

harrier[1] ['hæriə] *s* 1. *zoo* legawiec (pies); (*pl* **~s**) sfora legawców 2. (*pl* **~s**) klub myśliwski do polowania na zające

harrier[2] ['hæriə] *s* 1. *zoo* błotniak popielaty (ptak) 2. grabieżca, łupieżca

Harrovian [hə'rouviən] *s* 1. uczeń <absolwent> szkoły w Harrow 2. mieszkan-iec/ka miasta Harrow

harrow ['hærou] [I] *s* brona; *przen* **under the ~** w biedzie; pod wozem [II] *vt* 1. za/bronować 2. wy/męczyć; u/dręczyć

harry ['hæri] *vt* (**harried** ['hærid], **harried; harrying** ['hæriiŋ]) 1. z/łupić, o/grabić; s/pustoszyć 2. nękać; u/dręczyć

harsh [hɑ:ʃ] *adj* 1. szorstki; chropowaty 2. niemiły, przykry (w dotyku, dla oka, dla ucha) 3. cierpki (w smaku) 4. (*o głosie*) chrapliwy 5. (*o dźwięku*) zgrzytliwy 6. (*o człowieku*) szorstki; kostyczny; cierpki; opryskliwy 7. (*o opinii, karze, klimacie*) surowy

harshness ['hɑ:ʃnis] *s* 1. szorstkość; chropowatość 2. cierpkość 3. przykry dźwięk 4. szorstkość (postępowania); kostyczność; opryskliwość

hart [hɑ:t] *s zoo* jeleń

hartal ['hɑ:tɑ:l] *s* (*w Indiach*) zamknięcie sklepów na znak protestu lub żałoby narodowej

↑ **hartshorn** ['hɑ:ts,hɔ:n] *s farm* mieszanina kwaśnego węglanu amonowego z karbaminianem

harum-scarum ['hɛərəm'skɛərəm] *adj* nierozsądny; nierozważny; lekkomyślny; roztrzepany

harvest ['hɑ:vist] [I] *s* 1. żniwa; zbiory; **~ festival** dożynki 2. plon; żniwo [II] *vt* sprząt-nąć/ać (zboże) <zebrać/zbierać (plon)> **z pól**

harvest-bug ['hɑ:vist,bʌg] *s zoo* kleszcz

harvester ['hɑ:vistə] *s* żniwia-rz/rka; żniwiarka (maszyna)

harvest-home ['hɑ:vist,houm] *s* 1. dożynki 2. pieśń dożynkowa

harvest-mite ['hɑ:vist,mait] = **harvest-bug**

harvest-mouse ['hɑ:vist,maus] *s* (*pl* **harvest-mice** ['hɑ:vist,mais]) mysz polna

has *zob* **have** *v*

has-been ['hæz,bi:n] *s* 1. człowiek, który się przeżył 2. przebrzmiała sława

↑ **hash** [hæʃ] [I] *vt* 1. (*także* **~ up**) po/siekać (mięso) 2. opublikować (cudzą pracę) w zmienionej postaci [II] *s* 1. mięso siekane; **siekanina** 2. *przen* bigos, bałagan, galimatias; **to make a ~ of sth** narobić bigosu w czymś; spartaczyć <sfuszerować, pogmatwać> coś; **to settle sb's ~** rozprawić się z kimś; *przen* pogrzebać kogoś 3. (*także* **~-up**) cudza publikacja wydana w zmienionej postaci

hasheesh, hashish ['hæʃi:ʃ] *s* haszysz

haslets ['heizlits] *spl* podroby (*zw* wieprzowe)

hasn't ['hæznt] = **has not** *zob* **have**

hasp [hɑ:sp] [I] *s* 1. klamka; skobel; zasuwka; hak 2. klamra (przy albumie itp.); zapinka 3. motek (przędzy itp.) [II] *vt* zam-knąć/ykać (drzwi itd.) na klamkę <na kłódkę, zasuwkę>

hassock ['hæsək] *s* 1. klęcznik; podnóżek 2. kępka trawy 3. *górn* tuf, martwica

hast [hæst] † *2 pers sing praes od* **have**

hastate ['hæsteit] *adj bot* oszczepowaty

haste [heist] [I] *s* 1. pośpiech; **to make ~** śpieszyć się; **I am in ~ to —** śpieszy mi się, żeby...; **more ~ less speed** śpiesz się powoli; gdy się człowiek śpieszy, to się diabeł cieszy 2. nierozwaga [II] *vt vi* = **hasten**

hasten ['heisn] [I] *vt* przyśpiesz-yć/ać; po/naglić; przynagl-ić/ać; popędz-ić/ać (kogoś) [II] *vi* po/śpieszyć się; pośpieszać; po/pędzić

~ away *vi* od-ejść/chodzić pośpiesznie

~ back *vi* wr-ócić/acać pośpiesznie

~ down *vi* zejść/schodzić pośpiesznie

~ forward *vi* pod-ejść/chodzić <wysu-nąć/wać się> naprzód pośpiesznie

~ in *vi* wejść/wchodzić pośpiesznie

~ out *vi* wy-jść/chodzić pośpiesznie

~ **up** *vi* pośpiesznie pod-ejść/chodzić <podbie-c/gać> (**to sb** do kogoś)

hastiness ['heistinis] *s* 1. pośpiech 2. nierozwaga; pochopność 3. porywczość; popędliwość

hastings ['heistiŋz] *spl* wczesne owoce <jarzyny>; nowalie

♦**hasty** ['heisti] *adj* (**hastier** ['heistiə], **hastiest** ['heistiist]) 1. pośpieszny; (zrobiony, napisany itd.) w pośpiechu 2. nie przemyślany; nierozważny; pochopny 3. porywczy; popędliwy

♦**hat** [hæt] [I] *s* kapelusz; **to keep one's ~ on** nie zd-jąć/ejmować kapelusza; stać <siedzieć> w kapeluszu; **to keep information under one's ~** zachować jakąś wiadomość <informację> dla siebie; **to lift <raise> one's ~ to sb** ukłonić się komuś <pozdrowić kogoś> (przez uchylenie kapelusza); **to send <pass> the ~ round** urządzić zbiórkę <kwestę> (na jakiś cel); **to take off one's ~ to sb** a) ukłonić się komuś; pozdrowić kogoś b) wyra-zić/żać uznanie <szacunek> dla kogoś; być z całym uznaniem dla kogoś; **to talk through one's ~** a) pleść głupstwa b) chełpić się; *am* **to throw one's ~ into the ring** zgłosić udział w konkursie <w zawodach>; **~ in hand** pokornie; **~s off to** __ cześć dla...; **~ trick** a) sztuczka kuglarska b) potrójny sukces; **my ~!** nie do wiary! [II] *vt* (**-tt-**) dostarczać kapeluszy (**sb** komuś); być kapelusznikiem (**sb** czyimś) <modniarką (**sb** czyjąś)> *zob* **hatted**

hat-band ['hæt,bænd] *s* wstążka przy kapeluszu

hat-block ['hæt,blɔk] *s* forma na kapelusze

hat-box ['hæt,bɔks] s pudło na kapelusze

hatch[1] [hætʃ] [I] *vt* wylęg-nąć/ać (pisklęta); wysi-edzieć/adywać (jaja); *przen* u/knuć (spisek itp.) [II] *vi* wylęg-nąć/ać <wyklu-ć/wać> się [III] *s* 1. wylęganie <wysiadywanie> jaj 2. wyląg

hatch[2] [hætʃ] *s* 1. *mar* pokrywa luku; luk; **under ~es** a) pod pokładem b) *przen* pod ziemią; pogrzebany 2. dolna połowa drzwi dwudzielnych 3. właz 4. osłona; klapa 5. stawidło

hatch[3] [hætʃ] [I] *vt* kreskować; szrafirować [II] *s* kreskowanie; szrafirowanie

hatchel ['hætʃəl] = **hackle**

hatcher ['hætʃə] *s* 1. kwoka 2. wylęgarnia 3. intrygant/ka; matacz

hatchery ['hætʃəri] *s* stacja wylęgowa; wylęgarnia (ryb, drobiu itd.)

hatchet ['hætʃit] *s* siekiera; topór; **~ face** ostra, wąska twarz; **to bury <dig up> the ~** zażegnać <wznowić> walkę <spór>; **to throw the ~** przesadzać

hatchment ['hætʃmənt] *s* tarcza herbowa w żałobnym obramowaniu

hatchway ['hætʃ,wei] *s mar* luk

hate [heit] [I] *vt* 1. nienawidzić (**sb, sth** kogoś, czegoś) 2. nie cierpieć <nie znosić> (**sb, sth** kogoś, czegoś) 3. *z* **to** *i bezokolicznikiem lub formą na* **-ing**: niechętnie <z wielką przykrością> coś robić; **I ~ being disturbed** <**to be disturbed**> nie znoszę, gdy mi ktoś przeszkadza; **I ~ to** __ przykro mi, że muszę...; **I should ~ to** __ nie chciałbym ... [II] *s* nienawiść; wstręt; (*w I wojnie światowej*) **morning ~** poranne bombardowanie niemieckie

hateful ['heitful] *adj* nienawistny; znienawidzony

hater ['heitə] *s* człowiek nienawidzący (kogoś, czegoś); przeciwnik (czyjś, czegoś); wróg (kobiet itd.)

hatless ['hætlis] *adj* bez kapelusza; z gołą <odkrytą> głową

hat-pin ['hæt,pin] *s* szpilka do kapelusza

hat-rack ['hæt,ræk] *s* wieszak

hatred ['heitrid] *s* nienawiść (**of sb** do kogoś)

hat-stand ['hæt,stænd] = **hat-rack**

hatted ['hætid] [I] *zob* **hat** *v* [II] *adj* w kapeluszu; **smartly ~** w zgrabnym kapelusiku

hatter ['hætə] *s* kapelusznik; modniarka; **as mad as a ~** kompletnie zwariowany

hauberk ['hɔ:bə:k] *s hist* kolczuga

haughtiness ['hɔ:tinis] *s* hardość; pycha; wyniosłość

haughty ['hɔ:ti] *adj* (**haughtier** ['hɔ:tiə], **haughtiest** ['hɔ:tiist]) hardy; pyszny; wyniosły

haul [hɔ:l] [I] *vt* 1. ciągnąć; wlec; holować; *przen* **to ~ sb over the coals** dać komuś burę; z/besztać kogoś 2. przewozić; zwozić; transportować 3. *mar w zwrocie*: **to ~ the wind** płynąć ostro na wiatr [II] *vi* (*o wietrze*) zmieni-ć/ać kierunek

~ **down** *vt* spu-ścić/szczać (żagiel, flagę, banderę)

~ **in** *vt* wciąg-nąć/ać

~ **up** *vt* 1. podn-ieść/osić (flagę, banderę) 2. zażądać wyjaśnień (**sb** od kogoś); wziąć (kogoś) na spytki

[III] *s* 1. ciągnienie; wleczenie; holowanie 2. rzut <zarzucenie> sieci 3. połów; *przen* zdobycz 4. przewóz; transport; przebyta droga

haulage ['hɔ:lidʒ] *s* 1. ciągnienie; holowanie 2. transport; przewóz 3. koszt transportu <przewozu> 4. siła pociągowa

hauler ['hɔ:lə] *s górn* wozak <ciskacz> (robotnik)

haulier ['hɔ:liə] *s* 1. przedsiębiorca przewozowy; furman 2. = **hauler**

haulm [hɔ:m] *s* 1. łodyga 2. słomka 3. nać; grochowiny

haunch [hɔ:ntʃ] *s* 1. *anat* część ciała obejmująca biodra i pośladki; *pot* biodro 2. udziec; comber 3. *pl* **~es** zad (zwierzęcia) 4. *arch* pacha sklepienia

haunt [hɔ:nt] [I] *vt* 1. uczęszczać (**a place** do miejsca, lokalu); często odwiedzać (miejsce, lokal); często przebywać (**a place** w danym miejscu, lokalu); zamęczać (kogoś) częstymi wizytami 2. (*o duchach*) straszyć <ukazywać się> (**sb's house etc.** w czyimś domu itd.); nawiedzać; **this place is ~ed** tu straszy 3. (*o myślach itp*) prześladować, nie da-ć/wać spokoju (**sb** komuś) *zob* **haunting** [II] *s* 1. miejsce często odwiedzane <w którym ktoś chętnie przebywa> 2. legowisko (zwierzęcia) 3. spelunka <melina> (złodziei itp.)

haunting ['hɔ:ntiŋ] [I] *zob* **haunt** *v* [II] *adj* (*o myśli itp*) naprzykrzony

hautboy ['oubɔi] *s muz* obój

Havana [hə'vænə] *s* cygaro hawańskie

have [hæv] [I] *vt* (*3 pers sing praes* **has** [hæz]; **had** [hæd], **had**) 1. mieć, miewać; posiadać; **all I ~** wszystko co mam; cały mój majątek; **he has no Latin** nie zna <nie uczył się> łaciny; **I ~ it!** już wiem!; **the door has no key to it** nie ma klucza do tych drzwi; **to ~ it on sb** mieć przewagę nad kimś; **to ~ sb ~ sth** dać <podać> coś komuś; **let me ~ that pen** daj mi to pióro; **I let him ~ it!** dałem mu to, co mu się należało!; dostał za swoje!; **as ill-luck would ~ it** na nieszczęście 2. dosta-ć/wać (**sth** coś, czegoś); otrzym-ać/ywać; naby-ć/wać (**sth** coś, czegoś); **to be had at —** do nabycia u ...; **to ~ one's wish** doczekać się spełnienia życzenia 3. spędz-ić/ać (czas); **to ~ a bad time of it** mieć <przeży-ć/wać> przykre chwile; **to ~ a good time** dobrze się za/bawić 4. *przed nazwami chorób*: mieć, chorować (**sth** na coś), przechodzić 5. *przed nazwami posiłków i potraw*: z/jeść, jadać; wy/pić, pijać; poczęstować się (**sth** czymś); **~ a chocolate** poczęstuj się czekoladką; **will you ~ some tea? — I've just had some** czy napijesz się herbaty? — właśnie piłem 6. zapalić (cygaro, papierosa) 7. *tworzy zwroty z rzeczownikami*: **I had a dream** śniło mi się coś; **to ~ a bath** <**shave**> wykąpać <ogolić> się; **to ~ a drink** napić się; **to ~ a fall** upaść; przewrócić się; **to ~ a game** zagrać; **to ~ a try** spróbować; **to ~ a walk** <**a drive**> przejść <przejechać> się; **to ~ need** potrzebować; **to ~ recourse to —** uciekać się do ... (czegoś); posługiwać się ... (czymś); 8. twierdzić <utrzymywać> (że...); mówić; **as Plato has it** według słów Platona; **rumour has it —** według pogłosek ... 9. *sl* nab-rać/ierać <oszuk-ać/iwać, z/łapać> (kogoś); **to be had** dać się oszukać; wpaść w pułapkę <w potrzask> 10. *przed rzeczownikiem lub zaimkiem w bierniku z imiesłowem biernym*: kazać <dać> (coś zrobić); postarać się (o zrobienie czegoś); dopuścić <doprowadzić> (do tego, żeby coś się stało); **I had my shoes cleaned** kazałem <dałem> sobie oczyścić buty; **Charles I had his head cut off** Karola I ścięto; **he had his leg broken** złamał sobie nogę; **he had his watch stolen** ukradziono mu zegarek; **they had the spy shot** kazali rozstrzelać szpiega 11. *przed rzeczownikiem lub zaimkiem w bierniku z bezokolicznikiem*: kazać (**sb do sth** komuś coś zrobić); życzyć sobie <chcieć> (**sb do sth** żeby ktoś coś zrobił); **he would ~ me go along** on chciał koniecznie, żebym poszedł z nim 12. znosić; pozwolić (**sth** na coś); **I will not ~ such conduct** nie pozwolę na takie zachowanie 13. *przed bezokolicznikiem z* **to**: musieć 14. *słowo posiłkowe do tworzenia czasów przeszłych dokonanych*: **I ~ lived** <**been living**> **here for 3 years** mieszkam tutaj od 3 lat; **I ~ told him** powiedziałem mu; **he had gone** już poszedł **15.** *w zdaniach eliptycznych*: **~ you been there? — I ~** czy byłeś tam? — owszem, byłem; **I thought he had not heard but he had** myślałem, że nie słyszał, ale jednak <przecież> słyszał 16. *w zwrotach*: **had better** <**rather, as soon, as lief**>; **I had better say nothing** najlepiej będzie, jeżeli nic nie powiem; **I had rather** <**as soon, as lief**> **stay here** wolę tu zostać

~ down *vt* 1. sprowadz-ić/ać (kogoś) na dół 2. sprowadz-ić/ać <zapr-osić/aszać> (kogoś) na prowincję ze stolicy 3. powalić (kogoś) na ziemię

~ in *vt* 1. mieć <miewać> u siebie (gości); **we had him in to dinner** <**tea etc.**> zaprosiliśmy go na obiad <na herbatę itd.> 2. sprowadz-ić/ać (robotników, lekarza itd.) 3. być zaopatrzonym (**sth** w coś); mieć zapas (**sth** czegoś) || **to ~ it in for sb** a) mieć z kimś na pieńku b) mieć żal do kogoś

~ on *vt* 1. mieć <miewać> na sobie (część ubioru) 2. mieć <miewać> (zajęcie, coś w programie itd.) 3. (*na wyścigach*) postawić/stawiać na konia

~ out *vt* da-ć/wać sobie wyrwać (ząb) || **to ~ it out with sb** wszystko sobie nawzajem wygarnąć <powiedzieć>

~ up *vt* 1. sprowadz-ić/ać (kogoś) na górę 2. sprowadz-ić/ać <zapr-osić/aszać> (kogoś) z prowincji do stolicy 3. zaskarż-yć/ać (kogoś) do sądu 4. zawezwać/wzywać (kogoś przed sąd)

zob **having** [II] *s* 1. *w zwrocie*: **the ~s and the ~-nots** bogaci i biedni 2. *sl* naciąganie; oszustwo

havelock [ˈhævlɔk] *s* białe nakrycie czapki wojskowej i karku

haven [ˈheivn] *s* przystań; port; *przen* (*także* **~ of refuge** <**of rest**>) schronienie

haversack [ˈhævəˌsæk] *s* 1. chlebak 2. plecak

havildar [ˈhævlˌdɑ:] *s* (*w Indii*) sierżant-Hindus

having [ˈhæviŋ] [I] *zob* **have** *v* [II] *s* 1. posiadanie 2. *pl* **~s** mienie, własność

havoc [ˈhævək] [I] *s* spustoszenie; zniszczenie; dewastacja; **to make ~ of sth** s/pustoszyć coś; siać spustoszenie w czymś; **to play ~ among —** szerzyć zniszczenie wśród <między>... [II] *vt vi* (**havocked** [ˈhævəkt], **havocked; havocking** [ˈhævəkiŋ]) s/pustoszyć; z/niszczyć; z/dewastować

haw[1] [hɔ:] *s* 1. *bot* głóg 2. jagoda <owoc> głogu 3. *hist* płot; ogrodzenie

haw[2] [hɔ:] *s* migotka (trzecia powieka u konia itd.)

haw[3] [hɔ:] *s* 1. rechot 2. chrząkanie

haw[4] [hɔ:] *s interj* (*do konia*) wiśta! (w lewo)

hawbuck [ˈhɔ:ˌbʌk] *s* gbur

hawfinch [ˈhɔ:ˌfintʃ] *s zoo* grubodziób (ptak)

haw-haw [ˈhɔ:ˈhɔ:] [I] *s* rechot; głośny śmiech [II] *interj* ha! ha!

hawk[1] [hɔ:k] [I] *s* 1. *zoo* jastrząb 2. *zoo* sokół 3. (*o człowieku*) łupieżca [II] *vi* 1. polować z sokołem 2. (*o ptaku*) rzuc-ić/ać się (**at the prey** na zdobycz)

hawk[2] [hɔ:k] *vt* chrząk-nąć/ać

~ up *vt* odchrząk-nąć/iwać (flegmę)

hawk[3] [hɔ:k] *vt* 1. (*także* **~ about**) kolportować; **to ~ goods** prowadzić handel domokrążny 2. (*o przekupniu*) głośno zachwalać (towar)

hawk[4] [hɔ:k] *s* tarka murarska

hawker[1] [ˈhɔ:kə] *s* człowiek polujący z sokołem; sokolnik

hawker[2] [ˈhɔ:kə] *s* 1. domokrążca 2. straganiarz

hawk-eyed [ˈhɔ:kˌaid] *adj* (*o człowieku*) o sokolim wzroku

hawk-moth [ˈhɔ:kˌmɔθ] *s zoo* zmierzchnica (motyl)

hawk-nosed [ˈhɔ:kˌnouzd] *adj* (*o człowieku*) z orlim nosem

hawksbeard [ˈhɔ:ksˌbiəd] *s bot* pępawa

hawkweed [ˈhɔ:kˌwi:d] *s bot* jastrzębiec

hawse [ˈhɔ:z], **~ hole** [hɔ:zˌhoul] *s mar* kluza kotwiczna

hawser [ˈhɔ:zə] *s mar* cuma; lina okrętowa

hawthorn [ˈhɔ:ˌθɔ:n] *s bot* głóg

hay [hei] *s* siano; **to make ~** suszyć siano; przeprowadz-ić/ać sianokosy; **to make ~ of sth** narobić bigosu w czymś; wprowadzić bałagan do czegoś <w czymś>; **make ~ while the sun shines** kuć żelazo póki gorące

haybox [ˈhei,bɔks] *s* samodogotowywacz (rodzaj termosu)

haycock [ˈhei,kɔk] *s* kopa siana

hay-fever [ˈheiˈfi:və] *s med* katar sienny; gorączka sienna

haying [ˈheiiŋ] *s* = **hay-making**

hay-loft [ˈhei,lɔft] *s* strych na siano

hay-maker [ˈhei,meikə] *s* 1. kosiarz przy sianokosach 2. grabiarka (maszyna)

hay-making [ˈhei,meikiŋ] *s* sianokosy

hayrick [ˈhei,rik] *s* stóg siana

hayseed [ˈhei,si:d] *s* 1. nasiona traw siennych 2. *am sl* gbur; prostak

haystack [ˈhei,stæk] = **hayrick**

haywire [ˈhei,waiə] *adj am* 1. pogmatwany; zagmatwany; w nieładzie 2. (*o człowieku*) pomylony; **to go ~** dostać bzika

hazard [ˈhæzəd] [I] *s* 1. ślepy traf; los szczęścia; hazard; **game of ~** gra hazardowa 2. ryzyko; niebezpieczeństwo; **at all ~s** za wszelką cenę; **to run the ~** za/ryzykować 3. *bil* zrobiony punkt; **losing ~** punkt stracony; **winning ~** punkt zdobyty 4. (*w golfie*) nierówność terenu 5. (*w Irlandii*) miejsce postoju dorożek [II] *vt* 1. za/ryzykować 2. postawić na kartę 3. ośmielić <odważyć> się (**saying sth** powiedzieć coś); **I'll ~ a guess** spróbuję zgadnąć

hazardous [ˈhæzədəs] *adj* hazardowy; ryzykowny; niebezpieczny

haze[1] [heiz] [I] *s* 1. mgiełka, lekka mgła 2. otumanienie [II] *vt* zamglić [III] *vi* okry-ć/wać się mgłą

haze[2] [heiz] *vt* 1. znęcać się (**sb** nad kimś) 2. przeciąż-yć/ać pracą

hazel [ˈheizl] [I] *s bot* leszczyna [II] *attr* 1. leszczynowy 2. (*o oczach*) piwny

hazel-grouse [ˈheizl,graus] *s zoo* jarząbek (samiec)

hazel-hen [ˈheizl,hen] *s zoo* jarząbek (samica)

hazel-nut [ˈheizl,nʌt] *s* orzech laskowy

haziness [ˈheizinis] *s* mglistość

hazy [ˈheizi] *adj* (**hazier** [ˈheiziə], **haziest** [ˈheiziist]) 1. zamglony 2. (*o pojęciu, wspomnieniu itp*) mglisty; niejasny

H-bomb [ˈeitʃ,bɔm] *s* bomba wodorowa

he [hi:] *pron* on; **~ who** <**~ that**> **believes** <**sees etc.**> (ten) kto wierzy <widzi itd.>

head [hed] [I] *s* 1. głowa; czub; łeb (zwierzęcia); główka (szpilki, gwoździa itd.); **a fine ~ of hair** bujna czupryna; **two ~s are better than one** co dwie głowy to nie jedna; **he is off his ~** zwariował; **to do sth over sb's ~** z/robić coś z pominięciem kogoś; *przen* **to drag by the ~ and ears** ciągnąć za włosy; **to get sth into one's ~** wbić sobie coś do głowy; (*o winie itd*) **to go to the ~** iść do głowy; **to have a (bad) ~** mieć kociokwik <zgagę>; **I have a bad ~** głowa mnie boli; **to keep one's ~** nie tracić głowy; **to keep one's ~ above water** z/wiązać koniec z końcem; **to lay our** <**your etc.**> **~s together** naradzić się; **to let sb have his ~** popuścić komuś cugli; **to take it into one's ~ to do sth** wpaść na pomysł zrobienia czegoś; **to talk over sb's ~** mówić za mądrze dla kogoś; **to talk sb's ~ off** (gadaniem) wywiercić komuś dziurę w brzuchu; **to turn ~ over heels** nakryć się nogami; **what put that into his ~?** skąd mu to przyszło do głowy?; **from ~ to foot** z góry na dół; od stóp do głów; **~ over heels** a) do góry nogami b) na łeb na szyję; na gwałt; **~ over heels in love** zakochany bez pamięci; **per ~** (podatek, przydział itd.) na głowę 2. (*u jelenia*) rogi 3. główka (kapusty, sałaty, kwiatu itd.); kłos (zboża); korona (drzewa); czapka (grzyba); **~ cabbage** <**lettuce**> kapusta <sałata> głowiasta 4. *techn* głowica 5. budka (szofera); *pot* szoferka 6. (*u łóżka*) wezgłowie; **under the ~** w głowach 7. góra (rzeki, stołu, stronicy, schodów); szczyt (masztu) 8. czop (wrzodu); **to come to a ~** obierać (się); **to bring matters to a ~** doprowadzić sprawę do punktu kulminacyjnego 9. piana (**on beer** na kuflu piwa) 10. rubryka; nagłówek; punkt; dział; dziedzina; *prawn* paragraf; **on this ~** na tym punkcie; **under the same ~** pod tą samą rubryką; pod jednym nagłówkiem; pod tym względem; **to fall under the ~ of** __ podpadać pod rubrykę...; należeć do dziedziny... 11. dziób (statku); przód <koniec> (mola itd.); cypel 12. czoło (listy, pochodu itd.); **at the ~** na czele 13. kierowni-k/czka; szef; naczelnik; dyrektor; głowa (kościoła, państwa, rodziny, rodu) 14. (*pl* **head**) sztuka (bydła) 15. pogłowie; zwierzostan 16. reszka (monety); **~s or tails?** orzeł czy reszka?; **not to be able to make ~ or tail of sth** nie móc się zorientować <rozeznać> w czymś 17. śmietanka <kożuch> (na mleku) 18. *górn* wieża szybowa; nadszybie; zrąb <wylot> (szybu); wyrobisko poziome; chodnik 19. wysokość (ciśnienia, słupa wody itd.); poziom (wody w stawie itd.) 20. hak (pługa) 21. = **headway; to make ~** iść <posuwać się> naprzód; robić postępy; **to make ~ against sb, sth** stawiać czoło <przeciwstawiać się> komuś, czemuś [II] *attr* główny; naczelny; starszy (ogrodnik itd.) [III] *vt* 1. (*także* **~ down**) przycinać gałęzie <pędy> (**a tree** drzewa) 2. formować główki (**pins, nails** szpilek, gwoździ); przyprawi-ć/ać głowę (**sth** czemuś) 3. osadz-ić/ać; da-ć/wać dno (**a barrel** beczce) 4. zatytułować (rozdział itd.) 5. stać <być, iść> na czele (**sth** czegoś); prowadzić 6. wznosić się (**sth** nad czymś); być u szczytu <na szczycie> (**sth** czegoś); widnieć (**sth** nad czymś) 7. stawi-ć/ać czoło <sprzeciwi-ć/ać się> (**sth** czemuś) 8. nada-ć/wać kurs (**a ship for** __ statkowi na...) 9. obejść <objechać> (rzekę) od strony źródła 10. (*w piłce nożnej*) *w zwrocie*: **to ~ the ball** zagrać głową [IV] *vi* 1. wziąć/brać kurs (**for** __ na...); iść <jechać, płynąć, kierować się, zdążać> (**for a port** <**place**> do portu <do miejscowości>); iść (**for ruin etc.** ku ruinie itd.) 2. (*o kapuście, sałacie*) zawiąz-ać/ywać się; (*o zbożu*) kłosić się; (*o wrzodzie*) obierać 3. *am* (*o rzece*) mieć źródło (**at a place** gdzieś)

~ back *vt* 1. naganiać (zwierzynę) 2. odciąć odwrót (**the enemy** wrogowi)

~ off *vt* przeci-ąć/nać drogę (**sb** komuś); odci-ąć/nać odwrót (**the enemy** wrogowi)

zob **heading**

headache [ˈhedeik] *s* ból głowy; **a sick ~** ból

głowy z nudnościami; migrena; **it gives me a ~** pęka mi od tego głowa

headachy ['hedeiki] *adj* 1. (*o zajęciu, winie, zapachu*) od którego głowa boli; przyprawiający o ból głowy 2. cierpiący na ból/e głowy; **I feel ~** mam ciężką głowę; czuję, że mnie głową rozboli

headband ['hed,bænd] *s* 1. opaska na głowę 2. *introl* kapitałka (u grzbietu książki)

head-dress ['hed,dres] *s* 1. fryzura 2. ubiór głowy

header ['hedə] *s* 1. bednarz wprawiający dna (do beczek) 2. cegła-główka (poprzeczna) 3. *bud* wiązarek 4. *sport* skok do wody głową naprzód 5. *sport* główka, odbicie (piłki nożnej) głową 6. *górn* (górnik) chodnikowy 7. zbiornik

head-frame ['hed,freim] *s* wieża szybowa

head-gear ['hed,giə] *s* 1. ubiór głowy 2. = **head-frame**

headiness ['hedinis] *s* 1. porywczość; popędliwość; nierozwaga; krewkość 2. moc (wina) *zob* **heady**

heading ['hediŋ] [I] *zob* **head** *v* [II] *s* 1. nagłówek; rubryka; dział 2. *mar* kurs 3. *górn* przekop; chodnik 4. dno (beczki) 5. cegła-główka (poprzeczna)

headland ['hedlənd] *s* 1. cypel; przylądek 2. *roln.* zagon poprzeczny łączący inne

headlight ['hed,lait] *s* reflektor (samochodu itd.)

head-line ['hed,lain] *s* 1. nagłówek (w dzienniku) 2. *pl* **~s** *radio* wiadomości w skrócie 3. *mar* cuma

headlong ['hedlɔŋ] [I] *adv* 1. (upaść itd.) głową <twarzą> naprzód 2. (popędzić itd.) na oślep <na złamanie karku, na łeb na szyję> [II] *adj* porywczy; popędliwy; krewki; nierozważny

headman ['hedmæn] *s* (*pl* **headmen** ['hed,men]) 1. ['hedmæn] wódz (plemienia) 2. ['hed'mæn] (robotnik) przodownik

head-master ['hed'ma:stə] *s* dyrektor szkoły

head-mistress ['hed'mistris] *s* dyrektorka szkoły

headmoney ['hed,mʌni] *s* *hist* pogłówne

headmost ['hedmoust] *adj* przedni; (idący, płynący, lecący) na przedzie <na czele>

head-on ['hed'ɔn] *adj* (*o zderzeniu*) czołowy; na wprost

headphones ['hed,founz] *spl* słuchawki

headpiece ['hed,pi:s] *s* 1. hełm 2. *druk* winieta 3. *sl* rozum w głowie

headquarters ['hed'kwɔ:təz] *s* 1. *wojsk* główna kwatera; dowództwo 2. główne biuro; centralny zarząd

head-race ['hed,reis] *s* główny kanał dopływowy (młyna)

head-rest ['hed,rest] *s* (*u fotela*) oparcie dla głowy

head-sea ['hed,si:] *s* wiatr przeciwny

headship ['hedʃip] *s* nadrzędność; zwierzchnictwo

headsman ['hedzmən] *s* (*pl* **headsmen** ['hedzmən]) 1. kat 2. = **headman**

headspring ['hed,spriŋ] *s* główne źródło

headstall ['hed,stɔ:l] *s* nagłówek (u uprzęży); uździenica

headstock ['hed,stɔk] *s* 1. (*u tokarki, obrabiarki*) głowica; część podtrzymująca 2. *górn* wieża szybowa

headstone ['hed,stoun] *s* 1. nadproże kamienne 2. kamień węgielny 3. nagrobek

headstrong ['hed,strɔŋ] *adj* uparty; zawzięty; nieprzejednany

head-voice ['hed,vɔis] *s* *muz* (*w śpiewie*) rejestr głowowy; falset

headway ['hed,wei] *s* 1. postęp/y; **to make ~** robić postępy; posuwać się naprzód 2. odstęp czasu między jednym autobusem <pociągiem itd.> a następnym 3. *górn* chodnik

head-wind ['hed,wind] *s* wiatr przeciwny <z czoła>

heady ['hedi] *adj* (**headier** ['hediə], **headiest** ['hediist]) 1. gwałtowny; raptowny; popędliwy 2. (*o winie itp*) mocny; idący do głowy

heal [hi:l] [I] *vt* wyleczyć <uzdr-owić/awiać> (**sb of sth** kogoś z czegoś); goić; uśmierz-yć/ać [II] *vi* (*także* **~ up**) (*o ranie*) za/goić się; (*o człowieku*) wyleczyć się; wyzdrowieć

heal-all ['hi:l'ɔ:l] *s* 1. lekarstwo na wszystko; uniwersalny lek; panaceum 2. nazwa niektórych ziół leczniczych

healer ['hi:lə] *s* środek <czynnik> leczniczy; lekarstwo; lek; **time is a great ~** czas jest najlepszym lekarzem

health [helθ] [I] *s* zdrowie; **to drink the ~ of —** wzn-ieść/osić toast <pić> za zdrowie ... (czyjeś) [II] *attr* zdrowotny; sanitarny; higieniczny; *am* **~ center** ośrodek zdrowia; **~ certificate** świadectwo lekarskie; **~ insurance** ubezpieczenie na wypadek choroby; **~ officer** lekarz urzędowy; inspektor sanitarny; **~ resort** miejscowość kuracyjna; uzdrowisko; kurort

healthful ['helθful], **health-giving** ['helθ,giviŋ] *adj* zdrowy; odżywczy; zdrowotny

healthiness ['helθinis] *s* 1. dobre zdrowie 2. odżywcze działanie (czegoś)

health-officer ['helθ,ɔfisə] *zob* **health** *attr*

healthy ['helθi] *adj* (**healthier** ['helθiə], **healthiest** ['helθiist]) 1. zdrowy; cieszący się dobrym zdrowiem; **to look ~** zdrowo wyglądać 2. zdrowy, dobry <wskazany> dla zdrowia

heap [hi:p] [I] *s* 1. stos; kupa; kopiec; **to fall in a ~** upaść jak kłoda; **struck all of a ~** osłupiały 2. *am* stary grat 3. *pot* mnóstwo; masa; **to be ~s better** mieć się o wiele lepiej [II] *vt* 1. (*także* **~ up**) nagromadz-ić/ać 2. (*także* **~ up**) ułożyć/układać <usyp-ać/ywać> stos/y <kop-iec/ce> (**sth** z czegoś) 3. na/ładować <na/sypać, nałożyć, nakładać> (**sth with goods etc.** towar/u itd. na coś) 4. zasyp-ać/ywać (**praises** <**insults**> **on sb** kogoś pochwałami <obelgami>)

hear [hiə] *v* (**heard** [hə:d], **heard**) [I] *vt* 1. u/słyszeć (**sth** coś; **sb say sth** że ktoś coś mówi) 2. po/słuchać (**sth** czegoś); przepyt-ać/ywać (**a pupil his lesson** ucznia z lekcji); **~, ~!** (*na zebraniu*) brawo!; *prawn* sądzić (sprawę); przesłuch-ać/iwać (świadków); wysłuchać <spełnić> (**a request** prośbę) [II] *vi* 1. dowi-edzieć/adywać się (**about sth** czegoś, o czymś); **to let sb ~ of —** powiadomić kogoś o ... (czymś) 2. otrzymać <mieć> wiadomość (**from sb** od kogoś) 3. słyszeć (**of sb, sth** o kimś, czymś); **I never heard of such a thing!** to niesłychane!

~ out *vt* wysłuchać do końca

zob **hearing**

heard *zob* **hear**

hearer ['hiərə] *s* 1. słuchając-y/a; słuchacz/ka 2. *pl* **~s** audytorium

hearing ['hiəriŋ] [I] *zob* **hear** [II] *s* 1. usłyszenie (czegoś); **it came to my ~** doszło do mnie (że ...)

2. audycja; próba głosu 3. wysłuchanie; **to give sb a ~** wysłuchać kogoś 4. przesłuchiwanie (świadka); rozprawa (sądowa) 5. słuch 6. granice słyszalności; **in my ~** w mojej obecności; **it was said out of anybody's ~** nikt nie mógł tego słyszeć; **it was said within ~** wszyscy mogli to słyszeć

hearken ['ha:kən] *vi lit* słuchać (**to sb** kogoś)

hearsay ['hiə,sei] [I] *s* pogłoska; wieść; **to know sth from ~** wiedzieć o czymś ze słyszenia [II] *attr* (*o wiadomości itd*) oparty na pogłoskach

hearse [hə:s] *s* karawan

hearse-cloth ['hə:s,klɔθ] *s* całun

heart [ha:t] [I] *s* 1. serce; *przen* dusza; **a man after one's own ~** bratnia dusza; **bless my <your> ~!** Boże ty mój!; **from the bottom of my ~** z głębi (mego) serca; **his ~ is in the right place** to jest człowiek z sercem; **I have it at ~** to mi leży na sercu; **in one's ~ of ~s** w tajnikach duszy; **it was enough to break your ~** serce się krajało; **to one's ~'s content** do syta; **with all my ~** z radością; **with half a ~** bez wielkiej ochoty; **to cry one's ~ out** płakać rzewnymi łzami; zalewać się łzami; **to eat one's ~ out** umierać z tęsknoty; **to have one's ~ in one's boots** drżeć ze strachu; mieć duszę na ramieniu; **to have one's ~ in one's mouth** mieć ściśnięte gardło; **to set one's ~ on sth <on doing sth>** uprzeć się przy czymś <że się coś zrobi>; **to take sth to ~** wziąć/brać sobie coś do serca; **to talk ~ to ~** mówić szczerze <otwarcie>; **to wear one's ~ on one's sleeve** wyjawiać wszystkie swoje uczucia; mieć serce na dłoni 2. otucha; odwaga; duch; **my ~ sank (into my boots) <died within me>** serce mi zamarło; **not to find it in one's ~ to** __ nie mieć odwagi ... (zrobić czegoś); **to be of good ~** być dobrej myśli; nie tracić otuchy <ducha>; **to take ~** nabrać otuchy 3. sedno (sprawy); rdzeń 4. *pl* **~s** *karc* kier/y ‖ **by ~** na pamięć [II] *attr* sercowy; (*o ataku itd*) serca; **~ specialist** kardiolog

heart-ache ['ha:t,eik] *s* strapienie; smutek

heart-beat ['ha:t,bi:t] *s* uderzenie serca; *przen* wzruszenie

heart-breaking ['ha:t,breikiŋ] *adj* rozdzierający serce

heart-broken ['ha:t,broukən] *adj* ze złamanym sercem

heart-burn ['ha:t,bə:n] *s* palenie w żołądku; zgaga

heart-burning ['ha:t,bə:niŋ] *s* 1. zawiść 2. utajony żal

heart-disease ['ha:t-di,zi:z] *s* choroba <wada> serca; dolegliwość sercowa

hearten ['ha:tn] [I] *vt* (*także* **~ up**) doda-ć/wać serca <ducha, otuchy, odwagi> (**sb** komuś) [II] *vi* (*także* **~ up**) nab-rać/ierać ducha; podn-ieść/osić się na duchu

heart-failure ['ha:t,feiljə] *s* niewydolność serca

heart-felt ['ha:t,felt] *adj* szczery; z głębi serca płynący

hearth [ha:θ] *s* 1. palenisko; *przen* piec; kominek 2. ognisko domowe 3. *techn* dno paleniska

hearth-money ['ha:θ,mʌni] *s hist* podymne

hearth-rug ['ha:θ,rʌg] *s* dywan <dywanik> przed kominkiem

hearth-stone ['ha:θ,stoun] *s* 1. obmurze paleniska 2. kamień ognioodporny 3. *geol* twardy porowaty piaskowiec żelazisty

heartily ['ha:tili] *adv* 1. serdecznie 2. szczerze 3. chętnie; z ochotą 4. (jeść) z apetytem <obficie> 5. gruntownie (zniechęcony itp.); **to be ~ sick of sth** mieć czegoś powyżej uszu

heartiness ['ha:tinis] *s* 1. serdeczność 2. szczerość 3. ochota; gorliwość *zob* **hearty** *adj*

heartless ['ha:tlis] *adj* bez serca; nieczuły

heartlessness ['ha:tlisnis] *s* brak serca; nieczułość

heart-rending ['ha:t,rendiŋ] *adj* rozdzierający serce

heart's-blood ['ha:ts,blʌd] *s przen* życie

heart-searching ['ha:t,sə:tʃiŋ] [I] *s* głębokie zastanowienie się [II] *adj* (*o spojrzeniu itd*) przenikliwy; sięgający w głąb duszy

heart's-ease ['ha:ts,i:z] *s bot* fiołek trójbarwny; bratek

heart-shake ['ha:t,ʃeik] *s* przemarzlina (w drzewie)

heart-sick ['ha:t,sik] *adj* zniechęcony; przybity; z rozpaczą w sercu

heartsome ['ha:tsəm] *adj* wesoły; pełen radości

heart-strings ['ha:t,striŋz] *spl przen* uczucia; **to play on sb's ~** grać na czyichś uczuciach

heart-to-heart ['ha:t-tə'ha:t] *adj* (*o rozmowie*) szczery; **to have a ~ talk with sb** pomówić z kimś otwarcie <szczerze>

heart-whole ['ha:t,houl] *adj* 1. nie myślący o miłości; nie zakochany 2. nie zniechęcony 3. nie zatrwożony

heart-wood ['ha:t,wud] *s bot* twardziel

hearty ['ha:ti] [I] *adj* (**heartier** ['ha:tiə], **heartiest** ['ha:tiist]) 1. serdeczny; szczery 2. krzepki; rześki 3. (*o posiłku*) obfity; solidny; (*o apetycie*) dobry; **to be a ~ eater** cieszyć się dobrym apetytem [II] *spl* (*do marynarzy*) **my hearties** chłopcy!; wiara!

heat [hi:t] [I] *s* 1. upał; gorąco; żar; spiekota; skwar 2. *fiz* ciepło; temperatura; żar; żarzenie (się); **red <white> ~** rozżarzanie (się) do czerwoności <do białości> 3. żar <zapał, ogień> (dyskusji, walki itd.) 4. uniesienie; pasja; **to get into a ~** unieść się; **to work oneself up into a white ~** doprowadzić się do białej gorączki; roznamiętnić się 5. *am* starcie (z policją) 6. popęd płciowy; (*o zwierzętach*) **to be in ~** gonić <grzać> się 7. *med* zaczerwienienie (skóry); pierzchnice 8. jednorazowa próba; **at a ~** naraz; za jednym zamachem; **dead ~** remis; **final ~** finał; **trial ~s** zawody eliminacyjne [II] *attr* kaloryczny; cieplny [III] *vt* grzać, ogrz-ać/ewać, rozgrz-ać/ewać, zagrz-ać/ewać; za/palić; opal-ić/ać; rozpal-ić/ać (metal, namiętności itd.); podniec-ić/ać (wyobraźnię); rozogni-ć/ać; zaparz-yć/ać (siano, zboże); (*o człowieku*) **to get ~ed** a) rozgrz-ać/ewać się (gimnastyką itp.) b) rozogni-ć/ać <roznamiętni-ć/ać, podniec-ić/ać> się [IV] *vi* ogrz-ać/ewać <rozgrz-ać/ewać, zagrz-ać/ewać> się; rozpal-ić/ać się; (*o sianie, zbożu*) zaparz-yć/ać się

~ up *vt* podgrz-ać/ewać

zob **heated**

heated ['hi:tid] [I] *zob* **heat** *v* [II] *adj* (*o dyskusji*) ożywiony; gorący; (*o człowieku*) (będący) w podnieceniu; podniecony (wypitym winem itd.); (*o słowach*) powiedziany w uniesieniu <w gniewie>

heatedly ['hi:tidli] *adv* w podnieceniu; w zapale; z żarem; z temperamentem

heat-engine ['hi:t,endʒin] *s* silnik cieplny

heater ['hi:tə] *s* ogrzewacz; podgrzewacz; grzejnik; grzałka; kaloryfer; piec, piecyk

heath [hi:θ] *s* 1. wrzosowisko 2. *bot* wrzosiec

heath-cock ['hi:θ,kɔk] *s zoo* głuszec

heathen ['hi:ðən] [I] *s* 1. (*pl* **the heathen**) poganin 2. (*pl* **~s**) człowiek ciemny <bez kultury> [II] *adj* 1. pogański 2. bez kultury; ciemny

heathendom ['hi:ðəndəm], **heathenism** ['hi:ðə,nizəm] *s* pogaństwo

heathenish ['hi:ðəniʃ] *adj* pogański; barbarzyński

heathenism *zob* **heathendom**

heather ['heðə] *s bot* wrzos

heather-bell ['heðə,bel] *s* kwiat wrzosu

heathery ['heðəri] *adj* porosły wrzosem

heath-hen ['hi:θ,hen] *s zoo* cieciorka (samica cietrzewia)

heathy ['hi:θi] *adj* (**heathier** ['hi:θiə], **heathiest** ['hi:θiist]) porosły wrzosem

heat-lightning ['hi:t,laitniŋ] *s* cicha błyskawica

heat-spot ['hi:t,spɔt] *s* pieg

heat-wave ['hi:t,weiv] *s* fala upałów

heave [hi:v] *v* (*praet* **heaved** [hi:vd], **hove** [houv], *pp* **heaved, hove**) [I] *vt* 1. podn-ieść/osić; dźwig-nąć/ać; ładować <rozładowywać> (węgiel); **~ ho!** do góry! 2. *geol* wycis-nąć/kać (spąg) 3. wyda-ć/wać (westchnieni-e/a); **to ~ a sigh** ciężko westchnąć 4. *mar* rzuc-ić/ać (sondę itd.) 5. obr-ócić/acać (statek) [II] *vi* 1. podn-ieść/osić <dźwig-nąć/ać> się 2. podnosić się i opadać; falować 3. mieć mdłości <nudności> 4. *geol* (*o spągu*) pęcznieć 5. *mar* (*o statku*) ciągnąć; posuwać się naprzód; obr-ócić/acać się; **to ~ in sight** ukaz-ać/ywać się

~ down *vt* przechyl-ić/ać (statek) na bok

~ to [I] *vt* zatrzym-ać/ywać (statek) [II] *vi* (*o statku*) zatrzym-ać/ywać się; sta-nąć/wać

[III] *s* 1. podniesienie; dźwignięcie 2. nudności; mdłości 3. fala; wzburzenie (morza) 4. *geol* rozstęp poziomy; pęcznienie (spągu) 5. *pl* **~s** dychawica (u konia)

heaven ['hevn] *s* (*także pl* **~s**) niebo; niebiosa; raj; **for ~'s sake!** na miły Bóg!; **good ~s!** *wyraża zdziwienie*: Jezus Maria!; **~ forbid!** niech (Pan) Bóg broni!; **thank ~!** dzięki Bogu!; *przen* **to move ~ and earth** poruszyć niebo i ziemię

heavenly ['hevnli] *adj* niebieski; niebiański; rajski; boski

heavenward ['hevnwəd] *adv* ku niebu; w przestworza

heaver ['hi:və] *s* 1. *górn* rębacz 2. ładowacz (węgla) 3. łom; drąg; dźwignia

heavily ['hevili] *adv* 1. ciężko; ociężale 2. silnie; mocno 3. dużo; obficie 4. głęboko (spać, westchnąć) 5. uciążliwie; boleśnie *zob* **heavy** *adj*

heaviness ['hevinis] *s* 1. ciężkość 2. ciężar 3. ociężałość 4. depresja

heavy[1] ['hevi] [I] *adj* (**heavier** ['heviə], **heaviest** ['heviist]) 1. ciężki; ociężały; ważki 2. (*o uderzeniu itd*) silny; mocny 3. intensywny; (*o winie*) mocny 4. (*o kobiecie*) ciężarna; (*o samicy*) **~ with young** kotna; szczenna; cielna; źrebna; prośna 5. *druk* tłusty 6. (*o deszczu*) rzęsisty 7. (*o posiłku*) obfity; (*o potrawie*) ciężko strawny 8. (*o wydatku, stracie, odpowiedzialności itd*) duży, wielki 9. (*o podatku, procencie*) wysoki 10. (*o ciszy, śnie*) głęboki 11. (*o pracy, zadaniu*) ciężki; uciążliwy; żmudny; trudny 12. (*o drodze*) zły; wyboisty; nierówny 13. (*o pogodzie*) burzliwy 14. (*o morzu*) wzburzony 15. (*o niebie*) pochmurny 16. *teatr* poważny; ponury [II] *adv* ciężko; **to lie** <**hang**> **~** ciążyć; (*o czasie*) dłużyć się; **to lie ~ on sb's stomach** leżeć komuś w żołądku [III] *spl* **the heavies** dragoni gwardii

heavy[2] ['hi:vi] *adj* (*o koniu*) dychawiczny

heavy-handed ['hevi'hændid] *adj* 1. niezgrabny; niedelikatny; nietaktowny 2. (*o rządach*) uciążliwy; bezwzględny

heavy-headed ['hevi'hedid] *adj* z ciężką głową

heavy-hearted ['hevi'ha:tid] *adj* z ciężkim sercem

heavy-laden ['hevi'leidn] *adj* ciężko naładowany; silnie obciążony

heavy-weight ['hevi,weit] [I] *s boks* waga ciężka; **light ~** waga półciężka [II] *adj* (*o pięściarzu*) ciężkiej wagi

hebdomadal [heb'dɔmədl] *adj* tygodniowy

Hebe ['hi:bi] *spr* 1. *mitol* Hebe 2. *sl* kelnerka

hebetate ['hebi,teit] *vt* ogłupi-ć/ać

hebetude ['hebi,tju:d] *s* ogłupienie; tępota

Hebraic [hi'breiik] *adj* hebrajski

Hebraism ['hi:brei,izəm] *s* hebraizm

Hebrew ['hi:bru:] [I] *s* 1. Izraelit-a/ka; Żyd/ówka 2. język hebrajski [II] *adj* hebrajski; żydowski

hecatomb ['hekə,toum] *s* hekatomba

heck[1] [hek] *s* zapora <jaz> dla ryb (w rzece)

heck[2] [hek] *s* 1. drabki na siano (w stajni) 2. widełki (kołowrotka)

heck[3] [hek] *am pot w wyrażeniach wykrzyknikowych* = **hell**

heckle ['hekl] [I] *vt* 1. = **hackle**[1] *v* 2. (*na zebraniu*) nękać (kandydata na posła) kłopotliwymi pytaniami [II] *s* = **hackle**[1] *s*

hectare ['hekta:] *s* hektar

hectic ['hektik] *adj* 1. *med* (*o gorączce*) niszczący; hektyczny, trawiący 2. (*o wypiekach*) gorączkowy 3. *pot* gorączkowy; rozgorączkowany; szalony; szaleńczy; **to have a ~ time** a) gorączkowo pracować b) bawić się do upadłego; szaleć (w zabawie)

hectograph ['hektou,gra:f] [I] *s* powielacz [II] *vt* powiel-ić/ać

hector ['hektə] [I] *s* zawadiaka; samochwał [II] *vt* tyranizować; zastrasz-yć/ać

hectowatt ['hektou,wɔt] *s* hektowat

he'd [hi:d] = **he had; he would**

heddles ['hedlz] *spl tekst* struny nicielnicy

hedge [hedʒ] [I] *s* 1. żywopłot; płot; ogrodzenie; **to sit on the ~** zająć pozycję <stanowisko> wyczekując-ą/e; nie angażować się 2. szpaler (wojska, policji itd.) [II] *attr* (*o zajęciu*) gorszego rodzaju; pokątny [III] *vt* 1. ogr-odzić/adzać; ot-oczyć/aczać żywopłotem <trudnościami> [IV] *vi* 1. strzyc żywopłot 2. (*w zakładach o pieniądze oraz w spekulacjach giełdowych*) za/asekurować się na dwie strony 3. zachow-ać/ywać rezerwę; nie za/angażować się

~ about <**in**> *vt* ogr-odzić/adzać; ot-oczyć/aczać żywopłotem; **~d about with difficulties** najeżony trudnościami

~ off *vt* odgr-odzić/adzać

hedgehog ['hedʒ,hɔg] *s* 1. *zoo* jeż 2. człowiek nieużyty

hedgehoggy ['hedʒ,hɔgi] *adj* jeżasty, jeżowaty

hedge-priest ['hedʒ,pri:st] *s* niewykształcony duchowny

hedger ['hedʒə] *s* 1. ogrodnik specjalista od sadzenia, przycinania i naprawy żywopłotów 2. człowiek postępujący z rezerwą <z wielką ostrożnością>

hedge-row ['hedʒ,rou] *s* żywopłot

hedge-school ['hedʒ,sku:l] *s* prymitywna <nędzna> szkoła pod gołym niebem

hedge-sparrow ['hedʒ'spærou] *s zoo* płochacz pokrzywnica (ptak)

hedonism ['hi:do,nizəm] *s filoz* hedonizm

heebie-jeebies ['hi:bi'dʒi:biz] *spl pot* atak nerwowy <histeryczny>

heed [hi:d] [I] *vt* uważać <zważać> (**sb, sth** na kogoś, coś) [II] *s* uwaga; **to give** <**pay**> **~ to sth** uważać <zwr-ócić/acać uwagę, zważać> na coś; **to take ~** uważać; być ostrożnym; **to take (no) ~ of sth** (nie) zważać na coś; (nie) dbać o coś

heedful ['hi:dful] *adj* uważny; ostrożny; dbały

heedless ['hi:dlis] *adj* niedbały; nieuważny; nieostrożny; **to be ~ of sth** nie zważać na coś; nie dbać o coś

heehaw ['hi:'hɔ:] [I] *vi* 1. (*o ośle*) za/ryczeć 2. (*o ludziach*) wybuch-nąć/ać głośnym śmiechem [II] *s* 1. ryk osła 2. głośny śmiech

heel[1] [hi:l] [I] *s* 1. pięta; **close** <**fast**> **on sb's ~s** tuż za kimś 2. obcas; **down at (the) ~** a) (*o obuwiu*) wytarty; zdarty b) (*o człowieku*) w biedzie; zaniedbany; **out at ~s** a) (*o pończosze*) dziurawy b) (*o człowieku*) obszarpany; obdarty; (*do psa*) **to ~!** do nogi!; **under the ~ of the invader** pod butem najeźdźcy; **to bring sb to ~** utrzeć komuś nosa; **to cool** <**kick**> **one's ~s** czekać bez końca; **to show a clean pair of** <**to take to one's**> **~s** wziąć nogi za pas; uciec; **to tread on** <**be at**> **sb's ~s** deptać komuś po piętach 3. piętka (chleba itd.) 4. (*u ptaka*) ostroga 5. tylna część kopyta końskiego 6. *am* łajda-k/czka [II] *vt* 1. wstawi-ć/ać piętę (**a stocking** do pończochy); dor-obić/abiać obcas/y (**a shoe** do buta) 2. kop-nąć/ać (piłkę) obcasem 3. deptać po piętach (**sb** komuś) [III] *vi* przytupywać (w tańcu)

heel[2] [hi:l] [I] *vt vi* przechyl-ić/ać (się) [II] *s mar* przechył <przechylenie się> (statku)

heel-ball ['hi:l,bɔ:l] *s* smoła szewska

heel-bone ['hi:l,boun] *s anat* kość piętowa

heel-piece ['hi:l,pi:s] *s* pięta (pończochy)

heel-plate ['hi:l,pleit] *s* blaszka (na obcas)

heel-tap ['hi:l,tæp] *s* 1. flek (na obcasie) 2. nie dopita zawartość szklanki <kieliszka>

heft [heft] [I] *s* 1. *am* waga 2. podnoszenie [II] *vt* podnosić (dla ocenienia ciężaru); próbować ciężaru (**sth** czegoś)

hefty ['hefti] *adj* (**heftier** ['heftiə], **heftiest** ['heftiist]) 1. mocny, silny; muskularny 2. *am* ciężki

Hegelian [hi'gi:liən] *adj* heglowski

hegemony [hi'geməni] *s* hegemonia

Hegira ['hedʒirə] *s* (*u muzułmanów*) hidżra, hedżra

heifer ['hefə] *s* jałówka; *am sl* **~ den** burdel

heigh [hei] *interj wyraża zachętę:* hejże!

heigh-ho ['hei'hou] *interj* ojej!; hej!; ho!

height [hait] *s* 1. wysokość; **~ indicator** wysokościomierz 2. wzrost 3. wzniesienie, wyniosłość (terenu) 4. szczyt (sławy, szaleństwa itd.); **at the ~ of the storm, when the storm was at its ~** gdy burza rozszalała się do najwyższych granic; **indignation was at its ~** oburzenie doszło do szczytu; **in the ~ of summer** w pełni lata; **in the ~ of winter** w największe mrozy; **the ~ of fashion** ostatnia <najnowsza> moda 5. punkt kulminacyjny; pełnia (rozkwitu itd.); zenit

heighten ['haitn] *vt* 1. podn-ieść/osić; podwyższ-yć/ać; nadbudow-ać/ywać (**a building** budynek) 2. powiększ-yć/ać; wzm-óc/agać; uwydatni-ć/ać; powiększ-yć/ąć (zło) 3. przesadz-ić/ać (**sth** w czymś)

heinous ['heinəs] *adj* ohydny; haniebny; okropny

heinousness ['heinəsnis] *s* ohyda

heir [ɛə] *s* spadkobierca; dziedzic; następca; **~ apparent** prawowity następca <spadkobierca>; *prawn* **~ presumptive** domniemany spadkobierca

heirdom ['ɛədəm] *s* dziedzictwo; dziedziczenie; następstwo

heiress ['ɛəris] *s* dziedziczka; spadkobierczyni; następczyni

heirloom ['ɛəlu:m] *s* spadek; dziedzictwo; scheda

held *zob* **hold** *v*

helianthus [,hi:li'ænθəs] *s bot* słonecznik

helical ['helikəl] *adj* śrubowy; spiralny; ślimakowaty

helices *zob* **helix**

helicopter ['heli,kɔptə] *s* helikopter, śmigłowiec

heliograph ['hi:liou,gra:f] *s* heliograf

heliogravure ['hi:liougrə'vjuə] *s druk* heliograwiura, światłodruk

helioscope ['hi:liə,skoup] *s astr* helioskop

heliotherapy [,hi:liou'θerəpi] *s med* helioterapia

heliotrope ['heliə,troup] *s bot* heliotrop, tomiłek

helium ['hi:liəm] *s chem* hel (pierwiastek)

helix ['hi:liks] *s* (*pl* **helices** ['heli,si:z]) 1. *geom* helisa, linia śrubowa 2. spirala 3. *techn* ślimacznica; wężownica 4. *anat* obrąbek uszny; ślimak 5. *arch* ślimacznica 6. *zoo* ślimak

hell [hel] *s* 1. piekło; **a ~ of a noise** <**mess etc.**> piekielny <potworny> hałas <bałagan itd.>; **to give sb ~** z/robić komuś piekło; **go to ~!** idź/cie do diabła!; **like ~** jak wszyscy diabli; piekielnie; szatańsko; **what the ~ ... ?** co u diabła...? 2. piekielne męki 3. *wykrzyknikowo:* psiakrew! 4. *am* jaskinia gry 5. *am* pijatyka

he'll [hi:l] = **he will**

hell-cat ['hel,kæt] *s* megiera; jędza; wiedźma

hellebore ['heli,bɔ:] *s bot* ciemiernik czarny

Hellene ['heli:n] *s* Helle-ńczyk/nka, Gre-k/czynka

Hellenic [he'li:nik] *adj* helleński

hell-fire ['hel,faiə] *s* ogień piekielny

hell-hound ['hel,haund] *s* diabeł wcielony

hellion ['heliən] *s am pot* diablę wcielone

hellish ['heliʃ] *adj* piekielny; diabelski

hello ['he'lou] *interj* 1. = **hallo** 2. *przywoływanie:* halo, halo! 3. *wyraża zdziwienie:* ho-ho!; coś podobnego!

helluva ['heləvə] *am* = **hell of a ...** (**noise, mess etc.**) *zob* **hell** 1.

helm[1] [helm] *s mar* koło sterowe; ster; **the ~ of the State** ster nawy państwowej; **the man at the ~** sternik
helm[2] [helm] *s †* hełm; szyszak
helmet ['helmit] *s* hełm; kask
helmeted ['helmitid] *adj* w hełmie; z hełmem <z kaskiem> na głowie
helminth ['helminθ] *s zoo* pasożyt <robak> jelitowy
helminthic [hel'minθik] *adj farm* (*o środku*) na robaki, przeciw robakom
helmsman ['helmzmən] *s* (*pl* **helmsmen** ['helmz mən]) sternik
helot ['helət] *s* 1. *hist* helota 2. *przen* niewolnik
help [help] [I] *vt* (**helped** [helpt], *†* **holp** [houlp], **helped,** *†* **holpen** ['houlpən]) 1. pom-óc/agać <dopom-óc/agać, być pomocnym> (**sb** komuś); wspom-óc/agać; po/ratować; udziel-ić/ać wsparcia (**sb** komuś); **can I ~ you?** czy mogę ci (w czymś) pomóc?; czy mogę panu <pani> czymś służyć?; **he knows how to ~ himself** on umie sobie poradzić; **~!** pomocy!; **that won't ~** to nie pomoże; to się na nic nie zda; **to ~ a lame dog over a stile** pomóc komuś w chwili potrzeby; **to ~ sb across _** pomóc komuś przejść przez... 2. (*przy stole*) na-łożyć/kładać <wziąć/brać> (jedzenie); **to ~ oneself to _** wziąć/brać <nałożyć> sobie na talerz... (mięsa, jarzyn itd.); **to ~ oneself to some more** wziąć sobie jeszcze; dobrać sobie; **to ~ sb to sth** a) podać komuś coś b) nałożyć komuś czegoś na talerz c) nalać komuś czegoś; **to ~ the soup** rozl-ać/ewać zupę; **to ~ the fish** rozdziel-ić/ać rybę 3. *w zdaniach pytających, warunkowych i przeczących, często z* **can**: unik-nąć/ać (**sth** czegoś); zapobiec (**sth** czemuś); zaradzić (**sth** czemuś); (cokolwiek) poradzić (**sth** na coś); **can that be ~ed?** czy można temu zapobiec <coś na to poradzić>?; **how can I ~ it?** cóż ja na to poradzę?; **I can't ~ it** nic na to nie poradzę; **it can't be ~ed** nie ma na to rady; nic się na to nie poradzi; **one can't ~ one's nature** nikt natury swojej nie zmieni 4. powstrzym-ać/ywać się (**sth** od czegoś); **don't be longer than you can ~** bądź/cie (tam) jak najkrócej; nie zasiedź/cie się tam; **he doesn't work more than he can ~** on pracuje tylko tyle ile musi; **I can't ~ going** nie mogę nie pójść; **I couldn't ~ laughing** nie mogłem powstrzymać się od śmiechu; musiałem się roześmiać; **not <no> more <less, longer etc.> than one can ~** nie więcej <nie mniej, nie dłużej itd.> niż się da
~ along *vt* pom-óc/agać (**sb, sth** komuś, czemuś) (w posuwaniu się naprzód, w rozwoju itd.)
~ down *vt* pom-óc/agać (**sb** komuś) zejść/schodzić
~ forward *vt* pom-óc/agać (**sb, a firm etc.** komuś, przedsiębiorstwu itd.) w posuwaniu się naprzód <w rozwoju>
~ in *vt* pom-óc/agać (**sb** komuś) wejść (do pojazdu itd.)
~ off <**on**> *vt w zwrotach*: **to ~ sb off** <**on**> **with his coat etc.** pom-óc/agać komuś zdjąć <wdziać> płaszcz itd.
~ out *vt* pom-óc/agać (**sb** komuś) wyjść <wysiąść> (z pojazdu itd.)
~ up *vt* pom-óc/agać (**sb** komuś) wejść na górę <podnieść się>
[II] *s* 1. pomoc; **with the ~ of _** a) przy pomocy... (czyjejś); z pomocą... (czyjąś) b) przy pomocy <za pomocą>... (czegoś); **can <could> I be of any ~ (to you)?** czy mogę (ci <wam>) w czymś pomóc?; **it wasn't much ~** to niewiele pomogło <na niewiele się zdało>; **to be a great ~** bardzo pomóc <się przydać>; **to be of ~** być pomocnym; przydać się; **to come to sb's ~** przyjść komuś z pomocą; **to lend sb one's ~** przyjść komuś z pomocą; udzielić komuś pomocy 2. środek zaradczy; rada; ratunek; **he is past ~** nie ma dla niego ratunku; on jest stracony; **there's no ~ for it** nie ma na to rady; nic się nie da na to zrobić; nic tu już nie pomoże 3. wsparcie 4. pomocni-k/ca; bona; służąc-y/a; posługacz/ka
helper ['helpə] *s* 1. pomocni-k/ca 2. parowóz pomocniczy
helpful ['helpful] *adj* pomocny; użyteczny; przydatny
helpfulness ['helpfulnis] *s* pomoc; użyteczność; przydatność
helpless ['helplis] *adj* 1. (*o sierocie*) bez oparcia 2. bezradny
helplessness ['helplisnis] *s* 1. brak jakiegokolwiek oparcia 2. bezradność
helpmate ['help,meit] *s* 1. pomocni-k/ca; współpracowni-k/ca 2. małżon-ek/ka; towarzysz/ka życia
helpmeet ['help,mi:t] = **helpmate** 2.
helter-skelter ['heltə'skeltə] [I] *adv* bezładnie; łapu-capu; na łap-cap [II] *s* zamęt; bezład [III] *adj* bezładny
helve [helv] [I] *s* rączka (młotka itd.); rękojeść; trzonek; stylisko; toporzysko; **to throw the ~ after the hatchet** dać sobie spokój (z czymś); *przen* przestać wojować [II] *vt* oprawi-ć/ać (siekierę itd.); zaopat-rzyć/rywać (siekierę itd.) w trzonek <w toporzysko itd.>
Helvetian [hel'vi:ʃiən] [I] *adj* szwajcarski [II] *s* Szwajcar/ka
hem[1] [hem] [I] *s* 1. brzeg; rąbek; kraj 2. obrąbek; obrębienie 3. oblamowanie, lamówka [II] *vt* (**-mm-**) 1. obszy-ć/wać; oblamow-ać/ywać 2. obrębi-ć/ać
~ in *vt* ot-oczyć/aczać; okrąż-yć/ać; osacz-yć/ać
hem[2] [hem] [I] *s* chrząkanie [II] *vi* (**-mm-**) chrząk-nąć/ać; pochrząkiwać
he-man ['hi:'mæn] *s* (*pl* **he-men** ['hi:'men]) prawdziwy mężczyzna; męski typ człowieka
hematic [hi'mætik] = **haematic**
hematite ['hemə,tait] = **haematite**
hemicycle ['hemi,saikl] *s* półkole
hemisphere ['hemi,sfiə] *s* półkula
hemispheric(al) [,hemi'sferik(əl)] *adj* półkulisty
hemistich ['hemi,stik] *s* półwiersz
hemlock ['hemlɔk] *s bot* 1. szczwół plamisty, pietrasznik, cykuta 2. = **~-spruce**
hemlock-spruce ['hemlɔk,spru:s] *s bot* świerk kanadyjski, tsuga
hemmer ['hemə] *s* obrębiacz/ka
hemoglobin [,hi:mou'gloubin] = **haemoglobin**
hemophilia [,hi:mou'filiə] = **haemophilia**
hemorrhage ['hemərid ʒ] = **haemorrhage**

hemorrhagic [ˌhemə'rædʒik] = **haemorrhagic**
hemorrhoids ['hæməˌrɔidz] = **haemorrhoids**
hemostatic [ˌhi:mou'stætik] = **haemostatic**
hemp [hemp] *s* 1. *bot* konopie; ~ **oil** olej konopny 2. juta; *przen* stryczek 3. haszysz
hempen ['hempən] *adj* konopny
hemp-nettle ['hempˌnetl] *s bot* poziewnik szorstki
hempseed ['hempˌsi:d] *s* nasienie konopi; siemię konopne
hem-stitch ['hemˌstitʃ] [I] *s* mereżka [II] *vt* mereżkować
hen [hen] *s* 1. kura 2. samica (różnych ptaków)
henbane ['henˌbein] *s bot* lulek czarny
henbit ['henbit] *s bot* jasnota różowa
hence [hens] [I] *adv* 1. stąd; *przen* z tego świata 2. odtąd; od tego czasu; od tej chwili; **3 years** ~ za 3 lata 3. stąd (więc); skutkiem tego [II] *interj* precz! [III] *s am w zwrocie*: **the immediate** ~ najbliższa przyszłość
henceforth ['hens'fɔ:θ], **henceforward** ['hens'fɔ:wəd] *adv* odtąd: na przyszłość; w przyszłości; od tego już czasu
henchman ['hentʃmən] *s* (*pl* **henchmen** ['hentʃmən]) 1. *hist* giermek 2. stronnik; zwolennik
hen-coop ['henˌku:p] *s* kojec
hendecagon [hen'dekəgən] *s* jedenastokąt
hendecagonal [ˌhendə'kægənl] *adj* jedenastokątny
hen-harrier ['henˌhæriə] *s zoo* błotniak (ptak)
hen-hearted ['henˌhɑ:tid] *adj* tchórzliwy
henna ['henə] [I] *s* henna [II] *vt* barwić henną
hennery ['henəri] *s* 1. kurnik 2. hodowla drobiu
hen-party ['henˌpɑ:ti] *s* kobiece zebranie
henpecked ['henˌpekt] *adj* (*o mężu*) (siedzący) pod pantoflem; ~ **husband** pantoflarz
hen-roost ['henˌru:st] *s* grzęda
henry ['henri] *s elektr* henz
hepatic [hi'pætik] *adj* wątrobowy
hepatica [hi'pætikə] *s farm* ziele przylaszczki
hepatitis [ˌhepə'taitis] *s med* zapalenie wątroby
heptad ['heptəd] *s* 1. siódemka 2. grupa <seria> siedmiu (elementów itd.)
heptagon ['heptəgən] *s* siedmiokąt
heptagonal [hep'tægənl] *adj* siedmiokątny
heptane ['heptein] *s chem* heptan
heptarchy ['heptɑ:ki] *s* heptarchia (okres historii anglosaskiej, w którym Anglia podzielona była na 7 królestw)
Heptateuch ['heptəˌtju:k] *s* Siedmioksiąg (pierwsze 7 ksiąg Biblii)
her [hə:] [I] *pron od zaimka osob.* **she**: ją; jej; ... ~ **who** — ... tę, która...; *pot* **that's** ~ to ona [II] *pron adj* jej; **she knew** ~ **Shakespeare** <**Bible etc.**> Szekspira <Biblię itd.> to ona dobrze znała
herald ['herəld] [I] *s* 1. herold; **Heralds' College** Kolegium Heraldyczne 2. zwiastun/ka [II] *vt* 1. zwiastować 2. wprowadz-ić/ać
heraldic [he'rældik] *adj* heraldyczny
heraldry ['herəldri] *s* heraldyka
herb [hə:b] [I] *s* ziele, zioło; *bot* ~ **bennet** kuklik pospolity [II] *attr* ziołowy
herbaceous [hə:'beiʃəs] *adj* zielny; trawiasty; porosły <obsiany> trawą
herbage ['hə:bidʒ] *s* 1. trawy; zioła 2. *prawn* prawo wypasu
herbalist ['hə:bəlist] *s* ziela-rz/rka
herbarium [hə:'bɛəriəm] *s* (*pl* ~**s, herbaria** [hə:'bɛəriə]) zielnik
herbivorous [hə:'bivərəs] *adj* trawożerny
herborize ['hə:bəˌraiz] *vi* herboryzować (rośliny)
Herculean [ˌhə:kju'liən] *adj* herkulesowy
herd[1] [hə:d] [I] *s* 1. stado; trzoda 2. tłum; motłoch; ciemna masa [II] *attr* (*o instynkcie itd*) stadny [III] *vi* (*o zwierzętach*) (*zw* ~ **together**) żyć w stadach; gromadzić się w stada; (*o ludziach*) **to** ~ **with** — obcować z... (sobą) [IV] *vt* z/gromadzić; stłoczyć
herd[2] [hə:d] [I] *s* pastuch [II] *vt* paść (bydło)
herd-book ['hə:dˌbuk] *s* księga stadna
herdsman ['hə:dzmən] *s* (*pl* **herdsmen** ['hə:dzmən]) pasterz, pastuch
here [hiə] *adv* 1. tutaj, tu; **about** ~ gdzieś tutaj; w tych stronach; **between** ~ **and L.** gdzieś pomiędzy naszą miejscowością a L.; **from** ~ **to there** odtąd dotąd; ~ **and now** natychmiast; ~ **goes!** uwaga!; już!; ~ **she burst into tears** w tym miejscu wybuchnęła płaczem; ~ **there and everywhere** i tu i tam i wszędzie dookoła; **in** ~ tu (wewnątrz); **my friend** ~ mój przyjaciel tu obecny; **near** ~ niedaleko stąd; **that's neither** ~ **nor there** to nie ma nic wspólnego (z naszą sprawą); nie o to chodzi; **up to** ~ potąd, dotąd 2. *przywołując kogoś*: halo! halo! 3. (*przy apelu*) obecny!; jestem! 4. oto: ~ **I am** oto jestem; ~ **you are** a) a więc jesteś/cie b) *podając coś lub wskazując na coś:* proszę (bardzo); ~ **is** <**was**> — a) oto... b) *podając coś:* proszę; ~ **is where I leave** (to) ja tutaj wysiadam; ~ **was a chance** (to dopiero) była okazja 5. *przepijając do kogoś:* ~**'s to you!** wiwat!; sto lat!; na zdrowie!
hereabout(s) [hiər-əˌbaut(s)] *adv* w tych stronach; gdzieś tutaj
hereafter [hiər'ɑ:ftə] [I] *adv* 1. (*w książce, piśmie*) poniżej 2. (*w czasie*) odtąd; od tego (już) czasu; w przyszłości 3. w przyszłym życiu [II] *s* **the** ~ przyszłe życie; życie pozagrobowe
hereat ['hiər'æt] † *adv* do tego; przy tym; na to
hereby ['hiə'bai] *adv* tym <niniejszym> (dokumentem itd.); tą drogą
hereditary [hi'reditəri] *adj* dziedziczny
heredity [hi'rediti] *s* dziedziczność
herein ['hiər'in] *adv* 1. tu (wewnątrz) 2. w niniejszym (piśmie, akcie) 3. w tym
hereinafter ['hiərin'ɑ:ftə] *adv* w dalszym ciągu niniejszego (aktu itd.)
hereof [hiər'ɔv] *adv* tego <niniejszego> (pisma, aktu itd.)
heresy ['herəsi] *s* herezja; kacerstwo
heretic ['herətik] *s* herety-k/czka; *hist* kace-rz/rka
heretical [hi'retikəl] *adj* heretycki
hereto ['hiə'tu:] † *adv* do niniejszego <tego> (aktu itd.)
heretofore ['hiətu'fɔ:] *adv lit* w przeszłości; dotychczas
hereunder [hiər'ʌndə] *adv* poniżej
hereunto ['hiər-ʌn'tu:] † *adv* do niniejszego <do tego> (aktu itd.)
hereupon ['hiər-ə'pɔn] *adv* 1. co do niniejszego <do tego> (aktu itd.); na ten temat 2. po czym
herewith ['hiə'wið] *adv* wraz z tym <z niniejszym>; w załączeniu

heritable ['heritəbl] *adj* 1. dziedziczny 2. (*o własności*) podlegający dziedziczeniu

heritage ['heritidʒ] *s* dziedzictwo; spadek; spuścizna

heritor ['heritə] *s* dziedzic; spadkobierca

hermaphrodite [hə:'mæfrə,dait] *s* hermafrodyta

hermaphroditic [hə:,mæfrə'ditik] *adj* dwupłciowy

hermetic [hə:'metik] *adj* hermetyczny; szczelny

hermit ['hə:mit] *s* pustelni-k/ca, eremita

hermitage ['hə:mitidʒ] *s* pustelnia

hermit-crab ['hə:mit'kræb] *s zoo* biernatek (krab)

hernia ['hə:njə] *s med* przepuklina

hernial ['hə:njəl] *adj med* przepuklinowy

hero ['hiərou] *s* (*pl* **~es**) bohater

heroic [hi'rouik] [I] *adj* (*o postaci, czynie, sprawie, wierszu*) heroiczny, bohaterski; (*o lekarstwie*) gwałtowny, silny [II] *spl* **~s** 1. wiersze bohaterskie 2. szumne frazesy

heroin ['herouin] *s farm* heroina

heroine ['herouin] *s* bohaterka

heroism ['herou,izəm] *s* bohaterstwo

heron ['herən] *s zoo* czapla

heronry ['herənri] *s* czaple gniazdo

hero-worship ['hiərou,wə:ʃip] *s* kult bohaterów

herpes ['hə:pi:z] *s* opryszczka; liszaj

herpetic [hə:'petik] *adj med* herpetyczny, opryszczkowy

herpetology [,hə:pi'tɔlədʒi] *s* herpetologia

Herr [hɛə] *s* (*pl* **Herren** ['herən]) pan (przed nazwiskiem niemieckim)

herring ['heriŋ] *s* śledź; **red ~** a) śledź wędzony b) *przen* uwaga wypowiedziana dla skierowania rozmowy na inny tor

herring-bone ['heriŋ,boun] *s* ość śledzia; **~ pattern <stitch>** wzór <ścieg> w jodełkę <w gałązkę>

hers [hə:z] *pron* jej; **a friend of ~** jakaś <pewna> jej przyjaciółka; **that pride <house, child etc.> of ~** ta <ten, to> jej pycha <dom, dziecko itd.>

herself [hə:'self] *pron* 1. się; siebie; sobie 2. sama, we własnej osobie; osobiście 3. *w zwrotach:* **she is ~ again** (ona) przyszła do siebie (po chorobie, zemdleniu itd.); **she is not ~** a) ona nie jest sobą b) to nie ta sama kobieta; **by ~** sama (bez towarzystwa); **she came by ~** (ona) przyszła sama (jedna); **she lives by ~** (ona) mieszka sama 4. (*także* **by ~**) sama; własnoręcznie; bez niczyjej pomocy; samodzielnie

hertz [hə:ts] *s fiz* herc (jednostka częstotliwości)

Hertzian ['hə:tsiən] *adj fiz* (*o falach*) Hertza

he's [hi:z] = **he is; he has**

hesitance ['hezitəns], **hesitancy** ['hezitənsi] *s* niezdecydowanie; wahanie; zająkliwość; niepewność

hesitant ['hezitənt] *adj* niezdecydowany; niepewny; **to be ~** a) wahać się b) mówić zająkliwie <niezdecydowanie>

hesitate ['hezi,teit] *vi* wahać się; być niezdecydowanym <w niepewności>; mówić niezdecydowanie; **to ~ to** __ nie móc się zdecydować na ... (zrobienie czegoś); **don't ~ to** __ śmiało ... (powiedz/cie, idź/cie, zrób/cie itd.)

hesitation [,hezi'teiʃən] *s* wahanie; niezdecydowanie; niepewność; **without (the slightest) ~** bez (najmniejszego) wahania; nie wahając się (ani chwili)

Hesperian [hes'piəriən] *adj poet* zachodni

Hesperus ['hespərəs] *s* gwiazda wieczorna, Wenus

Hessian ['hesiən] [I] *adj* heski; **~ boots** buty z cholewami; **~ fly** mucha heska [II] *s am* 1. najemni-k/ca 2. juta

hest [hest] † *s* nakaz; rozkaz

heteroclite ['hetərə,klait] *adj gram* nieprawidłowy; heteroklityczny

heterodox ['hetərə,dɔks] *adj* innowierczy; heretycki

heterodoxy ['hetərə,dɔksi] *s* innowierstwo; herezja

heterodyne ['hetərə,dain] *s radio* heterodyna

heterogeneity [,hetərodʒi'ni:iti] *s* różnorodność; heterogeneza

heterogeneous ['hetəro'dʒi:njəs] *adj* różnorodny, heterogeniczny

heteromorphic [,hetərou'mɔ:fik] *adj* różnopostaciowy

heteronym ['hetərou,nim] *s jęz* wyraz jednakowo pisany z innym lecz mający inne brzmienie i znaczenie

hew [hju:] *vt* (**hewed** [hju:d], **hewn** [hju:n]) 1. po/rąbać; ciosać; ocios-ać/ywać; **to ~ sb to pieces** pobić na głowę <rozgromić> (wroga itd.) 2. *górn* wrębić; urabiać 3. wyrąb-ać/ywać sobie (drogę, ścieżkę)

~ away <off> *vt* odrąb-ać/ywać

~ down *vt* ści-ąć/nać

~ out *vt* wyrąbać; wyciosać; **to ~ out a career for oneself** wywalczyć sobie stanowisko

hewer ['hju:ə] *s* 1. drwal 2. kamieniarz 3. *górn* rębacz 4. *przen* **~s of wood and drawers of water** woły robocze

hewn *zob* **hew**

hexad ['heksæd] *s* 1. szóstka 2. grupa <seria> sześciu (elementów itd.)

hexagon ['heksə,gən] *s* sześciokąt

hexagonal [hek'sægənl] *adj* sześciokątny

hexahedron ['heksə'hedrən] *s* (*pl* **~s, hexahedra** ['heksə'hedrə]) sześcian; sześciobok

hexameter [hek'sæmitə] *s* heksametr

hexane ['heksein] *s chem* heksan

hey [hei] *interj* hej!

heydey ['heidei] *s* szczyt (sławy itd.); kwiat (wieku); pełnia (młodości)

H-hour ['eitʃ'auə] *s wojsk* <czas> rozpoczęcia akcji

hi [hai] *interj* halo! halo!

hiatus [hai'eitəs] *s* 1. luka 2. *jęz* rozziew

hibernal [hai'bə:nl] *adj* zimowy

hibernate ['haibə:,neit] *vi* 1. prze/zimować; znajdować się w śnie zimowym 2. *przen* być bezczynnym

hibernation [,haibə:'neiʃən] *s* przezimowanie; sen zimowy

Hibernian [hai'bə:niən] [I] *adj* irlandzki [II] *s* Irland-czyk/ka

hiccough, hiccup ['hikʌp] [I] *s* czkawka [II] *vi* mieć czkawkę; czk-nąć/ać

hiccupy ['hikʌpi] *adj* przerywany czkawką

hick [hik] *s am pot* wieśnia-k/czka

hickory ['hikəri] *s bot* amerykański orzech biały

hid *zob* **hide¹**

hidden *zob* **hide¹**

hide¹ [haid] *v* (**hid** [hid], **hidden** [hidn]) [I] *vt* 1. ukry-ć/wać; s/chować; **to ~ sth from sb** ukry-ć/wać coś przed kimś 2. przesł-onić/aniać; zasł-onić/aniać; zakry-ć/wać [II] *vi* (*także vr* **~**

oneself) ukry-ć/wać <s/chować> się; pozosta-ć/wać w ukryciu; *am* ~ **out** ukry-ć/wać się (przed policją itd.) *zob* **hiding¹**

hide² [haid] [I] *s* skóra (zwierzęcia, *pot* człowieka); *żart* **to save one's** ~ uratować skórę; umknąć; **to tan sb's** ~ wyłoić <wygarbować> komuś skórę [II] *vt* 1. zedrzeć/zdzierać skórę **(an animal** ze zwierzęcia) 2. *pot* wytrzepać <wyłoić> skórę **(sb** komuś) *zob* **hiding²**

hide³ [haid] † *s* jednostka miary powierzchni (= około 48 ha)

hide-and-seek ['haidənd'si:k], *am* **hide-and-go-seek** ['haidəngou'si:k] *s* zabawa w chowanego

hide-bound ['haid,baund] *adj* 1. (*o zwierzęciu*) wychudzony 2. (*o człowieku*) o ciasnych poglądach; ograniczony; zacofany, powodujący się przesądami 3. (*o książce*) oprawny w skórę

hideous ['hidiəs] *adj* ohydny; szkaradny; obrzydliwy; odrażający

hideousness ['hidiəsnis] *s* ohyda; szkaradność; obrzydliwość; brzydota

hide-out ['haid'aut] *s pot* kryjówka; schronienie

hiding¹ ['haidiŋ] [I] *zob* **hide¹** [II] *s* ukrywanie; ukrycie; **to go into** ~ ukryć <schować> się; **to be in** ~ trzymać się <pozostawać> w ukryciu; ukrywać się

hiding² ['haidiŋ] [I] *zob* **hide²** *v* [II] *s* lanie, baty, cięgi; *pot* wciera, manto

hiding-place ['haidiŋ,pleis] *s* kryjówka

hie [hai] *vi poet* (*także vr* ~ **oneself)** po/śpieszyć <po/pędzić> (dokądś)

hierarchic(al) [,haiə'rɑ:kik(əl)] *adj* hierarchiczny

hierarchy ['haiə,rɑ:ki] *s* hierarchia

hieratic [,haiə'rætik] *adj* kapłański; ~ **script** pismo hieratyczne

hieroglyph ['haiərə,glif] *s* hieroglif

hieroglyphic [,haiərə'glifik] *adj* hieroglificzny

hierophant ['haiərou,fænt] *s* (*u staroż. Greków*) hierofant

higgle ['higl] *vi* targować się

higgledy-piggledy ['higldi'pigldi] [I] *adv* bezładnie; w nieładzie [II] *adj* znajdujący się w nieładzie; pomieszany jak groch z kapustą [III] *s* nieład; rozgardiasz; mętlik; *pot* bałagan

higgler ['higlə] *s* człowiek targujący się o każdy grosz

High¹ [hai] *am* = **high school** *zob* **high²** *adj* 4.

high² [hai] [I] *adj* 1. wysoki; **8 feet** ~ wysoki na 8 stóp; mający 8 stóp wysokości; (*o łodzi, statku*) ~ **and dry** a) na mieliźnie b) wyciągnięty na brzeg; ~ **and low** ludzie wszelkiego autoramentu; ~ **cheek-bones** wystające kości policzkowe; **High Church** odłam kościoła anglikańskiego zbliżony do rzymskokatolickiego; ~ **life** życie wyższych <bogatych> sfer <klas posiadających>; ~ **relief** wypukłorzeźba; ~ **tide** <**water**> a) przypływ; wysoki poziom wód b) czas przyboru wód; **in a** ~ **degree** w wysokim stopniu; w wielkiej <znacznej> mierze; *uniw* **the** ~ **table** stół profesorów (w refektorium); **to be** ~ **in office** mieć <zajmować> wysokie stanowisko 2. (*o głosie*) cienki 3. wysoko położony; górny; **High German** górnoniemiecki 4. główny; ~ **altar** główny <wielki> ołtarz; **High Command** naczelne dowództwo; *kośc* ~ **mass** suma; ~ **school** średnia szkoła ogólnokształcąca; ~ **street** główna ulica; ~ **treason** zdrada stanu 5. (*o towarze*) w cenie; drogi 6. wzniosły 7. (*o opinii*) pochlebny; korzystny 8. (*o szacunku*) głęboki 9. (*o wietrze*) silny 10. (*o morzu*) a) burzliwy b) pełny; otwarty 11. (*o mięsie*) skruszały 12. skrajny; szczytowy; wybitny; uderzający; frapujący; intensywny; ~ **colour** a) silny rumieniec b) kolor jaskrawy; ~ **explosive** kruszący materiał wybuchowy; ~ **light** <**spot**> atrakcja (zabawy itd.); ~ **lights of a town** luminarze miasta; ~ **tory** zagorzały <skrajny> torys; **in** ~ **spirits** w świetnym humorze; mocno podniecony 13. pełny; zupełny; ~ **day** biały dzień; ~ **noon** samo południe; ~ **summer** lato w pełni; ~ **time to** __ najwyższy czas, żeby ... (coś zrobić) 14. wyniosły; **to be** ~ **and mighty** pysznić <nadymać> się [II] *adv* 1. wysoko; wzwyż; w górę; w górze; **3000 feet** ~ a) do wysokości <na wysokość> 3000 stóp b) na wysokości 3000 stóp 2. (*o wietrze*) silnie <mocno> (dąć, dmuchać); **to run** ~ a) (*o morzu*) być wzburzonym b) (*o cenach*) zwyżkować; **feelings ran** ~ a) rozszalały namiętności b) było wielkie rozgoryczenie <wzburzenie>; **words ran** ~ doszło do ostrej wymiany słów; obrzucano się obelgami; **to play** ~ grać wysoko <o wysokie stawki>; **to search** ~ **and low for sth** szukać czegoś wszędzie <po wszystkich kątach>; **to sing** ~ śpiewać cienkim głosem [III] *s* 1. wysoki poziom; wysoka strefa <warstwa>; **on** ~ w niebie; na wysokości/ach 2. wysoka liczba 3. najwyższa rozdana <wyciągnięta> karta

highball ['hai,bɔ:l] *s* whisky z wodą sodową

high-binder ['hai,baində] *s am* matacz polityczny

high-born ['hai,bɔ:n] *adj* szlachetnie urodzony; wysokiego rodu

highboy ['hai,bɔi] *s am* szyfonierka (mebel)

high-bred ['hai,bred] *adj* 1. (*o człowieku*) a) szlachetnego rodu b) starannie wychowany 2. (*o koniu*) rasowy

high-brow ['hai,brau] [I] *s* 1. intelektualist-a/ka 2. pozer/ka [II] *adj am sl* (*o człowieku*) o intelektualnych zainteresowaniach

High-Church ['hai'tʃə:tʃ] *adj* należący do odłamu kościoła anglikańskiego zbliżonego do rzymskokatolickiego *zob* **high²** *adj* 1.

high-class ['hai,klɑ:s] *adj* pierwszorzędny

high-coloured ['hai'kʌləd] *adj* barwny; (namalowany, opisany) w żywych barwach

highest ['haiist] [I] *zob* **high** *adj adv* [II] *s* **the Highest** (Pan) Bóg

high-falutin(g) ['hai-fə'lu:tin, hai-fə'lu:tiŋ] *adj pot* = **highflown**

highflier ['hai,flaiə] *s* człowiek o wygórowanych ambicjach

highflown ['hai,floun] *adj* górnolotny; bombastyczny; napuszony

high-flying ['hai,flaiiŋ] *adj* 1. latający na dużych wysokościach 2. przesadnie ambitny

high-frequency ['hai'fri:kwənsi] *adj* (o) wysokiej częstotliwości; szybkozmienny

high-grade ['hai,greid] *adj* wysokowartościowy; wysokoprocentowy

high-handed ['hai'hændid] *adj* arbitralny; bezwzględny; despotyczny; władczy

high-hat ['hai,hæt] [I] *s am* cylinder [II] *vi* (-tt-) (*także* **to be** ~) *am* zachowywać się arogancko

highland ['hailənd] [I] *spl* **the Highlands** góry szkockie [II] *adj* górski
Highlander ['hailəndə] *s* góral/ka szkock-i/a; **the Royal ~s** pułk górali szkockich
highlight ['hai,lait] = **high light** *zob* **high²** 12.
highly ['haili] *adv* 1. wysoko; **~ descended** szlachetnego <wysokiego> rodu; **~ paid** dobrze <wysoko> zapłacony <wynagrodzony, opłacony>; **to think ~ of sb** mieć o kimś wysokie mniemanie <pochlebne zdanie>; wysoko kogoś cenić 2. wysoce; w wysokim stopniu; w znacznej mierze 3. silnie; intensywnie; **~ coloured** a) intensywnie zabarwiony b) przejaskrawiony; przesadzony
high-minded ['hai'maindid] *adj* 1. szlachetny; wspaniałomyślny 2. † dumny
high-mindedness ['hai'maindidnis] *s* szlachetność; wspaniałomyślność
highness ['hainis] *s* 1. wygórowanie (cen) 2. szlachetność 3. siła (wiatru) 4. (*w tytule*) **His** <**Her**> (**Royal**) **Highness** Jego <Jej> (Królewska) Wysokość
high-pitched ['hai'pitʃt] *adj* 1. (*o głosie*) wysoki; ostry; cienki 2. (*o dachu*) spadzisty
high-pressure ['hai'preʃə] *adj* wysokoprężny; wysokociśnieniowy
high-priest ['hai'pri:st] *s* arcykapłan
high-principled ['hai'prinsəpld] *adj* o wzniosłych zasadach; (*o człowieku*) ze wzniosłymi zasadami
highroad ['hai'roud] *s* gościniec; szosa; *przen* najprostsza droga do celu
high-sounding ['hai'saundiŋ] *adj* 1. (*o instrumencie*) o potężnym głosie 2. (*o słowach*) górnolotny; bombastyczny; szumny
high-speed ['hai,spi:d] *adj* szybkobieżny; szybkoobrotowy; szybkościowy
high-spirited ['hai'spiritid] *adj* 1. mężny; nieustraszony 2. pełen wigoru
high-strung ['hai'strʌŋ] *adj* 1. wrażliwy 2. nerwowy; przewrażliwiony 3. (znajdujący się) w napięciu nerwowym
hight [hait] † *pp* zwany
high-toned ['hai'tound] *adj* 1. ułożony w wysokiej tonacji; wymówiony <śpiewany> wysokim głosem 2. umoralniający 3. *am pot* modny
high-water ['hai'wɔ:tə] *adj* przypływowy; **~ mark** poziom maksymalnego przypływu; *przen* szczyt
highway ['hai,wei] *s* 1. (*także* **the King's ~**) szosa; gościniec 2. *przen* najprostsza droga do celu <do ruiny itd.> 3. *am* **community ~** boczna droga
highwayman ['haiweimən] *s* (*pl* **highwaymen** ['haiweimən]) rozbójnik
highwrought ['hai'rɔ:t] *adj* 1. podniecony 2. przewrażliwiony
higtaper [hig'teipə] *s bot* dziewanna drobnokwiatowa
hijacker ['hai,dʒækə] *s am sl* uzbrojony bandyta napadający na przemytników alkoholu
hike [haik] [I] *vi* wędrować (po kraju); chodzić na wycieczki; być na wycieczce; uprawiać krajoznawstwo *zob* **hiking** [II] *s* wędrówka; wycieczka (piesza); **to be on the ~** = **to ~**
hiker ['haikə] *s* wycieczkowicz; krajoznawca; turyst-a/ka
hiking ['haikiŋ] [I] *zob* **hike** *v* [II] *s* wycieczki piesze; turystyka piesza; krajoznawstwo

hilarious [hi'lɛəriəs] *adj* wesoły
hilarity [hi'læriti] *s* wesołość
Hilary ['hiləri] *spr sąd uniw* **~ term** trymestr zimowy
hill [hil] [I] *s* 1. górka; wzniesienie; pagórek; wzgórze; **down ~** z góry; **up ~** pod górę 2. (*w Indiach*) **the ~s** uzdrowisko górskie 3. kopiec; usypisko [II] *vt* 1. (*także* **~ up**) okop-ać/ywać (rośliny) 2. usyp-ać/ywać; na/sypać kopczyk (**sth** czegoś)
hilliness ['hilinis] *s* pagórkowatość <falistość> (terenu)
hillo(a) ['hilou] = **hello**
hillock ['hilək] *s* górka; pagórek; nasyp; *górn* hałda
hill-side ['hil'said] *s* stok
hill-top ['hil'tɔp] *s* wzgórze; szczyt
hilly ['hili] *adj* (**hillier** ['hiliə], **hilliest** ['hiliist]) 1. pagórkowaty 2. górzysty
hilt [hilt] [I] *s* rękojeść (szpady itp.); garda; *dosł i przen* **up to the ~** po samą rękojeść; całkowicie; gruntownie; z naddatkiem [II] *vt* zaopat--rzyć/rywać (szpadę itp.) w rękojeść; oprawi-ć/ać (nóż itd.)
him [him] *pron od zaimka osob.* **he**: jego, go; jemu, mu; **that's ~** to on; — **~ who** — ... tego, kto...
himself [him'self] *pron* 1. się; siebie; sobie 2. sam, we własnej osobie; osobiście 3. *w zwrotach:* **he is ~ again** (on) przyszedł do siebie (po chorobie, wstrząsie psychicznym itp.); **he is not ~** a) on jest nieswój b) to nie ten sam człowiek; **by ~** sam (bez towarzystwa); **he came by ~** (on) przyszedł sam (jeden); **he lives by ~** (on) mieszka sam 4. (*także* **by ~**) sam; własnoręcznie; bez niczyjej pomocy; samodzielnie
hind¹ [haind] *s zoo* łania
hind² [haind] *s* parobek
hind³ [haind] *adj* tylny; zadni; **~ quarters** zad
hinder¹ ['haində] = **hind³**
hinder² ['hində] *vt* 1. przeszk-odzić/adzać <zawadzać> (**sb** komuś) 2. powstrzym-ać/ywać (**sb from doing sth** kogoś od zrobienia czegoś)
hindmost ['haind,moust] *adj* ostatni; **everyone for himself and the devil take the ~** a) każdy dla siebie, Bóg dla wszystkich b) ratuj się kto może
Hindoo ['hin'du:] [I] *s* Hindus/ka [II] *adj* hinduski
hindrance ['hindrəns] *s* przeszkoda; zawada
hind-sight ['haind,sait] *s* 1. celownik (w przyrządzie celowniczym); *am pot* **to knock** <**kick**> **the ~ off sth** z/demolować coś 2. *żart* spóźniony refleks
Hindu ['hin'du:] = **Hindoo**
hinge [hindʒ] [I] *s* 1. zawiasa; **off one's ~s** a) rozstrojony (nerwowo) b) niezdrów 2. zawora (muszli) 3. *przen* oś (zagadnienia, manewru itp.) 4. pętla [II] *vt* zawie-sić/szać na zawiasach [III] *vi* 1. obr-ócić/acać się 2. zależeć <być zawisłym> (**on sth** od czegoś) *zob* **hinged**
hinged [hindʒd] [I] *zob* **hinge** *v* [II] *adj* na zawiasach
hinge-joint ['hindʒ,dʒɔint] *s* 1. *techn* złącze <połączenie> przegubowe 2. *med* staw zawiasowy
hinny¹ ['hini] *s* młody muł
hinny² ['hini] *vi* (**hinnied** ['hinid], **hinnied; hinnying** ['hiniiŋ]) rżeć

hint [hint] [I] *s* 1. aluzja; przytyk; przymówka; przycinek; napomknienie; wzmianka; docinek; **to give <drop, let fall> a ~** napom-knąć/ykać; da-ć/wać do zrozumienia; przym-ówić/awiać się; **to take a ~** zrozumieć w lot 2. cień (zdziwienia itd.); ślad 3. porada 4. *pl* **~s** (książka) poradnik [II] *vt* napom-knąć/ykać (**sth** o czymś); da-ć/wać do zrozumienia (**sth** coś) [III] *vi* napom-knąć/ykać (**at sth** o czymś); z/robić aluzję (**at sth** do czegoś)

hinterland ['hintə,lænd] *s* głąb kraju; zaplecze; **in the ~** w głębi kraju; na tyłach

hintingly ['hintiŋli] *adv* w formie aluzji

hip[1] [hip] [I] *s* 1. *anat* biodro; **to have sb on the ~** mieć przewagę nad kimś; *poet* **to smite ~ and thigh** pobić (wroga) na głowę 2. *bud* krawędź dachu [II] *attr* biodrowy

hip[2] [hip] *s bot* owoc dzikiej róży

hip[3] [hip] [I] *s* splin, spleen; przygnębienie; apatia; depresja; chandra; **to have the ~** być w depresji [II] *vt* (**-pp-**) wprawi-ć/ać w depresję

hip[4] [hip] *interj* (*w wiwacie*) **~! ~! hurrah!** niech żyje!

hip-bath ['hip,bɑ:θ] *s* nasiadówka

hip-bone ['hip,boun] *s anat* kość biodrowa

hip-disease ['hip-di,zi:z] *s med* koksalgia (choroba stawu biodrowego)

hip-flask ['hip,flɑ:sk] *s* płaska flaszka (na alkohol) noszona w tylnej kieszeni spodni

hip-joint ['hip,dʒɔiŋt] *s anat* staw biodrowy

hippo ['hipou] *pot* = **hippopotamus**

hippocampus [,hipou'kæmpəs] *s* (*pl* **hippocampi** [,hipou'kæmpai]) *zoo* konik morski <pławikonik> (ryba morska)

hip-pocket [hip,pɔkit] *s* tylna kieszeń spodni

Hippocratic [,hipou'krætik] *adj* **~ face** hipokratyczna twarz; wyraz twarzy konającego

hippodrome ['hipə,droum] *s* ujeżdżalnia, hipodrom

hippopotamus [,hipə'pɔtəməs] *s* (*pl* **~es, hippopotami** [,hipə'pɔtə,mai]) *zoo* hipopotam

hip-roof ['hip,ru:f] *s* dach walmowy <czterospadowy>

hircine ['hə:sain] *adj* kozi; podobny do kozy

hire [haiə] [I] *s* 1. najem; najmowanie; **on ~** do wynajęcia; **to let (out) on ~** wynajmować; **to take on ~** wziąć/brać w najem; naj-ąć/mować 2. opłata za najem; dzierżawa; wynagrodzenie [II] *vt* 1. naj-ąć/mować (do pracy itd.) 2. wy/dzierżawić; wynaj-ąć/mować; wziąć/brać w najem 3. naj-ąć/mować (pojazdy itd.); wypożycz-yć/ać (łódki, rowery itd.)

~ out [I] *vt* odda-ć/wać w najem [II] *vi* naj-ąć/mować się (na służbę, do roboty)

zob **hired**

hired ['haiəd] [I] *zob* **hire** *v* [II] *adj* 1. najęty; **~ man** najemnik; *am* służący; **~ troops** najemnicy, wojsko najemne 2. (*napis na taksówce*) zajęty

hireling ['haiəliŋ] *s* najemnik, *pog* najmita

hire-purchase ['haiə'pə:tʃis] *s* (*także* **~ system**) sprzedaż ratalna; kupno na raty

hirer ['haiərə] *s* najmując-y/a; biorąc-y/a w najem; oddając-y/a w najem

H-iron ['eitʃ,aiən] *s* dwuteówka (belka żelazna o przekroju w kształcie litery H)

hirsute ['hə:sju:t] *adj* 1. uwłosiony; włochaty 2. nie strzyżony

his [hiz] *adj pron* jego; **a friend of ~** pewien jego przyjaciel; **he knew ~ Homer <geography etc.>** Homera <geografię itd.> to on dobrze znał; **that pride <house, child etc.> of ~** ta <ten, to> jego pycha <dom, dziecko itd.>

hispid ['hispid] *adj bot zoo* szczecinowaty

hiss [his] [I] *vi* 1. za/syczeć 2. wygwizd-ać/ywać (**at an actor, a play etc.** aktora, sztukę itd.) [II] *vt* (*także* **~ away**) wygwizd-ać/ywać (aktora, sztukę itd.); **to ~ sb off the stage** wygwizdać kogoś; (gwizdaniem) przepędzić kogoś ze sceny [III] *s* 1. syk, syczenie 2. gwizd; wygwizdanie 3. *jęz* głoska sycząca

hist [s:t] *interj* cyt!; sza!

histology [his'tɔlədʒi] *s* histologia

historian [his'tɔ:riən] *s* history-k/czka

historiated [his'tɔ:ri,eitid] *adj druk* (*o literze*) ozdobny

historic(al) [his'tɔrik(əl)] *adj* historyczny

historicity [,histə'risiti] *s* historyczność; prawdziwość

historiographer [,histɔ:ri'ɔgrəfə] *s* historiograf; dziejopis

historiography [,histɔ:ri'ɔgrəfi] *s* historiografia

history ['histəri] *s* 1. historia, dzieje; **ancient ~** a) historia starożytna b) *przen* stare dzieje; **natural ~** przyroda (jako nauka); **the inner ~ of an affair** kulisy sprawy 2. przeszłość; (*o człowieku*) **to have ~** mieć (bujną, urozmaiconą, bogatą) przeszłość

histrionic [,histri'ɔnik] *adj* 1. teatralny; sceniczny 2. komediancki 3. dwulicowy

histrionics [,histri'ɔniks] *s* 1. sztuka teatralna <sceniczna, dramatyczna> 2. teatralność; komedie; udawanie

hit [hit] *v* (**hit, hit; hitting** ['hitiŋ]) [I] *vt* 1. uderz-yć/ać <stuk-nąć/ać> (**sb, sth** kogoś, coś; **sth** w coś); ugodzić; po/razić; wal-nąć/ić; zdzielić; **to be hard ~ by sth** u/cierpieć od <wskutek> czegoś; pon-ieść/osić poważne straty wskutek czegoś; **to ~ sb a blow** uderzyć kogoś; wymierzyć <zadać> komuś cios 2. trafić (**sb, sth** kogoś, coś; w kogoś, w coś); **~ or miss** (spróbować czegoś) na los szczęścia; **to ~ home** trafić (w samo sedno); dotknąć <ugodzić> (kogoś) w bolące miejsce; **to ~ the (right) nail on the head** trafić w (samo) sedno rzeczy 3. natrafi-ć/ać <nat-knąć/ykać się> (**sth** na coś); napot-kać/ykać 4. zgad-nąć/ywać 5. *am* przyby-ć/wać (**one's aim** do celu) [II] *vi* 1. uderz-yć/ać się (**against sth** o coś) 2. zamachnąć się (**at sb, sth** na kogoś, coś) 3. natrafi-ć/ać <szczęśliwie trafić> (**on <upon> sth** na coś)

~ back *vt vi* odda-ć/wać uderzenie za uderzenie (**sb** komuś); nie pozosta-ć/wać dłużnym (**sb** komuś)

~ off *vt* uchwycić/chwytać (**a likeness** podobieństwo) || **to ~ it off with sb** zg-odzić/adzać się z kimś

~ out *vi* walić (**at sb** kogoś)

~ up *vt* (*w krykiecie*) zdoby-ć/wać (punkty)

[III] *s* 1. uderzenie; stuknięcie; ugodzenie 2. aluzja; przytyk; docinek; przymówka 3. trafienie (w cel) 4. sukces; **to make a ~** odnieść sukces; wywołać sensację; **a lucky ~** udana próba; szczęśliwe trafienie; **to make a lucky ~** a)

(szczęśliwie) trafić b) zgadnąć; odgadnąć 5. szlagier, przebój

hit-and-run ['hitən'rʌn] *adj* (*o kierowcy samochodu itd*) uciekający po spowodowanym przez siebie wypadku

hitch [hitʃ] I *vi* doczepi-ć/ać się (**on to sth** do czegoś); uczepić się (**on to sth** czegoś) II *vt* 1. szar-pnąć/ać; pociąg-nąć/ać; podciąg-nąć/ać; przyciąg-nąć/ać <przysu-nąć/wać> (**sth to sth** coś do czegoś) 2. przyczepi-ć/ać; uczepi-ć/ać; doczepi-ć/ać; przywiąz-ać/ywać, uwiąz-ać/ywać; przymocow-ać/ywać; *mar* przycumować; **to ~ sth into a story** wprowadz-ić/ać <wpl-eść/atać> coś do opowiadania

~ up *vt* 1. podciąg-nąć/ać 2. *am* zaprzęg-nąć/ać; *austral* **to be ~ed up** być żonatym <mężatką>

zob **hitching** III *s* 1. szarpnięcie; pociągnięcie 2. okulawienie (konia) 3. zaczepienie; zahaczenie 4. zatrzymanie 5. przeszkoda; szkopuł; trudność; komplikacja; **without a ~** całkiem gładko 6. węzeł; pętla 7. *geol* mały uskok

hitch-hike ['hitʃ,haik] *vi pot* wędrować po kraju <robić wycieczki> korzystając z przygodnych pojazdów <autostopem>

hitching ['hitʃiŋ] I *zob* **hitch** *v* II *s* uczepienie

hitching-post ['hitʃiŋ,poust] *s am* słupek, do którego przywiązuje się wierzchowca

hitching-rail ['hitʃiŋ,reil] *s am* belka <bariera>, do której przywiązuje się wierzchowca

hither ['hiðə] I *adv* tu, tutaj; dotąd; do tego miejsca; **~ and thither** tu i tam; tędy i tamtędy; w tę i w tamtą stronę II *adj* bliższy (dla patrzącego)

hitherto ['hiðə'tu:] *adv* dotąd; dotychczas

hit-or-miss ['hit-ɔ:'mis] I *adj* 1. zdający się na los szczęścia; działający na chybił trafił 2. przypadkowy II *adv* na los szczęścia; na chybił trafił

hive [haiv] I *s* 1. ul 2. ośrodek wielkiego ożywienia; *przen* mrowisko 3. rój II *vt* 1. osadz-ić/ać (pszczoły) w ulu 2. zebrać/zbierać; z/gromadzić III *vi* 1. wejść/wchodzić do ula 2. współżyć

hives [haivz] *spl med* pokrzywka

ho [hou] *interj* 1. *okrzyk zdumienia, radości:* hej! 2. *przywołanie*: halo!; hej tam!

hoar [hɔ:] I *adj* siwy; sędziwy II *s* 1. szron 2. siwizna

hoard [hɔ:d] I *s* zapas; zbiór; (nagromadzony, ukryty itd.) skarb II *vt* z/gromadzić; zebrać/zbierać; z/robić zapas/y (**sth** czegoś); s/chować; przechow-ać/ywać

hoarding ['hɔ:diŋ] *s* płot; parkan; tablica do nalepiania afiszów <reklam>

hoar-frost ['hɔ:'frɔst] *s* szron

hoarhound ['hɔ:,haund] = **horehound**

hoariness ['hɔ:rinis] *s* sędziwość; siwizna

hoarse [hɔ:s] *adj* 1. chrapliwy 2. zachrypły, ochrypły; **to be ~** mieć chrypkę

hoarseness ['hɔ:snis] *s* chrypka

hoar-stone ['hɔ:,stoun] *s* kamień graniczny

hoary ['hɔ:ri] *adj* (**hoarier** ['hɔ:riə], **hoariest** ['hɔ:riist]) 1. oszroniony; pokryty szronem 2. siwy; sędziwy 3. *bot* pokryty białym meszkiem 4. długowieczny; wiekowy

hoax [houks] I *s* 1. oszustwo; mistyfikacja 2. psikus; żart; figiel; *pot* kawał II *vt* 1. oszuk-ać/iwać; okpi-ć/wać; *pot* nab-rać/ierać 2. s/płatać figla (**sb** komuś)

hob [hɔb] *s* 1. schowek z boku kominka (do przechowywania w cieple potraw itd.) 2. kołek 3. piasta (koła) 4. (*u sani*) okucie płozy 5. ćwiek

hobbadehoy ['hɔbədi'hoi] = **hobbledehoy**

hobble ['hɔbl] I *vi* 1. utykać; kuleć; kuśtykać; † chromać 2. zająk-nąć/iwać się II *vt* s/pętać (konia) III *s* utykanie; kuśtykanie

hobbledehoy ['hɔbldi'hɔi] *s* 1. młodzieniec w wieku przejściowym 2. niedźwiedziowaty młodzieniec; ciamajda

hobby[1] ['hɔbi] *s* 1. † konik; kucyk 2. ulubiony temat; najmilsz-a/e rozrywka <zajęcie>; hobby, konik; pasja

hobby[2] ['hɔbi] *s zoo* sokół kobuz

hobby-horse ['hɔbi,hɔ:s] *s* konik na kiju (zabawka dziecinna)

hobgoblin ['hɔb,gɔblin] *s* 1. chochlik 2. strach, straszydło

hobnail ['hɔb,neil] *s* ćwiek

hobnailed ['hɔb,neild] *adj* (*o bucie*) podkuty ćwiekami; *med* **~ liver** wątroba guzkowata

hobnob, hob-nob ['hɔb,nɔb] *vi* (**-bb-**) 1. popijać (z kimś); kumać się; być w zażyłych stosunkach <za pan brat> (z kimś) 2. ocierać się (**with sb** o kogoś — ważne osobistości itd.); zadawać się (z kimś)

hobo ['houbou] *s am* 1. robotnik sezonowy 2. włóczęga

Hobson ['hɔbsn] *spr w zwrocie*: **it's ~'s choice** nie ma wyboru

hock[1] [hɔk] *s* gatunek niemieckiego wina białego; wino reńskie

hock[2] [hɔk] *s* 1. ścięgno w kolanie (u konia itd.) 2. pęcina

hock[3] [hɔk] I *s am sl* 1. lombard 2. więzienie II *vt* zastawi-ć/ać (w lombardzie)

hockey ['hɔki] *s* hokej; **field ~** hokej na trawie; **ice ~** hokej na lodzie

hockey-stick ['hɔki,stik] *s* kij do hokeja

hocus ['houkəs] *vt* (**-ss-**) 1. oszuk-ać/iwać; *pot* nab-rać/ierać 2. da-ć/wać narkotyk (**a horse** koniowi)

hocus-pocus ['houkəs'poukəs] I *s* hokus-pokus; sztuczka kuglarska; oszukaństwo; machinacja; kombinacja II *vt* (**-ss-**) 1. pokaz-ać/ywać sztuczk-ę/i (**sb** komuś) 2. oszuk-ać/iwać; *pot* nab-rać/ierać

hod [hɔd] *s* 1. szaflik murarski; skrzynia do zaprawy 2. rodzaj kozła do noszenia cegieł na ramieniu 3. wiadro na węgiel

hodden ['hɔdn] *s szkoc* samodział (wełniany); grube sukno

Hodge [hɔdʒ] *s* typ angielskiego robotnika rolnego

hodge-podge ['hɔdʒ,pɔdʒ] = **hotch-potch**

hodman ['hɔdmən] *s* (*pl* **hodmen** ['hɔdmən]) 1. pomocnik murarski; murarczyk 2. pisarczyk

hodometer [hɔ'dɔmitə] *s* hodometr, drogomierz

hoe[1] [hou] I *s* motyka; graca II *vt* (**hoed** [houd], **hoed; hoeing** ['houiŋ]) kopać <okopywać> motyką; gracować

hoe[2] [hou] *s* cypel

hoe-cake [hou,keik] *s* placek kukurydzany

hog [hɔg] I *s* 1. wieprz; świnia; *sl* **to go the**

whole ~ pójść/iść na całego; *pot* **road ~** pirat <chuligan> drogowy 2. jednoroczny baranek 3. (*o człowieku*) *pot* świnia 4. *mar* szczotka do szorowania dna statku pod wodą [II] *vt* (**-gg-**) 1. *mar* szorować (dno statku) 2. wygi-ąć/nać; przegi-ąć/nać 3. przystrzy-c/gać (koniowi grzywę) 4. *radio* wywoł-ać/ywać zakłócenia (**the ether** w eterze) [III] *vi* (**-gg**) 1. wygi-ąć/nać <wykrzywi-ć/ać, s/paczyć> się 2. *pot* zachow-ać/ywać się po świńsku; (*o kierowcy, motocykliście*) jechać <jeździć> jak pirat <chuligan> drogowy

hogback ['hɔg,bæk] *s* grzbiet górski

hogget ['hɔgit] *s* jagnię 8-miesięczne przed strzyżą

hoggish ['hɔgiʃ] *adj* 1. świński 2. żarłoczny

hoggishness ['hɔgiʃnis] *s* 1. niechlujstwo 2. żarłoczność

hog-herd ['hɔg,hə:d] *s* świniopas

hogmanay [,hɔgmə'nei] *s szkoc* sylwester (ostatni dzień roku)

hogshead ['hɔgz,hed] *s* 1. beczka 2. miara pojemności (= 240 l)

hog's-pudding ['hɔgz,pudiŋ] *s kulin* biała kiszka (bułczana)

hog-tie ['hɔg,tai] *vt* (**hog-tied** ['hɔg,taid], **hog-tied; hog-tying** ['hɔg,taiiŋ]) *am* związać (zwierzę) pętając cztery nogi <(więźnia) krępując ręce i nogi razem>

hog-wash ['hɔg,wɔʃ] *s* pomyje; *przen* bzdury

hogweed ['hɔg,wi:d] *s bot* barszcz zwyczajny

hoi(c)k [hɔik] [I] *s lotn* szarpnięcie w górę [II] *vt* pod-erwać/rywać (samolot) prostopadle w górę [III] *vi* (*o samolocie*) wzn-ieść/osić się prostopadle w górę

hoicks [hɔiks] *interj* (*do psów*) huzia!

hoist¹ [hɔist] [I] *vt* (*także* **~ up**) podn-ieść/osić <wyciąg-nąć/ać w górę> (żagiel, ładunek); wy/windować; wywie-sić/szać (flagę) [II] *s* 1. winda; dźwig; wyciąg; kołowrót; **to give sb a ~** dźwignąć <podsadzić> kogoś; **to give sth a ~** wyciągnąć <wywindować> coś w górę

hoist² [hɔist] (*pp od* **hoise** †) *w zwrocie*: **to be ~ with one's own petard** złapać się we własne sidła

hoity-toity ['hɔiti'tɔiti] [I] *interj* ho-ho! no-no! [II] *adj* 1. zarozumiały; **don't be so ~!** spuść/cie trochę z tonu! 2. drażliwy

hokey-pokey ['houki'pouki] *s* 1. = **hocus-pocus** *s* 2. lody (przekupnia ulicznego)

hokum ['houkəm] *s am sl* 1. *teatr* granie na uczuciach mało wybrednej publiczności; banały; komunały 2. oszukaństwo

hold¹ [hould] *v* (**held** [held], **held**) [I] *vt* 1. po/trzymać (coś); trzymać się (**sth** czegoś, za coś); mieć w rę-ce/kach; utrzym-ać/ywać; **to ~ a wager** iść o zakład; **to ~ oneself well** dobrze się trzymać; mieć dobrą postawę; **to ~ one's ground** nie ustępować; *pot* nie popuszczać; **to ~ one's head high** chodzić z podniesioną głową; **to ~ one's own** dzielnie się bronić; nie poddawać się; **to ~ sb to his promise** zmusić kogoś do <domagać się od kogoś> spełnienia obietnicy 2. dzierżawić; posiadać (grunt) 3. zawierać; mieć w sobie; po/mieścić (w sobie); *przen* mieć w zanadrzu; (*o przyszłości*) z/gotować 4. odby-ć/wać (naradę, przedstawienie itd.); **to ~ a conversation with sb** mieć rozmowę z kimś; **to ~ intercourse with** — obcować <być w stosunkach> z ... 5. powstrzym-ać/ywać; zatrzym-ać/ywać; po/hamować; **to ~ one's tongue** milczeć 6. nie przepuszczać (**sth** czegoś); **to ~ water** a) być szczelnym b) *przen* (*o teorii itp*) dać się utrzymać c) (*o pogłosce itp*) mieć cechy prawdopodobieństwa 7. obchodzić (święto itp.) 8. mieć (tytuł, stanowisko itd.) 9. uważać (**sb, sth to be** — że ktoś, coś jest...; **sth sacred etc.** że coś jest święte itd.); **to ~ oneself responsible for sth** przyj-ąć/mować odpowiedzialność za coś; **to ~ sb in respect** mieć szacunek dla kogoś; **to ~ sb responsible** czynić kogoś odpowiedzialnym; **to ~ sth lightly** <**cheap**> nie przywiązywać wagi do czegoś; **to ~ sth to be** — uważać, że coś jest ... (dobre, złe itd.) 10. uważać <utrzymywać> (**that** — że...) [II] *vi* 1. trzymać się; być mocnym; wytrzym-ać/ywać 2. po/trwać; utrzym-ać/ywać się; wytrzym-ać/ywać (przez pewien czas); **to ~ good** <**true**> pozosta-ć/wać w mocy; obowiązywać; być (nadal) ważnym; nie s/tracić ważności; być aktualnym 3. dotyczyć także (**in the case of sb, sth** kogoś, czegoś); odnosić się także (**in the case of sb, sth** do kogoś, czegoś) 4. obstawać (**to** <**by**> **sth** przy czymś); być wiernym (**to** <**by**> **sth** czemuś) 5. pochwal-ić/ać (**with sth** coś); pop-rzeć/ierać (**with sb** kogoś); podziel-ić/ać zdanie (**with sb** czyjeś)

~ aloof *vi* trzymać się z dala (**from sth** od czegoś)

~ back [I] *vt* 1. powstrzym-ać/ywać 2. ukry-ć/wać (prawdę); za/taić; zachować dla siebie [II] *vi* powstrzym-ać/ywać się; nie śpieszyć się; wahać <ociągać> się

~ down *vt* 1. spu-ścić/szczać (głowę) 2. przygni-eść/atać (kogoś) do ziemi; nie da-ć/wać się podnieść (**sb** komuś); za/trzymać (coś) w miejscu; naciskać (pedał itd.) 3. uciskać; ciemiężyć

~ forth [I] *vt* podsu-nąć/wać; za/proponować; za/oferować [II] *vi* rozprawiać

~ in [I] *vt* powstrzym-ać/ywać (konia, zapędy itd.); po/hamować (złość itd.); za/panować (**one's passions etc.** nad uczuciami itd.) [II] *vi* 1. po/hamować się 2. pozosta-ć/wać w dobrych stosunkach (**with sb** z kimś)

~ of [I] *vt* trzymać (kogoś) na dystans [II] *vi* 1. trzymać się z dala 2. wytrzym-ać/ywać 3. powstrzym-ać/ywać się (**from sth** od czegoś)

~ on [I] *vt* powstrzym-ać/ywać [II] *vi* 1. trzymać się (**to sth** czegoś); nie pu-ścić/szczać 2. wytrzym-ać/ywać; nie przesta-ć/wać; nie odchodzić ‖ **~ on!** a) pomału! b) stop!; zaczekaj/cie!

~ out [I] *vt* 1. wyciąg-nąć/ać (**one's hand to sb** rękę do kogoś); *przen* podać rękę (**sb** komuś); poratować (**sb** kogoś) 2. robić nadzieję <obietnicę> (**sb** komuś) 3. trzymać (**at arm's length** w wyciągniętej ręce) [II] *vi* wytrzym-ać/ywać; przetrzym-ać/ywać

~ over *vt* 1. od-łożyć/kładać; odr-oczyć/aczać 2. za/rezerwować

~ together [I] *vt* trzymać razem; wiązać; spajać [II] *vi* 1. trzymać się razem 2. iść w parze; towarzyszyć sobie

~ up [I] *vt* 1. podtrzym-ać/ywać; pod-eprzeć/pierać 2. podn-ieść/osić; wystawi-ć/ać (głowę itd.) 3. stawiać (**sb as a model** kogoś za wzór); wystawi-ć/ać (**sb to ridicule** kogoś na pośmiewisko) 4. zatrzym-ać/ywać (kogoś, coś — pociąg, ruch uliczny itd.); za/hamować; za/tamować; unieruch-omić/amiać; wstrzym--ać/ywać (zapłatę itp.); *am* **to ~ up a train** zatrzymać pociąg w celach rabunkowych; **to ~ up the traffic** zrobić zator [II] *vi* wytrzym--ać/ywać; po/trwać; wytrwać

zob **holding** [III] *s* 1. uchwyt; chwyt; ujęcie; trzymanie; **to catch <get, lay> ~ of sth** chwy-cić/tać <z/łapać> za coś; chwy-cić/tać się czegoś; dostać coś w swoje ręce; **to have a ~ over sb** trzymać kogoś w rękach; mieć władzę nad kimś; mieć wpływ na kogoś; **to have ~ of sth** trzymać coś; **to keep (tight) ~ of sth** trzymać (mocno) coś w rękach; nie wypu-ścić/szczać czegoś z rąk; **to leave <lose> one's ~ of sth** puścić coś; wypuścić coś z rąk; **to release one's ~** popuścić; **to slip out of sb's ~** wymknąć się komuś z rąk 2. zdolność pojmowania; pojmowanie 3. punkt oparcia (dla nogi, ręki) 4. *muz* pauza

hold² [hould] *s* ładownia (statku); **in the ~** pod pokładem

hold-all ['hould,ɔ:l] *s* torba (na narzędzia, bagaż itd.)

holdback ['hould,bæk] *s* przeszkoda; zawada

holder ['houldə] *s* 1. posiadacz/ka; właściciel/ka; okaziciel/ka 2. dzierżaw-ca/czyni 3. szafka <półka, stojak, podstawka, futerał, teczka, wieszadło, postument> (na różne przedmioty) 4. rączka; uchwyt; oprawka 5. naczynie; zbiornik

holdfast ['hould,fɑ:st] *s* uchwyt; klamra; spinka; kleszcze; trzymadło; hak

holding ['houldiŋ] [I] *zob* **hold¹** *v* [II] *s* 1. dzierżawa; gospodarstwo rolne; posiadłość 2. portfel akcji [III] *adj* (*o urządzeniu itd*) przytrzymujący <łączący>; **~ company** towarzystwo posiadające akcje innych towarzystw i trzymające je w zależności od siebie

hold-over ['hould'ouvə] *s am* przeżytek; pozostałość z dawnych czasów; relikt

hold-up ['hould'ʌp] *s* 1. zatrzymanie; wstrzymanie (ruchu); zator 2. napad (bandycki); **~ man** bandyta

hole [houl] [I] *s* 1. dziura; dół; wydrążenie; wybój; **a pail etc. with a ~ in it** dziurawe wiadro itd.; **full of ~s** podziurawiony; **to make a ~ in sth** przedziurawi-ć/ać coś; *przen* nadweręż-yć/ać coś; z/robić wyłom w czymś; **to pick ~s in sb, sth** s/krytykować kogoś, coś 2. kłopot; tarapaty; opały 3. *dosł i przen* nora; jama 4. otwór [II] *vt* 1. wy/wiercić <wy/borować, wy/drążyć> dziurę (**sth** w czymś); z/robić otwór (**sth** w czymś) 2. przedziurawi-ć/ać 3. przekop-ać/ywać (tunel) 4. *bil* zrobić bilę

hole-and-corner ['houlən'kɔ:nə] *attr pot* pokątny; tajny; potajemny

holer ['houlə] *s górn* wiertacz; wrębiarz

holey ['houli] *adj* dziurawy

holiday ['hɔlədi] [I] *s* 1. święto; **to keep <make> ~** świętować 2. dzień wolny od pracy; **to give sb a ~** zwolnić kogoś; dać komuś zwolnienie 3. *pl* **~s** wakacje; ferie 4. urlop; wczasy; **to be on ~** być na urlopie <na wczasach> [II] *attr* świąteczny; wakacyjny; urlopowy

holiday-maker ['hɔlədi,meikə] *s* letni-k/czka; wczasowicz; wycieczkowicz; turyst-a/ka

holiness ['houlinis] *s* 1. świętość 2. (*w tytule papieża*) **His Holiness** Jego Świątobliwość

holla *zob* **hollo**

holland ['hɔlənd] *s* rodzaj płótna; **brown ~** szare płótno

hollander ['hɔləndə] *s techn* holender (maszyna do mielenia masy papierowej)

Hollands ['hɔləndz] *s* jałowcówka holenderska

hollo(a), holla, hollow ['hɔlou] [I] *interj* hejże!; hola!; hej! [II] *vt* podniecać krzykiem (psy) [III] *vi* krzyczeć; wołać

hollow ['hɔlou] [I] *s* 1. puste miejsce; wydrążenie; dziupla; dziura 2. wklęsłość <wgłębienie> terenu; kotlina; dolina; **in the ~ of one's hand** a) w zagłębieniu dłoni b) *przen* w garści [II] *adj* 1. pusty; wydrążony; wklęsły; wklęśnięty; (*o zębie*) spróchniały; dziurawy; (*o policzkach*) zapadły; zapadnięty; (*o oczach*) głęboko osadzony; (*o drzewie*) dziuplasty; wypróchniały; **to feel ~** mieć pusty żołądek; być głodnym; 2. (*o dźwięku, kaszlu*) głuchy; (*o głosie*) tubalny; (*o brzmieniu*) dudniący; **to sound ~** brzmieć głucho; wydawać głuchy dźwięk; dudnić 3. (*o śmiechu*) pusty 4. nieszczery; fałszywy [III] *vt* (*także* **~ out**) wydrąż-yć/ać; wyżł-obić/abiać [IV] *adv* (*także* **all ~**) kompletnie; całkiem; **to beat sb ~** a) pobić kogoś na głowę; odnieść nad kimś całkowite <miażdżące> zwycięstwo b) *pot* sprać kogoś

hollow-cheeked ['hɔlou,tʃi:kt] *adj* z zapadniętymi policzkami; wymizerowany; wychudły

hollow-eyed ['hɔlou'aid] *adj* z głęboko osadzonymi oczami; z zapadłymi oczami

hollow-hearted ['hɔlou'hɑ:tid] *adj* nieszczery; fałszywy

hollowness ['hɔlounis] *s* 1. pustka 2. = **hollow** *s* 3. tubalność (głosu) 4. nieszczerość; fałszywość

hollow-toned ['hɔlou'tound] *adj* głucho brzmiący

hollow-ware ['hɔlou,wɛə] *s* 1. wyroby bednarskie 2. naczynia gospodarskie <kuchenne>

holly ['hɔli] *s bot* ostrokrzew

hollyhock ['hɔli,hɔk] *s bot* malwa

holm¹ [houm] *s* ostrów; wysepka <kępa> na rzece

holm² [houm], **~-oak** ['houm,ouk] *s bot* dąb skalny

holmium ['hɔlmiəm] *s chem* holm (pierwiastek)

holm-oak *zob* **holm²**

holocaust ['hɔlə,kɔ:st] *s* 1. ofiara całopalna 2. masakra

holometer ['hɔlou,mi:tə] *s techn* holometr (przyrząd do pomiaru kątów)

holothurian [,hɔlou'θjuəriən] *s zoo* strzykwa (zwierzę z typu szkarłupni)

holp *zob* **help**

holpen *zob* **help**

holster ['houlstə] *s* olstro; pochwa rewolwerowa; futerał na rewolwer

holt [hoult] *s poet* gaj; zagajnik

holus-bolus ['houləs'bouləs] *adv* wszystko na raz; (połknąć) jednym haustem

holy ['houli] [I] *adj* (**holier** ['houliə], **holiest** ['houliist]) 1. święty; poświęcony; *sl* **a ~ terror** diabeł wcielony; **~ orders** święcenia; **~ water** woda święcona; **to keep ~** święcić 2. (*o tygodniu przed Wielkanocą i jego dniach*) **Holy**

Wielki 3. nieskalany; bez grzechu; święty [II] *s* święty; *bibl* **the Holy of Holies** święte świętych (miejsce w świątyni); *przen* najświętsze miejsce

holystone ['houli,stoun] [I] *s mar* miękki piaskowiec do szorowania pokładu [II] *vt* szorować (pokład) piaskowcem

homage ['hɔmidʒ] *s* hołd; **to pay** <**do**> ~ składać hołd; przysięgać na wierność

Homburg ['hɔmbə:g] *s* kapelusz filcowy

home [houm] [I] *s* 1. ognisko domowe; dom rodzinny; mieszkanie; miejsce zamieszkania; sadyba ludzka; **long** <**last**> ~ mogiła; **at** ~ u siebie; w domu; **not to be at** ~ **to anyone** nikogo nie przyjmować; **to be at** ~ **on** <**in, with**> **a topic** być obeznanym z jakimś tematem; orientować się w temacie; **to feel at** ~ czuć się jak w domu <jak u siebie>; **to make oneself at** ~ rozgościć się; nie krępować się; nie czuć się skrępowanym; **to be away** <**absent**> **from** ~ być poza domem; nie być w domu; **to go from** ~ wyruszyć w podróż; wyjechać; **to leave** ~ rozstać się z rodziną; wywędrować z domu <w świat> 2. ojczyzna; kraj (rodzinny); **at** ~ **and abroad** w kraju i za granicą; ~ **journey** droga powrotna (do kraju) 3. otoczenie; element; żywioł; *przen* kolebka (sztuk pięknych itd.) 4. miejsce schronienia; schronisko; przytułek 5. legowisko (zwierza) 6. (*w grach*) meta [II] *adj* 1. domowy; rodzinny 2. miejscowy; (*o drużynie sport. itd*) swój 3. (*o hrabstwach*) sąsiadujący z Londynem 4. (*o ciosie*) dobrze wymierzony; (*o temacie*) bliski sercu; ~ **truth** gorzka prawda 5. *handl polit* wewnętrzny; krajowy; **Home Guard** armia <obrona> krajowa (w Anglii na wypadek inwazji); ~ **news** wiadomości z kraju; **Home Office** <**Secretary**> Ministerstwo <Minister> Spraw Wewnętrznych; **Home Rule** autonomia; niezawisłość; niezależność [III] *adv* 1. do domu; ku domowi; do siebie 2. do kraju; do ojczyzny 3. u siebie w domu <w kraju>; **to be** ~ **again** być z powrotem u siebie w domu <w kraju> 4. do oporu; do końca; **to bring a charge** <**a lie etc.**> ~ **to sb** udow-odnić/adniać komuś zbrodnię <kłamstwo itd.>; **to bring sth** ~ **to sb** a) przekonać kogoś o czymś; trafić komuś do przekonania b) powiedzieć coś dosadnie do kogoś; **to go** ~ a) (*o pocisku*) trafić; być dobrze wymierzonym b) (*o uwadze, przemówieniu itd*) trafi-ć/ać do przekonania; wyw-rzeć/ierać wrażenie <skutek>; dot-knąć/ykać do żywego; **it came** ~ **to me** przekonałem się; zrozumiałem; **to press** <**screw, push etc.**> ~ docisnąć <dośrubować, dopchnąć itd.> do końca [IV] *vi* (*o gołębiach*) wr-ócić/acać (na miejsce wylotu) [V] *vt* stworzyć ognisko domowe (**sb** komuś); przyhołubić *zob* **homing**

home-baked ['houm,beikt] *adj* domowego <swojego, własnego> wypieku

home-bird ['houm,bə:d] *s* domator/ka

home-born ['houm,bɔ:n] *adj* miejscowy; tubylczy

home-bred ['houm,bred] *adj* 1. miejscowy; tubylczy 2. wychowany w domu; domorosły

home-brewed ['houm,bru:d] *adj* (*o piwie*) własnego <domowego> wywaru

home-coming ['houm,kʌmiŋ] [I] *s* powrót do własnego domu <pod rodzinny dach>; powrót do ojczyzny <do kraju> [II] *adj* wracający, powracający; ~ **prisoners** jeńcy wracający z niewoli

home-felt ['houm,felt] *adj* głęboko odczuty; serdeczny

home-grown ['houm'groun] *adj* (*o roślinach*) krajowej hodowli

home-keeping ['houm,ki:piŋ] *adj* domatorski

homeland ['houm,lænd] *s* ojczyzna; kraj (rodzinny)

homeless ['houmlis] *adj* bezdomny; bez dachu nad głową; **to make** ~ pozbawi-ć/ać dachu (nad głową)

homelike ['houmlaik] *adj* miły; przytulny; swojski; przypominający ognisko domowe

homeliness ['houmlinis] *s* 1. prostota; przytulność; swojskość 2. ciepło domowe <rodzinne>; atmosfera domowa 3. *am* brak urody

homely ['houmli] *adj* (**homelier** ['houmliə], **homeliest** ['houmliist]) 1. prosty; przytulny; swojski 2. pospolity; nieładny 3. (*o jedzeniu, gustach*) prosty; niewybredny; niewyszukany; skromny

home-made ['houm'meid] *adj* 1. domowego wyrobu <wypieku, wywaru>; domowej <swojej, własnej> roboty 2. (*o towarze*) krajowy

homeo- ['houmiou-] *zob* **homoeo-**

Homeric [hou'merik] *adj* homeryczny, homerycki

home-ruler ['houm,ru:lə] *s* zwolenni-k/czka autonomii <niezawisłości, niezależności>

homesick ['houm,sik] *adj* stęskniony za domem <za rodziną, krajem, ojczyzną>; **to be** ~ tęsknić; mieć nostalgię

homesickness ['houm,siknis] *s* tęsknota za domem <za rodziną, krajem, ojczyzną>; nostalgia

homespun ['houm,spʌn] [I] *adj* (*o nitkach*) ręcznie przędzony; (*o tkaninie*) ręcznie tkany [II] *s* samodział

homestead ['houm,sted] *s* 1. gospodarstwo rolne 2. zabudowania gospodarskie 3. domostwo 4. *am* działka gruntu przeznaczona pod gospodarstwo rolne

homesteader ['houm,stedə] *s am* właściciel/ka działki gruntu przeznaczonej pod gospodarstwo rolne

home-thrust ['houm,θrʌst] *s* dobrze wymierzone pchnięcie

homeward ['houmwəd] [I] *adv* = **homewards** [II] *adj* 1. wiodący ku domowi <do kraju, do ojczyzny> 2. powrotny

homeward-bound ['houmwəd'baund] *adj* (*o statku itd*) zdążający <płynący> do kraju; wracający do portu macierzystego

homewards ['houmwədz] *adv* 1. ku domowi; do domu 2. do kraju, do ojczyzny

homicidal [,hɔmi'saidl] *adj* morderczy

homicide ['hɔmi,said] *s* 1. zabój-ca/czyni 2. zabójstwo

homily ['hɔmili] *s kośc i przen* kazanie

homing ['houmiŋ] [I] *zob* **home** *v* [II] *adj* 1. powracający do domu; ~ **pigeon** gołąb pocztowy 2. (*o przyrządzie*) naprowadzający (na cel)

hominy ['hɔmini] *s* mamałyga

homocentric [,houmou'sentrik] *adj* współśrodkowy

homoeopath ['houmiə,pæθ] *s* homeopata

homoeopathic [,houmiou'pæθik] *adj* homeopatyczny

homoeopathy [,houmi'ɔpəθi] *s* homeopatia

homogamous [hɔ'mɔgəməs] *adj bot* homogamiczny; (*o roślinie*) o kwiatach obupłciowych

homogeneity [ˌhɔmoudʒe'ni:iti] *s* jednorodność; jednolitość; homogeniczność

homogeneous [ˌhɔmou'dʒi:njəs] *adj* jednorodny; jednolity; homogeniczny; jednofazowy

homograph ['houməˌgrɑ:f] *s* homograf (jeden z pary lub grupy wyrazów o jednakowej pisowni i różnej wymowie)

homologate [hou'mɔləˌgeit] *vt prawn* zatwierdz-ić/ać

homologous [hɔ'mɔləgəs] *adj* odpowiedni; homologiczny; *chem* pokrewny

homonym ['hɔmənim] *s jęz* homonim

homosexual ['houmou'seksjuəl] *adj* homoseksualny

homosexuality ['houmouˌseksju'æliti] *s* homoseksualizm

homuncule [hɔ'mʌŋkju:l], **homuncle** [hɔ'mʌŋkl], **homunculus** [hɔ'mʌŋkju:ləs] *s* człowieczek, karzeł

hon. ['ɔnərəbl] *skr* **honourable**

hone [houn] [I] *s* osełka; brus [II] *vt* na/ostrzyć (na kamieniu)

honest ['ɔnist] [I] *adj* 1. uczciwy; rzetelny; prawy 2. (*także am* **~-to-God, ~-to-goodness**) szczery; **to be quite ~ (about it)** mówiąc szczerą prawdę 3. porządny; przyzwoity; szanowany 4. legalny 5. prawdziwy; niefałszywy 6. godziwy; słuszny 7. (*o kobiecie*) przyzwoita, uczciwa, dobrze się prowadząca; **to make an ~ woman of _** wrócić (kobiecie) honor (poślubić po uwiedzeniu) [II] *adv pot* naprawdę

honesty ['ɔnisti] *s* 1. uczciwość; rzetelność; prawość; **~ pays <is the best policy>** uczciwość popłaca 2. szczerość 3. *bot* miesięcznica

↑**honey** ['hʌni] *s* 1. miód 2. słodycz 3. *zwracając się do kogoś:* kochanie

honey-bee ['hʌniˌbi:] *s* pszczoła domowa <miodonośna>

honey-buzzard ['hʌniˌbʌzəd] *s* (sokół) pszczołojad

honeycomb ['hʌniˌkoum] [I] *s* 1. plaster miodu 2. bąbel; bańka (w metalu) [II] *vt* podziurawić jak rzeszoto

honeydew ['hʌniˌdju:] *s* 1. rosa miodowa; miodownica 2. tytoń słodzony melasą

honeyed ['hʌnid] *adj* słodki; miodopłynny

honeymoon ['hʌniˌmu:n] [I] *s* miodowy miesiąc; **~ trip** podróż poślubna [II] *vi* spędzić miodowy miesiąc (**in <at> a place** w danej miejscowości)

honeymouthed ['hʌniˌmauðd] *adj* słodki w mowie

honeysuckle ['hʌniˌsʌkl] *s bot* kapryfolium, wiciokrzew przewiercień

honey-sweet ['hʌniˌswi:t] *adj* miodowy

hong [hɔŋ] *s* (*w Chinach*) przedsiębiorstwo handlowe

honk [hɔŋk] [I] *s* 1. krzyk dzikiej gęsi 2. głos klaksonu [II] *vi* 1. (*o dzikich gęsiach*) krzyczeć 2. (*o klaksonie*) od-ezwać/zywać się; rozbrzmie-ć/wać [III] *vt* za/trąbić (**the horn** klaksonem)

honorarium [ˌɔnə'rɛəriəm] *s* (*pl* **~s, honoraria** [ˌɔnə'rɛəriə]) honorarium; wynagrodzenie

honorary ['ɔnərəri] *adj* 1. honorowy 2. bezpłatny

honorific [ˌɔnə'rifik] *adj* honorowy; zaszczytny; grzecznościowy

honour ['ɔnə] [I] *s* 1. honor; cześć; **a debt of ~** dług honorowy; **a man of ~** człowiek honorowy; **a place of ~** zaszczytne miejsce (na liście itd.); **the code of ~** kodeks honorowy; **the seat of ~** honorowe miejsce; **to pay <do> ~ to sb** oddawać komuś honory; **to put sb on his ~** zawierzyć komuś na słowo; *pot* **~ bright** pod słowem; **in ~ of _** na cześć...; **on one's ~** pod słowem (honoru); **upon my ~** słowo (honoru) daję 2. zaszczyt; **to be an ~ to _** przynosić zaszczyt... (instytucji, krajowi itd.); **to do sb the ~ of _** zaszczycić kogoś tym, że... 3. dobre imię; cześć 4. odznaczenie (akademickie itd.); **New Year's <Birthday> ~s** odznaczenia nadawane w dniu Nowego Roku <w dniu urodzin król-a/owej> 5. *pl uniw* **~s (degree)** stopień naukowy nadawany po wyspecjalizowaniu się w przedmiocie; **~s course** specjalizacja 6. *pl* **~s** honory; zaszczyty; **to do the ~s (of one's house)** czynić honory domu; **to pay the last ~s to sb** oddać komuś ostatnią posługę; **to receive sb with full ~s** przyjąć kogoś z honorami 7. *karc* honory 8. (*w tytule należnym sędziom*) **Your Honour** Panie Sędzio [II] *vt* 1. zaszczyc-ić/ać 2. poważać; szanować 3. u/czcić 4. honorować (weksel itp.)

honourable ['ɔnərəbl] *adj* 1. honorowy; zgodny z nakazami honoru; prawy; (*o zamiarach*) uczciwy 2. zaszczytny 3. szanowny; poważany; czcigodny 4. **the Honourable** tytuł należny osobom pewnych szczebli arystokracji, posłom do parlamentu i Kongresu amerykańskiego oraz sędziom; **the Most Honourable** tytuł należny osobom posiadającym najwyższe odznaczenia; **the Right Honourable** tytuł należny merowi Londynu i niektórym dygnitarzom

hooch [hu:tʃ] *s am sl* gorzała; samogon; bimber; hara

↑**hood** [hud] [I] *s* 1. kaptur (na głowę, na komin, na głowę ptaka myśliwskiego itd.) 2. buda (pojazdu); nakrycie; daszek; *am auto* maska, osłona motoru 3. *uniw* odznaka stopnia naukowego i przynależności uniwersyteckiej (na todze) [II] *vt* nakry-ć/wać kapturem <daszkiem, maską, osłoną>; osł-onić/aniać *zob* **hooded**

hooded ['hudid] [I] *zob* **hood** *v* [II] *adj* zakapturzony

hoodie ['hudi] *s* (*także* **~ crow**) *zoo* wrona siwa

hoodlum ['hu:dləm] *s am sl* chuligan

hood-moulding ['hudˌmouldiŋ] *s bud* okapek

hoodoo ['hu:du] [I] *s am* 1. człowiek <przedmiot> przynoszący nieszczęście 2. nieszczęście; pech [II] *vt* przyn-ieść/osić nieszczęście (**sb, sth** komuś, czemuś); urze-c/kać

hoodwink ['hudwiŋk] *vt* 1. oszuk-ać/iwać; okpi-ć/wać 2. zawiąz-ać/ywać oczy (**sb** komuś)

hooey ['hui] *s am sl* humbug; bzdura; nonsens

hoof [hu:f] [I] *s* (*pl* **~s, hooves** [hu:vz]) 1. kopyto; racica; (*o zwierzętach*) **on the ~** żywy 2. zwierzę kopytne <kopytowe> 3. *pot* noga (ludzka); *przen* **under the ~** pod obcasem <pod butem> (najeźdźcy) [II] *vt* 1. kop-nąć/ać 2. odby-ć/wać (drogę) piechotą; **to ~ it** pójść/iść (piechotą) [III] *vi* pójść/iść piechotą

~ out *vt* wyg-nać/aniać <wyrzuc-ić/ać> (kogoś) kopniakiem

zob **hoofed**

hoofed [hu:ft] [I] *zob* **hoof** *v* [II] *adj* kopytny

hoofer ['hu:fə] *s am sl* 1. tance-rz/rka 2. lich-y/a aktor/ka

hoof-pick ['hu:f,pik] *s* hak do usuwania kamieni z kopyta

hoof-rot ['hu:f,rɔt] = **foot-rot**

hook [huk] I *s* 1. hak; haczyk (u wędki itd.); **~ and eye** haftka; konik z kobyłką; *sl* **to drop off the ~s** wykitować, umrzeć; *sl* **to take <sling> one's ~** dać nogę; zwi-ać/ewać; wynieść się; zemknąć/zmykać; **on one's own ~** na własną rękę 2. zagięcie; ostry zakręt 3. sierp 4. pułapka; potrzask 5. *boks* sierpowy (cios) 6. (*w golfie i krykiecie*) uderzenie piłki w lewo 7. *muz* chorągiewka (u nuty wiązanej) 8. *geogr* przylądek; cypel 9. *am* oszust/ka, złodziej/ka ‖ **by ~ or by crook** za wszelką cenę; nie przebierając w środkach; nie zważając na nic II *vt* 1. zagi-ąć/nać (palec) 2. (*także* **~ up**) zawie-sić/szać na haku 3. zaczepi-ć/ać <zahacz-yć/ać> (**on <to> sth** o coś) 4. z/łapać (męża); z/łowić (rybę) na wędkę 5. (*w golfie*) uderz-yć/ać (piłkę) w lewo 6. (*w krykiecie*) odbi-ć/jać (piłkę) palantem 7. *boks* uderz-yć/ać sierpowym 8. u/kraść; *pot* zwędzić ‖ *sl* **~ it** dać nogę; zwi-ać/ewać; wyn-ieść/osić się; zemknąć/zmykać III *vi* zaczepi-ć/ać <zahacz-yć/ać> się; **to ~ on to sb** wziąć/brać kogoś pod rękę <pod ramię> *zob* **hooked**

hookah ['hukə] *s* nargile

hooked [hukt] I *zob* **hook** *v* II *adj* 1. haczykowaty 2. zaopatrzony w haki 3. (zawieszony) na hakach

hooker ['hukə] *s mar* hukier (dwumasztowy statek); **the old ~** a) *pog* to stare pudło b) ta nasza (kochana) krypa

hookey, hooky ['huki] *s am w zwrotach:* **blind ~** gra hazardowa podobna do bakarata; **to play ~** chodzić na wagary

hook-nosed ['huk,nouzd] *adj* (*o człowieku*) z haczykowatym <zakrzywionym> nosem

hook-up ['huk'ʌp] *s* połączenie rozgłośni dla retransmisji programu; połączone rozgłośnie

hookworm ['huk,wə:m] *s zoo* tęgoryjec (glista)

hooky *zob* **hookey**

hooligan ['hu:ligən] *s* chuligan

hooliganism ['hu:ligə,nizəm] *s* chuligaństwo

hoop¹ [hu:p] I *s* 1. obręcz; kabłąk; koło; pierścień; **~ skirt** krynolina; *przen* **to go through the ~(s)** przeżywać ciężkie chwile; przechodzić okres ciężkiej próby; (*o dziecku*) **to trundle <drive> a ~** bawić się kółkiem 2. (*w krokiecie*) bramka II *vt* 1. ścis-nąć/kać obręcz-ą/ami 2. ot-oczyć/aczać pierścieniem

hoop² [hu:p] I *s* 1. krzyk; wrzask 2. pianie <zanoszenie się> przy kokluszu II *vi* 1. krzy-knąć/czeć; wrz-asnąć/eszczeć

hooping-cough ['hu:piŋ,kɔf] *s* koklusz

hoop-la ['hu:p,la:] *s* rzucanie pierścieniami (zabawa)

hoopoe ['hu:,pu:] *s zoo* dudek (ptak)

hoosh [hu:ʃ] *s* potrawa z suszonego mięsa gotowanego razem z sucharami

Hoosier ['hu:ʒə] *s am* mieszkan-iec/ka stanu Indiana

hoot [hu:t] I *vi* 1. hukać 2. wygwizdać (**at sb, sth** kogoś, coś) 3. (*o syrenie*) za/wyć 4. (*o klaksonie*) za/trąbić 5. (*o lokomotywie*) za/gwizdać II *vt* wygwizd-ać/ywać

~ away *vt* wygwizd-ać/ywać

~ down *vt* zagłusz-yć/ać gwizdaniem (**sb** kogoś, czyjeś słowa <przemówienie>)

III *s* 1. hukanie 2. wygwizdanie (aktora itp.); gwiazdy 3. wycie (syreny itp.) 4. trąbienie klaksonu) 5. gwizd (lokomotywy) ‖ **I don't care a ~** to mnie nic nie obchodzi; *pot* gwiżdżę na to; **it isn't worth two ~s** to funta kłaków nie warte

hootch [hu:tʃ] = **hooch**

hooter ['hu:tə] *s* 1. syrena (fabryczna) 2. gwizdek 3. klakson

hoove [hu:v] *s wet* rozdęcie, *pot* kolka

hooves *zob* **hoof** *s*

hop¹ [hɔp] I *s* chmiel II *vt* (**-pp-**) 1. chmielić; zaprawi-ć/ać (piwo) chmielem 2. zebrać/zbierać chmiel (**a field** z pola) III *vi* (**-pp-**) zebrać/zbierać chmiel

hop² [hɔp] *v* (**-pp-**) I *vi* 1. skakać (*o człowieku* — na jednej nodze; *o ptaku* — na dwóch nogach; *o zwierzęciu* — na tylnych nogach) 2. podrygiwać II *vt* przesk-oczyć/akiwać (**sth** przez coś); *sl* **to ~ (it)** zwi-ać/ewać; wyn-ieść/osić się; zemknąć/zmykać; *sl* **to ~ the twig <stick>** zwiać nagle

~ off *vi sl* (*o samolocie*) wy/startować

III *s* 1. podskok; (*u ptaków*) chód skoczny; *pot* **to be on the ~** krzątać <wiercić> się 2. *pot* potańcówka 3. etap (podróży samolotem)

hop-bind ['hɔp,baind], **hop-bine** ['hɔp,bain] *s bot* chmielina, łodyga chmielu

hope¹ [houp] I *vi* mieć <żywić> nadzieję; ufać; **I ~ so <not>** chyba <mam nadzieję, że> tak <nie>; **to ~ against ~** nie poddawać się rozpaczy; **to ~ for sth** oczekiwać <spodziewać się> czegoś; **to ~ for the best** być dobrej myśli II *vt* spodziewać się (**sth** czegoś); **to ~ that** — mieć nadzieję, że...; **I ~ to be there** mam nadzieję, że tam będę; **I ~ you may succeed** oby ci <wam> się powiodło <udało>; **hoping to hear from** — oczekując wiadomości od... III *s* nadzieja; **to have ~s of sth** mieć nadzieję na coś; pocieszać się nadzieją czegoś; **to live <be> in ~s that** — żywić nadzieję <żyć nadzieją>, że...; **to put one's ~s in sth** pokładać nadzieję w czymś; **to raise sb's ~s** robić komuś nadzieję; **he is past ~** jego stan jest beznadziejny; **while there's life there's ~** nie trać-my/cie nadziei; niech żywi nie tracą nadziei

hope² [houp] *s* 1. pole otoczone odłogami; **osier ~** zarośla łozinowe 2. zatoczka 3. zamknięta dolina; parów

hopeful ['houpful] I *adj* 1. pełen nadziei; ożywiony nadzieją; ufny (w coś); **a ~ disposition** optymistyczne <pogodne> usposobienie; **to be <remain> ~** nie tracić nadziei; ufać 2. (*o widokach na przyszłość, młodzieńcu itd*) obiecujący; rokujący nadzieje; (*o sytuacji*) **to look ~** dobrze się zapowiadać II *s* **a young ~** nadzieja rodziny; obiecując-y/a młodzieniec <panna>

hopefully ['houpfuli] *adv* 1. z nadzieją w przyszłość; z najlepszymi nadziejami 2. optymistycznie; pogodnie 3. rokując nadzieje (czegoś lepszego)

hopefulness ['houpfulnis] *s* 1. wiara <ufność> w przyszłość 2. optymizm; pogoda ducha 3. dobra wróżba

hopeless ['houplis] *adj* 1. beznadziejny; rozpacz-

liwy 2. (*o człowieku*) zdesperowany; zrozpaczony; w rozpaczy
hopelessness ['houplisnis] *s* beznadziejny stan
hop-field ['hɔp,fi:ld], **hop-garden** ['hɔp,gɑ:dn] *s* chmielnik, chmielarnia, plantacja chmielu
hop-growing ['hɔp,grouiŋ] *s* uprawa chmielu
hop-kiln ['hɔp,kiln] *s* suszarnia chmielu
hoplite ['hɔplait] *s* (*w staroż. Grecji*) hoplita
hop-o'-my-thumb ['hɔpəmi,θʌm] *s* karzełek; Tomcio Paluch
hopper[1] ['hɔpə] *s* 1. skoczek 2. skaczący owad; pchła; *am* konik polny 3. *muz* przyrząd repetycyjny (u fortepianu) 4. kosz młyński; zbiornik 5. skrzynia siewna <siewnika> 6. (*także* **~-barge**) barka do przewozu mułu
hopper[2] ['hɔpə] = **hop-picker**
hopper-casement ['hɔpə,keismənt], **hopper-light** ['hɔpə,lait] *s* świetlnik
hop-picker ['hɔp,pikə] *s* robotni-k/ca zbierając-y/a chmiel
hop-picking ['hɔp,pikiŋ] *s* zbieranie chmielu
hopple ['hɔpl] [I] *vt* s/pętać (zwierzę) [II] *s* (*zw pl*) pęta
hop-pole ['hɔp,poul] *s* tyczka do chmielu
hop-scotch ['hɔp,skɔtʃ] *s* gra w klasy
horal ['hɔ:rəl], **horary** ['hɔ:rəri] *adj* godzinny; godzinowy
Horatian [hou'reiʃjən] *adj* horacjuszowski
horde [hɔ:d] [I] *s* horda [II] *vi* koczować tłumnie <hordą>
hordein ['hɔ:diin] *s chem* hordeina (alkaloid zawarty w suszonych kiełkach jęczmienia)
hordeolum [hɔ:'diələm] *s med* jęczmień (na powiece)
horehound ['hɔ:,haund] *s bot* szanta (ziele)
horizon [hə'raizn] *s* 1. horyzont; widnokrąg 2. *geol* horyzont, poziom, piętro
horizontal [,hɔri'zɔntl̩] *adj* poziomy; horyzontalny; **~ bar** drążek gimnastyczny
horizontality [,hɔrizən'tæliti] *s* horyzontalność; poziome położenie
hormone ['hɔ:moun] *s biol* hormon
horn [hɔ:n] [I] *s* 1. róg; **~ of plenty** róg obfitości; **to be on the ~s of a dilemma** mieć trudny wybór 2. rożek księżyca 3. *pl* **~s** rożki; macki; czułki; **to draw in its <one's> ~s** a) *dosł* schować różki b) *przen* spuścić z tonu 4. *myśl* róg 5. *muz* róg; **English ~** obój altowy; rożek angielski; **French ~** waltornia 6. tuba (gramofonu itd.) 7. trąba (samochodu); klakson; **to sound <blow> the ~** zatrąbić [II] *attr* rogowy [III] *vt* 1. zaopatrzyć <uzbroić> w rogi 2. u/bóść; przebi-ć/jać rog-iem/ami
~ in *vi am sl* wścibi-ć/ać nos, wtrąc-ić/ać się *zob* **horned**
horn-bar ['hɔ:n,bɑ:] *s* trawers (wozu)
hornbeak ['hɔ:n,bi:k] *dial* = **hornfish**
hornbeam ['hɔ:n,bi:m] *s bot* grab
hornbill ['hɔ:n,bil] *s zoo* nosoróg (ptak)
hornblende ['hɔ:n,blend] *s miner* hornblenda
hornblower ['hɔ:n,blouə] *s* trębacz
hornbook ['hɔ:n,buk] *s hist* elementarz
horned [hɔ:nd] [I] *zob* **horn** *v* [II] *adj* rogaty; z rogami
hornet ['hɔ:nit] *s* szerszeń; **to bring a ~s' nest about one's ears, to stir up a nest of ~s** ściągnąć na siebie burzę
hornfish ['hɔ:n,fiʃ] *s zoo* 1. belona (ryba) 2. gatunek amerykańskiego ganoida kostnego
hornless ['hɔ:nlis] *adj* bezrogi; bez rogów
horn-mad ['hɔ:n,mæd] † *adj* rozwścieczony; wściekły
horn-owl ['hɔ:n,aul] *s zoo* sowa uszata
hornpipe ['hɔ:n,paip] *s.* 1. *muz* dudy 2. skoczny taniec
horn-pout ['hɔ:n,paut] *s zoo* 1. miętus 2. węgorzyca (ryba)
horn-rimmed ['hɔ:n,rimd] *adj* w rogowej oprawie
hornwort ['hɔ:n,wə:t] *s bot* rogatek sztywny
horny ['hɔ:ni] *adj* (**hornier** ['hɔ:niə], **horniest** ['hɔ:niist]) 1. rogowy 2. rogowaty; zrogowaciały
horography [hɔ'rɔgrəfi] *s* 1. horografia 2. gnomonika
horology [hɔ'rɔlədʒi] *s* gnomonika
horoscope ['hɔrə,skoup] *s* horoskop
horoscopy [hɔ'rɔskəpi] *s* horoskopia (sztuka układania horoskopów)
horrendous [hə'rendəs] *adj* horrendalny, straszliwy
horrent ['hɔrənt] *adj poet* zjeżony; najeżony
horrible ['hɔrəbl] *adj* straszny; straszliwy; okropny
horrid ['hɔrid] *adj* 1. straszny; wstrętny; nieznośny; **to be ~ to sb** obejść się z kimś ohydnie; postąpić brzydko wobec kogoś 2. *pot* przykry; nieprzyjemny
horrific [hɔ'rifik] *adj* straszliwy; okropny; przerażający
horrify ['hɔri,fai] *vt* (**horrified** ['hɔri,faid], **horrified; horrifying** ['hɔri,faiiŋ]) 1. przera-zić/żać 2. *pot* zdumie-ć/wać
horripilation [,hɔripi'leiʃən] *s* gęsia skórka (wywołana strachem itd.)
horror ['hɔrə] *s* 1. przerażenie 2. okropność; **~ film** makabryczny film 3. wstręt; odraza 4. dreszcz 5. *pl* **~s** biała gorączka; obłęd opilczy
horror-stricken ['hɔrə,strikən], **horror-struck** ['hɔrə,strʌk] *adj* przerażony
hors de combat ['ɔ:-dəkɔ̃'bɑ:] *adj praed wojsk sport* niezdolny do walki, obezwładniony
hors-d'oeuvre [ɔ:'də:vr] *s kulin* przystawka; przekąska
horse [hɔ:s] [I] *s* 1. koń; *przen* **a ~ of another colour** inna para butów; **~ artillery** artyleria konna; **Horse Guards** a) gwardia konna b) dowództwo gwardii konnej w Londynie; **towel ~** stojak na ręczniki; **wooden ~** koń na kiju <na biegunach>; **to ~ !** na koń!; **to mount <take> ~** dosiąść <wsiąść na> konia; **to ride the <to get on one's> high ~** siąść na wysokiego konia; zadzierać nosa 2. ogier 3. zwierzę z rodziny koni (koń, osioł, zebra) 4. *wojsk* kawaleria; jazda; konnica 5. *gimn* koń 6. kozioł (do piłowania drzewa itp.) 7. *geol* warstwa płonnej skały w rudzie 8. *hist wojsk* kozioł do wymierzania kary chłosty 9. *szk* ściągaczka; bryk [II] *vt* 1. dostarcz-yć/ać koni/a (**sb** komuś); (*o jeźdźcu*) **to be well ~d** mieć dobrego konia; jechać <siedzieć> na dobrym koniu 2. zaprzęg-nąć/ać koni-a/e (**a cart** do wozu) 3. si-ąść/edzieć okrakiem (**sth** na czymś) 4. nieść/nosić (kogoś) na barana 5. umie-ścić/szczać (człowieka mającego być poddanym karze chłosty) drugiemu na plecach lub na koźle 6. doprowadz-ić/ać (klacz) 7. (*o ogierze*) pokryć (klacz) [III] *vi* 1. dosi-ąść/

adać <wsi-ąść/adać na> konia 2. jechać <jeździć> konno *zob* **horsing**
horseback ['hɔ:sˌbæk] *s* grzbiet koński; **on ~** konno; **a beggar on ~** parweniusz
horse-bean ['hɔ:sˌbi:n] *s bot* bób
horse-block ['hɔ:sˌblɔk] *s* stopień <kamień, pniak> do wsiadania na konia
horse-box ['hɔ:sˌbɔks] *s* wagon <furgon> do przewozu koni
horse-boy ['hɔ:sˌbɔi] *s* chłopiec stajenny, pomocnik stajennego
horse-breaker ['hɔ:sˌbreikə] *s* ujeżdżacz
horse-chestnut ['hɔ:sˌtʃesnʌt] *s bot* kasztanowiec zwyczajny
horse-cloth ['hɔ:sˌklɔθ] *s* derka
horse-collar ['hɔ:sˌkɔlə] *s* chomąto
horse-coper ['hɔ:sˌkoupə], **horse-dealer** ['hɔ:sˌdi:lə] *s* handlarz koni; koniarz
horse-doctor ['hɔ:sˌdɔktə] *s* weterynarz
horse-drawn [hɔ:sˌdrɔ:n] *adj* (*o pojeździe*) konny
horse-drench ['hɔ:sˌdrentʃ] *s* dawka lekarstwa dla konia
horse-droppings ['hɔ:sˌdrɔpiŋz], **horse-dung** ['hɔ:s ˌdʌŋ] *s* nawóz koński
horseflesh ['hɔ:sˌfleʃ] *s* 1. konina; końskie mięso 2. *zbior* konie
horse-fly ['hɔ:sˌflai] *s zoo* narzępik (owad), giez koński
horsefoot ['hɔ:sˌfut] *s bot* podbiał pospolity
horsehair ['hɔ:sˌhɛə] *s* włosie (końskie)
horse-laugh ['hɔ:sˌlɑ:f] *s* rubaszny śmiech
horse-leech ['hɔ:sˌli:tʃ] *s* pijawka końska
horseless ['hɔ:slis] *adj* 1. (*o jeźdźcu*) bez konia 2. (*o pojeździe*) mechaniczny
horse-litter ['hɔ:sˌlitə] *s* 1. lektyka konna 2. podściółka (dla koni)
horse-mackerel ['hɔ:sˌmækrəl] *s zoo* duża makrela (ryba)
↑**horseman** ['hɔ:smən] *s* (*pl* **horsemen** ['hɔ:smən]) kawalerzysta
horsemanship ['hɔ:smənʃip] *s* umiejętność jazdy konnej; jazda konna; jeździectwo
horse-marine ['hɔ:s-məˌri:n] *s* 1. baśniowy marynarz-kawalerzysta; **tell that to the ~s** powiedz/cie to babci; nie bujaj/cie 2. człowiek wyrwany ze swego środowiska zawodowego
horse-meat ['hɔ:sˌmi:t] *s* konina, końskie mięso
horse-mill ['hɔ:sˌmil] *s* kierat
horse-mint ['hɔ:sˌmint] *s bot* mięta długolistna
horseplay ['hɔ:sˌplei] *s* niewybredne żarty; grubiańskie <psie> figle; dzikie wybryki
horse-pond ['hɔ:sˌpɔnd] *s* staw gospodarski; wodopój
horse-power ['hɔ:sˌpauə] *s* koń parowy; **a 40 ~ motor** silnik 40-konny
horse-race ['hɔ:sˌreis], **horse-racing** ['hɔ:sˌreisiŋ] *s* wyścigi konne
horse-radish ['hɔ:sˌrædiʃ] *s* chrzan
horse-sense ['hɔ:sˌsens] *s am pot* chłopski rozum
↑**horseshoe** ['hɔ:ʃˌʃu:] [I] *s* podkowa [II] *adj* w kształcie podkowy
horseshoeing [hɔ:ʃˌʃu:iŋ] *s* kucie <podku-cie/wanie> koni
↑**horse-tail** ['hɔ:sˌteil] *s* 1. buńczuk 2. *bot* skrzyp
horse-thief ['hɔ:sˌθi:f] *s* (*pl* **horse-thieves** ['hɔ:s ˌθi:vz]) koniokrad

horse-whip ['hɔ:sˌwip] [I] *s* szpicruta [II] *vt* (**-pp-**) z/bić szpicrutą
horsewoman ['hɔ:sˌwumən] *s* (*pl* **horsewomen** ['hɔ:sˌwimin]) amazonka
horsing ['hɔ:siŋ] [I] *zob* **horse** *v* [II] *s* wychłostanie
horst [hɔ:st] *s geol* horst (układ uskoków); słup uskokowy
horsy ['hɔ:si] *adj* (**horsier** ['hɔ:siə], **horsiest** ['hɔ:siist]) 1. rozmiłowany w koniach 2. koński
hortative ['hɔ:tətiv], **hortatory** ['hɔ:tətəri] *adj* 1. napominający 2. zachęcający
horticultural [ˌhɔ:ti'kʌltʃərəl] *adj* ogrodniczy
horticulture ['hɔ:tiˌkʌltʃə] *s* ogrodnictwo
hose [houz] [I] *s* 1. (*zbior bez pl*) wyroby pończosznicze 2. *zbior* pończochy 3. trykoty 4. (*z pl*) (*także* **~-pipe**) wąż (do polewania itp.) [II] *vt* 1. włożyć/wkładać pończochy <trykoty> (**sb** komuś) 2. pol-ać/ewać z węża
hose-reel ['houzˌri:l] *s* wózek z bębnem do nawijania węża
hose-top ['houzˌtɔp] *s* cholewka pończochy
hosier ['houʒə] *s* 1. kupiec handlujący trykotażami 2. trykotarz
hosiery ['houʒəri] *s zbior* wyroby trykotarskie; trykotaże; wyroby dziane; pończochy i skarpetki
hospice ['hɔspis] *s* 1. schronisko (turystyczne); dom noclegowy 2. przytułek (dla starców)
hospitable ['hɔspitəbl] *adj* gościnny
↑**hospital** ['hɔspitl] [I] *s* 1. szpital; lecznica 2. *w nazwach pewnych szkół*: **Christ's Hospital** 3. przytułek [II] *attr* szpitalny; **~ fever** tyfus; **~ nurse** pielęgniarka; **~ Saturday** <**Sunday**> dzień zbiórki na rzecz szpitali; **~ ship** okręt szpitalny; **~ train** pociąg sanitarny
hospitalism ['hɔspitəˌlizəm] *s* szpitalnictwo
hospitality ['hɔspi'tæliti] *s* gościnność
hospital(l)er ['hɔspitḷə] *s* 1. szpitalnik; rycerz maltański 2. kapelan szpitalny
host¹ [houst] *s* 1. tłum; czereda; chmara; (niezliczone) mnóstwo; *przen* armia; **a ~ in himself** człowiek pracujący za dwóch; tytan pracy 2. *pl* **~s** zastępy (niebieskie)
↑**host²** [houst] *s* 1. gospodarz (pan domu); **to reckon without one's ~** nie przewidzieć trudności; przeliczyć się 2. właściciel zajazdu 3. *biol* żywiciel
host³ [houst] *s rel* hostia
hostage ['hɔstidʒ] *s* 1. zakładni-k/czka; **~s to fortune** żona i dzieci; **to give ~s to fortune** obarczyć się obowiązkami 2. zastaw
hostel ['hɔstəl] *s* 1. † zajazd 2. dom akademicki 3. dom społeczny (mieszkalny, noclegowy); **youth ~** młodzieżowe schronisko (turystyczne)
hosteller ['hɔstələ] *s* student/ka mieszkając-y/a w domu akademickim
hostelry ['hɔstəlri] † *s* zajazd
hostess ['houstis] *s* 1. gospodyni (pani domu) 2. = **air-~**
hostile ['hɔstail] *adj* wrogi (**to sb, sth** dla kogoś, czegoś; komuś czemuś); wrogo usposobiony (**to sb, sth** do <względem> kogoś, czegoś)
hostility [hɔs'tiliti] *s* 1. wrogość; wrogie nastawienie 2. *pl* **hostilities** kroki <działania> wojenne
hostler ['ɔslə] = **ostler**
↑**hot** [hɔt] [I] *adj* (**-tt-**) 1. gorący; palący; wrzący; *przen* **~ air** gadanie; puste słowa; (*o człowieku, przedstawieniu, przedmiocie*) **~ stuff** świetny;

znakomity; ~ **water** gorąca woda; ukrop; wrzątek; **I am** ~ jest mi gorąco; (*o pogodzie*) **it is** ~ jest gorąco; *przen* **to be in** ~ **water** być w kłopocie; mieć przykrości; **to get** <**become, grow**> ~ zagrz-ać/ewać <ogrz-ać/ewać, grzać> się; **I grew** ~ zrobiło mi się gorąco; **to get into** ~ **water** wpaść w kabałę; **to get sb into** ~ **water** wpakować kogoś w kabałę; **to have a** ~ **time** mieć rwetes <gorący dzień, urwanie głowy>; **to make a place too** ~ **for sb** obrzydzić komuś pobyt w danej miejscowości; **to make things** ~ **for sb** niepokoić <zadręczać, nękać> kogoś; (*o towarze*) **to sell like** ~ **cakes** mieć ogromny popyt 2. pieprzny; ostry; (*o przedstawieniu, anegdocie itd*) ~ **stuff** niecenzuralny 3. świeży; świeżo upieczony <ugotowany>; ~ **bill** świeżo wypuszczone banknoty; ~ **news** wiadomości prosto spod prasy 4. (*o człowieku*) namiętny; pobudliwy; gwałtowny; **to be** ~ **on sth** palić się do czegoś; być rozmiłowanym w czymś; namiętnie lubić coś; **to get** ~ roznamiętnić się; **to have a** ~ **temper** łatwo się unosić 5. (*o piłce*) trudny do odbicia 6. (*o śladzie, tropie*) świeży; **to be** ~ **on the scent** <**on the trail**> być na świeżym tropie; **to be in** ~ **pursuit,** ~ **on the track of sb** ścigać kogoś trop w trop; być na tropie 7. (*o walce itp*) zawzięty 8. roznamiętniony <podniecony> (płciowo); (*o zwierzęciu*) **to be** ~ grzać się ‖ ~ **favourite** powszechn-y/a faworytka; pewnia-k/czka [II] *adv* 1. gorąco; **to blow** ~ **and cold** często zmieniać zdanie; wahać się 2. gniewnie; z gniewem; **to give it (to) sb** ~ zbesztać kogoś 3. gwałtownie; namiętnie

hotbed ['hɔt,bed] *s* 1. inspekt/y 2. *przen* siedlisko; rozsadnik; gniazdo (rozpusty itp.)

hot-blooded ['hɔt'blʌdid] *adj* gorącokrwisty; krewki

hot-brained ['hɔt'breind] *adj* zapalczywy; porywczy; popędliwy

hotchpot ['hɔtʃ,pɔt] = **hotchpotch**

hotchpotch ['hɔtʃ,pɔtʃ] *s* 1. *kulin* ragoût baranie 2. mieszanina; galimatias; *przen* bigos 3. *prawn* masa spadkowa

hotel [hou'tel] *s* hotel; **private** <**residential**> ~ pensjonat; **the** ~ **trade** hotelarstwo

hot-foot ['hɔt,fut] *adv* śpiesznie; szybko; chyżo; co żywo; co tchu

hot-headed ['hɔt'hedid] = **hot-brained**

hothouse ['hɔt,haus] *s* cieplarnia; oranżeria; ~ **plant** roślina cieplarniana

hotplate ['hɔt,pleit] *s* grzejnik (do ogrzewania talerzy)

hotpot ['hɔt,pɔt] *s* *kulin* ragoût

hot-press ['hɔt,pres] [I] *vt techn* kalandrować, gładzić <tłoczyć> na gorąco [II] *s techn* kalander

hotspur ['hɔt,spə:] *s* raptus

Hottentot ['hɔtntɔt] *s* Hotentot/ka

hough [hɔk] [I] *s* (*u czworonogów*) pęcina; staw skokowy [II] *vt* podci-ąć/nać ścięgna w kolanie (**an animal** zwierzęciu); o/kaleczyć

hound [haund] [I] *s* 1. pies gończy; ogar; *pl* **the** ~**s** sfora 2. członek drużyny goniących w grze "**hare and hounds**" *zob* **hare** 3. *przen* łajdak; łotr [II] *vt* 1. tropić (zwierza, zbiega itd.) 2. szczuć; podjudzać

~ **on** *vt* nie da-ć/wać wytchnienia (**sb** komuś)

houndfish ['haund,fiʃ] = **dog-fish**

hound's-tongue ['haundz,tʌŋ] *s bot* ostrzeń

hour ['auə] *s* 1. godzina; **every** ~ (*także* ~**ly**) co godzina; ~ **by** ~ z godziny na godzinę; **in an evil** ~ w złą godzinę; **in the small** ~**s** po północy; **out of** ~**s** po godzinach (urzędowania itp.); **to work long** ~**s** długo pracować 2. chwila; pora 3. *pl* ~**s** *rel* godzinki

hour-circle ['auə,sə:kl] *s astr* koło godzinowe

hour-glass ['auə,glɑ:s] *s* klepsydra (do mierzenia czasu)

hour-hand ['auə,hænd] *s* wskazówka godzinowa (zegara)

houri ['huəri] *s* hurysa

hourly ['auəli] [I] *adj* 1. godzinny; powtarzający się <ukazujący się itd.> co godzina; cogodzinny 2. całogodzinny 3. ciągły [II] *adv* 1. co godzina 2. z godziny na godzinę 3. ciągle

house [haus] [I] *s* (*pl* ~**s** ['hauziz]) 1. dom; **at** <**in**> **one's** ~ u siebie; **at** <**in**> **sb's** ~ u kogoś; **to one's** ~ do siebie; **to sb's** ~ do kogoś 2. gospodarstwo (domowe); **to keep** ~ prowadzić gospodarstwo; **to keep a good** ~ być dobrą gospodynią; **to keep open** ~ prowadzić dom otwarty 3. izba (Lordów, Gmin, Reprezentantów); **the House** a) Izba Gmin; Izba Lordów b) (*w Oxfordzie*) "Christ Church" c) (*w Londynie*) Giełda 4. dom handlowy; firma; zakład; **on the** ~ (wypić itd.) na rachunek firmy 5. *teatr* widownia; publiczność; **a full** ~ zapełniona widownia 6. internat 7. rodzina 8. rodzina panująca; dynastia 9. zajazd 10. (*w zakładzie przemysłowym*) hala; komora; szopa; budynek [II] *attr* domowy; gospodarski [III] *vt* [hauz] 1. da-ć/wać mieszkanie <kwaterę> (**sb** komuś); po/mieścić (kogoś) u siebie; dostarcz-yć/ać mieszkań (**the population** ludności); zapewni-ć/ać dach nad głową (**sb** komuś); przygarn-ąć/iać 2. z/magazynować; zna-leźć/jdować pomieszczenie (**sth** dla czegoś) 3. *stol* włożyć/wkładać (czop itp.) do otworu [IV] *vi* [hauz] zna-leźć/jdować mieszkanie <pomieszczenie, nocleg, przytułek>; zamieszkać *zob* **housing**[1]

house-agent ['haus,eidʒənt] *s* pośrednik w sprawach kupna <sprzedaży, najmu> realności

house-boat ['haus,bout] *s* łódź mieszkalna

house-breaker ['haus,breikə] *s* 1. włamywacz 2. właściciel przedsiębiorstwa rozbiórki starych domów

house-breaking ['haus,breikiŋ] *s* włamanie

house-dog ['haus,dɔg] *s* pies podwórzowy

house-flag ['haus,flæg] *s* flaga firmowa (na statku)

house-flannel ['haus,flænl] *s* ścierka

house-fly ['haus,flai] *s* mucha domowa

houseful ['hausful] *s* pełny dom (**of people etc.** ludzi itd.)

household ['haus,hould] [I] *s* 1. rodzina; domownicy 2. służba domowa 3. *pl* ~**s** mąka drugiego gatunku 4. **the Household** otoczenie króla; dwór [II] *attr* 1. gospodarski; domowy; domu; ~ **goods** a) urządzenie domowe b) artykuły gospodarstwa domowego <gospodarcze>; ~ **suffrage** <**franchise**> prawo głosowania przysługujące właścicielom nieruchomości; ~ **word** a) potoczny wyraz; potoczne powiedzenie b) (*o nazwisku*) powszechnie znany 2. (*na dworze królewskim*) przyboczny; **the** ~ **troops** gwardia

householder ['haus,houldə] *s* 1. właściciel/ka nieruchomości 2. głowa rodziny

housekeeper ['haus,ki:pə] *s* 1. gospodyni 2. osoba zarządzająca sprawami gospodarczymi (w biurze itd.)

housekeeping ['haus,ki:piŋ] *s* gospodarstwo (domowe); gospodarowanie

house-leek ['haus,li:k] *s bot* rojnik (roślina)

houseless ['hauslis] *adj* bezdomny; pozbawiony dachu nad głową

house-line ['haus,lain] *s mar* linka

housemaid ['haus,meid] *s* pokojówka; pomocnica domowa; *med* **~'s knee** zapalenie kaletki maziowej rzepki

housemaster ['haus,mɑ:stə] *s* kierownik internatu

house-painter ['haus,peintə] *s* malarz pokojowy

house-party ['haus,pɑ:ti] *s* towarzystwo zaproszone do rezydencji wiejskiej

house-physician ['haus-fi,ziʃən] *s* leka-rz/rka stale zamieszkał-y/a w szpitalu

houseproud ['haus,praud] *adj* dbający o ładny wygląd swego domu; **to be ~** szczycić się wyglądem swego domu <mieszkania>

house-room ['haus,ru:m] *s* miejsce w domu; **I wouldn't give it ~** nie trzymałbym tego u siebie; nie wziąłbym tego za darmo

house-sparrow ['haus,spærou] *s* wróbel domowy

house-steward ['haus,stjuəd] *s* administrator <gospodarz> (klubu itd.)

house-surgeon ['haus,sə:dʒən] *s* chirurg stale zamieszkały w szpitalu

house-tax ['haus,tæks] *s* podatek od nieruchomości

house-to-house ['haus-tə'haus] *adj* (*o zbiórce itp*) prowadzony od domu do domu

housetop ['haus,tɔp] *s* dach (domu); **to proclaim** <**cry**> **sth from the ~s** rozgłaszać coś na wszystkie strony

house-trained ['haus,treind] *adj* (*o zwierzęciu*) przyzwyczajony do porządku

house-warming ['haus,wɔ:miŋ] *s* (*także* **~ party**) przyjęcie w nowym mieszkaniu; *pot* oblanie nowego mieszkania

housewife ['haus,waif] *s* (*pl* **housewives** ['haus,waivz]) 1. gospodyni 2. ['hʌzif] (*pl* **housewifes** ['hʌzifs], **housewives** ['hʌzivz]) zestaw przyborów do szycia (w torebce lub pudełku)

housewifely ['haus,waifli] *adj* 1. (*o kobiecie*) gospodarna 2. (*o pracy itd*) domowy; gospodarski

housewifery ['haus,wifəri] *s* gospodarka domowa

↑**housing**[1] ['hauziŋ] [I] *zob* **house** *v* [II] *s* 1. pomieszczenie (kogoś gdzieś); dostarczenie <zapewnienie> mieszkania (**of sb** komuś); **the ~ problem** kwestia mieszkaniowa 2. magazynowanie; pomieszczenie (czegoś gdzieś) 3. *techn* osłona; obudowa 4. *stol* otwór (dla czopa)

housing[2] ['hauziŋ] *s* czaprak

hove *zob* **heave** *v*

hovel ['hɔvəl] *s* 1. nora; rudera 2. szopa 3. *arch* nyża

↑**hover** ['hɔvə] *vi* 1. unosić się; wisieć w powietrzu; krążyć; (*o słońcu*) stać wysoko 2. kręcić <wiercić> się (**about sb** dokoła kogoś) 3. wahać się; być niezdecydowanym

how [hau] [I] *adv* 1. jak; jakim sposobem; w jaki sposób; *am sl* **and ~!** i to <jeszcze> jak!; **~ now?** co się dzieje?; o co (tu) chodzi?; **~'s that?** a) no, jak tam? b) co ty <wy> na to? c) jak to?; **~ would it be to ...?** co byś/cie powiedzi-ał/eli na to, żeby ...? 2. *przed przymiotnikiem lub przysłówkiem*: jaki; **~ amusing!** jakie(ż) to zabawne!; **~ kind you are!** jakiś ty dobry!; jacyście wy dobrzy!; **~ long** <**tall etc.**>? jaki długi <wysoki itd.>? 3. *w zdaniu pobocznym*: jak (to); że; **they told me ~ there had been a fire** mówili mi, jak (to) <że> wybuchł pożar [II] *s* sposób (w jaki się coś robi); **the ~ of it** jak się to robi; **the ~s and the whys** pytania o sposoby i przyczyny

howbeit ['hau'bi:it] † *adv* niemniej jednak; tym niemniej

howdah ['haudə] *s* siodło na słoniu

how-de-do, howdy-do ['haudi'du:], **how-d'ye-do** ['haudjə'du:] *s w zwrocie:* **a pretty** <**nice**> **~!** ładna historia!

however [hau'evə] *adv* 1. jakkolwiek; w jakikolwiek sposób; jakimkolwiek sposobem 2. *przed przymiotnikiem lub przysłówkiem*: choćby <żeby> naj-; **~ fast** choćby najszybciej; **~ good** choćby najlepszy; **~ much** choćby najwięcej <najbardziej> 3. jednakowoż; jednak; atoli; tym niemniej; niemniej (jednak) 4. natomiast

howitzer ['hauitsə] *s wojsk* haubica

howl [haul] [I] *vi* za/wyć

~ down *vt* zagłusz-yć/ać (kogoś) ogólnym wyciem

zob **howling** [II] *s* 1. wycie; **to give a ~ of pain** <**of rage**> zawyć z bólu <z wściekłości> 2. jęk 3. ryk

howler ['haulə] *s* 1. *zoo* wyjec 2. ciężka <fatalna, ośmieszająca> pomyłka; gruby błąd; *sl* **to come a ~** wpakować się w straszliwy sposób <z kretesem>

howling ['hauliŋ] [I] *zob* **howl** *v* [II] *adj* 1. wyjący 2. *sl* straszliwy; niebywały; szalony; **a ~ injustice** krzycząca niesprawiedliwość; **a ~ shame** skandal nad skandale [III] *s* 1. wycie 2. ryk

howsoever [,hausou'evə] = **however** 1., 3.

hoy[1] [hɔi] *s* statek do żeglugi przybrzeżnej

hoy[2] [hɔi] *interj* halo!

hoyden ['hɔidn] *s* łobuzica; hałaśliwa <rozpuszczona> dziewczyna

hub [hʌb] *s* 1. piasta 2. *przen* środek; centrum; ośrodek; **the ~ of the universe** centrum <*pot* pępek> świata; *am* **the Hub** Boston (miasto)

hubble-bubble ['hʌbl,bʌbl] *s* 1. bulgotanie 2. rodzaj nargile 3. gwar; wrzawa

hub-brake ['hʌb,breik] *s* hamulec na piastę koła

hubbub ['hʌbʌb] *s* zgiełk; gwar; wrzawa

hubby ['hʌbi] *s sl* mężulek

huckaback ['hʌkə,bæk] *s* włochaty materiał na ręczniki

huckle ['hʌkl] *s* biodro

huckle-backed ['hʌkl,bækt] *adj* garbaty

huckleberry ['hʌkl,beri] *s bot* czarna jagoda amerykańska

huckle-bone ['hʌkl,boun] *s anat* kość biodrowa

↑**huckster** ['hʌkstə] [I] *s* 1. handla-rz/rka, krama-rz/rka 2. kolporter/ka 3. paska-rz/rka; człowiek chciwy zysku [II] *vt* 1. targować się (**sth** o coś) 2. handlować (**sth** czymś) 3. kolportować (**sth** coś)

huddle ['hʌdl] [I] *vt* 1. nagromadz-ić/ać; zwal-ić/ać w bezładny stos <na kupę> 2. zby-ć/wać <*pot*

odwal-ić/ać> (**over** <**through**> **a piece of work** robotę)
~ **on** *vt* naciąg-nąć/ać na siebie (ubranie)
~ **together** *vi* s/tłoczyć <z/gnieść> się
~ **up** *vi* (*także* ~ **oneself up**) s/kulić się; zwi-nąć/jać się w kłębek
[II] *s* bezładne nagromadzenie; kupa; stos; natłok; *sl* **to go into a** ~ zmawiać się

hue[1] [hju:] *s* barwa, kolor; odcień

hue[2] [hju:] *s w zwrocie*: ~ **and cry** a) pogoń <pościg> z krzykiem (za zbrodniarzem) b) larum c) list gończy

huff [hʌf] [I] *s* 1. rozdrażnienie; irytacja; **to be in a** ~ być podrażnionym; gniewać <irytować> się; **to take (the)** ~ obrusz-yć/ać <rozgniewać> się 2. (*w warcabach*) chuch (zabicie pionka) [II] *vt* 1. z/maltretować; onieśmiel-ić/ać 2. obra-zić/żać

huffish [ˈhʌfiʃ], **huffy** [ˈhʌfi] (**huffier** [ˈhʌfiə], **huffiest** [ˈhʌfiist]) *adj* 1. drażliwy; obraźliwy 2. zagniewany

hug [hʌg] [I] *vt* (**-gg-**) 1. uścis-nąć/kać; wziąć/brać w objęcia; przy/tulić; trzymać w objęciach <w ramionach>; pieścić; *przen* trzymać się (**sth** czegoś — wierzenia itp.); **to** ~ **oneself for sth** gratulować czegoś sobie samemu; być dumnym z siebie 2. płynąć blisko <trzymać się, nie oddalać się od> (**the shore** brzegu); jechać <iść> tuż (**sth** przy czymś); trzymać się (**sth** czegoś) [II] *s* uścisk; uściśnięcie; **to give sb a** ~ uścisnąć kogoś; wziąć kogoś w objęcia

huge [hju:dʒ] *adj* ogromny; potężny; olbrzymi

hugeness [ˈhju:dʒnis] *s* ogrom

hugger-mugger [ˈhʌgəˌmʌgə] [I] *s* 1. nieład; bałagan; nieporządek 2. † tajemnica; sekret [II] *adj* bezładny; nieporządny; niesystematyczny [III] *vt* 1. ukry-ć/wać; trzymać w tajemnicy 2. za/tuszować [IV] *vi* brnąć naprzód; działać bezładnie <bez żadnej metody, *pot* po bałaganiarsku>

huggery [ˈhʌgəri] *s* zabiegi ze strony adwokata o sprawę do obrony

Huguenot [ˈhju:gəˌnɔt] *s hist* hugenot, hugonot

hulk [hʌlk] *s* 1. kadłub (rozbitego) statku 2. ponton 3. duży, ciężki statek 4. *pl* ~**s** statek-więzienie 5. ciężki, niezgrabny człowiek

hulking [ˈhʌlkiŋ] *adj* niezdarny; ciężki

hull[1] [hʌl] [I] *s* łuska; łupina; strąk; skorupa; powłoka; pokrywa [II] *vt* wy/łuskać, łuszczyć; ob-rać/ierać

hull[2] [hʌl] [I] *s* 1. kadłub; zrąb (statku); (*o statku*) ~ **down** odległy (z niewidocznym na horyzoncie kadłubem) 2. kadłub płatowca [II] *vt* ugodzić <trafić> (statek) w kadłub

hullabaloo [ˌhʌləbəˈlu:] *s* harmider; gwar; wrzawa; zgiełk

huller [ˈhʌlə] *s techn* łuszczarka

hullo(a) [ˈhʌˈlou] *interj* 1. *telefonując, przywołując kogoś*: halo 2. *wyraża zdziwienie*: patrz/cie!; cóż to? 3. *powitanie*: dzień dobry!; czołem!; cześć!

hum[1] [hʌm] [I] *vi* (**-mm-**) 1. brzęczeć; szumieć; wydawać pomruk <warkot>; buczeć; **he makes things** ~ u niego robota wre 2. zająkiwać się; pokaszliwać; **to** ~ **and haw** nie wiedzieć jak się wyrazić; szukać słów 3. za/nucić 4. za/śpiewać mormorando 5. *sl* śmierdzieć *zob* **humming** [II] *s* 1. brzęczenie; szum; pomruk; warkot; buczenie 2. *sl* smród

hum[2] [hʌm] *s sl* lipa; oszukaństwo

human [ˈhju:mən] [I] *adj* ludzki, człowieczy; ~ **being** człowiek [II] *s* istota ludzka; śmiertelni-k/czka; człowiek

humane [hjuˈmein] *adj* 1. ludzki; litościwy; humanitarny; **the Royal Humane Society** Królewskie Towarzystwo Ratowania Tonących 2. humanistyczny

humaneness [hjuˈmeinnis] *s* uczucia ludzkie; humanitarność

humanism [ˈhju:məˌnizəm] *s* humanizm

humanist [ˈhju:mənist] *s* humanista

humanistic [ˌhju:məˈnistik] *adj* humanistyczny

humanitarian [hjuˌmæniˈtɛəriən] [I] *s* filantrop/ka [II] *adj* humanitarny; filantropijny

humanitarianism [hjuˌmæniˈtɛəriəˌnizəm] *s* humanitaryzm

humanity [hjuˈmæniti] *s* 1. ludzkość 2. natura ludzka; człowieczeństwo 3. *uniw szkoc* **Humanity** latynistyka 4. *pl* **the humanities** humanistyka; studia humanistyczne

humanization [ˌhju:mənaiˈzeiʃən] *s* uczłowieczenie; cywilizowanie; uszlachetnienie; ~ **of cow's milk** preparowanie krowiego mleka dla upodobnienia go do ludzkiego

humankind [ˈhju:mənˈkaind] *s* człowieczeństwo; ludzkość

humanly [ˈhju:mənli] *adv* ludzko; po ludzku; **everything** ~ **possible** wszystko co (leży) w ludzkiej mocy

humble [ˈhʌmbl] [I] *adj* 1. pokorny; uniżony; **to eat** ~ **pie** przeprosić; odwołać to, co się powiedziało 2. skromny; (*o człowieku i rzeczach*) niewielki; nieznaczny; **of** ~ **birth** skromnego pochodzenia; niskiego stanu 3. *bot* czuły; wrażliwy [II] *vt* upok-orzyć/arzać; poniż-yć/ać

humble-bee [ˈhʌmblˌbi:] *s* trzmiel

humbug [ˈhʌmbʌg] [I] *s* 1. oszustwo; matactwo 2. oszust/ka; matacz/ka; szarlatan 3. brednia; bzdury; banialuki [II] *vt* (**-gg-**) 1. oszuk-ać/iwać 2. opowi-edzieć/adać (**sb** komuś) brednie <bzdury, banialuki>; **to** ~ **sb into doing sth** drogą oszukańczą <przez opowiadanie bredni> nakłonić kogoś do czegoś; **to** ~ **sth out of sb** przez opowiadanie bredni wyłudz-ić/ać coś od kogoś

humdinger [ˈhʌmdiŋə] *s am sl* 1. kapitaln-y/a facet/ka; byczy <fajny> gość 2. coś świetnego

humdrum [ˈhʌmdrʌm] [I] *adj* monotonny; jednostajny; szary; banalny [II] *s* 1. nudny <nieciekawy> człowiek 2. (*także* ~**ness**) nudziarstwo; jednostajność; monotonność; szarzyzna

humeral [ˈhju:mərəl] *adj anat* ramienny; barkowy

humerus [ˈhju:mərəs] *s* (*pl* **humeri** [ˈhju:məˌrai]) *anat* kość ramienna <barkowa>

humid [ˈhju:mid] *adj* wilgotny; mokry

humidifier [hjuˈmidiˌfaiə] *s* nawilżacz (aparat)

humidify [hjuˈmidiˌfai] *vt* (**humidified** [hjuˈmidiˌfaid], **humidified; humidifying** [hjuˈmidiˌfaiiŋ]) nawilż-yć/ać

humidity [hjuˈmiditi] *s* wilgoć; wilgotność

humidor [ˈhju:midɔ:] *s* pomieszczenie <skrzynka> dla przechowywania towarów w wilgoci

humiliate [hjuˈmiliˌeit] *vt* upok-orzyć/arzać; poniż-yć/ać

humiliation [hjuˌmiliˈeiʃən] *s* upokorzenie; poniżenie

humility [hjuˈmiliti] *s* pokora; uniżoność

hummel ['hʌməl] *adj szkoc* bezrogi

humming ['hʌmiŋ] I *zob* **hum**[1] *v* II *adj* 1. (*o ciosie, uderzeniu*) ogłuszający 2. (*o bąku, zabawce itd*) buczący

humming-bird ['hʌmiŋ,bə:d] *s zoo* koliber, kolibr

hummock ['hʌmək] *s* 1. *geol* wzgórek; pagórek; wzniesienie 2. garb <okrągły pagórek> (na lodzie)

hummocky ['hʌməki] *adj* pagórkowaty; nierówny

humoral ['hju:mərəl] *adj fizj* humoralny

humoresque [,hju:mə'resk] *s* humoreska

humorist ['hju:mərist] *s* humoryst-a/ka; żartowniś

humoristic [,hju:mə'ristik] *adj* humorystyczny

humorous ['hju:mərəs] *adj* humorystyczny; zabawny; śmieszny; komiczny

humour ['hju:mə] I *s* 1. humor 2. poczucie humoru 3. usposobienie <nastrój> (**for sth** do czegoś; **to do sth** do robienia czegoś); **out of ~** w kiepskim nastroju; w złym humorze; nie w humorze 4. komiczność <zabawna strona> (sytuacji itp.) 5. *anat* limfa, † humor II *vt* dogadzać <ustępować, pobłażać> (**sb** komuś); dostr-oić/ajać się (**sb** do kogoś); udobruchać

humoursome ['hju:məsəm] *adj* kapryśny; nierówny (w usposobieniu); zrzędny

hump [hʌmp] I *s* 1. garb 2. *sl* zły humor; czarne myśli; chandra II *vt* 1. z/garbić; wygi-ąć/nać w łuk 2. z/deprymować; przygnębi-ć/ać 3. *austral* wziąć/brać (coś) na plecy; dźwig-nąć/ać III *vr* **~ oneself** z/garbić się; wygi-ąć/nać się w łuk IV *vi am* gryźć <martwić> się

humpback ['hʌmp,bæk] *s* garbus/ka

humpbacked ['hʌmp,bækt] *adj* garbaty

humph [hʌmf] *interj* hm!

humpty-dumpty ['hʌmpti'dʌmpti] *s* 1. niski grubas; *pot* kulfon 2. (*w bajce*) personifikacja jajka

humus ['hju:məs] *s* humus, próchnica; czarnoziem

Hun [hʌn] *s* 1. Hun; *pl* **~s** Hunowie 2. wandal 3. *sl pog* Szwab, Niemiec

hunch [hʌntʃ] I *s* 1. garb 2. kromka; pajda 3. *sl* przeczucie; podejrzenie; domysł; **to have a ~** przeczuwać; odnosić wrażenie (czegoś); domyślać się; podejrzewać II *vt* 1. (*także* **~ up**) z/garbić 2. *am sl* trącić łokciem 3. *am sl* powiedzieć/mówić na ucho (**sth to sb** coś komuś)

hunchback ['hʌntʃ,bæk] = **humpback**

hunchbacked ['hʌntʃ,bækt] = **humpbacked**

hundred ['hʌndrəd] *num* I *adj* sto; **a ~ and one** a) sto jeden b) *przen* niezliczona ilość; bezlik; (*w datach*) **ten ~** tysiąc; (*w datach zawsze, poza tym dowolnie*) **eleven** <**twelve etc.**> **~** tysiąc sto <dwieście itd.>; **he** <**she, it**> **is a ~ (years old)** on <ona, ono> ma sto lat II *s* 1. setka (liczba, numer pojazdu itd.); **a ~ = a ~ pounds** sto funtów szterlingów; **~s of people** setki ludzi; **in ~s** (całymi) setkami 2. *hist* okręg

hundredfold ['hʌndrəd,fould] *num* I *adj* stokrotny II *adv* stokrotnie

hundredth ['hʌndrədθ] *num* I *adj* setny II *s* (jedna) setna (część)

hundredweight ['hʌndrəd,weit] *s* cetnar <centnar> (= 112 funtów = 50,8 kg); *am* 100 funtów (= 45,36 kg)

hung *zob* **hang** *v*

Hungarian [hʌŋ'gɛəriən] I *adj* węgierski II *s* 1. Węgier/ka 2. język węgierski

hunger ['hʌŋgə] I *s* 1. głód 2. łaknienie <żądza, głód> (**for sth** czegoś) II *attr* głodowy III *vi* 1. głodować; cierpieć głód; przymierać głodem 2. łaknąć <pragnąć, pożądać> (**after** <**for**> **sth** czegoś) IV *vt* u/morzyć głodem; **to ~ sb into submission** głodem wymu-sić/szać na kimś posłuszeństwo; **to ~ sb out of (a place)** głodem zmu-sić/szać do opuszczenia (kryjówki, twierdzy itp.)

hunger-bitten ['hʌŋgə,bitn] *adj* zgłodniały; wygłodzony; przymierający głodem

hunger-march ['hʌŋgə,ma:tʃ] *s* demonstracyjny marsz <pochód> głodujących bezrobotnych

hunger-marcher ['hʌŋgə,ma:tʃə] *s* uczestni-k/czka demonstracyjnego marszu <pochodu> głodujących bezrobotnych

hunger-strike ['hʌŋgə,straik] I *s* strajk głodowy; (*w więzieniu*) głodówka II *vi* urządz-ić/ać strajk głodowy

hungrily ['hʌŋgrili] *adv* pożądliwie; chciwie

hungry ['hʌŋgri] *adj* (**hungrier** ['hʌŋgriə], **hungriest** ['hʌŋgriist]) 1. głodny; wygłodzony; **to go ~** głodować; **to look ~** mieć wygląd człowieka głodnego; **to make ~** wywoł-ać/ywać głód (**sb** u kogoś); **the Hungry Forties** okres wielkiej depresji ekonomicznej w Anglii w latach 1840—49 2. pożądliwy; chciwy; **to be ~ for sth** łaknąć <pragnąć, pożądać> czegoś 3. (*o glebie*) jałowy; nieurodzajny

hunk [hʌŋk] *s* kromka; pajda; kęs

hunkers ['hʌŋkəz] *spl* pośladki; **on one's ~** przykucnięty; kucający

hunks [hʌŋks] *s* kutwa; sknera; skąpiec

hunky(-dory) ['hʌŋki (,dɔ:ri)] *adj am sl* klawy, fajny; w dechę; świetny; pierwszorzędny

hunt [hʌnt] I *vt* 1. polować (**animals** na zwierza); poszukiwać <tropić> (zbrodniarza) 2. przetrząs-nąć/ać (okolicę) 3. jechać <jeździć> (**a horse** na koniu) w czasie polowania 4. uży-ć/wać (**the pack** psów) do polowania II *vi* 1. polować; brać udział w łowach; polować z gończymi <par force> (na lisa) 2. gonić <ścigać> (**for sb, sth** kogoś, coś); poszukiwać (**for sb, sth** kogoś, czegoś); być w pogoni (**for sb, sth** za kimś, czymś); 3. *mech* oscylować; wahać się

~ down *vt* 1. dopa-ść/dać (**sb, sth** kogoś, czegoś) 2. pojmać (zbrodniarza)

~ out *vt* 1. wypędz-ić/ać; wyg-nać/aniać 2. odkry-ć/wać; wyszuk-ać/iwać

~ up *vt* odkry-ć/wać; wyszuk-ać/iwać

zob **hunting** III *s* 1. polowanie; łowy; polowanie z gończymi <par force> (na lisa); gonitwa (za lisem) 2. polowanie (teren) 3. poszukiwania (**for sth** czegoś) 4. *mech* = **hunting** *s* 3.

hunter ['hʌntə] *s* 1. myśliwy; łowca 2. koń do polowania z gończymi 3. zegarek kopertowy

hunting ['hʌntiŋ] I *zob* **hunt** *v*; **to go ~** po/jechać na polowanie II *s* 1. polowanie z gończymi <par force> 2. gonitwa; pościg; poszukiwania 3. *mech* kołysanie; wahliwość III *attr* myśliwski, łowiecki; do polowania

hunting-box ['hʌntiŋ,bɔks] *s* domek myśliwski

hunting-crop ['hʌntiŋ,krɔp] *s* szpicruta

hunting-ground ['hʌntiŋ,graund] *s* łowisko; polowanie; teren łowów; *przen* **happy ~** raj; szczęśliwe łowisko

hunting-horn ['hʌntiŋ,hɔ:n] *s* róg myśliwski

huntress ['hʌntris] *s* łowczyni
huntsman ['hʌntsmən] *s* (*pl* **huntsmen** ['hʌntsmən]) myśliwy; łowca
hup [hʌp] *interj* (*do konia*) 1. wio! 2. *szkoc* hetta! (w prawo)
hurdle ['hə:dl] [I] *s* 1. płotek 2. *pl* **~s** *sport* bieg przez płotki 3. *hist* rodzaj sań, na których wieziono zbrodniarzy na szafot [II] *vt* 1. ogr-odzić/adzać płotkami 2. przesk-oczyć/akiwać [III] *vi* *sport* wziąć/brać udział w biegu przez płotki
  ~ off *vt* odgr-odzić/adzać płotkami
  zob **hurdling**
hurdler ['hə:dlə] *s* 1. fabrykant płotków 2. *sport* zawodni-k/czka w biegu przez płotki
hurdle-race ['hə:dl,reis] *s* *sport* bieg przez płotki
hurdling ['hə:dliŋ] [I] *zob* **hurdle** *v* [II] *s* *sport* bieg przez płotki
hurdy-gurdy ['hə:di,gə:di] [I] *s* *muz* 1. lira korbowa 2. katarynka [II] *attr* **~ wheel** koło napędzane strumieniem wody
hurl [hə:l] [I] *vt* cis-nąć/kać <miotać, rzuc-ić/ać> (**sth** coś, czymś); zasyp-ać/ywać (**reproaches etc. at sb** kogoś wymówkami itd.) [II] *s* rzut
hurley ['hə:li] *s* odmiana hokeja uprawiana w Irlandii
hurly-burly ['hə:li,bə:li] *s* zgiełk; wrzawa; harmider
hurrah [hu'rɑ:], **hurray** [hu'rei] [I] *interj* hura!; niech żyje!; wiwat! [II] *vi* wiwatować [III] *vt* wiwatować na cześć (**sb** czyjąś)
hurricane ['hʌrikən] *s* huragan; nawałnica; **Hurricane** typ samolotu myśliwskiego; **~ deck** pokład spacerowy; **~ lamp** latarnia sztormowa
hurried ['hʌrid] [I] *zob* **hurry** *v* [II] *adj* pośpieszny
hurriedly ['hʌridli] *adv* pośpiesznie; w wielkim pośpiechu
hurry ['hʌri] *v* (**hurried** ['hʌrid], **hurried; hurrying** ['hʌriiŋ]) [I] *vt* 1. przynagl-ić/ać; popędz-ić/ać 2. przyśpiesz-yć/ać 3. pośpiesznie <w (wielkim) pośpiechu> pos-łać/yłać <odstawi-ć/ać> (**sth — troops etc.** coś — oddziały wojska itd.); dostarcz-yć/ać pośpiesznie <w (wielkim) pośpiechu> (**sth** czegoś) [II] *vi* 1. śpieszyć się 2. pośpiesz-yć/ać (dokądś)
  ~ along *vi* iść szybkim krokiem
  ~ away [I] *vi* od-ejść/chodzić szybkim krokiem [II] *vt* zab-rać/ierać (kogoś) z sobą i szybko od-ejść/chodzić
  ~ back *vi* szybko wr-ócić/acać
  ~ down [I] *vi* szybko zejść/schodzić [II] *vt* pośpiesznie sprowadz-ić/ać na dół
  ~ in *vi* [I] wejść/wchodzić szybkim krokiem [II] *vt* pośpiesznie wprowadz-ić/ać (kogoś)
  ~ off *vi* od-ejść/chodzić pośpiesznie
  ~ on [I] *vt* przyśpiesz-yć/ać; przynagl-ić/ać [II] *vi* pójść/iść dalej szybkim krokiem
  ~ out [I] *vt* wyprowadz-ić/ać (kogoś) pośpiesznie [II] *vi* wy-jść/chodzić pośpiesznie
  ~ through *vt* szybko (coś) załatwi-ć/ać
  ~ up [I] *vt* 1. przys-łać/yłać w szybkim tempie 2. pos-łać/yłać (coś) do góry <na górę> z wielkim pośpiechem; pośpiesznie sprowadz-ić/ać na górę (kogoś) [II] *vi* po/śpieszyć się
  zob **hurried** [III] *s* 1. pośpiech; **in a ~** a) pośpiesznie; w pośpiechu; szybko b) *zw z przeczeniem:* (nie) tak łatwo c) *zw z przeczeniem:* (nie) tak prędko; (nie) tak szybko; **to be in a ~** śpieszyć się; nie mieć czasu; **to be in no ~** nie śpieszyć się; nie kwapić się; mieć dużo czasu; **there's no ~** nie śpieszy się 2. skwapliwość 3. rynna do ładowania węgla na statek
hurry-scurry ['hʌri'skʌri] [I] *s* zamieszanie; popychanie się (wzajemne); popłoch [II] *adv* bezładnie; łapu-capu, na łeb na szyję; w popłochu [III] *vi* (**hurry-scurried** ['hʌri'skʌrid], **hurry-scurried; hurry-scurrying** ['hʌri'skʌriiŋ]) 1. z/robić coś na łapu-capu 2. biec <biegać> w popłochu
hurst [hə:st] *s* 1. gaj; kępa drzew; zalesiony wzgórek 2. wzniesienie; łacha piaszczysta
hurt [hə:t] [I] *vt* (**hurt, hurt**) 1. s/kaleczyć; z/ranić; **to ~ one's leg** <**finger etc.**> s/kaleczyć się w nogę <w palec itd.> 2. zada-ć/wać <sprawi-ć/ać> ból (**sb** komuś) 3. za/boleć; **it ~s the eyes** <**fingers etc.**> **to —** oczy <palce itd.> bolą od ...(robienia czegoś) 4. za/szkodzić (**sb, sth** komuś, czemuś) 5. przyn-ieść/osić szkodę <ujmę> (**sb, sth** komuś, czemuś); nara-zić/żać na szwank 6. dot-knąć/ykać; ura-zić/żać; obra-zić/żać [II] *s* 1. skaleczenie; rana, ranka; **to do (a) ~** skaleczyć 2. ból 3. szkoda; ujma
hurtful ['hə:tful] *adj* 1. bolesny 2. szkodliwy 3. przynoszący ujmę
hurtle ['hə:tl] [I] *vt* uderz-yć/ać <stuk-nąć/ać, wal-nąć/ić> (**sth** o coś; coś) [II] *vi* 1. lecieć; pędzić 2. walić (**against sth** o coś)
hurtleberry ['hə:tl,beri] = **whortleberry**
hurtless ['hə:tlis] *adj* 1. nie uszkodzony; bez szwanku 2. nieszkodliwy
husband ['hʌzbənd] [I] *s* mąż, małżonek; **~'s tea** wystudzona <słaba> herbata [II] *vt* gospodarować oszczędnie (**sth** czymś); umiejętnie zarządzać <rozporządzać> (**sth** czymś)
husbandman ['hʌzbəndmən] *s* (*pl* **husbandmen** ['hʌzbəndmən]) rolnik; gospodarz
husbandry ['hʌzbəndri] *s* gospodarka; rolnictwo; uprawa roli; **animal ~** hodowla zwierząt
hush [hʌʃ] [I] *interj* cicho!; sza!; pst!; cyt! [II] *s* cisza; spokój [III] *vt* ucisz-yć/ać; uspok-oić/ajać
  ~ up *vt* zatuszować (skandal itp.)
hushaby ['hʌʃə,bai] *interj* lu-lu!
hush-hush ['hʌʃ'hʌʃ] *adj* trzymany w największej tajemnicy; **~ ship** okręt, którego budowę trzyma się w największej tajemnicy
hush-money ['hʌʃ,mʌni] *s* zapłata za (czyjeś) milczenie; łapówka
husk[1] [hʌsk] [I] *s* 1. łuska; strączek; skórka; łupina, łupinka 2. *pl* **~s** plewy [II] *vt* łuskać, łuszczyć; wyłusk-ać/iwać; ob-rać/ierać
husk[2] [hʌsk] *s* *wet* bronchit (u bydła)
huskiness ['hʌskinis] *s* matowość (głosu); ochrypły głos
husky[1] ['hʌski] [I] *adj* (**huskier** ['hʌskiə], **huskiest** ['hʌskiist]) 1. plewiasty; łuskowaty; strączasty; strączkowaty 2. (*o głosie*) matowy; ochrypły 3. *am* silny; krzepki [II] *s* *am* silny <krzepki> mężczyzna
husky[2] ['hʌski] *s* 1. pies eskimoski 2. **Husky** Eskimos/ka 3. **Husky** język eskimoski
hussar [hu'zɑ:] *s* *wojsk* huzar
Hussite ['hʌsait] *s* *hist* husyta
hussy ['hʌsi] *s* 1. zuchwała dziewczyna 2. dziewczyna ladaco
hustings ['hʌstiŋz] *s* 1. *hist* trybuna, na której

mianowano kandydatów na posłów do parlamentu 2. wybory; kampania wyborcza 3. trybuna na zebraniu przedwyborczym

hustle ['hʌsl] [I] *vt* pop-chnąć/ychać; szturch-nąć/ać; popędz-ić/ać; przynagl-ić/ać; **to ~ sb into doing sth** przynagl-ić/ać kogoś, ażeby coś zrobił; **to ~ sb into sth** wepchnąć kogoś do wnętrza; **to ~ sb out of sth** wypchnąć kogoś skądś [II] *vi* 1. przep-chać/ychać się 2. szturch-nąć/ać (**against sb** kogoś) 3. po/śpieszyć się; po/pędzić [III] *s* 1. rwetes; krzątanina; bieganina 2. popychanie się 3. pośpiech; *am* **to get a ~ on** pośpieszyć się

hustler ['hʌslə] *s* człowiek energiczny

hut [hʌt] [I] *s* 1. chata; szałas; chałupa; drewniak 2. *wojsk* barak; **Y.M.C.A. ~** dom żołnierza prowadzony przez stowarzyszenie Y.M.C.A. [II] *vt* (**-tt-**) rozlokow-ać/ywać (wojsko) w barakach [III] *vi* (**-tt-**) kwaterować w barakach

hutch [hʌtʃ] *s* 1. skrzynia 2. klatka (dla królików itd.) 3. chatka 4. dzieża; niecka 5. płuczka do rudy 6. kopalniany wózek węglowy

hutment ['hʌtmənt] *s* baraki

huzza [hu'zɑ:] [I] *interj* wiwat!; hura! [II] *vt* wiwatować na cześć (**sb** czyjąś) [III] *vi* wiwatować

hyacinth ['haiəsinθ] *s* 1. *bot* hiacynt 2. *miner* hiacynt (cyrkon) 3. kolor hiacyntowy (liliowoniebieski)

hyaena [hai'i:nə] = **hyena**

hyaline ['haiəlin] [I] *adj* 1. przeźroczysty; szklisty; hialinowy [II] *s poet* 1. czyste niebo 2. spokojne morze

hyalite ['haiə,lait] *s miner* hialit

hyaloid ['haiə,lɔid] *adj* szklisty; hialinowy

hybrid ['haibrid] [I] *s biol* hybryd, hybryda; mieszaniec; krzyżówka [II] *adj biol* skrzyżowany

hybridism ['haibri,dizəm] *s biol* hybrydyzm

hybridization [,haibridai'zeiʃən] *s biol* krzyżowanie

hybridize ['haibri,daiz] *vt biol* s/krzyżować

hydatid ['haidətid] *adj med* (*także* **~ cyst**) bąblowiec, wodunka, torbiel wodunkowa; **~ mole** zaśniad groniasty

hydra ['haidrə] *s* (*pl* **~s, hydrae** ['haidri:]) 1. *zoo* hydra 2. **Hydra** *mitol* hydra

hydrangea [hai'dreindʒə] *s bot* hortensja

hydrant ['haidrənt] *s* hydrant

hydrate ['haidrit] [I] *s chem* wodzian, hydrat; **~ of lime** gaszone wapno [II] *vt* ['haidreit] *chem* uwadniać *zob* **hydrated**

hydrated ['haidreitid] [I] *zob* **hydrate** *v* [II] *adj chem* uwodniony

hydraulic [hai'drɔ:lik] *adj* hydrauliczny

hydraulics [hai'drɔ:liks] *s* hydraulika

hydride ['haidraid] *s chem* wodorek; **calcium <sodium> ~** wodorek wapniowy <sodowy>; **phosphorus ~** fosforowodór

hydro ['haidrou] *skr* **hydropathic** *s*

hydro-aeroplane ['haidrou'ɛərə,plein] *s lotn* wodnopłatowiec

hydrocarbon ['haidrou'kɑ:bən] *s chem* węglowodór

hydrocele ['haidrou,si:l] *s med* wodniak jądra

hydrocephalus ['haidrou'sefələs] *s med* wodogłowie

hydrochloride ['haidrou'klɔraid] *s chem* chlorowodorek

hydrocyanic ['haidrou-sai'ænik] *adj chem* cyjanowodorowy

hydrodynamics ['haidrou-dai'næmiks] *s* hydrodynamika

hydroelectric ['haidrou-i'lektrik] *adj* hydroelektryczny

hydro-extractor ['haidrou-iks'træktə] *s* wirówka odwadniająca

hydrofluoric ['haidrou-flu'ɔrik] *adj chem* fluorowodorowy

hydrogen ['haidridʒən] *s chem* wodór; **~ bomb** bomba wodorowa

hydrogenation ['haidrou-dʒi'neiʃən] *s chem* uwodornianie

hydrography [hai'drɔgrəfi] *s* hydrografia

hydroid ['haidrɔid] *s zoo* stułbia

hydrolysis [hai'drɔlisis] *s chem* hydroliza

hydrometer [hai'drɔmitə] *s* hydrometr

hydropathic ['haidrou'pæθik [I] *adj* wodoleczniczy [II] *s* zakład wodoleczniczy

hydropathy [hai'drɔpəθi] *s* wodolecznictwo

hydrophobia ['haidrə'foubjə] *s med wet* hydrofobia, wodowstręt, wścieklizna

hydropic [hai'drɔpik] *adj med* obrzękły

hydroplane ['haidrou,plein] *s* 1. *lotn* wodnopłatowiec 2. ślizgowiec <ślizgacz> (rodzaj łodzi motorowej)

hydropsy ['haidrɔpsi] *s med* wodna puchlina; obrzęk

hydrostatic ['haidrou'stætik] *adj fiz* hydrostatyczny

hydrostatics ['haidrou'stætiks] *s fiz* hydrostatyka

hydrous ['haidrəs] *adj* wodny; wodnisty; uwodniony

hydroxide [hai'drɔksaid] *s chem* wodorotlenek

hydrozoa [,haidrə'zouə] *spl zoo* stułbiopławy

hyena [hai'i:nə] *s zoo* hiena

hygiene ['haidʒi:n] *s* higiena

hygienic [hai'dʒi:nik] *adj* higieniczny

hygienics [hai'dʒi:niks] *s* higiena (nauka)

hygrometer [hai'grɔmitə] *s meteor* higrometr

hygroscopic [haigrə'skɔpik] *adj* higroskopijny

hymen ['haimen] *s anat* błona dziewicza

hymeneal [,haime'niəl] *adj* weselny; małżeński

hymenoptera [,haime'nɔptərə] *spl* owady błonkoskrzydłe

hymn [him] [I] *s* 1. hymn 2. pieśń religijna [II] *vt* wysławi-ć/ać

hymnal ['himnəl], **hymn-book** ['him,buk] *s* zbiór hymnów

hyoid ['haiɔid] *adj med* gnykowy

hyperacidity [,haiper-ə'siditi] *s med* nadkwasota, nadkwaśność

hyperaemia [,haipə'ri:mjə] *s med* przekrwienie

hyperaesthesia [,haipər-is'θi:zjə] *s med* przeczulica

hyperbola [hai'pə:bələ] *s* (*pl* **hyperbolae** [hai:pə:bə,li:], **~s**) *geom* hiperbola

hyperbole [hai'pə:bəli] *s ret* hiperbola

hyperbolical [,haipə'bɔlikəl] *adj ret* hiperboliczny

hyperborean [,haipə'bɔ:riən] [I] *adj* (z) dalekiej północy [II] *s mitol* Hiperborejczyk

hypercritical ['haipə'kritikəl] *adj* przesadnie krytyczny

hypermetrical ['haipə'metrikəl] *adj prozod* (*o wierszu*) hipermetryczny

hypertension ['haipə'tenʃən] *s med* nadciśnienie

hyperthyroidism [,haipə'θairɔi,dizəm] *s med* nadczynność tarczycy

hypertrophy [hai'pə:trəfi] *s* przerost, hipertrofia
hyphen ['haifən] [I] *s* łącznik (znak pisarski) [II] *vt* (*także* **hyphenate** ['haifə,neit]) na/pisać (wyraz złożony) z łącznikiem *zob* **hyphenated**
hyphenate *zob* **hyphen** *v*
hyphenated ['haifə,neitid] [I] *zob* **hyphenate** [II] *adj* **~ American** obcokrajowiec, który przyjął obywatelstwo amerykańskie
hypnosis [hip'nousis] *s* (*pl* **hypnoses** [hip'nousi:z]) hipnoza
hypnotic [hip'nɔtik] *adj* hipnotyczny
hypnotism ['hipnə,tizəm] *s* hipnotyzm
hypnotist ['hipnətist] *s* hipnotyzer
hypnotize ['hipnə,taiz] *vt* hipnotyzować
hypo ['haipou] *skr* **hyposulphite**
hypochlorite ['haipou'klɔrait] *s* *chem* podchloryn
hypochondria [,haipou'kɔndriə] *s* hipochondria
hypochondriac [,haipou'kɔndri,æk] *s* hipochondry-k/czka
hypochondriacal [,haipoukɔn'draiəkəl] *adj* hipochondryczny
hypochondrium [,haipou'kɔndriəm] *s* *anat* podżebrze
hypocrisy [hi'pɔkrəsi] *s* hipokryzja; obłuda; dwulicowość
hypocrite ['hipəkrit] *s* hipokryt-a/ka; obłudni-k/ca
hypocritical [,hipə'kritikəl] *adj* obłudny; dwulicowy
hypodermic [,haipə'də:mik] [I] *adj* podskórny; **~ syringe** strzykawka [II] *s* zastrzyk
hypogastric [,haipou'gæstrik] *adj* podbrzuszny
hypogean [,haipə'dʒiən] *adj* podziemny
hyponitrous [,haipə'naitrəs] *adj* *chem* podazotawy
hypophysis [hai'pɔfisis] *s* *anat* przysadka
hyposulphite [,haipou'sʌlfait] *s* *chem* podsiarczyn
hypotenuse [hai'pɔtinju:z] *s* *mat* przeciwprostokątna
hypothecate [hai'pɔθi,keit] *vt* za/hipotekować
hypothesis [hai'pɔθisis] *s* (*pl* **hypotheses** [hai'pɔθi,si:z]) hipoteza
hypothetical [,haipou'θetikəl] *adj* hipotetyczny; przypuszczalny
hypsometr [hip'sɔmitə] *s* *geogr* hipsometr
hypsometric [,hipsə'metrik] *adj* *geogr* hipsometryczny
hyson ['haisn] *s* zielona herbata chińska
hy-spy ['hai'spai] *s* rodzaj zabawy w chowanego
hyssop ['hisəp] *s* hizop (roślina i olejek)
hysteresis [,histə'ri:sis] *s* *fiz* histereza
hysteria [his'tiəriə] *s* *med* histeria
hysterical [his'terikəl] *adj* histeryczny; **to become ~** dosta-ć/wać ataku histerycznego
hysterics [his'teriks] *s* histeria; **to go <fall> into ~** dostać ataku histerii <histerycznego>
hysteritis [,histə'raitis] *s* *med* zapalenie macicy
hysterotomy [,histə'rɔtəmi] *s* *med* nacięcie macicy

I

I, i[1] [ai] *s* (*pl* **is, i's** [aiz]) *litera* i; *techn* **I bar** <**iron**> iownik, iówka, dwuteówka; **to dot one's I's and cross one's T's** być pedantem
I[2] [ai] *pron* ja
iamb ['aiæmb] = **iambus**
iambic [ai'æmbik] [I] *adj* *prozod* jambiczny [II] *s* *prozod* wiersz jambiczny
iambus [ai'æmbəs] *s* (*pl* **~es, iambi** [ai'æmbai]) *prozod* jamb
iatric [ai'ætrik] *adj* lekarski
I-beam ['ai,bi:m] *s* *bud* dwuteówka
Iberian [ai'biəriən] [I] *adj* iberyjski [II] *s* Iberyj-czyk/ka
ibex ['aibeks] *s* (*pl* **~es, ibices** ['aibi,si:z]) *zoo* koziorożec alpejski
ibidem [i'baidem] *adv* tamże; w wymienionym dziele; u wymienionego autora
ibis ['aibis] *s* (*pl* **~es, ibes** ['aibi:z]) *zoo* ibis
Icarian ['ai'kɛəriən] *adj* ikarowy; (*o locie itd*) Ikara
ice [ais] [I] *s* 1. lód, lody; **floating ~** kra; *przen* **to break the ~** przełam-ać/ywać (pierwsze) lody; **to cut no ~** a) nie mieć znaczenia b) nie wyw-rzeć/ierać żadnego wrażenia c) nic nie wskórać; *przen* **to get on thin ~** stanąć <znaleźć się> na niepewnym gruncie; *przen* **to tread** <**skate**> **on thin ~** narażać się na niebezpieczeństwo 2. *kulin* lody 3. lukier; *rz* kandyz [II] *attr* *geol* lodowaty; lodowy [III] *vt* 1. zamr-ozić/ażać; pokry-ć/wać lodem; (*o statku*) **~d up** skuty lodem; unieruchomiony w lodach; w okowach lodu 2. oziębi-ć/ać 3. *kulin* po/lukrować *zob* **icing**
ice-anchor ['ais,æŋkə] *s* *mar* kotwica lodowa
ice-apron ['ais'eiprən] *s* izbica (ochrona filaru mostowego)
ice-axe ['ais,æks] *s* czekan
ice-bag ['ais,bæg] *s* worek z lodem
ice-bank ['ais,bæŋk] *s* ławica lodowa
iceberg ['ais,bə:g] *s* góra lodowa
ice-bird ['ais,bə:d] *s* *zoo* lelek
ice-blink ['ais,bliŋk] *s* odblask od pól lodowych
ice-boat ['ais,bout] *s* 1. łamacz lodów 2. bojer
ice-bound ['ais,baund] *adj* (*o statku*) ściśnięty lodami; unieruchomiony w lodach; w okowach lodu; skuty lodem
ice-box ['ais,bɔks] *s* lodówka
ice-breaker ['ais,breikə] *s* łamacz lodów, lodołamacz
ice-cap ['ais,kæp] *s* pokrywa lodowa
ice-cream ['ais'kri:m] *s* *kulin* lody; *am* **~ man** lodziarz (sprzedawca); **~ soda** woda sodowa z lodami
ice-field ['ais,fi:ld] *s* pole lodowe
ice-floe ['ais,flou] *s* kra
ice-house ['ais,haus] *s* lodownia
Icelander ['aisləndə] *s* Island-czyk/ka
Icelandic [ais'lændik] [I] *adj* islandzki [II] *s* język islandzki
iceman ['aismən] *s* (*pl* **icemen** ['aismən]) 1. człowiek doświadczony w poruszaniu się na lodzie

2. lodziarz (sprzedawca) 3. *am* sprzedawca <rozwoziciel> lodu
ice-pack ['ais,pæk] *s* 1. ławica pływającej kry 2. *med* worek z lodem
ice-pail ['ais,peil] *s* wiaderko z lodem (do oziębiania wina)
ice-plant ['ais,plɑ:nt] *s bot* przypołudnik okroplony (trawa śródziemnomorska)
ice-rink ['ais,riŋk] *s* lodowisko
ice-safe ['ais,seif] *s* lodówka
ice-yacht ['ais,jɔt] *s* = **ice-boat** 2.
ichabod ['ikə,bɔd] *interj hebr* przeminęła sława!
ichneumon [ik'nju:mən] *s zoo* 1. ichneumon, szczur faraona 2. błonkoskrzydła owadziarka; gąsienicznik mangusta
ichnography [ik'nɔgrəfi] *s* ichnografia, kreślenie planów
ichor ['aikɔ:] *s med* posoka
ichthyoid ['ikθi,ɔid] *adj* rybokształtny
ichthyol ['ikθi,ɔl] *s chem* ichtiol
ichthyology [,ikθi'ɔlədʒi] *s* ichtiologia
ichthyophagous [,ikθi'ɔfəgəs] *adj* rybożerny
ichthyosaurus [,ikθiə'sɔ:rəs] *s* (*pl* **ichthyosauri** [,ikθiə'sɔ:rai], **~es**) *zoo* ichtiozaur
icicle ['aisikl] *s* sopel lodu
icily ['aisili] *adv* zimno; (powiedzieć coś itd.) z miną lodowatą
iciness ['aisinis] *s* lodowatość; chłód (w zachowaniu)
icing ['aisiŋ] [I] *zob* **ice** *v* [II] *s* lukier
ickle ['ikl] *adj dziec* malutki, maciupeńki
icon ['aikɔn] *s* ikona
iconoclasm [ai'kɔnɔ,klæzəm] *s* obrazoburstwo; ikonoklazm
iconoclast [ai'kɔnə,klæst] *s* obrazoburca; ikonoklasta
iconography [,aikɔ'nɔgrəfi] *s* ikonografia
iconolatry [,aikə'nɔlətri] *s* ikonolatria (oddawanie czci obrazom)
iconostasis [,aikə'nɔstəsis] *s kośc* ikonostas
icosahedron ['aikəsə'hedrən] *s* (*pl* **~s, icosahedra** ['aikəsə'hedrə]) dwudziestościan
icteric [ik'terik] *adj med* żółtaczkowy
icterus ['iktərəs] *s med* żółtaczka
ictus ['iktəs] *s* 1. *prozod* akcent metryczny 2. *med* uderzenie; pchnięcie; udar mózgowy
icy ['aisi] *adj* (**icier** ['aisiə], **iciest** ['aisiist]) lodowaty; **~ cold** lodowato zimny
I'd [aid] = **I had; I would; I should**
id [id] *s psych* id
idea [ai'diə] *s* 1. idea 2. pomysł; **a man of ~s** człowiek pomysłowy; **the ~**! coś takiego!; **what a good ~**! co za świetny pomysł!; *am* **what's the great ~**? co to ma znaczyć?; **to hit upon the ~ to __** wpaść na pomysł, żeby... 3. pojęcie; wyobrażenie; **I don't get the ~** nie rozumiem; **I have the ~ that __** mam wrażenie <wydaje mi się, zdaje mi się>, że...; **that's not my ~ of __** nie tak sobie wyobrażam...; nie tak rozumiem... 4. myśl; **the very ~ of it gives me the creeps** na samą myśl o tym cierpnie mi skóra; **don't get ~s into your head** nie wmawiaj sobie; nie łudź się
ideal [ai'diəl] [I] *adj* idealny; doskonały [II] *s* ideał
idealism [ai'diə,lizəm] *s* idealizm
idealist [ai'diəlist] *s* idealist-a/ka
idealistic [ai,diə'listik] *adj* idealistyczny
ideality [,aidi'æliti] *s* idealność
idealization [ai,diəlai'zeiʃən] *s* wy/idealizowanie
idealize [ai'diə,laiz] *vt* wy/idealizować
idem ['aidem] [I] *pron* tenże (autor) [II] *adv* tamże; u tegoż autora
identic [ai'dentik] *adj* identyczny; *dypl* **~ note** nota identycznej treści wysłana równocześnie przez kilka państw
identical [ai'dentikəl] *adj* identyczny, ten sam; taki sam
identifiable [ai'denti,faiəbl] *adj* możliwy do stwierdzenia <do zidentyfikowania>
identification [ai,dentifi'keiʃən] *s* zidentyfikowanie; stwierdzenie tożsamości; utożsamienie; *wojsk* **~ disk** znaczek tożsamości
identify [ai'denti,fai] *v* (**identified** [ai'denti,faid], **identified; identifying** [ai'denti,faiiŋ]) [I] *vt* 1. utożsami-ć/ać; z/identyfikować 2. stwierdz-ić/ać <ustal-ić/ać> tożsamość (**sb, sth** czyjąś, czegoś); rozpozna-ć/wać [II] *vr* **~ oneself** utożsami-ć/ać się (z kimś); ściśle związać się (z czymś)
identity [ai'dentiti] *s* identyczność; tożsamość; **~ card** dowód osobisty; legitymacja; **~ disk** znaczek tożsamości (wojskowego na froncie)
ideogram ['idiou,græm], **ideograph** ['idiou,grɑ:f] *s jęz* ideogram
ideological [,aidiə'lɔdʒikəl] *adj* ideologiczny
ideologist [,aidi'ɔlədʒist] *s* ideolog
ideology [,aidi'ɔlədʒi] *s* ideologia
Ides [aidz] *spl* (*u staroż. Rzymian*) Idy
idiocy ['idiəsi] *s* 1. niedorozwój umysłowy 2. idiotyzm
idiom ['idiəm] *s* 1. idiom, wyrażenie idiomatyczne 2. dialekt 3. właściwość językowa
idiomatic(al) [,idiə'mætik(əl)] *adj* idiomatyczny
idiomatically [,idiə'mætikəli] *adv* idiomatycznie; **to speak English ~** mówić czystą angielszczyzną
idiopathic [,idiou'pæθik] *adj med* samoistny
idiosyncrasy [,idiə'siŋkrəsi] *s* 1. *med* uczulenie, szczególna wrażliwość; idiosynkrazja 2. *pot* przyzwyczajenie; nawyk; mania
idiot ['idiət] *s* idiot-a/ka
idiotic [,idi'ɔtik] *adj* idiotyczny
idle ['aidl] [I] *adj* 1. bezczynny; **~ moments** a) chwile bezczynności b) wolny czas; (*o przedmiocie*) **to lie ~** leżeć bezużytecznie; **to stand ~** a) (*o człowieku*) stać bezczynnie <z założonymi rękami> b) (*o maszynie, fabryce itd*) stać 2. bez pracy; nie zatrudniony; bezrobotny 3. leniwy; próżnujący; gnuśny; **~ habits** próżnowanie 4. próżny; daremny; czczy; **it is ~ to __** nie ma sensu ... 5. bezzasadny; bezpodstawny 6. błahy 7. *techn* jałowy; nie obciążony; **~ wheel** = **idler** 2.; **to run ~** a) (*o silniku*) iść <chodzić> na wolnych obrotach b) (*o kole*) biec luzem [II] *vi* próżnować; leniuchować; wałkonić się; *pot* obijać się; **to ~ about the streets** wałęsać się bezczynnie po ulicach
~ away *vt* z/marnować <roz/trwonić> (**one's time** czas)
~ over *vi* (*o maszynie*) prze-jść/chodzić na wolne obroty
idleness ['aidlnis] *s* 1. bezczynność 2. lenistwo; próżnowanie; gnuśność 3. próżność; daremność 4. bezzasadność; bezpodstawność
idler ['aidlə] *s* 1. próżnia-k/czka; leń; nierób; wał-

koń 2. *techn* koło luźne; wałek luźny; krążnik; wolne koło

idly ['aidli] *adv* 1. bezczynnie; (stać itd.) z założonymi rękami 2. próżno; na próżno; daremnie 3. bezpodstawnie 4. leniwie

idol ['aidl] *s* 1. bożek; bożyszcze 2. bałwan (posąg bożka)

idolater [ai'dɔlətə] *s* 1. bałwochwalca 2. wielbiciel

idolatress [ai'dɔlətris] *s* 1. *rz* bałwochwalczyni 2. wielbicielka

idolatrous [ai'dɔlətrəs] *adj* bałwochwalczy

idolatry [ai'dɔlətri] *s* bałwochwalstwo

idolize ['aidə,laiz] *vt* ubóstwiać; czcić bałwochwalczo; uwielbiać; czynić bóstwo <bożyszcze> (**sb** z kogoś)

idolum [ai'douləm] *s* (*pl* **idola** [ai'doulə]) 1. fantom 2. pojęcie; wyobrażenie 3. mylne wyobrażenie

idyll ['idil] *s* idylla; sielanka

idyllic [ai'dilik] *adj* idylliczny; sielankowy

if [if] I *conj* 1. jeżeli, jeśli; o ile; **~ he comes let me know** jeżeli on przyjdzie, daj/cie mi znać; **~ (it is) possible** jeżeli <o ile> to jest <będzie> możliwe; **~ necessary** w razie potrzeby <konieczności>; **~ not** w przeciwnym razie <wypadku>; **~ so** w takim razie <wypadku>; **he'll come an hour late ~ at all** o ile w ogóle przyjdzie, to się spóźni o godzinę; **she is pretty ~ anything** o ile ona się czymś odznacza, to (tylko) urodą; **the guests, ~ any, must present invitation cards** goście, o ile będą tacy, muszą okazać zaproszenia; **they'll give you sixpence for the book ~ that** za tę książkę dadzą ci <wam> sześć pensów w najlepszym wypadku <najwyżej>; **you'll get a shilling ~ anything** dostanie-sz/cie najwyżej szylinga; o ile w ogóle ci <wam> coś dadzą, to jednego szylinga 2. gdyby; **as ~** jak gdyby; **~ he had seen me** gdyby mnie (był) zobaczył; **~ I knew** gdybym wiedział 3. *w pytaniach zależnych*: czy; **ask him ~ he knows** zapytaj go czy wie; **I wonder ~ it can be done** ciekaw jestem czy to się da zrobić 4. wprawdzie; **~ he is strict at least he is fair** wprawdzie jest on surowy, ale przynajmniej sprawiedliwy 5. *wyraża życzenie:* **~ only** ...! żeby tylko ...! II *s w zwrotach*: **your ~s and your buts** u ciebie <was> to wciąż „gdyby" i „ale" ‖ **if ~s and an's were pots and pans** gdyby ciotka miała wąsy

igloo ['iglu:] *s* igloo

igneous ['igniəs] *adj* 1. ognisty; ogniowy 2. wulkaniczny

ignis-fatuus ['ignis'fætjuəs] *s* błędny ognik; *przen* ułuda

ignite [ig'nait] I *vt* zapal-ić/ać; rozżarz-yć/ać II *vi* zapal-ić/ać <zaj-ąć/mować> się

igniter [ig'naitə] *s* *techn* *wojsk* zapalnik

ignition [ig'niʃən] *s* 1. zapal-enie/anie 2. *techn* zapłon

ignoble [ig'noubl] *adj* 1. niecny; haniebny; niegodziwy; podły 2. † niskiego <plebejskiego> pochodzenia

ignominious [,ignə'miniəs] *adj* haniebny; sromotny; bezecny

ignominy ['ignəmini] *s* hańba; sromota; bezecność; podłość

ignoramus [,ignə'reiməs] *s* ignorant/ka; nieuk; obskurant/ka

ignorance ['ignərəns] *s* 1. nieznajomość (przepisów itd.) 2. ignorancja; nieuctwo; obskurantyzm; ciemnota

ignorant ['ignərənt] *adj* 1. nieświadomy (**of sth** czegoś); nie powiadomiony (**of sth** o czymś); **to be ~ of sth** nie wiedzieć <nie znać> czegoś (przepisów itd.) 2. ciemny; bez wykształcenia; **to be ~ of** ... być ignorant-em/ką w zakresie ...; **to be ~ of a subject** wykaz-ać/ywać nieznajomość <ignorancję> przedmiotu 3. (*o uwadze, odpowiedzi itd*) wykazujący <zdradzający> ignorancję

ignore [ig'nɔ:] *vt* 1. z/ignorować; z/lekceważyć; nie zwr-ócić/acać uwagi <nie zważać> (**sb, sth** na kogoś, coś) 2. *prawn* uchyl-ić/ać; odrzuc-ić/ać

iguana [i'gwɑ:nə] *s* *zoo* iguana (jaszczurka południowoamerykańska)

ileum ['iliəm] *s* *anat* jelito kręte; krętnica

ilex ['aileks] *s* *bot* dąb wiecznie zielony

iliac ['ili,æk] *adj* 1. *anat* biodrowy 2. *med* **~ passion** niedrożność jelit

ilk [ilk] *adj* *szkoc w wyrażeniu*; **of that ~** a) z miejscowości tej samej nazwy b) jemu <im> podobni

ill [il] I *adj* (**worse** [wə:s], **worst** ['wə:st]) 1. zły; niedobry; **~ deed** niegodziwość; **~ health** kiepskie <słabe, wątłe> zdrowie; **~ success** niepowodzenie; **to do sb an ~ turn** źle się komuś przysłużyć 2. *praed* chory (**of** <**with**> **sth** na coś); cierpiący; niezdrów; **to be ~** chorować (**with sth** na coś); **to fall** <**get, be taken**> **~** zachorować (**with sth** na coś); **to look ~** źle wyglądać; mieć wygląd chorego człowieka II *adv* 1. źle; **it will go ~ with you** źle na tym wyjdzie-sz/cie; będzie z tobą <wami> źle; **to take a thing ~** obrazić się o coś; czuć się dotkniętym czymś 2. niepomyślnie; **~ at ease** a) skrępowany; zażenowany b) niespokojny 3. źle; kiepsko; niedostatecznie; niewłaściwie, nieodpowiednio; **it ~ becomes you to** ... nie wypada ci <wam> ...; **we can ~ afford to** ... nie stać nas <nie możemy sobie pozwolić> na to, żeby... III *s* 1. zło; coś złego; **~ or well** dola czy niedola; **to do ~** źle czynić; **to see no ~ in** ... nie widzieć nic złego w ...; **to speak ~ of** ... źle się wyrażać o ... (kimś) 2. *pl* **~s** nieszczęścia; przykrości 3. krzywda

I'll [ail] = **I will, I shall**

ill-advised ['il-əd'vaizd] *adj* nierozważny; nierozsądny; nieroztropny

ill-affected ['il-ə'fektid] *adj* nieżyczliwy; źle usposobiony

ill-assorted ['il-ə'sɔ:tid] *adj* niedobrany

illation [i'leiʃən] *s* wniosek; konkluzja

illative [i'leitiv] *adj* (*o wyrazie*) wyrażający wniosek

ill-balanced ['il'bælənst] *adj* (*o człowieku*) niezrównoważony; (*o przedmiocie*) nie zrównoważony

ill-behaved ['il-bi'heivd] *adj* 1. źle wychowany 2. (*o kobiecie*) złego prowadzenia (się)

ill-boding ['il'boudiŋ] *adj* złowróżbny; niepomyślny

ill-bred ['il'bred] *adj* źle wychowany; grubiański

ill-breeding ['il'bri:diŋ] *s* złe wychowanie; grubiaństwo
ill-conditioned ['il-kən'diʃənd] *adj* 1. (*o człowieku*) w złym usposobieniu 2. w złym stanie zdrowia 3. (*o rzeczy*) zepsuty; w złym stanie
ill-considered ['il-kən'sidəd] *adj* nierozważny; pochopny
ill-disposed ['il-dis'pouzd] *adj* 1. nieżyczliwy; złego usposobienia 2. źle usposobiony (**towards sb, sth** wobec <do> kogoś, czegoś); niechętny (**towards sb, sth** komuś, czemuś) 3. niesklonny (**towards sth** do czegoś, **to do sth** do zrobienia czegoś)
ill-doer ['il'duə] *s* złoczyńca
illegal [i'li:gəl] *adj* nielegalny; bezprawny; samowolny
illegality [,ili'gæliti] *s* nielegalność; bezprawie
illegibility [i,ledʒi'biliti] *s* nieczytelność
illegible [i'ledʒəbl] *adj* nieczytelny
illegitimacy [,ili'dʒitiməsi] *s* 1. nieprawność 2. nieprawe <nieślubne> pochodzenie
illegitimate [,ili'dʒitimit] [I] *adj* 1. nieprawny; bezprawny 2. (*o dziecku*) nieprawego łoża; nieślubny 3. (*o wniosku itd*) niesłuszny [II] *vt* [,ili'dʒiti,meit] 1. uzna-ć/wać (**potomka**) za nieprawego <za nieślubnego> 2. uzna-ć/wać (czyn) za bezprawny
ill-famed ['il'feimd] *adj* o złej sławie
ill-fated ['il'feitid] *adj* nieszczęsny; nieszczęśliwy; fatalny
ill-favoured ['il'feivəd] *adj* brzydki; nieurodziwy
ill-feeling ['il'fi:liŋ] *s* uraza; żal
ill-gotten ['il'gɔtn] *adj* nieuczciwie nabyty; zdobyty w sposób bezprawny
ill-health ['il'helθ] *s* słabe zdrowie; choroba
ill-humour ['il'hju:mə] *s* zły humor
ill-humoured ['il'hju:məd] *adj* (*o człowieku*) w złym humorze <usposobieniu>
illiberal [i'libərəl] *adj* 1. małostkowy; sknerowaty 2. grubiański 3. ograniczony; ciasny
illiberality [i,libə'ræliti] *s* 1. małostkowość; sknerstwo 2. grubiaństwo 3. ograniczenie; ciasnota umysłu
illicit [i'lisit] *adj* bezprawny; nielegalny; zakazany; niedozwolony; zabroniony
illicitness [i'lisitnis] *s* bezprawie; nielegalność
illimitable [i'limitəbl] *adj* nieograniczony; bezgraniczny
illinium [i'liniəm] *s chem* promet, ilinium
ill-intentioned ['il-in'tenʃənd] *adj* nieżyczliwy; ze złymi zamiarami
illiteracy [i'litərəsi] *s* analfabetyzm; nieuctwo; ciemnota
illiterate [i'litərit] [I] *adj* nie umiejący czytać ani pisać; niepiśmienny; **to be ~** być analfabet-ą/ką [II] *s* analfabet-a/ka
ill-judged ['il'dʒʌdʒd] *adj* nieopatrzny; nierozważny; niemądry
ill-looking ['il'lukiŋ] *adj* 1. brzydki; nieładny 2. podejrzanie wyglądający
ill-luck ['il'lʌk] *s* nieszczęście; pech
ill-mannered ['il'mænəd] *adj* źle wychowany; grubiański
ill-natured ['il'neitʃəd] *adj* o złym charakterze; zły; złośliwy
illness ['ilnis] *s* choroba
illogical [i'lɔdʒikəl] *adj* nielogiczny
ill-omened ['il'oumend] *adj* złowróżbny; feralny; niepomyślny
ill-repute ['il-ri'pju:t] *s* zła sława
ill-starred ['il'stɑ:d] *adj* nieszczęsny; fatalny; zgubny; urodzony pod nieszczęśliwą gwiazdą
ill-success ['il-sək'ses] *s* niepowodzenie
ill-tempered ['il'tempəd] *adj* 1. zły; zirytowany; rozdrażniony; w złym humorze 2. o złym usposobieniu; kłótliwy; gniewliwy
ill-timed ['il'taimd] *adj* 1. nie w porę (zrobiony, powiedziany, przybyły itd.); niefortunny 2. nieopatrzny
ill-treat ['il'tri:t] *vt* z/maltretować; znęcać się (**sb, sth** nad kimś, czymś); źle się ob-ejść/chodzić <brutalnie post-ąpić/ępować> (**sb, sth** z kimś, czymś)
ill-treatment ['il'tri:tmənt] *s* maltretowanie; znęcanie się; złe <brutalne> obchodzenie się
illuminant [i'lju:minənt] [I] *adj* 1. oświecający 2. oświetlający [II] *s* 1. czynnik oświecający 2. środek oświetlający
illuminate [i'lju:mi,neit] *vt* 1. oświetl-ić/ać 2. oświec-ić/ać 3. wyjaśni-ć/ać; rzuc-ić/ać światło (**sth** na coś) 4. iluminować <oświetl-ić/ać reflektorami> (gmach, pomnik itd.) 5. iluminować (rękopis itd.) 6. uświetni-ć/ać *zob* **illuminating**
illuminating [i'lju:mi,neitiŋ] [I] *zob* **illuminate** [II] *adj* 1. świetlny 2. pouczający; instruktywny; kształcący
illumination [i,lju:mi'neiʃən] *s* 1. oświetl-enie/anie 2. oświec-enie/anie 3. rozjaśni-enie/anie; wyjaśni-enie/anie 4. iluminacja 5. iluminowanie (rękopisu) 6. uświetni-enie/anie
illuminative [i'lju:mi,neitiv] = **illuminating** *adj*
illuminator [i'lju:mi,neitə] *s* 1. iluminator (rękopisów) 2. *mar* iluminator 3. urządzenie świetlne
illumine [i'lju:min] = **illuminate**
ill-use ['il'ju:z] [I] *vt* = **ill-treat** [II] *s* ['il'ju:s] = = **ill-treatment**
illusion [i'lu:ʒən] *s* 1. złudzenie; złuda; iluzja; **to entertain <indulge in> ~s** łudzić się; oddawać się złudzeniom 2. gatunek ażurowego tiulu
illusionist [i'lu:ʒənist] *s* 1. iluzjonista; magik 2. marzyciel/ka
illusive [i'lu:siv], **illusory** [i'lu:səri] *adj* złudny; zwodniczy; iluzoryczny
illustrate ['iləs,treit] *vt* z/ilustrować
illustration [,iləs'treiʃən] *s* ilustracja
illustrative ['iləs,treitiv] *adj* ilustrujący; **to be ~ of sth** ilustrować coś
illustrator ['iləs,treitə] *s* ilustrator/ka
illustrious [i'lʌstriəs] *adj* sławny; znakomity; głośny; słynny
ill-will ['il'wil] *s* niechęć; wrogość; **to bear sb ~** mieć żal <żywić urazę> do kogoś
ill-wisher ['il'wiʃə] *s* człowiek nieżyczliwy; nieprzyjaci-el/ółka
ilmenite ['ilmi,nait] *s miner* ilmenit
I'm [aim] = **I am** *zob* **be**
image ['imidʒ] [I] *s* 1. wizerunek; podobizna; wyobrażenie; posąg <posążek> (bożka itd.) 2. *dosł i przen* obraz; *opt* odbicie 3. obrazowe wyrażenie 4. pomysł; koncepcja [II] *vt* przedstawi-ć/ać; odtw-orzyć/arzać; da-ć/wać obraz (**sb, sth** czegoś, kogoś); **to ~ to oneself** przedstawi-ć/ać <wyobra-zić/żać> sobie

imagery [ˈimidʒəri] *s* 1. posągi; wizerunki; podobizny 2. obrazy (retoryczne itd.) 3. obrazowość (opisów itd.)
image-worship [ˈimidʒˌwəːʃip] *s* bałwochwalstwo
imaginable [iˈmædʒinəbl] *adj* wyobrażalny; (będący) do pomyślenia; **the best thing ~** najlepsza rzecz, jaką sobie można wyobrazić
imaginary [iˈmædʒinəri] *adj* urojony; zmyślony; rzekomy; wyimaginowany
imagination [iˌmædʒiˈneiʃən] *s* wyobraźnia; fantazja
imaginative [iˈmædʒinətiv] *adj* (*o człowieku*) obdarzony wyobraźnią <fantazją>
imagine [iˈmædʒin] *vt* 1. wyobra-zić/żać <przedstawi-ć/ać> sobie; poj-ąć/mować; **to ~ oneself somebody <something, somewhere etc.>** wyobrazić sobie, że się jest kimś <czymś, gdzieś itd.> 2. mieć wrażenie (**that** __ że ...); **I've seen you before I ~** chyba <zdaje mi się, że> pana już gdzieś widziałem; **I ~ him to be rich <clever etc.>** przypuszczam, że on jest <on musi chyba być> bogaty <zdolny itd.>
imagines *zob* **imago**
imago [iˈmeigou] *s* (*pl* **imagines** [iˈmeidʒiˌniːz], **~s**) *zoo* imago (stadium dorosłe owada)
imbecile [ˈimbiˌsiːl] [I] *adj* niedorozwinięty umysłowo; *przen* bezdennie <beznadziejnie> głupi [II] *s* człowiek niedorozwinięty umysłowo; idiot-a/ka
imbecility [ˌimbiˈsiliti] *s* niedorozwój umysłowy; głupota
imbibe [imˈbaib] *vt* 1. wchł-onąć/aniać; absorbować; przysw-oić/ajać sobie; asymilować 2. wessać/wsysać 3. wdychać 4. wpi-ć/jać; nasiąk-nąć/ać (**sth** czymś)
imbibition [ˌimbiˈbiʃən] *s* 1. wchłanianie; absorbowanie 2. nasiąkanie *zob* **imbibe**
imbricated [ˈimbriˌkeitid] *adj* łuskowaty; dachówkowaty
imbroglio [imˈbrouliˌou] *s* powikłanie; zawikłana <trudna, pogmatwana> sytuacja
imbrue [imˈbruː] *vt* poplamić (**in <with> sth** czymś); zbroczyć (**in <with> blood** krwią); zamoczyć (**in <with> sth** w czymś)
imbrute [imˈbruːt] *vt* rozbestwi-ć/ać; zezwierzęc-ić/ać
imbue [imˈbjuː] *vt* 1. nasyc-ić/ać (**with sth** czymś) 2. wp-oić/ajać (**sth** coś); przep-oić/ajać (**with sth** czymś); **to become ~d with** __ przesiąk-nąć/ać <nasiąk-nąć/ać> ... (przesądami itd.) 3. za/moczyć (**with sth** czymś) 4. u/farbować (**with sth** czymś) 5. napu-ścić/szczać (**with sth** czymś)
imitate [ˈimiˌteit] *vt* 1. naśladować; imitować; s/kopiować; wzorować się (**sb, sth** na kimś, czymś); małpować; (*o owadach itd*) upod-obnić/abniać się (**its surroundings** do otoczenia) 2. podr-obić/abiać (towar)
imitation [ˌimiˈteiʃən] [I] *s* naśladownictwo; naśladowanie; imitacja; imitowanie; falsyfikat; podróbka; **in ~ of** __ na wzór ... (czyjś); wzorem (kogoś) [II] *attr* (*o kamieniu, perłach, skórze itd*) sztuczny
imitative [ˈimiˌteitiv] *adj* 1. naśladowczy; naśladujący; imitujący 2. odtwórczy
imitativeness [ˈimiˌteitivnis] *s* 1. skłonność do naśladowania 2. talent naśladowczy
imitator [ˈimiˌteitə] *s* naśladow-ca/czyni; imitator/ka
immaculacy [iˈmækjulisi] *s* nieskazitelność; niepokalaność
immaculate [iˈmækjulit] *adj* niepokalany; nieskazitelny; bez skazy; *rel* **Immaculate Conception** Niepokalane Poczęcie
immanent [ˈimənənt] *adj* 1. *filoz* immanentny 2. tkwiący <obecny> (**in sth** w czymś)
immaterial [ˌiməˈtiəriəl] *adj* 1. niematerialny; bezcielesny 2. nieistotny; bez znaczenia; nieważny; mało znaczący; błahy
immateriality [ˈiməˌtiəriˈæliti] *s* 1. niematerialność; bezcielesność 2. błahość
immature [ˌiməˈtjuə] *adj* 1. niedojrzały; nierozwinięty; niewyrobiony; niedorosły 2. niedorozwinięty
immaturity [ˌiməˈtjuəriti] *s* 1. niedojrzałość; niewyrobienie 2. niedorozwój
immeasurability [iˌmeʒərəˈbiliti] *s* niezmierność; niezmierzoność; bezmiar; ogrom
immeasurable [iˈmeʒərəbl] *adj* niezmierzony; niezmierny; bezmierny; bezgraniczny
immediacy [iˈmiːdiəsi] *s* 1. bezpośredniość 2. natychmiastowość 3. groźba (niebezpieczeństwa) 4. pilność <nagłość> (potrzeby)
immediate [iˈmiːdjət] *adj* 1. bezpośredni 2. najbliższy 3. natychmiastowy; bezzwłoczny; niezwłoczny 4. (*o potrzebie*) pilny; nagły
immediately [iˈmiːdiətli] [I] *adv* 1. bezpośrednio 2. natychmiast; bezzwłocznie 3. tuż (przy <nad, pod, po, przed> czymś) [II] *conj* jak <skoro> tylko; ledwo (zdążył itd.); **~ I have the news I will let you know** jak <skoro> tylko otrzymam wiadomość, poinformuję cię <was>
immediateness [iˈmiːdiətnis] *s* 1. bezpośrednie sąsiedztwo 2. = **immediacy**
immemorial [ˌimiˈmɔːriəl] *adj* odwieczny, trwający od niepamiętnych czasów; **from time ~** od niepamiętnych czasów
immense [iˈmens] *adj* 1. ogromny; niezmierny; bezgraniczny; (*o przestrzeni itp*) rozległy 2. *sl* świetny; fantastyczny; kapitalny
immensely [iˈmensli] *adv* ogromnie; niezmiernie; bezgranicznie; nadzwyczajnie; *pot* kapitalnie; fantastycznie
immensity [iˈmensiti] *s* ogrom; bezmiar; niezmierność; bezgraniczność
immerge [iˈməːdʒ], **immerse** [iˈməːs] *vt* 1. zanurz-yć/ać; zat-opić/apiać 2. pogrąż-yć/ać; zagłębi-ć/ać 3. o/chrzcić przez całkowite zanurzenie
immersion [iˈməːʃən] *s* 1. zanurz-enie/anie; zat-opienie/apianie 2. pogrąż-enie/anie <zagłębi-enie/anie> (się) 3. chrzest przez całkowite zanurzenie 4. *astr fiz* immersja; **~ objective** obiektyw immersyjny
immigrant [ˈimigrənt] [I] *adj* 1. imigrujący 2. imigracyjny 3. osadniczy [II] *s* 1. imigrant/ka 2. osadni-k/czka
immigrate [ˈimiˌgreit] [I] *vi* imigrować; przywędrować [II] *vt* sprowadz-ić/ać (osadników, robotników)
immigration [ˌimiˈgreiʃən] *s* imigracja; osadnictwo; **~ officer** przedstawiciel urzędu imigracyjnego; kontroler paszportów
imminence [ˈiminəns] *s* bliskość <groźba> (niebezpieczeństwa)
imminent [ˈiminənt] *adj* (*o niebezpieczeństwie*)

bliski; groźny; nadciągający; **to be ~** grozić, zagrażać; wisieć (nad kimś, czymś); nadciągać

immiscibility [i,misi'biliti] *s* niemieszalność <niemożność mieszania> (dwóch składników)

immiscible [i'misəbl] *adj* (*o składnikach*) nie mieszający się, nie dający się zmieszać <wymieszać>

immitigable [i'mitigəbl] *adj* nie do złagodzenia

immixture [i'mikstʃə] *s* 1. zmieszanie (dwóch składników) 2. wmieszanie <wplątanie> (**in an affair** w jakąś sprawę)

immobile [i'mou,bail] *adj* 1. nieruchomy; unieruchomiony; bez ruchu 2. przytwierdzony <umocowany, umieszczony> na stałe

immobility [,imou'biliti] *s* nieruchomość (czegoś); bezruch; znieruchomienie

immobilize [i'moubi,laiz] *vt* 1. unieruch-omić/amiać; zatrzym-ać/ywać (wojska) 2. zamr-ozić/ażać (kapitały)

immoderate [i'mɔdərit] *adj* nieumiarkowany; bez umiaru; niepohamowany; nadmierny

immoderation [i,mɔdə'reiʃən] *s* brak umiaru; nieumiarkowanie

immodest [i'mɔdist] *adj* nieskromny; nieprzyzwoity; bezwstydny

immodesty [i'mɔdisti] *s* nieprzyzwoitość; bezwstyd, bezwstydność

immolate ['imou,leit] *vt* poświęc-ić/ać; złożyć/składać w ofierze

immolation [,imou'leiʃən] *s* poświęcenie; złożenie/składanie w ofierze; ofiara

immoral [i'mɔrəl] *adj* niemoralny; nieetyczny; rozpustny

immorality [,imɔ'ræliti] *s* brak moralności <poczucia etyki>; niemoralność; rozpusta

immortal [i'mɔ:təl] I *adj* 1. nieśmiertelny 2. wiekopomny II *spl* **the ~s** nieśmiertelni

immortality [,imɔ:'tæliti] *s* nieśmiertelność

immortalize [i'mɔ:tə,laiz] *vt* unieśmiertelni-ć/ać; uwieczni-ć/ać

immortelle [,imɔ:'tel] *s bot* 1. nieśmiertelnik 2. kwiat nie więdnący

immovability [i,mu:və'biliti] *s* 1. nieruchomość; niemożność przesunięcia 2. niewzruszoność 3. nieugiętość (charakteru itd.)

immovable [i'mu:vəbl] I *adj* 1. nieruchomy 2. przytwierdzony <umieszczony, wprawiony> na stałe 3. niewzruszony 4. niezachwiany II *spl* **~s** nieruchomości

immune [i'mju:n] *adj* 1. wolny (od obowiązku itd.) 2. odporny <uodporniony> (**from** <**against, to**> **contagion etc.** na zarazki itd.)

immunity [i'mju:niti] *s* 1. uwolnienie (**from sth** od czegoś — podatku itd.); niepodleganie (**from sth** czemuś — obowiązkowi itd.) 2. odporność (**from a disease** na chorobę) 3. *prawn* immunitet; nietykalność

immunization [,imjunai'zeiʃən] *s* uodporni-enie/anie; immunizacja

immunize ['imju,naiz] *vt* uodp-ornić/arniać; immunizować

immure [i'mjuə] *vt* 1. zam-knąć/ykać (w czterech ścianach, klasztorze itd.) 2. zamurow-ać/ywać

immutability [i,mju:tə'biliti] *s* niezmienność; stałość

immutable [i'mju:təbl] *adj* niezmienny; stały

imp[1] [imp] *s* diabełek; skrzat; chochlik

imp[2] [imp] *vt w zwrocie*: **to ~ a bird's wings** dodawać ptakowi piór do skrzydeł; wzm-ocnić/acniać lot ptaka

impact [im'pækt] I *vt* 1. ścis-nąć/kać <zewrzeć/zwierać> razem 2. wprowadz-ić/ać; osadz-ić/ać; wklinow-ać/ywać II *vi* uderz-yć/ać się III *s* ['impækt] 1. uderzenie; wstrząs 2. zderzenie; kolizja 3. wpływ; działanie; poruszenie

impair [im'pεə] *vt* osłabi-ć/ać; uszk-odzić/adzać; nadweręż-yć/ać; nadwątl-ić/ać; umniejsz-yć/ać; podkop-ać/ywać; pod-erwać/rywać

impairment [im'pεəmənt] *s* osłabi-enie/anie; uszk-odzenie/adzanie; nadweręż-enie/anie; nadwątl-enie/anie; umniejsz-enie/anie; podkop-anie/ywanie; pod-erwanie/rywanie

impale [im'peil] *vt* 1. wsadz-ić/ać <wbi-ć/jać> na pal 2. przebi-ć/jać; przeszy-ć/ywać 3. ogr-odzić/adzać częstokołem

impalement [im'peilmənt] *s* osadz-enie/anie <wbi-cie/janie> na pal

impalpability ['im,pælpə'biliti] *s* niewyczuwalność

impalpable [im'pælpəbl] *adj* niewyczuwalny

impaludism [im'pælju,dizəm] *s med* malaria

imparisyllabic ['im,pærisi'læbik] *adj gram* nierównozgłoskowy

impark [im'pa:k] *vt* 1. obr-ócić/acać (teren) w park 2. zam-knąć/ykać <umie-ścić/szczać> (zwierzęta) w parku

impart [im'pa:t] *vt* 1. doda-ć/wać (**sth to sb** czegoś komuś); udziel-ić/ać <użycz-yć/ać> (**sth to sb** czegoś komuś) 2. przen-ieść/osić (ruch) 3. przekaz-ać/ywać 4. za/komunikować; udziel-ić/ać (**sth** czegoś — wiadomości itp.); po/dzielić się (**news to sb** wiadomościami z kimś)

impartial [im'pa:ʃəl] *adj* bezstronny

impartiality ['im,pa:ʃi'æliti] *s* bezstronność

impassable [im'pa:səbl] *adj* (*o terenie*) nie do przebycia; (*o drodze, szosie*) niezdatny do użytku

impasse [ɛ̃m'pa:s] *s* impas; ślepa uliczka; martwy punkt; położenie <sytuacja> bez wyjścia

impassibility ['im,pa:sə'biliti] *s* niewzruszoność

impassible [im'pæsibl] *adj* niewzruszony; nieczuły

impassioned [im'pæʃənd] *adj* namiętny; roznamiętniony; uniesiony namiętnością; pełen namiętności

impassive [im'pæsiv] *adj* 1. niewzruszony; beznamiętny 2. (*o twarzy*) kamienny 3. (*o człowieku*) nieczuły na ból

impassiveness [im'pæsivnis], **impassivity** [,impæ'siviti] *s* 1. niewzruszoność, obojętność 2. kamienny wyraz twarzy 3. nieczułość na ból

impaste [im'peist] *vt* 1. zawi-nąć/jać w ciasto (farsz itp.) 2. wy/miesić (glinę itp.) 3. *plast* impastować, nakładać grubo farby

impatience [im'peiʃəns] *s* 1. niecierpliwość 2. zniecierpliwienie (**of sth** czymś); irytacja (**of sth** z powodu czegoś)

impatiens [im'peiʃəns] *s bot* niecierpek

impatient [im'peiʃənt] *adj* 1. niecierpliwy; **to be ~ for sth** <**to do sth**> rwać <palić> się do czegoś <do robienia czegoś>; nie móc się doczekać czegoś; **to get** <**grow**> **~** z/niecierpliwić się 2. zniecierpliwiony (**of sth** czymś); **to be ~ of sth** z/niecierpliwić <z/irytować> się czymś

impawn [im'pɔ:n] *vt* 1. zastawi-ć/ać; odda-ć/wać w zastaw 2. ręczyć (**sb, sth** za kogoś, coś)

impeach [im'pi:tʃ] *vt* 1. poda-ć/wać w wątpliwość;

za/kwestionować 2. oskarż-yć/ać (**of** <**with**> **sth** o coś) 3. postawić/stawiać (kogoś) w stan oskarżenia (**for high treason etc.** o zdradę stanu itd.)

impeachment [im'pitʃmənt] *s* 1. poda-nie/wanie (czegoś) w wątpliwość; za/kwestionowanie 2. oskarżenie 3. postawienie w stan oskarżenia

impeccability [im,pekə'biliti] *s* 1. bezgrzeszność 2. nieskazitelność

impeccable [im'pekəbl] *adj* 1. bezgrzeszny 2. nieskazitelny; bez zarzutu

impeccant [im'pekənt] *adj* bezgrzeszny

impecunious [,im-pi'kju:njəs] *adj* ubogi; bez pieniędzy; bez grosza; bez środków do życia; w nędzy

impedance [im'pi:dəns] *s elektr* impedancja, oporność pozorna

impede [im'pi:d] *vt* przeszk-odzić/adzać <zawadzać> (**sb, sth** komuś, czemuś); krępować; za/hamować; wstrzym-ać/ywać; utrudni-ć/ać

impediment [im'pedimənt] *s* przeszkoda; zawada; utrudnienie; **an ~ of speech** wada w mowie; jąkanie się

impedimenta [im,pedi'mentə] *spl* 1. bagaż/e 2. tabor

impel [im'pel] *vt* (**-ll-**) 1. zmu-sić/szać <skł-onić/aniać, pobudz-ić/ać> (**sb to sth** kogoś do czegoś) 2. wprawi-ć/ać w ruch; uruch-omić/amiać; porusz-yć/ać

impellent [im'pelənt] [I] *adj* poruszający; napędowy [II] *s* 1. siła napędowa 2. pobudka (do czegoś)

impeller [im'pelə] *s* 1. *techn* wirnik 2. inspirator/ka; moraln-y/a spraw-ca/czyni; podżegacz/ka

impend [im'pend] *vi* (*o niebezpieczeństwie, burzy itd*) zbliżać się; zagrażać (**over sb, sth** komuś, czemuś); *dosł i przen* wisieć (**over sb, sth** nad kimś, czymś)

impendence, impendency [im'pendəns(i)] *s* bliskość <groźba> (niebezpieczeństwa, burzy itd.)

impendent [im'pendənt], **impending** [im'pendiŋ] *adj* (*o niebezpieczeństwie, burzy itd*) bliski; grożący

impenetrability [im,penitrə'biliti] *s* nieprzenikliwość; nieprzepuszczalność *zob* **impenetrable**

impenetrable [im'penitrəbl] *adj* 1. nieprzenikliwy; nieprzepuszczalny; **~ to water** wodoszczelny 2. (*o tajemnicy itd*) niezgłębiony 3. (*o umyśle, sercu itd*) niedostępny <zamknięty> (**to sth** dla czegoś — pewnych myśli, uczuć itd.) 4. (*o pancerzu itd*) nie do przebicia; chroniący (**to sth** przed czymś); którego nie imają się (**to arrows, bullets etc.** strzały, kule itd.)

impenitence [im'penitəns] *s* brak żalu <skruchy>

impenitent [im'penitənt] *adj* nie skruszony; bez żalu; nie żałujący (grzechów, popełnionego czynu)

imperative [im'perətiv] [I] *adj* 1. rozkazujący; nakazujący; władczy 2. naglący; konieczny; niezbędny; **it is ~ that** <to> ... trzeba koniecznie <bezwarunkowo>... (coś zrobić); jest nakazem chwili, (że)by... [II] *s* 1. *gram* tryb rozkazujący 2. *filoz* imperatyw

imperceptible [,im-pə'septəbl] *adj* niedostrzegalny; niewidoczny; nieuchwytny

impercipient [,im-pə'sipiənt] *adj* niespostrzegawczy

imperfect [im'pə:fikt] [I] *adj* 1. niedoskonały; wadliwy; niezupełny; niewykończony; niedokończony 2. *gram* niedokonany [II] *s gram* czas przeszły niedokonany

imperfection [,im-pə'fekʃən] *s* 1. niedoskonałość; wadliwość; niewykończenie; niedokończenie 2. wada; brak; defekt

imperforate [im'pə:fərit] *adj* nie perforowany

imperial [im'piəriəl] [I] *adj* 1. cesarski 2. (dotyczący, należący do) imperium brytyjskiego 3. (*o wagach i miarach*) ustawowo obowiązujący w Wielkiej Brytanii 4. majestatyczny; królewski; rozkazujący [II] *s* 1. † imperiał (dyliżansu itp.) 2. napoleonka (bródka) 3. imperiał (format papieru 63 × 95 cm) 4. imperiał (złota moneta rosyjska z czasów cesarstwa — 15-rublowa)

imperialism [im'piəriə,lizəm] *s* imperializm

imperialist [im'piəriəlist] [I] *s* imperialist-a/ka [II] *attr* imperialistyczny

imperialistic [im,piəriə'listik] *adj* imperialistyczny

imperil [im'peril] *vt* (**-ll-**) nara-zić/żać <wystawi-ć/ać> na niebezpieczeństwo

imperious [im'piəriəs] *adj* 1. władczy; rozkazujący; wielkopański 2. (*o konieczności itp*) nakazujący; naglący; imperatywny

imperishable [im'periʃəbl] *adj* 1. niezniszczalny 2. nieprzemijający; wieczysty; trwały

impermanent [im'pə:mənənt] *adj* nietrwały

impermeable [im'pə:miəbl] *adj* 1. nie przepuszczający; nieprzemakalny 2. nieprzenikniony

impermissible [im-pə'misəbl] *adj* 1. niedozwolony 2. niedopuszczalny

imperscriptible [,im-pə'skriptəbl] *adj* nie zapisany; nie notowany

impersonal [im'pə:sənl] *adj* bezosobowy

impersonality [im,pə:sə'næliti] *s* bezosobowość

impersonate [im'pə:sə,neit] *vt* 1. uos-obić/abiać; personifikować; być personifikacją (**sth** czegoś) 2. przedstawi-ć/ać; od-egrać/grywać rolę (**sb** kogoś); odtw-orzyć/arzać 3. poda-ć/wać się (**sb** za kogoś)

impersonation [im,pə:sə'neiʃən] *s* 1. uos-obienie abianie; personifikacja 2. przedstawi-enie/anie; od-egranie/grywanie roli; odtw-orzenie/arzanie 3. podawanie się (**of sb** za kogoś)

impersonator [im'pə:sə,neitə] *s* 1. odtwórca (roli) 2. człowiek podający się (**of sb** za kogoś)

impertinence [im'pə:tinəns] *s* 1. zuchwalstwo; bezczelność 2. impertynencja 3. brak związku (z omawianym tematem)

impertinent [im'pə:tinənt] *adj* 1. zuchwały; bezczelny; impertynencki; **to be ~ to sb** zachow-ać/ywać się impertynencko wobec kogoś; nagadać komuś impertynencji 2. nie związany <bez związku> (z omawianym tematem)

imperturbability ['im-pə,tə:bə'biliti] *s* niewzruszoność; spokój

imperturbable [,im-pə'tə:bəbl] *adj* niewzruszony; spokojny

impervious [im'pə:viəs] *adj* 1. nieprzenikliwy; nieprzepuszczalny; nie przepuszczający; **~ to water** wodoszczelny 2. nieczuły <głuchy> (**to sth** na coś)

imperviousness [im'pə:viəsnis] *s* 1. nieprzenikliwość; nieprzepuszczalność; **~ to water** wodoszczelność 2. nieczułość <niewrażliwość> (**to sth** na coś)

impetigo [,impi'taigou] *s med* liszajec

impetrate ['im-pi,treit] *vt* wybłagać
impetuosity [im,petju'ɔsiti] *s* 1. zapalczywość; porywczość; popędliwość; impulsywność; gwałtowność 2. bystrość (potoku itd.)
impetuous [im'petjuəs] *adj* 1. zapalczywy; porywczy; popędliwy; impulsywny; gwałtowny 2. (*o potoku*) bystry; rwący, wartki 3. (*o wietrze itd*) porywisty
impetuousness [im'petjuəsnis] = **impetuosity**
impetus ['impitəs] *s* rozpęd; impet; **to give an ~ to sth** nadać czemuś rozpęd; dać impuls <dodać bodźca, pobudzić> do czegoś; pchnąć coś naprzód
impiety [im'paiəti] *s* 1. bezbożność 2. bezbożny czyn 3. nieuszanowanie; lekceważenie
impinge [im'pindʒ] *vi* 1. zderz-yć/ać się <kolidować> (**on** <**upon**> **sth** z czymś); uderz-yć/ać (**on** <**upon**> **sth** o coś); pa-ść/dać (**on** <**upon**> **sth** na coś) 2. wkr-oczyć/aczać (**on** <**upon**> **sth** w coś)
impingement [im'pindʒmənt] *s* 1. zderz-enie/anie; uderz-enie/anie 2. wkr-oczenie/aczanie
impious ['impiəs] *adj* 1. bezbożny 2. świętokradczy
impish ['impiʃ] *adj* psotny; figlarny; szelmowski
impishness ['impiʃnis] *s* psotność; figlarność; szelmostwo
implacability [im,plækə'biliti] *s* nieprzejednanie; nieprzejednane stanowisko; nieugiętość
implacable [im'plækəbl] *adj* nieubłagany; nieprzejednany; nieugięty
implacental [,im-plə'sentl] *adj zoo* bezłożyskowy
implant [im'pla:nt] *vt* wszczepi-ć/ać; wp-oić/ajać; zaszczepi-ć/ać (zasady itp.); *med* (*o mięśniu*) **to be ~ed** być wszczepionym
implantation [,im-pla:n'teiʃən] *s* wszczepi-enie/anie; wp-ojenie/ajanie; zaszczepi-enie/anie; *med* wszczepianie; zaszczepianie; zagnieżdżenie
impledge [im'pledʒ] *vt* 1. zastawi-ć/ać; da-ć/wać w zastaw 2. za/angażować
implement[1] ['implimənt] *s* 1. sprzęt; narzędzie; instrument; przyrząd; *pl* **~s** przybory 2. *przen szkoc* wywiązanie się (**of a contract etc.** z umowy itp.)
implement[2] ['impli,ment] *vt* 1. nada-ć/wać moc (**a contract etc.** umowie itp.); uprawomocni-ć/ać 2. spełni-ć/ać; wywiąz-ać/ywać się (**sth** z czegoś) 3. wprowadz-ić/ać w czyn 4. uzupełni-ć/ać
implicate ['impli,keit] *vt* 1. wpląt-ać/ywać <w/mieszać, wciąg-nąć/ać> (**sb in sth** kogoś w coś); pociąg-nąć/ać za sobą (jako skutek) 2. zawierać <kryć> w sobie 3. da-ć/wać do zrozumienia; nasu-nąć/wać myśl (**sth** o czymś) 4. *lit* po/wikłać; po/plątać 5. *log* implikować
implication [,impli'keiʃən] *s* 1. wplątanie; wmieszanie; wciągnięcie 2. *log* implikacja; **by ~** przez skojarzenie <implikację> 3. (ukryte) znaczenie
implicative ['impli,keitiv] *adj* dający do zrozumienia (**of sth** coś); nasuwający myśl (**of sth** o czymś)
implicit [im'plisit] *adj* 1. domniemany; ukryty; milczący; dający się wywnioskować 2. (*o wierze, posłuszeństwie itd*) bezwarunkowy; bezwzględny; ślepy 3. *mat* **~ function** funkcja uwikłana
implicitly [im'plisitli] *adv* 1. domyślnie; z istoty rzeczy 2. (wierzyć itd.) bez zastrzeżeń; **to trust sb ~** mieć pełne zaufanie do kogoś; **to obey ~** ślepo wykonywać rozkazy
implied [im'plaid] [I] *zob* **imply** [II] *adj* dający się wywnioskować; ukryty; dający się odczuć <wyczuć>; zrozumiały samo przez się
impliedly [im'plaiidli] *adv* za pomocą wywodu <implikacji>
implore [im'plɔ:] *vt* błagać (**sb to do sth** kogoś o zrobienie czegoś); **to ~ sth from sb** błagać kogoś o coś *zob* **imploring**
imploring [im'plɔ:riŋ] [I] *zob* **implore** [II] *adj* błagalny
imply [im'plai] *vt* (**implied** [im'plaid], **implied; implying** [im'plaiiŋ]) 1. zakładać 2. da-ć/wać do zrozumienia 3. implikować; nasuwać wniosek (**sth** o czymś; **that** — że...); znaczyć, oznaczać; zawierać <mieścić, kryć> w sobie pojęcie (**sth** czegoś) *zob* **implied**
impolder [im'pouldə] *vt* osusz-yć/ać <z/meliorować> (bagnisty teren)
impolicy [im'pɔlisi] *s* niezręczność (posunięcia); nieroztropność
impolite [,im-pə'lait] *adj* niegrzeczny; nieuprzejmy
impoliteness [,im-pə'laitnis] *s* niegrzeczność; nieuprzejmość
impolitic [im'pɔlitik] *adj* niezręczny; niepolityczny; nieroztropny; niewskazany; niewczesny
imponderable [im'pɔndərəbl] [I] *adj fiz* nieważki; nie posiadający wagi; nie dający się zważyć; *przen* nie dający się obliczyć; *przen* nieuchwytny [II] *spl* **~s** imponderabilia; sprawy <skutki> nie dające się obliczyć <ująć>
import [im'pɔ:t] [I] *vt* 1. importować; przywozić; wwozić; sprowadz-ić/ać z zagranicy 2. znaczyć; **it ~s us to** — ważną jest rzeczą, żebyśmy...; wypada nam... 3. głosić [II] *s* ['impɔ:t] 1. znaczenie; treść 2. ważność; doniosłość; **matters of ~** doniosłe sprawy 3. *handl* (*także pl*) import; przywóz; **invisible ~s** import wewnętrzny; **visible ~s** importowane towary [III] *attr* (*o podatku itd*) importowy; wwozowy; przywozowy; (*o towarze itd*) sprowadzany (z zagranicy); **~ list** spis towarów importowanych
importance [im'pɔ:təns] *s* znaczenie; ważność; doniosłość; **a person of ~** ważna osobistość; **to attach ~ to** — przywiązywać wagę do...; **to be of ~** mieć znaczenie; być ważnym; **it is of the highest ~ to** — jest rzeczą nadzwyczaj ważną, ażeby...; **to be of no ~** nie mieć znaczenia; być mało ważnym
important [im'pɔ:tənt] *adj* ważny; doniosły; posiadający (duże) znaczenie; **to look ~** mieć ważną minę
importantly [im'pɔ:təntli] *adv* 1. w znaczący sposób 2. (mówić itd.) z wielką powagą <z ważną miną>
importation [,impɔ:'teiʃən] *s* 1. importowanie; przywóz 2. importowane towary
importer [im'pɔ:tə] *s* importer/ka
importunate [im'pɔ:tjunit] *adj* 1. natrętny; natarczywy; dokuczliwy 2. (*o sprawie itp*) pilny; naglący
importune [im'pɔ:tju:n] *vt* naprzykrzać się <dokuczać> (**sb** komuś); zanudzać <molestować> (**sb** kogoś)

importunity [ˌimpɔːˈtjuːniti] *s* natręctwo; natarczywość; naprzykrzanie się; dokuczliwość

impose [imˈpouz] [I] *vt* 1. nakaz-ać/ywać (milczenie, szacunek itd.) 2. narzuc-ić/ać (warunki) 3. na-łożyć/kładać (**a tax etc. on sb, sth** podatek itd. na kogoś, coś); **to ~ an obligation upon sb** na-łożyć/kładać obowiązek na kogoś; *kośc* **to ~ hands on sb** wyświęc-ić/ać <po/błogosławić> kogoś przez nakładanie rąk; *pot* **to ~ sth on sb** naciąg-nąć/ać kogoś na kupno czegoś 4. *druk* przełam-ać/ywać (szpalty) w kolumny [II] *vi* naciąg-nąć/ać <nab-rać/ierać, okpi-ć/wać> (**on** <**upon**> **sb** kogoś); *pot* wm-ówić/awiać komuś cuda o sobie *zob* **imposing**

imposer [imˈpouzə] *s druk* łamacz

imposing [imˈpouziŋ] [I] *zob* **impose** [II] *adj* imponujący; wspaniały; okazały

imposingness [imˈpouziŋnis] *s* wspaniałość; okazałość

imposition [ˌimpǫˈziʃən] *s* 1. nakazywanie (**of sth upon sb** komuś czegoś) 2. narzucanie (**of conditions etc. upon sb** komuś warunków itd.) 3. na-łożenie/kładanie (podatków itd.) 4. okpienie; *pot* naciąganie; nab-ranie/ieranie; wmawianie cudów o sobie (**on** <**upon**> **sb** komuś) 5. *kośc* nakładanie (rąk) 6. *druk* przełamywanie (szpalt) w kolumny

impossibility [imˌpɔsəˈbiliti] *s* 1. niemożliwość 2. rzecz niemożliwa <niewykonalna>

impossible [imˈpɔsəbl] [I] *adj* 1. niemożliwy; niewykonalny; **it is ~ for me to —** nie jestem w stanie... (zrobić, przyjść itd.); **to make it ~ for sb to —** uniemożliwi-ć/ać komuś... (zrobienie czegoś) 2. niemożliwy; nieprawdopodobny; **you are ~** jesteś/cie niemożliw-y/i <nieznośn-y/i> [II] *s* **the ~** niemożliwość (rzecz niemożliwa); **to suppose the ~** przypuścić coś niemożliwego <że coś niemożliwego się stanie>

impost[1] [ˈimpoust] *s* 1. podatek; ciężar (finansowy) 2. *sport* dodatkowe obciążenie konia wyścigowego w handicapie

impost[2] [ˈimpoust] *s arch* impost

impostor [imˈpɔstə] *s* oszust/ka; szalbierz; szarlatan

imposture [imˈpɔstʃə] *s* oszustwo; szalbierstwo; szarlataneria

impotence, impotency [ˈimpətəns(i)] *s* 1. niemoc płciowa; impotencja 2. nieudolność

impotent [ˈimpətənt] *adj* 1. bezsilny 2. *med* cierpiący na niemoc płciową 3. nieudolny

impound [imˈpaund] *vt* 1. zaj-ąć/mować (bydło) w szkodzie; z/robić zajęcie własności (**sb** czyjejś) 2. s/konfiskować 3. spiętrz-yć/ać (wodę) w zbiorniku

impoverish [imˈpɔvəriʃ] *vt* 1. zuboż-yć/ać; doprowadz-ić/ać do ubóstwa 2. wyniszcz-yć/ać 3. osłabi-ć/ać 4. wyjał-owić/awiać

impoverished [imˈpɔvəriʃd] [I] *zob* **impoverish** [II] *adj* zubożały

impoverishment [imˈpɔvəriʃmənt] *s* 1. zubożenie; doprowadzenie do ubóstwa 2. wyniszczenie 3. osłabi-enie/anie 4. wyjał-owienie/awianie

impracticability [imˌpræktikəˈbiliti] *s* 1. niewykonalność 2. niezdatność (drogi) do użytku 3. krnąbrność; niesforność

impracticable [imˈpræktikəbl] *adj* 1. niewykonalny; nie do przeprowadzenia 2. (*o drodze*) nie do przebycia; niezdatny <nie> do użycia 3. krnąbrny; niesforny

impractical [imˈpræktikəl] *adj am* niepraktyczny

imprecate [ˈimpriˌkeit] *vt* pomstować (**sb, sth** na kogoś, coś); **to ~ evil** <**curses**> **upon sb** wzywać mocy piekielnych <miotać przekleństwa> na kogoś

imprecation [ˌimpriˈkeiʃən] *s* przekleństwo

impregnable [imˈpregnəbl] *adj* 1. (*o twierdzy*) niezdobyty; nie do zdobycia 2. (*o prawdzie*) niewzruszony 3. (*o człowieku*) niezachwiany 4. (*o opinii itp*) bez skazy

impregnate [ˈimpregˌneit] [I] *vt* 1. zapł-odnić/adniać 2. impregnować; nasyc-ić/ać 3. wp-oić/ajać <zaszczepi-ć/ać> (**sb with sth** komuś coś — zasady itd.); **to be ~d with sth** przesiąk-nąć/ać <nasiąk-nąć/ać, przej-ąć/mować się> czymś [II] *adj* [imˈpregnit] 1. zapłodniony 2. nasiąknięty <przesiąknięty, nasycony> (**with sth** czymś)

impregnation [ˌimpregˈneiʃən] *s* 1. zapł-odnienie/adnianie 2. impregnacja; impregnowanie; nasyc-enie/anie

impresario [ˌimpreˈsaːriˌou] *s* impresario

imprescriptible [ˌimpreˈskriptəbl] *adj* nienaruszalny; (*o prawie itd*) niewzruszony

impress[1] [imˈpres] [I] *vt* 1. pozostawi-ć/ać <wycis-nąć/kać, wytł-oczyć/aczać, odcis-nąć/kać> odbicie (**sth on sth** czegoś na czymś) 2. przy-łożyć/kładać (**sth with a stamp** pieczęć do czegoś); *przen* **to ~ sth with a stamp** pozostawi-ć/ać na czymś piętno <znak> (czegoś) 3. wryć (**sth on sb's memory** coś w czyjąś pamięć); wrazić (**sth on sb's memory** komuś coś w pamięć); **to ~ sth upon sb** wp-oić/ajać coś w kogoś; zaszczepi-ć/ać coś komuś; przej-ąć/mować kogoś czymś 4. wyw-rzeć/ierać wrażenie (**sb** na kimś); **how did that ~ him?** jakie to zrobiło na nim wrażenie?; **to be ~ed by —** być <pozostawać> pod wrażeniem... (czegoś); odn-ieść/osić silne wrażenie z... (czegoś); **to be favourably** <**unfavourably**> **~ed** odnieść dodatnie <ujemne> wrażenie [II] *s* [ˈimpres] 1. odbicie (pieczęci itd.); odcisk (palców) 2. *przen* piętno (geniuszu itd.)

impress[2] [imˈpres] *vt* 1. wziąć/brać siłą (ludzi) do służby w wojsku <w marynarce> 2. za/rekwirować; zaj-ąć/mować 3. z/użytkować (argument itp.)

impressibility [imˌpresiˈbiliti] *s* wrażliwość

impressible [imˈpresəbl] *adj* wrażliwy

impression [imˈpreʃən] *s* 1. odbicie <odcisk> (czegoś); znak; piętno 2. *druk* odbitka 3. nakład (wydawnictwa) 4. wrażenie; **to be under the ~ that —** pozostawać pod wrażeniem, że ...; mieć wrażenie, że ...; **to make a good** <**bad**> **~** wyw-rzeć/ierać dobre <złe> wrażenie

impressionability [imˌpreʃn̩əˈbiliti] *s* wrażliwość; czułość

impressionable [imˈpreʃn̩əbl] *adj* wrażliwy; czuły

impressionism [imˈpreʃn̩izəm] *s plast* impresjonizm

impressionistic [imˌpreʃəˈnistik] *adj plast* impresjonistyczny

impressive [imˈpresiv] *adj* wywołujący <pozostawiający> głębokie wrażenie; poruszający; wstrząsający; imponujący; frapujący

impressiveness [imˈpresivnis] *s* siła <moc, potęga> (słowa, obrazu itd.)

impressment [im'presmənt] *s* 1. przymusowe wciel-enie/anie do wojska <do marynarki> 2. rekwizycja; za/rekwirowanie; zaj-ęcie/mowanie (własności, towaru)
imprest ['imprest] *s* zaliczka <zadatek> na wydatki służbowe
imprimatur [ˌimpri'meitə] *s* 1. imprimatur; zezwolenie na druk 2. *przen* aprobata
imprimis [im'praimis] *adv* przede wszystkim, w pierwszym rzędzie
imprint [im'print] [I] *vt* 1. pozostawić odbitkę <obraz, ślad> (czegoś na czymś); odbi-ć/jać (**sth on sth** coś na czymś); **to ~ paper etc. with type etc. <type etc. on paper etc.>** odbić tekst itd. na papierze itd. 2. wryć <wrazić> (**sth on sb** coś komuś w pamięć) [II] *s* ['imprint] 1. odbicie; odcisk; ślad 2. piętno 3. znak firmowy (wydawcy, drukarni)
imprison [im'prizn] *vt* uwięzić; wsadz-ić/ać <wtrąc-ić/ać> do więzienia
imprisonment [im'priznmənt] *s* uwięzienie; **a sentence of ~** kara więzienia
improbability [imˌprɔbə'biliti] *s* nieprawdopodobieństwo
improbable [im'prɔbəbl] *adj* nieprawdopodobny
improbity [im'prɔbiti] *s* nieuczciwość
impromptu [im'prɔmptju:] [I] *adj* 1. za/improwizowany 2. (*o mowie itp*) nie przygotowany; *pot* powiedziany z głowy [II] *adv* (mówić itd.) improwizując <bez przygotowania, z głowy>
improper [im'prɔpə] *adj* 1. niewłaściwy; niestosowny; nieodpowiedni; **~ fraction** ułamek niewłaściwy 2. (*o opowiadaniu itp*) nieprzyzwoity; zdrożny 3. (będący) nie na miejscu
impropriate [im'proupriˌeit] *vt* sekularyzować (własność kościelną)
impropriety [ˌim-prə'praiəti] *s* 1. niewłaściwość; rzecz niestosowna <nieodpowiednia> 2. nieprzyzwoitość; zdrożność 3. rzecz nie na miejscu; **it is an ~** to nie na miejscu <nieładnie>
improvable [im'pru:vəbl] *adj* dający się ulepszyć <udoskonalić, poprawić, usprawnić>
improve [im'pru:v] [I] *vt* 1. ulepsz-yć/ać; udoskonal-ić/ać; poprawi-ć/ać; usprawni-ć/ać; **to ~ the occasion <opportunity>** wykorzyst-ać/ywać <wyzysk-ać/iwać> sposobność dla celów umoralniających 2. podn-ieść/osić (wartość, cenę, jakość, piękno itd.) 3. rozwi-nąć/jać (zdolności itd.); wzbogac-ić/ać (wiadomości itd.) [II] *vi* 1. ulepsz-yć/ać <udoskonal-ić/ać, poprawi-ć/ać, wprawi-ć/ać> się; **things are improving** jest poprawa 2. zysk-ać/iwać na wartości <na jakości, zdrowiu, wyglądzie> 3. z/robić postępy (**in sth** w czymś) 4. ulepsz-yć/ać <upiększ-yć/ać, wzbogac-ić/ać> (**on <upon> sth** coś); prześcig-nąć/ać <przewyższ-yć/ać> (**on <upon> sth** coś); **to ~ on an offer** da-ć/wać korzystniejsze warunki; **to ~ on the occasion** = **to ~ the occasion** *zob* **~** *vt* 1.
~ away *vt* s/tracić (coś) wskutek nadmiernego ulepszania; przesadz-ić/ać w ulepszaniu (**sth** czegoś)
improvement [im'pru:vmənt] *s* 1. ulepszenie; polepszenie; udoskonalenie usprawnienie; poprawa; postęp; **an ~** coś lepszego <przyjemniejszego, bardziej wartościowego> (**on <over> sth** od czegoś innego); **moral ~** umoralni-enie/anie; **~s in pay** wyższe pobory; podwyżka 2. podn-iesienie/oszenie wartości <jakości, poziomu, piękna itp.> 3. upiększ-enie/anie; wzbogac-enie/anie; udog-odnienie/adnianie; **~ of the occasion** wykorzystywanie <wyzyskiwanie> sposobności dla celów umoralniających
improver [im'pru:və] *s* 1. człowiek udoskonalający <usprawniający> 2. pracowni-k/ca odbywając-y/a staż dla podniesienia kwalifikacji
improvidence [im'prɔvidəns] *s* brak zapobiegliwości <przezorności>; rozrzutność
improvident [im'prɔvidənt] *adj* niezapobiegliwy; rozrzutny
improvisation [ˌimprəvai'zeiʃən] *s* improwizacja
improvise ['imprəˌvaiz] [I] *vt* 1. za/improwizować 2. urządz-ić/ać <z/montować, s/klecić> na poczekaniu <przygodnie, prowizorycznie>; wyna-leźć/jdować na poczekaniu [II] *vi* za/improwizować; przem-ówić/awiać <za/grać, za/produkować> na poczekaniu
imprudence [im'pru:dəns] *s* nieostrożność; nieroztropność; nieoględność
imprudent [im'pru:dənt] *adj* nieostrożny; nieroztropny; nieoględny; niebaczny
impudence ['impjudəns] *s* zuchwalstwo; tupet; **none of your ~** dość tego zuchwalstwa; *pot* przestań/cie pyskować
impudent ['impjudənt] *adj* zuchwały; z tupetem
impudicity [ˌimpju'disiti] *s* bezwstyd
impugn [im'pju:n] *vt* za/atakować <zwalcz-yć/ać> (słownie); za/kwestionować
impugnable [im'pju:nəbl] *adj* sporny
impulse ['impʌls] *s* 1. *fiz* impuls; pęd; pchnięcie; siła napędowa 2. bodziec; podnieta 3. *psych* impuls; odruch; popęd; poryw; **on the ~ of the moment** odruchowo; **to act on ~** działać spontanicznie
impulsion [im'pʌlʃən] *s* 1. siła napędowa; impuls 2. namowa; podszept
impulsive [im'pʌlsiv] *adj* 1. (*o sile*) napędowy 2. (*o człowieku*) impulsywny; popędliwy
impulsiveness [im'pʌlsivnis] *s* impulsywność; popędliwość
impunity [im'pju:niti] *s* bezkarność; **with ~** bezkarnie
impure [im'pjuə] *adj* 1. nieczysty 2. (*o substancji itp*) zanieczyszczony 3. (*o pożądaniu itp*) zmysłowy
impurity [im'pjuəriti] *s* 1. nieczystość 2. zanieczyszczenie
imputation [ˌimpju'teiʃən] *s* przypisywanie (czegoś komuś); zarzut
impute [im'pju:t] *vt* przypis-ać/ywać <zarzuc-ić/ać> (komuś coś)
in [in] [I] *praep* 1. *w określeniach miejsca*: w (czymś, kimś); we (drzwiach, wsi, mnie itd.); na (świecie, ziemi, niebie, ulicy, wsi, miejscu itd.) 2. *w określeniach czasu*: w ciągu, w przeciągu; w czasie; **~ two days** w ciągu <w przeciągu> dwóch dni; w dwóch dniach 3. *w odniesieniu do przeszłości*: za (czas-u/ów); **~ my <Shakespeare's etc.> days** za moich czasów <czasów Szekspira itd.> 4. *przy wymienianym terminie przyszłym*: za; **~ a week** za tydzień; **~ less than 10 minutes** za niecałe 10 minut 5. *przy wymienianym terminie minionym*: po; **~ a month <20 years etc.>** po miesiącu <po

20 latach itd.> 6. *w określeniach sposobu, miejsca i czasu wyraża się za pomocą polskiego narzędnika lub przysłówka*: ~ a motor-car autem; ~ a whisper szeptem; ~ fact faktycznie; ~ ink, pencil atramentem, ołówkiem; ~ mind umysłem; ~ our opinion naszym zdaniem; ~ part częściowo; ~ places gdzieniegdzie; ~ print drukiem; ~ the afternoon po południu; ~ the evening wieczorem; ~ the morning rano; ~ word and deed słowem i czynem 7. *przy stosunku liczbowym*: na; once ~ 6 months raz na 6 miesięcy; one ~ three jeden na trzech 8. *wraz z czasownikiem z formą na* -ing *odpowiada polskiemu imiesłowowi czynnemu czasu teraźniejszego*; ~ dancing tańcząc; ~ lifting a heavy sack podnosząc ciężki wór; ~ reading czytając 9. *po czasowniku zawierającym pojęcie ruchu*: do (wnętrza czegoś); put it ~ your pocket włóż to do kieszeni; throw this ~ the fire <river, basket> wrzuć/cie to do pieca <do rzeki, kosza> 10. w zakresie, w dziedzinie; ~ biology <physics, foreign languages> w zakresie <w dziedzinie> biologii <fizyki, języków obcych>; the latest thing ~ television najnowsza rzecz w zakresie <w dziedzinie> telewizji [II] *adv oznacza położenie lub ruch do wewnątrz*: a) w domu; I shan't be ~ nie będzie mnie w domu b) w więzieniu; he is ~ for theft (on) siedzi za kradzież c) (*o plonach*) zebrany d) (*o pociągu, statku, dyliżansie itd*) it is ~ przybył; przyjechał e) *mar* (*o żaglach*) zwinięty f) (*o ogniu*) the fire is still ~ jeszcze się pali g) (*o człowieku*) *pot* all ~ skonany; zmordowany h) (*w rozkazach*) ~ with it do wnętrza <do środka, do pokoju, stodoły, skrzyni itd.> z tym; ~ with you! wejdź/cie! i) (*o partii itp*) to be ~ być u władzy; the Labour Party is ~ Partia Pracy rządzi j) (*przy wyborach*) he is ~ on przeszedł k) (*o jagodach, owocach, kwiatach*) the strawberries <cherries, tulips etc.> are ~ jest sezon na truskawki <na czereśnie, tulipany itd.> l) (*o porach roku*) summer <spring etc.> is ~ lato <wiosna itd.> już się zaczęł-o/a m) *sport* to be ~ bronić barw drużyny ‖ (*o cenie*) all ~ łącznie ze wszystkimi dodatkami <kosztami>; day ~ day out cały boży dzień; jak dzień długi; to be ~ and out of the house wchodzić i wychodzić co chwila; nie siedzieć w miejscu; to be ~ for sth mieć coś przed sobą; stać przed czymś; to be ~ for a competition być zapisanym do udziału w zawodach <w konkursie>; you're ~ for it! czeka <nie minie> cię <was> lanie!; nawarzy-łeś/liście sobie piwa; we are ~ for a storm czeka <nie minie> nas burza; we're ~ for it nie ma dla nas wyjścia; they're ~ for a hard time <hard times> mają przed sobą ciężkie czasy; to be well ~ a) być w dobrych stosunkach (z kimś) b) być dobrze widzianym (u władz itd.); to breed ~ and ~ parzyć zwierzęta blisko z sobą spokrewnione; to know sb ~ and out znać kogoś na wylot *Uwaga*: *nadaje czasownikom specyficzne znaczenie* (*przy nich podane*) [III] *s* 1. *polit* the ~s partia u władzy <rządząca> 2. *w zwrocie*: the ~s and outs a) zakręty (rzeki, drogi) b) najdrobniejsze szczegóły (sprawy); tajniki

inability [ˌinəˈbiliti] *s* niezdolność (to do sth do zrobienia czegoś); niemożność (to do sth zrobienia czegoś)

inaccessibility [ˈinækˌsesəˈbiliti] *s* niedostępność (miejsca); nieprzystępność (człowieka)

inaccessible [ˌinækˈsesəbl] *adj* niedostępny; (*o człowieku*) nieprzystępny

inaccuracy [inˈækjurəsi] *s* nieścisłość; niedokładność; pomyłka

inaccurate [inˈækjurit] *adj* nieścisły; niedokładny; mylny

inaction [inˈækʃən] *s* bezczynność; inercja

inactivate [inˈæktiˌveit] *vt* pozbawi-ć/ać aktywności

inactive [inˈæktiv] *adj* 1. bezczynny; nieczynny; bierny; inertny 2. *chem* nieczynny; obojętny

inactivity [ˌinækˈtiviti] *s* bezczynność; inercja; bierność

inadaptability [ˈin-əˌdæptəˈbiliti] *s* nieprzystosowalność; nieumiejętność <niezdolność do> przystosowania się

inadequacy [inˈædikwəsi] *s* nieodpowiedniość; niedostateczność; nienadawanie się (to do sth do zrobienia czegoś)

inadequate [inˈædikwit] *adj* nieodpowiedni; niedostateczny; nienależyty; niewspółmierny; nie odpowiadający wymaganiom; to be ~ to sth nie nadawać się do czegoś

inadmissibility [ˈinədˌmisəˈbiliti] *s* niedopuszczalność

inadmissible [ˌinədˈmisəbl] *adj* niedopuszczalny; nie do przyjęcia

inadvertence, inadvertency [ˌinədˈvəːtəns(i)] *s* nieuwaga; niedopatrzenie; roztargnienie; przeoczenie

inadvertent [ˌinədˈvəːtənt] *adj* 1. nieuważny; niedbały 2. nieumyślny; mimowolny

inalienability [inˌeiljənəˈbiliti] *s prawn* nieprzenośność (własności)

inalienable [inˈeiljənəbl] *adj prawn* nieprzenośny (majątek itp.)

inalterability [inˌɔːltərəˈbiliti] *s* niezmienność

inalterable [inˈɔːltərəbl] *adj* niezmienny

inamorata [inˌæməˈrɑːtə] *s* 1. bogdanka; osoba ukochana 2. zakochana kobieta

inane [iˈnein] [I] *adj* 1. próżny; pusty 2. głupi; bezmyślny; idiotyczny [II] *s* próżnia

↑**inanimate** [inˈænimit] *adj* 1. bezduszny; martwy; nieożywiony 2. nieorganiczny

inanition [ˌinəˈniʃən] *s* wyniszczenie; wycieńczenie

inanity [iˈnæniti] *s* 1. próżność 2. głupota; bezmyślność; idiotyczność

inapplicability [ˈinˌæplikəˈbiliti] *s* niemożność za/stosowania; nieodpowiedniość

inapplicable [inˈæplikəbl] *adj* nieodpowiedni; nie nadający się do za/stosowania

inapposite [inˈæpəzit] *adj* nieodpowiedni; niestosowny

inappreciable [ˌinəˈpriːʃəbl] *adj* 1. nieuchwytny; nieznaczny; znikomy 2. nieoceniony; nie dający się ocenić

inappreciation [ˈinəˌpriːʃiˈeiʃən] *s* 1. niedocenienie/anie 2. brak oceny

inapprehensible [inˌæpriˈhensəbl] *adj* 1. nieuchwytny 2. niepojęty

inapproachable [ˌinəˈproutʃəbl] *adj* niedostępny

inappropriate [ˌinəˈproupriit] *adj* nieodpowiedni; niestosowny; niewłaściwy

inappropriateness [,inə'proupriitnis] *s* nieodpowiedniość; niestosowność
inapt [in'æpt] *adj* 1. niezdatny 2. niezdolny; nieudolny 3. niestosowny
inaptitude [in'æptitju:d] *s* 1. niezdatność 2. niezdolność; nieudolność 3. niestosowność
inarch [in'a:tʃ] *vt ogr* wszczepi-ć/ać
inarticulate [,ina:'tikjulit] *adj* 1. nieartykułowany 2. niewyraźny 3. niemy
inartificial [in,a:ti'fiʃəl] *adj* naturalny, niesztuczny
inartistic [,ina:'tistik] *adj* nieartystyczny, pozbawiony artyzmu
inasmuch [,inəz'mʌtʃ] *adv* 1. o tyle (**as** — że ...); o tyle (**as** — o ile ...) 2. skoro; ponieważ; wobec tego, że...; **~ as** — gdyż... 3. (*w języku urzędowym*) zważywszy (**as** — że...); jako (**as** — że...)
inattention [,inə'tenʃən] *s* 1. nieuwaga 2. zaniedbanie
inattentive [,inə'tentiv] *adj* nieuważny; nie uważający
inaudibility [in,ɔ:də'biliti] *s* niemożność usłyszenia; nieuchwytność (dźwięków) dla ucha; niesłyszalność
inaudible [in'ɔ:dəbl] *adj* nieuchwytny dla ucha; niesłyszalny
inaugural [i'nɔ:gjurəl] [I] *adj* inauguracyjny [II] *s am* przemówienie inauguracyjne
inaugurate [i'nɔ:gju,reit] *vt* 1. za/inaugurować 2. wprowadz-ić/ać uroczyście (kogoś) na stanowisko; intronizować (biskupa) 3. zapoczątkow-ać/ywać
inauguration [i,nɔ:gju'reiʃən] *s* 1. inauguracja 2. uroczyste wprowadzenie na stanowisko; intronizacja (biskupa); *am* **Inauguration Day** dzień wprowadzenia na urząd nowego prezydenta St. Zjedn. 3. zaprowadzenie (zwyczaju itp.)
inauspicious [,inɔ:s'piʃəs] *adj* niepomyślny; złowróżbny
inauspiciousness [,inɔ:s'piʃəsnis] *s* niepomyślność; złowróżbność
inboard ['in,bɔ:d] [I] *adv mar* wewnątrz <w środku> (statku); do wnętrza (statku) [II] *adj* (*o kabinie itd*) środkowy
inborn ['in'bɔ:n] *adj* wrodzony
inbound ['in'baund] *adj* (*o statku*) przybywający (do portu); (*o samolocie*) przylatujący (na lotnisko)
inbreathe ['in'bri:ð] *vt lit* 1. wdychać 2. natchnąć
↑**inbred** [in'bred] *adj* 1. wrodzony 2. *roln* wsobny; chowu wsobnego
↑**inbreeding** ['in'bri:diŋ] *s roln* chów wsobny
incalculable [in'kælkjuləbl] *adj* nieobliczalny, nie dający się obliczyć
incandesce [,inkæn'des] [I] *vi* żarzyć się [II] *vt* rozżarz-yć/ać
incandescence [,inkæn'desns] *s* 1. żarzenie się 2. rozżarzenie
↑**incandescent** [,inkæn'desnt] *adj* 1. żarzeniowy 2. rozżarzony; żarzący się
incantation [,inkæn'teiʃən] *s* 1. zaklęcie; słowa magiczne 2. czary
incapability [in,keipə'biliti] *s* niezdolność
incapable [in'keipəbl] *adj* 1. niezdolny (**of sth** do czegoś); nie (będący) w stanie (**of doing sth** czegoś zrobić); niemożliwy do <nie do> (naprawienia, wyrażenia itd.) 2. niezdolny, nie mający zdolności; **drunk and ~** zamroczony alkoholem
incapacitate [,inkə'pæsi,teit] *vt* 1. u/czynić niezdolnym (**from** <**for**> **sth** do czegoś); **to ~ sb from doing sth** pozbawi-ć/ać kogoś zdolności zrobienia czegoś 2. *prawn* uzna-ć/wać (kogoś) za niezdolnego (**from** <**for**> **sth** do czegoś)
incapacitation ['inkə,pæsi'teiʃən] *s* niezdolność (**for** <**from**> **work etc.** do pracy itd.)
incapacity [,inkə'pæsiti] *s* 1. niezdolność 2. nieudolność
incarcerate [in'ka:sə,reit] *vt* uwięzić; wsadz-ić/ać <wtrąc-ić/ać> do więzienia; *med* **~d hernia** uwięźnięta przepuklina
incarceration [in,ka:sə'reiʃən] *s* 1. uwięzienie 2. *med* uwięźnięcie (przepukliny)
incarnadine [in'ka:nə,dain] *adj poet* (*o kolorze*) cielisty; czerwony
incarnate ['inka:,neit] [I] *vt* wciel-ić/ać [II] *adj* [in'ka:nit] wcielony; **to become ~** wcielić się
incarnation [,inka:'neiʃən] *s* wcielenie
incase [in'keis] = **encase**
incautious [in'kɔ:ʃəs] *adj* nieostrożny; niebaczny
incautiousness [in'kɔ:ʃəsnis] *s* nieostrożność; niebaczność
incendiarism [in'sendjə,rizəm] *s* 1. podpalanie 2. *przen* podżeganie
incendiary [in'sendjəri] [I] *s* 1. podpalacz/ka 2. podżegacz/ka [II] *adj* (*o materiale*) palny; (*o bombie itp*) zapalający; (*o człowieku, mowie itd*) podżegający
↑**incense**[1] ['insens] [I] *s* kadzidło [II] *vt* 1. okadz-ić/ać 2. palić kadzidło (**an image, altar etc.** przed obrazem, ołtarzem itd.)
incense[2] [in'sens] *vt* rozzłościć; rozdrażni-ć/ać; doprowadz-ić/ać do wściekłości
incensory ['insənsəri] *s* kadzielnica
↑**incentive** [in'sentiv] [I] *adj* pobudzający; zachęcający [II] *s* pobudka; podnieta; bodziec
incept [in'sept] *vt* wchł-onąć/aniać
inception [in'sepʃən] *s* rozpoczęcie; początek
inceptive [in'septiv] *adj* 1. początkowy 2. *gram* (*o czasowniku*) wyrażający rozpoczęcie czynności
incertitude [in'sə:ti,tju:d] *s* niepewność
incessant [in'sesnt] *adj* nieustający, bezustanny, ustawiczny; nieprzerwany
incessantly [in'sesəntli] *adv* bezustannie, ustawicznie; bez przerwy
incest ['insest] *s* kazirodztwo
incestuous [in'sestjuəs] *adj* kazirodczy
inch [intʃ] [I] *s* 1. cal (= 2,54 cm); **to be every ~ a** — być w każdym calu ... (dżentelmenem itd.); **by ~es** po trochu; **~ by ~** stopniowo; po trosze; **within an ~ of** — o włos od ... 2. *przen* piędź (ziemi) [II] *vt vi* posuwać <cofać> (się) cal po calu
inchmeal ['intʃ,mi:l] *adv* po trochu; po kawałeczku
inchoate ['inkou,eit] [I] *adj* 1. świeżo rozpoczęty 2. nierozwinięty [II] *vt* rozpocz-ąć/ynać; zapoczątkow-ać/ywać; da-ć/wać początek (**sth** czemuś)
inchoation [,inkou'eiʃən] *s* 1. rozpoczęcie 2. zapoczątkowanie
inchoative ['inkou,eitiv] = **inceptive**
incidence ['insidəns] *s* 1. padanie (promieni itd.); **angle of ~** kąt padania 2. zakres; zasięg; **the ~ of a tax** osoby podlegające opodatkowaniu; **~ of an epidemic etc.** rozmiary epidemii itd.
incident[1] ['insidənt] *s* incydent; zajście; przypadek

incident² ['insidənt] *adj* 1. *fiz* padający <wpadający> (promień itp.) 2. związany (**to sth** z czymś); wynikający (**to sth** z czegoś); zdarzający się (**to sth** przy czymś)

incidental [ˌinsi'dentl] [I] *adj* 1. przypadkowy; przygodny; uboczny; nawiasowy, marginesowy 2. związany (**to sth** z czymś); wynikający <wynikły> (**to sth** z czegoś) [II] *s* 1. rzecz <okoliczność> uboczna <przypadkowa> 2. *pl* **~s** nieprzewidziane <przygodne> wydatki

incidentally [ˌinsi'dentḷi] *adv* 1. przypadkowo; przygodnie; nawiasowo; przy sposobności; mimochodem; na marginesie 2. nawiasem mówiąc; notabene; à propos

incinerate [in'sinəˌreit] *vt* 1. spopiel-ić/ać 2. spal-ić/ać (ciało w krematorium itd.)

incineration [inˌsinə'reiʃən] *s* 1. spopiel-enie/anie 2. spal-enie/anie (w krematorium)

incinerator [in'sinəˌreitə] *s* 1. piec do spopielania 2. piec do spalania nieczystości (miejskich) 3. krematorium

incipience [in'sipiəns] *s* początek; zaczątek

incipient [in'sipiənt] *adj* początkowy; rozpoczynający (się); (będący) w stadium początkowym; rodzący się

incise [in'saiz] *vt* 1. naci-ąć/nać 2. w/ryć; wyryć

incision [in'siʒən] *s* nacięcie; wcięcie

incisive [in'saisiv] *adj* 1. (*o zębach*) sieczny 2. (*o narzędziu itd*) tnący; ostry 3. (*o tonie, stylu itd*) cięty; zjadliwy

incisiveness [in'saizivnis] *s* 1. ostrość 2. ciętość; zjadliwość

incisor [in'saizə] *s anat* siekacz (ząb)

incitation [ˌinsai'teiʃən] = **incitement**

incite [in'sait] *vt* 1. nam-ówić/awiać; podburz-yć/ać; podżegać 2. pobudz-ić/ać <zachęc-ić/ać> (**to sth** do czegoś)

incitement [in'saitmənt] *s* 1. namowa; nam-ówienie/awianie; podburz-enie/anie; podżeganie 2. pobudka; zachęta; bodziec

inciter [in'saitə] *s* 1. podżegacz/ka 2. bodziec

incivility [ˌinsi'viliti] *s* niegrzeczność; nieuprzejmość

inclemency [in'klemənsi] *s* surowość (klimatu, człowieka); ostrość (klimatu); **~ of the weather** niepogoda; słota

inclement [in'klemənt] *adj* (*o człowieku itd*) surowy; (*o klimacie*) surowy; ostry; **~ weather** niepogoda; słota

inclinable [in'klainəbl] *adj* 1. skłonny (**to sth** do czegoś) 2. przychylny (**to sb, sth** komuś, czemuś, dla kogoś, czegoś)

inclination [ˌinkli'neiʃən] *s* 1. pochylenie; nachylenie; przechylenie 2. pochyłość; spadek 3. skłonność (**to** <**for**> **sth** do czegoś); pociąg (**to sth** do czegoś) 4. odchylenie (magnetyczne itd.)

incline [in'klain] [I] *vi* 1. nachyl-ić/ać się; być nachylonym; mieć nachylenie 2. mieć skłonność (**to sth** do czegoś); być skłonnym (**to do sth** coś zrobić) 3. skłaniać się (**to sth** do czegoś, ku czemuś); nastawi-ć/ać się <mieć nastawienie> (**to sth** do czegoś) 4. pójść/iść ukośnie 5. wpadać (w jakiś kolor) [II] *vt* 1. nachyl-ić/ać; pochyl-ić/ać; przechyl-ić/ać; **to ~ one's ear to sth** życzliwie <chętnie> wysłuchać czegoś 2. skł-onić/aniać 3. s/kierować; nakierować *zob* **inclined** [III] *s* 1. nachylenie 2. pochylnia 3. ukos

inclined [in'klaind] [I] *zob* **incline** *v* [II] *adj* 1. skłonny; nastawiony (przychylnie, nieprzychylnie itd.); **to be ~ to —** a) mieć skłonność do ... b) być skłonnym <gotowym> ... (coś zrobić) 2. wpadający (**to sth** w coś — jakiś kolor itp.) 3. pochyły; skośny

inclinometer [ˌinkli'nɔmitə] *s* pochyłomierz

inclose [in'klouz] = **enclose**

inclosure [in'klouʒə] = **enclosure**

include [in'klu:d] *vt* 1. włącz-yć/ać; (*o cenie*) **including —** wliczając w to ...; łącznie <razem> z ...; **postage etc. ~d** łącznie z kosztem porta itd. 2. zawierać; ob-jąć/ejmować

inclusion [in'klu:ʒən] *s* 1. włącz-enie/anie 2. *geol* wtrącenie; inkluzja; wrostek

inclusive [in'klu:siv] *adj* obejmujący; zawierający; **to be ~** zawierać; obejmować; **from — to — ~** od ... do ... włącznie; **~ of —** łącznie z ...; w tym ...; **~ terms** cena globalna (wraz ze wszystkimi dodatkami)

incoercible [ˌinkou'ə:sibl] *adj med* nieopanowany

incog. [in'kɔg] *skr pot* **incognito**

incognita [in'kɔgnitə] *s* kobieta występująca pod przybranym nazwiskiem

incognito [in'kɔgniˌtou] [I] *adv* incognito [II] *adj* podróżujący <występujący> pod przybranym nazwiskiem [III] *s* (*pl* **~s, incogniti** [in'kɔgniˌti:]) mężczyzna występujący pod przybranym nazwiskiem

incognizable [in'kɔgnizəbl] *adj* 1. nieuchwytny dla zmysłów 2. nie do rozpoznania

incognizance [in'kɔgnizəns] *s* nieznajomość (czegoś)

incognizant [in'kɔgnizənt] *adj* nie obeznany; **to be ~ of sth** nie znać czegoś; nie orientować się w czymś

incoherence [ˌinkou'hiərəns] *s* 1. niespoistość; brak związku <kohezji> 2. chaotyczność; bezładność 3. brak powiązania (myśli)

incoherent [ˌinkou'hiərənt] *adj* nie powiązany; bez związku; chaotyczny; bezplanowy; niesystematyczny; bezładny

incombustibility ['inkəmˌbʌstə'biliti] *s* niepalność; ogniotrwałość

incombustible ['inkəmˌbʌstəbl] *adj* niepalny; ogniotrwały

income ['inkəm] *s* dochód; wpływy (pieniężne, kasowe); **to live within one's ~** nie przekraczać swego budżetu <swych zarobków>; żyć w granicach swych dochodów

incomer ['inˌkʌmə] *s* 1. człowiek wchodzący 2. przybysz 3. imigrant/ka; osadni-k/czka 4. intruz

income-tax ['inkəmˌtæks] *s* podatek dochodowy

incoming ['inˌkʌmiŋ] [I] *adj* 1. przybywający; **~ tide** przypływ 2. nowy [II] *s* 1. przybycie 2. dopływ 3. *pl* **~s** dochody; wpływy (pieniężne, kasowe)

incommensurability ['inkəˌmenʃərə'biliti] *s* niewspółmierność

incommensurable [ˌinkə'menʃərəbl] *adj* 1. niewspółmierny 2. *mat* (*o liczbach*) irracjonalny; niewymierny

incommensurate [ˌinkə'menʃərit] *adj* nieproporcjonalny; **to be ~ with sth** nie być <nie stać> w żadnym stosunku do czegoś

incommode [ˌinkə'moud] *vt* niepokoić; przeszk-

-odzić/adzać (**sb** komuś); sprawi-ć/ać kłopot (**sb** komuś); s/krępować

incommodious [,inkə'moudiəs] *adj* niewygodny; nieporęczny; kłopotliwy; nieodpowiedni; (*o mieszkaniu*) ciasny

incommodiousness [,inkə'moudiəsnis] *s* niewygoda; ciasnota

incommunicable [,inkə'mju:nikəbl] *adj* 1. nie do wypowiedzenia 2. (*o człowieku*) małomówny; nierozmowny

incommunicado ['inkə,mju:ni'ka:dou] [I] *adj* (*o więźniu*) izolowany [II] *s* więzień izolowany

incommunicative [,inkə'mju:ni,keitiv] *adj* nierozmowny

incommutable [,inkə'mju:təbl] *adj* 1. niezmienny 2. niezamienny; niewymienny

incomparable [in'kɔmpərəbl] *adj* 1. niezrównany 2. nie do porównania (**to** <**with**> **sb, sth** z kimś, czymś); **this is ~ with —** tego nie można zestawiać <porównywać> z ...

incompatibility ['inkəm,pætə'biliti] *s* niezgodność (pojęć, teorii, usposobień itd.); sprzeczność; niemożność pogodzenia <połączenia>

incompatible [,inkəm'pætəbl] *adj* niezgodny; sprzeczny; nie do pogodzenia; nie do połączenia; (*o dwóch elementach*) wyłączające się nawzajem; **the one is ~ with the other** te dwie rzeczy nie dadzą się pogodzić <nie idą w parze>

incompetence, incompetency [in'kɔmpitəns(i)] *s* 1. niekompetencja; niewłaściwość (sądu itd.) 2. niezdolność 3. nieudolność 4. niedostateczność 5. *med* niewydolność; **aortic incompetency** niedomykalność (zastawek serca)

incompetent [in'kɔmpitənt] *adj* 1. niekompetentny; niewłaściwy 2. niezdolny 3. nieudolny 4. nie uprawniony, nie posiadający uprawnienia

incomplete [,inkəm'pli:t] *adj* niezupełny; niecałkowity; niedokończony; wymagający uzupełnienia; niedoskonały; wadliwy; z brakami

incompleteness [,inkəm'pli:tnis] *s* niedokończenie; niedoskonałość; wadliwość; braki; potrzeba uzupełnienia

incomprehensibility [in,kɔmpri,hensə'biliti] *s* niemożność zrozumienia

incomprehensible [in,kɔmpri'hensəbl] *adj* niezrozumiały; niepojęty

incomprehension [in,kɔmpri'henʃən] *s* 1. niezrozumienie 2. niepojętność

incompressible [,inkəm'presəbl] *adj* nieściśliwy

incomputable [,inkəm'pju:təbl] *adj* nie dający się obliczyć

inconceivable [,inkən'si:vəbl] *adj* 1. niepojęty; niezrozumiały 2. nieprawdopodobny

inconclusive [,inkən'klu:siv] *adj* 1. nieprzekonywający 2. nie rozstrzygnięty 3. nie rozstrzygający; nie decydujący

incondensable [,inkən'densəbl] *adj* nie dający się skondensować

incondite [in'kɔndit] *adj* (*o dziele artystycznym, literackim*) źle skomponowany; o wadliwej kompozycji; nie dopracowany; nie wygładzony

inconformity [,inkən'fɔ:miti] *s* niezgodność (**to** <**with**> **sth** z czymś)

incongruent [in'kɔŋgruənt] *adj* nieodpowiedni; niestosowny

incongruity [,inkɔŋ'gruiti] *s* 1. niezgoda; niezgodność 2. niestosowność 3. bezsensowność

incongruous [in'kɔŋgruəs] *adj* 1. niestosowny; nieodpowiedni; niewłaściwy; nie na miejscu 2. nie licujący (**with sth** z czymś); **to be ~ with sth** razić przy czymś 3. dziwaczny 4. bezsensowny; absurdalny

inconsecutive [,inkən'sekjutiv] *adj* 1. przerywany; (odbywający się) z przerwami 2. niekolejny

inconsequence [in'kɔnsikwəns] *s* 1. nielogiczność 2. brak związku

inconsequent [in'kɔnsikwənt] *adj* 1. nielogiczny 2. bez związku

inconsequential [in,kɔnsi'kwenʃəl] *adj* 1. = **inconsequent** 2. mało znaczący; błahy

inconsiderable [,inkən'sidərəbl] *adj* nieznaczny; drobny

inconsiderate [,inkən'sidərit] *adj* 1. bezmyślny; nie przemyślany; nierozważny 2. nieuprzejmy; nie uważający; nie okazujący (należytego) szacunku

inconsiderateness [,inkən'sidəritnis] *s* 1. bezmyślność; nierozwaga 2. nieuprzejmość; brak (należytego) szacunku

inconsistence, inconsistency [,inkən'sistəns(i)] *s* 1. niezgodność 2. niekonsekwencja; nielogiczność

inconsistent [,inkən'sistənt] *adj* 1. niezgodny; sprzeczny 2. niekonsekwentny; nielogiczny 3. zmienny 4. bez związku

inconsolable [,inkən'souləbl] *adj* niepocieszony; nieutulony (w żalu)

inconsonant [in'kɔnsənənt] *adj* niezgodny

inconspicuous [,inkən'spikjuəs] *adj* nie rzucający się w oczy; nie zwracający na siebie uwagi; skromny; niepozorny

inconstancy [in'kɔnstənsi] *s* 1. niestałość; zmienność 2. nieregularność

inconstant [in'kɔnstənt] *adj* 1. niestały; zmienny 2. nieregularny

inconsumable [,inkən'sju:məbl] *adj* ognioodporny

incontestable [,inkən'testəbl] *adj* niezaprzeczalny; bezsporny; niewątpliwy

incontinence [in'kɔntinəns] *s* 1. niepowściągliwość; **the sin of ~** grzech nieczystości 2. *med* niemożność utrzymania (moczu, stolca)

incontinent [in'kɔntinənt] *adj* 1. niepowściągliwy 2. nie panujący (**of sth** nad czymś); *med* **to be ~ of urine** nie móc utrzymać moczu; **~ of secrets** niedyskretny; **~ of speech** gadatliwy

incontinently [in'kɔntinəntli] *adv lit* natychmiast; bezzwłocznie

incontrovertible ['inkɔntrə'və:təbl] *adj* niezaprzeczalny; bezsporny; nie do obalenia

inconvenience [,inkən'vi:niəns] [I] *vt* sprawi-ć/ać kłopot <przeszk-odzić/adzać> (**sb** komuś); derangżować [II] *s* niewygoda; niedogodność; kłopot; subiekcja; **to put sb to** <**to cause sb**> **~** = **to ~** *vt*

inconvenient [,inkən'vi:niənt] *adj* niewygodny; niedogodny; kłopotliwy; uciążliwy; **if not ~** jeżeli to nie sprawi kłopotu

inconvertible [,inkən'və:təbl] *adj* niewymienny (pieniądz itp.); niezamienny

inconvincible [,inkən'vinsəbl] *adj* nie dający się przekonać; nie do przekonania

incoordination ['inkou,ɔ:di'neiʃən] *s* brak skoordynowania; nieskoordynowanie

incorporate [in'kɔ:pə,reit] [I] *vt* 1. wciel-ić/ać;

włącz-yć/ać; przyłącz-yć/ać 2. z/łączyć w sobie; zawierać 3. ukonstytuować (towarzystwo); zarejestrować; zalegalizować 4. nada-ć/wać samorząd (**a town** miastu) II *vi* po/łączyć się (**with sth** z czymś — instytucją itp.) III *adj* [in'kɔ:pərit] 1. (*o towarzystwie*) zarejestrowany; zalegalizowany; *am* akcyjny 2. (*o mieście*) posiadający samorząd

incorporation [in,kɔ:pə'reiʃən] *s* 1. wciel-enie/anie; włącz-enie/anie; przyłącz-enie/anie 2. ukonstytuowanie (towarzystwa); zarejestrowanie; zalegalizowanie 3. nada-nie/wanie samorządu (**of a town** miastu)

incorporeal [,inkɔ:'pɔ:riəl] *adj* niematerialny; bezcielesny

incorrect [,inkə'rekt] *adj* 1. niepoprawny; nieprawidłowy; błędny; mylny; wadliwy; niedokładny 2. (*o zachowaniu, ubiorze itd*) niestosowny

incorrectness [,inkə'rektnis] *s* 1. nieprawidłowość, błąd; pomyłka 2. niestosowność

incorrigible [in'kɔridʒəbl] *adj* niepoprawny, nie dający <nie chcący> się poprawić

incorrodible [,inkə'roudəbl] *adj* nie ulegający korozji

incorruptible [,inkə'rʌptəbl] *adj* 1. nie ulegający zepsuciu 2. niesprzedajny; nieprzekupny

incrassate [in'kræsit] *adj bot zoo* zgrubiały

increase [in'kri:s] I *vi* wzr-osnąć/astać; powiększ-yć/ać <wzm-óc/agać, podn-ieść/osić, rozr-osnąć/astać, po/mnożyć> się II *vt* powiększ-yć/ać; podn-ieść/osić; podwyższ-yć/ać; wzm-óc/agać; **to ~ sb's wages** da-ć/wać komuś podwyżkę; **to ~ the speed** przyśpiesz-yć/ać *zob* **increasing** III *s* ['inkri:s] przyrost; wzrost; powiększenie <wzm-ożenie/aganie, podn-iesienie/oszenie> się; rozrost; mnożenie się; podwyżka (płac); **to be on the ~** wzrastać; **an ~ in speed** przyśpieszenie

increasing [in'kri:siŋ] I *zob* **increase** *v* II *adj* wzrastający; coraz większy; progresywny

increasingly [in'kri:siŋli] *adv* coraz więcej <bardziej>; *z przymiotnikiem*: coraz (to) <wciąż> (**big, pretty etc.** grubszy, piękniejszy itd.)

incredibility [in,kredi'biliti] *s* niewiarogodność; nieprawdopodobieństwo

incredible [in'kredəbl] *adj* niewiarogodny; nieprawdopodobny; nie do wiary

incredulity [,inkri'dju:liti] *s* niedowierzanie; niedowiarstwo

incredulous [in'kredjuləs] *adj* nie dowierzający; **to be ~** nie dowierzać; **an ~ smile** uśmiech niedowierzania

increment ['inkrimənt] *s* 1. wzrost; powiększenie się; przyrost; przybytek; *mat* przyrost 2. zysk; dochód

incriminate [in'krimi,neit] *vt* 1. obwini-ć/ać; pom-ówić/awiać (o coś) 2. objąć (kogoś) oskarżeniem *zob* **incriminating**

incriminating [in'krimi,neitiŋ] I *zob* **incriminate** II *adj* obciążający

incriminatory [in'krimi,neitəri] = **incriminating** *adj*

incrust [in'krʌst] *vt* inkrustować; wykładać (kamieniem itd.)

incrustation [,inkrʌs'teiʃən] *s* 1. zaskorupienie; skorupa 2. kamień kotłowy 3. inkrustacja 4. wykładanie (czegoś kamieniem, mozaiką itd.)

incubate ['inkju,beit] I *vi* przechodzić proces inkubacji <wylęgu> II *vt* wysiadywać; wylęgać

incubation [,inkju'beiʃən] *s* wylęganie; inkubacja

incubative ['inkju,beitiv] = **incubatory**

incubator ['inkju,beitə] *s* wylęgarka, inkubator

incubatory ['inkju,beitəri] *adj* inkubacyjny; (*o okresie itd*) wylęgania <wylęgu>

incubus ['iŋkjubəs] *s* (*pl* **incubi** ['iŋkju,bai], **~es**) 1. zmora 2. demon uwodzący kobiety w czasie snu

incudes *zob* **incus**

inculcate ['inkʌl,keit] *vt* wp-oić/ajać; wszczepi-ć/ać; wdr-ożyć/ażać (**sth** do czegoś); wra-zić/żać (w pamięć)

inculcation [,inkʌl'keiʃən] *s* wp-ojenie/ajanie; wszczepi-enie/anie; wdr-ożenie/ażanie

inculpate ['inkʌl,peit] *vt* 1. obwini-ć/ać; oskarż-yć/ać 2. ob-jąć/ejmować oskarżeniem

inculpatory [in'kʌlpətəri] *adj* 1. obwiniający 2. obciążający

incumbency [in'kʌmbənsi] *s* beneficjum

incumbent[1] [in'kʌmbənt] *s* beneficjant

incumbent[2] [in'kʌmbənt] *adj* 1. leżący <spoczywający> (**on sth** na czymś) 2. ciążący (**on sb** na kimś); będący obowiązkiem (**on sb** czyimś); **to be ~ on sb** ciążyć na kimś; być czyimś obowiązkiem <czyjąś rzeczą> (coś zrobić)

incunabulum [,inkju'næbjuləm] *s* (*zw pl* **incunabula** [,inkju'næbjulə]) inkunabuł

incur [in'kə:] *vt* (**-rr-**) 1. pon-ieść/osić (ryzyko, stratę) 2. nara-zić/żać się (**sth** na coś) 3. ściąg-nąć/ać na siebie (gniew itd.) 4. zaciąg-nąć/ać (długi)

incurable [in'kjuərəbl] I *adj* nieuleczalny II *s* człowiek nieuleczalny

incuriosity [in,kjuəri'ɔsiti] *s* brak ciekawości; obojętność

incurious [in'kjuəriəs] *adj* nieciekawy; (*o czymś*) **not ~** niezupełnie obojętny; wcale ciekawy

incursion [in'kə:ʃən] *s* najazd; wtargnięcie; nalot

incurvation [,inkə:'veiʃən] *s* wgięcie

incurve ['in'kə:v] *vt vi* wygi-ąć/nać (się)

incus ['iŋkəs] *s* (*pl* **incudes** ['iŋkju,di:z]) *anat* kowadełko (w uchu)

incuse [in'kju:z] *adj* (*także* **~d**) wytłoczony (medal)

incut ['in,kʌt] *s druk* wstawka

indebted [in'detid] *adj* 1. zadłużony; **to be ~ to sb** być komuś dłużnym <winnym>; być czyimś dłużnikiem 2. wdzięczny; zobowiązany; **to be ~ to sb** a) mieć dług wdzięczności wobec kogoś b) zawdzięczać komuś (**for sth** coś)

indebtedness [in'detidnis] *s* 1. dług/i; zobowiązani-e/a (pieniężne); zadłużenie 2. dług wdzięczności; **my ~ to you** to, co ci <wam> zawdzięczam

indecency [in'di:sənsi] *s* nieprzyzwoitość; *prawn* (**public act of**) **~** obraza moralności

indecent [in'di:sənt] *adj* nieprzyzwoity; *prawn* **~ behaviour** obraza moralności

indeciduous [,indi'sidjuəs] *adj bot* (*o drzewie*) nie zrzucający liści; (*o liściu*) nie opadający

indecipherable [,indi'saifərəbl] *adj* nie do odcyfrowania <odszyfrowania>

indecision [,indi'siʒən] *s* niezdecydowanie; chwiejność; wahani-e/a

indecisive [,indi'saisiv] *adj* 1. (*o argumencie*) nie

rozstrzygający; (*o walce*) nie rozstrzygnięty 2. (*o człowieku*) niezdecydowany; chwiejny

indecisiveness [ˌindi'saisivnis] *s* niezdecydowanie; chwiejność

indeclinable [ˌindi'klainəbl] *adj gram* nieodmienny

indecomposable ['inˌdi:kəm'pouzəbl] *adj* nierozkładalny; nie dający się rozłożyć

indecorous [in'dekərəs] *adj* niestosowny; niesmaczny; w złym guście; sprzeczny z nakazami dobrego tonu <wychowania>

indecorum [ˌindi'kɔ:rəm] *s* niestosowne zachowanie <postępowanie>; naruszenie zasad dobrego tonu <wychowania>

indeed [in'di:d] *adv* 1. naprawdę; rzeczywiście; faktycznie 2. *podkreślająco*: **I am very glad ~** bardzo, ale to bardzo się cieszę; ogromnie <szczerze> się cieszę; **thank you very much ~** serdecznie panu dziękuję; *z potwierdzeniem lub zaprzeczeniem*: **no, ~!** bynajmniej!; żadną miarą!; nigdy w życiu!; **yes, ~!** jeszcze jak!; a jakże! 3. *przyzwalająco*: wprawdzie; co prawda 4. właściwie; prawdę powiedziawszy; a nawet; mało tego; co więcej; **is it good? — it is ~** czy to dobre? — jeszcze jak (dobre)! 5. *pytająco*: czyżby?; naprawdę? 6. *wykrzyknikowo*: a gdzież tam?!; nie ma mowy!; co (też) ty mówisz!? 7. *po powtórzonym pytaniu*: też pytanie!; **who is Mrs N.N.? — who is she, ~!** kim ona jest? też pytanie!

indefatigable [ˌindi'fætigəbl] *adj* niestrudzony; niezmordowany

indefeasible [ˌindi'fi:zəbl] *adj* (*o prawie itd*) nieodwołalny; niewzruszony

indefectible [ˌindi'fektəbl] *adj* 1. niezawodny 2. bez zarzutu

indefensible [ˌindi'fensəbl] *adj* 1. nie do obronienia 2. nie do usprawiedliwienia

indefinable [ˌindi'fainəbl] *adj* nie dający się określić; nieokreślony

indefinite [in'defnit] *adj* 1. nieokreślony; niewyraźny; nie sprecyzowany; *gram* **~ pronoun** zaimek nieokreślony 2. nieograniczony

indefinitely [in'defnitli] *adv* 1. w sposób nieokreślony <niewyraźny, nie sprecyzowany> 2. na czas <na termin> nieokreślony 3. bez końca

indelible [in'deləbl] *adj* 1. nie do zmazania <starcia>; nie dający się zetrzeć <zmyć>; (*o ołówku*) chemiczny 2. *przen* niezmazany; niezatarty

indelicacy [in'delikəsi] *s* niedelikatność; nietakt

indelicate [in'delikit] *adj* 1. niedelikatny; nietaktowny 2. niestosowny; nieskromny

indemnification [inˌdemnifi'keiʃən] *s* odszkodowanie

indemnify [in'demniˌfai] *vt* (**indemnified** [in'demniˌfaid], **indemnified; indemnifying** [in'demniˌfaiiŋ]) 1. zabezpiecz-yć/ać (**sb from <against> sth** kogoś przed czymś) 2. wynagr-odzić/adzać (**sb for a loss etc.** komuś stratę itd.); da-ć/wać <za/płacić> odszkodowanie (**sb for sth** komuś za coś); powetować <s/kompensować> (coś)

indemnity [in'demniti] *s* 1. zabezpieczenie (**for <against> sth** przed czymś) 2. wynagrodzenie (**for a loss** straty); odszkodowanie; kompensata

indemonstrable [in'demənstrəbl] *adj* nie dający się udowodnić

indent[1] [in'dent] [I] *vt* 1. naci-ąć/nać; wci-ąć/nać; wyci-ąć/nać; wy-rżnąć/rzynać; karbować; naci-ąć/nać karby (**sth** na czymś) 2. sporządz-ić/ać duplikat (**a document** dokumentu) 3. *druk* zacz-ąć/ynać (wiersz) akapitem 4. zam-ówić/awiać (towar) [II] *vi* 1. za/rekwirować (**on sb for sth** komuś coś) 2. zam-ówić/awiać (**on sb for goods** towar u kogoś) 3. wci-ąć/nać pierwszy wiersz ustępu *zob* **indented** [III] *s* 1. nacięcie; wyrżnięcie; karbowanie 2. zamówienie eksportowe; indent 3. zamówienie (towaru) na skład 4. rekwizycja (towaru)

indent[2] [in'dent] [I] *vt* wtł-oczyć/aczać; pozosta-wi-ć/ać wgłębienie (**a surface** na powierzchni) [II] *s* wtłoczenie; wgłębienie

indentation [ˌinden'teiʃən] = **indent**[1] *s* 1.

indented [in'dentid] [I] *zob* **indent**[1] *v* [II] *adj* 1. ząbkowany 2. (*o kole*) zębaty 3. z nacięciami

indention [in'denʃən] *s druk* wcięcie pierwszego wiersza <ustępu>; akapit

indenture [in'dentʃə] [I] *s* 1. umowa obustronna 2. *pl* **~s** umowa między mistrzem a terminatorem; **to take up one's ~s** skończyć termin (u mistrza) 3. = **indent**[1] *s* 1. [II] *vt* 1. odda-ć/wać (kogoś) do terminu 2. wziąć/brać do terminu

independence [ˌindi'pendəns] *s* niezależność; niepodległość; niezawisłość; autonomia; *am* **Independence Day** rocznica ogłoszenia niepodległości St. Zjedn. (4 lipca)

independency [ˌindi'pendənsi] *s* 1. niepodległość 2. = **congregationalism** 3. dochód zapewniający niezależność

independent [ˌindi'pendənt] [I] *adj* 1. niezależny; niepodległy; niezawisły; autonomiczny; **to become ~** uniezależni-ć/ać się; **an ~ income, ~ means** dochód <środki> zapewniając-y/e niezależność 2. oddzielny; osobny [II] *s* 1. *polit* niezależny 2. *rel* kongregacjonalist-a/ka, kongregacjonist-a/ka

indescribable [ˌindis'kraibəbl] *adj* nieopisany; nie do opisania

indestructibility ['indisˌtrʌktə'biliti] *s* niezniszczalność; niespożytość; trwałość

indestructible [ˌindis'trʌktəbl] *adj* niezniszczalny; niespożyty; trwały

indeterminable [ˌindi'tə:minəbl] *adj* 1. nieokreślony; nie dający się określić 2. (*o sporze*) nie do rozstrzygnięcia

indeterminate [ˌindi'tə:minit] *adj* nieokreślony; niewyraźny

indetermination ['indiˌtə:mi'neiʃən] *s* 1. nieokreśloność 2. niezdecydowanie

indeterminism [ˌindi'tə:miˌnizəm] *s filoz* indeterminizm

index ['indeks] [I] *s* (*pl* **~es, indices** ['indiˌsi:z]) 1. (*pl* **~es**) *anat* palec wskazujący 2. (*pl* **~es**) *techn* wskazówka (aparatu) 3. (*pl* **indices**) wskaźnik 4. (*pl* **~es**) indeks; spis alfabetyczny; **the Index** indeks książek zakazanych przez Kościół 5. (*pl* **indices**) *mat* indeks; wykładnik, eksponent 6. (*pl* **indices**) *mat fiz* współczynnik [II] *vt* 1. zaopat-rzyć/rywać (książkę) w indeks <w spis alfabetyczny> 2. umie-ścić/szczać (słowo itd.) w indeksie

index-board ['indeksˌbɔ:d] *s am* tablica orientacyjna

index-number ['indeksˌnʌmbə] *s* wskaźnik (cen itd.)

India ['indjə] *attr* ~ **ink** tusz; ~ **paper** rodzaj bibuły drukarskiej

Indiaman ['indjəmən] *s* (*pl* **Indiamen** ['indjəmən]) okręt kursujący między Europą a Indiami

Indian ['indjən] [I] *adj* 1. indyjski; hinduski; ~ **civilian** urzędnik państwowy w Indiach; ~ **club** maczuga (do gimnastyki); ~ **gift** dar złożony w nadziei otrzymania czegoś cenniejszego w rewanżu; ~ **ink** tusz; ~ **weed** tytoń 2. indiański; ~ **corn** kukurydza; ~ **meal** mąka kukurydzana; ~ **summer** babie lato; **in** ~ **file** rzędem; gęsiego [II] *s* 1. Indian-in/ka 2. Hindus/ka

india-rubber ['indjə'rʌbə] *s* guma (elastyczna)

indican ['indikən] *s chem* indykan (glikozyd)

indicate ['indi,keit] *vt* 1. wskaz-ać/ywać <pokaz-ać/ywać> (**sth** coś <na coś>) 2. wskaz-ać/ywać, zalec-ić/ać; **to be ~d** być wskazanym <pożądanym, zaleconym> 3. wykaz-ać/ywać; za/sygnalizować

indication [,indi'keiʃən] *s* wskazanie; wskazówka; znak; oznaka; symptom; sygnał

indicative [in'dikətiv] [I] *adj* 1. *gram* (*o trybie*) oznajmujący 2. (*także* ['indi,keitiv]) wskazujący; dowodzący (czegoś); **to be ~ of sth** wskazywać na coś; dowodzić czegoś [II] *s gram* tryb oznajmujący

indicator ['indi,keitə] *s* 1. informator (człowiek i książka) 2. tablica orientacyjna 3. *techn* wskazówka (przyrządu) 4. *techn* przyrząd rejestrujący 5. *chem* indykator

indicatory [in'dikətəri] *adj* wskazujący; wskaźnikowy; orientacyjny

indices *zob* **index** *s*

indict [in'dait] *vt* oskarż-yć/ać; postawić/stawiać w stan oskarżenia

indictable [in'daitəbl] *adj* zaskarżalny, podlegający oskarżeniu

indictment [in'daitmənt] *s* 1. oskarżenie 2. akt oskarżenia

indifference [in'difrəns] *s* 1. obojętność (**to** <**towards**> **sb, sth** dla kogoś, na coś, w stosunku do <wobec> kogoś, czegoś); **a matter of** ~ rzecz obojętna 2. błahość; nieistotność 3. mierność; marność

indifferent [in'difrənt] *adj* 1. obojętny (**to sb, sth** dla kogoś, na coś); (*o rzeczy*) **to be ~ to sb** nie obchodzić <nie wzruszać> kogoś; być obojętnym dla kogoś; (*o człowieku*) **to be ~ to everything** zobojętnieć na wszystko; **he is** <**has become**> ~ **to everything** on machnął na wszystko ręką; wszystko mu zbrzydło; nic go nie obchodzi 2. mierny; marny 3. *chem* obojętny 4. mało znaczący; błahy 5. neutralny

indifferentism [in'difrən,tizəm] *s* indyferentyzm

indigence ['indidʒəns] *s* bieda; ubóstwo

indigenous [in'didʒinəs] *adj* tubylczy; miejscowy; krajowy

indigent ['indidʒənt] [I] *adj* biedny; ubogi [II] *s* † bieda-k/czka

indigested [,indi'dʒestid] *adj* 1. nie strawiony 2. nie przemyślany; *przen* nie przetrawiony

indigestible [,indi'dʒestəbl] *adj* niestrawny

indigestion [,indi'dʒestʃən] *s* niestrawność

indignant [in'dignənt] *adj* oburzony; **to feel ~ at sth** <**with sb**> oburzać się na coś <na kogoś>; **he was ~ to learn** _ dowiedział się z oburzeniem <ku swemu oburzeniu>...; obruszył się na wiadomość o...

indignation [,indig'neiʃən] *s* oburzenie

indignity [in'digniti] *s* obelga; obraza; zniewaga; poniżenie

indigo ['indi,gou] *s* indygo; ~ **blue** błękit indygowy; ~ **white** biel indygowa

indigo-plant ['indigou,plɑ:nt] *s bot* indygowiec

indirect [,indi'rekt] *adj* 1. pośredni; (*o drodze*) okrężny 2. *gram* (*o mowie*) zależny; przytoczony; (*o dopełnieniu*) dalszy 3. nieuczciwy; kręty

indirection [,indi'rekʃən] *s* 1. droga pośrednia; środki okrężne do osiągnięcia celu; **by** ~ pośrednio 2. oszukanie; nieuczciwość; krętactwo

indiscernible [,indi'sə:nəbl] *adj* 1. nie do odróżnienia 2. niedostrzegalny; znikomy

indiscerptible [,indi'sə:ptəbl] *adj* nierozdzielny

indiscipline [in'disiplin] *s* niekarność; niesforność; niesubordynacja

indiscreet [,indis'kri:t] *adj* 1. niedyskretny 2. nierozważny; nieroztropny

indiscreetness [,indis'kri:tnis] = **indiscretion**

indiscrete [,indis'kri:t] *adj* jednolity; spoisty

indiscretion [,indis'kreʃən] *s* 1. niedyskrecja 2. nieostrożność; nieoględność 3. nierozważny czyn

indiscriminate [,indis'kriminit] *adj* 1. (*o człowieku*) niewybredny; nie wymagający; nie odróżniający rzeczy dobrych od złych 2. (*o masie itp*) bezładny 3. zrobiony <zmieszany itd.> bez wyboru <bez różnicy, na oślep, na łapu-capu> 4. ogólny; masowy; zbiorowy; ~ **blows** walenie na prawo i na lewo <gdzie popadnie>

indiscriminately [,indis'kriminitli] *adv* nie wybierając; bez wyboru; bez różnicy; na oślep; bez zastanowienia

indiscrimination ['indis,krimi'neiʃən] *s* 1. niewybredność 2. brak zastanowienia 3. nieodróżnianie; nierobienie różnicy w wyborze

indispensability [,indis,pensə'biliti] *s* 1. nieodzowność; konieczność, konieczna potrzeba 2. niemożność zastąpienia (pracownika itd.)

indispensable [,indis'pensəbl] *adj* 1. niezbędny; nieodzowny; konieczny 2. niezastąpiony 3. (*o prawie itd*) obowiązujący

indispose [,indis'pouz] *vt* 1. źle uspos-obić/abiać <zra-zić/żać, zniechęc-ić/ać> (**towards sb, sth** do kogoś, czegoś) 2. od-ebrać/bierać ochotę <chęć> (**sb to do sth** komuś do z/robienia czegoś) 3. u/czynić niezdolnym (**to do sth** do z/robienia czegoś)

indisposed [,indis'pouzd] [I] *zob* **indispose** [II] *adj* 1. niedysponowany; niezdrów; niedomagający; cierpiący 2. niesklonny; niechętny; bez zapału

indisposition [,indispə'ziʃən] *s* 1. niechęć (**to** <**towards**> **sb, sth** do kogoś, czegoś) 2. brak skłonności <chęci> (**to do sth** do z/robienia czegoś) 3. niedyspozycja; niedomaganie; dolegliwość

indisputability ['indis,pju:tə'biliti] *s* bezsporność

indisputable [,indis'pju:təbl] *adj* bezsporny; niezaprzeczalny; nie podlegający dyskusji

indissoluble [,indi'səljubl] *adj* 1. (*o związku itd*) nierozerwalny; trwały 2. nierozpuszczalny

indistinct [,indis'tiŋkt] *adj* niewyraźny; niejasny; mętny

indistinction [,indis'tiŋkʃən] *s* brak różnicy; pomieszanie (pojęć itp.)

indistinctness [ˌindis'tiŋktnis] *s* brak wyrazistości

indistinguishable [ˌindis'tiŋgwiʃəbl] *adj* 1. nie do odróżnienia 2. nieuchwytny (dla oka, ucha itd.)

indite [in'dait] *vt* s/komponować; z/redagować; ułożyć/układać

indium ['indjəm] *s chem* ind (pierwiastek)

indivertible [ˌindi'və:təbl] *adj* 1. nieodwracalny; niezmienny 2. (*o człowieku*) nie zbaczający z raz obranej drogi

individual [ˌindi'vidjuəl] [I] *adj* 1. indywidualny; osobisty 2. pojedynczy 3. osobny; oddzielny, odosobniony 4. osobliwy [II] *s* 1. jednostka; osobnik; okaz 2. człowiek; osobnik; indywiduum; *pot* gość

individualism [ˌindi'vidjuəˌlizəm] *s* indywidualizm

individualist [ˌindi'vidjuəlist] *s* indywidualist-a/ka

individualistic [ˌindiˌvidjuə'listik] *adj* indywidualistyczny

individuality [ˌindiˌvidju'æliti] *s* 1. indywidualność 2. *pl* **individualities** odrębne zapatrywania <upodobania>

individualization [ˌindiˌvidjuəlai'zeiʃən] *s* indywidualizacja

individualize [ˌindi'vidjuəˌlaiz] *vt* indywidualizować

individually [ˌindi'vidjuəli] *adv* 1. indywidualnie 2. pojedynczo; każdy <każdego> z osobna 3. osobiście; (mówić) we własnym imieniu

indivisibility ['indiˌvizi'biliti] *s* niepodzielność

indivisible [ˌindi'vizəbl] *adj* niepodzielny; nieskończenie mały

Indo-Chinese ['indou-tʃai'ni:z] [I] *adj* indochiński

indocile [in'dousail] *adj* 1. nieposłuszny; niesforny 2. niepojętny

indocility [ˌindou'siliti] *s* nieposłuszeństwo; niesforność

indoctrinate [in'dɔktriˌneit] *vt* wy/szkolić <wyr-obić/abiać, uświad-omić/amiać> ideologicznie <klasowo, partyjnie>; wp-oić/ajać (**with sth** coś — doktrynę, zasady itp.); **to be ~d with** — być przesiąkniętym ... (doktryną itp.)

indoctrination [inˌdɔktri'neiʃən] *s* wy/szkolenie <uświad-omienie/amianie> ideologiczne <klasowe, partyjne>; wp-ojenie/ajanie (doktryny, zasad, ideologii itp.)

Indo-European ['indouˌjuərə'piən] [I] *adj* indoeuropejski [II] *s* Aryj-czyk/ka

indole ['indoul] *s chem* indol

indolence ['indələns] *s* 1. lenistwo; opieszałość; próżniactwo 2. indolencja 3. *med* łagodność (wrzodu itp.)

indolent ['indələnt] *adj* 1. leniwy; opieszały 2. *med* niebolesny; obojętny

indomitable [in'dɔmitəbl] *adj* 1. nieposkromiony 2. nieugięty

Indonesian [ˌindou'ni:zjən] [I] *adj* indonezyjski [II] *s* Indonezyj-czyk/ka

indoor ['indɔ:] *adj* (*o życiu, sukni itd*) domowy; (*o pracy*) chałupniczy; (*o grach, roślinach*) pokojowy; (*o dekoracji itd*) wnętrz; (*o opiece społecznej*) udzielany w obrębie zakładu <przytułku, domu starców>; (*o podopiecznych*) zakładowy

indoors ['in'dɔ:z] *adv* 1. (być) w domu <u siebie, pod dachem>; *wojsk* na kwate-rze/rach; **to keep ~** nie wychodzić z domu; nie opuszczać mieszkania 2. (iść, wrócić) do domu <do siebie, do mieszkania>

indorsation [ˌindɔ:'seiʃən] = **endorsement**

indorse [in'dɔ:s] = **endorse**

indraft, indraught ['inˌdra:ft] *s* 1. wciąganie (powietrza itd.) 2. prąd <przypływ> do wnętrza (powietrza, wody)

indubitable [in'dju:bitəbl] *adj* niewątpliwy; nie ulegający wątpliwości

induce [in'dju:s] *vt* 1. skł-onić/aniać; nakł-onić/aniać; nam-ówić/awiać; pobudz-ić/ać (**to sth** do czegoś) 2. wywoł-ać/ywać; s/powodować; wzbudz-ić/ać; z/rodzić; s/prowokować 3. *elektr* indukować 4. wy/wnioskować; *log* indukować

inducement [in'dju:smənt] *s* 1. pobudka 2. powab

induct [in'dʌkt] *vt* 1. wprowadz-ić/ać (w posiadanie, na urząd itp.); za/instalować <u/lokować> (w pokoju, fotelu itp.); *przen* wprowadz-ić/ać (w tok sprawy) 2. *elektr* indukować, wzbudz-ić/ać

inductance [in'dʌktəns] *s elektr* indukcyjność

inductile [in'dʌktail] *adj* niepciągliwy; niekowalny

induction [in'dʌkʃən] *s* 1. wprowadzenie (na urząd) 2. wstęp; wprowadzenie (do tematu) 3. *log mat elektr* indukcja 4. *techn* doprowadzenie <zasysanie> (pary) 5. *med* wywołanie (choroby); spowodowanie <wywołanie> (porodu, poronienia)

induction-coil [in'dʌkʃənˌkɔil] *s elektr* cewka indukcyjna

induction-pipe [in'dʌkʃənˌpaip] *s techn* przewód wlotowy

induction-valve [in'dʌkʃənˌvælv] *s techn* zawór wlotowy

inductive [in'dʌktiv] *adj log elektr techn* indukcyjny

inductor [in'dʌktə] *s elektr* induktor; twornik

indue ['indju:] = **endue**

indulge [in'dʌldʒ] [I] *vt* 1. pobłażać (**sb** komuś); psuć (kogoś); folgować (**sb in his whims etc.** komuś w jego zachciankach itd.); cierpliwie znosić (coś); **to ~ oneself** po/folgować sobie 2. ule-c/gać <folgować> (**sth** czemuś); **to ~ sb in his wish/es etc.** a) spełni-ć/ać czyjeś życzeni-e/a itd. b) zadow-olić/alać czyj-ąś/eś zachciank-ę/i itd. 3. żywić <wy/pieścić> (nadzieję) 4. da-ć/wać upust (**sth** czemuś) 5. *rel* udziel-ić/ać odpustu (**sb** komuś) 6. s/prolongować (**sb sth** komuś coś — termin płatności itp.) [II] *vi* 1. oddawać się <ulegać, folgować> (**in a habit etc.** nałogowi itd.); być niewolnikiem (**in a habit etc.** nałogu itp.); pozw-olić/alać sobie (**in sth** na coś) 2. da-ć/wać upust (**in sth** czemuś) 3. zaży-ć/wać (**in sth** czegoś — spokoju itd.) 4. zaspok-oić/ajać (**in one's desire etc.** żądzę itd.) 5. grzęznąć (**in sin** w grzechu) 6. *pot* pociągać z kieliszka; upijać się

indulgence [in'dʌldʒəns] *s* 1. pobłażanie; folgowanie; † folga; uleganie; słabość (**for sb** dla <do> kogoś) 2. oddawanie się (**in a habit etc.** nałogowi itd.); zaspok-ojenie/ajanie (**in one's desires etc.** żądz itd.) 3. *rel* odpust 4. s/prolongowanie <prolongata> (terminu płatności)

indulgent [in'dʌldʒənt] *adj* pobłażliwy (**to sb** dla kogoś); ulegający <folgujący> (**to sb, sth** komuś, czemuś)

induline ['indju:ˌlain] *s chem* indulina (barwnik)

indult [in'dʌlt] *s kośc* indult
indurate ['indjuəˌreit] [I] *vt* utwardz-ić/ać; za/hartować [II] *vi* 1. s/twardnieć 2. (*o nałogu itp*) zakorzeni-ć/ać się
induration [ˌindjuə'reiʃən] *s* stwardnienie
industrial [in'dʌstriəl] *adj* przemysłowy; ~ **school** szkoła rzemieślnicza dla zaniedbanej młodzieży
industrialism [in'dʌstriəˌlizəm] *s ekon* industrializm
industrialist [in'dʌstriəlist] *s* 1. przemysłowiec 2. robotni-k/ca fabryczn-y/a
industrialization [inˌdʌstriəlai'zeiʃən] *s* industrializacja, uprzemysłowienie
industrialize [in'dʌstriəˌlaiz] *vt* uprzemysł-owić/awiać
industrious [in'dʌstriəs] *adj* pilny; pracowity
industry ['indəstri] *s* 1. przemysł 2. pilność; pracowitość
indwell ['in'dwel] *vt vi* (**indwelt** ['in'dwelt], **indwelt**) zamieszkiwać (**a place, in a place** gdzieś)
indweller ['in'dwelə] *s* mieszkan-iec/ka
inebriate [i'ni:briˌeit] [I] *vt* 1. upi-ć/jać <s/poić> (kogoś czymś); **the cup that cheers but not** ~**s** napój, który ożywia, nie odurzając <lecz nie odurza> (herbata, kawa itp.) 2. up-oić/ajać; odurz-yć/ać [II] *vr* ~ **oneself** 1. upi-ć/jać się 2. upajać się (sławą, pochwałami itd.) [III] *adj* [i'ni:briit] nietrzeźwy; pijany [IV] *s* (nałogow-y/a) pija-k/czka
inebriation [iˌni:bri'eiʃən], **inebriety** [ˌini'braiəti] *s* pijaństwo
inedible [in'edibl] *adj* niejadalny; nie do jedzenia
inedited [in'editid] *adj* 1. nie opublikowany; nie wydany 2. opublikowany bez uzupełnień redaktorskich <bez zmian>; (*o audycji*) nie opracowany
ineffable [in'efəbl] *adj* niewypowiedziany; niewymowny; niewysłowiony
ineffaceable [ˌini'feisəbl] *adj* 1. niezatarty 2. nie dający się zetrzeć
ineffective [ˌini'fektiv] *adj* 1. bezskuteczny; daremny; nieefektywny; (*o leku itd*) **to be** ~ nie działać; nie wywoływać skutków 2. nieefektowny; (*o słowach itd*) **to be** ~ nie wywierać żadnego <pożądanego> wrażenia; nie oddziaływać (na słuchających itd.) 3. (*o człowieku*) nieudolny; niedołężny
ineffectiveness [ˌini'fektivnis] *s* 1. bezskuteczność; daremność 2. nieskuteczność; nieefektywność; brak efektu 3. nieudolność; niedołęstwo
ineffectual [ˌini'fektjuəl] *adj* 1. bezskuteczny; daremny; bezowocny 2. (*o człowieku*) słaby; nieudolny
inefficacious [ˌinefi'keiʃəs] *adj* (*o leku itd*) nieskuteczny; **to be** ~ nie działać; nie wywoływać pożądanego <oczekiwanego> skutku
inefficiency [ˌini'fiʃənsi] *s* 1. nieudolność; niedołęstwo 2. nieskuteczność; nieefektywność; brak wydajności <sprawności>
inefficient [ˌini'fiʃənt] *adj* 1. nieudolny; niedołężny 2. nieskuteczny; nieefektywny; niesprawny
inelastic [ˌini'læstik] *adj* nieelastyczny; niesprężysty; niegiętki; nieprężny
inelasticity [ˌinilæs'tisiti] *s* nieelastyczność; brak elastyczności <giętkości>; niesprężystość
inelegance [in'eligəns] *s* brak elegancji; niewykwintność; niewytworność
inelegant [in'eligənt] *adj* 1. niewykwintny; niewytworny; w złym guście 2. (*o stylu*) niewyszukany
ineligibility [inˌelidʒə'biliti] *s* 1. niewybieralność 2. brak wymaganych zalet
ineligible [in'elidʒəbl] *adj* 1. niewybieralny 2. niepożądany; nie do przyjęcia 3. nie nadający się; niezdolny (do służby wojskowej); nie posiadający kwalifikacji na męża; **to be** ~ nie nadawać się na męża
ineluctable [ˌini'lʌktəbl] *adj* nieuchronny; nieunikniony; nie do uniknięcia
inept [i'nept] *adj* 1. niestosowny; nietrafny; (będący) nie na miejscu 2. niedorzeczny; głupi 3. *prawn* nieważny
ineptitude [i'neptiˌtju:d] *s* 1. niestosowność; nietrafny charakter (uwagi itp.) 2. niezdolność <nienadawanie się> (do czegoś) 3. niedorzeczność; głupota 4. głupstwo; brednia
inequable [in'ekwəbl] *adj* nierówny; niejednolity; zmienny
inequality [ˌini'kwɔliti] *s* 1. nierówność (rangi, usposobienia itp.) 2. niestałość (klimatu itp.) 3. nierówność (terenu) 4. *mat* nierówność
inequilateral [inˌi:kwi'lætərəl] *adj* nierównoboczny
inequitable [in'ekwitəbl] *adj* niesprawiedliwy; niesłuszny
inequity [in'ekwiti] *s* niesprawiedliwość; niesłuszność
ineradicable [ˌini'rædikəbl] *adj* nie wykorzeniony; nie do wykorzenienia
inermous [in'ə:məs] *adj bot* bez kolców
inerrable [in'erəbl] *adj* nieomylny
inert [i'nə:t] *adj* 1. bezwładny; inertny 2. *chem* nieczynny; obojętny 3. (*o człowieku*) opieszały; apatyczny
inertia [i'nə:ʃiə] *s* 1. bezwładność; inercja 2. bezczynność
inertness [i'nə:tnis] *s* 1. bezczynność 2. *fiz* bezwładność 3. *chem* nieczyność; obojętność
inescapable [ˌinis'keipəbl] *adj* nieunikniony; nieuchronny; niechybny
inessential ['ini'senʃəl] *adj* nieistotny; nieważny
inestimable [in'estiməbl] *adj* 1. nieoceniony 2. nieobliczalny 3. **bezcenny**
inevitability [inˌevitə'biliti] *s* nieuchronność
inevitable [in'evitəbl] [I] *adj* nieunikniony; nieuchronny; niechybny [II] *s* **the** ~ to, co (jest) nieuniknione; rzeczy nieuchronne
inexact [ˌinig'zækt] *adj* nieścisły; niedokładny
inexactitude [ˌinig'zæktiˌtju:d] *s* nieścisłość; niedokładność
inexcusable [ˌiniks'kju:zəbl] *adj* niewybaczalny; nie do darowania
inexhaustibility ['inigˌzɔ:stə'biliti] *s* niewyczerpan-y/e zasób <bogactwo> (czegoś); nieograniczona obfitość
inexhaustible [ˌinig'zɔ:stəbl] *adj* niewyczerpany; nieprzebrany; bez dna; (*o człowieku*) niestrudzony
inexistent [ˌinig'zistənt] *adj* istniejący <tkwiący> w kimś
inexorability [inˌeksərə'biliti] *s* nieugiętość; nieubłaganość; nieubłagana <niewzruszona> postawa

inexorable [in'eksərəbl] *adj* nieubłagany; nieugięty

inexpectant [ˌiniks'pektənt] *adj* (niczego) nie oczekujący; nie spodziewający się (**of sth** czegoś); bez nadziei (**of sth** na coś)

inexpedience, inexpediency [iˌniks'pi:diəns(i)] *s* niecelowość; niestosowność

inexpedient [ˌiniks'pi:diənt] *adj* niecelowy; niewskazany; niepożądany

inexpensive [ˌiniks'pensiv] *adj* niedrogi; tani; niekosztowny

inexpensiveness [ˌiniks'pensivnis] *s* taniość; niska cena

inexperience [ˌiniks'piəriəns] *s* niedoświadczenie; brak doświadczenia

inexperienced [ˌiniks'piəriənst] *adj* niedoświadczony

inexpert [ˌineks'pə:t] *adj* niewprawny; niezręczny

inexpiable [in'ekspiəbl] *adj* (*o czynie*) nie do odpokutowania

inexplicable [in'eksplikəbl] *adj* niewyjaśniony; niewytłumaczalny; **to be ~** nie da-ć/wać się wyjaśnić <wytłumaczyć>

inexplicit [ˌiniks'plisit] *adj* niewyraźny; niejasny

inexpressible [ˌiniks'presəbl] [I] *adj* niewypowiedziany; niewymowny; niewysłowiony; nieopisany; **to be ~** nie dać się opisać [II] *spl* **~s** *żart* spodnie, ineksprymable

inexpressive [ˌiniks'presiv] *adj* bez wyrazu

inexpugnable [ˌiniks'pʌgnəbl] *adj* nie do zdobycia; niepokonany

inextensible [ˌiniks'tensəbl] *adj* nierozciągliwy

inextinguishable [ˌiniks'tiŋgwiʃəbl] *adj* nie dający się ugasić, nie do ugaszenia

inextricable [in'ekstrikəbl] *adj* nierozwiązalny, nie do rozwikłania <rozwiązania>; bez wyjścia

infallibility [inˌfælə'biliti] *s* 1. nieomylność 2. niezawodność (metody itp.)

infallible [in'fæləbl] *adj* 1. nieomylny 2. (*o metodzie itd*) niezawodny

infamous ['infəməs] *adj* 1. niesławny 2. ohydny; niecny; sromotny; haniebny; nikczemny, podły 3. *prawn* pozbawiony praw obywatelskich

infamy ['infəmi] *s* 1. niesława 2. hańba 3. nikczemność; podłość 4. infamia, utrata czci i praw obywatelskich

infancy ['infənsi] *s* 1. niemowlęctwo; dzieciństwo 2. zaczątek 3. *prawn* niepełnoletność

infant ['infənt] [I] *s* 1. noworodek; niemowlę; dziecko 2. człowiek niepełnoletni [II] *attr* dziecinny; dziecięcy; *przen* początkujący; młody; **~ school** przedszkole

infanta [in'fæntə] *s hisz* infantka

infante [in'fænti] *s hisz* infant

infanticide [in'fæntiˌsaid] *s* 1. dzieciobójstwo 2. dzieciobój-ca/czyni

infantile ['infənˌtail] *adj* 1. niemowlęcy; dziecięcy; **~ paralysis** choroba Heine-Medina 2. *med* infantylny 3. (będący) w zaczątku

infantilism [in'fæntiˌlizəm] *s med* infantylizm

infantine ['infənˌtain] = **infantile**

infantry ['infəntri] *s wojsk* piechota

infantryman ['infəntrimən] *s* (*pl* **infantrymen** ['infəntrimən]) *wojsk* piechur, żołnierz piechoty

infarct ['infa:kt], **infarction** [in'fa:kʃən] *s med* zawał

infatuate [in'fætjuˌeit] *vt* rozkochać; rozmiłować; zawr-ócić/acać głowę (**sb** komuś); doprowadz-ić/ać (kogoś) do szaleństwa; wzbudz-ić/ać namiętność (**sb** w kimś); **to become ~d with sb** zakochać <rozkochać> się w kimś; **to become ~d with sth** a) zaprząt-nąć/ać sobie głowę czymś b) namiętnie coś polubić; **to be ~d with sb** szaleć za <być zaślepionym w, świata nie widzieć poza> kimś

infatuation [inˌfætju'eiʃən] *s* 1. zakochanie; zaślepienie; szaleńcza miłość 2. namiętność (do czegoś)

infect [in'fekt] *vt* 1. zaka-zić/żać, zara-zić/żać; **to become ~ed** zakazić <zarazić> się 2. zatru-ć/wać (powietrze); *przen* zatru-ć/wać (**sb** czyjś umysł itd.)

infection [in'fekʃən] *s* 1. zakaż-enie/anie; zaraż-enie/anie; infekcja 2. zatru-cie/wanie (powietrza)

infectious [in'fekʃəs] *adj* 1. infekcyjny; zakaźny; zaraźliwy 2. zapowietrzony; (*o powietrzu*) niezdrowy

infectiousness [in'fekʃəsnis] *s* zaraźliwość

infective [in'fektiv] *adj* zakaźny; zaraźliwy; infekcyjny

infelicitous [ˌinfi'lisitəs] *adj* 1. nieszczęsny 2. niefortunny; niezręczny; nieudany

infelicity [ˌinfi'lisiti] *s* 1. niepowodzenie; *przen* potknięcie się; niepomyślne zdarzenie; pech 2. niezręczność 3. niefortunna <nietrafna> uwaga

infer [in'fə:] *vt* (**-rr-**) 1. wy/wnioskować; wn-ieść/osić (**that __** że ...); wyciąg-nąć/ać wniosek <konkluzję> 2. zakładać (**that __** że ...) 3. zawierać <nasuwać> pojęcie (**sth** czegoś)

inferable [in'fə:rəbl] *adj* dający się wywnioskować

inference ['infərəns] *s* wniosek, konkluzja

inferential [ˌinfə'renʃəl] *adj* 1. dedukcyjny 2. *log* indukcyjny

inferior [in'fiəriə] [I] *adj* 1. niższy (jakościowo, służbowo) 2. gorszy; pośledniejszy; słabszy; podrzędny; **to be ~ to __** ustępować ... (komuś, czemuś) 3. dolny [II] *s* podwładny; człowiek na niższym stanowisku <niższej rangi>

inferiority [inˌfiəri'ɔriti] *s* 1. niższość; słabość; poczucie niższości; **~ complex** kompleks niższości 2. mierność; pośledniość; gorszy gatunek

infernal [in'fə:nl] *adj* piekielny; diabelski

inferno [in'fə:nou] *s* piekło

inferrable, inferrible [in'fə:rəbl] = **inferable**

infertile [in'fə:tail] *adj* nieurodzajny; niepłodny

infertility [ˌinfə:'tiliti] *s* nieurodzajność; niepłodność

infest [in'fest] *vt* (*o robactwie, owadach*) roić się (**sth** w czymś); trapić; być utrapieniem (**a region etc.** okolicy itd.); (*o chorobach*) nawiedzać; panować (**a region etc.** w okolicy itd.); **to be ~ed with __** a) roić się od ... b) być trapionym <nawiedzanym> przez ... c) być zakażonym ... (pasożytami); **to be ~ed with weeds** być zachwaszczonym

infestation [ˌinfes'teiʃən] *s* inwazja <plaga> (robactwa itd.); zakażenie (pasożytami); zarobaczenie

infibulation [inˌfibju'leiʃən] *s wet* zaszpilenie <kolczykowanie> (warg sromowych)

infidel ['infidəl] [I] *adj rel* niewierny [II] *s rel* niewierny

infidelity [ˌinfiˈdeliti] *s* 1. niedowiarstwo 2. niewierność (małżeńska itd.) 3. nielojalność
infield [ˈinˌfi:ld] *s* 1. grunt przyzagrodowy 2. ziemia uprawna 3. *sport* pole bramkowe
infighting [ˈinˌfaitiŋ] *s* *boks* zwarcie (walka w zwarciu)
infilling [ˈinˌfiliŋ] *s* *górn* napełnianie
infiltrate [ˈinfilˌtreit] I *vt* 1. przesącz-yć/ać 2. nasyc-ić/ać (coś czymś) II *vi* przesiąk-nąć/ać; przenik-nąć/ać; infiltrować
infiltration [ˌinfilˈtreiʃən] *s* 1. infiltracja; przenikanie; przesiąkanie; naciekanie 2. *wojsk polit* penetracja; infiltracja
infinite [ˈinfnit] I *adj* 1. bezkresny; bezgraniczny; bezmierny; nieskończony; *mat* (*o ciągu itp*) nieskończony 2. ogromny 3. niezliczony; nieprzebrany 4. *gram* (*o formach czasownika*) nieosobowy II *s* 1. **the ~** nieskończoność 2. **the Infinite** Bóg
infinitely [ˈinfnitli] *adv* nieskończenie
infinitesimal [ˌinfiniˈtesiməl] I *adj* nieskończenie mały <drobny> II *s mat* rachunek infinitezymalny
infinitesimally [ˌinfiniˈtesiməli] *adv* nieskończenie mało; w minimalnym stopniu; w minimalnej mierze
infinitival [inˌfiniˈtaivəl] *adj gram* bezokolicznikowy
infinitive [inˈfinitiv] I *adj gram* nieokreślony II *s gram* bezokolicznik
infinitude [inˈfiniˌtju:d] *s* 1. bezkres; bezgraniczność; nieskończoność 2. niezliczone mnóstwo; *rz* bezlik
infinity [inˈfiniti] *s* 1. = **infinitude** 2. *mat* nieskończoność
infirm [inˈfə:m] *adj* słaby; dotknięty niemocą; niedołężny; **~ of purpose** a) słabego charakteru b) niezdecydowany
infirmary [inˈfə:məri] *s* 1. izba chorych 2. szpital; lecznica
infirmity [inˈfə:miti] *s* słabość; niemoc; niedołęstwo; ułomność; **~ of purpose** a) słaby charakter b) niezdecydowanie
infix [inˈfiks] I *vt* 1. wprowadz-ić/ać; wstawi-ć/ać 2. wryć (w pamięć); utrwal-ić/ać (w pamięci) II *s* [ˈinfiks] *gram* infiks
inflame [inˈfleim] I *vt* 1. zapal-ić/ać 2. zagrz-ać/ewać <pobudz-ić/ać> (**sb with** <**by**> **sth** kogoś do czegoś); wzbudz-ić/ać (**sb with sth** w kimś coś — zapał, ochotę itd.) 3. zaogni-ć/ać <podrażni-ć/ać> (ranę itd.) 4. rozjątrz-yć/ać II *vi* zapłonąć; zapal-ić/ać się
inflammability [inˌflæməˈbiliti] *s* zapalność
inflammable [inˈflæməbl] I *adj* palny; łatwopalny; zapalny II *s* materiał łatwopalny
inflammation [ˌinfləˈmeiʃən] *s* 1. zapalanie (się) 2. *med* zapalenie
inflammatory [inˈflæmətəri] *adj* 1. *med* zapalny 2. *przen* podżegający
inflate [inˈfleit] *vt* 1. nad-ąć/ymać; napompow-ać/ywać (dętkę itd.); wyd-ąć/ymać; wzd-ąć/ymać; rozd-ąć/ymać 2. *przen* nadymać (kogoś pychą itd.) 3. podn-ieść/osić <wy/śrubować> (ceny); **to ~ the currency** wywoł-ać/ywać inflację (waluty) *zob* **inflated**
inflated [inˈfleitid] I *zob* **inflate** II *adj* nadęty
inflation [inˈfleiʃən] *s* 1. nadymanie 2. napompowanie (powietrzem) 3. zwyżka <wyśrubowanie> cen 4. *ekon* inflacja
inflationary [inˈfleiʃənəri] *adj ekon* inflacyjny
inflator [inˈfleitə] *s* pompka (do roweru itp.)
inflect [inˈflekt] *vt* 1. zgi-ąć/nać; ugi-ąć/nać; nagi-ąć/nać; przegi-ąć/nać; s/krzywić 2. załam-ać/ywać kierunek (**sth** czegoś); *fiz* załam-ać/ywać <odchyl-ić/ać> (promień świetlny) 3. *gram* odmieni-ć/ać (rzeczownik, czasownik itd.) 4. modulować (głos) 5. *muz* podwyższ-yć/ać <obniż-yć/ać> (nutę) o pół tonu *zob* **inflected**
inflected [inˈflektid] I *zob* **inflect** II = **inflective**
inflection [inˈflekʃən] = **inflexion**
inflective [inˈflektiv] *adj* (*o języku*) fleksyjny
inflexibility [inˌfleksəˈbiliti] *s* 1. nieelastyczność; sztywność 2. nieugiętość
inflexible [inˈfleksəbl] *adj* 1. nieelastyczny; nie gnący się; sztywny 2. nieugięty
inflexion [inˈflekʃən] *s* 1. zgi-ęcie/nanie; przegi-ęcie/nanie; s/krzywienie; *med* nadgięcie 2. *fiz* załam-anie/ywanie <odchyl-enie/anie> (promieni itp.) 3. *gram* fleksja 4. modulacja (głosu) 5. *muz* alteracja
inflexional [inˈflekʃənḷ] = **inflective**
inflict [inˈflikt] *vt* 1. zada-ć/wać (**pain** <**a wound etc.**> **upon sb** ból <ranę itd.> komuś) 2. narzuc-ić/ać (**sth upon sb** coś komuś); **to ~ oneself upon sb** narzucać się komuś; narzuc-ić/ać komuś swe towarzystwo 3. na-łożyć/kładać (**a punishment** <**a tax etc.**> **upon sb** karę <podatek itd.> na kogoś)
infliction [inˈflikʃən] *s* 1. zada-nie/wanie (ciosu, rany) 2. na-łożenie/kładanie (kary itd.) 3. nałożona kara 4. nieszczęście; strapienie; utrapienie
inflorescence [infləˈresəns] *s* 1. *bot* kwiatostan 2. kwitnienie; *przen* rozkwit 3. kwiat/y (drzewa); kwiecie
inflow [ˈinˌflou] *s* 1. przypływ; dopływ 2. napływ 3. *techn* wlot
inflowing [ˈinˌflouiŋ] I *adj* przypływający; wlatujący II *s* = **inflow**
influence [ˈinfluəns] I *s* 1. wpływ 2. działanie; oddziaływanie 3. czynnik wywierający wpływ <wpływowy>; wpływy (czyjeś); *pot* plecy 4. *elektr* indukcja II *vt* wpły-nąć/wać <wyw-rzeć/ierać wpływ, oddział-ać/ywać, po/działać> (**sb, sth** na kogoś, coś)
influent [ˈinfluənt] I *adj* przypływający; wpływający II *s* dopływ (rzeki)
influential [ˌinfluˈenʃəl] *adj* wpływowy
influenza [ˌinfluˈenzə] *s med* grypa, influenca
influx [ˈinflʌks] *s* 1. przypływ; dopływ 2. napływ 3. wlot
inform [inˈfɔ:m] I *vt* 1. natchnąć <ożywi-ć/ać> (**sb with sth** kogoś czymś — uczuciem itd.) 2. zawiad-omić/amiać; powiad-omić/amiać; po/informować; don-ieść/osić <za/meldować> (**sb of sth** komuś o czymś); oznajmi-ć/ać (**sb of sth** komuś coś); **to be ~ed of sth** dowiedzieć się o czymś II *vi* don-ieść/osić (**against sb** na kogoś); za/denuncjować (**against sb** kogoś)
informal [inˈfɔ:məl] *adj* 1. nieformalny; nieprzepisowy 2. nieoficjalny; prywatny; towarzyski; domowy; (zrobiony) bez ceremonii
informality [ˌinfɔ:ˈmæliti] *s* 1. nieformalność 2. pominięcie ceremonii 3. nieoficjalny <prywatny, towarzyski, domowy> charakter (zebrania itd.)

informant [in'fɔ:mənt] *s* 1. informator/ka; sprawozdaw-ca/czyni 2. donosiciel/ka

information [ˌinfə'meiʃən] *s* 1. informacj-a/e; wiadomoś-ć/ci; **a piece of ~** wiadomość; **~ bureau** biuro informacyjne; **to get ~** po/informować <dowi-edzieć/adywać> się 2. doniesienie (**against sb** na kogoś); **to lay an ~ against sb** donieść na kogoś; zadenuncjować kogoś

informative [in'fɔ:mətiv] *adj* 1. informacyjny 2. pouczający

informer [in'fɔ:mə] *s* 1. donosiciel/ka 2. konfident/ka

infra ['infrə] *adv* pod; **~ dig.** poniżej godności

infraction [in'frækʃən] *s* 1. naruszenie <pogwałcenie> (przepisu, prawa itd.) 2. *med* nadłamanie

infrangible [in'frændʒibl] *adj* 1. nielamliwy; nie do złamania 2. nienaruszalny

↑ **infra-red** ['infrə'red] *adj fiz* podczerwony

↑ **infra-structure** ['infrəˌstrʌktʃə] *s* system urządzeń stanowiący osnowę <podstawę> (czegoś); materialna baza (czegoś)

infrequent [in'fri:kwənt] *adj* nieczęsty, rzadki

infringe [in'frindʒ] *vt* (*także vi* **to ~ upon**) po/gwałcić <narusz-yć/ać> (prawo itd.)

infringement [in'frindʒmənt] *s* pogwałcenie; naruszenie

infructuous [in'frʌktjuəs] *adj* bezowocny

infundibular [ˌinfʌn'dibjulə] *adj anat* lejkowaty

infuriate [in'fjuəriˌeit] *vt* rozwściecz-yć/ać, rozjusz-yć/ać

infuse [in'fju:z] *vt* 1. natchnąć (**sb with sth** kogoś czymś — odwagą itd.); doda-ć/wać (**sb with sth** komuś czegoś — odwagi itd.); **to ~ new life into ...** wl-ać/ewać nowe życie w ... 2. zaparz-yć/ać <naparz-yć/ać> (herbatę itd.)

infusible [in'fju:zəbl] *adj* nietopliwy

infusion [in'fju:ʒən] *s* 1. natchnienie (**of sth into sb** kogoś czymś); doda-nie/wanie (**of sth into sb** komuś czegoś — odwagi itd.); napełni-enie/anie (**of sth into sb** kogoś czymś — nadzieją itd.) 2. napar 3. domieszka 4. *geol* infuzja; wlew; topienie

infusoria [ˌinfju:'sɔ:riə] *spl zoo* wymoczki

infusorial [ˌinfju:'sɔ:riəl] *adj* (*o ziemi*) okrzemkowy

ingathering ['inˌgæðəriŋ] *s* zbiór (plonów)

ingeminate [in'dʒemiˌneit] *vt* powtarzać; ponawiać

ingenious [in'dʒi:njəs] *adj* pomysłowy; dowcipny

ingeniousness [in'dʒi:njəsnis], **ingenuity** [ˌindʒi'njuiti] *s* pomysłowość; dowcip; sztuka

ingenuous [in'dʒenjuəs] *adj* szczery; prostolinijny; naiwny; niewinny

ingenuousness [in'dʒenjuəsnis] *s* szczerość; prostolinijność; niewinność; naiwność

ingest [in'dʒest] *vt* przyj-ąć/mować <poł-knąć/ykać> (pokarm)

ingestion [in'dʒestʃən] *s* przyj-ęcie/mowanie <poł-knięcie/ykanie> (pokarmu)

ingle ['iŋgl] *s lit* ognisko (domowe); ogień (w kominku, palenisku)

ingle-nook ['iŋglˌnuk] *s* kącik przy kominku

inglorious [in'glɔ:riəs] *adj* 1. (*o człowieku*) nieznany 2. (*o klęsce itp*) sromotny; haniebny

ingoing ['inˌgouiŋ] [I] *s* 1. wejście 2. wstępna opłata (na remont itp. przy objęciu mieszkania) [II] *adj* wchodzący; przybywający; napływający; wlatujący; (*o lokatorze*) nowy

ingot ['iŋgət] *s* sztaba (złota itp.); *hut* wlewek; gęś (kruszcowa)

ingot-mould ['iŋgətˌmould] *s hut* wlewnica

ingraft [in'grɑ:ft] = **engraft**

ingrain ['in'grein] [I] *vt* trwale u/farbować *zob* **ingrained** [II] *adj* 1. trwale farbowany 2. wrodzony; przyrodzony; zakorzeniony [III] *s* surowiec <wełna, przędza> farbowan-y/a przed wyrobem <przed tkaniem, dzianiem>

ingrained ['in'greind] [I] *zob* **ingrain** *v* [II] *adj* wrodzony; przyrodzony; zakorzeniony

ingrate [in'greit] † [I] *adj* niewdzięczny [II] *s* niewdzięczni-k/ca

ingratiate [in'greiʃiˌeit] *vr* **~ oneself** wkra-ść/dać się (**with sb** w czyjeś łaski); przymil-ić/ać się (**with sb** do kogoś); uj-ąć/mować sobie (**with sb** kogoś) *zob* **ingratiating**

ingratiating [in'greiʃiˌeitiŋ] [I] *zob* **ingratiate** [II] *adj* przymilny; ujmujący

ingratitude [in'grætiˌtju:d] *s* niewdzięczność

ingravescent [ˌingrə'vesənt] *adj* (*o chorobie*) wzmagający <nasilający> się

ingredient [in'gri:diənt] *s* składnik; ingrediencja

ingress ['ingres] *s* wejście/wchodzenie; prawo wstępu; *górn* zjazd (szybem)

ingrowing ['inˌgrouiŋ] [I] *adj* (*o paznokciu*) wrastający [II] *s* wrastanie

ingrowth ['inˌgrouθ] = **ingrowing** *s*

inguinal ['iŋgwinl] *adj* pachwinowy

ingulf [in'gʌlf] = **engulf**

ingurgitate [in'gə:dʒiˌteit] *vt* chciwie poł-knąć/ykać; *przen* pochł-onąć/aniać

inhabit [in'hæbit] *vt* mieszkać (**a house** <**neighbourhood etc.**> w domu <w okolicy itd.>); zamieszkiwać

inhabitable [in'hæbitəbl] *adj* mieszkalny

inhabitancy [in'hæbitənsi] *s* 1. zamieszkanie 2. okres zamieszkiwania konieczny do uzyskania praw (wyborczych itd.)

inhabitant [in'hæbitənt] *s* mieszkan-iec/ka

inhabitation [inˌhæbi'teiʃən] *s* 1. zamieszkiwanie 2. † mieszkanie

inhalant [in'heilənt] *s* środek inhalacyjny

inhalation [ˌinhə'leiʃən] *s* 1. wdychanie; wziewanie 2. inhalacja

inhale [in'heil] [I] *vt* 1. wdychać; wziewać 2. wciąg-nąć/ać (zapach); zaciąg-nąć/ać się (**tobacco smoke** dymem papierosa <cygara, fajki>) [II] *vi* zaciąg-nąć/ać się dymem papierosa <cygara, fajki>

inhaler [in'heilə] *s* 1. inhalator 2. człowiek zaciągający się przy paleniu tytoniu

inharmonious [ˌinhɑ:'mounjəs] *adj* nieharmonijny

inharmoniousness [ˌinhɑ:'mounjəsnis] *s* brak harmonii

inhere [in'hiə] *vi* 1. tkwić (**in sb sth** w kimś, czymś) 2. być wrodzonym (**in sb** komuś) 3. (*o prawach itd*) przysługiwać (**in sb** komuś), być przynależnym (**in sb** komuś)

inherence [in'hiərəns] *s* obecność; wrodzoność; nieodłączność

↑ **inherent** [in'hiərənt] *adj* wrodzony (**in sb** komuś), nieodłączny (**in sb, sth** od kogoś, czegoś); tkwiący (**in sb, sth** w kimś, czymś); właściwy (**in sb,**

sth dla kogoś, czegoś); *techn* **~ regulation** samoregulacja; samowyrównywanie

inherit [in'herit] [I] *vt* o/dziedziczyć; otrzym-ać/ywać <dosta-ć/wać> w spadku [II] *vi* być spadkobier-cą/czynią; otrzym-ać/ywać spadek

inheritable [in'heritəbl] *adj* dziedziczny

inheritance [in'heritəns] *s* spadek; dziedzictwo; spuścizna; scheda; ojcowizna; **to come into an ~** otrzymać <dostać> spadek

inheritor [in'heritə] *s* dziedzic; spadkobierca

inheritress [in'heritris], **inheritrix** [in'heritriks] *s* dziedziczka; spadkobierczyni

inhesion [in'hi:ʒən] = **inherence**

inhibit [in'hibit] *vt* 1. zakaz-ać/ywać (**sb from doing sth** komuś zrobienia czegoś); powstrzym--ać/ywać (**sb from doing sth** kogoś od zrobienia czegoś) 2. po/hamować <powstrzym-ać/ywać> (kogoś, coś)

inhibition [ˌinhi'biʃən] *s* 1. zakaz 2. hamulec (psychiczny) 3. (*także fizj*) zahamowanie; wstrzymywanie

inhibitory [in'hibitəri] *adj* 1. zakazujący 2. hamujący

inhospitable [in'hɔspitəbl] *adj* niegościnny

inhuman [in'hju:mən] *adj* nieludzki

inhumane [ˌinhju'mein] *adj* niehumanitarny

inhumanity [ˌinhju'mæniti] *s* nieludzkość; bestialskie zachowanie; rozbestwienie

inhumation [ˌinhju'meiʃən] *s* pochowanie; pogrzebanie; pogrzeb

inhume [in'hju:m] *vt* pochować; pogrzebać

inimical [i'nimikəl] *adj* 1. nieprzyjazny; wrogi 2. szkodliwy (**to sb, sth** dla kogoś, czegoś)

inimitable [i'nimitəbl] *adj* nie do naśladowania; niezrównany

inion ['injən] *s anat* zewnętrzna guzowatość potylicy

iniquitous [i'nikwitəs] *adj* 1. niesprawiedliwy 2. niegodziwy; nikczemny, niecny 3. grzeszny

iniquity [i'nikwiti] *s* 1. niesprawiedliwość 2. niegodziwość; nikczemność; bezeceństwo 3. grzech

initial [i'niʃəl] [I] *adj* początkowy; wstępny; **~ capital** kapitał zakładowy; **~ letter** inicjał [II] *s* inicjał; *pl* **~s** inicjały [III] *vt* (**-ll-**) za/parafować (traktat itp.); zawizować (korektę itd.); podpis-ać/ywać inicjałami

initiate ['iniʃiˌeit] [I] *vt* 1. zapoczątkow-ać/ywać; za/inicjować; uruch-omić/amiać; zaprowadz-ić/ać; położyć/kłaść podwaliny (**sth** czegoś, pod coś) 2. wprowadz-ić/ać (**sb into sth** kogoś w coś); wdr-ożyć/ażać (**sb into sth** kogoś do czegoś — nauki itd.); wtajemnicz-yć/ać (**sb into sth** kogoś w coś) [II] *s* [i'niʃiit] nowicjusz/ka; świeżo wtajemniczon-y/a

initiation [iˌniʃi'eiʃən] *s* 1. zapoczątkowanie; początek; uruch-omienie/amianie; za/inicjowanie; zaprowadz-enie/anie 2. wprowadz-enie/anie (**to sth** do czegoś); wtajemnicz-enie/anie (**to sth** w coś); *am* **~ fee** opłata wstępna (dla członka towarzystwa)

initiative [i'niʃiətiv] [I] *adj* przedwstępny; początkowy [II] *s* 1. inicjatywa; **to have the ~** mieć inicjatywę w swych rękach; prowadzić (w grze itd.); **to take the ~** wystąpić z inicjatywą; wziąć inicjatywę w swoje ręce 2. inicjatywa; przedsiębiorczość; **a man of <with> ~** człowiek przedsiębiorczy; **to do sth on one's own ~** z/robić coś na własną rękę <z własnej inicjatywy>

initiator [ˌiniʃi'eitə] *s* 1. inicjator; projektodawca; **he was the ~ on** to lansował 2. *chem* czynnik zapoczątkowujący (**of a reaction etc.** reakcję itd.)

initiatory [i'niʃiətəri] *adj* 1. przedwstępny; początkowy 2. wprowadzający; wtajemniczający; (formalność itd.) wprowadzenia <wtajemniczenia>

inject [in'dʒekt] *vt* 1. zastrzyk-nąć/iwać; wstrzyk--nąć/iwać; da-ć/wać zastrzyk <iniekcję> (**sth** czegoś); **to ~ sth into sb's arm** <**sb's arm with sth**> wstrzyknąć coś komuś w rękę; **~ed with blood** nabiegły krwią 2. wtrys-nąć/kiwać <wtł--oczyć/aczać> (coś w jakąś przestrzeń) 3. *am* wtrąc-ić/ać (uwagę do rozmowy)

injection [in'dʒekʃən] [I] *s* 1. zastrzyk; iniekcja; wstrzyk-nięcie/iwanie; **a rectal ~** lewatywa 2. roztwór 3. wtryskiwanie; wtł-oczenie/aczanie; [II] *attr* (*o kurku, dyszy itd*) wtryskowy

injector [in'dʒektə] *s techn* iniektor, inżektor, wtryskiwacz

injudicious [ˌindʒu'diʃəs] *adj* nierozsądny; nieroztropny; nieoględny; źle pomyślany; niefortunny

injudiciousness [ˌindʒu'diʃəsnis] *s* nieroztropność; nieoględność

Injun ['indʒən] *s am* Indian-in/ka; **honest ~** a) słowo honoru b) na pewno

injunct [in'dʒʌŋkt] *vt pot* zakaz-ać/ywać (**sb from doing sth** komuś zrobienia czegoś)

injunction [in'dʒʌŋkʃən] *s* 1. zalecenie; nakaz; **to give ~s to do sth** zalec-ić/ać zrobienie czegoś 2. *sąd* nakaz; zakaz (**from doing sth** robienia czegoś)

injure ['indʒə] *vt* 1. za/szkodzić <przyn-ieść/osić ujmę, wyrządz-ić/ać krzywdę> (**sb** komuś); s/krzywdzić; nara-zić/żać na szwank 2. s/kaleczyć; z/ranić; zada-ć/wać ran-ę/y <obrażeni-e/a> (ciała) (**sb** komuś); **to be fatally ~d** odnieść śmiertelne obrażenia <rany> 3. u/szkodzić; ze/psuć; z/niszczyć; nadweręż-yć/ać *zob* **injured**

injured ['indʒəd] [I] *zob* **injure** [II] *adj* 1. poszkodowany 2. (*o tonie, głosie*) obrażony 3. (*o mężu, żonie*) zdradzon-y/a [III] *spl* **the ~** ofiary (wypadku); ranni

injurer ['indʒərə] *s* spraw-ca/czyni szkody

injurious [in'dʒuəriəs] *adj* 1. szkodliwy; krzywdzący; przynoszący ujmę; narażający na szwank 2. obraźliwy

injuriousness [in'dʒuəriəsnis] *s* szkodliwość; krzywdzący charakter (czegoś)

injury ['indʒəri] *s* 1. szkoda; krzywda; ujma; **to do sb an ~** zaszkodzić komuś; skrzywdzić kogoś; przynieść komuś ujmę; wyrządzić komuś krzywdę; narazić czyjeś dobre imię na szwank; **to the ~ of sb** z czyjąś szkodą; z krzywdą dla kogoś 2. uszkodzenie <obrażeni-e/a> (ciała); ran-a/y; **to sustain no ~** wyjść bez szwanku; nie doznać obrażeń 3. uszkodzenie <zniszczenie> (materiału); szkod-a/y (w materiale) 4. defekt; awaria

injustice [in'dʒʌstis] *s* niesprawiedliwość; **to do sb an ~** wyrządzić komuś niesprawiedliwość; skrzywdzić kogoś

ink [iŋk] [I] *s* 1. atrament; **Indian <Chinese> ~** tusz 2. farba drukarska 3. zawartość woreczka

czernidłowego mątwy [II] *vt* 1. po/plamić atramentem 2. powle-c/kać farbą drukarską
~ **in** *vt* pociąg-nąć/ać (rysunek) tuszem
~ **out** *vt* skreśl-ić/ać atramentem
~ **over** *vt* = ~ **in**
~ **up** *vt* powle-c/kać farbą drukarską

ink-bag ['iŋk,bæg] *s* woreczek czernidłowy mątwy

ink-bottle ['iŋk,bɔtl] *s* 1. kałamarz 2. flaszka na atrament

inker ['iŋkə] *s* 1. wałek do rozprowadzania farby drukarskiej 2. samopiszący odbiornik telegraficzny

ink-eraser ['iŋk-i,reizə] *s* guma do atramentu

ink-horn ['iŋk,hɔ:n] *s* kałamarz z rogu

inking-roller ['iŋkiŋ,roulə] = **inker**

inking-table ['iŋkiŋ'teibl] *s druk* fundament <płyta> do rozprowadzania farby

inkle ['iŋkl] *s* rodzaj szerokiej taśmy

inkling ['iŋkliŋ] *s* podejrzenie; przypuszczenie; przeczucie; **to have an ~ of sth** podejrzewać coś; domyślać się <mieć przeczucie> czegoś

ink-pad ['iŋk,pæd] *s* poduszka (do pieczątek itd.)

ink-pot ['iŋk,pɔt] *s* kałamarz

ink-slinger ['iŋk,sliŋə] *s pot* gryzipiórek

inkstand ['iŋk,stænd] *s* kałamarz

ink-well ['iŋk,wel] *s* kałamarz (wpuszczony w ławkę szkolną)

inky ['iŋki] *adj* (**inkier** ['iŋkiə], **inkiest** ['iŋkiist]) 1. atramentowy; ~ **black** czarny jak atrament; **the night was ~ black** ciemno było, choć oko wykol; panowała zupełna ciemność 2. poplamiony <*pot* ubabrany> atramentem

inlaid *zob* **inlay** *v*

inland ['inlənd] [I] *s* wnętrze <głąb> kraju [II] *adj* 1. położony wewnątrz <w głębi> kraju; wewnętrzny 2. krajowy (handel, produkt, obrót itd.); ~ **revenue** a) skarb państwa b) podatki; ~ **revenue stamp** stempel (do opłat skarbowych) 3. śródlądowy [III] *adv* [in'lænd] w głąb kraju; w głębi kraju

inlander ['inləndə] *s* mieszkan-iec/ka okolicy położonej w głębi kraju

in-laws ['in'lɔ:z] *spl* powinowaci, rodzina męża <żony>

inlay ['in'lei] [I] *vt* (**inlaid** ['in'leid], **inlaid; inlaying** ['in'leiiŋ]) 1. inkrustować 2. wy-łożyć/kładać (coś czymś); ułożyć/układać parkiet (**a room** w pokoju) [II] *s* ['inlei] 1. inkrustacja 2. wykładanka 3. mozaika 4. intarsja

↑ **inlet** ['inlet] [I] *s* 1. wlot; otwór wlotowy 2. dopływ (pary, benzyny itd.) 3. mała zatoka 4. wpust (u sukni itd.) [II] *attr* wlotowy

inlier ['in,laiə] *s geol* ostaniec, góra świadek

inly ['inli] *adv poet* wewnętrznie; w głębi duszy <serca>

inlying ['in,laiiŋ] *adj* położony w głębi <wewnątrz>

inmate ['in,meit] *s* 1. domownik 2. mieszkan-iec/ka (domu itd.); pensjonariusz/ka; (*w szpitalu*) pacjent/ka; (*w więzieniu*) wię-zień/źniarka; (*w hotelu*) gość

inmost ['in,moust] *adj* najgłębszy; *przen* najskrytszy; najtajniejszy

inn [in] *s* 1. zajazd; gospoda; oberża 2. **the Inns of Court** a) cztery korporacje prawnicze nadające przywileje obrońcy sądowego: **Lincoln's Inn, Gray's Inn, the Inner Temple, the Middle Temple** b) budynki mieszczące te korporacje 3. **Inns of Chancery** budynki mieszczące towarzystwa prawnicze w Londynie

innards ['inədz] *pot* = **inwards** *zob* **inward** *spl*

innate ['i'neit] *adj* wrodzony

innateness ['i'neitnis] *s* wrodzoność, coś wrodzonego

innavigable [i'nævigəbl] *adj* niespławny; nie nadający się do żeglugi

inner ['inə] [I] *adj* 1. wewnętrzny; środkowy; **the ~ man** a) jaźń; wewnętrzne „ja" b) *żart* żołądek 2. duchowy; tajny 3. (*o gronie osób*) ściślejszy [II] *s* koło otaczające środek tarczy

innermost ['inə,moust] = **inmost**

innervation [,inə:'veiʃən] *s* 1. unerwienie 2. przesyłanie impulsów nerwowych

inning ['iniŋ] *s* sprzęt zboża

innings ['iniŋz] *s* (*pl* **innings;** *pot* **~es**) 1. (*am* **inning**) okres bronienia się i zdobywania punktów przez drużynę (krykietową itd.) <przez pojedynczego gracza>; *przen* kadencja; okres pełnienia obowiązków; (*o partii*) okres sprawowania rządów; (*o człowieku*) okres czynnego życia (kiedy się ma możność wykazania swych zdolności); **he has had a long ~** a) (*o sportowcu*) długo bronił barw drużyny b) (*o człowieku*) długo się utrzymywał na stanowisku; **I have had a good ~** miałem dobrze wypełnione życie 2. *pl* osuszone <zmeliorowane> grunty na wybrzeżu

innkeeper ['in,ki:pə] *s* właściciel/ka zajazdu <gospody>; oberżyst-a/ka

innocence ['inəsns] *s* 1. niewiniątko; **to pretend ~** udawać niewinnego <naiwnego, niewiniątko> 2. dziewiczość 3. naiwność; prostoduszność 4. głupota

innocent ['inəsnt] [I] *adj* 1. niewinny; bez grzechu; **he is ~** on jest Bogu ducha winien; **to be ~ of sth** a) nie być winnym czegoś; nie mieć czegoś na swoim sumieniu b) *przen* nie mieć <nie posiadać> czegoś; odznaczać się brakiem czegoś 2. dziewiczy; czysty 3. prostoduszny; naiwny 4. nieszkodliwy 5. legalny; zrobiony w dobrej wierze [II] *s* 1. niewiniątko; **the Massacre of the Innocents** (*także* **the Innocents' Day**) *kośc* Dzień Młodzianków (28 grudnia); **the massacre of the ~s** a) rzeź niewiniątek b) *sl parl* zlikwidowanie przy końcu sesji projektów ustaw, których nie zdołano rozpatrzyć 2. półgłupek; idiot-a/ka

innocuity [,inɔ'kjuiti] *s* nieszkodliwość

innocuous [i'nɔkjuəs] *adj* nieszkodliwy; niewinny; **to render ~** unieszkodliwi-ć/ać

innominate [i'nɔminit] *adj* bezimienny; *anat* ~ **bone** kość biodrowa

innovate ['inə,veit] *vi* wprowadz-ić/ać innowacje <zmiany> (**in sth** w czymś)

innovation [,inə'veiʃən] *s* innowacja; **to make ~s** wprowadzać innowacje

innovator ['inə,veitə] *s* nowator/ka, innowator/ka

innoxious [i'nɔkʃəs] *adj* nieszkodliwy; niewinny

innuendo [,inju'endou] *s* (*pl* **~es**) insynuacja

innumerable [i'nju:mərəbl] *adj* niezliczony; **he related ~ anecdotes** opowiadał niezliczone ilości anegdot; **there were ~ gnats** komarów było bez liku

innutrition [,inju'triʃən] *s* niedożywi-enie/anie

innutritious [,inju'triʃəs] *adj* niepożywny; nie posiadający składników odżywczych

inobservance [ˌinəb'zə:vəns] *s* 1. nieuwaga; brak uwagi 2. nieprzestrzeganie (przepisów itd.)
inoccupation ['inˌɔkju'peiʃən] *s* brak zajęcia; bezczynność
inoculate [i'nɔkjuˌleit] *vt* 1. oczkować (rośliny); *ogr med* za/szczepić 2. wp-oić/ajać (**sb with an idea** ideę w kogoś)
inoculation [iˌnɔkju'leiʃən] *s* szczepienie (ludzi, zwierząt, roślin); zaszczepianie; oczkowanie (roślin)
inodorous [in'oudərəs] *adj* bezwonny
inoffensive [ˌinə'fensiv] *adj* nieszkodliwy; niewinny; (*o zapachu itd*) obojętny, nie drażniący
inofficious [ˌinə'fiʃəs] *adj* 1. nieczynny (bez urzędu, funkcji) 2. sprzeczny z nakazem obowiązku 3. (*o testamencie*) niesprawiedliwy; krzywdzący
inoperable [in'ɔpərəbl] *adj med* nie nadający się do zabiegu chirurgicznego
inoperative [in'ɔpərətiv] *adj* 1. nieczynny; nie działający 2. nie mający mocy (prawnej)
inopportune [in'ɔpəˌtju:n] *adj* niewczesny; nie w porę (zrobiony, zdarzający się itd.); nie na czasie; (*o momencie*) nieodpowiedni
inordinate [i'nɔ:dinit] *adj* 1. nadmierny; przesadny; wygórowany; nieumiarkowany; bez umiaru 2. niesystematyczny; bez określonego porządku
inordinateness [i'nɔ:dinitnis] *s* 1. nadmierność; nieumiarkowanie; brak umiaru 2. niesystematyczność
inorganic [ˌinɔ:'gænik] *adj* 1. nieorganiczny 2. obcy (danemu organizmowi)
inornate [i'nɔ:nit] *adj* pozbawiony ozdób
inosculate [i'nɔskjuˌleit] *vt vi* 1. po/łączyć (się) 2. przeplatać (się)
inostensible [ˌinɔs'tensəbl] *adj* niepozorny; skromny
in-patient ['inˌpeiʃənt] *s* pacjent/ka przebywając-y/a w szpitalu
inpouring ['inˌpɔ:riŋ] [I] *s* napływ [II] *adj* napływający
input ['inˌput] [I] *s* 1. wkład 2. *elektr* moc wejściowa 3. *elektr* energia włożona [II] *attr* (*o napięciu itd*) wejściowy
inquest ['iŋkwest] *s* śledztwo; dochodzenie przyczyny zgonu; *przen* **the Great <Last> Inquest** Sąd Ostateczny
inquietude [in'kwaiiˌtju:d] *s* niepokój
inquire [in'kwaiə] [I] *vi* dowi-edzieć/adywać <po/informować, za/pytać, dopytywać> się; zasięg-nąć/ać informacji (**about <after, for> sb, sth** o kogoś, coś); **to ~ into sth** wgląd-nąć/ać w coś; z/badać coś (sprawę itd.); przeprowadz-ić/a śledztwo <badania, wywiad, ankietę> w sprawie czegoś; dochodzić <dociekać> czegoś [II] *vt* za/pytać (**the price, the way, whether —, what —, where — etc.** o cenę, o drogę, czy ..., co ..., gdzie ... itd.); (*w napisie*) "**~ within**" „tu udziela się informacji" *zob* **inquiring**
inquirer [in'kwaiərə] *s* informujący się; pytający; **we had many ~s** było dużo zapytań
inquiring [in'kwaiəriŋ] [I] *zob* **inquire** [II] *adj* badawczy; (*o umyśle*) dociekliwy
inquiringly [in'kwaiəriŋli] *adv* pytająco
inquiry [in'kwaiəri] *s* 1. zapytanie; prośba o informację; dowiadywanie się; zasięg-nięcie/anie informacji; **to make inquiries** dowi-edzieć/adywać się; (*w napisie*) **Inquiries** informator; informacja; **~ (-)office** biuro informacyjne 2. ankieta; wywiad; z/badanie; dociekanie; dochodzenie; śledztwo
inquisition [ˌiŋkwi'ziʃən] *s* 1. badani-e/a; śledztwo 2. *kośc* **the Inquisition** inkwizycja
inquisitional [ˌiŋkwi'ziʃn̩l] *adj* 1. śledczy; badawczy; (*o toku itd*) śledztwa 2. inkwizytorski
inquisitive [in'kwizitiv] *adj* (natarczywie) ciekawy; wścibski
inquisitiveness [in'kwizitivnis] *s* (natarczywa) ciekawość; wścibstwo
inquisitor [in'kwizitə] *s* 1. sędzia śledczy 2. *kośc* inkwizytor
inquisitorial [inˌkwizi'tɔ:riəl] = **inquisitional**
inroad ['inˌroud] *s* najazd; inwazja; wtargnięcie; zagon; **to make ~s upon the enemy** nękać nieprzyjaciela wypadami; **to make ~s upon sth** odbi-ć/jać się ujemnie na czymś; nadweręż-yć/ać coś
inrush ['inˌrʌʃ] *s* wdarcie się; napór
insalivate [in'sæliˌveit] *vt* po/mieszać (spożywaną strawę) ze śliną
insalubrious [ˌinsə'lu:briəs] *adj* (*o klimacie itd*) niezdrowy
insalubrity [ˌinsə'lu:briti] *s* niezdrowość; niedobre dla zdrowia warunki; niezdrowy klimat
insane [in'sein] *adj* 1. obłąkany; szalony; **~ asylum** zakład dla obłąkanych; **to become ~** postradać zmysły; oszaleć 2. obłąkańczy; szaleńczy
insaneness [in'seinnis] *s* obłęd, obłąkanie; szaleństwo
insanitary [in'sænitəri] *adj* niehigieniczny; niezdrowy; niekorzystny dla zdrowia
insanity [in'sæniti] *s* 1. obłąkanie, obłęd; pomieszanie zmysłów; szał 2. szaleństwo
insatiability [inˌseiʃiə'biliti], **insatiableness** [in'seiʃiəblnis] *s* nienasycenie; głód (wiadomości itd.); chciwość
insatiable [in'seiʃiəbl] *adj* nienasycony; chciwy
insatiableness *zob* **insatiability**
insatiate [in'seiʃiit] *adj* niezaspokojony
inscribe [in'skraib] *vt* 1. wpis-ać/ywać (słowa do tekstu, nazwisko na listę); umie-ścić/szczać (kogoś) na liście 2. wyryć; **to ~ a name on a tablet <a tablet with a name>** wyryć nazwisko na tablicy <na kamieniu> 3. za/dedykować (**a book etc. to sb** książkę itd. komuś) 4. *geom* wpis-ać/ywać (**a figure in another** jedną figurę w drugą) *zob* **inscribed**
inscribed [in'skraibd] [I] *zob* **inscribe** [II] *adj* **~ stock** akcje imienne
inscriber [in'skraibə] *s* 1. rytownik; grawer/ka 2. autor/ka dedykacji
inscription [in'skripʃən] *s* 1. napis (na czymś) 2. dedykacja
inscrutable [in'skru:təbl] *adj* niezbadany; nieodgadniony; tajemniczy
insect ['insekt] *s* 1. owad; insekt 2. *przen* (*o człowieku*) zero
insecticide [in'sektiˌsaid] *s* środek owadobójczy
insectivorous [ˌinsek'tivərəs] *adj* owadożerny
insectology [ˌinsek'tɔlədʒi] *s* entomologia
insecure [ˌinsi'kjuə] *adj* 1. niepewny; **to be ~** nie czuć się bezpiecznym 2. niezabezpieczony
insecurity [ˌinsi'kjuəriti] *s* 1. niepewność 2. brak zabezpieczenia

inseminate [in'semi,neit] *vt* 1. zapł-odnić/adniać 2. za/siać

insemination [in,semi'neiʃən] *s* 1. zapł-odnienie/adnianie 2. za/sianie

insensate [in'senseit] *adj* 1. nieczuły; bezduszny 2. bezsensowny; szaleńczy

insensibility [in,sensə'biliti] *s* 1. brak czucia 2. nieprzytomność; omdlenie 3. niewrażliwość <obojętność> (**to sth** na coś)

insensibilize [in'sensibi,laiz] *vt* znieczul-ić/ać

insensible [in'sensəbl] *adj* 1. niedostrzegalny; nieznaczny 2. nieprzytomny; w stanie omdlenia; **to become ~** stracić przytomność; zemdleć 3. niewrażliwy <nieczuły, obojętny> (**to sth** na coś)

insensibly [in'sensibli] *adv* niedostrzegalnie; nieznacznie

insensitive [in'sensitiv] *adj* nieczuły <niewrażliwy> (**to sth** na coś)

insentient [in'senʃənt] *adj* bez czucia; bez życia

inseparability [in,sepərə'biliti] *s* nierozłączność, nierozdzielność

inseparable [in'sepərəbl] [I] *adj* nierozłączny, nieodłączny, nierozdzielny; nieodstępny [II] *s* (*zw pl*) nierozłączne istoty; nierozłączni <nieodstępni> przyjaciele

insert [in'sə:t] [I] *vt* 1. wstawi-ć/ać; włożyć/wkładać; wsu-nąć/wać; wprowadz-ić/ać 2. umie-ścić/szczać (**sth in** <**into**> **sth** coś w czymś — ogłoszenie w gazecie itd.); dopis-ać/ywać (**sth in sth** coś w czymś, do czegoś); wpis-ać/ywać (**sth in sth** coś w coś); doda-ć/wać (**sth in sth** coś do czegoś) 3. wszy-ć/wać [II] *s* wstawka; wkładka; wtyczka; wszywka

insertion [in'sə:ʃən] *s* 1. wstawka; wkładka 2. wstawi-enie/anie; włożenie/wkładanie; wsu-nięcie/wanie; wprowadz-enie/anie 3. dopisek; dodatek 4. wszywka; wypustka 5. *anat* przyczepienie; przyczep

inset ['inset] [I] *s* 1. wklejka; wkładka (w książce) 2. *kraw* wstawka; wszywka; wypustka; biała lamówka (kamizelki) 3. mała mapka <ilustracja itd.> wstawiona w rogu większej [II] *vt* ['in'set] (*praet* **inset, insetted** ['in'setid], *pp* **inset, insetted; insetting** ['in'setiŋ]) 1. wkle-ić/jać 2. wszy-ć/wać 3. wstawi-ć/ać (mapkę <ilustrację> w rogu dużej mapy itp.) 4. *druk* wsu-nąć/wać (wiersz) *zob* **insetting**

insetting ['in'setiŋ] [I] *zob* **inset** *v* [II] *s* 1. = **inset** *s* 2. *druk* wsunięcie (wiersza)

inseverable [in'sevərəbl] *adj* nieodłączny, nierozdzielny

inshore ['in'ʃɔ:] [I] *adv* blisko brzegu; ku brzegowi; **~ of the bank** bliżej brzegu niż mielizny [II] *adj* przybrzeżny

inside ['in'said] [I] *s* 1. wnętrze; wewnętrzna strona; **an ~ passenger** pasażer jadący wewnątrz (dyliżansu, omnibusu itd.) <nie na piętrze (autobusu)>; **from the ~** od wewnątrz; **~ out** podszewką na zewnątrz; na lewą stronę; **on the ~** wewnątrz; **to know sth ~ out** znać coś na wylot <jak własną kieszeń>; **to turn everything ~ out** wszystko wywr-ócić/acać do góry nogami; **to turn sth ~ out** wywrócić coś (podszewką na zewnątrz, na lewą stronę) 2. *pot* brzuch; **pains in one's ~** bóle brzucha <w brzuchu> 3. głąb duszy <serca> 4. strona chodnika położona dalej od jezdni; strona zakrętu położona bliżej środka; środek jezdni 5. (*w piłce nożnej*) środkowy (gracz) 6. *druk* wewnętrzna strona arkusza [II] *adj* 1. wewnętrzny 2. (*o wymiarach*) w świetle 3. (*o informacji*) poufny; zakulisowy [III] *adv* 1. wewnątrz; w domu; w pokoju; w pudełku, w kasecie itd.; wewnątrz <nie na piętrze> (autobusu) 2. do wnętrza, do środka; nie na piętro (autobusu); **to go ~** wrócić <iść> do domu 3. *am* (zrobić coś) w niespełna... (**of two hours etc.** dwie godziny itd.); **~ of a week** w przeciągu niecałego tygodnia [IV] *praep* w (czymś); wewnątrz (czegoś)

insider ['in'saidə] *s* 1. człowiek wtajemniczony <dobrze poinformowany> 2. członek towarzystwa <zespołu itp.> 3. pasażer jadący wewnątrz (omnibusu, dyliżansu itd.) <nie na piętrze (autobusu)>

insidious [in'sidiəs] *adj* podstępny; zdradziecki; zdradliwy

insidiousness [in'sidiəsnis] *s* podstępność; zdradliwość

insight ['insait] *s* 1. wnikliwość 2. intuicja 3. wgląd (**into sth** w coś); **to gain ~ into sth** wniknąć <wglądnąć> w coś

insignia [in'signiə] *spl* insygnia <oznaki> (władzy itp.)

insignificance [,insig'nifikəns] *s* znikomość; znikome znaczenie <rozmiary>; błahość

insignificant [,insig'nifikənt] *adj* nieznaczny; znikomy; błahy; nic nie znaczący; nieistotny

insincere [,insin'siə] *adj* nieszczery

insincerity [,insin'seriti] *s* nieszczerość

insinuate [in'sinju,eit] [I] *vt* 1. wprowadz-ić/ać 2. insynuować (**sb** komuś); napom-knąć/ykać (złośliwie) (**sth** o czymś); da-ć/wać do zrozumienia (**sb sth** komuś coś); podsu-nąć/wać (pewne) myśli (**sb sth** komuś o czymś); sugerować [II] *vr* **~ oneself** wkra-ść/dać się (**into a place** dokądś; **into sb's favour** w czyjeś łaski); wśliz-nąć/giwać się; przedosta-ć/wać się *zob* **insinuating**

insinuating [in'sinju,eitiŋ] [I] *zob* **insinuate** [II] *adj* 1. przymilny; ujmujący 2. (*o uwadze itp*) znaczący; dający do zrozumienia <(wiele) do myślenia>

insinuation [in,sinju'eiʃən] *s* 1. wprowadz-enie/anie; przenikanie 2. insynuacja 3. napomknienie; aluzja; dwuznacznik 4. przymil-enie/anie się

insinuative [in'sinju,eitiv] = **insinuating** *adj*

insipid [in'sipid] *adj* 1. bez smaku; mdły 2. ckliwy; nudny 3. (*o uśmiechu*) głupi 4. (*o stylu itd*) bezbarwny

insipidity [,insi'pidity], **insipidness** [in'sipidnis] *s* 1. brak smaku; mdły smak 2. głupkowatość (uśmiechu) 3. bezbarwność (stylu itd.)

insist [in'sist] *vi* 1. up-rzeć/ierać się <obstawać> (**on sth** przy czymś); nalegać <nastawać> (**on sth** na coś); **he ~ed on his innocence** obstawał przy swojej niewinności 2. domagać się (**on sth** <**sb's doing sth**> czegoś <żeby ktoś coś zrobił>); **I ~** a) nie ustąpię b) żądam stanowczo; **if you ~** jeśli koniecznie chce-sz/cie 3. podkreśl-ić/ać <uwydatni-ć/ać> (**on sth** coś); kłaść nacisk (**on sth** na coś); rozwodzić się (**on sth** nad czymś) 4. twierdzić <utrzymywać> (**that** — że...)

insistence, insistency [in'sistəns(i)] *s* 1. nalegani-e/a; upieranie się (**on** <**upon**> **sth** przy czymś);

uporczywość 2. domaganie się (**on** <**upon**> **sth** czegoś)
insistent [in'sistənt] *adj* 1. uporczywy; natarczywy 2. naglący; **to be ~** a) (*o czymś*) rzucać się w oczy b) (*o kimś*) nalegać
insobriety [ˌinsə'braiəti] *s* nietrzeźwość
insolation [insə'leiʃəŋ] *s* 1. nasłonecznienie; naświetlenie słoneczne 2. *med* udar słoneczny
insole ['insoul] *s szew* 1. brandzel 2. wyściółka
insolence ['insələns] *s* 1. bezczelność; zuchwalstwo 2. wyniosłość; buta
insolent ['insələnt] *adj* 1. bezczelny; zuchwały 2. wyniosły; butny
insolubility [inˌsɔlju'biliti] *s* 1. nierozpuszczalność 2. nierozwiązalność (zagadki itp.); niemożność wyświetlenia (tajemnicy)
insoluble [in'sɔljubl] *adj* 1. nierozpuszczalny 2. nierozwiązalny; nie do rozwiązania
insolvency [in'sɔlvənsi] *s* niewypłacalność; upadłość
insolvent [in'sɔlvənt] [I] *adj* niewypłacalny [II] *s* niewypłacaln-y/a dłużni-k/czka; bankrut/ka; **~ laws** prawo upadłościowe
insomnia [in'sɔmniə] *s* bezsenność
insomuch [ˌinsou'mʌtʃ] *adv* o tyle (**that** — że...); tak dalece (**that** — że...); **~ as** — = **inasmuch as** — *zob* **inasmuch**
inspect [in'spekt] *vt* 1. z/badać; sprawdz-ić/ać; s/kontrolować; z/robić przegląd (**sth** czegoś) 2. dozorować; nadzorować; mieć nadzór (**sth** nad czymś) 3. przeprowadz-ić/ać inspekcję <przegląd> (**sth** czegoś), wizytować; hospitować
inspection [in'spekʃən] [I] *s* 1. z/badanie; sprawdz-enie/anie; kontrola; przegląd; inspekcja; **on closer ~** przy bliższym zbadaniu 2. dozór; dozorowanie; nadzór; nadzorowanie [II] *attr* inspekcyjny
inspector [in'spektə] *s* 1. inspektor/ka; kontroler/ka; nadzor-ca/czyni; wizytator/ka 2. inspektor (policji)
inspectorate [in'spektərit] *s* 1. inspektorat 2. inspektorzy 3. urząd <stanowisko> inspektora
inspectorial [ˌinspek'tɔːriəl] *adj* inspektorski
inspiration [ˌinspə'reiʃən] *s* 1. wdech; wdychanie 2. natchnienie
inspirator ['inspəˌreitə] *s* 1. inhalator 2. *techn* iniektor, inżektor
inspire [in'spaiə] *vt* 1. wdychać; wziewać; wciąg-nąć/ać do płuc 2. natchnąć (**sb with sth** kogoś czymś); pobudz-ić/ać (**sb with sth** kogoś do czegoś); **to be ~d by sth** czerpać natchnienie z czegoś; znajdować natchnienie w czymś 3. wzbudz-ić/ać (zaufanie, strach itd.); siać (popłoch); nakaz-ać/ywać (szacunek) 4. za/inspirować *zob* **inspiring**
inspiring [in'spaiəriŋ] [I] *zob* **inspire** [II] *adj* 1. budzący natchnienie 2. ożywczy; dodający otuchy; podnoszący na duchu
inspirit [in'spirit] *vt* ożywi-ć/ać; wl-ać/ewać nowego ducha (**sb** w kogoś); doda-ć/wać otuchy <bodźca> (**sb** komuś)
inspissate [in'spiseit] *vt* zgę-ścić/szczać, zagę-ścić/szczać
inspissation [ˌinspi'seiʃən] *s* zgęszcz-enie/anie; zagęszcz-enie/anie
inst. ['instənt] *handl skr* **instant**[2] 2.
instability [ˌinstə'biliti] *s* niestałość; *fiz chem* niestateczność; nietrwałość; chwiejność
install [in'stɔːl] *vt* 1. wprowadz-ić/ać na urząd 2. za-łożyć/kładać; zaprowadz-ić/ać; urządz-ić/ać; za/instalować; z/montować
installation [ˌinstə'leiʃən] *s* 1. wprowadz-enie/anie na urząd 2. instalacja; za-łożenie/kładanie; zaprowadz-enie/anie; urządz-enie/anie; za/instalowanie; za/montowanie
instalment [in'stɔːlmənt] *s* 1. rata; zaliczka; **~ system** system ratalny; **to pay by ~s** płacić ratami <*pot* kapaniną> 2. odcinek <zeszyt> (publikacji)
instance ['instəns] [I] *s* 1. przykład; **for ~** na przykład; wypadek (przykładowy); **in this ~** w tym wypadku <przypadku> 2. *sąd* instancja; *przen* **in the first ~** z początku; początkowo 3. żądanie; naleganie; **at the ~ of** — na prośbę <za sprawą>... (czyjąś) [II] *vt* przyt-oczyć/aczać (dla przykładu, ilustracji); **to be ~d in** — znajdować się <występować> (przykładowo) u... (danego autora)
instancy ['instənsi] *s* nagłość (potrzeby); bliskość (niebezpieczeństwa)
instant[1] ['instənt] *s* chwila; **the ~** — z chwilą, gdy...; gdy <skoro> tylko...; **this ~** w tej chwili; natychmiast
instant[2] ['instənt] *adj* 1. nagły; naglący; nie cierpiący zwłoki; (*o potrzebie*) gwałtowny 2. (*także handl* **inst.**) bieżący (miesiąc) 3. (*o potrawie*) przyrządzany na poczekaniu
instantaneous [ˌinstən'teinjəs] *adj* 1. momentalny; *fot* migawkowy 2. natychmiastowy 3. chwilowy
instantaneousness [ˌinstən'teinjəsnis] *s* momentalność
instanter [in'stæntə] *adv żart* w mgnieniu oka, natychmiast
instantly ['instəntli] *adv* natychmiast
instate [in'steit] *vt* wprowadz-ić/ać (kogoś na urząd)
instauration [ˌinstɔ'reiʃən] *s* od/restaurowanie; odn-owienie/awianie
instead [in'sted] *adv* 1. zamiast (**of sth** czegoś); **~ of doing sth** zamiast (tego, żeby) zrobić coś; **~ of having won they lost** zamiast wygrać przegrali 2. w miejsce <zamiast, za> (**of sb** kogoś) 3. natomiast; zamiast tego
instep ['instep] *s* podbicie <łuk> (stopy, obuwia)
instigate ['instiˌgeit] *vt* nam-ówić/awiać; podbecht-ać/ywać; poduszcz-yć/ać; podjudz-ić/ać; podżegać (**to revolt etc.** do buntu itd.); s/prowokować <wywoł-ać/ywać> (bunt itd.)
instigation [ˌinsti'geiʃən] *s* namowa; podszept; poduszczenie; podbecht-anie/ywanie; podjudz-enie/anie; podżeganie; prowokacja; **at** <**by**> **sb's ~** z czyjejś namowy; za czyimś podszeptem; z czyjegoś poduszczenia; podbechtany <sprowokowany> przez kogoś
instigator ['instiˌgeitə] *s* prowokator/ka; moraln-y/a spraw-ca/czyni; podżegacz/ka, poduszczyciel/ka
instil(l) [in'stil] *vt* (**-ll-**) 1. wkr-oplić/aplać 2. wp-oić/ajać (cnoty, uczucie itd.)
instillation [ˌinsti'leiʃən], **instilment** [in'stilmənt] *s* 1. wkr-oplenie/aplanie 2. wp-ojenie/ajanie (cnót, uczucia itd.)
instinct[1] ['instiŋkt] *s* 1. instynkt; **by ~** instynktownie 2. pociąg (**for sth** do czegoś)

instinct² [in'stiŋkt] *adj praed* tchnący (**with sth** czymś); pełen (**with sth** czegoś)
instinctive [in'stiŋktiv] *adj* instynktowny
institute ['insti,tju:t] [I] *vt* 1. wprowadz-ić/ać; zaprowadz-ić/ać; ustan-owić/awiać 2. za-łożyć/kładać 3. zarządz-ić/ać (śledztwo); wszcz-ąć/ynać (śledztwo, kroki sądowe); przyst-ąpić/ępować (**an inquiry** do śledztwa); **to ~ an action** wkr-oczyć/aczać na drogę sądową 4. ustan-owić/awiać (**sb as heir** kogoś spadkobiercą); naznacz-yć/ać (**sb to a benefice** kogoś na beneficjum) [II] *s* 1. instytut; zakład (naukowy) 2. **the Institutes of Justinian** instytucje <prawa> justyniańskie
institution [,insti'tju:ʃən] *s* 1. instytucja; zakład 2. towarzystwo; związek 3. wprowadz-enie/anie; ustan-owienie/awianie 4. za-łożenie/kładanie 5. zarządz-enie/anie <wszcz-ęcie/ynanie> (śledztwa, kroków sądowych) 6. ustan-owienie/awianie (spadkobiercy) 7. naznacz-enie/anie (kogoś na beneficjum) 8. zwyczaj (narodowy); rzecz, która weszła w zwyczaj <bez której nie można się obejść>
institutional [,insti'tju:ʃnl] *adj* 1. zakładowy 2. znajdujący wyraz w istniejących instytucjach <organizacjach>
instruct [in'strʌkt] *vt* 1. naucz-yć/ać (**in sth** czegoś); kształcić; poucz-yć/ać; po/informować; udziel-ić/ać instrukcji <pouczeń> (**sb** komuś); *am* **to ~ a representative** udziel-ić/ać posłowi dyrektyw 2. po/informować <powiad-omić/amiać> (**sb of sth** kogoś o czymś); **zapozna-ć/wać** (**sb of sth** kogoś z czymś) 3. polec-ić/ać (**sb to do sth** komuś coś zrobić)
instruction [in'strʌkʃən] *s* 1. nauka; nauczanie; szkolenie; kształcenie; ćwiczenie 2. *pl* **~s** instrukcje; polecenia; wskazówki; dyrektywy; pouczenie; przepisy; **book of ~s** regulamin 3. *pl* **~s** zapoznawanie (adwokata) ze sprawą (przez klienta)
instructional [in'strʌkʃənl] *adj* 1. instrukcyjny 2. kształcący
instructive [in'strʌktiv] *adj* pouczający; kształcący
instructor [in'strʌktə] *s* instruktor; nauczyciel; *am* wykładowca
instructress [in'strʌktris] *s* instruktorka; nauczycielka
instrument ['instrumənt] [I] *s* **1.** instrument; przyrząd; aparat; *pl* **~s** przybory; sprzęt 2. *dosł i przen* narzędzie 3. *prawn* dokument 4. akt urzędowy; **~ of independence** akt niezawisłości państwowej [II] *vt* ['instru,ment] instrumentować (utwór muzyczny)
instrumental [,instru'mentl] *adj* 1. instrumentalny; **~ error** błąd powstały z niedokładności przyrządu 2. pomocny; **to be ~ in sth** <**in doing sth, to sth**> przyczyni-ć/ać się do czegoś; pośredniczyć w czymś; **he was ~ in** — jemu zawdzięczam/y ... 3. *gram* **~ case** narzędnik 4. *med* (*o porodzie*) kleszczowy
instrumentalist [,instru'mentəlist] s muzy-k/czka
instrumentality [,instrumen'tæliti] *s* pomoc; pośrednictwo; **to do sth through the ~ of sb** zrobić coś dzięki pomocy czyjejś <za czyimś pośrednictwem>
instrumentation [,instrumen'teiʃən] *s* 1. instrumentacja 2. posługiwanie się instrumentami <przyrządami, aparatami, narzędziami> 3. pośrednictwo
instrument-board ['instrumənt,bɔ:d] *s* tablica rozdzielcza
insubmersible [,insəb'mə:səbl] *adj* niezatapialny
insubordinate [,insə'bɔ:dnit] *adj* nieposłuszny; niekarny; buntowniczy; krnąbrny
insubordination ['insə,bɔ:di'neiʃən] *s* niesubordynacja; niekarność; nieposłuszeństwo; nastroje buntownicze
insubstantial [,in-səb'stænʃəl] *adj* 1. nieistotny 2. pozbawiony (wszelkiej) treści
insufferable [in'sʌfərəbl] *adj* nieznośny; nie do zniesienia
insufficiency [,insə'fiʃənsi] *s* 1. niedostatek; niedostateczność 2. niezdolność; *med* niedomoga; *fizj* niewydolność
insufficient [,insə'fiʃənt] *adj* niedostateczny; niewystarczający; nieodpowiedni
insufflate ['insə,fleit] *vt* 1. wdmuchiwać; nad-ąć/ymać 2. *rel* tchnąć (**sb** w kogoś)
insufflation [,insə'fleiʃən] *s* 1. wdmuchiwanie; nadymanie 2. *rel* tchnięcie
insufflator ['insə,fleitə] *s* 1. wdmuchiwacz (przyrząd) 2. rozpylacz (do proszków)
insular ['insjulə] *adj* 1. wyspiarski 2. *przen* ciasny (w poglądach); ograniczony
insularity [,insju'læriti] *s* zaściankowość; wyspiarskie nastawienie; ciasnota poglądów
insulate ['insju,leit] *vt* (*także elektr*) od/izolować; oddziel-ić/ać; odosobni-ć/ać *zob* **insulating**
insulating ['insju,leitiŋ] [I] *zob* **insulate** [II] *adj* izolacyjny
insulation [,insju'leiʃən] *s* 1. izolacja 2. od/izolowanie; oddziel-enie/anie; odosobni-enie/anie
insulator ['insju,leitə] *s* 1. izolator 2. materiał <przyrząd> izolacyjny
insulin ['insjulin] *s farm* insulina
insult [in'sʌlt] [I] *vt* obra-zić/żać; znieważ-yć/ać, ze/lżyć; ubliż-yć/ać <uchybi-ć/ać> (**sb** komuś) *zob* **insulting** [II] *s* ['insʌlt] obraza; zniewaga; obelga; afront; ubliżenie; uchybienie; **to offer an ~ to** — = **to ~** *vt*
insulting [in'sʌltiŋ] [I] *zob* **insult** *v* [II] *adj* obraźliwy
insuperability [in,sju:pərə'biliti] *s* niemożność pokonania <przezwyciężenia> (trudności itd.)
insuperable [in'sju:pərəbl] *adj* nie do pokonania <przezwyciężenia>
insupportable [,insə'pɔ:təbl] *adj* nieznośny; nie do zniesienia
insuppressible [,insə'presəbl] *adj* (*o śmiechu itd*) nieopanowany; nie do opanowania
insurance [in'ʃuərəns] [I] *s* 1. ubezpieczenie; asekuracja 2. premia ubezpieczeniowa <asekuracyjna> [II] *attr* ubezpieczeniowy; asekuracyjny
insure [in'ʃuə] [I] *vt* 1. **ubezpiecz**-yć/ać <za/asekurować> (towar itd.); **to ~ one's life** ubezpieczyć się na wypadek śmierci 2. zapewni-ć/ać <zabezpiecz-yć/ać> sobie (coś) [II] *vi* zabezpiecz-yć/ać się (**against sth** od <na wypadek> czegoś) *zob* **insured**
insured [in'ʃuəd] [I] *zob* **insure** [II] *s* **the ~** ubezpiecz-ony/eni
insurer [in'ʃuərə] *s* ubezpieczając-y/a
insurgence, insurgency [in'sə:dʒəns(i)] *s* powstanie (przeciwko władzy); insurekcja

insurgent [in'sə:dʒənt] [I] *adj* powstańczy; (*o działalności itd*) powstańców [II] *s* powstaniec

insurmountable [,insə:'mauntəbl] *adj* nieprzezwyciężony; nie do pokonania

insurrection [,insə'rekʃən] *s* insurekcja, powstanie

insurrectional [,insə'rekʃənḷ], **insurrectionary** [,insə'rekʃnəri] *adj* powstańczy

insurrectionist [,insə'rekʃṇist] *s* powstaniec

insusceptibility ['insə,septə'biliti] *s* 1. nieczułość (**to sth** na coś) 2. *med* niepodatność <odporność> (**to sth** na coś)

insusceptible [,insə'septəbl] *adj* 1. nieczuły (**to sth** na coś); nieprzystępny (**to sth** dla czegoś) 2. niepodatny (**of sth** na coś); nie reagujący (**of sth** na coś — lekarstwo itp.)

inswept ['in,swept] *adj* (*o karoserii*) zwężony z przodu

intact [in'tækt] *adj* nietknięty; nienaruszony; dziewiczy; nie uszkodzony; cały; bez szwanku

intaglio [in'tɑ:li,ou] *s* intaglio, drogi kamień z wklęsłorytym rysunkiem

intake ['in,teik] *s* 1. wlot (kanału, powietrza itd.); **~ valve** zawór wlotowy 2. *górn* chodnik wentylacyjny 3. dopływ (powietrza, wody itd.); napływ (osób, rzeczy) 4. spożywanie; spożycie; zużywanie 5. zwężenie (rury, pończochy itd.) 6. zmeliorowane grunty

intangible [in'tændʒəbl] *adj* 1. niedotykalny; nienaruszalny 2. nieuchwytny; niepojęty

intarsia [in'tɑ:siə] *s* intarsja

integer ['intidʒə] *s* 1. *mat* liczba całkowita 2. całość

integral ['intigrəl] [I] *adj* 1. integralny; całkowity 2. *mat* całkowy [II] *s* 1. *mat* całka 2. całość; całkowita ilość

integrality [,inti'græliti] *s* integralność; całkowitość

integrant ['intigrənt] *adj* 1. integralny 2. (*o części czegoś*) składowy

integrate ['inti,greit] [I] *vt* 1. po/łączyć w jedną całość; składać; dopełni-ć/ać (**sth** czegoś) 2. *mat* s/całkować; integrować [II] *adj* ['intigrit] integralny; cały

integration [,inti'greiʃən] *s* integracja

integrator ['inti,greitə] *s mat* integrator; planimetr

integrity [in'tegriti] *s* 1. integralność; całość; niepodzielność 2. prawość; uczciwość; **a man of ~** człowiek prawy <uczciwy>

integument [in'tegjumənt] *s* pokrywa; osłona; powłoka

integumentary [in,tegju'mentəri] *adj* pokrywający

intellect ['inti,lekt] *s* 1. umysł; rozum; rozsądek; intelekt 2. *zbior* wybitne umysły (kraju, okresu historycznego itd.)

intellection [,inti'lekʃən] *s* rozumowanie

intellective [,inti'lektiv] *adj* rozumowy; myślowy

intellectual [,inti'lektjuəl] [I] *adj* intelektualny; umysłowy; rozumowy; myślowy [II] *s* inteligent/ka; pracowni-k/ca umysłow-y/a; *pl* **the ~s** inteligencja (kraju, miasta itd.)

intellectuality ['inti,lektju'æliti] *s* umysłowość; intelektualizm

intelligence [in'telidʒəns] [I] *s* 1. rozum; umysł; orientacja; pojętność; mądrość (zwierząt) 2. zrozumienie (wzajemne); **a look of ~** porozumiewawcze spojrzenie 3. wiadomoś-ć/ci; informacj-a/e; doniesieni-e/a 4. *wojsk polit* wywiad [II] *attr* wywiadowczy; **~ service** <**department**> wywiad; służba wywiadowcza

intelligencer [in'telidʒənsə] *s* agent/ka; szpieg

intelligent [in'telidʒənt] *adj* rozumny; mądry; pojętny; inteligentny

intelligently [in'telidʒəntli] *adv* rozumnie; mądrze; ze zrozumieniem; *pot* z głową

intelligentsia, intelligentzia [in,teli'dʒentsiə] *s* warstwy wykształcone; inteligencja (kraju itd.)

intelligibility [in,telidʒə'biliti] *s* zrozumiałość

intelligible [in'telidʒəbl] *adj* zrozumiały

intemperance [in'tempərəns] *s* 1. niepowściągliwość; niepohamowanie; brak umiaru 2. pijaństwo

intemperate [in'tempərit] *adj* 1. nieumiarkowany; niepohamowany; bez umiaru; **~ habits = intemperance** 2. nadużywający alkoholu; **to be ~** pić nałogowo

intend [in'tend] *vt* 1. zamierzać <zamyślać> (**sth, doing sth, to do sth** coś, coś z/robić); mieć zamiar (coś z/robić); mieć na celu <na myśli> (coś dobrego, złego itd.) 2. z/robić (coś) celowo <naumyślnie> 3. chcieć; **to ~ sb to do sth** chcieć <zmierzać, dążyć do> tego, żeby ktoś coś zrobił; **to ~ sth to be done** chcieć, żeby coś było zrobione; **he ~s to be obeyed** on chce <żąda>, żeby go słuchano 4. przeznacz-yć/ać (**sb, sth for sth** kogoś, coś na coś, do czegoś); **this daub is ~ed for** <**to be**> **me** ten bohomaz ma być moim portretem; to mam być ja; **this was ~ed for us** to było wymierzone w nas 5. rozumieć; chcieć powiedzieć; **what do you ~ by that?** a) co przez to rozumie-sz/cie?; co chce-sz/cie przez to powiedzieć? b) co to (zachowanie itd.) ma znaczyć? *zob* **intended**

intendance, intendancy [in'tendəns(i)] *s* 1. zawiadywanie 2. intendentura

intendant [in'tendənt] *s* 1. zawiadowca 2. intendent/ka

intended [in'tendid] [I] *zob* **intend** [II] *adj* 1. zamierzony; planowany 2. umyślny [III] *s pot* narzeczon-y/a

intendment [in'tendmənt] *s* 1. zamiar; intencja 2. duch (rozporządzenia itd.)

intense [in'tens] *adj* 1. intensywny; silny; mocny; skrajny; napięty 2. (*o uczuciach itd*) żywy; głęboki 3. (*o bólu, zimnie itd*) dotkliwy 4. (*o upale itd*) wielki; (*o zainteresowaniu itd*) ogromny 5. (*o wysiłku, pracy*) wytężony 6. (*o człowieku*) uczuciowy

intensely [in'tensli] *adv* silnie, mocno; skrajnie; żywo; głęboko; usilnie; z natężeniem; ogromnie; w wysokim stopniu; w wielkiej mierze *zob* **intense**

intenseness [in'tensnis] *s* intensywność; siła; moc; natężenie; wysoki stopień; żywość <głębia> (uczucia) *zob* **intense**

intensification [in,tensifi'keiʃən] *s* wzm-ocnienie/acnianie; wzm-ożenie/aganie; intensyfikacja

intensifier [in'tensi,faiə] *s* 1. wzmacniacz 2. *elektr* amplifikator 3. *techn* pompa ciśnieniowa

intensify [in'tensi,fai] *v* (**intensified** [in'tensi,faid], **intensified**; **intensifying** [in'tensi,faiiŋ]) [I] *vt* wzm-ocnić/acniać; wzm-óc/agać; pogłębi-ć/ać; napi-ąć/nać [II] *vi* wzm-ocnić/acniać <wzm-óc/agać> się; przyb-rać/ierać na sile

intension [in'tenʃən] *s* intensywność; napięcie; naprężenie; natężenie; moc; siła; żywość (uczuć itd.)

intensity [in'tensiti] *s* 1. = **intenseness** 2. *akust* intensywność <natężenie> (dźwięku)

↑**intensive** [in'tensiv] *adj* 1. intensywny; wzmożony; silny 2. *gram* wzmacniający (wyraz itd.)

intent[1] [in'tent] *adj* 1. pochłonięty <przejęty> (**on sth** czymś); całkowicie oddany (**on sth** czemuś) 2. zdecydowany; zdeterminowany; zawzięty; **I was ~ on doing it** zawziąłem <uparłem> się, że to zrobię; zależało mi na tym, żeby <chciałem koniecznie> to zrobić 3. uważny, baczny

intent[2] [in'tent] *s* zamiar; intencja; cel; **with good ~** w dobrych zamiarach; **to do sth with ~** z/robić coś z rozmysłem <naumyślnie>; **to all ~s and purposes** faktycznie; w rzeczywistości; w istocie; właściwie; praktycznie biorąc

intention [in'tenʃən] *s* 1. zamiar; cel; intencja; *rel* **for the ~ of** ... na intencję ... (czyjąś, czegoś) 2. *pl* **~s** zamierzenia

intentional [in'tenʃənl] *adj* zamierzony; umyślny; celowo zrobiony <powiedziany itd.>

intently [in'tentli] *adv* uważnie; bacznie; z przejęciem

intentness [in'tentnis] *s* 1. pochłonięcie (**on sth** czymś); oddanie się (**on sth** czemuś) 2. determinacja; zawzięcie się 3. napięcie; napięta uwaga; przejęcie

inter [in'tə:] *vt* (**-rr-**) po/chować <po/grzebać> (zmarłego)

interact[1] ['intər,ækt] *s* 1. antrakt 2. intermedium

interact[2] [,intər'ækt] *vi* oddział-ać/ywać wzajemnie na siebie

interaction [,intər'ækʃən] *s* wzajemne oddziaływanie

interallied [,intər'ælaid] *adj* międzysojuszniczy

interbedded [,intə'bedid] *adj geol* przewarstwiony

interblend ['intə'blend] *vt vi* po/mieszać (się)

interbreed ['intə'bri:d] *v* (**interbred** ['intə'bred], **interbred**) [I] *vt* po/krzyżować (gatunki itd.) [II] *vi* po/krzyżować się

intercalary [in'tə:kələri] *adj* 1. (*o roku*) przestępny 2. wstawiony; interpolowany 3. *bot* (*o korzeniach*) przybyszowy

intercalate [in'tə:kə,leit] *vt* wtrąc-ić/ać <wprowadz-ić/ać> (między jedno a drugie)

intercalation [in,tə:kə'leiʃən] *s* wtrąc-enie/anie <wprowadz-enie/anie> (między jedno a drugie)

intercede [,intə'si:d] *vi* wstawi-ć/ać się (**with sb for sb, sth** do kogoś <u kogoś> za kimś, czymś); orędować (**with sb for sb, sth** przed kimś <u kogoś> za kimś, czymś)

↑**intercept** [,intə'sept] [I] *vt* 1. przer-wać/ywać 2. odci-ąć/nać 3. zasł-onić/aniać (światło, widok itd.); zagr-odzić/adzać 4. przechwy-cić/tywać (samolot itd.); przej-ąć/mować (wiadomość itd.); podsłuch-ać/iwać (rozmowę telefoniczną) 5. *mat* oddziel-ić/ać (odcinek linii) [II] *s* ['intəsept] *geom* odcinek

interception [,intə'sepʃən] *s* 1. przer-wanie/ywanie 2. odcięcie 3. zasł-onięcie/anianie; zagr-odzenie/adzanie 4. przechwy-cenie/tywanie (samolotu itd.); przej-ęcie/mowanie (wiadomości itd.); podsłuch-anie/iwanie (rozmowy telefonicznej); podsłuch

interceptor [,intə'septə] *s* 1. kolektor <syfon> kanalizacyjny 2. *wojsk* (*także* **~ plane**) samolot (myśliwski) przechwytujący

intercession [,intə'seʃən] *s* wstawiennictwo; orędownictwo

intercessor [,intə'sesə] *s* rzeczni-k/czka; orędowni-k/czka

intercessory [,intə'sesəri] *adj* orędowniczy

interchange [,intə'tʃeindʒ] [I] *vt* 1. wymieni-ć/ać (towary itd.) między sobą 2. zamieni-ć/ać (coś na coś innego); **we ~d umbrellas** zamieniliśmy z sobą parasole; **to ~ the position of two objects** przestawić dwa przedmioty [II] *vi* 1. następować kolejno po sobie 2. zamieni-ć/ać się (z kimś); luzować się [III] *s* ['intə,tʃeindʒ] 1. wymiana (myśli, towarów itd.); zamiana; **~ station** węzłowa stacja kolejowa 2. kolejne następstwo (dnia i nocy itd.)

interchangeable [,intə'tʃeindʒəbl] *adj* 1. zamienny; wymienny 2. (*o wyrazach itd*) jednoznaczny

intercollegiate ['intəkə'li:dʒiit] *adj* międzykolegialny; międzyzakładowy

intercom ['intə,kɔm] *s* wewnętrzny telefon (w samolocie itd.)

intercommunicate [,intəkə'mju:ni,keit] *vi* 1. porozumiewać <komunikować> się 2. (*o izbach*) łączyć się

intercommunication ['intəkə,mju:ni'keiʃən] *s* 1. porozumiewanie <komunikowanie> się 2. połączenie (między izbami)

intercommunion [,intəkə'mju:njən] *s* 1. stosunek płciowy 2. wzajemne oddziaływanie

intercommunity [,intəkə'mju:niti] *s* wspólnota

interconnect ['intəkə'nekt] *vt vi* po/łączyć (się)

intercostal [,intə'kɔstl] *adj* międzyżebrowy

intercourse ['intə,kɔ:s] *s* stosun-ek/ki wzajemn-y/e; obcowanie; **to have <hold> ~ with sb** mieć <utrzymywać> z kimś stosunki (przyjazne, handlowe itd.); obcować z kimś; **sexual ~** stosunek płciowy

intercrop ['intə,krɔp] *vt* (**-pp-**) *roln* 1. uprawiać <wsiewać> międzyplon 2. za/stosować uprawę międzyrzędzi

intercross [intə'krɔs] [I] *vt* s/krzyżować (rasy, gatunki); pokrzyżować (linie itp.) [II] *vi* (*o rasach, gatunkach*) s/krzyżować się; (*o liniach itd*) pokrzyżować <s/krzyżować> się

intercurrent [,intə'kʌrənt] *adj* 1. (*o chorobie*) występujący podczas przebiegu innej choroby, wikłający 2. (*o chorobie*) powrotny 3. (*o wypadkach itd*) zaszły w międzyczasie

interdepartmental ['intə,di:pa:t'mentl] *adj* 1. międzywydziałowy 2. *uniw* międzykatedralny

interdepend [,intədi'pend] *vi* być we wzajemnej zależności; zależeć wzajemnie od siebie

interdependence [,intədi'pendəns] *s* zależność wzajemna

interdependent [,intədi'pendənt] *adj* (*o ludziach, jednostkach*) wzajemnie od siebie zależn-i/e

interdict [,intə'dikt] [I] *vt* 1. zabr-onić/aniać (**sth** czegoś); zabr-onić/aniać <zakaz-ać/ywać> (**sb from doing sth** komuś z/robić coś <z/robienia czegoś>) 2. obłożyć interdyktem [II] *s* ['intə,dikt] 1. zakaz 2. *szkoc prawn* nakaz 3. *kośc* interdykt

interdiction [,intə'dikʃən] *s* 1. zakaz 2. *hist* interdykt

interdictory [,intə'diktəri] *adj* 1. (*o zarządzeniu*) zakazujący 2. (*o systemie*) prohibicyjny

interest ['intrist] [I] *s* 1. zainteresowanie; udział (w zyskach itd.); **to have an ~ in sth** a) interesować się czymś b) być zainteresowanym <zaangażowanym> w czymś; **vested ~** nabyte prawa; włożony (w przedsiębiorstwo) kapitał 2. gałąź handlu <przemysłu>; sfery <koła> (społeczne); **the brewing ~** koła browarnicze; **the landed ~** ziemiaństwo; **the shipping ~** a) handel morski b) okrętownictwo 3. korzyść; zysk; interes; dobro (publiczne itd.); **it is in your ~** to leży w twoim <waszym> interesie; **it is (to) your ~ to** ... będzie to z korzyścią dla ciebie <was>, jeżeli (ty, wy) ...; **in the ~ of truth** w imię prawdy 4. zainteresowanie (**in sth** do czegoś); interesowanie się (**in sth** czymś); **to take <feel> an ~ in sb, sth** za/interesować się kimś, czymś; **this has no ~ for me** to mnie nie interesuje <nie zajmuje>; **of ~** ciekawy, zajmujący; **of no ~** nieciekawy, nie zajmujący 5. odsetki; procent; **rate of ~** stopa procentowa; **to bear ~** przynosić procent; **to lend at ~** pożyczać na procent; *przen* **to return sth with ~** odpłacić (komuś coś) z nawiązką [II] *vt* 1. zainteresować (**sb in sth** kogoś czymś); wzbudz-ić/ać zainteresowanie (**sb in sth** w kimś do czegoś); zaj-ąć/mować (**sb in sth** kogoś czymś); **to ~ oneself <to be ~ed> in sth** za/interesować <zaj-ąć/mować> się czymś; być ciekawym czegoś; **I am ~ed to know if** ... ciekaw jestem <chciałbym wiedzieć>, czy... 2. (materialnie) dopu-ścić/szczać do udziału (**sb in sth** kogoś w czymś) *zob* **interested, interesting**

interested ['intristid] [I] *zob* **interest** *v* [II] *adj* 1. *prawn* (*o stronach w sporze, umowie itd*) zainteresowany; **~ motives** pobudki materialne <uwarunkowane korzyścią osobistą>; wyrachowanie 2. (*o człowieku*) zainteresowany; zaciekawiony; (*o spojrzeniu, minie itd*) zdradzający zainteresowanie <zaciekawienie> 3. osobiście zainteresowany; stronniczy

interestedly ['intristidli] *adv* 1. z zainteresowaniem; z zaciekawieniem 2. interesownie; z wyrachowaniem

interesting ['intristiŋ] [I] *zob* **interest** *v* [II] *adj* interesujący; zajmujący; ciekawy; (*o kobiecie*) **in an ~ condition** w odmiennym stanie

interfacial [ˌintə'feiʃəl] *adj geom* dwuścienny

interfenestration ['intəˌfeni'streiʃən] *s arch* rozplanowanie otworów okiennych

interfere [ˌintə'fiə] *vi* 1. mieszać <wtrącać> się (**with sth** do czegoś, w coś); (*o władzach itp*) wkr-oczyć/aczać 2. wda-ć/wać się <ingerować, wgląd-nąć/ać> (**in sth** w coś) 3. sta-nąć/wać na przeszkodzie; kolidować (**with sth** z czymś); przeszk-odzić/adzać <zawadzać> (**with sb, sth** komuś, czemuś); tamować (**with sth** coś); za/szkodzić (**with sth** czemuś) 4. dokucz-yć/ać (**with sb** komuś) 5. *fiz* interferować; nakładać się 6. (*o koniu*) strychować się *zob* **interfering**

interference [ˌintə'fiərəns] *s* 1. mieszanie <wtrącanie> się; wkr-oczenie/aczanie (władz itp.); ingerencja; wgląd <wglądanie> (**in an affair** w jakąś sprawę) 2. kolizja; przeszkoda; zawada 3. *fiz* interferencja; wzajemny wpływ; współoddziaływanie; przeszkoda (atmosferyczna)

interfering [ˌintə'fiəriŋ] [I] *zob* **interfere** [II] *adj* wścibski

interferometer [ˌintəfə'rɔmitə] *s fiz* interferometr

interflow ['intəˌflou] *vi* (*o cieczach*) mieszać się; (*o rzekach*) zlewać <łączyć> się

interfluent [ˌintə'fluənt] *adj* zlewający <łączący> się

interfusion [ˌintə'fju:ʒən] *s* zmieszanie; pomieszanie

interglacial ['intə'gleisjəl] *adj geol* śródlodowcowy, interglacjalny

intergrow [ˌintə'grou] *vi* (**intergrew** [ˌintə'gru:], **intergrown** [ˌintə'groun]) (*o dwóch roślinach*) splatać się

interim ['intərim] [I] *s* okres tymczasowy <przejściowy>; **in the ~** tymczasem; tymczasowo; chwilowo; w międzyczasie [II] *adj* 1. tymczasowy; chwilowy; przejściowy 2. zastępczy [III] † *adv* tymczasem

interior [in'tiəriə] [I] *adj* 1. wewnętrzny; *geogr* środkowy 2. (*o uczuciach*) najskrytszy [II] *s* 1. wnętrze 2. *polit* **Minister <Ministry> of the Interior** Minister <Ministerstwo> Spraw Wewnętrznych 3. środek <głąb> kraju 4. głąb duszy <serca> [III] *attr* (*o dekoracji, architekturze itd*) wnętrz

interjacent [ˌintə'dʒeisənt] *adj* pośredni; przegradzający

interject [ˌintə'dʒekt] *vt* wtrąc-ić/ać; zauważyć nawiasowo

interjection [ˌintə'dʒekʃən] *s* (*także gram*) wykrzyknik

interknit [ˌintə'nit], **interlace** [ˌintə'leis] *vt vi* przepl-eść/atać (się)

interlacement [ˌintə'leismənt] *s* przeplatanie; gmatwanie

interlard [ˌintə'la:d] *vt* na/szpikować; przepl-eść/atać

interleaf ['intəˌli:f] *s* (*pl* **interleaves** ['intəˌli:vz]) wklejka

interleave [ˌintə'li:v] *vt* wkle-ić/jać kartki (**a book** do książki itd.)

interleaves *zob* **interleaf**

interline [ˌintə'lain] *vt* 1. wpis-ać/ywać (coś) między wierszami 2. wpis-ać/ywać tłumaczenie interlinearne (**a book** w książce, **a document etc.** na dokumencie itd.)

interlinear [ˌintə'liniə] *adj* interlinearny

interlineation ['intəˌlini'eiʃən] *s* 1. wpis-anie/ywanie wyrazów (tłumaczenia itd.) między wierszami 2. wyrazy (tłumaczenie itd.) wpisane między wierszami

interlink [ˌintə'liŋk] *vt vi* sczepi-ć/ać <po/wiązać, spl-eść/atać> (się)

†**interlock** [ˌintə'lɔk] [I] *vt* 1. po/łączyć (ryglem itd.); sczepi-ć/ać; za/blokować; sprz-ąc/ęgać 2. spl-eść/atać [II] *vi* 1. po/łączyć <sczepi-ć/ać> się 2. spl-eść/atać się

interlocution [ˌintəlou'kju:ʃən] *s* rozmowa; dialog

interlocutor [ˌintə'lɔkjutə] *s* 1. rozmówca 2. = **interlocutory decree** *zob* **interlocutory** 2.

interlocutory [ˌintə'lɔkjutəri] *adj* 1. konwersacyjny 2. *sąd* **~ decree** orzeczenie tymczasowe

interlocutress [ˌintə'lɔkjutris], **interlocutrix** [ˌintə'lɔkjutriks] *s* rozmówczyni

interloper ['intəˌloupə] *s* 1. intruz; natręt 2. *hist* kupiec prowadzący handel nielegalnie

interlude ['intəˌlu:d] *s* 1. interludium; intermedium 2. *muz* interludium 3. przerwa; okres przejściowy

interlunary [ˌintəˈluːnəri] *adj* międzyksiężycowy (dotyczący miesięcznego okresu niewidoczności księżyca)

intermarriage [ˌintəˈmæridʒ] *s* małżeństwo w obrębie rodu <szczepu, plemienia>

intermarry [ˈintəˈmæri] *vi* (**intermarried** [ˈintəˈmærid], **intermarried; intermarrying** [ˈintəˈmæriiŋ]) zawierać małżeństw-o/a w obrębie rodu <szczepu, plemienia>

intermaxillary [ˌintəmækˈsiləri] *adj* *anat* międzyszczękowy

intermeddle [ˌintəˈmedl] *vi* wtrąc-ić/ać się (**in** <**with**> **sth** do czegoś, w coś)

intermediary [ˌintəˈmiːdjəri] [I] *adj* 1. pośredniczący 2. pośredni [II] *s* pośredni-k/czka

intermediate [ˌintəˈmiːdjət] [I] *adj* 1. pośredni; przejściowy 2. środkowy 3. *szk* (*o kursie itd*) średni (dla średnio zaawansowanych) [II] *s* 1. pośredni-k/czka 2. stadium pośrednie; etap pośredni 3. *chem* półprodukt; substancja pośrednia [III] *vi* [ˌintəˈmiːdiˌeit] pośredniczyć

intermedium [ˌintəˈmiːdjəm] *s* (*pl* **intermedia** [ˌintəˈmiːdjə], **~s**) czynnik pośredniczący

interment [inˈtəːmənt] *s* pochowanie; pogrzeb; pogrzebanie

intermezzo [ˌintəˈmetsou] *s* (*pl* **intermezzi** [ˌintəˈmetsiː], **~s**) *muz* intermezzo

intermigration [ˌintəmaiˈgreiʃən] *s* dwustronny ruch przesiedleńczy

interminable [inˈtəːminəbl] *adj* nie kończący się; trwający <przedłużający się> bez końca

interminably [inˈtəːminəbli] *adv* bez końca

intermingle [ˌintəˈmiŋgl] [I] *vt* 1. z/mieszać; pomieszać; zl-ać/ewać 2. przepl-eść/atać [II] *vi* z/mieszać <pomieszać, zl-ać/ewać> się

intermission [ˌintəˈmiʃən] *s* 1. przerwa; pauza; **without ~** bez przerwy, bezustannie, bez ustanku; bez wytchnienia 2. *am* antrakt

intermit [ˌintəˈmit] *v* (**-tt-**) [I] *vt* przer-wać/ywać [II] *vi* zatrzym-ać/ywać <ur-wać/ywać> się; przesta-ć/wać

intermittent [ˌintəˈmitənt] *adj* przerywany; przestankowy; sporadyczny

intermix [ˌintəˈmiks] *vt vi* z/mieszać <pomieszać, zl-ać/ewać> (się)

intermixture [ˌintəˈmikstʃə] *s* zmieszanie; pomieszanie; mieszanina; połączenie

intern[1] [inˈtəːn] *vt* internować

intern[2] [ˈintəːn] *s am* 1. student/ka <młod-y/a leka-rz/rka> mieszkając-y/a w szpitalu 2. ucze-ń/nnica w internacie

internal [inˈtəːnl] [I] *adj* 1. wewnętrzny; **~ combustion engine** motor spalinowy; **~ gear** urządzenie o zazębieniu wewnętrznym 2. krajowy; (*o zamieszkach itd*) domowy 3. duchowy; intymny; tajny 4. (*o wartości*) istotny [II] *spl* **~s** 1. istotne wartości 2. części <organy> wewnętrzne; wnętrzności

international [ˌintəˈnæʃənl] [I] *adj* międzynarodowy [II] *s* 1. uczestni-k/czka zawodów międzynarodowych 2. zawody międzynarodowe 3. *polit* **the International** Międzynarodówka 4. członek Międzynarodówki

Internationale [ˌintəˌnæʃəˈnɑːl] *s* Międzynarodówka (hymn komunistyczny)

internationalism [ˌintəˈnæʃṇəˌlizəm] *s* internacjonalizm

internationalization [ˈintəˌnæʃṇəlaiˈzeiʃən] *s* umiędzynarodowienie

internationalize [ˌintəˈnæʃṇəˌlaiz] *vt* umiędzynarodowić

internecine [ˌintəˈniːsain] *adj* morderczy; (*o wojnie*) na śmierć i życie

internee [ˌintəːˈniː] *s* internowan-y/a

internment [inˈtəːnmənt] *s* internowanie; **~ camp** obóz internowanych <koncentracyjny>

internuncio [ˌintəˈnʌnʃiˌou] *s* internuncjusz

interoceanic [ˈintərˌouʃiˈænik] *adj* międzyoceaniczny

interosculate [ˌintərˈɔskjuˌleit] *vi* 1. mieszać się 2. stanowić wiążące ogniwo

interpage [ˌintəˈpeidʒ] *vt* 1. przegradzać (stronice książki) kartami niedrukowanymi 2. wy/drukować (coś) na przegradzających stronicach

interpellate [inˈtəːpeˌleit] *vt* za/interpelować; wn-ieść/osić interpelację (**sb** do kogoś)

interpellation [inˌtəːpeˈleiʃən] *s* interpelacja

interpenetrate [ˌintəˈpeniˌtreit] [I] *vt* przenik-nąć/ać; przep-oić/ajać [II] *vi* przenik-nąć/ać się wzajemnie

interpenetration [ˈintəˌpeniˈtreiʃən] *s* wzajemne przenikanie (się)

interphone [ˈintəˌfoun] *s* telefon wewnętrzny

interplanetary [ˌintəˈplænitəri] *adj* międzyplanetarny

interplay [ˈintəˈplei] *s* oddziaływanie wzajemne

interpolar [ˌintəˈpoulə] *adj* międzybiegunowy

interpolate [inˈtəːpəˌleit] *vt* 1. umieszczać wstawki (**sb's text** w czyimś tekście) 2. *mat* interpolować

interpolation [inˌtəːpəˈleiʃən] *s* 1. *mat* interpolacja 2. wstawka *zob* **interpolate**

interposal [ˌintəˈpouzl] = **interposition**

interpose [ˌintəˈpouz] [I] *vt* wprowadz-ić/ać; wstawi-ć/ać; wtrąc-ić/ać; uży-ć/wać (**sth** czegoś — prawa weta, swego autorytetu itp.) [II] *vi* za/interweniować; sta-nąć/wać (**between disputants etc.** między walczących itd.)

interposition [inˌtəːpəˈziʃən] *s* 1. wprowadz-enie/anie; wstawi-enie/anie; wtrąc-enie/anie 2. użycie (prawa weta, swego autorytetu itp.) 3. interwencja; wejście (między walczących)

interpret [inˈtəːprit] [I] *vt* 1. interpretować; tłumaczyć; objaśni-ć/ać 2. z/rozumieć (coś opacznie itd.) [II] *vi* spełni-ć/ać obowiązki tłumacza <być tłumaczem> (na odczycie itp.)

interpretation [inˌtəːpriˈteiʃən] *s* interpretacja; tłumaczenie; objaśnienie; sposób zrozumienia (czegoś); **to put the proper** <**a wrong**> **~ on —** właściwie <fałszywie> interpretować <tłumaczyć, z/rozumieć> ...

interpretative [inˈtəːpritətiv] *adj* objaśniający

interpreter [inˈtəːpritə] *s* tłumacz

interpretress [inˈtəːpritris] *s* tłumaczka

interpunctuate [ˌintəˈpʌŋktjuˌeit] *vt* 1. stosować interpunkcję (**sth** w czymś) 2. przer-wać/ywać (coś czymś)

interracial [ˌintəˈreiʃəl] *adj* (*o typie itd*) wspólny różnym rasom; (*o małżeństwie itd*) zawierane w obrębie różnych ras

interregnum [ˌintəˈregnəm] *s* (*pl* **interregna** [ˌintəˈregnə], **~s**) bezkrólewie

interrelated ['intəri'leitid] *adj* (*o faktach itd*) powiązane ze sobą

interrelation ['intəri'leiʃən] *s* wzajemne powiązanie (faktów itd.)

interrogate [in'terə,geit] *vt* zapyt-ać/ywać; zada-ć/wać pytani-e/a (**sb** komuś); indagować; przesłuch-ać/iwać (aresztowanego itd.)

interrogation [in,terə'geiʃən] *s* 1. zapytanie; **note of ~** pytajnik; znak zapytania 2. indagacja; przesłuchiwanie 3. prze/egzaminowanie

interrogative [,intə'rɔgətiv] *adj* 1. (*o spojrzeniu itd*) pytający; badawczy 2. *gram* pytający; pytajny

interrogator [in'terə,geitə] *s* człowiek pytający <zadający pytani-e/a>

interrogatory [,intə'rɔgətəri] [I] *s* przesłuch-anie/iwanie; śledztwo [II] *adj* pytający

interrupt [,intə'rʌpt] [I] *vt* 1. przer-wać/ywać (**sth** coś; **sb** komuś); z/robić przerw-ę/y (**sth** w czymś); wyłącz-yć/ać (prąd itd.) 2. zasł-onić/aniać (widok itd.) [II] *vi* przer-wać/ywać, przestać mówić

interrupter [,intə'rʌptə] *s elektr* przerywacz; wyłącznik

interruption [,intə'rʌpʃən] *s* przerwa; **there were many ~s** wiele razy przerywano (mówcy itd.)

intersect [,intə'sekt] *vt vi* przeci-ąć/nać <po/krzyżować> (się)

intersection [,intə'sekʃən] *s* przecięcie (się); punkt przeci-ęcia/nania się; skrzyżowanie

intershot [,intə'ʃɔt] *adj* (*o tkaninie*) mieniący się (barwą)

interspace ['intə,speis] [I] *s* odstęp (w czasie i przestrzeni) [II] *vt* [,intə'speis] robić dłuższe przerwy (**sth** między czymś — odwiedzinami itd.)

intersperse [,intə'spə:s] *vt* przepl-eść/atać (coś czymś); urozmaic-ić/ać; porozrzucać; usiać (coś czymś)

interspersion [,intə'spə:ʃən] *s* przepl-ecenie/atanie <urozmaic-enie/anie; usianie> (czegoś czymś)

interstate ['intə,steit] *adj* międzystanowy; (istniejący itd.) między stanami

interstellar [,intə'stelə] *adj* międzygwiezdny

interstice [in'tə:stis] *s* odstęp; szpara

interstitial [,intə'stiʃəl] *adj* 1. przerywający 2. *anat* śródmiąższowy

intertangle [,intə'tæŋgl] *vt* pomieszać; pogmatwać

intertexture [,intə'tekstʃə] *s* przet-kanie/ykanie

intertribal [,intə'traibəl] *adj* międzyszczepowy; międzyplemienny

intertwine [,intə'twain], **intertwist** [,intə'twist] *vt vi* przeplatać <spl-eść/atać> (się)

interurban [,intər'ə:bən] *adj* międzymiastowy; (*o pociągu*) podmiejski

interval ['intəvəl] *s* 1. odstęp (w czasie i przestrzeni); przerwa; okres (pogody, słoty itd.); **at ~s** a) z przerwami b) w pewnych odstępach; tu i ówdzie; **bright ~s** przejaśnienia 2. antrakt 3. *muz* interwał 4. *mat* interwał, przedział

intervene [,intə'vi:n] *vi* 1. za/interweniować; wda-ć/wać się (w spór itd.); w/mieszać się (do czegoś, w coś); ingerować 2. wydarz-yć/ać się; mieć miejsce 3. (*o czasie*) upły-nąć/wać 4. (*w przestrzeni*) leżeć (między jednym a drugim)

intervention [,intə'venʃən] *s* interwencja; mieszanie <wtrącanie> się; pośrednictwo

interview ['intə,vju:] [I] *s* 1. widzenie się; spotkanie (się) 2. wywiad (dziennikarski) [II] *vt* 1. widzieć się (**sb** z kimś); spot-kać/ykać się (**sb** z kimś) 2. przeprowadz-ić/ać wywiad (**sb** z kimś)

interviewer ['intə,vju:ə] *s* przeprowadzając-y/a wywiad (dziennika-rz/rka); sprawozdaw-ca/czyni

interweave [,intə'wi:v] *v* (**interwove** [,intə'wouv], **interwoven** [,intə'wouvən]) [I] *vt* przet-kać/ykać; przepl-eść/atać [II] *vi* przepl-eść/atać się

interwind [,intə'waind] *vt* (**interwound** [,intə'waund], **interwound**) przepl-eść/atać

interwound *zob* **interwind**

interwove *zob* **interweave**

interwoven *zob* **interweave**

intestacy [in'testəsi] *s* brak testamentu

intestate [in'testit] [I] *adj* (*o człowieku*) **to die ~** umrzeć nie pozostawiwszy testamentu; (*o majątku*) nie zapisany testamentem [II] *s* osoba, która zmarła nie zostawiając testamentu

intestinal [in'testinl] *adj anat* jelitowy

intestine[1] [in'testin] *s anat* jelito; **large <small> ~** grube <cienkie> jelito

intestine[2] [in'testin] *adj* wewnętrzny; (*o wojnie itd*) domowy; bratobójczy

intimacy ['intiməsi] *s* zażyłość; poufałość; intymność; *prawn* stosunek cielesny

intimate[1] ['intimit] [I] *adj* 1. intymny; (*o uczuciach itd*) najskrytszy 2. (*o przyjacielu*) zażyły <serdeczny>; (*o znajomym*) bliski; **to be ~ with sb** być z kimś na stopie wielkiej zażyłości; (*o znajomości czegoś*) bliski; dokładny; gruntowny [II] *s* serdeczn-y/a przyjaci-el/ółka

intimate[2] ['inti,meit] *vt* 1. oznajmi-ć/ać (**sb** komuś); zawiad-omić/amiać (**sb** kogoś); poda-ć/wać do wiadomości (**sb** czyjejś) 2. da-ć/wać do zrozumienia (**sb** komuś); napom-knąć/ykać (**sb** komuś)

intimation [,inti'meiʃən] *s* 1. zawiadomienie; wiadomość 2. napomknienie 3. znak (czegoś)

intimidate [in'timi,deit] *vt* onieśmiel-ić/ać; zastrasz-yć/ać

intimidation [in,timi'deiʃən] *s* onieśmiel-enie/anie; zastrasz-enie/anie

intimidatory [in,timi'deitəri] *adj* onieśmielający; zastraszający

intimity [in'timiti] *s* 1. intymność 2. życie prywatne; zacisze domowe

intitule [in'titju:l] *vt* za/tytułować (dokument itp.)

into ['intu] *praep* 1. *przy pojęciu ruchu, kierunku*: a) do (czegoś — środka, wnętrza) b) w (coś — czyjeś ręce, przyszłość itd.); **far (on) ~ the night** do późna w nocy 2. *oznacza przemianę lub wynik działania*: a) na (coś — kategorie, grupy itd.) b) w (coś — złoto, parę, lód itd.) ***Uwaga***: *nadaje czasownikom specyficzne znaczenie (przy nich podane)*

intoed ['in,toud] *adj* mający zwrócone do środka palce u nóg

intolerable [in'tɔlərəbl] *adj* nieznośny; nie do zniesienia

intolerance [in'tɔlərəns] *s* nietolerancja

intolerant [in'tɔlərənt] *adj* nietolerancyjny; **to be ~ of sth** nie znosić czegoś

intonate ['intə,neit] = **intone**

intonation [,intə'neiʃən] *s* 1. za/intonowanie (psalmu itd.) 2. intonacja; przyśpiew

intone [in'toun] *vt* 1. za/intonować (psalm itp.)

2. mówić <wymawiać> z właściwą <niewłaściwą, obcą itd.> intonacją

intoxicant [in'tɔksikənt] [I] *s* trunek; napój wyskokowy <alkoholowy> [II] *adj* wyskokowy; alkoholowy

intoxicate [in'tɔksi,keit] *vt* up-oić/ajać; odurz-yć/ać; iść/pójść <uderz-yć/ać> do głowy (**sb** komuś); **to be ~d** być w stanie nietrzeźwym; **to get ~d** upić się *zob* **intoxicating**

intoxicating [in'tɔksi,keitiŋ] [I] *zob* **intoxicate** [II] *adj* 1. wyskokowy; alkoholowy; **~ liquor** trunek 2. upajający

intoxication [in,tɔksi'keiʃən] *s* 1. odurzenie alkoholem; stan nietrzeźwy 2. upojenie (powodzeniem itd.) 3. *med* zatrucie

intracellular ['intrə'seljulə] *adj* wewnątrzkomórkowy

intracranial ['intrə'kreinjəl] *adj anat* wewnątrzczaszkowy

intractability [in,træktə'biliti] *s* krnąbrność; niesforność; niepodatność (na wpływy itd.)

intractable [in'træktəbl] *adj* 1. krnąbrny; niesforny; niepodatny 2. (*o gruncie, materiale*) trudny do obróbki

intrados [in'treidɔs] *s arch* podniebienie łuku

intramolecular ['intrəmə'lekjulə] *adj fiz* wewnątrzcząsteczkowy

intramural ['intrə'mjuərəl] *adj* 1. śródścienny 2. *uniw* wewnątrzzakładowy

intramuscular ['intrə'mʌskjulə] *adj* śródmięśniowy; domięśniowy

intransigence [in'trænsidʒəns] *s* bezkompromisowość; nieprzejednanie

intransigent [in'trænsidʒənt] [I] *adj* (*o człowieku*) bezkompromisowy; nie znający kompromisu; nieprzejednany [II] *s* człowiek bezkompromisowy <nieprzejednany>

intransitive [in'trænsitiv] *adj gram* (*o czasowniku*) nieprzechodni

intransmutable [,intræns'mju:təbl] *adj* nieprzemienny

intrant ['intrənt] *s* początkując-y/a; nowicjusz/ka

intravenous ['intrə'vi:nəs] *adj* dożylny; śródżylny

intrench [in'trentʃ] = **entrench**

intrepid [in'trepid] *adj* nieustraszony

intrepidity [,intri'piditi] *s* nieustraszoność; męstwo

intricacy ['intrikəsi] *s* 1. zawiłość 2. gmatwanina

intricate ['intrikit] *adj* zawiły, pogmatwany; powikłany

intrigue [in'tri:g] [I] *s* 1. intryga; knowanie 2. *teatr* intryga, węzeł dramatyczny 3. miłostka [II] *vi* 1. intrygować; robić intrygi 2. mieć miłostk-ę/i [III] *vt* za/intrygować; zaciekawi-ć/ać

intriguer [in'tri:gə] *s* intrygant/ka

intrinsic [in'trinsik] *adj* 1. wewnętrzny; tkwiący (w kimś, czymś) 2. (*o wartości itd*) istotny; właściwy; faktyczny

introduce [,intrə'dju:s] *vt* 1. wprowadz-ić/ać <wsu-nąć/wać, wepchnąć/wpychać> (**sth into sth** coś do czegoś); przyprowadz-ić/ać (kogoś) 2. zaprowadz-ić/ać (zwyczaj itd.) 3. przed-łożyć/kładać (wniosek na zebraniu, projekt ustawy parlamentowi); poruszyć (temat rozmowy) 4. przedstawi-ć/ać (**sb to sb** kogoś komuś); zaznaj-omić/amiać <zapozna-ć/wać> (**sb to sb** kogoś z kimś); wprowadz-ić/ać (młodą osobę do towarzystwa) 5. zapozna-ć/wać (**sb to sth** kogoś z czymś)

introduction [,intrə'dʌkʃən] *s* 1. wprowadz-enie/anie 2. zaprowadzenie (zwyczaju itd.); **of recent ~** niedawno <świeżo> wprowadzony <zaprowadzony> 3. przed-łożenie/kładanie (wniosku, projektu ustawy) 4. przedstawi-enie/anie (kogoś komuś); zaznaj-omienie/amianie (**of a person to sb** kogoś z kimś); wprowadz-enie/anie (młodej osoby do towarzystwa) 5. polec-enie/anie (kogoś komuś); **letter of ~** list polecający 6. wstęp (do książki, opery itd.); przedmowa; słowo wstępne; wstęp (do nauki o czymś) 7. nowość; innowacja

introductory [,intrə'dʌktəri] *adj* 1. wstępny; wprowadzający 2. polecający

intromission [,introu'miʃən] *s* wprowadz-enie/anie; wpuszcz-enie/anie

intromit [,introu'mit] *vt* (**-tt-**) wprowadz-ić/ać; wpu-ścić/szczać

introspect [,introu'spekt] *vi* odda-ć/wać się badaniom introspektywnym; analizować własne myśli i uczucia

introspection [,introu'spekʃən] *s* introspekcja; samoobserwacja

introspective [,introu'spektiv] *adj* introspektywny

introversion [,introu'və:ʃən] *s* 1. *psych* introwersja 2. wywrócenie (wewnętrzną stroną na zewnątrz)

introvert [,introu'və:t] [I] *vt w zwrocie:* **to ~ one's mind** <**thoughts**> wejrzeć/wglądać w siebie *zob* **introverted** [II] *s* ['introu,və:t] *psych* introwertyk

introverted [,introu'və:tid] [I] *zob* **introvert** *v* [II] *adj* introwersyjny, zamknięty w sobie; wpatrzony w siebie

intrude [in'tru:d] [I] *vi* 1. niepokoić (**on** <**upon**> **sb** kogoś); być intruzem <natrętem> (**on** <**upon**> **sb** u kogoś); **to ~ on sb's privacy** zakłócać komuś spokój domowy; **to ~ on sb's time** zajmować komuś czas; 2. wtrącać się (**into other people's affairs** w cudze sprawy itd.) [II] *vt* 1. wcis-nąć/kać <wprowadz-ić/ać siłą> (**sth into sth** coś do czegoś) 2. narzuc-ić/ać (**sth** <**upon**> **sb** coś komuś) [III] *vr* **~ oneself** narzuc-ić/ać się (**on** <**upon**> **sb** komuś); wcis-nąć/kać <wedrzeć/wdzierać> się (**into sth** do czegoś — do towarzystwa itd.; na coś — na zebranie itd.); (*o myśli itp*) niepokoić (**upon sb** kogoś); dokuczać <nie dawać spokoju> (**upon sb** komuś)

intruder [in'tru:də] *s* intruz; natręt; nieproszony gość

intrusion [in'tru:ʒən] *s* 1. wci-śnięcie/skanie się; wtargnięcie; narzuc-enie/anie (się) 2. niepokojenie (**upon sb** kogoś) 3. *geol* intruzja 4. *prawn* wkr-oczenie/aczanie w cudze prawa

intrusive [in'tru:siv] *adj* 1. natrętny 2. niepożądany; nieproszony 3. *jęz* epentetyczny, wtrącony 4. *geol* intruzyjny

intrust [in'trʌst] = **entrust**

intubation [,intju'beiʃən] *s med wet* intubacja

intuition [,intju'iʃən] *s* intuicja; **to have an ~ of sth** przeczuwać coś; **by ~** intuicyjnie

intuitional [,intju'iʃənl], **intuitive** [in'tjuitiv] *adj* intuicyjny

intumescence [,intju'mesns] *s med* obrzmienie; wzrost objętości

intumescent [,intju'mesnt] *adj med* obrzmiały

intussusception [,intəsə'sepʃən] *s med* wgłobienie

inulin ['injulin] *s chem* inulina

inunction [in'ʌŋkʃən] *s med* wcieranie; *kośc* namaszczenie

inundate ['inʌn,deit] *vt* zal-ać/ewać; zat-opić/apiać; **to be ~d with requests etc.** być zasypywanym prośbami itd.

inundation [,inʌn'deiʃən] *s* zalew; powódź; wylew

inurbane [,in'ə:bein] *adj* 1. bez ogłady 2. niegrzeczny; nieuprzejmy

inure [i'njuə] [I] *vt* za/hartować <przyzwycza-ić/jać> (**sb to sth** kogoś do czegoś) [II] *vi prawn* 1. (*o ustawie itd*) wejść/wchodzić w życie; obowiązywać 2. stanowić korzyść (**to sb, to sb's benefit** dla kogoś)

inurement [i'njuərmənt] *s* za/hartowanie; przyzwyczaj-enie/anie; wdr-ożenie/ażanie

inurn [i'nə:n] *vt* 1. włożyć/wkładać do urny 2. pochować (zmarłego)

inutile [i'nju:til] *adj* bezużyteczny; bezowocny

inutility [,inju'tiliti] *s* bezużyteczność; bezowocność

invade [in'veid] *vt* 1. naje-chać/żdżać; z/robić najazd/y <dokon-ać/ywać inwazji> (**a state** na kraj); okupować; wtargnąć (**a state** do kraju); *przen* (*o uczuciach itp*) ogarn-ąć/iać; na-jść/chodzić (**sb's house** czyjś dom); narusz-yć/ać <zakłóc-ić/ać> (**sb's privacy** czyjś spokój domowy) 2. wkr-oczyć/aczać (**sb's rights <privileges>** w czyjeś prawa)

invader [in'veidə] *s* najeźdźca; okupant

invaginate [in'vædʒi,neit] *vt med* wgłobi-ć/ać; wpochwi-ć/ać

invagination [in,vædʒi'neiʃən] *s med* wgłobi-enie/anie; wpochwi-enie/anie

invalid¹ [in'vælid] *adj* nieważny; nie posiadający mocy prawnej; nieprawomocny; **to declare ~** unieważnić; uznać za nieważny

invalid² ['invə,li:d] [I] *adj* 1. (obłożnie) chory 2. słaby; słabego zdrowia 3. ułomny 4. niezdatny do służby w wojsku wskutek <na skutek> choroby <kalectwa> [II] *s* 1. człowiek chory <słaby> 2. kaleka 3. inwalida (wojenny) [III] *attr* (*o diecie itd*) dla chorych; **~ chair** wózek dla chorego [IV] *vt* 1. nabawi-ć/ać (kogoś) choroby; z/robić kalekę (**sb** z kogoś); u/czynić (kogoś) niezdolnym do pracy <służby>; **to ~ sb home** zw-olnić/alniać (kogoś) ze służby w wojsku z powodu choroby <kalectwa> [V] *vi* 1. zostać zwolnionym ze służby wskutek choroby <kalectwa> 2. otrzymać zwolnienie chorobowe

invalidate [in'væli,deit] *vt* unieważni-ć/ać

invalidation [in,væli'deiʃən] *s* unieważnienie

invalidism ['invəli,dizəm] *s* kalectwo

invalidity [,invə'liditi] *s* 1. nieważność (umowy itd.) 2. kalectwo

invaluable [in'væljuəbl] *adj* bezcenny; nieoceniony

invar [in'vɑ:] *s metal* inwar

invariability [in,vɛəriə'biliti] *s* niezmienność

invariable [in'vɛəriəbl] *adj* niezmienny

invasion [in'veiʒən] *s* 1. najazd; wtargnięcie; inwazja 2. *med* wtargnięcie bakterii 3. *prawn* zamach (**of sb's rights** na czyjeś prawa)

invasive [in'veisiv] *adj* napastniczy; zaborczy

invective [in'vektiv] *s* obelga; inwektywa; obelżywe słowa; **a torrent <stream> of ~s** stek obelg

inveigh [in'vei] *vi* pomstować, <kląć, wymyślać, piorunować> (**against sb, sth** na kogoś, coś)

inveigle [in'vi:gl] *vt* 1. uw-ieść/odzić; usidl-ić/ać 2. zwabić <przywabi-ć/ać> (**into a place** dokądś); **to ~ sb into doing sth** omotać kogoś tak, żeby coś zrobił

inveiglement [in'vi:glmənt] *s* 1. uwodzenie; usidl-enie/anie 2. powab; przynęta

inveigler [in'vi:glə] *s* uwodziciel/ka

invent [in'vent] *vt* 1. wyna-leźć/jdować; wymyśl-ić/ać 2. zmyśl-ić/ać

invention [in'venʃən] *s* 1. wynalazek 2. wymysł 3. wynalazczość; *kośc* **Invention of the Cross** znalezienie krzyża

inventive [in'ventiv] *adj* wynalazczy; pomysłowy; pełen pomysłów

inventiveness [in'ventivnis] *s* wynalazczość

inventor [in'ventə] *s* wynalazca

inventory ['inventri] [I] *s* 1. inwentarz 2. zapas (towaru) [II] *vt* (**inventoried** ['inventrid], **inventoried; inventorying** ['inventriiŋ]) 1. sporządz-ić/ać inwentarz <remanent> (**sth** czegoś — towaru itd.) 2. wciąg-nąć/ać do inwentarza

Inverness [,invə'nes] *spr* **~ coat <cloak>** rodzaj peleryny

inverse [in'və:s] [I] *adj* odwrotny [II] *s* odwrotność

inversion [in'və:ʃən] *s* 1. odwrócenie, inwersja (odwrócenie normalnego porządku) 2. *med* wynicowanie 3. *mat* przekształcenie odwrotne

invert ['invə:t] [I] *s* 1. odwrócony łuk 2. zboczeniec [II] *adj chem* inwertowany (cukier) [III] [in'və:t] *vt* 1. odwr-ócić/acać; przewr-ócić/acać; **~ed commas** cudzysłów 2. *chem* inwertować 3. *med* wynicować

invertebrate [in'və:tibrit] [I] *adj* 1. *zoo* bezkręgowy 2. *przen* (*o człowieku*) bez kręgosłupa (moralnego) [II] *s* 1. *zoo* bezkręgowiec 2. *przen* człowiek bez charakteru <bez kręgosłupa>

invest [in'vest] [I] *vt* 1. odzi-ać/ewać <oble-c/kać, ub-rać/ierać, ot-oczyć/aczać> (**in <with> sth** czymś, w coś) 2. nada-ć/wać (**sb with sth** komuś coś — urząd, władzę itd., **sth with sth** czemuś coś — urok itd.); obdarz-yć/ać (**with qualities etc.** zaletami itd.) 3. *wojsk* oble-c/gać; ot-oczyć/aczać; osacz-yć/ać 4. za/inwestować <u/lokować, włożyć/wkładać> (kapitał itd.) [II] *vi* za/inwestować <u/lokować> pieniądze (w czymś)

investigate [in'vesti,geit] [I] *vt* 1. z/badać; do-jść/chodzić (**sth** czegoś); docie-c/kać (**sth** czegoś); rozpat-rzyć/rywać 2. prowadzić dochodzenie <śledztwo> (**a murder etc.** w sprawie morderstwa itd.) [II] *vi* prowadzić dochodzenie <śledztwo> *zob* **investigating**

investigating [in'vesti,geitiŋ] [I] *zob* **investigate** [II] *adj* (*o sędzim*) śledczy

investigation [in,vesti'geiʃən] *s* z/badanie; badania; dochodzeni-e/a; dociekani-e/a; rozpatrzenie; śledztwo; **on further ~** przy bliższym zbadaniu; po dokładniejszym rozpatrzeniu; **the question under ~** rozpatrywana sprawa

investigative [in'vesti,geitiv] *adj* badawczy

investigator [in'vesti,geitə] *s* badacz/ka

investigatory [in'vesti,geitəri] = **investigative**

investiture [in'vestitʃə] *s* inwestytura

investment [in'vestmənt] *s* 1. lokata (kapitału); ulokowane pieniądze 2. inwestytura 3. obleczenie; szata 4. *wojsk* oblężenie; otoczenie; osaczenie; blokada

investor [in'vestə] *s* akcjonariusz/ka; człowiek lokujący pieniądze w przedsiębiorstwa <poszukujący korzystnej lokaty>; inwestor

inveteracy [in'vetərəsi] *s* 1. uporczywość (choroby); zadawnienie 2. chroniczność (nałogu)

inveterate [in'vetərit] *adj* (*o chorobie*) uporczywy; zastarzały; (*o człowieku*) nałogowy; niepoprawny; (*o nałogu, przesądach itd*) zakorzeniony

invidious [in'vidiəs] *adj* nienawistny; rażący; budzący zawiść <nienawiść>; (*o porównaniu*) ubliżający

invigilate [in'vidʒi,leit] *vt* nadzorować (**an examination** egzamin, przy egzaminie)

invigorate [in'vigə,reit] *vt* orzeźwi-ć/ać; wzm-ocnić/acniać; doda-ć/wać sił <otuchy, animuszu> (**sb** komuś)

invigorative [in'vigə,reitiv] *adj* orzeźwiający; wzmacniający; dodający sił <otuchy, animuszu>

invincible [in'vinsəbl] *adj* niezwyciężony; niepokonany

inviolable [in'vaiələbl] *adj* nietykalny; nienaruszalny

inviolate [in'vaiəlit] *adj* nietknięty; nie sprofanowany

invisibility [in,vizə'biliti] *s* niewidzialność

invisible [in'vizəbl] *adj* 1. niewidzialny; niewidoczny; ~ **mending** cerowanie artystyczne 2. (*o atramencie*) sympatyczny

invitation [,invi'teiʃən] *s* zaproszenie; ~ **card** zaproszenie (drukowane)

invite [in'vait] [I] *vt* 1. zapr-osić/aszać 2. zachęc-ić/ać (**sth do** czegoś); zapr-osić/aszać (**questions, opinions etc.** do zadawania pytań, wypowiadania się itd.) 3. nara-zić/żać się (**danger etc.** na niebezpieczeństwo itd.) *zob* **inviting** [II] *s* 1.*karc* inwit 2.*pot* zaproszenie

inviting [in'vaitiŋ] [I] *zob* **invite** *v* [II] *adj* zapraszający; nęcący; przyciągający; ponętny; pociągający; kuszący; apetyczny

invocation [,invou'keiʃən] *s* wezwanie <inwokacja> (do muz itd.); *rel* **under the** ~ **of** ... (kościół itd.) pod wezwaniem ...

invocatory [,invou'keitəri] *adj* wzywający

invoice ['invɔis] [I] *s handl* 1. faktura 2. list przewozowy [II] *vt* 1. za/fakturować 2. wystawi-ć/ać list przewozowy (**goods** na towar)

invoke [in'vouk] *vt* 1. wezwać/wzywać; przywoł-ać/ywać; błagać 2. odwoł-ać/ywać się (**sb, sth** do kogoś czegoś) 3. zaklinać

involucre ['invə,lu:kə] *s bot* okrywa

involuntarily [in'vɔləntərili] *adv* mimowolnie; mimo woli; niechcąc-y/o

involuntariness [in'vɔləntərinis] *s* mimowolność

involuntary [in'vɔləntəri] *adj* mimowolny; nieumyślny; bezwiedny; odruchowy

involute ['invə,lu:t] [I] *adj* 1. zawiły 2. spiralny; (*o liściu*) zwinięty w trąbkę [II] *s mat* rozwinięta (krzywej), ewolwenta

involuted ['invə,lu:tid] = **involute** *adj*

involution [,invə'lu:ʃən] *s* 1. zawiłość; powikłanie 2. zwi-nięcie/janie (się) w trąbkę 3. *mat* potęgowanie; podn-iesienie/oszenie do potęgi 4. *biol* inwolucja; rozwój wsteczny 5. *med* zwinięcie <skurczenie> się; zanik

involve [in'vɔlv] *vt* 1. zwi-nąć/jać 2. uwikłać; po/wikłać; za/gmatwać 3. wplątać <w/mieszać, wciąg-nąć/ać> (kogoś w coś); pogrąż-yć/ać (**in sth** w czymś); **to be** ~**d** wchodzić w grę; być objętym (**in sth** czymś) 4. dotyczyć (**sb, sth** kogoś, czegoś) 5. pociągać za sobą; wymagać (**sth** czegoś); być związanym (**sth** z czymś — dużym wydatkiem itd.) 6. *mat* potęgować *zob* **involved**

involved [in'vɔlvd] [I] *zob* **involve** [II] *adj* 1. zawiły; pogmatwany; ~ **circumstances** kłopoty; ~ **in debt** zadłużony 2. wplątany

involvement [in'vɔlvmənt] *s* 1. zawiłość; pogmatwanie; gmatwanina 2. wplątanie <wmieszanie, wciągnięcie> (w jakąś sprawę) 3. kłopoty (pieniężne)

invulnerability [in,vʌlnərə'biliti] *s* niepodleganie zranieniu <uszkodzeniu itd.>; niewrażliwość (na ciosy itp.)

invulnerable [in'vʌlnərəbl] *adj* nie do zranienia; niewrażliwy (na ciosy itp.); **to be** ~ nie podlegać zranieniu; być niedosięgalnym (dla ciosów itp.)

inwall ['in,wɔ:l] [I] *vt* omurow-ać/ywać; ot-oczyć/aczać murem [II] *s* omurowanie; wewnętrzna strona ściany <muru>

inward ['inwəd] [I] *adj* 1. wewnętrzny 2. duchowy; myślowy; tajny; skryty 3. (*o ruchu*) z zewnątrz; skierowany do wnętrza (kraju, miasta itd.) [II] *spl* ~**s** wnętrzności; brzuch

inwardly ['inwədli] *adv* 1. wewnątrz 2. wewnętrznie 3. w duchu

inwardness ['inwədnis] *s* 1. istota (czegoś) 2. duchowość

inwards ['inwədz] *adv* 1. do wnętrza 2. w duchu; w myśli

inweave ['in'wi:v] *vt* (**inwove** ['in'wouv], **inwoven** ['in'wouvən]) wetkać; wpl-eść/atać

inwove *zob* **inweave**

inwoven *zob* **inweave**

inwrought ['in'rɔ:t] *adj* 1. (*o przedmiocie, szacie*) ozdobiony wzorem wplecionym w tkaninę <inkrustowanym, wpuszczanym> 2. (*o wzorze*) wpleciony (w tkaninę); inkrustowany; wpuszczany 3. *przen* zrośnięty (z czymś)

iodate ['aiə,deit] *s chem* jodan

iodic [ai'ɔdik] *adj chem* jodowy

iodide ['aiə,daid] *s chem* jodek

iodine ['aiə,di:n] *s chem* jod; **tincture of** ~ jodyna

iodize ['aiə,daiz] *vt chem* traktować jodem, podda-ć/wać działaniu jodu

iodoform [ai'ɔdə,fɔ:m] *s chem* jodoform

ion ['aiən] *s fiz* jon

Ionian [ai'ounjən] [I] *adj* joński [II] *s* Jończyk

Ionic[1] [ai'ɔnik] = **Ionian** *adj*

ionic[2] [ai'ɔnik] *adj fiz* jonowy

ionize ['aiə,naiz] *vt fiz* jonizować

ionosphere [ai'ɔnə,sfiə] *s* jonosfera

iota [ai'outə] *s* 1. *gr litera* jota 2. odrobina, jota

I O U ['aiou'ju:] *s* (= **I owe you**) rewers; kwit; skrypt dłużny

ipecacuanha [,ipi,kækju'ænə] *s farm* ipekakuana

ipse dixit ['ipsi'diksit] *s* dogmatyczne twierdzenie

ipso facto ['ipsou'fæktou] *adv* tym samym, przez to samo

Iraki, Iraqi [i'rɑ:ki] [I] *adj* iracki [II] *s* obywatel/ka Iraku

Iranian [i'reinjən] [I] *adj* irański, perski [II] *s* Irańczyk, Pers

Iraqi *zob* **Iraki**

irascibility [i,ræsi'biliti] *s* wybuchowość; drażliwość; krewkość
irascible [i'ræsibl] *adj* skory do gniewu; wybuchowy; drażliwy
irate [ai'reit] *adj* rozgniewany; zirytowany; zły; wściekły
ire ['aiə] *s poet* gniew
ireful ['aiəful] *adj poet* zagniewany
iridescence [,iri'desns] *s* opalizowanie; mienienie się (barwami tęczy)
iridescent [,iri'desnt] *adj* opalizujący; mieniący się (barwami tęczy)
iridium [ai'ridiəm] *s chem* iryd (pierwiastek)
iridosmine [,aiəri'dɔsmain] *s metal* irydoosm
iris ['aiəris] *s* (*pl* **irides** ['aiəri,di:z], **~es**) 1. *anat* tęczówka; *fot* **~ diaphragm** przesłona irysowa <wycinkowa> 2. *bot* irys; kosaciec 3. tęcza
Irish ['aiəriʃ] [I] *adj* irlandzki [II] *s* 1. język irlandzki 2. *pl* **the ~** Irlandczycy
Irishman ['aiəriʃmən] *s* (*pl* **Irishmen** ['aiəriʃmən]) Irlandczyk
Irishwoman ['aiəriʃ,wumən] *s* (*pl* **Irishwomen** ['aiəriʃ,wimin]) Irlandka
iritis [,aiə'raitis] *s med* zapalenie tęczówki
irk [ə:k] † *vt* być nieprzyjemnym <przykrym> (**sb** dla kogoś); drażnić; **it ~s me to —** przykro <nieprzyjemnie> mi (jest) ...
irksome ['ə:ksəm] *adj* nieprzyjemny; przykry
iron ['aiən] [I] *s* 1. *miner farm* żelazo; **a man of ~** a) człowiek bezlitosny b) człowiek żelaznej woli 2. żelazko (do prasowania, do fryzowania włosów); **to have too many ~s in the fire** trzymać dwie sroki za ogon 3. *techn* dźwigar 4. żelazo profilowe 5. jeden z kijów do gry w golfa 6. *pl* **~s** kajdany; **to put a man in ~s** zakuć człowieka w kajdany 7. *pl* **~s** szufelka, pogrzebacz i szczypce do węgla 8. *pl* **~s** strzemiona 9. *pl* **~s** przyrząd ortopedyczny [II] *adj dosł i przen* żelazny; (*o rudzie, epoce itd*) żelaza; (zrobiony) z żelaza; **Iron Duke** Żelazny Książę (Wellington); **~ lung** płuco żelazne; **~ rations** żelazny zapas żywności [III] *vt* 1. wy/prasować; odprasować 2. oku-ć/wać 3. **podku-ć/wać** (konia) 4. zaku-ć/wać w kajdany *zob* **ironing**
iron-bark ['aiən,ba:k] *s bot* odmiana eukaliptusa o twardej korze; drzewo gumowe
ironbound ['aiən,baund] *adj* 1. ujęty żelaznymi obręczami 2. (*o wybrzeżu*) skalisty 3. *przen* nieugięty; nieustępliwy
ironclad ['aiən,klæd] [I] *adj* pancerny; opancerzony [II] *s mar* pancernik
ironer ['aiənə] *s* prasowacz/ka
iron-founder ['aiən,faundə] *s* hutnik
iron-foundry ['aiən,faundri] *s* huta; odlewnia żelaza
iron-gray, **iron-grey** ['aiən'grei] *adj* szarzejący; szpakowaty
iron-handed ['aiən,hændid] *adj* rządzący żelazną ręką
iron-horse ['aiən,hɔ:s] *s* 1. lokomotywa 2. rower
ironic(al) [ai'rɔnik(əl)] *adj* ironiczny
ironing ['aiəniŋ] [I] *zob* **iron** *v* [II] *s* 1. prasowanie 2. bielizna do prasowania
ironing-board ['aiəniŋ,bɔ:d] *s* deska do prasowania
ironist ['aiərənist] *s* ironizując-y/a pisa-rz/rka <mów-ca/czyni>
iron-master ['aiən,ma:stə] *s* hutnik
ironmonger ['aiən,mʌŋgə] *s* właściciel/ka sklepu z towarami żelaznymi
ironmongery ['aiən,mʌŋgəri] *s* 1. towary żelazne 2. handel towarami żelaznymi
ironmould ['aiən,mould] *s* plama od rdzy <od atramentu>
ironshod ['aiən,ʃɔd] *adj* okuty
ironside ['aiən,said] *s* 1. *przen* człowiek z żelaza <niespożyty, wielkiej odwagi> 2. *hist* **Ironside** Cromwell 3. *hist* **Ironside(s)** żołnierz(e) armii Cromwella
iron-smith ['aiən,smiθ] *s* 1. kowal 2. blacharz
iron-stone ['aiən,stoun] *s* syderyt, szpat żelazny (ruda żelazna)
ironware ['aiən,wɛə] *s zbior* towary żelazne
iron-willed ['aiən,wild] *adj* (*o człowieku*) o żelaznej woli
ironwork ['aiən,wə:k] *s* 1. konstrukcja żelazna 2. *zbior* wyroby ślusarskie
ironworker ['aiən,wə:kə] *s* 1. robotnik pracujący przy konstrukcjach żelaznych 2. ślusarz
ironworks ['aiən,wə:ks] *s* huta
irony[1] ['aiərəni] *s* ironia
irony[2] ['aiəni] *adj* żelazisty
irradiance [i'reidjəns] *s* 1. promieniowanie; promienistość 2. blask
irradiant [i'reidjənt] *adj* 1. promieniejący; promienisty; promienny 2. błyszczący; świecący
irradiate [i'reidi,eit] [I] *vt* 1. oświetl-ić/ać; opromieni-ć/ać 2. naświetl-ić/ać (pacjenta); podda-ć/wać promieniowaniu 3. wyjaśni-ć/ać (kwestię itd.) 4. promieniować (**sth** czymś — radością itd.) [II] *vi* świecić; promieniować
irradiation [i,reidi'eiʃən] *s* 1. blask <oświetlenie> (czegoś); opromienienie 2. irradiacja; naświetlenie (pacjenta) 3. wyjaśni-enie/anie (kwestii itd.)
irrational [i'ræʃənl] [I] *adj* 1. nieracjonalny; irracjonalny 2. (*o zwierzęciu itd*) pozbawiony rozumu; nie rozumujący 3. (*o zachowaniu itd*) nierozumny; niemądry 4. *mat* (*o liczbie*) niewymierny [II] *s mat* liczba niewymierna
irrationalism [i'ræʃnlizəm] *s filoz* irracjonalizm
irrationality [i,ræʃə'næliti] *s* nieracjonalność; nierozsądek; absurdalność
irreclaimable [,iri'kleiməbl] *adj* 1. bezpowrotnie stracony; (*o człowieku*) niepoprawny 2. (*o terenie*) nie do zmeliorowania 3. (*o pożyczce*) bezzwrotny
irrecognizable [i'rekəg,naizəbl] *adj* nie do poznania
irreconcilable [i'rekən,sailəbl] *adj* 1. (*o wrogu*) nieprzejednany 2. (*o wierzeniu itd*) nie dający się pogodzić <nie do pogodzenia> (z czymś)
irrecoverable [,iri'kʌvərəbl] *adj* nie do odzyskania; bezpowrotnie stracony
irrecusable [,iri'kju:zəbl] *adj* (*o dowodzie itp*) nie dający się obalić, nie do obalenia
irredeemable [,iri'di:məbl] *adj* 1. nieodkupny 2. (*o banknocie*) niewymienny (na kruszec) 3. nie do odzyskania; bezpowrotnie stracony 4. beznadziejny; nieodwracalny
irredentism [,iri'den,tizəm] *s* irredenta; separatyzm
irredentist [,iri'dentist] *s* separatyst-a/ka
irreducible [,iri'dju:səbl] *adj* 1. *mat* nie dający się zredukować 2. *med* (*o przepuklinie itp*) nie dający się odprowadzić <ściągnąć>

irrefragable [iˈrefrəgəbl] *adj* niezbity; niezaprzeczalny; nie dopuszczający dyskusji
irrefrangible [ˌiriˈfrændʒəbl] *adj* 1. (*o prawie*) nienaruszalny 2. (*o promieniu*) nie załamujący się
irrefutability [iˌrefjutəˈbiliti] *s* nieodpartość
irrefutable [iˈrefjutəbl] *adj* niezbity; nieodparty
irregular [iˈregjulə] [I] *adj* 1. nieregularny; nieprawidłowy; nierówny; nierównomierny 2. nieporządny; rozwiązły 3. nielegalny 4. niezgodny z przepisami; **this is ~** to jest wbrew przepisom [II] *spl* **~s** nieregularne wojska <formacje>
irregularity [iˌreguˈlæriti] *s* 1. nieregularność; nieprawidłowość; nierówność; asymetria; brak symetrii 2. rozwiązłość 3. naruszenie przepisów <norm, symetrii itd.>
irrelative [iˈrelətiv] *adj* 1. nie związany (**to sth** z czymś); obcy (czemuś) 2. oderwany
irrelevance [iˈrelivəns] *s* 1. niestosowność 2. brak związku z tematem
irrelevant [iˈrelivənt] *adj* 1. niewczesny; nie (należący) do rzeczy; niestosowny; *pot* ni w pięć ni w dziewięć 2. (*o uwadze itd*) nie związany <nie mający nic wspólnego> z tematem; oderwany od tematu
irreligion [ˌiriˈlidʒən] *s* bezbożność; antyreligijność
irreligious [ˌiriˈlidʒəs] *adj* bezbożny; nie wierzący
irremediable [ˌiriˈmiːdjəbl] *adj* nie do naprawienia; niepowetowany; nie do ocalenia
irremissible [ˌiriˈmisəbl] *adj* (*o grzechu*) nieodpuszczalny; (*o błędzie*) niewybaczalny; (*o obowiązku*) od którego nie ma odwołania
irremovability [ˈiriˌmuːvəˈbiliti] *s* nieusuwalność (z urzędu)
irremovable [ˌiriˈmuːvəbl] *adj* (*o urzędniku*) nieusuwalny; (*o trudności*) nie do pokonania; (*o przeszkodzie*) nie do usunięcia
irreparable [iˈrepərəbl] *adj* nie dający się naprawić, nie do naprawienia; (*o stracie*) niepowetowany
irreplaceable [ˌiriˈpleisəbl] *adj* niezastąpiony
irrepressible [ˌiriˈpresəbl] *adj* niepowstrzymany; niepohamowany; nie do opanowania; nieodparty
irreproachable [ˌiriˈproutʃəbl] *adj* nienaganny; bez zarzutu
irresistible [ˌiriˈzistəbl] *adj* nieprzeparty; nieodparty; gwałtowny; porywający; **he <she, it, this> is ~** nie można mu <jej, temu> się oprzeć
irresolute [iˈrezəˌluːt] *adj* niezdecydowany; chwiejny
irresolution [iˌrezəˈluːʃən] *s* niezdecydowanie; chwiejność
irresolvable [ˌiriˈzɔlvəbl] *adj* 1. (*o zagadnieniu itd*) nierozwiązalny, nie do rozwiązania 2. (*o substancji*) nierozpuszczalny; nierozkładalny
irrespective [ˌirisˈpektiv] [I] *adj* niezależny (**of sth** od czegoś) [II] *adv* niezależnie (**of** __ od ...); bez względu (**of** __ na ...)
irresponsibility [ˈirisˌpɔnsəˈbiliti] *s* 1. nieodpowiedzialność 2. lekkomyślność; brak rozwagi
irresponsible [ˌirisˈpɔnsəbl] *adj* 1. nieodpowiedzialny 2. lekkomyślny; nierozważny; nieobliczalny
irresponsive [ˌirisˈpɔnsiv] *adj* niewzruszony; chłodny; flegmatyczny; głuchy (**to sth** na coś); **to be ~** nie reagować
irresponsiveness [ˌirisˈpɔnsivnis] *s* niewzruszoność; brak (jakiejkolwiek) reakcji
irretentive [ˌiriˈtentiv] *adj* (*o pamięci*) słaby; **to have an ~ memory** nie móc polegać na swej pamięci; mieć słabą pamięć
irretrievable [ˌiriˈtriːvəbl] *adj* bezpowrotnie stracony; nie do odzyskania; niepowetowany; nie do naprawienia
irreverence [iˈrevərəns] *s* 1. brak szacunku <uszanowania> (**towards sb** dla kogoś); lekceważenie (**towards sb** kogoś) 2. uchybianie (**towards sb** komuś)
irreverent [iˈrevərənt] *adj* lekceważący; uchybiający; **to be ~** okazywać brak szacunku <uszanowania> (**towards sb** wobec kogoś, komuś)
irreversible [ˌiriˈvəːsəbl] *adj* 1. (*o postanowieniu itp*) nieodwołalny 2. (*o przedmiocie, kierunku itd*) nie dający się odwrócić
irrevocable [iˈrevəkəbl] *adj* nieodwołalny
irrigate [ˈiriˌgeit] *vt* 1. naw-odnić/adniać 2. *med* przepłuk-ać/iwać
irrigation [ˌiriˈgeiʃən] [I] *s* 1. naw-odnienie/adnianie 2. *med* przepłukiwanie; irygacja [II] *attr* (*o rowie itd*) irygacyjny; nawadniający
irrigator [ˈiriˌgeitə] *s* irygator
irritability [ˌiritəˈbiliti] *s* drażliwość; nerwowość
irritable [ˈiritəbl] *adj* drażliwy; (*o człowieku*) popędliwy; skory do gniewu; nerwowy; przewrażliwiony
irritant [ˈiritənt] [I] *adj* (*o czynniku*) drażniący [II] *s* czynnik <środek> drażniący
irritate[1] [ˈiriˌteit] *vt prawn* unieważni-ć/ać
irritate[2] [ˈiriˌteit] *vt* 1. z/irytować; roz-gniewać, roz/złościć, rozsierdzić 2. rozdrażni-ć/ać 3. pobudz-ić/ać (do działania) *zob* **irritated**
irritated [ˈiriˌteitid] [I] *zob* **irritate**[2] [II] *adj* zirytowany; zdenerwowany; **to be ~ at <with, against> sb, sth** denerwować <irytować, złościć> się na kogoś, coś <z powodu kogoś, czegoś>
irritation [ˌiriˈteiʃən] *s* 1. irytacja; gniew; złość 2. podrażnienie; rozdrażnienie 3. pobudzenie (do działania)
irritative [ˈiriˌteitiv] *adj* drażniący
irruption [iˈrʌpʃən] *s* wdarcie się; wtargnięcie; najazd; najście; napad
is *zob* **be**
Isabel [ˈizəˌbel], **Isabella** [ˌizəˈbelə] [I] *s* kolor brunatnożółty <† izabelowy> [II] *adj* (*o kolorze*) brunatnożółty, † izabelowy
isagogics [ˌaisəˈgɔdʒiks] *s* isagoga; wstęp (do nauki)
isanomalous [ˌaisəˈnɔmələs] *adj meteor* **~ lines** izanomale
isatin [ˈaisətin] *s chem* izatyna
ischaemic [isˈkiːmik] *adj med* niedokrwiony
ischiatic [ˌiskiˈætik] *adj med* kulszowy
ischuria [isˈkjuəriə] *s med* zatrzymanie się moczu
-ish [-iʃ] *przyrostek dodawany do przymiotników na oznaczenie niepełności cechy*: **longish** długawy, przydługi; **yellowish** żółtawy; *także żart z liczebnikami*: **elevenish** około jedenastu <jedenastej godziny>
isinglass [ˈaiziŋˌglɑːs] *s* 1. klej rybi, karuk 2. *kulin* żelatyna; **Bengal <Japan> ~** agar
Islam [ˈizlɑːm] *s* 1. islam; religia mahometańska; mahometanizm 2. kraje mahometańskie; świat muzułmański
islamic [izˈlæmik] *adj* mahometański; muzułmański; (*o obrzędach itd*) islamu

Islamite ['izlə,mait] [I] *s* muzułman-in/ka [II] *adj* mahometański; muzułmański; (*o obrzędach itd*) islamu
island ['ailənd] *s* wyspa; **safety <street> ~** wysepka (na ulicy); **small ~** wysepka
islander ['ailəndə] *s* wyspia-rz/rka
isle [ail] *s* wyspa (*poet* z wyjątkiem nazw: **the British Isles** Wyspy Brytyjskie; **the Isle of Wight** wyspa Wight)
islet ['ailit] *s* wysepka
isn't ['iznt] = **is not** *zob* **be**
isobar ['aisou,bɑ:] *s geogr* izobara
isobaric [,aisou'bærik] *adj geogr* izobaryczny
isobath ['aisou,bɑ:θ] *s geogr* izobata
isochromatic ['aisou-krou'mætik] *adj fiz* izochromatyczny, o jednakowym zabarwieniu
isochronal [ai'sɔkrənl], **isochronous** [ai'sɔkrənəs] *adj* izochroniczny
isochronism [ai'sɔkrə,nizəm] *s* izochroniczność
isochronous *zob* **isochronal**
isoclinal [ai'sɔklinl] *adj geogr* izoklinalny
isocline ['aisə,klain] *s geogr* izoklina
isodynamic [,aisou-dai'næmik] *adj* izodynamiczny
isogloss ['aisou,glɔs] *s jęz* izoglosa
isogon ['aisə,gɔn] *s* izogon; równokąt; równobok
isogonic [,aisə'gɔnik] *adj* izogoniczny
isolate ['aisə,leit] *vt* 1. od/izolować; odosobni-ć/ać; od/separować; wyodrębni-ć/ać 2. *chem* wydziel--ić/ać 3. *elektr* izolować 4. osamotnić (człowieka) *zob* **isolating**
isolating ['aisə,leitiŋ] [I] *zob* **isolate** [II] *attr* izolacyjny
isolation [,aisə'leiʃən] [I] *s* 1. odosobnienie; izolacja; separacja; odseparowanie; **policy of splendid ~** angielska polityka stronienia od spraw kontynentu europejskiego 2. osamotnienie 3. *elektr* izolacja [II] *attr* **~ hospital** szpital chorób zakaźnych; **~ ward** separatka dla zakaźnie chorych
isolationism [,aisə'leiʃənizəm] *s polit* izolacjonizm
isolator ['aisə,leitə] *s* izolator
isomeric [,aisou'merik] *adj chem* izomeryczny
isomers ['aisou,mə:z] *spl chem* izomery
isometric(al) [,aisou'metrik(l)] *adj geom* izometryczny; równowymiarowy
isomorphic [,aisou'mɔ:fik], **isomorphous** [,aisou'mɔ:fəs] *adj miner mat* izomorficzny; równopostaciowy
isomorphism [,aisou'mɔ:fizəm] *s miner mat* izomorfizm; równopostaciowość
isomorphous *zob* **isomorphic**
isopod ['aisə,pɔd] *s* (*pl* **~s, isopoda** [ai'sɔpədə]) *zoo* równonóg (skorupiak)
isosceles [ai'sɔsi,li:z] *adj geom* równoramienny
isotherm ['aisou,θə:m] *s geogr* izoterma
isothermal [,aisou'θə:məl] *adj geogr* izotermiczny
isotope ['aisou,toup] *s chem fiz* izotop
isotropic [,aisou'trɔpik] *adj miner* jednorodny, izotropowy
isotropism [,aisou'trɔpizəm], **isotropy** [ai'sɔtrəpi] *s miner* jednorodność, izotropia
Israelite ['izriə,lait] *s* Izraelit-a/ka
issuance ['isjuəns] *s* wydanie (dokumentu itd.)
issue ['isju:] [I] *s* 1. wyjście 2. ujście; uchodzenie; wydobywanie się (dymu itd.); odpływ <upływ> (cieczy); upust (krwi) 3. wynik; rezultat; rozwiązanie; **in the ~** w końcu; **the ~ of it all will be that —** skończy się na tym, że ... 4. potomstwo 5. kwestia <sprawa> sporna; zagadnienie; **the real ~** moment decydujący <rozstrzygający>; **at ~** a) (*o ludziach*) niezgodni b) (*o kwestii*) sporny; omawiany; **to join ~** a) spierać się (**on sth** o coś) b) wspólnie podda-ć/wać sprawę pod decyzję sądu; **to take ~** nie zgadzać się 6. emisja <wypuszczenie (w obieg)> (akcji, banknotów itd.); **~ price** kurs emisyjny 7. nakład (książki, gazety itd.); wydanie <ukazanie się> (publikacji); numer (czasopisma); **in course of ~** w druku 8. wydawanie (biletów, paszportów itd.); *wojsk* wydawanie <przydział, *pot* fasowanie> (żywności, ekwipunku itd.) [II] *vi* 1. wy--jść/chodzić; uchodzić; wydosta-ć/wać się na zewnątrz; wypły-nąć/wać; wycie-c/kać 2. pochodzić (**from sth** z czegoś, skądś) 3. skończyć się (**in sth** czymś — fiaskiem itd.) 4. wynik-nąć/ać (**from sth** z czegoś) 5. (*o publikacji itd*) ukaz-ać/ywać się; wy-jść/chodzić 6. rusz-yć/ać (do boju itd.) [III] *vt* 1. emitować; pu-ścić/szczać w obieg; wypu-ścić/szczać (banknoty, akcje itd.); wypuścić emisję (**sth** czegoś — banknotów, akcji) 2. wyda--ć/wać (publikację, pismo itd.); wypu-ścić/szczać nakład (**sth** czegoś — książki itd.) 3. wyda-ć/wać (żywność, broń, dokumenty itd.)
isthmus ['isməs] *s* 1. *geogr* przesmyk; międzymorze 2. *anat* cieśń; węzina
it¹ [it] *pron* 1. ono 2. *zastępuje rzeczowniki nieżywotne oraz nazwy zwierząt*: on, ona, ono 3. to; **it's Tom** to Tomek; **~ was yesterday** było to wczoraj; **I am tired — you look ~** jestem zmęczony — wyglądasz na to 4. *jako podmiot strukturalny*: a) *w określeniach pogody*: **~ is hot <cold>** jest gorąco <zimno>; **~ is raining <thundering etc.>** pada <grzmi itd.> b) *z przymiotnikiem i czasownikiem*: **~ is nice to be home again** przyjemnie jest być znowu w domu 5. *jako dopełnienie strukturalne w zwrotach*: **am beat ~** wynoś/cie się; **damn ~!** diabli nadali!; **I leave ~ to you to decide** tobie <wam> zostawiam powzięcie decyzji; **I'll risk ~** zaryzykuję; **let's foot ~** chodźmy na piechotę; **we've got to face ~!** nie ma dla nas ucieczki!; **you'll get ~** będzie-sz/cie mi-ał/eli za swoje 6. *jako dopełnienie strukturalne przed przymiotnikiem i czasownikiem w bezokoliczniku*: **the snow makes ~ difficult to advance** śnieg utrudnia posuwanie się naprzód; **we thought ~ advisable to write** uważaliśmy za wskazane napisać 7. *w konstrukcji*: **~ is <was> ... that ~** *zob* **be** 15. ‖ **for barefaced lying you are really ~** jeśli chodzi o bezczelne łganie, to ty <wy> jesteś/cie mistrz-em/ami; **he thinks he is ~** (on) myśli, że jest Bóg wie czym; **that's ~** o to chodzi
it² [it] *s* = **Italian vermouth** *zob* **Italian** *adj*; **gin and ~** dżyn z wermutem
Italian [i'tæljən] [I] *adj* włoski; **~ cloth** satyna; **~ handwriting** pismo łacińskie; **~ iron** rurki do prasowania <do układania> falbanek; **~ vermouth** wermut włoski; **~ warehouse** skład delikatesów [II] *s* 1. język włoski 2. Wło-ch/szka
italianize [i'tæljə,naiz] *vi* hołdować modzie włoskiej; udawać Włocha
Italic [i'tælik] *adj hist* italski
italicize [i'tæli,saiz] *vt druk* wy/drukować kursywą
italics [i'tæliks] *spl druk* kursywa; pismo pochyłe

itch [itʃ] [I] *s* 1. świerzb 2. swędzenie; **I have an ~** swędzi mnie; *przen* **to have an ~ for sth** palić się do czegoś [II] *vi* 1. świerzbić; swędzić; **my hand ~es** swędzi mnie ręka 2. mieć wielką ochotę (coś zrobić); **my hand ~ed to —** swędziła mnie ręka, żeby ... *zob* **itching**

itching ['itʃiŋ] [I] *zob* **itch** *v* [II] *adj* swędzący [III] *s* 1. swędzenie 2. wielka ochota (na coś); chętka

itchy ['itʃi] *adj* swędzący

item ['aitəm] [I] *s* 1. pozycja (w spisie, rachunkach itd.); **news ~** wiadomość kronikarska; aktualność; rzecz aktualna 2. punkt programu <porządku dziennego, listu itd.> 3. paragraf; klauzula [II] *adv* podobnie ...; to samo dotyczy ...

itemize ['aitə,maiz] *vt* wyszczególni-ć/ać <poda-ć/wać> wszystkie pozycje <punkty> (**sth** czegoś — spisu, rachunku itd.)

iterate ['itə,reit] *vt* powtarzać

iteration [,itə'reiʃən] *s* powtarzanie

iterative ['itərətiv] *adj* powtarzający się; wielokrotny

itineracy [i'tinərəsi], **itinerancy** [i'tinərənsi] *s* wędrowny tryb życia; tułanie się; tułaczka

itinerant [i'tinərənt] *adj* wędrowny; (*o sędzim*) objazdowy

itinerary [ai'tinərəri] [I] *adj* wędrowny [II] *s* 1. plan podróży; marszruta 2. dziennik podróży 3. przewodnik (książka)

itinerate [i'tinə,reit] *vi* wędrować; prowadzić wędrowny <tułaczy> tryb życia

itineration [ai,tinə'reiʃən] *s* wędrówka; wędrowanie

its [its] *pron w odniesieniu do dziecka, rzeczy lub zwierzęcia*: jego; jej; swój

it's [its] = **it is** *zob* **be**

itself [it'self] *pron w odniesieniu do dziecka, rzeczy lub zwierzęcia*: a) się; siebie; sobie b) sam <sama, samo> (w sobie); **by ~** samo (jedno); **in ~** w sobie

I've [aiv] = **I have** *zob* **have**

ivied ['aivid] *adj* porosły <pokryty> bluszczem

ivory ['aivəri] [I] *s* 1. kość słoniowa; *przen* **black ~** niewolnicy murzyńscy; *chem* **~ black** czerń kostna 2. *pl* **ivories** przedmioty <kulki> z kości słoniowej; kule bilardowe; kości do gry; klawisze; *przen* zęby [II] *attr* z kości słoniowej

ivory-white ['aivəri'wait] *adj* biały jak kość słoniowa

ivy ['aivi] *s bot* bluszcz

ivy-clad [aivi,klæd], **ivy-covered** ['aivi,kʌvəd] *adj* porosły <pokryty> bluszczem

izard ['izəd] *s zoo* kozica pirenejska

izzard ['izəd] † *s litera* z

J

J, j [dʒei] *s* (*pl* **js, j's** [dʒeiz]) 1. *litera* j 2. **J (pen)** stalówka rondowa, *pot* rondówka

jab [dʒæb] [I] *vt* (**-bb-**) szturch-nąć/ać; dźg-nąć/ać; u/kłuć; uderz-yć/ać [II] *s* szturchnięcie; dźgnięcie; ukłucie; *boks* suche uderzenie

jabber ['dʒæbə] [I] *vi* 1. za/trajkotać; paplać; mleć językiem; pleść (głupstwa) 2. za/bełkotać; za/szwargotać [II] *s* 1. trajkotanie; paplanina 2. bełkot; szwargotanie

jabberer ['dʒæbərə] *s* gaduła, *pot* pleciuga

jabiru ['dʒæbi,ru:] *s zoo* brodziec Ameryki tropikalnej spokrewniony z bocianem

jaborandi [,dʒæbə'rændi] *s farm* liście potoślinu jaborandy

jabot ['ʒæbou] *s* żabot

jacinth ['dʒæsinθ] *s miner* hiacynt (odmiana cyrkonu)

jack¹ [dʒæk] [I] *s* 1. **Jack** *zdrob od* **John** Jaś; **everyman ~** każdy bez wyjątku; **Jack in office** biurokrata; *pot* ważniak; **Jack Johnson** pocisk armatni dużego kalibru; **Jack Ketch** kat; **Jack of all trades** majster do wszystkiego; człowiek uniwersalny; **before you could say Jack Robinson** migiem 2. chłopina 3. robotnik 4. (*także* **~ tar**) zwykły marynarz (w marynarce bryt.) 5. *karc* walet 6. kołowrót (*także* do obracania rożna) 7. lewarek; podnośnik; dźwignia 8. młody szczupak 9. (*w grze w "bowls"*) kula celownicza 10. chłopak (do ściągania butów) 11. kozioł (do piłowania drzewa) 12. samiec: **~ ass** osioł 13. mały okaz zwierzęcia; **~ hare** zając 14. *elektr* kontakt; gniazdo wtyczkowe; złączka 15. *mar* bandera 16. *am pot* forsa, pieniądze [II] *vt* (*także* **~ up**) 1. podn-ieść/osić (wóz itd.) lewarkiem 2. zarzuc-ić/ać (coś); z/rezygnować (**sth** z czegoś) [III] *vi* z/rezygnować; da-ć/wać za wygraną

jack² [dʒæk] *s hist* żołnierska kurtka bez rękawów

jack³ [dʒæk] † *s* (*także* **black ~**) skórzany pojemnik (na wino itp.)

jack⁴ [dʒæk] *s bot* owoc podobny do owocu drzewa chlebowego

Jack-a-dandy ['dʒækə'dændi] *s* (*pl* **Jack-a-dandies** ['dʒækə'dændiz]) dandys; strojniś

jackal ['dʒækɔ:l] [I] *s zoo* szakal [II] *vi* (**-ll-**) harować (**for sb** za kogoś); być na usługach (**for sb** czyichś)

jackanapes ['dʒækɔ,neips] *s* 1. † małpa 2. zarozumialec 3. zuchwalec; (*o dziecku*) gałgan

jackaroo ['dʒækə,ru:] *s austral sl* przybysz; świeżo przybyły osadnik

jackass ['dʒæk,æs] *s* 1. *zoo* osioł; **laughing ~** australijski zimorodek olbrzym 2. *przen* osioł; bałwan

jack-boot ['dʒæk,bu:t] *s* but rybacki

jackdaw ['dʒæk,dɔ:] *s zoo* kawka

jacket ['dʒækit] [I] *s* 1. marynarka 2. żakiet (damski) 3. kaftanik 4. kurtka 5. skórka <łupinka> (owocu, jarzyny); futro <sierść> (zwierzęcia) 6. teczka (na akta) 7. koszulka <obwoluta> (książki) 8. *techn* płaszcz; **osłona**; otulina [II] *vt* 1. ub-rać/ierać <odzi-ać/ewać> w marynarkę (mężczyznę) <w żakiet (kobietę)> 2. okry-ć/wać <osł-onić/aniać> (cylinder, kocioł itd.) płaszczem <osło-

ną, otuliną> 3. *am* włożyć/wkładać (akt/a) do teczki

Jack-in-office ['dʒæk-in,ɔfis] (*pl* **jacks-in-office** ['dʒæk-sin,ɔfis]) *zob* **jack**[1] *s* 1.

jack-in-the-box ['dʒækinðə,bɔks] *s* 1. pudełko z wyskakującą figurką na sprężynce 2. rodzaj ognia sztucznego

jack-in-the-green ['dʒækinðə,gri:n] *s* chłopiec <mężczyzna> przybrany zielenią (w ludowych zabawach pierwszomajowych)

jack-knife ['dʒæk,naif] *s* (*pl* **jack-knives** ['dʒæk ,naivz]) scyzoryk

Jack-of-all-trades [dʒækəv'ɔ:ltreidz] *s zob* **jack**[1] *s* 1.

jack-o'-lantern ['dʒækou,læntən] *s* 1. błędny ognik 2. wydrążona dynia imitująca głowę ludzką z zapaloną wewnątrz świeczką

jack-plane ['dʒæk,plein] *s* strug; hebel

jack-pot ['dʒæk,pɔt] *s karc* pula

jack-pudding ['dʒæk'pudiŋ] *s* błazen

jack-rafter ['dʒæk,ra:ftə] *s bud* kulawka (mała krokiew)

jack-screw ['dʒæk,skru:] *s techn* podnośnik śrubowy

jack-snipe ['dʒæk,snaip] *s zoo* bekas mały

jackstay ['dʒæk,stei] *s mar* wodzidło (rożca); pręt (rei, masztowy)

jack-towel ['dʒæk,tauəl] *s* ręcznik obracający się na wałku

Jacobean [,dʒækə'biən] *adj* okresu Jakuba I

Jacobin[1] ['dʒækəbin] *s* 1. dominikanin 2. *hist* jakobin

jacobin[2] ['dʒækəbin] *s* odmiana gołębia z kapturkiem

jacobinic(al) [,dʒækə'binik(əl)] *adj hist* jakobiński

jacobinism ['dʒækəbi,nizəm] *s hist* jakobinizm

Jacobite ['dʒækə,bait] *s hist* jakobit-a/ka; stronni-k/czka Jakuba II

jacob's-ladder ['dʒeikəbz'lædə] *s* 1. *bot* wielosił błękitny; koziełek 2. *mar* drabina sznurowa

jacob's-staff ['dʒeikəbz,sta:f] *s* tyczka miernicza

jaconet ['dʒækə,net] *s* 1. *tekst* żakonet 2. *med* ceratka

Jacquard ['dʒæka:d] *spr tekst* ~ **loom** warsztat <krosno> Jacquarda, żakard

jactation [dʒæk'teiʃən] *s* 1. rzut 2. chwalenie <chełpienie> się; przechwałki 3. = **jactitation** 1.

jactitation [,dʒækti'teiʃən] *s* 1. *med* niepokój; rzucanie się; drgawki 2. = **jactation** 2. 3. *prawn* oświadczenie publiczne; ~ **of marriage** podawanie się za męża <za żonę>

jade [dʒeid] [I] *s* 1. szkapa 2. *pog* babsko; sekutnica; babsztyl [II] *vt* z/męczyć; z/mordować; z/gonić [III] *vi* (*o zainteresowaniu*) o/słabnąć *zob* **jaded**

jaded ['dʒeidid] [I] *zob* **jade** *v* [II] *adj* sterany

jadeite ['dʒeidi,ait] *s miner* jadeit, żadeit

Jaeger ['jeigə] *spr* ~ **underwear** bielizna jegierowska

jag[1] [dʒæg] [I] *s* 1. występ (skalny itd.); iglica 2. strzęp (na brzegu materiału, rozdartej kartki itp.); wydarcie; wyrwa; szczerba; luka; wycięcie; wcięcie [II] *vt* (**-gg-**) 1. roz-erwać/rywać; po/strzępić 2. wy/szczerbić 3. po/siekać 4. po/ząbkować; po/wyrzynać; po/wycinać *zob* **jagged**[1]

jag[2] [dʒæg] *s am* 1. (niewielki) ładunek (siana, drzewa) 2. *sl* biba; popijawa; **to have a ~ on** być zalanym <pod dobrą datą>

jäger ['jeigə] = **yager**

jagged[1] ['dʒægid] [I] *zob* **jag**[1] *v* [II] *adj* postrzępiony; strzępiasty; ząbkowany; wyszczerbiony; szczerbaty

jagged[2] ['dʒægid] *adj am sl* zalany; pod dobrą datą

jaggedness ['dʒægidnis] *s* strzępiastość; szczerbatość

jagger ['dʒægə] *s* radełko (do rozcinania ciasta)

jaggery ['dʒægəri] *s* cukier palmowy

jaggy ['dʒægi] (**jaggier** ['dʒægiə], **jaggiest** ['dʒæg iist]) = **jagged**[1] *adj*

jaguar ['dʒægjuə] *s zoo* jaguar

jail [dʒeil] = **gaol**

jail-bird ['dʒeil,bə:d] = **gaol-bird**

jail-delivery ['dʒeil-di,livəri] = **gaol-delivery**

jailer ['dʒeilə] = **gaoler**

jail-fever ['dʒeil,fi:və] = **gaol-fever**

jailor ['dʒeilə] = **gaoler**

Jainism ['dʒei,nizəm] *s rel* dżainizm, dżinizm

jakes [dʒeiks] *s sl* wychodek

jalap ['dʒæləp] *s farm* 1. jalap 2. korzeń jalapy

jalop(p)y ['dʒæləpi] *s am pot* stary samochód; gruchot

jalouse [dʒə'lu:z] *vt szkoc* podejrzewać

jalousie ['ʒælu,zi:] *s* żaluzja (okienna z połączonych deseczek)

jam[1] [dʒæm] *v* (**-mm-**) [I] *vt* 1. ścis-nąć/kać; przycis-nąć/kać; wcis-nąć/kać; stł-oczyć/aczać 2. za/klinować; za/blokować; zaci-ąć/nać; zat-kać/ykać 3. *radio* zagłusz-yć/ać [II] *vi* (*o maszynie itd*) zaci-ąć/nać się *zob* **jamming** [III] *s* 1. = **jamming** 2. ścisk; tłok 3. zator; *pot* korek (w ruchu ulicznym) 4. zacięcie się (maszyny itd.) 5. *am* przykra sytuacja

jam[2] [dʒæm] *s* 1. dżem; konfitur-a/y 2. *sl* coś fajnego <dobrego, pysznego>

jam[3] [dʒæm] *adj praed* stłoczony; (*także* ~ **up**) przygnieciony; ~ **full** przepełniony

jamb [dʒæm] *s* 1. *bud* ościeże; węgarek (słupek) drzwiowy <okienny>; *pl* **~s** framuga kominka 2. *geol* warstwa skały płonnej w żyle

jamboree [,dʒæmbə'ri:] *s* jamboree, zlot skautów

jam-jar ['dʒæm,dʒa:] *s* słoik (na konfitury)

jamming ['dʒæmiŋ] [I] *zob* **jam**[1] *v* [II] *s* 1. ści-śnięcie/skanie; stłoczenie; przyci-śnięcie/skanie; wci-śnięcie/skanie 2. zaklinowanie (się); zablokowanie; zat-kanie/ykanie 3. zator; *pot* **korek** (w ruchu ulicznym) 4. *radio* zagłuszanie 5. zacięcie się (maszyny itd.)

jammy ['dʒæmi] *adj* (**jammier** ['dʒæmiə], **jammiest** ['dʒæmiist]) 1. lepki 2. usmarowany <oblepiony> konfiturami

jam-nut ['dʒæm,nʌt] *s techn* nakrętka

Janeite ['dʒeini,ait] *s* wielbiciel/ka powieści Jane Austen

jangle ['dʒæŋgl] [I] *vt* brzęczeć <pobrzękiwać, dzwonić> (**sth** czymś) [II] *vi* 1. brzęczeć; dzwonić 2. † kłócić się [III] *s* 1. brzęczenie; pobrzękiwanie; brzęk; chrzęst; dzwonienie; szczęk 2. † kłótnia

janissary ['dʒænisəri] = **janizary**

janitor ['dʒænitə] *s* odźwierny; portier; dozorca; woźny

janitress ['dʒænitris] *s* odźwierna; portierka; dozorczyni; woźna

janizary ['dʒænizəri] *s hist* janczar

jannock ['dʒænək] *adj dial* uczciwy

Jansenism ['dʒænsn̩,izəm] *s rel* jansenizm

Jansenist ['dʒænsn̩ist] *s rel* jansenist-a/ka

January ['dʒænjuəri] [I] *s* styczeń [II] *attr* styczniowy

Jap [dʒæp] *s pot* Japo-ńczyk/nka

japan [dʒə'pæn] [I] *s* czarny lakier japoński [II] *vt* (-nn-) po/lakierować lakierem japońskim

Japanese [,dʒæpə'ni:z] [I] *adj* japoński; ~ **paper** <**vellum**> papier welinowy [II] *s* 1. Japo-ńczyk/nka 2. język japoński

japanner [dʒə'pænə] *s* lakiernik

jape [dʒeip] [I] *vi* za/żartować [II] *s lit* żart

Japhetic [dʒei'fetik] [I] *adj* jafetycki; indoeuropejski; aryjski [II] *s* Jafetyda; Indoeuropej-czyk/ka; Aryj-czyk/ka

japonica [dʒə'pɔnikə] *s bot* ozdobna odmiana pigwy

jar[1] [dʒɑ:] *s* słój, słoik

jar[2] [dʒɑ:] *v* (-rr-) [I] *vi* 1. zgrzytnąć; za/zgrzytać (**against sth** o coś) 2. fałszywie za/brzmieć; razić <drażnić> (**on the ear słuch,** ucho); **to ~ loose** <**open**> rozluźnić <otworzyć> się (wskutek wstrząsów); **to ~ on the nerves** szarpać <działać na> nerwy 3. nie zgadzać się; (*o kolorach, także o ludziach*) kłócić się; (*o nucie, tonie*) fałszywie brzmieć [II] *vt* 1. wstrząs-nąć/ać <trząść> (**sth** czymś) 2. szarpać (nerwy); działać (**the nerves** na nerwy) 3. drażnić <razić> (słuch, uczucia) *zob* **jarring** [III] *s* 1. zgrzyt 2. wstrząs; wibracja; drganie 3. dysharmonia; niezgoda 4. kłótnia

jar[3] [dʒɑ:] *s* (*o drzwiach*) *w zwrocie*: **on the ~** uchylony

jardinière [,ʒɑ:di'njɛə] *s* 1. żardyniera, żardynierka 2. wazon <wazonik> na kwiaty

jarful ['dʒɑ:ful] *s* (pełny) słój (czegoś)

jargon[1] ['dʒɑ:gən] *s* żargon; gwara; niezrozumiała mowa

jargon[2] ['dʒɑ:gən] *s miner* odmiana cyrkonu

jargonelle [,dʒɑ:gə'nel] *s* wczesna gruszka

jargonize ['dʒɑ:gə,naiz] *vi* mówić żargonem <gwarą, niezrozumiałym językiem>

jargoon [dʒɑ:'gu:n] = **jargon**[2]

jarl [jɑ:l] *s* jarl (skandynawski)

jarrah ['dʒærə] *s* twarde drzewo australijskie (rodzaj mahoniu)

jarring ['dʒɑ:riŋ] [I] *zob* **jar**[2] *v* [II] *adj* 1. zgrzytliwy; **a ~ note** fałszywa nuta; *przen* zgrzyt 2. wstrząsający 3. rażący 4. niezgodny 5. działający na nerwy; drażniący

jarvey ['dʒɑ:vi] *s sl* woźnica

jasey ['dʒeizi] † *s* peruka

jasmin(e) ['dʒæsmin] *s bot* jaśmin

jasper ['dʒæspə] *s miner* jaspis

jaundice ['dʒɔ:ndis] [I] *s* 1. *med* żółtaczka 2. *przen* zawiść; uprzedzenie wskutek zawiści [II] *vt* napełni-ć/ać zawiścią; ujemnie nastawiać (kogoś)

jaunt [dʒɔ:nt] [I] *vi* po/jechać na wycieczkę; przeje-chać/żdżać się [II] *s* przejażdżka; wycieczka

jauntily ['dʒɔ:ntili] *adv* 1. beztrosko; wesoło; ochoczo; z lekkim sercem 2. żwawo; (iść) lekkim krokiem

jauntiness ['dʒɔ:ntinis] *s* 1. beztroska; wesołość; ochoczość 2. żwawość

jaunting-car ['dʒɔ:ntiŋ,kɑ:] *s* irlandzki wózek dwukołowy z bocznymi siedzeniami obróconymi tyłem do siebie

jaunty[1] ['dʒɔ:nti] *adj* (**jauntier** ['dʒɔ:ntiə], **jauntiest** ['dʒɔ:ntiist]) 1. beztroski; wesoły; ochoczy 2. żwawy; (*o kroku*) lekki

jaunty[2] ['dʒɔ:nti] *s sl mar* szef policji okrętowej

Javanese [,dʒɑ:və'ni:z] [I] *adj* jawajski [II] *s* 1. Jawaj-czyk/ka 2. język jawajski

javelin ['dʒævlin] *s* oszczep; *sport* ~ **throw** rzut oszczepem

jaw [dʒɔ:] [I] *s* 1. szczęka; **his ~ dropped** zrzedła mu mina; *pot* **hold your ~** zamknij gębę; stul pysk; *pot* **to break sb's ~** dać komuś w gębę 2. *pot* gadanie; *przen* kazanie 3. *pl* **~s** szczęki; *techn* szczęki (narzędzia); kluby; imadła; zacisk 4. *przen* czeluść; *geogr* gardziel (wąwozu itp.) [II] *vt sl przen* prawić kazanie (**sb** komuś) [III] *vi sl* ględzić; gadać

jaw-bone ['dʒɔ:,boun] *s* kość szczękowa

jaw-breaker ['dʒɔ:,breikə] *s* wyraz trudny do wymówienia

jay [dʒei] *s* 1. *zoo* sójka 2. arogancki gaduła; pleciuga 3. = **jay-walker** 4. *am* głupiec

jay-walker ['dʒei,wɔ:kə] *s* nieuważny przechodzień; roztrzepaniec

jay-walking ['dʒei,wɔ:kiŋ] *s* nieostrożne chodzenie ulicą <przechodzenie przez jezdnię>

jazz [dʒæz] [I] *s* muzyka jazzowa <dżazowa>, jazz; hałaśliwe błaznowanie [II] *attr* jazzowy, dżazowy [III] *adj* zgrzytliwy; zgiełkliwy; (*o kolorach*) krzykliwy [IV] *vt* transponować (muzykę) na jazz <na dżaz> [V] *vi* tańczyć przy muzyce jazzowej <dżazowej>

jazzer ['dʒæzə] *s* tańcząc-y/a przy muzyce jazzowej <dżazowej>

jazzy ['dʒæzi] *adj* 1. w stylu jazzowym <dżazowym> 2. zgrzytliwy; zgiełkliwy

jealous ['dʒeləs] *adj* zazdrosny (**of sb** o kogoś); zawistny; pełen zawiści; ~ **care** troskliwość; **to be ~ of sb** zazdrościć komuś; **to be ~ of sth** strzec czegoś zazdrośnie

jealousy ['dʒeləsi] *s* 1. zazdrość; zawiść 2. wybuch zazdrości

jean [dʒi:n] *s* 1. drelich 2. *pl* **~s** drelich (ubranie); spodnie drelichowe; dżinsy

jeep [dʒi:p] *s* łazik <jeep, dżip, Willis> (samochód wojskowy)

jeer [dʒiə] [I] *vt w zwrocie*: **to ~ sb off the stage** wygwizdać kogoś [II] *vi* wyśmi-ać/ewać <wyszydz-ić/ać> (**at sb, sth** kogoś, coś); za/drwić <za/kpić> (**at sb, sth** z kogoś, czegoś) [III] *s* drwina; szyderstwo; kpina

jeers [dʒiəz] *spl mar* gardafał (lina)

jehad [dʒi'hɑ:d] = **jihad**

Jehu ['dʒi:hju:] *s żart* woźnica jadący na złamanie karku

jejune [dʒi'dʒu:n] *adj* 1. nieciekawy; nudny 2. (*o gruncie*) jałowy, nieurodzajny 3. (*o pracy*) niewdzięczny; bezpłodny

jellied ['dʒelid] [I] *zob* **jelly** *v* [II] *adj* galaretowaty; zgalaretowaciały

jelly ['dʒeli] [I] *s* **galareta** [II] *vi* (**jellied** ['dʒelid], **jellied; jellying** ['dʒeliiŋ]) z/galaretowacieć [III] *vt* (**jellied** ['dʒelid], **jellied; jellying** ['dʒeliiŋ]) z/robić <u/gotować> galaretę (**sth** z czegoś — **meat, fruit juice etc.** z mięsa, soku owocowego itd.) *zob* **jellied**

jelly-fish ['dʒeli,fiʃ] *s zoo* meduza

jellygraph ['dʒeli,grɑ:f] *s* rodzaj powielacza

jemadar ['dʒemə,dɑ:] *s* (*w Indii*) 1. Hindus w randze oficera 2. Hindus na stanowisku oficera policji 3. główny lokaj <służący>

jemimas [dʒi'maiməz] *spl* obuwie z elastycznymi bokami

jemmy ['dʒemi] *s* 1. drąg żelazny do podważania; krótki łom 2. potrawa z baraniej głowy

je ne sais quoi [ʒən,sei'kwa:] *s* coś nieokreślonego

jennet ['dʒenit] *s* dzianet (koń)

jenneting ['dʒenitiŋ] *s* wczesna odmiana jabłka

jenny ['dʒeni] *s* 1. *tekst* przędzarka (maszyna) 2. dźwig ruchomy 3. samica, samiczka; **~ ass** oślica; **~ owl** sowa samiczka; **~ wren** samiczka mysikrólika

jeopard ['dʒepəd] *am* = **jeopardize**

jeopardize ['dʒepə,daiz] *vt* nara-zić/żać; wystawi-ć/ać na niebezpieczeństwo <na szwank>; za/ryzykować (**sth** coś, czymś)

jeopardy ['dʒepədi] *s* niebezpieczeństwo; ryzyko

jequirity [dʒi'kwiriti] *s bot* paciorkowiec; modligroszek (krzew indyjski)

jerboa [dʒə:'bouə] *s zoo* skoczek pustynny (gryzoń afrykański)

jeremiad [,dʒeri'maiəd] *s* jeremiada

Jericho ['dʒeri,kou] *spr w zwrocie*: **go to ~** idź do diabła!

↑**jerk¹** [dʒə:k] I *s* 1. szarpnięcie; targnięcie; drganie; drgawka 2. *fizj* odruch II *vt* 1. szarp-nąć/ać (**sb, sth** kogoś, coś, kimś, czymś) 2. cis-nąć/kać (**sth** coś, czymś) III *vi* wykon-ać/ywać nagły ruch; **to ~ open** nagle się otworzyć

jerk² [dʒə:k] *vt* suszyć (mięso) na słońcu

jerkin ['dʒə:kiŋ] *s* kurtka; kaftan

jerky ['dʒə:ki] *adj* (**jerkier** ['dʒə:kiə], **jerkiest** ['dʒə:kiist]) nierówny; urywany; szarpany; (*o ruchach*) nagły; gwałtowny

jeroboam [,dʒerə'bouəm] *s* butla (do wina, 8—12 razy pojemniejsza od zwykłej butelki)

jerque [dʒə:k] *vt* przeprowadz-ić/ać kontrolę celną (**a ship** na statku)

Jerry ['dʒeri] *s sl* 1. *pog* Szwab, Niemiec 2. **jerry** nocnik

jerry-build ['dʒeri,bild] *v* (**jerry-built** ['dʒeri,bilt], **jerry-built**) I *vt* z/budować tandetnie II *vi* z/budować tandetne domy *zob* **jerry-building, jerry-built**

jerry-builder ['dʒeri,bildə] *s* trzeciorzędny przedsiębiorca budowlany; *pot* fuszer budowlany

jerry-building ['dʒeri,bildiŋ] *s* I *zob* **jerry-build** II *s* tandetne budownictwo; *pot* fuszerka budowlana

jerry-built ['dʒeri,bilt] I *zob* **jerry-build** II *adj* tandetnie zbudowany, *pot* sfuszerowany

jerry-shop ['dʒeri,ʃɔp] *s* knajpa

jersey ['dʒə:zi] *s* 1. bydło <krowa, byk> rasy jersey 2. sweter; golf

jess [dʒes] I *s* pęto (na nodze sokoła do polowania) II *vt* s/pętać (sokoła)

jessamine ['dʒesəmin] = **jasmin(e)**

Jesse ['dʒesi] *spr* **~ window** witraż z drzewem genealogicznym rodu Dawida

jest [dʒest] I *s* 1. żart; dowcip; kpina; **in ~** żartem; w żartach; **to make a ~ of sth** obrócić coś w żart 2. (*także* **a standing ~**) pośmiewisko II *vi* za/żartować <wyśmiewać się> (**about sb, sth** z kogoś, czegoś); **it's no ~ing matter** to nie (są) żarty

jest-book ['dʒest,buk] *s* zbiór dowcipów

jester ['dʒestə] *s* 1. żartowniś; kpiarz 2. błazen (królewski)

jesuistry *zob* **jesuitism**

Jesuit ['dʒezjuit] *s* 1. jezuita; **~'s bark** wysuszona kora chinowa 2. *przen* obłudni-k/ca

jesuitic(al) [,dʒezju'itik(əl)] *adj* 1. jezuicki 2. obłudny; zakłamany; chytry; podstępny

jesuitism ['dʒezjui,tizəm], **jesuistry** ['dʒezjuistri] *s* jezuityzm

jet¹ [dʒet] I *s* 1. *miner* gagat 2. dżet (ozdoba) II *attr* czarny jak kruk <smoła, węgiel>

↑**jet²** [dʒet] I *s* 1. strumień; wytrysk; wodotrysk 2. palnik (gazowy); płomień z palnika 3. *techn* dysza; rozpylacz; prądownica 4. *pot* odrzutowiec II *attr* (samolot, napęd, silnik) odrzutowy III *vt* (**-tt-**) trys-nąć/kać (**sth** czymś); wypu-ścić/szczać (coś) strumieniem IV *vi* (**-tt-**) (*o płynie itd*) tryс-nąć/kać

jet-black ['dʒet'blæk] *adj* czarny jak kruk <smoła, węgiel>

jet-plane ['dʒet,plein] *s lotn* odrzutowiec

jet-propelled ['dʒet-prə,peld] *adj* odrzutowy; **a ~ plane** samolot o napędzie odrzutowym

jetsam ['dʒetsəm] *s* 1. towar wyrzucony ze statku do morza jako balast przy awarii 2. przedmioty wyrzucone przez morze na brzeg

jettison ['dʒetisn] I *s* wyrzuc-enie/anie towaru ze statku do morza jako balastu przy awarii II *vt* wyrzuc-ić/ać (towar); *przen parl* **to ~ a bill** zaniechać uchwalenia projektu ustawy

jetton ['dʒetən] *s* żeton (do gry)

↑**jetty¹** ['dʒeti] = **jet-black**

jetty² ['dʒeti] *s* molo; nabrzeże; falochron

jeunesse dorée [ʒə'nes dɔ:'rei] *s* złota młodzież

Jew¹ [dʒu:] *s* 1. żyd (wyznawca religii mojżeszowej) 2. Żyd (członek narodu żydowskiego); **unbelieving ~** niedowiarek ‖ **tell that to the ~s** powiedz/cie to babci

jew² [dʒu:] *vt pot* oszuk-ać/iwać; okpi-ć/wać; szachrować; o/cyganić

jewel ['dʒuəl] I *s* 1. klejnot; *pl* **~s** kosztowności; *przen* (*o człowieku itd*) skarb; **~ house** skarbiec z klejnotami koronnymi w londyńskim zamku Tower 2. kamień (w zegarku) II *vt* (**-ll-**) 1. ozd-obić/abiać <przyb-rać/ierać> klejnotami 2. z/montować (zegarek) na kamieniach

jewel-box ['dʒuəl,bɔks], **jewel-case** ['dʒuəl,keis] *s* kaseta <szkatułka> na kosztowności

jeweller ['dʒuələ] *s* jubiler

jewel(le)ry ['dʒuəlri] *s* 1. biżuteria; kosztowności; klejnoty 2. jubilerstwo

Jewess ['dʒuis] *s* 1. żydówka (wyznawczyni religii mojżeszowej) 2. Żydówka (członkini narodu żydowskiego)

jewing ['dʒuiŋ] *s zoo* narośl przy dziobie (u niektórych gołębi domowych)

Jewish ['dʒuiʃ] *adj* żydowski

Jewry ['dʒuəri] *s* 1. *zbior* Żydzi 2. getto

jew's-ear ['dʒu:z,iə] *s bot* uszak judaszowy (grzyb)

jew's-harp ['dʒu:z,hɑ:p] *s muz* drumla

jew's-mallow [ˌdʒu:z'mælou] *s bot* jarzychna torebkowa (konopie indyjskie)
jew's-myrtle [ˌdʒu:z'mə:tl] *s bot* myszopłoch kolczysty
Jezebel ['dʒezəbl] *spr* 1. nierządnica 2. kusicielka; zalotnica
jib^{1} [dʒib] [I] *s* 1. *mar* kliwer; dzióbel; *przen* **the cut of a man's ~** wygląd człowieka 2. ramię dźwigu; wysięgnica [II] *vt* (**-bb-**) *mar* da-ć/wać (żagiel) na wiatr
jib^{2} [dʒib] *vi* (**-bb-**) 1. (*o koniu*) wierzg-nąć/ać; sta-nąć/wać dęba; narowić się 2. op-rzeć/ierać <sprzeciwi-ć/ać> się (**at sth** czemuś); wzbraniać się (**at sth** od czegoś, przed czymś; **at doing sth** czegoś zrobić, przed zrobieniem czegoś)
jibber^{1} ['dʒibə] *s* narowisty koń
jibber^{2} ['dʒibə] = **gibber** *v*
jib-boom ['dʒibˌbu:m] *s mar* bomsztenga
jib-crane ['dʒibˌkrein] *s* ramię dźwigu; wysięgnica
jib-door ['dʒibˌdɔ:] *s* zamaskowane <ukryte> drzwi
jibe^{1} [dʒaib] = **gibe** *v*
jibe^{2} [dʒaib] *vi am pot* zgadzać się; harmonizować
jiffy ['dʒifi] *s pot* chwileczka; momencik; sekunda, sekundka; **in a ~** migiem
jig [dʒig] [I] *s* 1. giga (skoczny taniec); *przen* **the ~ is over** koniec pieśni; pieśń skończona 2. *techn* osadzarka 3. *tekst* draparka [II] *vt* (**-gg-**) przesi-ać/ewać (rudę) [III] *vi* (**-gg-**) 1. za/tańczyć; **to ~ up and down** podskakiwać w tańcu 2. poruszać się niejednostajnie <zrywami>
jigger^{1} ['dʒigə] *s* 1. tance-rz/rka 2. robotnik przesiewający rudę 3. koło garncarskie 4. *górn* osadzarka 5. *pot* gips; wihajster; rzecz nieokreślona 6. jeden z kijów do gry w golfa 7. stojak na kije bilardowe
jigger^{2} ['dʒigə] *s zoo* tropikalna pchła piaskowa
jiggered ['dʒigəd] *adj* zmęczony; *pot* skonany; *w zwrocie*: **(well) I'm ~ if** _ niech mnie diabli porwą, jeśli...
jiggery-pokery ['dʒigəri'poukəri] *s pot* cygaństwo; oszukaństwo
jiggle ['dʒigl] [I] *vt* wstrząsać (**sth** czymś) [II] *vi* posuwać <poruszać> się zrywami
jigsaw ['dʒigˌsɔ:] *s* laubzega, włośnica; **~ puzzle** składanka
jihad [dʒi'hɑ:d] *s* święta wojna; krucjata
jill [dʒil] = **gill**
jilt [dʒilt] [I] *s* kokietka; uwodzicielka [II] *vt* porzuc-ić/ać (mężczyznę, uwiedzioną kobietę)
Jim Crow^{1} ['dʒim'krou] *spr am* 1. *rz pog* Murzyn 2. dyskryminacja wobec Murzynów; **~ car** tramwaj <wagon> dla Murzynów
jim-crow^{2} ['dʒimˌkrou] *s techn* 1. giętarka do szyn 2. rodzaj łomu
jim-jams ['dʒimˌdʒæmz] *spl sl* biała gorączka, obłęd opilczy
jimmy ['dʒimi] = **jim-crow**^{2}
jimp [dʒimp] *adj szkoc* 1. (*o człowieku*) zgrabny 2. (*o ubiorze, mierze*) skąpy
Jimson ['dʒimsən] *spr farm* **~ weed** liście bielunia
jingle ['dʒiŋgl] [I] *s* 1. dźwięczenie; dzwonienie; brzęk; szczęk, szczękanie 2. *austral irl* kariolka 3. jednobrzmiące <rymujące się> zgłoski [II] *vt* dzwonić <dźwięczeć, brzęczeć, szczękać> (**sth** czymś) [III] *vi* dzwonić; dźwięczeć; brzęczeć; szczękać
jingo ['dʒiŋgou] *s* (*pl* **~es**) 1. *w zwrocie*: **by ~**! psiakość! 2. szowinist-a/ka
jingoism ['dʒiŋgouˌizəm] *s* dżyngoizm, szowinizm
jingoistic [ˌdʒiŋgou'istik] *adj* szowinistyczny
jink [dʒiŋk] [I] *vi szkoc* wym-knąć/ykać się [II] *vt szkoc* 1. wymi-nąć/jać; unik-nąć/ać (**sth** czegoś) 2. oszuk-ać/iwać; *pot* wy/kiwać (kogoś) [III] *s szkoc* 1. unik; *pot* kiwnięcie 2. **high ~s** szumna zabawa
jinn [dʒin], **jinnee** ['dʒini:] *s* (*w demonologii mahometańskiej*) duch
jinricksha [dʒin'rikʃə], **jinrikisha** [dʒin'rikiʃə] *s* riksza
jinx [dʒiŋks] *s am sl* człowiek <przedmiot> przynoszący nieszczęście
jitney ['dʒitni] [I] *s am sl* 1. moneta 5-centowa 2. autobus, w którym przejazd kosztuje 5 c [II] *adj am sl* tandetny; tani
jitter ['dʒitə] *vi am sl* 1. denerwować się 2. podskakiwać w tańcu; pląsać
jitterbug ['dʒitəˌbʌg] *s am sl* 1. amator/ka "jitterbugu" 2. panikarz 3. jitterbug (skoczny taniec w rytm muzyki jazzowej)
jitters ['dʒitəz] *spl* zdenerwowanie; trema
jiujitsu *zob* **ju-jitsu**
job^{1} [dʒɔb] [I] *s* 1. praca; robota; zadanie; sprawa; **it's a bad ~** to beznadziejna sprawa; **it was quite a ~** niełatwo to poszło; **to be on the ~** pilnie <zawzięcie> pracować; mieć co robić; **to do sb's ~** wykończyć kogoś; **to make a good <a bad> ~ of sth** dobrze <źle> się wywiązać z czegoś; **to work by the ~** pracować na akord <akordowo>; *wykrzyknikowo*: **a bad ~**! niedobrze!; źle się stało!; **a good ~**! brawo! 2. zajęcie; posada; fach; rzemiosło; **to know one's ~** znać swój fach; być (dobrym) fachowcem; *pot* być specem; **out of a ~** bezrobotny; **I am out of a ~** straciłem posadę 3. nieczysta sprawa; nadużycie 4. *druk* akcydens 5. *handl* interes; **~ lot** partia towaru sprzedana <kupiona> okazyjnie [II] *vi* (**-bb-**) 1. wykonywać roboty dorywcze 2. pośredniczyć; faktorować 3. szachrować [III] *vt* (**-bb-**) 1. wykon-ać/ywać <z/robić> (pracę) 2. wynaj-ąć/mować (konie, pojazd — komuś); naj-ąć/mować (konie, pojazd — od kogoś) 3. pod-jąć/ejmować pracę na akord 4. pośredniczyć w kupnie i sprzedaży (**sth** czegoś — papierów wartościowych itd.) 5. wykorzyst-ać/ywać (swe stanowisko) w celach osobistych *zob* **jobbing**
job^{2} [dʒɔb] [I] *s* 1. ukłucie; dźgnięcie; szturchnięcie 2. dziobnięcie [II] *vt* (**-bb-**) 1. u/kłuć; dźg-nąć/ać; szturch-nąć/ać 2. dziob-nąć/ać 3. szarp-nąć/ać (konia) za uzdę [III] *vi* (**-bb-**) szturch-nąć/ać (**at sth** coś)
Job^{3} [dʒoub] *spr* **~'s news** hiobowa wieść; **~'s tears** korale z nasion indyjskiej trawy
jobation [dʒou'beiʃən] *s pot* reprymenda; *przen* kazanie; tyrada
jobber ['dʒɔbə] *s* 1. robotni-k/ca wykonując-y/a dorywcze prace 2. pośredni-k/czka; makler 3. człowiek wykorzystujący swe stanowisko dla celów osobistych; szachraj/ka 4. człowiek prowadzący przedsiębiorstwo wynajmu koni <pojazdów>
jobbernowl ['dʒɔbəˌnoul] *s pot* tuman; idiot-a/ka

jobbery [ˈdʒɔbəri] *s* 1. wykorzystywanie stanowiska dla celów osobistych; szachrajstwo 2. maklerstwo

jobbing [ˈdʒɔbiŋ] [I] *zob* **job¹** *v* [II] *adj* (*o robotniku*) pracujący akordowo [III] *s* 1. robota akordowa 2. wynajem koni <pojazdów> 3. pośredniczenie (w handlu); maklerstwo 4. *druk* akcydensy

job-goods [ˈdʒɔbˌgudz] *spl* towary okazyjne <wybrakowane>

jobless [ˈdʒɔblis] *adj* bezrobotny

job-line [ˈdʒɔbˌlain] *s* okazja (kupna)

jobmaster [ˈdʒɔbˌmaːstə] *s* człowiek wynajmujący konie <pojazdy>

job-printing [ˈdʒɔbˌprintiŋ] *s* drukowanie akcydensów

job-work [ˈdʒɔbˌwəːk] *s* 1: robota akordowa 2. = = **job-printing**

job-worker [ˈdʒɔbˌwəːkə] *s* robotni-k/ca pracując-y/a akordowo

Jock [dʒɔk] *s sl* żołnierz szkocki

jockey [ˈdʒɔki] [I] *s* 1. dżokej 2. chłopak 3. szachraj/ka [II] *vt* 1. oszuk-ać/iwać; okpi-ć/wać; **to ~ sb out of sth** wycyganić coś od kogoś; **to ~ sb into a position** wystarać się o posadę dla kogoś [III] *vi* 1. szachrować 2. manewrować dla zdobycia korzystnej pozycji (w regatach itd.)

jocko [ˈdʒɔkou] *s zoo* szympans

jocose [dʒəˈkous] *adj* skory do żartów; dowcipkujący; żartobliwy; jowialny; wesoły; swawolny

jocoseness [dʒəˈkousnis], **jocosity** [dʒouˈkɔsiti] *s* dowcipkowanie; żartobliwość; jowialność; wesołość; swawolność

jocular [ˈdʒɔkjulə] *adj* żartobliwy; krotochwilny; figlarny

jocularity [ˌdʒɔkjuˈlæriti] *s* żartobliwość; krotochwilność; figlarność

jocund [ˈdʒɔkənd] *adj* wesoły; pogodny; miły

jocundity [dʒouˈkʌnditi] *s* wesołość; pogodne usposobienie

jodel [ˈjoudl] = **yodel**

jodhpurs [ˈdʒɔdpuəz] *spl* bryczesy

Joe [dʒou] *spr sl w zwrocie*: **not for ~** *odmawiając*: dziękuję!; nie reflektuję! ‖ **~ Miller** stary dowcip; *pot* kawał z brodą

joey¹ [ˈdʒoui] *s* dawna moneta 4-pensowa

joey² [ˈdʒoui] *s austral* 1. młody kangur 2. młode zwierzątko

jog¹ [dʒɔg] *v* (**-gg-**) [I] *vt* 1. trąc-ić/ać (kogoś) 2. pobudz-ić/ać <porusz-yć/ać> (pamięć itd.) 3 (*o pojeździe*) podrzucać; potrząsać (**sb** kimś) [II] *vi* (*także* **~ on** <**along**>) jechać <posuwać się naprzód> truchtem <wolnym kłusem>; trząść się na wozie; jechać podskakując (po nierównej drodze); **how's business? — we're ~ging along** jak tam interesy? — jakoś się pcha; **I'll be ~ging along** czas na mnie; muszę się już zabierać [III] *s* 1. potrącenie; szturchnięcie 2. pobudzenie (pamięci) 3. wolny kłus; trucht

jog² [dʒɔg] *s am* nierówność; występ (w powierzchni)

joggle¹ [ˈdʒɔgl] [I] *vt* wstrząsać (**sb, sth** kimś, czymś); podrzucać [II] *vi* trząść się <podskakiwać> (na nierównej drodze) [III] *s* wstrząśnięcie; potrząsanie

joggle² [ˈdʒɔgl] [I] *s stol* wpust; czop [II] *vt stol* po/łączyć na wpust <na czop>

jog-trot [ˈdʒɔgˌtrɔt] [I] *s* wolny kłus; trucht; **at a ~** wolnym kłusem; truchtem [II] *attr* (*o trybie życia itd*) monotonny, jednostajny

John [dʒɔn] *spr* Jan; **~-a-dreams** ospały człowiek; **~ Barleycorn = whisky; ~ Bull** a) alegoryczne wyobrażenie Anglii b) typowy Anglik; **~ Chinaman** Chińczyk; **~ Collins** napój z dżynu, cytryny i wody sodowej; **~ Doe** zmyślona postać pieniacza; **~ dory** ryba z rodziny makreli

Johnnie, Johnny [ˈdʒɔni] *spr* 1. Janek, Jaś 2. frant; *sl mar* **~ Armstrong** siła mięśni; **~ Newcome** młokos; gołowąs; **~ Raw** nowicjusz

Johnnie-cake [ˈdʒɔniˌkeik] *s* placuszek kukurydzany <pszenny>

Johnny *zob* **Johnnie**

John-o'Groats [ˈdʒɔnəˈgrouts] *spr geogr* najdalej na północ wysunięty cypel na wybrzeżu Szkocji; *przen* **from ~ to Land's End** w całej Wielkiej Brytanii; jak Anglia długa i szeroka

Johnsonese [ˌdʒɔnsəˈniːz], **Johnsonian** [dʒɔnˈsounjən] *adj* w stylu dra Johnsona (pisarz i uczony XVIII w.)

join [dʒɔin] [I] *vt* 1. po/łączyć; s/kojarzyć; zesp-olić/alać; przyłącz-yć/ać; po/łączyć się (**sb, sth** z kimś, czymś); **to ~ battle** rozpocząć bój <bitwę>; **to ~ forces with sb** połączyć swe siły z kimś (w walce); **to ~ hands** a) wziąć/brać się za ręce b) *przen* połączyć swe siły 2. sp-oić/ajać; ze/sztukować; z/wiązać; zbi-ć/jać (deski itd.) 3. dołącz-yć/ać; doda-ć/wać (**sth to sth** coś do czegoś) 4. przyłącz-yć/ać się <przyst-ąpić/ępować, zapis-ać/ywać się> (**sth** do czegoś); wst-ąpić/ępować w szeregi <w poczet> członków (**an organization** organizacji) 5. wr-ócić/acać (**one's friends etc.** do swych przyjaciół itd.; *mar* **one's ship** na statek; *wojsk* **one's unit** do jednostki) [II] *vi* po/łączyć <dołącz-yć/ać, zejść/schodzić, zl-ecieć/atywać, zbie-c/gać, z/wiązać, zl-ać/ewać, sp-oić/ajać, zetknąć/stykać> się; **to ~ with sb** przyłączyć się do kogoś

~ in *vi* dołącz-yć/ać się do innych <do reszty towarzystwa>

~ up [I] *vt* = **~** *vt* 1., 2. [II] *vi* wst-ąpić/ępować do wojska; zaciąg-nąć/ać się

[III] *s* połączenie; spojenie

joinder [ˈdʒɔində] *s prawn* wspólne wystąpienie w procesie

joiner [ˈdʒɔinə] *s* 1. stolarz; **a ~'s shop** stolarnia; warsztat stolarski 2. *am* człowiek należący do wielu klubów <towarzystw, organizacji>

joinery [ˈdʒɔinəri] *s* stolarstwo, stolarka; robota stolarska

joint¹ [dʒɔint] *s* 1. połączenie; złącze; styk; spoina; spojenie; fuga; wpust; kolanko; *med* zestawienie złamanej kości 2. *anat* staw; przegub; członek palca; **out of ~** a) *med* zwichnięty b) *przen* zepsuty; nie w porządku; rozklekotany; **the times are out of ~** świat wywrócił się do góry nogami <zwariował>; **to put sb's nose out of ~** a) wysadz-ić/ać <wyp-rzeć/ierać> kogoś b) pomieszać komuś szyki; **to put sth out of ~** zepsuć coś; wywrócić coś do góry nogami 3. *kulin* pieczeń; pieczyste; udziec; ćwierć (wołu itd.) 4. *bot* węzeł (na łodydze) 5. *geol* diaklaza, szczelina, pęknięcie 6. *am sl* melina; spelunka

joint² [dʒɔint] *adj* wspólny; **~ authors** współautorzy; ~ **heirs** współdziedzice; ~ **owners** współwłaściciele; ~ **stock** kapitał akcyjny; ~ **tenants** współlokatorzy

joint³ [dʒɔint] *vt* 1. po/łączyć; sp-oić/ajać; po/wiązać; fugować 2. (*o rzeźniku*) roz-ebrać/bierać (mięso) 3. rozczłonkow-ać/ywać 4. (*w murarce*) spoinować <testować> (mur) *zob* **jointing**

jointer [ˈdʒɔintə] *s* 1. strug; gładzik 2. żelazko do spoinowania

jointing [ˈdʒɔintiŋ] [I] *zob* **joint³** [II] *s* połączenie; spojenie; powiązanie; fuga; (*w murarce*) spoinowanie, testowanie; ~ **plane** strug; wielki hebel; ~ **rule** łata do spoinowania

jointress [ˈdʒɔintris] *s* wdowa na dożywociu

joint-stock [ˈdʒɔintˌstɔk] *attr* ~ **company** towarzystwo akcyjne

jointure [ˈdʒɔintʃə] *s* wdowie dożywocie

joint-worm [ˈdʒɔintˌwəːm] *s am* larwa owada niszczącego zboże

joist [dʒɔist] [I] *s* belka (poprzeczna, pomocnicza); legar [II] *vt* belkować

joke [dʒouk] [I] *s* 1. żart; dowcip; **a practical** ~ figiel; psikus; **to play a practical** ~ **on sb** s/płatać komuś figla <psikusa>; **in** ~ żartem; **it's no** ~ to nie żarty; (**the best of**) **the** ~ **is that** — cały dowcip w tym, że... 2. pośmiewisko [II] *vt* wyśmi-ać/ewać (kogoś); za/drwić (**sb z kogoś**) [III] *vi* za/żartować (**at** <**about**> **sb, sth** z kogoś, czegoś); dowcipkować (**at** <**about**> **sth** na temat czegoś) *zob* **joking**

joker [ˈdʒoukə] *s* 1. dowcipniś; żartowniś 2. *sl* facet; gość 3. *karc* joker 4. *am* klauzula osłabiająca znaczenie <sens> ustawy <umowy>

joking [ˈdʒoukiŋ] [I] *zob* **joke** *v* [II] *adj* żartobliwy; drwiący; **he was half** ~ **half angry** mówił pół żartem, pół gniewnie [III] *s* żartowanie; dowcipkowanie; drwin-a/y; ~ **apart** żarty na bok

jokingly [ˈdʒoukiŋli] *adv* żartem; żartobliwie

joky [ˈdʒouki] = **jocular**

jole [dʒoul] = **jowl**

jollification [ˌdʒɔlifiˈkeiʃən] *s* zabawa; weselenie się

jollify [ˈdʒɔliˌfai] *vi* (**jollified** [ˈdʒɔliˌfaid], **jollified; jollifying** [ˈdʒɔliˌfaiiŋ]) za/bawić <weselić> się

jolliness [ˈdʒɔlinis] *s* wesołość

jollity [ˈdʒɔliti] *s* zabawa

jolly [ˈdʒɔli] [I] *adj* (**jollier** [ˈdʒɔliə], **jolliest** [ˈdʒɔliist]) 1. wesoły 2. podochocony 3. (*o czymś*) przyjemny; *pot* byczy 4. nie lada; nie byle jaki [II] *vt* (**jollied** [ˈdʒɔlid], **jollied; jollying** [ˈdʒɔliiŋ]) (*także* ~ **along**) *pot* utrzym-ać/ywać (kogoś) w dobrym humorze; ugłask-ać/iwać; z/mitygować; obłaskawi-ć/ać [III] *adv* bardzo; strasznie; *pot emfatycznie*: ~ **well** jak cholera; jak szlag; **he'll** ~ **well have to do it** to go nie minie, choćby pękł; **you were** ~ **well right** mi-ałeś/eliście rację, jak Boga kocham [IV] *s sl* żołnierz piechoty morskiej

jolly-boat [ˈdʒɔliˌbout] *s* szalupa

jolt [dʒoult] [I] *vi* (*o pojeździe*) trząść się <podskakiwać, *pot* telepać się> (na nierównej drodze); **to** ~ **along the road** jechać z turkotem [II] *vt* 1. wstrząs-nąć/ać (**sb, sth** kimś, czymś); podrzuc-ić/ać 2. wytrząść [III] *s* wstrząs; szarpnięcie; podskok

jolterhead [ˈdʒoultəˌhed] *s* bęcwał; jołop; matoł

jolty [ˈdʒoulti] *adj* (**joltier** [ˈdʒoultiə], **joltiest** [ˈdʒoultiist]) (*o pojeździe*) trzęsący się; (*o drodze*) wyboisty; nierówny

Jonah [ˈdʒounə] *spr* człowiek przynoszący nieszczęście <pecha>

Jonathan [ˈdʒɔnəθən] *spr* 1. naród amerykański 2. jonatan (gatunek jabłka)

jonquil [ˈdʒɔŋkwil] [I] *s* 1. *bot* żonkil 2. kolor bladożółty [II] *adj* (*o kolorze*) bladożółty

Jordan¹ [ˈdʒɔːdn] *spr przen* śmierć; grób

jordan² [ˈdʒɔːdn] *s wulg* nocnik

Jordan-almond [ˈdʒɔːdnˈɑːmənd] *s* migdał przedniego gatunku

jorum [ˈdʒɔːrəm] *s* czara; puchar

joseph [ˈdʒouzif] *s* 1. damski płaszcz do konnej jazdy (noszony w XVIII w.) 2. **Joseph** mężczyzna żyjący w czystości; **not for** ~ = **not for Joe** *zob* **Joe**

josh [dʒɔʃ] *am sl* [I] *vt* naciąg-nąć/ać <wyśmi-ać/ewać> (kogoś) [II] *s* naciąganie; żart (czyimś kosztem)

joskin [ˈdʒɔskin] *s sl* prostak

joss [dʒɔs] *s* bożek chiński

josser [ˈdʒɔsə] *s sl* 1. facet; gość 2. jołop

joss-house [ˈdʒɔsˌhaus] *s* świątynia chińska

joss-stick [ˈdʒɔsˌstik] *s* laseczka kadzidła (palonego w świątyniach chińskich)

jostle [ˈdʒɔsl] [I] *vi* rozpychać <przepychać> się; **to** ~ **against** <**with**> **sb** potrącić <popchnąć> kogoś; **to** ~ **through the crowd** przepychać się przez tłum [II] *vt* trąc-ić/ać, potrąc-ić/ać; szturch-nąć/ać; pop-chnąć/ychać
~ **away** *vt* od-epchnąć/pychać
[III] *s* 1. trąc-enie/anie; szturch-nięcie/anie; potrąc-enie/anie; pop-chnięcie/ychanie 2. tłok; ścisk

jot¹ [dʒɔt] *s* odrobina; jota; krztyna, krzta; **not a** ~ nic a nic; ani trochę

jot² [dʒɔt] *vt* (-**tt**-) (*zw* ~ **down**) zapis-ać/ywać (pokrótce); za/notować (pośpiesznie)

joule [dʒuːl] *s fiz* dżul

jounce [dʒauns] [I] *vt* trząść (**sb** kimś, kogoś); wytrząść <podrzucać> (pasażerów) [II] *vi* 1. trząść się; podskakiwać 2. turkotać

journal [ˈdʒəːnl̩] *s* 1. dziennik; pamiętnik 2. żurnal 3. dziennik okrętowy 4. *pl* **the Journals** sprawozdanie z obrad parlamentu 5. *techn* czop (wału) 6. *księgow* rejestr; memoriał

journal-box [ˈdʒəːnl̩ˌbɔks] *s* maźnica (wagonowa)

journalese [ˌdʒəːnəˈliːz] *s* język <styl> dziennikarski

journalism [ˈdʒəːnəˌlizəm] *s* dziennikarstwo

journalist [ˈdʒəːnəlist] *s* dziennika-rz/rka

journalize [ˈdʒəːnəˌlaiz] [I] *vi* pis-ać/ywać do dziennik-a/ów; zajmować się dziennikarstwem [II] *vt* 1. za/notować <zapis-ać/ywać> w dzienniku <w pamiętniku> 2. *księgow* wciąg-nąć/ać do rejestru <dziennika obrotowego>; za/rejestrować

journey [ˈdʒəːni] [I] *s* 1. podróż (*zw* lądowa); wyjazd; przejażdżka; **to go** <**set out**> **on a** ~ wyruszyć w podróż; wyjechać; **to take** <**undertake, perform**> **a** ~ odbyć podróż 2. jazda; (odbyta, odbywana) droga; **to be on a** ~ jechać; być w drodze; **a pleasant** ~! szczęśliwej drogi <podróży>! 3. trasa; tura 4. *górn* pociąg [II] *vi* podróżować; jechać, jeździć

journeyman [ˈdʒəːnimən] *s* (*pl* **journeymen** [ˈdʒəː

nimən]) 1. czeladnik 2. robotnik pracujący na dniówki 3. *techn* (*także* ~ **clock**) wtórny zegar elektryczny

journey-work ['dʒə:ni,wə:k] *s* 1. robota dniówkowa 2. ciężka praca, *pot* harówka

joust [dʒąust] [I] *s* potykanie się (w turnieju) [II] *vi* potykać się (w turnieju)

Jove [dʒouv] *spr* Jowisz; **by** ~! na Jowisza!; psiakość!

jovial ['dʒouvjəl] *adj* jowialny

joviality [,dʒouvi'æliti] *s* jowialność

Jovian ['dʒouvjən] *adj* jowiszowy

jowl [dʒaul] *s* 1. szczęka 2. policzek; (*o dwóch osobach*) **cheek by** ~ głowa przy głowie; pochłonię-ci/te poufną rozmową 3. podgardle 4. wole (ptaka) 5. głowa <łeb> ryby

joy [dʒɔi] [I] *s* 1. radość; uradowanie; **full of** ~ uradowany; **to give sb** ~ sprawi-ć/ać komuś radość; u/radować kogoś; **to jump** <**dance**> **for** ~ skakać <tańczyć> z radości; **to wish sb** ~ (**of sth**) po/gratulować komuś (czegoś); **to the** ~ **of** — ku uciesze... (czyjejś) 2. zachwyt 3. powód do radości; uciecha 4. *pl* ~**s** rozkosze [II] *vt vi poet* u/radować <u/cieszyć> (się)

joy-bells ['dʒɔi,belz] *spl* radosne bicie w dzwony; **with all the** ~ **ringing** przy radosnym biciu dzwonów

joyful ['dʒɔiful] *adj* 1. radosny 2. uradowany; szczęśliwy; **to be** ~ radować <cieszyć> się

joyless ['dʒɔilis] *adj* smutny

joyous ['dʒɔiəs] = **joyful**

joy-ride ['dʒɔi,raid] *s* przejażdżka (samochodem, motocyklem — *zw* cudzym pod nieobecność właściciela)

joy-stick ['dʒɔi,stik] *s lotn* drążek sterowy

jubilance ['dʒu:bilens] *s* triumfowanie; uniesienie radosne

jubilant ['dʒu:bilənt] *adj* pełen triumfu; unoszący się radością; **to be** ~ unosić się radością

jubilate[1] ['dʒu:bi,leit] *vi* radować się; unosić się radością; triumfować

Jubilate[2] [,dʒu:bi'lɑ:ti] *s kośc* pieśń triumfu (setny psalm)

jubilation [,dʒu:bi'leiʃən] *s* triumfowanie; uniesienie radości; radowanie się

jubilee ['dʒu:bi,li:] [I] *s* jubileusz [II] *attr* (*o obchodzie, roku*) jubileuszowy

Judaic [dʒu'deiik] *adj* żydowski; judejski

Judaism ['dʒu:dei,izəm] *s* judaizm

judaize ['dʒu:dei,aiz] [I] *vt* judaizować [II] *vi* za/stosować się do obrządku żydowskiego

judas ['dʒu:dəs] *s* 1. judasz (człowiek fałszywy) 2. judasz (w drzwiach)

judas-hole ['dʒu:dəs,houl] = **judas** 2.

judas-tree ['dʒu:dəs,tri:] *s bot* drzewo judaszowe

judge [dʒʌdʒ] [I] *vi* 1. sądzić; wyda-ć/wać sąd (**of sb, sth** o kimś, czymś) 2. osądz-ić/ać (**of sth** coś) [II] *vt* 1. sądzić (kogoś, sprawę); rozsądz-ić/ać (sprawę) 2. osądz-ić/ać; oceni-ć/ać; **judging by** <**from**> — wnosząc z...; sądząc po... 3. uważać; **to** ~ **it good to do sth** uważać za wskazane coś zrobić [III] *s* 1. sędzia; **Judge Advocate General** sędzia cywilny sprawujący nadzór nad sądem wojennym 2. znaw-ca/czyni

judge-advocate [dʒʌdʒ'ædvəkit] *s* 1. asesor sądu wojskowego 2. *am* prokurator sądu wojennego

judge-made ['dʒʌdʒ,meid] *adj* (*o zasadzie prawnej*) oparty na uprzednim orzeczeniu sądowym

judgematic(al) [dʒʌdʒ'mætik(əl)] *adj pot* rozsądny; rozumny

judg(e)ment ['dʒʌdʒmənt] *s* 1. sąd; **the last** ~ sąd ostateczny; **to sit in** ~ **on sb** sądzić kogoś 2. orzeczenie; wyrok; ~ **creditor** wierzyciel, którego pretensja uznana została orzeczeniem sądowym; ~ **debt** dług zatwierdzony orzeczeniem sądowym; **it is a** ~ **on you** to nauczka dla ciebie <was>; **to pass** ~ **on** — za/wyrokować o... (czymś); o/sądzić... (kogoś, coś); skaz-ać/ywać <wyda-ć/wać wyrok na>... (kogoś) 3. sąd; opinia; zdanie; **in my** ~ moim zdaniem 4. rozsądek; rozum; **use your** ~ kieruj/cie się własnym rozumem; zrób/cie (to), co uważa-sz/cie za najrozsądniejsze

judg(e)ment-day ['dʒʌdʒmənt,dei] *s* dzień sądu ostatecznego

judg(e)ment-seat ['dʒʌdʒmənt,si:t] *s* trybunał; siedziba sądu

judicature ['dʒu:,dikətʃə] *s* 1. sprawiedliwość; **the Supreme Court of Judicature** Najwyższy Trybunał Sprawiedliwości 2. kadencja (sędziego) 3. sądownictwo; orzeczenie sądowe 4. trybunał

judicial [dʒu'diʃəl] *adj* 1. sędziowski; sądowy; ~ **murder** morderstwo sądowe; wyrok śmierci prawnie **uzasadniony**, lecz niesprawiedliwy 2. sprawiedliwy; ~ **fairness** bezstronność 3. rozsądny; rozumny

judiciary [dʒu'diʃiəri] [I] *adj* sądowy [II] *s* sądownictwo

judicious [dʒu'diʃəs] *adj* rozsądny; rozumny

judiciousness [dʒu'diʃəsnis] *s* rozsądek; rozum

judo ['dʒu:dou] = **ju-jitsu**

Judy ['dʒu:di] *spr* imię żony poliszynela <postać żeńska> w teatrze marionetek

jug[1] [dʒʌg] [I] *s* 1. dzbanek; garnek; kubek 2. *sl* więzienie; *pot* koza; ul; ciupa [II] *vt* (**-gg-**) 1. dusić (potrawę); ~**ged hare** potrawka z zająca 2. *sl* wsadz-ić/ać do ciupy

jug[2] [dʒʌg] [I] *s* trele (słowika) [II] *vi* (**-gg-**) wywodzić trele

jugal ['dʒu:gəl] *adj anat* ~ **bone** kość licowa

jugate ['dʒu:git] *adj bot* (*o roślinie*) mający liście złożone parami

jugful ['dʒʌgful] *s* (pełny) garnek <dzban, kubek> (czegoś — mleka itd.); *am pot* **not by a** ~ gdzie tam!; dużo do tego brakuje!; w żadnym wypadku!

Juggernaut ['dʒʌgə,nɔ:t] *s* rydwan bogini Wisznu; *przen* ślepa siła niszczycielska, moloch

juggins ['dʒʌginz] *s sl* prostak

juggle ['dʒʌgl] [I] *vi* 1. żonglować 2. manipulować (**with sth** czymś) [II] *vt* podstępnie doprowadzić (**sb into doing sth** kogoś do zrobienia czegoś); wyłudzić <podstępem wyciągnąć> (**sb out of sth, sth out of sb** coś od kogoś) [III] *s* 1. żonglerka; żonglowanie; kuglarstwo 2. sztuczka; podstęp

juggler ['dʒʌglə] *s* 1. kugla-rz/rka 2. oszust/ka

jugglery ['dʒʌgləri] *s* 1. żonglerka; kuglarstwo 2. podstęp; oszukańświo

Jugoslav, Yugoslav ['ju:gou,slɑ:v] [I] *s* Jugosłowian-in/ka [II] *adj* jugosłowiański

jugular ['dʒʌgjulə] [I] *adj anat* szyjny [II] *s anat* żyła szyjna

jugulate ['dʒʌgju,leit] *vt* 1. pod-erżnąć/rzynać gardło (**sb** komuś) 2. za/dusić 3. przełam-ać/ywać (chorobę) drastycznym środkiem

juice [dʒu:s] *s* 1. sok (owocu, mięsa, żołądkowy) 2. treść; istota 3. *sl* paliwo; benzyna 4. *sl* prąd (elektryczny)

juiciness ['dʒu:sinis] *s* soczystość

juicy ['dʒu:si] *adj* (**juicier** ['dʒu:siə], **juiciest** ['dʒu:siist]) 1. *dosł i przen* soczysty 2. (*o opowiadaniu*) barwny 3. (*o pogodzie*) deszczowy; dżdżysty

ju-jitsu, ju-jutsu, jiu-jitsu [dʒu:'dʒitsu:] *s* dżiu-dżitsu

juju, ju-ju ['dʒu:'dʒu:] *s* 1. fetysz 2. tabu

jujube ['dʒu:dʒu:b] *s* 1. *bot* jujuba (krzew) 2. cukierek jujubowy

ju-jutsu *zob* **ju-jitsu**

juke-box ['dʒu:k,bɔks] *s* automatyczny gramofon elektryczny; *pot* szafa grająca

julep ['dʒu:lep] *s* 1. *farm* ulepek 2. *am* napój alkoholowy z miętą

Julian ['dʒu:ljən] *adj* (*o kalendarzu*) juliański

julienne [,dʒu:li'en] *s* (*także* ~ **soup**) zupa jarzynowa

July [dʒu'lai] [I] *s* lipiec [II] *attr* lipcowy

jumbal ['dʒʌmbl] *s am* rodzaj obarzanka <obwarzanka>

jumble[1] ['dʒʌmbl] = **jumbal**

jumble[2] ['dʒʌmbl] [I] *vt* 1. pomieszać; narobić bałaganu (**sth** w czymś) 2. pogmatwać (opowiadanie) [II] *vi* 1. pomieszać się 2. mieć zamęt <zamieszanie> w głowie 3. jechać podskakując na nierównościach terenu [III] *s* 1. mieszanina; galimatias; *przen* bigos 2. trzęsienie się <podskakiwanie> pojazdu

jumble-sale ['dʒʌmbl,seil] *s* 1. wenta (dobroczynna) 2. wyprzedaż <wysprzedaż> towarów wysortowanych

jumble-shop ['dʒʌmbl,ʃɔp] *s* kram

jumbo ['dʒʌmbou] *s* kolos; kolubryna; landara; *przen* kobyła

jumby, jumbie ['dʒʌmbi] *s* (*w Indiach Zach.*) duch

jump [dʒʌmp] [I] *vi* 1. sk-oczyć/akać; **to ~ at an offer** skwapliwie skorzystać z oferty; **to ~ to <at> a conclusion** pochopnie wy/wnioskować; **~ to it!** prędzej!; szybciej! 2. podsk-oczyć/akiwać; pod-erwać/rywać się 3. napa-ść/dać <sk-oczyć/akać, rzuc-ić/ać się> (**on <upon> sb** na kogoś); **to ~ down sb's throat** skrzyczeć kogoś 4. przesk-oczyć/akiwać 5. zg-odzić/adzać się (**with sth** z czymś) 6. *karc* forsować [II] *vt* 1. przesk-oczyć/akiwać; opu-ścić/szczać (ustęp w książce itp.); *am* **to ~ a train** wsk-oczyć/akiwać do pędzącego pociągu; **to ~ the track** wysk-oczyć/akiwać z pędzącego pociągu; (*o wagonie itp*) wyskoczyć (**the rails** z szyn) 2. pod-erwać/rywać <zmu-sić/szać> do skoku; kazać skoczyć (**a dog etc.** psu itd.); *bil* wyrzuc-ić/ać (bilę) ze stołu; podrzucać (dziecko na kolanie) 3. wstrząs-nąć/ać (**sb's nerves** czyimiś nerwami) 4. rzuc-ić/ać się (**sth** na coś) 5. podsmaż-yć/ać (ziemniaki) 6. (*w warcabach*) zab-rać/ierać (kamień) 7. *am* zab-rać/ierać (działkę złotodajną) pod nieobecność właściciela 8. *górn* wiercić ręcznie 9. spłaszczać (metal)

~ **about** *vi* podskakiwać; skakać na wszystkie strony

~ **back** *vi* sk-oczyć/akać w tył; odsk-oczyć/akiwać

~ **down** *vi* zesk-oczyć/akiwać

~ **in** *vi* wsk-oczyć/akiwać

~ **out** *vi* wysk-oczyć/akiwać

~ **together** *vi* (*o faktach itd*) zgadzać się

~ **up** *vi* podsk-oczyć/akiwać; zerwać/zrywać się na równe nogi

[III] *s* 1. skok; sus; **high <long> ~** skok wzwyż <w dal> 2. podskok; podskoczenie; wstrząs; **it gave me a ~** aż podskoczyłem; **there was a ~ in the prices** ceny podskoczyły; *pot* **to be on the ~** biegać; gonić; latać 3. przeskok 4. *pl* **~s** a) obłęd opilczy b) taniec św. Wita 5. *geol* uskok

jumper[1] ['dʒʌmpə] *s* 1. skoczek 2. skaczący owad 3. metodysta podskakujący w czasie modłów 4. *mar* lina usztywniająca maszt <reję> 5. *pot* kontroler/ka (w pociągu itd.) 6. *górn* świder ręczny

jumper[2] ['dʒʌmpə] *s* 1. *mar* bluza 2. damska bluzka wełniana; długi sweter z rękawami 3. *pl* **~s** *am* śpioszki; kombinezon (dziecinny)

jumpiness ['dʒʌmpinis] *s* nerwowość; zdenerwowanie

jumping-off ['dʒʌmpiŋ'ɔf] *attr w zwrocie*: **~ place** czołowa baza (wyprawy)

jumping-rope ['dʒʌmpiŋ,roup] *s am* skakanka

jump-spark ['dʒʌmp,spa:k] *s elektr* przeskok iskry

jump-weld ['dʒʌmp,weld] [I] *s* spawanie [II] *vt* spawać

jumpy ['dʒʌmpi] *adj* 1. (*o człowieku*) nerwowy 2. (*o stylu*) nierówny; kapryśny

junction ['dʒʌŋkʃən] *s* 1. połączenie <złączenie> (się) 2. węzeł (kolejowy itd.); stacja węzłowa 3. złącze; spoina 4. miejsce spawania <zlutowania> 5. skrzyżowanie

junction-box ['dʒʌŋkʃən,bɔks] *s elektr* skrzynka odgałęźna

junction-signal ['dʒʌŋkʃən,signl] *s kolej* sygnał rozjazdowy

juncture ['dʒʌŋktʃə] *s* 1. połączenie; złącze; spojenie 2. stan rzeczy <spraw>; zbieg okoliczności; krytyczna chwila; **at this ~** wtedy to; w tych okolicznościach

June [dʒu:n] [I] *s* czerwiec [II] *attr* czerwcowy; *zoo* **~ bug** chrząszcz

Juneberry ['dʒu:nbəri] *s bot* świdośliwka

June-grass ['dʒu:n,gra:s] *s bot* wiechlina łąkowa; gęsia trawka

jungle ['dʒʌŋgl] *s* dżungla; gąszcz; *med* **~ fever** malaria, zimnica

jungly ['dʒʌŋgli] *adj* (*o terenie*) porosły dżunglą

junior ['dʒu:njə] [I] *adj* młodszy (wiekiem, rangą, stopniem służbowym) [II] *s* 1. junior/ka 2. podwładn-y/a; podkomendn-y/a

juniority [,dʒu:ni'ɔriti] *s* 1. młodszy wiek 2. niższe <podległe> stanowisko

juniper ['dʒu:nipə] *s bot* jałowiec

junk[1] [dʒʌŋk] [I] *s* 1. stare liny <powrozy> (przeznaczone na przeróbkę) 2. odpadki; żelastwo; złom 3. rupie-ć/cie 4. *mar* solone mięso 5. płat mięsa wielorybiego zawierający spermacet [II] *vt* 1. rozpłatać 2. *am pot* rzuc-ić/ać (coś) do rupieci <do odpadków>

junk[2] [dʒʌŋk] *s* dżonka

junk-bottle ['dʒʌŋk,bɔtl] *s am* gruba flaszka z zielonego szkła

junk-dealer ['dʒʌŋk,di:lə] *s* handla-rz/rka starzyzną; szmacia-rz/rka; właściciel/ka składu starego żelastwa
junker ['juŋkə] *s* 1. junkier (pruski) 2. junkers (samolot niemiecki)
junket ['dʒʌŋkit] [I] *s* 1. ser śmietankowy; legumina; słodkie danie 2. uczta; hulanka; zabawa 3. *am* majówka; gromadna wycieczka [II] *vi* 1. pohulać; ucztować; urządz-ić/ać zabawę <hulankę> 2. *am* urządz-ić/ać majówkę <gromadną wycieczkę>
junkman ['dʒʌŋkmən] (*pl* **junkmen** ['dʒʌŋkmən]) *s* handlarz starzyzną; szmaciarz; właściciel składu starego żelastwa
junk-shop ['dʒʌŋk,ʃɔp] *s* 1. skład starych <używanych> przyborów żeglarskich 2. skład starzyzny <żelastwa, rupieci>
junta ['dʒʌntə] *s* 1. *hiszp polit* junta, rada 2. = **junto**
junto ['dʒʌntou] *s* klika
Jupiter ['dʒu:pitə] *spr* Jowisz; ~ **lamp** jupiter (lampa)
jural ['dʒuərəl] *adj* prawny; prawniczy
Jurassic [dʒu'ræsik] *adj geol* jurajski
jurat[1] ['dʒuəræt] *s* wyższy urzędnik miejski
jurat[2] ['dʒuəræt] *s* formułka zaprzysiężonego poświadczenia aktu prawnego
juratory ['dʒuərətəri] *adj* (*o oświadczeniu itd*) złożony pod przysięgą
↑**juridical** [dʒuə'ridikəl] *adj* jurydyczny; prawniczy; prawny; sądowy
jurisconsult ['dʒuəris-kən,sʌlt] *s* radca prawny; jurysta; † juryskonsult
jurisdiction [,dʒuəris'dikʃən] *s* 1. jurysdykcja; sądownictwo 2. obszar podlegający kompetencji organu sądowego 3. kompetencje władzy sądowej
jurisprudence ['dʒuəris,pru:dəns] *s* prawoznawstwo
jurist ['dʒuərist] *s* jurysta, prawnik
juristic(al) [dʒuə'ristik(əl)] *adj* jurystyczny; naukowo-prawniczy
juror ['dʒuərə] *s* 1. juror, członek jury 2. człowiek zaprzysiężony
jury[1] ['dʒuəri] *s* 1. sąd przysięgłych; przysięgli; **coroner's** ~ przysięgli asystujący sędziemu decydującemu o przyczynach nagłych zgonów; **grand** ~ sąd stanowiący o oddaniu sprawy do decyzji sądu przysięgłych zwanego "**common** <**trial, petty**> ~", który rozstrzyga sprawy decyzją jednogłośną; ~ **of matrons** grupa kobiet wydająca orzeczenie w wypadkach ciąży u skazanych kobiet; **member of the** ~ przysięgły 2. sąd konkursowy; jury
jury[2] ['dʒuəri] *adj mar* tymczasowy; zaimprowizowany; przygodny
jury-box ['dʒuəri,bɔks] *s* ława przysięgłych
juryman ['dʒuərimən] *s* (*pl* **jurymen** ['dʒuərimən]) członek sądu przysięgłych
jury-mast ['dʒuəri,mɑ:st] *s mar* maszt tymczasowy <zaimprowizowany, zapasowy>
jury-woman ['dʒuəri,wumən] *s* (*pl* **jury-women** ['dʒuəri,wimin]) członkini sądu przysięgłych
just[1] [dʒʌst] = **joust**
just[2] [dʒʌst] [I] *adj* 1. sprawiedliwy; rzetelny; **as is** <**was**> **only** ~ jak tego sprawiedliwość wymaga <wymagała>; jak nakazuje <nakazywała> sprawiedliwość; zupełnie słusznie 2. (*o nagrodzie, karze itd*) zasłużony; słuszny 3. (*o przekonaniach, zdaniach itd*) uzasadniony; słuszny 4. (*o propozycji, ilości itd*) właściwy [II] *s* sprawiedliwy; *pl* **the** ~ sprawiedliwi
just[3] [dʒʌst] *adv* 1. właśnie; ściśle; dokładnie; ~ **here** właśnie <dokładnie> w tym miejscu; tu; ~ **in time** w samą porę; ~ **now** a) w tej chwili b) przed chwilą; ~ **so** właśnie, właśnie!; ~ **then** w tym samym czasie; w tej samej chwili; **not** ~ **yet** jeszcze nie w tej chwili; **that's** ~ **it** o to właśnie chodzi; w tym właśnie rzecz 2. *przed przymiotnikiem lub przysłówkiem*: ~ **as** __ tak samo <równie> (dobry, dobrze, słaby, słabo itd.) 3. *w konstrukcji*: ~ **as ... so** __ jak... tak samo i... 4. *w zdaniach czasowych*: ~ **after** tuż <zaraz, bezpośrednio> po (zrobieniu czegoś); ~ **as** w chwili gdy (wychodziłem itd.); ~ **before** tuż <bezpośrednio> przed (zrobieniem czegoś) 5. *wyraża nacisk*: po prostu (wściekły, wniebowzięty itd.) 6. (*także* **only** ~) dopiero co; świeżo (upieczony, wydrukowany itd.) 7. ledwo; zaledwie; z trudem 8. tylko; ~ **this once** tylko ten jeden raz 9. *przed czasownikiem w trybie rozkazującym*: proszę; ~ **come in** proszę wejść; ~ **look** proszę popatrzyć
justice ['dʒʌstis] *s* 1. sprawiedliwość; **the Court of Justice** sąd; trybunał; **to administer** ~ wymierzać sprawiedliwość; *przen* **to do** ~ **to a meal** nie pogardzić posiłkiem; zjeść z apetytem; **to do** ~ **to sb** oddać komuś sprawiedliwość; **to do oneself** ~ pokazać swoją wartość <swoje zdolności>; **in** ~ po sprawiedliwości; **in** ~ **to** __ chcąc... (mu itd.) oddać sprawiedliwość 2. słuszność (pretensji itd.) 3. (*w tytułach*) **Justice of the Peace** sędzia pokoju; **the Lord Chief Justice** prezes sądu
justiceship ['dʒʌstisʃip] *s* sędziostwo; kadencja sędziego
justiciar [dʒʌs'tiʃiɑ:] *s hist* sędzia najwyższy za czasów królów normandzkich w Anglii
justiciary [dʒʌs'tiʃiəri] [I] *s* sądownictwo; *szkoc* **High Court of Justiciary** najwyższy sąd karny [II] *adj* sądowy
justifiable ['dʒʌsti,faiəbl] *adj* dający się usprawiedliwić <uzasadnić>; słuszny; zrozumiały; **it is hardly** ~ trudno to usprawiedliwić
justification [,dʒʌstifi'keiʃən] *s* 1. usprawiedliwienie 2. *druk* justowanie
justificative ['dʒʌstifi,keitiv], **justificatory** ['dʒʌsti fi,keitəri] *adj* usprawiedliwiający
justified ['dʒʌsti,faid] [I] *zob* **justify** [II] *adj* uzasadniony; usprawiedliwiony; **to be** ~ **in doing** <**saying etc.**> **sth** mieć dane po temu <podstawę do tego>, żeby coś zrobić <powiedzieć itd.>; mieć prawo coś zrobić <powiedzieć itd.>; **am I** ~ **in accepting this?** czy dobrze robię przyjmując to?
justify ['dʒʌsti,fai] *vt* (**justified** ['dʒʌsti,faid], **justified; justifying** ['dʒʌsti,faiiŋ]) 1. usprawiedliwi-ć/ać; u/motywować; wy/tłumaczyć; **to** ~ **bail** dać dowody wypłacalności przed poręczeniem za kogoś 2. *druk* justować *zob* **justified**
Justinian [dʒʌs'tiniən] *adj* (*o kodeksie*) justyniański
justness ['dʒʌstnis] *s* słuszność
jut [dʒʌt] [I] *s* występ; wystająca <stercząca>

część (czegoś) [II] *vi* (**-tt-**) (*także* ~ **out** <**forth**>) występować; wystawać; sterczeć
jute [dʒu:t] *s bot tekst* juta
juvenescence [ˌdʒu:viˈnesns] *s* okres dorastania
juvenescent [ˌdʒu:viˈnesnt] *adj* dorastający
juvenile [ˈdʒu:viˌnail] [I] *adj* małoletni; nieletni [II] *s* podrostek; wyrostek; ~ **court** sąd dla nieletnich; ~ **labour** zatrudnianie nieletnich
juvenilia [ˌdʒu:viˈniljə] *spl* młodzieńcze pisma <prace>
juvenility [ˌdʒu:viˈniliti] *s* młodzieńczość
juxtapose [ˈdʒʌkstəˌpouz] *vt* zestawi-ć/ać; umieścić/szczać (dwie rzeczy) obok siebie
juxtaposition [ˌdʒʌkstəpəˈziʃən] *s* zestawi-enie/anie; umieszcz-enie/anie (dwóch rzeczy) obok siebie; *górn* przywarstwienie

K

↑**K, k** [kei] *s* (*pl* **ks, k's** [keiz]) *litera* k
kaama [ˈkɑ:mə] *s zoo* antylopa południowoafrykańska
Kabyle [ˈkæbail] *s* Kabyl/ka
↑**Kaffir** [ˈkæfə] *s* 1. Kafr 2. *pl* ~**s** akcje kopalni południowoafrykańskich
kail [keil] = **kale**
kainite [ˈkaiˌnait] *s miner* kainit
Kaiser [ˈkaizə] *s* kajzer
kakemono [ˌkækiˈmounou] *s plast* kakemono (malowidło japońskie)
kale [keil] *s* 1. kapusta włoska; **Scotch** ~ kapusta czerwona 2. kapuśniak; zupa jarzynowa
kaleidoscope [kəˈlaidəˌskoup] *s* kalejdoskop
kaleidoscopic [kəˌlaidəˈskɔpik] *adj* kalejdoskopowy
Kalends [ˈkælendz] = **calends**
kaleyard [ˈkeilˌjɑ:d] *s* ogród warzywny; ~ **school** szkoła powieściopisarzy opisujących życie prostych ludzi
kali [ˈkeili] *s* 1. *bot* soliród 2. *handl* potaż żrący
Kalmuck [ˈkælmʌk] *s* Kałmu-k/czka
kalong [ˈkɑ:lɔŋ] *s zoo* pies latający (nietoperz)
kanaka [ˈkænəkə] *s* mieszkan-iec/ka wysp południowego Pacyfiku
↑**kangaroo** [ˌkæŋgəˈru:] *s* 1. *zoo* kangur 2. *pl* ~**s** *sl* akcje kopalni zachodnioaustralijskich 3. *pl* ~**s** *sl* spekulanci giełdowi operujący tymi akcjami 4. *parl* ~ **(closure)** procedura dająca przewodniczącemu prawo wyboru poprawek do projektu ustawy
Kantian [ˈkæntiən] *adj filoz* kantowski
kaolin [ˈkeiəlin] *s miner* kaolin
kapok [ˈkeipɔk] *s* kapok (włókno)
kappa [ˈkæpə] *s gr litera* kappa
Karaite [ˈkɛərəˌait] *s* Karait-a/ka
kar(r)oo [kəˈru:] *s* płaskowyż południowoafrykański
kartell [kɑ:ˈtel] = **cartel**
katabolism [kəˈtæbəˌlizəm] *s biol* katabolizm
katydid [ˈkeitidid] *s zoo* duży zielony amerykański konik polny
kauri [ˈkauri] *s bot* nowozelandzkie drzewo szpilkowe (dostarczające cennej żywicy)
kava [ˈkɑ:və] *s* 1. kawa (roślina z rodziny marzanowatych) 2. narkotyk sporządzany z korzeni kawy
kavass [kəˈvæs] *s* kawas (turecki policjant lub uzbrojony sługa)
kayak [ˈkaiæk] *s* kajak
keck [kek] [I] *vi* 1. mieć mdłości <nudności>; **I** ~**ed** zbierało mi się na wymioty 2. dosta-ć/wać mdłości <nudności> (**at the sight** <**thought**> **of sth** na widok czegoś <na myśl o czymś>) [II] *s* mdłości, nudności
keckle [ˈkekl] *vt mar* owi-nąć/jać (linę); zabezpiecz-yć/ać (linę) przed ocieraniem
kedge [kedʒ] [I] *s mar* (*także* ~ **anchor**) werp, kotwica zawoźna [II] *vt mar* przeciąg-nąć/ać <przesu-nąć/wać> (statek) za pomocą werpu <kotwicy zawoźnej>
kedgeree [ˌkedʒəˈri:] *s* potrawa z ryby, ryżu, **jaj**, cebuli i in. przypraw
keek [ki:k] [I] *vi szkoc* zerkać; szpiegować [II] *s szkoc* zerkanie; szpiegowanie
keel[1] [ki:l] [I] *s* 1. *mar* stępka; kil; **false** ~ falszkil; (*o statku*) **on an even** ~ (płynąć) bez kołysania; *przen* równo, spokojnie, bez wstrząsów 2. *bot* linia grzbietowa <grzbiet> (liścia) 3. *poet* statek [II] *vt* wywr-ócić/acać (statek); **to** ~ **over a ship** wywr-ócić/acać statek dnem do góry [III] *vi w zwrocie*: **to** ~ **over** a) przewr-ócić/acać się (do góry dnem) b) zemdleć
keel[2] [ki:l] *s* 1. rodzaj galara; płaskodenny statek do przewożenia węgla 2. ładunek węgla mieszczący się na galarze tego typu (= ok. 21 ton)
keelage [ˈki:lidʒ] *s mar* opłata za postój statku w porcie
keelblock [ˈki:lˌblɔk] *s mar* blok stępkowy
keelboat [ˈki:lˌbout] *s* 1. *mar* rodzaj kutra rybackiego używanego do połowów u wschodnich wybrzeży Anglii 2. *am* rodzaj galara
keelhaul [ˈki:lˌhɔ:l] *vt* przeciąg-nąć/ać (marynarza) pod statkiem z jednej burty na drugą (za karę); *przen* surowo post-ąpić/ępować (**sb z** kimś)
keelman [ˈki:lmən] *s* (*pl* **keelmen** [ˈki:lmən]) flisak, † flis
keelson *zob* **kelson**
keen[1] [ki:n] *adj* 1. (*o narzędziu itd*) ostry; tnący; naostrzony 2. (*o zimnie, wietrze*) przejmujący, dojmujący; przenikliwy 3. (*o dźwięku*) ostry; przeszywający; przeraźliwy 4. (*o powietrzu*) orzeźwiający; rześki 5. (*o bólu*) ostry; kłujący; przeszywający; dotkliwy 6. (*o zadowoleniu*) żywy; wielki 7. (*o żalu, skrusze*) głęboki; prawdziwy; serdeczny 8. (*o krytyce itp*) ostry; uszczypliwy; zjadliwy 9. (*o pragnieniu*) gorący 10. (*o zainteresowaniu*) żywy; głęboki; prawdziwy 11. (*o człowieku*) zapalony; gorliwy; namiętny; pełen zapału <entuzjazmu>; **to be** ~ **on sb** kochać się w kimś; *pot* czuć miętę do kogoś; **to be** ~ **on sth** a) być zapalon-ym/ą miłośni-kiem/

czką <amator-em/ką> czegoś; bardzo coś lubić; przepadać za czymś b) palić <rwać> się do czegoś; gorąco czegoś chcieć; **entuzjazmować** się czymś; **I am (not) ~ on it** a) (nie) zależy mi na tym b) (nie) przepadam za tym 12. (*o wzroku, spojrzeniu*) bystry; przeszywający; przenikliwy 13. (*o słuchu*) wrażliwy; czuły 14. (*o intelekcie*) bystry 15. (*o dowcipie*) cięty; ostry 16. (*o świetle*) ostry; silny 17. (*o apetycie*) wilczy 18. (*o walce*) zawzięty 19. (*o cenach*) niski

keen[2] [ki:n] [I] *s* tren (irlandzka pieśń żałobna) [II] *vi* lamentować [III] *vt* opłakiwać (zmarłego)

keen-edged ['ki:n,edʒd] *adj* ostry; tnący; naostrzony; posiadający ostrze

keener ['ki:nə] *s* płacz-ek/ka

keen-eyed ['ki:n,aid] *adj* o bystrym spojrzeniu; z przenikliwym <przeszywającym> wzrokiem

keenness ['ki:nnis] *s(zob* **keen[1]** *adj)*1. ostrość 2. przenikliwość (zimna, wiatru) 3. rześkość; orzeźwiające działanie 4. ostrość <dotkliwość> (bólu) 5. ogrom (zadowolenia) 6. głębia (żalu, skruchy) 7. ostrość <uszczypliwość, zjadliwość> (krytyki itp.) 8. *przen* żar (pragnienia) 9. żywość (zainteresowania) 10. zapał; gorliwość; entuzjazm 11. bystrość (spojrzenia); przenikliwość (wzroku) 12. wrażliwość (słuchu) 13. bystrość (intelektu) 14. ciętość (dowcipu) 15. ostrość <siła> (światła) 16. zawziętość (walki)

keen-sighted ['ki:n,saitid] *adj* bystrooki

keen-witted ['ki:n,witid] *adj* cięty, umiejący się odciąć

keep [ki:p] *v* (**kept** [kept], **kept**) [I] *vt* 1. przestrzegać (**sth** czegoś); podporządkow-ać/ywać się (**sth** czemuś); za/stosować się (**rules etc.** do przepisów itd.); u/szanować (prawo itd.); trzymać się (**sth** czegoś — przepisów itd.) 2. spełni-ć/ać (obietnicę itd.); dotrzym-ać/ywać (**sth** czegoś — słowa itd.); respektować (umowę itp.); **to ~ an appointment** przyjść na spotkanie <na umówione miejsce, konferencję, zebranie>; nie zrobić zawodu 3. obchodzić (święto, post, urodziny itd.); świętować; święcić; **to ~ a fast <Lent>** pościć 4. (*o Bogu*) mieć w opiece; zmiłować się (**sb** nad kimś) 5. u/chronić <u/strzec> (**sb from sth** kogoś od czegoś <przed czymś>) 6. *wojsk sport* bronić (**sth** czegoś — fortecy, bramki itd.) 7. strzec <pilnować> (**sth** czegoś) 8. utrzymywać (porządek itp.) 9. utrzymywać (kogoś, siebie); dawać na utrzymanie (**sb** komuś); **to ~ oneself** mieć na utrzymanie <na życie>; utrzymywać się; **to ~ sb in** ... dostarcz-yć/ać <dawać> komuś... (coś, czegoś); umożliwi-ć/ać komuś zaopatrywanie się w... (coś) <zakupywanie... (czegoś)>; **that will ~ you in nylons** za to będziesz mogła kupować sobie nylony; będziesz miała na nylony 10. prowadzić (rachunki, zapiski itd.); pisać (pamiętnik); **to ~ note of sth** notować coś 11. trzymać (służącego itd.); mieć własny (powóz, samochód itd.) 12. hodować 13. prowadzić a) (*o człowieku*) sklep, przedsiębiorstwo b) (*o przedsiębiorstwie*) artykuł handlu, towar; (*o zakładzie gastronomicznym*) **to ~ a good table** mieć dobrą kuchnię; dawać dobrze jeść 14. zachow-ać/ywać (tajemnicę, poważną minę, pozory czegoś) 15. u/trzymać; zatrzym-ać/ywać <utrzymywać> (coś w swoim posiadaniu); nie s/tracić (**sth** czegoś); zachow-ać/ywać (coś) dla siebie; **~ that to yourself** zachowaj to dla siebie; nie mów o tym nikomu; **to ~ sb in his place** trzymać kogoś na dystans 16. powstrzym-ać/ywać (**sb from sth** kogoś od czegoś); nie pozw-olić/alać <nie da-ć/wać> (**sb from doing sth** komuś czegoś zrobić); uniemożliwi-ć/ać (**sb from sth** komuś coś) 17. za/rezerwować 18. przechow-ać/ywać (coś) 19. pozosta-ć/wać (**the house, one's bed** w domu, w łóżku); **~ your seat** proszę nie wstawać 20. wymóc (**sb to sth** coś na kimś); **to ~ sb to his promise** wymóc na kimś dotrzymanie obietnicy 21. *z przymiotnikiem lub imiesłowem zastosowanym orzecznikowo*: **to ~ a door <window, one's mouth, eyes etc.> open <shut>** trzymać <mieć> drzwi <okno, usta, oczy itd.> otwarte <zamknięte>; **to ~ sb waiting <standing, working>** kazać komuś czekać <stać, pracować>; pozwolić na to, żeby ktoś czekał <stał, pracował>; **to ~ sth clean <hot, cold, fresh>** trzymać coś w czystości <w cieple, zimnie, świeżym stanie>; dbać, żeby coś było czyste <gorące, zimne, świeże> [II] *vi* 1. pozosta-ć/wać 2. być (zdrowym, spokojnym itd.); mieć <trzymać> się (dobrze itd.); **~ smiling** zachowaj/cie pogodę ducha 3. (*o pogodzie*) utrzymywać się; **it kept hot <rainy, fine, cloudy>** było wciąż gorąco <deszczowo, pięknie, pochmurno> 4. *z określeniem kierunku*: **to ~ straight on <to the left, right, North, South etc.>** jechać <iść, płynąć> prosto <lewą, prawą stroną, na północ, południe itd.> 5. *z następującym czasownikiem w formie* **-ing**: **to ~ doing sth** wciąż <ustawicznie, bez ustanku, uporczywie> coś robić; nie przestawać czegoś robić; **to ~ working <studying etc.>** wytrwale <pilnie> pracować <uczyć się itd.> 6. (*o artykułach spożywczych, towarach psujących się*) dawać się przechowywać; nie psuć się 7. *z przyimkami*: **~ at; to ~ at one's work <lessons etc.>** wytrwale <pilnie> pracować <uczyć się itd.>; **to ~ at sb for sth** molestować kogoś o coś; **~ from; to ~ from doing sth** powstrzym-ać/ywać się od czegoś; **~ off; to ~ off sth** unikać <stronić od> czegoś; **~ off the grass** nie deptać trawy; **to ~ one's hands off sth** nie ruszać <nie tykać> czegoś; trzymać ręce z dala od czegoś; **~ out; to ~ out of sth** unikać czegoś; nie mieszać się do czegoś; nie narażać się (**of danger** na niebezpieczeństwo); strzec <wystrzegać> się (**of mischief** złego, figlów, kawałów); **~ to; to ~ to one's room <bed>** pozostawać w domu <w łóżku>; **to ~ to sth** trzymać się czegoś; stosować się do czegoś; nie odstępować od czegoś

~ away [I] *vt* 1. trzymać (kogoś) z dala (od kogoś, czegoś); **to ~ sb away from sb, sth** nie da-ć/wać komuś zbliż-yć/ać się <podejść> do kogoś, czegoś 2. odpędzać (ludzi itd.); odganiać (muchy itd.); odstraszać [II] *vi* 1. trzymać się z daleka; nie zbliż-yć/ać się 2. nie przychodzić do <nie odwiedzać> kogoś

~ back [I] *vt* 1. powstrzym-ać/ywać (wroga, tłum, łzy, krzyk itd.) 2. opóźni-ć/ać (zbiory) 3. wstrzym-ać/ywać (wypłatę itd.) 4. zata-ić/jać; nie wyjawi-ć/ać (**sth** czegoś) 5. potrąc-ić/ać (część należności) [II] *vi* nie zbliż-yć/ać się

~ down [I] *vt* 1. nie da-ć/wać <nie po-

zw-olić/alać> (**sb, sth** komuś, czemuś) podnieść się <wyjść na górę> 2. trzymać (głowę) spuszczoną 3. trzymać w ryzach <w karbach, strachu, pod terrorem> 4. s/tłumić <opanow-ać/ywać> (powstanie, gniew, płacz itd.) 5. utrzym-ać/ywać (coś) na niskim poziomie [II] *vi* s/kulić się

~ in [I] *vt* 1. zatrzym-ać/ywać (kogoś) w domu; nie pozw-olić/alać wy-jść/chodzić (**sb** komuś) 2. zatrzym-ać/ywać (ucznia) w kozie 3. utrzym-ać/ywać (coś w czymś — wodę w zbiorniku itd.) 4. powstrzym-ać/ywać (uczucia, gniew itd.) 5. podtrzym-ać/ywać (ogień) ‖ **to ~ one's hand in** nie wychodzić z wprawy [II] *vi* 1. pozosta-ć/wać w domu; nie wychodzić; nie pokazywać się 2. (*o ogniu*) palić się (dalej) 3. być <pozostawać> w dobrych stosunkach (**with sb** z kimś)

~ off [I] *vt* 1. nie wdzi-ać/ewać (**one's hat** kapelusza) 2. trzymać (coś) z dala (od czegoś) 3. nie da-ć/wać <nie pozw-olić/alać> (**sb** komuś) się zbliż-yć/ać; odpędz-ić/ać; odstrasz-yć/ać; nie dopu-ścić/szczać (**sb** kogoś) [II] *vi* trzymać się z dala <na uboczu>; **~ off!** nie zbliża-ć/j/cie się!

~ on [I] *vt* 1. nie zd-jąć/ejmować (**sth** czegoś) 2. zatrzym-ać/ywać (kogoś) na stanowisku 3. podtrzym-ać/ywać (ogień) [II] *vi* 1. pozostawać na miejscu 2. iść <jechać, posuwać się> dalej 3. *z następującym czasownikiem w formie na* **-ing**: **to ~ on doing sth** wciąż <ciągle, bezustannie> coś robić; nie przestawać czegoś robić 4. nudzić <męczyć> (**at sb** kogoś); nie dawać spokoju (**at sb** komuś)

~ out [I] *vt* 1. nie da-ć/wać <nie pozw-olić/alać> wejść/wchodzić (**sb** komuś); zam-knąć/ykać wejście <zagr-odzić/adzać dostęp> (**sb** komuś); nie wpu-ścić/szczać (**sb** kogoś); odpędz-ić/ać; odstrasz-yć/ać; zasł-onić/aniać (światło) 2. chronić się (**the cold** przed zimnem) [II] *vi* trzymać się na uboczu

~ together [I] *vt* łączyć; jednoczyć; trzymać razem [II] *vi* trzymać się razem; nie rozchodzić <nie rozl-ecieć/atywać, nie rozpa-ść/dać> się

~ under *vt* = **~ down** 4., 5.

~ up [I] *vt* 1. podtrzym-ać/ywać; pod-eprzeć/pierać; nie da-ć/wać upaść <zwalić się, przewrócić się, opa-ść/dać, obniż-yć/ać się> (**sth** czemuś) 2. trzymać (coś) do góry <podniesione> 3. utrzym-ać/ywać <podtrzym-ać/ywać> (wysokie ceny) 4. utrzymywać (coś) w dobrym stanie <należytym porządku>; konserwować 5. utrzymywać (wojsko, służbę itd., *także* korespondencję, stosunki, tempo itd.) 6. prowadzić (gospodarstwo itp.) 7. podtrzymywać (zwyczaj, tradycję) 8. dalej (coś) prowadzić <uprawiać>; dalej ćwiczyć się (**sth** w czymś); nie zaniedbywać (**sth** czegoś) 9. nie zaprzestawać (**sth** czegoś); wy/trwać (**sth** w czymś) 10. podtrzymywać (zainteresowanie) 11. zachow-ać/ywać (pozory, pamięć o czymś, siły itd.); nie tracić (**sth** czegoś) 12. nie da-ć/wać iść spać <kazać czuwać> (**sb** komuś); trzymać (kogoś) na nogach (do późna w nocy) [II] *vi* 1. nie s/tracić ducha 2. (*o cenach, gorączce, pogodzie itd*) utrzym-ać/ywać się; **his courage ~s up** (on) nie traci odwagi 3. czuwać; nie kłaść się (spać) 4. dotrzym-ać/ywać kroku (**with sb** komuś); nadąż-yć/ać (**with sb, sth** za kimś, czymś); *przen* iść z prądem <z duchem> (czasu)

zob **keeping** [III] *s* 1. *hist* wieża <stołb, stolp> (najsilniej umocnione miejsce w dawnym grodzie) 2. utrzymanie; jedzenie; wikt 3. *pl* **~s** *górn* podchwyty (klatkowe) ‖ *sl* **for ~s na** zawsze; na dobre; na własność

keeper ['ki:pə] *s* 1. dozor-ca/czyni; stróż/ka; pastu-ch/szka 2. opiekun/ka; kurator/ka 3. kustosz 4. dozorując-y/a (czegoś) 5. człowiek prowadzący zakład <sklep, warsztat itd.> 6. obrączka <pierścionek> przytrzymując-a/y inne 7. *techn* gniazdko zasuwki zamka; skobel 8. *techn* przeciwnakrętka 9. *elektr* kotwica magnesu

keeping ['ki:piŋ] [I] *zob* **keep** *v* [II] *s w zwrocie*: **in ~ with sth** zgodny <zgodnie> z czymś; **to be in** <**out of**> **~ with** __ licować <nie licować> z...; harmonizować <nie harmonizować> z...; iść <nie iść> w parze z... [III] *attr* (*o owocach*) do przechowywania; dający się przechowywać

keeping-room ['ki:piŋ,ru:m] *s* pokój, w którym domownicy najwięcej przebywają; **this is our ~** (my) przeważnie tutaj przebywamy

keepsake ['ki:p,seik] *s* upominek; pamiątka

kef [kef] *s* 1. odurzenie narkotyczne 2. rozkoszowanie się bezczynnością

kefir ['kefə] *s* kefir

keg [keg] *s* beczka (niewielka)

keif [ki:f] = **kef**

kelp [kelp] *s* 1. nazwa kilku gatunków wodorostów 2. popiół z wodorostów (z którego otrzymuje się jod)

kelpie ['kelpi] *s szkoc* duch wodny w postaci konia, zatapiający ludzi

kelson, keelson ['kelsn] *s mar* stępka wewnętrzna

kelt[1] [kelt] *s* łosoś <pstrąg> po tarle

Kelt[2] [kelt] = **Celt**

Keltic ['keltik] = **Celtic**

kelvin ['kelvin] *s elektr* kilowatogodzina

Kelvin ['kelvin] *spr* **~ scale** skala Kelvina

kemp [kemp] *s* sztywne włosy w wełnie (obniżające jej wartość)

ken [ken] [I] *vt* (**-nn-**) *szkoc* 1. rozpoznawać 2. wiedzieć *zob* **kenning** [II] *s* zasięg (wzroku); zakres (wiedzy); **beyond** <**out of**> **sb's ~** a) nie widziany przez kogoś b) bez czyjejś wiedzy; **in ~** a) na oczach (czyichś) b) w granicach (czyjejś) wiedzy

kennel[1] ['kenl] [I] *s* 1. psiarnia 2. zakład hodowli i tresury psów; **~ management** hodowla psów 3. psia buda 4. sfora <stado> psów 5. nora (lisia itp.); *przen* nora (nędzne mieszkanie) [II] *vt* (**-ll-**) trzymać (psa) w budzie; zapędz-ić/ać (psa) do budy [III] *vi* (**-ll-**) 1. (*o psie*) przebywać <mieszkać> w budzie 2. (*o lisie itp*) chować się w norze 3. *przen* (*o człowieku*) gnieździć się w norze

kennel[2] ['kenl] *s* rynsztok; ściek kanałowy

kenning ['keniŋ] [I] *zob* **ken** *v* [II] *s* wiedza

kenotron ['kænou,trɔn] *s elektr* kenotron

kent [kent] *adj szkoc* znany; znajomy

Kentish ['kentiʃ] *adj* (*o mieszkańcu itd*) hrabstwa Kent; **~ fire** a) długotrwałe oklaski b) objawy dezaprobaty <zniecierpliwienia>; **~ rag** wapień z Kentu

kentledge ['kentlidʒ] *s mar* balast z bloków metalu

kept *zob* **keep** *v*

keratin ['kerətin] *s chem* keratyna

keratitis [,kerə'taitis] *s med* zapalenie rogówki

keratose ['kerə,tous] *adj* rogowaty

kerb [kə:b] [I] *s* 1. krawężnik *zob* **curb** 3.; *przen* ulica; **business done on the ~** <**in the ~ market**> transakcje (giełdowe) zawarte na ulicy (*zw* po zamknięciu giełdy); **~ (stone) broker** makler załatwiający transakcje na ulicy 2. krąg studzienny [II] *attr* uliczny

kerb-stone ['kə:b,stoun] *s* krawężnik

kerchief ['kə:tʃif] *s* 1. **chustka** (na głowę) 2. *poet* chusteczka (do nosa)

kerf [kə:f] *s* 1. wrąb; nacięcie; przecięcie (drzewa piłą); przepiłowane miejsce ściętego drzewa 2. *górn* podcios

kermes ['kə:miz] *s* 1. *zoo* czerwiec (owad); *bot* **~ oak** dąb kermesowy 2. alkiermes (barwnik) 3. *miner* (*także* **~-mineral**) kermesyt

kermess ['kə:mes], **kermis** ['kə:mis] *s* kiermasz

kern(e) [kə:n] *s* 1. *hist* irlandzki żołnierz piechoty 2. chłop; gbur

↑**kernel** ['kə:nl] *s* 1. jądro <ziarno> (owocu) 2. sedno (sprawy); istotna treść (czegoś)

kerosene ['kerə,si:n] *s* nafta (oczyszczona)

Kerry ['keri] *spr* **~ blue** odmiana teriera irlandzkiego

kersey ['kə:zi] *s tekst* szorstki materiał wełniany

kerseymere ['kə:zi,miə] *s tekst* kaszmir, † kaźmir

kestrel ['kestrəl] *s zoo* pustułka (ptak)

ketch [ketʃ] *s* kecz (statek dwumasztowy)

ketchup ['ketʃəp] *s* 1. sos (do mięsa) 2. sos pomidorowy

ketone ['ki:toun] *s chem* keton

kettle ['ketl] *s* kociołek; kocioł; **to put the ~ on** nastawić wodę na herbatę; *przen* **a fine** <**pretty**> **~ of fish!** ładna historia!; a to ci heca!; masz, babo, placek!

kettle-drum ['ketl,drʌm] *s muz* kocioł

kettle-holder ['ketl,houldə] *s* szmata do podnoszenia gorącego kociołka

Kew Gardens ['kju:,gɑ:dnz] *spr* ogród botaniczny w Londynie

↑**key**[1] [ki:] [I] *s* 1. klucz (od drzwi, od zegarka, do nakrętek, zagadki, pomoc szkolna itp.); *przen* **a golden** <**silver**> **~** łapówka; **to have the ~ of the street** zna-leźć/jdować się na ulicy <bez dachu nad głową>; *pl* **~s** *rel* klucze królestwa niebieskiego <św. Piotra>; **the power of the ~s** władza papieska 2. *bud* zwornik, klucz sklepienia 3. *bud* klin 4. (*na mapie itd*) legenda 5. klawisz 6. *muz* klucz 7. *muz* tonacja; *przen* ton (głosu) 8. *plast* ton (obrazu) 9. (*w murarce*) klocek; klin [II] *attr* (*o przemyśle, pozycji itd*) kluczowy [III] *vt* 1. za/klinować 2. na/stroić (instrument) 3. za/stosować klucz w redagowaniu (**sth** czegoś — ogłoszeń o rozmaitej treści w różnych pismach) dla zorientowania się w skuteczności reklamy

~ up *vt* doda-ć/wać bodźca <odwagi, otuchy> (**sb** komuś); nastr-oić/ajać (kogoś do czegoś) *zob* **keyed**

key[2] [ki:] *s geogr* wysepka; rafa (koralowa)

keyboard ['ki:,bɔ:d] *s* klawiatura; (*u organów*) manuał

key-bugle ['ki:,bju:gl] *s muz* kornet

keyed [ki:d] [I] *zob* **key**[1] *v* [II] *adj* (*o instrumencie*) mający klawisze, z klawiszami

key-hole ['ki:,houl] *s* dziurka od klucza

key-note ['ki:,nout] *s* 1. *muz* tonika 2. *przen* myśl przewodnia

key-ring ['ki:,riŋ] *s* kółko na klucze

key-signature ['ki:'signitʃə] *s muz* znaki przykluczowe

keystone ['ki:,stoun] *s bud* zwornik, klucz sklepienia; *przen* podstawa; myśl przewodnia; oś

khaki ['kɑ:ki] [I] *adj* (*o kolorze*) khaki (ochronny) [II] *s* kolor khaki (ochronny); *przen* mundur wojskowy

khamsin ['kæmsin] *s* chamsyn, chamsin

khan [kɑ:n] *s* chan

khanate ['kɑ:nit] *s* chanat

Khedive [ki'di:v] *s* kedyw, chedyw

kibble[1] ['kibl] *s górn* kubeł

kibble[2] ['kibl] *vt* śrutować (zboże)

kibe [kaib] *s* odmrożenie; *przen* **to tread on sb's ~s** ugodzić kogoś w czułe miejsce

kibosh ['kaibɔʃ] [I] *s sl* bzdur-a/y; **to put the ~ on sb, sth** = **to ~** *vt* [II] *vt sl* wykończyć (kogoś); rozprawić się (**sb, sth** z kimś, czymś); zakończyć (sprawę)

↑**kick**[1] [kik] [I] *vt* 1. kop-nąć/ać, skopać; **to ~ sb downstairs** kopniakiem zrzucić kogoś ze schodów; **to ~ sb's backside** kopnąć kogoś w zadek ‖ **to ~ one's heels** tracić czas; *sl* **to ~ the bucket** odwalić kitę (umrzeć) 2. strzel-ić/ać (bramkę) [II] *vi* 1. kop-nąć/ać; wierzg-nąć/ać; *przen* **to ~ over the traces** zbuntować się 2. narzekać <krzywić się> (**at** <**against**> **sth** na coś); buntować się (**at** <**against**> **sth** przeciw czemuś); **to ~ against the pricks** upierać się (przy czymś) ku własnej szkodzie; tłuc <walić> głową o mur 3. (*o piłce*) wysoko się odbić <podskoczyć>

~ about *vt* kopać (**the ball** piłkę) dla ćwiczenia <dla zabawy>

~ aside *vt* kopnięciem usunąć (coś) na bok

~ back *vt* oddać kopniaka (**sb** komuś)

~ off [I] *vt* zrzucić z nóg (**one's shoes** obuwie) [II] *vi* rozpocząć mecz piłki nożnej

~ over *vt* kopnięciem przewr-ócić/acać (wiadro itp.)

~ up *vt* podn-ieść/osić <wzniec-ić/ać> (kurz); **to ~ up a noise** narobić hałasu; zrobić awanturę; awanturować się; *sl* **to ~ up one's heels** a) świetnie się za/bawić b) wyciągnąć kopyta (umrzeć)

[III] *s* 1. kopnięcie; (*u zwierzęcia*) wierzgnięcie; (*w piłce nożnej*) strzał; wykop; rzut (karny itd.); siła wykopu; **he is a good** <**bad**> **~** on silnie <słabo> kopie; *przen sl* **to get the ~** dostać kopniaka; **I got more ~s than halfpence** jeszcze mi się dostało 2. *pot* energia; rozmach; **something with a ~ in it** coś wzmacniającego <podniecającego>; **to have no ~ left in one** oklapnąć; skapcanieć 3. skarga; narzekanie 4. szarpnięcie; odrzut; kopnięcie (strzelby po wystrzale); odskok (armaty) 5. sześć pensów, pół szylinga

kick[2] [kik] *s* wybrzuszenie na dnie butelki

kicker ['kikə] *s* 1. (*w piłce nożnej*) **a good** <**bad**>

~ gracz, który silnie <słabo> kopie 2. wierzgający koń 3. *am* malkontent/ka; zrzęda
kick-off ['kik,ɔf] *s* rozpoczęcie meczu piłki nożnej
kickshaw ['kik,ʃɔ:] *s* 1. *kulin* frykas 2. zabawka; świecidełko; ozdóbka
kick-starter ['kik,sta:tə] *s* (*u motocykla*) rozrusznik
kick-up ['kik,ʌp] *s sl* 1. granda; awantura; burda 2. biba, hulanka
kid[1] [kid] [I] *s* 1. koźlę 2. skóra koźla <jelonkowa>; giemza 3. *sl* berbeć, bąk, smyk, dziecko; *am* mał-y/a; dziecino; kochanie; **do you go to school, ~?** czy chodzisz do szkoły, dziecko? 4. *pl* **Kids** *astr* nazwa trzech małych gwiazd w gwiazdozbiorze Woźnicy [II] *vt* (**-dd-**) (*o kozie*) u/rodzić [III] *vi* (**-dd-**) (*o kozie*) o/kocić się
kid[2] [kid] [I] *vt vi* (**-dd-**) *sl* z/bujać; nab-rać/ierać; oszuk-ać/iwać [II] *s sl* granda; szwindel
kid[3] [kid] *s mar* menażka
kid[4] [kid] *s* faszyna
kidder ['kidə] *s sl* grandziarz, łobuz
kiddie, kiddy ['kidi] *s sl* brzdąc; maleństwo
kiddle ['kidl] *s* więcierz
kiddy *zob* **kiddie**
kid-glove ['kid,glʌv] [I] *s* skórzana rękawiczka [II] *attr* 1. (*o przyjęciu itp*) uroczysty; paradny; galowy 2. (*o człowieku*) delikatny; wypielęgnowany
kidnap ['kidnæp] *vt* (**-pp-**) por-wać/ywać (dziecko); uprowadz-ić/ać (kogoś)
kidnapper ['kidnæpə] *s* człowiek porywający dzieci; spraw-ca/czyni porwania
kidney ['kidni] *s* 1. *anat* nerka 2. nerki <cynadry> (potrawa) 3. pokrój <rodzaj> (człowieka); **a man of that ~** człowiek tego pokroju; ten typ człowieka 4. *pl* **~s** *geol* buły
kidney-bean ['kidni,bi:n] *s* fasola
kidney-shaped ['kidni,ʃeipt] *adj* nerkowaty
kidney-stones ['kidni,stounz] = **kidney** 4.
kidney-vetch ['kidni,vetʃ] *s bot* wełnica
kief [ki:f] = **kef**
kier [kiə] *s* kocioł do gotowania bielizny
kilderkin ['kildəkin] *s* baryłka (= 16—18 galonów = 72—80 l)
Kilkenny ['kilkeni] *spr w zwrocie*: **to fight like ~ cats** bić się zajadle
kill [kil] [I] *vt* 1. zabi-ć/jać; za/mordować; *przen* **to ~ sb with one's kindness** być krępująco uprzejmym wobec kogoś; okaz-ać/ywać komuś przesadną uprzejmość; **to ~ time** zabi-ć/jać czas; **to ~ two birds with one stone** osiągnąć podwójny cel; upiec dwie pieczenie przy jednym ogniu 2. *pot* podbi-ć/jać serce; *przen* być zabójczym 3. bić (bydło) 4. (*o autorze*) uśmierc-ić/ać (bohatera powieści) 5. (*w piłce nożnej*) za/stopować (piłkę) 6. *druk* wyrzuc-ić/ać (coś) z tekstu 7. gasić (wapno) 8. s/tłumić (dźwięk/i); zagłusz-yć/ać 9. *hut* uspok-oić/ajać <odtleni-ć/ać> (metal) 10. *chem* zobojętni-ć/ać (kwas) 11. *parl* obal-ić/ać (projekt ustawy)
~ off *vt* wymordow-ać/ywać <wybi-ć/jać> (ludność itd.); (*o autorze*) uśmierc-ić/ać <pozby-ć/wać się> (**the hero etc.** bohatera itd.)
zob **killing** [II] *s* 1. dobicie (lisa, jelenia — przy polowaniu par force) 2. upolowana zwierzyna; zdobycz
killer ['kilə] *s* 1. zabój-ca/czyni; morder-ca/czyni 2. rzeźnik 3. przyrząd do (bezbolesnego) zabijania zwierząt rzeźnych 4. (*także* **~-whale**) *zoo* miecznik (delfin drapieżny)
killick ['kilik] *s mar* mała kotwica; głaz służący jako kotwica
killing ['kiliŋ] [I] *zob* **kill** *v* [II] *adj* 1. zabójczy, morderczy; śmiertelny 2. przezabawny; **it was ~** można było umrzeć <skonać> ze śmiechu [III] *s* 1. zabi-cie/janie; mord; za/mordowanie; masakra 2. ubój
kill-joy ['kil,dʒɔi] *s* człowiek psujący innym zabawę <humor>
killock ['kilək] = **killick**
kiln [kiln] [I] *s* 1. piec do wypalania (cegły, porcelany, wapna itd.) 2. suszarnia [II] *vt* 1. wypalać 2. suszyć (w piecu)
kiln-dry ['kiln,drai] *vt* (**kiln-dried** ['kiln,draid], **kiln-dried; kiln-drying** ['kiln,draiiŋ]) suszyć (w piecu)
kilocycle ['kilou,saikl] *s fiz* kilocykl
kilogram(me) ['kilou,græm] *s* kilogram
kilometre ['kilə,mi:tə] *s* kilometr
kilowatt ['kilə,wɔt] *s elektr* kilowat
kilt [kilt] [I] *s* rodzaj krótkiej spódniczki (część męskiego stroju narodowego w Szkocji i Grecji) [II] *vt* 1. podkas-ać/ywać (spódnicę) 2. plisować *zob* **kilted**
kilted ['kiltid] [I] *zob* **kilt** *v* [II] *adj* 1. ubrany w (szkocką, grecką) spódniczkę 2. (*o spódnicy*) podkasany 3. plisowany
kilter ['kiltə] *s* należyty stan; **in ~** w porządku; **out of ~** nie w porządku; zepsuty
kiltie ['kilti] *s* żołnierz szkocki (w spódniczce)
kimono [ki'mounou] *s* kimono
kin [kin] [I] *s* 1. ród 2. rodzina; rodzeństwo; krewn-y/i; powinowa-ty/ci; **near of ~** blisko spokrewniony; **next of ~** najbliższ-y/a krewn-y/a; rodzina [II] *adj praed* spokrewniony
kinchin ['kintʃin] *s sl* dziecko; **~ lay** okradanie dzieci z pieniędzy danych im na sprawunki
kincob ['kiŋkɔb] *s* (*w Indii*) bogata materia przetykana złotem
kind[1] [kaind] *s* 1. rodzaj; ród (ludzki itd.) 2. klasa; gatunek; odmiana; **a ~ of _** pewnego rodzaju <niby to>... (artysta, jasnowidz itd.); **all ~s of things** wszelkiego rodzaju rzeczy; **coffee of a ~** coś w rodzaju kawy; niby to kawa; **nothing of the ~** nic podobnego <takiego>; **something of the ~** coś w tym rodzaju <guście>; **this ~ of _** tego rodzaju... (rzecz/y, człowiek/ludzie itd.); **what ~ of _?** jakiego rodzaju <co za>... (człowiek itd.)?; *pot przysłówkowo*: **~ of _** do pewnego stopnia...; **I ~ of felt <knew, expected> it** ja poniekąd <jak gdyby, właściwie> czułem to <wiedziałem o tym, spodziewałem się tego> 3. *rel* postać (sakramentu) 4. † natura; przyroda 5. sposób: **to act after one's ~** postępować na swój sposób 6. jakość; **they differ in ~** między nimi jest jakościowa <istotna> różnica 7. towar (jako środek płatniczy); **in ~** (zapłacić) w towarze; (otrzymać) w naturze; *przen* **to repay in ~** odda-ć/wać wet za wet; odpłac-ić/ać (się) tą samą monetą (**sb's malice etc.** komuś za jego złośliwość itd.)
kind[2] [kaind] *adj* 1. dobry; uprzejmy; łaskawy; życzliwy; **be so ~ as to _** bądź/cie tak dob-ry/

rzy i...; bądź/cie łaskaw/i <zechciej/cie łaskawie>... (coś zrobić); **how ~ of you**! jak-i/a pan/i dobr-y/a!; jak to ładnie z pańskiej <pani> strony!; **that's too ~ of you** to (naprawdę) zbytek uprzejmości; **that was very <awfully> ~ of him** to było bardzo <ogromnie, strasznie> uprzejmie z jego strony 2. (*o materiałach*) podatny

kindergarten ['kində,gɑ:tn] *s* przedszkole

kind-hearted ['kaind'hɑ:tid] *adj* dobrotliwy; życzliwy; (*o człowieku*) z sercem

kind-heartedness ['kaind'hɑ:tidnis] *s* dobrotliwość; życzliwość; dobre serce

kindle ['kindl] I *vt* 1. rozpal-ić/ać <rozniec-ić/ać> (ogień); zapal-ić/ać 2. wzniec-ić/ać <rozpal-ić/ać, rozniec-ić/ać> (uczucia, namiętności itd.); rozogni-ć/ać; **to ~ a passion in sb** wzbudz-ić/ać <rozpal-ić/ać> namiętność w kimś II *vi* zapal-ić/ać <zaj-ąć/mować, rozniec-ić/ać> się; za/płonąć; za/gorzeć; (*o oczach*) roz/iskrzyć się

kindliness ['kaindlinis] *s* 1. dobroć; dobrotliwość; życzliwość; dobre serce 2. łagodność (klimatu) 3. podatność (materiałów)

kindling ['kindliŋ] *s am zw pl* **~s** = **kindling-wood**

kindling-wood ['kindliŋ,wud] *s* drewno do podpałki

kindly ['kaindli] I *adj* (**kindlier** ['kaindliə], **kindliest** ['kaindliist]) 1. dobry; dobrotliwy; życzliwy 2. (*o klimacie itd*) łagodny 3. (*o materiale*) podatny 4. † (*o Szkocie itd*) rodowity II *adv* 1. uprzejmie; życzliwie; z życzliwością 2. pochlebnie (mówić o kimś) 3. łaskawie; **~ send, write etc.** prosimy o łaskawe przesłanie, napisanie itd.; **thank you ~** uprzejmie <bardzo> dziękuję; **to take ~ to sb, sth** polubić kogoś, coś; **will you ~ __** zechciej/cie łaskawie <bądź/cie uprzejm-y/i>... (coś zrobić)

kindness ['kaindnis] *s* 1. dobroć; uprzejmość; życzliwość; dobre serce; **have the ~ to __** = **be so kind as to __** *zob* **kind²** 1.; (*o człowieku*) **~ itself** uosobienie dobroci; złote serce 2. przysługa; wyświadczona uprzejmość

kindred ['kindrid] I *s* 1. pokrewieństwo 2. krewni; rodzina; rodzeństwo II *attr* pokrewny

kine [kain] *spl poet* krowy; bydło

kinema ['kinimə] = **cinema**

kinematics [,kaini'mætiks] *s fiz* kinematyka

kinematograph [,kaini'mætəgrɑ:f] = **cinematograph**

kinetic [kai'netik] *adj fiz* kinetyczny

kinetics [kai'netiks] *s fiz* kinetyka

king [kiŋ] I *s* 1. król (*także* w kartach, szachach oraz w przemyśle i handlu); *przen* magnat; **King at arms** = **King-of-Arms; the ~ of birds** orzeł 2. (*w warcabach*) dama II *vt* ob-rać/ierać (kogoś) królem III *vi pot* panoszyć się

kingbird ['kiŋ,bə:d] *s zoo* 1. ptak rajski <królewski> 2. tyran królewski (ptak amerykański)

king-bolt ['kiŋ,boult] *s techn* sworzeń

king-crab ['kiŋ,kræb] *s zoo* skrzypłocz (skorupiak)

kingcraft ['kiŋ,krɑ:ft] *s* sztuka <umiejętność> panowania

kingcup ['kiŋ,kʌp] *s bot* kaczeniec, kaczyniec, knieć (błotna)

kingdom ['kiŋdəm] *s* królestwo; **the United Kingdom** Zjednoczone Królestwo; Wielka Brytania; *sl* **~ come** tamten <drugi> świat

kingfish ['kiŋ,fiʃ] *s* nazwa dawana różnym rybom jadalnym dla ich rozmiarów <wyglądu itd.>

kingfisher ['kiŋ,fiʃə] *s zoo* zimorodek

kinghood ['kiŋhud] *s* godność królewska

kinglet ['kiŋlit] *s* 1. królewiątko 2. *zoo* mysikrólik (ptak)

kingly ['kiŋli] *adj* (**kinglier** ['kiŋliə], **kingliest** ['kiŋliist]) królewski

king-maker ['kiŋ,meikə] *s* królotwórca (Earl of Warwick za Henryka VI)

King-of-Arms ['kiŋəv'ɑ:mz] *s* wysoki dygnitarz w kolegium heraldycznym

king-pin ['kiŋ,pin] *s* 1. *techn* sworzeń 2. *przen* oś 3. *przen* ważna figura <osobistość>

king-post ['kiŋ,poust] *s bud* słupek (w wiązarze wieszarowym)

kingship ['kiŋʃip] *s* 1. królewskość 2. panowanie 3. królestwo

kingsman ['kiŋzmən] *s* (*pl* **kingsmen** ['kiŋzmən]) 1. rojalista 2. celnik 3. student "Kingsman's College" w Cambridge

king's-spear ['kiŋz,spiə] *s bot* złotogłów

king-vulture ['kiŋ,vʌltʃə] *s zoo* kondor

kink [kiŋk] I *s* 1. skręt (drutu itd.) 2. supeł; węzeł 3. bzik (na punkcie czegoś) II *vi* (*o drucie itd*) przekręc-ić/ać się; (*o sznurze*) supłać <s/plątać> się III *vt* skręc-ić/ać (drut, sznur itd.); supłać <s/plątać> (sznur itd.)

kinkajou ['kiŋkə,dʒu:] *s zoo* odmiana amerykańskiego szopa

kinkled ['kiŋkld] *adj* (*o włosach*) kręty

kino ['ki:nou] *s farm* kino (środek ściągający)

kinsfolk ['kinz,fouk] *spl* krewni; rodzeństwo

kinship ['kinʃip] *s* pokrewieństwo

kinsman ['kinzmən] *s* (*pl* **kinsmen** ['kinzmən]) krewny; powinowaty

kinsmanship ['kinzmənʃip] *s* pokrewieństwo; powinowactwo

kinswoman ['kinz,wumən] *s* (*pl* **kinswomen** ['kinz,wimin]) krewna; powinowata

kiosk [ki'ɔsk] *s* kiosk

kip¹ [kip] *s* skóra cielęca <jagnięca> przeznaczona do garbowania

kip² [kip] I *s sl* 1. dom noclegowy 2. wyro, wyrko, łóżko II *vi* (**-pp-**) *sl* kimać, spać

kip³ [kip] *s am* 1000 funtów (= 453,59 kg)

kipper ['kipə] I *s* 1. śledź wędzony 2. łosoś (samiec) w okresie tarła 3. *sl* facet; gość II *vt* solić <wędzić> (śledzie, łososie)

Kirghiz ['kiə,gi:z] *s* Kirgiz/ka

kirk [kə:k] *s szkoc* kościół; zbór; **the Kirk** Kościół prezbiteriański; **~ session** sąd kościelny <parafialny> (prezbiteriański)

kirsch(wasser) ['kiəʃ(,vɑ:sə)] *s* wódka pędzona z wiśni

kirtle ['kə:tl] † *s* 1. kaftan (męski) 2. spódnica

kismet ['kismet] *s* los; przeznaczenie

kiss [kis] I *vt* po/całować; ucałować; wycałować; da-ć/wać całusa <buziaka> (**sb** komuś); złożyć/składać pocałunek (**the front, hand etc.** na czole, dłoni itd.); **to ~ one's hand to sb** pos-łać/yłać komuś całusa; **to ~ sb good-bye** pocałować kogoś na pożegnanie; **to ~ sb's tears away** scałować czyjeś łzy; *przen* **to ~ the book** złożyć przysięgę; **to ~ the dust** a) płaszczyć się (przed kimś) b) zostać upokorzonym c) lec w prochu; **to ~ the rod** pokornie poddać się karze II *vi* całować się (z kimś) III *s* 1. pocałunek; całus; buziak 2. cukierek 3. *am* beza 4. kropla laku (na kopercie)

kissing-crust ['kisiŋ,krʌst] *s* miejsce stykania się bułek przy wypiekaniu

kissing-gate ['kisiŋ,geit] *s* furtka

kiss-in-the-ring ['kisinðə,riŋ] *s* zabawa, przy której całuje się osobę schwytaną

kiss-me-quick ['kismi,kwik] *s* 1. kapelusik z połowy XIX w. 2. loczek na czole

↑**kit**[1] [kit] I *s* 1. cebrzyk; kubeł 2. *wojsk* tornister 3. *zbior* rzeczy osobistego użytku; *wojsk* rynsztunek; *am* **the whole ~** cały kram 4. komplet <zestaw> narzędzi 5. (*także* **~ bag**) teczka <torba> na narzędzia; teczka <torba> z narzędziami II *vt* (**-tt-**) wydawać rynsztunek (**the troops** żołnierzom)

kit[2] [kit] = **kitten** *s*

kit[3] [kit] † *s* skrzypeczki

kit-cat ['kit,kæt] *s* 1. **Kit-cat** (**Club**) klub wigów działający w XVIII w. 2. członek tego klubu 3. (*także* **~ portrait**) portret osoby ujęty w popiersiu z rękami

↑**kitchen** ['kitʃin] I *s* 1. kuchnia 2. coś do jedzenia z zapasów śpiżarnianych II *attr* kuchenny; **~ garden** ogród warzywny; **~ physic** odżywcze i obfite jedzenie; dobry wikt; *am* **~ police** a) żołnierze wyznaczeni do pełnienia służby w kuchni b) służba w kuchni

kitchenette [,kitʃi'net] *s* kuchenka (pomieszczenie)

kitchen-maid ['kitʃin,meid] *s* dziewczyna do pomocy w kuchni

kitchen-midden ['kitʃin,midn] *s* *archeol* śmietnisko przedhistoryczne

kitchen-range ['kitʃin,reindʒ] *s* piec kuchenny

kitchen-stuff ['kitʃin,stʌf] *s* gotowan-a/e potraw-a/y; jarzyn-a/y; sos/y; tłuszcz spod pieczeni

kite [kait] I *s* 1. *zoo* kania 2. latawiec (zabawka) 3. *handl* weksel grzecznościowy; **to fly a ~** a) puszczać latawca b) zdoby-ć/wać pieniądze za pomocą weksla grzecznościowego 4. zdzierca 5. *sl* samolot II *vi* latać jak latawiec; płynąć w powietrzu III *vt* spienięż-yć/ać (weksel itp.)

kite-balloon ['kait-bə,lu:n] *s* balon na uwięzi

kite-flying ['kait,flaiiŋ] *s* zdobywanie pieniędzy za pomocą weksli grzecznościowych

kith [kiθ] *s* *w zwrocie*: **~ and kin** a) znajomi i krewni b) rodzina

kitool *zob* **kittul**

kitten ['kitn] I *s* 1. kociątko; (*o samicy niektórych zwierząt*) **in <with> ~** kotna 2. zalotnica; figlarka; swawolnica II *vt* mieć <u/rodzić> (kocięta) III *vi* o/kocić się

kittenish ['kitniʃ] *adj* zalotny; figlarny; swawolny

kittiwake ['kiti,weik] *s* *zoo* mewa trzypalcowa

kittle ['kitl] *adj* drażliwy; niełatwy; (*o sprawie*) ciężki; **~ cattle** a) drażliwi ludzie b) delikatne <drażliwe> sprawy

kittul, kitool [ki'tu:l] *s* *bot* kłapidło parzące

kitty[1] ['kiti] *s* *pieszcz* koteczek, kiciuś

kitty[2] ['kiti] *s* 1. (*w grach*) pula 2. = **jack**[1] 9.

kiwi ['ki:wi:] *s* 1. *zoo* kiwi (ptak nowozelandzki) 2. *sl lotn* członek obsługi naziemnej

klaxon ['klæksn] *s* klakson

kleptomania [,kleptou'meiniə] *s* kleptomania

kleptomaniac [,kleptou'meini,æk] *s* kleptoman/ka

kloof [klu:f] *s* (*w płd Afryce*) wąwóz

knack [næk] *s* talent; sztuka (robienia czegoś); zręczność; *pot* dryg; **a happy ~ of sth** dar (do) czegoś; **there's a ~ in it** trzeba się tego wyuczyć; **to acquire <get> the ~** nauczyć się (coś robić); **to have the ~ of <a ~ for> doing sth** umieć coś robić

knacker ['nækə] *s* 1. rzeźnik bijący konie 2. przedsiębiorca zakupujący do rozbiórki stare domy <maszyny, statki itd.>

knackery ['nækəri] *s* rzeźnia końska

knacky ['næki] *adj* zręczny

knag [næg] *s* sęk

knaggy ['nægi] *adj* sękaty

knap[1] [næp] *s* *dial* wzniesienie; szczyt; wierzchołek

knap[2] [næp] *vt* (**-pp-**) 1. rozbi-ć/jać; po/tłuc (kamienie) 2. *pot* łupnąć (kogoś)

knapper ['næpə] *s* kamieniarz

knapsack ['næp,sæk] *s* tornister (żołnierski); plecak (turysty)

knapweed ['næp,wi:d] *s* *bot* chaber

knar [nɑ:] *s* narośl (na pniu)

knave [neiv] *s* 1. szelma; łotr; nikczemnik; niegodziwiec; kanalia 2. *karc* walet

knavery ['neivəri] *s* szelmostwo; łotrostwo

knavish ['neiviʃ] *adj* łotrowski; niegodziwy; podły

knead [ni:d] *vt* 1. miesić (ciasto); gnieść; mieszać (glinę); *med* ugniatać (przy masażu) 2. sp-oić/ajać; po/łączyć 3. kształcić (charakter itd.) *zob* **kneading**

kneader ['ni:də] *s* maszyna do mieszenia <do ugniatania> ciasta

kneading ['ni:diŋ] I *zob* **knead** II *s* mieszenie; ugniatanie; **~ machine** = **kneader**

kneading-trough ['ni:diŋ,trɔf] *s* dzieża, dzieżka

knee [ni:] I *s* 1. *anat* kolano; **it is in the ~s of the gods** to jest jeszcze w rękach bogów; to widłami na wodzie pisane; to jest jeszcze niepewne; **to bring sb to his ~s** zmusić kogoś do uległości; **to fall <drop> on one's ~s** paść na kolana; **to give a ~ to sb** sekundować (pięściarzowi itd.); **to go down on one's ~s** uklęknąć; **on one's ~** klęcząc; na klęczkach 2. *techn* kolanko 3. *bud* zastrzał II *vt* 1. trąc-ić/ać kolanem 2. *bud* za/stosować zastrzał/y (**sth** przy czymś); z/łączyć za pomocą zastrzał-u/ów 3. *pot* wypychać (spodnie) na kolanach *zob* **kneed**

knee-breeches ['ni:,britʃiz] *spl* krótkie spodnie zapięte pod kolanami

knee-cap ['ni:,kæp] *s* *anat* rzepka

kneed [ni:d] I *zob* **knee** *v* II *adj* 1. kolankowaty 2. (*o spodniach*) wypchnięty na kolanach

knee-deep ['ni:'di:p] *adj* (głęboki) po kolana; (zanurzony) po kolana (**in water <mud etc.>** w wodzie <w błocie, mule itd.>); **the snow <mud etc.> was ~** śnieg <muł itd.> sięgał po kolana

knee-high ['ni:'hai] *adj* sięgający (człowiekowi, zwierzęciu) po kolana

knee-hole ['ni:,houl] *s* (*w biurku*) miejsce na kolana

knee-holly ['ni:,hɔli] *s* *bot* myszopłoch kolczysty

knee-jerk ['ni:,dʒə:k] *s* *fizj* odruch kolanowy

knee-joint ['ni:,dʒɔint] *s* 1. *anat* staw kolanowy 2. *techn* kolanko; połączenie kolanowe

kneel [ni:l] *vi* (**knelt** [nelt], **knelt**) klę-czeć/kać;

sta-ć/wać na kolanach; **in a ~ing position** na klęczkach; **to ~ down** u/klęknąć

knee-length [ˈni:ˌleŋθ] *attr* (*o płaszczu itd*) po kolana

knee-pad [ˈni:ˌpæd] *s* nakolanek (ochrona)

knee-pan [ˈni:ˌpæn] = **knee-cap**

knee-reflex [ˈni:ˌri:fleks] = **knee-jerk**

knell [nel] [I] *s* dzwonienie po umarłym; podzwonne [II] *vi* dzwonić (umarłemu) [III] *vt* dzwonić (**sth** na znak czegoś)

knelt *zob* **kneel**

knew *zob* **know** *v*

knicker-bocker [ˈnikəˌbɔkə] *s* 1. **Knicker-bocker** mieszkan-iec/ka Nowego Jorku 2. *pl* **~s** krótkie spodnie zapięte pod kolanami

knickers [ˈnikəz] *spl* 1. = **knicker-bockers** 2. (damskie) majtki <reformy> po kolana

knick-knack [ˈnikˌnæk] *s* ozdóbka; drobiazg służący do dekoracji; figurynka; świecidełko

knife [naif] [I] *s* (*pl* **knives** [naivz]) 1. nóż; **drawing ~** ośnik; strug; **the ~** nóż chirurgiczny; **before you can say ~** w oka mgnieniu; *pot* migiem; *przen* **to get a ~ into sb** wbić komuś nóż w plecy; **to go under the ~** pójść/iść na stół operacyjny; **to have one's ~ in sb** być zawziętym na kogoś; **to play a good ~ and fork** ochoczo zajadać; mieć dobry apetyt; cieszyć się dobrym apetytem; **war to the ~** wojna na noże 2. ostrze [II] *vt* 1. pchnąć <dźgnąć> (kogoś) nożem; zakłuć; zadźgać; zarz-nąć/ynać; zabi-ć/jać nożem 2. *am* przystawi-ć/ać stołka (**sb** komuś)

knife-board [ˈnaifˌbɔ:d] *s* 1. deska do czyszczenia noży 2. ławka na imperiale <na piętrze> omnibusu; **~ omnibus** omnibus piętrowy

knife-boy [ˈnaifˌbɔi] *s* pomywacz

knife-edge [ˈnaifˌedʒ] *s* 1. ostrze (noża) 2. podpora belki (u wagi) 3. grań (górska)

knife-grinder [ˈnaifˌgraində] *s* 1. szlifierz 2. toczak (przyrząd do ostrzenia); szlifierka

knife-machine [ˈnaif-məˌʃi:n] *s* przyrząd do czyszczenia noży

knife-rest [ˈnaifˌrest] *s* koziołek <podstawka> (pod nóż, widelec)

knife-sharpener [ˈnaifˌʃɑ:pnə] *s* szlifierka

knife-switch [ˈnaifˌswitʃ] *s elektr* wyłącznik nożowy

knight [nait] [I] *s* 1. rycerz; *iron* **~ of the pestle** aptekarz; **~ of the post** oszust trudniący się zawodowo składaniem fałszywych zeznań; **~ of the road** a) rozbójnik b) agent podróżny; komiwojażer; **~ of the shears** krawiec; **~ of the whip** woźnica 2. kawaler (orderu) 3. nobilitowany obywatel tytułujący się „Sir" przy imieniu; **~ bachelor** obywatel posiadający tytuł szlachecki; **~ of the shire** przedstawiciel hrabstwa w parlamencie 4. *szach* koń, skoczek [II] *vt* nobilitować; nadawać tytuł <odznaczenie> szlachecki/e (**sb** komuś); odznacz-yć/ać (kogoś) tytułem kawalera (orderu)

knightage [ˈnaitidʒ] *s* poczet <spis> nobilitowanych <posiadających tytuł szlachecki>

knight-errant [ˈnaitˈerənt] *s* (*pl* **knights-errant** [ˈnaitsˈerənt]) błędny rycerz

knight-errantry [ˈnaitˈerəntri] *s* 1. donkiszoteria 2. rycerskość

knight-heads [ˈnaitˌhedz] *s mar* dwie drewniane belki pionowe na dziobie żaglowca do umocowania bukszprytu

knighthood [ˈnaithud] *s* 1. rycerstwo 2. tytuł <odznaczenie> szlachecki/e

knightliness [ˈnaitlinis] *s* rycerskość

knightly [ˈnaitli] *adj* (**knightlier** [ˈnaitliə], **knightliest** [ˈnaitliist]) rycerski

knight-service [ˈnaitˌsə:vis] *s hist* obowiązek pełnienia służby wojskowej z tytułu posiadania dóbr ziemskich

knit [nit] *vt* (*praet* **knitted** [ˈnitid], **knit** [nit], *pp* **knitted**, **knit**; **knitting** [ˈnitiŋ]) 1. z/robić (pończochę itd.) na drutach; dziać 2. przer-obić/abiać (oczka); z/robić ściągacz (**a sweater** swetra itp.); **~ two, purl two** dwa na prawą stronę, dwa na lewą 3. ściąg-nąć/ać (brwi) 4. (*także* **~ together**) po/łączyć <z/wiązać, sp-oić/ajać> (ludzi); (*o cemencie, zaprawie itd*) z/wiązać; zestawi-ć/ać <s/powodować zrośnięcie> (**bones** kości)

~ up *vt* zar-obić/abiać (dziurę); zawiąz-ać/ywać (intrygę); **to ~ up an argument** zakończyć dyskusję

zob **knitting**

knitter [ˈnitə] *s* 1. dziewia-rz/rka; trykota-rz/rka 2. maszyna trykotarska

knitting [ˈnitiŋ] [I] *zob* **knit** [II] *s* dzianie; roboty dziewiarskie <na drutach>; trykotarstwo; **~ machine** maszyna trykotarska; **~ needle** drut do robót dziewiarskich

knittle [ˈnitl] *s mar* grępło skręcone podwójnie (do wyrobu linek)

knives *zob* **knife** *s*

knob [nɔb] [I] *s* 1. guz; wybrzuszenie; wypukłość 2. gałka (u drzwi itd.); guzik (przy aparacie) 3. pagórek; wzniesienie 4. *sl* pała, łeb, głowa 5. kawałek (cukru, węgla itd.) [II] *vt* (**-bb-**) wystuk-ać/iwać (blachę itp.) [III] *vi* (**-bb-**) (*także* **~ out**) wybrzusz-yć/ać się

knobble [ˈnɔbl] *s* mały guz

knobby [ˈnɔbi] *adj* (**knobbier** [ˈnɔbiə], **knobbiest** [ˈnɔbiist]) guzowaty

knobkerrie [ˈnɔbkəri] *s* (*u szczepów afrykańskich*) rodzaj maczugi

knobstick [ˈnɔbˌstik] *s* 1. laska z gałką 2. łamistrajk

knock [nɔk] [I] *vi* 1. za/pukać <za/kołatać> (**at the door** do drzwi, **on the window** w okno itd.); za/stukać 2. uderzyć się (**against sth** o coś); najechać (**against sth** na coś); **to ~ about the world** wędrować <włóczyć się> po świecie; **to ~ against sb** przypadkiem spotkać kogoś [II] *vt* 1. uderz-yć/ać, wal-nąć/ić; stuk-nąć/ać (**sth** w coś, do czegoś); zdzielić; **to ~ one's head against sth** a) uderzyć głową o coś b) natrafić na coś (na przeszkodę) 2. *z przyimkami* (*przy dopełnieniu dalszym*): **~ in** <**into**> wbi-ć/jać (coś do czegoś); **~ off** strąc-ić/ać <strzep-nąć/ywać> (coś z czegoś); **to ~ a shilling off a bill** potrącić <opuścić> szylinga z rachunku; **~ out of** wybi-ć/jać (coś z czegoś); **~ through** przebić (coś przez coś) 3. *pot* zadziwi-ć/ać; zdumie-ć/wać; **that ~ed me** to mnie zaszokowało; *pot* oko mi zbielało 4. *am sl* obmawiać

~ about [I] *vt* 1. po/szturchać; z/maltretować 2. szarpać; ciskać (**sth** czymś) [II] *vi* wędrować <podróżować, po/bujać> po świecie

~ down *vt* 1. zwalić; po/walić; wywr-ócić/acać; ściąg-nąć/ać na dół; roz-ebrać/bierać (budynek itd.) 2. przysądz-ić/ać <przyzna-ć/wać> (komuś coś na licytacji) 3. obniż-yć/ać (cenę) 4. przeje-chać/żdżać (kogoś); naje-chać/żdżać (**sb** na kogoś)

~ in *vt* 1. wbi-ć/jać (coś do czegoś) 2. rozwal-ić/ać (przykrywkę, dno czegoś)

~ off [I] *vt* 1. strąc-ić/ać (coś z czegoś); *przen* **to ~ sb's head off** położyć kogoś na obie łopatki; zapędzić kogoś w kozi róg 2. skończyć (pracę) 3. sporządzić; *pot* zmajstrować; wyprodukować; wykoncypować (wiersze itd.) [II] *vi* s/kończyć pracę

~ out *vt* 1. wybi-ć/jać; **to ~ out one's pipe** wytrząsnąć popiół <tytoń> z fajki; **to ~ sb's brains out** rozwalić komuś głowę 2. z/nokautować (boksera); *przen* położyć (kogoś) 3. naprędce sporządzić (plan itd.)

~ over *vt* przewr-ócić/acać

~ together [I] *vt* zbi-ć/jać (deski itd.); za/improwizować; s/klecić [II] *vi* (*o dwu rzeczach*) uderzać o siebie

~ under *vi* podda-ć/wać się

~ up [I] *vt* 1. podbi-ć/jać 2. naprędce sporządz-ić/ać; *pot* z/majstrować; s/klecić 3. zdoby-ć/wać punkty (w krykiecie) 4. z/budzić <obudzić> (stukaniem) 5. wyczerpać <zmęczyć> (kogoś) [II] *vi* natknąć się (**against sb** na kogoś)

[III] *s* 1. uderzenie; stuknięcie, stuk; *sl* **to take the ~** dostać po kulach <w kość> 2. pukanie 3. *sl* (*w krykiecie*) = **innings**

knock-about ['nɔk-ə,baut] [I] *s* farsa; groteska [II] *adj* 1. (*o spektaklu itp*) błazeński; hałaśliwy 2. (*o trybie życia*) wędrowny; tułaczy 3. (*o stroju*) roboczy

knock-down ['nɔk'daun] *adj* 1. (*o uderzeniu*) ogłuszający 2. (*o maszynie itd*) do rozbierania (na części) 3. (*o cenie*) obniżony do minimum 4. (*o zdarzeniu, wiadomości itd*) zdumiewający

knocker ['nɔkə] *s* 1. (człowiek) pukający <kołatający, stukający>; **~ up** człowiek opłacany, by budził (robotników) rano 2. kołatka (u drzwi) 3. *am* malkontent/ka

knock-kneed ['nɔk,ni:d] *adj* koślawy; mający nogi w iks

knock-out ['nɔk,aut] [I] *s* 1. *boks* nokaut 2. *sl* kapitalny <świetny, byczy> facet; kapitalna <świetna, bycza> rzecz 3. (*na licytacji*) porozumienie między licytującymi celem niepodbijania cen (dla taniego nabycia przedmiotu i późniejszego odprzedania go) 4. zawody eliminacyjne [II] *adj* 1. (*o uderzeniu w boksie*) nokautowy 2. *sl* (*o człowieku, przedmiocie*) byczy, świetny 3. (*o cenie sprzedażnej przedmiotu*) bezkonkurencyjny 4. *sport* (*o zawodach*) eliminacyjny

knock-up ['nɔk'ʌp] *s* *sport* krótka zaprawa przed meczem

knoll[1] [noul] *s* pagórek; kopiec

knoll[2] [noul] *† [I] *vi* (*o dzwonie*) za/dzwonić [II] *vt* bić <uderz-yć/ać> (**a bell** w dzwon); (*o dzwonie*) wybi-ć/jać (godzin-ę/y)

knop [nɔp] † *s* 1. = **knob** *s* 2. *bot* pączek

knot [nɔt] [I] *s* 1. węzeł; supeł; pętla; *med* węzeł (chłonny itp.); *bot* węzeł; narośl 2. związek <węzeł> małżeński 3. trudność; trudny problem; sedno (zagadnienia, opowiadania itp.); **Gordian ~** węzeł gordyjski 4. kokardka 5. *mar* węzeł (= 1853 m) 6. guz; stwardnienie 7. sęk 8. grupka (osób); kępka (drzew) [II] *vt* (**-tt-**) 1. zawiąz-ać/ywać; z/wiązać 2. z/robić węzły (**sth** na czymś) 3. z/wiązać (dwa sznury) węzłem 4. za/wiązać frędzle (**sth** przy czymś) 5. ściąg-nąć/ać <z/marszczyć> (brwi) [III] *vi* (**-tt-**) supłać się *zob* **knotted**

knot-grass ['nɔt,grɑ:s] *s* *bot* wróble języczki, rdest ptasi

knotted ['nɔtid] [I] *zob* **knot** *v* [II] *adj* pokryty węzłami; węzłowaty

knottiness ['nɔtinis] *s* 1. sękatość 2. zawiłość

knotty ['nɔti] *adj* (**knottier** ['nɔtiə], **knottiest** ['nɔtiist]) 1. pokryty węzłami; węzłowaty 2. sękaty 3. zawiły; zawikłany

knout [naut] [I] *s* knut [II] *vt* chłostać knutem

know [nou] *v* (**knew** [nju:], **known** [noun]) [I] *vt* 1. po/znać (kogoś, coś); umieć (coś) 2. pozna-ć/wać <rozpozna-ć/wać> (**sb by sth** kogoś po czymś) 3. odróżni-ć/ać (**one thing from another** jedno od drugiego); **I don't ~ him from Adam** nie mam pojęcia, kto to jest 4. pozna-ć/wać <zaznaj-omić/amiać> się (**sb, sth** z kimś, czymś); **to make oneself ~n** a) przedstawi-ć/ać się b) zyskać rozgłos 5. wiedzieć (**sth** o czymś); **to get <become> ~n** a) (*o człowieku*) zyskać rozgłos; sta-ć/wać się znanym <sławnym> b) (*o tajemnicy itd*) do-jść/chodzić do publicznej wiadomości c) (*o wiadomości itd*) roz-ejść/chodzić się; **it got ~n that —** dowiedziano się <ludzie się dowiedzieli> (o tym), że ... 6. *z rzeczownikiem lub zaimkiem w bierniku i bezokolicznikiem lub przyimkiem* **for** *i rzeczownikiem*: wiedzieć, że (ktoś, coś jest <ma> itd.); **to ~ sb for a thief, an honest man etc.** wiedzieć, że ktoś jest złodziejem, uczciwym człowiekiem itd.; **to ~ sb to be well informed <to have the means etc.>** wiedzieć, że ktoś jest dobrze poinformowany <posiada środki itd.> 7. orientować się; **to ~ a thing or two** być dobrze poinformowanym; **to ~ what's what** dobrze się orientować; znać się na rzeczy 8. pozna-ć/wać (biedę, okropności wojny itd.); zazna-ć/wać <doświadcz-yć/ać> (**sth** czegoś) [II] *vi* 1. wiedzieć; **for all <as far as> I ~** o ile wiem; o ile mi wiadomo; **how do I ~?** skąd mam wiedzieć?; **I ~** (już) wiem; **I shall ~ better next time** na przyszły raz będę mądrzejszy <nie będę taki głupi>; **to ~ better** a) mieć więcej rozumu w głowie b) być za mądrym (żeby coś niewłaściwego zrobić); nie być takim niemądrym <głupim> (**than —** żeby ...); **to let sb ~** dać komuś znać; poinformować kogoś; (*nawiasowo*) **you ~, do you ~, don't you ~?** wie-sz/cie?; rozumie-sz/cie? 2. *w formie przeczącej*: wątpić; **I don't ~ that —** wątpię czy ... 3. umieć <potrafić> (**how to do sth** coś zrobić) 4. *z przyimkami*: **~ about; to ~ about sth** a) wiedzieć o czymś; być o czymś powiadomionym <poinformowanym> b) znać się na czymś; orientować się w czymś; *z powątpiewaniem*: **I don't ~ about that** nie wiadomo; to nie jest pewne; ja bym za to nie ręczył; **to ~ all about sth** świetnie się znać na czymś; *am pot* **what do you ~ about that!** a to ci heca!; no i co ty <wy> na to?; **~ of; to ~ of sb** wiedzieć o kimś; znać kogoś ze słyszenia; **I ~ of him** słyszałem o nim; **to ~ of sth** wiedzieć o czymś; **to get to ~ of sth** dowiedzieć się o czymś; **not that I ~ of** a) nic mi o tym nie wiadomo b) o ile wiem to nie *zob* **knowing, known** [III] *s w zwrocie*: **to be in the ~** być wtajemniczonym <dobrze poinformowanym>

knowable ['nouəbl] *adj* wyróżniający się; **to be ~ by sth** odznaczać <wyróżniać> się czymś

know-all ['nou'ɔ:l] *s* człowiek wszystkowiedzący; **a ~ manner** zachowanie się człowieka, dla którego nie ma tajemnic <który się na wszystkim zna>; **to be a ~** wszystko wiedzieć; na wszystkim się znać

knower ['nouə] *s* znaw-ca/czyni

know-how ['nou,hau] *s* 1. znajomość rzeczy; umiejętność postępowania (z czymś); wtajemniczenie 2. tajemnica (produkcji itd.)

knowing ['nouiŋ] [I] *zob* **know** *v*; **there is no ~ (when, how, why etc.)** nie można wiedzieć <przewidzieć> (kiedy, jak, dlaczego itd.); nie wiadomo (kiedy, jak, dlaczego itd.) [II] *adj* 1. chytry; zręczny; wprawny 2. znający się (na czymś); **a ~ look** mina człowieka znającego się na rzeczy <dobrze poinformowanego, dobrze zorientowanego> 3. mądry 4. (*o kapeluszu itd*) *pot* szykowny; elegancki

knowingly ['nouiŋli] *adv* 1. świadomie; umyślnie 2. ze znajomością rzeczy 3. chytrze 4. zręcznie; wprawnie

knowledge ['nɔlidʒ] *s* 1. wiedza; poznanie; znajomość rzeczy; **I speak from my own ~** mówię ze znajomością rzeczy; wiem, co mówię; **without sb's ~** bez czyjejś wiedzy; w tajemnicy przed kimś 2. wiadomość (o czymś); **a matter of common ~** rzecz powszechnie wiadoma <znana>; **it came to my ~** dowiedziałem się o tym; doszło to do mojej wiadomości; **to get ~ of sth** dowi-edzieć/adywać się czegoś; **not to my ~** a) o ile wiem, to nie b) nic o tym nie wiem; **to my (certain) ~** a) za moją wiedzą b) jak wiem (z wiarogodnego źródła); **to (the best of) my ~** o ile mi wiadomo; według moich informacji 3. możność poznawania (kogoś); **to change <alter> out of all ~** zmienić się nie do poznania 4. znajomość (tematu, języka itd.); posiadane wiadomości <umiejętności>; **to have a ~ of sth** znać <umieć> coś 5. wiedza; nauka; **a branch of ~** gałąź <dziedzina> wiedzy <nauki> 6. znajomość (**of sb** z kimś) 7. stosun-ek/ki płciow-y/e

knowledgeable ['nɔlidʒəbl] *adj pot* uczony; wykształcony; mądry; zręczny

known [noun] [I] *zob* **know** *v* [II] *adj* znany; wiadomy; notoryczny; **it is ~ that** __ wiadomo, że ...; (*o człowieku*) **to become ~** stać się sławnym; zyskać rozgłos; **to be ~ as** __ nazywać się ...; **to make ~** ujawni-ć/ać; poda-ć/wać do wiadomości

know-nothing ['nou,nʌθiŋ] *s* 1. ignorant/ka 2. *filoz* agnostyk

knuckle ['nʌkl] [I] *s* 1. kłykieć; kostka; staw (palca); **a rap on the ~s** trzepnięcie po palcach; **that's near the ~** to graniczy z nieprzyzwoitością 2. *kulin* nóżka; golonka 3. *techn* = **~-joint** [II] *vt* 1. szturch-nąć/ać zaciśniętą pięścią 2. po/trzeć <prze-trzeć/cierać> pięścią <piąstką> **~ down <under>** *vi* podda-ć/wać się; ust-ąpić/ępować; **to ~ down to sb** dać się komuś wodzić za nos; **to ~ down to sth** zabrać się do solidnej pracy nad czymś

knuckle-bone ['nʌkl,boun] *s* 1. kostka 2. *pl* **~s** gra w kostki

knuckleduster ['nʌkl,dʌstə] *s* kastet

knuckle-joint ['nʌkl,dʒɔint] *s techn* przegub zawiasowy

knur(r) [nə:] *s* 1. *bot* sęk 2. drewniana kula

knurl [nə:l] [I] *s* 1. gałka 2. rolka do moletowania <do karbowania> [II] *vt* moletować; karbować

knut [nʌt] *żart sl* = **nut** 2.

koa ['kouə] *s bot* akacja hawajska

koala [kou'ɑ:lə] *s zoo* koala (mały niedźwiadek australijski)

kobold ['koubɔld] *s* kobold; krasnoludek; gnom

kodak ['koudæk] [I] *s fot* kodak (aparat) [II] *vt* 1. zd-jąć/ejmować <s/fotografować> kodakiem 2. naprędce na/szkicować 3. uchwycić podobieństwo (**sb, sth** czyjeś, czegoś)

koh-i-noor ['koui,nuə] *s* 1. nazwa słynnego brylantu w koronie brytyjskiej 2. rzecz niezrównana (w swoim rodzaju)

kohl [koul] *s* proszek antymonowy (używany na Wschodzie do czernienia powiek)

kohl-rabi ['koul'rɑ:bi] *s* kalarepa

kola ['koulə] = **cola**

kola-nut ['koulə,nʌt] *s bot* orzeszek koli

kolinsky [kɔ'linski] *s* futro z norek syberyjskich

kolkhoz [kɔl'kɔz] *s* kołchoz

Komsomol ['kɔmsə'mɔl] *s* Komsomoł

konimeter [kɔ'nimitə] *s* konimetr (przyrząd do pomiaru ilości pyłu w powietrzu)

koodoo ['ku:'du:] *s zoo* kudu (gatunek antylopy)

kopec(k) ['koupek] = **copeck**

kopje ['kɔpi] *s* (*w płd Afryce*) pagórek; kopiec

Koran [kɔ'rɑ:n] *s* Koran

Korean [kə'riən] [I] *adj* koreański [II] *s* Korea-ńczyk/nka

kosher ['kouʃə] [I] *adj* koszerny [II] *vt* koszerować (mięso)

kotow ['kou'tau] [I] *s* kłanianie się w pas (na sposób chiński) [II] *vi* kłaniać się w pas; *przen* płaszczyć się (**to sb** przed kimś)

koumiss ['ku:mis] *s* kumys

kourbash ['kuə,bæʃ] *s* korbacz (bat)

kowtow ['kau'tau] = **kotow**

kraal [krɑ:l] *s* wieś <zagroda> południowoafrykańska

krait [krait] *s zoo* dasznik modry (jadowity wąż indyjski)

kremlin ['kremlin] *s hist* kreml (cytadela miasta rosyjskiego); **Kremlin** Kreml

kreutzer ['krɔitsə] *s* grajcar, krajcar

kriegspiel ['kri:g,spi:l] *s wojsk* gra wojenna

kris [kri:s] = **creese**

kromesky [krɔ'meski] *s kulin* krokiet

krone ['krounə] *s* korona (moneta)

Kroo, Krou, Kru [kru:] *s* Murzyn/ka liberyjsk-i/a

krypton ['kriptən] [I] *s chem* krypton (pierwiastek) [II] *attr chem* kryptonowy

kudos ['kju:dɔs] *s sl* sława

Ku-Klux-Klan ['kju:,klʌks'klæn] *s am* Ku-Klux-Klan

kukri ['kukri] *s* (*w Indiach*) zakrzywiony nóż

kulak ['ku:læk] *s* kułak (zamożny chłop)

Kurd [kə:d] *s* Kurd

Kurdish ['kə:diʃ] [I] *adj* kurdyjski [II] *s* język kurdyjski
kümmel ['kyməl] *s* kminkówka (wódka)
kvass [kva:s] *s* kwas chlebowy (napój)
kyanite ['kaiə,nait] *s miner* cyjanit
kyanize ['kaiə,naiz] *vt* impregnować (drzewo) sublimatem
kyle [kail] *s szkoc* cieśnina
kyloe ['kailou] *s* rasa drobnego bydła szkockiego
kymograph ['kaimə,gra:f] *s fiz* kimograf

L

L, l [el] [I] *s* (*pl* **ls, l's** [elz]) *litera* l; *na tabliczce przy samochodzie*: L Nauka Jazdy [II] *attr* **L iron** kątówka; kątownik
la[1] [la:] *s muz* la
la[2] [lɔ:] *interj* ba!
laager ['la:gə] [I] *s* (*w płd Afryce*) obóz obronny z wozów [II] *vt* ustawi-ć/ać (wozy) na kształt obozu obronnego [III] *vi* s/chronić się za osłoną z wozów
lab [læb] *skr pot* **laboratory**
labarum ['læbərəm] *s hist* labarum (sztandar Konstantyna Wielkiego); *przen* sztandar
labefaction [,læbi'fækʃən] *s* osłabienie; niedomaganie; upadek sił
↑**label** ['leibl] [I] *s* 1. etykieta; napis; nalepka; naklejka; *przen* określenie; przydomek 2. *bud* okapek 3. *prawn* dodatek do aktu prawnego [II] *vt* (**-ll-**) 1. etykietować; przylepi-ć/ać etykietę <napis, nalepkę, naklejkę> (**sth** na czymś); *przen* **to ~ sb as a genius <revolutionary etc.>** nazwać kogoś geniuszem <rewolucjonistą itd.>; określić kogoś mianem geniusza <rewolucjonisty itd.>; przylepić komuś etykietkę geniusza <rewolucjonisty itd.> 2. przywiąz-ać/ywać kartkę z adresem (**a parcel** do przesyłki)
labellum [lə'beləm] *s bot* warga (rośliny)
labial ['leibjəl] [I] *adj* wargowy [II] *s fonet* spółgłoska wargowa
labialization [,leibiəlai'zeiʃən] *s fonet* labializacja
labialize ['leibiə,laiz] *vi fonet* labializować
labiate ['leibiit] *adj anat bot* wargowy
labile ['leibil] *adj* chwiejny; chemicznie niestały; nietrwały; labilny
labiodental ['leibiou'dentl] *adj fonet* wargowo-zębowy
labionasal ['leibiou'neizl] *adj fonet* wargowo-nosowy
labium ['leibjəm] *s* (*pl* **labia** ['leibjə]) *anat bot* warga
↑**laboratory** [lə'bɔrətəri] *s* pracownia (chemiczna itd.), laboratorium
laborious [lə'bɔ:riəs] *adj* 1. pracowity 2. żmudny; mozolny
laboriousness [lə'bɔ:riəsnis] *s* 1. pracowitość 2. trud
↑**labour** ['leibə] [I] *s* 1. praca; trud; mozół; robota; **a ~ of love** a) praca bezinteresowna b) praca wykonywana z zamiłowaniem; **hard ~** ciężkie roboty; **lost ~** daremny trud; **manual ~** praca ręczna <fizyczna>; **the ~s of Hercules** prace herkulesowe 2. klasa pracująca; świat pracy 3. siła robocza 4. robocizna 5. poród; **in ~** (kobieta) rodząca 6. **Labour (Party)** (angielska) Partia Pracy [II] *attr* 1. robotniczy; (dotyczący) świata pracy; pracowniczy; **Labour Exchange** biuro <urząd> pośrednictwa pracy 2. **Labour** labourzystowski; dotyczący <należący do> Partii Pracy [III] *vi* 1. napracować <namozolić, utrudzić> się, pracować (**at sth** nad <przy> czymś); (*o maszynie itd*) pracować ciężko; forsować się 2. uginać się (**under sth** pod ciężarem czegoś); borykać się (**under difficulties** z trudnościami itd.); być z/gnębionym (**under a disease <an apprehension etc.>** chorobą <obawą itd.>); cierpieć (**under sth** wskutek <od> czegoś); **to ~ under a delusion** łudzić się; **to ~ under a misapprehension <misconception>** być w błędzie 3. (*o statku*) kołysać się 4. z trudem posuwać się naprzód 5. (*o kobiecie*) rodzić [IV] *vt* 1. opracow-ać/ywać (szczegółowo) 2. nalegać (**sth** na coś) 3. rozwodzić się (**sth** nad czymś); wchodzić w drobne szczegóły (**sth** czegoś) *zob* **laboured**
laboured ['leibəd] [I] *zob* **labour** *v* [II] *adj* wypracowany; mozolnie zdobyty; (*o stylu*) wymęczony
labourer ['leibərə] *s* 1. wyrobni-k/ca 2. robotni-k/ca (roln-y/a itd.)
labourite ['leibə,rait] *s* człon-ek/kini Partii Pracy, labourzyst-a/ka
labour-market ['leibə,ma:kit] *s* rynek pracy
labour-saving ['leibə,seiviŋ] [I] *adj* (*o wynalazku, urządzeniu itd*) usprawniający [II] *s* oszczędność <oszczędzanie> pracy; usprawnienie
Labrador ['læbrə,dɔ:] *spr* **~ dog <retriever>** rasa psa myśliwskiego
labret ['leibrit] *s* (*u ludzi pierwotnych*) drobny przedmiot z drzewa, kości, kamienia lub muszli noszony dla ozdoby w przekłutej wardze
laburnum [lə'bə:nəm] *s bot* szczodrzeniec
labyrinth ['læbərinθ] *s* labirynt; *anat* błędnik
labyrinthian [,læbə'rinθiən], **labyrinthine** [,læbə'rinθain] *adj* labiryntowy; zawiły; *anat* błędnikowy
↑**lac**[1] [læk] *s* gumilaka; szelak nie oczyszczony
lac[2], **lakh** [læk] *s* (*w Indiach*) 100 000 rupii
lace [leis] [I] *s* 1. koronk-a/i 2. galon (uniformu) 3. sznurowadło 4. dodatek <*pot* kapka, kropelka> napoju alkoholowego do kawy [II] *attr* koronkowy; z koronki; koronkarski; **~ factory** fabryka koronek [III] *vt* 1. zasznurow-ać/ywać, sznurować 2. ozd-obić/abiać koronkami 3. obszy-ć/wać galonem 4. z/bić; wy/trzepać 5. doda-ć/wać napoju alkoholowego (**one's coffee etc.** do kawy itd.) [IV] *vi* 1. (*o bucie itp*) sznurować się 2. walić (**into sb** kogoś <w kogoś>) 3. napa-ść/dać (**into sb** na kogoś) 4. ostro s/krytykować (**into sb** kogoś)
~ in *vr* **~ oneself in** zasznurow-ać/ywać się gorsetem
~ up *vt* zasznurow-ać/ywać
zob **lacing**

lace-frame ['leis,freim] *s* warsztat koronkarski
lace-glass ['leis,glɑ:s] *s* weneckie szkło
lace-pillow ['leis,pilou] *s* poduszka do wyrobu koronek (klockowych)
lacerate ['læsə,reit] *vt* po/drzeć; po/szarpać; po/targać; *med* po/kaleczyć; z/miażdżyć (ciało); zada-ć/wać ranę dartą <miażdżoną> (**sb** komuś); *przen* z/ranić (uczucia); rozdzierać serce
laceration [,læsə'reiʃən] *s* 1. rozdarcie; poszarpanie 2. targanie 3. *med* skaleczenie; zmiażdżenie (ciała); rana darta <miażdżona>; *przen* z/ranienie uczuć; rozdzieranie (serca)
lacertian [lə'sə:ʃən], **lacertine** ['læsə,tain] *adj* jaszczurczy
lacewing ['leis,wiŋ] *s zoo* owad siatkoskrzydły
laches ['lætʃiz] *s* 1. zaniedbanie 2. zwłoka; niedotrzymanie terminu
lachrymal ['lækriməl] *adj anat* łzowy; łzawy; **~** <*także* **lachrymatory**> **urn** łzawnica
lachrymatory ['lækrimətəri] *adj* (*o gazie*) łzawiący
lacing ['leisiŋ] [I] *zob* **lace** *v* [II] *s* 1. sznurowadło 2. obszycie galonem 3. bicie; *pot* (sprawione komuś) lanie
laciniated [lə'sini,eitid] *s bot* strzępiasty
lack [læk] [I] *s* brak; niedostatek; **for ~ of** _ z braku ...; z powodu <wskutek> braku ... (czegoś); **there is no ~ of** _ nie brak ... (czegoś) [II] *vt* nie posiadać <nie mieć, cierpieć na brak, odczuwać brak> (**sth** czegoś); **we ~ money <capital, books etc.>** brak nam pieniędzy <kapitału, książek itd.>; **they ~ nothing** niczego im nie brak [III] *vi* nie posiadać <nie mieć, cierpieć **na** brak> (**for sth** czegoś) *zob* **lacking**
lackadaisical [,lækə'deizikəl] *adj* 1. afektowany; zmanierowany 2. rozmarzony; sentymentalny; mdły
lacker ['lækə] = **lacquer**
lackey ['læki] [I] *s* lokaj [II] *vt* skakać (**sb** koło kogoś); płaszczyć się (**sb** przed kimś)
lacking ['lækiŋ] [I] *zob* **lack** *v* [II] *adj* brakujący; **to be ~** brakować; **to be ~ in sth** wykazywać <zdradzać> brak czegoś; **he is (not) ~ in wit <courage etc.>** (nie) brak mu dowcipu <odwagi itd.>
lack-lustre ['læk,lʌstə] *adj* (*o wzroku, oczach*) bez blasku; przygasły; matowy
laconic [lə'kɔnik] *adj* lakoniczny, zwięzły
laconism ['lækə,nizəm] *s* lakoniczność, zwięzłość
lacquer ['lækə] [I] *s* lakier; *pot* emalia [II] *vt* po/lakierować
lacquey ['læki] = **lackey**
lacrimal, lacrymal ['lækriməl] = **lachrymal**
lacrosse [le'krɔs] *s sport* gra kanadyjska podobna do hokeja na trawie z zastosowaniem rakiet zamiast kijów
lacrymal *zob* **lacrimal**
lactate ['lækteit] *s chem* mleczan, sól kwasu mlekowego
lactation [læk'teiʃən] *s* 1. laktacja; wydzielanie mleka 2. karmienie piersią 3. okres karmienia
lacteal ['læktiəl] [I] *adj* mleczny [II] *s anat* przewód mleczny
lactescence [læk'tesns] *s* 1. tworzenie się mleka 2. sok mleczny (roślin)
lactescent [læk'tesnt] *adj* 1. mleczasty; podobny do mleka 2. (*o kobiecie*) karmiąca
lactic ['læktik] *adj* mleczny; mlekowy
lactiferous [læk'tifərəs] *adj* mleczny; wydzielający mleko
lactometer [læk'tɔmitə] *s* laktometr (przyrząd do oznaczania ciężaru właściwego mleka)
lactone ['læktoun] *s chem* lakton
lactose ['læktous] *s chem* laktoza, cukier mlekowy <mleczny>
lacuna [lə'kju:nə] *s* (*pl* **lacunae** [lə'kju:ni:], **~s**) 1. luka 2. *anat* rozstęp; jama
lacunar [lə'kju:nə] *adj* 1. *arch* (*o suficie*) kasetonowy 2. *anat* jamisty; zatokowaty
lacustrine [lə'kʌstrain] *adj* jeziorny; nawodny; *archeol* **~ dwellings** osada nawodna
lacy ['leisi] *adj* koronkowy
lad [læd] *s* 1. chłopiec, chłopak 2. zuch
ladder ['lædə] [I] *s* 1. drabina; *mar* trap; *przen* drabina społeczna; **to mount <climb> the ~** piąć się po drabinie (społecznej) 2. drabinka ze spuszczonego oczka (w pończosze); spuszczone oczko (w pończosze); (*o pończosze itd*) **~ proof** nie puszczający oczek [II] *vi* (*o pończosze itp*) pu-ścić/szczać oczk-o/a
ladder-dredge ['lædə,dredʒ] *s* pogłębiarka wieloczerpakowa
ladderless ['lædəlis] = **ladder proof** *zob* **ladder** *s* 2.
ladder-mending ['lædə,mendiŋ] *s* repasacja, podnoszenie oczek
ladder-stitch ['lædə,stitʃ] *s* ścieg gałązkowy
laddie ['lædi] *s* chłopczyna
lade [leid] *vt* 1. (**laded** ['leidid], **laden** ['leidn]) za/ładować; za/frachtować 2. (**laded** ['leidid], **laded**) wyczerpywać (czerpakiem itd.) *zob* **laden, lading**
laden ['leidn] [I] *zob* **lade** 1. [II] *adj* obciążony; uginający się pod ciężarem (trosk itd.); pogrążony (w smutku)
la-di-da ['lɑ:di'dɑ:] [I] *adj* (*o człowieku*) afektowany; pretensjonalny; lalkowaty [II] *s* człowiek afektowany <pretensjonalny, lalkowaty>
lading ['leidiŋ] [I] *zob* **lade** [II] *s* załadowanie; fracht
ladle ['leidl] [I] *s* 1. warząchew, chochla 2. łyżka wazowa 3. czerpak; szufla [II] *vt* 1. (*także* **~ out**) rozlewać chochlą (zupę itd.) 2. czerpać; zaczerpnąć (**sth** czegoś)
ladleful ['leidlful] *s* warząchew <chochla> (zupy itd.)
lady ['leidi] *s* 1. dama (dworu itd.); wielka pani 2. tytuł szlachecki stawiany przed imieniem pań posiadających specjalne odznaczenie, żon lordów itd.; **my ~** pani hrabina; księżna pani; jaśnie pani; **the ~ of the manor** (pani) dziedziczka 3. pani; **young ~** panna; młoda pani; **my young ~** moja sympatia; *pl* **ladies** łaskawe panie; **ladies and gentlemen** panie i panowie; **~'s <ladies'>** _ damski ... (zegarek, krawiec, fryzjer itd.); **~'s <ladies'> man** kobieciarz; wielbiciel płci pięknej; **~ clerk** urzędniczka; *iron* **~ cook** łaskawa pani kucharka; **~ doctor** lekarka; **~ president** przewodnicząca; *bot* **~'s bedstraw** przytulica właściwa; *bot* **~'s cushion** skalnica; *bot* **~'s finger** przelot pospolity; wełnica; *bot* **~'s mantle** przywrotnik; *bot* **~'s slipper**

obuwik pospolity (storczyk); *bot* **~'s thistle** ostropest plamisty; *bot* **~'s tresses** kręczynka jesienna; **Our Lady** Najświętsza Panna; Matka Boska; **the Old Lady of Threadneedle Street** Bank Anglii 4. małżonka; **your good ~** pańska małżonka 5. ukochana; dama serca 6. *pl* (*w napisie*) **ladies** (traktowany jako *sing*) (szatnia <ustęp> dla pań <dla kobiet>

Lady-alter ['leidi,ɔ:ltə] *s* ołtarz w kaplicy Matki Boskiej

ladybird ['leidi,bə:d], **ladybug** ['leidi,bʌg] *s zoo* biedronka

lady-chair ['leidi,tʃɛə] *s* stołeczek (spleciony z rąk dla niesienia rannego, chorego itd.)

Lady-chapel ['leidi,tʃæpəl] *s* kaplica Matki Boskiej (w kościele)

lady-cow ['leidi,kau] = **ladybird**

Lady-day ['leidi,dei] *s rel* dzień Zwiastowania (25 marca)

lady-fern ['leidi,fə:n] *s bot* wietlica samicza (paproć)

lady-help ['leidi,help] *s* pani do towarzystwa i pomocy w domu

ladyhood ['leidi,hud] *s* dystynkcja (wielkiej pani)

lady-in-waiting ['leidi-in'weitiŋ] *s* (*pl* **ladies-in--waiting** ['leidiz-in'weitiŋ]) dama dworu

lady-killer ['leidi,kilə] *s* pożeracz serc niewieścich

ladylike ['leidi,laik] *adj* dystyngowany; wytworny; (*o mężczyźnie*) zniewieściały

lady-love ['leidi,lʌv] *s* ukochana; dama serca

ladyship ['leidiʃip] *s w zwrocie*: **her ~** (do utytułowanej kobiety) jaśnie pani; jej lordowska mość

lady-smock ['leidi,smɔk] *s bot* rzeżucha łąkowa

laevogyrate ['li:və'dʒaiərit], **laevogyrous** ['li:və'dʒaiərəs] *adj chem* lewoskrętny

laevorotatory ['li:və-rou'teitəri] = **laevogyrate**

laevulose ['li:vju,lous] *s chem* lewuloza

lag^{1} [læg] [I] *s* opóźnienie; ociąganie się [II] *vi* (**-gg-**) pozosta-ć/wać w tyle; opóźni-ć/ać <ociągać> się; (*także* **~ behind**) wlec się (z tyłu); nie nadążać; mitrężyć; guzdrać się

lag^{2} [læg] *sl* [I] *vt* (**-gg-**) 1. zesłać/zsyłać (na ciężkie roboty) 2. za/aresztować [II] *s* aresztant/ka; zesłaniec

lag^{3} [læg] [I] *s* 1. otulina <osłona> (kotła itd.); okładzina; odeskowanie 2. klepka (beczki itp.) [II] *vt* (**-gg-**) obłożyć/okładać <otul-ić/ać> (izolacją); opi-ąć/nać; odeskow-ać/ywać

lagan ['lægən] *s mar* towar wrzucony do morza; towar <wrak> leżący na dnie morza

lager ['lɑ:gə] *s* (*także* **~beer**) piwo (warzone na sposób niemiecki), lager

laggard ['lægəd] [I] *adj* marudny; opieszały [II] *s* maruder; opieszalec

lagoon [lə'gu:n] *s* laguna

laic ['leiik] [I] *adj* świecki [II] *s* człowiek świecki

laical ['leiikəl] *adj* świecki, laicki

laicize ['lei,saiz] *vt* laicyzować; sekularyzować; zeświecczyć

laid *zob* **lay**^{4} *v*

lain *zob* **lie**^{2} *v*

lair [lɛə] [I] *s* 1. legowisko (zwierza); nora; jama; matecznik 2. jaskinia (zbójecka) 3. ogrodzenie <szopa> (dla bydła) [II] *vt* zapędz-ić/ać (bydło) za ogrodzenie <do szopy> [III] *vi* (*o zwierzu*) mieć legowisko (gdzieś); kryć <chować> się

lairage ['lɛəridʒ] *s* miejsce postoju (bydła)

laird [lɛəd] *s szkoc* właściciel ziemski; dziedzic

laissez-faire ['leisei'fɛə] *s* polityka wolnej ręki <nieinterwencji rządowej> w handlu

laity ['leiiti] *s* laicy

lake^{1} [leik] *s* jezioro; **Lake District** angielska kraina jezior; **~ dwellings** osada nawodna; **~ poets** lakiści, poeci jezior (Coleridge, Southey, Wordsworth)

lake^{2} [leik] *s* laka (barwnik)

lake-dweller ['leik,dwelə] *s* mieszkan-iec/ka budowli nawodnych

Lakeland ['leiklənd] = **Lake District** *zob* **lake**^{1}

lakeside ['leik,said] *s* brzeg jeziora

lakh *zob* **lac**^{2}

lallation [lə'leiʃən] *s* lambdacyzm, wymawianie l zamiast r

lam [læm] *vt* (**-mm-**) *sl* wy/chłostać; z/bić

lama ['lɑ:mə] *s* lama (kapłan buddyjski)

lamaism ['lɑ:mə,izəm] *s rel* lamaizm

lamasery ['lɑ:məsəri] *s* klasztor lamów

lamb [læm] [I] *s* 1. jagnię; baranek; **like a ~** (potulny, potulnie) jak baranek; (*o owcy*) **with ~** kotna 2. mięso jagnięcia [II] *vt* czuwać (**ewes** nad kocącymi się owcami) [III] *vi* (*o owcy*) o/kocić się

lambaste [læm'beist] *vt sl* 1. s/prać (kogoś) 2. natrzeć uszu (**sb** komuś)

lambda ['læmdə] *s gr litera* lambda

lambdacism ['læmdə,sizəm] = **lallation**

lambency ['læmbənsi] *s* 1. migotanie 2. łagodny blask

lambent ['læmbənt] *adj* (*o płomieniu*) liżący; (*o świetle*) migotliwy; (*o oczach*) o łagodnym blasku; (*o dowcipie*) błyskotliwy

lambkin ['læmkin] *s* jagniątko

lamblike ['læmlaik] *adj* łagodny jak baranek

lambrequin ['læmbəkin] *s* lambrekin

lambskin ['læm,skin] *s* jagnięca skóra

lamb's-tails ['læmz,teilz] *spl* bazie <kotki> leszczyny

lamb's-wool ['læmz,wul] *s* jagnięca wełna

lame [leim] [I] *adj* 1. kulawy; ułomny; okaleczały; † chromy; (*o nodze, ręce*) chory; skaleczony; † chromy; **to be ~** kuleć; **he is ~ of <in> a leg** kuleje <utyka> na jedną nogę; powłóczy nogą; **to go ~** okulawieć, okuleć; **to walk ~** kuleć; † chromać 2. (*o wierszu*) kulawy 3. (*o wymówce, argumencie itd*) słaby; kiepski; nieprzekonywający 4. (*o opowiadaniu*) mętny; chaotyczny [II] *vt* okulawi-ć/ać; okalecz-yć/ać; przyprawi-ć/ać o kalectwo

lamé [læ'mei] *adj* przetykany złotem <srebrem>

lamella [lə'melə] *s* (*pl* **lamellae** [lə'meli:]) blaszka; płytka; łuska; cienka warstwa; *bot* lamela <blaszka> (grzyba itd.)

lamellar [lə'melə], **lamellate** ['læməlit] *adj* blaszkowaty; ułożony warstewkami <płytkami>

lamellibranch [lə'meli,bræŋk] *s zoo* małż blaszkoskrzelny

lamellibranchiate [lə'meli'bræŋkiit] *adj zoo* blaszkoskrzelny

lameness ['leimnis] *s* kalectwo; kulawość; utykanie; † chromanie

lament [lə'ment] [I] *vi* 1. zawodzić 2. lamentować <biadać> (**for <over> sb, sth** nad kimś, czymś); opłakiwać (**for <over> sb, sth** kogoś, coś) [II] *vt* lamentować <biadać> (**sb, sth** nad kimś, czymś); opłakiwać (kogoś, coś) *zob* **lamented** [III] *s* 1. lament; opłakiwanie 2. elegia; tren

lamentable ['læməntəbl] *adj* opłakany; żałosny; godny ubolewania

lamentation [ˌlæmən'teiʃən] *s* lamentacja; lament

lamented [lə'mentid] [I] *zob* **lament** *v* [II] *adj* nieodżałowany

lamia ['leimiə] *s mitol* strzyga

lamina ['læminə] *s* (*pl* **lamine** ['læmiˌni:]) blaszka; płytka; cienka warstwa; płatek; *bot* blaszka liścia

laminar ['læminə] *adj* blaszkowaty; płatkowy; warstwowy; *geol* drobno warstwowany

laminate ['læmiˌneit] [I] *vt* 1. walcować <wyklep-ać/ywać> na cienkie blaszki; laminować 2. łupać; rozłupywać 3. pokry-ć/wać <wy-łożyć/kładać> blaszkami <cienkimi warstwami>; uwarstwi-ć/ać [II] *vi* ułożyć/układać się warstwami

lamination [ˌlæmi'neiʃən] *s* 1. walcowanie <wyklepywanie> na cienkie blaszki; laminowanie 2. łupanie; rozłupywanie 3. **uwarstwienie**

Lammas ['læməs], **~tide** ['læməsˌtaid] *s* 1-ego sierpnia; (dawniej) święto dożynek; **at latter ~** na święty nigdy

lammergeyer ['læməˌgaiə] *s zoo* orłosęp brodaty

lamp [læmp] [I] *s* 1. lampa; latarnia; kaganek; kaganiec (oświaty itd.) 2. *pl* **~s** *sl* ślepia, oczy [II] *vi* za/świecić [III] *vt* 1. oświetl-ić/ać 2. *am sl* zobaczyć, widzieć

lampas ['læmpəz] *s wet* żaba (choroba dziąseł u koni)

lampblack ['læmpˌblæk] *s* 1. kopeć 2. *plast* sadza (czarna farba)

lamp-chimney ['læmpˌtʃimni] *s* szkło do lampy

lampern ['læmpən] *s zoo* minóg rzeczny

lampion ['læmpiən] *s* lampion

lamplight ['læmpˌlait] *s* światło lampy; *przen* **by ~** (pracować) po nocy <nocami>

lamplighter ['læmpˌlaitə] *s* 1. latarnik; lampiarz; **like a ~** (biec) szybko 2. *am* przyrząd do zapalania lamp

lampoon [læm'pu:n] [I] *s* paszkwil [II] *vt* na/pisać paszkwil/e (**sb, sth** na kogoś, coś)

lampooner [læm'pu:nə], **lampoonist** [læm'pu:nist] *s* paszkwilant

lamp-post ['læmpˌpoust] *s* słup latarni; latarnia (uliczna)

lamprey ['læmpri] *s zoo* minóg morski

lamp-shade ['læmpˌʃeid] *s* abażur

lamp-socket ['læmpˌsɔkit] *s* oprawka (żarówki)

lance [lɑ:ns] [I] *s* 1. kopia; lanca; pika; **free ~** a) *hist* najemny żołnierz b) dziennikarz <polityk> niezależny; *przen* **to break a ~ with sb** skrzyżować szpadę z kimś 2. *chir* lancet [II] *vt* 1. przebi-ć/jać <pchnąć, przeszy-ć/wać> lancą <kopią> 2. *chir* przeci-ąć/nać (wrzód itd.)

lance-corporal ['lɑ:ns'kɔ:pərəl] *s wojsk* starszy żołnierz

lance-jack ['lɑ:nsˌdʒæk] *pot wojsk* = **lance-corporal**

lancelet ['lɑ:nslit] *s zoo* lancetnik (ryba)

lanceolate ['lɑ:n'siəlit] *adj* lancetowaty

lancer ['lɑ:nsə] *s* 1. *wojsk* ułan; lansjer 2. *pl* **~s** lansjer (taniec)

lance-snake ['lɑ:nsˌsneik] *s zoo* żararaka <urutu> (wąż południowoamerykański)

lancet ['lɑ:nsit] [I] *s chir* lancet [II] *attr* (*o sklepieniu, oknie itd*) ostrołukowy

lancewood ['lɑ:nsˌwud] *s* giętkie drewno (na wędki itd.)

lancinating ['lɑ:nsiˌneitiŋ] *adj* (*o bólu*) kłujący; rwący; przeszywający

land [lænd] [I] *s* 1. ziemia; twardy grunt; ląd; **by ~** drogą lądową: **to reach <come to> ~** s/kończyć podróż morską; zawi-nąć/jać do portu; *przen* **to see how the ~ lies** wy/sondować teren; z/orientować się w sytuacji 2. kraj; naród 3. własność ziemska 4. rola; zagon [II] *attr* ziemski; gruntowy; **the ~ question** kwestia <sprawa> agrarna [III] *vt* 1. wysadz-ić/ać (pasażerów) 2. wyładow-ać/ywać <pozostawi-ć/ać> (towar) 3. wyciąg-nąć/ać (rybę) na brzeg; z/łowić (ryb-ę/y) 4. zdoby-ć/wać (nagrod-ę/y) 5. dow-ieźć/ozić (kogoś dokądś); *przen* doprowadz-ić/ać (kogoś do czegoś — za kraty itd.); *pot* w/pakować (kogoś w kłopot itd.) 6. zdzielić <walnąć, trafić> (**sb in the nose etc.** kogoś w nos itd.) 7. sprowadz-ić/ać (samolot) na ziemię [IV] *vi* 1. wysi-ąść/adać (z pojazdu); zsi-ąść/adać; zejść/schodzić 2. dobi-ć/jać do brzegu; przyby-ć/wać 3. wy/lądować 4. trafi-ć/ać <znaleźć się> (gdzieś) 5. (*na wyścigach, w biegach*) przyby-ć/wać (pierwszym, drugim itd.) 6. spa-ść/dać (łagodnie) *zob* **landed, landing**

land-agent ['lændˌeidʒənt] *s* 1. rządca (majątku) 2. pośrednik w sprawach kupna i sprzedaży realności

land-army ['lændˌɑ:mi] *s* kobieca służba rolna (w czasie wojny)

landau ['lændɔ:] *s* lando (powóz)

landaulet [ˌlændɔ:'let] *s* kabriolet (samochód)

land-bank ['lændˌbæŋk] *s* bank ziemski

land-breeze ['lændˌbri:z] *s* wiatr od lądu

land-crab ['lændˌkræb] *s zoo* pątnik (krab lądowy)

landed ['lændid] [I] *zob* **land** *v* [II] *adj* ziemski; **~ aristocracy** ziemianie; obszarnicy; **~ proprietor** ziemianin; właściciel ziemski

lander ['lændə] *s górn* zapychacz (pracownik)

landfall ['lændˌfɔ:l] *s* 1. *mar* dostrzeżenie lądu 2. *mar* przybicie do brzegu; *mar lotn* lądowanie

land-forces ['lændˌfɔ:siz] *spl* siły <wojska> lądowe

land-girl ['lændˌgə:l] *s* kobieta pracująca w służbie rolnej *zob* **land-army**

land-grabber ['lændˌgræbə] *s* (*w Irlandii*) gospodarz biorący w dzierżawę ziemię po eksmitowanym rolniku

landgrave ['lændˌgreiv] *s* (*w Niemczech*) landgraf

landholder ['lændˌhouldə] *s* gospodarz (na własnym lub dzierżawionym gruncie); użytkownik

land-hunger ['lændˌhʌŋgə] *s* głód ziemi

landing ['lændiŋ] [I] *zob* **land** *v* [II] *s* 1. zejście (ze statku) na ląd; **~ ticket** bilet kontrolny dla pasażerów schodzących na ląd; *wojsk* **~ party <troops>** oddział desantowy; **~ operation** desant 2. *lotn* lądowanie 3. *bud* podest; półpiętrze; **on the ~** na schodach <podeście> 4. *górn* pomost szybowy

landing-gear ['lændiŋˌgiə] *s lotn* podwozie

landing-net ['lændiŋˌnet] *s ryb* podrywka (do łowienia ryb)

landing-place ['lændiŋˌpleis] *s* przystań

landing-stage ['lændiŋ,steidʒ] *s* pływająca przystań
land-jobber ['lænd,dʒɔbə] *s* człowiek spekulujący gruntami
landlady ['læn,leidi] *s* 1. ziemianka; dziedziczka 2. właścicielka hotelu <pensjonatu, zajazdu> 3. właścicielka domu czynszowego 4. gospodyni (odnajmująca mieszkanie, pokój)
landlocked ['lænd,lɔkt] *adj* otoczony lądem; śródlądowy
landlord ['læn,lɔ:d] *s* 1. ziemianin; dziedzic 2. właściciel hotelu <pensjonatu, zajazdu> 3. właściciel domu czynszowego 4. gospodarz (odnajmujący mieszkanie, pokój)
landlordism ['læn-lɔ:,dizəm] *s hist* feudalny system własności agrarnej
landlubber ['lænd,lʌbə] *s mar* szczur lądowy
landmark ['lænd,ma:k] I *s* 1. (*w terenie*) punkt orientacyjny 2. (*w historii*) punkt zwrotny; wydarzenie przełomowe 3. słup graniczny II *vt* (*o wydarzeniach itd*) stanowić punkt zwrotny (**sth** w czymś — w historii itd.)
land-measure ['lænd,meʒə] *s* miara powierzchni gruntu
land-measuring ['lænd,meʒəriŋ] *s* miernictwo
land-mine ['lænd,main] *s* 1. mina lądowa 2. mina spuszczona z samolotu na spadochronie
landocracy [læn'dɔkrəsi] *s* klasa obszarników
landowner ['lænd,ounə] *s* właściciel/ka ziemsk-i/a
landrail ['lænd,reil] *s zoo* derkacz
landscape ['læn,skeip] *s* krajobraz; *plast* pejzaż
landscape-gardening ['lænskeip,ga:dəniŋ] *s* ogrodnictwo krajobrazowe
landscape-painter ['lænskeip,peintə], **landscapist** ['læn,skeipist] *s* pejzażyst-a/ka
landshark ['lænd,ʃa:k] *s* oszust żerujący na marynarzach
land-sick ['lænd,sik] *adj mar* (*o okręcie*) nie mogący swobodnie manewrować z powodu bliskości lądu
landslide ['lænd,slaid] *s* 1. obsunięcie się ziemi <stoku górskiego>; osuwisko 2. *am* porażka polityczna
landslip ['lænd,slip] = **landslide** 1.
landsman ['lændzmən] *s* (*pl* **landsmen** ['lændzmən]) człowiek żyjący na lądzie; *przen* szczur lądowy
land-steward ['lænd,stjuəd] *s* rządca
land-surveying ['lænd-sə:,veiiŋ] *s* geodezja
land-surveyor ['lænd-sə:,veiə] *s* geodeta
land-swell ['lænd,swel] *s* fala przybrzeżna
land-tax ['lænd,tæks] *s* podatek gruntowy
land-tie ['lænd,tai] *s bud* podpora; stempel
land-value ['lænd,vælju:] *s* wartość gruntowa
landward(s) ['lændwəd(z)] *adv* ku brzegowi; ku lądowi
land-wind ['lænd,wind] *s* wiatr od lądu
land-worker ['lænd,wə:kə] *s* robotni-k/ca roln-y/a; rolnik
lane [lein] *s* 1. (*na wsi*) dróżka; drugorzędna droga; (*w mieście*) zaułek; aleja; *mar* szlak <droga> żeglown-y/a; **it's a long ~ that has no turning** wcześniej czy później zmiana musi nastąpić; nic nie jest wieczne 2. szpaler z ludzi; **to form a ~** u/formować <u/tworzyć> szpaler; **to pass through a ~** prze-jść/chodzić środkiem szpaleru 3. tor dla statku wśród kry; tor <pas ruchu> dla pojazdów na jezdni; znaczone przejście dla pieszych (przez ulicę); (*w biegach*) tor (poszczególnych zawodników) 4. **the Lane** = **Drury Lane** 5. *sl* **red ~** gardziel
langrage ['læŋgridʒ] *s hist* kartacz
lang-syne ['læŋ'sain] *zob* **auld**
language ['læŋgwidʒ] *s* 1. język; mowa; wysłowienie; wysławianie się; **finger ~** porozumiewanie się na migi 2. styl; forma językowa 3. *zbior* (*także* **bad** <**strong**> **~**) grubiaństwa; przekleństwa; ordynarne wyrażenia
language-master ['læŋgwidʒ,ma:stə] *s* nauczyciel/ka język-a/ów obc-ego/ych
languet ['læŋgwit] *s techn* języczek
languid ['læŋgwid] *adj* 1. omdlewający; słaby, ospały; ociężały; *pot* rozlazły; (*o mowie*) powolny; rozwlekły 2. rozmarzony; (*o spojrzeniu*) tęskny
languidness ['læŋgwidnis] *s* ospałość; słabość; ociężałość; powolność; rozwlekłość (mowy)
languish ['læŋgwiʃ] *vi* 1. omdlewać 2. marnieć; ginąć 3. usychać z tęsknoty (**after** <**for**> **sb, sth** za kimś, czymś)
languor ['læŋgə] *s* 1. omdlenie; ospałość; ociężałość; osłabienie; powolność 2. tęsknota; rozmarzenie 3. (*w atmosferze*) przygniatająca cisza
languorous ['læŋgərəs] *adj* 1. omdlały; słaby; ociężały; powolny 2. tęskny; rozmarzony 3. (*o powietrzu*) duszny
langur [lʌŋ'guə] *s zoo* długoogoniasta małpa indyjska
laniard ['lænjəd] = **lanyard**
laniary ['læniəri] *adj* kłowy; **~ (tooth)** kieł
laniferous ˙ [lə'nifərəs], **lanigerous** [lə'nidʒərəs] *adj* wełnisty
lank [læŋk] *adj* 1. chudy; wychudzony; wychudły; mizerny; zbiedzony; (*o policzkach*) zapadły 2. (*o włosach*) prosty; gładki
lankiness ['læŋkinis] *s* chudość; wychudzenie; wymizerowanie
lanky ['læŋki] *adj* (**lankier** ['læŋkiə], **lankiest** ['læŋkiist]) chudy; wychudzony; wymizerowany; suchy; kościsty
lanner ['lænə] *s zoo* raróg (samica)
lanneret ['lænərit] *s zoo* raróg (samiec)
lanoline ['lænɔ,li:n] *s farm* lanolina
lansquenet ['la:ns-ki,net] *s* lancknecht
lantern ['læntən] *s* 1. latarnia; *przen* **the parish ~** księżyc 2. *bud* świetlik
lantern-fly ['læntən,flai] *s zoo* latarnik (owad)
lantern-jaws ['læntən,dʒɔ:z] *spl* zapadłe policzki
lanthanum ['lænθənəm] I *s chem* lantan (pierwiastek) II *attr chem* lantanowy
lanthorn ['læntən] † = **lantern**
lanuginous [lə'nju:dʒinəs] *adj* wełnisty; kosmaty
lanyard ['lænjəd] *s mar* ściąg więzi; talrep
lap¹ [læp] I *s* 1. poła (sukni, surduta) 2. tybinka (siodła) 3. płatek ucha 4. łono; **in** <**on**> **sb's ~** na kolanach u kogoś; na czyimś podołku; **in the ~ of luxury** opływający we wszystko; **to be in Fortune's ~** żyć w dostatku 5. fałd <fałda, załamanie> (terenu) 6. nakładka; zakładka 7. nawój (liny itd. na bębnie itp.) 8. *sport* okrążenie (bieżni) II *vt* (**-pp-**) 1. owi-nąć/jać (**sth round** <**up**> **with sth** coś czymś; **in sth** w coś) 2. omot-ać/ywać 3. otul-ić/ać (**in a blanket etc.** kocem itd.); **to be ~ped in luxury** opływać w dostatki 4. tulić (do siebie) 5. zakładać (jedno

na drugie — dachówki, deski itd.); pokrywać na zakładkę 6. *sport* zdystansować (współzawodnika) o jedno okrążenie bieżni [III] *vi* (**-pp-**) zachodzić (**over sth** na coś)

lap^{2} [læp] [I] *s* szlifierka [II] *vt* (**-pp-**) szlifować

lap^{3} [læp] *v* (**-pp-**) [I] *vt* chlipać; chłeptać [II] *vi* chlupotać [III] *s* 1. zupka dla kota <dla psa> 2. chlipnięcie językiem 3. chlupotanie; pluskanie 4. *sl* (*o zupie itp*) pomyje; lura

~ down *vt* poł-knąć/ykać (chciwie)

~ up *vt* 1. wy/chłeptać 2. przyj-ąć/mować (coś) za dobrą monetę; chętnie słuchać (**sth** czegoś); uwierzyć (**sth** w coś)

lap-dog ['læp,dɔg] *s* piesek salonowy

lapel [lə'pel] *s* klapa (marynarki itp.); wyłóg

lapelled [lə'peld] *adj* (*o marynarce itp*) z klapami

lapidary ['læpidəri] [I] *s* szlifierz drogich kamieni [II] *adj* 1. wyryty na kamieniu 2. (*o stylu*) monumentalny 3. (*o uwadze itp*) lapidarny 4. szlifierski 5. *zoo* **~ bee** pszczoła murawka

lapidate ['læpi,deit] *vt* u/kamienować

↑**lapidify** [læ'pidi,fai] *vt* (**lapidified** [læ'pidi,faid], **lapidified; lapidifying** [læ'pidi,faiiŋ]) obr-ócić/acać <zamieni-ć/ać> w kamień

lapin ['læpin] *s* 1. *zoo* królik 2. futerko królicze

lapis lazuli [,læpis'læzju,lai] *s miner* lazuryt

lap-joint ['læp,dʒɔint] *s stol* połączenie na zakładkę

Lapp [læp] [I] *s* 1. (*także* **Laplander** ['læplændə]) Lapo-ńczyk/nka 2. język lapoński [II] *adj* lapoński

lappet ['læpit] *s* 1. fałdzik, fałdka 2. wyłóg 3. wstążka na kapeluszu damskim 4. płatek ucha

Lappish ['læpiʃ] [I] *adj* lapoński [II] *s* język lapoński

lapse [læps] [I] *vi* 1. dopu-ścić/szczać się odstępstwa (**from the faith** od wiary) 2. zaniedb-ać/ywać (**from sth** czegoś — obowiązku itd.) 3. (*także* **~ away** <**back**>) powr-ócić/acać (**into sth** do czegoś <na drogę czegoś>); popa-ść/dać <zapa-ść/dać> (**into sth** w coś) 4. *prawn* s/tracić ważność; ule-c/gać przedawnieniu 5. *prawn* (*o prawach itd*) prze-jść/chodzić (na kogoś) 6. (*o czasie*) upły-nąć/wać; mi-nąć/jać [II] *s* 1. pomyłka; błąd; potknięcie; **~ of memory** zapomnienie 2. *przen* powinięcie się nogi 3. uchybienie (**from sth** czemuś, przeciw czemuś) 4. upływ <przeciąg, odstęp> (czasu) 5. *rel* odstępstwo 6. utrata (prawa, przywileju) 7. spadek (temperatury)

lap-streak ['læp,stri:k] [I] *adj* (*o łodzi*) poszyty na nakładkę [II] *s* łódź poszyta na nakładkę

lapsus ['læpsəs] *s* (*pl* ⁀) lapsus, pomyłka

Laputan [lə'pju:tən] *adj* marzycielski; chimeryczny

lapwing ['læp,wiŋ] *s zoo* czajka

lar [lɑ:] *s zoo* gibbon malajski o białych rękach i stopach

larboard ['lɑ:,bɔ:d] † *s mar* bakbort <bakburta> (lewa burta statku)

larcener ['lɑ:sənə], **larcenist** ['lɑ:sənist] *s* złodziejaszek

larcenous ['lɑ:sinəs] *adj* złodziejski

larceny ['lɑ:sni] *s* (drobna) kradzież; złodziejstwo

larch [lɑ:tʃ] *s bot* modrzew

lard [lɑ:d] [I] *s* słonina; smalec [II] *vt* na/szpikować; *przen* ozdabiać <urozmaicać, wzbogacać> (cytatami itp.)

lardaceous [lɑ:'deiʃəs] *adj med* tłuszczowy; woskowy

larder ['lɑ:də] *s* spiżarnia

larding-pin ['lɑ:diŋ,pin] *s* szpikulec

lardy ['lɑ:di] *adj* tłusty

lardy-dardy ['lɑ:di'dɑ:di] *adj* 1. afektowany 2. zmanierowany

lares ['lɛəri:z] *spl mitol* lary; **~ and penates** lary i penaty; majątek ruchomy

↑**large** [lɑ:dʒ] [I] *adj* duży; wielki; gruby; (*o kwocie pieniędzy itd*) poważny; (*o rodzinie, towarzystwie*) liczny; (*o posiłku*) obfity; (*o pokoju itd*) obszerny; (*o pełnomocnictwach*) szeroki; daleko idący; (*o ujęciu artystycznym*) swobodny; (*o poglądach*) szeroki; (*o darze*) hojny; **a ~ farmer** obszarnik; **as ~ as life** a) (*o portrecie, posągu*) wielkości naturalnej b) *żart* we własnej osobie; **~ heart** hojność; (*o człowieku*) **~ of limb** silnie zbudowany; **~ toleration** szerokie swobody; **~ views** liberalne poglądy [II] *adv w zwrotach:* **by and ~** ogólnie mówiąc, ogólnie biorąc; w ogóle; **to talk ~** przechwalać się [III] *s w zwrotach:* **at ~** na wolności; na swobodzie; **people at ~** (szeroki) ogół; **to be at ~** być na wolności; nie być skrępowanym; (*o zbrodniarzu*) nie być schwytanym; grasować nadal; **to go at ~** pójść w świat; **to go into sth at ~** mówić o czymś szczegółowo; **to say things at ~** mówić ogólnie <nie wyszczególniając nikogo, *pot* nie wytykając palcem>; **to set at ~** uwolnić (więźnia itp.); **in ~** na wielką skalę; w dużych rozmiarach

large-handed ['lɑ:dʒ'hændid] *adj* hojny; (*o człowieku*) z gestem

large-hearted ['lɑ:dʒ'hɑ:tid] *adj* wielkoduszny; hojny; (*o człowieku*) o złotym sercu

large-heartedness ['lɑ:dʒ'hɑ:tidnis] *s* wielkoduszność; hojność; *przen* złote serce

largely ['lɑ:dʒli] *adv* 1. w wielkiej mierze; w dużym <wielkim> stopniu; przeważnie 2. suto; aż nadto 3. hojnie

large-minded ['lɑ:dʒ'maindid] *adj* o szerokich poglądach; tolerancyjny

largeness ['lɑ:dʒnis] *s* 1. wielki rozmiar; wielkość; grubość; obfitość; wielki zasięg (pełnomocnictw itd.) 2. szerokość poglądów; tolerancja 3. hojność 4. wielkoduszność

largesse ['lɑ:dʒes] *s* 1. *hist* rozdawanie <rozrzucanie> pieniędzy wśród ludu w czasie uroczystości 2. hojność; szczodrość 3. hojny <szczodry> dar

larghetto [lɑ:'getou] *s muz* larghetto

largish ['lɑ:dʒiʃ] *adj* dość duży; niemały

largo ['lɑ:gou] *s muz* largo

lariat ['læriət] *s* lina; lasso

lark^{1} [lɑ:k] *s* skowronek

lark^{2} [lɑ:k] [I] *s* figiel; kawał; psikus; żart; psota; **what a ~!** to dobry kawał! [II] *vi* figlować

larkiness ['lɑ:kinis] *s* figlarność; psotliwość

lark's-heel ['lɑ:ks,hi:l] *s bot* 1. nasturcja 2. = **larkspur**

larkspur ['lɑ:k,spə:] *s bot* ostróżka polna

larky ['lɑ:ki] *adj* (**lakier** ['lɑ:kiə], **larkiest** ['lɑ:kiist]) figlarny; psotny

larrikin ['lærikin] *s* młodociany chuligan

larrup ['lærəp] *vt* (**-pp-**) *pot* s/prać (kogoś); sprawi-ć/ać lanie (**sb** komuś)

larva ['lɑ:və] *s* (*pl* **larvae** ['lɑ:vi:]) larwa; poczwarka

larval ['lɑ:vəl] *adj* larwalny; larwi; poczwarkowaty

laryngeal [ˌlærin'dʒiəl] *adj* krtaniowy

laryngitis [ˌlærin'dʒaitis] *s med* zapalenie krtani

laryngoscope [lə'riŋgəˌskoup] *s med* laryngoskop, wziernik krtaniowy

laryngotomy [ˌlæriŋ'gɔtəmi] *s med* laryngotomia, rozcięcie krtani

larynx ['læriŋks] *s anat* krtań

Lascar ['læskə] *s* majtek hinduski

lascivious [lə'siviəs] *adj* lubieżny; zmysłowy; pożądliwy

lasciviousness [lə'siviəsnis] *s* lubieżność; zmysłowość; pożądliwość

lash [læʃ] [I] *s* 1. bicz, bat 2. chłosta; kara chłosty 3. uderzenie <cięcie, smagnięcie, trzaśnięcie> batem 4. *przen* uderzenie <cięcie, smagnięcie> biczem satyry [II] *vt* 1. zaci-ąć/nać (konia); smagać; chłostać; ostro napa-ść/dać (**sb** na kogoś), **to ~ oneself into a fury** doprowadz-ić/ać się <samego siebie> do wściekłości; rozwścieczyć się 2. (*o deszczu*) zacinać 3. (*o falach*) bić (**the shore** o brzeg); chłostać <smagać> (brzeg) 4. (*o koniu itd*) machać <wywijać> (**its tail** ogonem) 5. (*także* **~ down**) uwiąz-ać/ywać; (*także* **~ together**) z/wiązać; umocow-ać/ywać; (*także* **~ on**) przywiąz-ać/ywać (coś do czegoś); *mar* przycumować [III] *vi* 1. (*także* **~ out**) machnąć; wierzgnąć 2. ostro napa-ść/dać (**at sb** na kogoś); wyz-wać/ywać (**at sb** kogoś); smagać <chłostać> biczem satyry (**at sb** kogoś) 3. zaciąć <podciąć> (**at a horse** konia) 4. zapędz-ić/ać <zagalopować> się (**into expenditure** w wydatkach); **to ~ into strong language** wybuchnąć potokiem przekleństw

~ down *vi* (*o deszczu*) lunąć; lać

~ out *vi* walić dokoła siebie

zob **lashing**

lasher ['læʃə] *s* 1. przewał (w grobli) 2. wir wody pod przewałem

lashing ['læʃiŋ] [I] *zob* **lash** *v* [II] *adj* smagający; chłoszczący; zacinający [III] *s* 1. cięcie <smagnięcie> batem <biczem> 2. smaganie; chłostanie; chłosta 3. *pl* **~s** *sl* masa; zatrzęsienie; mnóstwo 4. przywiązanie; u/wiązanie; umocowanie; *mar* cuma

lass [læs] *s szkoc* dziewczyna; dziewczę; panienka

lassie ['læsi] = **lass**

lassitude ['læsiˌtju:d] *s* zmęczenie; znużenie

lasso ['læsou] [I] *s* lasso [II] *vt* chwy-cić/tać na lasso

last¹ [lɑ:st] *s* kopyto szewskie

last² [lɑ:st] *s* łaszt (= 12 worków wełny; 12 tuzinów skór; 12 beczek śledzi); ładunek; *mar* kargo

last³ [lɑ:st] [I] *adj* 1. ostatni; **for the ~ few <three etc.> days <years etc.>** od kilku <paru, trzech itd.> dni <lat itd.>; **in the ~ resort** w ostateczności; **~ but not least** rzecz nie mniej ważna; **~ of all** na samym końcu; **the ~ but one, the one before ~** przedostatni; **the ~ but two** trzeci od końca; **the ~ thing to do** rzecz, której należy unikać <wystrzegać się>; **the time before ~** przedostatnim razem; **to be the ~ man to —** za nic w świecie nie chcieć ... 2. ubiegły <zeszły> (rok, miesiąc, wtorek itd.); **~ week** w ubiegłym <zeszłym> tygodniu; **this day ~ week <year>** równo tydzień <rok> temu 3. ostateczny; końcowy; **in the ~ place** na samym końcu; na zakończenie; **of the ~ importance** największej <najwyższej> wagi <doniosłości>; **the ~ thing in motor-cars <radio sets etc.>** najnowszy model samochodu <radioodbiornika itd.>; najświeższe osiągnięcie w zakresie samochodów <radioodbiorników itd.> 4. *praed* (przyjść, przemówić itd.) ostatnim *zob* **~** *adv* [II] *s* 1. (czyjś) ostatni list 2. (czyjś) najnowszy dowcip 3. (czyjeś) ostatnie dziecko 4. ostatni z wymienionych; **this ~** ten ostatni; **which ~** który to 5. ostatnie tchnienie 6. koniec; kres; **at ~** wreszcie, nareszcie; w końcu; **at long ~** po długim czekaniu <po ciężkich przejściach, wielkich staraniach itd.>; nareszcie; **we shall never hear the ~ of it** to się nigdy nie skończy; **to see the ~ of sb** pozbyć się kogoś; **to <till> the ~** do ostatka [III] *adv* 1. po raz ostatni; ostatnio 2. (zrobić coś, powiedzieć itd.) po wszystkich <na samym końcu>

last⁴ [lɑ:st] *vi* 1. trwać; utrzymywać <ciągnąć, przeciągać> się 2. przetrwać 3. (*o materiale itd*) być trwałym; długo służyć; starczyć (na jakiś czas)

~ out *vi* przetrzym-ać/ywać; starcz-yć/ać; **he won't ~ out long** on niedługo pożyje <pociągnie>

zob **lasting**

last-ditcher ['lɑ:st'ditʃə] *s* zagorzalec

Lastex ['læsteks] *s* marka elastycznej tkaniny

lasting ['lɑ:stiŋ] [I] *zob* **last**⁴ [II] *adj* trwały; stały [III] *s* 1. trwałość 2. uporczywość (choroby itd.) 3. wytrzymałość

lastly ['lɑ:stli] *adv* w końcu; na samym końcu

Latakia [ˌlætə'kiə] *s* gatunek tytoniu tureckiego

latch [lætʃ] [I] *s* 1. klamka; **the door is on the ~** drzwi są zamknięte na klamkę 2. zatrzask [II] *vt* zam-knąć/ykać (drzwi) na klamkę <na zatrzask>

latchet ['lætʃit] † *s* rzemyk u trzewika

latch-key ['lætʃˌki:] *s* klucz do zatrzasku; **~ vote** prawo głosowania na podstawie zamieszkania (w danym okręgu)

late [leit] [I] *adj* 1. późny; spóźniony; **~ fee** dodatkowa opłata pocztowa za spóźnione nadanie listu; **in ~ summer <winter etc.>** późn-ym/ą latem <zimą itd.>; późno w lecie <w zimie itd.>; **to be ~** a) (*o człowieku, także o zegarze*) spóźniać się b) (*o pociągu itd*) mieć spóźnienie; **the train is *x* minutes ~** pociąg ma *x* minut spóźnienia; **it is <was> ~** (już) jest <było> późno; **you are ~** spóźni-łeś/liście się; **to keep ~ hours** a) późno wstawać <kłaść się spać> b) późno wracać do domu; **at 12 o'clock at (the) ~st** najpóźniej o godzinie 12; **it was 10 (o'clock) at the ~st** była najwyżej (godzina) 10 2. (*o nieboszczyku*) świętej <błogosławionej> pamięci 3. (*o premierze, pośle itd*) były 4. poprzedni; dawny; (*o firmie*) **G. B. Smith ~ H. F. Smith** G. B. Smith dawniej H. F. Smith 5. (*o zdarzeniach*) ostatni; świeży; **of ~** ostatnio, w ostatnich czasach; **of ~ years** w ostatnich latach; **the ~st** a) najnowszy model <fason> b) najświeższa wiadomość 6. (*o okresie czasu*) końcowy; **the ~ nineties** koniec lat dziewięćdziesiątych; końcowe lata dziewiątej dekady (wieku) 7. *w stopniu wyższym*: **~r** następny; dalszy II *adv* 1. późno; **as ~ as —** aż do ... (czasów ...); jeszcze w ... (czasach ...) 2. do późna (pracować, czuwać itd.) 3. pod koniec (roku, sezonu, życia itd.); **~ in the day** a) pod wieczór b) poniewczasie 4. *w stopniu wyższym*: **~r** (*także* **~r on**) później; w dalszym ciągu (opowiadania itd.); poniżej; **see you ~r!** na razie <tymczasem> do widzenia!; *pot* to tymczasem! 5. dawniej; ongi 6. *poet* ostatnio; niedawno (temu)

late-comer ['leit,kʌmə] *s* spóźniony przybysz

lateen [lə'ti:n] *adj mar* (*o ożaglowaniu itd*) łaciński

lately ['leitli] *adv* ostatnio; w ostatnich czasach; niedawno temu; świeżo

laten ['leitn] I *vt* opóźni-ć/ać; przesu-nąć/wać na później II *vi* (*o czasie*) posuwać się (naprzód)

latency ['leitənsi] *s* utajenie; ukrycie

lateness ['leitnis] *s* 1. spóźnione przybycie 2. późna pora 3. późne dojrzewanie 4. świeża data (wydarzenia)

latent ['leitənt] *adj* utajony; ukryty; *fiz* **~ heat** ciepło utajone; *med* **~ period** okres inkubacyjny

lateral ['lætərəl] *adj* boczny

Lateran ['lætərən] *adj* laterański

laterite ['lætə,rait] *s miner* lateryt

latex ['leiteks] *s bot* 1. lateks, mleczko kauczukowe 2. mlecz roślinny

lath [lɑ:θ] I *s* 1. listwa; łata (drewniana) 2. deszczułka; **as thin as a ~** chudy jak szczapa II *vt* pokry-ć/wać łatami

lathe [leið] *s* 1. tokarnia; **potter's ~** koło garncarskie 2. obrabiarka

lathe-bearer ['leið,bɛərə] *s techn* chwytnik tokarski

lathe-bed ['leið,bed] *s techn* łoże tokarki

lathe-centre ['leið,sentə] *s techn* kieł tokarki

lather ['lɑ:ðə] I *s* 1. piana z mydła 2. piana na koniu II *vt* na/mydlić III *vi* (*o mydle*) pienić się; (*o koniu*) spienić się

lathery ['lɑ:ðəri] *adj* 1. pienisty 2. spieniony 3. (*o brodzie*) namydlony

lathi [lə'ti:] *s* (*w Indiach*) okuty kij bambusowy (używany jako broń)

lathy ['lɑ:θi] *adj* chudy jak szczapa

latifoliate [,læti'fouliit], **latifolious** [,læti'fouljəs] *adj bot* szerokolistny

latifundia [,læti'fʌndiə] *spl* latyfundia

Latin ['lætin] I *adj* łaciński; (*o rasach*) romański; (*o kościele*) rzymskokatolicki II *s* łacina; **dog ~** kuchenna łacina; **Low ~** łacina średniowieczna; **thieves' ~** gwara złodziejska

Latinist ['lætinist] *s* łacinni-k/czka

latish ['leitiʃ] I *adj* późnawy, dość późny II *adv* późnawo, dość późno

latitude ['læti,tju:d] *s* 1. *geogr astr* szerokość; *żart* szerokość przedmiotu 2. wolność; swoboda; tolerancja 3. *pl* **~s** strefa (geograficzna); **high ~s** strefa podbiegunowa; **low ~s** strefa podzwrotnikowa; **in those ~s** w tamtejszych stronach

latitudinarian ['læti,tju:di'nɛəriən] *adj* tolerancyjny

latrine [lə'tri:n] *s* ustęp; dół kloaczny; latryna

latten ['lætn] *s* blacha mosiężna <ze stopu podobnego do mosiądzu>

latter ['lætə] *adj* 1. drugi (z dwóch <z dwojga> wymienionych); ten drugi <ostatni>; **~ grass** potraw, drugi pokos 2. końcowy; **~ half** <**part**> druga połowa; **the ~ end** a) późniejszy okres b) śmierć; końcowa część; **in the ~ half** <**part**> **of —** pod koniec ...; u schyłku ...; **in these ~ days** w ostatnich <dzisiejszych> czasach; ostatnio

latter-day ['lætə,dei] *adj* dzisiejszy; współczesny; **Latter-Day Saints** mormoni

latterly ['lætəli] *adv* 1. ostatnio; w ostatnich czasach 2. niedawno (temu) 3. pod koniec (okresu) 4. później

lattice ['lætis] I *s* 1. krata (drewniana itd.); *bud* **~ girder** dźwigar kratowy 2. okno witrażowe w romby II *vt* ułożyć/układać w kratkę

lattice-bridge ['lætis,bridʒ] *s* most kratowy

lattice-work ['lætis,wə:k] *s bud* konstrukcja kratowa; okratowanie

Latvian ['lætviən] I *adj* łotewski II *s* 1. Łotysz/ka 2. język łotewski

laud [lɔ:d] I *vt* chwalić; wysławiać; śpiewać chwałę (**sb** czyjąś) II *s lit poet* chwała; hymn pochwalny

laudable ['lɔ:dəbl] *adj* 1. chwalebny; godny pochwały 2. *med* (*o wydzielaniu*) zdrowy; normalny

laudanum ['lɔdnəm] *s* laudanum, tynktura opium

laudation [lɔ:'deiʃən] *s* pochwała

laudatory ['lɔ:dətəri] *adj* pochwalny

laugh [lɑ:f] I *vi* 1. u/śmiać <roześmiać> się; **he ~s best who ~s last** ten się (najlepiej) śmieje, kto się śmieje ostatni; **to ~ heartily** zaśmiewać się; **to ~ in one's sleeve** śmiać się w kułak; **you will ~ on the wrong side of your mouth** nie będzie ci <wam> (wtedy) do śmiechu 2. wyśmi-ać/ewać (**at sb** kogoś); **to be ~ed at** zostać wyśmianym; zrobić z siebie pośmiewisko; **to ~ at** <**over**> **sth** a) u/śmiać się z czegoś b) u/bawić się czymś c) wyśmi-ać/ewać coś II *vt* 1. roześmiać się (**a bitter** <**sardonic etc.**> **~** gorzko, szyderczo itd.); **to ~ sb out of court** tak ośmieszyć kogoś wobec sądu, że rezygnuje z pretensji; **to ~ sb out of sth** śmiechem <wyśmiewaniem> oduczyć kogoś (od) czegoś; **to ~ sb to scorn** wyśmiać <ośmieszyć> kogoś 2. wyra-zić/żać śmiechem (radość, zgodę itd.) III *vr* **~ oneself** *w zwrocie*: **to ~ oneself into convulsions** dostać spazmów <konać> ze śmiechu

~ away *vt* zbyć śmiechem

~ down *vt* wyśmiać

~ off *vt* 1. pokryć (zmieszanie itd.) śmiechem 2. obrócić w żart

~ out *vi* roześmiać się (**at sth** z czegoś)

zob **laughing** IV *s* śmiech; **to give a loud ~** zaśmiać się głośno; **to have a ~** uśmiać się; **to have the ~ of sb on one's side** z napastnika zrobić pośmiewisko; **to join in the ~** u/śmiać się z resztą towarzystwa; **to raise a ~** wywołać wesołość

laughable ['lɑ:fəbl] *adj* zabawny; śmiechu wart

laughing ['lɑ:fiŋ] I *zob* **laugh** *v* II *s* śmiech; **a ~ mood** wesoły nastrój; **it's no ~ matter** to nie (są) żarty

laughing-gas ['lɑ:fiŋ,gæs] *s* gaz rozweselający

laughing-stock ['lɑ:fiŋ,stɔk] *s* pośmiewisko

laughter ['lɑ:ftə] *s* śmiech; **to cry with ~** u/śmiać się do łez; **to roar** <**shake**> **with ~** ryczeć <trząść się> ze śmiechu

launce [lɑ:ns] *s zoo* piskorz

launch[1] [lɔ:ntʃ] *s* 1. szalupa 2. łódź motorowa

launch² [lɔ:ntʃ] I *vt* 1. cis-nąć/kać (**sth at sb** czymś w kogoś) 2. zada-ć/wać (**a blow at sb** cios komuś) 3. miotać (pogróżki, obelgi, pociski) 4. spu-ścić/szczać (statek, łódź) na wodę 5. wypu-ścić/szczać (minę, torpedę, samolot katapultą itd.) 6. wszcz-ąć/ynać (śledztwo itd.) 7. *wojsk* rozpocząć (atak); **to ~ an offensive** przystąpić do ofensywy 8. lansować 9. uruch-omić/amiać (przedsiębiorstwo) II *vi* 1. zapędz-ić/ać <zapu-ścić/szczać> się (dokądś) 2. za/angażować się (**into an enterprise** w przedsiębiorstwo)
~ forth *vi* 1. za/angażować się (**on an enterprise** w przedsiębiorstwo) 2. zapu-ścić/szczać się (**into explanations** w długie objaśnienia)
~ out *vi* 1. wypły-nąć/wać (na morze) 2. zapędz-ić/ać <zapu-ścić/szczać> się (dokądś) 3. za/angażować się (**into an enterprise** w przedsiębiorstwo) 4. za/galopow-ać/ywać się (**into expense** z wydatkami) 5. wybuch-nąć/ać (**into strong language** potokiem wyzwisk <przekleństw>) 6. żach-nąć/ać się (**at <against> sb** na kogoś)
III *s* spuszcz-enie/anie (statku) na wodę

launder ['lɔ:ndə] I *vt* wy/prać; z/robić pranie (**sth** czegoś — bielizny itd.) II *vi* 1. z/robić pranie; **to ~ for sb** prać dla kogoś, opierać kogoś 2. (*o bieliźnie itd*) prać się (dobrze, łatwo itd.) *zob* **laundering**

laundering ['lɔ:ndəriŋ] I *zob* **launder** II *s* pranie

laundress ['lɔ:ndris] *s* praczka

launderette [lɔ:n'dret] *s* samoobsługowy zakład pralek elektrycznych

laundry ['lɔ:ndri] *s* 1. pralnia 2. bielizna do prania 3. bielizna odebrana z pralni

laundryman ['lɔ:ndrimən] *s* (*pl* **laundrymen** ['lɔ:n drimən]) 1. pracownik pralni 2. właściciel pralni

laureate ['lɔ:riit] *s* laureat/ka

laurel ['lɔrəl] I *s bot* laur, wawrzyn II *attr* (*o wieńcu itd*) laurowy

laurustinus, laurestinus [ˌlɔrəs'tainəs] *s bot* kalina wieczniezielona

lava ['lɑ:və] *s* lawa

lavabo [lə'veibou] *s* 1. *kośc* umywanie rąk; lawabo 2. umywalnia; toaleta; umywalka

lavage ['leividʒ] *s med* płukanie

lavation [lə'veiʃən] *s* 1. *med* płukanie 2. mycie

lavatory ['lævətəri] *s* 1. umywalnia 2. ustęp 3. † umywalka

lave [leiv] *vt* 1. *poet* u/myć 2. (*o rzece itp*) oblewać; płynąć (**a region** przez okolicę); nawadniać

lavement ['leivmənt] *s* lewatywa

lavender ['lævində] I *s* 1. *bot* lawenda; suszone kwiaty lawendy; **to lay up in ~** a) przesypać (bieliznę) suszonymi kwiatami lawendy b) *przen* odłożyć (coś) na przyszłość II *attr* lawendowy III *vt* przesyp-ać/ywać (bieliznę) lawendą

laver ['leivə] *s bot* wodorosty jadalne

laverock ['lævərək] *s szkoc poet* skowronek

lavish ['læviʃ] I *vt* szafować (**sth** czymś); nie szczędzić (**sth** czegoś); obsyp-ać/ywać <obdarz-yć/ać, hojnie darzyć> (**sth on sb** kogoś czymś); **to ~ care upon sb** ot-oczyć/aczać kogoś troskliwością II *adj* 1. hojny; rozrzutny; **to be ~ of <in> sth** hojnie czymś szafować; nie żałować <nie oszczędzać> czegoś; obsyp-ać/ywać (kogoś) czymś 2. suty; bogaty; obfity

lavishness ['læviʃnis] *s* 1. hojność; rozrzutność 2. obfitość; sutość

law [lɔ:] I *s* 1. prawo; **~ and order** praworządność; **to be a ~ unto oneself** nie liczyć się z nikim <z niczym>; **to give <lay down> the ~** rozkazywać; narzucać innym swoj-e/ą zdanie <wolę>; przemawiać autorytatywnie <apodyktycznie> 2. prawidło; zasada; prawo (fizyki itd.); reguła (gry itd.) 3. ustawa; **there ought to be a ~ against it** to powinno być ustawowo zakazane 4. adwokatura; sądownictwo; **a man of ~** prawnik 5. sądy; **to go to ~** procesować się; iść do sądu (ze sprawą); **to have the ~ of sb** wytoczyć komuś proces; **to take the ~ into one's own hands** dochodzić swych roszczeń <szukać zadośćuczynienia krzywdy> z pominięciem sądu 6. *sport* for 7. *handl* respiro (odroczenie terminu płatności) II *attr* prawny; (*o wydziale itd*) prawa; prawniczy; **~ costs** koszty sądowe; **~ court** sąd

law-abiding ['lɔ:-əˌbaidiŋ] *adj* prawomyślny

law-breaker ['lɔ:ˌbreikə] *s* gwałciciel/ka prawa; przestęp-ca/czyni

lawful ['lɔ:ful] *adj* 1. legalny; prawny; prawowity 2. sprawiedliwy; słuszny 3. (*o dziecku*) ślubny; prawego łoża

law-giving ['lɔ:ˌgiviŋ] *adj* prawodawczy; nakazujący

lawk(s) [lɔ:k(s)] *interj* o Boże!

lawless ['lɔ:lis] *adj* 1. bezprawny; anarchiczny 2. samowolny; postępujący bezprawnie 3. rozwiązły; rozpustny

lawlessness ['lɔ:lisnis] *s* 1. bezprawie; anarchia 2. samowola 3. rozwiązłość; rozpusta

law-maker ['lɔ:ˌmeikə] *s* prawodawca

lawn¹ [lɔ:n] *s* trawnik

lawn² [lɔ:n] *s* batyst

lawn-mower ['lɔ:nˌmouə] *s* maszyna do strzyżenia trawnika

lawn-tennis ['lɔ:n'tenis] *s* lawn-tennis; tenis na trawie

lawsuit ['lɔ:ˌsju:t] *s* proces

law-term ['lɔ:ˌtə:m] *s* 1. termin prawniczy 2. sesja sądowa

law-writer ['lɔ:ˌraitə] *s* 1. prawni-k/czka 2. urzędni-k/czka przepisując-y/a dokumenty sądowe

lawyer ['lɔ:jə] *s* prawni-k/czka; adwokat/ka; *pot* **Penang ~** (mocna) laska

lax¹ [læks] *adj* 1. luźny; wolny; (*o materiale*) rzadki 2. (*o zachowaniu*) swobodny; (*o trybie życia itd*) rozwiązły 3. (*o człowieku*) nieobowiązkowy; niedbały; ślamazarny 4. (*o dyscyplinie*) rozluźniony; (*o rządzie*) słaby 5. (*o frekwencji*) nieregularny; (*o znaczeniu wyrazu*) nieścisły 6. (*o przedmiocie*) miękki; sflaczały; **to have ~ bowels** mieć rozwolnienie

lax² [læks] *s* łosoś wędzony

laxative ['læksətiv] I *adj med* rozwalniający; przeczyszczający II *s med* środek na rozwolnienie <na przeczyszczenie>

laxity ['læksiti] *s* 1. rozluźnienie; swoboda (w zachowaniu); rozwiązłość (obyczajów) 2. niedbałość; niedbalstwo; brak obowiązkowości 3. ślamazarność; brak energii; miękkość; sflaczałość; słabość (rządów) 4. brak ścisłości (w znaczeniu wyrazów)

lay¹ *zob* **lie²**

lay[2] [lei] *s* pieśń; ballada

lay[3] [lei] *adj* 1. świecki; ~ **brother** <**sister**> (pracując-y/a) braciszek <siostra> zakonn-y/a; ~ **clerk** kantor; kleryk (w Kościele anglikańskim); ~ **lord** członek izby lordów — nieprawnik; ~ **reader** świecki kaznodzieja 2. niefachowy; nie wtajemniczony; (*o umyśle, nastawieniu itd*) laika 3. *karc* (*o kolorze*) nieatutowy

lay[4] [lei] *v* (**laid** [leid], **laid**) [I] *vt* 1. położyć/kłaść; powalić (kogoś, coś — zboże itd.); *teatr* **the scene is laid in** _ rzecz dzieje się w ...; **to** ~ **a charge at sb's door, to** ~ **sth to sb's charge** przypisywać komuś winę za coś; winić kogoś o coś; **to** ~ **a mine** za-łożyć/kładać minę; **to** ~ **a spark to** _ podpalić... (coś); **to** ~ **blows on sb** okładać kogoś; **to** ~ **breakfast** nakry-ć/wać do śniadania; **to** ~ **(great) store upon** _ (wysoko) cenić... (kogoś, coś); **to** ~ **heads together** naradz-ić/ać się; **to** ~ **hold on** <**of**> **sb, sth** u/chwycić kogoś, coś; **to** ~ **land under water** zat-opić/apiać okolicę; **to** ~ **sb under a necessity** zmusić kogoś (do czegoś); **to** ~ **sb under an obligation** zobowiązać kogoś (do czegoś); nałożyć na kogoś obowiązek; **to** ~ **siege to** oble-c/gać (miasto itd.); **to** ~ **stress** <**emphasis**> **on sth** położyć/kłaść nacisk na coś; **to** ~ **the fire** przygotować do zapalenia w piecu <w kominku>; **to** ~ **the hounds on the scent** naprowadzić psy na trop; **to** ~ **the table** <**cloth**> nakry-ć/wać do stołu; **to** ~ **under contribution** a) za/żądać (**sb** od kogoś) przyczynienia się (do czegoś); kazać (**sb** komuś) pomóc (w czymś) b) nałożyć kontrybucję (**a country** na kraj); **to** ~ **weight on sth** przywiązywać wagę do czegoś 2. ucisz-yć/ać (wiatr, fale); uspok-oić/ajać (obawy itd.) 3. ułożyć/układać (do snu itd.); złożyć/składać 4. (*o ptaku*) nieść <zn-ieść/osić> (jaja) 5. za-łożyć/kładać się (**a sum of money** o daną kwotę); postawić/stawiać (pewną kwotę — na konia itd.) 6. przed-łożyć/kładać <przedstawi-ć/ać> (**a request** <**facts etc.**> **before sb** prośbę <fakty itd.> komuś) 7. wn-ieść/osić (skargę) 8. na-łożyć/kładać (podatek, karę, ciężar, obowiązek itd.); obłożyć/okładać (**taxes on goods** towar podatkiem) 9. (*o deszczu*) przybi-ć/jać (kurz, pył) do ziemi 10. ułożyć/układać <opracow-ać/ywać> (projekt itd.); u/knuć (spisek itd.) 11. zastawi-ć/ać (pułapkę, sidła) 12. urządz-ić/ać (zasadzkę) 13. pokładać (nadzieje) 14. odżegn-ać/ywać (złego ducha) 15. pleść <skręcać> (powrozy) 16. na-łożyć/kładać (farbę, lakier) 17. pokry-ć/wać (coś dywanem itd.); obi-ć/jać (coś blachą itd.) 18. określ-ić/ać wysokość (**sth** czegoś — odszkodowania itd.) 19. *z przymiotnikiem*: **to** ~ **fallow** zostawi-ć/ać (ziemię) odłogiem; **to** ~ **fast** uwięzić; **to** ~ **flat** rozłożyć na ziemi (kogoś); **to** ~ **low** a) (*o chorobie, ciosie itd*) powalić (kogoś) b) (*o człowieku*) upokorzyć c) zniszczyć <doprowadzić do upadku> (kraj itd.); **to** ~ **open** a) objaśnić b) wyjawić; **to** ~ **oneself open to suspicion etc.** nara-zić/żać się na podejrzenia itd.; **to** ~ **waste** s/pustoszyć ‖ **to** ~ **by the heels** zakuć w kajdany [II] *vi* 1. (*o statku*) stać na kotwicy 2. bić <walić> (**about one** na prawo i lewo) 3. nakry-ć/wać do stołu (**for two** <**three etc.**> na dwie <trzy itd.> osoby) 4. prześcig-nąć/ać <przewyższ-yć/ać> (**over sb** kogoś)

~ **aside** *vt* od-łożyć/kładać (pieniądze); złożyć/składać (coś) na boku; od-łożyć/kładać (coś) na bok; wyzby-ć/wać się (**sth** czegoś)

~ **away** *vt* od-łożyć/kładać; s/chować

~ **by** *vt* od-łożyć/kładać; u/ciułać (pieniądze)

~ **down** *vt* 1. złożyć/składać (przedmiot, broń, władzę, życie itd.); z/rezygnować (**sth z** czegoś); wyrze-c/kać się (**sth** czegoś) 2. położyć/kłaść 3. za-łożyć/kładać; zaprowadz-ić/ać (kanalizację itd.); z/budować (drogę itd.) 4. postawić/stawiać (warun-ek/ki) 5. ustan-owić/awiać <ustal-ić/ać, s/formułować, zaprowadz-ić/ać> (prawo, regułę itd.) 6. na/rysować <na/kreślić> (plan, mapę itp.) 7. obrócić (**land in** <**to, under, with**> _ ziemię na ... — pastwisko, łąkę, pole orne itd.) 8. z/robić w piwnicy zapas (**sth** czegoś — wina itd.)

~ **in** *vt* 1. z/robić zapas (**sth** czegoś); **to** ~ **in provisions** z/robić zapasy żywności; zaopat-rzyć/rywać się w żywność; *handl* wziąć/brać zapas (towaru) na skład; z/magazynować 2. *pot* s/prać; sprawi-ć/ać lanie (**sb** komuś)

~ **off** [I] *vt* 1. zw-olnić/alniać (robotników z pracy) 2. *sl* zaprzesta-ć/wać (**sth** czegoś) [II] *vi* odpocząć sobie

~ **on** [I] *vt* 1. na-łożyć/kładać 2. powle-c/kać (**paint** farbą); *przen* **to** ~ **it on (thick)** a) nie żałować b) przesadzać c) nie szczędzić pochwał; przypochlebiać się 3. smagać (**the lash** batem) 4. za-łożyć/kładać <zaprowadz-ić/ać> (instalację — gazową, wodociągową itd.) 5. naprowadzić (psa) na trop [II] *vi* chłostać; smagać

~ **out** [I] *vt* 1. ułożyć/układać; roz-łożyć/kładać; wy-łożyć/kładać; zastawi-ć/ać (**stół**) 2. powalić; *sl* zabić 3. ub-rać/ierać (nieboszczyka) do trumny 4. wy-łożyć/kładać (pieniądze); wydatkować 5. za/projektować; na/szkicować; z/robić <sporządz-ić/ać> plan (**sth** czegoś) 6. z/budować (szosę itd.); ułożyć/układać (tor) [III] *vr* ~ **oneself out** do-łożyć/kładać starań; zada-ć/wać sobie wiele trudu (**żeby** coś zrobić)

~ **over** *vi am* przer-wać/ywać podróż; z/robić postój

~ **up** *vt* 1. od-łożyć/kładać (na bok); u/ciułać 2. z/robić zapas (**sth** czegoś) 3. na/gromadzić 4. *mar* rozbr-oić/ajać (okręt wojenny) 5. za/garażować (samochód na zimę itp.) 6. doprowadz-ić/ać (kogoś) do choroby; **to be laid up** być złożonym chorobą; chorować; leżeć w łóżku (po wypadku itd.)

[III] *s* 1. *sl* zajęcie; specjalność; dziedzina 2. splot (liny) 3. układ <topografia> (**of the land** terenu) 4. udział w zyskach <procent> (z połowu wielorybniczego)

lay-by ['lei'bai] *s* bocznica kolejowa

lay-days ['lei,deiz] *spl mar* dni postoju w porcie

↑**layer** ['leiə] [I] *s* 1. instalator 2. *wojsk artyl* celowniczy 3. (*na wyścigach*) zakładając-y/a się; stawiając-y/a 4. (*o kurze*) nioska; **this is a good** ~ ta kura dobrze się niesie 5. warstwa (farby itd.); pokład 6. *ogr* odkład; odrośl 7. sztuczne łożysko ostryg [II] *vt* 1. ułożyć/układać <na-łożyć/

kładać> warstwami 2. *ogr* odkładać; z/robić odkłady [III] *vi* (*o zbożu*) położyć/kłaść się
layer-cake ['leiəˌkeik] *s* tort przekładany; przekładaniec
layette [lei'et] *s* wyprawka dla niemowlęcia
lay-figure ['lei'figə] *s* manekin
layman ['leimən] *s* (*pl* **laymen** ['leimən]) 1. człowiek świecki 2. laik
lay-off ['lei'ɔf] *s* 1. chwilowe wstrzymanie pracy; przerwa w pracy (w produkcji, podróży itd.); przestój 2. (krótkotrwałe) bezrobocie
↑**lay-out** ['lei'aut] *s* 1. plan 2. układ <topografia> (miejscowości) 3. *am* sprzęt; instalacja; urządzenie
lay-over ['lei'ouvə] *s* 1. dodatkowa serwetka (dla zakrycia plamy na obrusie) 2. *am* przerwa w podróży; postój
laystall ['leiˌstɔ:l] *s* 1. śmietnik 2. gnojowisko
lazar ['læzə] † *s* trędowat-y/a
lazaret [ˌlæzə'ret], **lazaretto** [ˌlæzə'retou], **lazar-house** ['læzəˌhaus] *s* 1. szpital dla trędowatych 2. lazaret
laze [leiz] [I] *s* próżnowanie [II] *vt* przepróżnować (czas); s/trawić (czas) na próżnowaniu [III] *vi* po/próżnować
laziness ['leizinis] *s* lenistwo; próżniactwo
lazulite ['læzjuˌlait] *s* *miner* lazulit
↑**lazy** ['leizi] *adj* (**lazier** ['leiziə], **laziest** ['leiziist]) leniwy; próżniaczy
lazy-bones ['leiziˌbounz] *s* leniuch; próżniak
lb [paund] *s* (*pl* **lbs** [paundz]) oznaczenie funta wagi (= 453,6 g)
lea[1] [li:] *s* pasmo (miara przędzy = 80, 120, 200 lub 300 jardów — zależnie od gatunku)
lea[2] [li:] *s* *poet* polana; łąka
↑**leach** [li:tʃ] [I] *vt* wy/ługować [II] *s* 1. kadź do ługowania 2. solanka 3. ekstrakt (garbarski itd.)
↑**lead**[1] [led] [I] *s* 1. ołów; *przen* **an ounce of ~** kula (rewolwerowa); **red ~** minia; **white ~** biel ołowiana 2. grafit (wkładka do ołówka) 3. *mar* sonda; ołowianka 4. *druk* interlinia 5. *pl* **~s** blacha ołowiana do krycia dachów; dachy kryte blachą ołowianą [II] *attr* ołowiany; grafitowy; **~ pencil** ołówek; **~ poisoning** zatrucie ołowiem, ołowica [III] *vt* 1. pokry-ć/wać ołowiem 2. obciąż-yć/ać ołowiem 3. *druk* interliniować [IV] *vi* (*o lufie strzelby*) ołowić się (ulec ołowieniu)
lead[2] [li:d] *v* (**led** [led], **led**) [I] *vt* 1. po/prowadzić; po/kierować (**sb, sth** kimś, czymś); dowodzić (**an army** wojskiem); wskaz-ać/ywać drogę (**sb** komuś); przyprowadz-ić/ać (kogoś do kogoś, czegoś); nada-ć/wać kierunek (**sth** czemuś) **to ~ sb out of the way** sprowadzić kogoś z drogi; **to ~ sb out of sth** wyprowadz-ić/ać kogoś z czegoś <skądś>; **to ~ the way** <**the van**> po/prowadzić 2. naprowadz-ić/ać (**sb to sth** kogoś na coś); nasu-nąć/wać (**sb to believe** <**suppose**> komuś przekonanie <przypuszczenie>); doprowadz-ić/ać (**to sth** do czegoś — pewnych wyników, wniosku, zamieszania itd.); doprowadz-ić/ać (wodę, prąd, gaz) 3. sprowadz-ić/ać <za/prowadzić> (**sb to a place** kogoś dokądś) 4. nam-ówić/awiać; za/sugerować (**sb** kogoś, komuś); przekon-ać/ywać 5. wodzić (**by the nose** za nos) 6. przepu-ścić/szczać (sznur przez blok itp.) 7. *muz* dyrygować (**sb, sth** kimś, czymś) 8. wprowadz-ić/ać <zaprowadz-ić/ać> (modę) 9. być rzeczni-kiem/czką (**sth** czegoś); przewodzić (**sth** czemuś — partii itd.) 10. wieść <pędzić, prowadzić, wlec> (życie — szczęśliwe, nędzne itd.) 11. *karc* zagr-ać/ywać (**spades, hearts etc.** w piki, kiery itd.) ‖ **to ~ sb a fine** <**pretty**> **dance** dokuczać komuś; jeździć komuś po głowie; **to ~ sb a life** <**a dog's life, a wretched life**> zatruwać komuś życie; nie dawać komuś żyć [II] *vi* 1. być przewodni-kiem/czką; przewodzić; wodzić prym 2. (*o drodze itd*) prowadzić (dokądś) 3. (*o zawodniku*) prowadzić (w biegach, wyścigu itd.) 4. doprowadz-ić/ać (do pewnych wyników, odkrycia, nieszczęścia itd.); **this will ~ to nothing** to nic nie da; to nie da żadnych rezultatów 5. *karc* zagr-ać/ywać
~ about *vt* oprowadz-ić/ać; prowadzić (kogoś) w różne miejsca <po lokalach>
~ astray *vt* sprowadz-ić/ać z drogi <na złą drogę>; zaprowadzić w niewłaściwe miejsce; *przen* sprowadzić na manowce
~ away *vt* 1. odw-ieść/odzić; odprowadz-ić/ać 2. uw-ieść/odzić
~ back *vt* 1. przyprowadz-ić/ać z powrotem 2. naprowadz-ić/ać (rozmowę) z powrotem (**to a subject** na jakiś temat)
~ down *vt* sprowadz-ić/ać na dół
~ forth *vt* po/prowadzić; wyprowadz-ić/ać; podprowadz-ić/ać; wysu-nąć/wać
~ in *vt* wprowadz-ić/ać
~ off [I] *vt* 1. odprowadz-ić/ać; odw-ieść/odzić 2. zacz-ąć/ynać; rozpocz-ąć/ynać [II] *vi* 1. prowadzić (w tańcu) 2. *karc* zagr-ać/ywać
~ on *vt* 1. prowadzić (naprzód); wskaz-ać/ywać drogę (**sb** komuś) 2. zachęc-ić/ać (kogoś) do mówienia; wyciąg-nąć/ać wiadomości <tajemnicę itd.> (**sb** od kogoś) 3. zadawać podchwytliwe pytania (**sb** komuś) 4. z/bałamucić
~ out *vt* wyprowadz-ić/ać
~ up [I] *vt* 1. po/prowadzić na górę 2. podprowadz-ić/ać [II] *vi* 1. (*o schodach itd*) prowadzić (dokądś, do czegoś) 2. na/kierować rozmowę (**to a subject** na jakiś temat) 3. przygotow-ać/ywać <być wstępem> (**to sth** do czegoś) 4. *karc* zagrać (**to the king etc.** pod króla itd.)
zob **leading** [III] *s* 1. kierownictwo; przewodnictwo; prym; przykład; **to follow the ~ of** — pójść/iść za przykładem... (czyimś); **to give sb a ~** da-ć/wać komuś przykład; **to take the ~** wodzić prym; stanąć na czele; ob-jąć/ejmować prowadzenie; nada-ć/wać ton; po/prowadzić (rozmowę itd.) 2. *karc* wyjście; zagr-anie/ywanie; **whose ~?** kto zagrywa?, czyje wyjście?; **to return the ~** od-egrać/grywać (kolor) 3. *teatr* główna rola 4. *techn* krok gwintu 5. *techn* wyprzedzenie 6. *techn elektr* doprowadzenie (prądu, wody, gazu) 7. smycz; postronek 8. młynówka 9. *geol* żyła; pokład 10. kanał; szczelina spławna (między lodami) 11. *sport* (*w biegach itd*) przewaga; prowadzenie
leaden ['ledn] *adj* ołowiany; *przen* ciężki
leader ['li:də] *s* 1. prowadząc-y/a; przewodni-k/czka; prowodyr; wódz; przywódca; rzeczni-k/czka; lider; czołowa postać; szef; naczelnik; **the Leader of the House of Commons** przywódca większości w Izbie Gmin 2. *muz rz* dyrygent;

zw koncertmistrz; pierwszy skrzypek 3. (*w zaprzęgu*) prowadzący koń 4. *bot* pęd szczytowy <końcowy> 5. *dzien* artykuł redakcyjny <wstępny> 6. *geol* pokład przewodni 7. *anat* ścięgno 8. *prawn* główny obrońca 9. *techn* rura doprowadzająca 10. *karc* zagrywający 11. *druk* (*w spisie rzeczy itd*) kropki, linia kropkowana 12. *techn* główne koło napędowe

leaderette [ˌli:dəˈret] *s* notatka redakcyjna (w gazecie)

leadership [ˈli:dəʃip] *s* 1. przewodnictwo; przywództwo; kierownictwo; dowództwo; **under the ~ of __** pod kierunkiem <pod przewodnictwem, dowództwem>... (czyimś) 2. dar <umiejętność> przewodzenia

lead-glance [ˈled,glɑ:ns] *s miner* galena

lead-in [ˈli:dˈin] *s radio* doprowadzenie (przewód)

leading[1] [ˈlediŋ] *s* pokry-cie/wanie ołowiem

leading[2] [ˈli:diŋ] [I] *zob* **lead**[2] *v* [II] *s* prowadzenie; kierownictwo; przywództwo; przewodnictwo [III] *adj* przewodzący; przewodni; prowadzący; naczelny; kierowniczy; główny; czołowy; wybitny; najważniejszy; przedni; (*o sprawie sądowej*) stanowiący precedens; (*o pędzie roślinnym*) szczytowy; końcowy; (*o karcie*) pierwszy zagrany; (*o modzie*) panujący; **a ~ article = leader 5.**; **a ~ question** pytanie naprowadzające

leading-business [ˈli:diŋ,biznis] *s teatr* główne role

leading-rein [ˈli:diŋ,rein] *s* lonża

leading-staff [ˈli:diŋ,stɑ:f] *s* kij do prowadzenia byka za pierścień w nozdrzach

leading-strings [ˈli:diŋ,striŋz] *spl* pasek do prowadzenia małego dziecka; *przen* **to be in ~** być pod kuratelą

lead-off [ˈli:dˈɔf] *s* rozpoczęcie; początek

lead-works [ˈled,wə:ks] *s* ołownia, huta ołowiana

leadwort [ˈled,wə:t] *s bot* ołownica

↑**leaf** [li:f] [I] *s* (*pl* **leaves** [li:vz]) 1. liść, listek 2. listowie; ulistnienie (rośliny); **the fall of the ~** jesień 3. płatek (kwiatu) 4. kartka; arkusz (papieru); **to take a ~ out of sb's book** wziąć/brać z kogoś przykład; **to turn over a new ~** rozpocz-ąć/ynać nowe życie; ustatkować się 5. folia; blaszka 6. skrzydło (drzwi, wierzei itp.); kwatera (okna) 7. klapa (stołu) 8. (*u mostu*) przęsło opuszczane <podnoszone> [II] *vi* (*o roślinach*) pu-ścić/szczać liście *zob* **leafed, leaved**

leafage [ˈli:fidʒ] *s zbior* listowie; ulistnienie; liście (na roślinie)

leaf-blade [ˈli:f,bleid] *s* blaszka liścia

leaf-bridge [ˈli:f,bridʒ] *s* most zwodzony

leaf-bud [ˈli:f,bʌd] *s* pączek liściowy

leaf-canopy [ˈli:f,kænəpi] *s* korona (drzewa)

leafed [ˈli:ft] [I] *zob* **leaf** *v* [II] *adj* liściasty; ulistniony

leafiness [ˈli:finis] *s* obfitość liści (na drzewie); bogate ulistnienie

leafless [ˈli:flis] *adj* 1. bezlistny 2. ogołocony z liści

leaflet [ˈli:flit] *s* 1. listek 2. ulotka

leaf-mould [ˈli:f,mould] *s* kompost

leaf-stalk [ˈli:f,stɔ:k] *s* szypułka

leafy [ˈli:fi] *adj* (**leafier** [ˈli:fiə], **leafiest** [ˈli:fiist]) pokryty obficie liśćmi; o bogatym ulistnieniu

league[1] [li:g] *s* mila; **land <statute> ~** lądowa mila nieangielska (= 4.83 km); **marine ~** morska mila nieangielska (= 5.56 km)

league[2] [li:g] [I] *s polit sport* liga; *polit* przymierze; **to be in ~ with sb** być w porozumieniu z kimś [II] *attr* (*o meczu itd*) ligowy [III] *vt tylko w stronie biernej*: **to be ~d together** być sprzymierzonym [IV] *vi* sprzymierz-yć/ać się; zawiąz-ać/ywać ligę

leaguer [ˈli:gə] *s* człon-ek/kini ligi; ligowiec; sprzymierzeniec

↑**leak** [li:k] [I] *s* 1. nieszczelność; szczelina; dziura; (*o statku*) **to spring a ~** uszkodzić <przedziurawić> dno; zacząć nabierać wody 2. wyciek; upływ prądu 3. woda wyciekająca <ulatniający się gaz, uchodząca para> (wskutek nieszczelności) [II] *vi* (*o naczyniu, rurze itd*) być nieszczelnym; zaciekać; przepuszczać; (*o płynach*) przeciekać; przesączać się; (*o gazach*) uchodzić; ulatniać się

~ out *vi* (*o wieści itd*) roz-ejść/chodzić się; przedosta-ć/wać się do publicznej wiadomości; wy-jść/chodzić na jaw

↑**leakage** [ˈli:kidʒ] *s* 1. przeciekanie; wyciekanie; upływ (prądu itd.); wyciek; *przen* przenikanie (wiadomości, tajemnicy) 2. *handl* manko

leakiness [ˈli:kinis] *s* nieszczelność

leaky [ˈli:ki] *adj* (**leakier** [ˈli:kiə], **leakiest** [ˈli:kiist]) nieszczelny; dziurawy; (*o człowieku*) niedyskretny; nie umiejący dochować tajemnicy

leal [li:l] *adj szkoc* łojalny; wierny; **the land of the ~** niebo; raj

lean[1] [li:n] [I] *adj* 1. (*o człowieku, zwierzęciu i mięsie*) chudy; (*o człowieku*) szczupły; (*o zwierzęciu*) wychudły 2. kiepski; nędzny; ubogi (w coś); (*o węglu*) niskokaloryczny; **~ years** chude lata [II] *s* chude mięso, mięso bez tłuszczu

lean[2] [li:n] *v* (*praet* **leant** [lent], **leaned** [lent], *pp* **leant, leaned**) [I] *vi* 1. op-rzeć/ierać się (**against <on> sth** na czymś, o coś) 2. mieć oparcie (**on sb** w kimś); *wojsk* **to ~ upon <on> __** opierać się na... (skrzydle sąsiada itp.); mieć osłonę w... (czymś) 3. pochyl-ić/ać <nachyl-ić/ać> się; być pochylonym (**over sth** nad czymś) 4. skł-onić/aniać się (**towards <to> sth** do czegoś, ku czemuś) [II] *vt* op-rzeć/ierać (drabinę itd.) (**against sth** o coś)

~ back [I] *vi* przechyl-ić/ać się do tyłu [II] *vt* przechyl-ić/ać (głowę) do tyłu

~ forward [I] *vi* pochyl-ić/ać się ku przodowi [II] *vt* pochyl-ić/ać (głowę) ku przodowi

~ out *vi* wychyl-ić/ać się

zob **leaning** [III] *s* nachylenie; pochyłość

leaning [ˈli:niŋ] [I] *zob* **lean**[2] *v* [II] *s* 1. nachylenie 2. skłonność <pociąg> (**towards sth** do czegoś) [III] *adj* pochylony; nachylony; przechylony; pochyły

leanness [ˈli:nnis] *s* chudość

leant *zob* **lean**[2] *v*

lean-to [ˈli:nˈtu:] *s* przybudówka

leap [li:p] *v* (*praet* **leapt** [lept], **leaped** [lept], *pp* **leapt, leaped**) [I] *vi* 1. sk-oczyć/akać; przesk-oczyć/akiwać (**over sth** coś, przez coś) 2. (*o sercu*) za/bić (z radości itd.) 3. *przen* skwapliwie <pochopnie> przyj-ąć/mować (**at sth** coś — plan itd.); skwapliwie <pochopnie> zg-odzić/adzać się (**at sth** na coś — propozycję itd.) [II] *vt* przesk-oczyć/akiwać (**sth** coś, przez coś —

rów, przez rów itd.) [II] *s* skok; podskok; sus; *geol* skok, przesunięcie pokładu; **by ~s and bounds** szybko <zawrotnie, wielkimi krokami> (postępować, posuwać się naprzód); (*o sercu*) **to give a ~** za/bić (z radości itd.)

leap-day ['li:p,dei] *s* dzień dodatkowy w roku przestępnym (29 lutego)

leap-frog ['li:p,frɔg] *s* skok przez plecy pochylonego kolegi (zabawa uczniowska)

leapt *zob* **leap** *v*

leap-year ['li:p,jə:] *s* rok przestępny

learn [lə:n] *v* (*praet* **learnt** [lə:nt], **learned** [lə:nt], *pp* **learnt, learned**) [I] *vt* 1. na/uczyć <wyuczyć> się (**sth** czegoś); pozna-ć/wać; **to ~ one's lessons** odr-obić/abiać lekcje 2. dowi-edzieć/adywać się (**sth** czegoś, o czymś); **I have yet to ~** jeszcze nie wiem; jeszcze mi nie wiadomo 3. *żart* nauczyć; **I'll ~ you** ja cię <was> nauczę! [II] *vi* uczyć się *zob* **learned, learning**

learned [lə:nt] [I] *zob* **learn** [II] *adj* ['lə:nid] uczony; **the ~ professions** wolne zawody; zawody wymagające wyższego wykształcenia; *między adwokatami*: **my ~ friend <colleague>** pan mecenas

learnedly ['lə:nidli] *adv* uczenie

learner ['lə:nə] *s* ucząc-y/a się; ucze-ń/nnica

learning ['lə:niŋ] [I] *zob* **learn** [II] *s* nauka; wiedza; umiejętnoś-ć/ci; erudycja

learnt *zob* **learn**

lease[1] [li:s] [I] *s* dzierżawa; **to take on ~** wziąć/brać w dzierżawę; *przen* **a new ~ of life** przedłużenie <uratowanie> życia; powrót do życia [II] *vt* 1. wziąć/brać w dzierżawę 2. wydzierżawi-ć/ać; odda-ć/wać w dzierżawę

lease[2] [li:s] *s tekst* przesmyk, krzyżowanie się nici osnowy

leasehold ['li:s,hould] [I] *s* dzierżawa [II] *adj* wydzierżawiony; dzierżawny

leaseholder ['li:s,houldə] *s* dzierżaw-ca/czyni

Lease-Lend ['li:s'lend] = **Lend-Lease**

leash [li:ʃ] [I] *s* 1. smycz; **to hold in ~** trzymać na smyczy; *przen* trzymać w ryzach <pod kuratelą> 2. *myśl* trójka psów <sokołów, zajęcy itd.> [II] *vt* wziąć/brać (psa) na smycz

leasing ['li:siŋ] † *s bibl* kłamstwa

least [li:st] [I] *adj* najmniejszy [II] *adv* (*także* **~ of all**) najmniej; w najmniejszym stopniu; **don't say such things, ~ of all write them** nie mów/cie, a zwłaszcza nie pisz/cie takich rzeczy [III] *s* najmniejsza <najmniej ważna> rzecz; **at ~** co najmniej; przynajmniej; **at the very ~** co najmniej; minimalnie; **~ said soonest mended** szkoda słów; lepiej się nad tym nie rozwodzić; **not in the ~** bynajmniej; żadną miarą; wcale nie; nic a nic; **to say the ~** skromnie mówiąc

leastways ['li:st,weiz], **leastwise** ['li:st,waiz] *adv pot* przynajmniej

leat [li:t] *s* młynówka (strumień wody)

leather ['leðə] [I] *s* 1. skóra (wyprawiona); rzemień; artykuły skórzane; **American ~** rodzaj ceraty; *sl sport* **~ hunting** a) krykiet b) gra w piłkę nożną; **the ~** piłka a) krykietowa b) nożna; **nothing like ~** każda pliszka swój ogon chwali 2. *sl* (własna) skóra; **to lose ~** zadrasnąć się 3. uszczelka (skórka) 4. *pl* **~s** a) spodnie skórzane b) getry skórzane [II] *attr* skórzany; skórkowy [III] *vt* 1. okry-ć/wać skórą; oprawi-ć/ać w skórę 2. *pot* s/prać (kogoś) rzemieniem *zob* **leathering**

leather-back ['leðə,bæk] *s zoo* żółw skórzasty

leather-cloth ['leðə,klɔθ] = **leatherette**

leather-coat ['leðə,kout] *s* gatunek jabłka o twardej skórze

leather-dresser ['leðə,dresə] *s* białoskórnik

leather-dressing ['leðə,dresiŋ] *s* białoskórnictwo

leatherette [,leðə'ret] *s* imitacja skóry

leather-head ['leðə,hed] *s sl* tępak; tępa pała

leathering ['leðəriŋ] [I] *zob* **leather** *v* [II] *s pot* lanie

leather-jacket ['leðə,dʒækit] *s zoo* 1. nazwa rozmaitych gatunków ryb 2. larwa komarnicy

leathern ['leðən] *adj* skórzany

leatherwood ['leðə,wud] *s bot* nazwa kilku gatunków drzew i krzewów: skórzane drzewo, rzemienica, skórnica itp.

leather-work ['leðə,wə:k] *s* roboty tapicerskie w skórze; skórzane obicia

leathery ['leðəri] *adj* twardy jak skóra <jak podeszwa>

leave[1] [li:v] *s* 1. pozwolenie; zezwolenie; upoważnienie; **by your ~** za pozwoleniem; z przeproszeniem; przepraszam, ale...; **without a "with your ~" or "by your ~"** nie pytając (o pozwolenie); bez ceremonii 2. urlop; wczasy; **on ~** na urlopie; na wczasach; urlopowany 3. odejście; pożegnanie; rozstanie; **to take French ~** wynieść się po angielsku; odejść bez pożegnania <niepostrzeżenie>; **to take ~ of sb** pożegnać <rozstać> się z kimś; **to take one's ~** pójść; pożegnać się; *przen* **to take ~ of one's senses** dostać pomieszania zmysłów; zwariować

leave[2] [li:v] *v* (**left** [left], **left**) [I] *vt* 1. zostawi-ć/ać; pozostawi-ć/ać; **to ~ a card on sb** zostawić bilet wizytowy u kogoś; *pot* **to ~ go of** __ pu-ścić/szczać...; **to ~ it at** __ poprzesta-ć/wać na... (czymś); **let's ~ it at that** nie mówmy o tym więcej; **to ~ it to sb to do sth** liczyć na to, że ktoś coś zrobi; **~ it to me** zostaw/cie to mnie; ja się tym zajmę; ja to załatwię; **to ~ much to be desired** pozostawi-ć/ać dużo do życzenia; **to ~ nothing to accident** nie pozostawiać nic przypadkowi; przewi-dzieć/dywać wszystkie ewentualności; **to ~ sb alone** a) pozostawić kogoś samego <samemu sobie> b) dać komuś spokój; **to ~ sb to himself** dać komuś wolną rękę; nie mieszać się do czyichś spraw; **to ~ sth undone** nie dokończyć czegoś; **to ~ sth unsaid** nie dopowiedzieć czegoś; nie wspomnieć o czymś || **it ~s me cold** to mnie nie wzrusza; **take it or ~ it** albo tak albo nie 2. opu-ścić/szczać 3. porzuc-ić/ać 4. od-ejść/chodzić <pójść/iść> (**sb** od kogoś); wy-jść/chodzić (**the room, one's house** z pokoju, domu itd.); wyje-chać/żdżać (**a place** z jakiejś miejscowości); wsta-ć/wać (**the table, one's bed** od stołu, z łóżka); porzuc-ić/ać (**one's job** służbę); *mar* **to ~ harbour** odpły-nąć/wać; **to ~ school** skończyć naukę <szkołę>; (*o pociągu*) **to ~ the rails** wykoleić się [II] *vi* pójść/iść (sobie); od-ejść/chodzić; wyrusz-yć/ać (w drogę); odje-chać/żdżać; wyje-chać/żdżać (w podróż); **it's time for us to ~, it's time we left** już czas na nas; **to ~ for a place** pojechać <wyjechać> dokądś; (*o po-*

ciągu) od-ejść/chodzić; odje-chać/żdżać; mieć odjazd (**at** ___ o godz. ...)
~ **about** *vt* pozostawiać wszędzie (cenne przedmioty itp.)
~ **behind** *vt* 1. pozostawi-ć/ać (coś) za sobą 2. zapom-nieć/inać (**sth** czegoś) 3. wyprze-dz-ić/ać
~ **off** [I] *vt* 1. zrzuc-ić/ać z siebie; przesta-ć/wać nosić (coś) <chodzić (**sth** w czymś)> 2. przesta-ć/wać (**doing sth** coś robić); zaprze-sta-ć/wać (**sth** czegoś) 3. s/kończyć (**sth** z czymś) [II] *vi* 1. skończyć (czytać, pracować, dokuczać komuś itd.) 2. przesta-ć/wać; (*po przerwie, dygresji*) **where did we ~ off?** na czym stanęliśmy?
~ **out** *vt* opu-ścić/szczać; przeocz-yć/ać; po-mi-nąć/jać
~ **over** *vt* 1. od-łożyć/kładać na później 2. mieć w nadmiarze (**sth** czegoś); pozostawi-ć/ać; **what is left over** to, co pozostanie <pozostało>; nadwyżka
zob **leaving, left**[1]

leave[3] [li:v] = **leaf** *v*

leaved ['li:vd] [I] *zob* **leaf** *v* [II] *adj* (*o roślinie*) liściasty; pokryty liśćmi; (*o stole*) z klapami; rozkładany; (*o drzwiach*) dwuskrzydłowy

leaven ['levn] [I] *s* zakwas; drożdże; zaczyn; *przen* ferment; **the old ~** stare grzechy [II] *vt* 1. zakwa-sić/szać; zaczyni-ć/ać 2. przekształc-ić/ać; pod-da-ć/wać (coś) działaniu (**with sth** czegoś); na-syc-ić/ać (coś czymś); z/łagodzić (coś czymś)

leave-taking ['li:v,teikiŋ] *s* pożegnanie

leaves *zob* **leaf** *s*

leaving ['li:viŋ] [I] *zob* **leave**[2] [II] *s* 1. odejście; odjazd; ~ **certificate** świadectwo ukończenia szkoły średniej 2. *pl* **~s** resztki; pozostałości; odpadki

Lebanese ['lebə,ni:z] *adj* libański

lecher ['letʃə] *s* rozpustnik

lecherous ['letʃərəs] *adj* lubieżny; rozpustny

lecherousness ['letʃərəsnis], **lechery** ['letʃəri] *s* lubieżność; rozpusta

lecithin ['lesiθin] *s biol chem farm* lecytyna

lectern ['lektən] *s* (*w kościele anglikańskim*) pulpit, przy którym czyta się lekcję

lection ['lekʃən] *s kośc* lekcja

lectionary ['lekʃṇəri] *s kośc* lekcjonarz (księga lekcji)

lector ['lektə] *s uniw* lektor/ka

lecture ['lektʃə] [I] *s* 1. wykład; **to deliver a ~** mieć wykład; **to read sb a ~** udziel-ić/ać komuś nagany; z/robić komuś wymówki [II] *vt* 1. prowadzić <mieć> wykłady <naukę> (**a class, classes** ze studentami) 2. udziel-ić/ać nagany <z/robić wymówki> (**sb** komuś); przem-ówić/awiać do sumienia (**sb** komuś) [III] *vi* wykładać (**on a subject** coś); prowadzić wykłady (**on a subject** czegoś)

lecturer ['lektʃərə] *s* wykładowca

lectureship ['lektʃəʃip] *s* stanowisko wykładowcy

led *zob* **lead**[2] *v*

ledge [ledʒ] *s* 1. występ; stopień (w skale); krawędź 2. listwa 3. *górn* złoże; pokład; żyła 4. rafa (podwodna)

ledger ['ledʒə] *s* 1. *księgow* księga główna 2. *am* rejestr 3. *bud* pas (rusztowania) 4. płyta nagrobkowa

ledger-bait ['ledʒə,beit] *s wędk* przynęta ze spławikiem stałym

ledger-line ['ledʒə,lain] *s* 1. wędka ze spławikiem stałym 2. *muz* linia dopisana do pięciolinii

lee [li:] [I] *s* 1. strona zawietrzna 2. osłona; **under the ~ of a house** <**hill etc.**> osłonięty domem <górą itd.> [II] *adj mar* zawietrzny; osłonięty

leech[1] [li:tʃ] *s zoo* pijawka

leech[2] [li:tʃ] *s mar* krawędź boczna; ~ **rope** obręb boczny

leechcraft ['li:tʃ,kra:ft] *s żart* medycyna; lecznictwo

leek [li:k] *s* 1. *bot* por; *przen* **to eat the ~** połknąć obrazę <obelgę> 2. por jako godło narodowe Walii

leer[1] [liə] [I] *s* spojrzenie z ukosa (chytre, złośliwe, pożądliwe); łypnięcie okiem [II] *vi* rzuc-ić/ać chytre <**złośliwe, pożądliwe**> spojrzeni-e/a (**at sb** komuś); łyp-nąć/ać (okiem); spo-jrzeć/glądać chytrze <złośliwie, pożądliwie> (**at sb** na kogoś); strzelać oczami

leer[2] [liə] *s techn* odprężarka; ciągownia (do szkła)

leery ['liəri] *adj* chytry

lees [li:z] *spl* osad (drożdżowy); fusy; męty; *przen* szumowiny; **to drink to the ~** wy/pić do dna

leet [li:t] *s szkoc* spis kandydatów (na stanowisko)

leeward ['li:wəd] [I] *adj mar* zawietrzny [II] *adv mar* w stronę zawietrzną [III] *s mar* strona zawietrzna

leeway ['li:wei] *s mar* dryf; *przen* zaległości; **to have ~** mieć luz <marżę, swobodę działania, swobodę ruchów>

left[1] *zob* **leave**[2]; ~ **luggage** bagaż oddany do przechowania; ~ **luggage office** przechowalnia bagażu; **how many have you ~?** ile ci <wam> pozostaje <zostało>?; **there is little ~** niewiele zostaje <zostało>; **there's nothing ~ for me but to** ___ nic mi nie pozostaje, jak tylko...; (*o ilości, liczbie*) **to be ~** pozostawać, zostać; **to be** <**get**> **nicely ~** dać się nabrać <oszukać>; **to be ~ over** zbywać; ~ **to oneself** pozostawiony samemu sobie; **well** <**badly**> **~** zaopatrzony <nie zaopatrzony> (w środki do życia)

left[2] [left] [I] *adj* lewy; *polit* ~ **deviation** odchylenie lewicowe; ~ **turn** zwrot <skręt, jazda> w lewo; **on (sb's) ~ hand** po lewej stronie (kogoś) [II] *s* 1. lewa strona 2. lewa ręka 3. *polit* lewica 4. *wojsk* lewe skrzydło [III] *adv* na lewo; **to turn ~** skręc-ić/ać <po/jechać> w lewo; *wojsk* **eyes ~!** w lewo patrz!; **turn ~!** w lewo zwrot!

left-hand ['left,hænd] *adj* 1. lewy; ~ **blow** uderzenie od lewej ręki; cios lewą (ręką) 2. *techn* lewostronny; (*o śrubie*) lewoskrętny

left-handed ['left'hændid] *adj* 1. leworęki; **to be ~** być mańkutem 2. niezgrabny; (*o komplemencie*) wątpliwy; nieszczery 3. (*o małżeństwie*) morganatyczny

left-handedness ['left'hændidnis] *s* mańkuctwo

left-hander ['left'hændə] *s* 1. mańkut 2. uderzenie od lewej (ręki)

leftist ['leftist] [I] *s polit* lewicowiec [II] *adj polit* lewicowy

leftmost ['left,moust] *adj* ostatni <końcowy> z lewej strony

left-off ['left'ɔ:f] *adj* odłożony; odrzucony; **~ clothing** znoszone ubranie

left-over ['left'ouvə] [I] *adj* zbywający [II] *s* pozostałość

leftward ['leftwəd] [I] *adj* lewy [II] *adv* (*także* **~s**) w lewo; w lewą stronę

left-wing ['left,wiŋ] *adj* lewoskrzydłowy; *polit* należący do lewego skrzydła

leg [leg] [I] *s* 1. *anat* noga; kończyna; (*o człowieku*) **all ~s** długi jak tyka; (*w krykiecie*) **~ before (wicket)** sfaulowanie; **he hasn't a ~ to stand on** on nie ma najmniejszej racji; **it hasn't a ~ to stand on** to nie wytrzymuje krytyki; to się nie da niczym usprawiedliwić; **to be on one's last ~s** a) gonić ostatkami <resztkami sił> b) zbliżać się do smutnego końca; **to feel <find> one's ~s** zacz-ąć/ynać <móc> chodzić; **to give sb a ~ up** a) podsadzić kogoś b) pomóc komuś; **to have the ~s of —** przegonić <prześcignąć>... (kogoś); **to keep one's ~s** utrzym-ać/ywać się na nogach; **to pull sb's ~** naciągać <za/żartować z> kogoś; z/robić komuś kawał; **to run sb off his ~s** zamęczyć kogoś; wyciskać z kogoś siódme poty; *przen* **to set sb on his ~s** postawić/stawiać kogoś na nogi; **to shake a ~** za/tańczyć; pląsać; **to stretch one's ~s** rozprostować sobie nogi; **to take to one's ~s** wziąć/brać nogi za pas; *pot* zwiać; **to walk sb off his ~s** zamęczać kogoś łażeniem 2. noga (mebla); nóżka (przyrządu itd.) 3. *kulin* nóżka (drobiu); udziec (barani); dyszek (cielęcy); pieczeń (wołowa); szynka 4. nogawka 5. podpórka; *mar* **~ of strut** ramię wspornicy śrubowej 6. *mat* bok (trójkąta) 7. etap; odcinek; *sport* konkurencja 8. *elektr* odgałęzienie 9. *przen* oszust/ka [II] *vt* (**-gg-**) *sl w zwrocie:* **to ~ it** a) iść na piechotę b) popędzić *zob* **legging**

legacy ['legəsi] *s* zapis; legat; spadek; dziedzictwo; spuścizna; **~ duty** podatek spadkowy

♦**legal** ['li:gəl] *adj* 1. prawny; **~ practitioner** prawni-k/czka, † juryst-a/ka 2. (*o języku, terminie*) prawniczy; **~ profession** zawód prawniczy; *zbior* prawnicy 3. ustawowy 4. legalny

legality [li'gæliti] *s* legalność; zgodność z prawem

legalization [,li:gəlai'zeiʃən] *s* za/legalizowanie; legalizacja; uprawomocnienie

legalize ['li:gə,laiz] *vt* 1. za/legalizować 2. uprawomocni-ć/ać

legate[1] ['legit] *s* legat (papieski)

legate[2] [li'geit] *vt* zapis-ać/ywać; pozostawi-ć/ać w spadku

legatee [,legə'ti:] *s* legatariusz, zapisobiorca

legation [li'geiʃən] *s* poselstwo

legato [le'gɑ:tou] *s muz* legato

legator [li'geitə] *s* testator/ka

leg-bail ['leg'beil] *s pot w zwrocie:* **to give ~** zwiać

leg-bye ['leg'bai] *s* (*w krykiecie*) punkt karny

legend ['ledʒənd] *s* 1. legenda 2. (*na monecie, medalu*) legenda, napis 3. podpis pod ilustracją 4. legenda (na mapie, szkicu itp.)

legendary ['ledʒəndəri] [I] *s* zbiór legend [II] *adj* legendarny

legerdemain ['ledʒədə'mein] *s* sztuczka; kuglarstwo; szachrajstwo

legging ['legiŋ] [I] *zob* **leg** *v* [II] *s* (*zw pl*) sztylpa; getr

leggy ['legi] *adj* długonogi

leghorn [le'gɔ:n] *s* 1. leghorn (rasa drobiu) 2. ['leg,hɔ:n] słoma pleciona **na** kapelusze 3. ['leg,hɔ:n] kapelusz słomkowy

legible ['ledʒəbl] *adj* czytelny

legibly ['ledʒəbli] *adv* czytelnie

legion ['li:dʒən] *s* legion; legia; **American <British> Legion** amerykański <brytyjski> związek byłych kombatantów; **foreign ~** legia cudzoziemska (w wojsku francuskim); **the Legion of Honour** (francuska) Legia Honorowa

legionary ['li:dʒənəri] [I] *adj* legionowy [II] *s* legionista

legislate ['ledʒis,leit] *vi* wprowadz-ić/ać ustawodawstwo

legislation [,ledʒis'leiʃən] *s* ustawodawstwo; prawodawstwo

legislative ['ledʒis,leitiv] *adj* ustawodawczy; prawodawczy

legislator ['ledʒis,leitə] *s* ustawodawca; prawodawca

legislature ['ledʒis,leitʃə] *s* ciało ustawodawcze

legist ['li:dʒist] *s* prawni-k/czka

legitimacy [li'dʒitiməsi] *s* 1. ślubne pochodzenie (dziecka) 2. słuszność 3. prawne uzasadnienie

legitimate [li'dʒitimit] [I] *adj* 1. ślubny; prawowity; **of ~ birth** z prawego łoża 2. słuszny 3. prawnie uzasadniony; **~ purposes** właściwe cele 4. usankcjonowany; **the ~ drama** prawdziwy teatr; prawdziwa sztuka dramatyczna (w odróżnieniu od widowisk na niższym poziomie) [II] *vt* [li'dʒiti,meit] 1. uzna-ć/wać ślubne pochodzenie (**a child** dziecka) 2. wykaz-ać/ywać ślubne pochodzenie (**sb** czyjeś)

legitimation [li,dʒiti'meiʃən] *s* 1. uznanie ślubnego pochodzenia 2. wykazanie ślubnego pochodzenia

legitimist [li'dʒitimist] *s* legitymista

legitimize [li'dʒiti,maiz] = **legitimate** *v*

leg-of-mutton ['leg-əv'mʌtn] *adj* (*o rękawie*) bufiasty

leg-pull ['leg,pul] *s pot* kawał; naciąganie; żart; żartowanie

leg-rest ['leg,rest] *s* podnóżek (leżaka)

legume ['legju:m] *s* 1. strączek 2. warzywo; jarzyna

leguminous [le'gju:minəs] *adj* strączkowy

leister ['li:stə] [I] *s* trójząb [II] *vt* z/łowić (łososia) trójzębem

leisure ['leʒə] *s* wolny czas; wolne chwile; **~ hours <moments>** wolny czas; **a man of ~** człowiek nie pracujący; **at ~** bez pośpiechu; **at one's ~** w dogodnej chwili; w dowolnym czasie; **to be at ~** mieć wolny czas; nie być zajętym; **to wait sb's ~** zaczekać, kiedy komuś będzie dogodnie

leisured ['leʒəd] *adj* (*o życiu*) bezczynny; próżniaczy; (*o człowieku*) rozporządzający wolnym czasem; nie pracujący; **the ~ classes** sfery majętne <nie pracujące>

leisurely ['leʒəli] [I] *adj* wolny; powolny; (*o człowieku*) rozporządzający wolnym czasem; mający dużo (wolnego) czasu [II] *adv* bez pośpiechu; powoli; wolno

leitmotif, leitmotiv ['lait-mou,ti:f] *s* motyw przewodni

leman ['lemən] † *s* ukochan-y/a, kochan-ek/ka

lemma ['lemə] *s* (*pl* **~ta** ['lemətə], **~s**) 1. *log* lemat 2. hasło; motto
lemming ['lemiŋ] *s zoo* leming (gryzoń)
lemon ['lemən] [I] *s* 1. cytryna; **~ kali** [-'keilai] rodzaj lemoniady 2. drzewo cytrynowe 3. kolor cytrynowy 4. *sl* niepociągająca dziewczyna; brzydula 5. *am sl* szachrajstwo [II] *attr* cytrynowy
lemonade [,lemə'neid] *s* lemoniada
lemon-balm ['lemən,bɑ:m] *s bot* melisa
lemon-coloured ['lemən,kʌləd] *adj* cytrynowy
lemon-drop ['lemən,drɔp] *s* cukierek cytrynowy
lemon-grass ['lemən,grɑ:s] *s bot* palczatka kosmata
lemon-plant ['lemən,plɑ:nt] *s bot* werbena wonna
lemon-sole ['lemən,soul] *s zoo* odmiana soli (ryba)
lemon-squash ['lemən'skwɔʃ] *s* napój z wody (sodowej) i soku cytrynowego
lemon-squeezer ['lemən,skwi:zə] *s* przyrząd do wyciskania soku z cytryn
lemur ['li:mə] *s zoo* lemur
lemurian [li'mjuəriən] *adj zoo* z rodziny lemurów
lend [lend] *v* (**lent** [lent], **lent**) [I] *vt* 1. pożycz-yć/ać <wypożycz-yć/ać> (**sth to sb, sb sth** coś komuś) 2. nada-ć/wać <doda-ć/wać> (**sb, sth** komuś, czemuś — **enchantment, dignity etc.** uroku, powagi itd.) 3. udziel-ić/ać (**aid, a helping hand** pomocy) 4. użycz-yć/ać; **to ~ an ear** nadstawi-ć/ać ucha; po/słuchać [II] *vr* 1. (*o wyrazie, przedmiocie*) **~ itself** nadawać się (**to sth** do czegoś) 2. (*o człowieku*) **~ oneself** skłaniać <przychylać> się (**to sth** do czegoś)
lender ['lendə] *s* pożyczając-y/a; udzielając-y/a pożyczki
lending-library ['lendiŋ,laibrəri] *s* wypożyczalnia książek
Lend-Lease ['lend'li:s] *attr* **~ Act** ustawa o pożyczce i dzierżawie (z II wojny światowej)
length [leŋθ] *s* 1. długość; **he won by 2 ~s** wygrał o 2 długości; **to be *x* feet <yards, miles etc.> in ~** mieć *x* stóp <jardów, mil itd.> długości; **to go to all ~s <the whole ~>** nie liczyć się z niczym; *pot* iść na całego; **to go to any ~s** pozwalać sobie na wszystko; **to go to some ~** posunąć się do pewnych granic; **to go to the ~ of —** posu-nąć/wać się do ... (czegoś); pozw-olić/alać sobie na ... (coś); **to know the ~ of sb's foot** znać czyjeś słabe strony; **to lie at full ~** leżeć jak długi; **over the ~ and breadth of the land** jak kraj długi i szeroki 2. trwanie; czas trwania; **~ of service** starszeństwo w służbie; *poet* **our ~ of days** okres naszego życia; **for some ~ of time** przez pewien czas; dosyć długo; **I can't leave for any ~ of time** nie mogę na dłużej wyjechać; **of some ~** dosyć długi 3. długość; dystans; odstęp; odległość 4. rozciągłość; **at full <the whole> ~** w całej rozciągłości 5. kawał (rury, deski itd.); sztuka <kupon> (materiału); odcinek; kawałek || **at ~** a) szczegółowo b) nareszcie; w końcu; **at full <great> ~** ze wszystkimi szczegółami; **at some ~** dosyć szczegółowo
lengthen ['leŋθən] [I] *vt* podłuż-yć/ać; przedłuż-yć/ać; nadsztukow-ać/ywać; rozciąg-nąć/ać [II] *vi* wydłuż-yć/ać <przedłuż-yć/ać, rozciąg-nąć/ać> się **~out** *vt* przeciąg-nąć/ać
lengthily ['leŋθili] *adv* rozwlekle; szczegółowo; drobiazgowo
lengthiness ['leŋθinis] *s* rozwlekłość; drobiazgowość
lengthways ['leŋθ,weiz], **lengthwise** ['leŋθ,waiz] *adv* na długość
lengthy ['leŋθi] *adj* (**lengthier** ['leŋθiə], **lengthiest** ['leŋθiist]) rozwlekły; szczegółowy; drobiazgowy
leniency ['li:njənsi] *s* wyrozumiałość; łagodność
lenient ['li:njənt] *adj* wyrozumiały; łagodny
Leninism ['leni,nizəm] *s* leninizm
lenitive ['lenitiv] [I] *adj* (*o środku, czynniku*) łagodzący; uśmierzający [II] *s* środek łagodzący <uśmierzający>
lenity ['leniti] = **leniency**
leno ['li:nou] *s tekst* rodzaj gazy
lens [lenz] *s* 1. *opt anat* soczewka 2. *fot* obiektyw; soczewka 3. lupa
Lent[1] [lent] [I] *s rel* Wielki Post [II] *attr* wielkopostny; *bot* **~ lily** żonkil, żółty narcyz; *uniw* **~ term** trymestr wiosenny
lent[2] *zob* **lend**
Lenten ['lentən] *adj* 1. wielkopostny 2. (*o jedzeniu*) postny 3. nędzny; **~ face** markotna mina; **with a ~ face** osowiały; z nosem na kwintę
lenticular [len'tikjulə], **lentiform** ['lenti,fɔ:m] *adj* soczewkowaty
lentigo [len'taigou] *s* (*pl* **lentigines** [len'tidʒi,ni:z]) *med* pieg
lentil ['lentil] *s* soczewica
lentisk ['lentisk] *s bot* mastykowiec (drzewo)
lentoid ['lentɔid] *adj* soczewkowaty
Leo [liou] *s astr* Lew; znak Lwa
Leonides [li'ɔni,di:z] *spl astr* leonidy
leonine ['liə,nain] *adj* lwi
Leonines ['liə,nainz] *spl* leoniny (wiersze)
leopard ['lepəd] *s zoo* lampart; **American ~** jaguar; **snow ~** irbis
leopardess ['lepədis] *s* lamparcica
leper ['lepə] *s* trędowat-y/a
lepidoptera [,lepi'dɔptərə] *spl* motyle
leporine ['lepə,rain] *adj* zajęczy
leprechaun ['leprə,kɔ:n] *s irl* dobrotliwy duch; krasnoludek; karzełek
leprosy ['leprəsi] *s* trąd
leprous ['leprəs] *adj* trędowaty; zarażony trądem
Lesbian ['lezbiən] [I] *adj* lesbijski [II] *s* 1. Lesbijczyk/ka 2. lesbijka
Lesbianizm ['lezbiə,nizəm] *s* miłość lesbijska
lese-majesty ['li:z'mædʒisti] *s prawn* obraza majestatu
lesion ['li:ʒən] *s* 1. *prawn* krzywda; pokrzywdzenie 2. *med* uszkodzenie; zmiana patologiczna <chorobowa>
less [les] *zob* **little** [I] *adj* 1. mniejszy; **no ~ a person than the prince <manager etc.>** sam książę <dyrektor itd.>; książę <dyrektor itd.> we własnej osobie; **to grow ~** zmniejszać się; ubywać [II] *adv* mniej; **~ meat <wine, rain etc.>** mniej mięsa <wina, deszczu itd.>; **none the ~** niemniej (jednak); mimo to; pomimo tego; **nothing ~ than —** a) nic poniżej ... b) prawdziwy ... (cud, mistrz itd.); *na końcu zdania, uzupełniająco*: **no ~**! wyobraź/cie sobie!; **oysters and French wine, no ~**! ostrygi i francuskie wino, wyobraź/cie sobie!; **still ~ that** tym bardziej nie to [III] *s* coś <nic> mniejszego; **nothing ~ than —** nic poniżej... (pewnej kwoty, pewnego stanowiska itd.); **for ~** za mniejszą sumę;

taniej; **in ~ than no time** w mig; piorunem; **the ~ ... as —** tym mniej ..., że ...; **the ~ the better** im mniej, tym lepiej [IV] *praep* bez; **a month ~ two days** bez dwóch dni miesiąc

lessee [le'si:] *s* dzierżaw-ca/czyni

lessen ['lesn] [I] *vt* zmniejsz-yć/ać; uj-ąć/mować (**sth** czegoś); uszczupl-ić/ać; obniż-yć/ać; zniż-yć/ać; skr-ócić/acać; osłabi-ć/ać; z/łagodzić [II] *vi* zmniejsz-yć/ać się; uby-ć/wać; z/maleć; sta-ć/wać się mniejszym

lesser ['lesə] *adj* mniejszy; pomniejszy

lesson ['lesn] *s* 1. lekcja; **to do one's ~s** odrabiać lekcje 2. nauczka; **let it be a ~** niech to będzie nauczką <nauką> 3. nagana; **to read sb a ~** udzielić komuś nagany 4. *rel* lekcja; epistoła

lessor [le'sɔ:] *s* oddający w dzierżawę

lest [lest] *conj* 1. żeby nie; **~ we forget** żebyśmy nie zapomnieli 2. *po czasowniku* **fear** *itp*: że

let¹ [let] † [I] *vt* (**-tt-**) przeszk-odzić/adzać (**sb, sth** komuś czemuś) [II] *s* przeszkoda

let² [let] *v* (**let** [let], **let; letting** ['letiŋ]) [I] *vt* 1. pozw-olić/alać <da-ć/wać> (**sb** <**sth**> **do sth** komuś <czemuś> coś z/robić); **to ~ oneself be told** <**pushed about etc.**> pozwolić <dać> sobie powiedzieć <się popychać, *przen* sobą poniewierać itd.>; **to ~ sb do sth** <**sth be done**> dopuścić do tego <pozwolić na to>, żeby ktoś coś zrobił <coś zostało zrobione, coś się stało>; spokojnie <obojętnie, biernie> patrzyć, jak ktoś coś robi <coś się dzieje>; **he ~ the big boy beat a little one** on biernie się przyglądał, jak duży chłopiec bił małego; **to ~ the water boil** <**the fire burn**> pozwolić, żeby <na to, by> się woda za/gotowała <ogień palił> 2. pu-ścić/szczać; dopu-ścić/szczać; **to ~ blood** pu-ścić/szczać krew (**sb** komuś); **to ~ loose** pu-ścić/szczać; zw-olnić/alniać; wyzw-olić/alać 3. *z przyimkami*: **~ into; to ~ sb into a room** <**house etc.**> wpu-ścić/szczać kogoś <pozwolić komuś wejść/wchodzić> do pokoju <do domu itd.>; **to ~ sb into a secret** dopu-ścić/szczać kogoś do tajemnicy; wtajemnicz-yć/ać kogoś; **to ~ sth into —** wpu-ścić/szczać <wprowadz-ić/ać> coś do ... (czegoś); wszy-ć/wać... (wstawkę itd.); **~ off; to ~ sb off a penalty** darować komuś karę; **~ out of; to ~ sb** <**sth**> **out of —** wypuścić kogoś <coś> z ... (czegoś); **~ through; to ~ sb through an examination** przepu-ścić/szczać kogoś przy egzaminie 4. *występuje z niektórymi czasownikami w specyficznym znaczeniu*: **~ be** zostawi-ć/ać; nie mieszać <nie wtrącać> się (do kogoś, czegoś); **to ~ drop** a) upu-ścić/szczać (na ziemię, podłogę) b) wypowiedzieć mimochodem (**a remark etc.** uwagę itd.); **to ~ fall** upu-ścić/szczać (na ziemię); **to ~ go** pu-ścić/szczać; **~ have** a) da-ć/wać b) pożycz-yć/ać c) dostarcz-yć/ać; odstawi-ć/ać; **to ~ know** zawiad-omić/amiać; **to ~ oneself go** da-ć/wać folgę swoim uczuciom; dać się ponieść; **to ~ pass** nie dostrze-c/gać (**sth** czegoś); tolerować; **to ~ slip** wypu-ścić/szczać z rąk; przepu-ścić/szczać (okazję) 5. wynaj-ąć/mować, odda-ć/wać w najem; (*w ogłoszeniach itd*) **to ~, to be ~** do wynajęcia [II] *v aux przy 1 i 3 pers wyraża rozkaz, zachętę itd*: niech; **~ him come** niech przyjdzie; **~ me see!** niech się chwilkę namyślę!; zaraz, zaraz!; **~ me see it** niech (to) zobaczę; proszę mi (to) pokazać; pokaż/cie mi (to); pozwól/cie, że zobaczę; **~ there be someone with him** niech ktoś będzie z nim [III] *vi* 1. nadawać się do wynajmowania; **the rooms** <**shops etc.**> **~ well** z wynajmowaniem (tych) pokoi <sklepów itd.> nie ma kłopotu; o lokatorów do tych pokoi <o użytkowników do tych sklepów> łatwo 2. napa-ść/dać (**into sb** na kogoś)

~ by *vt* przepu-ścić/szczać; pozw-olić/alać <da-ć/wać> przejść (**sb** komuś)

~ down *vt* 1. spu-ścić/szczać <opu-ścić/szczać> (coś na dół) 2. z/robić zawód (**sb** komuś); porzuc-ić/ać <opu-ścić/szczać, zdradz-ić/ać> (kogoś) w krytycznej chwili; pozostawi-ć/ać (kogoś) własnemu losowi; odm-ówić/awiać pomocy (**sb** komuś) 3. upok-orzyć/arzać; **to ~ sb down gently** łagodnie <oględnie> z kimś post-ąpić/ępować 4. obniż-yć/ać; osłabi-ć/ać; **to ~ down the fire** dać ogniowi wypalić się; nie dokładać paliwa

~ in *vt* 1. wpu-ścić/szczać; wprowadz-ić/ać; da-ć/wać wejść (**sb** komuś); **to ~ oneself in** wejść/wchodzić 2. doprowadz-ić/ać (**abuses etc.** do nadużyć itd.) 3. dopu-ścić/szczać (**sb on sth** kogoś do czegoś — tajemnicy, dobrego interesu itd.) 4. *pot* nab-rać/ierać (**sb for sth** kogoś na coś); **to ~ oneself in for sth** da-ć/wać się nabrać na coś; nabawić się czegoś (kłopotu itp.); **to ~ sb in for —** naciągnąć kogoś na ... (jakąś kwotę itp.)

~ off *vt* 1. wypu-ścić/szczać (strzałę, parę, wodę itd.) 2. wystrzel-ić/ać 3. odnaj-ąć/mować (mieszkanie itp.) 4. darować winę (**sb** komuś); **to ~ sb off with a light penalty** <**a fine etc.**> odprawić <zwolnić> kogoś poprzestawszy na łagodnej karze <na grzywnie itp.> 5. zw-olnić/alniać (**sb from a duty etc.** kogoś od obowiązku itd.)

~ on *vi* 1. *sl* zdradz-ić/ać (tajemnicę itd.) 2. udawać

~ out [I] *vt* 1. wypu-ścić/szczać (kogoś, coś z pokoju, klatki, na wolność itd.; powietrze z dętki, wodę ze zbiornika itd.) 2. wyda-ć/wać (krzyk itp.) 3. podłuż-yć/ać <poszerz-yć/ać> (sukienkę itp.) 4. wyda-ć/wać <zdradz-ić/ać> (tajemnicę) 5. wynaj-ąć/mować [II] *vi* rzuc-ić/ać się z pięściami (**at sb** na kogoś); zdzielić pięścią (**at sb** kogoś)

~ through *vt* przepu-ścić/szczać

~ up *vi pot* zelżeć; złagodnieć; usta-ć/wać; przesta-ć/wać

[IV] *s* najem; **to get a ~** znaleźć <dostać> lokatora

let-down ['let'daun] *s* zawód; zawiedzione nadzieje

lethal ['li:θəl] *adj* 1. śmiertelny; zgubny 2. (*o broni*) śmiercionośny; morderczy; **~ chamber** komora śmierci; pomieszczenie do usypiania zwierząt domowych

lethargic(al) [le'θɑ:dʒik(əl)] *adj* 1. letargiczny 2. ospały

lethargy ['leθədʒi] *s* 1. letarg 2. ospałość

lethiferous [le'θifərəs] *adj* śmiercionośny

Lett [let] *s* 1. Łotysz/ka 2. język łotewski

letter ['letə] [I] *s* 1. *dosł i przen* litera; **to the ~** a) dosłownie b) w całej rozciągłości c) szczegółowo; co do joty 2. *druk* czcionka 3. list; pismo; **~ of advice** awiz, awizo; **~ of attorney** pełnomocnictwo; **~ of credit** akredytywa 4. *pl* **~s** literatura; piśmiennictwo; wiedza; **a man of ~s** a) autor; pisarz; literat b) erudyta 5. *pl* **~s** beletrystyka 6. *pl* **~s** *am* inicjały uczelni (odznaka za osiągnięcia w sportach) [II] *vt* 1. oznacz-yć/ać literami 2. wy/drukować <wytł-oczyć/aczać> (tytuł itd.) *zob* **lettered, lettering**

letter-balance ['letə,bæləns] *s* waga do listów

letter-book ['letə,buk] *s* rejestr z kopiami korespondencji

letter-bound ['letə,baund] *adj* trzymający się niewolniczo litery przepisów

letter-box ['letə,bɔks] *s* skrzynka pocztowa

letter-card ['letə,kɑ:d] *s* sekretnik

letter-case ['letə,keis] *s* portfel

lettered ['letəd] [I] *zob* **letter** *v* [II] *adj* 1. wyliterowany, podany poszczególnymi literami 2. (*o tytule*) wytłoczony 3. (*o człowieku*) uczony; wykształcony; oczytany

letter-file ['letə,fail] *s* 1. registrator; skoroszyt 2. rejestr z korespondencją

letter-foundry ['letə,faundri] *s* odlewnia czcionek

letterhead ['letə,hed] *s* 1. nagłówek 2. papier firmowy

lettering ['letəriŋ] [I] *zob* **letter** *v* [II] *s* 1. literowanie, poda-nie/wanie pojedynczymi literami 2. wytł-oczenie/aczanie (tytułu itp.) 3. tytuł <napis> (na książce)

letterless ['letəlis] *adj* 1. nie oznaczony literami 2. (*o okładce*) bez tytułu 3. (*o człowieku*) bez wykształcenia; ciemny

letter-lock ['letə,lɔk] *s* zamek literowy <szyfrowy>

letter-paper ['letə,peipə] *s* papier listowy

letter-perfect ['letə'pə:fikt] *adj* znający doskonale (lekcję, swoją rolę itd.)

letterpress ['letə,pres] *s* tekst drukowany

letter-weight ['letə,weit] *s* 1. przycisk 2. = **letter-balance**

letter-writer ['letə,raitə] *s* 1. autor listów 2. poradnik korespondencyjny

Lettish ['letiʃ] [I] *adj* łotewski [II] *s* język łotewski

lettre de cachet ['letrə də'kæʃei] *s hist* wydany przez króla rozkaz aresztowania (we Francji)

lettuce ['letis] *s bot* sałata (głowiasta)

let-up ['let'ʌp] *s* 1. przerwa 2. zmniejszenie; ubytek 3. ulga

leucocyte ['lju:kə,sait] *s fizj* leukocyt, białe ciałko krwi

leucoma [lju'koumə] *s med* bielmo

leukaemia [lju'ki:mjə] *s med* leukemia, białaczka

levant [li'vænt] *vi* ucie-c/kać <zbiec, czmychnąć> (nie płacąc długów, należności)

levanter [li'væntə] *s* 1. **Levanter** Lewanty-ńczyk/nka 2. wschodni wiatr śródziemnomorski

Levantine ['levən,tain] [I] *adj* lewantyński [II] *s* lewantyna (tkanina)

levator [li'veitə] *s anat* dźwigacz

levee[1] ['levi] *s* ranne przyjęcie (u króla, głowy państwa)

levee[2] ['levi] *s* grobla

level ['levl] [I] *s* 1. poziomnica 2. poziom; płaszczyzna; równia; **on a ~ with** — na równi z ...; (*o przedmiocie*) **on** <**out of**> **~** w poziomie <nie w poziomie>; *przen* **on the ~** uczciwy, uczciwie; naprawdę; **to be on the ~** zachować się uczciwie; **to find one's ~** a) stanąć na właściwym poziomie b) znaleźć się w odpowiednim towarzystwie <otoczeniu> 3. *górn* chodnik [II] *adj* 1. poziomy; **to do one's ~ best** do-łożyć/kładać wszelkich starań <*pot* postawić się na głowie> (żeby coś zrobić) 2. równy 3. zrównoważony; **to have** <**keep**> **a ~ head** a) nie tracić głowy b) trzeźwo myśleć [III] *adv* równo [IV] *vt* (**-ll-**) 1. s/poziomować; postawić/stawiać (coś) w poziomie 2. z/niwelować 3. wyrówn-ać/ywać; wygładz-ić/ać; *przen* **to ~ to** <**with**> **the ground** zrównać z ziemią 4. zrówn-ać/ywać (do jednego poziomu) 5. wycelować <zmierzyć> (**a gun etc. at sb** do kogoś z karabinu <z rewolweru itd.>) 6. nastawi-ć/ać <nakierow-ać/ywać> (lunetę itd. na coś) 7. s/kierować (**satire** <**an accusation etc.**> **at sb** krytykę <oskarżenie itd.> pod czyimś adresem) 8. wymierzyć (**a blow at sb** komuś cios)

~ away *vt* wyrówn-ać/ywać (nierówności)

~ down *vt* obniż-yć/ać do właściwego poziomu

~ up *vt* podn-ieść/osić do właściwego poziomu

zob **levelling**

level-headed ['levl'hedid] *adj* zrównoważony

leveller ['levḷə] *s* 1. czynnik wyrównujący <znoszący różnicę poziomów itd.>; wyrównywacz 2. *hist* lęweller 3. *miern* niwelator (przyrząd) 4. *techn* prostownica

levelling ['levəliŋ] [I] *zob* **level** *v* [II] *s* niwelacja

levelling-compass ['levliŋ,kʌmpəs] *s* niwelator (przyrząd)

levelling-screw ['levliŋ,skru:] *s techn* śruba poziomująca

lever ['li:və] [I] *s* 1. dźwignia; lewar 2. *techn* drążek 3. ankier (u zegarka) [II] *vt* podważ-yć/ać

leverage ['li:vəridʒ] *s* 1. siła dźwigni; dźwignięcie, podważanie dźwignią 2. system dźwigni 3. *przen* wpływ; działanie

leveret ['levərit] *s* młody zając

leviathan [li'vaiəθən] *s* 1. lewiatan 2. olbrzym; tytan

levigate ['levi,geit] *vt* 1. s/proszkować 2. wy/polerować 3. wy/mieszać

levigation [,levi'geiʃən] *s* 1. sproszkowanie 2. wy/polerowanie 3. wy/mieszanie

levirate ['li:virit] *s* lewirat (w prawie mojżeszowym)

levitation [,levi'teiʃən] *s* (*w okultyzmie*) lewitacja

levity ['leviti] *s* 1. lekkość (pod względem wagi) 2. lekkomyślność; brak powagi; niepoważn-e/a wystąpienie <uwaga>

levulose ['levju,lous] = **laevulose**

levy ['levi] [I] *vt* (**levied** ['levid], **levied; levying** ['leviiŋ]) 1. pob-rać/ierać <ściąg-nąć/ać> (podatek) 2. na-łożyć/kładać (podatek, grzywnę) 3. przeprowadz-ić/ać pobór <zaciąg> (**troops** rekruta); z/werbować 4. za/rekwirować; przeprowadz-ić/ać rekwizycję (**sth** czegoś) 5. narzuc-ić/ać (**sth on sb** coś komuś); **to ~ blackmail on sb** wymuszać szantażem pieniądze od kogoś; **to ~ war on a state** podjąć działania wojenne przeciw jakiemuś państwu [II] *s* 1. pobór podatku; pobór rekruta; zaciąg; werbunek; **capital ~** danina majątkowa; **~ in mass** pospolite ruszenie 2. rekwizycja 3. opodatkowanie 4. *pl* **levies** kontyngenty wojska

lewd [lu:d] *adj* 1. lubieżny; zmysłowy; pożądliwy 2. sprośny

lewdness ['lu:dnis] *s* 1. lubieżność; zmysłowość; pożądliwość 2. sprośność

lewis[1] ['luis] *s techn* uchwyt; chwytak; wilcza łapa (do podnoszenia ciężarów)

Lewis[2] ['luis] *spr* ~ **gun** lekki karabin maszynowy

lewisite ['lui,sait] *s chem* luizyt

lexical ['leksikəl] *adj* leksykalny; słownikowy

lexicographer [,leksi'kɔgrəfə] *s* leksykograf

lexicography [,leksi'kɔgrəfi] *s* leksykografia

lexicology [,leksi'kɔlədʒi] *s* leksykologia

lexicon ['leksikən] *s* leksykon; słownik

Leyden ['laidn] *spr elektr* ~ **jar** butelka lejdejska

liability [,laiə'biliti] *s* 1. *prawn* odpowiedzialność 2. ciężar finansowy; (*o człowieku*) ciężar (dla kogoś) 3. *pl* **liabilities** obciążeni-e/a; zadłużenie; pasywa; płatności 4. podleganie (**to sth** czemuś); ryzyko; groźba (**to sth** czegoś — kary, grzywny itd.); obowiązek (**to military service** służby wojskowej) 5. skłonność (**to sth** do czegoś — zaziębiania się itd.) 6. niebezpieczeństwo (**to catch fire etc.** wybuchu ognia itd.)

liable ['laiəbl] *adj* 1. odpowiedzialny (**for sth** za coś) 2. podlegający; **to be ~ to sth** podlegać czemuś — karze, obowiązkowi, opodatkowaniu, opłacie itd. 3. wystawiony <narażony> (**to sth** na coś — niebezpieczeństwo itd.) 4. podatny; **to be ~ to sth** mieć skłonność do czegoś 5. mający szanse <widoki> (czegoś — powodzenia itd.); mogący (się zdarzyć itp.); **to be ~ to** _ móc ... (zdarzyć się, zyskać, stracić itd.); *am* **I am <he is etc.> ~ to be there <buy it etc.>** możliwe, że będę <będzie itd.> tam <że to kupię itd.>; **it is ~ to go sour <bad, wrong etc.>** (ono) łatwo kwaśnieje <gnije, psuje się itd.>; *pot* ono lubi skwaśnieć <zgnić, zepsuć się itd.>

liaison [li'eizɔ̃:] [I] *s* 1. *wojsk* łączność 2. stosunek miłosny; romans 3. *jęz* łączenie (dwóch wyrazów) [II] *attr* (*o oficerze*) łącznikowy

liana, liane [li'ɑ:nə] *s bot* liana

liar ['laiə] *s* kłamca

lias ['laiəs] *s geol* lias (dolna jura)

libation [lai'beiʃən] *s* libacja

libel ['laibəl] [I] *s* 1. paszkwil; zniesławienie; oszczerstwo; potwarz 2. *przen pot* karykatura [II] *vt* (**-ll-**) napisać paszkwil (**sb** na kogoś); zniesławi-ć/ać; rzuc-ić/ać oszczerstw-o/a <potwarz/e> (**sb** na kogoś)

libeller ['laibələ] *s* paszkwilant; oszczerca

libellous ['laibl̩əs] *adj* oszczerczy; zniesławiający

liber ['laibə] *s bot* łyko, łyczko

liberal ['liberəl] [I] *adj* 1. liberalny 2. (*o człowieku*) o szerokich poglądach; tolerancyjny 3. (*o poglądach, znaczeniu wyrazu*) szeroki 4. hojny; szczodry; **to be ~ of sth** szafować czymś 5. obfity 6. (*o ofercie*) korzystny 7. (*o wykształceniu*) ogólny; ~ **arts** nauki humanistyczne; sztuki wyzwolone; ~ **professions** wolne zawody [II] *s* liberał

liberalism ['libərə,lizəm] *s* liberalizm

liberality [,libə'ræliti] *s* 1. liberalność 2. hojność; szczodrość 3. hojny dar 4. szerokość poglądów; tolerancja

liberalize ['libərə,laiz] [I] *vt* wyrabiać szerokość poglądów (**sb** u kogoś) [II] *vi* liberalizować, skłaniać się **ku** liberalizmowi

liberate ['libə,reit] *vt* 1. uw-olnić/alniać (**sb from sth** kogoś od czegoś) oswob-odzić/adzać; wyzw-olić/alać; wybawi-ć/ać 2. *chem* wydziel-ić/ać <wyzw-olić/alać> (gaz)

liberation [,libə'reiʃən] *s* 1. uwolnienie; oswobodzenie; wyzwolenie 2. wydziel-enie/anie <wyzw-olenie/alanie> (gazu)

liberationism [,libə'reiʃə,nizəm] *s polit* niechęć podporządkowania się ustalonym zasadom

liberator ['libə,reitə] *s* wyzwoliciel/ka; oswobodziciel/ka; wybaw-ca/czyni

Liberian [lai'biəriən] [I] *s* Liberyj-czyk/ka [II] *adj* liberyjski

libertarian [,libə'tεəriən] *s* wyznawca doktryny o wolnej woli

liberticide ['libəti,said] *s* gwałciciel wolności

libertine ['libə,tain] *s* 1. wolnomyśliciel 2. rozpustnik

liberty ['libəti] *s* 1. wolność; swoboda; **this is Liberty Hall** tutaj jest kraina wolności; **at ~** a) na wolności b) na urlopie; na przepustce; **to set sb at ~** uwolnić kogoś; **you are at ~ to** _ wolno ci <wam>...; może-sz/cie...; **to take the ~ to** _ pozwolić sobie ... (coś zrobić); *pot* **to take liberties with sb** pozwalać sobie z kimś; **to take liberties with sth** nie krępować się czymś (przepisami, konwencjami itd.) 2. *prawn pl* **liberties** swobody; **civil liberties** swobody obywatelskie

liberty-man ['libəti,mæn] *s* (*pl* **liberty-men** ['libəti,men]) marynarz będący za przepustką na lądzie

liberty-ticket ['libəti,tikit] *s* przepustka

libidinous [li'bidinəs] *adj* lubieżny; zmysłowy

libido [li'bi:dou] *s psych* libido

libra ['li:brə] *s* 1. libra 2. *astr* **Libra** Waga

librarian [lai'brεəriən] *s* biblioteka-rz/rka

library ['laibrəri] *s* 1. biblioteka; (*o człowieku*) **a walking ~** chodząca encyklopedia; ~ **edition** staranne wydanie (książki) 2. biblioteka, seria wydawnicza

librate ['laibreit] *vi* wahać się, poruszać się ruchem wahadłowym

libration [lai'breiʃən] *s astr* libracja

libretto [li'bretou] *s* (*pl* **libretti** [li'breti:], **~s**) libretto

Libyan ['libiən] [I] *adj* libijski [II] *s* Libij-czyk/ka

lice *zob* **louse**

licence ['laisəns] [I] *s* 1. pozwolenie; zezwolenie; upoważnienie; **under ~** z upoważnienia (autora itd.) 2. licencja; patent; koncesja (na sprzedaż napojów alkoholowych, prowadzenie przedsiębiorstwa itd.); świadectwo przemysłowe; świadectwo zarejestrowania (odbiornika radiowego itd.); dowód opłacenia podatku (od psów itd.); **driving ~** prawo jazdy; **to take out a ~** ui-ścić/szczać podatek 3. zezwolenie na ślub 4. *uniw* licencjat 5. licencja (poetycka); swoboda 6. rozwiązłość; rozpasanie; wyuzdanie; rozpusta [II] *vt zob* **license**

licenced *zob* **licensed**

licencing *zob* **licensing**

license, licence ['laisəns] *vt* udziel-ić/ać pozwolenia <prawa> (**sb** komuś); upoważni-ć/ać; wyda-ć/wać licencję <patent, koncesję, świadectwo

przemysłowe, dowód zarejestrowania, uiszczenia podatku> (sb komuś); **to be ~d to** — mieć prawo ... (robienia czegoś — sprzedawania napojów alkoholowych itd.) *zob* **licensed, licensing**

licensed, licenced [ˈlaisənst] I *zob* **license** III *adj* upoważniony <uprawniony> (do czegoś); koncesjonowany; zarejestrowany; posiadający prawo <świadectwo, licencję, patent>; **~ victualler** właściciel/ka zakładu gastronomicznego z prawem sprzedaży napojów alkoholowych

licensee [ˌlaisənˈsi:] *s* właściciel/ka licencji <patentu, koncesji, prawa, świadectwa, zezwolenia, dowodu rejestracji>

licenser [ˈlaisənsə] *s* 1. władza udzielająca prawa <licencji, zezwoleń, patentów, koncesji>; władza wydająca dowody zarejestrowania <uiszczenia podatków, uzyskania świadectwa> 2. cenzor (prasy, sztuk scenicznych itd.)

licensing, licencing [ˈlaisənsiŋ] I *zob* **license** III *s* upoważnienie; uprawnienie; koncesjonowanie; rejestracja; udzielenie prawa <zezwolenia, świadectwa, licencji, patentu>; **~ acts** ustawy o sprzedaży napojów alkoholowych

licentiate [laiˈsenʃiit] *s* 1. posiadacz/ka licencjatu <dyplomu ukończenia studiów wyższych> 2. dyplomowany nowicjusz kandydujący na stanowisko pastora

licentious [laiˈsenʃəs] *adj* rozwiązły; rozpasany; wyuzdany; rozpustny

licentiousness [laiˈsenʃəsnis] *s* rozwiązłość; rozpasanie; wyuzdanie; rozpusta

lichen [ˈlaikən] *s* 1. *bot* lichen, porost 2. *med* liszaj

lichenous [ˈlaikinəs] *adj med* liszajowaty

lich-gate [ˈlitʃˌgeit] *s* brama cmentarna kryta dachem

lich-owl [ˈlitʃˌaul] *s zoo* puszczyk

licit [ˈlisit] *adj* dozwolony; legalny

lick [lik] I *vt* 1. liznąć; po/lizać; obliz-ać/ywać; zliz-ać/ywać; (*o płomieniach*) pełzać (**sth** po czymś); *dosł i przen* **to ~ one's lips** <**chops**> oblizywać się; *przen* **to ~ into shape** wykształcić; okrzesać (kogoś); *przen* (*o przeciwniku*) **to ~ the dust** być pokonanym; leżeć w prochu; ponieść klęskę 2. *pot* sprawi-ć/ać lanie (**sb** komuś); pobić (przeciwnika); zada-ć/wać klęskę (**an opponent** przeciwnikowi); *sl* **that ~s everything** <**creation**> to przechodzi ludzkie pojęcie; to szczyt wszystkiego 3. *sl* pędzić; **as hard as one can ~** co tchu; jak strzała III *s* 1. liźnięcie; polizanie; *przen* **a ~ and a promise** umycie się z grubsza 2. uderzenie; raz 3. odrobina; kawałek, kawalątko 4. *myśl* (*także* **salt-~**) lizawka (miejsce, gdzie zwierzęta liżą sól) ‖ **at a great** <**at full**> **~** pędem; w cwał

licker-in [ˈlikərˈin] *s* (*pl* **lickers-in** [ˈlikəzˈin]) *tekst* szarpacz (przyrząd)

lickerish [ˈlikəriʃ] *adj* 1. łakomy 2. chciwy 3. lubieżny; rozpustny

lickerishness [ˈlikəriʃnis] *s* 1. łakomstwo 2. chciwość 3. lubieżność; rozpusta

lickspittle [ˈlikˌspitl] *s* podlizywacz; lizus; *pot* wazeliniarz

licorice [ˈlikəris] = **liquorice**

lictor [ˈliktə] *s* (*u staroż. Rzymian*) liktor

lid [lid] *s* 1. wieko; pokrywka; *sl* **to put the ~ on sth** być szczytem wszystkiego; **with the ~ off** bez obsłonek 2. *anat* powieka 3. *zoo* nakrywka

lidded [ˈlidid] *adj* (*o skrzyni itd*) z wiekem; (*o naczyniu itd*) z pokrywką

lie¹ [lai] I *s* kłamstwo; łgarstwo; fałsz; **a pack of ~s** stek kłamstw; **a white ~** niewinne kłamstwo; **to act a ~** oszukiwać; udawać; **to give the ~** zada-ć/wać kłam (**sb** komuś); **to tell ~s** kłamać II *vi* (**lied** [laid], **lied; lying** [ˈlaiiŋ]) s/kłamać; ze/łgać; powiedzieć/mówić kłamstw-o/a; **to ~ to sb** okłam-ać/ywać kogoś III *vr* (**lied** [laid], **lied; lying** [ˈlaiiŋ]) **~ oneself** wyłg-ać/iwać się (**out of sth** z czegoś); **to ~ oneself into sb's favour** przez kłamstwa wkra-ść/dać się w czyjeś łaski

~ away *vt w zwrocie*: **to ~ away sb's reputation** oczerni-ć/ać kogoś; rzuc-ić/ać na kogoś oszczerstwa <cień na czyjeś dobre imię>

zob **lying¹**

lie² [lai] I *vi* (**lay** [lei], **lain** [lein]; **lying** [ˈlaiiŋ]) 1. po/leżeć; **to ~ asleep** spać; **to ~ sick** chorować; **let sleeping dogs ~** nie budzić licha; **you must ~ on the bed you have made** jak sobie pościelesz, tak się wyśpisz 2. znajdować się (*o miejscowości* — w górach, dolinie itd.; *o człowieku* — w więzieniu itd.; **under a charge** pod zarzutem); tkwić; **as far as in me ~s** w miarę moich możliwości; według mych sił; **it ~s with** — to zależy od..., to jest w rękach...; **the blame ~s at your door** to twoja <wasza> wina 3. być (**idle, helpless, under suspicion, in ambush** bezczynnym, bezbronnym, podejrzewanym, w zasadzce); **to ~ heavy** ciążyć; być ciężarem 4. *w zwrocie*: **to ~ out of one's money** być stratnym; mieć <ponieść> stratę 5. *wojsk* (*o siłach*) być rozłożonym; obozować 6. (*o drodze*) biec; ciągnąć się 7. (*o statku*) stać (na kotwicy itd.) 8. (*o krajobrazie*) rozpościerać się 9. *prawn* być dopuszczalnym <umotywowanym> 10. odda-ć/wać się całkowicie (**to sth** czemuś — pracy itd.)

~ about *vi* być porozrzucanym <w nieładzie>

~ back *vi* położyć/kłaść się na plecach

~ by *vi* 1. być w zapasie <w rezerwie> 2. (*o człowieku*) trzymać się z boku; stać na uboczu

~ down *vi* położyć/kłaść się; **to take sth lying down** nie za/reagować na coś (na zniewagę itd.); pozosta-ć/wać biernym wobec czegoś (wobec zniewagi itd.)

~ in *vi* być w połogu

~ off *vi mar* (*o statku*) być <stać> na redzie

~ over *vi* być <zostać> odroczonym

~ to *vi mar* stanąć w nos <w dryf> (w czasie burzy)

~ up *vi* 1. leżeć; chorować; nie wychodzić z domu 2. wycofać się z interesu; przejść na emeryturę 3. (*o statku*) zostać rozbrojonym

zob **lying²** III *s* 1. układ <konfiguracja> (terenu itd.); *przen* **the ~ of the land** stan spraw 2. legowisko (zwierza)

lie-abed [ˈlai-əˌbed] *s* 1. śpioch 2. próżniak

lie-awake [ˈlai-əˌweik] *attr* **~ nights** bezsenne noce

lied [li:d] *s* (*pl* **~er** [ˈli:də]) niemiecka pieśń <piosenka>

lief [li:f] *adv lit* chętnie; **I would as ~ —** rad bym...
liege [li:dʒ] [I] *adj hist* lenny, lenniczy; **~ lord** suzeren; senior [II] *s* 1. suzeren 2. wasal; *pl* **the ~s** poddani
liegeman [ˈli:dʒmən] *s* (*pl* **liegemen** [ˈli:dʒmən]) wasal
lien [ˈliən] *s prawn* prawo zastawne; zastaw
lierne [liˈə:n] *s arch* (*w sklepieniu gotyckim*) krótkie żebro
lieu [lju:] *s w zwrocie*: **in ~ of** zamiast <w miejsce> (czegoś)
lieutenancy [lefˈtenənsi, *mar* lu:ˈtenənsi] *s* porucznikostwo; ranga porucznika
lieutenant [lefˈtenənt, *mar* leˈtenənt, lu:ˈtenənt] *s* 1. porucznik; **second ~**ˑ podporucznik 2. zastępca; **Lord Lieutenant** namiestnik królewski
lieutenant-colonel [lefˈtenəntˈkə:nl] *s* podpułkownik
lieutenant-commander [leˈtenənt-kəˈma:ndə] *s mar* komandor porucznik
lieutenant-general [lefˈtenəntˈdʒenərəl] *s* generał porucznik
lieutenant-governor [lefˈtenəntˈgʌvənə] *s* zastępca gubernatora
↑**life** [laif] [I] *s* (*pl* **lives** [laivz]) 1. życie; **~ and death struggle** walka na śmierć i życie; **~ insurance** ubezpieczenie na życie <na wypadek śmierci>; **loss of ~** ofiary (katastrofy); *x* **lives were lost <saved>** zginęło <uratowano> *x* ludzi <osób>; **to bring to ~** przywrócić do przytomności; **to bring back to ~** przywołać do życia; **to come to ~** ożywi-ć/ać się; **to run for dear ~** biec co sił w nogach; **to take one's <sb's> ~** odebrać sobie <komuś> życie; **for ~** a) na całe życie; do śmierci b) dozgonnie; dożywotnio; **for the ~ of me** za nic w świecie; choćbyś mnie zabił; **not on your ~!** nigdy w życiu!; **with all the pleasure in ~** z największą przyjemnością; z rozkoszą 2. ożywienie; ruch; werwa; energia życiowa, życie; **to give ~ to —** ożywi-ć/ać ... (rozmowę, towarzystwo, instytucję); **he was the ~ and soul of the party** on był duszą zebrania 3. *plast* naturalność; **as large as ~** a) wielkości naturalnej b) *żart* (oto on jest) we własnej osobie; **portrayed to the ~** jak żywy; **still ~** martwa natura; **true to ~** naturalny; prawdziwy 4. żywot (człowieka); **~ annuity <pension>** dożywocie; renta; **this ~** życie doczesne 5. okres użytkowania (maszyny) 6. żywot; biografia; życiorys 7. *sport* szansa; sposobność zdoby-cia/wania punktów [II] *attr* 1. (*o siłach itd*) żywotny 2. (*o pracy itd*) całego życia 3. (*o ubezpieczeniu itd*) na życie 4. (*o przywileju itd*) dożywotni 5. (*o przyrządzie itd*) ratunkowy.
life-belt [ˈlaif,belt] *s* pas ratunkowy
life-blood [ˈlaif,blʌd] *s* 1. krew; *przen* życie 2. *przen* dusza (zebrania itd.) 3. tik, drganie (powieki, wargi)
life-boat [ˈlaif,bout] *s* łódź ratunkowa; **~ association** towarzystwo (dla) ratowania tonących
life-breath [ˈlaif,breθ] *s przen* dusza (instytucji itd.)
life-buoy [ˈlaif,bɔi] *s* pływak <pas> ratunkowy
life-estate [ˈlaif-is,teit] *s* dożywocie
life-giving [ˈlaif,giviŋ] *adj* ożywczy
life-guard [ˈlaif,ga:d] *s* 1. straż przyboczna; **the Life Guards** gwardia królewska 2. (*w wozie tramwajowym*) urządzenie zabezpieczające pieszych przed wpadnięciem pod koła 3. *am* ratownik (na plaży)
life-guardsman [ˈlaif,ga:dzmən] *s* gwardzista
life-jacket [ˈlaif,dʒækit] *s* kurtka ratownicza
lifeless [ˈlaiflis] *adj* bez życia; zamarły; wymarły
lifelike [ˈlaiflaik] *adj* jak żywy
life-line [ˈlaif,lain] *s* 1. lina ratownicza 2. (*na dłoni*) linia życia
lifelong [ˈlaif,lɔŋ] *adj* trwający całe życie; (*o pracy itd*) całego życia
life-office [ˈlaif,ɔfis] *s* instytucja ubezpieczająca na wypadek śmierci
life-peerage [ˈlaif,piəridʒ] *s* dożywotnie parostwo
life-preserver [ˈlaif-pri,zə:və] *s* 1. przyrząd ratowniczy 2. kij <pałka> z ołowiem we wnętrzu (dla samoobrony)
lifer [ˈlaifə] *s* 1. dożywotni/a wię-zień/źniarka 2. wyrok dożywotniego więzienia
life-rent [ˈlaif,rent] *s* renta dożywotnia
life-renter [ˈlaif,rentə] *s* rencist-a/ka
life-saving [ˈlaif,seiviŋ] [I] *s* ratownictwo [II] *attr* ratowniczy; **~ medal** medal za uratowanie życia
life-sentence [ˈlaif,sentəns] *s* wyrok dożywotniego więzienia
life-size [ˈlaifˈsaiz] *adj* wielkości naturalnej
life-table [ˈlaif,teibl] *s* tabela śmiertelności
↑**lifetime** [ˈlaif,taim] *s* życie; **a ~ of happiness <misery etc.>** życie będące jednym pasmem szczęścia <nieszczęść>; **the chance of a ~** jedyna szansa <okazja> w życiu; **the work of a ~ = life-work**; **in sb's ~** za czyjegoś życia
life-workˑ [ˈlaif,wə:k] *s* praca całego życia
lift [lift] [I] *vt* 1. (*także* **~ up**) podn-ieść/osić (przedmiot, głowę, oczy itd.); *przen* podn-ieść/osić (głos, człowieka na duchu itd.); dźwig-nąć/ać (w górę); *am* podwyższ-yć/ać (ceny itd.) 2. wykop-ać/ywać (ziemniaki) 3. przer-wać/ywać (sadzonki) 4. *pot* zwędzić, buch-nąć/ać, u/kraść 5. *am* oczy-ścić/szczać (hipotekę itp.) [II] *vi* 1. podn-ieść/osić się 2. (*o człowieku*) awansować 3. (*o chmurach, mgle*) rozwi-ać/ewać się 4. (*o deszczu*) usta-ć/wać *zob* **lifting** [III] *s* 1. podniesienie; dźwignięcie w górę; **to give sb a ~** a) podwieźć kogoś b) dopomóc komuś 2. awans 3. wzniesienie (w terenie) 4. flek (w bucie) 5. *lotn* most powietrzny 6. dźwig; podnośnik; winda 7. *mech* siła nośna 8. *hydro* wysokość spiętrzenia; wypór
lift-and-force [ˈliftəndˈfɔ:s] *attr* **~ pump** pompa ssąco-tłocząca
lift-attendant [ˈlift-ə,tendənt], **lift-boy** [ˈlift,bɔi], **lift-man** [ˈliftmən] (*pl* **lift-men** [ˈliftmen]) *s* windziarz
lifter [ˈliftə] *s* 1. haczyk (do podnoszenia gorących przedmiotów itp.) 2. złodziej/ka
lifting [ˈliftiŋ] [I] *zob* **lift** *v* [II] *s* podnoszenie; **~ gear** sprzęt dźwigowy; *mech* **~ power <capacity>** siła nośna
lift-man *zob* **lift-attendant**
lift-valve [ˈlift,vælv] *s techn* zawór podnoszony
ligament [ˈligəmənt] *s anat* wiązadło
ligate [ˈlaigeit] *vt* 1. z/wiązać 2. *chir* podwiąz-ać/ywać <przewiąz-ać/ywać> (arterię)
ligature [ˈligə,tʃuə] *s* 1. związanie; przewiązanie;

podwiązanie 2. *muz druk* ligatura 3. *chir* ligatura <podwiązka> (nić)

†**light[1]** [lait] [I] *s* 1. światło; **the ~ begins to fail** zaczyna się ściemniać; *przen* **the ~ in sb's eyes** oczko w głowie; **to bring to ~** wydobyć na jaw; wyjawić; ujawni-ć/ać; **to come to ~** wyjść na jaw; **to see the ~** a) zobaczyć <ujrzeć> światło dzienne b) narodzić się c) poj-ąć/mować; z/rozumieć; **to stand in one's own ~** szkodzić sobie samemu; **to stand in sb's ~** a) zasłaniać komuś b) szkodzić komuś; **between the ~s** o zmroku; **between two ~s** pod osłoną nocy 2. oświetlenie 3. jasność; **the northern ~s** zorza północna 4. ogień; ognik/i (w oczach); **to give sb a ~** dać komuś ognia; **to strike a ~** zapalić zapałkę; zrobić ogień 5. *pl* **~s** *sl* ślepia; oczy 6. *pl* **~s** zdolności umysłowe 7. *pl* **~s** fakty rzucające światło (na sprawę) 8. (*o człowieku*) znakomitość; luminarz [II] *attr* świetlny [III] *vt* (*praet* **lighted** ['laitid], **lit** [lit], *pp* **lighted, lit**) 1. zaświec-ić/ać 2. zapal-ić/ać (lampę, ogień itd.) 3. oświetl-ić/ać 4. po/świecić <zaświecić> (**sb** komuś) 5. (*o uśmiechu itd*) rozjaśni-ć/ać <ożywi-ć/ać> (twarz) [IV] *vi* (*praet* **lighted** ['laitid], **lit** [lit], *pp* **lighted, lit**) zapal-ić/ać <zająć> się **~ up** *vi* 1. (*o niebie, twarzy*) rozjaśni-ć/ać się; (*o twarzy*) ożywi-ć/ać się 2. zapal-ić/ać światło; zaświecić
zob **lighting**

light[2] [lait] *adj* 1. jasny; dobrze oświetlony 2. (*o kolorach, włosach, cerze*) jasny; **~ blue** jasnoniebieski

†**light[3]** [lait] [I] *adj* 1. *dosł i przen* lekki; *przen* **a ~ hand** a) lekka ręka b) takt; **~ of foot** chyży; zwinny; szybkonogi; (*w sklepie*) **to give ~ weight** nie doważ-yć/ać; **to have ~ fingers** a) mieć zwinne palce (wprawę w rękach) b) mieć lepkie palce; podkradać 2. (*o podróżniku*) **nie** obciążony bagażem; (*o statku*) bez ładunku; (*o parowozie*) jadący luzem; (*o śnie*) lekki; czujny; **to be a ~ sleeper** mieć lekki <czujny> sen 3. (*o kobiecie*) lekkich obyczajów 4. mało ważny; błahy; (będący) bez znaczenia; **to make ~ of sth** z/lekceważyć coś; lekko coś po/traktować; nie przywiązywać wagi do czegoś; z/robić coś lekką ręką 5. niefrasobliwy; beztroski; nie przejmujący się; **to do sth with a ~ heart** z/robić coś lekką ręką <z lekkim sercem> [II] *adv* lekko (stąpać itd.); **~ come, ~ go** pieniądze łatwo zdobyte łatwo się wydaje; **to come off ~** wyjść obronną ręką; **to sleep ~** spać lekko <czujnie>; **to travel ~** podróżować bez bagażu

light[4] [lait] *vi* (*praet* **lighted** ['laitid], **lit** [lit], *pp* **lighted, lit**) 1. (*o ptaku*) si-ąść/adać 2. osi-ąść/adać; spocz-ąć/ywać; (*o wzroku, promieniu*) pa-ść/dać 3. (*o człowieku*) sta-nąć/wać na nogach 4. natknąć się <natrafi-ć/ać> (**upon sb, sth** na kogoś, coś)

light-buoy ['lait,bɔi] *s mar* boja świetlna

lighten[1] ['laitn] [I] *vt* 1. odciąż-yć/ać; zmniejsz-yć/ać ciężar <ładunek> (**a ship etc.** statku itd.) 2. ulżyć (**sb's task <sorrow>** komuś w obowiązku <w smutku>); ułatwić (**sb's task** komuś zadanie); **to ~ sb's heart** zdjąć komuś ciężar z serca 3. z/łagodzić (karę) 4. zmniejsz-yć/ać (podatki) [II] *vi* 1. pozby-ć/wać się ciężaru <ładunku> 2. sta-ć/wać się lżejszym; s/tracić na wadze

lighten[2] ['laitn] [I] *vt* 1. oświetl-ić/ać 2. rozjaśni-ć/ać [II] *vi* 1. rozjaśni-ć/ać się 2. błysnąć; błyskać się

lighter[1] ['laitə] *s* 1. latarnik, lampiarz 2. zapalniczka

lighter[2] ['laitə] [I] *s* galar [II] *vt* transportować <przewozić> galar-em/ami (towary)

lighterage ['laitəridʒ] *s* 1. posługiwanie się galar-em/ami 2. opłata za korzystanie z galar-u/ów

lighterman ['laitəmən] *s* (*pl* **lightermen** ['laitəmən]) flisak,†flis

light-fingered ['lait'fiŋgəd] *adj* 1. zwinny w palcach; zręczny 2. złodziejski

light-footed ['lait'fu:tid] *adj* chyży; szybkonogi

light-handed ['lait'hændid] *adj* 1. zręczny 2. taktowny <delikatny> w postępowaniu <w kierowaniu>; **to be ~** mieć lekką rękę 3. *mar* (*o statku*) o zdekompletowanej <niekompletnej> załodze

light-headed ['lait'hedid] *adj* 1. lekkomyślny 2. majaczący; **to be ~** a) majaczyć b) mieć zawroty głowy 3. roztargniony

light-headedness ['lait'hedidnis] *s* 1. lekkomyślność 2. majaczenie 3. zawroty głowy 4. roztargnienie

light-hearted ['lait'ha:tid] *adj* niefrasobliwy; wesoły; **he went home ~** poszedł do domu z lekkim sercem

light-heartedness ['lait'ha:tidnis] *s* niefrasobliwość; wesołość; beztroska

lighthouse ['lait,haus] *s* latarnia morska; **~ keeper** latarnik; dozorujący latarnię morską

lighting ['laitiŋ] [I] *zob* **light[1]** *v* [II] *s* oświetl-enie/anie [III] *attr* **~ gas** gaz świetlny

lightish ['laitiʃ] *adj* dość lekki, nie bardzo ciężki

lightly ['laitli] *adv* lekko; lekką ręką; lekceważąco; **to sit ~ on sb** nie ciążyć komuś; **to speak ~ of sth** mówić o czymś nie doceniając ważności sprawy; **to think ~ of sth** nie przywiązywać wagi do czegoś

light-minded ['lait'maindid] *adj* 1. lekkomyślny 2. roztargniony

light-mindedness ['lait'maindidnis] *s* 1. lekkomyślność 2. roztargnienie

lightness ['laitnis] *s* lekkość; **~ of foot** chyżość; **~ of heart** niefrasobliwość; **~ of touch** wyczucie w ręce; lekkość uderzenia <dotknięcia>

lightning ['laitniŋ] [I] *s* piorun; **a flash of ~** błyskawica; **like ~** błyskawicznie; *pot* **like greased ~** jak jasny piorun [II] *attr* błyskawiczny; **with ~ speed** błyskawicznie; *pot* piorunem

lightning-arrester ['laitniŋ-ə,restə] *s* odgromnik (przy urządzeniach elektrycznych)

lightning-bug ['laitniŋ,bʌg] *s zoo* robaczek świętojański, świetlik

lightning-conductor ['laitniŋ-kən,dʌktə], **lightning-rod** ['laitniŋ,rɔd] *s* piorunochron, odgromnik

light-o'-love ['laitə,lʌv] *s* 1. kobieta lekkich obyczajów 2. kokietka

lights [laits] *spl kulin* płucka

lightship ['lait,ʃip] *s* latarniowiec (statek)

lightsome[1] ['laitsəm] *adj* 1. *poet* lekki; pełen wdzięku 2. zwinny 3. niefrasobliwy

lightsome[2] ['laitsəm] *adj* 1. jasny 2. dobrze oświetlony

light-spirited ['lait'spiritid] *adj* wesoły
light-tight ['lait,tait] *adj* światłoszczelny
light-weight ['lait,weit] [I] *s* człowiek nic nie znaczący; *przen* zero [II] *adj* 1. (*o bokserze*) wagi lekkiej 2. (*o sprawie*) błahy
light-year ['lait,jə:] *s astr* rok świetlny
lign-aloes [lain'ælouz] *s* 1. *farm* alona, aloes 2. *bot* drzewo aloesowe
ligneous ['ligniəs] *adj bot* drzewiasty; o pędach nadziemnych ulegających zdrewnieniu
lignification [,lignifi'keiʃən] *s* drewnienie, lignifikacja
lignify ['ligni,fai] *vi* (**lignified** ['ligni,faid], **lignified; lignifying** ['ligni,faiiŋ]) drewnieć
lignin ['lignin] *s* lignina
lignite ['lignait] *s* lignit; węgiel brunatny
lignum-vitae ['lignəm'vaiti:] *s bot* gwajak
ligule ['ligju:l] *s bot* języczek
Ligurian [li'gjuəriən] *adj* liguryjski
likable ['laikəbl] *adj* sympatyczny; miły; przyjemny
like[1] [laik] [I] *adj* 1. podobny; analogiczny; **as ~ as two peas** podobn-i/e jak dwie krople wody; **in ~ manner** podobnie; w ten sam sposób; **~ master, ~ man** jaki pan, taki kram; **people are ~ that!** ludzie są tacy!; **what is it ~?** jakie to jest?; **who(m) is the child ~?** do kogo dziecko jest podobne?; *z rzeczownikiem lub zaimkiem*: **~ sb, sth** podobny do kogoś, czegoś; **it looks ~ gold** to podobne do złota <wygląda na złoto>; **something <anything, nothing> ~** *z rzeczownikiem lub zaimkiem*: **nothing ~ —** wcale <nic> nie podobny do ...; **something ~ —** coś podobnego do ...; coś w rodzaju ...; (*o ilości, liczbie*) mniej więcej; jakieś; około; z; **something ~ three years** mniej więcej <jakieś, ze> trzy lata; **nothing ~ so good <lovely, clear etc.>** ani trochę <ani w przybliżeniu> taki dobry <ładny, jasny itd.>; ani się umywa pod względem dobroci <urody, jasności itd.>; **there's nothing ~ a holiday at the seaside** nie ma to, jak wakacje nad morzem; **that's something ~ a dance!** to ci taniec!; to się nazywa tańczyć!; taniec, jak się patrzy <co się zowie>!; **that's something ~ it!** brawo!; świetnie! 2. typowy <charakterystyczny> (**sb, sth** dla kogoś, czegoś); **it's just ~ you!** to do ciebie <was> pasuje; to na ciebie <was> wygląda!; gdzieżbyś/cie ty <wy> inaczej postąpi-ł/li; **just ~ a —** prawdziwy ... (profesor, polityk itd.); **just ~ a woman** prawdziwa kobieta 3. *z następującym czasownikiem w formie na* **-ing** *lub równoznacznym rzeczownikiem*: (będący) w nastroju (**sth** do czegoś); **he felt ~ crying** on był gotów się rozpłakać; był bliski płaczu; **I don't feel ~ working <work>** nie chce mi się <nie mam ochoty> pracować 4. wskazujący (**sth** na coś); **it looks ~ rain** wygląda, że będzie deszcz; zanosi się na deszcz; **the bright weather looks ~ lasting** wygląda <zanosi się na to> że (ta) piękna pogoda potrwa jakiś czas 5. *z następującym czasownikiem w formie na* **-ing**: tak jak gdyby; **it's ~ saying "no"** to jest tak jak gdyby się powiedziało "nie"; **it was ~ having a tooth extracted** to było tak jak gdyby człowiekowi wyrwano ząb || † *pot* **to be ~ to —** o mało **nie** ... (zwyciężyć, zginąć itd.); mieć szanse ... (wygrania itd.) [II] *s* drugi taki sam (przedmiot, artykuł, człowiek itd.); taki, który by dorównał; coś podobnego; **and the ~** i tym podobne rzeczy; **the ~s of me** tacy ludzie jak ja; **your <his etc.> ~s** ludzie tego pokroju co ty <on itd.>; ludzie tobie <jemu itd.> równi <podobni> || **~ cures ~** klin klinem; **~ for ~** piękne za nadobne [III] *adv* 1. *w zwrotach*: **~ enough, very ~, as ~ as not** prawdopodobnie; chyba; najpewniej; pewnie 2. *pot na końcu zdania*: niby (to); że tak powiem; **by way of a joke ~** żartem, że tak powiem; **she laughed ~** ona się niby to roześmiała [IV] *conj* 1. jak; jak i ...; tak jak; **I work ~ anybody else** pracuję tak jak inni <każdy inny>; **~ this <that>** tak; w ten sposób; **people ~ you** tacy ludzie ja ty <wy> 2. po (męsku, żołniersku, uczniowsku itd.) 3. niczym (furia, szatan itd.)
like[2] [laik] [I] *vt* 1. lubić (**sth** coś; **to do <doing> sth** coś robić); **to ~ better** woleć 2. mieć przyjemność <gustować> (**sth** w czymś); mieć zamiłowanie (**sth** do czegoś); być amatorem (**sth** czegoś); **how do you ~ this?** jak ci <wam> się to podoba?; **I <you, they etc.> ~ —** podoba się mi <ci, wam, im itd.> ...; **we could do whatever we ~d** mogliśmy robić, co się nam żywnie podobało 3. *w zdaniach wykrzyknikowych*: **I ~ his cheek** ten ci ma tupet!; **I ~ that!** to dobre!; to bezczelność! 4. chcieć; mieć ochotę; **I <we> should ~ —** chciałbym <chcielibyśmy> ...; **he <you etc.> would ~ —** on <wy itd.> chciałby <chcielibyście itd.> ...; **I'd ~ to have a smoke** chciałbym <miałbym ochotę> zapalić; **just as you ~** jak chce-sz/cie; **smoke as much as you ~** pal/cie, ile chce-sz/cie 5. lubić smak (**sth** czegoś); **how do you ~ your tea?** a) jak ci <wam> herbata smakuje? b) jaką lubi-sz/cie <pija-sz/cie> herbatę (słabą, mocną)?; **I <you, they etc.> ~ —** smakuje mi <wam, im itd.> ... 6. *przyzwalająco w zwrocie*: **if you ~** wprawdzie; to prawda; przyznaję się do tego; **we were partial to each other if you ~ but not in love** sympatyzowaliśmy z sobą, przyznaję, ale nie byliśmy zakochani 7. *z rzeczownikiem lub zaimkiem w bierniku i bezokolicznikiem*: **to ~ sb to —** a) lubić, żeby ktoś ... (coś robił) b) chcieć, żeby ktoś ... (coś zrobił); **I'd ~ you to take this <see him etc.>** chciałbym, żebyś to wziął <go zobaczył itd.>; **I don't ~ people to poke their nose into my affairs** nie lubię, żeby się ktoś wtrącał w moje sprawy *zob* **liking** [II] *s* gust <słabość> (do czegoś); sympatia; upodobanie; **~s and dislikes** sympatie i antypatie; upodobania i uprzedzenia
likeable ['laikəbl] = **likable**
likelihood ['laikli,hud] *s* prawdopodobieństwo; szans-a/e; **in all ~** najprawdopodobniej; **there is little ~ of —** nie zanosi się na to <niewielkie są szanse>, żeby ...
likely ['laikli] [I] *adj* (**likelier** ['laikliə], **likeliest** ['laikliist]) 1. prawdopodobny 2. mogący (zainteresować, wpłynąć, doprowadzić do czegoś itd.); **to be ~ to —** móc ... (coś zrobić); **it is ~ to —** należy się spodziewać <oczekiwać> **że** ... (coś się stanie); istnieje możliwość <są szanse>, że ... (coś się stanie); **they are ~ to lose** mogą przegrać; prawdopodobnie <chyba> przegrają 3. możliwy

(kandydat, lokal, plan itd.); odpowiedni; nadający się 4. (*o człowieku*) obiecujący [II] *adv* prawdopodobnie; pewnie; **as ~ as not** najpewniej; **most** <very> **~** najprawdopodobniej

like-minded ['laik'maindid] *adj* mający podobne upodobania <zapatrywania>; (*o człowieku*) o takim samym nastawieniu

liken ['laikən] *vt* porówn-ać/ywać; przyrówn-ać/ywać; upod-obnić/abniać

likeness ['laiknis] *s* 1. podobieństwo; **a good ~** dobrze uchwycone podobieństwo 2. podobizna; portret; **to take sb's ~** s/portretować kogoś 3. pozory (przyjaźni itd.); **in the ~ of** _ pod postacią ...; na podobieństwo ...

likewise ['laik,waiz] *adv* 1. podobnie; również; także; **to do ~** u/czynić to samo; podobnie post-ąpić/ępować 2. ponadto; a do tego ...

liking ['laikiŋ] [I] *zob* **like**[2] *v* [II] *s* gust; upodobanie; sympatia; pociąg; **is it to your ~?** a) czy ci <wam> się to podoba?; czy ci <wam> to odpowiada? b) (*o potrawie*) czy ci <wam> to smakuje?; **to have no ~ for sb, sth** nie lubić kogoś, czegoś; **to take a ~ for** <to> _ upodobać sobie <polubić> ... (kogoś, coś); poczuć sympatię do ... (kogoś)

lil, li'l [lil] *am* = **little**

lilac ['lailək] [I] *s bot* bez [II] *adj* (*o kolorze*) lila, liliowy

liliaceae [,lili'eisi:] *spl bot* liliowate (rośliny)

liliaceous [,lili'eiʃəs] *adj bot* liliowaty

lilied ['lilid] *adj* ozdobiony <pokryty, usiany> liliami

Lilliput ['lili,pʌt] *s* liliput

Lilliputian [,lili'pju:ʃiən] [I] *s* liliput [II] *adj* liliputi

lilt [lilt] [I] *vt* wesoło <rytmicznie> śpiewać [II] *s* 1. pieśń 2. rytm

lily ['lili] [I] *s* 1. *bot* lilia; **~ of the mountain** kokoryczka wielokwiatowa; **~ of the valley** konwalia; *przen* **lilies and roses** różowa cera 2. *pl* **lilies** *hist* lilie burbońskie [II] *attr* biały jak lilia

lily-livered ['lili,livəd] *adj* tchórzliwy

lily-white ['lili'wait] *adj* biały jak lilia

limaceous [lai'meiʃəs] *adj* ślimaczy

limb[1] [lim] [I] *s* 1. *anat* kończyna (ręka, noga, skrzydło); *pl* **~s** członki (ciała); (*o dziecku*) **~ of the devil** <**of Satan**> diabelskie nasienie; *przen* **~ of the law** organ sprawiedliwości (adwokat, policjant) 2. konar 3. ramię krzyża 4. człon zdania 5. odgałęzienie; odnoga; odnóże [II] *vt* roz-ebrać/bierać na części

limb[2] [lim] *s* 1. limb; brzeg; krawędź 2. *astr* krąg świetlny

limbate ['limbeit] *adj bot* kolorowo obrzeżony

limber[1] ['limbə] [I] *s wojsk* przodek (działa itp.) [II] *vt wojsk* doczepi-ć/ać (działo) do przodka; zaprzodkow-ać/ywać

limber[2] ['limbə] *adj* giętki; gibki; zwinny

limbo ['limbou] *s* 1. *rel* otchłań 2. zapomnienie; lamus 3. *pot* paka, mamer; więzienie

Limburger ['limbəgə] *attr* **~ cheese** ser limburski (o silnym zapachu)

lime[1] [laim] [I] *s* 1. wapno 2. lep na ptaki [II] *attr* wapienny [III] *vt* 1. z/wapnić; z/wapnować 2. po/smarować lepem (na ptaki)

lime[2] [laim] *s* 1. *bot* limona (gatunek drzewa cytrynowego i owoc) 2. = **lime-juice**

lime[3] [laim] *s bot* lipa (drzewo i kwiat)

lime-juice ['laim,dʒu:s] *s* sok limony

lime-kiln ['laim,kiln] *s* wapiennik (piec do wypalania wapna)

limelight ['laim,lait] *s* światło wapienne <tlenowodorowe> (używane pierwotnie w rampach teatr.); *przen* **in the ~** w świetle reflektorów; na widoku (publicznym)

limen ['laimen] *s psych* próg świadomości <percepcji>

lime-pit ['laim,pit] *s* 1. kamieniołom wapienny 2. dół z wapnem 3. *garb* dół wapienny

limerick ['limərik] *s* limeryk (wiersz)

limestone ['laim,stoun] *s* wapień

lime-tree ['laim,tri:] *s bot* lipa (drzewo)

lime-water ['laim,wɔ:tə] *s* woda wapienna

lime-wort ['laim,wə:t] *s bot* przetacznik

limey ['laimi] *s am sl* 1. Anglik 2. statek angielski

limit ['limit] [I] *s* 1. granica; kres; kraniec; zakres; **that's the ~!** to przechodzi wszelkie granice!; **there's a ~ to my patience** moja cierpliwość ma swoje granice; **there's a ~ to everything** wszystko ma swój kres; **you're the ~!** jesteś nieznośn-y/a!; z tobą nie można wytrzymać!; **to set a ~ to** _ ogranicz-yć/ać ... (coś); **within ~s** w (pewnych) granicach; **without ~** dowolnie; bez ograniczenia; bez granic 2. *mat* wartość graniczna 3. *handl* limit [II] *vt* ogranicz-yć/ać (**sth to sth** coś do czegoś) [III] *vr* **~ oneself** ogranicz-yć/ać się (**to sth** do czegoś) *zob* **limited**

limitary ['limitəri] *adj* graniczny; pograniczny

limitation [,limi'teiʃən] *s* 1. ograniczenie; **to have one's ~s** nie być wszechstronnym 2. zastrzeżenie 3. *prawn* prekluzja; termin ostateczny <prekluzyjny>; przedawnienie

limited ['limitid] [I] *zob* **limit** *v* [II] *adj* ograniczony; **~ (liability) company** towarzystwo z ograniczoną odpowiedzialnością; **~ train** <**mail, express**> pociąg z miejscówkami

limiter ['limitə] *s* regulator (szybkości itd.); *elektr* ogranicznik

limitless ['limitlis] *adj* bezgraniczny

limitrophe ['limit,rouf] *adj* pograniczny; **~ to** _ graniczący z ...

limn [lim] † *vt* na/malować; na/rysować

limonite ['laimə,nait] *s miner* limonit

limousine [,limu'zi:n] *s* limuzyna

limp[1] [limp] [I] *vi* powłóczyć nogą; utykać na nogę; kuśtykać; kuleć; † chromać [II] *s* powłóczenie nogą; utykanie na nogę; kuśtykanie

limp[2] [limp] *adj* 1. miękki 2. (*o człowieku*) słaby; osłabiony; bez sił

limpet ['limpit] *s* 1. *zoo* skałoczep (mięczak) 2. *przen* pijawka

limpid ['limpid] *adj* przezroczysty; przejrzysty; (*o wodzie itp*) czysty; kryształowy

limpidity [lim'piditi] *s* przezroczystość; przejrzystość; czystość <kryształowość> (wody itp.)

limpness ['limpnis] *s* 1. miękkość 2. (*u człowieka*) słabość; osłabienie

limy ['laimi] *adj* 1. lepki 2. wapnisty

linage ['lainidʒ] *s* 1. liczba wierszy na stronicy druku 2. opłata od wiersza; wierszowe; *pot* wierszówka

linchpin ['lintʃ,pin] *s* lon <zatyczka> (osi wozu)

Lincoln-green ['linkən,gri:n] *s* jasnozielona tkanina wyrabiana w Lincoln

lincrusta [lin'krʌstə] *s* linkrusta (materiał do okładania ścian)

linden ['lindən] *s bot* lipa

line¹ [lain] [I] *s* 1. lina; sznur 2. sznurek u wędki 3. przewód (elektr., telef., telegr.); *przen* połączenie telefoniczne; **party ~** wspólna linia telefoniczna; **hold the ~** proszę zaczekać <nie przerywać połączenia, nie odkładać słuchawki> 4. *pl* **~s** los; **hard ~s** pech 5. wytyczna 6. linia (narysowana, *także* autobusowa, okrętowa, lotnicza itd.) 7. kreska; **the broad ~s of ...** zarys ... (czegoś) 8. zmarszczka; bruzda (na twarzy) 9. *geogr* **the Line** równik 10. rys (twarzy) 11. linia (= 1/12 cala = 2,1 mm) 12. granica; **on the ~** na pograniczu (między jedną rzeczą a drugą); **on <below> the ~** na <nie na> odpowiednim poziomie (jakości, doskonałości); **to draw the ~ at ...** nie posuwać się aż do ...; nie pozwalać sobie na ... 13. *wojsk* umocnienia; okopy 14. *wojsk* linia bojowa; *mar* **a ship of the ~** okręt liniowy, liniowiec 15. *wojsk* dwuszereg; szyk; **to fall into ~** a) (*o oddziale*) ustawi-ć/ać się w szyku b) *przen* dostosow-ać/ywać <podporządkow-ać/ywać> się 16. *wojsk* formacje liniowe 17. wiersz; *szk x* **~s of Latin** (przepisywanie) *x* wierszy łaciny (za karę); **to read between the ~s** czytać między wierszami 18. słowa roli (aktorskiej) 19. *pl* **~s** metryka ślubu 20. krótki list, parę słów; **to drop sb a ~** napisać parę słów do kogoś 21. szereg; rząd; kolejka; *pot* ogonek 22. linia genealogiczna; ród 23. tor; torowisko 24. kurs (kierunek) 25. linia postępowania; zasada; wytyczna; **to bring sb into ~** a) zmusić kogoś do dostosowania się b) zyskać czyjąś współpracę; **to come into ~** dostosować się; **to proceed on <along> certain ~s** trzymać się czegoś <pewnych wytycznych>; **to take a strong ~** zająć twarde stanowisko 26. zakres, dziedzina; specjalność; kompetencja 27. *handl* branża 28. *handl* artykuł, towar; **that's not my ~** ja się tym nie interesuję; nie znam się na tym 29. sznur mierniczy; **by rule and ~** pod sznur 30. instalacja (wodociągowa, gazowa); rurociąg 31. *am* cugle 32. *am* poufna wiadomość <informacja>; **to get a ~** dowiedzieć się poufnie; **to give sb a ~** powiadomić kogoś poufnie [II] *vt* 1. po/liniować; po/kreskować; *przen* poorać (czoło, twarz); pokry-ć/wać bruzdami 2. wysadz-ić/ać <obsadz-ić/ać> (coś czymś — drogę drzewami itd.) 3. ustawi-ć/ać (wojsko itd.) w szeregu <szpalerem> (**a road etc.** wzdłuż drogi itd.) 4. (*o wojsku*) stać szeregiem <szpalerem> (**a road etc.** wzdłuż drogi itd.); obsadz-ić/ać (przełęcz itd.) 5. (*o przedmiotach*) stać <leżeć, wisieć> rzędami (**sth** na czymś); **the walls were ~d with paintings** obrazy wisiały rzędami na ścianach; ściany były pokryte obrazami

~ in *vt* wrysow-ać/ywać; dorysow-ać/ywać

~ off *vt* zakreśl-ić/ać <zakreskow-ać/ywać> (papier itd.)

~ out [I] *vt* 1. zakreśl-ić/ać <zakreskow-ać/ywać> (papier itd.) 2. *ogr* pikować (sadzonki) [II] *vi sport* (*w grze w rugby*) ustawi-ć/ać się w dwuszeregu

~ through *vt* przekreśl-ić/ać

~ up [I] *vt* uszeregow-ać/ywać; ustawi-ć/ać w szereg/i <w rząd/rzędy> [II] *vi* ustawi-ć/ać się w rząd/rzędy <w szereg/i, w kolejce, *pot* w ogonku>; sta-nąć/wać w rzę-dzie/dach

line² [lain] *vt* 1. podszy-ć/wać; da-ć/wać podkładkę (**sth** do czegoś) 2. wy-łożyć/kładać (coś czymś) 3. obudow-ać/ywać; oblicować 4. napełni-ć/ać <*pot* nabi-ć/jać> (portfel, *pot* kabzę, żołądek itd.) *zob* **lining**

line³ [lain] *vt* pokry-ć/wać (zwierzę)

lineage ['liniidʒ] *s* 1. ród; pochodzenie; rodowód 2. wierszowe; płaca od wiersza; *pot* wierszówka

lineal ['liniəl] *adj* 1. (*o pochodzeniu, potomku*) w prostej linii 2. = **linear**

lineament ['liniəmənt] *s* 1. rys (twarzy) 2. cecha

linear ['liniə] *adj* 1. linijny 2. linearny; liniowy; **~ measures** miary liniowe <długości> 3. *bot* równowąski

lineate ['liniit] *adj bot* kreskowany; sztrychowany; porysowany

lineation [,lini'eiʃən] *s* liniowanie

line-drawing ['lain,drɔ:iŋ] *s* rysunek kreskowy <piórkiem, ołówkiem>

line-engraving ['lain-in,greiviŋ] *s* sztych kreskowany

line-fishing ['lain,fiʃiŋ] *s* łowienie ryb na wędkę; wędkarstwo

lineman ['lainmən] *s* (*pl* **linemen** ['lainmən]) 1. dróżnik (kolejowy) 2. *telegr telef* monter z obsługi linii

linen ['linin] [I] *s* 1. płótno 2. bielizna [II] *adj* 1. lniany 2. płócienny 3. włókienniczy; tekstylny

linen-draper ['linin,dreipə] *s* właściciel składu towarów tekstylnych; kupiec z branży tekstyliów; **at the ~'s** w składzie towarów tekstylnych

liner¹ ['lainə] *s techn* otulina; okładzina

liner² ['lainə] *s* 1. statek transatlantycki 2. samolot komunikacji pasażerskiej

linesman ['lainzmən] *s* (*pl* **linesmen** ['lainzmən]) 1. żołnierz wojsk liniowych 2. = **lineman**

line-up ['lain'ʌp] *s* 1. uszeregowanie (się) 2. ustawi-enie/anie (się) w kolejce 3. *wojsk* u/szykowanie (się) do boju; ustawi-enie/anie się w szyku bojowym

ling¹ [liŋ] *s bot* wrzos zwyczajny

ling² [liŋ] *s zoo* ryba jadalna pokrewna dorszowi

linger ['liŋgə] [I] *vi* 1. ociągać się; zwlekać; marudzić 2. zatrzym-ać/ywać <zasiedzieć> się; pozosta-ć/wać w tyle (za innymi); przeciągać <przewlekać> pobyt; nie móc się oderwać; tkwić 3. (*także* **~ on**) przeciągać się; trwać; *pot* (*o zwyczaju itd*) pokutować 4. (*także* **~ on**) wlec nędzny żywot [II] *vt* wlec (nędzne życie)

~ away *vt* marnować (**one's time** czas)

zob **lingering**

lingerer ['liŋgərə] *s* maruda

lingerie ['lɛ̃:ʒəri] *s* 1. artykuły bieliźniane 2. bielizna damska

lingering ['liŋgəriŋ] [I] *zob* **linger** [II] *adj* 1. ociągający się 2. zastarzały; zakorzeniony 3. (*o spojrzeniu*) tęskny 4. (*o chorobie itd*) przewlekły 5. (*o śmierci*) powolny

lingeringly ['liŋgəriŋli] *adv* 1. ociągając się; zwlekając; nie mogąc się oderwać 2. przewlekle; długo 3. tęsknie

lingo ['liŋgou] *s* (*pl* **~es, ~s**) *pog* szwargot; żargon; mowa

lingua franca ['liŋgwə'fræŋkə] *s* 1. mieszanina

włoskiego, francuskiego, hiszpańskiego i greckiego 2. *dosł i przen* wspólny język
lingual ['liŋgwəl] I *adj* językowy II *s fonet* głoska językowa
linguist ['liŋgwist] *s* lingwist-a/ka, językoznawca
linguistic [liŋ'gwistik] *adj* lingwistyczny, językoznawczy; językowy
linguistics [liŋ'gwistiks] *s* lingwistyka, językoznawstwo
linguo-dental ['liŋgwou'dentl] *adj fonet* językowo-zębowy
linhay ['lini] *s dial* szopa
liniment ['linimənt] *s med* płyn do wcierania; mazidło maź
lining ['lainiŋ] I *zob* **line**[2] II *s* 1. podszewka; **every cloud has its silver ~** nie ma tego złego, co by na dobre nie wyszło 2. podbicie 3. wyłożenie (wnętrza czegoś); wyścielenie; podkład; wykładzina 4. okładzina 5. obudowa; obmurowanie 6. zawartość (portfelu, żołądka itd.); treść
↑**link**[1] [liŋk] I *s* 1. ogniwo; *przen* łącznik; spójnia 2. więź, więzy; łącząca nić; powiązanie 3. (miara) ogniwo (= 1/100 łańcucha mierniczego = 7,92 cala = 20,1 cm) 4. oczko (w robocie dzianej) 5. spinka do mankietu 6. *techn* przegub, kulisa; człon II *vt* 1. po/łączyć; z/wiązać 2. przyczepi-ć/ać; doczepi-ć/ać; zaczepi-ć/ać 3. wziąć/brać się (**hands** za ręce); **to ~ arms** wziąć/brać się pod rękę; **to ~ one's arm through sb's** wziąć/brać kogoś pod rękę <pod ramię>; iść z kimś pod rękę <pod ramię> III *vi* 1. iść pod rękę 2. przyłącz-yć/ać się (**on** <**in**> **to a system** <**company etc.**> do organizacji <do towarzystwa itd.>)
  ~ in <**on**> *vi* przyłączyć się (**to a system** <**company etc.**> do organizacji <do towarzystwa itd.>)
  ~ together *vt* po/wiązać
  ~ up *vi* po/wiązać (coś z czymś)
link[2] [liŋk] *s hist* pochodnia
linkage ['liŋkidʒ] *s* wiązanie; połączenie; sprzężenie
link-boy ['liŋk,bɔi], **link-man** ['liŋkmən] (*pl* **link-men** ['liŋkmən]) *s hist* chłopiec <mężczyzna> oświetlający (komuś) drogę pochodnią
links [liŋks] *spl* 1. teren do gry w golfa 2. *szkoc* wydma piaszczysta
linn [lin] *s szkoc* 1. wodospad 2. stawek pod wodospadem 3. wąwóz 4. przepaść
Linnaean [li'niən] *adj* (*o systemie*) Linneusza
linnet ['linit] *s zoo* makolągwa, konopniczek
linney ['lini] = **linhay**
lino ['lainou] *skr pot* **linoleum**
linoleum [li'nouljəm] *s* linoleum
linotype ['lainou,taip] *s druk* linotyp
linseed ['lin,si:d] *s* siemię lniane; **~ cake** wytłoki lniane; **~ oil** olej lniany
linsey-woolsey ['linzi'wulzi] *s tekst* szorstka tkanina wełniano-bawełniana; *przen* szwargot
linstock ['lin,stɔk] *s* lont
lint [lint] *s* płótno opatrunkowe; szarpie
lintel ['lintl] *s bud* nadproże; belka poprzeczna
liny ['laini] *adj* poliniowany; pokratkowany; (*o twarzy*) pomarszczony
lion ['laiən] *s* 1. *zoo* lew; **a ~ in the way** przeszkoda (*zw* zmyślona); **the ~'s share** lwia część; **to put one's head in the ~'s mouth** leźć lwu w paszczę; narażać się na niebezpieczeństwo; **to twist the ~'s tail** z/robić Anglii na złość (aluzja do lwa, emblematu Wielkiej Brytanii) 2. *pl* **~s** osobliwości (miasta) 3. (*o człowieku*) znakomitość 4. *astr* **Lion** Lew
lioness ['laiənis] *s zoo* lwica
lion-heart ['laiən,hɑ:t] *s* lwie serce (człowiek odważny jak lew)
lion-hearted ['laiən'hɑ:tid] *adj* (*o człowieku*) o lwim sercu
lion-hunter ['laiən,hʌntə] *s* 1. myśliwy polujący na lwy 2. gospodyni domu goszcząca znakomite osobistości dla imponowania innym
lionize ['laiə,naiz] *vi* 1. zwiedz-ić/ać osobliwości miasta 2. oprowadz-ić/ać po osobliwościach miasta 3. traktować (kogoś) jako ważną <znakomitą> osobistość
lip [lip] I *s* 1. *anat* warga; **~ consonant** spółgłoska wargowa; *pl* **~s** usta; **it escaped my ~s** wyrwało mi się to z ust; **to bite one's ~s** zagryzać wargi; **to curl one's ~** wykrzywić usta pogardliwie; **to hang one's ~** zrobić kwaśną minę; **to hang on sb's ~s** wisieć na czyichś ustach; **to keep a stiff upper ~** nie poddawać się nieszczęściu 2. *pot* zuchwałe odezwanie się; *sl* **none of your ~** dość tego pyskowania 3. brzeg (naczynia, rany); skraj (leja itd.); krawędź; **pouring ~** dziobek (u naczynia) II *vt* (**-pp-**) 1. podn-ieść/osić <zbliż-yć/ać> (coś) do ust; dot-knąć/ykać (**sth** czegoś) ustami; po/całować 2. (*o falach*) lizać (skały itd.) 3. bąk-nąć/ać (pod nosem) *zob* **lipped**
liparite ['lipə,rait] *s miner* liparyt
lip-deep ['lip'di:p] *adj* powierzchowny; nieszczery
lip-homage ['lip,hɔmidʒ] *s* frazesy; czcze słowa
lipoma [li'poumə] *s med* tłuszczak
lipped [lipt] I *zob* **lip** *v* II *adj* 1. *bot* wargowy 2. (*o naczyniu*) z dziobkiem
lip-reading ['lip,ri:diŋ] *s* czytanie z ust (mówiącego)
lip-salve ['lip,sɑ:v] *s* 1. maść do warg 2. *przen* pochlebstwa
lip-service ['lip,sə:vis] *s* czcze słowa; **frazesy**; piękne słówka; **to pay ~ to —** a) prawić miłe słówka... (komuś) b) deklarować się bez przekonania za... (czymś); składać słowne deklaracje co do... (czegoś)
lipstick ['lip,stik] *s* kredka <pomadka> do ust
liquate ['likweit] *vt* wytapiać; s/topić (metal)
liquation [li'kweiʃən] *s* topienie (metali), likwacja
liquefaction [,likwi'fækʃən] *s* 1. st-opienie/apianie 2. skr-oplenie/aplanie (gazu)
liquefy ['likwi,fai] *vt vi* (**liquefied** ['likwi,faid], **liquefied; liquefying** ['likwi,faiiŋ]) 1. st-opić/apiać (się) 2. skr-oplić/aplać (się)
liquescent [li'kwesənt] *adj* 1. topliwy 2. topniejący
liqueur [li'kjuə] *s* likier; **~ brandy** rodzaj koniaku; **~ glass** kieliszek
↑**liquid** ['likwid] I *adj* 1. *dosł i przen* płynny; *fiz* ciekły 2. (*o gazie*) skroplony; w stanie ciekłym 3. przezroczysty; przejrzysty 4. (*o przekonaniach, zasadach itp*) płynny; niestały; nie ustalony II *s* 1. płyn; **ciecz**; **~ measure** miara (objętości) ciał płynnych <cieczy> 2. *fonet* spółgłoska płynna
liquidambar ['likwid,æmbə] *s bot* styrakowiec (drzewo)

liquidate ['likwi,deit] [I] *vt* z/likwidować; spłac-ić/ać (dług); upłynni-ć/ać (kapitały) [II] *vi* (*o przedsiębiorstwie*) z/likwidować się
liquidation [,likwi'deiʃən] *s* likwidacja; zlikwidowanie; spłacenie (długu); upłynnienie (kapitałów); **to go into ~** z/likwidować się
liquidator ['likwi,deitə] *s* likwidator
liquidity [li'kwiditi] *s* płynność
liquor ['likə] [I] *s* 1. napój alkoholowy; trunek; piwo (alkoholizowane); wino; **in ~, the worse for ~** podchmielony; nietrzeźwy; pijany; **the ~ question** zagadnienie alkoholizmu; **the ~ trade** <**traffic**> handel napojami alkoholowymi 2. *techn* wytrawa (garbarska); wapnica; roztwór 3. *farm* ['laikwɔ:] roztwór; płyn 4. *kulin* tłuszcz spod pieczeni; smak jarzynowy; bulion [II] *vt* natłu-ścić/szczać (skórę, buty)
~ up [I] *vt sl* postawić wódę (**sb** komuś); ululać (**sb** kogoś) [II] *vi sl* urżnąć/urzynać się
liquorice ['likəris] *s farm bot* lukrecja
liquorish ['likəriʃ] *adj* (*o człowieku*) mający pociąg do alkoholu
lira ['liərə] *s* (*pl* **lire** ['liərei]) lir (włoska jednostka monetarna)
lisle [lail] *adj tekst* fildekosowy; **~ thread** fildekos (cienka i mocna nić)
lisp [lisp] [I] *vi* 1. seplenić 2. (*o dziecku*) za/szczebiotać [II] *s* 1. seplenienie 2. szczebiot (dziecka)
lissome ['lisəm] *adj* 1. giętki; smukły 2. zwinny
lissomeness ['lisəmnis] *s* 1. giętkość; smukłość 2. zwinność
list[1] [list] [I] *s* szlak; bramowanie; krajka; **~ slippers** pantofle domowe z krajki; **to line the edges of a door** <**window**> **with ~ = to ~** *vt* [II] *vt* zaopat-rzyć/rywać (**drzwi,** okna) na zimę; zat-kać/ykać krajką <skrawkami materiału, wałkami> szpary (**a door, a window** w drzwiach, w oknie)
list[2] [list] *s* (*zw pl*) *hist* szranki; *przen* **to enter the ~s against sb** wchodzić z kimś w szranki
list[3] [list] [I] *s* wykaz; lista; spis; *przen* litania (nieszczęść itp.); karta (win); urzędowy wykaz oficerów w służbie czynnej; **free ~** wykaz a) towarów nie podlegających ocleniu b) *teatr* osób mających wolny wstęp [II] *vt* spis-ać/ywać; s/katalogować; z/inwentaryzować; wymieni-ć/ać kolejno; *ekon* kotować <notować> (kursy giełdowe)
list[4] [list] [I] *vi* (*o statku*) mieć przechył [II] *s mar* przechył
list[5] [list] † *vi* 1. podobać się; **he shall do what him ~eth** on zrobi, co mu się będzie podobało 3. życzyć sobie; **ye who ~ to hear** wy, którzy życzycie sobie posłuchać
list[6] [list] [I] *vi poet* słyszeć [II] *vt poet* słuchać (**sb, sth** kogoś, czegoś)
listel ['listl] *s arch* listewka
listen ['lisn] *vi* słuchać (**to sb, sth** kogoś, czegoś); przysłuchiwać się (**to sb, sth** komuś, czemuś); wysłuchać (**to sb, sth** kogoś, czegoś); usłuchać (**to sb** kogoś); **to ~ for sth** nadsłuchiwać czegoś; **to ~ to sb singing** <**playing an instrument etc.**> słuchać czyjegoś śpiewu <czyjejś gry itd.>; przysłuchiwać się czyjemuś śpiewowi <czyjejś grze itd.>
~ in *vi* 1. po/słuchać radia; **to ~ in to sb, sth** po/słuchać kogoś, czegoś przez radio 2. podsłuch-ać/iwać
listener ['lisṇə] *s* 1. słuchacz/ka; przysłuchując-y/a się; **to be a good ~** umieć słuchać; słuchać z zainteresowaniem <życzliwie, nie przerywając opowiadającemu> 2. radiosłuchacz/ka
listening-post ['lisṇiŋ,poust], **listening-station** ['lisṇiŋ,steiʃən] *s wojsk* podsłuch
lister ['listə] *s roln* obsypnik
listerism ['listə,rizəm] *s chir* metoda antyseptyczna
listless ['listlis] *adj* apatyczny; bierny; obojętny; zobojętniały
listlessness ['listlisnis] *s* apatia; bierność; obojętność; zobojętnienie
lit *zob* **light**[1, 4] *v*
litany ['litəni] *s* litania
litchy [li:'tʃi:] *s* drzewo owocowe rosnące w Chinach i Bengalii
liter ['li:tə] *am* = **litre**
literacy ['litərəsi] *s* umiejętność czytania i pisania; piśmienność
literal ['litərəl] *adj* 1. literowy; **~ error** pomyłka w druku; przestawienie liter 2. dosłowny, literalny 3. (*o człowieku*) przyziemny 4. formalny
literalism ['litərə,lizəm] *s* dosłowne rozumienie <ujmowanie>
literalist ['litərəlist] *s* człowiek rozumiejący <ujmujący> dosłownie
literalize ['litərə,laiz] *vt* z/rozumieć <uj-ąć/mować> dosłownie
literary ['litərəri] *adj* literacki; **~ agent** pośrednik dla spraw wydawniczych; **~ man** literat; pisarz; **~ property** prawa wydawnicze
literate ['litərit] [I] *adj* piśmienny [II] *s* pastor anglikański bez stopnia uniwersyteckiego
literati [,litə'reitai] *spl* 1. literaci 2. uczeni
literatim [,litə'reitim] *adv* dosłownie; słowo w słowo
literature ['litəritʃə] *s* 1. literatura; piśmiennictwo 2. *pot handl* **druki** (katalogi, prospekty, pouczenia itd.) 3. bibuła propagandowa
lith [liθ] *s* 1. cząstka (pomarańczy itp.) 2. pierścień na rogu krowy
litharge ['liθɑ:dʒ] *s chem* glejta ołowiawa, tlenek ołowiawy
lithe [laið] *adj* giętki; gibki
litheness ['laiðnis] *s* giętkość; gibkość
lith(e)some ['laiðsəm] = **lissome**
lithic ['liθik] *adj chem* litowy; **~ acid** kwas moczowy
lithium ['liθiəm] [I] *s chem* lit (pierwiastek) [II] *attr chem* litowy
lithochromatics [,liθəkrə'mætiks] *s* chromolitografia
lithograph ['liθə,grɑ:f] [I] *s* litografia [II] *vt* litografować
lithographer [li'θɔgrəfə] *s* litograf
lithographic [,liθə'græfik] *adj* litograficzny
lithography [li'θɔgrəfi] *s* litografia; litografowanie
lithotomy [li'θɔtəmi] *s chir* litotomia (operacja dla usunięcia kamienia z pęcherza)
Lithuanian [,liθju'einjən] [I] *adj* litewski [II] *s* 1. Litwin/ka 2. język litewski
litigant ['litigənt] [I] *adj* będący w sporze; **the ~ parties** strony w sporze <spierające się> [II] *s* strona (spierająca się)
litigate ['liti,geit] [I] *vt* za/kwestionować [II] *vi* procesować się

litigation [ˌliti'geiʃən] *s* spór; sprawa sądowa; **in ~** sporny

litigious [li'tidʒəs] *adj* 1. (*o sprawie*) sporny 2. (*o człowieku*) lubiący się procesować

litmus ['litməs] *s chem* lakmus; **~ paper** papier lakmusowy

litotes ['laitouˌti:z] *s ret* litotes

litre ['li:tə] *s* litr

litter ['litə] [I] *s* 1. lektyka 2. nosze 3. ściółka; podściółka 4. gnój 5. śmieci, śmiecie; odpadki 6. nieporządek 7. pomiot <miot, młode> (szczenięta, kocięta itd.) [II] *vt* 1. (*także* **~ down**) pod-esłać/ścielać <pod-łożyć/kładać ściółkę> (**the cattle** bydłu) 2. pod-esłać/ścielać (**the stable** w stajni) 3. po/rozrzucać <po/rozstawiać> w nieładzie 4. (*o papierach itd*) zaśmiecać; leżeć w nieładzie (**a room, a table, the floor etc.** w pokoju, na stole, podłodze itd.) [III] *vi* (*o zwierzęciu*) mieć młode

littery ['litəri] *adj* zaśmiecony

little ['litl] [I] *adj* (**less** [les], **least** [li:st]) 1. mały; drobny; nieduży; **a ~ way** kawałek drogi; niedaleko; **a ~ while** chwileczka; **the ~ ones** dzieci, drobiazg; młodzież; **the ~ people** gnomy, wróżki 2. krótki; **a ~ sleep <rest>** krótk-a/i drzemka <chwila wypoczynku, wypoczynek> 3. (*o człowieku*) małego wzrostu; niski 4. młody; **~ John** Janeczek; **the ~ Smiths** młodzi Smithowie, dzieci pp. Smithów 5. *wyraża rozczulenie, politowanie, protekcjonalne nastawienie itp*: **her poor ~ efforts to please** jej naiwne <śmieszne> usiłowania, żeby się podobać; **she's a nice ~ thing** a) (*o dziewczynce*) to przemiłe maleństwo b) (*o kobiecie*) to przemiła kobietka; **so, that's your ~ game** (to) takie buty; **we know his ~ ways** znamy się na (tych) jego chwytach <sztuczkach> 6. *z rzeczownikiem abstrakcyjnym lub tworzywnym*: **a ~** trochę; **a ~ butter <time, rain etc.>** trochę masła <czasu, deszczu itd.>; **a ~ care** trochę staranności; **not a ~ trouble <money, patience etc.>** niemało kłopotu <pieniędzy, cierpliwości itd.>; **what ~ money <water etc.> I've got <I can get etc.>** te trochę pieniędzy <ta odrobina wody itd.>, któr-e/ą posiadam <mogę zdobyć itd.> *zob* **~** *s* 1. 7. (*o człowieku*) małostkowy 8. (*o umyśle*) płytki [II] *s* 1. niewielka ilość, drobiazg, odrobina, mało; niewiele; coś niecoś; niedużo; mało co; **~ by ~, by ~ and ~** po trochu; stopniowo; **a ~ makes us laugh** drobiazg potrafi <niewiele trzeba, żeby> nas rozśmieszyć; **~ or nothing** mało co albo zgoła nic; **he got ~ out of it** niewiele <mało co> z tego miał <na tym zyskał>; **what ~ I know** to co wiem <umiem>, a jest to niewiele; **what ~ remains** ten drobiazg <ta odrobina>, co pozostaje <pozostał/a>; **to make <think> ~ of sth** niewiele sobie robić z czegoś; uważać coś za drobiazg; **to think ~ of doing sth** bez trudu <lekką ręką> coś zrobić; **to think ~ of sb** mieć kogoś za nic 2. krótki czas; **after a ~** po chwili; **for a ~** na chwilę; przez chwilę 3. mały rozmiar; **in ~** na małą skalę; w zmniejszeniu 4. **a ~** a) *przed zaimkiem z przyimkiem* **of**: trochę; **a ~ of everything** trochę wszystkiego; **a ~ of this and a ~ of that** trochę tego i trochę tamtego b) *przed przymiotnikiem lub przysłówkiem*: trochę, coś niecoś; **a ~ complicated** trochę <coś niecoś> skomplikowany; **a ~ more <less>** trochę więcej <mniej>; **a ~ tired** trochę zmęczony c) *samodzielnie po czasowniku*: trochę; **she complained a ~** trochę narzekała [III] *adv* 1. mało; niewiele; **~ more than _** tyle co ...; **he is ~ more than a thief** on jest niewiele lepszy od złodzieja; na dobrą sprawę to (jest) złodziej 2. *z czasownikami* **think, dream, suspect** *i inwersją*: **~ did I think <dream, suspect>** nigdy nie przypuszczałem <nie marzyłem, nie podejrzewałem>

little-ease ['litlˌi:z] *s hist* cela zbyt ciasna, by więzień mógł się wyciągnąć

little-go ['litlˌgou] *s pot uniw* egzamin na pierwszy stopień naukowy "Bachelor of Arts" w Cambridge

littleness ['litlnis] *s* 1. małość; drobny rozmiar; znikomość 2. małostkowość

littoral ['litərəl] [I] *adj* nadmorski; przybrzeżny [II] *s* wybrzeże; pobrzeże

liturgic(al) [li'tə:dʒik(l)] *adj* liturgiczny

liturgy ['litədʒi] *s* liturgia

livable ['livəbl] *adj* 1. mieszkalny 2. (*o klimacie itp*) znośny 3. (*o życiu*) godny <wart> przeżycia 4. (*o towarzyszu*) możliwy w pożyciu

live[1] [laiv] *adj* 1. żywy; **~ fence** żywopłot; **~ weight** żywa waga 2. (*o opowiadaniu, człowieku*) pełen życia, żywy 3. (*o sprawie, zagadnieniu*) aktualny 4. *żart* (*o rozbójniku itd*) prawdziwy 5. (*o węglach*) żarzący się; rozżarzony 6. (*o naboju*) ostry 7. (*o przewodzie*) pod napięciem; *przen* **a ~ wire** człowiek pełen energii 8. *techn* (*o parze*) świeży 9. (*o obciążeniu*) zmienny 10. (*o kole*) ruchomy 11. (*o kole*) napędowy

live[2] [liv] [I] *vi* 1. żyć; być przy życiu; **~ and learn** człowiek uczy się przez całe życie; **long ~ _!** niech żyje ...!; **to ~ and let ~** umieć żyć z ludźmi; **to ~ by _** utrzymywać się z ... (czegoś); **to ~ honestly <well etc.>** żyć uczciwie <w dostatku itd.>; prowadzić uczciwe <dostatnie itd.> życie; **to ~ on sb** żyć kosztem czyimś; **to ~ on sth** żyć z czegoś (z dobroczynności itd.); żyć czymś (nadzieją itd.); żywić się czymś; **to ~ through _** przeży-ć/wać ...; **to ~ to be _** dożyć <doczekać się> ... (czegoś); **to ~ to oneself** żyć samotnie; **to ~ to see _** doczekać się ... (czegoś) 2. (*o pamięci czyjejś itd*) prze/trwać; prze-jść/chodzić do potomności 3. mieszkać; przebywać; (*o domu, izbie itd*) **fit <not fit> to ~ in** nadający <nie nadający> się do zamieszkania [II] *vt* 1. prowadzić <mieć, pędzić> (spokojne itd.) życie 2. przeży-ć/wać (opowiadanie, rolę itd.); **to ~ a lie** żyć w zakłamaniu; **he ~d a lie** całe jego życie było jednym wielkim kłamstwem

~ down *vt* (nienagannym trybem życia) naprawić <zmazać> (dawne winy, występki itd.)

~ in *vi* mieszkać w miejscu pracy

~ on *vi* dalej żyć; przetrwać

~ out [I] *vi* mieszkać poza miejscem pracy [II] *vt* przeżyć (dany okres czasu)

~ through *vt* przeżyć (wojnę itd.)

~ up *vi* żyć zgodnie (**to sth** z czymś); żyć stosownie (**to sth** do czegoś); spełni-ć/ać (**to sth** coś — obietnicę itd.)

zob **living**

liveable ['livəbl] = **livable**

livelihood ['laivli,hud] *s* środki egzystencji <do życia>; utrzymanie; zarobek; **to earn a ~** zarabiać na życie

liveliness ['laivlinis] *s* ożywienie; żwawość

livelong ['livlɔŋ] *adj* (*o dniu, roku itd*) cały; **the ~ day** jak dzień długi

lively ['laivli] *adj* (**livelier** ['laivliə], **liveliest** ['laivliist]) 1. (*o opisie, wyobraźni, uczuciach itd*) żywy; **a ~ sense of** — duże poczucie ... (czegoś) 2. ożywiony; pełen życia; rześki; wesoły; (*o muzyce, tańcu*) skoczny; *pot* **to have a ~ time** nagonić <nadenerwować, nalatać> się; **to make things ~ for sb** zalać komuś sadła za skórę 3. (*o kolorach*) żywy; jaskrawy; wesoły

liven ['laivn] *vt vi* (*także* **~ up**) ożywi-ć/ać (się)

↑**liver**[1] ['livə] [I] *s* 1. *anat* wątroba 2. *kulin* wątróbka 3. *chem* związek siarkowy; **~ of lime** siarczek wapniowy [II] *attr* wątrobowy, wątrobiany

liver[2] ['livə] *s zawsze z przymiotnikiem*: **a good ~** a) człowiek prowadzący przykładne życie b) amator dobrego jedzenia; **a loose ~** człowiek rozpustny

liver-fluke ['livə,flu:k] *s zoo* motylica wątroby (glista)

liveried ['livərid] *adj* (*o człowieku*) w liberii; noszący liberię

liverish ['livəriʃ] *adj* cierpiący na wątrobę

Liverpudlian [,livə'pʌdliən] [I] *adj* liwerpulski [II] *s* mieszkan-iec/ka Liverpoolu

liverwort ['livə,wə:t] *s bot* wątrobnik; wątrobiane ziele

livery ['livəri] *s* 1. liberia; **~ servant** służący <lokaj> noszący liberię; *zbior* **the ~** służba 2. strój; szata (wiosenna itd.) 3. strój gildii <cechu>; **~ company** gildia londyńska 4. odnajmowana stajnia; **~ stable** przedsiębiorstwo wynajmu koni; **to have horses at ~** trzymać konie w cudzej stajni 5. *prawn* wydanie <wręczenie> posiadaczowi

liveryman ['livərimən] *s* (*pl* **liverymen** ['livərimen]) 1. członek gildii londyńskiej 2. przedsiębiorca wynajmujący konie

lives *zob* **life** *s*

live-stock ['laiv,stɔk] *s* żywy inwentarz; zwierzęta domowe

livid ['livid] *adj* siny; *pot* wściekły; **to become ~** posinieć (z wściekłości)

lividity [li'viditi], **lividness** ['lividnis] *s* siność

living ['liviŋ] [I] *zob* **live**[2] [II] *adj* 1. żyjący, żywy; (będący) przy życiu; **a ~ death** śmierć za życia; **not a ~ soul** ani żywej duszy; **within ~ memory** za ludzkiej pamięci 2. istniejący; **no ~ man** żaden człowiek na świecie 3. (*o języku itd*) żywy 4. (*o wodzie*) bieżący [III] *s* 1. życie; tryb życia; **~ conditions** warunki życia; **~ standard** stopa życiowa 2. utrzymanie; **a ~ wage** płaca wystarczająca na utrzymanie; **to earn one's <make a> ~** zarabiać na życie; utrzymywać się (z czegoś); **for a ~** dla zarobku 3. jedzenie; **good <plain> ~** dobry <skromny> stół; **riotous ~** hulanie; zabawa 4. *kośc* prebenda, beneficjum 5. *pl* **the ~** żywi; współcześni

lixiviate [lik'sivi,eit] *vt* ługować

lixiviation [lik,sivi'eiʃən] *s* ługowanie; **~ residue** ługowiny; **~ vat** kadź do ługowania

lixivium [lik'siviəm] *s* (*pl* **lixivia** [lik'siviə]) ług

↑**lizard** ['lizəd] *s zoo* jaszczurka

lizzie ['lizi] *s sl* tani samochód; **a tin ~** fordzik

'll [l] = **will, shall**

llama ['lɑ:mə] *s zoo* lama

llanero [ljɑ:'nεərou] *s* mieszkaniec llanosów

llano ['ljɑ:nou] *s* llanosy

Lloyd's [lɔidz] *spr* Lloyd (londyńskie towarzystwo ubezpieczeń morskich); **~ list** gazeta poświęcona sprawom morskim; **~ register** doroczny rejestr statków

lo[1] [lou] † *interj* (i) oto!; patrz/cie!; *żart* **~ and behold!** i pomyśl/cie sobie!

Lo[2] [lou] *s am pot* Indian-in/ka

loach [loutʃ] *s zoo* śliz (ryba)

↑**load** [loud] [I] *s* 1. ładunek; ciężar; brzemię; **to take a ~ off sb's mind** zdjąć komuś ciężar z serca; **it was a ~ off my mind** kamień spadł mi z serca 2. obciążenie 3. ładunek (broni palnej); nabój 4. *pl* **~s** *pot* masa; mnóstwo [II] *vt* 1. za/ładować 2. obciąż-yć/ać 3. obsyp-ać/ywać (darami itd.); zasyp-ać/ywać (pochwałami); obrzuc-ić/ać (obelgami) 4. s/fałszować (kości do gry itd.) 5. doda-ć/wać alkoholu (**wine** do wina) 6. obciąż-yć/ać (laskę) ołowiem 7. obciąż-yć/ać (żołądek)

~ up *vi* 1. (*o statku*) wziąć/brać ładunek; za/ładować do pełna 2. *pot* (*o człowieku*) op-chać/ychać <zal-ać/ewać> się 3. *fin w zwrocie*: **to be ~ed up with** — mieć nadmiar... (akcji itd.)

zob **loading**

loader ['loudə] *s* 1. ładowacz 2. *techn* ładowarka 3. *wojsk* ładowniczy

loading ['loudiŋ] [I] *zob* **load** *v* [II] *s* 1. za/ładowanie 2. ładunek 3. obciąż-enie/anie; *kolej* **~ gauge** skrajnia ładunkowa

load-line ['loud,lain] *s mar* wodnica ładunkowa

loadstar ['loud,stɑ:] = **lodestar**

loadstone ['loud,stoun] *s miner* żelaziak magnetyczny, magnetyt

loaf[1] [louf] [I] *s* (*pl* **loaves** [louvz]) 1. bochenek: *przen* chleb; **half a ~ is better than no bread** lepszy rydz niż nic; **household <tinned> ~** chleb z formy 2. głowa <główka> (cukru, kapusty, sałaty) [II] *vi* (*o kapuście*) zawiąz-ać/ywać się w głowy

loaf[2] [louf] [I] *s* próżnowanie; nieróbstwo; wałęsanie się; **to be on the ~** = **to ~** *vi* [II] *vi* próżnować; wałęsać się; szlifować bruk

~ away *vt* marnować (**one's time etc.** czas itd.)

↑**loafer** ['loufə] *s* próżniak; nierób; wałkoń; szlifibruk

loaf-sugar ['louf'ʃugə] *s* cukier w głowach

loam [loum] *s* 1. ił; **~ hut** lepianka 2. gleba gliniasta 3. *bud* zaprawa gliniana

loamy ['loumi] *adj* (**loamier** ['loumiə], **loamiest** ['loumiist]) gliniasty; ilasty

loan [loun] [I] *s* 1. pożyczka; **as a ~** tytułem pożyczki; *wojsk* (*o oficerze*) **on ~** odkomenderowany 2. pożyczony przedmiot; **~ collection** zbiór pożyczonych (na wystawę) dzieł sztuki; **to have the ~ of, to have on ~** pożyczyć sobie 3. zaliczka 4. wyraz zapożyczony; naleciałość [II] *vt* pożycz-yć/ać (**sth to sb** coś <czegoś> komuś)

loan-holder ['loun,houldə] *s* wierzyciel

loan-office ['loun,ɔfis] *s* 1. kasa pożyczkowa 2. ekspozytura pożyczki państwowej

loan-society ['loun-sə,saiəti] *s* towarzystwo wzajemnej pomocy; kasa pożyczkowa

loan-word ['loun,wə:d] = **loan** *s* 4.

loath [louθ] *adj praed* niechętny; **nothing ~** chętnie; **to be ~ for sb to do sth** niechętnie widzieć, że ktoś coś robi; **to be ~ to do sth** niechętnie <z ciężkim sercem, z bólem serca, ze wstrętem> coś **z/robić**; **to be nothing ~** cieszyć się; **to be nothing ~ to do sth** z gotowością <chętnie> coś z/robić

loathe [louð] *vt* nienawidzić (**sb, sth** kogoś, czegoś; **doing sth** robienia czegoś); czuć wstręt <odrazę, obrzydzenie> (**sb, sth** do kogoś, czegoś); **I ~ him <it>** on <to> mnie mierzi; **to ~ doing <listening to, seeing etc.> sth** ze wstrętem <z odrazą> coś robić <słuchać czegoś, patrzyć na coś itd.> *zob* **loathing**

loathing ['louðiŋ] [I] *zob* **loathe** [II] *s* wstręt; odraza; obrzydzenie

loathsome ['louðsəm] *adj* wstrętny; ohydny; obrzydliwy; obmierzły

loath-to-depart ['louð-tədi'pa:t] *s* pieśń <melodia> pożegnalna

loaves *zob* **loaf¹** *s*

lob [lɔb] [I] *s* 1. niezdara; niezgrabiasz; safanduła 2. *tenis* piłka odbita wysokim łukiem [II] *vi* (**-bb-**) 1. posuwać się ociężale 2. *tenis* (*o piłce*) wzn-ieść/osić się wysokim łukiem [III] *vt* (**-bb-**) *tenis* podbi-ć/jać (piłkę) wysokim łukiem

lobar ['loubə] *adj anat bot* płatowy, płatkowy

lobate ['loubeit] *adj* płatkowy; *bot* klapowany

lobby ['lɔbi] [I] *s* 1. westybul; hall; korytarz 2. kuluar (sejmowy); **division ~** westybul, do którego udają się członkowie parlamentu w razie zarządzonego głosowania *zob* **division** *s* 3. *am* osoba <grupa osób> wywierająca **wpływ** na członków Kongresu [II] *vt* (**lobbied** ['lɔbid], **lobbied; lobbying** ['lɔbiiŋ]) namawiać posłów w kuluarach do głosowania (**a measure etc.** za wnioskiem itd.); **to ~ a bill through** przeforsować ustawę drogą intryg kuluarowych

lobbyist ['lɔbiist] *s am* lobbyista

lobe [loub] *s* 1. płat (płuca, mózgu itd.); płatek (ucha) 2. *techn* kulak; garb krzywki

lobelia [lou'bi:ljə] *s bot* lobelia

loblolly ['lɔb,lɔli] *s* 1. owsianka; **~ boy** sanitariusz 2. nazwa kilku gatunków sosny amerykańskiej 3. *bot* **~ bay** gordonia

lobscouse ['lɔb,skaus] *s kulin* potrawa z mięsa, jarzyn i sucharów dla marynarzy w czasie rejsu

↑**lobster** ['lɔbstə] *s zoo* homar; *pog* żołnierz brytyjski (w związku z noszonym dawniej czerwonym mundurem)

lobster-pot ['lɔbstə,pɔt] *s* więcierz do łowienia homarów

lobular ['lɔbjulə] *adj anat* zrazowy, zrazikowy; płatowy, płatkowy

lobule ['lɔbju:l] *s anat* zraz, zrazik; płat, płatek

lobworm ['lɔb,wə:m] *s zoo* dżdżownica, glista ziemna

local¹ ['loukəl] [I] *adj* 1. miejscowy, lokalny; tutejszy; tamtejszy; **~ adverb** przysłówek miejsca; **~ government** samorząd; **~ habitation** miejsce zamieszkania; **~ option <veto>** prohibicja miejscowa, uchwalona przez mieszkańców danej okolicy; (*u metodystów*) **~ preacher** kaznodzieja upoważniony do wygłaszania kazań w danej miejscowości; (*napis na liście*) **~** w miejscu 2. regionalny 3. *bot* miejscowy [II] *s* 1. miejscow-y/a mieszkan-iec/**ka** (lekarz, ksiądz itp.) 2. pociąg <autobus> lokalny 3. miejscowa karczma; bar; *pot* knajpa 4. *dzien* wiadomości lokalne <miejscowe>

local², locale [lou'ka:l] *s* widownia <arena, teatr> (wypadków); umiejscowienie (opowiadania)

localism ['loukə,lizəm] *s* 1. patriotyzm lokalny <miejscowy>; zaściankowość 2. regionalizm 3. *jęz* prowincjonalizm

locality [lou'kæliti] *s* 1. miejscowość; okolica; rejon; strefa 2. stanowisko (fauny, flory) 3. (*także* **a sense <the bump> of ~**) zmysł orientacji

localization [,loukəlai'zeiʃən] *s* z/lokalizowanie; lokalizacja; umiejsc-owienie/awianie

localize ['loukə,laiz] *vt* z/lokalizować; umiejsc-owić/awiać

locate [lou'keit] [I] *vt* 1. umie-ścić/szczać; u/lokować 2. z/lokalizować; umiejsc-owić/awiać 3. osiedl-ić/ać; rozmie-ścić/szczać [II] *vi pot* osiedl-ić/ać <rozmie-ścić/szczać> się

↑**location** [lou'keiʃən] *s* 1. rozmieszczenie; umieszczenie; ulokowanie 2. umiejscowienie 3. położenie 4. *płd Afr* rezerwat 5. *austral* chów owiec 6. *am* koncesja górnicza

locative ['lɔkətiv] *s gram* miejscownik

loch [lɔk] *s szkoc* jezioro; zatoka

lock¹ [lɔk] *s* 1. lok, loczek; kędzior; *pl* **~s** kędziory; włosy na głowie 2. kłak (wełny, bawełny); węzeł.

lock² [lɔk] [I] *s* 1. zamek (u drzwi itd.); zatrzask; kłódka; **under ~ and key** pod kluczem 2. hamulec; zablokowanie 3. zamek (u strzelby); **~, stock and barrel** wszystko razem; *pot* cały kram 3. śluza; stawidło; zastawka 4. (*w ruchu ulicznym*) zator; korek 5. **szpital** dla chorych wenerycznie 6. (*w zapaśnictwie*) uścisk 7. komora powietrzna [II] *vt* 1. zam-knąć/ykać na klucz (drzwi itd.; *także* kogoś w pokoju itd.) 2. (*o lodach, górach itd*) zamykać, otaczać; *przen* więzić; unieruch-omić/amiać 3. za/blokować 4. zaczepi-ć/ać; zewrzeć/zwierać; **to be ~ed together** trzymać się w uścisku wzajemnym; być splecionym <zwartym> 5. zacis-nąć/kać (zęby itd.) 6. zaopat-rzyć/rywać w śluzy (kanał, rzekę) [III] *vi* 1. (*o drzwiach itd*) zamykać się na klucz 2. szczepi-ć/ać się 3. zacis-nąć/kać <zewrzeć/zwierać> się

~ away *vt* s/chować <trzymać> pod kluczem

~ in *vt* 1. wziąć/brać (kogoś) pod klucz; zam-knąć/ykać (kogoś) 2. (*o górach, lodach*) ot-oczyć/aczać

~ out *vt* 1. zam-knąć/ykać drzwi (**sb** komuś); nie wpu-ścić/szczać (**sb** kogoś — **do** domu, pokoju itp.); **to be ~ed out** nie móc wejść (do domu, pokoju itp.) 2. za/stosować lokaut (**the workers** wobec pracowników)

~ up *vt* 1. zam-knąć/ykać; wziąć/brać (kogoś) pod klucz; zaaresztować; uwięzić 2. s/chować; trzymać pod kluczem 3. zamr-ozić/ażać (kapitał) 4. przeprowadz-ić/ać przez śluz-ę/y (statek, barkę)

zob **locking**

lockage ['lɔkidʒ] *s* 1. różnica poziomu między

śluzami 2. przeprowadz-enie/anie przez śluz-ę/y (statków, barek) 3. mechanizm śluzy 4. opłata za przeprowadzenie statku przez śluzę 5. budowa śluz (na kanale, rzece)

lock-chamber ['lɔk,tʃeimbə] *s* komora śluzy

locker ['lɔkə] *s* 1. kabina; szafa, szafka 2. skrzynia; przedział; *przen* **not a shot in the ~** ani grosza w kieszeni

locket ['lɔkit] *s* 1. zameczek; zamknięcie <zapięcie> (naszyjnika itd.) 2. medalionik

lockgate ['lɔk,geit] *s* brama śluzy

locking ['lɔkiŋ] [I] *zob* **lock**[2] *v* [II] *adj* zamykający; **~ pin** zatyczka

lock-jaw ['lɔk,dʒɔ:] *s med* szczękościsk, *pot* tężec

lock-keeper ['lɔk,ki:pə] *s* dozorca śluzy

lock-nut ['lɔk,nʌt] *s techn* przeciwnakrętka

lock-out ['lɔk,aut] *s* lokaut

locksman ['lɔksmən] *s* (*pl* **locksmen** ['lɔksmən]) = = **lock-keeper**

locksmith ['lɔk,smiθ] *s* ślusarz

lockstitch ['lɔk,stitʃ] *s* ścieg łańcuszkowy

lock-up ['lɔk,ʌp] [I] *s* 1. (*w uczelni, fabryce itd*) zamykanie (bram) na noc 2. zamrożenie (kapitałów) 3. areszt; *pot* ciupa, koza [II] *attr* (*o biurku, drzwiach itd*) zamykany na zamek; (*o garażu, sklepie itd*) zamykany na noc na zamek <na kłódkę>

loco[1] ['loukou] *skr* **locomotive**

loco[2] ['loukou] *s bot* amerykański traganek jadowity; **~ disease** kołowacizna u koni (wywołana jadowitym tragankiem)

locomotion [,loukə'mouʃən] *s* lokomocja

locomotive ['loukə,moutiv] [I] *adj* 1. ruchomy; (zdolność) poruszania się; (organy) ruchu 2. *żart* podróżujący; podróżniczy [II] *s* 1. lokomotywa, parowóz; **~ works** fabryka lokomotyw 2. *pl* **~s** *sl* pedały, nogi

locular ['lɔkjulə] *adj* komórkowaty; komórkowy; wielokomórkowy

loculus ['lɔkjuləs] *s* (*pl* **loculi** ['lɔkju,lai]) *anat zoo bot* komórka

locum-tenens ['loukəm'ti:nenz] *s* (*pl* **locum-tenentes** ['loukəm'ti:nen,ti:z]) zastęp-ca/czyni

locus ['loukəs] *s* (*pl* **loci** ['lousai]) 1. umiejscowienie; położenie; stanowisko 2. *geom* miejsce geometryczne (punktów)

locust ['loukəst] *s* 1. *zoo* szarańcza; *pot* świerszcz 2. *bot* chleb świętojański

locust-tree ['loukəst,tri:] *s* drzewo świętojańskie

locution [lou'kju:ʃən] *s* wyrażenie; zwrot

locutory ['lɔkjutəri] *s* rozmównica (klasztorna)

lode [loud] *s* 1. *geol* żyła; złoże; pokład 2. rów otwarty (odwadniający)

lodestar ['loud,stɑ:] *s* gwiazda polarna; *przen* gwiazda przewodnia

lodestone ['loud,stoun] = **loadstone**

lodge [lɔdʒ] [I] *s* 1. portiernia 2. stróżówka 3. domek myśliwski 4. loża (masońska); *am* klub 5. *am* namiot <wigwam> Indianina 6. (*w Cambridge*) rezydencja rektora 7. jama <nora> (bobra, wydry) [II] *vt* 1. udziel-ić/ać noclegu (**sb** komuś); przyj-ąć/mować (kogoś) na mieszkanie; przenocować; za/kwaterować; przygarn-ąć/iać, przyhołubić; **to be well <poorly> ~d** mieć dobr-y/e <kiepski/e> nocleg <mieszkanie> 2. z/deponować <złożyć/składać> (coś u kogoś); powierz-yć/ać (coś komuś) 3. wn-ieść/osić (skargę itd.) 4. wsadzić <wpakować> (kulę itd.); **u/plasować** 5. (*o wietrze, deszczu*) położyć/kłaść (zboże) [III] *vi* 1. mieszkać (w odnajętym pokoju, mieszkaniu); prze/nocować; u/lokować się; zna-leźć/jdować mieszkanie <nocleg> 2. (*o pocisku itd*) trafi-ć/ać; zatrzym-ać/ywać się 3. (*o zbożu*) położyć/kłaść się *zob* **lodging**

lodgement, lodgment ['lɔdʒmənt] *s* 1. *wojsk* umocnione stanowisko na zdobytej pozycji; punkt oporu 2. punkt oparcia 3. depozyt 4. osad; nagromadzony brud (w kanale itd.); *med* złóg 5. *górn* zbiornik wody

lodger ['lɔdʒə] *s* lokator/ka; **to take (in) ~s** wynajmować pokoje; udzielać nocleg-u/ów

lodging ['lɔdʒiŋ] [I] *zob* **lodge** *v* [II] *s* 1. mieszkanie; zamieszkiwanie; zakwaterowanie; **a night's ~** nocleg; kwatera 2. *pl* **~s** mieszkanie; pok-ój/oje (umeblowan-y/e); **to take ~s** nająć umeblowane mieszkanie <umeblowany pokój>

lodging-house ['lɔdʒiŋ,haus] *s* pensjonat; hotel; **common ~** dom noclegowy

lodgment *zob* **lodgement**

loess ['loues] *s geol* less

loft [lɔft] [I] *s* 1. strych; poddasze 2. gołębnik 3. stadko gołębi 4. *kośc* chór 5. *am* piętro (domu towarowego) 6. (*w golfie*) kąt powierzchni uderzeniowej kija 7. (*w golfie*) nadawanie piłce górnego toru [II] *vt* 1. za/ładować na strych 2. pomie-ścić/szczać w gołębniku 3. (*w golfie*) nada-ć/wać górny tor (**the ball** piłce)

lofter ['lɔftə] *s* (*w golfie*) kij do nadawania piłce górnego toru

loftiness ['lɔftinis] *s* 1. wysokość 2. wyniosłość; duma; hardość 3. wzniosłość; podniosłość

lofty ['lɔfti] *adj* (**loftier** ['lɔftiə], **loftiest** ['lɔftiist]) 1. wysoki 2. wyniosły; dumny; hardy 3. wzniosły; podniosły

log[1] [lɔg] *skr* **logarithm**

log[2] [lɔg] [I] *s* 1. kloc; pień; kłoda; okrąglak; dłużyca; (*o drewnie*) **in the ~** nie obrobiony; *przen* **roll my ~ and I'll roll yours** ręka rękę myje 2. *mar* log; dziennik okrętowy 3. *górn* raport (wiertniczy); przekrój otworu wiertniczego [II] *vt* (**-gg-**) 1. wyci-ąć/nać (las); przeprowadz-ić/ać wstępną obróbkę (**wood** drewna) 2. zapis-ać/ywać w dzienniku okrętowym *zob* **logged, logging**

loganberry ['lougən,beri] *s bot* skrzyżowanie jeżyny z maliną

logarithm ['lɔgəriθəm] *s mat* logarytm; **common ~s** logarytmy przy podstawie 10 <dziesiętne>

logarithmic [,lɔgə'riθmik] *adj mat* logarytmiczy

log-book ['lɔg,buk] *s mar* dziennik okrętowy; *lotn* dziennik pokładowy; (*w przemyśle*) książka raportowa

log-cabin ['lɔg,kæbin] *s* chata (z okrąglaków itd.)

logged [lɔgd] [I] *zob* **log**[2] *v* [II] *adj* (*o człowieku*) bezwładny jak kłoda; (*o drewnie itd*) przesiąknięty wodą; (*o glebie*) nasiąknięty wodą; (*o lesie*) wycięty

loggerhead ['lɔgə,hed] *s* 1. bałwan; dureń 2. *mar* słupek do okręcania liny harpuna na statku wielorybniczym 3. *zoo* żółw morski ‖ **at ~s** w niezgodzie; **to come <fall, get, go> to ~s** wziąć/brać się za łby; **to set at ~s** pokłócić (strony) z sobą

loggia ['lɔdʒə] *s* (*pl* ~s, **loggie** ['lɔdʒə]) loggia; portyk

↑**logging** ['lɔgiŋ] [I] *zob* **log²** *v* [III] *s* 1. wyci-ęcie/nanie (lasu) 2. wpis-anie/ywanie do dziennika okrętowego <pokładowego>; wpis-anie/ywanie do książki raportów 3. *górn* rdzeniowanie; profilowanie

log-hut ['lɔg,hʌt] *s* chata (z bierwion)

logic ['lɔdʒik] *s* logika

↑**logical** ['lɔdʒikəl] *adj* logiczny

logician [lou'dʒiʃən] *s* logik

logie ['lougi] *s* ozdoba z szychu

logistics [lou'dʒistiks] *s* 1. logistyka 2. *wojsk* umiejętność organizowania transportu i tyłów

logogram ['lɔgə,græm] *s* 1. znak graficzny zastępujący wyraz 2. (*w stenografii*) znacznik

logogriph ['lɔgə,grif] *s* logogryf

logomachy [lə'gɔməki] *s* *lit* logomachia (spór o słowa)

logos ['lɔgɔs] *s sing filoz* logos

logotype ['lɔgə,taip] *s druk* logotyp

log-rolling ['lɔg,rouliŋ] *s* 1. zrywka (toczenie dłużyc <kloców> z wyrębu) 2. *przen* wzajemne popieranie się <wyświadczanie sobie przysług>; kumoterstwo

log-wood ['lɔg,wud] *s* 1. drzewo kampeszowe 2. *farb* kampesz

loin [lɔin] *s* 1. *pl* ~s *anat* lędźwie; *pot* krzyże; biodra; **sprung from the ~s or —** zrodzony z <poczęty przez> ... (kogoś); **to gird up one's ~s** a) opas-ać/ywać <przepas-ać/ywać> się b) *przen* zebrać się w sobie 2. *kulin* polędwica; comber

loin-cloth ['lɔin,klɔθ] *s* przepaska na biodra

loir ['lɔjə] *s zoo* koszatka, popielica

loiter ['lɔitə] *vi* 1. wałęsać <włóczyć> się; marudzić <zabawiać się> (po drodze); *pot* łazikować 2. krążyć <kręcić się> podejrzanie
  ~ **away** *vt* z/mitrężyć (**one's time** czas)

loiterer ['lɔitərə] *s* próżniak; łazik

loll [lɔl] [I] *vi* 1. rozwalać się; mieć <przyb-rać/ierać> nonszalancką pozę 2. (*o języku u psa*) być wywieszonym [III] *vt* 1. (*o psie*) wywie-sić/szać (język) 2. (*o człowieku*) op-rzeć/ierać (głowę) niedbale <nonszalancko> (**on sth** o coś)

Lollard ['lɔləd] *s hist* lollard (sekciarz, zwolennik Wiklifa)

lollipop ['lɔli,pɔp] *s* lizak (cukierek)

lollop ['lɔləp] *vi pot* 1. (*także* ~ **along**) ciężko <nonszalancko> iść przed siebie 2. (*o łodzi itd*) podskakiwać na falach 3. = **loll** *vi* 1.

Lombard ['lɔmbəd] *spr* ~ **Street** centrum finansjery londyńskiej; *przen* finansjera; *pot przen* ~ **Street to a china orange** mur, żelazobeton, pewnik

Lombardy ['lɔmbədi] *spr bot* ~ **poplar** topola czarna

loment ['loument] *s bot* owoc <strąk, łuszczyna> przewięzist-y/a

lomentaceous [,loumen'teiʃəs] *adj bot* przewięzisty

Londoner ['lʌndənə] *s* londyńczyk

Londonism ['lʌndə,nizəm] *s* zwrot <sposób wymawiania> charakterystyczny dla rodowitych londyńczyków

lone [loun] *adj poet* 1. samotny; *am* **the Lone Star State** stan Teksas 2. (*o miejscu*) odludny

loneliness ['lounlinis] *s* 1. samotność; osamotnienie 2. odludność

lonely ['lounli] *adj* (**lonelier** ['lounliə], **loneliest** ['lounliist]) 1. samotny; osamotniony 2. (*o miejscu*) odludny

lonesome ['lounsəm] = **lone**

lonesomeness ['lounsəmnis] = **loneliness**

↑**long¹** [lɔŋ] [I] *adj* 1. *dosł i przen* długi; **a ~ face** ponura <markotna> mina; **a ~ family** liczna rodzina; **a ~ figure** <**price**> wysoka cena; **a ~ waist in a dress** sukienka z długim stanem; **little pitchers have ~ ears** dzieci wszystko słyszą; *przen* ~ **ears** głupota; ~ **measures** miary długości; ~ **odds** bardzo nierówne szanse (przy zakładach o pieniądze); ~ **robe** toga; **gentlemen of the ~ robe** adwokaci; ~ **wind** długi oddech; zdrowe płuca; **two ~ miles** dobre <pełne> dwie mile; najmniej dwie mile; **to be four feet ~** mieć cztery stopy długości; **to be ~ in the arm** a) mieć długie ramiona b) mieć wpływy; **to get** <**grow, become**> ~**er** wydłuż-yć/ać się; **to have a ~ head** a) być długogłowym b) być przewidującym c) mieć bystry sąd; **to have a ~ tongue** (za) dużo mówić; **to make sth ~er** zdłużyć coś; **a ~ way** daleko; **by a ~ way** <**chalk**> znacznie; o wiele; **the finest** <**best etc.**> **by a ~ way** stanowczo <zdecydowanie> najpiękniejszy <najlepszy itd.> 2. (*w czasie*) długi; długotrwały; **a ~ custom** stary <dawny> zwyczaj; **a ~ farewell** a) przeciągające się długo pożegnanie b) żegnanie się na dłuższy czas; **in spring the days get ~er** na wiosnę dni stają się dłuższe <przybywa dnia>; **the ~ vacation** wakacje <ferie> letnie; **a ~ time** długo; dużo czasu; **it is a ~ time since** ... (+ **past tense**) a) (już) od dawna <dawno> nie ...; **it is a ~ time since I last saw him** już od dawna <dawno> go nie widziałem b) (już) dawno temu; **it is a ~ time since I came** (już) dawno temu przyjechałem tutaj; **a ~ time** (+ **present perfect tense**) od dawna (+ czas teraźniejszy); **I have been** <**known, lived etc.**> **a ~ time** od dawna jestem <wiem, mieszkam itd.>; **it was a ~ time before**... (+ **past tense**) a) długo trwało zanim <dużo trzeba było czasu żeby>... b) długo nie...; **it was a ~ time before he came** <**wrote etc.**> a) długo trwało zanim <dużo trzeba było czasu, żeby> przyszedł <napisał itd.> b) długo nie przychodził <nie pisał itd.>; **it will be a ~ time before** (+ **present tense**) jeszcze długo nie (+ czas przyszły); **it will be a ~ time before he comes** <**writes etc.**> (on) długo nie przyjdzie <nie napisze itd.>; **for a ~ time** (+ **present tense**) na długo; na długi <dłuższy> czas; **you can keep this for a ~ time** może-sz/cie to zatrzymać na długi <dłuższy> czas; **for a ~ time** (+ **past tense** lub **pluperfect**) długo; przez długi czas; **he spoke** <**had spoken**> **for a ~ time** (on) mówił długo <przez długi czas>; **for a ~ time** (+ **future tenses**) a) *w zdaniu twierdzącym lub pytającym*: na długo; na długi okres czasu; na dłuższy czas; **I shall be away for a ~ time** wyjadę na dłuższy czas; **will you need this for a ~ time?** czy będzie-sz/cie tego potrzebowa-ł/li na długo? b) *w zdaniu przeczącym*: jeszcze długo nie...; **he won't come for a ~ time** (on) jeszcze długo nie przyjdzie; jeszcze go długo nie będzie; **for a ~ time** (+ **present perfect tense**) od dawna

(+ czas teraźniejszy); **I have been <known, worked etc.> for a ~ time** od dawna jestem <wiem, pracuję itd.> 3. (*o przewidywaniach itd*) dalekosiężny; **a ~ sight** dalekowidztwo; dalekowzroczność 4. (*o terminie, dacie*) odległy 5. (*o utworze literackim itp*) przydługi; rozwlekły [II] *s* 1. długi <dłuższy> czas; **at the ~est** najdalej; najwyżej; **before** <*lit* **ere**> **~** niezadługo; wkrótce; niebawem; wnet; **for ~** na długo; **~ enough to** — na tyle tylko czasu, żeby ...; **it is ~ since** (+ **past tense**) (już) od dawna <dawno> nie (**I was** <**heard, saw etc.**> byłem <słyszałem, widziałem itd.>); **it takes ~ to** — to długo trwa, zanim ...; dużo trzeba czasu, żeby ...; **it took me ~ to understand that** — długo nie rozumiałem, że ...; **you have still ~ to live** długo jeszcze pożyje-sz/cie; ma-sz/cie jeszcze długie życie przed sobą; **the ~ and the short of it** krótko mówiąc; słowem 2. długa głoska 3. wakacje <ferie> letnie 4. *pl* **~s** długie spodnie [III] *adv* długo; długi <dłuższy> czas; **all day** <**night, his life etc.**> **~** cał-y/ą/e dzień <noc, jego życie itd.>; **~** (+ **present perfect tense**) od dawna (+ czas teraźnejszy); **I have been** <**waited etc.**> **~** od dawna jestem <czekam itd.>; **to be ~ doing** <**in doing**> **sth** potrzebować <wymagać> długiego czasu, żeby coś zrobić; długo coś robić; długo nie móc czegoś zrobić; *w zdaniu przeczącym*: **not to be ~ doing** <**in doing**> **sth** niewiele potrzebować czasu, żeby coś zrobić; wkrótce <wnet, zaraz, *pot* migiem, raz dwa> coś zrobić; *w zdaniu pytającym*: **how ~** (+ **present perfect**) odkąd; **how ~ have you learned** <**been learning**> **—?** odkąd uczy-sz/cie się...? **how ~** (+**past** *lub* **pluperfect**) jak długo; **how ~ did you learn** <**had you learned**> **—?** jak długo uczy-łeś/liście się...?; **how much ~er?** ile(ż) jeszcze czasu?; jak długo jeszcze?; **~ after** długo po (**we have** <**had**> **gone** <**done it, been there etc.**> naszym odejściu, zrobieniu tego przez nas, naszej bytności tam itd.); **~ after sth** długo po czymś; **~ before sth** na długo przed czymś; **~ before sth happens** <**has happened**> znacznie wcześniej, zanim a) coś się dzieje b) coś będzie się działo; **it will be ~ before** (**that happens**) długo nie (stanie się to); **it is ~ since** (**it happened**) od dawna nie (zdarzyło się to); **~ before it happened** <**had happened**> znacznie wcześniej, zanim to się stało; **~ since** <**ago**> dawno temu; **not ~** zaledwie; **not ... any ~er, no ~er** już nie; dłużej nie; więcej (już) nie; **so ~ as —, as ~ as —** a) jak długo ... b) pod warunkiem, że ...; byle (tylko) ...; **so ~!** do widzenia!

long[2] [lɔŋ] *vi* 1. pragnąć <łaknąć, pałać żądzą> (**for sth** czegoś); wzdychać (**for sth** do czegoś) 2. mieć wielką ochotę (**to do sth** zrobić coś) 3. tęsknić (**for** <**after**> **sb, sth** za kimś, czymś) *zob* **longing**

long. ['lɔndʒi,tju:d] *skr* **longitude**

long-ago ['lɔŋ-ə,gou] [I] *adj* dawno miniony; odległy [II] *s* daleka przeszłość

longanimity [,lɔŋgə'nimiti] *s* wyrozumiałość

long-bill ['lɔŋ,bil] *s zoo* nazwa kilku ptaków z długim dziobem (bekas itp.)

long-boat ['lɔŋ,bout] *s mar* barkas

long-bow ['loŋ,bou] *s* łuk (do strzelania); *przen* **to draw the ~** przesadzać; koloryzować

long-clothes ['lɔŋ,klouðs] *spl* sukienka niemowlęcia; *przen* pieluszki

long-dated ['lɔŋ'deitid] *adj* długoterminowy

long-distance ['lɔŋ,distəns] *adj* 1. *telef* międzymiastowy 2. *sport* długodystansowy

long-drawn ['lɔŋ'drɔ:n], **~-out** ['lɔŋ-drɔ:n'aut] *adj* długi; długotrwały

longe [lɔndʒ] = **lunge**[1]

long-eared ['lɔŋ'iəd] *adj* długouchy; *zoo* **~ bat** gacek wielkouch

longeron ['lɔndʒərən] *s lotn* podłużnica (konstrukcji kadłuba)

longevity [lɔn'dʒeviti] *s* długowieczność

longhand ['lɔŋ,hænd] *s* pismo ręczne

long-headed ['lɔŋ'hedid] *adj* 1. długogłowy 2. bystry; przenikliwy

longing ['lɔŋiŋ] [I] *zob* **long**[2] [II] *s* 1. pragnienie (**for sth** czegoś); ochota (**for sth** do czegoś, na coś) 2. tęsknota (**for sb, sth** za kimś, czymś) [III] *adj* pełen tęsknoty; tęskny

longish ['lɔŋiʃ] *adj* długawy; dosyć długi

longitude ['lɔndʒi,tju:d] *s* długość geograficzna

longitudinal [,lɔndʒi'tju:dinəl] *adj* (*o przekroju itd*) podłużny; *techn* **~ beam** <**girder**> podłużnica

long-lived ['lɔŋ'livd] *adj* długowieczny

long-range ['lɔŋ'reindʒ] *adj* długofalowy; dalekosiężny; o dalekim zasięgu

long-shoreman ['lɔŋ,ʃɔ:mən] *s* (*pl* **long-shoremen** ['lɔŋ,ʃɔ:mən]) 1. robotnik portowy 2. człowiek żyjący z przypadkowych zarobków na wybrzeżu

long-sighted ['lɔŋ'saitid] *adj* dalekowzroczny; przewidujący; **to be ~** a) być dalekowidzem b) być dalekowzrocznym <przewidującym>

long-sightedness ['lɔŋ'saitidnis] *s dosł i przen* dalekowzroczność

long-spun ['lɔŋ'spʌn] *adj* rozwlekły; (*o historii, opowiadaniu*) bez końca

long-standing ['lɔŋ'stændiŋ] *adj* stary; zadawniony

long-stop ['lɔŋ,stɔp] *s* (*w krykiecie*) pozycja <gracz> za bramką

long-suffering ['lɔŋ'sʌfəriŋ] [I] *adj* 1. cierpliwy; wytrzymały 2. pobłażliwy [II] *s* 1. cierpliwość; wytrzymałość 2. pobłażliwość

long-tailed ['lɔŋ,teild] *adj* z długim ogonem, długoogoniasty

long-term ['lɔŋ,tə:m] *adj* długoterminowy; długofalowy

long-tongued ['lɔŋ,tʌŋd] *adj* gadatliwy

longueur [lɔŋ'gə:] *s* dłużyzna (w książce, sztuce)

long-waisted ['lɔŋ'weistid] *adj* (*o osobie, sukience*) z długim stanem

longways ['lɔŋweiz] *adv* wzdłuż; na długość

long-winded ['lɔŋ'windid] *adj* 1. (*o opowiadaniu itp*) rozwlekły 2. (*o człowieku*) rozmowny; gadatliwy 3. (*o koniu*) ze zdrowymi płucami

longwise ['lɔŋwaiz] = **longways**

loo [lu:] *s* gra w karty o stawki pieniężne

looby ['lu:bi] *s* cymbał; głupiec

loofah ['lu:fa:] *s* 1. *bot* luffa (roślina) 2. gąbka z luffy

look [luk] [I] *vi* 1. po/patrzeć <po/patrzyć> (**at sb** na kogoś); **she is pretty to ~ at** ona jest ładna; przyjemnie jest na nią popatrzyć; **to ~ at him** <**her etc.**> — wnosząc z jego <jej itd.> wyglądu ...; *przen z przeczeniem*: **he wouldn't ~ at —** ani słyszeć nie chciał o ...; **~ (and see)** popatrz/cie no; idź/cie zobaczyć; **~ here!** słuchaj/cie no!; ~ **what you are doing!** patrz/cie <uważaj/cie> co robi-sz/cie! 2. *pot* otworzyć oczy (ze zdziwienia itd.) 3. przypat-rzyć/rywać <przy-jrzeć/glądać> się (**at sb, sth** komuś, czemuś) 4. zobaczyć <popatrzyć> (**who, how, if etc.** kto, jak, czy itd.) 5. zapatrywać się (**at sth** na coś) 6. uważać (**that** — żeby ...) 7. być zwróconym (**towards the sea etc.** ku morzu itd.; **north, south etc.** na północ, na południe itd.) 8. (*o faktach itd*) wskazywać (**to sth** na coś); zapowiadać (**to sth** coś) 9. **wyglądać**; z/robić <wywoł-ać/ywać> wrażenie; **it ~s** <**~ed**> **as if** — wygląda <wyglądało> na to, że...; zanosi <zanosiło> się na to, że...; *z przymiotnikiem zastosowanym orzecznikowo*: wyglądać (**grave, pretty, young etc.** poważnie, ładnie, młodo itd.); wyglądać (**ill, pleased etc.** na (człowieka) chorego, zadowolonego itd.); mieć minę (**sad, radiant etc.** smutną, rozpromienioną itd.); **to ~ black** mieć posępną minę; **to ~ black at sb, sth** spojrzeć ze złością na kogoś, coś; **to ~ sharp** <**alive**> pośpieszyć się; **to ~ small** z/robić wrażenie a) kogoś <czegoś> małego b) prostaka <kutwy, sknery>; **to ~ well** dobrze <zdrowo> wyglądać; **to ~ younger** <**older**> **than one is** nie wyglądać na swój wiek; wyglądać na mniej <więcej> lat niż się ma; (*o sytuacji*) **things ~ bad** <**bright, better**> sytuacja wygląda źle <świetnie, lepiej>; (*o przyszłości*) zapowiadać się (źle, świetnie, lepiej); *z przysłówkiem*: **how does that ~?** jak to wygląda <się przedstawia>?; **it ~s well** to wygląda <przedstawia się> dobrze 10. *z przyimkami*: **~ about**; **to ~ about one** roz-ejrzeć/glądać się dookoła siebie; **~ after**; **to ~ after sb, sth** a) dbać; starać <troszczyć> się o kogoś, coś; opiekować się kimś, czymś; pilnować kogoś, czegoś (swoich interesów itd.) b) śledzić <wodzić> oczami za kimś, czymś c) szukać kogoś, czegoś; **~ down**; *pot* **to ~ down one's nose at sb, sth** a) niechętnie widzieć kogoś, coś b) patrzyć z góry na kogoś, coś; **~ for**; **to go and ~ for** — pójść po ... (kogoś, coś); **to ~ for sb, sth** a) po/szukać <poszukiwać> kogoś, czegoś; *przen* **to ~ for trouble** nara-zić/żać się na **przykrości** b) spodziewać się <oczekiwać> kogoś, czegoś; **~ into**; **to ~ into** — a) za-jrzeć/glądać do ... (czegoś — pudełka, pokoju, studni, książki itd.) b) wejrzeć w <zbadać> ... (jakąś sprawę); **~ like**; **to ~ like** — a) wyglądać jak ... (**a fool, a prince, a scarecrow etc.** wariat, książę, strach na wróble itd.); wyglądać na ... (**a sensible man, a savage etc.** rozsądnego człowieka, dzikusa itd.); być podobnym do ...; **this ~s like glass** <**wood, stone etc.**> to wygląda na szkło <na drewno, kamień itd.>; **what does that ~ like?** jak to wygląda? b) zanosić się na ... (**rain, a fine day, a catastrophe etc.** deszcz, piękny dzień, katastrofę itd.); **he ~s** <**~ed**> **like winning** <**dying, recovering etc.**> wygląda <wyglądało> na to, że on wygra <umrze, wyzdrowieje itd.>; **~ on** <**upon**>; **to ~ on** <**upon**> a) patrzyć na (**sb, sth as** — kogoś, coś jak na ...); uważać <mieć> (**sb, sth as** — kogoś, coś za...); **he ~ed on him as his superior** uważał go za swego przełożonego b) być nastawionym (**sb** <**sth**> **favourably etc.** do kogoś, <czegoś> przychylnie itd.) c) (*o oknie, pokoju itd*) wychodzić na (**sth** coś — ogród, ulicę itd.); **~ over**; **to ~ over a mistake** darować <patrzyć **przez** palce na> błąd; **to ~ over a wall** patrzyć **zza** muru; **to ~ over sb's shoulder** patrzyć przez czyjeś ramię; **~ through**; **to ~ through** — patrzyć przez ... (okno itd.); przejrzeć ... (tajemnicę itd.); przejrzeć ... (książkę itp.); **his greed ~s through his eyes** z jego oczu przeziera chciwość; **~ to**; **to ~ to it that** — uważać <przypilnować>, żeby ...; **to ~ to sb for sth** liczyć na to, że ktoś coś zrobi; **to ~ to sth** uważać na coś; pilnować czegoś; **to ~ to the future** patrzyć w przyszłość; **~ towards**; *pot* **to ~ towards sb** pić czyjeś zdrowie; przepijać do kogoś [II] *vt* 1. *w zwrotach*: **to ~ a gift horse in the mouth** patrzyć darowanemu koniowi w zęby; **to ~ sb** <**sth**> **in the face** po/patrzyć <spojrzeć> komuś <czemuś — niebezpieczeństwu, śmierci itd.> (prosto) w oczy 2. wyra-zić/żać spojrzeniem (**compassion, hatred etc.** współczucie, nienawiść itd.); **to ~ daggers at sb** rzuc-ić/ać komuś spojrzenie pełne nienawiści 3. wyglądać (**sb, sth** na kogoś, coś); **he's a rascal — he ~s it** to łajdak — wygląda **na** to; **I feel tired — you ~ it!** jestem zmęczony — wyglądasz na to!; **to ~ a fool** wyglądać głupio <jak idiota>; **to ~ every inch a gentleman** wyglądać na dżentelmena w każdym calu; **to ~ oneself** być nie zmienionym na twarzy; **you don't ~ yourself** zmienił-eś/aś się na twarzy; **to ~ thirty** <**forty, one's age**> wyglądać na trzydzieści lat <na czterdzieści lat, na swój wiek>

~ about *vi* rozglądać się (**for sth** za czymś); szukać oczami (**for sth** czegoś)

~ ahead *vi* patrzyć przed siebie; *przen* patrzyć **naprzód** <w przyszłość>

~ away *vi* odwrócić wzrok <głowę>

~ back *vi* 1. obejrzeć/oglądać się za siebie 2. wspominać (**upon** <**to**> **sth** coś); wracać myślą <pamięcią> (**upon** <**to**> **sth** do czegoś) 3. zwątpić w swe przedsięwzięcie

~ down [I] *vi* 1. po/patrzyć <spojrzeć> w dół 2. spu-ścić/szczać oczy <**wzrok**> 3. po/patrzyć z **góry** (**upon sb** na kogoś) [II] *vt* 1. s/karcić (kogoś) surowym spojrzeniem 2. poskr-omić/amiać (**zwierzę**) spojrzeniem

~ forward *vi* oczekiwać (**to sth** czegoś); cieszyć się (**to sth na coś**)

~ in *vi* 1. za-jrzeć/glądać <wpa-ść/dać> (**on** <**upon**> **sb, at sb's house** do kogoś) 2. obejrzeć/oglądać (**to the TV** program telewizyjny)

~ on *vi* przy-jrzeć/glądać <przypat-rzyć/rywać> się; *pot* kibicować

~ over *vt* prze-jrzeć/glądać (papiery itd.)

~ out [I] *vi* 1. wy-jrzeć/glądać 2. (*o oknie, pokoju*) wychodzić (na ulicę, podwórze itd.) 3. uważać; czuwać; być w pogotowiu; mieć się na baczności 4. wypatrywać <oczekiwać> (**for sb** kogoś) 5. uważać (**for pot-holes, signals etc.** na wyboje, na sygnały itd.) [II] *vt* wyszukać (**sth for sb** coś komuś); znaleźć

~ round *vi* 1. roz-ejrzeć/glądać się 2. obejrzeć/oglądać się za <dookoła> siebie; popatrzyć za <dookoła> siebie 3. poszukać wzrokiem (**for sb, sth** kogoś, czegoś); roz-ejrzeć/glądać się (**for sb, sth** za kimś, czymś)

~ up [I] *vi* 1. popatrzyć <spojrzeć> w górę; podn-ieść/osić oczy <głowę>; **to ~ up to sb**

poważać <szanować> kogoś 2. (*o koniunkturze*) poprawi-ć/ać się 3. (*o cenach*) zwyżkować [II] *vt* 1. za-jrzeć/glądać (**the time-table etc.** do rozkładu jazdy itp.) 2. po/szukać <poszukiwać> (**sth** czegoś — pociągu w rozkładzie jazdy, wyrazu w słowniku itd.) 3. wst-ąpić/ępować <wpa-ść/dać> (**sb** do kogoś); odszukać (kogoś) 4. z/lustrować (**sb up and down** kogoś z góry na dół)
[III] *s* 1. spojrzenie; wejrzenie; **there was an ugly ~ in his eye** a) wyglądał groźnie; miał groźną minę b) wyglądał antypatycznie; **to give sb a kind** <**severe, scornful**> **~** popatrzyć <spojrzeć> na kogoś życzliwie <surowo, pogardliwie>; **to have a good ~** dokładnie się przyjrzeć; **to have a ~ at sth** popatrzyć na coś; przypatrzyć <przyjrzeć> się czemuś; obejrzeć coś; spojrzeć na coś 2. mina (człowieka); wyraz (twarzy) 3. wygląd; pozory; **good ~s** uroda; **to lose one's ~s** s/tracić urodę; **I don't like the ~ of the thing** to mi podejrzanie wygląda; **by the ~** <**~s**> **of it** sądząc z pozorów; **the new ~** najnowsza <ostatnia> moda

†**looker** ['lukə] *s* 1. widz; przyglądający się 2. *sl* ładna babka <kobieta>

looker-on ['lukər'ɔn] *s* (*pl* **lookers-on** ['lukəz'ɔn]) widz; przyglądający się; *pot* **kibic**

look-in ['luk'in] *s* przelotne spojrzenie; **to have a ~ = to look in**

looking-glass ['lukiŋ,gla:s] *s* lustro, lusterko; zwierciadło

look-out ['luk,aut] [I] *s* 1. czujność; uwaga; **to be on the ~, to keep a ~** czatować; pilnować; mieć się na baczności; być w pogotowiu 2. widok; perspektywa; widoki na przyszłość 3. przedmiot troski; **that's my** <**his etc.**> **~** to moja <jego itd.> rzecz <sprawa>!; **that's your ~** niech cię <was> o to głowa boli [II] *attr* (*o punkcie itd*) obserwacyjny; **~ man** obserwator; czatownik

look-see ['luk'si:] *s sl* spojrzenie; **to have a ~** rzucić okiem (na coś)

loom[1] [lu:m] *s* 1. warsztat tkacki 2. rączka wiosła

loom[2] [lu:m] *vi* (*także* **~ up**) wynurz-yć/ać <wył-onić/aniać> się (z mgły itp.); za/majaczyć; ukaz-ać/ywać się (na widnokręgu itd.); (*o niebezpieczeństwie*) zagrażać; grozić; (*o przyszłych wydarzeniach itd*) **to ~ large** budzić (duży) niepokój; wywoł-ać/ywać (poważne) zaniepokojenie

loom[3] [lu:m] *s zoo* nurzyk (ptak)

loon[1] [lu:n] *s* 1. nicpoń 2. gbur 3. *sl* głupiec

loon[2] [lu:n] *s zoo* nur (ptak)

loony ['lu:ni] *adj sl* pomylony; bez piątej klepki; zbzikowany; **~ bin** dom wariatów; **he is ~** to wariat

loop [lu:p] [I] *s* 1. pętla; supeł 2. kokarda 3. węzeł 4. oczko (w robocie dziewiarskiej) 5. kolano <pętla> (rzeki); **to make ~s** wić się 6. *techn* pętla; ucho; pierścień 7. objazd 8. *lotn* looping, pętla [II] *vt* 1. z/robić pętlę (**a rope etc.** ze sznura itd.); supłać; splatać; *lotn* **to ~ the ~** z/robić looping <pętlę> 2. zawiąz-ać/ywać na kokardkę 3. podwiąz-ać/ywać (włosy, firankę itd.) [III] *vi* splatać się

loop-aerial ['lu:p,ɛəriəl] *s radio* antena ramowa

looper ['lu:pə] *s zoo* miernica (gąsienica)

loophole ['lu:p,houl] *s* 1. strzelnica (w murze) 2. *przen* wykręt; luka; furtka

loop-line ['lu:p,lain] *s kolej* linia okrężna

loose [lu:s] [I] *adj* 1. luźny; rozluźniony; rozchwiany; **to come** <**get**> **~** rozluźni-ć/ać się; rozchwi-ać/ewać się *zob* **~** *adj* 7.; **to have a ~ tongue** mieć długi język 2. (*o zwierzęciu*) nie uwiązany; (*o psie*) spuszczony (z łańcucha); puszczony wolno <samopas>; **to break ~** zerwać/zrywać się z uwięzi; ur-wać/ywać się; ucie-c/kać (komuś); wyr-wać/ywać się (z klatki); **to let ~** pu-ścić/szczać wolno; spu-ścić/szczać (psa); *przen* da-ć/wać folgę <upust> (uczuciom itd.); wyrzuc-ić/ać z siebie (potok obelg itd.) 3. (*o końcu liny itp*) luźno wiszący; (*o człowieku*) **at a ~ end** bez zajęcia; **nie zajęty**; wolny 4. (*o włosach*) nie związany, spływający na plecy 5. (*o linie itd*) nie napięty 6. (*o śrubie itd*) nie dokręcony 7. (*o sznurowadle itd*) rozwiązany; **to come ~** rozwiązać się 8. obwisły; sflaczały 9. (*o ubiorze*) luźny; wolny; obszerny; swobodny 10. *med w zwrocie*: **to have ~ bowels** mieć rozwolnienie 11. sypki; nie zbity 12. niewyraźny; nieuchwytny; płynny; (*o tłumaczeniu*) nieścisły 13. rozpustny; rozwiązły; wyuzdany 14. niedbały; nieobowiązkowy 15. *chem* wolny; nie związany 16. (*o częściach ciała*) niezgrabny [II] *adv* luźno; wolno [III] *s* folga; upust; swoboda działania; **to give ~** <**a ~**> **to one's feelings** dać folgę <upust> uczuciom; **on the ~** na hulance [IV] *vt* 1. rozwiąz-ać/ywać (więzy, język itd.) 2. rozluźni-ć/ać; zw-olnić/alniać; **to ~ one's hold** popu-ścić/szczać; pu-ścić/szczać 3. wypu-ścić/szczać (strzałę) 4. odpu-ścić/szczać (grzechy) 5. *mar* odcumować [V] *vi* wystrzelić (z broni palnej)

loose-box ['lu:s,bɔks] *s* klatka <boks> (dla konia w stajni)

loose-fitting ['lu:s,fitiŋ] *adj* luźny; wolny

loose-leaf ['lu:s,li:f] *attr* (*o notatniku itd*) z luźnymi kartkami; (*o albumie itd*) z kartkami do wyjmowania; (*o rejestratorze itd*) kartotekowy

loosen ['lu:sn] *vt* 1. rozluźni-ć/ać; rozchwiać; obluzow-ać/ywać 2. rozwiąz-ać/ywać (sznur, język itd.) 3. popu-ścić/szczać (**sth** coś, czegoś); zw-olnić/alniać; da-ć/wać luz (**sth** czemuś) 4. spulchni-ć/ać (ziemię) 5. wywoł-ać/ywać rozwolnienie (**the bowels** żołądka); po/działać rozwalniająco (**the bowels** na kiszki)

looseness ['lu:snis] *s* 1. luźny stan; rozluźnienie; chwianie się; rozchwianie 2. wolność; swoboda 3. rozkręcenie <niedokręcenie> (śruby itd.) 4. obwisłość; sflaczałość 5. obszerność (ubioru) 6. sypkość 7. nieuchwytność; płynność 8. rozpusta; rozwiązłość; wyuzdanie; rozluźnienie obyczajów

loosestrife ['lu:s,straif] *s bot* 1. tojeść 2. krwawnica

loot [lu:t] [I] *s* 1. s/plądrowanie; z/łupienie 2. łup; zdobycz (wojenna); *pot* szaber [II] *vt* s/plądrować; z/łupić; *pot* wy/szabrować

looter ['lu:tə] *s* łupieżca; *pot* szabrowni-k/czka

lop[1] [lɔp] [I] *vt* (**-pp-**) obci-ąć/nać <poobcinać> (gałęzie); † okrzes-ać/ywać (drzewo) *zob* **lopping** [II] *s* 1. obcięte <† okrzesane> gałęzie 2. *zoo* królik kłapouchy

lop[2] [lɔp] *v* (**-pp-**) [I] *vt* opu-ścić/szczać <zwie-sić/szać> (uszy) [II] *vi* wisieć; zwisać **~ about** *vi* włóczyć <*pot* szwendać> się

lop[3] [lɔp] [I] *s* plusk (wody) [II] *vi* (**-pp-**) pluskać

lope [loup] [I] *s* sus [II] *vi* biec susami

lop-eared ['lɔp,iəd] *adj* kłapouchy; zwisłouchy

lophobranch ['loufə,bræŋk], **lophobranchiate** ['lou fə,bræŋkiit] [I] *s zoo* ryba wiązkoskrzelna [II] *adj zoo* wiązkoskrzelny
lopping ['lɔpiŋ] [I] *zob* **lop**¹ *v* [II] *spl* **~s** obcięte gałęzie
lopsided ['lɔp'saidid] *adj* krzywy; przechylony; *dosł i przen* koślawy
loquacious [lou'kweiʃəs] *adj* wielomówny; gadatliwy
loquacity [lou'kwæsiti] *s* wielomówność; gadatliwość
loquat ['loukwət] *s bot* niesplik japoński
lor(') [lɔ:] *interj pot* Boże!; rety!
lord [lɔ:d] [I] *s* 1. pan; władca; *poet żart* **~ and master** pan i władca; mąż; **our sovereign ~ the king** miłościwie nam panujący król; **to act the ~** udawać wielkiego pana 2. dziedzic majątku; właściciel 3. magnat (przemysłowy) 4. senior (feudalny) 5. **the Lord** Pan Bóg; **in the year of our Lord** roku pańskiego; *rel* **the Lord's table** <**prayer**> stół <modlitwa> Pańsk-i/a 6. lord (tytuł należny parom, dostojnikom dworskim, niektórym dygnitarzom świeckim i kościelnym); **my ~** milordzie!; wasza lordowska mość; *pot* **drunk as** <**swearing like**> **a ~** pijany <klnąc> jak szewc 7. *pl* **~s**; *bot* **~s and ladies** obrazki plamiste, arum [II] *vt* 1. podn-ieść/osić do godności lorda 2. *z dopełniającym* **it** *w zwrocie*: **to ~ it** zachowywać się władczo <arogancko>; pozować na wielkiego pana; wynosić <pysznić> się; **to ~ it over sb** narzucać swoją wolę <rozkazywać> komuś; poniewierać <pomiatać> kimś
lordliness ['lɔ:dlinis] *s* 1. dostojeństwo; powaga 2. wspaniałość (rezydencji itp.) 3. szczodrość; hojność 4. duma; pycha; wyniosłość
lordling ['lɔ:dliŋ] *s* pomniejszy lord; paniątko
lordly ['lɔ:dli] *adj* (**lordlier** ['lɔ:dliə], **lordliest** ['lɔ:dliist]) 1. dostojny; majestatyczny 2. wspaniały; wielkopański 3. szczodry; hojny 4. dumny; pyszny; wyniosły
Lord-Mayoralty [lɔ:d'meiərəlti] *s* godność <kadencja> Lorda Mayora <burmistrza, prezydenta miasta> (Londynu, Yorku, Dublina i kilku innych wielkich miast Wielkiej Brytanii)
lordosis [lɔ:'dousis] *s med* wygięcie kręgosłupa ku przodowi
lordship ['lɔ:dʃip] *s* 1. *hist* seniorat, starszeństwo 2. dobra (ziemskie) 3. władanie (**of** <**over**> **sth** czymś) 4. *w zwrotach grzecznościowych z zaimkiem*: **Your** <**His**> **Lordship** wasza <jego> lordowska mość
lore¹ [lɔ:] *s* wiedza; nauka
lore² [lɔ:] *s* (*u ptaka*) część głowy pomiędzy oczami i dziobem
↑**lorgnette** [lɔ:'njet] *s* lorgnon (okulary z rączką)
lorica ['lɔrikə] *s* (*pl* **loricae** ['lɔri,si:]) *zoo* łuska; pancerz
loricate ['lɔrikit] *adj zoo* łuszczasty; opancerzony
lorikeet ['lɔri,ki:t] *s* papuga polinezyjska o jaskrawym upierzeniu
loris ['lɔ:ris] *s zoo* lori (zwierzę z rodziny lemurów)
lorn [lɔ:n] *adj poet żart* samotny; opuszczony
↑**lorry** ['lɔri] *s* 1. samochód ciężarowy, ciężarówka 2. platforma kolejowa 3. przyczepka tramwajowa
lory [lɔri] = **lorikeet**
lose [lu:z] *v* (**lost** [lɔst], **lost**) [I] *vt* 1. s/tracić (kogoś, coś); zostać pozbawionym (**sb, sth** kogoś, czegoś); **to ~ sight of __** s/tracić ... z oczu; **to ~ weight** s/tracić na wadze; s/chudnąć; **to stand to ~ (nothing)** mieć <nic nie mieć> do stracenia 2. z/gubić; zagubić; za/podziać; zarzuc-ić/ać; zawierusz-yć/ać; **to ~ one's way, to ~ oneself** zabłądzić 3. z/marnować <przepu-ścić/szczać> (sposobność, okazję) 4. przegr-ać/ywać (mecz, bitwę, proces, pieniądze itd.) 5. (*o zegarku*) spóźni-ć/ać się 6. kosztować <przyprawi-ć/ać o> utratę (**sth** czegoś); **it lost him his place** to go kosztowało utratę posady 7. spóźni-ć/ać się <nie zdążyć> (**one's train etc.** na pociąg itd.) 8. nie dosłyszeć (**sb's words etc.** czyichś słów itd.) 9. pozby-ć/wać się (**a cold, fear etc.** kataru, uczucia strachu itd.) [II] *vr* **~ oneself** 1. *dosł i przen* z/gubić się (w obcym mieście, w zawiłościach tekstu itd.) 2. pogrąż-yć/ać się (w książce itd.) [III] *vi* 1. pon-ieść/osić <mieć> strat-ę/y; być stratnym; **the story does not ~ in the telling** opowiadanie jest z lekka przesadzone; **to ~ by sth** stracić na czymś; **to ~ heavily** a) ponieść ciężkie straty (w ludziach) b) ponieść poważn-ą/e strat-ę/y (pieniężn-ą/e); **to ~ in value** <**quality, interest**> stracić na wartości <na jakości, zainteresowaniu> 2. zostać pokonanym <pobitym>; przegr-ać/ywać 3. (*o zegarku*) spóźni-ć/ać się 4. przegr-ać/ywać pieniądze <proces itd.> *zob* **losing, lost**
loser ['lu:zə] *s* przegrywający; pobity, zwyciężony; **to be a good** <**bad**> **~** godnie <niegodnie> przyj-ąć/mować przegraną; **to be the ~** przegrać; być poszkodowanym
losing ['lu:ziŋ] [I] *zob* **lose** [II] *spl* **~s** strat-a/y [III] *adj.* przegrywający; **a ~ game** partia <*przen* sprawa> z góry przegrana; **the ~ side** strona przegrywająca; pobici, zwyciężeni; **to fight a ~ battle** walczyć bez widoków na zwycięstwo; **to play a ~ game** mieć partię z góry przegraną
↑**loss** [lɔs] *s* 1. strata; zguba; **he** <**it etc.**> **is no great ~** obejdzie się bez niego <tego itd.>; **to cut one's ~es** zapobiec dalszym stratom; **at a ~** (sprzedać coś) ze stratą; **without ~ of time** bez zwłoki 2. utrata (wzroku, praw itd.) 3. ubytek ‖ **to be at a ~** być w kłopocie; nie wiedzieć co począć; **to be at a ~ for sth** nie znajdować (słów itd.); **to be at a ~ to __** nie móc <nie umieć> ... (czegoś zrobić, powiedzieć itd.)
lost [I] *zob* **lose** [II] *adj* 1. zgubiony; zagubiony; nie do odnalezienia; **to be ~** a) z/gubić się b) być straconym c) stracić orientację; **to be ~ in conjecture** zachodzić w głowę; **to get ~** a) zaginąć b) zabłądzić c) zgubić się (w obcym mieście, *przen* w zawiłościach tekstu itd.) 2. stracony; **to be ~ to sth** być nieczułym <niewrażliwym> na coś; zatracić (poczucie obowiązku, wstydu itd.); **to be ~ upon sb** a) nie wyw-rzeć/ierać na kimś (żadnego) wrażenia b) nie zostać przez kogoś zauważonym
lot [lɔt] [I] *s* 1. los; dola; udział; **the ~ fell upon me** los padł <wskazał> na mnie; **it fell to my ~** przypadło mi (to) w udziale; **to cast in one's ~ with sb** podzielić czyjś los; **to draw** <**cast**> **~s for sth** ciągnąć losy o coś; **by ~** a) w drodze losowania b) na los szczęścia 2. parcela; działka; grunt 3. partia (towaru); (*o człowieku*) **a bad ~** nicpoń; hultaj; łobuz; *pot* **the**

~ wszystko; wszyscy; całość; **the (whole) ~** wszystko razem; **the (whole) ~ of us <you, them>** cała gromada <paczka, banda> nas <was, ich> 4. **a ~** dużo, wiele, wielu; *ze stopniem wyższym*: znacznie <o wiele> (lepiej, wyżej itd.); **a good ~** sporo; **quite a ~** sporo, niemało, wcale dużo; **such a ~** tyle; aż tyle; **what a ~!** ile <ileż> (to) tego! 5. *pl* **~s** dużo, wiele; wielu; **~s better** o wiele <znacznie> lepiej <lepszy, zdrowszy> [II] *vt* (**-tt-**) po/dzielić na partie (towar itp.) [III] *vi* (**-tt-**) po/ciągnąć losy

~ out *vt* roz/parcelować, rozparcelowywać; po/rozdzielać

lota(h) ['loutə] *s* (*w Indiach*) miedziany dzban

loth [louθ] = **loath**

Lothario [lou'θɑ:riou] *spr* rozpustnik; kobieciarz, *pot* babiarz

lotion ['louʃən] *s farm* płyn do zmywania <do płukania>

lottery ['lotəri] *s* loteria; **~ loan** pożyczka premiowa; **~ ticket** los loteryjny <na loterii>

lottery-wheel ['lɔtəri,wi:l] *s* koło loteryjne

lotto ['lɔtou] *s* lotto, loteryjka

lotus ['loutəs] *s bot* 1. lotos 2. komonica pospolita

lotus-eater ['loutəs,i:tə] *s* człowiek prowadzący próżniacze <marzycielskie> życie

lotus-land ['loutəs,lænd] *s* kraina próżniaczego <marzycielskiego> życia

loud [laud] [I] *adj* głośny; hałaśliwy; krzykliwy; **to be ~ in _** głośno wypowiadać ... (żale, podziw itd.); (*o barwach*) krzykliwy [II] *adv* głośno; na cały głos

loudly ['laudli] *adv* głośno; na cały głos; hałaśliwie; krzykliwie; (zapukać) mocno

loud-speaker ['laud,spi:kə] *s* głośnik; megafon

lough [lɔk] *s irl* jezioro; zatoka

lounge [laundʒ] [I] *vi* 1. przechadzać się 2. włóczyć się 3. rozwalać się; siedzieć rozwalonym <na pół leżąc> [II] *s* 1. rozwalanie się; nonszalancka poza 2. przechadzka; wałęsanie się; włóczęga 3. sala klubowa; świetlica; (*w hotelu itd*) hall; (*w teatrze itd*) foyer; **~ coat** wdzianko damskie; **~ lizard** fordanser/ka; **~ suit** ubranie spacerowe; **~ suite** meble klubowe; garnitur klubowy 4. tapczan; kanapa

lounger ['laundʒə] *s* próżniak; *pot* łazik

lour, lower ['lauə] [I] *vi* 1. przyb-rać/ierać kwaśną minę; s/posępnieć; na/chmurzyć się; z/marszczyć czoło; **to ~ at sb** patrzyć wilkiem <krzywić się> na kogoś; **to ~ on sth** krzywo patrzyć na coś; patrzyć na coś złym okiem 2. (*o niebie*) za/chmurzyć się; (*o chmurach*) na/gromadzić się; zawisnąć; (*o burzy*) grozić; nadciągać [II] *s* 1. kwaśna <groźna> mina 2. pochmurne niebo; groźba burzy

loury ['lauəri] *adj* nachmurzony; posępny

louse [laus] *s* (*pl* **lice** [lais]) wesz

lousewort ['laus,wə:t] *s bot* gnidosz

lousiness ['lauzinis] *s* zawszenie; *med* wszawica

lousy ['lauzi] *adj* (**lousier** ['lauziə], **lousiest** ['lauziist]) 1. wszawy; zawszawiony, zawszony 2. będący w nędzy 3. wstrętny; ohydny; **a ~ trick** świństwo 4. *sl* pełen (**with sth** czegoś); **to be ~ with _ (money etc.)** mieć w bród ... (czegoś — pieniędzy itd.)

lout [laut] *s* prostak; gbur; człowiek nieokrzesany

loutish ['lautiʃ] *adj* prostacki; gburowaty; nieokrzesany; bez ogłady

↑**louver, louvre** ['lu:və] *s bud* 1. żaluzja o listewkach nastawnych 2. okienko z żaluzją 3. (*w średniowieczu*) otwór wentylacyjny w dachu

lovable ['lʌvəbl] *adj* miły; sympatyczny

lovage ['lʌvidʒ] *s bot* lubczyk ogrodowy

love [lʌv] [I] *s* 1. miłość (**of <for, towards> sb** do kogoś); oddanie; **there's no ~ lost between them** oni się nie kochają <nie znoszą>; **to fall in ~** zakochać się; **to make ~ to _** zalecać <umizgać, czulić> się do ... (kogoś); **for ~** a) za nic; bezinteresownie b) (grać w karty itd.) dla zabawy <dla (samej) przyjemności, bez pieniędzy>; **for the ~ of** z miłości (do kogoś); dla <w imię> (kogoś, czegoś); **for the ~ of God** na miłość Boską; **in ~** zakochan-y/a (**with sb** w kimś); *wykrzyknikowo*: **(my) ~** kochanie; **~ in a cottage** choćby w chatce, byle z nim/nią; **not _ for ~ or money** ... za żadne skarby 2. zamiłowanie (**of <for> sth** do czegoś); chęć (czegoś) 3. (*w listach*) pozdrowienia <serdeczności, uściski> (**to sb** dla kogoś); **give my ~ to _** pozdrów/cie <uściśnij/cie> ... ode mnie 4. amorek 5. ukochan-y/a; kochan-ek/ka; miłość (osoba); † bogdanka; **he's a ~** to kochany człowiek 6. *sport* (*w zapisach*) zero; **~ game** such-y/a (rober, partia); (mecz) do zera ‖ **a ~ of a _** (*o dziecku, przedmiocie*) śliczny ..., rozkoszny ... [II] *vt* 1. kochać 2. namiętnie lubić; być przywiązanym (**sb, sth** do kogoś, czegoś); rozkoszować się (**sth** czymś); **to ~ do <doing> sth** z/robić coś z przyjemnością <z rozkoszą>; **I should ~ to _** chciał-bym/abym bardzo ... (coś zrobić, gdzieś pójść itd.); z rozkoszą <z przyjemnością> bym ... (zrobił/a, posz-edł/ła itd.) *zob* **loving**

love-affair ['lʌv-ə,fɛə] *s* romans (między dwojgiem ludzi)

love-apple ['lʌv,æpl] † *s* pomidor

love-begotten ['lʌv-bi,gɔtn] *adj* nieślubny

lovebird ['lʌv,bə:d] *s zoo* papużka falista

love-child ['lʌv,tʃaild] *s* (*pl* **love-children** ['lʌv,tʃildrən]) nieślubne dziecko

love-feast ['lʌv,fi:st] *s rel* agapa; *am* zebranie przyjacielskie

love-in-a-mist ['lʌv-inə,mist] *s bot* gatunek czarnuszki

love-in-idleness ['lʌv-in'aidlnis] *s bot* fiołek trójbarwny, bratek

love-knot ['lʌv,nɔt] *s* podwójna kokardka

Lovelace ['lʌvleis] † *s* lowelas

loveless ['lʌvlis] *adj* 1. (*o małżeństwie*) bez miłości 2. (*o człowieku*) nie kochany przez nikogo

love-letter ['lʌv,letə] *s* list miłosny

love-lies-bleeding ['lʌv-laiz,bli:diŋ] *s bot* szarłat zwisły

loveliness ['lʌvlinis] *s* uroda; urok; powab; wdzięk

love-lock ['lʌv,lɔk] *s* zalotny loczek (na czole, policzku)

lovelorn ['lʌv,lɔ:n] *adj* 1. opuszczon-y/a przez ukochan-ego/ą 2. usychający z miłości

lovely ['lʌvli] *adj* (**lovelier** ['lʌvliə], **loveliest** ['lʌvliist]) śliczny; rozkoszny; uroczy

love-making ['lʌv,meikiŋ] *s* zaloty; umizgi; czulenie się; konkury

love-match ['lʌv,mætʃ] *s* małżeństwo z miłości

lover ['lʌvə] *s* 1. wielbiciel/ka 2. ukochany, *rz* ukochana 3. *pl* **~s** zakochani 4. kochanek, *rz* kochanka; amant 5. miłośni-k/czka (czegoś)
love-scene ['lʌv,si:n] *s* scena miłosna
lovesick ['lʌv,sik] *adj* 1. usychający z miłości 2. tęskniący za miłością
love-song ['lʌv,sɔŋ] *s* pieśń miłosna
love-story ['lʌv,stɔ:ri] *s* opowiadanie o wątku miłosnym; romans
love-token ['lʌv,toukən] *s* dowód miłości
loving ['lʌviŋ] [I] *zob* **love** *v* [II] *s* miłość; **~ cup** puchar przyjaźni (puszczony wokół stołu biesiadnego) [III] *adj* kochający; oddany
loving-kindness ['lʌviŋ'kaindnis] *s* czułe przywiązanie
low[1] [lou] [I] *vi* za/ryczeć [II] *s* ryk (bydła)
low[2] [lou] [I] *adj* 1. niski; niewysoki; **a ~ price** niska <przystępna> cena; **~ birth** niskie <plebejskie> pochodzenie; *auto* **~ gear** pierwszy bieg; **~ shoe** półbucik; *mar* **~ tide** <water> niski stan wody; odpływ; **to bring ~** poniż-yć/ać; upok-orzyć/arzać; **to lay ~** obal-ić/ać; **to lie ~** a) za/czaić się; nie zdradzać się b) być przybitym c) być poniżonym <upokorzonym>; *przen* **in ~ water** bez funduszów; bez gotówki; *pot* wypłukany z pieniędzy 2. nizinny; (*w nazwach geogr*) dolny; **the Low Countries** Niderlandy 3. pospolity; ordynarny; wulgarny; gminny; trywialny; **~ comedian** błazen; klown; **~ comedy** komediofarsa; groteska; **~ company** złe towarzystwo; męty społeczne; ludzie złego prowadzenia się; **~ life** a) życie warstw ubogich b) pospólstwo; gmin 4. podły; **a ~ thing** <trick> podłość; *pot* świństwo 5. marny; kiepski; lichy; **~ opinion** niepochlebn-e/a zdanie <opinia> 6. płytki; **~ relief** płaskorzeźba 7. (*o zapasach, funduszach itd*) szczupły; mały; (*o człowieku*) **to be ~ in one's pocket** gonić ostatkami; **to run ~** wyczerpywać <kończyć> się 8. (*o głosie*) cichy <niski, basowy>; **in a ~ voice** po cichu; półszeptem; szeptem 9. przygnębiony; zdeprymowany; **~ spirits** przygnębienie; depresja; ponury nastrój 10. (*o dacie, terminie*) świeży; niedawny 11. (*o sukni*) z głębokim wycięciem; z dekoltem 12. (*o odżywianiu się*) marny; skromny 13. niewielki, mały, skromny 14. słaby; **the patient is ~** pacjent ma się kiepsko 15. (*o rytuale, nabożeństwie*) skromny; cichy; **Low Church** odłam kościoła anglikańskiego odznaczający się prostotą rytuału; **~ mass** cicha msza; **Low Sunday** niedziela przewodnia *zob* **lower**[1] *adj* [II] *s* 1. nizina 2. niż (barometryczny) 3. *am* niski stan <poziom> [III] *adv* 1. nisko; niewysoko; (wycięty) głęboko 2. skromnie (się odżywiać) 3. (grać) o małe <niskie> stawki 4. (mówić) cicho; szeptem 5. (mówić) niskim głosem 6. świeżo; niedawno 7. podle; marnie *zob* **lower**[1] *adv*
low-born ['lou'bɔ:n] *adj* nisko urodzony; niskiego <plebejskiego> pochodzenia
low-boy ['lou,bɔi] *s am* komoda
low-bred ['lou'bred] *adj* 1. źle wychowany; bez wychowania; ordynarny 2. † niskiego pochodzenia
low-brow ['lou,brau] [I] *s* człowiek bez zainteresowań intelektualnych <mało wykształcony, przyziemny, o niewybrednych upodobaniach> [II] *adj* (*o człowieku*) bez zainteresowań intelektualnych; mało wykształcony; przyziemny; o niewybrednych upodobaniach
low-browed ['lou,braud] *adj* (*o człowieku*) o niskim czole; (*o budynku*) z niskim wejściem; (*o skale*) zwisający
low-built ['lou,bilt] *adj* niski
Low-Churchman ['lou'tʃə:tʃmən] *s* (*pl* **Low--Churchmen** ['lou'tʃə:tʃmən]) wyznawca odłamu Kościoła anglikańskiego zwanego „Low Church" *zob* **low**[2] *adj* 15.
low-class ['lou'klɑ:s] *adj* wulgarny; pospolity
low-down[1] ['lou'daun] *adj* podły
low-down[2] ['lou,daun] *s* poufna wiadomość
lower[1] ['louə] *comp od* **low**[2] [I] *adj* 1. niższy; *druk* **~ case** małe litery; **the Lower House** niższa izba parlamentu; **the ~ orders** niższe warstwy społeczne; pospólstwo; gmin 2. (*o warstwie, szczęce itd*) dolny 3. (*o rangach wojsk., klasach szkolnych itd*) młodszy 4. (*o dacie, okresie czasu*) świeższy; późniejszy [II] *adv* niżej
lower[2] ['louə] [I] *vt* 1. zniż-yć/ać; obniż-yć/ać 2. spu-ścić/szczać; opu-ścić/szczać 3. schyl-ić/ać 4. ścisz-yć/ać (głos) 5. poniż-yć/ać 6. z/degradować 7. zmniejsz-yć/ać; z/redukować; osłabi--ć/ać; **~ing diet** dieta osłabiająca [II] *vi* 1. obniż--yć/ać się; opa-ść/dać 2. (*o cenach itd*) spa-ść/dać
lower[3] *zob* **lour**
lowermost ['louə,moust] *adj* najniższy
low-grade ['low,greid] *adj* 1. niskoprocentowy 2. gorszego gatunku; kiepski
lowland ['loulənd] [I] *s* nizina; *pl* **Lowlands** nizinne okręgi Szkocji [II] *adj* nizinny
Lowlander ['louləndə] *s* mieszkan-iec/ka nizinnych okolic Szkocji
lowliness ['loulinis] *s* 1. skromność (pochodzenia itd.) 2. pokora
lowly ['louli] *adj* (**lowlier** ['louliə], **lowliest** ['louliist]) 1. skromny; bez pretensji 2. skromnego pochodzenia 3. pokorny
low-lying ['lou'laiiŋ] *adj* nizinny
low-necked ['lou'nekt] *adj* (*o sukni*) z głębokim wycięciem
low-pitched ['lou'pitʃt] *adj* (*o głosie*) niski
low-powered ['lou'pauəd] *adj techn* (o) małej mocy; **a ~ car** samochód małolitrażowy
low-pressure ['lou'preʃə] *attr techn* niskoprężny
low-spirited ['lou'spiritid] *adj* przygnębiony; zdeprymowany
low-water ['lou'wɔ:tə] *attr* **~ mark** znak wskazujący najniższy stan wody
loxodrome [,lɔksə'droum] *s mar* loksodroma
loxodromic [,lɔksə'drɔmik] *adj mar* loksodromiczny
loyal ['lɔiəl] *adj* lojalny; wierny
loyalist ['lɔiəlist] *s* lojalista
loyalty ['lɔiəlti] *s* lojalność; wierność
lozenge ['lɔzindʒ] *s* 1. *geom herald* romb 2. *farm* tabletka, pastylka 3. cukierek
lozenged ['lɔzindʒd] *adj* (*o deseniu*) w romby
£. s. d. ['eles'di:] *s* funty, szylingi i pensy; *pot* forsa
lubber ['lʌbə] *s* 1. człowiek ociężały <niemrawy>; *pot* niezdara 2. *mar* szczur lądowy
lubberly ['lʌbəli] *adj* ociężały; niemrawy; *pot* niezdarny
lube [lju:b] *s* smar; oliwa

lubricant [ˈlu:brikənt] [I] *adj* smarujący [II] *s* smar; oliwa

lubricate [ˈlu:briˌkeit] *vt* na/smarować; na/oliwić; *przen* po/smarować

lubrication [ˌlu:briˈkeiʃən] *s* smarowanie; oliwienie

lubricator [ˈlu:briˌkeitə] *s* smarownica; oliwiarka

lubricity [lu:ˈbrisiti] *s* 1. smarność; smarowność 2. *dosł i przen* śliskość 3. lubieżność

lubricous [ˈlu:brikəs] *adj* 1. *dosł i przen* śliski 2. lubieżny

Lucca [ˈlʌkə] *spr* ~ **oil** delikatny gatunek oliwy jadalnej

luce [lju:s] *s zoo* szczupak (dorosły)

lucency [ˈlu:sənsi] *s* 1. jasność 2. przezroczystość

lucent [ˈlu:sənt] *adj* 1. błyszczący; świecący; jasny 2. przezroczysty

lucern(e) [lu:ˈsə:n] *s bot* lucerna

lucid [ˈlu:sid] *adj* 1. świecący; błyszczący 2. *dosł i przen* jasny; *med* ~ **intervals** chwile przytomności (u obłąkanego); przebłyski świadomości 3. przezroczysty 4. czysty; klarowny

lucidity [lu:ˈsiditi], **lucidness** [ˈlu:sidnis] *s* 1. *dosł i przen* jasność 2. przejrzystość 3. czystość; klarowność

Lucifer [ˈlu:sifə] *s* 1. Lucyfer; **lucifer match** dawny typ zapałki zapalającej się przez tarcie o każdą szorstką powierzchnię 2. *astr* Wenus (gwiazda poranna); jutrzenka

lucifugous [lu:ˈsifjugəs] *adj* (*o owadzie itd*) nocny

luck [lʌk] *s* 1. traf; los; **as ~ would have it** ... a) na szczęście ...; dobry los sprawił <szczęśliwie się złożyło>, że ... b) na nieszczęście ...; nieszczęście chciało, że ...; **bad ~** nieszczęście; pech; **bad ~ to him!** żeby go pokręciło!; **better ~ next time** na przyszły raz pójdzie lepiej; **good ~** szczęście; szczęśliwy traf; **good ~ (to you)!** życzę (ci, wam) szczęścia <powodzenia>!; **(it's) just my ~!** takie mam szczęście!; **to be down on one's ~** mieć złą passę; **to try one's ~** s/próbować szczęścia; **worse ~** to gorzej!; co robić?!; nie ma (na to) rady! 2. szczęście; **a run of ~** dobra <szczęśliwa> passa; **I had the ~ to** ... udało mi się <miałem szczęście> ... (zobaczyć, znaleźć itd.); **to be in ~** mieć szczęście; **to be out of ~** nie mieć szczęścia

luckily [ˈlʌkili] *adv* na szczęście, szczęśliwie

luckless [ˈlʌklis] *adj* nieszczęsny; niefortunny; fatalny

lucky[1] [ˈlʌki] *adj* (**luckier** [ˈlʌkiə], **luckiest** [ˈlʌkiist]) szczęśliwy; **he's a ~ dog** <**beggar**>! to (ci) szczęściarz!; **how ~!** co za szczęście!; **it's ~** a) to szczęście b) to przynosi szczęście; **to be ~** mieć szczęście

lucky[2] [ˈlʌki] *s w zwrocie*: *sl* **to cut one's ~** wziąć portki w garść; z/wiać; ucie-c/kać

lucky-bag [ˈlʌkiˌbæg], **lucky-tub** [ˈlʌkiˌtʌb] *s* kosz szczęścia

lucrative [ˈlu:krətiv] *adj* intratny; korzystny; zyskowny; lukratywny

lucre [ˈlu:kə] *s* 1. zysk; dochód 2. pieniądze, *pot* forsa; **filthy ~** brudne <nieuczciwie zarobione> pieniądze; *przen* **for filthy ~** dla pieniędzy

lucubrate [ˈlu:kjuˌbreit] *vi* 1. pracować nocami 2. płodzić elaboraty

lucubration [ˌlu:kjuˈbreiʃən] *s* 1. praca <rozmyślania> nocn-a/e 2. elaborat

luculent [ˈlu:kjulənt] *adj* (*o dowodzie itd*) jasny

lud [lʌd] *s zwracając się do sędziego na rozprawie*: **my ~** [mlʌd] panie sędzio!

Luddites [ˈlʌdaits] *spl hist* robotnicy niszczący maszyny fabryczne w czasie rewolucji przemysłowej w Anglii

ludicrous [ˈlu:dikrəs] *adj* śmieszny; absurdalny; nonsensowny; niedorzeczny

ludo [ˈlu:dou] *s* gra na szachownicy przy użyciu kości i żetonów

lues [ˈlu:i:z] *s med* lues, kiła

luetic [luˈetik] *adj med* kiłowy

luff [lʌf] [I] *s mar* krawędź przednia (żagla) [II] *vi mar* zbliż-yć/ać się **do** wiatru

lug[1] [lʌg] *s* ucho, uszko; uchwyt; rączka; kółko

lug[2] [lʌg] = **lugsails**

lug[3] [lʌg] *s zoo* glista <dżdżownica> używana jako przynęta

lug[4] [lʌg] *v* (**-gg-**) [I] *vt* przy/wlec; *pot* przy/taszczyć; **to ~ a subject into the conversation** ni w pięć ni w dziewięć wprowadz-ić/ać inny temat do rozmowy [II] *vi* po/ciągnąć <pociągać> (**at sth** coś); szarp-nąć/ać (**at sth** czymś)

~ **along** *vt* ciągnąć z sobą; wlec

~ **away** *vt* odciąg-nąć/ać

~ **in** *vt* wciąg-nąć/ać

[III] *s* szarpnięcie; targnięcie; pociągnięcie

luge [lju:dʒ] *s* jednoosobowe saneczki bez płozów; jednoosobowy toboggan

luggage [ˈlʌgidʒ] *s* bagaż/e

luggage-carrier [ˈlʌgidʒˌkæriə] *s* bagażnik

luggage-ticket [ˈlʌgidʒˌtikit] *s* kwit bagażowy

luggage-van [ˈlʌgidʒˌvæn] *s* wagon bagażowy

lugger [ˈlʌgə] *s mar* lugier (statek)

lugsails [ˈlʌgˌseilz] *spl mar* lugrowe ożaglowanie

lugubrious [lu:ˈgju:briəs] *adj* ponury; żałobny

lukewarm [ˈlu:kˌwɔ:m] *adj* 1. letni; ciepławy 2. (*o człowieku, nastawieniu*) obojętny; oziębły; ~ **support** słabe poparcie; poparcie od niechcenia

lukewarmness [ˈlu:kˌwɔ:mnis] *s* 1. letnia temperatura 2. (*u człowieka*) obojętność; oziębłość

lull [lʌl] [I] *vt* ucisz-yć/ać; uspok-oić/ajać; uśpić/usypiać (czujność itd.); uśmierz-yć/ać (ból); u/kołysać <**u/lulać**> (dziecko) [II] *vi* **uspok-oić/ajać** <ucisz-yć/ać> się [III] *s* (chwilowa) cisza; chwila ciszy; zastój (gospodarczy itd.)

lullaby [ˈlʌləˌbai] *s* kołysanka

lumbago [lʌmˈbeigou] *s med* lumbago, postrzał

lumbar [ˈlʌmbə] *adj anat* lędźwiowy

lumber[1] [ˈlʌmbə] [I] *s* 1. *zbior* graty, rupiecie 2. nadmierny tłuszcz; tusza 3. *zbior* budulec; dłużyce [II] *vt* 1. (*także* ~ **up**) zawal-ić/ać; za/tarasować; zwal-ić/ać na kupę 2. wyci-ąć/nać (las) *zob* **lumbering**[1]

lumber[2] [ˈlʌmbə] *vi* 1. posuwać <poruszać> się ociężale; ciężko stąpać 2. turkotać

~ **by** <**past**> *vi* 1. przechodzić stąpając ciężko 2. przejeżdżać z turkotem

zob **lumbering**[2]

lumberer [ˈlʌmbərə] *s* drwal

lumbering[1] [ˈlʌmbəriŋ] [I] *zob* **lumber**[1] *v* [II] *s* wycinanie <wyrąbywanie> lasu

lumbering[2] [ˈlʌmbəriŋ] [I] *zob* **lumber**[2] [II] *adj* (*o człowieku*) ciężki; niezdarny

lumberjack [ˈlʌmbəˌdʒæk], **lumberman** [ˈlʌmbəmən] *s* (*pl* **lumbermen** [ˈlʌmbəmən]) drwal

lumber-mill [ˈlʌmbəˌmil] *s* tartak

lumber-room ['lumbə,rum] *s* rupieciarnia; graciarnia; lamus
lumber-yard ['lʌmbə,jɑ:d] *s* skład drzewa
lumbrical ['lʌmbrikəl] *adj anat* (*o mięśniu*) glistowaty
luminary ['lu:minəri] *s* 1. ciało świetlne <niebieskie> 2. luminarz
luminescence [,lu:mi'nesəns] *s fiz* luminescencja
luminosity [,lu:mi'nɔsiti] *s* 1. jasność 2. świecenie; światło
luminous ['lu:minəs] *adj* 1. świecący; świetlny; ~ **intensity** natężenie <siła> światła 2. (*o pisarzu itd*) wyjaśniający <rzucający światło na> zagadnienie 3. (*o uwadze, notatce itd*) wyjaśniający; jasny; zrozumiały
lumme ['lʌmi] *interj wulg* o laboga!; o rety!
lump[1] [lʌmp] I *s* 1. bryła; gruda 2. duża ilość, *pot* kupa; ~ **sum** suma <kwota> globalna <ryczałtowa>; opłata jednorazowa <gotówkowa>; **in the** ~ a) hurtem; ryczałtem b) na ogół; ogółem biorąc 3. grudka <kluska> (w kaszy itd.); **with a** ~ **in the throat** ze ściśniętym gardłem 4. kostka (cukru, węgla); kawałek; ~ **sugar** cukier w kostkach 5. guz (na czole itd.) 6. (*o człowieku*) niezdara; mazgaj II *vt* 1. (*także* ~ **together**) zwal-ić/ać na jeden stos; zebrać/zbierać; z/gromadzić; scal-ić/ać; s/komasować 2. podciąg-nąć/ać pod jeden strychulec; jednakowo po/traktować 3. całą kwotę <wszystkie pieniądze> postawić/stawiać (**sb, sth** na kogoś, coś — zawodnika, konia itd.); za/ryzykować (**one's all** całym majątkiem) III *vi* zbi-ć/jać się w grudy; skluszcz-yć/ać się
~ **along** *vi* ciężko <ociężale> posuwać się naprzód
~ **down** *vi* ciężko usiąść; zwalić się (na krzesło itd.)
lump[2] [lʌmp] *vt w zwrocie*: **if you <he etc.> don't <doesn't> like it, you <he etc.> may <can>** ~ **it** czy chce-sz/cie <chce itd.> czy nie, musi-sz/cie <musi itd.> się z tym pogodzić; nie ma-sz/cie <nie ma itd.> wyboru
lumper ['lʌmpə] *s* 1. doker; robotnik portowy 2. przedsiębiorca generalny <główny>
lumpfish ['lʌmp,fiʃ] *s zoo* tasza (ryba)
lumping ['lʌmpiŋ] *adj pot* duży; ~ **weight** dobra waga
lumpish ['lʌmpiʃ] *adj* 1. masywny; ciężki; niezdarny 2. głupi
lumpsucker ['lʌmp,sʌkə] = **lumpfish**
lumpy ['lʌmpi] *adj* (**lumpier** ['lʌmpiə], **lumpiest** ['lʌmpiist]) 1. bryłowaty 2. niezdarny; ciężki 3. grudkowaty; kluskowaty; skluszczony; *wet* ~ **jaw** promienica szczęki 4. (*o morzu*) falisty; wzburzony 5. (*o czole, głowie itd*) cały w guzach; pokryty guzami
lunacy ['lu:nəsi] *s* obłąkanie; obłęd; **Commissioners in** ~ komisja wizytująca zakłady psychiatryczne; **Master in** ~ sędzia orzekający w sprawach przypuszczalnego obłędu
lunar ['lu:nə] *adj* 1. księżycowy; *chem* ~ **caustic** lapis; ~ **distance** odległość kątowa gwiazdy od księżyca; ~ **month** miesiąc synodyczny 2. (*o kształcie*) półksiężycowy
lunate ['lu:neit] *adj* (*o kształcie*) półksiężycowy; rożkowaty
lunatic ['lu:nətik] I *adj* 1. obłąkany; szalony 2. obłąkańczy; szaleńczy II *s* człowiek umysłowo chory <obłąkany>; obłąkaniec; wariat/ka; ~ **asylum** zakład psychiatryczny <dla umysłowo chorych>; *pot* dom wariatów
lunation [lu:'neiʃən] *s* lunacja (miesiąc księżycowy)
lunch [lʌntʃ] I *s* 1. (lekki) posiłek południowy, lunch; *am* przekąska; **quick** ~ przekąska w barze; danie bufetowe II *vi* z/jeść <zjadać> lunch; przegry-źć/zać III *vt* 1. zapr-osić/aszać (kogoś) na lunch 2. po/częstować lekkim obiadem 3. poda-ć/wać lunch (**sb** komuś)
luncheon ['lʌntʃən] (nazwa bardziej oficjalna) = = **lunch** *s*
luncheon-basket ['lʌntʃən'bɑ:skit] *s* gotowy posiłek w pudełku <w koszyku> (sprzedawany podróżnym na dworcach kolejowych)
lune [lu:n] *s geom* półksiężyc
lunette [lu:'net] *s fort* luneta
lung [lʌŋ] I *s anat* płuco II *attr* płucny; ~ **trouble** choroba płuc; gruźlica
lung-disease ['lʌŋdi,zi:z] *s* choroba płuc
lunge[1] [lʌndʒ] I *s* lonża (linka) II *vt* trenować (konia) na lonży
lunge[2] [lʌndʒ] I *s* 1. *szerm* pchnięcie; wypad 2. gwałtowny ruch do przodu II *vi* pchnąć (rapierem itd.); z/robić wypad
~ **forward** *vi* rzuc-ić/ać się do przodu
~ **out** *vi* zdzielić <uderzyć> (**at sb** kogoś); wymierzyć cios (**at sb** komuś)
lunged [lʌŋd] *adj zoo* płucodyszny
lunger ['lʌŋə] *s am* gruźli-k/czka; człowiek chory na płuca
lung-fish ['lʌŋ,fiʃ] *s zoo* ryba płucodyszna
lungwort ['lʌŋ,wə:t] *s bot* miodunka plamista, płucne ziele
lunisolar ['lu:ni,soulə] *adj* księżycowo-słoneczny
lunula ['lu:njulə] *s* (*pl* **lunulae** ['lu:nju,li:]) lunula, półksiężyc
lupin(e) ['lu:pin] *s bot* łubin
lupine ['lu:pain] *adj* wilczy
lupus ['lu:pəs] *s med* toczeń, wilk
lurch[1] [lə:tʃ] *s w zwrocie*: **to leave sb in the** ~ opu-ścić/szczać kogoś w krytycznej chwili; pozostawi-ć/ać kogoś własnemu losowi; nie udziel-ić/ać <odm-ówić/awiać> komuś pomocy
lurch[2] [lə:tʃ] I *vi* 1. przechyl-ić/ać <pochyl-ić/ać> się 2. słaniać się na nogach II *s* 1. pochylenie, nachylenie; *mar* przechył 2. chwiejny krok; słanianie się na nogach
lurcher ['lə:tʃə] *s* 1. złodziejaszek; oszust/ka 2. szpieg 3. *zoo* mieszaniec charta z owczarkiem szkockim
lure [ljuə] I *s* 1. wabik; przynęta 2. potrzask; pułapka 3. powab; urok; czar; ponęta; pociąg; pokusa II *vt* 1. z/wabić; z/nęcić; przyciąg-nąć/ać; s/kusić 2. uw-ieść/odzić
lurid ['ljuərid] *adj* 1. śmiertelnie blady 2. ponury; tragiczny 3. (*o kolorze*) trupi 4. (*o opowiadaniu itd*) sensacyjny 5. niesamowity
lurk [lə:k] I *vi* przy/czaić <s/kryć, u/taić> się; czyhać II *s* ukrycie; **to be on the** ~ być przyczajonym
lurking-place ['lə:kiŋ,pleis] *s* kryjówka
luscious ['lʌʃəs] *adj* 1. soczysty 2. przesłodzony; ckliwy 3. (*o stylu*) przeładowany
lush[1] [lʌʃ] *adj* soczysty; bujny

lush[2] [lʌʃ] I *s sl* 1. popijawa 2. trunek II *vt sl* 1. fundować (**sb** komuś) 2. ululać, urżnąć/urzynać III *vi sl* urżnąć/urzynać się; pić; popijać
lushy ['lʌʃi] *adj sl* urżnięty; pijany
lust [lʌst] I *s* 1. żądza; pożądanie; chuć 2. lubieżność; zmysłowość 3. pasja; namiętność II *vi* pożądać (**for** <**after**> **sth** czegoś); pragnąć <łaknąć> (**for sth** czegoś); **to ~ for a woman** pożądać kobiety
lustful ['lʌstful] *adj* lubieżny; pożądliwy; zmysłowy
lustiness ['lʌstinis] *s* siła; bujne zdrowie; krzepkość
lustral ['lʌstrəl] *adj* oczyszczający; *rel* lustralny
lustration [lʌs'treiʃən] *s* oczyszczenie; *rel* lustracja (rytualne oczyszczenie)
lustre ['lʌstə] I *s* 1. blask 2. świetność 3. połysk; glazura; † lustr 4. żyrandol, pająk, kandelabr 5. wisiorek (żyrandola) 6. *tekst* lustryna II *vt tekst* lustrować (tkaninę); *cer* powle-c/kać glazurą; glazurować
lustreless ['lʌstəlis] *adj* bez blasku; matowy
lustrine ['lʌstrin], **lustring** ['lʌstriŋ] *s tekst* lustryna
lustrous ['lʌstrəs] *adj* błyszczący; połyskujący; z połyskiem; lśniący
lustrum ['lʌstrəm] *s* (*pl* **lustra** ['lʌstrə], **~s**) pięciolecie
lusty ['lʌsti] *adj* (**lustier** ['lʌstiə], **lustiest** ['lʌstiist]) 1. silny; mocny; krzepki 2. pełen wigoru
lutanist ['lu:tṇist] *s* lutnista, lutniarz
lute[1] [lu:t] *s muz* lutnia
lute[2] [lu:t] I *s bud* kit (cementowy, gliniany); spoiwo II *vt* za/kitować *zob* **luting**
lutecium [lju:'ti:ʃiəm] I *s chem* lutet (pierwiastek) II *attr chem* lutetowy
lutein ['lu:tiin] *s chem* luteina
luteous ['lu:tiəs] *adj* (*o kolorze*) pomarańczowy
lutestring ['lu:t,striŋ] = **lustrine**
Lutetian [lu:'ti:ʃiən] I *adj hist* paryski II *s hist* mieszkan-iec/ka Lutecji; paryżan-in/ka
Lutheran ['lu:θərən] I *adj* luterski, luterański II *s* luteran-in/ka
lutheranism ['lu:θərə,nizəm] *s* luteranizm
luting ['lu:tiŋ] I *zob* **lute**[2] *v* II *s* 1. za/kitowanie 2. kit
luxate ['lʌkseit] *vt* zwichnąć (staw)
luxation [lʌk'seiʃən] *s* zwichnięcie
luxuriance [lʌg'zjuəriəns] *s* bujność; płodność; bogactwo; kwiecistość (stylu)
luxuriant [lʌg'zjuəriənt] *adj* bujny; wybujały; płodny; bogaty; (*o stylu*) kwiecisty
luxuriate [lʌg'zjuəri,eit] *vi* 1. wybujać; obficie rosnąć <wyr-osnąć/astać> 2. rozkoszować <delektować> się (**on** <**in**> **sth** czymś); oddawać się rozkoszom (**in sth** czegoś)
luxurious [lʌg'zjuəriəs] *adj* 1. luksusowy; zbytkowny 2. oddany rozkoszom; zmysłowy
luxuriousness [lʌg'zjuəriəsnis] *s* luksus; zbytek; wspaniałość
luxury ['lʌkʃəri] I *s* 1. luksus; przepych; zbytek 2. rozkosz 3. przedmiot <źródło> rozkoszy II *attr* luksusowy (samochód, dom itd.); (*o podatku*) od luksusu
-ly [-li] przyrostek dodawany do przymiotników dla utworzenia przysłówków: **lightly etc.** lekko itd.
lycanthropy [lai'kænθrəpi] *s med* wilczy obłęd
↑**lyceum** [lai'siəm] *s* 1. uczelnia 2. sala wykładowa <koncertowa>
lych-gate ['litʃ,geit] = **lich-gate**
lychnis ['liknis] *s bot* firletka
lycopod ['laikə,pɔd], **lycopodium** [,laikə'poudjəm] *s bot* widłak
lyddite ['lidait] *s* lyddit (materiał wybuchowy)
lye [lai] *s* ług
lying[1] ['laiiŋ] I *zob* **lie**[1] *v* II *adj* kłamliwy; *pot* łgarski; fałszywy III *s* kłamstwo; *pot* łgarstwo
lying[2] ['laiiŋ] I *zob* **lie**[2] II *adj* leżący; w pozycji leżącej III *s* 1. leżenie 2. posłanie
lying-in ['laiiŋ'in] I *s* (*pl* **lyings-in** ['laiiŋz'in]) połóg II *adj* położniczy; połogowy
lyke-wake ['laik,weik] *s* czuwanie przy zwłokach
lyme-grass ['laim,grɑ:s] *s bot* wydmuchrzyca piaskowa
↑**lymph** [limf] *s* 1. *fizj* limfa 2. *med* szczepionka 3. *poet* czysta woda
lymphatic [lim'fætik] I *adj* 1. *fizj* limfatyczny 2. (*o temperamencie*) flegmatyczny II *s fizj* naczynie limfatyczne
lynch [lintʃ] I *vt* z/linczować II *s* z/linczowanie; samosąd
lynch-law ['lintʃ,lɔ:] *s* prawo linczu
lynx [liŋks] *s zoo* ryś
lynx-eyed ['liŋks,aid] *adj* bystrooki; o przenikliwym spojrzeniu
lyre ['laiə] *s muz* lira
lyre-bird ['laiə,bə:d] *s zoo* lirogon (ptak)
lyric ['lirik] I *adj* liryczny II *s* poemat <wiersz> liryczny
lyrical ['lirikəl] = **lyric** *adj*
lyricism ['liri,sizəm] *s* liryzm
lysis ['laisis] *s med* stopniowe ustępowanie (choroby)
lysol ['laisɔl] *s chem* lizol

M

M, m [em] *s* (*pl* **ms, m's** [emz]) 1. *litera* m 2. *druk* = em
ma [mɑ:] *pot* = **mamma**[1], **mother**[1] *s*
ma'am [mæm] *s do królowej lub księżniczki*: Pani; [məm] *służba do pani domu*: proszę pani
mac [mæk] *pot* = **mackintosh**
macabre [mə'kɑ:br] *adj* makabryczny
macaco[1] [mə'keikou] *s zoo* makak (gatunek lemura)
macaco[2] [mə'keikou] *s zoo* makak bezogonowy (gatunek małpy)
macadam [mə'kædəm] *s* makadam (nawierzchnia tłuczniowa drogi)

macadamize [mə'kædə,maiz] *vt* ułożyć/układać nawierzchnię tłuczniową
macaque [mə'kɑ:k] = **macaco**[2]
macaroni [,mækə'rouni] *s* 1. makaron (rurkowaty); **~ and cheese** makaron zapiekany z serem 2. dandys (w XVIII wieku)
macaronic [,mækə'rɔnik] [I] *adj* (*o wierszu*) makaroniczny [II] *s* wiersz makaroniczny
macaroon [,mækə'ru:n] *s* makaronik (ciastko)
macassar [mə'kæsə] *s* (*także* **~ oil**) makassar (rodzaj oliwy do włosów)
macaw [mə'kɔ:] *s zoo* ara (papuga)
maccaboy ['mækə,bɔi] *s* tabaka perfumowana różą
mace[1] [meis] *s* kwiat muszkatołowy
mace[2] [meis] *s* 1. maczuga 2. buława; buzdygan
mace-bearer ['meis,bɛərə] *s* 1. funkcjonariusz noszący buławę na uroczystościach 2. *uniw* pedel
macédoine ['mæsə,dwɑ:n] *s* galareta owocowa <jarzynowa>
macerate ['mæsə,reit] *vt* 1. macerować 2. umartwi-ć/ać (ciało)
maceration [,mæsə'reiʃən] *s* 1. maceracja 2. umartwi-enie/anie (ciała)
machete [mə'tʃeiti] *s* machete (nóż do cięcia trzciny cukrowej)
machiavellian [,mækiə'veliən] *adj* makiawelski
machiavellism [,mækiə'velizəm] *s* makiawelizm
machicolated [mæ'tʃikou,leitid] *adj hist fort* (*o murze itd*) zakończony <uwieńczony> machikułami <hurdycjami>
machicolation [mæ'tʃikə'leiʃən], **machicoulis** [,mɑ:ʃi'ku:li] *s hist fort* machikuły; hurdycje
machinate ['mæki,neit] *vi* spiskować; intrygować; knuć
machination [,mæki'neiʃən] *s* machinacja; intryga; knowanie; matactwo
machinator ['mæki,neitə] *s* matacz/ka; intrygant/ka
machine [mə'ʃi:n] [I] *s* 1. maszyna 2. (*o człowieku*) maszyna, automat 3. rower; trycykl 4. machina (polityczna itd.) [II] *attr* maszynowy; mechaniczny [III] *vt* z/robić <wy/produkować, u/szyć, wy/drukować, s/fasonować> mechanicznie; obr-obić/abiać
machine-gun [mə'ʃi:n,gʌn] *s* karabin maszynowy
machine-made [mə'ʃi:n,meid] *adj* wykonany maszynowo
machine-production [mə'ʃi:n-prə,dʌkʃən] *s* produkcja seryjna
machinery [mə'ʃi:nəri] *s* 1. mechanizm; urządzenie mechaniczne; *pot* maszyneria 2. *dosł i przen* aparat
machine-tool [mə'ʃi:n,tu:l] *s* narzędzie mechaniczne
machine-work [mə'ʃi:n,wə:k] *s* praca <robota> mechaniczna
machinist [mə'ʃi:nist] *s* 1. maszynista; mechanik 2. szwaczka
mackerel ['mækrəl] *s zoo* makrela; skumbria; **~ breeze** silny wiatr; **~ sky** niebo pokryte barankami <drobnymi chmurkami>
mackinaw ['mæki,nɔ:] *s am* 1. gruby koc 2. kurtka z grubego sukna
mac(k)intosh ['mækin,tɔʃ] *s* 1. rodzaj materiału nieprzemakalnego; *med* **~ sheet** nieprzemakalna podkładka 2. płaszcz nieprzemakalny
mackle [mækl] *s druk* zamazanie; zamazana odbitka
macle [mækl] *s miner* bliźniak, kryształy zrosłe
Mâcon ['mɑ:kɔ̃:] *s* gatunek burgunda (wino)
maconochie [mə'kɔnəki] *s wojsk* konserwa mięsna
macrame [mə'krɑ:mi] *s* frędzla
macrocephalic [,mækrə-si'fælik], **macrocephalous** [,mækrə'sefələs] *adj* wielkogłowy
macrocosm ['mækrou,kɔzəm] *s* wszechświat, makrokosmos
macron ['mækrɔn] *s* znak długości nad literą
macroscopic [,mækrə'skɔpik] *adj* makroskopijny; widzialny gołym okiem
macula ['mækjulə] *s* (*pl* **maculae** ['mækju,li:]) plama, plamka
macular ['mækjulə], **maculate** ['mækjulit] *adj* plamisty; nakrapiany
maculation [,mækju'leiʃən] *s* plamy; układ plam; nakrapianie
macule ['mækju:l] *s* 1. = **macula** 2. = **mackle**
mad [mæd] *adj* **(-dd-)** 1. obłąkany; pomylony; (*także o zamiarze, pędzie itd*) szalony; (*także* **~ as a March hare** <**a hatter**>) nieprzytomny; **to go ~** a) zwariować; oszaleć b) wściec się; **to drive sb ~** doprowadzić kogoś do szału <do utraty zmysłów>; *pot* **a bit ~** kopnięty, stuknięty; **like ~** a) szalenie; *pot* wściekle b) jak oszalały 2. zwariowany **(after** <**about, for, on**> **sth** na punkcie czegoś); **to be ~ about sb** szaleć za kimś 3. (*o zwierzęciu*) wściekły 4. oszalały (z radości, ze strachu itd.) 5. zły; wściekły (ze złości)
madam ['mædəm] *s* (Szanowna) Pani!; **yes** <**no**> **~** tak <nie>, proszę pani
madame ['mædəm] *s* (*pl* **mesdames** [mei'dæm]) pani (przy nazwiskach obcokrajowców)
madapollam [,mædə'pɔləm] *s tekst* madapolam
madcap ['mæd,kæp] *s* 1. wariat/ka; półgłówek 2. sowizdrzał; trzpiot/ka; postrzelon-y/a chłopiec <dziewczyna>
madden ['mædn] [I] *vt* 1. doprowadz-ić/ać do szału; przyprawi-ć/ać o utratę zmysłów 2. z/irytować; doprowadz-ić/ać do wściekłości; rozwścieczyć [II] *vi* 1. szaleć 2. wściekać się (ze złości) *zob* **maddening**
maddening ['mædṇiŋ] [I] *zob* **madden** [II] *adj* 1. (*o bólu itd*) szalony 2. (*o zdarzeniu, zjawisku itd*) irytujący
madder ['mædə] *s* 1. *bot* marzanna 2. *farb* kraplak, laka krapowa
made [meid] [I] *zob* **make**[1] [II] *adj* 1. zrobiony, wyprodukowany 2. (*o potrawie*) kombinowany; złożony z różnych składników 3. (*o wyrobie*) fabryczny 4. (*o człowieku*) mający zapewnioną przyszłość 5. (*o człowieku*) **(well) ~** (dobrze) zbudowany
Madeira [mə'diərə] *s* madera (wino); **~ cake** rodzaj biszkopta
mademoiselle [,mædəm'zel] *s* (*pl* **mesdemoiselles** [,mædəm'zelz]) 1. młoda Francuzka 2. francuska guwernantka
madhouse ['mæd,haus] *s* dom wariatów
madia ['meidiə] *s bot* roślina z rodziny karczochowych
madly ['mædli] *adv* szalenie; wściekle
madman ['mædmən] *s* (*pl* **madmen** ['mædmən]) obłąkaniec; szaleniec; wariat; furiat

madness ['mædnis] *s* 1. obłąkanie; obłęd 2. szaleństwo; szał 3. wściekłość; furia 4. (*u zwierząt*) wścieklizna
madonna [mə'dɔnə] *s* Madonna (obraz, posąg); *bot* ~ **lily** lilia biała
madras [mə'drɑ:s] *s tekst* (*także* ~ **muslin**) madras (tkanina półjedwabna)
madrasah [mə'dræsə], **medresseh** [me'dresei] *s* medresa
madrepore ['mædri,pɔ:] *s zoo* madrepora, koralowiec sześciopromienny
madrigal ['mædrigəl] *s* madrygał
madwoman ['mæd,wumən] *s* (*pl* **madwomen** ['mæd,wimin]) kobieta obłąkana, wariatka
madwort ['mæd,wə:t] *s bot* lepczyca rozesłana
Maecenas [mi'si:nəs] *s* mecenas (sztuki, literatury)
maelstrom ['meilstroum] *s dosł i przen* wir
maenad ['mi:næd] *s* menada, bachantka
maestro [mɑ:'estrou] *s* (*pl* **maestri** [mɑ:'estri:], ~**s**) maestro, mistrz (muzyk, kompozytor, dyrygent)
Mae West ['mei'west] *s sl lotn* kurtka ratunkowa
maffick ['mæfik] *vi* hałaśliwie przejawiać radość; szaleć z radości *zob* **mafficking**
mafficking ['mæfikiŋ] [I] *zob* **maffick** [II] *s* wybuchy nieokiełznanej radości
mag[1] [mæg] *s sl* pół pensa; *przen* grosz
mag[2] [mæg] *skr* **magneto**
magazine [,mægə'zi:n] *s* 1. *wojsk* magazyn; skład broni <amunicji, żywności>; prochownia 2. *wojsk* magazynek; ~ **gun** karabin z magazynkiem 3. czasopismo; periodyk
Magdalen ['mægdəlin], **Magdalene** ['mægdə,li:n] *s* nawrócona prostytutka
magenta [mə'dʒentə] [I] *s chem* fuksyna [II] *adj* (*o kolorze*) magenta (karmazynowy)
maggot ['mægət] *s* 1. larwa; *pot* robak 2. kaprys; **to have a ~ in one's head** być postrzelonym; mie-ć/wać zachcianki
maggoty ['mægəti] *adj* 1. robaczywy; zrobaczywiały 2. (*o człowieku*) kapryśny; postrzelony; z zachciankami
magi ['meidʒai] *zob* **magus**
magic ['mædʒik] [I] *s* magia; czary; **as if by ~** jak gdyby za dotknięciem różdżki czarodziejskiej [II] *adj* magiczny; czarodziejski; zaczarowany
magical ['mædʒikəl] *adj* magiczny
magician [mə'dʒiʃən] *s* magik; czarodziej/ka
magilp [mə'gilp] = **megilp**
magisterial [,mædʒis'tiəriəl] *adj* 1. sędziowski 2. obdarzony władzą 3. mentorski; apodyktyczny; nakazujący
magistracy ['mædʒistrəsi] *s* 1. urząd sędziego; władza sędziowska 2. ogół sędziów <sędziowie> (kraju, okręgu itd.)
magistrate ['mædʒistrit] *s* 1. urzędnik mający władzę sędziowską 2. sędzia
magistrature ['mædʒistrə,tjuə] *s* 1. urząd; godność urzędnika mającego władzę sędziowską 2. = **magistracy 1.**
magma ['mægmə] *s* (*pl* ~**ta** ['mægmətə], ~**s**) *geol* magma
Magna C(h)arta ['mægnə'kɑ:tə] *s hist* Wielka Karta Wolności
magnalium [mæg'neiljəm] *s metal* magnalium
magnanimity [,mægnə'nimiti] *s* wspaniałomyślność; wielokoduszność
magnanimous [mæg'nænimǝs] *adj* wspaniałomyślny; wielkoduszny
magnate ['mægneit] *s* magnat; potentat
magnesia [mæg'ni:ʃə] *s chem* 1. magnezja (palona); tlenek magnezowy 2. węglan magnezowy
magnesite ['mægni,sait] *s miner* magnezyt
magnesium [mæg'ni:zjəm] *s chem* magnez; ~ **light** światło magnezjowe
magnet ['mægnit] *s* magnes
magnetic [mæg'netik] *adj* 1. magnetyczny 2. magnesowy
magnetism ['mægni,tizəm] *s* magnetyzm
magnetist ['mægnitist] *s* magnetyzer
magnetite ['mægni,tait] *s miner* magnetyt
magnetize ['mægni,taiz] *vt* 1. magnetyzować; przyciągać 2. za/hipnotyzować 3. na/magnesować
magneto [mæg'ni:tou] *s techn* magneto, iskrownik
magneto-electric [mæg'ni:tou-i'lektrik] *adj* magnetoelektryczny
magnetograph [mæg'ni:tou,grɑ:f] *s* magnetograf (urządzenie rejestrujące magnetometru)
magnetometer [,mægni'tɔmitə] *s* magnetometr
magnification [,mægnifi'keiʃən] *s* 1. powiększ-enie/anie 2. wychwalanie; wysławianie
magnificence [mæg'nifisəns] *s* wspaniałość; świetność; przepych
magnificent [mæg'nifisənt] *adj* wspaniały; świetny
magnifier ['mægni,faiə] *s* szkło powiększające
magnify ['mægni,fai] *vt* (**magnified** ['mægni,faid], **magnified; magnifying** ['mægni,faiiŋ]) 1. powiększ-yć/ać (obraz) 2. wzm-ocnić/acniać (dźwięk itd.); s/potęgować 3. przesadz-ić/ać (**sth** w czymś, z czymś); rozd-ąć/ymać; wyolbrzym-ić/ać *zob* **magnifying**
magnifying ['mægni,faiiŋ] [I] *zob* **magnify** [II] *adj* powiększający [III] *s* powiększanie; ~ **power** zdolność <siła> powiększania
magniloquence [mæg'niləkwəns] *s* 1. pompatyczność; górnolotność 2. samochwalstwo
magniloquent [mæg'niləkwənt] *adj* 1. pompatyczny; górnolotny 2. samochwalczy
magnitude ['mægni,tju:d] *s* 1. wielkość; ogrom 2. ważność; znaczenie
magnolia [mæg'nouljə] *s bot* magnolia
magnum ['mægnəm] *s* flaszka <butelka> dwukwartowa (= ok. 2,5 l)
magnum-bonum ['mægnəm'bounəm] *s* gatunek śliwki <ziemniaka> dużych rozmiarów
magpie ['mæg,pai] *s* 1. *zoo* sroka 2. (*o człowieku*) gaduła 3. (*w strzelaniu*) trafienie w przedostatnie <drugie od zewnątrz> koło tarczy
magus ['meigəs] *s* (*pl* **magi** ['meidʒai]) mag, mędrzec Wschodu
Magyar ['mægiɑ:] [I] *s* 1. Węgier/ka, Madziar/ka 2. język węgierski 3. **magyar** kimono [II] *adj* węgierski, madziarski
maharajah [,mɑ:hə'rɑ:dʒə] *s* maharadża
maharanee [,mɑ:hə'rɑ:ni:] *s* żona maharadży
mah-jong(g) ['mɑ:'dʒɔŋ] *s* mah-jong (chińska gra towarzyska)
mahlstick *zob* **maulstick**
mahogany [mə'hɔgəni] [I] *s* 1. mahoń (drzewo i kolor) 2. stół jadalny; **to have one's feet under**

sb's ~ siedzieć <jeść, jadać> przy czyimś stole [II] *attr* mahoniowy
Mahometan [mə'hɔmitən] = **Mohammedan**
mahout [mə'haut] *s* kornak (przewodnik słoni)
mahseer ['mɑ:siə] *s zoo* ryba żyjąca w rzekach Indii, podobna do barweny
maid [meid] *s* 1. dziewczyna; panna; **~ of honour** dama dworu 2. *poet* dziewica 3. pokojówka; służąca 4. druhna, drużka 5. *kulin* rodzaj babki
maidan [mai'dɑ:n] *s* plac rewii
maiden ['meidn] [I] *s* 1. panna; *lit* dziewczyna 2. dziewica 3. *szkoc hist* rodzaj gilotyny [II] *attr* 1. (*o kobiecie*) niezamężna 2. (*o nazwisku*) panieński; **Jane Smith, ~ name Brown** Janina Smith, z domu Brown 3. (*o mowie, podróży itd*) pierwszy; **~ horse** koń wyścigowy, który jeszcze nie zdobył żadnej nagrody; **~ tree** drzewo wyrosłe z nasienia 4. czysty; nietknięty; nie splamiony; **~ assize** sesja sądu przysięgłych, na której nie ma żadnych spraw do sądzenia 5. (*o żołnierzu*) nie wypróbowany w boju 6. (*o partii krykieta*) bez zapisu, bez zdobytych punktów 7. (*o mieczu*) nie splamiony krwią 8. (*o krowie, klaczy*) nie pokryta
maidenhair ['meidn,hεə] *s bot* włoski złotowłos (gatunek paproci)
maidenhead ['meidn,hed] *s* 1. † dziewictwo 2. błona dziewicza, hymen
maidenhood ['meidn,hud] *s* panieństwo
maidenlike ['meidn,laik], **maidenly** ['meidnli] [I] *adj* panieński; dziewiczy; skromny [II] *adv* jak przystało na panienkę <na dziewicę>; skromnie; z dziewiczą skromnością
maid-of-all-work ['meidəv'ɔ:l,wə:k] *s* (*pl* **maids-of-all-work** ['meidzəv'ɔ:l,wə:k]) służąca do wszystkiego
maid-servant ['meid,sə:vənt] *s* pokojówka; służąca
mail[1] [meil] *s hist* kolczuga
mail[2] [meil] [I] *s* 1. poczta (przesyłki pocztowe); korespondencja; **to do one's ~** załatwi-ć/ać korespondencję 2. (*także* **~ train**) pociąg z wagonem pocztowym 3. poczta (służba łączności) [II] *vt* wys-łać/yłać pocztą
mail-bag ['meil,bæg] *s* 1. worek z pocztą; worek <torba na listy> (listonosza) 2. *przen* poczta, korespondencja
mail-boat ['meil,bout] *s* statek wiozący pocztę
mail-car ['meil,kɑ:], **mail-carriage** [meil'kæridʒ] *s* wagon pocztowy
mail-cart ['meil,kɑ:t] *s* 1. † wóz pocztowy 2. wózek dziecinny
mail-coach ['meil,koutʃ] *s* dyliżans pocztowy
mail-order ['meil,ɔ:də] [I] *s* zamówienie pocztowe <korespondencyjne> [II] *attr* przesyłkowy; **~ firm** firma przyjmująca <wykonywająca> zamówienia drogą pocztową
mail-packet ['meil,pækit] = **mail-boat**
mail-plane ['meil,plein] *s* samolot pocztowy
mail-train ['meil,trein] *s* pociąg z wagonem pocztowym
maim [meim] *vt dosł i przen* okaleczyć; *przen* wypaczyć <wykoślawić> (tekst, tłumaczenie itp.)
main[1] [mein] *s* 1. (*w niektórych grach hazardowych*) poważniejsza liczba punktów 2. walka kogutów
main[2] [mein] [I] *s* 1. *poet* ocean 2. główn-a/e rur-a/y wodociągow-a/e <gazow-a/e>; **gas ~** rurociąg gazowy 3. *pl* **~s** kanalizacja; *elektr* główna linia <sieć> ‖ **in the ~** przeważnie; głównie; na ogół; ogółem biorąc <wziąwszy>; **with might and ~** z całych sił; nie szczędząc wysiłku [II] *adj* główny; najważniejszy; **~ (railway) line** magistrala; **~ road** <**highway**> szosa, trakt; **~ sewer** kolektor (kanalizacyjny) ‖ **by ~ strength** <**force**> przemocą; **to have an eye to the ~ chance** pilnować swoich spraw <interesów>
main-brace ['mein,breis] *s mar* bras grota
mainland ['meinlənd] *s* ląd stały; kontynent
mainmast ['mein,mɑ:st] *s mar* grotmaszt
mainsail ['mein,seil] *s mar* grot, grotżagiel
mainspring ['mein,spriŋ] *s* 1. główna sprężyna (zegara) 2. *przen* główna przyczyna; zasadniczy motyw
mainstay ['mein,stei] *s* 1. *mar* sztag grotmasztu 2. *przen* ostoja; oparcie
maintain [men'tein] *vt* 1. utrzym-ać/ywać (porządek, stosunki, korespondencję itd.); zachow-ać/ywać (milczenie, stanowisko itd.); podtrzym-ać/ywać (teorię, rozmowę itd.); dalej prowadzić (walkę itd.) 2. utrzym-ać/ywać w dobrym stanie; konserwować; od/remontować; dbać (**sth** o coś) 3. utrzym-ać/ywać, mieć na utrzymaniu 4. utrzymywać, twierdzić 5. bronić (**sth** czegoś — sprawy, praw itd.); pop-rzeć/ierać
maintainer [men'teinə] *s* 1. obroń-ca/czyni (teorii itd.) 2. żywiciel/ka (rodziny itd.)
maintenance ['meintinəns] *s* 1. utrzym-anie/ywanie <zachow-anie/ywanie> (porządku itd.); utrzym-anie/ywanie (rodziny itd.); wy/żywienie 2. środki egzystencji 3. alimenta, alimenty 4. konserwacja; remont; utrzymywanie w dobrym stanie 5. obrona (praw itd.); podtrzymywanie; oparcie 6. *prawn* przestępcze finansowanie pieniactwa ‖ **cap of ~** biret (profesora, sędziego itd.)
main-top ['mein,tɔp] *s mar* grotmars, mars grotmasztu
main-topgallant [,meintɔp'gælənt] *attr mar*; **~-mast** grotbramstenga; **~-sail** grotbramsel; **~-yard** grotbramreja
main-topmast [mein'tɔp,mɑ:st] *s mar* grotstenga
main-yard ['mein,jɑ:d] *s mar* grotreja
maisonette [,meizə'net] *s* 1. domek 2. mieszkanie
maître d'hôtel ['metrə-dou'tel] *s* 1. główny lokaj 2. starszy kelner 3. dyrektor hotelu 4. *kulin* ostry sos do mięsa
maize [meiz] *s* kukurydza
majestic [mə'dʒestik] *adj* 1. majestatyczny 2. królewski
majesty ['mædʒisti] *s* 1. majestat 2. (*w tytule*) **Your** <**His etc.**> **Majesty** Wasza <Jego itd.> Królewska Mość
majolica [mə'jɔlikə] *s* majolika
major[1] ['meidʒə] *s wojsk* 1. major 2. *sl* = **sergeant-major**
major[2] ['meidʒə] [I] *adj* 1. większy; główny; **the ~ part** <**portion**> większość 2. (*o zagadnieniu, ranach itd*) poważny, poważniejszy 3. (*o człowieku*) wybitniejszy; ważniejszy 4. pełnoletni 5. (*o kolorze w kartach, uczniu w szkole itd*) starszy 6. *muz* durowy; majorowy; **A** <**B etc.**> **~** A <B itd.> dur 7. *log* (*o przesłance w sylo-*

gizmie) główny [II] *s* 1. człowiek pełnoletni 2. *log* przesłanka główna 3. *am uniw* przedmiot kierunkowy <specjalizacji> [III] *vi am* specjalizować się (na uczelni)

major-domo ['meidʒə'doumou] *s hist* majordom

major-general ['meidʒə'dʒenərəl] *s* generał-major

majority [mə'dʒɔriti] *s* 1. większość; **to be in the ~** być w większości; stanowić większość 2. większość głosów 3. zmarli; **to join the ~** umrzeć 4. pełnoletność 5. *wojsk* ranga majora

majuscule [mə'dʒʌskju:l] *s* duża litera; majuskuła; *druk* wersalik

make[1] [meik] *v* (**made** [meid], **made**) [I] *vt* 1. z/robić; wyr-obić/abiać; wytw-orzyć/arzać; wy/produkować; dokon-ać/ywać (**sth** czegoś); (*o krawcu, szewcu*) u/szyć (ubranie, buty itd.); (*o piekarzu*) u/piec <wypie-c/kać> (chleb itd.); **to ~ a business of —** z/robić rzemiosło z ... (czegoś); zawodowo traktować ... (coś); *elektr* **to ~ a circuit** zamknąć obwód; włączyć prąd 2. s/tworzyć; *przen* **to be made for —** być stworzonym do ... (czegoś) 3. przer-obić/abiać <przetw-orzyć/arzać> (**sth into sth** coś na coś — mleko na masło itd.) 4. poj-ąć/mować; uj-ąć/mować; **to ~ sth of —** dopatrywać się czegoś w ... (czymś); widzieć coś w ... (czymś); sądzić coś o ... (czymś); (jakoś) rozumieć ... (coś); **what do you ~ of this?** jak ty <wy> to rozumie-sz/cie?; co ty <wy> na to (powie-sz/cie)?; **I can't ~ anything of it** nie rozumiem tego; nie wiem, o co chodzi 5. zysk-ać/iwać (**much** <**little etc.**> **of sth** wiele <mało itd.> na czymś) 6. przywiązywać wagę (**much** <**little**> **of sth** wielką <niewielką> do czegoś) 7. po/słać (łóżko) 8. nastawi-ć/ać <zaparz-yć/ać> (herbatę); z/robić (kawę); sporządz-ić/ać <przygotow-ać/ywać, u/gotować, u/smażyć> coś do zjedzenia <do wypicia> 9. narobić (**sth** czegoś — kłopotu, hałasu itd.) 10. zaw-rzeć/ierać (pokój, umowę itd.) 11. ustan-owić/awiać (prawo); wprowadz-ić/ać (regułę, przepis itd.) 12. ustal-ić/ać (regułę, cenę itd.) 13. wygł-osić/aszać (przemówieni-e/a) 14. prowadzić (wojnę) 15. przeby-ć/wać <pokry-ć/wać> (**odległość**) 16. na/pisać (książkę, testament itd.); wypis-ać/ywać (dokument); podpis-ać/ywać (weksel, umowę itd.) 17. czynić <stanowić> (różnicę) 18. być; stanowić; **one swallow does not ~ a summer** jedna jaskółka nie stanowi wiosny; jedno drzewo to nie las; **twice two ~ four** dwa razy dwa jest cztery; **to ~ one of —** przyłączyć się do ... (grupy) 19. okazać się (**sb, sth** kimś, czymś); być (dobrym, złym) materiałem (**sth** na coś); **he made a good teacher** okazał się dobrym nauczycielem; był z niego dobry nauczyciel; **it made a good article** był z tego dobry artykuł; **she will ~ a good artist** jest z niej materiał na dobrą artystkę; będzie z niej dobra artystka 20. *gram* zmieni-ć/ać się (**sth** na coś); **„tooth" ~s „teeth" in the plural** w liczbie mnogiej „tooth" zmienia się na „teeth" 21. (*także* **to ~ money** <**a profit, profits**>) zar-obić/abiać <zysk-ać/iwać> (**by sth** na czymś) 22. stanowić o powodzeniu (**sb** czyimś — artysty, pisarza itd.); **the cycle trade has made our town** nasze miasto zawdzięcza swój rozwój produkcji rowerów; **to ~ or mar** rozstrzygać o powodzeniu lub niepowodzeniu 23. za/mianować; podn-ieść/osić do godności; wyn-ieść/osić na stanowisko; wyznacz-yć/ać (**sb one's heir** kogoś na spadkobiercę itd.); ob-rać/ierać (**sb chief etc.** kogoś wodzem itd.); z/robić (**sb a doctor, an artisan etc.** z kogoś lekarza, rzemieślnika itd.) 24. przedstawi-ć/ać; opis-ać/ywać; *przen* na/malować (diabła itd.) 25. obliczać; **what do you ~ the time?** która może być godzina?; która u ciebie godzina? 26. um-ówić/awiać <z/godzić, zgadzać> się; **shall we ~ it two o'clock?** może się umówimy na (godzinę) drugą? 27. *z rzeczownikiem lub zaimkiem w bierniku i bezokolicznikiem*: **to ~ sb do sth** a) zmu-sić/szać <pobudz-ić/ać, nakł-onić/aniać> kogoś do czegoś <do zrobienia czegoś> b) kazać komuś coś zrobić; (*o pisarzu*) **to ~ one's hero say sth** <**die etc.**> kazać bohaterowi mówić coś <zginąć itd.>; **we were made to run** <**stand etc.**> zmuszono nas <kazano nam, musieliśmy> biec <stać itd.> c) sprawi-ć/ać <doprowadz-ić/ać do tego>, że (ktoś coś robi); **that made me think** <**wonder**> to mnie zastanowiło; to mi dało do myślenia 28. jechać <płynąć, lecieć> z (określoną) szybkością; **we were making 60 miles** jechaliśmy z szybkością 60 mil; **we were making 20 knots** płynęliśmy z szybkością 20 węzłów 29. zebrać/ zbierać <zwoł-ać/ywać> (**a quorum etc.** kworum itd.) 30. *mar* dopłynąć (**a port** do portu); *sl* złapać (pociąg itd.); *przen* **to ~ it** zdążyć; **I made it** udało <powiodło> mi się; dałem sobie radę 31. po/tasować (karty) 32. rozwi-nąć/jać (żagle) 33. *z przymiotnikiem*: **to ~ happy** <**tired, hot, rich, poor etc.**> uszczęśliwi-ć/ać <z/męczyć, za/grzać, wzbogac-ić/ać, z/ubożyć itd.> *Uwaga: z niektórymi przymiotnikami stanowi zwrot, którego należy szukać pod danym przymiotnikiem*: **fast, good, merry, sure** itd. 34. *z imiesłowem biernym przy dopełnieniu bliższym*: **to ~ sth known** <**understood, felt**> podać coś do wiadomości; dać coś do zrozumienia <do odczucia>; **to ~ sb acquainted with sth** zaznajomić kogoś z czymś 35. *z zaimkiem zwrotnym jako dopełnieniem bliższym i towarzyszącym mu imiesłowem biernym*: **to ~ oneself heard** mówić głośno <tak, żeby wszyscy słyszeli>; **to ~ oneself known** zostać znanym; zdobyć rozgłos; **to ~ oneself liked** zyskać sympatię; **to ~ oneself understood** a) mówić zrozumiale b) *pot* dogadać <porozumieć> się *Uwaga: z niektórymi rzeczownikami stanowi zwrot, którego należy szukac pod danym rzeczownikiem*: **doubt, excuse, faces, hay, fire, fun, room** *itd* [II] *vi* 1. zacz-ąć/ynać (**to do sth** coś robić); **he made to go** zbierał się do odejścia 2. uda-ć/wać się <pójść/iść, po/jechać> (**for a place** <**country etc.**> dokądś, do jakiegoś kraju itd.); s/kierować się (**for the door etc.** ku drzwiom itd.); rzuc-ić/ać się (**for sb** na kogoś); *mar* wypły-nąć/wać (**for the open sea** na pełne morze) 3. puścić się w pogoń (**after sb** za kimś) 4. sprzeciwi-ć/ać się (**against sth** czemuś) 5. stanowić (**for sth** o czymś — szczęściu itd.); przyczyni-ć/ać się (**for sth** do czegoś — szczęścia itd.) 6. uda-ć/wać <wywoł-ać/ywać wrażenie> (**as if —** że ...) 7. (*o morzu*) podnosić się (przy przypływie); opadać (przy odpływie) 8. *z przymiotnikiem o zastosowaniu orzecznikowym*: **to**

~ **bold** ośmielić się; **to ~ merry** weselić <za-bawi-ć/ać> się

~ **away** *vi* 1. oddal-ić/ać się; zemknąć/zmykać 2. z/niszczyć <zaprzepa-ścić/szczać> (**with sth** coś); z/defraudować (**with money** pieniądze); roztrw-onić/aniać <*pot* przepu-ścić/szczać> (**with a fortune** majątek) 3. zgładzić <pozbyć się> (**with sb** kogoś); **to ~ away with oneself** odebrać sobie życie

~ **back** *vi* powr-ócić/acać

~ **down** *vt* przer-obić/abiać (ubranie) na mniejsze; skr-ócić/acać; zmniejsz-yć/ać

~ **off** *vi* 1. ucie-c/kać; zemknąć/zmykać; *pot* zwi-ać/ewać 2. por-wać/ywać <u/kraść> (**with sth** coś)

~ **out** [I] *vt* 1. wypis-ać/ywać (czek, rachunek itd.); sporządz-ić/ać (spis, akt, wykaz itd.); z/redagować (dokument) 2. uzasadn-ić/ać; wy/wnioskować; wykombinować; **how do you ~ that out?** czym to uzasadnia-sz/cie?; skąd to bierze-sz/cie?; jak do tego dochodzi-sz/cie? 3. podawać (**sb to be** — kogoś za ...); **he is not so clever as they ~ him out to be** (on) nie jest taki mądry, za jakiego go podają 4. z/rozumieć; z/orientować się (**sth** w czymś); odcyfrow-ać/ywać <odczyt-ać/ywać> (pismo itd.) 5. rozpozna-ć/wać; rozróżni-ć/ać; dostrze-c/gać 6. wydłuż-yć/ać; zwiększ-yć/ać objętość (**sth** czegoś — książki, dzieła) [II] *vi* 1. uda-ć/wać (**that** — że ...) 2. *am* radzić sobie <da-ć/wać sobie radę> (w życiu itd.)

~ **over** *vt* 1. zapis-ać/ywać (majątek itd. komuś); przen-ieść/osić (**one's property to sb** swą własność na kogoś) 2. przer-obić/abiać (ubranie itd.)

~ **up** [I] *vt* 1. uzupełni-ć/ać 2. odzysk-ać/iwać; odr-obić/abiać 3. s/kompensować; **to ~ it up to sb for sth** wynagr-odzić/adzać komuś coś 4. sporządz-ić/ać <s/preparować> (**a prescription etc.** zapisane lekarstwo itd.) 5. za/pakować; **to ~ sth up into bundles etc.** z/robić <porobić z czegoś> tłumoki <paczki> itd. 6. u/szyć (ubranie itp.) 7. zebrać/zbierać (towarzystwo, kwotę) 8. *druk* ułożyć/układać (w kolumny) 9. sporządz-ić/ać (spis, dokument itd.) 10. z/montować; złożyć/składać; **to be made up of** — składać się z ... (czegoś) 11. zmyśl-ić/ać (opowiadanie itd.) 12. u/pudrować <u/malować> (**oneself** sobie twarz); *teatr* u/charakteryzować; u/szminkować 13. s/kojarzyć (małżeństwo) 14. za/łagodzić (spór); **to ~ it up** pogodzić się (z kimś) 15. ustalić sobie (w myśli); **to ~ up one's mind** zdecydować się; powziąć decyzję [II] *vi* 1. powetować sobie (**for sth** coś); s/kompensować <wynagr-odzić/adzać> (**for sth** coś — braki itd.) 2. nadgonić; odr-obić/abiać (**for lost time** stracony czas) 3. prześcig-nąć/ać <wyprzedz-ić/ać> (**on a competitor** współzawodnika itd.) 4. zalecać się <*pot* smalić cholewki> (**to sb** do kogoś)

zob **made, making**

†**make²** [meik] *s* 1. budowa, konstrukcja; fason; forma; krój (sukni) 2. wyrób (własny, zagraniczny itd.) 3. marka (**towaru**) 4. *elektr* zamknięcie (obwodu); **at ~** (obwód) **zamknięty**; (prąd) włączony ‖ *sl* **to be on the ~** a) szukać zysku b) zbijać forsę

make-and-break ['meikənd'breik] *s elektr* wyłącznik; nastawnik; **~ current** prąd przerywany

make-believe ['meik-bi,li:v] [I] *vi* (*o dzieciach*) bawić się w udawanie [II] *s* udawanie; symulowanie; pozory [III] *adj* udany, pozorny; zrobiony dla pozoru; fikcyjny; zmyślony

make-do ['meik,du:] *attr* (*o środku itd.*) prowizoryczny

make-peace ['meik,pi:s] *s* rozjemca; pojednawca

maker ['meikə] *s* 1. producent/ka; fabrykant/ka 2. budowniczy; konstruktor/ka 3. spraw-ca/czyni 4. *rel* (**Our**) **Maker** Stwórca

make-ready [meik,redi] *s druk* wyrówn-anie/ywanie (do linii pisma)

makeshift ['meikʃift] [I] *s* 1. środek zastępczy; namiastka 2. prowizorium; półśrodek [II] *attr* prowizoryczny; naprędce sklecony <sporządzony>

†**make-up** ['meik,ʌp] *s* 1. pudrowanie <malowanie> (twarzy); makijaż; *teatr* charakteryzacja 2. układ; struktura 3. *druk* skład

makeweight ['meik,weit] *s* dokładka <dodatek> (do wagi)

making ['meikiŋ] [I] *zob* **make¹** [II] *s* 1. zrobienie; stworzenie; **to be in the ~** powstawać; tworzyć się; **a nation in the ~** narodziny państwa; **to be the ~ of sb** stanowić podstawę czyjegoś powodzenia 2. fabrykacja; produkcja; wyrób (czegoś) 3. skład; materiał; budulec; **to go to the ~ of sth** wchodzić w skład czegoś 4. praca czyichś rąk; **it's none of my ~** ja do tego ręki <rąk> nie przykładałem; ja za to nie odpowiadam <nie ponoszę odpowiedzialności>; ja tego nie chciałem 5. *pl* **~s** zadatki (**of an artist etc.** na artystę itd.) 6. *pl* **~s** zarobek; wpływy kasowe, przychód 7. *pl* **~s** *sl* tytoń i bibułka (do skręcenia papierosa)

Malacca [mə'lækə] *spr* **~ cane** laska trzcinowa

malachite ['mælə,kait] *s miner* malachit

malacology [,mælə'kɔlədʒi] *s zoo* malakologia, malakozoologia

malacopterygian [,mælə,kɔptə'ridʒiən] [I] *adj zoo* miękkopłetwy [II] *s zoo* ryba miękkopłetwa

malacostracan [,mælə'kɔstrəkən] *s zoo* pancerzowiec (skorupiak)

maladjustment ['mæl-ə'dʒʌstmənt] *s* niedopasowanie

maladministration ['mæl-əd,minis'treiʃən] *s* złe rządy; wadliwa <nieudolna> administracja

maladroit [,mæl-ə'drɔit] *adj* niezdarny; niezgrabny; niezręczny

malady ['mælədi] *s* choroba; dolegliwość

mala fide ['meilə'faidi] [I] *adv* w złej wierze [II] *adj* dokonany w złej wierze

Malaga ['mæləgə] *s* malaga (wino)

Malagasy [,mælə'gæsi] *s* 1. język malgaski 2. (*pl* **the ~**) Malgasz/ka (mieszkan-iec/ka Madagaskaru)

malaise [mæ'leiz] *s* złe samopoczucie

malanders [mə'lændəz] *spl wet* gruda (u konia)

malapert ['mælə,pə:t] † *adj* zuchwały; bezczelny

malapropism ['mæl-əprə,pizəm] *s* niewłaściwe stosowanie wyrazu

malapropos ['mæl'æprə,pou] [I] *adj* niewczesny; niestosowny [II] *adv* niewcześnie; niestosownie

malar ['meilə] *adj anat* licowy; policzkowy

malaria [mə'lɛəriə] *s med* malaria, zimnica
malarial [mə'lɛəriəl] *adj* malaryczny, zimniczy
malate ['meileit] *s chem* jabłczan
Malay [mə'lei] [I] *s* 1. Malaj-czyk/ka 2. język malajski [II] *adj* malajski
malcontent ['mæl-kən,tent] [I] *adj* niezadowolony [II] *s* malkontent/ka
male [meil] [I] *adj* 1. płci męskiej; męski; *zoo* samczy; *bot* męski 2. *techn* wchodzący do wewnątrz (śruba z zewnętrznym gwintem itp.) [II] *s* mężczyzna; *zoo* samiec
malediction [,mæli'dikʃən] *s* przekleństwo; złorzeczenie
maledictory [,mæli'diktəri] *adj* (*o wyrazach, wypowiedziach itp*) złorzeczący
malefactor ['mæli,fæktə] *s* złoczyńca; zbrodnia-rz/rka
malefic [mə'lefik] *adj* szkodliwy; zgubny
maleficence [mə'lefisns] *s* szkodliwość; zgubne działanie <skutki>
maleficent [mə'lefisnt] *adj* 1. szkodliwy 2. zbrodniczy
malevolence [mə'levələns] *s* niechęć; wrogość
malevolent [mə'levələnt] *adj* niechętny; wrogi
malfeasance ['mæl'fi:zəns] *s prawn* wykroczenie; przestępstwo urzędowe; nadużycie władzy
malformation ['mælfɔ:'meiʃən] *s* zniekształcenie
malformed [mæl'fɔ:md] *adj* zniekształcony
malic ['meilik] *adj chem* (*o kwasie*) jabłkowy
malice ['mælis] *s* złośliwość; *prawn* zła wola; zły zamiar; **to bear ~ to sb** mieć <żywić> niechęć <urazę> do kogoś
malicious [mə'liʃəs] *adj* złośliwy; (*o czynie*) zrobiony w złej intencji <złośliwie, w złym zamiarze>
malign [mə'lain] [I] *adj* szkodliwy; *med* złośliwy [II] *vt* oczerni-ć/ać; rzuc-ić/ać oszczerstw-o/a (**sb** na kogoś)
malignancy [mə'lignənsi] *s* złośliwość; zjadliwość; jadowitość; złośliwy charakter (choroby itd.)
malignant [mə'lignənt] [I] *adj* złośliwy (człowiek, nowotwór itd.); zjadliwy; jadowity [II] *s hist* stronnik Karola I w walce z parlamentem; rojalista
maligner [mə'lainə] *s* oszczerca
malignity [mə'ligniti] = **malignancy**
malinger [mə'liŋgə] *vi* symulować (chorobę); udawać chorego
malingerer [mə'liŋgərə] *s* symulant/ka
mall [mɔ:l] *s* 1. deptak, promenada; **the Mall** [mæl] (*w Londynie*) aleja w parku św. Jakuba 2. drewniany młot, dobnia 3. *hist* dawna gra w kule z użyciem drewnianego młotka
mallard ['mæləd] *s zoo* 1. kaczka krzyżówka (samiec) 2. dzika kaczka
malleability [,mæliə'biliti] *s* ciągliwość; kowalność
malleable ['mæliəbl] *adj* ciągliwy; kowalny; *przen* podatny; giętki; miękki
mallemuck ['mæli,mʌk] *s zoo* petrel (ptak)
mallet ['mælit] *s* drewniany młotek; pobijak
malleus ['mæliəs] *s* (*pl* **~es, mallei** ['mæli,ai]) *anat* młoteczek (w uchu)
mallow ['mælou] *s bot* malwa, ślaz
malm [ma:m] *s* 1. *geol* malm 2. margiel 3. *bud* cegła żółta
Malmaison [mæl'meizɔ̃:] *s bot* gatunek goździka
malmsey ['ma:mzi] *s* małmazja
malnutrition ['mæl-nju'triʃən] *s* niedożywienie
malodorous [mæ'loudərəs] *adj* cuchnący; śmierdzący; smrodliwy
malpractice ['mæl'præktis] *s* 1. czyn/y karygodn-y/e 2. *prawn* niewłaściwe leczenie 3. *prawn* nadużycie zaufania <władzy>
malt [mɔ:lt] [I] *s* słód; **extract of ~** ekstrakt słodowy; **~ liquor** piwo słodowe [II] *vt* słodować; zaprawi-ć/ać słodem
Maltese ['mɔ:l'ti:z] [I] *adj* maltański (obywatel, krzyż, zakon) [II] *s* Malta-ńczyk/nka
maltha ['mɔ:lθə] *s* malta (biała smoła skalna)
malt-house ['mɔ:lt,haus] *s* słodownia
malthusianism [mæl'θju:zjə,nizəm] *s* maltuzjanizm
maltose ['mɔ:ltous] *s chem* maltoza
maltreat [mæl'tri:t] *vt* z/maltretować; sponiewierać (**sb** kogoś); poniewierać (**sb** kimś)
maltreatment [mæl'tri:tmənt] *s* z/maltretowanie; złe traktowanie; s/poniewieranie
maltster ['mɔ:ltstə] *s* słodownik (wytwórca i sprzedawca)
malt-worm ['mɔ:lt,wə:m] *s sl* pijus/ka; *żart* moczymorda; dusikufel
malvaceous [mæl'veiʃəs] *adj bot* ślazowaty
malversation [,mælvə:'seiʃən] *s* malwersacja
mamelon ['mæmələn] *s* pagórek
mamilla [mə'milə] *s* (*pl* **~s, mamillae** [mə'mili:]) *anat* brodawka, sutka
mamillary [mə'miləri] *adj anat* sutkowy
mamma[1] [mə'ma:] *s dziec* mama
mamma[2] ['mæmə] *s* (*pl* **mammae** ['mæmi:]) *anat* pierś; *zoo* wymię
mammal ['mæməl] *s zoo* ssak
mammalia [mæ'meiljə] *spl zoo* ssaki
mammalian [mæ'meiljən] [I] *adj zoo* ssący [II] *s* = **mammal**
mammary ['mæməri] *adj anat* piersiowy
mammee [mə'mi:] *s bot* mammea przesłocz (drzewo tropikalne)
mammiferous [mə'mifərəs] *adj zoo* ssący
mammon ['mæmən] *s* mamona; pieniądze; bogactw-o/a
mammoth ['mæməθ] [I] *s paleont* mamut [II] *adj* olbrzymi
mammy ['mæmi] *s* 1. *dziec* mamusia 2. *am* niańka (Murzynka)
man [mæn] [I] *s* (*pl* **men** [men]) 1. człowiek (istota ludzka); **all men** wszyscy (ludzie); **a ~ about town** lew salonowy; **a ~ of straw** marionetka; manekin; **a ~ of the world** człowiek z towarzystwa <światowy>; **a new ~** nowicjusz; **every ~** każdy; **I'm not the ~ to** ___ nie jestem taki, żebym ...; **I'm your ~** służę ci <wam>; jestem do dyspozycji!; **little ~!** młodzieńcze!; chłopcze!; **~ alive!** człowieku!; człowiecze!; **~ Friday** Piętaszek; faktotum; człowiek do wszelkich usług; **old ~!** przyjacielu!; mój drogi!; **that ~ Brown** ta cholera Brown; **the best ~** drużba; **the ~ in the moon** zmyślona osoba; mityczna postać; **I know no more about it than the ~ in the moon** nic o tym nie wiem; tyle samo o tym wiem co i ty; **the ~ in the street** szary człowiek; **to a ~** a) wszyscy bez wyjątku b) do ostatniego człowieka; **you're just the ~** takiego człowieka mi <nam itd.> potrzeba, jak ty 2. rodzaj ludzki 3. mężczyzna; **~ and boy he** ___ od dzieciństwa on ...; **my young ~** mój na-

rzeczony; moja sympatia; **play the ~!** bądźże mężczyzną!; **to be one's own ~** mieć swobodę działania 4. *bezosobowo*: **how can a ~ stand it?** jak to można wytrzymać? 5. osoba; **10/- per ~** po 10 szylingów od osoby 6. mąż; **they are ~ and wife** to mąż i żona; oni są małżeństwem 7. *pl* **men** szeregowi; żołnierze; *mar* załoga 8. *pl* **men** robotnicy 9. służący; lokaj 10. *szach* pionek 11. figura 12. absolwent <student> (Oksfordu itd.) [II] *vt* (**-nn-**) 1. obsadz-ić/ać (ludźmi, wojskiem itp.) 2. **~ oneself** doda-ć/wać sobie <nab-rać/ierać> odwagi; pokrzepi-ć/ać się

manacle [ˈmænəkl] [I] *s* (*zw pl*) kajdany [II] *vt* zaku-ć/wać w kajdany

manage [ˈmænidʒ] [I] *vt* 1. po/kierować (**sth** czymś); po/prowadzić; zarządzać (**sth** czymś); sta-nąć/ć na czele (**sth** czegoś); być dyrektorem (**sth** czegoś) 2. posługiwać się (**sth** czymś); obchodzić się (**sb, sth** z kimś, czymś) 3. opanow-ać/ywać; poskr-omić/amiać; wziąć/brać w karby <w ryzy> 4. zdoby-ć/wać sobie <zawojować, omot-ać/ywać> (kogoś) 5. potrafić <zdołać> (coś zrobić); dać sobie radę <umieć sobie poradzić, uporać się> (**sb, sth** z kimś, czymś) 6. (*także z* **can** *lub* **be able to**) da-ć/wać radę (**sth** czemuś); **I could ~ another piece <glass>** jeszcze bym zjadł kawałek <wypił szklankę>; **this is all I can ~** więcej nie mogę <nie dam rady>; więcej nie mogę dać (pieniędzy) [II] *vi* 1. poradzić sobie 2. gospodarować 3. z/wiązać koniec z końcem 4. wyjść na swoje *zob* **managing**

manageable [ˈmænidʒəbl] *adj* 1. podatny; posłuszny 2. (*o zadaniu itd*) wykonalny; (możliwy) do przeprowadzenia

management [ˈmænidʒmənt] *s* 1. kierownictwo; zarząd; dyrekcja 2. umiejętne postępowanie; po/kierowanie (**of sb, sth** kimś, czymś); zarządzanie (**of sth** czymś) 3. posługiwanie się (**of sth** czymś); obchodzenie się (**of sth** z czymś) 4. przebiegłość; matactwa

manager [ˈmænidʒə] *s* 1. dyrektor; kierownik; zarządzający; zarządca; szef 2. gospod-arz/yni 3. delegat izby parlamentu

manageress [ˈmænidʒəˌres] *s* dyrektorka; kierowniczka; zarządzająca

managerial [ˌmæniˈdʒiəriəl] *adj* dyrektorski; kierowniczy; (*o obowiązkach itd*) dyrektora <kierownika>

managing [ˈmænidʒiŋ] [I] *zob* **manage** [II] *adj* 1. zarządzający; **~ clerk** kierownik; **~ director** dyrektor 2. przebiegły 3. gospodarny 4. energiczny

manakin [ˈmænəkin] *s zoo* gorzyk (ptak południowoamerykański)

man-at-arms [ˈmænətˈɑːmz] *s* (*pl* **men-at-arms** [ˈmenətˈɑːmz]) *hist* ciężko uzbrojony jeździec <rycerz>

manatee [ˌmænəˈtiː] *s zoo* krowa morska

Manchester [ˈmæntʃistə] *spr* **~ goods** tekstylia; **~ School** *polit* szkoła manczesterska (zwolennicy wolnego handlu)

man-child [ˈmænˈtʃaild] *s* (*pl* **men-children** [ˈmenˈtʃildrən]) dziecko płci męskiej

manchineel [ˌmæntʃiˈniːl] *s bot* koniszał (drzewo Ameryki tropikalnej)

manciple [ˈmænsipl] *s* intendent <urzędnik gospodarczy> (w uniwersytecie itp.)

Mancunian [mænˈkjuːnjən] *s* mieszkan-iec/ka Manchesteru

mandamus [mænˈdeiməs] *s sąd* nakaz sądu wyższej instancji wydany sądowi niższej instancji

mandarin¹ [ˈmændərin] *s* 1. mandaryn 2. *zoo* **~ duck** kaczka mandarynka

mandarin² [ˈmændərin], **mandarine** [ˌmændəˈriːn] *s bot* (*także* **~ orange**) mandarynka

mandatary [ˈmændətəri] *s prawn* mandatariusz

mandate [ˈmændeit] [I] *s* mandat [II] *vt polit* powierz-yć/ać zarząd (**a territory etc. to a state** nad terytorium itd. jakiemuś państwu) *zob* **mandated**

mandated [ˈmændeitid] [I] *zob* **mandate** *v* [II] *adj* (*o kraju*) mandatowy

mandible [ˈmændibl] *s* 1. *anat* żuchwa, szczęka dolna 2. *zoo* (*u owada*) szczęka; (*u ptaka*) żuchwa

mandibular [mænˈdibjulə] *adj anat* żuchwowy

mandola [mænˈdoulə] *s muz* mandola (instrument)

mandolin [ˈmændəlin], **mandoline** [ˌmændəˈliːn] *s muz* mandolina

mandora [mænˈdɔːrə] = **mandola**

mandragora [mænˈdrægərə], **mandrake** [ˈmændreik] *s bot* pokrzyk, mandragora

mandrel [ˈmændrel], **mandril** [ˈmændril] *s* 1. *techn* kleszczak; oprawka; uchwyt 2. *górn* kilof

mandrill [ˈmændril] *s zoo* mandryl (małpa)

manducate [ˈmændjuˌkeit] *vt* żuć; jeść

manducation [ˌmændjuˈkeiʃən] *s* 1. żucie; jedzenie; spożywanie 2. *rel* przyjmowanie (komunii)

mane [mein] *s* grzywa

man-eater [ˈmænˌiːtə] *s* ludożerca

maned [meind] *adj* grzywiasty; (*o koniu itd*) z grzywą

manège [məˈneiʒ] *s* 1. konna jazda 2. ujeżdżalnia, maneż

manes [ˈmeiniːz] *spl* cienie przodków

manful [ˈmænful] *adj* odważny; nieustraszony; mężny

manfulness [ˈmænfulnis] *s* odwaga; nieustraszoność; męstwo

manganate [ˈmæŋgənit] *s chem* manganian

manganese [ˌmæŋgəˈniːz] *s chem* mangan

manganic [mæŋˈgænik] *adj chem* manganowy

manganous [ˈmæŋgənəs] *adj chem* manganawy

mange [meindʒ] *s* świerzb; parch, parchy

mangel [ˈmæŋgl], **~-wurzel** [ˈmæŋglˌwəːzl], **mangold** [ˈmæŋgəld], **mangold-wurzel** [ˈmæŋgəldˌwəːzl] *s* burak pastewny

manger [ˈmeindʒə] *s* żłób; koryto; **a dog in the ~** pies na sianie (sam nie zje i drugiemu nie da)

manginess [ˈmeindʒinis] *s* zarażenie świerzbem; sparszywienie

mangle¹ [ˈmæŋgl] [I] *s* magiel [II] *vt* wy/maglować

mangle² [ˈmæŋgl] *vt* 1. poszarpać 2. pokaleczyć, s/kaleczyć; przekręc-ić/ać (tłumaczenie, tekst)

mango [ˈmæŋgou] *s* (*pl* **~es, ~s**) *bot* 1. mangowiec 2. mango (owoc)

mango-fish [ˈmæŋgouˌfiʃ] *s zoo* żółta ryba jadalna żyjąca w Gangesie

mangold *zob* **mangel**

mangold-wurzel *zob* **mangel**

mangonel [ˈmæŋgəˌnel] *s hist* rodzaj katapulty średniowiecznej

mangosteen ['mæŋgə,sti:n] *s bot* mangostan, smaczelina (indyjskie drzewo owocowe)

mangrove ['mæŋgrouv] *s bot* mangrowe, namorzyn (drzewo tropikalne)

mangy ['meindʒi] *adj* (**mangier** ['meindʒiə], **mangiest** ['meindʒiist]) parszywy; sparszywiały; *przen* nędzny

man-handle ['mæn,hændl] *vt* 1. przen-ieść/osić <przesu-nąć/wać> siłą mięśni <ręcznie, w rękach> 2. z/maltretować; brutalizować; poniewierać (kogoś); poniewierać (**sb** kimś)

man-hater ['mæn,heitə] *s* wróg mężczyzn <rodzaju ludzkiego>; odludek

manhattan [mæn'hætən] *s* rodzaj cocktailu

manhole ['mæn,houl] *s* 1. właz 2. *górn* nisza

manhood ['mænhud] *s* 1. męskość; wiek męski; dojrzałość 2. męstwo 3. ludność płci męskiej; mężczyźni (kraju, okolicy); ~ **suffrage** prawo głosowania przysługujące jedynie mężczyznom

manhunt ['mæn,hʌnt] *s* obława <polowanie> (na człowieka)

mania ['meiniə] *s* 1. obłęd; szaleństwo 2. mania <szał> (czegoś, robienia czegoś); bzik, *pot* fioł, fiołek

maniac ['meini,æk] [I] *s* 1. mania-k/czka; szaleniec 2. fanatyczn-y/a miłośni-k/czka (sportu, kina itd.) [II] *adj* umysłowo chory

maniacal [mə'naiəkəl] *adj* 1. maniakalny; obłędny 2. wariacki

manic ['meinik] *adj med* maniakalny; obłędny

Manichee ['mæni,ki:] *s rel hist* manichejczyk

Manicheism [,mæni'ki:izəm] *s rel hist* manicheizm

manicure ['mæni,kjuə] [I] *s* 1. manicure, pielęgnacja rąk 2. = **manicurist** [II] *vt* z/robić manicure (**sb** komuś)

manicurist ['mæni,kjuərist] *s* manicurzyst-a/ka

manifest ['mæni,fest] [I] *adj* oczywisty; jawny; rzucający się w oczy [II] *vt* 1. za/manifestować; okaz-ać/ywać; ujawni-ć/ać; da-ć/wać świadectwo (**sth** czegoś) 2. wykaz-ać/ywać (towary itd.) w manifeście okrętowym [III] *vr* ~ **oneself** ukaz-ać/ywać <pojawi-ć/ać> się [IV] *vi* za/manifestować; urządz-ić/ać manifestacj-ę/e polityczn-ą/e [V] *s* manifest okrętowy

manifestation [,mænifes'teiʃən] *s* 1. manifestacja (polityczna itd.) 2. za/manifestowanie; ujawni-enie/anie; okaz-anie/ywanie 3. dowód (uczuć itd.)

manifesto [,mæni'festou] *s* (*pl* ~**s**, ~**es**) manifest

manifold ['mæni,fould] [I] *adj* wieloraki; różnorodny; rozmaity [II] *s techn* łącznik rozgałęźny; przewód rozgałęziony; rura zbiorcza; kolektor [III] *vt* powiel-ić/ać (pisma itp.)

manikin ['mænikin] *s* 1. karzeł 2. manekin (model) 3. model anatomiczny

Manil(l)a [mə'nilə] *spr* ~ **hemp** konopie manilskie; ~ **paper** gatunek papieru do pakowania; **manil(l)a** gatunek cygara

manille [mə'nil] *s karc* manilla (druga co do wartości karta atutowa w grze zwanej lombrem)

manioc ['mæni,ɔk] *s bot* maniok; *kulin* tapioka

maniple ['mænipl] *s* 1. *wojsk*(*u staroż. Rzymian*) manipuł 2. *kośc* manipularz

manipulate [mə'nipju,leit] *vt* 1. manipulować (**sth** czymś) 2. zręcznie pokierować (**sth** czymś — sprawą itd.); umiejętnie post-ąpić/ępować (**sb, sth** z kimś, czymś); wziąć/brać (kogoś) w obroty 3. s/fałszować (rachunek itd.)

manipulation [mə,nipju'leiʃən] *s* 1. manipulacja; manipulowanie 2. zabieg 3. s/fałszowanie

manipulator [mə'nipju,leitə] *s* 1. manipulant/ka 2. laborant/ka 3. *techn* manipulator (przyrząd)

manitou ['mæni,tu:] *s* (*u Indian*) istota wyższa

mankind [,mæn'kaind] *s* 1. rodzaj ludzki; ludzkość 2. ['mæn,kaind] *zbior* mężczyźni

manlike ['mænlaik] *adj* 1. męski; właściwy mężczyźnie 2. (*o kobiecie*) typu męskiego

manly ['mænli] *adj* (**manlier** ['mænliə], **manliest** ['mænliist]) 1. mężny; dzielny; waleczny 2. (*o kobiecie, cesze itd*) typu męskiego

manna ['mænə] *s* 1. manna (niebieska) 2. *farm* skrzepnięty sok z jesionu mannowego (**in tears** w lepszym gatunku; **in sorts** w gorszym gatunku)

manna-ash ['mænə,æʃ] *s bot* jesion mannowy

manna-croup ['mænə,kru:p] *s* manna (kasza); grysik

mannequin ['mænikin] *s* manekin (osoba)

manner ['mænə] *s* 1. sposób; **after the** ~ **of** ___ na sposób ... (czyjś); **in a different** ~ inaczej; innym sposobem; na inny sposób; **in a (certain)** ~, **in a** ~ **of speaking** poniekąd; niejako; po części; jakoby; że się tak wyrażę; **in like** ~ podobnie; w ten sam sposób; **in this** ~ w taki sposób; tak; **in what** ~? w jaki sposób?; jak?; **it is a** ~ **of speaking** tak się mówi; to jest sposób wyrażania się; **(as) to the** ~ **born** (jak by był) do tego stworzony; najnaturalniej w świecie 2. zwyczaj; *pl* ~**s** obyczaje; zwyczaje 3. postawa; ułożenie; maniera; obejście; sposób zachowania się <bycia>; **a modest** ~ skromność; **an easy** ~ swoboda 4. *pl* ~**s** a) zachowanie się; wychowanie b) (*także* **good** ~**s**) dobre wychowanie <maniery>; ogłada; kultura; **bad** ~**s** brak wychowania; prostactwo; nieokrzesanie; **to forget one's** ~**s** zapom-nieć/inać się; zachow-ać/ywać się nieprzyzwoicie <niewłaściwie, niestosownie>; **to have no** ~**s** nie umieć się zachowywać; **he has no** ~**s** on jest źle wychowany; **I'll teach you** ~**s** nauczę cię <was> moresu; **where are your** ~**s?** jak ty <wy> się zachowuje-sz/cie? 5. rodzaj; **all** ~ **of** ___ wszelkiego rodzaju ... (rzeczy, ludzie itd.); **by no** ~ **of means** w żadnym wypadku; **no** ~ **of** ___ żaden ...; **there is no** ~ **of doubt** nie ma najmniejszej wątpliwości; **what** ~ **of man is he?** jakiego rodzaju to (jest) człowiek?

mannered ['mænəd] *adj* 1. (*o człowieku*) mający (dobre, złe) maniery; o (delikatnym, gburowatym itd.) obejściu 2. (*o artyście*) zmanierowany

mannerism ['mænə,rizəm] *s* 1. maniera; zmanierowanie 2. szczególny <osobliwy> sposób (pisania, malowania itd.); manieryzm

mannerist ['mænərist] *s* manierzysta (pisarz <malarz itd.>, stosujący stale jedną manierę)

manneristic [,mænə'ristik] *adj* manierystyczny (stosujący stale jedną manierę)

mannerless ['mænəlis] *adj* źle wychowany; bez wychowania; grubiański; prostacki; nieokrzesany; niekulturalny

mannerliness ['mænəlinis] *s* dobre maniery; grzeczność; kultura; układność

mannerly ['mænəli] *adj* (*o człowieku*) z ogładą; gładki; układny; grzeczny; kulturalny

mannish ['mæniʃ] *adj* 1. męski 2. (*o kobiecie*) typu męskiego

manoeuvre [məˈnu:və] [I] *s* 1. manewr; *pl* **~s** *wojsk* manewry 2. intryga; podstęp; fortel [II] *vi* manewrować; wykon-ać/ywać manewr/y [III] *vt* *w zwrotach*: **to ~ sb into a situation etc.** tak manewrować, żeby ktoś znalazł się w jakiejś sytuacji itd.; **to ~ sb out of sth** tak manewrować, żeby się ktoś wyprowadził <żeby kogoś skądś usunąć>; **to ~ sth into sth** tak manipulować, żeby coś do czegoś wprowadzić; **to ~ sth out of sth** tak manipulować, żeby coś z czegoś wyjąć

man-of-war [ˈmæn-əvˈwɔ:] *s* (*pl* **men-of-war** [ˈmen əvˈwɔ:]) okręt wojenny

manometer [məˈnɔmitə] *s* manometr

manor [ˈmænə] *s* 1. dobra lenne 2. dwór, dobra ziemskie

manor-house [ˈmænəˌhaus] *s* dwór <rezydencja> (feudała, lorda)

manorial [məˈnɔ:riəl] *adj* 1. (*o dobrach*) lenny 2. dworski

man-o'-war [ˈmænəˈwɔ:] = **man-of-war**

man-power [ˈmænˌpauə] *s* 1. siła robocza 2. *wojsk* stan liczebny (armii)

manqué [mɑ̃:ˈkei] *adj* (*f* **~e** [mɑ̃:ˈkei]) *po rzeczowniku*: niedoszły (aktor itd.)

man-rope [ˈmænˌroup] *s mar* lina służąca za poręcz

mansard [ˈmænsəd] *s* (*zw* **~ roof**) dach mansardowy

manse [mæns] *s szkoc* plebania (siedziba pastora)

man-servant [ˈmænˈsə:vənt] *s* (*pl* **men-servants** [ˈmenˈsə:vənts]) służący; lokaj

mansion [ˈmænʃən] *s* 1. (*na wsi*) dwór 2. (*w mieście*) rezydencja; pałac 3. *pl* **~s** dom czynszowy

mansion-house [ˈmænʃənˌhaus] *s* dwór; **the Mansion-House** rezydencja Lorda Mayora <prezydenta miasta> Londynu

manslaughter [ˈmænˌslɔ:tə] *s* zabójstwo

man-slayer [ˈmænˌsleiə] *s* zabój-ca/czyni; morder-ca/czyni

mansuetude [ˈmænswiˌtju:d] *s* łagodność; dobre serce

mantel [ˈmæntl] = **mantelpiece**

mantel-board [ˈmæntlˌbɔ:d] = **mantelshelf**

mantelpiece [ˈmæntlˌpi:s] *s* obramowanie kominka

mantelshelf [ˈmæntlˌʃelf] *s* gzyms <płyta marmurowa, półka drewniana> nad kominkiem

mantilla [mænˈtilə] *s* mantyla

mantis [ˈmæntis] *s* (*pl* **~es, mantistes** [ˈmæntis ti:z]) *zoo* modliszek (owad)

mantissa [mænˈtisə] *s mat* mantysa (logarytmu)

mantle [ˈmæntl] [I] *s* 1. płaszcz; opończa 2. *techn* koszulka gazożarowa 3. *zoo* płaszcz (mięczaków) 4. *przen* pokrywa (śniegu, lawy itd.) 5. *przen* płaszczyk, osłona, pokrywka [II] *vt* 1. okry-ć/wać płaszczem 2. osł-onić/aniać [III] *vi* 1. pokry-ć/wać się (pianą, kożuchem itp.) 2. (*o rumieńcu*) napły-nąć/wać (**over** <**on**> **sb's face** komuś do twarzy) 3. (*o twarzy*) okry-ć/wać się rumieńcem

mantlet [ˈmæntlit] *s* 1. osłona 2. mantyla

mantrap [ˈmænˌtræp] *s* potrzask

mantua [ˈmæntjuə] *s* szeroka suknia (XVII—XVIII w.)

mantua-maker [ˈmæntjuəˌmeikə] *s* (*w XVII—XVIII w.*) krawcowa

manual [ˈmænjuəl] [I] *adj* ręczny; **~ alphabet** alfabet głuchoniemych; *wojsk* **~ exercise** ćwiczenia we władaniu bronią; **~ worker** pracowni-k/ca fizyczn-y/a; robotni-k/ca; **sign ~** podpis [II] *s* 1. podręcznik 2. manuał (organów)

manufactory [ˌmænjuˈfæktəri] *s* fabryka; warsztat

manufacture [ˌmænjuˈfæktʃə] [I] *vt* 1. wy/produkować; s/fabrykować; wyrabiać (fabrycznie) 2. zmyśl-ić/ać (opowiadanie, wiadomość itd.); *pot* wyssać z palca *zob* **manufactured, manufacturing** [II] *s* 1. produkcja; wyrób 2. przemysł; gałąź przemysłu 3. produkt, wyrób; fabrykat

manufactured [ˌmænjuˈfæktʃəd] [I] *zob* **manufacture** *v* [II] *adj* wyprodukowany; **~ goods** fabrykaty, wyroby

manufacturer [ˌmænjuˈfæktʃərə] *s* fabrykant; przemysłowiec; wytwórca; producent

manufacturing [ˌmænjuˈfæktʃəriŋ] [I] *zob* **manufacture** *v* [II] *adj* fabryczny; przemysłowy [III] *s* produkcja, fabrykacja, wyrób

manumission [ˌmænjuˈmiʃən] *s* wyzwolenie (niewolnika)

manumit [ˌmænjuˈmit] *vt* (**-tt-**) wyzw-olić/alać (niewolnika)

manure [məˈnjuə] [I] *vt* nawozić [II] *s* nawóz; gnój; **~ heap** gnojowisko; **~ pit** gnojownia

manuscript [ˈmænjuˌskript] [I] *adj* (*o utworze*) w rękopisie [II] *s* rękopis

Manx [mæŋks] [I] *s* 1. *pl* **the ~** mieszkańcy wyspy Man 2. język mieszkańców wyspy Man [II] *adj* (*o mieszkańcu itd*) wyspy Man; **~ cat** kot bezogonowy z wyspy Man

Manxman [ˈmæŋksmən] *s* (*pl* **Manxmen** [ˈmæŋks mən]) mieszkaniec wyspy Man

many [ˈmeni] [I] *adj* (**more** [mɔ:], **most** [moust]) dużo; wiele; wielu; liczn-i/e; **a good** <**great**> **~** sporo, niemało, wiele, dużo; **as ~** tyle; **as ~ again** jeszcze raz tyle; (*bez porównywania*) **as ~ as** aż; nie mniej niż; **there were as ~ as 20 of them** było ich aż 20; (*porównując*) **as ~ as —** tyle samo co...; **how ~?** ile?; ilu?; **~ a** niejeden; **~ a time** nieraz; **~ men ~ minds** co głowa to rozum; **~ of —** wiele <wielu> z ... (nas, was, nich, tego); **~'s the —** ileż to ...; **not so ~** nie tyle; **so ~** tylu; **4 accidents in as ~ minutes** 4 wypadki w tyluż minutach; **too ~** za dużo; **one too ~** a) o jeden <o jednego> za dużo b) zbędny, zbyteczny; **he is one too ~** on jest zbędny; **he was (one) too ~ for me** on mnie prześcignął <zapędził w kozi róg, *pot* zakasował> [II] *s* **the ~** tłum; *pog* motłoch

many-coloured [ˈmeniˌkʌləd] *adj* barwny, różnobarwny

many-headed [ˈmeniˌhedid] *adj* wielogłowy

manyplies [ˈmeniˌplaiz] *spl* trzeci żołądek (przeżuwacza)

many-sided [ˈmeniˈsaidid] *adj* 1. *geom* wieloboczny 2. (*o człowieku*) wszechstronny 3. (*o zagadnieniu*) zawiły; wielostronny

Maori [ˈmauri] [I] *s* 1. Maorys 2. język maoryski [II] *adj* maoryski

map [mæp] [I] *s* 1. mapa; *pot* **off the ~** nieaktualny; przebrzmiały; mało ważny; *pot* (*o temacie itp*) **on the ~** aktualny; ważny 2. plan (miasta) [II] *vt* (**-pp-**) sporządz-ić/ać mapę (**a region** okolicy)

~ out *vt* za/planować; rozplanować; **to ~ out one's time** rozłożyć sobie czas

zob **mapping**

maple ['meipl] *s bot* (*także* **~-tree**) klon; *am* klon cukrowy; **~ sugar** cukier z klonu cukrowego

maple-leaf ['meipl,li:f] *s* (*pl* **maple-leaves** ['meipl ,li:vz]) liść klonu (*także* jako emblemat Ka nady)

map-maker ['mæp,meikə] *s* kartograf

mapping ['mæpiŋ] [I] *zob* **map** *v* [II] *s* kartografia

maquis ['mɑ:ki:] *s polit* 1. francuski ruch oporu w czasie II wojny światowej 2. (*pl* **~**) członek francuskiego ruchu oporu

mar [mɑ:] *vt* (**-rr-**) 1. ze/psuć; zmącić (przyjemność itd.); z/niszczyć; zaprzepa-ścić/szczać 2. ze/ szpecić

marabou ['mærə,bu:] *s* 1. *zoo* marabut (ptak) 2. (*także* **~ feather** <**plume**>) marabut (ozdoba z piór/a marabuta)

marabout ['mærə,bu:t] *s rel* 1. marabut (pustelnik mahometański) 2. świątynia nad grobem marabuta

maraschino [,mærəs'ki:nou] *s* maraskino (likier)

marasmus [mə'ræzməs] *s* uwiąd, marazm

Marathon ['mærəθən] *spr sport* maraton, bieg maratoński

maraud [mə'rɔ:d] [I] *vi* (*o maruderach*) grasować; włóczyć się rabując; **to ~ on a region** <**the population**> z/łupić <ob/rabować> okolicę <ludność> [II] *vt* z/łupić <s/plądrować> (okolicę itd.) *zob* **marauding**

marauder [mə'rɔ:də] *s* maruder

marauding [mə'rɔ:diŋ] [I] *zob* **maraud; to go ~** iść w poszukiwaniu łupu; zacz-ąć/ynać grasować <rabować> [II] *adj* łupieżczy; maruderski [III] *s* wyprawa łupieżcza

marble ['mɑ:bl] [I] *s* 1. *dosł i przen* marmur; **~ cutter** kamieniarz; **~ cutting** kamieniarstwo; **~ quarry** marmurołom 2. *pl* **~s** marmury (rzeźby) 3. kamienna kulka do gier chłopięcych [II] *adj* marmurowy [III] *vt* marmurkować (papier itp.)

marc [mɑ:k] *s* 1. wytłoki; wytłoczyny 2. wódka (z wytłoków winogron)

marcasite ['mɑ:kə,sait] *s miner* markazyt

marcel ['mɑ:sl] *s* rodzaj ondulacji

marcescent [mɑ:'sesnt] *adj* więdnący

March¹ [mɑ:tʃ] [I] *s* marzec [II] *attr* marcowy

march² [mɑ:tʃ] [I] *s hist* pogranicze; *pl* **~es** kresy; pogranicze angielsko-szkockie <angielsko--walijskie> [II] *vi* graniczyć (**upon** <**with**> **sth** z czymś)

march³ [mɑ:tʃ] [I] *vi* 1. maszerować; **to ~ past sb** przedefilować przed kimś 2. przechadzać się 3. (*o przedsiębiorstwie itd*) rozwijać się [II] *vt* po/prowadzić

~ along *vi* posuwać się naprzód; robić postępy

~ away [I] *vi* wyrusz-yć/ać; od-ejść/chodzić [II] *vt* odprowadz-ić/ać (więźnia itd.)

~ in [I] *vi* wkr-oczyć/aczać [II] *vt* wprowadz-ić/ać (kogoś do pokoju itd.)

~ off [I] *vi* odmaszerować; ruszyć (w drogę); *pot* wyn-ieść/osić się [II] *vt* odprowadz-ić/ać (kogoś do więzienia itd.)

~ on [I] *vi* po/maszerować <iść, posuwać się> dalej [II] *vt* po/prowadzić (kogoś dokądś)

~ out [I] *vi* wymaszerow-ać/ywać; wy-jść/ chodzić [II] *vt* wyprowadz-ić/ać (więźnia itd.) *zob* **marching** [III] *s* 1. marsz; maszerowanie; **~ past** defilada; **order of ~** szyk marszowy 2. *wojsk* krok (szybki, wolny itd.) 3. pochód <postęp> (myśli ludzkiej itd.) 4. *muz* marsz (żałobny itd.)

marching ['mɑ:tʃiŋ] [I] *zob* **march³** *v* [II] *s* marsz; **~ order** szyk marszowy; **~ orders** a) rozkaz wymarszu b) *pot* instrukcje; polecenia; *pot* **to give sb his ~ orders** zwolnić kogoś z pracy

marchioness ['mɑ:ʃənis] *s* markiza; margrabina

marchpane ['mɑ:tʃ,pein] *s* marcypan

marconi [mɑ:'kouni] [I] *s* telegraf bez drutu [II] *vt* pos-łać/yłać (wiadomość) telegrafem bez drutu

marconigram [mɑ:'kouni,græm] *s* depesza radiowa

mare [mεə] *s* klacz; kobyła; **a ~'s nest** a) złudzenie b) odkrycie bezwartościowe <bezużyteczne>; **the grey ~ is the better horse** w tym domu kobieta rządzi <mąż jest pod pantoflem>

maremma [mə'remə] *s* (*pl* **~s, maremme** [mə 'remi:]) *geogr* maremma (nadmorski obszar bagnisty)

mare's-tail ['mεəz,teil] *s bot* prząstka pospolita, sosnóweczka

margaric [mɑ:'gærik] *adj* (*o kwasie*) margarynowy

margarine ['mɑ:dʒə,ri:n] *s* margaryna

margay ['mɑ:gei] *s zoo* dziki kot południowoamerykański

marge¹ [mɑ:dʒ] *skr* **margarine**

marge² [mɑ:dʒ] = **margin**

margin ['mɑ:dʒin] [I] *s* 1. brzeg; (s)kraj; krawędź 2. margines 3. luz; rezerwa; **to escape sth by a narrow ~** ledwo uniknąć czegoś 4. *handl* marża (zarobkowa) 5. swoboda (ruchów itd.) 6. *fin* wadium [II] *vt* 1. zaopat-rzyć/rywać (książkę itd.) w uwagi marginesowe 2. z/robić marginesy (**sth** na czymś — stronicy itd.) 3. *fin* złożyć/składać wadium (**sth** na coś)

marginal ['mɑ:dʒinəl] *adj* 1. krawędziowy; brzeżny 2. marginesowy

marginalia [,mɑ:dʒi'neiljə] *spl* marginalia

margrave ['mɑ:greiv] *s hist* margrabia

margravine ['mɑ:grə,vi:n] *s hist* margrabina

marguerite [,mɑ:gə'ri:t] *s bot* złocień właściwy

Maria [mə'raiə] *spr* **black ~** karetka więzienna

Marian ['mεəriən] *s hist* stronni-k/czka Marii, królowej Szkocji

marigold ['mæri,gould] *s bot* nogietek

marimba [mə'rimbə] *s muz* marimba (rodzaj ksylofonu)

marinade ['mæri,neid] [I] *s* marynata [II] *vt* za/ marynować

marine [mə'ri:n] [I] *adj* morski; **~ painter** marynista; **~ store** skład używanych przyborów żeglarskich [II] *s* 1. marynarka (handlowa) 2. żołnierz służący na okręcie wojennym 3. żołnierz piechoty morskiej

mariner ['mærinə] *s* marynarz; żeglarz; **master ~** kapitan (na statku handlowym)

marionette [,mæriə'net] *s* marionetka

marital [mə'raitl] *adj* 1. mężowski 2. małżeński; matrymonialny; ślubny

maritime ['mæri,taim] *adj* morski

marjoram ['mɑ:dʒərəm] *s bot* 1. lebiodka pospolita 2. majeranek

mark¹ [mɑ:k] *s* marka (pieniądz)

mark² [mɑ:k] [I] *s* 1. cel; **I wasn't far from the ~** niewiele się pomyliłem; **that's beside** <**wide**

of> **the** ~ a) to nie trafiło do celu b) to nie należy do tematu <do sprawy>; to jest od rzeczy; to jest rzecz uboczna; **to hit the** ~ trafić; **to miss the** ~ nie trafić; spudłować; *sl* (*o człowieku*) **an easy** ~ frajer/ka 2. znak; *handl* znak fabryczny; stempel; *druk* znak przestankowy 3. dowód <oznaka> (szacunku itd.) 4. piętno; znamię; ślad; blizna; plama 5. krzyżyk (zamiast podpisu) 6. *boks* dołek sercowy 7. poziom (jakości); **to be up to** <**below**> **the** ~ być <nie być> na poziomie <na wysokości (zadania)>; dopisywać <nie dopisywać> (pod jakimś względem); czuć <nie czuć> się dobrze; (*o rzeczy*) **to come up to the** ~ być odpowiednim; nadawać się ‖ (**God**) **save the** ~ z przeproszeniem; przepraszam za wyrażenie 8. *szk* stopień, ocena, punkt 9. wyróżnienie; **of** ~ (*o człowieku*) znakomity <wybitny>; (*o rzeczy*) godny uwagi; **to make one's** ~ wyróżnić się; stać się sławnym 10. *sport* start 11. *hist* granica 12. *mar* linia (zanurzenia) [II] *vt* 1. po/znaczyć, po/znakować; o/znaczyć (literami, cyframi, monogramem itd.); wypis-ać/ywać <za/notować, uwidoczni-ć/ać> (**goods etc. with prices etc.** ceny itd. na towarze itd.); o/stemplować; zaopat-rzyć/rywać w napis; po/znaczyć (karty) 2. oceni-ć/ać; da-ć/wać stopień oceny (**sth** w czymś — zadaniu szkolnym); punktować 3. *giełd* kotować <notować> (kursy); za/notować (zdobyte punkty itd.) 4. ob-rać/ierać <wyznacz-yć/ać, przeznacz-yć/ać> (**sb, sth as** <**for**> **sth** kogoś, coś na coś) 5. określ-ić/ać; <oznacz-yć/ać> (granice, miejsce, kierunek, rytm itd.); wytycz-yć/ać; za/markować; **to** ~ **time** zaznacz-yć/ać tempo; *przen* dreptać w miejscu; nie posuwać się naprzód 6. zaznacz-yć/ać; da-ć/wać wyraz (**sth** czemuś — zadowoleniu itd.); uwydatni-ć/ać; **to be** ~**ed by sth** zaznacz-yć/ać się czymś; **to be (strongly etc.)** ~**ed** zaznacz-yć/ać <uwydatni-ć/ać> się (wybitnie itd.) 7. za/obserwować; za/notować; zapamiętać (sobie); ~ **my words** zapamiętaj/cie (sobie) moje słowa 8. cechować 9. (*w piłce nożnej*) obstawi-ć/ać (zawodnika)

~ **down** *vt* 1. obniż-yć/ać (cenę) 2. *myśl* za/pamiętać miejsce przebywania (**game** zwierzyny)

~ **off** *vt* 1. odznacz-yć/ać; oddziel-ić/ać 2. odmierz-yć/ać

~ **out** *vt* 1. o/znaczyć granice (**sth** czegoś); wytycz-yć/ać 2. wyróżni-ć/ać 3. ob-rać/ierać <przeznacz-yć/ać> (**for sth** do czegoś <na coś>)

~ **up** *vt* podn-ieść/osić (cenę)

zob **marked, marking**

marked [mɑ:kt] [I] *zob* **mark²** *v* [II] *adj* 1. (*o karcie do gry*) znaczony 2. (*o człowieku*) napiętnowany; **he is a** ~ **man** a) to (jest) człowiek napiętnowany b) jego los jest przesądzony 3. (*o cesze, różnicy, akcencie itd*) wyraźny, wybitny; silnie zaznaczony 4. (*o materiale itd*) z wzorem; ~**ed with spots etc.** kropkowany, w kropki itd.; ~**ed with stripes** pasiasty, w paski

markedly ['mɑ:kidli] *adv* znacznie; wybitnie; wyraźnie; silnie; z naciskiem

↑**marker** ['mɑ:kə] *s* 1. człowiek usługujący i notujący zapis (w grze), markier 2. *karc* blok do zapisów 3. sygnał <rakieta itd.> ułatwiając-y/a bombardowanie (z powietrza) 4. zakładka (do książki) 5. *am* płyta pamiątkowa

↑**market** ['mɑ:kit] [I] *s* 1. targ; rynek; targowisko; jarmark; **in the** ~ do nabycia; **to bring one's eggs** <**hogs, pigs**> **to the wrong** ~ źle się (z czymś) wybrać; **to come into the** ~ ukaz-ać/ywać się w sprzedaży; **to put on the** ~ wystawi-ć/ać na sprzedaż; za/oferować 2. handel (zbożowy, mięsny itd.) 3. zbyt; popyt; *zbior* nabywcy; **a ready** ~ łatwy zbyt; **to find a** ~ **for sth** znaleźć popyt <nabywców> na coś 4. rynek zbytu 5. ceny; **the** ~ **fell** ceny spadły [II] *attr* targowy; rynkowy; sprzedażny; **the** ~ **square** rynek; plac targowy [III] *vi* z/robić zakupy (na targu) [IV] *vt* sprzeda-ć/wać (towar) na targu; zna-leźć/jdować zbyt (**goods** dla towaru) *zob* **marketing**

marketable ['mɑ:kitəbl] *adj* 1. (*o towarze*) nadający się do sprzedaży; możliwy do zbycia 2. (*o cenie*) sprzedażny

market-basket ['mɑ:kit,bɑ:skit] *s* kosz na sprawunki

market-day ['mɑ:kit,dei] *s* dzień targowy

market-garden ['mɑ:kit,gɑ:dn] *s* ogród warzywny

marketing ['mɑ:kitiŋ] [I] *zob* **market** *v* [II] *s* kupowanie <sprzedawanie> na rynku; **to go** ~ pójść/iść na zakupy <po sprawunki>

market-place ['mɑ:kit,pleis] *s* rynek, plac targowy

market-price ['mɑ:kit,prais] *s* cena rynkowa

market-town ['mɑ:kit,taun] *s* miasto, w którym odbywają się jarmarki

markhor ['mɑ:kɔ:] *s* *zoo* koza himalajska

marking ['mɑ:kiŋ] [I] *zob* **mark²** *v* [II] *s* 1. znaczenie <znakowanie, markowanie> (czegoś czymś); ~ **ink** atrament do znakowania 2. *giełd* kotowanie <notowanie> (kursów) 3. *pl* ~**s** plamy na futrze <na skórze> zwierzęcia

marksman ['mɑ:ksmən] *s* (*pl* **marksmen** ['mɑ:ks mən]) (dobry) strzelec

marksmanship ['mɑ:ksmənʃip] *s* (dobre) strzelanie

marl [mɑ:l] [I] *s* *geol* margiel [II] *vt* marglować, nawozić marglem

marlaceous [mɑ:'leiʃəs] *adj* *geol* marglisty

↑**marline** ['mɑ:lain] *s* *mar* róg do robót linowych

↑**marmalade** ['mɑ:mə,leid] *s* dżem pomarańczowy <cytrynowy>

marmite ['mɑ:mait] *s* wyciąg z drożdży (źródło witamin grupy B)

marmoreal [mɑ:'mɔ:riəl] *adj* *poet* marmurowy

marmoset ['mɑ:mə,zet] *s* *zoo* mała szerokonosa małpa Ameryki tropikalnej

marmot ['mɑ:mət] *s* *zoo* świstak

marocain ['mærə,kein] *s* *tekst* rodzaj materiału na suknie

Maronite ['mærə,nait] *s* *rel* maronit-a/ka

maroon¹ [mə'ru:n] [I] *s* 1. (*w Indiach Zach.*) Murzyn zbiegły z niewoli 2. człowiek wysadzony <porzucony, izolowany> na odludnej wyspie [II] *vt* wysadz-ić/ać <porzuc-ić/ać, izolować> (kogoś) na odludnej wyspie [III] *vi* wałkonić się

maroon² [mə'ru:n] [I] *s* 1. kolor kasztanowaty 2. petarda [II] *adj* kasztanowaty

mar-plot ['mɑ:,plɔt] *s* człowiek psujący innym zabawę <intrygę, szyki>

marque [mɑ:k] *s* *hist* *w zwrocie*: **letter of** ~ statek kaperski (mający zlecenie napadania na

okręty nieprzyjacielskie); **letters of ~** list kaperski
marquee [mɑ:'ki:] *s* duży namiot
marquess ['mɑ:kwis] *s* markiz, margrabia
marquetry, marqueterie ['mɑ:kitri] *s stol* intarsja
marquis ['mɑ:kwis] = **marquess**
marquise [mɑ:'ki:z] *s* 1. markiza (żona markiza) 2. markiza (rodzaj pierścionka)
marram ['mærəm] *s bot* (*także* **~-grass**) piaskownica
marriage ['mæridʒ] [I] *s* 1. małżeństwo; ślub; stan małżeński; **to give in ~** wyda-ć/wać za mąż; **to take in ~** poślubić 2. skojarzenie, połączenie 3. *karc* mariasz [II] *attr* ślubny; **~ articles** intercyza
marriageable ['mæridʒəbl] *adj* 1. (*o pannie*) na wydaniu 2. (*o wieku*) odpowiedni do małżeństwa
married ['mærid] [I] *zob* **marry**[1] [II] *adj* 1. (*o mężczyźnie*) żonaty; (*o kobiecie*) zamężna 2. ślubny, małżeński
marrow[1] ['mærou] *s †* towarzysz/ka
marrow[2] ['mærou] *s* 1. szpik kostny; **spinal ~** rdzeń pacierzowy; **chilled to the ~** zziębnięty do szpiku kości 2. treść; istota; kwintesencja; **the pith and ~** najistotniejsza treść 3. *pl* **~s** *żart* kolana
marrow[3] ['mærou] *s bot* (*także* **vegetable ~**) dynia
marrowbone ['mærou,boun] *s* kość szpikowa; *żart* **on one's ~s** na kolanach
marrowfat ['mærou,fæt] *s* 1. szpik kostny 2. *bot* duży groch
marrow-spoon ['mærou,spu:n] *s* łyżka do wydobywania szpiku z kości zwierzęcych
marrowy ['mæroui] *adj* 1. szpikowy; szpikowaty 2. (*o książce itd*) treściwy; rzeczowy
marry[1] ['mæri] *v* (**married** ['mærid], **married; marrying** ['mæriiŋ]) [I] *vt* 1. udziel-ić/ać ślubu (**sb** komuś) 2. poślubi-ć/ać (**sb** kogoś); wy-jść/chodzić (**sb** za kogoś); o/żenić się (**sb** z kimś); **he married money** on się bogato ożenił; **she married money** ona wyszła bogato za mąż 3. wyda-ć/wać (córkę, wychowanicę) za mąż; o/żenić (syna, wychowanka) 4. połączyć; skojarzyć; *mar* spl-eść/atać (liny) [II] *vi* wziąć/brać ślub; pob-rać/ierać <o/żenić> się; wy-jść/chodzić za mąż
  ~ off *vt* wyda-ć/wać (córkę) za mąż
  zob **married**
marry[2] ['mæri] *† interj* Matko Boska!
Marsala [mɑ:'sɑ:lə] *s* marsala (wino sycylijskie)
Marseillaise [,mɑ:sə'leiz] *s* Marsylianka
marsh [mɑ:ʃ] [I] *s* bagno; błot-o/a; moczar/y [II] *attr* bagienny
marshal ['mɑ:ʃəl] [I] *s* 1. *wojsk* marszałek 2. mistrz ceremonii 3. sekretarz sędziego na objeździe 4. *am* urzędnik z władzą szeryfa [II] *vt* (**-ll-**) 1. u/porządkować 2. umie-ścić/szczać (ludzi) według określonego porządku 3. u/szykować <ustawi-ć/ać> (wojsko) 4. uroczyście wprowadz-ić/ać (**sb into a room** kogoś do sali); uroczyście wyprowadz-ić/ać (**sb out of a room** kogoś z sali) 5. *kolej* przetaczać (wagony) *zob* **marshalling**
marshalling ['mɑ:ʃəliŋ] [I] *zob* **marshal** *v* [II] *s kolej* przetaczanie (wagonów); **~ yard** stacja rozrządowa

marsh-fever ['mɑ:ʃ,fi:və] *s med* malaria, zimnica
marsh-gas ['mɑ:ʃ,gæs] *s* gaz błotny, metan
marshland ['mɑ:ʃ,lænd] *s* bagna; błota; moczary; żuławy
marsh-mallow ['mɑ:ʃ,mælou] *s bot* prawoślaz lekarski
marsh-marigold ['mɑ:ʃ'mæri,gould] *s bot* kaczeniec, knieć błotna
marshy ['mɑ:ʃi] *adj* (**marshier** ['mɑ:ʃiə], **marshiest** ['mɑ:ʃiist]) błotnisty; bagnisty
marsupial [mɑ:'sju:pjəl] *s zoo* torbacz (zwierzę)
mart [mɑ:t] *s poet* 1. targowisko; ośrodek handlowy 2. hala licytacyjna
marten ['mɑ:tin] *s zoo* kuna
martial ['mɑ:ʃəl] *adj* 1. wojenny; wojskowy 2. (*o duchu*) wojowniczy 3. (*o minie*) marsowy 4. (*o postawie*) żołnierski
Martian ['mɑ:ʃjən] [I] *adj* (*o mieszkańcu itd*) Marsa [II] *s* Marsjan-in/ka
martin ['mɑ:tin] *s zoo* jaskółka oknówka
martinet [,mɑ:ti'net] *s* służbist-a/ka; pedant/ka
martingale ['mɑ:tin,geil] *s* 1. *†* martyngał (koński), wytok 2. (*w grach hazardowych*) podwojenie stawek
Martini[1] [mɑ:'ti:ni] *s* marka karabinu
Martini[2] [mɑ:'ti:ni] *s* cocktail z dżinu i wermutu wytrawnego
Martinmas ['mɑ:tinməs] *s* dzień św. Marcina; **~ summer** babie lato; **~ summer of love** spóźniona miłość
martlet ['mɑ:tlit] *s zoo* jerzyk (ptak)
martyr ['mɑ:tə] [I] *s* męczenni-k/ca; *przen* **to be a ~ to _** znosić tortury wskutek ... (reumatyzmu itd.) [II] *vt* zada-ć/wać śmierć męczeńską (**sb** komuś); *przen* zamęcz-yć/ać, zadręcz-yć/ać
martyrdom ['mɑ:tədəm] *s* męczeństwo; śmierć męczeńska; *przen* udręka
martyrize ['mɑ:tə,raiz] *vt* zada-ć/wać śmierć męczeńską (**sb** komuś); *przen* zamęcz-yć/ać, zadręcz-yć/ać
martyrology [,mɑ:tə'rələdʒi] *s* martyrologia
marvel ['mɑ:vəl] [I] *s* cudo; cud (świata, techniki itd.); rzecz zadziwiająca <niepojęta>; (*o człowieku*) fenomen; **it's no ~** to nic dziwnego; **to work ~s** dokaz-ać/ywać cudów [II] *vi* (**-ll-**) 1. podziwiać (**at sb, sth** kogoś, coś) 2. zdumiewać się (**at sb, sth** kimś, czymś) 3. nie móc zrozumieć <pojąć> (**how, why etc.** jak, dlaczego itd.)
marvellous ['mɑ:vələs] [I] *adj* cudowny; zdumiewający [II] *s* rzeczy cudowne; dziedzina cudów
Marxian ['mɑ:ksjən] [I] *adj* marksistowski [II] *s* = **Marxist**
Marxism ['mɑ:k,sizəm] *s* marksizm
Marxism-Leninism ['mɑ:k,sizəm'leni,nizəm] *s* marksizm-leninizm
Marxist ['mɑ:ksist] *s* marksist-a/ka
marzipan [,mɑ:zi'pæn] *s* marcypan
mascara [mæs'kɑ:rə] *s* tusz do rzęs <do brwi itd.>
mascaron ['mæskərən] *s arch* maskaron
mascot ['mæskət] *s* maskotka
masculine ['mɑ:skjulin] [I] *adj* 1. męski; płci męskiej 2. *gram* rodzaju męskiego [II] *s gram* 1. rodzaj męski 2. wyraz rodzaju męskiego
masculinity [,mæskju'liniti] *s* męskość; cechy męskie
mash[1] [mæʃ] [I] *s* 1. brzeczka; zacier 2. mieszan-

ka (dla bydła, drobiu) 3. papka 4. *sl* tłuczone ziemniaki <kartofle> [II] *vt* 1. warzyć (słód) 2. u/tłuc na papkę; **~ed potatoes** purée z kartofli

mash² [mæʃ] [I] *vt sl* rozkochać (kogoś) w sobie; **to be ~ed on sb** być w kimś zakochanym [II] *s sl* flama; ukochana osoba

masher¹ ['mæʃə] *s* donżuan; uwodziciel; dandys

masher² ['mæʃə] *s* maszyna <przyrząd> do ugniatania

mashie ['mæʃi] *s* jeden z kijów do gry w golfa

masjid ['mʌsdʒid] *s* meczet

mask [mɑ:sk] [I] *s* 1. maska; *przen* pozór; **to throw off one's ~** zrzucić maskę; odsłonić prawdziwe oblicze 2. głowa lisa [II] *vt* za/maskować [III] *vi* za/maskować się; wdzi-ać/ewać maskę *zob* **masked**

masked [mɑ:skt] [I] *zob* **mask** *v* [II] *adj* (*o twarzy itd*) zamaskowany; (*o balu*) maskowy

masker ['mɑ:skə] *s* (*o osobie na balu maskowym*) maska, maseczka

maskinonge [,mæski'nɔndʒ] *s zoo* duży szczupak żyjący w jeziorach Ameryki Płn.

masochism ['mæzə,kizəm] *s* masochizm

↑**mason** ['meisn] [I] *s* 1. kamieniarz 2. mason/ka, wolnomula-rz/rka [II] *vt* z/budować z kamienia; wy/murować; wzm-ocnić/acniać robotą kamieniarską <murarską>

masonic [mə'sɔnik] *adj* masoński, wolnomularski

masonry ['meisn̩ri] *s* 1. robota kamieniarska 2. robota murarska

masque [mɑ:sk] *s* 1. przedstawienie amatorskie 2. utwór (dramatyczny) dla przedstawienia amatorskiego

masquerade [,mæskə'reid] [I] *s* maskarada; bal maskowy [II] *vi* wyst-ąpić/ępować w przebraniu; *przen* maskować się; **to ~ as _** poda-ć/wać się za ... (kogoś); wyst-ąpić/ępować jako ... (ktoś)

mass¹ [mæs] *s kośc* msza; **high ~** suma; **low ~** cicha msza; **to say ~** odprawi-ć/ać mszę

↑**mass²** [mæs] [I] *s* 1. masa; nagromadzenie; bryła 2. *fiz* masa 3. masa, mnóstwo; zatłoczenie 4. większość; przeważająca część; **in the ~** ogółem biorąc; w całości 5. *pl* **~es** szerokie masy <rzesze> (społeczeństwa); warstwy pracujące; proletariat [II] *attr* (*o produkcji, egzekucji itd*) masowy; **~ meeting** masówka; **~ production** produkcja seryjna; *wojsk* (*o ataku*) masowy [III] *vt* na/gromadzić, zgromadzić; *wojsk* z/masować [IV] *vi* zgromadzić <na/gromadzić> się

massacre ['mæsəkə] [I] *s* masakra, jatki, rzeź [II] *vt* wyrżnąć; urządz-ić/ać masakrę <jatki, rzeź> (**the population etc.** wśród ludności itd.)

massage ['mæsɑ:ʒ] [I] *s* masaż [II] *vt* wy/masować; z/robić masaż (**sb** komuś; **sth** czegoś — twarzy itd.)

massé ['mæsei] *s bil* massé (uderzenie kijem trzymanym pionowo)

masseur [mæ'sə:] *s* masażysta

masseuse [mæ'sə:z] *s* masażystka

massicot ['mæsi,kɔt] *s miner* masykot <glejta ołowiana> (pigment czerwony)

massif ['mæsi:f] *s geol* masyw górski

massive ['mæsiv] *adj* masywny; zwarty; ciężki; pełny; solidny; bryłowaty

massiveness ['mæsivnis] *s* masywność

mass-produce ['mæs-prə,dju:s] *vt* produkować seryjnie

massy ['mæsi] *adj* solidny; masywny; bryłowaty

mast¹ [mɑ:st] *s* 1. *mar* maszt; **to sail before the ~** służyć jako majtek 2. maszt (radiowy, flagowy itp.)

mast² [mɑ:st] *s* żołędzie <bukiew> jako pokarm dla świń

↑**master** ['mɑ:stə] [I] *s* 1. pan (czyjś, czegoś — domu itd.); gospodarz; **to be ~ of _** a) posiadać ... b) mieć do dyspozycji ...; **to be ~ of oneself** panować nad sobą; **to be one's own ~** być całkowicie niezależnym; **to make oneself ~ of _** opanować ... (coś); **we shall see which of us is ~** zobaczymy, kto z nas będzie górą <kto jest lepszy, kto kogo pobije> 2. kapitan statku handlowego 3. nauczyciel 4. pracodawca, szef 5. pan <właściciel> (psa, konia itd.) 6. *używane przez służbę*: a) (mój, nasz) pan b) panicz (z dodaniem imienia) 7. zwierzchnik (niektórych kolegiów uniw.) 8. *uniw* (*w Anglii*) drugi stopień naukowy 9. mistrz (w rzemiośle, sztuce); sztukmistrz; **~ builder** budowniczy 10. *tytuł związany ze stanowiskiem*: **Master of Ceremonies** mistrz ceremonii; **Master of Foxhounds** łowczy; **Master of the Horse** koniuszy królewski; **Master of the Rolls** archiwariusz [II] *attr* mistrzowski; (*o umyśle*) wyższy; (*o namiętności*) wielki; (*o przyrządzie*) główny; wzorcowy; kontrolny; (*o karcie*) biorący [III] *vt* opanow-ać/ywać; pokon-ać/ywać (trudności itd.); ujarzmi-ć/ać (zwierzę, namiętności itd.); owład-nąć/ać (**sth** coś, czymś); naby-ć/wać biegłości <wprawy> (**sth** w czymś); panować (**sth** nad czymś); być panem (**sth** czegoś)

master-at-arms ['mɑ:stər-ət'ɑ:mz] *s* (*pl* **masters-at-arms** ['mɑ:stəz-ət'ɑ:mz]) oficer żandarmerii wojskowej (na okręcie wojennym)

↑**masterful** ['mɑ:stəful] *adj* władczy; arbitralny; rozkazujący

master-key ['mɑ:stə,ki:] *s* klucz uniwersalny; wytrych

masterly ['mɑ:stəli] *adj* mistrzowski; **in a ~ manner** po mistrzowsku

masterpiece ['mɑ:stə,pi:s] *s* arcydzieło

mastership ['mɑ:stəʃip] *s* 1. władza (**over sb, sth** nad kimś, czymś) 2. opanowanie (przedmiotu) 3. stanowisko nauczyciela 4. stanowisko przewodniczącego kolegium uniwersyteckiego

master-stroke ['mɑ:stə,strouk] *s* mistrzowskie pociągnięcie <posunięcie>

masterwort ['mɑ:stə,wə:t] *s bot* gorysz

mastery ['mɑ:stəri] *s* 1. władza; panowanie 2. opanowanie (przedmiotu); władanie (**of an instrument** instrumentem); biegłość (**of sth** w czymś); **to gain the ~ of _** wziąć/brać górę nad ... (kimś, czymś); opanować ... (coś)

mast-head ['mɑ:st,hed] *s* szczyt masztu (punkt obserwacyjny i miejsce odbywania kary)

mastic ['mæstik] *s* 1. mastyks 2. kit 3. *bot* mastykowiec 4. kolor jasnobeżowy

masticate ['mæsti,keit] *vt* 1. żuć 2. miażdżyć

mastication [,mæsti'keiʃən] *s* 1. żucie 2. miażdżenie

masticator ['mæsti,keitə] *s* 1. *techn* gnieciarka; rozcieracz 2. *zoo* przeżuwacz

mastiff ['mæstif] *s zoo* dog angielski

mastitis [mæs'taitis] *s* zapalenie sutek <wymion>

mastodon ['mæstə,dɔn] *s paleont* mastodont

mastoid ['mæstɔid] [I] *adj* sutkowy; sutkowaty [II] *s* wyrostek sutkowy

masturbation [,mæstə'beiʃən] *s* masturbacja, samogwałt

masurium [mə'sjuəriəm] *s chem* technet (pierwiastek)

mat[1] [mæt] [I] *s* 1. mata; rogóżka; wycieraczka 2. podstawka pod półmisek 3. kłak [II] *vt* (**-tt-**) 1. okry-ć/wać matami 2. s/plątać; zbi-ć/jać (w kłak/i) [III] *vi* (**-tt-**) s/plątać się; zbi-ć/jać się (w kłak/i) *zob* **matting**

mat[2] [mæt] [I] *adj* matowy (bez połysku) [II] *s* matowa obwódka; obwódka z matowej pozłótki [III] *vt* (**-tt-**) matować

matador ['mætə,dɔ:] *s* matador

match[1] [mætʃ] *s* 1. zapałka 2. lont

match[2] [mætʃ] [I] *s* 1. człowiek równy <dorównujący> drugiemu; godny przeciwnik; **to be more than a ~ for** — prześcignąć ... (kogoś); zapędzić w kozi róg ... (kogoś); **to find** <**meet**> **one's ~** trafić na równego sobie; **we shall never see his ~** drugiego takiego (artysty itd.) nie zobaczymy 2. rzecz dopasowana <dobrana> do innej; rzecz harmonizująca z inną; pendant; **they are a good** <**bad**> **~** on-i/e są dobrze <źle> dobran-i/e; on-i/e pasują <nie pasują> do siebie 3. *sport* zawody; rozgrywka; mecz; **tennis ~** partia tenisa; **return ~** rewanż 4. małżeństwo; para małżeńska; ożenek; partia (małżeńska); **to make a good ~** dobrze się ożenić; zrobić dobrą partię; **to make a ~ of it** pobrać się [II] *vi* (*o przedmiotach*) odpowiadać sobie; być dobrze dobranym; harmonizować z sobą; (**velvet, a ribbon etc.**) **to ~** (plusz, wstążka itd.) dobran-y/a pod kolor [III] *vt* 1. s/kojarzyć małżeństwo (**sb with sb** czyjeś z kimś); wy/swatać 2. dorówn-ać/ywać (**sb** komuś) 3. iść w zawody <współzawodniczyć> (**sb** z kimś) 4. przeciwstawi-ć/ać (**sb, sth against** <**with**> **sb, sth** kogoś, coś komuś, czemuś) 5. harmonizować (**sth** z czymś); być dobrze dobranym (**sth** do czegoś); (*o częściach maszyny itd*) odpowiadać sobie

match-board ['mætʃ,bɔ:d] *s stol* deska spoinowa

match-box ['mætʃ,bɔks] *s* pudełko od zapałek

matchet ['mætʃit] = **machete**

matchless ['mætʃlis] *adj* niezrównany

matchlock ['mætʃ,lɔk] *s* rusznica

match-maker ['mætʃ,meikə] *s* swat/ka

match-making ['mætʃ,meikiŋ] *s* swatanie

matchwood ['mætʃ,wud] *s* drewno na zapałki; **to make ~ of** — rozbić na drobne kawałki <na drzazgi> ... (coś)

mate[1] [meit] [I] *vt dosł i przen* da-ć/wać mata (**sb** komuś) [II] *s szach* mat

mate[2] [meit] [I] *s* 1. towarzysz/ka; kole-ga/żanka; *pot* **yes** <**no**>, **~!** tak <nie>, bracie! 2. towarzysz/ka (życia); małżon-ek/ka; *zoo* sami-ec/ca 3. *mar* oficer okrętowy; zastępca kapitana; mat 4. (*w rzemiosłach*) pomocnik; **cook's ~** pomocnik kucharza; **surgeon's ~** felczer; sanitariusz [II] *vt* 1. po/łączyć węzłem małżeńskim; udziel-ić/ać ślubu (**sb** komuś) 2. s/parzyć (ptaki, zwierzęta); stanowić (krowę, klacz) [III] *vi* 1. pobrać/ierać się 2. obcować; towarzyszyć (**with sb** komuś) 3. (*o ptakach, zwierzętach*) s/parzyć się

maté ['mætei] *s* herba mate, herbata paragwajska

mateless ['meitlis] *adj* samotny; bez towarzysz-a/ki

matelote ['mæti,lɔt] *s* potrawa z ryby w winnym sosie

mater ['meitə] *s szk sl* matka; mama

material [mə'tiəriəl] [I] *adj* 1. materialny 2. cielesny 3. przyziemny 4. (*o wygodzie, zainteresowaniach*) osobisty 5. istotny <ważny> (**to sb, sth** dla kogoś, czegoś — sprawy itd.); poważny; pokaźny 6. (*o fakcie*) związany (**to sth** z czymś) [II] *s* 1. materiał/y; tworzywo; **raw ~** surow-iec/ce 2. *tekst* materia, materiał, tkanina 3. *pl* **~s** przybory

materialism [mə'tiəriə,lizəm] *s* materializm

materialist [mə'tiəriəlist] [I] *s* materialist-a/ka [II] *adj* materialistyczny

materialistic [mə,tiəriə'listik] *adj* materialistyczny

materiality [mə,tiəri'æliti] *s* 1. materialność 2. (istotne) znaczenie; doniosłość

materialization [mə'tiəriəlai'zeiʃən] *s* 1. materializacja; zmaterializowanie 2. urzeczywistnienie <ziszczenie> się; dojście do skutku

materialize [mə'tiəriə,laiz] [I] *vt* z/materializować [II] *vi* 1. z/materializować się 2. urzeczywistni-ć/ać <zi-ścić/szczać> się; do-jść/chodzić do skutku

materially [mə'tiəriəli] *adv* 1. materialnie 2. poważnie; w poważnym stopniu; w sposób istotny; pokaźnie

materia medica [mə'tiəriə'medikə] *s* 1. lekarstwa; materiały apteczne 2. farmacja

matériel [mə,tiəri'el] *s* materiał/y; sprzęt

maternal [mə'tə:nl] *adj* matczyny; macierzyński; (*o krewnym*) ze strony matki

maternally [mə'tə:nəli] *adv* po macierzyńsku

maternity [mə'tə:niti] [I] *s* macierzyństwo [II] *attr* (*o urlopie, zasiłku itd*) macierzyński; **~ hospital** szpital położniczy

matey ['meiti] *adj* przyjacielski; towarzyski; **to get ~ with sb** zaprzyjaźnić <spoufalić> się z kimś

matfellon [mæt'felən] *s bot* chaber

mat-grass ['mæt,grɑ:s] *s bot* psia trawka

mathematical [,mæθi'mætikəl] *adj* matematyczny; (*o studencie, profesorze*) matematyki

mathematician [,mæθimə'tiʃən] *s* matematy-k/czka

mathematics [,mæθi'mætiks] *s* matematyka

maths [mæθs] *s szk* rachunki; matematyka

matinée ['mæti,nei] *s* poranek (przedstawienie, seans)

matins ['mætinz] *spl rel* jutrznia; **godzinki**

matlo(w) ['mætlou] *s sl mar* majtek, marynarz

matrass ['mætrəs] *s chem* retorta; kolba

matriarchy ['meitri,ɑ:ki] *s* matriarchat

matric [mə'trik] = **matriculation**

matrices *zob* **matrix**

matricide ['meitri,said] *s* 1. matkobójstwo 2. matkobój-ca/czyni

matriculate [mə'trikju,leit] [I] *vt* immatrykulować, zapisać w poczet studentów [II] *vi* 1. zda-ć/wać egzamin wstępny (na wyższej uczelni) 2. kandydować do stopnia uniwersyteckiego

matriculation [mə,trikju'leiʃən] *s* 1. immatrykulacja 2. egzamin wstępny (na wyższej uczelni)

matrimonial [,mætri'mounjəl] *adj* matrymonialny; małżeński; ślubny

matrimony ['mætriməni] *s* 1. małżeństwo; stan

małżeński 2. zawarcie małżeństwa; ślub 3. *karc* mariasz atutowy

matrix ['meitriks] *s* (*pl* **matrices** ['meitri,si:z], **~es**) 1. *anat* macica 2. *geol* skała macierzysta 3. *techn* matryca; forma

matron ['meitrən] *s* 1. kobieta zamężna; matrona 2. zarządczyni; gospodyni 3. (*w szpitalu*) siostra przełożona

matronal ['meitrənəl], **matronly** ['meitrənli] *adj* (*o kobiecie*) godna; stateczna; **~ habits** <**duties etc.**> obyczaje <obowiązki itd.> matrony

mattamore ['mætə,mɔ:] *s* pomieszczenie podziemne

matte [mæt] *s hut* kamień (miedziowy, niklowy)

matter ['mætə] [I] *s* 1. materia 2. substancja 3. *med* materia, ropa 4. treść (książki, artykułu itd.); temat; tematyka 5. sposobność <powód> (**for sth** do czegoś) 6. przedmiot (zachwytu itd.) 7. rzecz/y; przedmiot/y; **postal ~** przesyłki pocztowe (wszystko, co przesyła się pocztą); **printed ~** druki; **reading ~** lektura 8. sprawa (gardłowa, pieniężna, łatwa, trudna itd.); kwestia (czasu, przyzwyczajenia, gustu itd.); **a hanging ~** sprawa gardłowa <pachnąca stryczkiem>; **a ~ of course** rzecz naturalna <sama przez się zrozumiała>; **a ~ of ten miles** <**two weeks etc.**> jakieś dziesięć mil <dwa tygodnie itd.>; **as ~s stood** w tych okolicznościach; w takiej sytuacji; **for that ~, for the ~ of that** o ile o to chodzi, jeśli o to idzie; **in the ~ of —** co się tyczy ...; co do ...; **it's no laughing ~** to nie żarty; **no ~** wszystko jedno <obojętne, bez względu na to> (**where, when, who, what etc.** gdzie, kiedy, kto, co itd.); **there's something** <**something is**> **the ~ with me** <**him, her etc.**> coś mi <mu, jej itd.> jest <brakuje, dolega>; **to make ~s worse** co gorsza; **what ~?** cóż to szkodzi?; jakaż to różnica?; **what's the ~?** o co chodzi?; **what's the ~ with this** <**that**>**?** a) co temu brakuje? b) co ma-sz/cie temu do zarzucenia?; **what's the ~ with you?** co się z tobą <wami> dzieje? 9. *druk* rękopis [II] *vi* znaczyć; mieć znaczenie; odgrywać rolę; **it doesn't ~** nic nie szkodzi, to nie ma znaczenia; **it doesn't ~ when** <**where, who, what etc.**> wszystko jedno <obojętne> kiedy (gdzie, kto, co itd.); **it ~s a lot** to ma wielkie znaczenie, to dużo znaczy; **what does it ~?** co to za różnica?; co ci na tym zależy?

matter-of-course ['mætər-əv'kɔ:s] *adj* naturalny; sam przez się zrozumiały

matter-of-fact ['mætər-əv'fækt] *adj* (*o człowieku*) praktyczny; trzeźwy; realnie myślący

mattery ['mætəri] *adj* ropiejący

matthiola [mə'θaiələ] *s bot* lewkonia

matting ['mætiŋ] [I] *zob* **mat**[1] *v* [II] *s* słomianka; mat-a/y; materiał na maty; rogoża

mattins ['mætinz] = **matins**

mattock ['mætək] *s* oskard

mattoid ['mætɔid] *s* obłąkany geniusz

mattress ['mætris] *s* materac

maturate ['mætju,reit] [I] *vt* przyśpiesz-yć/ać dojrzewanie (**sth** czegoś) [II] *vi med* (*o wrzodzie*) nab-rać/ierać; dojrze-ć/wać

maturation [mətjuə'reiʃən] *s* dojrzewanie (owocu, sprawy, wrzodu)

mature [mə'tjuə] [I] *adj* 1. (*o owocu, człowieku, rozumie itd*) dojrzały 2. (*o namyśle*) dojrzały, gruntowny 3. (*o planie, zamiarze*) gruntownie przemyślany 4. (*o wekslu itd*) płatny, przypadający do zapłaty [II] *vt* 1. przyśpiesz-yć/ać dojrzewanie (**sth** czegoś) 2. gruntownie rozważyć (projekt itd.) [III] *vi* 1. dojrze-ć/wać 2. (*o wekslu itd*) stawać się płatnym; przypadać do zapłaty

maturely [mə'tjuəli] *adv* 1. dojrzale 2. gruntownie

maturity [mə'tjuəriti] *s* 1. dojrzałość (owocu, wina itd.); wiek dojrzały 2. termin płatności

matutinal [,mætju'tainl] *adj* ranny; poranny; wczesny

matzoth ['mæt,souθ] *s* maca

maud [mɔ:d] *s* szkocki pled w kratę

maudlin ['mɔ:dlin] *adj* 1. sentymentalny; rzewny; ckliwy 2. płaczliwy; skłonny do płaczu (zwłaszcza w stanie nietrzeźwym)

maugre ['mɔ:gə] † *praep* pomimo (**sth** czegoś)

maul[1] [mɔ:l] *s* duży drewniany młot

maul[2] [mɔ:l] *vt* 1. s/kaleczyć; po/szarpać; z/maltretować; po/tłuc 2. niezdarnie <nieumiejętnie> ob-ejść/chodzić się (**sth** z czymś); niewłaściwie za/stosować (cytat itp.) 3. surowo s/krytykować

mauley ['mɔ:li] *s sl* pięść

maulstick, mahlstick ['mɔ:l,stik] *s mal* kij do opierania ręki przy malowaniu

maun [mɔ:n] *szkoc* = **must**[1]

maunder ['mɔ:ndə] *vi* 1. chodzić bez celu; błąkać się 2. bredzić; mówić bez związku

maundy ['mɔ:ndi] [I] *s* 1. *rel* obrządek obmywania nóg w Wielki Czwartek 2. (*w Anglii*) rozdawanie jałmużny ze skarbu królewskiego w Wielki Czwartek 3. (*w Anglii*) pieniądze rozdawane ze skarbu królewskiego w Wielki Czwartek jako jałmużna <bite na ten cel> [II] *attr rel* **Maundy Thursday** Wielki Czwartek

Mauser ['mauzə] *s* mauzer (typ pistoletu i karabina)

mausoleum [,mɔ:sə'liəm] *s* (*pl* **~s, mausolea** [,mɔ:sə'li:ə]) mauzoleum

mauve [mouv] [I] *s* kolor fiołkoworóżowy [II] *adj* fiołkoworóżowy

maverick ['mævərik] *s* 1. zabłąkane bydlę jeszcze nie znaczone przez właściciela 2. człowiek uważany za (politycznie) niezależnego

mavis ['meivis] *s poet* drozd śpiewak

Mavourneen [mə'vuəni:n] *s interj irl* kochanie (moje)!

maw [mɔ:] *s* 1. (*u przeżuwaczy*) trawieniec (ostatni żołądek) 2. (*u ptaka*) wole 3. *żart* żołądek 4. *przen* przepaść

mawkish ['mɔ:kiʃ] *adj* 1. ckliwy; sentymentalny; rzewny 2. mdły

mawkishness ['mɔ:kiʃnis] *s* 1. ckliwość; sentymentalność; rzewność 2. mdły smak

mawseed ['mɔ:,si:d] *s* nasienie maku

mawworm ['mɔ:,wə:m] *s zoo* askaryda, glista jelitowa

maxilla [mæk'silə] *s* (*pl* **maxillae** [mæk'sili:], **~s**) *anat* kość szczękowa górna

maxillary [mæk'siləri] *adj* szczękowy

maxim ['mæksim] *s* maksyma, sentencja; zasada

Maxim ['mæksim] *s* typ karabina maszynowego

maximalist ['mæksiməlist] *s* maksymalist-a/ka

maximize ['mæksi,maiz] *vt* posu-nąć/wać <doprowadz-ić/ać> do skrajności

maximum ['mæksiməm] [I] *adj* maksymalny [II] *s* (*pl* **maxima** ['mæksimə], **~s**) maksimum

maximus ['mæksiməs] *adj szk* najstarszy (z braci lub imienników)

may¹ [mei] *v aux* (*praet* **might** [mait]) 1. *wyraża możliwość, ewentualność*: **it ~ be that —** być może, że ...; **it ~ (not) be true** może to (nie) być prawdą; **it might be that —** mogło tak być <tak się złożyć>, że ...; **I was afraid you might not come** obawiałem się, że może nie przyjdzie-sz/cie; **you might stop that noise** możebyś/cie zaprzesta-ł/li <mógłbyś/moglibyście zaprzestać> tych hałasów; **where ~ he be?** gdzie on może być || **be that as it ~** jak (tam) było, tak było 2. *wyraża domysł, przypuszczenie*: **he ~ be home now** może już jest w domu 3. *wyraża przyzwolenie*: **~ I <he, we etc.>?** czy mogę <może, możemy itd.>?; czy wolno mi <mu, nam itd.>?; **tell him that he ~ go** powiedz/cie mu, że może iść; **I told him that he might go** powiedziałem mu, że może iść 4. *nie tłumaczy się jako czasownik* a) *w zdaniach celowych po* **that:** żeby, aby, ażeby; **we eat that we ~ live** jemy, (że)by żyć b) *przy wyrażaniu obaw, pragnień itp po* **that** (*które może być opuszczone*): że; **I am afraid (that) we ~ be late** boję się, że się spóźnimy; **I hope (that) he ~ succeed** mam nadzieję, że mu się powiedzie c) *po* **such — as:** który by; **they took such steps as might guarantee their safety** przedsięwzięli kroki, które by zapewniały im bezpieczeństwo 5. *przy wyrażaniu życzeń*: oby; **~ you be happy** obyś/cie by-ł/li szczęśliw-y/i 6. *w pytaniach podkreślających niepewność*: **what ~ that be?** cóż to może być?

May² [mei] [I] *s* 1. maj; **Queen of (the) ~** królowa piękności, obierana w czasie pierwszomajowych zabaw ludowych 2. *przen* kwiat (życia itd.) 3. **may** kwiat głogu 4. *pl* **mays** (*w Cambridge*) a) egzaminy wiosenne b) regaty wiosenne [II] *attr* majowy; **~ Day** 1 Maj; **~ meetings** wiosenne zebrania (towarzystw religijnych, filantropijnych itp.)

may³ [mei] *poet* = **maiden** *s*

maybe ['mei,bi:] *adv* może być; być może, że ...

may-bug ['mei,bʌg] *s zoo* chrabąszcz

May-day ['mei,dei] *adj* pierwszomajowy

may-fly ['mei,flai] *s zoo* jętka (*także* sztuczna, używana w wędkarstwie)

mayhap ['mei,hæp] † = **maybe**

mayhem ['meihem] [I] *s prawn hist* okaleczenie; uszkodzenie ciała [II] *vt prawn hist* okaleczyć

maying ['meiiŋ] *s* pierwszomajowe zabawy ludowe

mayn't [meint] = **may not** *zob* **may¹**

mayonnaise [,meiə'neiz] *s* majonez

mayor ['mɛə] *s* burmistrz

mayoralty ['mɛərəlti] *s* 1. stanowisko <godność> burmistrza 2. kadencja burmistrza

mayoress ['mɛəris] *s* 1. żona burmistrza 2. kobieta-burmistrz

maypole ['mei,poul] *s* ozdobny słup, dokoła którego odbywają się pierwszomajowe zabawy ludowe

mayweed ['mei,wi:d] *s bot* psi rumianek

May-week ['mei,wi:k] *s* (*w Cambridge*) tydzień regat wiosennych

mazard ['mæzɑ:d] *s bot* mała czarna czereśnia

mazarine [,mæzə'ri:n] [I] *s* ciemny granat [II] *adj* ciemnogranatowy

Mazdeism ['mæzdi,izəm] *s rel* mazdeizm

maze [meiz] [I] *s* labirynt [II] *vt* z/robić zamęt w głowie (**sb** komuś); z/mieszać; z/dezorientować

mazurka [mə'zə:kə] *s* 1. mazur (taniec i utwór) 2. *muz* mazurek (utwór)

mazy ['meizi] *adj* (**mazier** ['meiziə], **maziest** ['meiziist]) 1. zagmatwany; powikłany; zawiły 2. (*o człowieku*) zmieszany; zdezorientowany

me¹ [mi:] *pron przypadek zależny od* **I:** mnie, mi; **from ~** ode mnie; **with ~** ze mną; *pot używany zamiast przypadku niezależnego*: **it's ~** to ja; **poor little ~** ja nieszczęśliwy

me² [mi:] *s muz* mi

mead¹ [mi:d] *s* miód (pitny)

mead² [mi:d] *poet* = **meadow**

meadow ['medou] [I] *s* łąka [II] *attr* łąkowy

meadow-grass ['medou,grɑ:s] *s bot* wiechlina

meadow-lark ['medou,lɑ:k] *s zoo* świergotek (ptak z rodziny skowronków)

meadowsweet ['medou,swi:t] *s bot* tawuła

meadowy ['medoui] *adj* obfitujący w łąki; porosły trawą

meagre ['mi:gə] *adj* 1. (*o człowieku*) chudy, szczupły 2. (*o jedzeniu itd*) skromny; skąpy; postny; jałowy 3. (*o utworze lit. itd*) niewielki; skromny 4. (*o utworze lit. itd*) jałowy; ubogi

meagreness ['mi:gənis] *s* 1. chudość; szczupłość 2. jałowość; ubóstwo

meal¹ [mi:l] *s* 1. mąka (owsiana, żytnia, jęczmienna, kukurydziana) 2. mączka

meal² [mi:l] [I] *s* 1. posiłek 2. jedzenie <jadanie> posiłków 3. udój [II] *vi* jeść <jadać> posiłki

meal-beetle ['mi:l,bi:tl] *s zoo* mącznik młynarek (owad)

meal-chest ['mi:l,tʃest] *s* sąsiek, skrzynia na mąkę

mealie ['mi:li] *s płd afr* kolba kukurydzy; *pl* **~s** kukurydza

mealiness ['mi:linis] *s* 1. mączystość 2. mówienie domyślnikami <półsłówkami>

meal-time ['mi:l,taim] *s* pora posiłku

mealy ['mi:li] *adj* (**mealier** ['mi:liə], **mealiest** ['mi:liist]) 1. mączysty 2. (*o twarzy*) biały; blady 3. (*o koniu*) nakrapiany; jabłkowity 4. (*o człowieku*) mówiący domyślnikami <półsłówkami, półgębkiem> 5. nieszczery; *przen* słodziutki 6. obleśny

mealy-bug ['mi:li,bʌg] *s zoo* mączak długoszczeciniasty (owad)

mealy-mouthed ['mi:li'mauðd] = **mealy** 4.

mean¹ [mi:n] [I] *adj* średni; pośredni [II] *s* 1. środek; **the golden ~** złoty środek 2. *mat* średnia; przeciętna 3. *pl* **~s** (*czasem traktowany jako sing*: **a ~s** środ-ek/ki; pomoc; pośrednictwo; **by all ~s!** a jakże!; proszę bardzo!; **by any <all possible> ~s** wszelkimi (możliwymi) środkami; **by fair ~s or foul** nie przebierając w środkach; **by ~s of —** za pomocą <za pośrednictwem, drogą> ... (czegoś); **by no ~s** a) w żaden sposób; stanowczo nie b) (*także* **not ... by any ~s**) bynajmniej; żadną miarą; **by some ~s or other** jakimś sposobem; **by this <that> ~s** w ten sposób; tym sposobem; tą drogą; **~s of circulation** środ-ek/ki lokomocji; **~s of communication** środ-ek/ki łączności; *rel* **~s**

of grace środek uzyskania łaski; sakrament; ~s of payment środ-ek/ki płatności; ways and ~s sposoby 4. *pl* ~s środki (do życia); możliwości finansowe; it is within <beyond> my ~s to jest w granicach <przekracza granice> moich możliwości finansowych; stać mnie <nie stać mnie> na to; to live beyond one's ~s żyć ponad stan 5. zasoby pieniężne; bogactwo; zamożność; a man of ~s człowiek zamożny

mean² [mi:n] *adj* 1. nędzny; ubogi 2. skromny; (*o pochodzeniu itd*) niski 3. pośledni; marny; kiepski; lichy; nędzny; no ~ (scholar etc.) nie byle jaki <niepośledni> (uczony itd.) 4. (*o człowieku, czynie*) podły, nikczemny; nędzny; godny pogardy; a ~ trick podłość; świństwo; to feel ~ wstydzić się samego siebie; robić sobie wyrzuty 5. skąpy; małostkowy; to be ~ być kutwą <sknerą, *żart* dusigroszem> 6. małoduszny; przyziemny

mean³ [mi:n] *vt* (meant [ment], meant) 1. (*o wyrazie, zwrocie itd*) znaczyć; oznaczać 2. (*o człowieku mówiącym, czyniącym coś*) mieć (kogoś, coś) na myśli; chcieć (coś) powiedzieć <wyrazić>; zmierzać (sth do czegoś); that's what I ~ to właśnie mam na myśli <chciałem powiedzieć>; what did he ~ by (saying) that? co on chciał przez to powiedzieć?; co on przez to rozumiał?; co (te) jego słowa miały znaczyć?; do czego (te) jego słowa zmierzały?; whom do you ~? kogo ma-sz/cie na myśli? 3. zamierzać <mieć zamiar> (to do <doing> sth coś z/robić); żywić zamiary; to ~ well mieć dobre intencje; być ożywionym najlepszymi zamiarami (by sb wobec kogoś) 4. mówić (coś) poważnie <serio>; czynić (coś) celowo <z rozmysłem>; he didn't ~ what he said on nie mówił tego poważnie; to ~ business poważnie traktować sprawę; to ~ mischief mieć złe zamiary; chcieć bruździć; to ~ no harm nie chcieć zrobić nic złego; nie chcieć zrobić krzywdy (sb nikomu); to ~ no offence nie chcieć nikogo <kogoś> obrazić 5. przeznacz-yć/ać (sth for sb coś dla kogoś; sb for — kogoś do ... — jakiegoś zawodu); to ~ sth for sb powiedzieć/mówić coś pod czyimś adresem 6. mieć <posiadać> znaczenie; to ~ a lot <nothing> to sb dużo <nic nie> znaczyć dla kogoś; it ~s a great deal to me dla mnie to dużo znaczy <ma wielkie znaczenie> *zob* meaning

meander [mi'ændə] [I] *s* (*zw pl*) zakręty (rzeki, drogi); *plast* meandry [II] *vi* 1. (*o rzece itd*) wić się, tworzyć zakręty 2. (*o człowieku*) wałęsać <błąkać> się

meaning ['mi:niŋ] [I] *zob* mean³ [II] *s* treść; znaczenie; sens; (*o spojrzeniu itd*) full of ~ znaczący; with ~ znacząco [III] *adj* (*o spojrzeniu, uśmiechu*) znaczący

meaningless ['mi:niŋlis] *adj* bez znaczenia; bez sensu

meaningly ['mi:niŋli] *adv* 1. znacząco 2. celowo

meanness ['mi:nnis] *s* 1. ubóstwo 2. podłość; nikczemność; a piece of ~ podłość; świństwo 3. skąpstwo 4. małostkowość; małoduszność

means [mi:nz] *zob* mean¹ *s* 3.

mean-spirited ['mi:n,spiritid] *adj* 1. przyziemny; małoduszny 2. podły

means-test ['mi:nz,test] *s* zbadanie stanu zamożności

meant *zob* mean³

meantime ['mi:n,taim], **meanwhile** ['mi:n,wail] [I] *s w zwrocie*: in the ~ tymczasem; w międzyczasie [II] *adv* tymczasem; w międzyczasie

measled ['mi:zld] *adj* (*o świni*) wągrowaty

measles ['mi:zlz] *spl* 1. *med* odra; German ~ odra łagodna, różyczka 2. (*u świni*) wągry

measly ['mi:zli] *adj* 1. chory na odrę 2. wągrowaty 3. nędzny; bezwartościowy

measurable ['meʒərəbl] *adj* wymierny; within ~ distance of — niedaleko od <blisko> ... (czegoś); o krok od ...

measure ['meʒə] [I] *s* 1. miara; beyond ~ bez miary; nad miarę; niezmierny, niezmiernie; made to ~ zrobiony <uszyty> na miarę; to give full ~ dać dobrą miarę; to give short ~ oszukać/iwać na miarze; to set ~s to sth ograniczyć/ać coś; to take sb's ~ a) wziąć/brać czyjąś <z kogoś> miarę b) oceni-ć/ać kogoś <czyjąś wartość, zdolność itd.> 2. miarka (płynu itd.); jednostka miary 3. miara, przyrząd mierniczy; pojemnik; centymetr; menzurka 4. stopień, miara; in a <some> ~ w pewnym stopniu; w pewnej mierze; poniekąd; in a great <large> ~ w znacznym stopniu 5. miarowość; rytm; miara <metrum> (wiersza); *muz* takt 6. krok <środek> (zaradczy); legal ~s droga sądowa; to take ~s przedsięwziąć środki zaradcze; poczynić kroki 7. *mat* podzielnik 8. (*także pl* ~s) granice; umiar; without ~ bez umiaru; to set ~s to sth ograniczać coś [II] *vt* 1. z/mierzyć; odmierz-yć/ać; wymierz-yć/ać; *przen* to ~ one's length upaść <paść> jak długi; to ~ one's strength <oneself> with sb z/mierzyć się z kimś; to ~ sb wziąć/brać czyjąś <z kogoś> miarę; to ~ sb with one's eye z/mierzyć kogoś wzrokiem; to ~ swords with sb z/mierzyć się z kimś w pojedynku 2. mieć (pewien) rozmiar; the room ~s 30 feet by 20 pokój ma 30 stóp długości na 20 szerokości 3. oceni-ć/ać; o/szacować 4. *poet* pokry-ć/wać <przeby-ć/wać> (odległość)

~ off *vt* odmierz-yć/ać

~ out *vt* 1. z/mierzyć (obszar itd.) 2. odmierz-yć/ać; wydziel-ić/ać

~ up [I] *vt* z/mierzyć (kubaturę) [II] *vi am* 1. dor-osnąć/astać (to one's task etc. do zadania itd.) 2. stać (to sb na równi z kimś)

zob measured, measuring

measured ['meʒəd] [I] *zob* measure *v* [II] *adj* 1. wymierzony; (*o szosie*) z oznaczonymi odległościami 2. miarowy; rytmiczny 3. (*o słowach*) umiarkowany 4. (*o planie itd*) przemyślany; rozważony

measureless ['meʒəlis] *adj* niezmierny; bezgraniczny; niezmierzony

measurement ['meʒəmənt] *s* 1. mierzenie; odmierzanie; wymierzanie; pomiar/y; obliczenie (kątów itd.); *chem farm* dozowanie 2. miara; rozmiar; wymiar; objętość, kubatura, miara sześcienna; metraż; obszar; inside ~ średnica wewnętrzna, światło; ~ goods towary, których koszt przewozu oblicza się według zajmowanej przez nie przestrzeni

measurer ['meʒərə] *s* 1. miernik 2. przyrząd mierniczy 3. *zoo* = measuring-worm

measuring ['meʒəriŋ] [I] *zob* **measure** *v* [II] *s* = **measurement** [III] *adj* (*o przyrządzie*) mierniczy; pomiarowy
measuring-chain ['meʒəriŋ,tʃein] *s* łańcuch mierniczy
measuring-glass ['meʒəriŋ,glɑ:s] *s* menzurka
measuring-rod ['meʒəriŋ,rɔd] *s* pręt do mierzenia (metr, jard, łokieć itp.)
measuring-staff ['meʒəriŋ,stɑ:f] *s* łata miernicza
measuring-tape ['meʒəriŋ,teip] *s* taśma do mierzenia (centymetr krawiecki itp.)
measuring-worm ['meʒəriŋ,wə:m] *s* *zoo* miernica
meat [mi:t] [I] *s* 1. mięso; **it's ~ and drink to him** w to mu graj; *pot* on na to, jak na lato; **one man's ~ is another man's poison** co jednemu wyjdzie na zdrowie, to drugiemu zaszkodzi 2. † posiłek; jedzenie; **grace before ~** modlitwa przed jedzeniem; **green ~** pasza zielona; **~ and drink** wyżywienie 3. treść (książki itd.); jądro (orzecha itp.) [II] *attr* mięsny; **~ tea** podwieczorek będący zarazem kolacją; podwieczorek z daniem mięsnym
meat-chopper ['mi:t,tʃɔpə] *s* 1. tasak 2. maszynka do mielenia mięsa
meat-eating ['mi:t,i:tiŋ] *adj* mięsożerny
meat-grinder ['mi:t,graində] *s* *am* = **meat-chopper** 2.
meatless ['mi:tlis] *adj* bezmięsny
meat-safe ['mi:t,seif] *s* 1. chłodnia 2. lodówka
meatus [mi'eitəs] *s* (*pl* **~**, **~es**) *anat* przewód
meaty ['mi:ti] *adj* (**meatier** ['mi:tiə], **meatiest** ['mi:tiist]) 1. mięsisty 2. (*o książce itd*) treściwy; pełen treści
mechanic [mi'kænik] *s* 1. robotnik; rzemieślnik 2. mechanik 3. technik (dentystyczny)
mechanical [mi'kænikəl] *adj* 1. mechaniczny; **~ engineer** inżynier mechanik 2. maszynowy 3. (*o ruchach człowieka*) mechaniczny, machinalny 4. (*o rysunku*) techniczny
mechanician [,mekə'niʃən] *s* mechanik
mechanics [mi'kæniks] *s* mechanika
mechanism ['mekə,nizəm] *s* 1. mechanizm 2. maszyneria
mechanist ['mekənist] *s* 1. mechanik 2. *filoz* wyznaw-ca/czyni światopoglądu mechanistycznego
mechanization [,mekənai'zeiʃən] *s* mechanizacja; z/mechanizowanie
mechanize ['mekə,naiz] *vt* z/mechanizować
Mechlin ['meklin] *spr* **~ lace** koronki brabanckie
meconium [me'kounjəm] *s* *med* smółka (noworodka)
medal ['medl] *s* medal
medalled ['medld] *adj* udekorowany (medalami)
medallion [mi'dæljən] *s* medalion
medallist ['medḷist] *s* 1. medalier 2. medalista, człowiek odznaczony medalem
meddle ['medl] *vi* wtrąc-ić/ać się <*pot* wścibi-ć/ać nos> (**with** <**in**> **sth** do czegoś <w coś>)
meddler ['medḷə] *s* człowiek wścibski
meddlesome ['medlsəm] *adj* wścibski
meddlesomeness ['medlsəmnis] *s* wtrącanie się (w cudze sprawy); wścibskie usposobienie
Mede [mi:d] *spr w zwrocie*: **the laws of the ~s and Persians** niewzruszone prawa
media ['mi:djə] *s* (*pl* **mediae** ['medi,i:]) 1. *fonet* głoska bezdźwięczna <słaba> 2. *anat* błonka środnia arterii
mediaeval [,medi'i:vəl] *adj* średniowieczny
mediaevalist [,medi'i:vəlist] *s* mediewist-a/ka
medial ['mi:djəl] *adj* 1. pośredni 2. średni 3. środkowy
median ['mi:djən] [I] *adj* środkowy; *anat* (*o nerwie, arterii itd*) pośrodkowy [II] *s* *mat* mediana, środkowa
mediant ['mi:djənt] *s* *muz* medianta
mediastinum [,mi:diəs'tainəm] *s* *anat* śródpiersie
mediate ['mi:diit] [I] *adj* pośredni [II] *vi* ['mi:di,eit] za/pośredniczyć [III] *vt* ['mi:di,eit] doprowadzić swoim pośrednictwem (**sth** do czegoś)
mediation [,mi:di'eiʃən] *s* pośrednictwo; **through the ~ of** _ za pośrednictwem ... (czyimś, czegoś); dzięki pośrednictwu ... (czyjemuś, czegoś)
mediatize ['mi:diə,taiz] *vt* mediatyzować, poddawać władzy zwierzchniej jakiegoś państwa
mediator ['mi:di,eitə] *s* rozjemca; pośrednik
mediatory ['mi:diətəri] *adj* rozjemczy
mediatress ['mi:diətris], **mediatrix** [,mi:di'eitriks] *s* (*pl* **mediatrices** [,mi:diə'traisi:z]) rozjemczyni; pośredniczka
medicable ['medikəbl] *adj* uleczalny
medical ['medikəl] [I] *adj* medyczny; lekarski; (*o studencie itd*) medycyny; (*o służbie itd*) zdrowia; sanitarny; **~ officer** lekarz urzędowy [II] *s* *pot* medyk, lekarz
medicament [me'dikəmənt] *s* lek; lekarstwo
medicaster ['medi,kæstə] *s* (*o lekarzu*) szarlatan
medicate ['medi,keit] *vt* leczyć lekarstwami
medicative ['medikətiv] *adj* leczniczy
medicinal [me'disinḷ] *adj* 1. lekarski 2. leczniczy
medicine ['medsin] [I] *s* 1. medycyna; (*o lekarzu*) **to practise ~** praktykować; leczyć 2. lek, lekarstwo; **to take one's ~** a) zażyć lekarstwo b) *przen* połknąć gorzką pigułkę 3. (*u dzikich*) magia [II] *vt* leczyć lekarstwami
medicine-ball ['medsin,bɔ:l] *s* *sport* piłka lekarska (gimnastyczna)
medicine-chest ['medsin,tʃest] *s* apteczka
medicine-glass ['medsin,glɑ:s] *s* menzurka
medicine-man ['medsin,mæn] *s* (*pl* **medicine-men** ['medsin,men]) (*u dzikich*) magik
medick ['medik] *s* *bot* lucerna
medico-legal ['medikou'li:gəl] *adj* sądowo-lekarski
medieval [,medi'i:vəl] = **mediaeval**
medievalist [,medi'i:vəlist] = **mediaevalist**
mediocre ['mi:di,oukə] *adj* średni; mierny; (*o artykule*) w poślednim gatunku, lichy
mediocrity [,mi:di'ɔkriti] *s* mierność
meditate ['medi,teit] [I] *vi* rozmyślać; dumać; medytować; oddawać się rozmyślaniom [II] *vt* rozważać; planować; zastanawiać się (**sth** nad czymś)
meditation [,medi'teiʃən] *s* rozmyślani-e/a; medytacja; dumani-e/a; zaduma
meditative ['medi,teitiv] *adj* medytacyjny; kontemplacyjny; (*o człowieku*) pogrążony w zadumie <w rozmyślaniach>
meditativeness ['medi,teitivnis] *s* skłonność do rozmyślań
mediterranean [,meditə'reinjən] [I] *adj* 1. śródlądowy 2. **Mediterranean** śródziemnomorski [II] *s* **the Mediterranean** Morze Śródziemne
medium ['mi:djəm] [I] *s* (*pl* **media** ['mi:djə], **~s**) 1. środek (między skrajnościami) 2. pośrednictwo; **~ of circulation, circulating ~** a) środek obiegowy b) czynnik pośredniczący; **through**

<**by**> **the ~ of** — za pośrednictwem ... (czyimś, czegoś) 3. środek (do osiągnięcia celu) 4. środowisko, ośrodek 5. *spiryt* medium [III] *adj* średni

mediumism [ˈmi:djəˌmizəm] *s spiryt* mediumizm

mediumistic [ˌmi:djəˈmistik] *adj* mediumistyczny

medlar [ˈmedlə] *s bot* niesplik

medley [ˈmedli] [I] *s* 1. mieszanina; zbiorowisko; rozmaitości; różnorodność 2. *muz* potpourri [II] *adj* pomieszany; różnorodny [III] *vt* pomieszać

medresseh *zob* **madrasah**

medulla [meˈdʌlə] *s* 1. *anat* szpik kostny 2. *bot* rdzeń

medullary [męˈdʌləri] *adj* 1. *anat* szpikowy 2. *bot* rdzeniowy

medusa [miˈdju:zə] *s* (*pl* **medusae** [miˈdju:zi:], **~s**) 1. *zoo* meduza 2. **Medusa** *mitol* Meduza

meed [mi:d] *s poet* nagroda

meek [mi:k] *adj* łagodny; potulny

meekness [ˈmi:knis] *s* łagodność; potulność

meerschaum [ˈmiəʃəm] *s* 1. pianka morska 2. fajka z lulką z pianki morskiej

meet[1] [mi:t] *adj* stosowny; odpowiedni; właściwy; godny (**for sb, sth** kogoś, czegoś); **it is ~ that I** <**you etc.**> **should** — wypada mi <ci itd.> ... (zrobić coś)

meet[2] [mi:t] *s* 1. spotkanie <zbiórka, zlot> (myśliwych, rowerzystów itd.) 2. styk, punkt styczności

meet[3] [mi:t] *v* (**met** [met], **met**) [I] *vt* 1. spot-kać/ykać; spot-kać/ykać się (**sb, sth** z kimś, czymś); napot-kać/ykać <zna-leźć/jdować> na swej drodze; zejść/schodzić się (**sb, sth** z kimś, czymś); natrafi-ć/ać <natknąć się> (**sb, sth** na kogoś, coś) 2. pozna-ć/wać; zapozna-ć/wać się (**sb** z kimś); **a gathering to ~ a celebrated person** zebranie towarzyskie na cześć sławnego człowieka; (*przy przedstawianiu osób nieznajomych*) **~ (my friend) Mr Robinson** (mój przyjaciel) p. Robinson; **delighted** <**glad**> **to ~ you** bardzo mi przyjemnie pan-a/ią poznać 3. stawi-ć/ać czoło (**sb, sth** komuś, czemuś — niebezpieczeństwu itd.); patrzeć <spojrzeć> w oczy (**sth** czemuś — śmierci itd.) 4. zaradzić (**sth** czemuś — trudności) 5. wy-jść/chodzić naprzeciw <na spotkanie> (**sb** kogoś, komuś); być przy przyjeździe (**sb** czyimś); oczekiwać (**sb** kogoś, na kogoś — na dworcu, lotnisku itd.); **to ~ sb (half-way)** wy-jść/chodzić komuś naprzeciw; *przen* ust-ąpić/ępować komuś; pójść na ustępstwa <na kompromis> z kimś 6. podpadać (zmysłom); (*o rzeczach, widokach itd*) **to ~ the eye(s)** przedstawi-ć/ać się oczom; (*o człowieku*) **to ~ sb's eye** a) spojrzeć komuś w oczy b) zamienić z kimś spojrzenie; **to ~ the ear** dać się słyszeć; (*o dźwięku*) rozlegać się; **more than ~s the ear** <**eye**> nie tylko to, co się słyszy <widzi>; więcej niżby się wydawało 7. (*o liniach, drogach itd*) stykać <schodzić, krzyżować> się; (*o rzekach*) zlewać się 8. zetrzeć/ścierać <potykać> się (**sb** z kimś) w walce <w pojedynku> 9. uwzględni-ć/ać <spełni-ć/ać> (czyjeś życzenie itd.); za/stosować się (**sb's request etc.** do czyjejś prośby itd.) 10. zadośćuczynić <odpowiadać> (**the demands etc.** wymaganiom itd.); przewi-dzieć/dywać <rozwiąz-ać/ywać> (trudności) 11. honorować <wykup-ić/ywać, spłac-ić/ać> (weksel); wywiąz-ać/ywać się (**one's engagements** z zobowiązań); pokry-ć/wać (koszty) [II] *vi* 1. spot-kać/ykać <zobaczyć/widzieć, mi-nąć/jać> się (z kimś) 2. zebrać/zbierać <z/gromadzić, zejść/schodzić, stykać, łączyć, krzyżować, (*o rzekach*) zlewać> się; (*o częściach garderoby*) zapinać się; **their eyes met** zamienili ze sobą spojrzenie; **to make both ends ~** związać koniec z końcem 3. spot-kać/ykać <zna-leźć/jdować> (**with sb, sth** kogoś, coś); napot-kać/ykać <trafi-ć/ać> (**with sb, sth** na kogoś, coś); spot-kać/ykać się (**with sth** z czymś — odmową, serdecznym przyjęciem itd.); dozna-ć/wać (**with sth** czegoś — uprzejmości itd.); **to ~ with an accident** mieć wypadek, ulec wypadkowi *zob* **meeting**

meeting [ˈmi:tiŋ] [I] *zob* **meet**[3] [II] *s* 1. spot-kanie/ykanie; zejście/schodzenie <połączenie> się; zl-anie/ewanie się (rzek); styk, zetknięcie/stykanie <s/krzyżowanie> się 2. zgromadzenie; zebranie; posiedzenie; konferencja 3. zbiórka 4. *sport* zawody 5. *rel* zgromadzenie wiernych; nabożeństwo (ewangelickie)

meeting-house [ˈmi:tiŋˌhaus] *s* zbór; dom modlitwy

meeting-place [ˈmi:tiŋˌpleis] *s* miejsce zebrania <wyznaczonego spotkania>; miejsce spotkania się <zejścia, zetknięcia się, skrzyżowania>; miejsce połączenia się (rzek)

meetness [ˈmi:tnis] *s* stosowność

megalith [ˈmegəliθ] *s archeol* megalit

megalomania [ˈmegəlouˈmeinjə] *s* megalomania

megalomaniac [ˈmegəlouˈmeinjæk] *s* megaloman/ka

megaphone [ˈmegəˌfoun] *s* 1. megafon 2. tuba

megohm [ˈmegoum] *s elektr* megom

megilp [məˈgilp] *s* rodzaj werniksu

megrim[1] [ˈmi:grim] *s* 1. migrena 2. kaprys; zachcianka, fantazja 3. *pl* **~s** depresja, przygnębienie 4. *wet* kręciek, kołowacizna

megrim[2] [ˈmi:grim] *s zoo* flądra (ryba)

meiosis [maiˈousis] *s* 1. *biol* mejoza, podział redukcyjny 2. *jęz* niedomówienie; litotes

meistersinger [ˈmaistəˌsiŋə] *s* (*pl* **~**) *hist* meistersänger

melancholia [ˌmelənˈkouljə] *s* melancholia

melancholic [ˌmelənˈkɔlik] *adj* melancholijny

melancholy [ˈmelənkəli] [I] *s* melancholia; smutek; przygnębienie [II] *adj* (*o człowieku*) melancholiczny; (*o wieści itd*) smutny; ponury; przygnębiający

Melanesian [ˌmeləˈni:zjən] [I] *adj* melanezyjski [II] *s* Melanezyj-czyk/ka

melanosis [ˌmələˈnousis] *s med* czerniaczka (nienormalne nagromadzenie czarnego barwnika w tkankach)

melanotic [ˌmeləˈnɔtik] *adj med* czerniaczkowy

mêlée [ˈmelei] *s* 1. bijatyka 2. walka wręcz

melic[1] [ˈmelik] *adj* (*o poezji*) liryczny; pisany do śpiewu

melic[2] [ˈmelik] *s bot* (*także* **~-grass**) perłówka zwisła

melilot [ˈmeliļɔt] *s bot* nostrzyk

melinite [ˈmeliˌnait] *s* melinit (materiał wybuchowy)

meliorate [ˈmi:ljəˌreit] *vt vi* ulepsz-yć/ać <poprawi-ć/ać> (się)

melioration [ˌmi:liəˈreiʃən] *s* ulepsz-enie/anie; poprawi-enie/anie; poprawa

meliorism ['mi:ljə,rizəm] *s filoz* melioryzm (pogląd mówiący, że świat zdąża ku lepszemu)

melliferous [me'lifərəs] *adj* miodonośny

mellifluous [me'lifluəs] *adj* (*o głosie, mowie*) miodopłynny; słodki

mellow ['melou] [I] *adj* 1. (*o owocu itd*) dojrzały (miękki, słodki i soczysty); **to grow ~** dojrze-ć/wać; dochodzić 2. (*o winie*) łagodny; dostały; przyjemny 3. (*o glebie*) bogaty; tłusty 4. (*o kolorze*) soczysty; spokojny 5. (*o głosie*) miękki; aksamitny; pełny 6. (*o mieście itd*) okryty patyną wieków 7. (*o człowieku*) jowialny; dobroduszny 8. (*o człowieku*) podchmielony [II] *vt* 1. doprowadz-ić/ać (owoc itd.) do stanu dojrzałości 2. dotrzym-ać/ywać (wino), aż nabierze pełnego <łagodnego> smaku 3. doda-ć/wać soczystości (**colours etc.** kolorom itd.) 4. wzbogac-ić/ać (glebę) [III] *vi* 1. dojrze-ć/wać, do-jść/chodzić 2. nab-rać/ierać łagodnego smaku <soczystej barwy, miękkich, aksamitnych tonów> 3. z/łagodnieć 4. okry-ć/wać się patyną

mellowness ['melounis] *s* 1. dojrzałość 2. łagodne tony 3. łagodny smak 4. miękkość, aksamitność 5. patyna 6. żyzność (gleby)

melodic [mi'lɔdik] *adj muz* melodyczny

melodious [mi'loudjəs] *adj* melodyjny; harmonijny

melodist ['melədist] *s* 1. śpiewak 2. kompozytor melodii

melodize ['melə,daiz] [I] *vt* dob-rać/ierać melodi-ę/e (**a composition** do utworu) [II] *vi* tworzyć melodie

melodrama ['melə,dra:mə] *s* 1. melodramat 2. teatralność (zachowania)

melodramatic [,meloudrə'mætik] *adj* melodramatyczny

melody ['melədi] *s* melodia

melon ['melən] *s* 1. melon 2. *am* grube zyski; **to cut up** <**slice**> **the ~** dokonać podziału zysków

melt [melt] *v* (*praet* **melted** ['meltid], *pp* **melted, molten** ['moultən]) [I] *vi* 1. topnieć, s/topić, stapiać <rozt-opić/apiać> się 2. rozpu-ścić/szczać się; **to ~ into tears** wzrusz-yć/ać <rozczul-ić/ać, rozrzewni-ć/ać> się do łez 3. (*o potrawie*) rozpływać się na języku <w ustach>; *przen* (*o pieniądzach*) rozpływać się 4. (*o kolorach itd*) zlewać się 5. (*o mgle itd*) ulatniać się 6. (*o chmurach*) skr-oplić/aplać się (w deszcz) 7. przechodzić stopniowo (**into sth** w coś) [II] *vt* 1. s/topić; przet-opić/apiać; odl-ać/ewać 2. rozpu-ścić/szczać (sól itd.) 3. wzrusz-yć/ać; rozrzewni-ć/ać

~ away *vi* 1. s/topnieć 2. ul-otnić/atniać się 3. *przen* znik-nąć/ać

~ down *vt* przet-opić/apiać

~ up *vt am* = **~ down**

zob **melting, molten** [III] *s* 1. topienie (metalu) 2. wytop

melter ['meltə] *s* odlewnik

melting ['meltiŋ] [I] *zob* **melt** *v* [II] *s* 1. topienie <roztapianie> (się); stapianie; topnienie; topliwość 2. wytop [III] *adj* 1. topniejący 2. wzruszony; **~ mood** wzruszenie; rzewny nastrój 3. (*o słońcu*) piekący

melting-point ['meltiŋ,pɔint] *s* temperatura <punkt> topnienia

melting-pot ['meltiŋ,pɔt] *s* tygiel; *przen* **(still) in the ~** (jeszcze) w stadium przemiany; (jeszcze) nie skrystalizowany; **to go into the ~** ulec całkowitej przemianie

melton ['meltən] *s tekst* gruby materiał wełniany

member ['membə] *s* 1. członek (ciała, organizacji, rodziny itp.); **the unruly ~** nieposkromiony język 2. człon <element> (konstrukcji itd.) 3. poseł (do parlamentu)

membered ['membəd] *adj* członkowaty, składający się z członów

membership ['membəʃip] [I] *s* 1. członkostwo; przynależność (do partii itd.) 2. członkowie, ogólna liczba członków; **a society with a ~ of** *x* towarzystwo liczące *x* członków [II] *attr* członkowski; **~ card** legitymacja (członkowska)

membranaceous [,membrə'neiʃəs] *adj* błoniasty

membrane ['membrein] *s* błona; membrana; *techn anat* przepona

membraneous [mem'breiniəs], **membranous** ['mem brənəs] *adj* błoniasty; błonkowaty

memento [mi'mentou] *s* (*pl* **~es, ~s**) 1. przypomnienie 2. pamiątka

memo ['mi:mou] *skr* **memorandum**

memoir ['memwa:] *s* 1. praca naukowa; rozprawa 2. życiorys 3. *pl* **~s** pamiętnik/i

memoirist ['memwa:rist] *s* pamiętnikarz

memorable ['memərəbl] *adj* pamiętny; pozostawiający niezatarte wspomnienia

memorandum [,memə'rændəm] *s* (*pl* **memoranda** [,memə'rændə], **~s**) 1. notatka 2. memorandum 3. *handl* wykaz (nota komisowa)

memorial [mi'mɔ:riəl] [I] *adj* 1. pamiątkowy 2. pamięciowy 3. *am* **Memorial Day** = **Decoration Day** *zob* **decoration** [II] *s* 1. memoriał; petycja 2. pomnik 3. *pl* **~s** pamiętnik/i; kronik-a/i

memorialist [mi'mɔ:riəlist] *s* 1. autor memoriału 2. pamiętnikarz, autor pamiętnika; kronikarz

memorialize [mi'mɔ:riə,laiz] *vt* 1. u/czcić pamięć (**sb** czyjąś) 2. wn-ieść/osić petycję (**sb** do kogoś)

memoria technica [mi'mɔ:riə'teknikə] *s* środek <system> mnemotechniczny

memorization [,memərai'zeiʃən] *s* uczenie się na pamięć; zapamiętywanie

memorize ['memə,raiz] *vt* na/uczyć się na pamięć (**sth** czegoś); zapamięt-ać/ywać

memory ['meməri] *s* 1. pamięć; **in ~ of** _ ku pamięci ...; **of blessed ~** świętej <błogosławionej> pamięci; **of famous** <**sad**> **~** sławnej <smutnej> pamięci; **to the best of my ~** o ile sobie przypominam; **within living ~** za ludzkiej pamięci 2. wspomnienie; **to have a pleasant ~ of sth** mile <przyjemnie> wspominać coś; **childhood memories** wspomnienia z dzieciństwa

men *zob* **man** *s*

menace ['menəs] [I] *s* groźba <niebezpieczeństwo> (czegoś) [II] *vt* 1. za/grozić (**sb** komuś; **sb with sth** komuś czymś; **a country with war** krajowi wojną) 2. za/grozić <zagrażać> (**sth** czymś — wojną, represjami itd.; **to do sth** że się coś zrobi; **that** _ że...) [III] *vi* 1. odgrażać się 2. wyst-ąpić/ępować z pogróżkami; groźnie się zachow-ać/ywać *zob* **menaced, menacing**

menaced ['menəst] [I] *zob* **menace** *v* [II] *adj* zagrożony

menacing ['menəsiŋ] [I] *zob* **menace** *v* [II] *adj* groźny; (*o tonie, głosie itd*) groźby [III] *s* groźba; za/grożenie

ménage [me'nɑ:ʒ] *s* gospodarstwo domowe
menagerie [mi'nædʒəri] *s* menażeria
mend [mend] [I] *vt* 1. za/cerować; zaszy-ć/wać 2. naprawi-ć/ać, dokon-ać/ywać naprawy (**sth** czegoś), z/reperować, z/reparować 3. poprawi-ć/ać (błąd itd.); **least said soonest ~ed** im mniej słów, tym szybsza złego naprawa; **to ~ matters** naprawi-ć/ać zło; pomóc; załagodzić <zatuszować> sprawę; **to ~ one's pace** przyspieszyć kroku; pospieszyć się; **to ~ one's ways** poprawiać się; wstąpić na drogę poprawy; **to ~ the fire** pogrzebać w piecu <w kominku>; dorzucić paliwa [II] *vi* 1. poprawi-ć/ać <polepsz-yć/ać> się 2. naprawi-ć/ać zło <swe błędy>; wstąpić na drogę poprawy; **it's never too late to ~** nigdy nie jest za późno, żeby zło naprawić 3. przychodzić do zdrowia *zob* **mending** [III] *s* 1. naprawa, naprawka; cera, miejsce pocerowane <naprawione> 2. poprawa; **to be on the ~** poprawiać się; być na drodze (do) poprawy
mendable ['mendəbl] *adj* możliwy <nadający się> do naprawienia; **it's ~** to się da naprawić
mendacious [men'deiʃəs] *adj* kłamliwy; fałszywy; zakłamany
mendaciousness [men'deiʃəsnis] *s* kłamliwość; fałsz; zakłamanie
mender ['mendə] *s* człowiek dokonujący reparacji
mendicancy ['mendikənsi] *s* żebractwo
mendicant ['mendikənt] [I] *adj* żebraczy [II] *s* żebrak
mendicity [men'disiti] = **mendicancy**
mending ['mendiŋ] [I] *zob* **mend** *v* [II] *s* reparacja, reperacja, naprawa; za/cerowanie; **invisible ~** artystyczne cerowanie
menhaden [men'heidən] *s zoo* śledziowata ryba amerykańska
menhir ['menhiə] *s archeol* menhir
menial ['mi:njəl] [I] *adj* służebny; **~ service** <**duties, offices**> posług-a/i [II] *s* służący
meningeal [ˌmenin'dʒiəl] *adj anat* oponowy
meningitis [ˌmenin'dʒaitis] *s med* zapalenie opon mózgowych
meninx ['mi:niŋks] *s* (*pl* **meninges** [me'nindʒi:z] *anat* opona mózgowa
meniscus [me'niskəs] *s* (*pl* **menisci** [me'niskai]) *fiz opt* menisk
Mennonite ['menəˌnait] *s rel* menonita
menopause ['menəˌpɔ:z] *s fizj* przekwitanie, klimakterium
menses ['mensi:z] *spl fizj* miesiączka, upławy miesięczne
Menshevik ['menʃivik] *s polit* mienszewik
menstrual ['menstruəl] *adj fizj* miesiączkowy, menstruacyjny
menstruation [ˌmenstru'eiʃən] *s fizj* menstruacja
menstruum ['menstruəm] *s* (*pl* **menstrua** ['menstruə], **~s**) rozczynnik; rozpuszczalnik
mensurable ['menʃurəbl] *adj* 1. wymierny, dający się wymierzyć, mierzalny 2. *muz* rytmiczny, miarowy
mensuration [ˌmensjuə'reiʃən] *s* mierzenie; pomiar
↑**mental**[1] ['mentl] [I] *adj* 1. umysłowy; duchowy; psychiczny; (*o rachunku*) pamięciowy; **~ restriction** zastrzeżenie myślowe 2. umysłowo chory; (*o szpitalu*) psychiatryczny <dla umysłowo chorych> [II] *s* umysłowo chory
mental[2] ['mentl] *adj anat* podbródkowy
mentality [men'tæliti] *s* umysłowość; mentalność
menthol ['menθɔl] *s chem* mentol
mentholated ['menθəˌleitid] *adj* mentolowy
mention ['menʃən] [I] *s* wzmianka; **honourable ~** wzmianka pochwalna; **to make ~ of — = to ~** *vt*; **to make no ~ of —** nie wspominać o... (kimś, czymś); przemilczeć... (coś) [II] *vt* 1. wspom-nieć/inać <wzmiankować> (**sb, sth** o kimś, czymś); wymieni-ć/ać (kogoś, coś); przyt-oczyć/aczać; nadmieni-ć/ać; **it was expressly ~ed** była o tym wyraźna wzmianka; **not to ~ —** nie mówiąc już o...; a cóż dopiero... 2. *po wyrazach podziękowania*: **don't ~ it** proszę bardzo; bardzo mi było miło; nie ma o czym mówić <za co dziękować>
mentor ['mentɔ:] *s* mentor
menu ['menju:] *s* jadłospis; karta (potraw), menu
Mephistophelean [ˌmefistɔ'fi:ljən] *adj* mefistofelesowski
mephitic [me'fitik] *adj* mefityczny (smrodliwy lub trujący)
mephitis [me'faitis] *s* wyziewy
↑**mercantile** ['mə:kənˌtail] *adj* 1. handlowy; kupiecki; merkantylny 2. chciwy zysku
mercantilism ['mə:kəntiˌlizəm] *s* 1. *ekon* merkantylizm 2. *uj* duch kramarski
mercenary ['mə:sinəri] [I] *adj* 1. interesowny; zachłanny na pieniądze; chciwy na grosz; wyrachowany; *pot* chytry; **from ~ motives** z wyrachowania 2. najemny [II] *s* 1. najemnik 2. żołnierz najemny
mercer ['mə:sə] *s* bławatnik (kupiec)
mercerize ['mə:səˌraiz] *vt* merceryzować
mercery ['mə:səri] *s* 1. towary bławatne 2. handel towarami bławatnymi 3. branża towarów bławatnych
↑**merchandise** ['mə:tʃənˌdaiz] *s* towar/y
merchant ['mə:tʃənt] [I] *s* 1. kupiec; handlowiec; hurtownik; **~ prince** magnat handlowy; **~ service** marynarka handlowa; **~ tailor** krawiec szyjący tylko ze swego materiału 2. *szkoc* sklepikarz 3. *pot* facet; gość [II] *adj* handlowy; kupiecki
merchantable ['mə:tʃəntəbl] *adj* sprzedażny
merchantman ['mə:tʃəntmən] *s* (*pl* **merchantmen** ['mə:tʃəntmən]) statek handlowy
merciful ['mə:siful] *adj* miłosierny; litościwy; (*o karze*) łagodny
mercifulness ['mə:sifulnis] *s* miłosierdzie; litość
merciless ['mə:silis] *adj* bezlitosny; niemiłosierny
mercurial [mə:'kjuəriəl] [I] *adj* 1. (*o człowieku*) żywy; bystry; rozgarnięty; sprytny 2. *chem* rtęciowy [II] *s farm* preparat rtęciowy
mercurialism [mə:'kjuəriəˌlizəm] *s med* rtęcica, przewlekłe zatrucie rtęcią
mercuriality [ˌmə:kjuəri'æliti] *s* żywość; bystrość; rozgarnięcie; spryt
mercurialize [mə:'kjuəriəˌlaiz] *vt* 1. leczyć rtęcią 2. doda-ć/wać rtęci (**sth** do czegoś)
mercuric [mə:'kjuərik] *adj chem* rtęciowy
mercurous ['mə:kjuərəs] *adj chem* rtęciawy
↑**mercury** ['mə:kjuri] *s* 1. rtęć 2. *przen* barometr 3. *przen* żywość; *bot* **dog's ~** szczyr trwały
↑**mercy** ['mə:si] *s* 1. litość; miłosierdzie; zmiłowanie boskie; **to have ~ on sb, sth** z/litować się nad kimś, czymś; **~!** litości!; **works of ~** do-

broczynność 2. łaska; **at sb's ~** zdany na czyjąś łaskę i niełaskę; w czyichś rękach; **at the ~ of** __ na łasce ... (czegoś — fal itd.) 3. szczęście; łaska boska; dobrodziejstwo; **what <that's> a ~**! co za szczęście!

mere¹ [miə] *s poet* staw, jezioro

mere² [miə] *adj* 1. zwykły, zwyczajny; **a ~ swindler** zwykły <po prostu> oszust; **~ accident** czysty przypadek; **from ~ thoughtlessness** po prostu z bezmyślności; **the ~st** __ nic więcej (jak) tylko... (przypadek, zadraśnięcie, podejrzenie itd.) 2. sam; **the ~ thought of** __ sama myśl o...

merely ['miəli] *adv* 1. po prostu; tylko, jedynie 2. zaledwie

meretricious [,meri'triʃəs] *adj* 1. krzykliwy; rażąco ozdobny 2. sztuczny; ułudny; udawany 3. wszeteczny; bezwstydny

meretriciousness [,meri'triʃəsnis] *s* 1. krzykliwość 2. blichtr; sztuczność; ułuda

merganser [mə:'gænsə] *s zoo* tracz; nurogęś

merge [mə:dʒ] [I] *vt* po/łączyć; wciel-ić/ać; sca-l-ić/ać [II] *vi* po/łączyć <zl-ać/ewać> się (**into sth** z czymś); zostać wcielonym (**into sth** do czegoś)

mergence ['mə:dʒəns] *s* po/łączenie <zl-anie/ewanie> (się); fuzja

merger ['mə:dʒə] *s* połączenie; fuzja; zlanie się, scalenie

meridian [mə'ridiən] [I] *adj* 1. południowy 2. *przen* szczytowy [II] *s* 1. południk 2. zenit; *przen* szczyt 3. *przen* gust; upodobanie

meridional [mə'ridiənḷ] [I] *adj* południowy [II] *s* południowiec

meringue [mə'ræŋ] *s kulin* merenga; beza

merino [mə'ri:nou] *s zoo tekst* merynos

merit ['merit] [I] *s* 1. zasługa; **man of ~** człowiek zasłużony; **to make a ~ of sth** przypisać sobie coś jako zasługę 2. zaleta; wartość 3. *pl* **~s** merytoryczna strona; meritum (sprawy); **~ system** angażowanie do służby państwowej wyłącznie na zasadzie kwalifikacji; **(to judge sth) on its ~s** (ocenić coś) merytorycznie [II] *vt* zasłu-żyć/giwać (**sth** na coś) *zob* **merited**

merited ['meritid] [I] *zob* **merit** *v* [II] *adj* (*o nagrodzie, karze itd*) zasłużony

meritorious [,meri'tɔ:riəs] *adj* (*o człowieku*) zasłużony; (*o czynie itd*) chwalebny

merle [mə:l] *† s szkoc zoo* drozd

merlin ['mə:lin] *s zoo* kobuz (ptak)

merlon ['mə:lən] *s hist fort* blank/a

mermaid ['mə:meid] *s* syrena; rusałka

merman ['mə:mən] *s* (*pl* **mermen** ['mə:mən]) *mitol* tryton

merrily ['merili] *adv* wesoło

merriment ['merimənt] *s* uciecha; zabawa; wesołość; radość

merry ['meri] *adj* (**merrier** ['meriə], **merriest** ['meriist]) 1. wesoły; **to make ~** weselić <zabawi-ć/ać> się; **to make ~ over sb, sth** ubawić się kimś, czymś; za/żartować z kogoś, czegoś; **~ dancers** zorza północna 2. podchmielony 3. przyjemny; miły; kochany; **~ England** miła <wesoła> Anglia (z czasów Tudorów)

merry-andrew ['meri'ændru:] *s* błazen; wesołek

merry-go-round ['meri-gou,raund] *s* karuzela

merry-maker ['meri,meikə] *s* 1. uczestnik zabawy 2. hulaka, birbant

merry-making ['meri,meikiŋ] *s* zabawa; uciecha; weselenie się

merrythought ['meri,θɔ:t] *s* obojczyk (u drobiu)

mesdames *zob* **madame**

mesdemoiselles *zob* **mademoiselle**

meseems [mi'si:mz] *† v imp* zdaje mi się

mesembryanthemum [mi,zembri'ænθiməm] *s bot* przypołudnik (trawa śródziemnomorska)

mesenteric [,mesən'terik] *adj anat* krezkowy

mesentery ['mesentəri] *s anat* krezka

mesh [meʃ] [I] *s* 1. oczko (sieci); *pl* **~es** sieci; *przen* sidła; **~ stockings** pończochy siatkowe 2. *techn* zazębienie; **in ~** zazębiony [II] *vt* 1. z/łapać w sieci 2. zazębi-ć/ać [III] *vi* 1. dać się złapać w sieć <*przen* w sidła> 2. zazębi-ć/ać się

meshy ['meʃi] *adj* siątkowy; siatkowaty

mesial ['mi:zjəl] *adj* środkowy; dośrodkowy

mesmeric [mez'merik] *adj* mesmeryczny, hipnotyczny

mesmerism ['mezmə,rizəm] *s* mesmeryzm, hipnotyzm

mesmerist ['mezmərist] *s* hipnotyzer

mesmerize ['mezmə,raiz] *vt* za/hipnotyzować

mesne [mi:n] *adj prawn* międzyterminowy; międzyokresowy; (*w hierarchii feudalnej*) pośredni

mesoblast ['mesə,blæst] = **mesoderm**

mesocarp ['mesə,ka:p] *s bot* owocnia

mesoderm ['mesou,də:m] *s biol* mezoderma

mesozoic [,mesou'zouik] *adj geol* mezozoiczny

mess [mes] [I] *s* 1. nieporządek; nieład; rozgardiasz; *pot* bałagan; **to clear up the ~** a) uporządkować wszystko; przywrócić ład i porządek; posprzątać (po kimś) b) *przen* załagodzić nieporozumienie; **to make a ~ of sth** pogmatwać <zepsuć, zaprzepaścić, spartaczyć, sfuszerować, *pot* zabałaganić> coś 2. brud; **to make a ~ of sth** zabrudzić <poplamić, *pot* upaćkać> coś 3. kłopoty; kłopotliwe położenie 4. papka <mieszanka> (dla bydła, drobiu) 5. *dosł i przen* pomyje; *przen* paskudztwo, breja; *przen* **a ~ of pottage** miska soczewicy 6. *wojsk* kasyno; *mar* mesa [II] *vt* 1. za/brudzić; za/paskudzić; po/plamić; *pot* u/paćkać 2. (*także* **~ up**) za/gmatwać; zepsuć; zaprzepaścić; s/partaczyć, s/partolić, s/fuszerować 3. żywić <wyżywiać> (wojsko); dostarcz-yć/ać aprowizacji (**the army** wojsku, dla wojska) [III] *vi* jadać <stołować się> w kasynie
~ about *vi* 1. dłubać się, długo coś robić 2. zajmować się dłubaniną 3. robić głupstwa

message ['mesidʒ] [I] *s* 1. wiadomość; pismo; depesza; *†* posłanie 2. poruczenie, zlecenie; misja 3. orędzie 4. posłannictwo [II] *vt* poda-ć/wać <pos-łać/yłać, za/komunikować> wiadomość (**sth** o czymś)

messenger ['mesindʒə] *s* 1. posłaniec; kurier; goniec; zwiastun 2. *mar* rzutka (linka bez końca)

Messiah [mi'saiə] *s* Mesjasz

messianic [,mesi'ænik] *adj* mesjanistyczny

messieurs ['mesəz] *spl* (*w adresie*) panowie (z dodaniem nazwisk); firma (z dodaniem nazwisk)

mess-jacket ['mes,dʒækit] *s* ubiór obowiązujący w kasynie

messmate ['mes,meit] *s wojsk mar* towarzysz przy stole

mess-room ['mes,ru:m] *s* kasyno; jadalnia w kasynie

Messrs ['mesəz] *skr* (*w adresach*) **messieurs**

messuage ['meswidʒ] *s prawn* dom mieszkalny z przyległościami

messy ['mesi] *adj* (**messier** ['mesiə], **messiest** ['mesiist]) 1. brudny; ubabrany; upaćkany; niechlujny; **~ work** praca, przy której człowiek u/brudzi <*pot* u/babrze, u/paćka> się; brudna robota; **to be a ~ eater** brzydko <niechlujnie> jeść 2. znajdujący się w nieładzie <w nieporządku>

mestizo [mes'tizou] *s* Metys (pochodzenia **hiszp.** lub portug.)

met *zob* **meet**[3]

metabolism [me'tæbə,lizəm] *s fizj* przemiana materii; metabolizm

metacarpal [,mi:tə'kɑ:pl] *adj anat* śródręczny

metacarpus [,mi:tə'kɑ:pəs] *s anat* śródręcze

metacentre ['metə,sentə] *s* (*w hydrostatyce*) metacentrum

metage ['mi:tidʒ] *s* 1. urzędowe mierzenie <ważenie> 2. opłata za urzędowe mierzenie <ważenie>

metagenesis [,metə'dʒenisis] *s biol* metageneza

metal ['metl] [I] *s* 1. metal; kruszec; stop 2. *druk* metal czcionkowy 3. płynne <roztopione> szkło 4. (*także* **road-~**) kamień; tłuczeń, szuter 5. *pl* **~s** szyny (kolejowe); (*o pociągu*) **to leave the ~s** wyskoczyć z szyn [II] *attr* metalowy; metalurgiczny; (*o topieniu itd*) metali [III] *vt* (**-ll-**) 1. pokry-ć/wać metalem 2. wy/szutrować (szosę)

metallic [mi'tælik] *adj* metaliczny; kruszcowy

metalliferous [,metə'lifərəs] *adj* kruszconośny

metalline ['metə,lain] *adj* kruszcowaty

metallize ['metə,laiz] *vt* z/metalizować

metallography [,metə'lɔgrəfi] *s* 1. metalografia (nauka o strukturze metali) 2. *druk* metalografia

metalloid ['metə,lɔid] *s chem* metaloid

metallurgical [,metə'lə:dʒikəl] *adj* metalurgiczny

metallurgist ['metə,lə:dʒist] *s* metalurg; hutnik

metallurgy ['metə,lə:dʒi] *s* metalurgia; hutnictwo

metal-work ['metl,wə:k] *s* 1. robota w metalu 2. ornament metalowy

metal-worker ['metl,wə:kə] *s* metalowiec

metal-works ['metl,wə:ks] *s* huta (metalu)

metamere ['metə,miə] *s zoo* metamer, segment

metamorphic [,metə'mɔ:fik] *adj* metamorficzny

metamorphism [,metə'mɔ:fizəm] *s geol* metamorfizm

metamorphose [,metə'mɔ:fouz] *vt* przekształc-ić/ać; przemieni-ć/ać; przeobra-zić/żać

metamorphosis [,metə'mɔ:fəsis] *s* (*pl* **metamorphoses** [,metə'mɔ:fə,si:z]) metamorfoza, przemiana

metaphor ['metəfə] *s* metafora, przenośnia

metaphoric(al) [,metə'fɔrik(əl)] *adj* metaforyczny

metaphosphate [,metə'fɔsfeit] *s chem* metafosforan

metaphrase ['metə,freiz] *s jęz* metafraza, przekład dosłowny

metaphysical [,metə'fizikəl] *adj filoz* metafizyczny

metaphysician [,metəfi'ziʃən] *s filoz* metafizyk

metaphysics [,metə'fiziks] *s filoz* metafizyka

metastasis [me'tæstəsis] *s* (*pl* **metastases** [me'tæstə,si:z]) *med* przerzut, metastaza

metatarsus [,metə'tɑ:səs] *s* (*pl* **~es, metatarsi** [,metə'tɑ:sai]) *anat* śródstopie

metathesis [me'tæθəsis] *s* (*pl* **metatheses** [me'tæθə,si:z] 1. *jęz* metateza 2. *chem* reakcja podwójnej wymiany

metayage [,mete'jɑ:ʒ] *s* dzierżawa za połowę plonu

mete[1] [mi:t] *s* kamień graniczny; **~s and bounds** granice (posiadłości)

mete[2] [mi:t] *vt lit poet* 1. zmierzyć 2. (*także* **~ out**) wymierz-yć/ać (karę); przyzna-ć/wać (nagrodę)

metempsychosis [,metempsi'kousis] *s* (*pl* **metempsychoses,** [,metempsi'kousi:z]) metempsychoza, wędrówka dusz

meteor ['mi:tjə] *s* meteor

meteoric [,mi:ti'ɔrik] *adj* meteoryczny

meteorite ['mi:tjə,rait] *s* meteoryt

meteorograph [,mi:ti'ɔrə,grɑ:f] *s* meteorograf

meteorological [,mi:tjərə'lɔdʒikl] *adj* meteorologiczny

meteorologist [,mi:tjə'rɔlədʒist] *s* meteorolog

meteorology [,mi:tjə'rɔlədʒi] *s* meteorologia

meter ['mi:tə] *s* 1. licznik (gazowy, wodociągowy itd.) 2. *am* = **metre**[1,2]

methane ['meθein] *s chem* metan

metheglin [mə'θeglin] *s* rodzaj miodu pitnego

methinks [mi'θiŋks] † *v imp* (*praet* **methought** [mi'θɔ:t]) zdaje mi się

method ['meθəd] *s* 1. metoda; **a man of ~** człowiek systematyczny 2. sposób (robienia czegoś) 3. systematyka

methodical [mi'θɔdikəl] *adj* 1. metodyczny 2. systematyczny

Methodism ['meθə,dizəm] *s rel* wyznanie metodystów

Methodist ['meθədist] *s rel* metodysta

methodize ['meθə,daiz] *vt* u/systematyzować

methodology [,meθə'dɔlədʒi] *s* metodologia

methought *zob* **methinks**

methyl ['meθil] *s chem* metyl

methylate ['meθi,leit] *vt* metylować; zadawać <z/mieszać z> metylem; **~d spirit** spirytus denaturowany, *pot* denaturat

methylic [me'θilik] *adj chem* metylowy

meticulous [mi'tikjuləs] *adj* drobiazgowy; skrupulatny

meticulousness [mi'tikjuləsnis] *s* drobiazgowość; skrupulatność

metis ['metis] *s* Metys

metonymical [mitə'nimikəl] *adj jęz* metonimiczny

metonymy [mi'tɔnimi] *s jęz* metonimia

metope ['metoup] *s arch* metopa

metre[1] ['mi:tə] *s* 1. *prozod* stopa (wierszowa) 2. rytm

metre[2] ['mi:tə] *s* metr

metric ['metrik] *adj* metryczny

metrical ['metrikəl] *adj* miarowy

metrics ['metriks] *s prozod* metryka (nauka o miarach wierszowych)

metrology [mi'trɔlədʒi] *s* metrologia

metronome ['metrə,noum] *s* metronom, taktomierz

metropolis [mi'trɔpəlis] *s* metropolia; stolica

metropolitan [,metrə'pɔlitən] [I] *adj* 1. stołeczny 2. *kośc* metropolitalny [II] *s* 1. mieszkan-iec/ka stolicy 2. *kośc* metropolita

mettle ['metl] *s* 1. usposobienie; charakter; temperament 2. krewkość; ogniste usposobienie; zapał 3. ambicja; **to put sb on his ~** przemówić

komuś do ambicji; **I was put on my ~** moja ambicja była podrażniona; **to try sb's ~** podda-ć/wać kogoś próbie 4. odwaga
mettled ['metld], **mettlesome** ['metlsəm] *adj* 1. pełen temperamentu; ognisty; krewki 2. odważny
mew[1] [mju:] *s zoo* mewa
mew[2] [mju:] [I] *vt* 1. zam-knąć/ykać w klatce (sokoła, bażanta) 2. *przen* (*także* **~ up**) zamknąć w więzieniu [II] *s* klatka dla (pierzącego się) sokoła
mew[3] [mju:] *vi* (*o sokole*) pierzyć się
mew[4] [mju:] [I] *vi* za/miauczeć [II] *s* miauczenie
mewl [mju:l] *vi* za/kwilić; popłakiwać
mews [mju:z] *spl* (*dawniej*) stajnie; (*obecnie*) blok mieszkań zbudowanych na miejscu dawnych stajen
Mexican ['meksikən] [I] *adj* meksykański [II] *s* Meksykan-in/ka
mezereon [mi'ziəriən] *s bot* wilcze łyko
mezzanine ['mezə,ni:n] *s* 1. półpiętrze, mezanin 2. *teatr* podłoga pod sceną
mezzosoprano ['medzou-sə'prɑ:nou] *s muz* mezzosopran
mezzotint ['medzou,tint] [I] *s plast* mezzotinta [II] *vt plast* rytować mezzotintą
miaow [mi'au] [I] *vi* za/miauczeć [II] *s* miauczenie
miasma [mi'æzmə] *s* (*pl* **~ta** [mi'æzmətə], **~s**) miazmat, wyziew
miasmatic [miəz'mætik] *adj* miazmatyczny
miaul [miɔ:l] *vi* za/miauczeć
mica ['maikə] *s miner* mika, łyszczyk
micaceous [mai'keiʃəs] *adj miner* mikowy, łyszczykowy
mice *zob* **mouse** *s*
Michaelmas ['miklməs] *s* dzień św. Michała; **~ term** listopadowa sesja sądowa; *bot* **~ daisy** michałek
mickle ['mikl] *s szkoc* duża ilość; dużo; **many a little <pickle> makes a ~** ziarnko do ziarnka, a zbierze się miarka
microbe ['maikroub] *s* mikrob, bakteria, drobnoustrój
microbiology [,maikrou-bai'ɔlədʒi] *s* mikrobiologia
microcephalic ['maikrou-se'fælik] [I] *adj med* mikrocefaliczny, małogłowy [II] *s med* mikrocefal, małogłowiec
micrococcus [,maikrou'kɔkəs] *s biol* (*pl* **micrococci** [,maikrou'kɔksai]) mikrokok, ziarenkowiec
microcosm ['maikrou,kɔzəm] *s* mikrokosmos
microfarad [,maikrou'færəd] *s fiz* mikrofarad
microfilm ['maikrou,film] *s* mikrofilm
micrography [mai'krɔgrəfi] *s* mikrografia (opis przedmiotów obserwowanych przez mikroskop)
micrometer [mai'krɔmitə] *s* mikrometr
micron ['maikrɔn] *s* mikron
micro-organism [,maikrou'ɔ:gə,nizəm] *s* mikroorganizm, drobnoustrój
microphone ['maikrə,foun] *s* mikrofon
microphotograph ['maikrou'foutə,grɑ:f] *s* mikrofotografia
microscope ['maikrə,skoup] *s* mikroskop
microscopic(al) [,maikrəs'kɔpik(əl)] *adj* mikroskopijny
microscopy [mai'krɔskəpi] *s* mikroskopia
microtome ['maikrə,toum] *s* mikrotom (aparat)
micturate ['miktju,reit] *vi* odda-ć/wać mocz
micturition [,miktjuə'riʃən] *s med* moczenie, oddawanie moczu
mid[1] [mid] *adj* średni; środkowy; **in ~ air** w powietrzu; między niebem a ziemią; **in ~ course** w połowie <w pół> drogi; **in ~ stream** na środku rzeki; **~ June <August etc.>** połowa czerwca <sierpnia itd.>
mid[2] [mid] *praep poet* = **amid**
midday ['mid'dei] [I] *s* południe [II] *attr* ['mid,dei] południowy; **~ meal** obiad
midden ['midn] *s archeol* śmietnik
middle ['midl] [I] *adj* średni; środkowy; pośredni; **Middle English** język średnioangielski (okresu 1150—1500); **the ~ class** średniozamożna burżuazja; **there is no ~ course** nie ma drogi pośredniej; **in the ~ distance** w średnim planie (obrazu) [II] *s* 1. środek; połowa; **in the ~ of doing sth** w trakcie czegoś 2. pas (środkowa część ciała); talia; **to take sb by the ~** ująć kogoś wpół [III] *vt* s/centrować
middle-aged ['midl'eidʒd] *adj* w średnim wieku
middle-class ['midl'klɑ:s] *adj* (*o rodzinie itd*) ze średniozamożnej burżuazji
middleman ['midl,mæn] *s* (*pl* **middlemen** ['midl men]) pośrednik
middlemost ['midl,moust] *adj* (*o człowieku, przedmiocie*) znajdujący się najbliżej środka (czegoś); środkowy
middle-weight ['midl,weit] *s boks* waga średnia
middling ['midliŋ] [I] *adj* 1. średni; pośredni 2. niezły; nie najgorszy; taki sobie [II] *adv* 1. średnio; pośrednio 2. nieźle; nie najgorzej; tak sobie [III] *spl* **~s** towar/y <mąka itd.> w średnim gatunku
middy ['midi] = **midshipman**
midge [midʒ] [I] *s zoo* 1. komar 2. muszka [II] *attr* małych rozmiarów; lilipuci; **~ car** samochodzik; mikrus
midget ['midʒit] [I] *s* 1. karzełek, karlica 2. drobny <mikroskopijny> przedmiot [II] *attr* drobniutki, mikroskopijny
midland ['midlənd] [I] *adj* środkowy; centralny; (*o morzu*) śródlądowy [II] *s* środkowa część kraju; **the Midlands** środkowe hrabstwa Anglii
mid-leg ['mid,leg] [I] *s* 1. *anat* okolica kolana i łydki 2. *zoo* środkowe odnóże (owada) [II] *adv* po łydki
mid-Lent ['mid,lent] *s rel* śródpoście
midmost ['mid,moust] *adj* położony najbliżej środka; środkowy
midnight ['mid,nait] [I] *s* północ (w czasie); **at ~** a) o północy b) *przen* nieprzeniknione ciemności [II] *attr* **the lands of the ~ sun** daleka północ; *kośc* **~ mass** pasterka
midrib ['mid,rib] *s bot* żyłka (liścia)
midriff ['mid,rif] *s anat* przepona brzuszna
midship ['mid,ʃip] *s* śródokręcie
midshipman ['mid,ʃipmən] *s* (*pl* **midshipmen** ['mid,ʃipmən]) *mar* aspirant
midships ['mid,ʃips] *adv* w śródokręciu
midst [midst] *s* środek; **in the ~ of** ... a) w środku ... (czegoś — pracy itd.) b) wśród <pośród> ... (kogoś, czegoś — ludzi, zajęć itd.); między <pomiędzy> ... (kimś, czymś — ludźmi, zajęciami itd.)
midstream ['mid,stri:m] *s* środek rzeki
midsummer ['mid,sʌmə] [I] *s* **środek** <połowa>

lata II *attr* występujący <odbywający się> w pełni lata; ~ **day** dzień św. Jana; ~ **night** noc świętojańska; ~ **night's dream** sen nocy letniej
midway [ˈmidˌwei] I *s* centralna aleja II *adj* leżący w połowie drogi III *adv* w połowie <w pół> drogi
mid-week [ˈmidˈwiːk] I *s* połowa <środek> tygodnia; środa II *attr* [ˈmidˌwiːk] występujący <odbywający się> w środku tygodnia; środowy
midwife [ˈmidˌwaif] *s* (*pl* **midwives** [ˈmidˌwaivz]) akuszerka, położna
midwifery [ˈmidˌwifəri] *s* położnictwo
midwinter [ˈmidˈwintə] I *s* środek <połowa> zimy II *attr* [ˈmidˌwintə] występujący <odbywający się> w pełni zimy
mien [miːn] *s lit* 1. mina 2. postawa 3. wygląd
miff [mif] I *s pot* 1. fochy; zły humor 2. sprzeczka II *vt* z/irytować III *vi* żachnąć się (**at** <**with**> **sb** na kogoś)
might[1] [mait] *s* potęga; siła; moc; **with all one's ~, with ~ and main** z całych sił; co sił
might[2] *zob* **may**[1]
might-have-been [ˈmait-əvˈbiːn] *s* 1. miniona możliwość; to, co mogło się stać 2. niedoszły bohater <artysta itd.>
mightily [ˈmaitili] *adv* 1. potężnie 2. *pot* bardzo; nie byle jak
mightiness [ˈmaitinis] *s* potęga; siła; moc; *żart iron* (*o człowieku*) **his** <**your**> **high mightiness** a) jego <wasza> wielmożność b) wielce szanowny pan
mightn't [ˈmaitnt] = **might not** *zob* **may**[1]
mighty [ˈmaiti] *adj* (**mightier** [ˈmaitiə], **mightiest** [ˈmaitiist]) 1. potężny; możny; silny; ~ **works** cuda 2. *pot* wielki; nie byle jaki
mignon [ˈminjən] *adj* (*f* ~**ne** [ˈminjən]) malutki; delikatny; milutki
mignonette [ˌminjəˈnet] *s* 1. *bot* rezeda pachnąca 2. rodzaj koronek francuskich
migraine [miˈgrein] *s* migrena
migrant [ˈmaigrənt] I *s* 1. wędrownik; tułacz 2. zwierzę wędrowne 3. emigrant II *adj* 1. wędrowny; tułaczy; koczowniczy 2. emigracyjny
migrate [maiˈgreit] *vi* 1. wy/wędrować 2. wy/emigrować 3. koczować
migration [maiˈgreiʃən] *s* 1. wędrówka 2. emigracja 3. koczowanie 4. *fiz* przesuwanie się (jonów)
migratory [ˈmaigrətəri] = **migrant** *adj*
Mikado [miˈkaːdou] *s* mikado (cesarz Japonii)
mike[1] [maik] I *vi* (*także* **to have a** ~) *sl wojsk* po/próżnować; po/leniuchować II *s* obijanie się
mike[2] [maik] *skr pot* **microphone**
mike[3] [maik] *s pot w zwrocie*: **for the love of** ~ na miły Bóg
mil [mil] *s* 1. = **millimetre** 2. tysiąc; **per** ~ promil, promille
milage [ˈmailidʒ] *s* 1. milaż; odległość (w milach) 2. ilość przebytych mil 3. koszty (podróży, transportu) od mili 4. wytrzymałość (opony itd.) wyrażona w milach 5. *am* diety
Milanese [ˌmiləˈniːz] I *adj* mediolański II *s* mediolańczyk
milch [miltʃ] *adj* dojny
milch-cow [ˈmiltʃˌkau], **milcher** [ˈmiltʃə] *s* dojna krowa
mild [maild] *adj* 1. łagodny; delikatny; ~ **steel** stal miękka; **draw it** ~! bez przesady! 2. (*o klimacie itd*) umiarkowany 3. (*o potrawach*) nieostry
milden [ˈmaildən] I *vt* z/łagodzić II *vi* z/łagodnieć
mildew [ˈmildjuː] I *s* 1. pleśń 2. mączniak zbożowy; rdza zbożowa II *vt* 1. s/powodować s/pleśnienie (**sth** czegoś) 2. s/powodować wystąpienie mączniaka <rdzy> (**a plant** na roślinie) III *vi* 1. s/pleśnieć 2. okry-ć/wać się mączniakiem zbożowym <rdzą zbożową>
mildewy [ˈmildjui] *adj* 1. spleśniały 2. pokryty mączniakiem zbożowym <rdzą zbożową>
mildly [ˈmaildli] *adv* łagodnie; w miarę; **to put it** ~ mówiąc delikatnie <oględnie>
mildness [ˈmaildnis] *s* 1. łagodność (klimatu, usposobienia, kary itd.) 2. łagodny charakter <przebieg> (choroby)
mile [mail] I *s* mila (= 1760 yardów = 1609,31 m); *mar* mila morska (= 2206 yardów = 1853 m); **square** ~ mila kwadratowa (= 259 ha); ~**s and** ~**s** przestrzeń wielu mil; ~**s away** daleko stąd <stamtąd>; *pot* ~**s better** <**bigger etc.**> o wiele <znacznie> lepiej <lepszy, większy itd.> II *attr* milowy; (*o biegu*) na jedną milę
mileage [ˈmailidʒ] = **milage**
mile-post [ˈmailˌpoust] *s* słup milowy
Milesian [maiˈliːzjən] I *adj* irlandzki II *s* Irlandczyk/ka
milestone [ˈmailˌstoun] *s* kamień milowy
milfoil [ˈmilfɔil] *s bot* krwawnik pospolity
miliaria [ˌmiliˈɛəriə] *s med* potówka (wysypka)
miliary [ˈmiljəri] *adj* prosowaty; *med* ~ **fever** prosówka
milieu [ˈmiːljəː] *s* środowisko, otoczenie
militancy [ˈmilitənsi] *s* wojowniczość; bojowość
militant [ˈmilitənt] *adj* wojowniczy; bojowy; (*o kościele itd*) wojujący
militarism [ˈmilitəˌrizəm] *s* militaryzm
militarist [ˈmilitərist] *s* militarysta
militarization [ˌmilitəraiˈzeiʃən] *s* militaryzacja; z/militaryzowanie
militarize [ˈmilitəˌraiz] *vt* z/militaryzować
military [ˈmilitəri] I *adj* wojskowy; ~ **age** wiek poborowy; **Military Cross** Wojskowy Krzyż Zasługi; *med* ~ **fever** tyfus brzuszny; ~ **man** (człowiek) wojskowy; ~ **police** żandarmeria wojskowa II *spl* **the** ~ wojsko; wojskowi
militate [ˈmiliˌteit] *vi* walczyć (**in favour of sb, sth** o kogoś, coś); **to** ~ **against sb, sth** wyst-ąpić/ępować przeciw komuś, czemuś; zwalczać kogoś, coś; sprzeciwi-ć/ać się komuś, czemuś; sta-nąć/wać na przeszkodzie komuś, czemuś
militia [miˈliʃə] *s* milicja
militiaman [miˈliʃəmən] *s* (*pl* **militiamen** [miˈliʃəmən]) milicjant
milk [milk] I *s* 1. mleko; **a land of** ~ **and honey** kraj mlekiem i miodem płynący; **it's no use crying over spilt** ~ co się stało, to się nie odstanie; płacz nie pomoże; daremne łzy; *przen* ~ **for babies** lekkie opowiadanko; **the** ~ **of human kindness** dobroć serca 2. mlecz roślinny 3. *chem* mleko (**of sulphur** siarkowe) 4. *kosmet* mleczko II *attr* (*o diecie itd*) mleczny; ~ **pudding** legumina na mleku III *vt* 1. wy/doić; *przen* wy/doić <wykorzyst-ać/ywać> (kogoś); **to** ~ **the bull** <**ram**> wybrać się z motyką na słońce

2. podsłuchiwać (rozmowę telef.) [IV] *vi* (*o krowie itd*) doić się; dawać mleko
milk-and-water ['milkənd'wɔ:tə] *adj* (*o lekturze, mowie itd*) mdły; nudny; bez polotu
milk-bar ['milk,bɑ:] *s* bar mleczny
milk-can ['milk,kæn] *s* bańka na mleko; blaszanka
milker ['milkə] *s* 1. doja-rz/rka 2. krowa mleczna; **a good** <**bad**> ~ krowa, która się dobrze <słabo> doi
milk-fever ['milk,fi:və] *s* 1. gorączka powstająca przy zatrzymaniu laktacji 2. (*u krów*) gorączka poporodowa
milk-float ['milk,flout] *s* wózek do rozwożenia mleka
milk-gauge ['milk,geidʒ] *s* laktometr, mlekomierz
milkiness ['milkinis] *s* 1. mleczność 2. zmętnienie (płynu)
milkmaid ['milk,meid] *s* 1. dojarka 2. mleczarka
milkman ['milkmən] *s* (*pl* **milkmen** ['milkmən]) mleczarz
milk-powder ['milk,paudə] *s* mleko w proszku
milk-shake ['milk,ʃeik] *s am* 1. napój z mleka i lodów 2. krem mrożony
milksop ['milksɔp] *s* niedołęga; fajtłapa; *pot* oferma
milk-sugar ['milk'ʃugə] *s chem* laktoza, cukier mlekowy
milk-tooth ['milk,tu:θ] *s* (*pl* **milk-teeth** ['milk,ti:θ]) ząb mleczny
milkweed ['milk,wi:d] *s bot* ogólna nazwa roślin wydzielających mlecz roślinny: mlecz zwyczajny, gorycz błotny, mleczaj, wilczomlecz
milk-white ['milk,wait] *adj* mlecznobiały
milkwort ['milk,wə:t] *s bot* krzyżownica
milky ['milki] *adj* (**milkier** ['milkiə], **milkiest** ['milkiist]) 1. mleczny 2. mętny
mill[1] [mil] [I] *s* 1. młyn; **to go through the** ~ przejść twardą szkołę; **to put sb through the** ~ poddać kogoś surowej dyscyplinie 2. fabryka; zakłady przemysłowe 3. walcownia 4. *techn* gniotownik; rozdrabniarka 5. prasa (do owoców itd.) 6. (*także* **coffee** ~) młynek do kawy 7. *techn* frez 8. = **treadmill** 9. walka na pięści [II] *vt* 1. ze/mleć 2. obr-obić/abiać; s/frezować 3. ugni-eść/atać; rozdr-obić/abiać; u/tłuc 4. z/walcować 5. spilśni-ć/ać 6. wytł-oczyć/aczać 7. wy/karbować (monetę) 8. ubi-ć/jać <utrzeć/ucierać> na piankę 9. z/bić <pobić, wy/grzmocić, s/tłuc> (kogoś) [III] *vi* 1. dreptać 2. walić <tłuc> pięściami *zob* **milling**
mill[2] [mil] *s am* jedna tysięczna dolara
millboard ['mil,bɔ:d] *s* gruby karton
mill-cake ['mil,keik] *s* wytłoczyny; makuch
mill-dam ['mil,dæm] *s* jaz
millenary [mi'lenəri] [I] *s* tysiąclecie [II] *adj* tysiącletni
millenarian [,mili'nɛərjən] [I] *adj* 1. tysiącletni 2. (*o obchodzie, uroczystościach itd*) tysiąclecia [II] *s rel* millenarysta, milenariusz (członek sekty)
millenial [mi'lenjəl] *adj* tysiącletni
millennium [mi'leniəm] *s* (*pl* ~**s**, **millennia** [mi'leniə]) 1. tysiąclecie, millennium 2. *bibl* tysiąclecie panowania Chrystusa na ziemi; *przen* okres powszechnego szczęścia
millepede ['mili,pi:d] *s zoo* stonoga
millepore ['mili,pɔ:] *s zoo* skłótwa (koral)
miller ['milə] *s* 1. młynarz 2. *techn* frezarka 3. *zoo* nazwa różnych gąsienic; ~**'s dog** żarłacz (ryba); ~**'s thumb** byczek (ryba)
millesimal [mi'lesiməl] *adj* tysięczny
millet ['milit] *s bot* proso
millet-grass ['milit,grɑ:s] *s bot* prosownica pospolita
mill-hand ['mil,hænd] *s* robotni-k/ca fabryczn-y/a
milliard ['miljɑ:d] *num s* miliard (= 1.000.000.000)
milligram(me) ['mili,græm] *s* miligram
millilitre ['mili,li:tə] *s* mililitr
millimetre ['mili,mi:tə] *s* milimetr
milliner ['milinə] *s* modniarka, modystka
millinery ['milinəri] *s* 1. wyroby <przybory> modniarskie 2. modniarstwo
milling ['miliŋ] [I] *zob* **mill**[1] *v* [II] *s* 1. z/mielenie; przemiał 2. młynarstwo 3. *techn* frezowanie 4. karbowanie (monety)
million ['miljən] *num s* milion; **the** ~ szary tłum
millionaire [,miljə'nɛə] *s* milioner/ka
millionth ['miljənθ] *num* [I] *adj* milionowy [II] *s* jedna milionowa (część)
millipede ['mili,pi:d] = **millepede**
mill-pond ['mil,pɔnd] *s* staw (zasilający młyn)
mill-race ['mil,reis] *s* młynówka (strumień wody)
Mills ['milz] *spr* ~ **bomb** granat ręczny o dużej sile wybuchowej
millstone ['mil,stoun] *s* kamień młyński
mill-wheel ['mil,wi:l] *s* koło młyńskie
millwright ['mil,rait] *s* specjalista od budowy i reparacji młynów
milreis ['milreis] *s* (*pl* ~) milrejs (pieniądz)
milt [milt] [I] *s* 1. śledziona (ssaków) 2. mlecz rybi [II] *vt* zapł-odnić/adniać (ikrę)
milter ['miltə] *s* ryba z mleczem
mime [maim] [I] *s teatr* 1. (*u staroż. Greków i Rzymian*) mim (sztuka) 2. mim (aktor) [II] *vt* wyra-zić/żać (coś) mimiką; naśladować (kogoś) [III] *vi* grać mimicznie
mimeograph ['mimiə,grɑ:f] [I] *s* powielacz; kopiarka [II] *vt* powiel-ić/ać; odbi-ć/jać na kopiarce
mimesis [mai'mi:sis] *s* naśladownictwo, mimesis
mimetic [mi'metik] *adj* mimetyczny
mimetism ['maimə,tizəm] *s biol* mimetyzm, upodobnianie, naśladowanie
mimic ['mimik] [I] *s* 1. mimik 2. imitator; naśladowca [II] *adj* mimiczny; naśladowniczy [III] *vt* (**mimicked** ['mimikt], **mimicked; mimicking** ['mimikiŋ]) 1. naśladować; udawać; małpować 2. *bot zoo* przyj-ąć/mować wygląd <barwę> (**sth** czegoś)
mimicry ['mimikri] *s* 1. mimika 2. *bot zoo* mimikry; mimesis, mimetyzm
miminy-piminy ['mimini'pimini] *adj* afektowany; pretensjonalny
mimosa [mi'mouzə] *s bot* mimoza
mimulus ['mimjuləs] *s bot* figlarek
mina[1] ['mainə] *s* (*pl* **minae** ['maini:]) *gr* mina
mina[2] ['mainə] *s zoo* szpak azjatycki (ptak)
minacious [mi'neiʃəs] *adj* grożący; (*o tonie itd*) pogróżki; (*o liście itd*) z pogróżkami
minar ['minɑ:] *s* 1. latarnia morska 2. wieża
minaret ['minə,ret] *s* minaret
minatory ['minətəri] = **minacious**
mince [mins] [I] *vt* 1. siekać <przepuszczać **przez** maszynkę> (mięso itd.) 2. osłabiać; **not to** ~ **matters** <**one's words**> mówić prosto z mostu

<otwarcie, bez ogródek>; nie owijać (nic) w bawełnę; **to ~ one's words** mówić w sposób afektowany <nienaturalny>; mizdrzyć <wdzięczyć> się [II] *vi* chodzić w sposób zmanierowany; drobić nogami *zob* **mincing** [III] *s* siekane mięso

mincemeat ['mins,mi:t] *s kulin* legumina z rodzynków, jabłek, migdałów, skórki pomarańczowej i dodatków; **to make ~ of** ... rozbić w puch ... (czyjeś twierdzenie, argumenty itd.); **to make ~ of sb** zetrzeć w puch <rozgromić> kogoś

mince-pie ['mins,pai] *s* babeczka zawierająca leguminę zwaną "mincemeat"

mincer ['minsə] = **mincing-machine**

mincing ['minsiŋ] [I] *zob* **mince** *v* [II] *adj* afektowany; mizdrzący się; **~ step** drobienie nogami

Mincing ['minsiŋ] *spr* **~ Lane** centrum handlu herbatą w Londynie

mincingly ['minsiŋli] *adv* z afektacją; przesadnie; nienaturalnie

mincing-machine ['minsiŋ-mə,ʃi:n] *s* maszynka do mięsa

mind [maind] [I] *s* 1. pamięć; **to call <bring> sth to ~** przypom-nieć/inać sobie coś; **to go out of ~** pójść w niepamięć; wyjść z pamięci; **to have <keep, bear> sb <sth> in ~** pamiętać o kimś <o czymś>; **to put sb in ~ of sth** przypom-nieć/inać komuś coś; **time out of ~** od niepamiętnych czasów 2. zdanie; opinia; **to my ~** moim zdaniem; **they are all of one <of a, of the same> ~** oni są jednomyślni; **to be of a person's ~** podzielać czyjeś zdanie; (*o jednym człowieku*) **to be of the same ~** a) mieć nie zmienione zdanie b) być tego samego zdania; **to give sb a piece of one's ~** otwarcie komuś powiedzieć, co się myśli; powiedzieć komuś kilka słów prawdy; **to speak one's ~** wypowi-edzieć/adać się; **to tell sb one's ~** powiedzieć/mówić komuś swoje zdanie 3. zamierzenie; dążenie; życzenie; ochota; postanowienie; decyzja; **to be in two ~s about sth** wahać się <być niezdecydowanym> co do czegoś; **to change one's ~** zmieni-ć/ać zdanie <postanowienie>; **to have a good <half a> ~ to do sth** mieć (wielką) ochotę coś zrobić; **to know one's ~** wiedzieć, czego się chce; **not to know one's own ~** nie wiedzieć, czego się chce; być niezdecydowanym; wahać się; **to make up one's ~** postanowić; zdecydować się; powziąć decyzję; **to make up one's ~ to sth** pogodzić się z czymś (z przeciwnościami losu itd.); **to set one's ~ on doing sth** postanowić <być zdecydowanym, chcieć koniecznie> coś zrobić; uprzeć się przy czymś 4. myśl/i; serce; **a person <thing> to sb's ~** człowiek <rzecz> po czyjejś myśli; **to enter sb's ~** przyjść komuś na myśl; **to give one's ~ to sth** oddać się czemuś; za/interesować się czymś; **to have sb <sth> in ~** mieć kogoś <coś> na myśli; **to have sth on one's ~** martwić się czymś; **to keep an open ~ on sth** nie wypowiadać się w danej sprawie; **to keep one's ~ on sth** nie tracić czegoś z oczu; **to take one's ~ off sth** przestać o czymś myśleć 5. psychika; duch; **a person's state <frame> of ~** czyjś stan duchowy <nastrój>; **peace of ~** spokój ducha 6. (*także* **turn of ~**) mentalność; sposób myślenia 7. umysł; **great ~s** wielcy ludzie; ludzie o wybitnym umyśle; **sound in ~** zdrowy na umyśle 8. dusza 9. rozum; **he is out of his ~** on stracił rozum [II] *vt* 1. pamiętać <nie zapominać> (**sth** o czymś) 2. zważać <zwracać uwagę, baczyć> (**sb, sth** na kogoś, coś); **never ~ the neighbours <what people say>** nie zważaj/cie na sąsiadów <na to, co ludzie mówią, na ludzkie gadanie> 3. przejmować <martwić> się (**sth** czymś); **never ~!** a) nie przejmuj/cie <nie martw/cie> się!; nic sobie z tego nie rób/cie! b) mniejsza o to!; głupstwo! c) co cię <was> to obchodzi? d) *z dalszym ciągiem zdania*: wszystko jedno ...; mniejsza o ... 4. zaj-ąć/mować się (**one's work <lessons etc.>** swoją pracą <odrabianiem lekcji itd.>); przy-łożyć/kładać się (**one's work <lessons etc.>** do swej pracy <do odrabiania lekcji itd.>) 5. *w zdaniach przeczących*: a) **I don't ~** nic nie mam przeciwko (**sb, sth, doing sth** komuś, czemuś, robieniu czegoś); nie robi mi (to) różnicy; (to) jest mi obojętne; (to) nie przeszkadza mi; **I don't ~ the heat** upał mi nie przeszkadza; **if you don't ~** jeśli pozwoli-sz/cie <nic nie ma-sz/cie przeciwko temu> b) chętnie; **I shouldn't ~ a glass of water** nie miałbym nic przeciwko szklance wody; chętnie bym wypił szklankę wody; *w zdaniu twierdzącym, w przeciwstawieniu do zdania przeczącego*: **I ~ a lot <very much>** właśnie, że robi mi to wielką różnicę; bardzo mi to przeszkadza; jestem temu bardzo przeciwny; stanowczo się sprzeciwiam 6. *w zdaniach pytających*: **do you ~?** pozwoli pan/i?; czy mogę <można>?; **would you ~ ...?** czy zechce pan/i ... (**doing sth** zrobić coś)?; czy będzie <byłby, byłaby> pan/i łaskaw/a <uprzejm-y/a> ... (**doing sth** zrobić coś)? 7. *nawiasowo*: **~ you** proszę zauważyć, zauważ/cie; proszę zapamiętać, zapamiętaj/cie 8. pilnować (**sth** czegoś); uważać (**sth** na coś; **that** ... żeby ...); **~ the step <the paint etc.>** uważaj/cie na stopień <na świeżą farbę itd.>; uwaga! stopień! <świeżo malowane! itd.>; **~ what you do** pilnuj/cie się; uważaj/cie co robi-sz/cie; **~ your business** pilnuj/cie swego nosa; nie wtrącaj/cie się w cudze sprawy; *sl* **~ your eye!** bądź/cie ostrożn-y/i! *zob* **minded**

minded ['maindid] [I] *zob* **mind** *v* [II] *adj* 1. skłonny <gotów, gotowy> (**to do sth** coś zrobić) 2. *z poprzedzającym przysłówkiem*: (*o człowieku, społeczeństwie itd*) o nastawieniu (kupieckim, zaborczym itd.)

minder ['maində] *s* człowiek dozorujący <pilnujący, doglądający> (maszyny, trzody, dzieci itd.)

mindful ['maindful] *adj* uważający (**of sth** na coś); dbały <troskliwy> (**of sb, sth** o kogoś, coś); **to be ~ of sth** pamiętać o czymś

mindless ['maindlis] *adj* 1. nie mający rozumu w głowie; mający pusto w głowie 2. niedbały <obojętny> (**of sth** na coś); **to be ~ of sth** nie pamiętać o czymś

mine[1] [main] *pron* 1. mój, moja, moje, moi, moje; **through no fault of ~** bez winy z mojej strony 2. moja rodzina 3. moja własność

mine[2] [main] [I] *s* 1. kopalnia 2. mina; bomba; **~ field** pole minowe 3. *wojsk* podkop [II] *attr* kopalniany; górniczy [III] *vt* 1. kopać <wydobywać> (węgiel, rudę itd.); eksploatować (kopalnię); wykop-ać/ywać (jamę w ziemi) 2. podkop-ać/

ywać 3. za/minować; za-łożyć/kładać miny (**a region** w okolicy) IV *vi* kopać (**for coal, ore etc.** węgiel, rudę itd.); poszukiwać (**for gold** złota) *zob* **mining**

mineable ['mainəbl] *adj* możliwy do eksploatacji

mine-digger ['main,digə] = **miner**

mine-digging ['main,digiŋ] *s* górnictwo

minehead ['main,hed] *s* powierzchnia <góra> kopalni

mine-layer ['main,leiə] *s mar* stawiacz min (okręt)

miner ['mainə] *s* górnik

mineral ['minərəl] I *s* 1. minerał 2. *pl* **~s** wody mineralne II *adj* 1. mineralny 2. *chem* nieorganiczny

mineralization [,minərəlai'zeiʃən] *s* mineralizacja

mineralize ['minərə,laiz] *vt* mineralizować

mineralizer ['minərə,laizə] *s chem* mineralizator

mineralogical [,minərə'lɔdʒikəl] *adj* mineralogiczny

mineralogist [,minə'rælədʒist] *s* mineralog

mineralogy [,minə'rælədʒi] *s* mineralogia

mine-sweeper ['main,swi:pə] *s mar* trałowiec (okręt)

mine-thrower ['main,θrouə] *s wojsk* moździerz

minever ['minivə] = **miniver**

mingle ['miŋgl] I *vt* z/mieszać; po/łączyć; zl-ać/ewać <zsyp-ać/ywać> razem II *vi* 1. z/mieszać <po/łączyć> się 2. obracać się (**in** <**with**> **a company** w jakimś towarzystwie); zadawać się (**with certain people** z pewnymi ludźmi); **to ~ with the crowd** a) zmieszać się z tłumem b) zniknąć w tłumie

mingle-mangle ['miŋgl'mæŋgl] *s* mieszanie

mingy ['miŋdʒi] *adj pot* skąpy; z wężem w kieszeni

miniate ['mini,eit] *vt* 1. po/miniować 2. po/malować cynobrem 3. iluminować (manuskrypt)

miniature ['minjətʃə] I *s* miniatura; **~ painter** miniaturzysta II *adj* miniaturowy; **~ model** makieta III *vt* na/malować w miniaturze

miniaturist ['minjə,tjuərist] *s* miniaturzysta

minify ['mini,fai] *vt* (**minified** ['mini,faid], **minified; minifying** ['mini,faiiŋ]) pomniejsz-yć/ać; umniejsz-yć/ać

minikin ['minikin] I *s* 1. (*o istocie*) maleństwo; (*o przedmiocie*) drobiązg 2. drobn-y/a mężczyzna <kobieta> 3. *druk* czcionka (= $3^1/_2$ pkta) II *adj* 1. maleńki; maluśki 2. afektowany; nienaturalny; zmanierowany

minim ['minim] *s* 1. *muz* półnuta 2. (*aptekarska jednostka miary*) minim (= 0,06 ml) 3. (*w literze*) laska 4. maleństwo; drobiazg

minimal ['miniməl] *adj* minimalny

minimalist ['miniməlist] *s* minimalista

minimize ['mini,maiz] *vt* 1. pomniejsz-yć/ać; umniejsz-yć/ać 2. zmniejsz-yć/ać <z/redukować> do minimum

minimum ['miniməm] I *s* (*pl* **minima** ['minimə]) minimum; dolna granica II *attr* minimalny; **~ wage** minimum egzystencji

minimus ['miniməs] *adj szk* najmłodszy (z braci lub imienników)

mining ['mainiŋ] I *zob* **mine²** *v* II *s* 1. górnictwo, kopalnictwo 2. za/minowanie, za-łożenie/kładanie min 3. podkopywanie (się); podminow-anie/ywanie III *adj* górniczy; kopalniany

minion ['minjən] *s* 1. ulubieniec; faworyt 2. sługa; pachołek; narzędzie (w czyichś rękach); **the ~s of the law** ramię sprawiedliwości; policja; straż więzienna 3. *druk* kolonel <minion> (czcionka 7-punktowa)

minister ['ministə] I *s* 1. minister 2. *dypl* poseł 3. pastor 4. wykonawca II *vi* 1. pielęgnować (**to sb** kogoś) 2. służyć (**to sb** komuś) 3. dbać (**to sb's pleasures** o czyjeś przyjemności) 4. przyczyni-ć/ać się (**to sth** do czegoś); przysłużyć się (**to sth** czemuś) 5. pełnić obowiązki duszpasterskie (**to a parish** w parafii) III *vt* udziel-ić/ać <dostarcz-yć/ać> (**sth** czegoś — pomocy itp.)

ministerial [,minis'tiəriəl] *adj* 1. ministerialny; (*o funkcji itd*) ministra 2. rządowy 3. pomocny (**to sth** w czymś); **to be ~ to sth** przyczyni-ć/ać się do czegoś 4. pastorski; duszpasterski

ministerialist [,minis'tiəriəlist] *s* stronnik rządu; prorządowiec

ministration [,minis'treiʃən] *s* 1. posługa; opieka 2. obowiązki duszpasterskie; kapłaństwo 3. udzielanie (pomocy itd.); dostarczanie <podawanie> (czegoś)

ministry ['ministri] *s* 1. ministerstwo 2. gabinet; rada ministrów 3. stan duchowny; obowiązki duszpasterskie; kapłaństwo; **to enter the ~** zostać księdzem <pastorem> 4. posługiwanie; opieka

minium ['miniəm] *s miner* minia, tlenek ołowiu

miniver ['minivə] *s* futro gronostajowe, gronostaje

mink [miŋk] *s* 1. *zoo* norka 2. norki (futro)

minnie ['mini] *s wojsk sl* moździerz

minnow ['minou] *s* ogólna nazwa kilku drobnych ryb: piskorz, ciernik itd.; **a triton among the ~s** olbrzym wśród karłów

minor ['mainə] I *adj* 1. mniejszy; pomniejszy; drugorzędny; (*o kleryku*) posiadający niższe święcenia; *kośc* **~ friar** minoryta; **~ orders** niższe święcenia 2. drobny; nieznaczny; mało ważny 3. młodszy (z dwóch braci); *karc* młodszy (kolor) 4. *muz* minorowy; **A** <**B etc.**> **~** A <B itd.> moll II *s* 1. (człowiek) nieletni <niepełnoletni> 2. = **minorite**

minorca [mi'nɔ:kə] *s* rasa drobiu

minorite ['mainə,rait] *s* minoryta

minority [mai'nɔriti] *s* 1. mniejszość (narodowa, parlamentarna itd.) 2. niepełnoletność

Minotaur ['mainə,tɔ:] *s mitol* Minotaur

minster ['minstə] *s* 1. katedra 2. kościół klasztorny

minstrel ['minstrəl] *s* 1. *hist* minstrel; bard 2. *pl* **~s** piosenkarze przebrani za Murzynów

minstrelsy ['minstrəlsi] *s* 1. *zbior hist* minstrelowie 2. śpiew <poezja> minstrelów

mint¹ [mint] I *s bot* mięta II *attr* miętowy

mint² [mint] I *s* 1. mennica; *przen* kopalnia złota 2. *przen* majątek 3. źródło <kuźnica> (czegoś) II *vt* 1. bić (pieniądze) 2. s/tworzyć <wymyśl-ić/ać, wprowadz-ić/ać> (nowy wyraz, powiedzenie itp.)

mintage ['mintidʒ] *s* 1. bicie pieniędzy <monety> 2. produkcja mennicy 3. prawo bicia pieniędzy 4. legenda (na monecie)

mint-mark ['mint,mɑ:k] *s* stempel mennicy

mint-master ['mint,mɑ:stə] *s* dyrektor mennicy

minuend ['minju,end] *s mat* odjemna

minuet [,minju'et] *s* menuet (taniec i utwór)

minus ['mainəs] I *praep* 1. minus <mniej> (*x* sztuk itd.) 2. *pot z następującym rzeczowni-*

kiem: bez (**sth** czegoś); ze stratą (**sth** czegoś); straciwszy (**sth** coś); **he came back from the wars ~ an arm** wrócił z wojny bez ręki <straciwszy rękę> [III] *attr fiz* **~ charge** ładunek ujemny; *mat* **~ sign** znak odejmowania

minuscule [mi'nʌskju:l] *s* mała litera, minuskuła

minute[1] ['minit] [I] *s* 1. minuta (miara czasu i kąta); *przen* chwila, chwileczka; **any ~** lada chwila; **I shan't be a ~** zaraz wracam; **it didn't take a ~** to się stało w jednej chwili; **just a ~** chwileczkę (proszę zaczekać); **on <to> the ~** punktualnie; na minutę; co do minuty; **the ~ (that)** jak tylko <z chwilą gdy, ledwo> (**sth happens** coś się stanie); **wait a ~!** zaraz, zaraz! 2. notatka, zapisek; **to make <take> ~s** notować 3. *pl* **~s** protokół (zebrania) [II] *vt* 1. oblicz-yć/ać czas trwania (**sth** czegoś); *sport* z/mierzyć stoperem 2. na/szkicować (dokument, plan) 3. za/protokołować

minute[2] [mai'nju:t] *adj* 1. drobny; znikomy; mikroskopijny; filigranowy 2. drobiazgowy; szczegółowy

minute-book ['minit,buk] *s* zbiór protokołów

minute-glass ['minit,glɑ:s] *s* klepsydra (do mierzenia czasu)

minute-gun ['minit,gʌn] *s* wystrzał armatni powtarzany co minuta (sygnał niebezpieczeństwa, salut żałobny)

minute-hand ['minit,hænd] *s* wskazówka minutowa (zegara)

minute-man ['minit,mæn] *s* (*pl* **minute-men** ['minit,men]) *am hist* żołnierz pospolitego ruszenia (gotowy do wyruszenia w minutę po sygnale)

minuteness [mai'nju:tnis] *s* 1. mikroskopijność; filigranowość 2. drobiazgowość; szczegółowość

minutiae [mai'nju:ʃi,i:] *spl* drobne <najdrobniejsze> szczegóły

minx [miŋks] *s* 1. bezczelna <impertynencka> dziewczyna 2. flirciarka 3. figlarka, psotnica

miocene ['maiou,si:n] [I] *adj geol* mioceński [II] *s geol* miocen

mirabelle [,mirə'bel] *s* (*także* **~ plum**) *bot* mirabela (śliwka)

miracle ['mirəkl] *s* 1. cud; **by a ~** cudownie, jak gdyby cudem, w cudowny sposób; **to a ~** nieprawdopodobnie; zadziwiająco 2. (*także* **~ play**) misterium (średniowieczne)

miracle-monger ['mirəkl,mʌŋgə] *s* cudotwórca; szarlatan

miraculous [mi'rækjuləs] *adj* cudowny; nadprzyrodzony

mirage ['mirɑ:ʒ] *s* miraż; fata morgana

mirbane ['mə:bein] *adj chem* mirbanowy (olejek)

mire ['maiə] [I] *s* 1. błoto; bagno; muł; **to be in the ~** mieć kłopoty; **to drag through the ~** szargać (czyjąś opinię); **to sink into the ~** ugrzęznąć w błocie 2. brud [II] *vt* 1. wciąg-nąć/ać w błoto 2. ubłocić; u/babrać błotem 3. *przen* obrzuc-ić/ać błotem [III] *vi* u/grzęznąć

miriness ['maiərinis] *s* błotnisty stan (dróg itd.)

mirk [mə:k] = **murk**

mirror ['mirə] [I] *s* 1. zwierciadło, lustro; **driving ~** lusterko wsteczne kierowcy 2. odbicie (czegoś) [II] *vt* odbi-ć/jać obraz (**sth** czegoś); odzwierciedl-ić/ać

mirth [mə:θ] *s* wesołość; radość; uciecha

mirthful ['mə:θful] *adj* wesoły; radosny

miry ['maiəri] *adj* (**mirier** ['maiəriə], **miriest** ['maiəriist]) błotnisty; bagnisty

mis- [mis] *przedrostek wyrażający*: a) *brak* nie-: **mistrust etc.** nieufność itd. b) *złe, wadliwe wykonanie, zrobienie, przeprowadzenie*: **miscount etc.** źle obliczyć itd.

misadventure ['misəd'ventʃə] *s* nieszczęśliwy traf <wypadek>; nieszczęście; niemiła przygoda

misadvise ['misəd'vaiz] *vt* źle doradz-ić/ać (**sb** komuś)

misalliance ['misə'laiəns] *s* 1. niedobran-y/e zespół <małżeństwo> 2. mezalians

misanthrope ['mizən,θroup] *s* mizantrop

misanthropy [mi'zænθrəpi] *s* mizantropia

misapply ['misə'plai] *vt* (**misapplied** ['misə'plaid], **misapplied; misapplying** ['misə'plaiiŋ]) źle za/stosować

misapprehend ['mis,æpri'hend] *vt* źle <mylnie, błędnie> zrozumieć

misapprehension ['mis,æpri'henʃən] *s* błędne zrozumienie; nieporozumienie; **under a ~** (zrobić coś) w błędnym mniemaniu

misappropriate ['misə'proupri,eit] *vt* sprzeniewierz-yć/ać

misappropriation ['misə,proupri'eiʃən] *s* sprzeniewierzenie

misbecame *zob* **misbecome**

misbecome ['misbi'kʌm] *vt* (**misbecame** ['misbi'keim], **misbecome**) być niewłaściwym (**sb** dla kogoś); **it ~s you to say such things** nie wypada ci mówić takich rzeczy *zob* **misbecoming**

misbecoming ['misbi'kʌmiŋ] [I] *zob* **misbecome** [II] *adj* niewłaściwy

misbegotten ['misbi'gɔtən] *adj* 1. nieślubny 2. wstrętny; obrzydliwy

misbehave ['misbi'heiv] *vi* (= *vr* **~ oneself**) źle się prowadzić <zachow-ać/ywać>; (*o dziecku*) być niegrzecznym

misbehaviour ['misbi'heivjə] *s* złe prowadzenie <zachowanie> się

misbelief ['misbi'li:f] *s* 1. mylne <fałszywe> zdanie <zapatrywanie> 2. *rel* herezja

misbeliever ['misbi'li:və] *s rel* heretyk

miscalculate [mis'kælkju,leit] [I] *vt* źle oblicz-yć/ać [II] *vi* przeliczyć <przerachować> się (**about sth** z czymś, w czymś)

miscalculation [mis,kælkju'leiʃən] *s* 1. złe obliczenie; błąd w rachunku 2. przeliczenie <przerachowanie> się

miscall [mis'kɔ:l] *vt* 1. po/mylić się w nazwisku (**sb** czyimś) 2. błędnie <mylnie> naz-wać/ywać (kogoś) 3. *dial* przezywać; zwymyślać; wymyślać (**sb** komuś, na kogoś)

miscarriage [mis'kæridʒ] *s* 1. poronienie; **to have a ~** poronić 2. niepowodzenie 3. zaginięcie <niedoręczenie> (przesyłki) 4. błąd; pomyłka; **~ of justice** pomyłka sądowa

miscarry [mis'kæri] *vi* (**miscarried** [mis'kærid], **miscarried; miscarrying** [mis'kæriiŋ]) 1. (*o przesyłkach*) nie do-jść/chodzić; za/ginąć 2. (*o przedsięwzięciu*) nie udać się, spełznąć na niczym, spalić na panewce 3. (*o kobiecie*) po/ronić (**of a child** dziecko)

miscegenation [,misidʒi'neiʃən] *s* krzyżowanie (się) ras

miscellanea [,misi'leinjə] *spl* miscellanea, rozmaitości

miscellaneous [ˌmisi'leinjəs] *adj* 1. różny; rozmaity; różnorodny 2. (*o człowieku*) wszechstronny
miscellany [mi'seləni] *s* zbiór; zbieranina
mischance [mis'tʃɑ:ns] *s* nieszczęście; pech; niepomyślny zbieg okoliczności; **by ~** na nieszczęście
mischief ['mistʃif] *s* 1. psota; figiel; **full of ~** psotny; figlarny; **to do sth out of ~** zrobić coś dla psoty; (*o dzieciach*) **to get into <to be up to> ~** psocić; **to keep out of ~** nie psocić; **to keep sb out of ~** a) nie dać komuś (dziecku) psocić b) nie pozwolić komuś zrobić głupstwa; **where the ~ _?** gdzie u licha...? 2. szkod-a/y; **to do ~** wyrządz-ić/ać szkod-ę/y; **to mean ~** chcieć szkodzić; **to play ~ with sth** a) zaszkodzić czemuś (zdrowiu itd.) b) zepsuć coś 3. niezgoda; **to make ~** zasiać niezgodę; poróżnić 4. bieda; **the ~ is that _** cała bieda w tym, że...
mischief-maker ['mistʃifˌmeikə] *s* intrygant/ka; zarzewie niezgody
mischief-making ['mistʃifˌmeikiŋ] [I] *s* sianie niezgody [II] *adj* siejący niezgodę
mischievous ['mistʃivəs] *adj* 1. (*o rzeczy*) szkodliwy 2. (*o człowieku*) złośliwy 3. (*o dziecku*) psotny; figlarny
miscibility [ˌmisi'biliti] *s* mieszalność, zdolność mieszania się
miscible ['misibl] *adj* dający się zmieszać, mieszalny
misconceive ['miskən'si:v] [I] *vt* źle <błędnie, opacznie> z/rozumieć [II] *vi* źle poj-ąć/mować (**of sth** coś); ur-obić/abiać sobie błędne mniemanie (**of sth** o czymś)
misconception ['miskən'sepʃən] *s* 1. błędne <niewłaściwe> zrozumienie <pojęcie> 2. nieporozumienie
misconduct ['mis'kɔndəkt] [I] *s* 1. zła administracja; złe kierownictwo 2. złe prowadzenie <sprawowanie> się 3. cudzołóstwo [II] *vt* ['miskən'dʌkt] źle kierować <administrować> (**sth** czymś) [III] *vr* ['miskən'dʌkt] **~ oneself** źle się prowadzić
misconstruction ['miskən'strʌkʃən] *s* błędne <mylne, opaczne, złe> zrozumienie <tłumaczenie>; błędna interpretacja
misconstrue ['miskən'stru:] *vt* błędnie <mylnie, opacznie, źle> z/rozumieć <prze/tłumaczyć, z/interpretować>
miscount ['mis'kaunt] [I] *vt* 1. źle <błędnie, mylnie> obliczyć; pomylić się w rachunku <w obliczeniach> 2. przeliczyć się (**sth** w czymś, co do czegoś) [II] *s* 1. złe <błędne, mylne> obliczenie; pomyłka w rachunku 2. przeliczenie się
miscreant ['miskriənt] [I] *s* 1. niegodziwiec; łotr 2. † heretyk [II] *adj* niegodziwy
miscreated [ˌmiskri'eitid] *adj* niekształtny; pokraczny
misdate ['mis'deit] *vt* mylnie datować; napisać mylną datę (**a letter** na liście)
misdeal ['mis'di:l] [I] *s* pomyłka w rozdawaniu (kart) [II] *vi* (**misdealt** ['mis'delt], **misdealt**) pomylić się w rozdawaniu (kart)
misdeed ['mis'di:d] *s* czyn karygodny; przestępstwo
misdemeanour ['misdi'mi:nə] *s* 1. *prawn* wykroczenie 2. złe prowadzenie <sprawowanie> się
misdirect ['misdi'rekt] *vt* 1. źle <mylnie> s/kierować <za/adresować> 2. nada-ć/wać niewłaściwy kierunek (**sth** czemuś)
misdirection ['misdi'rekʃən] *s* 1. fałszywy adres; mylne skierowanie 2. niewłaściwe pokierowanie <nakierowanie>
misdoing ['mis'duiŋ] *s* dokon-anie/ywanie czynów karygodnych <przestępstw>
misdoubt ['mis'daut] † [I] *vt* 1. wątpić (**sth** o czymś, w coś) 2. podejrzewać (**that _** że ...); nie mieć zaufania (**sth** do czegoś) [II] *s* wątpliwości
mise [mi:z] *s hist* ugoda
misemploy ['misəm'plɔi] *vt* z/robić zły użytek (**sth** z czegoś); naduży-ć/wać (**sth** czegoś)
miser[1] ['maizə] *s* skąpiec, sknera, kutwa
miser[2] ['maizə] *s techn* świder (wiertniczy)
miserable ['mizərəbl] *adj* 1. marny; dziadowski; nędzny 2. (*o człowieku*) nieszczęśliwy; nieszczęsny; przygnębiony; zdeprymowany 3. (*o pogodzie, okolicznościach*) przykry; ohydny, wstrętny
miserere [ˌmizə'riəri] *s* wołanie o zlitowanie się <o litość>
misericord [mi'zeriˌkɔ:d] *s hist* mizerykordia
miserliness ['maizəlinis] *s* skąpstwo
miserly ['maizəli] *adj* 1. (*o człowieku*) skąpy 2. (*o czynie, zwyczaju*) godny skąpca
misery ['mizəri] *s* 1. niedola; cierpienia; nieszczęścia; **to put sb <an animal etc.> out of ~ <its ~>** skr-ócić/acać komuś <zwierzęciu itd.> męki <cierpienia> 2. ubóstwo; nędza 3. *karc* plaża
misesteem [ˌmis-is'ti:m] *vt* źle oblicz-yć/ać <oceni-ć/ać>
misfeasance ['mis'fi:zəns] *s* nadużycie władzy; wykroczenie
misfire ['mis'faiə] [I] *vi* 1. (*o broni palnej*) nie wypal-ić/ać 2. (*o silniku*) nie da-ć/wać zapłonu, nie zapal-ić/ać (się) 3. *przen* spalić na panewce, spełznąć na niczym [II] *s* 1. niewypał 2. (*w silniku*) brak zapłonu <iskry>
misfit ['misˌfit] *s* 1. ubranie <obuwie> wybrakowane <źle uszyte> 2. *przen* człowiek nie umiejący dostosować się do otoczenia 3. *karc* niezgodność kolorów
misfortune [mis'fɔ:tʃən] *s* nieszczęście; zły los; pech; tragedia (czyjaś, czyjegoś życia); **it is more his ~ than his fault** w tym jest więcej pecha niż <aniżeli> winy z jego strony; **~s never come alone** nieszczęścia zawsze idą w parze <serią>
misgave *zob* **misgive**
misgive [mis'giv] *v* (**misgave** [mis'geiv], **misgiven** [mis'givn]) [I] *vt* wzbudz-ić/ać obawy (**sb** w kimś); **my <his etc.> mind <heart> ~s me <him etc.>** a) brak mi <mu itd.> odwagi; boję <boi itd.> się b) mam <ma itd.> złe przeczucia [II] *vi* mieć obawy <wątpliwości> *zob* **misgiving**
misgiven *zob* **misgive**
misgiving [mis'giviŋ] [I] *zob* **misgive** [II] *s* 1. obawa 2. złe przeczucie
misgovern ['mis'gʌvən] *vt* źle rządzić (**sth** czymś)
misgovernment ['mis'gʌvənmənt] *s* złe rządy
misguidance ['mis'gaidəns] *s* 1. zła informacja 2. zła rada
misguide ['mis'gaid] *vt* 1. s/kierować na niewła-

ściwą drogę; zw-ieść/odzić 2. źle doradz-ić/ać (**sb** komuś) *zob* **misguided**

misguided ['mis'gaidid] [I] *zob* **misguide** [II] *adj* 1. nieopatrzny; nierozważny 2. (*o kroku*) niefortunny 3. wprowadzony w błąd 4. (*o człowieku*) wykolejony

misguidedness ['mis'gaididnis] *s* brak rozwagi

mishandle ['mis'hændl] *vt* 1. nieumiejętnie obchodzić się (**sth** z czymś); zaprzepa-ścić/szczać 2. z/maltretować; źle ob-ejść/chodzić się (**sb, sth** z kimś, czymś)

mishap ['mis'hæp] *s* nieszczęście; nieszczęśliwy wypadek; niepomyślny zbieg okoliczności

mishear ['mis'hiə] [I] *vt* (**misheard** ['mis'hə:d], **misheard**) źle zrozumieć (czyjeś słowa itd.) [II] *vi* przesłyszeć się

misheard *zob* **mishear**

mish-mash ['miʃ'mæʃ] *s* 1. mieszanina 2. *przen* groch z kapustą, bigos

misinform ['misin'fɔ:m] *vt* źle po/informować; udziel-ić/ać fałszywych informacji (**sb** komuś); zwieść z drogi; sprowadzić na manowce

misinformation [,misinfɔ:'meiʃən] *s* fałszywa <mylna> informacja

misinterpret ['misin'tə:prit] *vt* źle <mylnie, opacznie> interpretować <tłumaczyć>

misjudge ['mis'dʒʌdʒ] *vt* źle o/sądzić; wyr-obić/abiać sobie fałszywe mniemanie (**sb, sth** o kimś, czymś); nie doceni-ć/ać (**sb, sth** kogoś, czegoś) *zob* **misjudged**

misjudged ['mis'dʒʌdʒd] [I] *zob* **misjudge** [II] *adj* (*o opinii itd*) błędny

mislaid *zob* **mislay**

mislay [mis'lei] *vt* (**mislaid** [mis'leid], **mislaid**) zapodzi-ać/ewać; zarzuc-ić/ać; za/gubić

mislead [mis'li:d] *vt* (**misled** [mis'led], **misled**) wprowadz-ić/ać w błąd; z/mylić; z/bałamucić; zw-ieść/odzić *zob* **misleading**

misleading [mis'li:diŋ] [I] *zob* **mislead** [II] *adj* bałamutny; zwodniczy

misled *zob* **mislead**

mismanage ['mis'mænidʒ] *vt* źle po/kierować (**sth** czymś); źle po/prowadzić (coś)

mismanagement ['mis'mænidʒmənt] *s* złe prowadzenie (czegoś); złe kierownictwo

misname ['mis'neim] *vt* mylnie <błędnie> na-z-wać/ywać (kogoś)

misnomer ['mis'noumə] *s* niewłaściwa <błędna> nazwa

misogamist [mi'sɔgəmist] *s* wróg małżeństwa

misogamy [mi'sɔgəmi] *s* mizogamia

missogynist [mi'sɔdʒinist] *s* wróg kobiet

misogyny [mai'sɔdʒini] *s* mizoginia

mispickel [mis'pikəl] *s miner* arsenopiryt

misplace ['mis'pleis] *vt* 1. położyć/kłaść <postawić/stawiać> na niewłaściwym miejscu 2. źle u/lokować (zaufanie) 3. ob-rać/ierać niewłaściw-y/ą obiekt <porę> (**sth dla** czegoś — swych uczuć, zwierzeń itd.)

misprint ['mis'print] [I] *vt* mylnie <błędnie> wy/drukować [II] *s* błąd drukarski

misprision [mis'priʒən] *s* 1. *prawn* nieujawnienie (przestępstwa) 2. błąd; pomyłka 3. wykroczenie

misprize ['mis'praiz] *vt* 1. po/gardzić (**sb, sth** kimś, czymś) 2. nie doceni-ć/ać (**sb, sth** kogoś, czegoś)

mispronounce ['misprə'nauns] *vt* źle <mylnie, błędnie> wym-ówić/awiać

mispronunciation ['misprə,nʌnsi'eiʃən] *s* złe <mylne, błędne> wym-ówienie/awianie

misquotation ['miskwou'teiʃən] *s* błędne <mylne> cytowanie; błędny cytat

misquote ['mis'kwout] *vt* błędnie <mylnie> za/cytować

misread ['mis'ri:d] *vt* (**misread** ['mis'red], **misread**) 1. źle <mylnie, błędnie> przeczytać 2. źle <mylnie, błędnie> wy/tłumaczyć <z/interpretować>

misrepresent ['mis,repri'zent] *vt* fałszywie przedstawi-ć/ać; przekręc-ić/ać

misrepresentation ['mis,reprizen'teiʃən] *s* fałszywe przedstawienie (faktów itd.); przekręc-enie/anie

misrule ['mis'ru:l] [I] *s* złe rządy; **Lord <Abbot, Master> of Misrule** czołowa postać na zabawach odbywających się dawniej w okresie Bożego Narodzenia [II] *vt* źle rządzić (**sth** czymś)

miss[1] [mis] *s* 1. *przed nazwiskiem osoby niezamężnej*: **Miss** panna, pani; *pl* **the Misses Robinson** panny <panie> Robinson; *przed imieniem*: panna 2. *w wołaczu niewłaściwie stosowanym przez sprzedawców itd* (*bez wymienienia nazwiska lub imienia*): proszę pani; panienko 3. dziewczynka; panienka

miss[2] [mis] [I] *vt* 1. chybi-ć/ać (**sth** czegoś); nie trafi-ć/ać (**one's** <*o pocisku:* **its**> **aim** do celu; **one's blow** w kogoś); **to ~ one's aim** s/pudłować; źle wy/celować; **to ~ one's footing** źle stąpnąć <stąpić>; **to ~ one's mark** nie trafić; chybić; *przen* nie osiągnąć celu; **to ~ one's way** zabłądzić 2. nie zasta-ć/wać (**sb** kogoś); nie spotkać się (**sb** z kimś) 3. spóźni-ć/ać się (**sth** na coś — na pociąg, samolot, statek); **to ~ the bus** a) nie dostać się do autobusu; spóźnić się na autobus b) *przen* zmarnować okazję; zaprzepaścić sprawę 4. przepu-ścić/szczać <przegapi-ć/ać> (sposobność itp.); s/tracić (okazję, sposobność); **you've ~ed a lot** dużo straciłeś 5. opu-ścić/szczać (lekcję, odczyt itd.); (*także* **~ out**) opu-ścić/szczać (słowo, wiersz itd. — przy czytaniu, przepisywaniu) 6. *przed czasownikiem z formą na* **-ing** *i imiesłowem biernym*: **to ~ being killed <run over etc.>** o mało nie zostać zabitym <przejechanym itd.>; uniknąć śmierci <wypadku itp.> 7. nie dosłyszeć (**sth** czegoś — uwagi itd.); nie dostrzec <nie zauważyć, nie zobaczyć> (**sth** czegoś); minąć (coś) nie zauważywszy; **you can't ~ it** na pewno trafisz <zobaczysz, zauważysz> 8. nie zrozumieć (**sth** czegoś — dowcipu itp.); **to ~ the obvious** nie widzieć tego, co jest oczywiste 9. zauważyć brak <nieobecność> (**sb, sth** kogoś, czegoś); spostrzec się, że brakuje (**sb, sth** kogoś, czegoś); **I shan't be ~ed** nie zauważą mojej nieobecności 10. odczuwać brak (**sth** czegoś); w przykry sposób odczuwać nieobecność (**sb** czyjąś); nie móc odżałować (**sb** kogoś — zmarłego); **we all ~ you** brak nam ciebie; zostawiłeś tu pustkę po sobie 11. zaw-ieść/odzić; **to ~ fire** a) spalić na panewce b) (*o silniku*) nie dawać zapłonu [II] *vi* chybi-ć/ać; s/pudłować; nie trafi-ć/ać do celu *zob* **missing** [III] *s* chybienie; spudłowanie; **a ~ is as good as a mile** wszystko jedno, czy chybisz o włos czy o metr

missal ['misəl] *s kośc* mszał

missel ['mizəl] *s* (*także* **~-thrush**) *zoo* drozd jemiołowy

misshapen ['mis'ʃeipən] *adj* niekształtny; zniekształcony; zdeformowany

missile ['misail] *s* pocisk

missing ['misiŋ] [I] *zob* **miss²** *v* [II] *adj* 1. brakujący; nieobecny; **to be ~** brakować; być nieobecnym; **sb, sth is ~** nie ma <brak> kogoś, czegoś 2. zaginiony [III] *spl* **the ~** nieobecni; zaginieni

mission ['miʃən] [I] *s* 1. misja 2. poselstwo 3. powołanie; posłannictwo [II] *attr* 1. misyjny 2. (*o stylu, meblach*) z okresu misji hiszpańskich w Ameryce Płd.

missionary ['miʃṇəri] [I] *s* 1. *rel* misjonarz 2. delegat instytucji społecznej przy sądzie [II] *adj* misjonarski

missis ['misiz] *s* (*używane przez służbę*) pani; **the ~** moja pani; *żart* (*używane przez mężczyzn*) żona; **the** <**my**> **~** moja (żona)

missish ['misiʃ] *adj* pensjonarski

missive ['misiv] [I] *adj w zwrocie*: **Letter(s) ~** patent królewski [II] *s* pismo (*zw* oficjalne)

misspell ['mis'spel] *vt* (**misspelt** ['mis'spelt], **misspelt**) na/pisać błędnie <z błędem ortograficznym>; z/robić błąd ortograficzny (**a word etc.** w wyrazie itd.)

misspelt *zob* **misspell**

misstate ['mis'steit] *vt* fałszywie poda-ć/wać <przedstawi-ć/ać>

misstatement ['mis'steitmənt] *s* fałszywe <błędne> przedstawienie; nieprawidłowość; nieścisłość, fałsz

missus ['misiz] = **missis**

missy ['misi] *s pot* panienka; dziewczę, dziewczątko

mist [mist] [I] *s* mgła; mgiełka (przed oczami); para (na szkle itd.) [II] *vt* pokry-ć/wać (szkło itd.) parą [III] *vi* okry-ć/wać się mgłą; (*o szkle itd*) za-jść/chodzić parą

mistakable [mis'teikəbl] *adj* mylący; **it is ~ for** _ można to wziąć za ...

mistake [mis'teik] [I] *vt* (**mistook** [mis'tuk], **mistaken** [mis'teikən]) 1. źle <błędnie> z/rozumieć <poj-ąć/mować, tłumaczyć>; pomylić się (**sth** co do czegoś, w czymś); **to ~ the road** zabłądzić; pojechać <pójść> niewłaściwą drogą 2. wziąć/brać (**sb** <**sth**> **for sb** <**sth**> **else** kogoś <coś> za kogoś <coś> innego) *zob* **mistaken, mistaking** [II] *s* 1. błąd; pomyłka; **by ~** przez pomyłkę, mylnie; **to make a ~** popełnić błąd; zbłądzić; **I made the ~ of saying what I thought** popełniłem ten błąd, że (niepotrzebnie) powiedziałem, co myślę 2. nieporozumienie; **and (make) no ~** a) i niech nie będzie co do tego żadnych nieporozumień; niech to będzie jasne b) bez wątpienia; z pewnością; **it's hot** <**dark etc.**> **and no ~** ale też gorąco <ciemno itd.>

mistaken [mis'teikən] [I] *zob* **mistake** *v*; **to be ~** mylić się; być w błędzie [II] *adj* 1. mylny; błędny 2. źle pojęty <zrozumiany>

mistakenly [mis'teikənli] *adv* 1. mylnie; błędnie; przez pomyłkę, pomyłkowo 2. nierozsądnie

mistaking [mis'teikiŋ] [I] *zob* **mistake** *v* [II] *s* błąd: **there's no ~ it** nie można się (tu) mylić; to jest zupełnie jasne

mister ['mistə] [I] *s* 1. *stawia się przed nazwiskiem oraz przed rzeczownikiem oznaczającym urząd* (*w piśmie zawsze skraca się na Mr*): pan; **Mr President** Panie Prezesie <Prezydencie>; **Mr Speaker** Panie Przewodniczący Izby Gmin 2. *w wołaczu niewłaściwie stosowanym* **~!** proszę pana! 3. obywatel; **be he prince or mere ~** czy to będzie książę, czy szary obywatel [II] *vt* stosować formę „mister" przy nazwisku (**sb** czyimś); **don't ~ me** proszę nie mówić do mnie per pan

mistime ['mis'taim] *vt* z/robić (coś) nie w porę; źle oblicz-yć/ać czas (**sth** czegoś)

mistiness ['mistinis] *s* 1. mglistość 2. mgła

mistletoe ['misltou] *s bot* jemioła

mistook *zob* **mistake** *v*

mistral ['mistrəl] *s* mistral

mistranslate ['mistrɑ:ns'leit] *vt* źle <błędnie, opacznie, mylnie> prze/tłumaczyć

mistreat [mis'tri:t] *vt* źle się ob-ejść/chodzić (**sb** z kimś); znęcać się (**sb** nad kimś); z/maltretować

mistreatment [mis'tri:tmənt] *s* znęcanie się; złe obchodzenie się (**of sb, sth** z kimś, czymś); maltretowanie

mistress ['mistris] *s* 1. pani (domu); *mówiąc do pokojówki itp*: **is your ~ in?** czy pani jest w domu?; *gdy mówi pokojówka itp*: **my ~ is out** pani wyszła; (*o kobiecie*) **to be ~ of one's subject** mieć dobrze opanowany temat; **to be ~ of the situation** panować nad sytuacją; **to be one's own ~** nie mieć zwierzchnika nad sobą 2. nauczycielka 3. kochanka 4. ['misiz] *stawia się przed nazwiskiem mężatki* (*w piśmie zawsze skraca się na Mrs*): pani; **Mrs Fisher** Pani Fisher

mistrust ['mis'trʌst] [I] *s* niedowierzanie; nieufność; brak zaufania [II] *vt* nie ufać <nie dowierzać> (**sb** komuś)

mistrustful ['mis'trʌstful] *adj* nieufny; nie dowierzający (**of sb, sth** komuś, czemuś)

mistrustfulness ['mis'trʌstfulnis] *s* niedowierzanie; nieufność; brak zaufania

misty ['misti] *adj* (**mistier** ['mistiə], **mistiest** ['mistiist]) mglisty; zamglony; (*o pogodzie*) **it is ~** jest mgła

misunderstand ['misʌndə'stænd] *vt* (**misunderstood** ['misʌndə'stud], **misunderstood**) źle <mylnie, błędnie, opacznie> z/rozumieć <wy/tłumaczyć sobie>; nie z/rozumieć (**sb, sth** kogoś, czegoś) *zob* **misunderstanding, misunderstood**

misunderstanding ['misʌndə'stændiŋ] [I] *zob* **misunderstand** [II] *s* nieporozumienie

misunderstood ['misʌndə'stud] [I] *zob* **misunderstand** [II] *adj* niezrozumiany; źle zrozumiany <oceniony>

misuse ['mis'ju:s] [I] *s* 1. niewłaściwe uży-cie/wanie <za/stosowanie> (czegoś) 2. nadużу-cie/wanie (czegoś) 3. niewłaściwe traktowanie; mal/tretowanie; złe obchodzenie się (**of sth** z czymś) [II] *vt* ['mis'ju:z] 1. niewłaściwie uży-ć/wać (**sth** czegoś); źle za/stosować 2. nadużу-ć/wać (**sth** czegoś) 3. źle po/traktować; z/maltretować; źle ob-ejść/chodzić się (**sth** z czymś)

mite [mait] *s* 1. grosz (wdowi); **to contribute one's ~** dołożyć swój grosz; złożyć mały datek 2. drobiazg <kruszyna> (dziecko, stworzonko i rzecz); **a ~ of a child** maleństwo; **poor little ~** biedactwo; biedne maleństwo 3. *zoo* roztocz (owad)

mithridatize ['miθridə,taiz] *vt* uodp-ornić/arniać na truciznę (przez podawanie jej w coraz większych dawkach)
mitigate ['miti,geit] *vt* z/łagodzić; uśmierz-yć/ać; umniejsz-yć/ać; zmniejsz-yć/ać ciężar (**sth** czegoś); przyn-ieść/osić ulgę (**pain** w bólu); z/mitygować
mitigation [,miti'geiʃən] *s* z/łagodzenie; z/mitygowanie; uśmierz-enie/anie; umniejsz-enie/anie; zmniejsz-enie/anie ciężaru (czegoś); ulga
mitosis [mi'tousis] *s* (*pl* **mitoses** [mi'tousi:z]) *biol* mitoza
mitrailleuse [,mitrai'ə:z] *s hist* mitralieza (działko wielolufowe)
mitral ['maitrəl] *adj anat* dwudzielny, mitralny
mitre ['maitə] [I] *s* 1. infuła 2. *stol* ukos; połączenie pod kątem 45° (ukośno-narożne); ~ **joint** połączenie ukośne [II] *vt* 1. nada-ć/wać prawo noszenia infuły (**sb** komuś) 2. po/łączyć na ukos
mitre-bevel ['maitə,bevl] *s techn* ukośnica
mitre-valve ['maitə,vælv] *s techn* zawór grzybkowy <stożkowy>
mitre-wheel ['maitə,wi:l] *s techn* zębate koło stożkowe
mitt [mit] *s* 1. rękawica (z jednym palcem) 2. rękawica do boksu 3. mitenka, mitynka 4. *sl* pięść; ręka
mitten ['mitn] = **mitt**; *pot* **to get the** ~ dostać odprawę; (*o pracowniku*) zostać wylanym (z posady)
mittened ['mitnd] *adj* (*o osobie*) w mitenkach
mittimus ['mitiməs] *s* 1. *prawn* nakaz aresztowania 2. *pot* wylanie z posady
mity ['maiti] *adj* robaczywy; zrobaczywiały
mix [miks] [I] *vt* 1. z/mieszać, pomieszać; wymieszać; zamieszać 2. s/preparować <przyrządz-ić/ać> (potrawę, napój itp.) 3. po/łączyć (**work with pleasure etc.** pracę z przyjemnością itd.) [II] *vi* 1. z/mieszać <z/łączyć> się; (*o cieczach itd*) da-ć/wać się zmieszać 2. obcować (z kimś); (towarzysko) ocierać się (**with sb** o kogoś)
~ **up** *vt* 1. z/mieszać; pomieszać; po/plątać 2. po/mylić (**sb with sb else** kogoś z kimś innym); wziąć/brać (**sb with sb else** kogoś za kogoś innego) 3. wmieszać <wplątać> (**sb in an affair** kogoś w jakąś aferę); **to get** ~**ed up in** <**with**> — wplątać się w ... 4. z/mylić (kogoś); (*o kimś*) **to get** ~**ed up** zaplątać <poplątać> się; **I got** ~**ed up** wszystko mi się poplątało <pomieszało> w głowie
zob **mixed, mixing** [III] *s* mieszanka; mieszanina
↑**mixed** ['mikst] [I] *zob* **mix** *v* [II] *adj* 1. mieszany 2. (*o szkole*) koedukacyjny 3. poplątany
mixen ['miksən] *s dial* gnojownia
mixer ['miksə] *s* 1. barman 2. *techn* mieszarka; mieszalnik 3. *z przymiotnikiem*: **a good** <**bad**> ~ człowiek łatwo <niełatwo> zawierający znajomości; człowiek towarzyski <nietowarzyski>
mix-in ['miks'in] *s am pot* bójka
mixing ['miksiŋ] [I] *zob* **mix** *v* [II] *s* 1. mieszanie 2. mieszanka; mieszanina 3. preparat
mixing-apparatus ['miksiŋ,æpə'reitəs] *s* przyrząd do mieszania; mieszarka
mixture ['mikstʃə] *s* mieszanina; mieszanka; mikstura; masa (wybuchowa itd.)
mix-up ['miks'ʌp] *s* 1. plątanina; gmatwanina 2. *am pot* bójka

miz(z)en ['mizn] *s mar* bezan (żagiel)
mizzle[1] ['mizl] [I] *vi* mżyć [II] *s* mżawka; *pot* kapuśniaczek
mizzle[2] ['mizl] *vi sl* zwi-ać/ewać, um-knąć/ykać
mizzly ['mizḷi] *adj* słotny
mnemonic [ni'mɔnik] *adj* mnemoniczny, pamięciowy, dotyczący pamięci
mnemonics [ni'mɔniks] *s* mnemonika, teoria psychologiczna pamięci
mnemotechnic [,ni:mou'teknik] *adj* mnemotechniczny
mnemotechny [,ni:mou'tekni] *s* mnemotechnika
mo [mou] *skr żart pot* **moment**; **half a** ~! chwileczkę!
moan [moun] [I] *s* jęk [II] *vt* lamentować (**a dead person etc.** nad zmarłym itd.) [III] *vi* ję-knąć/czeć
~ **out** *vt* z jękiem wypowi-edzieć/adać (**some words** jakieś słowa)
moat [mout] [I] *s* fosa [II] *vt* ot-oczyć/aczać fosą (zamek itd.)
mob [mɔb] [I] *s* 1. motłoch; gawiedź; tłuszcza; hałastra; **a swell** ~ szajka dobrze ubranych złodziei; ~ **law** samosąd 2. tłum; zbiorowisko (ludzi) [II] *vt* (**-bb-**) (*o motłochu*) rzuc-ić/ać się (**sb, sth** na kogoś, coś) [III] *vi* (**-bb-**) z/gromadzić się tłumnie; s/tłoczyć się
mob-cap ['mɔb,kæp] *s* czepiec, czepek
↑**mobile** ['moubail] *adj* 1. ruchomy; *wojsk* (*o oddziale*) lotny; ~ **police** lotna brygada policji 2. (*o człowieku*) zmienny, niestały
mobility [mou'biliti] *s* 1. ruchliwość 2. zmienność
mobilization [,moubilai'zeiʃən] *s* mobilizacja
mobilize ['moubi,laiz] *vt vi* z/mobilizować (się)
↑**moccasin** ['mɔkəsin] *s* mokasyn; kierpec; *zoo* ~ (**snake**) jadowity wąż Am. Płn.
moccasined ['mɔkəsind] *adj* (*o człowieku*) w mokasynach
mocha ['moukə] *s* mokka (kawa)
↑**mock** [mɔk] [I] *vt* 1. wykpi-ć/wać; wyśmi-ać/ewać 2. przedrzeźniać 3. udaremni-ć/ać 4. zw-ieść/odzić; oszuk-ać/iwać [II] *vi* za/drwić <za/kpić, wyśmi-ać/ewać się> (**at sb, sth** z kogoś, czegoś) [III] *s* 1. pośmiewisko; **to make a** ~ **of sb, sth** wystawić na pośmiewisko kogoś, coś; wyśmiać kogoś, coś 2. imitacja (czegoś) [IV] *adj* pozorny; upozorowany; naśladujący (coś); sztuczny; udawany; (zrobiony) dla zabawy <dla żartu, na niby>; **a** ~ **salute** zasalutowanie dla żartu; ~ **duck** <**goose**> wieprzowina z farszem à la kaczka <gęś>; ~ **turtle** (**soup**) zupa na kościach cielęcych, imitująca zupę żółwiową
mockery ['mɔkəri] *s* 1. wyśmiewanie (się); kpiny; śmiech 2. pośmiewisko; urągowisko 3. farsa; komedia
mock-heroic ['mɔk-hi'rouik] *adj* (*o poemacie*) heroikomiczny
mocking-bird ['mɔkiŋ,bə:d] *s zoo* przedrzeźniacz (ptak)
mock-moon ['mɔk,mu:n] *s astr* paraselene
mock-sun ['mɔk,sʌn] *s astr* parahelion (słońce pozorne)
mock-up ['mɔk'ʌp] *s* makieta (maszyny, samolotu itd.)
modal ['moudl] *adj log jęz* modalny
modality [mou'dæliti] *s log jęz* modalność
mode [moud] *s* 1. tryb (życia, postępowania);

sposób; modła 2. *gram* tryb 3. moda; rzecz modna 4. *muz* tonacja

model ['mɔdl] [I] *s* wzór; wzorzec; model; modelka; manekin; ~ **maker** modelarz [II] *attr* wzorowy; wzorcowy [III] *vt* (-**ll**-) 1. modelować; nada-ć/wać kształt (**sth** czemuś) 2. s/kopiować; wzorować się (**sth** na czymś); **to** ~ **sth after** <**on**> **sth** stworzyć coś na wzór czegoś [IV] *vr* (-**ll**-) ~ **oneself** wzorować się (**on sb** na kimś)

modeller ['mɔdḷə] *s* modelarz-sztukator

modena ['mɔdinə] *s* (*także* ~ **red**) szkarłat

moderate ['mɔdə,reit] [I] *vt* powściąg-nąć/ać; poskr-omić/amiać; po/hamować; uspok-oić/ajać; **to** ~ **one's demands** opuścić coś ze swych żądań; *pot* spuścić z tonu [II] *vi* 1. ucisz-yć/ać się; s/tracić na gwałtowności 2. być arbitrem *zob* **moderating** [III] *adj* ['mɔdərit] 1. umiarkowany; wstrzemięźliwy; rozsądny 2. średni [IV] *s* człowiek umiarkowanych poglądów

moderating ['mɔdə,reitiŋ] [I] *zob* **moderate** *v* [II] *adj* hamujący

moderation [,mɔdə'reiʃən] *s* 1. umiarkowanie; umiar; **in** <**with**> ~ z umiarem; umiarkowanie; w miarę 2. *pl* ~**s** (*pot* **mods**) pierwszy egzamin do stopnia „B.A." (na uniw. Oxf.)

moderator ['mɔdə,reitə] *s* 1. *techn muz* moderator; ~ **lamp** lampa (naftowa) z regulatorem dopływu nafty 2. arbiter 3. (*w różnych organizacjach*) przewodniczący

modern ['mɔdən] [I] *adj* nowoczesny; nowożytny; współczesny; dzisiejszy [II] *s* człowiek <pisarz, artysta> nowoczesny

modernism ['mɔdə,nizəm] *s* modernizm

modernist ['mɔdənist] *s* modernista

modernity [mɔ'də:niti] *s* nowoczesność

modernization [,mɔdənai'zeiʃən] *s* modernizacja; unowocześnianie

modernize ['mɔdə,naiz] *vt* z/modernizować; unowocześni-ć/ać

modest ['mɔdist] *adj* skromny

modesty ['mɔdisti] *s* skromność; **with due** ~ nie chwaląc się: ~ **front** <**vest**> koronkowa wstawka do sukni

modicum ['mɔdikəm] *s* 1. odrobina <mała ilość> (czegoś) 2. skromne środki egzystencji

modifiable ['mɔdi,faiəbl] *adj* dający się z/modyfikować <zmieni-ć/ać, odmieni-ć/ać>; zmienny

modification [,mɔdifi'keiʃən] *s* 1. modyfikacja; zmiana; przekształcenie 2. złagodzenie; stonowanie 3. *gram* modyfikacja morfemu

modify ['mɔdi,fai] *vt* (**modified** ['mɔdi,faid], **modified; modifying** ['mɔdi,faiiŋ]) 1. z/modyfikować; zmieni-ć/ać; przekształc-ić/ać 2. z/łagodzić 3. *gram* odmieni-ć/ać

modillion [mə'diljən] *s arch* wspornik ozdobny, krokiewnica

modish ['moudiʃ] *adj* modny

modiste [mou'di:st] *s* modystka, modniarka

mods [mɔdz] *zob* **moderation** 2.

modulate ['mɔdju,leit] *vt muz radio* modulować

modulation [,mɔdju'leiʃən] *s muz radio* modulacja

module ['mɔdju:l] *s* 1. wzorzec 2. jednostka miary; *bud* moduł

modulus ['mɔdjuləs] *s* (*pl* **moduli** ['mɔdju,lai], ~**es**) *mat fiz* moduł

mofette [mou'fet] *s geol* mofeta

Mogul [mou'gʌl] *s* 1. mogoł 2. **mogul** ważna osobistość

mohair ['mouhɛə] *s tekst* moher

Mohammedan [mou'hæmidən] [I] *adj* mahometański [II] *s* mahometanin

Mohican ['mouikən] *s* Mohikan-in/ka

Mohock ['mouhək] *s* członek bandy eleganckich chuliganów grasującej w Londynie w XVIII w.

mohur ['mouhə] *s* dawna złota moneta obiegowa w Indiach (= 15 rupii)

moiety ['mɔiəti] *s prawn* połowa; jedna z dwóch części całości

moil [mɔil] *vi* (*zw w zwrocie*: **toil and** ~) harować; mozolić się

moire [mwɑ:] *s tekst* mora

moiré ['mwɑ:rei] *adj* (*o tkaninie, blasze*) morowy

moist [mɔist] *adj* wilgotny; **to grow** <**become**> ~ a) na/wilgnąć b) (*o oczach*) napełni-ć/ać się łzami

moisten ['mɔisn] *vt* zwilż-yć/ać

moisture ['mɔistʃə] *s* wilgoć; wilgotność

moisture-proof ['mɔistʃə,pru:f] *adj* odporny na działanie wilgoci

moke [mouk] *s sl* osioł

molar[1] ['moulə] [I] *adj anat* trzonowy [II] *s* ząb trzonowy

molar[2] ['moulə] *adj chem* molowy, gramodrobinowy

molasses [mə'læsiz] *spl* melasa

mole[1] [moul] *s* 1. pieprzyk (na twarzy) 2. *med* zaśniad

mole[2] [moul] *s zoo* kret

mole[3] [moul] *s* molo; falochron

mole[4] [moul] *s chem fiz* mol, gramocząsteczka, gramodrobina

molecular [mou'lekjulə] *adj fiz* cząstkowy, drobinowy, molekularny

molecularity [,moulekju'læriti] *s chem fiz* cząsteczkowość

molecule ['mɔli,kju:l] *s chem fiz* cząsteczka, drobina, molekuła

mole-hill ['moul,hil] *s* kretowisko

moleskin ['moul,skin] *s* 1. futerko kreta; ~ **coat** futro z kretów 2. *tekst* moleskin 3. *pl* ~**s** spodnie moleskinowe

molest [mou'lest] *vt* molestować; naprzykrzać się (**sb** komuś)

molestation [,moules'teiʃən] *s* molestowanie; naprzykrzanie się

mollification [,mɔlifi'keiʃən] *s* 1. zmiękcz-enie/anie 2. z/łagodzenie; uśmierz-enie/anie; ucisz-enie/anie

mollify ['mɔli,fai] *vt* (**mollified** ['mɔli,faid], **mollified; mollifying** ['mɔli,faiiŋ]) 1. zmiękcz-yć/ać 2. z/łagodzić; ułagodzić (kogoś); uśmierz-yć/ać; ucisz-yć/ać

mollusc ['mɔləsk] *s zoo* mięczak

molluscous [mə'lʌskəs] *adj zoo* mięczakowaty

molly ['mɔli] *s* zniewieściały mężczyzna <chłopiec>

mollycoddle ['mɔli,kɔdl] [I] *s* rozpieszczony bachor [II] *vt* rozpie-ścić/szczać

Moloch ['moulək] *spr* 1. Moloch (bożek) 2. *zoo* moloch kolczasty, jaszczurka australijska

Molotov ['molotof] *spr sl* ~ **cocktail** przeciwczołgowy granat zapalający

molten ['moultən] [I] *zob* **melt** *v* [II] *adj* (*o metalu*) ciekły, płynny; stopiony, roztopiony; lany
moly ['mouli] *s bot* dziki czosnek Moly
molybdate ['mɔlib,deit] *s chem* molibdenit
molybdenum [mɔ'libdinəm] *s chem* molibden (pierwiastek)
mom [mɔm] *s am pot* mamusia
moment ['moumənt] *s* 1. chwila; moment; **(at) any ~** (w) każdej chwili; lada chwila; **at the right <wrong etc.> ~** we właściwej <w nieodpowiedniej itd.> chwili; **for the ~** na razie, chwilowo; **in a ~** a) *w odniesieniu do przyszłości*: za chwilę b) *w odniesieniu do przeszłości*: po chwili; **just a ~** chwileczkę; **of the ~** a) (*o zagadnieniach itd*) aktualny b) (*o mężu stanu itd*) (człowiek) chwili <opatrznościowy> c) (*o sojuszniku*) chwilowy; przygodny; **the ~ I began <he came etc.>** — w tej samej chwili, gdy zacząłem <gdy on przyszedł itd.> ...; **this (very) ~** a) w tej chwili b) przed chwilą c) za chwilę; **to the ~** co do sekundy 2. *fiz* moment (bezwładności, oporu, siły itd.) 3. ważność; doniosłość; znaczenie; **of great <little> ~** bardzo <nie bardzo> ważny; wielkiej <niewielkiej> doniosłości; **of no ~** bez znaczenia
momentarily ['moumәntәrili] *adv* 1. chwilowo 2. (w) każdej chwili; lada chwila
momentary ['moumәntәri] *adj* chwilowy; **to be in ~ expectation of sth** spodziewać się <oczekiwać> czegoś (w) każdej chwili <lada chwila>
momently ['moumәntli] *adv* 1. chwilowo; na chwilę 2. (w) każdej chwili; lada chwila
momentous [mou'mentәs] *adj* ważny; doniosły
momentousness [mou'mentisnis] *s* ważność; doniosłość
momentum [mou'mentәm] *s* (*pl* **momenta** [mou'mentә], **~s**) 1. *mech* siła rozpędu; pęd; moment mechaniczny; ilość ruchu 2. *pot* rozpęd; rozmach; impet; **to gather <gain> ~** rozpędz-ić/ać się; przyb-rać/ierać na sile
monac(h)al ['mɔnәkl] *adj* mniszy; zakonny; klasztorny
monad ['mɔnæd] *s filoz* monada
monadelphous [,mɔnә'delfәs] *adj bot* jednozwiązkowy
monadic [mɔ'nædik] *adj chem* jednowartościowy
monandrous [mә'nændrәs] *adj bot* jednopręcikowy
monarch ['mɔnәk] *s* 1. monarcha 2. *zoo* nazwa dużego tropikalnego motyla
monarchic(al) [mɔ'na:kik(әl)] *adj* monarchiczny; monarszy
monarchist ['mɔnәkist] *s* monarchista
monarchy ['mɔnәki] *s* monarchia
monastery ['mɔnәstәri] *s* klasztor
monastic [mә'næstik] [I] *adj* klasztorny; zakonny [II] *s* zakonnik, mnich
Monday ['mʌndi] *s* poniedziałek; **Black ~** a) *sl szk* pierwszy poniedziałek po wakacjach <po feriach świątecznych> b) feralny dzień
mondayish ['mʌndiiʃ] *adj* (*o człowieku*) odczuwający poświąteczną niechęć do pracy
monetary ['mʌnitәri] *adj* monetarny; pieniężny; walutowy
monetize ['mʌni,taiz] *vt* bić pieniądze (**a metal** z danego metalu)
money ['mʌni] *s* 1. (*bez pl*) pieniądze; pieniądz, waluta, środek płatniczy <obiegowy>; **a piece of ~** moneta; **~ makes the mare go** pieniądz dźwignią wszystkiego; *pot* kto smaruje, ten jedzie; **ready ~** gotówka; **there's ~ in it** można na tym zarobić; to jest rzecz intratna <dochodowa>; **to make ~** z/robić pieniądze <majątek>; wzbogac-ić/ać się; **to throw good ~ after bad** coraz bardziej się pogrążać finansowo <w kiepskiej inwestycji> 2. *pl* **monies** ['mʌniz], **~s** a) monety b) kwoty; sumy pieniężne; fundusze
money-bag ['mʌni,bæg] *s* 1. sakiewka; trzos; torba (konduktora tramwajowego itd.) 2. *pl* **~s** bogactwo; majątek; pieniądze 3. *pot* skąpiec siedzący na pieniądzach
money-box ['mʌni,bɔks] *s* skarbonka
money-changer ['mʌni,tʃeindʒә] *s* właściciel kantoru wymiany
moneyed ['mʌnid] *adj* 1. pieniężny 2. bogaty; **the ~ classes** klasy posiadające; **the ~ interest** kapitaliści
money-grubber ['mʌni,grʌbә] *s* ciułacz
money-lender ['mʌni,lendә] *s* lichwiarz
moneyless ['mʌnilis] *adj* bez grosza; bez środków (do życia)
money-market ['mʌni,ma:kit] *s* rynek pieniężny; giełda
money-order ['mʌni,ɔ:dә] *s* przekaz pieniężny
money-spider ['mʌni,spaidә], **money-spinner** ['mʌni,spinә] *s zoo* mały czerwony **pająk** mający przynosić szczęście
money's-worth ['mʌniz,wә:θ] *s* w pełni opłacalny wydatek; **I got my ~** opłacił mi się ten wydatek; zwróciły mi się pieniądze
moneywort ['mʌni,wә:t] *s bot* tojeść rozesłana, pieniężnik
monger ['mʌŋgә] *s* handlarz; kupiec; przekupień
Mongol ['mɔŋgɔl], **Mongolian** [mɔŋ'gouljәn] [I] *s* Mongoł/ka [II] *adj* mongolski
mongoose [mʌŋ'gu:s] *s zoo* mangusta
mongrel ['mʌŋgrәl] [I] *s* 1. kundel 2. mieszaniec (zwierzę i człowiek) [II] *adj* mieszany; (*o zwierzęciu*) mieszanych ras; (*o roślinie*) mieszanych gatunków
monial ['mounjәl] *arch* = **mullion**
monies *zob* **money** 2.
monism ['mɔnizәm] *s filoz* monizm
monistic [mɔ'nistik] *adj filoz* monistyczny
monition [mou'niʃәn] *s* 1. ostrzeżenie; przestroga; 2. monit 3. *kośc* upomnienie (biskupie) 4. wezwanie sądowe
monitor ['mɔnitә] [I] *s* 1. monitor (uczeń zastępujący nauczyciela) 2. *mar* monitor 3. *zoo* ostrzegacz (jaszczurka afr.) 4. urządzenie kontrolne; aparatura kontrolna [II] *vt* 1. monitować 2. *szk* pełnić obowiązki monitora 3. kontrolować (przy pomocy aparatury)
monitorial [,mɔni'tɔ:riәl] *adj* 1. ostrzegawczy; upominający 2. (*o systemie szkolnym*) monitorialny
monitory ['mɔnitәri] [I] *adj* ostrzegawczy; upominający [II] *s kośc* monitorium (list napominający)
monk [mʌŋk] *s* mnich; **black ~** benedyktyn; **white ~** cysters
monkery ['mʌŋkәri] *s* 1. mnisze życie 2. *zbior* mnisi 3. klasztor 4. klasztorne życie <praktyki>
monkey ['mʌŋki] [I] *s* 1. małpa; **~ business** małpie figle; szop-a/y; *pot* **~ face** małpia gęba; **to get one's ~ up** wściec się; **to put sb's ~ up** doprowadzić kogoś do wściekłości 2. *techn* bijak

kafara 3. *sl* 500 funtów szterlingów; *am* 500 dolarów [II] *vi* 1. błaznować; wyprawiać małpie figle 2. (*także* ~ **about**) ruszać (**with sth** coś zakazanego); dotykać (**with sth** czegoś zakazanego); manipulować (**with sth** przy czymś) [III] *vt* małpować (kogoś)
monkey-bread ['mʌŋki,bred] *s* owoc baobabu
monkeyish ['mʌŋkiiʃ] *adj* małpi
monkey-jacket ['mʌŋki,dʒækit] *s* krótka, obcisła kurtka marynarza
monkey-nut ['mʌŋki,nʌt] *s* orzech ziemny
monkey-puzzle ['mʌŋki,pʌzl] *s bot* araukaria
monkey-shine ['mʌŋki,ʃain] *s* małpie figle; szop-a/y
monkey-spanner ['mʌŋki,spænə], **monkey-wrench** ['mʌŋki,rentʃ] *s* klucz francuski
monk-fish ['mʌŋk,fiʃ] *s zoo* 1. anioł morski (ryba) 2. żabnica (ryba)
monkish ['mʌŋkiʃ] *adj* mnisi
monk-seal ['mʌŋk,si:l] *s zoo* foka białobrzucha
monk's-hood ['mʌŋks,hud] *s bot* tojad mordownik
monobasic [,mɔnou'beisik] *adj chem* jednozasadowy
monochromatic [,mɔnou-krou'mætik] *adj fiz* monochromatyczny
monochrome ['mɔnə,kroum] *s mal* monochromia
monocle ['mɔnəkl] *s* monokl
monoclinal [,mɔnou'klainəl] *adj geol* jednoskośny, monoklinalny
monocotyledon ['mɔnou,kɔti'li:dən] *s bot* roślina jednoliścienna
monocotyledonous ['mɔnou,kɔti'li:dənəs] *adj bot* jednoliścienny
monocular [mə'nɔkjulə] *adj* 1. jednooki 2. jednooczny, na jedno oko
monody ['mɔnədi] *s muz* monodia
monoecia [mɔ'ni:ʃjə] *spl bot* rośliny jednopienne
monoecious [mɔ'ni:ʃjəs] *adj bot* jednopienny
monogamist [mɔ'nɔgəmist] *s* monogamista
monogamy [mɔ'nɔgəmi] *s* monogamia
monogenesis [,mɔnou'dʒenisis] *s biol* monogeneza, jednopochodność
monogram ['mɔnə,græm] *s* monogram
monograph ['mɔnə,grɑ:f] *s* monografia
monographic [,mɔnə'græfik] *adj* monograficzny
monogyny [mə'nɔdʒini] *s* monoginia
monolith ['mɔnouliθ] *s* monolit
monologize [mɔ'nɔlə,dʒaiz] *vi* 1. monologować 2. nie dopu-ścić/szczać innych do głosu w rozmowie towarzyskiej
monologue ['mɔnə,lɔg] *s* monolog
monomania ['mɔnou'meinjə] *s med* monomania
monomaniac ['mɔnou'meinjæk] *s med* monoman
monometallism ['mɔnou'metə,lizəm] *s ekon* monometalizm
monomial [mɔ'noumjəl] *s mat* jednomian
monomorphic [,mɔnə'mɔ:fik], **monomorphus** [,mɔnə'mɔ:fəs] *adj* monomorficzny, jednopostaciowy, o jednej postaci rozwojowej
monopetalous [,mɔnə'petələs] *adj bot* (*o kwiecie*) jednopłatkowy (z koroną o jednym płatku)
monophase ['mɔnou,feiz] *adj* jednofazowy
monophthong ['mɔnəf,θɔŋ] *s jęz* monoftong
monophyllous [mə'nɔfiləs] *adj bot* jednolistny
monoplane ['mɔnə,plein] *s lotn* monoplan, jednopłatowiec
monopolist [mə'nɔpəlist] *s* monopolista
monopolize [mə'nɔpə,laiz] *vt* z/monopolizować
monopoly [mə'nɔpəli] *s* monopol
monorail ['mɔnou,reil] [I] *s* kolej jednoszynowa [II] *adj* jednoszynowy
monospermous [,mɔnou'spə:məs] *adj bot* jednonasienny
monosyllabic ['mɔnəsi'læbik] *adj* jednozgłoskowy
monosyllable ['mɔnə,siləbl] *s* monosylaba; **to speak in** ~**s** mówić <operować> monosylabami
monotheism ['mɔnouθi:,izəm] *s rel* monoteizm
monotheist ['mɔnə,θi:ist] *s rel* monoteista
monotone ['mɔnə,toun] *s* monotonia (mowy itd.); monotonność; jednostajność; **to speak in a** ~ mówić jednostajnie
monotonous [mə'nɔtnəs] *adj* monotonny; jednostajny
monotony [mə'nɔtni] *s* monotonia; jednostajność
monotreme ['mɔnə,tri:m] *s* (*pl* **monotremata** [,monoutri'mætə]) *zoo* stekowiec
monotype ['mɔnə,taip] *s* 1. *biol* jedyny okaz 2. *druk* monotyp
monovalent ['mɔnə,veilənt] *adj chem* jednowartościowy
monoxide [mɔ'nɔksaid] *s chem* jednotlenek
monroism [mən'rouizəm] *s* doktryna Monroe'go
monsoon [mɔn'su:n] *s* monsun, muson
monster ['mɔnstə] [I] *s* potwór, dziwoląg; poczwara [II] *adj* potworny; monstrualny
monstrance ['mɔnstrəns] *s kośc* monstrancja
monstrosity [mɔns'trɔsiti] *s* potworność
monstrous ['mɔnstrəs] [I] *adj* potworny; monstrualny; olbrzymi; (*o zbrodni itp*) ohydny [II] *adv* ogromnie; strasznie; szalenie; nieprawdopodobnie
monstrousness ['mɔnstrəsnis] *s* potworność <ohyda> (zbrodni itp.)
montage [mɔn'tɑ:ʒ] *s kino* montaż <z/montowanie> (filmu)
montane ['mɔntein] *adj* górski
Montenegrin [,mɔnti'ni:grin] [I] *adj* czarnogórski [II] *s* Czarnogó-rzec/rka
month [mʌnθ] *s* miesiąc; *przen* **a** ~ **of Sundays** cała wieczność
monthly ['mʌnθli] [I] *adj* miesięczny; jednomiesięczny; ~ **nurse** pielęgniarka przy położnicy [II] *s* 1. miesięcznik 2. *pl* **monthlies** miesiączka, menstruacja [III] *adv* miesięcznie; co miesiąc
monticule ['mɔnti,kju:l] *s* 1. pagórek 2. wybrzuszenie
monument ['mɔnjumənt] *s* pomnik; monument; dzieło pomnikowe; **the Monument** kolumna wzniesiona w Londynie dla upamiętnienia wielkiego pożaru z 1666 r.
monumental [,mɔnju'mentl] *adj* monumentalny; pomnikowy; ~ **ignorance** potworna ignorancja; ~ **mason** kamieniarz (robiący nagrobki)
moo [mu:] [I] *vi* (*o krowie*) ryczeć [II] *s* ryk (krowy)
mooch, mouch [mu:tʃ] *sl* [I] *vi* wałęsać <próżniaczyć> się [II] *vt* zwędzić, ściąg-nąć/ać, u/kraść
moo-cow ['mu:,kau] *s dziec* krowa
mood¹ [mu:d] *s* 1. *gram* tryb 2. *muz* tonacja
mood² [mu:d] *s* nastrój; usposobienie; humor; **to be in the** ~ **for sth** mieć nastrój <ochotę> do czegoś; **to have** ~**s** mie-ć/wać humory; ulegać nastrojom

moodiness ['mu:dinis] *s* 1. markotność; zły humor; ponury nastrój 2. zmienne usposobienie

moody ['mu:di] *adj* (**moodier** ['mu:diə], **moodiest** ['mu:diist]) 1. markotny; w złym humorze; w ponurym nastroju 2. (*o człowieku*) zmiennego usposobienia

moollah ['mulə] = **mullah**

moon [mu:n] [I] *s* 1. księżyc; **full ~** pełnia; **new ~** nów; księżyc na nowiu; **once in a blue ~** raz od wielkiego święta; **to cry for the ~** żądać gwiazdki z nieba 2. *poet* miesiąc [II] *vi* bezmyślnie chodzić tu i tam

~ about <**along**> *vi* chodzić jak we śnie

~ away *vt* spędzać bezczynnie (czas, godziny itd.)

moonbeam ['mu:n,bi:m] *s* promień księżyca

moon-blindness ['mu:n,blaindnis] *s wet* kurza ślepota u konia

moon-calf ['mu:n,kɑ:f] *s* kretyn; idiota

moon-eye ['mu:n,ai] = **moonblindness**

moon-eyed ['mu:n,aid] *adj* 1. *wet* (*o koniu*) cierpiący na kurzą ślepotę 2. (*o człowieku*) z wyłupiastymi oczami

moon-face ['mu:n,feis] *s* twarz jak księżyc w pełni

moon-flower ['mu:n,flauə] *s bot* stokrotka

moonless ['mu:nlis] *adj* bezksiężycowy

moonlight ['mu:nlait] *s* światło <blask> księżyca; **~ flitting** nocna wyprowadzka (dla uniknięcia zapłaty czynszu); **~ night** noc księżycowa

moonlighter ['mu:n,laitə] *s* terrorysta irlandzki

moonlighting ['mu:n,laitiŋ] *s* akty terroru (w Irlandii)

moonlit ['mu:n,lit] *adj* oświetlony światłem księżyca; księżycowy

moonshee ['mu:nʃi:] *s* (*w Indiach*) tubylczy znawca <nauczyciel> języków

moonshine ['mu:n,ʃain] *s* 1. *poet* = **moonlight** 2. fantazjowanie 3. przemycone napoje alkoholowe

moonshiner ['mu:n,ʃainə] *s* 1. *am sl* osoba pędząca nielegalnie alkohol 2. *am sl* przemytnik napojów alkoholowych 3. ciemny typ

moonstone ['mu:n,stoun] *s min* kamień księżycowy (odmiana skalenia)

moonstruck ['mu:n,strʌk] *adj* umysłowo chory

moonwort ['mu:n,wə:t] *s bot* 1. miesięcznik roczny 2. podejźrzon księżycowy

moony ['mu:ni] *adj* 1. księżycowy; półksiężycowy 2. rozmarzony; bujający w obłokach; nieprzytomny 3. *sl* podpity

Moor[1] [muə] *s* Maur

moor[2] [muə] *s* 1. wrzosowisko 2. torfowisko 3. teren polowań

moor[3] [muə] [I] *vt mar* przy/cumować [II] *vi mar* przybi-ć/jać do brzegu

moorage ['muəridʒ] *s mar* 1. cumowanie 2. miejsce cumowania 3. opłata za miejsce postoju okrętu; przystaniowe

moor-buzzard ['muə,bʌzəd] *s zoo* błotniak (ptak)

moor-cock ['muə,kɔk] *s zoo* pardwa (samiec)

moor-fowl ['muə,faul], **moor-game** ['muə,geim] *s zoo* pardwy

moor-grass ['muə,grɑ:s] *s bot* łamignat (trawa bagienna)

moorhen ['muə,hen] *s zoo* pardwa (samica)

mooring ['muəriŋ] [I] *zob* **moor**[3] [II] *s* 1. *mar* cumowanie; **~ dues** = **moorage** 3.; *lotn* **~ mast** maszt do cumowania sterowca; *mar* **~ rope** cuma 2. *pl* **~s** *mar* urządzenie <miejsce> do cumowania

Moorish ['muəriʃ] *adj* mauretański

moorland ['muələnd] *s* 1. wrzosowisko 2. torfowisko

moose [mu:s] *s zoo* łoś amerykański

moot [mu:t] [I] *s* 1. *hist* zgromadzenie ludowe 2. *uniw* inscenizacja rozprawy sądowej (dla studentów prawa) [II] *vt* porusz-yć/ać w dyskusji; podda-ć/wać pod dyskusję (sprawę) [III] *adj* sporny

mop[1] [mɔp] [I] *s* tampon; miotła z pakuł; zmywak na kiju <na rączce> (do podłogi, okien, naczynia itp.); *pot* **a ~ of hair** kudły [II] *vt* (**-pp-**) wy-trzeć/cierać; *sl* **to ~ the floor with sb** spuścić manto komuś; rozgromić kogoś

~ up *vt* 1. zebrać/zbierać (wodę itp.) szmatami <tamponem itp.> 2. *pot* pochł-onąć/aniać (cały zarobek itd.) 3. *sl* golnąć (kieliszek wina itd.) 4. *pot* oczy-ścić/szczać (teren walk z trupów itd.) 5. *sl* wyk-ończyć/ańczać (kogoś)

mop[2] [mɔp] [I] *s w zwrocie*: **~s and mows** miny; grymasy [II] *vi* (**-pp-**) *w zwrocie*: **to ~ and mow** stroić miny; robić grymasy

mope [moup] [I] *vi* (*także vr* **~ oneself**) pogrą-ż-yć/ać się w czarnych myślach; podda-ć/wać się chandrze <przygnębieniu>; chodzić osowiały [II] *s* 1. człowiek osowiały 2. *pl* **~s** przygnębienie; chandra

mope-eyed ['moup,aid] *adj* krótkowzroczny; **to be ~** być krótkowidzem

mopey ['moupi], **mopish** ['moupiʃ] *adj* osowiały; przygnębiony

moquette [mou'ket] *s tekst* rodzaj pluszu na obicia i chodniki

moraine [mɔ'rein] *s geol* morena

moral ['mɔrəl] [I] *adj* 1. moralny; obyczajny 2. duchowy 3. (*o przekonaniu*) wewnętrzny, moralny 4. (*o odwadze*) cywilny [II] *s* 1. morał; sens moralny; nauka (moralna) 2. *pl* **~s** moralność; obyczaje; obyczajność 3. *w mowie ludowej* (*o synu itd*) odbicie <żywy obraz> (ojca itd.)

morale [mɔ'rɑ:l] *s* duch, morale (armii itd.)

moralist ['mɔrəlist] *s* moralista

morality [mə'ræliti] *s* 1. moralność; etyka (zawodowa); obyczajność 2. moralizatorstwo 3. *hist* moralitet (utwór)

moralize ['mɔrə,laiz] *vi* 1. moralizować 2. umoralni-ć/ać

morass [mə'ræs] *s* bagno, bagnisko; moczar/y; grzęzawisko; mokradł-o/a

morassy [mə'ræsi] *adj* bagnisty

moratorium [,mɔrə'tɔ:riəm] *s* moratorium

moratory ['mɔrətəri] *adj* moratoryjny

Moravian [mə'reivjən] [I] *adj* morawski; *rel* **~ brethren** bracia czescy <morawscy> [II] *s* Morawian-in/ka

moray ['mɔ:rei] *s zoo* morena (ryba węgorzowata)

morbid ['mɔ:bid] *adj* 1. chorobowy; **~ anatomy** anatomia patologiczna; **~ growth** nowotwór 2. chorobliwy 3. (*o myślach itd*) niezdrowy 4. schorzały

morbidity [mɔ:'biditi] *s* 1. chorobliwość 2. zachorowalność; **~ rate** współczynnik zachorowalności

morbidness ['mɔ:bidnis] *s* chorobliwość

morbific [mɔ:'bifik] *adj* chorobotwórczy

mordacious [mɔ:'deiʃəs] *adj* zjadliwy

mordacity [mɔ:'dæsiti] *s* zjadliwość

mordant ['mɔ:dənt] [I] *adj* 1. *chem* gryzący; żrący; kaustyczny 2. (*o krytyce itd*) zjadliwy 3. (*o bólu*) ostry; przeszywający [II] *s chem* zaprawa do utrwalenia barwnika

mordent ['mɔ:dənt] *s muz* mordent

more [mɔ:] *zob* **many, much** [I] *adj* 1. więcej; **a little <few> ~** jeszcze trochę <kilka>; **hardly <scarcely> any ~** a) mało co więcej b) więcej chyba nie; **little <few> ~** niewiele więcej; **many ~** o wiele więcej; **neither ~ nor less** ni mniej ni więcej (tylko ...); **no ~** więcej nie; już nie; **no ~!** dosyć!, dość!; **what ~?** co jeszcze?; **to have some ~** dobrać sobie (potrawy); *przy liczebnikach*: a) **~ than** ponad; **~ than one** niejeden; **~ than 20** ponad 20 b) jeszcze; **one <two, three etc.> ~** jeszcze jeden <dwa, trzy itd.>; **some <any> ~** jeszcze trochę <kilka>; **have you any ~ apples? — I have some ~** czy jeszcze masz jabłka? — jeszcze mam (kilka) 2. dalszy; **~ outbreaks** dalsze wybuchy (epidemii itd.) [II] *s* więcej; **as many ~** drugie tyle; **~ and ~** coraz więcej; **~ than enough** już za dużo; aż nadto; więcej niż potrzeba; **what is ~ —** co więcej...; mało tego...; **it was ~ than I could say** nie potrafiłem <nie umiałem> powiedzieć; **to hear ~ of sb** otrzymać dalsze wiadomości od kogoś; **to see ~ of sb** jeszcze nieraz widzieć <spotkać> się z kimś [III] *adv* 1. bardziej; *z przymiotnikiem i przysłówkiem odpowiada stopniowi wyższemu*: **~ beautiful** piękniejszy; **~ beautifully** piękniej; **~ and ~** coraz bardziej; **~ and ~ beautiful** coraz piękniejszy; **the ~** tym bardziej; **the ~ so as —** tym bardziej, że...; **the ~ ... the ~ —** im bardziej... tym.. 2. *przy czasowniku*: więcej; **~ or less** mniej więcej; **the ~ ... the —** im więcej... tym...; **you should work ~** powinieneś więcej pracować 3. raczej; **~ in sorrow than in anger** raczej ze smutkiem niż ze złością (coś powiedzieć) 4. *z przeczeniem*: **not any ~, no ~** już więcej nie; nigdy już; **he feared I was not interested — no ~ was I** on obawiał się, że mnie to nie interesuje — bo też (i) nie interesowało mnie; **to be no ~** przestać istnieć

moreen [mɔ:'ri:n] *s tekst* mocna tkanina na firanki

morel[1] [mɔ'rel] *s bot* smardz (grzyb jadalny)

morel[2] [mɔ'rel] *s* nazwa kilku roślin psiankowatych (psianka czarna, psianki itd.)

morello [mɔ'relou] *s bot* szklanka (wiśnia)

moreover [mɔ:'rouvə] *adv* nadto, ponadto; przy tym; poza tym; do tego jeszcze

Moresque [mə'resk] *adj arch* (*o stylu*) mauretański

morganatic [ˌmɔ:gə'nætik] *adj* morganatyczny

morgue [mɔ:g] *s* kostnica (dla denatów, ofiar nieszczęśliwych wypadków itd.)

moribund ['mɔriˌbʌnd] *adj* umierający, konający

morion ['moriən] *s hist* szyszak (hełm bez przyłbicy)

Mormon ['mɔ:mən] *s rel* mormon

morn [mɔ:n] *s poet* ranek, poranek

morning ['mɔ:niŋ] [I] *s* 1. rano, ranek, poranek; przedpołudnie; **at 5 <6 etc.> in the ~** o 5 <6 itd.> rano; **early in the ~** wcześnie <w czas> rano; **every ~** codziennie z rana; każdego przedpołudnia; **good ~** dzień dobry!; **in the ~** rano; z rana; przed południem; **on the ~ of that day, that ~** tego dnia z rana <przed południem>; **this ~** dzisiaj rano; **till late in the ~** do późnych godzin rannych 2. *poet* zaranie (życia itd.) [II] *attr* ranny, poranny; przedpołudniowy; **~ call** wizyta oficjalna (którą składa się wczesnym popołudniem); **~ coat** żakiet (męski); **~ performance** poranek (przedstawienie)

morning-glory ['mɔ:niŋˌglɔ:ri] *s bot* powój

morning-room ['mɔ:niŋˌrum] *s* mały salon

morning-star ['mɔ:niŋˌstɑ:] *s* gwiazda poranna; Wenus; *przen* zwiastun

Moroccan [mə'rɔkən] [I] *adj* marokański [II] *s* Maroka-ńczyk/nka

morocco [mə'rɔkou] *s* marokin (rodzaj skóry)

moron ['mɔ:rən] *s* człowiek niedorozwinięty umysłowo; kretyn

morose [mə'rous] *adj* posępny; przygnębiony; smutny; markotny

morpheme ['mɔ:fi:m] *s jęz* morfem

morphia ['mɔ:fjə], **morphine** ['mɔ:fi:n] *s* morfina

morphinism ['mɔ:fiˌnizəm] *s* morfinizm

morphological [ˌmɔ:fə'lɔdʒikəl] *adj* morfologiczny

morphology [mɔ:'fɔlədʒi] *s* morfologia

morris[1] ['mɔris] *s* (*także* **~ dance**) taniec ludowy, którego uczestnicy przedstawiają postacie z opowieści „Robin Hood"

Morris[2] ['mɔris] *spr* **~ chair** fotel klubowy z ruchomym <regulowanym> oparciem

morrow ['mɔrou] *s lit* **the ~** następny dzień; **on the ~** następnego dnia; nazajutrz; *przen* tuż po (**of the war etc.** wojnie itd.)

Morse[1] [mɔ:s] *spr* **the ~ alphabet <code>** alfabet Morse'a

morse[2] [mɔ:s] *s zoo* mors

morsel ['mɔ:səl] [I] *s* kęs, kąsek; kawałek; odrobina [II] *vt* rozdr-obnić/abniać; rozparcelow-ać/ywać

mort[1] [mɔ:t] *s dial* masa; mnóstwo

mort[2] [mɔ:t] *s zoo* trzyletni łosoś

mortal ['mɔ:təl] [I] *adj* 1. śmiertelny 2. (*o walce*) na śmierć i życie 3. *sl* (*o okresie czasu*) dłużący się 4. (*o czymśkolwiek*) pod słońcem <na świecie> 5. *sl* (*o pośpiechu itp*) straszliwy 6. *przy zaprzeczeniu*: absolutnie żaden [II] *s* 1. śmiertelnik 2. *pot żart* człowiek; **what a thirsty ~ you are!** ale masz pragnienie!

mortality [mɔ:'tæliti] *s* 1. śmiertelność; **~ rate** współczynnik umieralności 2. liczba ofiar (wypadków) 3. *zbior* śmiertelni

mortally ['mɔ:təli] *adv* śmiertelnie; (obrazić się) na śmierć

mortar ['mɔ:tə] [I] *s* 1. moździerz (aptekarski, kuchenny) 2. *wojsk* moździerz 3. zaprawa murarska [II] *vt* z/wiązać zaprawą (kamienie, cegły)

mortar-board ['mɔ:təˌbɔ:d] *s* 1. *bud* kwadratowa deska, na której murarz trzyma podręczny zapas zaprawy 2. czapka szkolna <uniwersytecka> z kwadratowym, płaskim wierzchem

mortgage ['mɔ:gidʒ] [I] *s* hipoteka; zastaw; dług <wierzytelność> hipoteczn-y/a [II] *vt* za/hipotekować; oddać w zastaw hipoteczny

mortgagee [ˌmɔ:gə'dʒi:] *s* wierzyciel hipoteczny

mortgager [ˈmɔ:gədʒə], **mortgagor** [ˌmɔ:gəˈdʒɔ:] *s* dłużnik hipoteczny

mortice [ˈmɔ:tis] = **mortise**

mortician [mɔ:ˈtiʃən] *s am* właściciel zakładu pogrzebowego

mortification [ˌmɔ:tifiˈkeiʃən] *s* 1. umartwi-enie/anie (ciała) 2. upok-orzenie/arzanie; wstyd 3. *med* zgorzel; gangrena

mortify [ˈmɔ:tiˌfai] *v* (**mortified** [ˈmɔ:tiˌfaid], **mortified; mortifying** [ˈmɔ:tiˌfaiiŋ]) [I] *vt* 1. umartwiać (ciało) 2. upok-orzyć/arzać [II] *vi* z/gangrenować się; być dotkniętym gangreną

mortise [ˈmɔ:tis] [I] *s* 1. *stol* gniazdo czopa <na czop> 2. gniazdo (w kamieniu) na klamrę <na wilczą łapę>; **~ chisel** dłuto [II] *vt stol* łączyć na czopy; wpuszczać

mortmain [ˈmɔ:tˌmein] *s prawn* martwa ręka

mortuary [ˈmɔ:tjuəri] [I] *adj* 1. pogrzebowy 2. przedpogrzebowy [II] *s* kostnica; dom przedpogrzebowy

Mosaic[1] [məˈzeiik] *adj* mojżeszowy

mosaic[2] [məˈzeiik] [I] *s* mozaika [II] *adj* mozaikowy

moselle [məˈzel] *s* wino mozelskie

mosey [ˈmouzi] *vi am sl* zwi-ać/ewać

moschatel [ˌmɔskəˈtel] *s bot* piżmaczek

Moslem [ˈmɔzləm] [I] *s* muzułman-in/ka [II] *adj* muzułmański

mosque [mɔsk] *s* meczet

mosquito [məsˈki:tou] *s* (*pl* **~es**) *zoo* moskit; komar

mosquito-bite [məsˈki:touˌbait] *s* ukąszenie <ukłucie> komara

mosquito-craft [məsˈki:touˌkra:ft] *s* (*pl* **mosquito--craft**) mały zwinny statek wojenny

mosquito-curtain [məsˈki:touˌkə:tn] *s* moskitiera (nad łóżkiem)

mosquito-hawk [məsˈki:touˌhɔ:k] *s am zoo* ważka

mosquito-net [məsˈki:touˌnet] *s* moskitiera (siatka)

moss [mɔs] *s* 1. *bot* mech 2. torfowisko

moss-back [ˈmɔsˌbæk] *s am* 1. *pot* człowiek dekujący <ukrywający> się przed służbą wojskową 2. zawzięty konserwatysta

moss-berry [ˈmɔsˌberi] *s bot* żurawina

moss-grown [ˈmɔsˌgroun] *adj* omszały; porosły mchem

moss-hag [ˈmɔsˌhæg] *s* miejsce po wykopanym torfie; torfowisko

moss-rose [ˈmɔsˌrouz] *s bot* róża kosmata <mszysta>

moss-trooper [ˈmɔsˌtru:pə] *s hist* maruder grasujący na pograniczu angielsko-szkockim w XVII wieku

mossy [ˈmɔsi] *adj* (**mossier** [ˈmɔsiə], **mossiest** [ˈmɔsiist]) omszały; mszysty; porosły mchem

most [moust] *zob* **many, much** [I] *adj* 1. najwięcej; najbardziej 2. *przy rzeczowniku*: większość; przeważna część; po większej części; przeważnie; **for the ~ part** po największej części; przeważnie; najczęściej; **in ~ cases** w większości wypadków; przeważnie; **~ people** — ludzie przeważnie <po większej części, najczęściej>... [II] *adv* 1. *z przymiotnikiem lub przysłówkiem odpowiada stopniowi najwyższemu*: **~ beautiful, beautifully** najpiękniejszy, najpiękniej; **~ certainly** a) z całą pewnością b) bezwzględnie c) oczywiście; proszę bardzo 2. nader; nadzwyczajnie; w najwyższym stopniu 3. *am dial* prawie; niemal; chyba [III] *s* 1. największa <przeważająca> część; **~ of the day** <**term etc.**> prawie (przez) cały dzień <trymestr itd.>; **~ of the time** najczęściej; **~ of us** <**you, them**> większość z nas <was, ich>; my <wy, oni> po większej części <przeważnie> 2. maksimum; **the ~ that I can do** wszystko <maksimum tego>, co mogę zrobić; **to make the ~ of** — wykorzyst-ać/ywać... (coś) w pełni <do maksimum>; najkorzystniej pokazać <przedstawić, zużytkować>...; **at ~, at the (very) ~** a) najwyżej; w najlepszym razie <wypadku> b) w najgorszym razie <wypadku>; w ostatecznym razie; ostatecznie

mostly [ˈmoustli] *adv* po największej części; przeważnie; najczęściej; głównie

mote [mout] *s* pyłek; *bibl* **the ~ in thy brother's eye** źdźbło w oku bliźniego twego

motel [mouˈtel] *s am* motel (hotel dla podróżujących automobilistów)

motet [mouˈtet] *s muz* motet

moth [mɔθ] *s zoo* 1. ćma 2. mól

moth-ball [ˈmɔθˌbɔ:l] *s* kulka naftalinowa (przeciw molom)

moth-eaten [ˈmɔθˌi:tn] *adj* 1. zniszczony <zjedzony> przez mole 2. *przen* przestarzały; wyciągnięty z lamusa

mother[1] [ˈmʌðə] [I] *s* 1. matka; **~!** mamo!; mamusiu!; **Mother's Day** Dzień Matki; **~ of pearl** masa perłowa; *bot* **~ of thousands** <**millions**> skalnica; *pot* **every ~'s son of you** <**them**> wszyscy bez wyjątku <co do jednego> 2. *przen* matka; kolebka (sztuki itd.) 3. *rel* matka przełożona 4. wylęgarka [II] *attr* (*o kraju, języku itd*) macierzysty; rodzinny; ojczysty; **~ earth** matka ziemia; **~ wit** zdrowy rozsądek [III] *vt* 1. zrodzić 2. matkować (**sb** komuś); ot-oczyć/aczać macierzyńską opieką 3. usyn-owić/awiać 4. przyzna-ć/wać się do autorstwa (**sth** czegoś) 5. *w zwrocie*: **to ~ a child upon sb** uznać kogoś za matkę (danego) dziecka *zob* **mothering**

mother[2] [ˈmʌðə] *s chem* roztwór macierzysty; **~ of vinegar** błona (śluzowata) na occie

motherhood [ˈmʌdəˌhud] *s* macierzyństwo

mothering [ˈmʌðəriŋ] [I] *zob* **mother**[1] *v* [II] *s attr* **Mothering Sunday** a) czwarta niedziela Wielkiego Postu b) *am* Dzień Matki (druga niedziela maja)

mother-in-law [ˈmʌðer-inˌlɔ:] *s* (*pl* **mothers-in-law** [ˈmʌðəz-inˌlɔ:]) teściowa, świekra

motherland [ˈmʌðələnd] *s* ojczyzna; kraj rodzinny

motherless [ˈmʌðəlis] *adj* bez matki; osierocony

motherliness [ˈmʌðəlinis] *s* macierzyńskość; macierzyńskie uczucia

motherly [ˈmʌðəli] *adj* macierzyński

mother-of-pearl [ˈmʌðərəvˈpə:l] *adj* (*o guziku itd*) z masy perłowej

motherwort [ˈmʌðəˌwə:t] *s bot* nazwa kilku roślin (serdecznik pospolity, bylica itd.)

mothery [ˈmʌðəri] *adj chem* (*o roztworze*) macierzysty

moth-proof [ˈmɔθˌpru:f] *adj* moloodporny

mothy [ˈmɔθi] *adj* pełen moli; zjedzony przez mole

motif [mouˈti:f] *s* motyw

motile [ˈmoutail] *adj zoo bot* (*o rzęskach, zarodnikach itd*) ruchomy

motion [ˈmouʃən] [I] *s* 1. ruch; poruszanie się; bieg (silnika); chód (maszyny); **in ~** w ruchu, w biegu; poruszający się (pociąg itd.); uruchomiony; **to set <put> in ~** puścić w ruch; uruchomić; **~ picture** film (ruchomy); **~ pictures** kino 2. poruszenie (ręki itd.); gest; ruch; **to make the ~s of _** udawać, że... (się coś robi); wykonywać ruchy... (jedzenia, picia itd.) 3. *gimn* tempo; **in ~s** (ćwiczenie) na tempo 4. wniosek (na zebraniu) 5. inicjatywa 6. *sąd* prośba (do sędziego) 7. mechanizm (zegara itd.) 8. *pl* **~s** *med* stolec, wypróżnienie [II] *vi* da-ć/wać znak; **to ~ to sb to do sth** dać komuś znak <skinąć na kogoś> żeby coś zrobił

~ away *vt* oddal-ić/ać znakiem ręki (kogoś)

~ in *vt* zapr-osić/aszać ruchem ręki do wejścia; skinąć (**sb** na kogoś), żeby wszedł

↑**motional** ['mouʃənəl] *adj* poruszający; *techn* rozruchowy

motioner ['mouʃənə] *s* wnioskodawca

motionless ['mouʃənlis] *adj* bez ruchu; unieruchomiony

motivate ['mouti,veit] *vt* 1. być pobudką <bodźcem> (**sb** dla kogoś; **sth** do czegoś); s/powodować (coś) 2. u/motywować

motive ['moutiv] [I] *adj* poruszający; napędowy [II] *s* motyw; pobudka; bodziec [III] *vt* = **motivate**

motivity [mou'tiviti] *s* 1. ruchliwość 2. siła napędowa; *fiz* energia kinetyczna

motley ['mɔtli] [I] *adj* 1. różnobarwny; pstry 2. różnorodny; rozmaity [II] *s* 1. pstrokacizna 2. rozmaitości; mieszanina 3. strój błazeński

↑**motor** ['moutə] [I] *s* 1. motor, silnik; **~ bandit** gangster-automobilista; **~ bicycle** (*pot* **~ bike**) motocykl; *pot* motor; **~ boat** łódź motorowa; motorówka; **~ bus** autobus; **~ car** (*pot* **~**) samochód, auto; **~ coach** autobus (turystyczny. międzymiastowy); autokar; **~ lorry** ciężarówka; **~ pump** motopompa; **~ scooter** skuter; **~ show** wystawa samochodowa; **~ thrasher** młócarka motorowa; **~ tractor** ciągnik 2. *anat* mięsień <nerw> ruchowy [II] *adj* 1. ruchowy; motoryczny 2. mięśniowy [III] *vt* przew-ieźć/ozić <odw-ieźć/ozić> samochodem (kogoś) [IV] *vi* po/jechać <jeździć> samochodem; prowadzić wóz

motorcade ['moutə,keid] *s am* procesja <sznur> samochodów

motor-driven ['moutə,drivn] *adj* motorowy; poruszany motorem

motorial [mou'tɔ:riəl] *adj* ruchowy; motoryczny

motoring ['moutəriŋ] [I] *zob* **motor** *v* [II] *s* jazda samochodem; automobilizm; turystyka samochodowa

motorist ['moutərist] *s* automobilista; kierowca

motorization [,moutərai'zeiʃən] *s* motoryzacja; zmotoryzowanie

motorize ['moutə,raiz] *vt* z/motoryzować; **~d bicycle** motorower

motorless ['moutəlis] *adj* bezmotorowy

motorman ['moutəmən] *s* (*pl* **motormen** ['moutəmən]) *am* motorowy, motorniczy

motor-school ['moutə,sku:l] *s* zakład szkolenia szoferów; szkoła jazdy samochodowej

motor-spirit ['moutə,spirit] *s* paliwo (silnikowe), materiały pędne

motory ['moutəri] *adj* (*o nerwie itd*) ruchowy

mottle ['mɔtl] [I] *vt* pokry-ć/wać (barwnymi) plamkami <cętkami, kropkami>; po/cętkować; nakr-opić/apiać; u/pstrzyć; po/żyłkować *zob* **mottled** [II] *s* (barwna) plamka; cętka; kolorowa kropka <żyłka>

mottled ['mɔtld] [I] *zob* **mottle** *v* [II] *adj* cętkowany, w cętki; nakrapiany, w kropki; żyłkowany, marmurkowy

motto ['mɔtou] *s* (*pl* **~es, ~s**) godło; motto; dewiza; epigraf

mouch *zob* **mooch**

mouf(f)lon ['mu:flɔn] *s zoo* muflon

moujik, muzhik ['mu:ʒik] *s* chłop (w carskiej Rosji)

mould[1] [mould] [I] *s* czarnoziem; **man of ~** śmiertelnik [II] *vt* obor-ać/ywać *zob* **moulding[1]**

mould[2] [mould] [I] *s* 1. forma odlewnicza; matryca 2. forma, model; *przen* **cast in the same ~** ulepiony z tej samej gliny; **cast in a heroic <an artistic etc.> ~** (stworzony) na miarę bohatera <artysty itd.> 3. odlew 4. szablon 5. *bud* krążyna 6. *arch* gzyms 7. typ <pokrój> (człowieka) [II] *vt* 1. odl-ać/ewać 2. modelować; fasonować; kształtować; nada-ć/wać kształt (**sth** czemuś) 3. ur-obić/abiać (charakter itd.) *zob* **moulding[2]**

mould[3] [mould] [I] *s* pleśń [II] *vi* s/pleśnieć [III] *vt* s/powodować pleśnienie (**sth** czegoś)

mould-board ['mould,bɔ:d] *s* odkładnica (pługa)

moulder[1] ['mouldə] *s* formierz, odlewacz

moulder[2] ['mouldə] *vi* 1. rozsyp-ać/ywać się w proch; s/kruszyć się; z/niszczeć 2. z/gnić; s/próchnieć; z/butwieć 3. (*o człowieku*) z/głupieć, ogłupieć

mouldiness ['mouldinis] *s* spleśnienie

moulding[1] ['mouldiŋ] [I] *zob* **mould[1]** *v* [II] *s* oborywanie

moulding[2] ['mouldiŋ] [I] *zob* **mould[2]** *v* [II] *s* 1. odl-anie/ewanie 2. odlew 3. modelowanie, fasonowanie; kształtowanie; *techn* prasowanie 4. fason; nadany kształt 5. ur-obienie/abianie 6. *arch* gzyms; karnisz; pasek; listwa 7. *pl* **~s** profil 8. *techn* wypraska (profil z tworzywa sztucznego)

moulding-board ['mouldiŋ,bɔ:d] *s kulin* stolnica

moulding-plane ['mouldiŋ,plein] *s stol* strug profilowy

mouldy[1] ['mouldi] *adj* (**mouldier** ['mouldiə], **mouldiest** ['mouldiist]) 1. zapleśniały, spleśniały, stęchły; **to go ~** a) spleśnieć b) stęchnąć 2. przestarzały; przebrzmiały; przeżyty 3. *sl* nudny

mouldy[2] ['mouldi] *s sl mar* torpeda

moult [moult] [I] *vi* linieć, lenieć; tracić pióra, pierzyć się; (*o wężu*) zrzuc-ić/ać skórę [II] *s* linienie, lenienie; tracenie piór, pierzenie się; zrzuc-enie/anie skóry (przez węże)

mound[1] [maund] [I] *s* kopiec; hałda [II] *vt* usyp-ać/ywać kop-iec/ce <hałd-ę/y> (**sth** z czegoś)

mound[2] [maund] *s* jabłko (emblemat władzy król.)

mount[1] [maunt] [I] *vi* 1. sta-nąć/wać (**on a chair etc.** na krześle itd.) 2. wy-jść/chodzić (**on the pulpit etc.** na ambonę itd.) 3. si-ąść/adać (**on a horse, bicycle** na konia, rower); dosi-ąść/adać (**on a horse** konia) 4. podn-ieść/osić się; (*o krwi*) uderz-yć/ać (do głowy); napły-nąć/wać (do twarzy); **his colour ~ed** twarz oblała mu się rumieńcem 5. (*o kwocie, rachunku itd*) wyn-ieść/osić (**to so much** tyle) [II] *vt* 1. wejść/wchodzić do góry (**a ladder, the stairs etc.** po drabinie, schodach itd.); sta-nąć/wać (**a chair etc.** na krześle itd.)

2. wspi-ąć/nać się (**sth** po czymś — **a ladder etc.** po drabinie itd.; na coś — **a hill etc.** na górę itd.); wy-jść/chodzić (**a hill, the pulpit etc.** na górę, ambonę itd.) 3. si-ąść/adać (**a horse, bicycle etc.** na konia, rower itd.); dosi-ąść/adać (**a horse** konia) 4. podsadz-ić/ać (**sb on a horse** kogoś na konia) 5. dostarcz-yć/ać (**sb with a horse** komuś wierzchowca); wy/ekwipować (oddział kawalerii) 6. z/montować; ustawi-ć/ać (coś na jakiejś podstawie — działo itd.); osadz-ić/ać (strzelbę itd.); **to ~ guard** sta-nąć/wać <stać> na warcie 7. oprawi-ć/ać (narzędzie, obraz, drogi kamień itd.); podkle-ić/jać (mapę) 8. *teatr* wy/reżyserować (sztukę) 9. (*o zwierzęciu*) pokry-ć/wać (samicę)

~ up *vi* rosnąć, wzrastać; u/zbierać się

zob **mounted, mounting** [II] *s* 1. oprawa; passe-partout; karton <płótno> (na którym mapa jest naklejona) 2. obsada <podstawa, uchwyt> (maszyny) 3. koń; wierzchowiec 4. rower

mount² [maunt] *s* 1. *geogr* góra; szczyt 2. *anat* wzgórek

↑**mountain** ['mauntin] [I] *s geogr* góra; *przen* góra, stos, sterta; **to make a ~ out of a mole-hill** a) przesadzać; z/robić z igły widły <z muchy słonia> b) w (każdym) drobiazgu widzieć przeszkodę nie do przezwyciężenia; (*o falach*) **to run ~ high** piętrzyć się [II] *attr* górski; wysokogórski; górzysty; *bot* **~ ash** jarzębina; **~ chain** łańcuch górski; *pot szkoc* **~ dew** whisky; **~ pass** przełęcz; **~ railway** kolejka górska; **~ range** pasmo górskie

mountaineer [,maunti'niə] [I] *s* 1. góral 2. alpinista; taternik [II] *vi* uprawiać alpinizm <taternictwo, wspinaczkę górską>; chodzić po górach *zob* **mountaineering**

mountaineering [,maunti'niəriŋ] [I] *zob* **mountaineer** *v* [II] *s* alpinizm; taternictwo, wspinaczka górska

mountainous ['mauntinəs] *adj* 1. górzysty 2. ogromny; olbrzymi; zawrotny

mountain-side ['mauntin,said] *s* stok górski

mountant ['mauntənt] *s* klej (do papieru, fotografii itd.)

mountebank ['maunti,bæŋk] *s* 1. sztukmistrz 2. hochsztapler; oszust 3. znachor (sprzedający lekarstwa); szarlatan

mountebankery [,maunti'bæŋkəri] *s* 1. publiczna sprzedaż lekarstw przez znachora 2. sztuczki 3. hochsztaplerstwo; oszustwo 4. szarlataneria

mounted ['mauntid] [I] *zob* **mount¹** *v* [II] *adj* 1. konny; (siedzący) na koniu; **~ police** policja konna; **to be well <badly> ~** mieć dobrego <kiepskiego> wierzchowca 2. oprawiony; w oprawie; (*o mapie*) podklejony 3. ustawiony; osadzony; zmontowany; zamontowany (na podwoziu itd.)

mounter ['mauntə] *s* 1. monter 2. człowiek oprawiający (mapy itd.)

Mountie, mountie ['maunti] *s pot* (*w Kanadzie*) policjant konny

mounting ['mauntiŋ] [I] *zob* **mount¹** *v* [II] *s* 1. z/montowanie, montaż 2. oprawa <obsada> (maszyny itd.); passe-partout; karton <płótno> (na którym mapa jest naklejona); *techn* podstawa 3. uchwyt (maszyny itd.) 4. *pl* **~s** okucia; armatura

mourn [mɔ:n] [I] *vi* płakać (**for <over> sb** nad kimś); lamentować; pogrąż-yć/ać się w smutku [II] *vt* opłakiwać (**sb** kogoś, czyjąś śmierć); żałować (**sb, sth** kogoś, czegoś) *zob* **mourning**

mourner ['mɔ:nə] *s* 1. człowiek osierocony 2. żałobnik 3. płaczka

mournful ['mɔ:nful] *adj* żałobny; ponury

mournfulness ['mɔ:nfulnis] *s* smutek; żałobny nastrój

↑**mourning** ['mɔ:niŋ] [I] *zob* **mourn** [II] *s* 1. opłakiwanie; lament 2. żałoba; **house of ~** dom żałoby; **in ~** a) w żałobie b) (*o oku*) podbity c) (*o paznokciach*) brudny; **to go into ~** wdziać żałobę [III] *attr* żałobny

mourning-band ['mɔ:niŋ,bænd] *s* opaska żałobna

mourning-paper ['mɔ:niŋ,peipə] *s* papier listowy z żałobną obwódką

↑**mouse** [maus] [I] *s* (*pl* **mice** [mais]) 1. *zoo* mysz 2. przeciwwaga okna (do podnoszenia i spuszczania) *zob* **sash-window** 3. *sl* podbite oko [II] *vi* [mauz] 1. (*o kocie itd*) polować na myszy 2. (*o człowieku*) myszkować

~ about *vi* myszkować; węszyć

~ out *vt* wyśledzić (coś); *pot* wywąch-ać/iwać (coś)

mouse-catcher ['maus,kætʃə], **mouser** ['mauzə] *s* łowny kot

mouse-colour ['maus,kʌlə] *s* kolor mysi

mouse-ear ['maus,iə] *s bot* nazwa kilku roślin (jastrzębiec kosmaczek itd.)

mouse-hole ['maus,houl] *s* mysia dziura

mouser *zob* **mouse-catcher**

mouse-tail ['maus,teil] *s* 1. mysi ogon 2. *bot* mysiórek drobny

mouse-trap ['maus,træp] *s* pułapka na myszy

mousse [mu:s] *s kulin* pianka; mus

mousseline ['mu:sli:n] *s tekst* muślin

moustache [məs'tɑ:ʃ] *s* wąs/y

mousy ['mausi] *adj* 1. mysi; podobny do myszy 2. (*o pomieszczeniu itd*) rojący się od myszy 3. (*o człowieku*) nieśmiały; usuwający się w cień

mouth [mauθ] [I] *s* (*pl* **~s** [mauðz]) 1. usta; *pot* gęba; *wulg* pysk; **by word of ~** ustnie; **to put words into sb's ~** przypisać komuś powiedzenie (pewnych) słów; **to stop sb's ~** zatkać komuś gębę (pieniędzmi); kupić czyjeś milczenie 2. *sl* impertynencja 3. (*u zwierząt*) pysk; (*o psie*) **to give ~** szczekać 4. mina; grymas; **to make a wry ~** s/krzywić się; **down in the ~** przygnębiony; zdeprymowany; w depresji 4. otwór; wylot; gardziel; ujście (rzeki) [II] *vt* [mauð] 1. wymawiać z przesadą; **to ~ one's words** mówić z patosem; deklamować 2. chwytać ustami; brać do ust 3. przyuczać (konia) do wędzidła [III] *vi* [mauð] 1. mówić z patosem; deklamować 2. wykrzywi-ć/ać się; stroić miny

mouth-filling ['mauθ,filiŋ] *adj* napuszony; bombastyczny

mouthful ['mauθful] *s* 1. kęs; łyk; **at one ~** (połknąć itd.) na raz; **to make one ~ of —** na raz zjeść <połknąć> ... 2. *sl* kupa <dużo> (czegoś) 3. *am* ważne <ważkie> słowa <powiedzenie>

mouth-organ ['mauθ,ɔ:gən] *s* harmonijka ustna

mouthpiece ['mauθ,pi:s] *s* 1. ustnik (instrumentu muz. itd.) 2. rzecznik <wyraziciel> (grupy, partii itd.) 3. mikrofon 4. cygarniczka; ustnik; munsztuk 5. munsztuk, kiełzno

mouthy ['mauði] *adj* (**mouthier** ['mauðiə], **mouthiest** ['mauðiist]) 1. wymowny 2. napuszony; bombastyczny

movable ['mu:vəbl] [I] *adj* ruchomy [II] *spl* **~s** ruchomości

move [mu:v] [I] *vt* 1. rusz-yć/ać (coś) z miejsca; dźwig-nąć/ać; *przen* **to ~ heaven and earth** poruszyć niebo i ziemię 2. rusz-yć/ać <porusz-yć/ać> (**sth** czymś — ręką, nogą itd.); **to ~ a muscle** drgnąć 3. (*o sile napędowej*) poruszać (mechanizm) 4. posu-nąć/wać; przemie-ścić/szczać; przen-ieść/osić; **to ~ house** przeprowadz-ić/ać się; mieć przeprowadzkę; **to ~ near(er)** przysunąć; przybliżyć 5. dot-knąć/ykać <tknąć/tykać> (**sb, sth** kogoś, czegoś) 6. wzrusz-yć/ać; rozczul-ić/ać; rozrzewni-ć/ać 7. pobudz-ić/ać <skł-onić/aniać, nakł-onić/aniać, s/kusić, zachęc-ić/ać, zagrz-ać/ewać, ośmiel-ić/ać> (kogoś do czegoś); **to ~ sb to anger** <**pity etc.**> wywoł-ać/ywać u kogoś <wzbudz-ić/ać w kimś> gniew <litość itd.> 8. postawić/stawiać (**a resolution** wniosek); **to ~ that** ... postawić/stawiać wniosek, żeby <o> ... [II] *vi* 1. z/robić ruch <posunięcie>; *szach* wykon-ać/ywać ruch; dźwig-nąć/ać się; po/ruszać <posuwać, przesuwać> się naprzód; nie stać w miejscu; być w ruchu 2. ruszyć z miejsca <w drogę> 3. przeprowadz-ić/ać się 4. działać; przystąpić do czynu <do zrobienia czegoś> 5. obracać się (wśród pewnych ludzi) 6. prze-jść/chodzić (w inne ręce) 7. zwr-ócić/acać się (**for sth** o coś — do sądu, przewodniczącego zebrania itd.)

~ about [I] *vi* poruszać się; chodzić tam i z powrotem <w różnych kierunkach> [II] *vt* przesuwać (meble itd.); przemie-ścić/szczać

~ away [I] *vt* usu-nąć/wać; odsu-nąć/wać [II] *vi* oddal-ić/ać <odsu-nąć/wać> się; od-ejść/chodzić

~ back *vt vi* cof-nąć/ać (się)

~ down *vt vi* opu-ścić/szczać <obniż-yć/ać, spu-ścić/szczać> (się)

~ forward [I] *vt* posu-nąć/wać naprzód; wysu-nąć/wać [II] *vi* posu-nąć/wać się naprzód; wyst-ąpić/ępować

~ in [I] *vt* wn-ieść/osić; wprowadz-ić/ać [II] *vi* 1. wejść/wchodzić; wtargnąć 2. wprowadz-ić/ać się

~ off *vi* oddal-ić/ać <odsu-nąć/wać> się; wyrusz-yć/ać; rusz-yć/ać z miejsca; odje-chać/żdżać

~ on *vi* 1. pójść/iść <po/jechać, posu-nąć/wać się> dalej <naprzód>; nie stać w miejscu 2. ruszyć (w dalszą drogę)

~ out *vt vi* wyn-ieść/osić <wyprowadz-ić/ać> (się)

~ round *vt vi* obr-ócić/acać <przekręc-ić/ać> (się)

~ up *vt vi* podn-ieść/osić <dźwig-nąć/ać, podciąg-nąć/ać> (się)

zob **moving** [III] *s* 1. *szach* ruch; **it's your ~** ty masz <pan ma> ruch 2. posunięcie, krok 3. ruch; **to be on the ~** być w ruchu; poruszać się; być na nogach; **to make a ~** ruszyć (z miejsca); **shall we make a ~?** idziemy?; **to get a ~ on** pośpieszać; pośpieszyć się; **get a ~ on!** prędzej (tam)! 4. przeprowadzka

movement ['mu:vmənt] *s* 1. ruch; poruszenie (się) 2. przesunięcie; przemieszczenie; **downward ~** opuszczenie (się) w dół; *giełd* bessa; **upward ~** podniesienie (się); *giełd* hossa 3. ruch społeczny (rewolucyjny, spółdzielczy itd.) 4. mechanizm 5. bieg <chód> (mechanizmu) 6. *med* wypróżnienie 7. *muz* część (utworu) 8. *handl* ożywienie

mover ['mu:və] *s* 1. źródło ruchu; napęd; siła napędowa 2. sprawca; inicjator; *przen* motor (człowiek) 3. wnioskodawca

movie ['mu:vi] [I] *s* 1. film (niemy) 2. *pl* **~s** kino [II] *attr* (*o aktorze itd*) filmowy

movietone ['mu:vi,toun] *s* film dźwiękowy

moving ['mu:viŋ] [I] *zob* **move** *v* [II] *adj* 1. ruchomy; (*o przedmiocie*) w ruchu, poruszający się; *elektr* **~ coil** cewka obrotowa; **~ pictures** kino 2. napędzający, napędowy 3. wzruszający; rozczulający; rozrzewniający [III] *s* 1. przeniesienie; przesunięcie; usunięcie; **~ man** właściciel firmy trudniącej się przeprowadzkami; spedytor; **~ van** wóz meblowy

mow[1] [mou] *s* 1. *dial* sterta 2. sąsiek (w stodole)

mow[2] [mau] *s vi zob* **mop**[2]

mow[3] [mou] *vt* (**mowed** [moud], **mown** [moun]) 1. *dosł i przen* s/kosić 2. strzyc (trawę, trawnik) *zob* **mowing**

mow-burnt ['mou,bə:nt] *adj* (*o zbożu, sianie*) zagrzany, zaparzony

mower ['mouə] *s* 1. kosiarz 2. kosiarka (maszyna); maszyna do strzyżenia trawy

mowing ['mouiŋ] [I] *zob* **mow**[3] [II] *s* koszenie, kośba; sianokosy

mowing-machine ['mouiŋ-mə,ʃi:n] *s* kosiarka (maszyna)

mown *zob* **mow**[3]

Mr ['mistə] *skr* **mister** *s*

Mrs ['misiz] *skr* **mistress**

mu [mju:] *s gr litera* mi

much [mʌtʃ] [I] *adj* (**more** [mɔ:], **most** [moust]) 1. dużo <wiele, niemało, sporo> (**time, work, pains etc.** czasu, pracy, trudu itd.); **how ~?** ile? 2. *z niektórymi rzeczownikami*: wielki; duży; niemały; spory; **~ trouble** <**noise, care etc.**> wielk-i/a <duż-y/a> kłopot <hałas, troska itd.>; **not ~ of a writer** <**scholar, artist etc.**> niewielki (z niego) pisarz <uczony, artysta itd.> [II] *adv* dużo; wiele; niemało; sporo; o wiele; znacznie; **~ to sb's surprise** <**profit, regret etc.**> ku czyjemuś wielkiemu zdziwieniu <pożytkowi, zmartwieniu itd.>; **pretty ~, ~ about** mniej więcej; **this** <**that**> **~** (aż) tyle; tak dalece; *w zdaniach przyzwolonych*: **~ as I hate it, I must** ... chociaż bardzo niechętnie, ale muszę ...; **as ~** (aż) tyle; **I thought as ~** tak mi się też zdawało; **as ~ again** jeszcze raz tyle; **as ~ as** ... tyle samo, co i ...; **it is as ~ as saying** ... to się równa powiedzeniu ...; **as ~ as to say** ... a) jak gdyby ... b) jak gdyby chciał powiedzieć; **it is as ~ as I can do to** ... z największym trudem <wysiłkiem> ...; **so ~** tyle; **he didn't so ~ as wince** <**look, smile etc.**> on nawet nie drgnął <nie popatrzył, nie uśmiechnął się itd.>; **so ~ so that** ... do tego stopnia, że ...; **so ~ the better** <**worse**> tym lepiej <gorzej>

muchness ['mʌtʃnis] *s* wielk-a/i ilość <rozmiar> (czegoś); **it is much of a ~** to mała różnica; na jedno wychodzi

mucilage ['mju:silidʒ] *s* klej (roślinny)
mucilaginous [ˌmju:si'lædʒinəs] *adj* kleisty; śluzowaty
mucin ['mju:sin] *s biochem* mucyna
muck [mʌk] [I] *s* 1. gnój; nawóz 2. błoto; brud 3. *pot* lichota; miernota; szmira; **to make a ~ of sth** zaprzepaścić <zepsuć, spartaczyć, *pot* spaskudzić> coś 4. *pot* paskudztwo; ohyda; szkaradzieństwo 5. *pot* rozgardiasz 6. *górn* zanieczyszczenie; odpadki; skała płonna [II] *vt* 1. usu-nąć/wać <wyrzuc-ić/ać> gnój (**a stable** ze stajni itd.) 2. nawozić 3. za/brudzić; u/błocić; *pot* u/babrać się; zaświni-ć/ać
  ~ about *vi pot* 1. wałkonić się 2. wałęsać się
  ~ in *vi sl* mieszkać <dzielić mieszkanie> (z kimś)
  ~ up *vt* zaprzepa-ścić/szczać; ze/psuć; s/partaczyć; *pot* s/paskudzić
mucker[1] ['mʌkə] *s sl* rymnięcie, upadek; **to come a ~** rymnąć, rąbnąć, wywalić się; **to go a ~ on <over> sth** wpakować się <wpaść> z kupnem czegoś
mucker[2] ['mʌkə] *s* 1. *am sl* cham 2. *górn* ładowacz kamienia 3. *górn* ładowarka (maszyna)
muckiness ['mʌkinis] *s* brud
muckle ['mʌkl] = **mickle**
muck-heap ['mʌkˌhi:p], **muck-hill** ['mʌkˌhil] *s* gnojowisko
muck-rake ['mʌkˌreik] [I] *s* trójzębny hak do gnoju [II] *vt am* wyciąg-nąć/ać na światło dzienne; z/demaskować; rozgrzeb-ać/ywać (skandal itd.)
muckworm ['mʌkˌwə:m] *s* 1. glista 2. skąpiec, sknera, kutwa 4. (*o dziecku*) brudas
mucky ['mʌki] *adj* (**muckier** ['mʌkiə], **muckiest** ['mʌkiist]) 1. brudny; ubabrany 2. wstrętny; ohydny
muco-purulent ['mju:kou'pjuərulənt] *adj med* śluzowo-ropny
muco-pus ['mju:kouˌpʌs] *s med* roposluz
mucous ['mju:kəs] *adj* śluzowy; **~ membrane** błona śluzowa
mucro ['mju:krou] *s* (*pl* **mucrones** [mju:'krouni:z]) *s zoo* ryjek; kolec
mucus ['mju:kəs] *s* śluz
mud [mʌd] *s* błoto; glina; muł; szlam; ił; *med* borowina; *techn* osad; **~ hut** lepianka; **~ wall** mur <ściana> ulepion-y/a z gliny; **to throw <fling, sling> ~ at sb** obrzucać kogoś błotem
mud-bath ['mʌdˌbɑ:θ] *s* kąpiel borowinowa
muddied ['mʌdid] [I] *zob* **muddy** *v* [II] *adj* 1. ubłocony 2. mętny
muddle ['mʌdl] [I] *vt* 1. (*także* **to ~ up <together>**) po/plątać; za/gmatwać; za/bałaganić 2. odurz-yć/ać; za/mroczyć
  ~ on <along> *vi* radzić sobie jako tako
  ~ through *vi* 1. usiłować <robić wysiłki, żeby> przebrnąć 2. wybrnąć z kłopotów
[II] *s* zamieszanie; zamęt; bałagan; nieład; plątanina, gmatwanina; **to make a ~ of sth** poplątać <zagmatwać> coś; popsuć <zaprzepaścić> coś
muddled ['mʌdld] [I] *zob* **muddle** *v* [II] *adj* 1. pogmatwany, poplątany 2. (*o człowieku*) zmieszany; mający zamęt w głowie; ogłupiały 3. (*o człowieku*) zamroczony; odurzony; podchmielony
muddle-headed ['mʌdlˌhedid] *adj* mający zamęt w głowie; o mętnym umyśle; ogłupiały
muddle-headedness ['mʌdlˌhedidnis] *s* zamęt w głowie; ogłupienie
muddy ['mʌdi] [I] *adj* (**muddier** ['mʌdiə], **muddiest** ['mʌdiist]) 1. błotnisty; zabłocony; ubłocony 2. mulisty; *am* **the Big Muddy** (rzeka) Missouri 3. (*o płynie*) mętny 4. (*o świetle*) ciemny, słaby 5. (*o kolorze, farbie*) brudny [II] *vt* (**muddied** ['mʌdid], **muddied; muddying** ['mʌdiiŋ]) 1. u/błocić 2. *dosł i przen* za/mącić
mud-guard ['mʌdˌgɑ:d] *s auto* błotnik
mudlark ['mʌdˌlɑ:k] *s* ulicznik
mud-pie ['mʌdˌpai] *s* babka (z piasku)
mud-slinger ['mʌdˌsliŋə] *s* oszczerca; potwarca
muezzin [mu'ezin] *s* muezzin
muff[1] [mʌf] *s* 1. mufka; zarękawek 2. *techn* tuleja; nasuwka; mufa
muff[2] [mʌf] [I] *s* 1. niezdara; mazgaj; fuszer; *pot* oferma 2. *sport* sfuszerowan-y/a rzut <piłka>; nieudana próba [II] *vt* s/fuszerować
muffin ['mʌfin] *s* rodzaj płaskiej bułki
muffin-bell ['mʌfinˌbel] *s* dzwonek ulicznego sprzedawcy bułek zwanych "muffins"
muffineer [ˌmʌfi'niə] *s* 1. naczynie, w którym trzyma się bułki zwane "muffins", by nie wystygły 2. solniczka <cukierniczka> do posypywania solą <cukrem> bułek zwanych "muffins"
muffin-man ['mʌfinˌmæn] *s* (*pl* **muffin-men** ['mʌfinˌmen]) uliczny sprzedawca bułek zwanych "muffins"
muffle[1] ['mʌfl] *s* pysk (przeżuwaczy i gryzoni)
muffle[2] ['mʌfl] *s* 1. rękawica skórzana uniemożliwiająca umysłowo choremu darcie pościeli 2. mitenka 3. *techn* mufla
muffle[3] ['mʌfl] *vt* 1. (*także* **~ up**) zakut-ać/ywać; opatul-ić/ać; owi-nąć/jać 2. przytłumi-ć/ać; s/tłumić 3. za/kneblować usta (**sb** komuś) *zob* **muffled**
muffled ['mʌfld] [I] *zob* **muffle**[3] [II] *adj* 1. zakutany; opatulony; owinięty 2. przytłumiony; stłumiony
muffler ['mʌflə] *s* 1. szalik 2. rękawica do boksu 3. tłumik
mufti ['mʌfti] *s* 1. mufty, mufti 2. *wojsk mar* cywilne ubranie; **in ~** (ubrany) po cywilnemu
mug[1] [mʌg] *s* 1. kubek; garnuszek; kufel 2. *sport żart* puchar 3. *sl* gęba, facjata, pysk
mug[2] [mʌg] *s sl* naiwniak; frajer; kiep
mug[3] [mʌg] *v* (**-gg-**) [I] *vt szk sl* (*także* **~ up**) kuć, wkuwać [II] *vi* kuć <wkuwać> (**at a subject** przedmiot); wkuwać się
mugful ['mʌgful] *s* kubek <garnuszek, kufel> (czegoś)
mugger ['mʌgə] *s zoo* indyjski krokodyl błotny
muggins ['mʌginz] *s* 1. prostak 2. dziecinna gra w karty 3. rodzaj gry w domino
muggy ['mʌgi] *adj* (**muggier** ['mʌgiə], **muggiest** ['mʌgiist]) 1. (*o powietrzu*) duszny; parny 2. (*o sali itp*) nie wietrzony
mugwort ['mʌgˌwə:t] *s bot* bylica pospolita
mugwump ['mʌgˌwʌmp] *s am* 1. pozer 2. *polit* niezależny
mulatto [mju'lætou] [I] *s* (*pl* **~s, ~es**) Mulat [II] *adj* (*o cerze*) oliwkowy
mulberry ['mʌlbəri] *s bot* 1. (*także* **~-tree**) morwa (drzewo) 2. morwa (jagoda)
mulch [mʌltʃ] [I] *s* mierzwa [II] *vt* okry-ć/wać (rośliny) mierzwą
mulct [mʌlkt] [I] *s* grzywna; kara pieniężna [II] *vt* ukarać <obłożyć> grzywną (kogoś); **to ~ sb**

£10 <**in £10**> wymierzyć komuś 10 funtów grzywny; **to ~ sb of sth** a) potrącić komuś coś (z poborów, należności) b) oszukać kogoś na coś (na jakąś kwotę) c) pozbawi-ć/ać kogoś czegoś

mule[1] [mju:l] *s* 1. *zoo* muł 2. *zoo bot* mieszaniec, hybryda; **~ canary** mieszaniec kanarka z innym łuszczakiem 3. *techn* przędzarka; nawijaczka 4. *am* ciągnik do holowania statków 5. *am* wódka z kukurydzy

mule[2] [mju:l] *s* pantofel ranny (bez pięty)

mule[3] [mju:l] = **mewl**

mule-driver ['mju:l,draivə], **muleteer** [,mju:li'tiə] *s* poganiacz mułów

muliebrity [,mju:li'ebriti] *s* kobiecość

mulish ['mju:liʃ] *adj* uparty

mulishness ['mju:liʃnis] *s* upór

mull[1] [mʌl] *vt* za/grzać (wino, piwo) z korzeniami; zaprawi-ć/ać (wino, piwo) korzeniami *zob* **mulled**

mull[2] [mʌl] *s tekst* gatunek muślinu

mull[3] [mʌl] [I] *s* 1. galimatias, *przen* bigos 2. fuszerka; **to make a ~ of sth** = **~** *vt* [II] *vt* ze/psuć <s/fuszerować, zabałaganić> (coś) [III] *vi am pot* obmyśl-ić/ać (**over sth** coś); przemyśl-eć/iwać (**over sth** nad czymś)

mull[4] [mʌl] *s szkoc* przylądek, cypel

mull[5] [mʌl] *s szkoc* tabakierka

mulla(h) ['mʌlə] *s* mułła

mulled ['mʌld] [I] *zob* **mull**[1] [II] *adj* (*o winie, piwie*) zaprawiony korzeniami

mullein ['mʌlin] *s bot* dziewanna

muller ['mʌlə] *s* tłuczek; rozcieracz (farb itd.)

mullet ['mʌlit] *s zoo* 1. cefal (ryba) 2. kiełb (ryba)

mulley ['muli] [I] *adj am* bezrogi [II] *s am* krowa bezroga

mulligatawny [,mʌligə'tɔ:ni] *s* (*także* **~ soup**) (*w Indiach*) ostra zupa przyprawiona korzeniami

mulligrubs ['mʌli,grʌbz] *spl* 1. *pot* chandra 2. *pot med* kolka

mullion ['mʌliən] *s arch* laska (w oknie), słupek (okienny)

mullioned ['mʌljənd] *adj* (*o oknie gotyckim*) dzielony kamiennymi słupkami; z kamiennymi słupkami

mullock ['mʌlək] *s austral górn* skała płonna; odpady (kopalniane)

multangular [mʌl'tæŋgjulə] *adj* wielokątny

multeity [mʌl'ti:iti] *s* wielość; mnogość

multi- ['mʌlti] *przedrostek* wielo-

multicellular [,mʌlti'seljulə] *adj* wielokomórkowy

multicoloured [,mʌlti'kʌləd] *adj* wielobarwny

multiengined [,mʌlti'endʒind] *adj* wielosilnikowy

multifarious [,mʌlti'fɛəriəs] *adj* wieloraki; różnorodny

multiflorous [,mʌlti'flɔ:rəs] *adj bot* wielokwiatowy

multiform ['mʌlti,fɔ:m] *adj* wielokształtny; wielopostaciowy

multiformity [,mʌlti'fɔ:miti] *s* wielokształtność; wielopostaciowość

multilateral [,mʌlti'lætərəl] *adj* wieloboczny; wielostronny

multilobate [,mʌlti'loubeit] *adj* wielopłat(k)owy

multimillionaire ['mʌlti,miljə'nɛə] *s* multimilioner

multiparous [mʌl'tipərəs] *adj biol* wielorodny (wydający na świat więcej niż jedno młode)

multipartite [,mʌlti'pa:tait] *adj* 1. wielodzielny 2. (*o pakcie*) wielostronny

multiple ['mʌltipl] [I] *adj* wieloraki; wielokrotny; wieloskładnikowy; złożony; (*o sklepie*) wielobranżowy; wielooddziałowy; *techn* wielotorowy [II] *s mat* wielokrotność; **least common ~** najmniejsza wspólna wielokrotność

multiplex ['mʌlti,pleks] = **multiple** *adj*

multiplicand [,mʌltipli'kænd] *s mat* mnożna

multiplication [,mʌltipli'keiʃən] *s* mnożenie; rozmnażanie (się); uwielokrotnienie; **~ table** tabliczka mnożenia

multiplicator [,mʌltipli'keitə] *s* 1. *rz mat* mnożnik; współczynnik 2. *elektron* powielacz

multiplicity [,mʌlti'plisiti] *s* różnorodność; wielokrotność; wielorakość

multiplier ['mʌlti,plaiə] *s* 1. *mat* mnożnik; współczynnik 2. *elektron* powielacz

multiply ['mʌlti,plai] *v* (**multiplied** ['mʌlti,plaid], **multiplied; multiplying** ['mʌlti,plaiiŋ]) [I] *vt* 1. po/mnożyć; uwielokrotni-ć/ać [II] *vi* po/mnożyć <rozmn-ożyć/ażać> się

multipolar [,mʌlti'poulə] *adj* wielobiegunowy

multistage ['mʌlti,steidʒ] *adj* wielostopniowy

multitone ['mʌlti,toun] *attr* (*o trąbce samochodowej itd*) o kilku tonach

multitubular [,mʌlti'tju:bjulə] *adj* (*o kotle*) wielorurkowy

multitude ['mʌlti,tju:d] *s* 1. mnóstwo; mnogość 2. tłum; pospólstwo

multivalent [,mʌlti'veilənt] *adj* wielowartościowy

multure ['mʌltʃə] *s* opłata za przemiał

mum[1] [mʌm] [I] *adj* milczący; **to keep ~** milczeć [II] *interj* sza!; **~'s the word!** ani słówka!

mum[2] [mʌm] *vi* (**-mm-**) grać w pantomimie

mum[3] [mʌm] *s hist* gatunek piwa

mum[4] [mʌm] *s pot* mamusia

mum[5] [mʌm] *sl* = **madam**

mumble ['mʌmbl] [I] *vt* 1. za/mamrotać; za/mruczeć 2. żuć bezzębnymi dziąsłami [II] *s* mamrotanie

Mumbo-Jumbo ['mʌmbou'dʒʌmbou] *s* fetysz; bożyszcze <bóstwo> (ubóstwiany człowiek)

mummer ['mʌmə] *s pot żart pog* aktor

mummery ['mʌməri] *s* maskarada

mummification [,mʌmifi'keiʃən] *s* mumifikacja

mummify ['mʌmi,fai] *vt* (**mummified** ['mʌmi,faid], **mummified; mummifying** ['mʌmi,faiiŋ]) z/mumifikować

mummy[1] ['mʌmi] *s* 1. mumia 2. miazga; **to beat sth to a ~** utłuc coś na miazgę; *pot* **to beat sb to a ~** zbić kogoś na kwaśne jabłko 3. farba brunatna

mummy[2] ['mʌmi] *s* mamusia

mump[1] [mʌmp] *vi* dąsać się

mump[2] [mʌmp] *vi* żebrać

mumps [mʌmps] *s* 1. *med* świnka, † mumps 2. dąsy

munch [mʌntʃ] *vt vi* s/chrupać

mundane ['mʌndein] *adj* 1. światowy 2. kosmiczny 3. (*o rozkoszach itd*) ziemski; doczesny 4. świecki

mundaneness [mʌn'deinnis], **mundanity** [mʌn'dæniti] *s* światowość

mungo ['mʌŋgou] *s tekst* materiał wełniany z odpadków

mungoose ['mʌŋgu:s] = **mongoose**

municipal [mju'nisipəl] *adj* miejski; samorządowy; komunalny; *prawn* ~ **law** prawo państwowe
municipality [mju͵nisi'pæliti] *s* zarząd miasta
municipalize [mju'nisipə͵laiz] *vt* odda-ć/wać <wziąć/brać> pod władzę <pod zarząd> miasta
munificence [mju'nifisns] *s* szczodrość, szczodrobliwość, hojność
munificent [mju'nifisnt] *adj* szczodry, szczodrobliwy, hojny
muniments ['mju:nimənts] *spl* pisemne dowody posiadanych praw <przywilejów>
munition [mju'niʃən] I *s* (*zw pl* ~**s**) amunicja; materiał wojenny; uzbrojenie; zaopatrzenie (wojenne) II *vt* zaopat-rzyć/rywać (wojsko)
munition-factory [mju'niʃən'fæktəri] *s* fabryka amunicji <sprzętu wojennego>
munition-worker [mju'niʃən͵wə:kə] *s* robotnik przemysłu wojennego
muntjak ['mʌntdʒæk] *s zoo* muntjak (mały jeleń azjatycki)
Muntz [mʌntz] *spr* ~ **metal** stop Muntza
muraena [mju:'ri:nə] *s zoo* murena (ryba)
mural ['mjuərəl] I *adj* ścienny II *s* malowidło ścienne; fresk
murder ['mə:də] I *s* morderstwo; mord; ~! mordują! ‖ ~ **will out** (zawsze) wyjdzie szydło z worka; **the** ~ **is out** wyszło szydło z worka; **to cry blue** ~ wrzeszczeć nieludzkim głosem II *vt* 1. za/mordować 2. *przen* kaleczyć (język, melodię itd.)
murderer ['mə:dərə] *s* morderca
murderess ['mə:dəris] *s* morderczyni
murderous ['mə:dərəs] *adj* 1. morderczy; (*o narzędziu itd*) mordu 2. krwiożerczy 3. śmiercionośny
mure [mjuə] *vt* 1. zam-knąć/ykać w czterech ścianach; *przen* u/więzić 2. *lit* ot-oczyć/aczać pierścieniem murów
murena [mju:'ri:nə] = **muraena**
murex ['mjuəreks] *s* (*pl* **murices** ['mjuərə͵si:z], ~**es**) *zoo* rozkolec (mięczak dający barwnik purpurowy)
muriate ['mjuəriit] *s chem* chlorek
muriatic [͵mjuəri'ætik] *adj chem* (*o kwasie*) solny
murk [mə:k] † I *s dial poet* mrok; ciemnoś-ć/ci II *adj dial poet* mroczny; ciemny
murky ['mə:ki] *adj* (**murkier** ['mə:kiə], **murkiest** ['mə:kiist]) mroczny; ciemny; ~ **darkness** gęsty mrok
murmur ['mə:mə] I *s* 1. mruczenie; pomrukiwanie; mówienie półgłosem 2. *dosł i przen* pomruk 3. szemranie; sarkanie 4. szmer II *vi* 1. mruk-nąć/czeć; pomrukiwać; mówić półgłosem 2. (*o morzu itd*) huczeć; grzmieć; (*o tłumie itd*) wyda-ć/wać pomruk (niezadowolenia itp.) 3. szemrać <sarkać> (**at** <**against**> **sth** na coś) III *vt* wy/powiedzieć <mówić> półgłosem
murmurous ['mə:mərəs] *adj* 1. mruczący; pomrukujący 2. szemrzący; sarkający
murphy ['mə:fi] *s sl* ziemniak, kartofel
murrain ['mʌrin] † *s* pomór; zaraza; **a** ~ **on you!** żeby cię cholera wzięła!
murrhine ['mʌrin] *adj* (*o wyrobie szklanym*) murryński (z półszlachetnego nefrytu); ~ **glass** ozdobne szkło (zawierające barwne opiłki)
muscadel ['mʌskə͵del] *s* wino muszkatelowe
muscadine ['mʌskədin] *s* muszkatel (winogrona)
muscat ['mʌskət], **muscatel** [͵mʌskə'tel] *s* 1. muszkatel (winogrona) 2. muszkatel (wino)
muscle ['mʌsl] I *s* mięsień; **a man of** ~ człowiek muskularny; **he did not move a** ~ ani (nie) drgnął II *vi am sl* (*zw* ~ **in**) wpakować się na siłę
muscle-bound ['mʌsl͵baund] *adj* (*o zawodniku*) mający mięśnie zesztywniałe z przetrenowania
muscleless ['mʌsllis] *adj* sflaczały
muscology [mʌs'kɔlədʒi] *s* muskologia (nauka o mchach)
muscovado [͵mʌskə'vɑ:dou] *s* nie rafinowany cukier trzcinowy
muscovite ['mʌskə͵vait] *s* 1. *miner* muskowit, mika potasowa 2. **Muscovite** moskwiczan-in/ka 3. **Muscovite** Rosjan-in/ka
Muscovy ['mʌskəvi] † *s* Rosja; ~ **duck** = **musk-duck**; ~ **glass** muskowit, mika potasowa
muscular ['mʌskjulə] *adj* 1. *anat* mięśniowy 2. muskularny; krzepki; ~ **Christianity** kingsleyowska teoria chrześcijaństwa
muscularity [͵mʌskju'læriti] *s* muskulatura; muskularność
musculature ['mʌskjulətʃə] *s* zespół mięśni; układ mięśniowy
Muse [mju:z] *s mitol* muza
muse [mju:z] I *vi* dumać; zadumać się; **to** ~ **on** <**upon, about**> **sth** dumać nad czymś II *s* zaduma
muser ['mju:zə] *s* marzyciel/ka
musette [mju:'zet] *s* 1. *muz* dudy, kobza 2. (*także* ~ **bag**) *wojsk* chlebak
museum [mju'ziəm] I *s* muzeum II *attr* muzealny (okaz itd.)
mush[1] [mʌʃ] *s* 1. papka; kasza 2. *am* papka z mąki kukurydzanej 3. sentymentalne bzdury 4. zakłócenie odbioru radiowego <telefonicznego>
mush[2] [mʌʃ] *s sl* parasol
mush[3] [mʌʃ] I *vi* wędrować po śniegu z psami II *s* (*w Kanadzie*) wędrówka z psami po śniegu
mushiness ['mʌʃinis] *s* 1. papkowatość 2. gąbkowatość; gąbczastość 3. bzdurność
mushroom ['mʌʃrum] I *s* 1. grzyb (jadalny) 2. parweniusz, dorobkiewicz II *attr* 1. grzybowy; ~ **poisoning** zatrucie grzybami; *techn* ~ **valve** zawór grzybkowy 2. (*o rozwoju itd*) nagły; szybki; **of** ~ **growth** rosnący jak grzyb/y po deszczu III *vi* (*także* **to go** ~**ing**) chodzić na <zbierać> grzyby *zob* **mushrooming**
mushrooming ['mʌʃrumiŋ] I *zob* **mushroom** *v* II *s* grzybobranie
mushy ['mʌʃi] *adj* (**mushier** ['mʌʃiə], **mushiest** ['mʌʃiist]) 1. papkowaty 2. gąbkowaty; gąbczasty 3. bzdurny
music ['mju:zik] *s* 1. muzyka; **to set to** ~ skomponować muzykę (**a text, a poem etc.** do tekstu, wiersza itp.); ~ **box** a) pozytywka b) katarynka c) szafa grająca; ~ **master** nauczyciel muzyki 2. nuty 3. partytura
musical ['mju:zikəl] I *adj* 1. muzyczny 2. muzykalny 3. harmonijny II *s* komedia muzyczna
musicale [͵mju:zi'kɑ:l] *s am* wieczór <wieczorek> muzyczny <koncertowy>
music-desk ['mju:zik͵desk] *s* pulpit na nuty
music-hall ['mju:zik͵hɔ:l] *s* teatr rewiowy

musician [mju'ziʃən] *s* 1. muzyk 2. muzykant, grajek
music-lover ['mju:zik,lʌvə] *s* meloman/ka
music-paper ['mju:zik,peipə] *s* papier nutowy
music-stand ['mju:zik,stænd] = **music-desk**
musk [mʌsk] *s* 1. piżmo 2. *bot* piżmaczek, piżmowe ziele
musk-deer ['mʌsk,diə] *s zoo* piżmowiec
musk-duck ['mʌsk,dʌk] *s zoo* kaczka piżmowa
musket ['mʌskit] *s hist* muszkiet
musketeer [,mʌski'tiə] *s hist* muszkieter
musketry ['mʌskitri] *s* 1. *hist* ogień muszkietowy; strzelanie z muszkietów 2. *wojsk* nauka strzelania
muskmellon ['mʌsk,melən] *s bot* melon o wonnym miąższu
mask-ox ['mʌsk,ɔks] *s* (*pl* **~en**) *zoo* wół piżmowy
musk-rat ['mʌsk,ræt] *s zoo* piżmoszczur
musk-shrew ['mʌsk,ʃru:] *s zoo* zębiełek (ssak)
musk-thistle ['mʌsk,θisl] *s bot* oset zwisły
musk-wood ['mʌsk,wud] *s bot* piżmota trójnatkowata (drzewo tropikalne)
musky ['mʌski] *adj* piżmowy
Muslim ['muslim] = **Moslem**
muslin ['mʌzlin] *s* 1. *tekst* muślin; *pot* **a bit of ~** dziewczyna 2. *am tekst* perkal
musquash ['mʌs,kwɔʃ] = **musk-rat**
muss [mʌs] I *s am pot* bałagan; nieład; rozgardiasz II *vt am pot* (*także* **~ up**) 1. zostawić po sobie bałagan <nieład> (**a room** w pokoju) 2. roz/czochrać (włosy) 3. pognieść <zmiąć> (sukienkę) 4. zabrudzić (ręce)
mussel ['mʌsl] *s zoo* małż jadalny
Mussulman ['mʌslmən] I *s* (*pl* **~s**) muzułman-in/ka II *adj* muzułmański
mussy ['mʌsi] *adj am pot* 1. (będący) w nieładzie 2. zmięty 3. brudny
must[1] [mʌst] *v aux* (*nieodmienny, używany tylko w* **present** *i* **past**) 1. *wyraża obowiązek, potrzebę*: muszę, musisz itd.; trzeba mi <ci itd.>; *w formie przeczącej*: **I** <**you etc.**> **~ not** <**musn't**> nie wolno mi <ci itd.>; nie śmiem, nie śmiesz itd. 2. *wyraża przypuszczenie, prawdopodobieństwo*: **it ~ be (Mary etc.)** to musi być <to chyba jest> (Marysia itd.); **it ~ have been (John etc.)** musiał to być <to chyba był> (Jan itd.) 3. *wyraża zniecierpliwienie, niezadowolenie, rozdrażnienie*: **he ~ always come at the wrong moment** on się zawsze musi zjawić w nieodpowiedniej chwili
must[2] [mʌst] *s* moszcz winny
must[3] [mʌst] *s* pleśń
must[4] [mʌst] I *s* wściekłość, rozwścieczenie; **in ~** rozwścieczony II *adj* (*o słoniu, wielbłądzie*) oszalały; wściekły; **to go ~** wpaść we wściekłość, wściec się
mustachio [mus'tɑ:ʃiou] = **moustache**
mustang ['mʌstæŋ] *s zoo* mustang
mustard ['mʌstəd] *s* 1. musztarda; *wojsk* **~ gas** gaz musztardowy, iperyt; **~ pot** musztardniczka 2. *pot* gorczyca; **~ plaster** plaster gorczyczny; **~ poultice** okład gorczyczny; **~ seed** nasienie gorczycy
muster ['mʌstə] I *s* 1. zgromadzenie; zlot 2. *wojsk* rewia; inspekcja; przegląd; *przen* **to pass ~** wytrzymać próbę; zdać egzamin; nadawać się 3. stado (pawi) 4. *mar* apel II *vt* 1. zebrać/zbierać; z/gromadzić; zwoł-ać/ywać; skrzyknąć; **to ~ (up) one's courage** zebrać się na odwagę 2. *wojsk* z/robić <przeprowadz-ić/ać> przegląd <inspekcję> (**sb, sth** kogoś, czegoś) III *vi* zebrać/zbierać <z/gromadzić> się
~ in *vt am* powoł-ać/ywać do wojska
~ out *vt am* zw-olnić/alniać z wojska
muster-book ['mʌstə,buk] *s wojsk mar* spis oddziału <załogi>
muster-roll ['mʌstə,roul] *s* spis, wykaz; rejestr służbowy
mustiness ['mʌstinis] *s* spleśniałość; stęchlizna; stęchły zapach; zbutwiałość; *przen* zmurszałość
mustn't ['mʌsnt] = **must not** *zob* **must**[1]
musty ['mʌsti] *adj* (**mustier** ['mʌstiə], **mustiest** ['mʌstiist]) spleśniały; stęchły; zbutwiały; *przen* zmurszały; przestarzały
mutability [,mju:tə'biliti] *s* zmienność; niestałość
mutable ['mju:təbl] *adj* zmienny; niestały
mutant ['mju:tənt] *s* 1. *zoo bot* gatunek <jednostka> mutując-y/a, † mutant 2. mutant
mutation [mju'teiʃən] *s* mutacja
mutator [mju:'teitə] *s elektr* zawór rtęciowy
mutch [mʌtʃ] *s szkoc* czepek
mute[1] [mju:t] I *adj* 1. (*o człowieku i literze*) niemy 2. *fonet* (*o głosce*) zwarty II *s* 1. niemowa, człowiek niemy 2. *teatr* statysta 3. *muz* tłumik, surdyna 4. karawaniarz 5. *fonet* głoska zwarta 6. litera niema III *vt* przytłumi-ć/ać
mute[2] [mju:t] *vi* (*o ptaku*) odda-ć/wać kał
muteness ['mju:tnis] *s* niemota; milczenie
mutilate ['mju:ti,leit] *vt* 1. o/kaleczyć; skaleczyć; *przen* wykoślawi-ć/ać 2. okr-oić/awać (tekst książki itd.)
mutilation [,mju:ti'leiʃən] *s* 1. okaleczenie; skaleczenie; *przen* wykoślawienie 2. okrojenie (tekstu książki itd.)
mutineer [,mju:ti'niə] *s* buntownik; zbuntowany żołnierz <marynarz>
mutinous ['mju:tinəs] *adj* buntowniczy
mutiny ['mju:tini] I *s* bunt; *hist* **the (Indian) Mutiny** rewolta sipajów II *vi* (**mutinied** ['mju:tinid], **mutinied; mutinying** ['mju:tiniiŋ]) z/buntować się; wszcz-ąć/ynać rewoltę
mutism ['mju:tizəm] *s* niemota
mutt [mʌt] *s* 1. = **mutton-head** 2. kundel (pies)
mutter ['mʌtə] I *vi* 1. szemrać (**at** <**against**> **sth** na coś) 2. grzmieć, huczeć II *vt* wy/mamrotać; za/mruczeć III *s* mamrotanie
mutterer ['mʌtərə] *s* człowiek pomrukujący
mutton ['mʌtn] I *s* baranina; **leg of ~** a) udo baranie b) pieczeń barania; **let us return to our ~s** wróćmy do tematu ‖ **he was as dead as ~** umarł na amen II *attr* barani (łój itd.)
mutton-bird ['mʌtn,bə:d] *s zoo* burzyk (ptak)
mutton-chop ['mʌtn,tʃɔp] *s* kotlet barani; **~ whiskers** bokobrody
mutton-fist ['mʌtn,fist] *s* duża niezgrabna ręka; *pot* łapa; graba
mutton-head ['mʌtn,hed] *s pot* barania głowa, zakuty łeb
mutton-headed ['mʌtn'hedid] *adj* głupi; tępy; jołopowaty
muttony ['mʌtəni] *adj* o smaku baraniny
mutual ['mju:tʃuəl] *adj* 1. wzajemny; obopólny; obustronny; **~ admiration society** towarzystwo wzajemnej adoracji; **on ~ terms** na warunkach

wzajemności 2. *pot* wspólny; **our ~ friend** nasz wspólny przyjaciel

mutualism ['mju:tjuə,lizəm] *s* mutualizm, system wzajemności

mutuality [,mju:tju'æliti] *s* wzajemność; obopólność; współzależność

muzhik *zob* **moujik**

muzz [mʌz] *vt sl* ogłupi-ć/ać

muzzle ['mʌzl] [I] *s* 1. pysk; morda 2. kaganiec 3. wylot lufy (broni palnej) [II] *vt dosł i przen* na-łożyć/kładać kaganiec (**sb, sth** komuś, czemuś)

muzzle-loader ['mʌzl,loudə] *s* broń ładowana przez lufę

muzzy ['mʌzi] *adj* (**muzzier** ['mʌziə], **muzziest** ['mʌziist]) ogłupiały; zdurniały; zidiociały

my [mai] *adj* 1. mój, moja, moje, moi, moje 2. *wykrzyknikowo*: **~**! nie do wiary! 3. *retorycznie, bez odpowiednika polskiego*: **I know ~ Shakespeare <geography etc.>** Szekspira <geografię itd.> to ja dobrze znam

myalgia [mai'ældʒiə] *s med* ból mięśniowy

myall [mai'ɔ:l] *s bot* nazwa kilku gatunków akacji australijskiej

mycelium [mai'si:ljəm] *s bot* grzybnia

mycetin ['maisətin] *s farm* mycetyna

mycology [mai'kɔlədʒi] *s bot* mikologia (nauka o grzybach)

mycosis [mai'kousis] *s med* grzybica

mycotic [mai'kɔtik] *adj med* grzybiczy

myelitis [,maiə'laitis] *s med* zapalenie rdzenia kręgowego

mynheer [main'hεə] *s* Holender

myocarditis [,maiouka:'daitis] *s med* zapalenie mięśnia sercowego

myocardium [,maiou'ka:diəm] *s anat* mięsień sercowy

myoma [mai'oumə] *s med* mięśniak

myope ['maioup] *s* krótkowidz

myopia [mai'oupiə] *s* krótkowzroczność, krótki wzrok

myosote ['maiə,sout], **myosotis** [,maiə'soutis] *s bot* niezapominajka

myriad ['miriəd] *s* 1. miriada, 10 tysięcy 2. niezliczone mnóstwo

myriapod ['miriə,pɔd] *s zoo* tysiąconóg

myrmidon ['mə:midən] *s* zbir, siepacz; **~ of the law** policjant; komornik

myrrh [mə:] *s* mirra

myrtaceous [mə:'teiʃəs] *adj bot* mirtowaty

myrtle ['mə:tl] *s bot* mirt

myself [mai'self] *pron* 1. się, siebie, sobie, sobą 2. (ja) sam; we własnej osobie; na własne oczy; **I am not feeling ~** czuję się nieswojo <niedobrze> 3. (ja) sam; bez niczyjej pomocy 4. (ja) sam; sam jeden; bez żadnego towarzystwa; **I live by ~** mieszkam sam

mysterious [mis'tiəriəs] *adj* 1. tajemniczy; niezgłębiony 2. (*o człowieku*) tajemniczy; zakonspirowany; skryty

mysteriousness [mis'tiəriəsnis] *s* tajemniczość

mystery ['mistəri] *s* 1. tajemnica 2. misterium

mystery-ship ['mistəri,ʃip] *s mar* zamaskowany okręt wojenny

mystic ['mistik] [I] *adj* mistyczny [II] *s* misty-k/czka

mystical ['mistikəl] = **mystic** *adj*

mysticism ['misti,sizəm] *s* mistycyzm

mystification [,mistifi'keiʃən] *s* mistyfikacja

mystify ['misti,fai] *vt* (**mystified** ['misti,faid], **mystified; mystifying** ['misti,faiiŋ]) 1. mistyfikować 2. okry-ć/wać tajemnicą

myth [miθ] *s* 1. mit 2. postać mityczna 3. mistyfikacja

mythical ['miθikəl] *adj* mityczny

mythicize ['miθi,saiz] *vt* mitologizować; tworzyć mit (**sth** z czegoś)

mythological [,miθə'lɔdʒikəl] *adj* mitologiczny

mythology [mi'θɔlədʒi] *s* mitologia

myxoedema [,miks-i'di:mə] *s med* obrzęk śluzowaty

myxoma [mik'soumə] *s* (*pl* **~ta** [mik'soumətə]) *med* śluzak

N

N, n [en] *s* (*pl* **ns, n's** [enz]) 1. *litera* n 2. (*także* **en**) *druk* n (miara)

nab [næb] *vt* (**-bb-**) 1. z/łapać; aresztować; *pot* capnąć 2. chwycić <przyłapać> na gorącym uczynku; przydybać 3. u/kraść; *pot* zwędzić

nabob ['neibɔb] *s* nabab; *przen* bogacz

nacarat ['nækə,ræt] *s* kolor jasnoczerwony

nacelle [nə'sel] *s* 1. łódka (balonu) 2. *lotn* kadłub samolotu

nacre ['neikə] *s* masa perłowa

nacreous ['neikriəs] *adj* perłowy; opalizujący

nadir ['neidiə] *s astr* nadir; *przen* najniższy punkt <poziom> (czegoś — rozwoju itd.)

naevus ['ni:vəs] *s* (*pl* **naevi** ['ni:vai]) *med* znamię

nag[1] [næg] *s* konik; podjezdek; pony, kucyk

nag[2] [næg] *v* (**-gg-**) [I] *vt* łajać (kogoś); dokuczać <nie dawać spokoju> (**sb** komuś) [II] *vi* gderać <zrzędzić> (**at sb** na kogoś); swarzyć się

nagger ['nægə] *s* megiera; złośnica; jędza

nagging ['nægiŋ] [I] *zob* **nag**[2] [II] *adj* 1. swarliwy 2. (*o bólu*) dokuczliwy; nieznośny

naiad ['naiæd] *s mitol* najada, nimfa wodna

naïf [nai'i:f] *rz* = **naïve**

↑**nail** [neil] [I] *s* 1. paznokieć 2. pazur; szpon 3. gwóźdź; ćwiek; sztyft, sztyfcik; **a ~ in sb's coffin** gwóźdź do trumny; **hard as ~s** a) w doskonałej formie b) nieubłagany, twardy jak skała; **to hit the (right) ~ on the head** trafić w samo sedno; **to pay on the ~** zapłacić natychmiast <w gotówce> [II] *vt* 1. przybi-ć/jać gwoździ-em/ami; *przen* przyku-ć/wać; utkwić (**one's eyes on sth** wzrok w czymś); **to ~ to the counter** ujawnić <zdemaskować> (kłamstwo

itd.); **to stand ~ed to the ground** stać jak przykuty do ziemi <jak wryty> 2. podbi-ć/jać gwoździami <ćwiekami>; oku-ć/wać 3. *pot* złapać; schwytać; przydybać
~ down *vt* przybi-ć/jać <zabi-ć/jać> gwoździami; *przen* **to ~ sb down to his promise** trzymać kogoś za słowo
~ together *vt* zbi-ć/jać razem (deski itd.)
~ up *vt* zabi-ć/jać gwoździami
zob **nailing**

nail-brush ['neil,brʌʃ] *s* szczoteczka do paznokci

nail-claw ['neil,klɔ:], **nail-drawer** ['neil,drɔ:ə], **nail-extractor** ['neil-iks,træktə] *s* wyciągacz gwoździ (przyrząd); obcęgi

nailer ['neilə] *s* 1. wytwórca <sprzedawca> gwoździ, gwoździarz 2. *sl* wspaniały okaz 3. *sl* mistrz (**at sth** w czymś)

nailery ['neiləri] *s* 1. = **nail-works** 2. sklep z gwoździami

nail-extractor *zob* **nail-claw**

nailing ['neiliŋ] [I] *zob* **nail** *v* [II] *adj sl* byczy; pierwszorzędny; świetny

nail-smith ['neil,smiθ] *s* gwoździarz, wytwórca gwoździ

nail-works ['neil,wə:ks] *s* gwoździarnia, wytwórnia gwoździ

nainsook ['neinsuk] *s tekst* nansuk

naïve [nai'i:v], **naive** [neiv] *adj* naiwny; prostoduszny

naïveté [nai'i:vtei], **naivety** [nai'i:vti] *s* naiwność; prostoduszność

naked ['neikid] *adj* goły; *dosł i przen* nagi; obnażony; **stark ~** golusieńki; **to strip ~** a) rozebrać do naga b) ogołocić; **with the ~ eye** gołym okiem

nakedness ['neikidnis] *s* 1. nagość 2. ogołocenie (okolicy itd.)

namby-pamby ['næmbi'pæmbi] [I] *adj* ckliwy [II] *s* 1. człowiek ckliwy 2. ckliwa pisanina

name [neim] [I] *s* 1. (*także* **family ~**) nazwisko; **a list of ~s** spis imienny; **full ~** imię i nazwisko; **Gordon by ~** nazwiskiem Gordon; **in one's own ~** we własnym imieniu; **to do sth in sb's ~** z/robić coś za kogoś <w czyimś imieniu, z czyjegoś ramienia, w zastępstwie kogoś>; **to go under <by> the ~ of —** nazywać się ...; występować pod nazwiskiem ...; **to know sb by ~** znać kogoś ze słyszenia <z nazwiska>; **to mention no ~s** a) nie wymieniać nazwisk b) nie wymieniając (żadnych) nazwisk; **to mention sb by ~** wymienić kogoś po nazwisku; **to put down one's ~** a) podpisać się b) zapisać <wpisać> się; **to take sb's ~ off the books** skreślić kogoś z rejestru; **what is your <his etc.> ~?** jak się nazywasz <nazywa itd.>?; **my ~ is —** nazywam się ... 2. (*także* **Christian ~**; *am* **given ~**) imię; **in the ~ of —** w imię (czegoś — zdrowego rozsądku, prawa itd.); **in the ~ of goodness!** na miły Bóg! 3. nazwa (przedmiotu, zjawiska, instytucji itd.); **a ~ only** pusty dźwięk <frazes>; **in ~ only** tylko z nazwy; *pot* **give it a ~** czego byś sobie życzył?; (*w barze itp*) co zamawiasz? 4. imię; sława; reputacja; **to have a bad ~** mieć złą reputację; **to have a good ~** cieszyć się dobrą sławą; **to make one's ~** sta-ć/wać się sławnym; zdoby-ć/wać sławę 5. znakomita osobistość 6. ród 7. wyzwisko; przezwisko; **to call sb ~s** przezywać <wyzywać> kogoś 8. *gram* rzeczownik, imię (własne, pospolite) [II] *vt* 1. naz-wać/ywać; **a gentleman ~d Brown** jakiś pan nazwiskiem Brown 2. da-ć/wać (**sb** komuś) imię (**after <for> sb** czyjeś, po kimś) 3. wyznacz-yć/ać <za/mianować> (**to an office** na urząd) 4. wymieni-ć/ać; wyszczególni-ć/ać; wyznacz-yć/ać (datę itd.); przyt-oczyć/aczać (fakt, przykład); **he is not to be ~d on <in> the same day with —** nie można go nawet porównać z ...; **~ your price** ile to ma kosztować? 5. podać nazwisko (**sb** czyjeś — człowieka, o którym mowa); (*w parlamencie*) wymienić nazwisko (posła) winnego niesubordynacji

named [neimd] [I] *zob* **name** *v* [II] *adj* wyżej wymieniony, wspomniany

name-day ['neim,dei] *s* imieniny

nameless ['neimlis] *adj* 1. bezimienny; nieznany; anonimowy 2. *uj* nie nadający się do wymienienia; niesłychany; ohydny

namely ['neimli] *adv* mianowicie

namesake ['neim,seik] *s* imiennik

nancy ['nænsi] *s sl* 1. zniewieściały mężczyzna <chłopiec> 2. pederasta

nankeen [næn'ki:n] *s* 1. *tekst* nankin 2. *pl* **~s** nankiny (spodnie nankinowe) 3. kolor żółtawy

nanny ['næni] *s* 1. *dziec* nianiusia 2. = **nanny-goat**

nanny-goat ['næni,gout] *s* koza

nap¹ [næp] [I] *vi* (**-pp-**) drzemać; zdrzemnąć się; **to catch sb ~ping** zaskoczyć <zajść, przyłapać znienacka> kogoś; przyłapać kogoś na błędzie <na niedbalstwie> [II] *s* drzemka; **to take <have> a ~** zdrzemnąć się

nap² [næp] [I] *s* włos (tkaniny); kutner; meszek; puch; **against the ~** pod włos [II] *vt* (**-pp-**) kutnerować <drapać> (tkaninę)

nap³ [næp] [I] *s* 1. napoleon (gra w karty); **to go ~** zaryzykować wysoką stawkę; wszystko postawić na jedną kartę 2. zapowiedź pewnej wygranej na wyścigach [II] *vt* (**-pp-**) zapowi-edzieć/adać pewną wygraną <polec-ić/ać jako pewniaka> (**a horse** jakiegoś konia)

napalm ['neipɑ:m] *s am wojsk* napalm (mieszanina zapalająca); **~ bomb** bomba napalmowa

nape [neip] *s* kark

napery ['neipəri] *s* bielizna stołowa

naphtha ['næfθə] *s* ropa naftowa

naphthalene ['næfθə,li:n] *s chem* naftalen

naphthaline ['næfθəlin] *s handl* naftalina; *chem* naftalen

naphthol ['næfθɔl] *s chem* naftol

napkin ['næpkin] *s* 1. serwetka; **~ ring** kółko na serwetkę 2. pieluszka

napless ['næplis] *adj* 1. (*o tkaninie*) bez włosa 2. wytarty; podniszczony

napoleon [nə'pouljən] *s* 1. napoleon (moneta) 2. = **nap³** 3. *pl* **~s** buty z wykładanymi cholewami 4. napoleonka (ciastko)

Napoleonic [nə,pouli'ɔnik] *adj* napoleoński

napoo [nə'pu:] *interj sl* nie ma!; koniec!; poszedł!

nappe [næp] *s geol* płaszczowina

napper ['næpə] *s sl* pała, łeb, głowa

nappy¹ ['næpi] *s pot dziec* pieluszka

nappy² ['næpi] *adj* 1. (*o tkaninie*) włochaty 2. (*o piwie itd*) mocny
narceine ['nɑ:siin] *s chem* narceina (alkaloid)
narcissism ['nɑ:si͵sizəm] *s psych* narcyzm
narcissistic [͵nɑ:si'sistik] *adj psych* narcystyczny
narcissus [nɑ:'sisəs] *s* (*pl* **narcissi** [nɑ:'sisai], **~es**) *bot* narcyz
narcolepsy ['nɑ:kou͵lepsi] *s med* senność napadowa
narcosis [nɑ:'kousis] *s* narkoza; uśpienie
narcotic [nɑ:'kɔtik] I *adj* narkotyczny; nasenny II *s* narkotyk; środek nasenny
narcotism ['nɑ:kə͵tizəm] *s* narkotyzm
narcotization [͵nɑ:kətai'zeiʃən] *s* narkotyzacja
narcotize ['nɑ:kə͵taiz] *vt* narkotyzować
nard [nɑ:d] *s* nard (roślina i pachnidło)
nares ['nɛəri:z] *spl anat* nozdrza
narg(h)ile(h) ['nɑ:gili] *s* nargile
nark [nɑ:k] *s sl* szpicel
narrate [næ'reit] *vt* opowi-edzieć/adać
narration [næ'reiʃən] *s* opowiadanie
narrative ['nærətiv] I *adj* gawędziarski II *s* opowiadanie
narrator [næ'reitə] *s* narrator, opowiadający; opowiadacz
narratress [næ'reitris] *s* narratorka, opowiadająca
↑**narrow** ['nærou] I *adj* 1. wąski; **a ~ escape** <**shave**> uniknięcie (nieszczęścia) o włos; **a ~ majority** nieznaczna <niewielka> większość (głosów); **a ~ victory** z trudem <ledwo> zdobyte zwycięstwo; **~ bed** <**cell, house**> mogiła; **~ goods** pasmanteria; **the ~ seas** kanał La Manche i Morze Irlandzkie; **to grow** <**become**> **~** zwężać się; **in ~ bounds** w wąskich ramach 2. *dosł i przen* ciasny; **~ circumstances** bieda; trudne <ciężkie> warunki materialne 3. (*o badaniu itd*) ścisły; dokładny; szczegółowy; skrupulatny II *spl* **~s** cieśnina; przesmyk III *vt vi* zwę-zić/żać <ścieśni-ć/ać, s/kurczyć, zmniejsz-yć/ać> (się)
narrowly ['nærouli] *adv* 1. wąsko; ciasno 2. (badać) z wielką ścisłością <dokładnie, szczegółowo, skrupulatnie> 3. (przyglądać się) pilnie 4. (tłumaczyć) ściśle 5. (wygrać itd.) ledwo — ledwo 6. (uniknąć nieszczęścia) o włos
narrow-minded ['nærou'maindid] *adj* (*o człowieku*) ograniczony; o ciasnym umyśle
narrowness ['nærounis] *s* 1. wąskość; ciasnota; szczupłość <brak> (miejsca, środków do życia); **~ of mind** ograniczoność; ciasnota umysłu; małostkowość 2. dokładność; skrupulatność
narwhal ['nɑ:wəl] *s zoo* narwal
nasal ['neizəl] I *adj* nosowy II *s fonet* głoska nosowa
nasality [nei'zæliti] *s* nosowość; mówienie przez nos
nasalization [͵neizəlai'zeiʃən] *s fonet* nazalizacja
nasalize ['neizə͵laiz] *vt vi* mówić przez nos; *fonet* nazalizować
nascency ['næsənsi] *s* narodzenie; powstawanie
↑**nascent** ['næsnt] *adj* rodzący się; powstający
naseberry ['neiz͵beri] *s bot* 1. (*także* **~-tree**) sączyniec 2. owoc sączyńca
nastiness ['nɑ:stinis] *s* 1. przykry smak <zapach> 2. nieprzyjemny <przykry> charakter (czegoś); ohyda 3. przykre usposobienie; złośliwość 4. sprośność
nasturtium [nəs'tə:ʃəm] *s bot* nasturcja
nasty ['nɑ:sti] *adj* (**nastier** ['nɑ:stiə], **nastiest** ['nɑ:stiist]) 1. przykry; nieprzyjemny; niemiły; obmierzły; wstrętny; paskudny 2. (*o wypadku itd*) niebezpieczny; groźny; poważny; (*o ciosie*) silny, mocny 3. złośliwy; dokuczliwy; **a ~ trick** złośliwy <paskudny> kawał; świństwo 4. brudny 5. nieprzyzwoity; nieprzystojny; plugawy; sprośny
natal ['neitl] *adj* rodzinny; (*o dniu, miejscu*) urodzenia
natality [nə'tæliti] *s* współczynnik urodzeń; przyrost naturalny
natant ['neitənt] *adj bot* pływający
natation [nei'teiʃən] *s* pływanie
natatorial [͵neitə'tɔ:riəl], **natatory** ['neitətəri] *adj* 1. pływający 2. pławny (organ itd.)
nates ['neiti:z] *spl anat* 1. pośladki 2. przednie wzgórki wzrokowe (w mózgu)
nath(e)less ['næθlis] † = **nevertheless**
nation ['neiʃən] *s* 1. naród 2. państwo
national ['næʃənļ] I *adj* 1. narodowy; **~ status** <**attachment**> narodowość; przynależność państwowa 2. państwowy II *spl* **~s** współobywatele; rodacy
nationalism ['næʃņə͵lizəm] *s* nacjonalizm
nationalist ['næʃņəlist] *s* nacjonalista
nationality [͵næʃə'næliti] *s* 1. narodowość; obywatelstwo; przynależność państwowa 2. samodzielność państwowa
nationalization ['næʃņəlai'zeiʃən] *s* 1. upaństwowienie; nacjonalizacja; unarodowienie 2. naturalizacja, nadanie obywatelstwa
nationalize ['næʃņə͵laiz] *vt* 1. upaństw-owić/awiać; z/nacjonalizować; unar-odowić/adawiać 2. naturalizować; nada-ć/wać obywatelstwo (**sb** komuś)
nationally ['næʃņəli] *adv* 1. narodowo 2. państwowo 3. z punktu widzenia narodowego <państwowego>
nation-wide ['neiʃən͵waid] *adj* 1. ogólnokrajowy; ogólnopaństwowy 2. ogólnonarodowy
native ['neitiv] I *adj* 1. rodzimy; ojczysty; rdzenny; rodowity; **~ land** ojczyzna 2. krajowy; miejscowy; tubylczy; (*w Indiach*) **~ states** państewka rządzone przez tubylczych książąt 3. rodzinny 4. wrodzony; przyrodzony 5. prosty; naturalny II *s* 1. człowiek miejscowy; autochton; tubylec; krajowiec; **a ~ of England** <**Paris etc.**> rodowity Anglik <paryżanin itd.>; (*o koloniście*) **to go ~** z/asymilować się 2. zwierzę <roślina> krajow-e/a; **a ~ of America** zwierzę <roślina> pochodząc-e/a z Ameryki
nativism ['neiti͵vizəm] *s* 1. *filoz* natywizm (teoria wrodzoności cech psychicznych) 2. *am* uprzywilejowanie rodowitych Amerykanów
nativity [nə'tiviti] *s* 1. narodzenie; *rel* **the Nativity** narodzenie Chrystusa <Matki Boskiej, Jana Chrzciciela> 2. horoskop
natron ['neitrən] *s chem* natron, soda naturalna, węglan sodowy
natter ['nætə] *vi dial* gderać
natterjack ['nætə͵dʒæk] *s zoo* ropucha paskówka
nattier ['næti͵ei] *attr* **~ blue** delikatny odcień koloru niebieskiego

nattiness ['nætinis] *s* 1. staranność; czystość; schludność 2. zgrabność; zręczność

natty ['næti] *adj* (**nattier** ['nætiə], **nattiest** ['nætiist]) 1. staranny; czysty; schludny; wymuskany 2. zgrabny; zręczny

↑**natural** ['nætʃrəl] [I] *adj* 1. naturalny; (*o prawach itd*) natury, przyrody; (*o zachowaniu itd*) niewymuszony; swobodny; **a ~ historian** przyrodni-k/czka; **~ history** przyroda; przyrodoznawstwo; **~ philosopher** fizyk; **~ philosophy** fizyka; **~ science** nauki przyrodnicze; **as is ~** rozumie się (samo przez się); rzecz naturalna <jasna>; z natury rzeczy; **it comes ~ to him** u niego to jest naturalne; przychodzi mu to bez wysiłku; **it is only ~** to (jest) rzecz całkiem naturalna <nie ma w tym nic dziwnego> (**for sb to do sth** że ktoś coś robi) 2. (*o stanie itd*) pierwotny 3. wrodzony; przyrodzony; rodzimy 4. *fiz* własny 5. (*o dziecku*) nieślubny 6. (*o roślinach itd*) dziki; (*o ziemi*) nie uprawiany 7. (*o człowieku*) urodzony (artysta itd.) 8. (*o nucie, tonie*) naturalny [II] *s* 1. idiot-a/ka od urodzenia 2. *muz* kasownik 3. *muz* nuta naturalna

natural-born ['nætʃrəl,bɔ:n] adj urodzony (Anglik, Francuz itd.)

naturalism ['nætʃrə,lizəm] *s* naturalizm

naturalist ['nætʃrəlist] *s* naturalista

naturalization [,nætʃrəlai'zeiʃən] *s* 1. naturalizacja 2. aklimatyzacja

naturalize ['nætʃrə,laiz] [I] *vt* naturalizować; *dosł i przen* nada-ć/wać prawa obywatelstwa (**sb, sth** komuś, czemuś) [II] *vi* 1. naturalizować się 2. aklimatyzować się 3. hołdować naturalizmowi 4. badać przyrodę

↑**naturally** ['nætʃrəli] *adv* 1. naturalnie; **to die ~** umrzeć śmiercią naturalną 2. z natury (samej) 3. naturalnie, niewymuszenie, swobodnie 4. naturalnie, oczywiście, rzecz jasna

nature ['neitʃə] *s* 1. natura; przyroda; **Dame Nature** Przyroda; Natura; *szk* **~ study** przyroda; **in the course of ~** naturalnym porządkiem rzeczy; **to ease ~** załatwi-ć/ać potrzebę naturalną; **to pay one's debt to ~** pójść na tamten świat 2. istota; **it's in the ~ of things** to tkwi <leży> w istocie <w naturze> rzeczy 3. natura; usposobienie; charakter; temperament; **a man's second ~** druga natura człowieka; **by ~** z natury; z usposobienia; **it's in my ~** to leży w moim usposobieniu 4. rodzaj; **anything of that ~** cokolwiek w tym rodzaju 5. charakter; **a request in the ~ of a command** prośba o charakterze rozkazu 6. siły żywotne 7. *bot* soki 8. pierwotność; **state of ~** stan pierwotny

naught [nɔ:t] *s lit* 1. nic; zero; **to bring to ~** udaremnić; **to come to ~** nie udać się; zawieść; **to reduce to ~** doprowadzić do zera; **to set at ~** lekceważyć 2. *mat* zero; *szk* stopień niedostateczny

naughtiness ['nɔ:tinis] *s* 1. brzydkie <niegrzeczne> zachowanie się; nieposłuszeństwo 2. nieprzyzwoitość

naughty ['nɔ:ti] *adj* (**naughtier** ['nɔ:tiə], **naughtiest** ['nɔ:tiist]) 1. niegrzeczny; nieposłuszny 2. nieprzyzwoity

nausea ['nɔ:sjə] *s* 1. nudności; mdłości 2. obrzydzenie; wstręt; **to ~** aż do obrzydzenia; **to fill with ~** napawać obrzydzeniem

nauseate ['nɔ:si,eit] [I] *vi* dosta-ć/wać mdłości; **I ~ at the very idea** sama myśl (o tym) przyprawia mnie o mdłości; robi mi się niedobrze na samą myśl (o tym) [II] *vt* 1. mieć <czuć> wstręt (**sth** do czegoś) 2. przyprawi-ć/ać o mdłości *zob* **nauseating**

nauseating ['nɔ:si,eitiŋ] [I] *zob* **nauseate** [II] *adj* 1. obrzydliwy; przyprawiający o mdłości 2. piekielnie nudny

nauseous ['nɔ:sjəs] = **nauseating** *adj*

nautch [nɔ:tʃ] *s* (*w Indiach*) taniec bajader

nautch-girl ['nɔ:tʃ,gə:l] *s* (*w Indiach*) bajadera

nautical ['nɔ:tikəl] *adj* morski; żeglarski

nautilus ['nɔ:tiləs] *s* (*pl* **~es, nautili** ['nɔ:ti,lai]) *zoo* łodzik (głowonóg)

naval ['neivəl] *adj* 1. morski 2. (*o oficerze itd*) marynarki wojennej 3. okrętowy; **~ stores** wyposażenie <zaopatrzenie> okrętowe

nave[1] [neiv] *s* piasta (koła)

nave[2] [neiv] *s* nawa (kościoła)

navel ['neivəl] *s anat* pępek

navel-string ['neivəl,striŋ] *s anat* pępowina

navicert ['nævi,sə:t] *s* świadectwo morskie (stwierdzające charakter ładunku okrętu)

navicular [næ'vikjulə] *adj anat* łódkowaty

navigability [,nævigə'biliti] *s* 1. spławność; żeglowność 2. sterowność <możliwość kierowania> (statku powietrznego)

navigable ['nævigəbl] *adj* (*o rzece*) spławny; żeglowny; (*o statku*) nadający się do żeglugi; (*o statku powietrznym*) możliwy do sterowania, sterowny

navigate ['nævi,geit] [I] *vi* żeglować; podróżować po morzach <po rzekach> [II] *vt* 1. żeglować <pły-nąć/wać> statkiem (**sth** po czymś); podróżować (**the seas etc.** po morzach itd.) 2. sterować (**a ship** statkiem); pilotować; **to ~ a bill through Parliament** przeprowadzić ustawę w parlamencie

navigation [,nævi'geiʃən] *s* 1. żegluga (morska, powietrzna, rzeczna); żeglarstwo; żeglowanie; **~ school** szkoła morska 2. nawigacja; **~ officer** oficer nawigacyjny

navigator ['nævi,geitə] *s* 1. nawigator 2. żeglarz

navvy ['nævi] *s* 1. wyrobnik; (niewykwalifikowany) robotnik 2. *techn* koparka mechaniczna

↑**navy** ['neivi] *s* marynarka wojenna; flota; **~ cut** gatunek tytoniu fajkowego; *am* **Navy Department** ministerstwo marynarki wojennej; **~ league** liga morska; **~ list** urzędowy wykaz korpusu oficerskiego marynarki wojennej

nawab [nə'wɑ:b] = **nabob**

nay [nei] [I] *adv* 1. † nie 2. *lit* ba; powiem nawet...; mało tego [II] *s* 1. odmowna odpowiedź 2. (*w głosowaniu*) sprzeciw

Nazarene [,næzə'ri:n] [I] *s* nazareńczyk [II] *adj* nazareński

naze [neiz] *s geogr* cypel; przylądek

Nazi ['nɑ:tsi] [I] *s* hitlerowiec [II] *adj* hitlerowski; nazistowski; narodowo-socjalistyczny

neap [ni:p] [I] *adj mar* (*o przypływie i odpływie*) mały; kwadrowy [II] *s mar* (*także* **~ tide**) mały <kwadrowy> przypływ <odpływ>

Neapolitan [niə'pɔlitən] [I] *adj* neapolitański; **~**

ice lody neapolitańskie (cassata) [II] *s* neapolita-ńczyk/nka

near [niə] [I] *adv* 1. (*w przestrzeni i w czasie*) blisko (**to sb, sth** kogoś, czegoś); niedaleko; obok; opodal; w pobliżu; w sąsiedztwie; **as ~ as I can remember** o ile mnie pamięć nie myli <nie zawodzi>; **as ~ as possible** jak najbliżej; **this is as ~ as I can** już bliżej nie mogę; **far and ~** wszędzie; **~ at hand** tuż; pod ręką; na podorędziu; **~ by** w pobliżu; opodal; **~ of kin** bliski krewny; **~ upon** blisko; tuż przed <po> (czymś); **it is ~ upon** ... dochodzi... (godzina itp.); **it lasted ~ upon a century** to trwało prawie <blisko> sto lat 2. prawie; niemal; o mało nie; **to be ~ to doing sth** o mało nie zrobić czegoś; **he was ~ dead with fright** o mało nie umarł ze strachu; **is it anywhere ~** ...? czy dużo brakuje do tego, żeby...? 3. *z zaprzeczeniem*: **not** <**nowhere**> **~ so** ... ani trochę <ani w przybliżeniu> tak <taki>... 4. *pot* (żyć) oszczędnie [II] *praep* 1. blisko <niedaleko, obok, w pobliżu, w sąsiedztwie> (czegoś, kogoś); **to be ~ sth** a) być blisko czegoś b) być bliskim czegoś c) dochodzić do czegoś; **to be nowhere ~ sth** być dalekim od <ani się zbliżać do> czegoś 2. *handl* na wzór <imitacja> czegoś; **~ beer** napój na wzór <imitacja> piwa; **~ gold** imitacja złota [III] *adj* 1. bliski (pokrewieństwem); **~ akin to** ... blisko spokrewniony z...; **those ~ and dear** krewni i przyjaciele; bliscy 2. (*o przyjacielu*) serdeczny 3. (*o zwierzętach, ich kończynach oraz o częściach pojazdów*) lewy; **the ~ horse** <**ox**> lewy koń <wół> (w zaprzęgu); **the ~ leg** lewa noga; **the ~ wheel** lewe koło 4. (*w przestrzeni i w czasie*) bliski; niedaleki; **~ (to) sb, sth** bliski <znajdujący się obok> kogoś, czegoś; sąsiadujący z kimś, czymś; **a ~ escape** <**thing, go**> uniknięcie (czegoś) o włos; **a ~ race** wyścig <bieg> łeb w łeb <pierś w pierś>; **it was a ~ miss** niedaleki byłem <byłeś itd.> od celu; **~ work** praca wymagająca patrzenia z bliska; (*w obrazie*) **the ~ distance** średni plan; **the ~ prospect of sth** perspektywa czegoś bliskiego 5. (*o drodze*) najbliższy; prosty 6. (*o podobieństwie*) bliski; (*o domyśle*) trafny; niedaleki prawdy; **it was a ~ guess** niewiele się pomyliłem (domyślając się, zgadując) 7. (*o sprawie, przedmiocie zainteresowania*) bliski sercu 8. (*o tłumaczeniu*) ścisły, wierny 9. (*o człowieku*) oszczędny; skąpy [IV] *vt* zbliż-yć/ać się (**sth** do czegoś); **to be ~ing completion** dobiegać końca

nearby ['niə,bai] *adj* bliski; pobliski; sąsiedni

Nearctic [ni'ɑ:ktik] *adj* nearktyczny (dotyczący obszaru zoogeograficznego Ameryki Płn.)

nearer ['niərə] *comp od* **near** *adv adj*; **~ and ~** coraz bliżej <bliższy>; **we are no ~ our goal** nie zbliżyliśmy się do celu

nearly ['niəli] *adv* 1. blisko; z bliska 2. (znać coś) dokładnie 3. prawie (że); o mało nie (zrobić czegoś); **not ~** bynajmniej <wcale> nie; **pretty ~** nieomal 4. (żyć z kimś) serdecznie 5. oszczędnie; skąpo

nearness ['niənis] *s* 1. (*w czasie i przestrzeni*) bliskość; sąsiedztwo 2. wierność <dokładność> (tłumaczenia) 3. serdeczność (przyjaźni) 4. oszczędność; skąpstwo

near-sighted ['niə'saitid] *adj* (*o człowieku*) krótkowzroczny, o krótkim wzroku; **to be ~** być krótkowidzem

near-sightedness ['niə'saitidnis] *s* krótkowzroczność, krótki wzrok

neat[1] [ni:t] *s* bydło (rogate); bydlę; **~ leather** skóra wołowa; *kulin* **~'s foot** noga, nóżka; *kulin* **~'s tongue** ozór

neat[2] [ni:t] *adj* 1. (*o spirytusie itd*) czysty; nie rozcieńczony; bez domieszki 2. (*o ubiorze itd*) prosty i w dobrym guście; gustowny; przyjemny; wdzięczny; (*o pokoju itd*) schludny; czysty; porządnie utrzymany; (*o charakterze pisma*) staranny 3. (*o stylu, mowie*) wykwintny; (*o powiedzeniu*) szczęśliwie dobrany; trafny; dosadny 4. (*o pracy, wykonaniu*) zgrabny; staranny; (*o liniach czegoś*) kształtny 5. (*o człowieku*) porządny; systematyczny; † akuratny

'neath [ni:θ] *poet* = **beneath**

neat-handed ['ni:t,hændid] *adj* zgrabny; zręczny

neatherd ['ni:t,hə:d] *s* pastuch, paste-rz/rka

neat-house ['ni:t,haus] *s* obora

neatness ['ni:tnis] *s* 1. prostota pełna wdzięku; gustowność 2. schludność; porządek; staranność; zamiłowanie do porządku; systematyczność; † akuratność 3. kształtność 4. wykwintność (stylu); trafność <dosadność> (powiedzenia) 5. zgrabność; zręczność

neb [neb] *s szkoc* 1. dziób 2. nos 3. pysk 4. szpic; koniuszek

nebula ['nebjulə] *s* (*pl* **nebulae** ['nebju,li:], **~s**) 1. *astr* mgławica 2. *med* mglista <mętna> plamka na rogówce oka

†**nebular** ['nebjulə] *adj astr* mgławicowy, nebularny

nebulous ['nebjuləs] *adj* mglisty; zamglony

necessarian [,nesi'sɛəriən] = **necessitarian**

necessarily ['nesisərili] *adv* koniecznie; nieodzownie; niezbędnie; z konieczności

necessary ['nesisəri] [I] *adj* 1. potrzebny; konieczny; niezbędny; nieodzowny; **if ~** w razie potrzeby; jeżeli zajdzie potrzeba <konieczność>; **it is ~ for me** <**him etc.**> **to go etc.** trzeba, żebym <żeby itd.> poszedł itd.; muszę <musi itd.> iść itd.; **it is ~ that** ... trzeba, żeby... (ktoś coś zrobił); **it is ~ to** ... trzeba... (coś zrobić); **more** <**less, longer etc.**> **than ~** więcej <mniej, dłużej itd.> niż <aniżeli> potrzeba 2. nieunikniony [II] *s* 1. (to, co jest) potrzebne <konieczne, niezbędne, nieodzowne>; *pl* **the necessaries of life** a) potrzeby życiowe b) artykuły pierwszej potrzeby 2. *sl* forsa (pieniądze)

necessitarian [,nesisi'tɛəriən] [I] *s filoz* determinista [II] *adj filoz* deterministyczny

necessiterianism [,nesisi'tɛəriə,nizəm] *s filoz* determinizm

necessitate [ni'sesi,teit] *vt* wymagać (**sth** czegoś); narzuc-ić/ać potrzebę <konieczność> (**sth** czegoś); sprawi-ć/ać, że (coś) jest potrzebne <konieczne, niezbędne, nieodzowne>

necessitous [ni'sesitəs] *adj* (*o człowieku*) w potrzebie; w biedzie; w niedostatku

necessity [ni'sesiti] *s* 1. potrzeba; konieczność; nieodzowność; **~ is the mother of invention** potrzeba jest matką wynalazków; *filoz* **the doctrine of ~** determinizm; **of ~** z konieczności; koniecznie; **to be under the ~ of doing**

sth być zmuszonym coś zrobić; **to make a virtue of ~** z konieczności czynić cnotę 2. artykuł pierwszej potrzeby 3. (*także pl* **necessities**) potrzeba; bieda, niedostatek

neck[1] ['nek] [I] *s* 1. szyja; kark; **to break one's ~** złamać sobie kark; **to break the ~ of sth** (już) mieć najgorszą <większą> część czegoś za sobą; *sl* **to get it in the ~** dostać po karku <po kulach>; **to save one's ~** uratować własną skórę; ujść z życiem; **a stiff ~** a) sztywny kark b) upór; **~ and crop** głową naprzód; *przen* bez reszty; *pot* na zbity łeb; (*o wyścigu, biegu*) **~ and ~** łeb w łeb; **~ or nothing** wszystko albo nic 2. *kulin* karczek 3. kołnierz (koszuli itd.) 4. szyja <szyjka> (flaszki, skrzypiec itd.) 5. *geogr* węzina; przesmyk 6. *geol* żyła kominowa; komin wulkaniczny; nek [II] *vi am sl* obejmować się za szyję; pieścić się *zob* **necking**

neck[2] [nek] *s* ostatni zżęty snop zboża

neck-band ['nek,bænd] *s* kołnierzyk (koszuli)

neck-beef ['nek,bi:f] *s kulin* karczek

neck-cloth ['nek,klɔθ] *s* 1. krawat 2. szalik; chustka na szyję

neckerchief ['nekə,tʃif] † *s* chustka na szyję; szalik

necking ['nekiŋ] [I] *zob* **neck**[1] *v* [II] *s* 1. *arch* szyjka (kolumny) 2. *techn* przewężenie; połączenie rurowe 3. *am sl* pieszczenie się; pieszczoty; **~ party** zabawa, na której młodzież pozwala sobie na pieszczoty

necklace ['neklis] *s* naszyjnik

necklet ['neklit] *s* 1. naszyjnik 2. wisiorek na szyję 3. kołnierzyk futrzany

neck-mould(ing) ['nek,mould(iŋ)] *s arch* pierścień (kapitelu)

neck-piece ['nek,pi:s] *s* kołnierzyk koronkowy

neck-tie ['nek,tai] *s* krawat

neck-verse ['nek,və:s] *s hist* werset (*zw* początek psalmu), który przestępca skazany przez sąd świecki, a domagający się przyznania mu przywileju kleru, odczytywał dla uniknięcia stryczka

neckwear ['nek,wɛə] *s* ubiór na szyję (kołnierzyki, krawaty i szaliki)

necrobiosis [,nekrou-bai'ousis] *s biol* nekrobioza, zamieranie tkanek

necrolatry [ne'krɔlətri] *s* nekrolatria, kult zmarłych

necrological [,nekrə'lɔdʒikəl] *adj* nekrologowy

necrologist [ne'krɔlədʒist] *s* autor/ka nekrologu

necrology [ne'krɔlədʒi] *s* 1. nekrolog 2. spis zmarłych

necromancer ['nekrou,mænsə] *s* nekromanta, czarnoksiężnik

necromancy ['nekrou,mænsi] *s* nekromancja, czarna magia

necropolis [ne'krɔpəlis] *s hist* nekropol, miasto umarłych; cmentarz

necropsy ['nekrəpsi] *s* sekcja zwłok

necrosis [ne'krousis] *s med* nekroza, obum-arcie/ieranie tkanek

necrotic [ne'krɔtik] *adj med* martwiczy, obumarły

nectar ['nektə] *s* nektar

nectarine ['nektərin] [I] *adj* nektarowy [II] *s* brzoskwinia zwyczajna

nectary ['nektəri] *s* 1. *bot* miodnik 2. *zoo* gruczoł miodowy

Neddy ['nedi] *s* osioł, osiołek

née [nei] *adj* (*o mężatce*) z domu (przy nazwisku panieńskim)

need [ni:d] [I] *s* 1. potrzeba; **if ~ be** w razie potrzeby; **to have <stand in, be in> ~ of —** potrzebować ... (czegoś); **to have ~ to —** musieć <potrzebować> ... (coś zrobić); **had ~ —** powin-ien/na ...; **there is no ~ for me <you etc.> to —** nie mam <nie masz itd.> po co ...; zbyteczne jest, żebym <żebyś itd.> ... (coś robił); nie muszę <nie musisz itd.> ...; **there is no ~ to —** nie ma (po) co ...; zbyteczne jest ...; **what ~ is there to —?** na co <po co> ... (coś robić)? 2. (nagła) potrzeba; krytyczna chwila; trudności 3. bieda; niedostatek; ubóstwo 4. *pl* **~s** potrzeby; wymagania; **my ~s are few** mam skromne wymagania; niewiele mi potrzeba 5. *pl* **~s** potrzeba fizjologiczna; **to do one's ~s** pójść/iść za potrzebą [II] *vt* 1. potrzebować (**sb, sth** kogoś, czegoś; **to do sth** coś robić); wymagać (**sth, sb** czegoś, kogoś); **I ~ it** potrzebne mi to 2. musieć (**to do sth** coś robić); **I <he etc.> do <does etc.> not ~ to be asked** nie trzeba <nie musi się> mnie <go itd.> prosić; **you only ~ to —** wystarczy ... (zawołać, zadzwonić itd.); **~ he <you etc.> go <have gone> to the trouble of —?** czy trzeba <trzeba było>, żeby on <żebyś itd.> zadał sobie trud ... (zrobienia czegoś)?; **you ~ not do <say etc.>** nie trzeba <nie musisz> robić <mówić itd.>; zbyteczne jest, żebyś robił <mówił itd.>; **you ~ not have done <said etc.>** nie trzeba było robić <mówić itd.> 3. *bezosobowo*: **it ~s —** trzeba ... (czegoś) [III] *vi* cierpieć biedę; być w potrzebie *zob* **needed**

needed ['ni:did] [I] *zob* **need** *v* [II] *adj* potrzebny

needful ['ni:dful] [I] *adj* potrzebny; konieczny; niezbędny; **it is ~ to —** trzeba ... (coś zrobić) [II] *s* 1. (to, co jest) potrzebne; to, czego potrzeba; **to do the ~** a) *dosł* zrobić, co potrzeba b) *przen sport* przypadkiem strzelić gola 2. *sl* forsa, pieniądze

neediness ['ni:dinis] *s* bieda; niedostatek

†**needle** ['ni:dl] [I] *s* 1. igła (do szycia, gramofonowa itd.); **~ and thread** igła z nitką; **~'s eye** ucho igielne; **as sharp as a ~** rozgarnięty <bystry> (chłopak itd.) 2. drut do robót dziewiarskich 3. igła magnetyczna <magnesowa> 4. *techn* iglica; strzałka; wskazówka; sztyft; rylec 5. *arch* iglica 6. obelisk 7. igiełkowaty kryształ 8. *sl* atak nerwowy [II] *vt* 1. u/szyć; **to ~ (one's way) through —** przedzierać się przez ... (coś) 2. *med* zdjąć (kataraktę) 3. *bud* podstemplow-ać/ywać 4. *pot* po/drażnić; z/irytować 5. *am pot* wzm-ocnić/acniać (napój) alkoholem [III] *vi* 1. szyć 2. s/krystalizować się w postaci igiełek

needle-bath ['ni:dl,bɑ:θ] *s* (*w hydroterapii*) bicz wodny (natrysk pod ciśnieniem)

needle-beam ['ni:dl,bi:m] *s bud* krótka podkładka pod stempel

needle-book ['ni:dl,buk] *s* kartonik igieł

needle-case ['ni:dl,keis] *s* igielnik

needle-fish ['ni:dl,fiʃ] *s zoo* nazwa kilku ryb (belon, igliczeń itd.)

needleful ['ni:dlful] *s* (jedno) nawleczenie igły

needle-gun ['ni:dl,gʌn] *s* broń palna z iglicą

needle-lace ['ni:dl,leis] *s* koronki robione igłą

needle-making ['ni:dl,meikiŋ] *s* produkcja <wy-rób> igieł
needle-point ['ni:dl,pɔint] *s* ostrze igły; **~ lace** = **needle-lace**
needle-pointed ['ni:dl,pɔintid], **needle-shaped** ['ni:dl,ʃeipt] *adj* ostry; spiczasty
needless ['ni:dlis] *adj* niepotrzebny; zbyteczny; zbędny; **~ to say** — nie trzeba dodawać (że) ...
needlewoman ['ni:dl,wumən] *s* (*pl* **needlewomen** ['ni:dl,wimin]) szwaczka
needle-work ['ni:dl,wə:k] *s* robótk-a/i (szycie i haftowanie)
needs [ni:dz] *adv* z konieczności; koniecznie, bezwzględnie; **I must ~** — muszę <musiałem> z konieczności ...; nie mam <nie miałem> innego wyjścia, jak tylko ...
needy ['ni:di] *adj* (**needier** ['ni:diə], **neediest** ['ni:diist]) potrzebujący; (będący) w biedzie <w niedostatku>
ne'er [nεə] *poet* = **never; ~ a** — ani jeden ...; **~ the less** = **nevertheless**
ne'er-do-weel ['nεə-du'wi:l] *szkoc* = **ne'er-do-well**
ne'er-do-well ['nεə-du'wel] [I] *adj* niegodziwy [II] *s* nicpoń
nefarious [ni'fεəriəs] *adj* nikczemny; niegodziwy; łajdacki; łotrowski
nefariousness [ni'fεəriəsnis] *s* niegodziwość; łotrostwo
negate [ni'geit] *vt* 1. przeczyć <zaprzeczać> (**sth** czemuś, istnieniu czegoś) 2. anulować
negation [ni'geiʃən] *s* 1. zaprzecz-enie/anie (**of sth** czemuś); negacja 2. odmowa
negative ['negətiv] [I] *adj* 1. przeczący; negatywny; **~ voice** a) prawo weta b) głos sprzeciwu 2. odmowny 3. ujemny [II] *s* 1. za/przeczenie 2. odmowa 3. *gram* forma przecząca; **in the ~** a) przecząco b) odmownie; **two ~s** podwójne zaprzeczenie 4. *mat* wartość ujemna 5. *fot* negatyw [III] *vt* sprzeciwi-ć/ać się (**sth** czemuś); odrzuc-ić/ać (projekt itd.) 2. od-eprzeć/pierać; zaprzecz-yć/ać (**sth** czemuś) 3. z/neutralizować (działanie itd.)
negativism ['negəti,vizəm] *s* negatywizm, postawa negatywna
negatory ['negətəri] *adj* 1. przeczący 2. odmowny
neglect [ni'glekt] [I] *vt* 1. zaniedb-ać/ywać (**sb, sth** kogoś, coś, czegoś); z/lekceważyć; pomi-nąć/jać; nie u/szanować (**sb, sth** kogoś, czegoś) 2. zaniedb-ać/ywać <opu-ścić/szczać> się (**one's duties** w obowiązkach itd.); przepu-ścić/szczać (sposobność); nie s/korzystać (**an opportunity** z okazji); *pot* przegapi-ć/ać 3. nie zrobić (**sth** czegoś); zapomnieć (**to do sth** coś <czegoś> zrobić); **don't ~ to do that** nie omieszkaj tego zrobić; **I ~ed to do that** nie zrobiłem tego [II] *s* 1. zaniedbanie; opuszczenie; pominięcie 2. z/lekceważenie; nieuszanowanie
neglectful [ni'glektful] *adj* niedbały; niestaranny; nieuważny; opieszały; **to be ~ of sb, sth** zaniedb-ać/ywać kogoś, coś <czegoś>
neglectfulness [ni'glektfulnis] *s* niedbalstwo; brak staranności <uwagi>; opieszałość
négligé ['negli:ʒei] *s* 1. negliż 2. szlafrok
negligence ['neglidʒəns] *s* zaniedb-anie/ywanie; niedbalstwo; z/lekceważenie; brak staranności <uwagi>; opieszałość; opuszczenie się
negligent ['neglidʒənt] *adj* 1. niedbały; opieszały; **to be ~ of sth** zaniedb-ać/ywać coś, czegoś; zaniedb-ać/ywać się w czymś; zapom-nieć/inać o czymś 2. nonszalancki; lekceważący 3. zaniedbany
negligible ['neglidʒəbl] *adj* mało <nic nie> znaczący; (*o sprawie itd*) bez znaczenia; nieistotny
negotiable [ni'gouʃjəbl] *adj* 1. sprzedażny; możliwy do zrealizowania <do spieniężenia>; mający wartość obiegową 2. (*o trudności*) (możliwy) do pokonania
negotiate [ni'gouʃi,eit] [I] *vi* po/prowadzić pertraktacje <układy, rozmowy>; pertraktować [II] *vt* 1. pertraktować (**sth** w sprawie czegoś); uło-żyć/układać <om-ówić/awiać> (warunki itd.) 2. załatwi-ć/ać <przeprowadz-ić/ać> (sprawę); zaw-rzeć/ierać (umowę) 3. *handl* sprzeda-ć/wać <z/realizować, spienięż-yć/ać> (papiery wartościowe); z/dyskontować (weksel); zaciąg-nąć/ać (pożyczkę) 4. przezwycięż-yć/ać <pokon-ać/ywać> (trudności itd.); uporać się <poradzić sobie> (**sth** z czymś); podołać (**sth** czemuś) 5. (*o kierowcy itd*) wziąć/brać (zakręt/y)
negotiation [ni,gouʃi'eiʃən] *s* 1. pertraktacj-a/e; prowadzenie pertraktacji <układów, rozmów>; **to be in ~ with** — prowadzić pertraktacje <układy, rozmowy> z ... (kimś) 2. *handl* sprzedaż, z/realizowanie; spieniężenie; z/dyskontowanie (weksla); zaciągnięcie (pożyczki) 3. przezwyciężenie <pokonanie> (trudności itd.); uporanie się (**of sth** z czymś)
negotiator [ni'gouʃi,eitə] *s* człowiek prowadzący układy, negocjator
Negress ['ni:gris] *s* Murzynka
Negrillo [ne'grilou] *s* karłowat-y/a Murzyn/ka
Negrito [ne'gri:tou] *s* Negrytos (karłowaty tubylec malajsko-polinezyjski)
Negro ['ni:grou] [I] *s* (*pl* **~es**) Murzyn/ka; *am* **the ~ States** stany Ameryki Płn., w których kwitło niewolnictwo [II] *adj* murzyński
negro-head ['ni:grou,hed] *s* 1. gatunek mocnego tytoniu fajkowego 2. guma pośledniej jakości
negroid ['ni:grɔid] *adj* negroidalny
negrophile ['ni:grou,fail] *s* człowiek o nastawieniu promurzyńskim
negrophobe ['ni:grou,foub] *s* wróg Murzynów
Negus ['ni:gəs] *s* negus (abisyński)
negus ['ni:gəs] *s* grzane wino
neigh [nei] [I] *vi* za/rżeć [II] *s* rżenie
neighbour ['neibə] [I] *s* 1. sąsiad/ka 2. bliźni [II] *vt* sąsiadować (**sb** z kimś) [III] *vi* sąsiadować *zob* **neighboured, neighbouring**
neighboured ['neibəd] [I] *zob* **neighbour** *v* [II] *adj* mający (przykre, przyjemne itd.) sąsiedztwo; (*o posiadłości*) **to be ill <beautifully etc.> ~** posiadać przykre sąsiedztwo <piękne otoczenie itd.>
neighbourhood ['neibə,hud] *s* 1. sąsiedztwo; sąsiedzi 2. bliskość; okolica; *pot* **sth in the ~ of x pounds <miles, hours etc.>** około <mniej więcej, jakieś> *x* funtów <mil, godzin itd.> 3. stosunki sąsiedzkie
neighbouring ['neibəriŋ] [I] *zob* **neighbour** *v* [II] *adj* sąsiadujący; sąsiedni; ościenny; pobliski
neighbourly ['neibəli] *adj* życzliwy; przyjazny; usłużny; dobrosąsiedzki
neighbourship ['neibəʃip] = **neighbourhood**
neither ['naiðə] [I] *pron* żaden (z dwóch); ani jeden, ani drugi; ani ten, ani tamten; **~ of them**

knew żaden z nich nie wiedział; ani ten nie wiedział, ani tamten; **which picture is genuine?** — ~ który obraz jest prawdziwy? — żaden (ani jeden, ani drugi) [II] *adv* 1. ani; ~ ... **nor** — ani ..., ani (też) ...; **I can** ~ **eat nor drink** nie mogę jeść ani pić; **it's** ~ **here nor there** to nie ma nic do rzeczy 2. też nie; **I did not hear that,** ~ **did my neighbours** ja tego nie słyszałem, moi sąsiedzi też nie (słyszeli) 3. i nie; **I don't know him,** ~ **do I wish to** nie znam go i nie pragnę (go) znać 4. nawet <toteż i> nie; **I know I shan't do it,** ~ **shall I try,** wiem, że tego nie zrobię, nawet <toteż i> nie będę próbował

nek [nek] *s* (*w płd Afryce*) przełęcz

nelly ['neli] *s zoo* burzyk olbrzym (ptak)

nematodes ['nemə,toudz] *spl zoo* nematody, nicienie, glisty

Nemesis ['nemisis] *s mitol* Nemezys

nenuphar ['nenju,fɑ:] *s bot* nenufar, lilia wodna

neolithic [,niou'liθik] *adj* neolityczny

neologism [ni'ɔlə,dʒizəm], **neology** [ni'ɔlədʒi] *s* neologizm

neon ['ni:ɔn] [I] *s chem* neon [II] *attr* neonowy; ~ **sign** reklama neonowa

neophron ['ni:ə,frɔn] *s zoo* biały sęp egipski

neophyte ['niou,fait] *s* neofit-a/ka

neoplasm ['niou,plæzəm] *s med* nowotwór, guz, neoplazma

neoteric [,ni:ou'terik] *adj* nowy; świeży; nowoczesny; świeżo zaprowadzony

neotropical [,ni:ou'trɔpikəl] *adj geogr zoo bot* (*o faunie itd*) Ameryki tropikalnej

neozoic [,ni:ou'zouik] *adj geol* neozoiczny, kenozoiczny

nepenthe(s) [ne'penθi(:z)] *s* 1. *poet* środek wywołujący zapomnienie smutku 2. *bot* dzbanecznik

nephew ['nevju] *s* siostrzeniec; bratanek

nephology [ne'fɔlədʒi] *s* nefologia (nauka o chmurach)

nephoscope ['nefə,skoup] *s meteor* nefoskop

nephralgia [ni'frældʒjə] *s med* newralgia, ból nerki, kolka nerkowa

nephrite ['nefrait] *s miner* nefryt, nerkowiec

nephritic [ne'fritik] [I] *adj anat* nerkowy [II] *s* lek stosowany w leczeniu nerek

nephritis [ne'fraitis] *s med* zapalenie nerek

ne plus ultra ['ni:-plʌs'ʌltrə] *s* szczyt doskonałości

nepotism ['nepə,tizəm] *s* nepotyzm

Neptunian [nep'tju:njən] *adj geol* neptuniczny, ~ **theory** neptunizm

nereid ['niəriid] *s mitol* nereida, nimfa morska

nervate ['nə:veit] *adj bot* unerwiony, żyłkowaty

nervation [nə'veiʃən] *s* unerwienie <żyłkowanie> (liścia, skrzydła owada)

nerve [nə:v] [I] *s* 1. *anat* nerw; **a fit of** ~**s** atak nerwowy <histeryczny>; **in a state of** ~**s** zdenerwowany; **to get on sb's** ~**s** działać komuś na nerwy 2. siła; energia; **to strain every** ~ wytężyć wszystkie siły 3. odwaga; panowanie nad sobą; zimna krew; **a man of** ~ człowiek odważny <opanowany, o stalowych nerwach> 4. tupet; zuchwalstwo; czelność; bezczelność; **what** ~**!** co za tupet <zuchwalstwo, bezczelność>! 5. nerw <żyłka> (liścia, skrzydła owada) 6. *lit* ścięgno [II] *attr* nerwowy; ~ **endings** zakończenia nerwowe; ~ **specialist** neurolog [III] *vt* doda-ć/wać sił <odwagi> (**sb** komuś); ośmiel-ić/ać; zachęc-ić/ać [IV] *vr* ~ **oneself** nab-rać/ierać odwagi (**for sth** do czegoś); **to** ~ **oneself to do sth** odważyć się <zdobyć się na to, żeby> coś zrobić *zob* **nerved**

nerve-cell ['nə:v,sel] *s anat* komórka nerwowa

nerve-centre ['nə:v,sentə] *s anat* ośrodek nerwowy

nerved [nə:vd] [I] *zob* **nerve** *v* [II] *adj* unerwiony; *bot* żyłkowaty

nerve-knot ['nə:v,nɔt] *s anat* ganglion, zwój nerwowy

nerveless ['nə:vlis] *adj* 1. (*o człowieku*) bez sił; bez energii; bez wigoru; słaby; (*o utworze itd*) bez życia; blady, mdły 2. nieunerwiony

nervelessness ['nə:vlisnis] *s* inercja; brak sił

nerve-racking ['nə:v,rækiŋ] *adj* denerwujący; szarpiący nerwy

nervine ['nə:vi:n] *s farm* środek uspokajający <wzmacniający>

nervous ['nə:vəs] *adj* 1. nerwowy 2. zdenerwowany; niespokojny; pełen obaw; stremowany; **to be <feel, get, grow, become>** ~ z/denerwować się 3. *lit* mocny; pełen wigoru

nervousness ['nə:vəsnis] *s* 1. nerwowość 2. zdenerwowanie; obawy; trema

nervure ['nə:vjuə] *s* żyłkowanie <unerwienie> (liścia, skrzydła owada)

nervy ['nə:vi] *adj* (**nervier** ['nə:viə], **nerviest** ['nə:viist]) 1. *sl* zdenerwowany; niespokojny; (będący) w napięciu nerwowym 2. *sl* bezczelny 3. denerwujący 4. *poet* mocny; pełen wigoru 5. *pot* wymagający odwagi <silnych nerwów>

nescience ['nesiəns] *s* nieznajomość; niewiedza

nescient ['nesiənt] [I] *adj* nieświadomy; **to be** ~ **of sth** nie wiedzieć o czymś [II] *s filoz* agnostyk

ness [nes] *s geogr* przylądek; cypel

nest [nest] [I] *s* 1. gniazdo, gniazdko 2. gniazdo <siedlisko> (rozpusty itp.); jaskinia (zbójecka); nora 3. wyląg (piskląt) 4. seria <komplet, zespół> (stolików, pudełek wchodzących jedno w drugie itd.); **a** ~ **of drawers** komoda; bieliźniarka; szafka z szufladami [II] *vi* 1. z/budować gniazd-o/a 2. za/gnieździć się 3. podbierać gniazda ptasie 4. włożyć/wkładać jedną rzecz w drugą

nest-egg ['nest,eg] *s* 1. jajko wkładane do gniazda (dla zachęcenia kury do składania jaj), podkładek 2. uskładane pieniądze; zaczątek majątku

nestle ['nesl] [I] *vi* 1. gnieździć się 2. s/kulić <s/tulić> się; (*także* ~ **down**) wygodnie się usad-owić/awiać; **to** ~ **close (up) to sb** przytulić się <przylgnąć> do kogoś [II] *vt* przy/tulić; przycis-nąć/kać; **to** ~ **one's face <head> against sb, sth** przytulić twarz <głowę> do kogoś, czegoś *zob* **nestling**

nestling ['nesliŋ] [I] *zob* **nestle** [II] *s* pisklę [III] *adj* stulony; przytulony; schowany

Nestor ['nestɔ:] *s* nestor

net¹ [net] [I] *s dosł i przen* siatka; sie-ć/ci; *sport* net [II] *vt* (**-tt-**) 1. *dosł i przen* zastawi-ć/ać sieci (**sth** na coś) 2. łowić sieciami (ryby itd.) 3. *sport* trafić (**the ball** piłką) w siatkę [III] *vi* wiązać siatkę <sieci> *zob* **netting**

net² [net] [I] *adj* (*o dochodzie, zysku itd*) czysty; (*o wadze, cenie itd*) netto; bez potrąceń; ~

cash a) (płatny) w gotówce b) cena gotówkowa [II] *vt* (**-tt-**) 1. zar-obić/abiać na czysto 2. (*o przedsiębiorstwie, transakcji itd*) przyn-ieść/osić (**£x**) na czysto <czystego zysku>

netball ['net,bɔ:l] *s sport* rodzaj koszykówki

nether ['neðə] *adj poet żart* dolny; **~ garments** spodnie; **the ~ man** nogi; **the ~ world** piekło; (*o sercu*) **hard as the ~ millstone** kamienny

Netherlander ['neðə,lændə], **Netherlandish** ['neðə,lændiʃ], *adj* holenderski, niderlandzki

nethermost ['neðə,moust] *adj* najniższy

netting ['netiŋ] [I] *zob* **net**¹ *v* [II] *s* 1. siatka; sieć 2. wiązanie sieci 3. łowienie sieciami (ryb itd.) 4. zastawianie sieci

nettle ['netl] [I] *s bot* pokrzywa; **dead ~** głucha pokrzywa, jasnota biała [II] *vt* s/parzyć pokrzywą; *przen* rozdrażni-ć/ać; z/irytować; doci-ąć/nać <dopie-c/kać> (**sb** komuś); **he was ~d** (to) ubodło go [III] *vr* **~ oneself** s/parzyć się pokrzywą *zob* **nettled**

nettled ['netld] [I] *zob* **nettle** *v* [II] *adj* rozdrażniony; z/irytowany; dotknięty do żywego

nettle-rash ['netl,ræʃ] *s med* pokrzywka

nettle-tree ['netl,tri:] *s bot* obrostnica, wiązowiec

network ['net,wə:k] *s* 1. sieć (kolejowa itd.) 2. układ (elektryczny itd.)

neural ['njuərəl] *s anat* nerwowy

neuralgia [njuə'rældʒə] *s med* newralgia, ból nerwowy, nerwoból, rwa

neuralgic [njuə'rældʒik] *adj med* newralgiczny

neurasthenia [,njuərəs'θi:njə] *s med* neurastenia

neurasthenic [,njuərəs'θenik] [I] *adj* neurasteniczny [II] *s* neurastenik

neurine ['njuə,rain] *s biol* neuryna (tkanka nerwowa)

neuritis [njuə'raitis] *s med* zapalenie nerwu

neurologist [njuə'rɔlədʒist] *s* neurolog

neurology [njuə'rɔlədʒi] *s* neurologia

neuroma [njuə'roumə] *s* (*pl* **~ta** [njuə'roumətə]) *med* nerwiak (narośl na tkance nerwowej)

neuron [njuə'rɔn], **neurone** ['njuə,roun] *s anat* neuron

neuropath ['njuərə,pæθ] *s* neuropata

neuropathy [njuə'rɔpəθi] *s* neuropatia

neuroptera [njuə'rɔptərə] *spl zoo* siatkoskrzydłe (owady)

neuropterous [njuə'rɔpterəs] *adj zoo* (*o owadzie*) siatkoskrzydły

neurosis [njuə'rousis] *s* (*pl* **neuroses** [njuə'rousi:z]) *med* nerwica

neurotic [njuə'rɔtik] [I] *adj* nerwowo chory [II] *s* 1. człowiek nerwowo chory 2. *farm* neurotyk (środek na nerwy)

neuter ['nju:tə] [I] *adj* 1. *gram* (*o rzeczowniku*) rodzaju nijakiego; (*o czasowniku*) nieprzechodni 2. (*o człowieku*) bezstronny; neutralny; **to stand ~** zachow-ać/ywać neutralność 3. *bot* bezpłciowy 4. (*o owadzie*) bezpłodny [II] *s* 1. *gram* rzeczownik rodzaju nijakiego 2. *gram* czasownik nieprzechodni 3. człowiek bezstronny 4. roślina bezpłciowa 5. owad bezpłodny 6. zwierzę kastrowane

neutral ['nju:trəl] [I] *adj* 1. neutralny; bezstronny 2. *chem elektr* neutralny, obojętny 3. pośredni; nieokreślony 4. bezpłciowy 5. *techn* (*o biegu*) wyłączony; luźny [II] *s* 1. *polit* państwo neutralne 2. *techn* położenie wyłączone (biegów), *pot* luz

neutrality [nju'træliti] *s* neutralność

neutralization [,nju:trəlai'zeiʃən] *s* neutralizacja; z/neutralizowanie; unieszkodliwi-enie/anie; *chem* zobojetni-enie/anie

neutralize ['nju:trə,laiz] *vt* z/neutralizować; unieszkodliwi-ć/ać; *chem* zobojętni-ć/ać

neutron ['nju:trɔn] *s fiz* neutron

névé ['nevei] *s* firn (gruboziarnisty śnieg)

never ['nevə] *adv* 1. nigdy; **~ before** nigdy przedtem; **~ more** <**since, after**> nigdy więcej; **~, ~** przenigdy; **~ yet** jeszcze nigdy; nigdy dotąd 2. *pot wyraża niedowierzanie, zdziwienie*: nie może być!; niemożliwe!; **well, I ~!** to dopiero! 3. *silne zaprzeczenie*: ani nawet...; nawet nie...; **~ a one** ani jednego; **~ a word** ani słówka <słowa>; **~ fear** a) nic się nie bój/cie b) nie ma obawy! 4. *w zwrocie*: **~ so big** <**bad etc.**> żeby nie wiem jak duży <zły itd.>; choćby największy <najgorszy itd.> 5. *przed stopniem wyższym przymiotnika, przysłówka*: **~ the better** <**worse etc.**> bynajmniej nie lepszy <gorszy itd.> 6. wcale nie; **that will ~ do!** to na nic!; **you ~ told me** wcale mi nie mówiłeś

never-ceasing ['nevə'si:siŋ] *adj* bezustanny; wieczny

never-ending ['nevər,endiŋ] *adj* nieśmiertelny; wieczny

never-failing ['nevə,feiliŋ] *adj* niezawodny

nevermore ['nevə,mɔ:] *adv* nigdy więcej

nevertheless [,nevəðə'les] *adv* niemniej (jednak); pomimo tego <to>; (tym) niemniej

never-to-be-forgotten [,nevə-tə,bi:-fə'gɔtn] *adj* niezapomniany

new [nju:] *adj* 1. nowy; **something** <**nothing**> **~** coś <nic> nowego; **~ soil** nowizna; **New Year** Nowy Rok; **New Year's Day** 1 stycznia; **New Year's Eve** Sylwester; **on New Year** w Nowy Rok 2. (*o przedmiocie*) nie używany 3. (*o potrawach itd*) świeży; (*o jarzynach, winie itd*) młody 4. świeżo przybyły <powstały> 5. nowoczesny; (*o modzie itd*) najnowszy, ostatni 6. nie przyzwyczajony; nie obeznany (**to sth** z czymś) 7. nieznany <obcy> (**to sb** komuś)

new-blown ['nju:,bloun] *adj* (*o kwiecie*) świeżo rozwinięty

new-born ['nju:,bɔ:n] *adj* nowo narodzony

new-built ['nju:,bilt] *adj* świeżo <nowo> zbudowany; odbudowany; przebudowany

new-coined ['nju:,kɔind] *adj* świeżo wprowadzony; **~ word** nowotwór (językowy), neologizm

newcomer ['nju:'kʌmə] *s* przybysz

new-fallen ['nju:'fɔ:lən] *adj* (*o śniegu*) świeży

new-fangled ['nju:,fæŋgld] *adj* świeżo wprowadzony <zaprowadzony>; nowomodny

new-fashioned ['nju:'fæʃənd] *adj* nowomodny

Newfoundland [nju'faundlənd] *s* spaniel nowofundlandzki

new-laid ['nju:,leid] *adj* (*o jaju*) świeży

newly ['nju:li] *adv* świeżo; niedawno; dopiero co; ostatnio

new-made ['nju:,meid] *adj* 1. nowy 2. przerobiony; odnowiony

Newmarket ['nju:,ma:kit] *spr* **~ coat** rodzaj obcisłego płaszcza

newness ['nju:nis] *s* 1. nowość (czegoś) 2. świeżość 3. niedoświadczenie, brak doświadczenia

news [nju:z] *spl* (*także sing*) 1. nowoś-ć/ci; nowin-a/y; wiadomoś-ć/ci; **a piece of ~** wiadomość; **bad ~** kiepskie nowiny; zł-a/e wiadomoś-ć/ci; **that's ~ to me** to dla mnie coś nowego; nic o tym nie wiedziałem; **that's no ~** to nic nowego; **what's the ~?** co słychać nowego? 2. *dzien* kronika; aktualności; **~ editor** redaktor prowadzący dział kroniki; **~ film** kronika filmowa; **to be in the ~** być wymienionym w kronice; **he is in the ~** o nim się czyta <mówi>

news-agent ['nju:z,eidʒənt] *s* właściciel/ka sklepu <kiosku> z czasopismami; gazecia-rz/rka

news-boy ['nju:z,bɔi] *s* gazeciarz (chłopiec)

news-dealer ['nju:z,di:lə] = **news-agent**

news-man ['nju:z,mæn] *s* (*pl* **news-men** ['nju:z,men]) 1. gazeciarz (sprzedawca) 2. reporter

newsmonger ['nju:z,mʌŋgə] *s* plotka-rz/rka

newspaper ['nju:z,peipə] [I] *s* gazeta; dziennik; czasopismo; **he is on a ~** on jest dziennikarzem [II] *attr* gazetowy; gazeciarski; dziennikarski; **~ man** a) dziennikarz b) gazeciarz

news-print ['nju:z,print] *s* papier gazetowy

newsreel ['nju:z,ri:l] *s kino* kronika filmowa

news-room ['nju:z,ru:m] *s* czytelnia gazet

news-sheet ['nju:z,ʃi:t] *s* gazeta, gazetka; dziennik

news-stall ['nju:z,stɔ:l], **news-stand** ['nju:z,stænd] *s* kiosk z gazetami

newsvendor ['nju:z,vendə] = **news-agent**

newsy ['nju:zi] [I] *adj* (*o liście itd*) pełen <bogaty w> wiadomości [II] *s am* gazeciarz

newt [nju:t] *s zoo* tryton, traszka

Newtonian [nju'tounjən] *adj* newtonowski

↑ **next** [nekst] [I] *adj* 1. (*w przestrzeni*) następny; najbliższy; sąsiedni; znajdujący się <leżący, stojący itd.> obok (czegoś) <tuż przy (czymś)>; **their house is ~ to ours** ich dom jest tuż obok naszego <tuż przy naszym>; **~ but one** przedostatni; **~ but two <three etc.>** trzeci <czwarty itd.> od końca; **in the ~ place** poza tym; po drugie 2. (*w czasie*) następny; najbliższy; przyszły; nadchodzący; następujący zaraz (po czymś); **(the) ~ week <month, year>** a) następny <przyszły> tydzień <miesiąc, rok> b) w następnym <przyszłym> tygodniu <miesiącu, roku>; **(the) ~ day** następnego dnia; nazajutrz; **the ~ day but one** (w) dwa dni później; **the ~ few days** przez kilka następnych dni; **from one day to the ~** a) z jednego dnia na drugi b) z dnia na dzień; **~ time** na przyszły raz; następnym razem; **not till ~ time** aż do następnego razu; dopiero następnym razem; **the ~ time I saw him** gdy go znów <znowu> zobaczyłem; **the ~ thing is to —** a teraz trzeba... 3. (*w kolejności*) następny; **~ in rank** następny rangą; **to come ~** następować; **what ~?** (no i) co jeszcze? 4. *z przymiotnikiem, zaimkiem*: prawie, niemal (że); **~ to impossible** prawie niemożliwe; **~ to nothing** prawie <tyle co> nic; **it's the ~ best thing** nic lepszego się nie wymyśli <nie znajdzie, nie zrobi>; **there being no ham the ~ best thing is cheese** wobec braku szynki trzeba się zadowolić serem 5. pierwszy lepszy <z brzegu>; **ask the ~ policeman** zapytaj pierwszego lepszego <z brzegu> policjanta; **as good <well etc.> as the ~ man** równie dobry <dobrze itd.> jak każdy inny (człowiek); nie gorszy <nie gorzej itd.> od każdego innego ‖ **~ door** a) *przysłówkowo*: (mieszkać) obok <za ścianą, drzwi w drzwi, w bezpośrednim sąsiedztwie>; *pot przen* **to be ~ door to sth** graniczyć z czymś; **if it isn't theft it's ~ door to it** jeżeli to nie jest złodziejstwo, to z nim graniczy b) *rzeczownikowo*: **one of the boys from ~ door** jeden z chłopców od sąsiadów; **the man ~ door** sąsiad (zza ściany) [II] *adv* 1. następnie; potem; z kolei; **what ~?** a) a teraz co? b) a potem co? 2. następnym razem [III] *praep* 1. obok (kogoś, czegoś); tuż przy (kimś, czymś); najbliżej (czyjegoś serca itd.) 2. po (kimś, czymś); **~ to London he loved his home town** po Londynie najwięcej kochał swe rodzinne miasto [IV] *s* 1. następny człowiek <klient, list itd.>; **her ~ was a merchant** następny jej mąż był kupcem 2. najbliższy; **~ of kin** krewny

next-door ['nekst,dɔ:] *adj* sąsiedni; (*o sąsiedzie*) najbliższy; zza ściany

nexus ['neksəs] *s* 1. związek (przyczynowy itp.); ogniwo 2. grupa; zespół

Niagara [nai'ægərə] *spr przen* **to shoot ~** nara-zić/żać się na wielkie niebezpieczeństwo; wyz-wać/ywać los; nadstawi-ć/ać karku

nib [nib] [I] *s* 1. stalówka, stalka 2. ostrze; szpic; kolec; zaostrzony koniec (pala itd.) 3. *pl* **~s** okruchy strąków kakaowych [II] *vt* (**-bb-**) wetknąć/wtykać stalówkę (**a pen** do pióra)

nibble ['nibl] [I] *vt* 1. ogryzać (sucharek itd.); jeść z przesadną delikatnością <jednym ząbkiem> 2. (*o zwierzętach*) skubać 3. okrawać (blachę itd) [II] *vi* 1. (*o rybie*) (*także* **to ~ at the bait**) brać; szarpać przynętę 2. (*o człowieku*) bawić się myślą (**at sth** o czymś) 3. s/krytykować (**at sth** coś); *przen* czepiać się (**at sth** czegoś) [III] *s* 1. ogryzanie; dziobanie 2. kęsek (uszczknięty); kępka (trawy do skubania)

niblick ['niblik] *s* jeden z kijów do gry w golfa

nibs [nibz] *s sl żart* ważna osoba; **His ~** jego dostojność

Nicaraguan [,nikə'rægwən] [I] *adj* nikaraguański [II] *s* Nikaragua-ńczyk/nka

nice [nais] *adj* 1. przyjemny; miły; sympatyczny; (*o człowieku*) uprzejmy (**to sb** dla kogoś); (*o dziecku*) grzeczny; (*o pogodzie, widoku, postępowaniu itd*) ładny; (*o potrawie itp*) smaczny; dobry; **a ~ fellow!** a to ananas <gagatek, numer>!; *iron* **a ~ mess** ładny bałagan; **how ~!** jak to dobrze; **it was ~ of you** to było ładnie z twojej strony 2. wybredny; wymagający 3. skrupulatny; (*o badaniach, dociekaniach*) dokładny; drobiazgowy 4. wrażliwy; drażliwy 5. finezyjny; wyszukany; delikatny; subtelny; (*o wzroku, sądzie*) bystry; (*o instrumencie, słuchu itp*) czuły 6. *z innym przymiotnikiem lub z przysłówkiem*: **~ and cool** przyjemnie chłodny; **it's ~ and cool** jest przyjemny chłód; **we drove ~ and fast** jechaliśmy z dobrą szybkością; **~ and sweet** dobrze posłodzony; **~ and warm** cieplutki, cieplutko

nice-looking ['nais,lukiŋ] *adj* (*o człowieku*) przystojny; (*o rzeczy*) ładny

nicely ['naisli] *adv* 1. przyjemnie; dobrze; uprzejmie; grzecznie; **to be getting on ~** robić dobre postępy; dobrze się rozwijać; (*o pacjencie*) poprawiać się; **she <he etc.> is doing ~** świetnie się jej <mu itd.> powodzi; **that will suit me ~** to mi bardzo odpowiada 2. dokładnie; ściśle; skrupulatnie; starannie

niceness ['naisnis] *s* 1. przyjemność <przyjemna strona> (czegoś); dobry smak (potrawy itp.) 2. uprzejmość; uprzejme zachowanie 3. wybredność; wielkie wymagania 4. drobiazgowość; dokładność; skrupulatność 5. finezja; delikatność; subtelność; wrażliwość; czułość (instrumentu, słuchu itp.)

† **nicety** ['naisti] *s* 1. wybredność; wielkie wymagania 2. dokładność; precyzja; **to a ~** a) dokładnie; na milimetr b) świetnie; doskonale; **done to a ~** zrobiony <upieczony, przyrządzony> po mistrzowsku; **(the frock etc.) fits to a ~** (suknia itd.) leży jak ulał 3. finezja; delikatność; subtelność; (*o kwestii itd*) **of great ~** bardzo delikatny <subtelny> 4. *pl* **niceties** szczegóły; drobiazgi; subtelności; finezje

niche [nitʃ] [I] *s* 1. nisza, nyża; wnęka 2. *przen* odpowiednie miejsce; kącik [II] *vt* umie-ścić/szczać (posąg itd.) w niszy <we wnęce> [III] *vt* **~ oneself** ulokować się; znaleźć sobie odpowiednie miejsce

nick [nik] [I] *s* 1. nacięcie; wrąb; szczerba; karb 2. szczelina; rowek; wyżłobienie 3. (*przy grze w kości*) rzut wygrywający 4. właściwy moment; **in the ~ of time** w samą porę [II] *vt* 1. naci-ąć/nać; nadci-ąć/nać; z/robić nacięci-e/a <wr-ąb/ęby, karb/y> **(sth** na czymś) 2. wyżł-obić/abiać; rowkować 3. wyszczerbi-ć/ać 4. zgad-nąć/ywać, odgad-nąć/ywać (prawdę itd.); **to ~ a train** zdążyć w ostatniej chwili na pociąg; **to ~ the time** przyjść w samą porę 5. *pot* przychwycić <złapać> (złodzieja itd.) 6. † (*w grze w kości*) wygrać (rzut); **to ~ a cast** mieć wygrywający rzut 7. *pot* zwędzić, świsnąć [III] *vi* (*o rasach zwierząt*) łączyć <krzyżować> się

~ in *vi sport* ściąć sobie trasę (na zakręcie bieżni, pola wyścigowego)

† **nickel** ['nikl] [I] *s* 1. nikiel 2. niklowa moneta; *am* 5 centów [II] *attr* 1. niklowy 2. niklowany [III] *vt* (**-ll-**) (*także* **~-plate**) po/niklować

nickelous ['nikləs] *adj chem* niklawy

nick-nack ['nik,næk] = **knick-knack**

nickname ['nik,neim] [I] *s* przezwisko; przydomek [II] *vt* przez-wać/ywać; nada-ć/wać przydomek (**sb** komuś)

nicol ['nikəl] *s opt* nikol (pryzmat Nicola)

nicotian [ni'kouʃjən] [I] *adj* tytoniowy [II] *s* palacz (tytoniu)

nicotine ['nikə,ti:n] [I] *s* nikotyna [II] *attr* nikotynowy

nicotinism ['nikəti:,nizəm] *s med* zatrucie nikotyną

nictate ['nikteit], **nictitate** ['nikti,teit] *vi* mrugać *zob* **nictating**

nictating [nik'teitiŋ], **nictitating** [,nikti'teitiŋ] [I] *zob* **nictate, nictitate** [II] *s* mruganie; **~ membrane** migotka, błona mrużna

nictation [nik'teiʃən], **nictitation** [,nikti'teiʃən] *s* mruganie

nid(d)ering ['nidəriŋ] *adj* 1. tchórzliwy 2. łajdacki

niddle-noddle ['nidl'nɔdl] [I] *adj* chwiejny; niestały [II] *vi* trząść głową [III] *vt* trząść (**the head** głową)

nide [naid] *s* gniazdo bażantów

nidificate ['nidifi,keit], **nidify** ['nidi,fai] (**nidified** ['nidi,faid], **nidified; nidifying** ['nidi,faiiŋ]) *vi* z/budować gniazd-o/a

nid-nod ['nid'nɔd] *vi* (**-dd-**) trząść głową

nidus ['naidəs] *s* (*pl* **nidi** ['naidai], **~es**) gniazdo (owadów); *przen* siedlisko; ośrodek

niece [ni:s] *s* siostrzenica; bratanica

niello [ni'elou] *s* (*pl* **nielli** [ni'eli], **~s**) 1. czarna emalia 2. wyrób metalowy z inkrustacją z czarnej emalii

Nietzschean ['ni:tʃiən] *adj* (*o filozofii itd*) Nietzschego

nifty ['nifti] *adj am sl* szykowny

Nigerian [nai'dʒiəriən] [I] *adj* nigeryjski [II] *s* Nigeryj-czyk/ka

niggard ['nigəd] [I] *s* skąpiec; kutwa; sknera; dusigrosz [II] *adj* = **niggardly**

niggardliness ['nigədlinis] *s* skąpstwo; sknerstwo

niggardly ['nigədli] *adj* skąpy; (*o człowieku*) z wężem w kieszeni

nigger ['nigə] *s pog* Murzyn/ka; **to work like a ~** pracować jak koń, harować; *am* **~ song** pieśń murzyńska || **that's the ~ in the woodpile!** wyszło szydło z worka!; **there's a ~ in the woodpile** to (jest) nieczysta sprawa

niggle ['nigl] *vi* tracić czas na drobiazgach *zob* **niggling**

niggling ['nigliŋ] [I] *zob* **niggle** [II] *adj* 1. (*o człowieku*) drobnostkowy, małostkowy; ograniczony 2. (*o szczególe*) drobny 3. (*o pracy*) wycyzelowany

nigh [nai] *poet dial* = **near** *adj adv praep*

† **night** [nait] [I] *s* 1. noc; **~'s lodging** nocleg; **all ~** (przez) całą noc; **by ~** w nocy; nocną porą; **good ~!** dobranoc!; **last ~** ubiegłej <tej> nocy; **the ~ before last** przedwczoraj w nocy *zob* **~** 2.; **to have a good <bad> ~** dobrze <źle> spać; (*o pacjencie*) spędzić <mieć> dobrą <niespokojną> noc; **to make a ~ of it** za/bawić się do rana 2. wieczór; **at ~** wieczorem; **last ~** wczoraj wieczorem; **the ~ before last** przedwczoraj wieczorem; **to-morrow ~** jutro wieczorem 3. *teatr* wieczorne przedstawienie; **Chopin <Wagner etc.> ~** wieczór szopenowski <wagnerowski itd.> 4. ciemność; ciemności nocne [II] *attr* nocny (pociąg, lot, strój itd.)

night-bag ['nait,bæg] *s* śpiwór

night-bird ['nait,bə:d] *s* nocny ptak

night-blind ['nait,blaind] *adj* cierpiący na kurzą ślepotę; **to be ~** mieć kurzą ślepotę

night-blindness ['nait,blaindnis] *s* kurza ślepota

nightcap ['nait,kæp] *s* 1. czepek nocny (kobiety); szlafmyca 2. szklanka grogu <whisky, wina itp.> przed pójściem spać

night-cart ['nait,ka:t] *s* wóz do wywożenia nieczystości

night-chair ['nait,tʃɛə] *s* sedes pokojowy

night-clothes ['nait,klouðz] *spl* nocna bielizna

night-club ['nait,klʌb] *s* nocny lokal (rozrywkowy)

night-dress ['nait,dres] *s* koszula nocna; nocny ubiór (kobiecy i dziecięcy)

nightfall ['nait,fɔ:l] *s* zmrok; **at ~** o zmroku

night-flying ['nait,flaiiŋ] *s* nocne loty

night-glass ['nait,glɑ:s] *s mar* luneta nocna
nightgown ['nait,gaun] = **night-dress**
night-hag ['nait,hæg] *s* zmora
night-hawk ['nait,hɔ:k] *s* 1. = **nightjar** 2. złodziej <włóczęga> nocny
nightingale ['naitin,geil] *s zoo* słowik
nightjar ['nait,dʒɑ:] *s zoo* kozodój
night-light ['nait,lait] *s* światło nocne
night-line ['nait,lain] *s* wędka zastawiona na noc
night-long ['nait,lɔŋ] *adj* całonocny
nightly ['naitli] [I] *adj* 1. nocny; wieczorowy, wieczorny 2. conocny; powtarzający się co wieczór [II] *adv* co noc; co wieczór
night-man ['nait,mæn] *s* (*pl* **night-men** ['nait,men]) robotnik zajęty przy wywożeniu nieczystości
nightmare ['nait,mɛə] *s* zmora nocna; koszmar; mara
nightmarish ['nait,mɛəriʃ] *adj* koszmarny; niesamowity; przerażający
night-piece ['nait,pi:s] *s plast* motyw nocny
night-school ['nait,sku:l] *s* szkoła wieczorowa
nightshade ['nait,ʃeid] *s bot* nazwa ogólna kilku roślin psiankowatych; **Deadly Nightshade** wilcza jagoda
nightshirt ['nait,ʃə:t] *s* koszula nocna (męska)
night-soil ['nait,sɔil] *s* nieczystości
night-stool ['nait,stu:l] = **night-chair**
night-suit ['nait,sju:t] *s* piżama
night-time ['nait,taim] *s* noc; nocna pora; **in the ~** w nocy; nocną porą
night-walker ['nait,wɔ:kə] *s* 1. włóczęga nocny 2. † prostytutka 3. lunaty-k/czka
night-walking ['nait,wɔ:kiŋ] *s* somnambulizm
night-watch ['nait,wɔtʃ] *s* 1. nocne czuwanie <stróżowanie> 2. *mar* nocna wachta
night-watchman ['nait,wɔtʃmən] *s* (*pl* **night-watchmen** ['nait,wɔtʃmən]) stróż nocny
nighty ['naiti] *s dziec* koszulka nocna
nigrescence [nig'resəns] *s* czernienie <ciemnienie> skóry
nigrescent [ni'gresənt] *adj* czerniejący; czarniawy
nigritude ['nigri,tju:d] *s* czarność
nihilism ['naii,lizəm] *s* nihilizm
nihilist ['naiilist] *s* nihilist-a/ka
nihilistic [,naii'listik] *adj* nihilistyczny
nihility [nai'iliti] *s* 1. nicość 2. drobiazg
nil [nil] *s* nic; *sport* zero; *wojsk* **~ return** meldunek negatywny
nilgai ['nilgai] *s zoo* antylopa indyjska
nimble ['nimbl] *adj* 1. zwinny; lekki; sprężysty 2. prędki; szybki; rączy; żwawy 3. (*o umyśle*) bystry; żywy; giętki; 4. (*o starszym człowieku*) czerstwy
nimbus ['nimbəs] *s* (*pl* **nimbi** ['nimbai], **~es**) 1. nimb 2. *meteor* chmura deszczowa
niminy-piminy ['nimini'pimini] *adj* afektowany; sztuczny; zmanierowany
nincompoop ['ninkəm,pu:p] *s* matołek; gamoń; głupiec; ciamajda; fujara
nine [nain] *num* [I] *adj* dziewięć; dziewięcioro; **a boy** <**girl**> **of ~** chłopiec <dziewczyna> dziewięcioletni/a; **he** <**she, it**> **is ~ (years old)** on <ona, ono> ma dziewięć lat; **~ and six** dziewięć szylingów i sześć pensów; dziewięć i pół szylinga; **~ days' wonder** krótkotrwała sensacja; **~ o'clock** dziewiąta godzina; **~ times out of ten** dziewięć razy na dziesięć; najczęściej; **the Nine** muzy [II] *s* dziewiątka (cyfra, numer butów, rękawiczek itd.); **to the ~s** do perfekcji; **dressed up to the ~s** ubrany jak z igły; **to crack sb up to the ~s** wychwalać kogoś pod niebiosa
nine-figured ['nain'figəd] *adj* dziewięciocyfrowy
ninefold ['nainfould] *num* [I] *adj* dziewięciokrotny; dziewięcioraki [II] *adv* dziewięciokrotnie; dziewięciorako
nine-hole ['nain,houl] *adj* (*o terenie golfowym*) o dziewięciu dołkach
nine-holes ['nain,houlz] *s* chłopięca zabawa w kulki zwane "marbles"
ninepence ['nainpəns] *s* dziewięć pensów (kwota)
ninepenny ['nainpni] *adj* dziewięciopensowy
ninepins ['nain,pinz] *s* kręgle
nineteen ['nain,ti:n] *num* [I] *adj* dziewiętnaście; dziewiętnaścioro; **a boy** <**girl**> **of ~** chłopiec <dziewczyna> dziewiętnastoletni/a; **he** <**she, it**> **is ~ (years old)** on <ona, ono> ma dziewiętnaście lat; **~ and six** dziewiętnaście szylingów i sześć pensów; dziewiętnaście i pół szylinga; **to talk ~ to the dozen** pleść trzy po trzy; mówić tak, że się usta nie zamykają [II] *s* dziewiętnastka (numer butów, rękawiczek itd.)
nineteenth ['nain'ti:nθ] *num* [I] *adj* dziewiętnasty; **the ~ of —** dziewiętnastego ... (lipca itd.); *żart* (między miłośnikami golfa) **the ~ hole** bar; bufet [II] *s* (jedna) dziewiętnasta (część)
ninetieth ['naintiiθ] *num* [I] *adj* dziewięćdziesiąty [II] *s* (jedna) dziewięćdziesiąta (część)
ninety ['nainti] *num* [I] *adj* dziewięćdziesiąt; dziewięćdziesięcioro; **a man** <**woman**> **of ~** mężczyzna <kobieta> dziewięćdziesięcioletni/a; **he** <**she, it**> **is ~ (years old)** on <ona, ono> ma dziewięćdziesiąt lat [II] *s* 1. dziewięćdziesiątka 2. *pl* **nineties** lata dziewięćdziesiąte (danego wieku, czyjegoś życia)
ninny ['nini] *s* głupiec; ciamajda; fujara
ninth [naintθ] *num* [I] *adj* dziewiąty; **the ~ of —** dziewiątego ... (lipca itd.) [II] *s* (jedna) dziewiąta (część)
niobium [nai'oubiəm] *s chem* niob (pierwiastek)
nip[1] [nip] *v* (**-pp-**) [I] *vt* 1. uszczyp-nąć/ać; przychwycić; przycis-nąć/kać; ścis-nąć/kać; przygni-eść/atać; przygry-źć/zać; uszczknąć 2. *ogr* odszczepi-ć/ać (pączki, pędy); **to ~ sth in the bud** stłumić <zdusić> coś w zarodku 3. (*o mrozie*) szczypać; zwarzyć <zmrozić> (roślinę) 4. *sl* buchnąć, ukraść [II] *vi sl* po/pędzić; po/lecieć; skoczyć (dokądś)
~ in *vi sl* wpa-ść/dać (dokądś)
~ off [I] *vt ogr* odszczepi-ć/ać [II] *vi sl* zemknąć/zmykać
~ out [I] *vt pot* wyj-ąć/mować szybkim ruchem [II] *vi sl* wylecieć (skądś)
~ up [I] *vt* podn-ieść/osić [II] *vi sl* skoczyć na górę <na piętro>
[III] *s* 1. uszczypnięcie; ściśnięcie; zaciśnięcie; przyciśnięcie; przygniecenie 2. odgryziony kawałek (czegoś) 3. przymrozek; odmrożenie 4. *am w zwrocie*: **~ and tuck** (biec) pierś w pierś <łeb w łeb>
nip[2] [nip] [I] *s* łyk (napoju alkoholowego) [II] *vt* (**-pp-**) popijać (napój alkoholowy)
nipper ['nipə] *s* 1. chłopiec; ulicznik 2. *pl* **~s**

szczypce 3. pince-nez, binokle 4. ząb sieczny (konia) 5. *pl* **~s** kleszcze (raka itp.)

nipple ['nipl] *s* 1. *anat* brodawka sutkowa 2. smoczek 3. wzniesienie, pagórek, pagóreczek 4. *techn* nakrętka; nasuwka; złączka 5. (*w szkle, metalu*) bańka

nipplewort ['nipl,wə:t] *s bot* łoczyga pospolita

Nipponian [ni'pouniən] *adj* japoński

nippy ['nipi] [I] *adj* (**nippier** ['nipiə], **nippiest** ['nipiist]) 1. żwawy; zwinny 2. (*o wietrze itd*) mroźny; szczypiący [II] *s pot* kelnerka w restauracjach Lyonsa

nirvana [niə'vɑ:nə] *s* nirwana

nisi ['naisai] *s sąd* nakaz warunkowy <tymczasowy>

nit [nit] *s zoo* gnida

niter ['naitə] *am* = **nitre**

nitrate ['naitreit] [I] *s chem* azotan [II] *vt chem* nitrować

nitration [nai'treiʃən] *s chem* nitrowanie, nitracja

nitre ['naitə] *s chem* saletra; **cubic ~** saletra sodowa <chilijska>

nitric ['naitrik] *adj chem* azotowy; (*o tlenku itd*) azotu

nitride ['naitraid] *s chem* azotek

nitrification [,naitrifi'keiʃən] *s chem* nitryfikacja

nitrify ['naitri,fai] *vt* (**nitrified** ['naitri,faid], **nitrified; nitrifying** ['naitri,faiiŋ]) *chem* nitrifikować

nitrite ['naitrait] *s chem* azotyn (sól kwasu azotowego)

nitro-compound ['naitrou,kɔmpaund] *s chem* związek nitrowy, nitrozwiązek

nitrogen ['naitridʒən] *s chem* azot

nitrogenous [nai'trɔdʒinəs] *adj chem* azotowy

nitro-glycerin(e) ['naitrou,glisə'ri:n] *s* nitrogliceryna

nitrometer [nai'trɔmitə] *s* nitrometr, azotomierz

nitrous ['naitrəs] *adj* (*o kwasie*) azotawy; **~ oxide** podtlenek azotu, gaz rozweselający

nitty ['niti] *adj* wszawy; zawszony

nitwit ['nitwit] *s sl* bałwan; tuman; kretyn

nix[1] [niks] *interj szk sl* uwaga!; stary idzie!

nix[2] [niks] *s sl* nic

nix[3] [niks] *s* wodnik, duch wodny

nixie ['niksi] *s* rusałka, wodnica

Nizam [nai'zæm] *s* nizam (tytuł władcy Hajdarabadu)

no [nou] [I] *adj* 1. nie; **I have ~ money <time, apples etc.>** nie mam pieniędzy <czasu, jabłek itd.>; **there is ~ tea <sugar etc.>** nie ma herbaty <cukru itd.>; (*w krykiecie*) **~ ball** rzut nieważny 2. żaden; **by ~ means** w żaden sposób; **~ doubt** niewątpliwie; **~ end** bez końca; **~ mistake** niechybnie; *karc* **~ trumps** bez atu; **it has ~ importance** to nie ma żadnego znaczenia; **it's ~ distance** to niedaleko <bliziutko> 3. bynajmniej nie; **he is ~ genius** geniuszem bynajmniej nie jest; **he is ~ mean artist** to nie byle jaki <niepośledni> artysta; **I have ~ intention to —** bynajmniej nie zamierzam ... 4. *w zakazach i przy wypraszaniu sobie <odżegnywaniu się od> czegoś*: bez (czegoś); nie wolno <zabrania się> (wchodzić itd.); **~ compromise** bez kompromisów; **~ entrance** wstęp wzbroniony; **~ nonsense!** bez głupich żartów!; **~ smoking** nie wolno palić; palenie wzbronione 5. *w zwrocie*: **... or ~ — ...** czy **nie ...**; ... czy bez ...; ... czy inaczej ...; **rain or ~ rain** czy będzie lało, czy nie; choćby nawet i lało; **tears or ~ tears** czy z płaczem, czy bez płaczu; choćby nawet był i płacz *zob* **~** *adv* 6. *w konstrukcji z następującą formą* na **-ing; there is ~ getting out of it** nie da się tego uniknąć; **there is ~ knowing what may happen** nie można wiedzieć, co może się stać; **there is ~ mistaking what was meant** nie można się pomylić co do znaczenia tych słów [II] *adv* 1. nie; **~, ~!** ależ nie!; **whether or ~** czy tak jest, czy nie; **whether you like it or ~** czy ci się to podoba, czy nie 2. *z przymiotnikiem lub przysłówkiem w stopniu wyższym wyraża wzmocnione zaprzeczenie*: nic <bynajmniej, wcale> nie (lepiej, gorzej, trudniej, brzydziej itd.); **~ fewer than a hundred** aż <chyba że> sto; **~ less** wcale nie mniej; **~ more** a) nie więcej (niż ...) b) więcej (już) nie; **he is ~ more a lord than I am** on jest taki sam lord, jak i ja; **~ sooner —** ledwo <zaledwie> ...; **~ sooner said than done** i równocześnie słowa zamieniły się w czyn [III] *s* 1. odpowiedź przecząca 2. odmowa; sprzeciw; **I won't take ~ for an answer** nie uznaję odmowy <sprzeciwu> 3. (*w głosowaniu*) głos „przeciw"; **the ~es have it** wniosek odrzucono

Noah ['nouə] *spr bot* **~'s night cap** mak kalifornijski

nob[1] [nɔb] [I] *s sl* pała; łeb, głowa [II] *vt* (**-bb-**) *sl* wal-nąć/ić <palnąć> w głowę

nob[2] [nɔb] *s sl* lepszy gość

nobble ['nɔbl] *vt sl* 1. sztucznie zmniejsz-yć/ać przed wyścigiem sprawność (**a horse** konia) 2. dać w łapę (**a jockey** dżokejowi); przekup-ić/ywać (dżokeja) 3. świsnąć (pieniądze) 4. capnąć <przychwycić> (zbrodniarza)

nobby ['nɔbi] *adj* (**nobbier** ['nɔbiə], **nobbiest** ['nɔbiist]) *sl* elegancki; szykowny

nobiliary [nou'biliəri] *adj* (*o tytule itd*) szlachecki

nobility [nou'biliti] *s* 1. szlachetność 2. szlachta; arystokracja

noble ['noubl] [I] *adj* 1. szlachetny; zacny; wzniosły; wielkoduszny; szczytny 2. (*o rodzie itd*) szlachecki; znakomity 3. (*o dziele sztuki itd*) wspaniały; imponujący; godny podziwu 4. (*o metalu, kamieniu*) szlachetny [II] *s* = **nobleman**

nobleman ['noublmən] *s* (*pl* **noblemen** ['noubl mən]) pan wielkiego rodu

noble-minded ['noubl'maindid] *adj* szlachetny; wielkoduszny

nobleness ['noublnis] *s* 1. szlachetność; wzniosłość; wielkoduszność 2. szlacheckie pochodzenie 3. wspaniał-y/a wygląd <postawa>

noblewoman ['noubl,wumən] *s* (*pl* **noblewomen** ['noubl,wimin]) pani wielkiego rodu

nobody ['nou,bɔdi] [I] *s* (*o człowieku*) zero [II] *pron* nikt

nock [nɔk] [I] *s* wycięcie (w tyle strzały) [II] *vt* nasadz-ić/ać (strzałę) na cięciwę

noctambulism [nɔk'tæmbju,lizəm] *s* noktambulizm; somnambulizm; lunatyzm

noctambulist [nɔk'tæmbjulist] *s* lunaty-k/czka

noctiflorous [nɔk'tiflɔrəs] *adj bot* kwitnący w nocy

noctiluca ['nɔkti,lu:kə] *s zoo* nocoświetlik (żyjątko)

noctule ['nɔktju:l] *s zoo* mroczek borowiec (nietoperz)

nocturnal [nɔk'tə:nl] *adj* nocny
nocturne ['nɔktə:n] *s muz* nokturn
nocuous ['nɔkjuəs] *adj* szkodliwy
nod [nɔd] *v* (**-dd-**) [I] *vi* 1. kiwnąć <skinąć> głową; ukłonić/kłaniać się 2. drzemać; **Homer sometimes ~s** i geniusz może się pomylić 3. (*o pióropuszu*) poruszać się na wietrze 4. (*o budynku itd*) być nachylonym; krzywić się; (*o instytucji*) chylić się (**to its fall** ku upadkowi) [II] *vt* kiw-nąć/ać <skinąć> (**one's head** głową); **to ~ assent** <**approval**> skinąć głową na znak zgody <aprobaty> *zob* **nodding** [III] *s* 1. kiwnięcie głową; skinienie (głowy) 2. ukłon 3. drzemka; zdrzemnięcie się; **in the land of Nod** w objęciach Morfeusza
nodal ['noudl] *adj fiz mat* węzłowy; *bot* kolankowy
nodding ['nɔdiŋ] *zob* **nod** *v*; **we are ~ acquaintances** trochę się znamy
noddle ['nɔdl] [I] *s pot* łeb; pała; głowa [II] *vt* kiw-nąć/ać <trząść> (**one's head** głową)
noddy ['nɔdi] *s* 1. *zoo* odmiana mewy 2. głupek; fujara; cymbał
node [noud] *s* 1. *fiz mat* punkt węzłowy; węzeł 2. *med* węzeł; guzek kostny 3. *bot* kolanko 4. *astr* węzeł
nodical ['nɔdikəl] *adj astr* węzłowy
nodose ['noudous] *adj* węzłowaty; guzowaty
nodosity [nɔ'dɔsiti] *s* 1. guzowatość 2. guz
nodular ['nɔdjulə] *adj* guzkowaty; *geol* kulisty
nodule ['nɔdju:l] *s* guzek; węzełek; *geol* buła; **ore ~s** ruda nerkowa
nodulose ['nɔdju,lous], **nodulous** ['nɔdjuləs] *adj* guzkowaty; węzłowaty
nodus ['noudəs] *s* (*pl* **nodi** ['noudai]) węzeł; *bot* kolanko
Noel [nou'el] = **Nowel**
noetic [nou'etik] *adj* intelektualny
nog[1] [nɔg] [I] *s* 1. kołek; klin 2. klocek 3. pniak [II] *vt* (**-gg-**) za/kołkować
nog[2] [nɔg] *s* 1. rodzaj mocnego piwa 2. napój z grzanego piwa <wina, alkoholu> z ubitym jajkiem
noggin ['nɔgin] *s* 1. kubek 2. kwaterka (*zw* $^1/_4$ kwarty)
nohow ['nou,hau] *adv* w <na> żaden sposób; żadną miarą; wcale nie
noil [nɔil] *s* (*także pl*) *tekst* wyczeski
↑**noise** [nɔiz] [I] *s* 1. hałas, wrzawa, krzyk, harmider, zgiełk; **to make a ~** a) narobić hałasu <krzyku> b) narobić wrzawy (w świecie); *am pot przen* **a big ~** gruba ryba 2. dźwięk; brzmienie; głos; odgłos; szmer; (*w uchu*) dzwonienie 3. *akust* zakłócenia, szumy [II] *vt w zwrocie*: **to ~ sth abroad** rozgł-osić/aszać coś; **it was ~d abroad that —** rozeszła się pogłoska, że <jakoby>...
noiseless ['nɔizlis] *adj* cichy; bezgłośny; nie hałasujący; bezszmerowy; (*o odbiorze radiowym*) bez zakłóceń
noiselessness ['nɔizlisnis] *s* ciche funkcjonowanie; bezgłośny bieg <chód> (maszyny itd.)
noisette [nwɑ:'zet] *s bot* róża Noisette'a
noisily ['nɔizili] *adv* hałaśliwie; z hałasem; wrzaskliwie; zgiełkliwie
noisiness ['nɔizinis] *s* hałaśliwość; wrzaskliwość; zgiełkliwość
noisome ['nɔisəm] *adj* 1. szkodliwy; niezdrowy 2. cuchnący, śmierdzący 3. obrzydliwy
noisy ['nɔizi] *adj* (**noisier** ['nɔiziə], **noisiest** ['nɔiziist]) 1. hałaśliwy; krzykliwy; wrzaskliwy; huczny; szumny 2. (*o kolorach*) krzykliwy
noli-me-tangere ['noulai-mi:'tændʒiəri] [I] *s* 1. *med* wilk, toczeń 2. *bot* niecierpek pospolity [II] *adj* odstraszający
nolle prosequi ['nɔli'prɔsi,kwai] *s prawn* odstąpienie od pretensji
no-load ['nou'loud] [I] *s techn* bieg jałowy <bez obciążenia> [II] *adj techn* (*o biegu*) jałowy
nomad ['nɔməd] [I] *s* koczownik; włóczęga [II] *adj* = **nomadic**
nomadic [nou'mædik] *adj* koczowniczy; wędrowny; cygański
nomadism ['nɔmə,dizəm] *s* koczowniczy <wędrowny, cygański> tryb życia
nomadize ['nɔmə,daiz] *vi* prowadzić koczowniczy <wędrowny, cygański> tryb życia
nomenclator ['noumən,kleitə] *s* terminolog
nomenclature [nou'menklətʃə] *s* nomenklatura, mianownictwo, terminologia
↑**nominal** ['nɔminl] *adj* 1. nominalny; tytularny; (*o zapłacie*) symboliczny 2. imienny
nominalism ['nɔminə,lizəm] *s filoz* nominalizm
nominate ['nɔmi,neit] *vt* 1. za/mianować; ob-rać/ierać 2. wyznacz-yć/ać (datę, miejsce itd.) 3. wymieni-ć/ać (po nazwisku); naz-wać/ywać 4. wysu-nąć/wać kandydaturę (**sb** czyjąś; **to** <**for**> **office** na stanowisko)
nomination [,nɔmi'neiʃən] *s* nominacja; za/mianowanie; wyznaczenie; wysunięcie kandydatury
nominative ['nɔminətiv] *s gram* mianownik, pierwszy przypadek; **~ absolute** mianownik niezależny; mianownikowy równoważnik zdania
nominator ['nɔmi,neitə] *s* (człowiek) mianujący (kogoś)
nominee [,nɔmi'ni:] *s* wyznaczony <obrany> kandydat; nominat
non- [nɔn] *przedrostek*: nie-, bez-; **non-caking** nie spiekający się; **non-alcoholic** bezalkoholowy
non-access [,nɔn'ækses] *s prawn* 1. niemożność stosunku płciowego (ze względu na warunki zewnętrzne — podróż itp.) 2. niedopuszczenie (małżonka) do stosunku płciowego
non-affiliated ['nɔnə'fili,eitid] *adj am* (*o związku zawodowym*) nie należący do zjednoczenia
nonage ['nounidʒ] *s* niepełnoletność, nieletność; małoletność
nonagenarian [,nounədʒi'nɛəriən] [I] *s* sta-rzec/ruszka dziewięćdziesięcioletni/a [II] *adj* (*o starcu*) dziewięćdziesięcioletni
non-aggression ['nɔnə'greʃən] *s* nieagresja; **~ pact** pakt (o) nieagresji
non-alcoholic ['nɔnælkə'hɔlik] *adj* bezalkoholowy
non-appearance ['nɔnə'piərəns] *s prawn* niestawienie się, niestawiennictwo
nonary ['nounəri] [I] *adj* (*o systemie obliczania*) mający za podstawę liczbę 9 [II] *s* grupa złożona z dziewięciu jednostek; dziewiątka
non-attendance ['nɔnə'tendəns] *s* nieobecność; absencja
non-belligerent ['nɔnbi'lidʒərənt] [I] *adj* nie wojujący, nie walczący [II] *s* państwo nie wojujące <nie walczące>

non-caking [ˈnɔnˈkeikiŋ] *adj* (*o węglu*) nie spiekający się

nonce [nɔns] *s w zwrocie*: **for the ~** a) na razie; chwilowo; tymczasem b) doraźnie, dla danej okoliczności, okolicznościowo; ad hoc

nonce-word [ˈnɔnsˈwəːd] *s* wyraz <termin> okolicznościowy

nonchalance [ˈnɔnʃələns] *s* nonszalancja; niedbałość; lekceważenie; obojętność

monchalant [ˈnɔnʃələnt] *adj* nonszalancki; niedbały; lekceważący; obojętny

non-claim [ˈnɔnˈkleim] *s prawn* przedawnienie; przekroczenie terminu

non-com [ˈnɔnˈkɔm] *s wojsk pot* podoficer

non-combatant [ˈnɔnˈkɔmbətənt] [I] *adj* nie walczący; nieliniowy [II] *s* żołnierz nie walczący <nieliniowy>

non-commissioned [ˈnɔnkəˈmiʃənd] *adj wojsk* bez rangi oficerskiej; **~ officer** podoficer

non-committal [ˈnɔnkəˈmitl] *adj* (*o odpowiedzi*) wymijający; dyplomatyczny; **to be ~** mówić <odpowiadać> wymijająco <dyplomatycznie, z rezerwą>; nie angażować się

non-compliance [ˈnɔnkəmˈplaiəns] *s* niestosowanie się; nieprzestrzeganie; odmowa

non compos (mentis) [ˈnɔnˈkɔmpəsˈmentis] *adj prawn* niepoczytalny

non-conducting [ˈnɔnkənˈdʌktiŋ] *adj fiz* nie przewodzący

non-conductor [ˈnɔnkənˈdʌktə] *s fiz* nieprzewodnik; izolator

nonconformist [ˈnɔnkənˈfɔːmist] *s rel* nonkonformist-a/ka; *hist* dysydent/ka

nonconformity [ˈnɔnkənˈfɔːmiti] *s* 1. odstępstwo od doktryny kościoła anglikańskiego 2. sekty nie uznające zwierzchnictwa kościoła anglikańskiego 3. niestosowanie się

non-consent [ˈnɔnkənˈsent] *s* odmowa

non-contagious [ˈnɔnkənˈteidʒəs] *adj* niezaraźliwy

non-content [ˈnɔnkənˈtent] *s* (*w Izbie Lordów*) sprzeciw

non-co-operation [ˈnɔnkouˌɔpəˈreiʃən] *s* brak współdziałania; odmowa współpracy; bierny opór

non-dazzle [ˈnɔnˈdæzl] *adj* (*o światłach*) bezodblaskowy

non-delivery [ˈnɔndiˈlivəri] *s* niedoręczenie; brak dostawy

nondescript [ˈnɔndisˌkript] [I] *adj* nieokreślony [II] *s* człowiek nieokreślonego wyglądu <bez określonego zajęcia>

none [nʌn] [I] *pron* 1. żaden; nikt; **~ of us <you, them, these, those>** nikt <żaden> z nas <was, nich, tych>; **to be ~ of _** nie należeć do ...; bynajmniej nie być ...; **I am ~ of the worst** nie należę do najgorszych; nie jestem bynajmniej najgorszy; **~ but _** nikt prócz ...; (nikt) tylko ...; **~ but a fool would _** tylko głupiec by ... 2. nic; **~ of this <that>** nic z tego 3. *wypraszając sobie*: **~ of that!** dość tego!; **~ of your impudence!** dość tego zuchwalstwa! [II] *adj wzmocnione zaprzeczenie*: **feeling he has ~** uczucia (to) u niego nie ma wcale <za grosz>; **poetry they have almost ~** poezji nie mają prawie żadnej [III] *adv* bynajmniej <wcale> nie; **to be ~ the better <worse> for sth** nic nie zyskać <nie stracić> na czymś; wcale nie lepiej <nie gorzej> na czymś wyjść; **I am ~ the wiser for your information** bynajmniej <wcale> nie jestem mądrzejszy <niewiele się dowiedziałem> z twoich informacji; **~ the less** niemniej (jednak); tym niemniej; **~ too _** wcale <bynajmniej> nie ...; **he was ~ too kind** bynajmniej nie był uprzejmy; nie grzeszył zbytnią uprzejmością; *tłumaczy się także przez przeciwstawność następującego przymiotnika, przysłówka*: **~ too easy** trudny; **~ too good** kiepski; **~ too soon** w ostatniej chwili

non-effective [ˌnɔniˈfektiv], **non-efficient** [ˌnɔniˈfiʃənt] *adj* niezdatny do służby wojskowej

nonentity [nɔˈnentiti] *s* 1. niebyt; nicość 2. (*o człowieku*) zero

nones [nounz] *spl* 1. (*u staroż. Rzymian*) nony 2. *kośc* nona (nabożeństwo)

nonessential [ˈnɔniˈsenʃəl] *adj* nieistotny

nonesuch [ˈnʌnsʌtʃ] = **nonsuch**

non-existent [ˈnɔnigˈzistənt] *adj* nie istniejący

non-feasance [nɔnˈfiːzəns] *s prawn* niespełnienie obowiązku

non-ferrous [nɔnˈferəs] *adj* nieżelazny

non-inflammable [ˌnɔninˈflæməbl] *adj* niepalny

non-intervention [ˈnɔnintəˈvenʃən] *s* nieinterwencja

nonius [ˈnounjəs] *s* noniusz

non-metal [ˈnɔnˈmetl] *s* niemetal

non-metallic [ˈnɔnmiˈtælik] *adj* niemetaliczny; niemetalowy

non-observance [ˈnɔnəbˈzəːvəns] *s* nieprzestrzeganie

nonpareil [ˌnɔnpəˈrel] [I] *s* 1. unikat; człowiek niezrównany; szczyt doskonałości 2. *druk* nonparel 3. gatunek jabłka 4. rodzaj cukierka [II] *adj* niezrównany

non-party [ˈnɔnˈpɑːti] *adj* bezpartyjny

non-payment [ˈnɔnˈpeimənt] *s* niepłacenie

non-performance [ˈnɔnpəˈfɔːməns] *s* niespełnienie (obowiązku itp.)

non-persistent [ˈnɔnpəˈsistənt] *adj chem* nietrwały

nonplus [ˈnɔnˈplʌs] [I] *s* zakłopotanie; impas; **at a ~** w kłopocie; w impasie; **to reduce sb to a ~** wprawić kogoś w zaklopotanie; zapędzić kogoś w kozi róg [II] *vt* (-ss-) zakłopotać; za/żenować; s/konfundować; wprawi-ć/ać w zakłopotanie; zapędz-ić/ać w kozi róg

non-resident [ˈnɔnˈrezidənt] [I] *adj* (*o nauczycielu. lekarzu itd*) zamiejscowy; dojeżdżający; dochodzący; niestały [II] *s* pracownik zamiejscowy <dojeżdżający, dochodzący, niestały>; *szk* uczeń eksternista

non-resistance [ˈnɔnriˈzistəns] *s* bierne posłuszeństwo; niestawianie oporu

nonsense [ˈnɔnsəns] [I] *s* nonsens, absurd; absurdalność, niedorzeczność; bezsensowność; **~!** nonsens!, absurd!; *pot* głupstwa gadasz!; głupstw-o/a!; gdzie tam!; nic podobnego!; **none <no more> of your ~!** przestań się wygłupiać; (*o tłumaczeniu itp*) **to make ~** nie mieć sensu; **to take <knock> the ~ out of sb** nauczyć kogoś rozumu <moresu>; **to talk ~** mówić od rzeczy; prawić niedorzeczności; *pot* gadać głupstwa; pleść brednie [II] *attr* (*o wierszach, słowach itd*) bez sensu

nonsensical [nɔnˈsensikəl] *adj* 1. nonsensowny, bezsensowny; niedorzeczny, absurdalny 2. (*o człowieku*) niemądry; śmieszny

non-skid ['nɔn'skid] *adj* (*o oponach*) przeciwślizgowy

non-smoker ['nɔn'smoukə] *s* 1. człowiek niepalący 2. (*w wagonie*) przedział dla niepalących

non-stop ['nɔn'stɔp] I *adj* (*o pociągu*) bezpośredni; (*o locie*) bez lądowania; (*o podróży*) nieprzerwany; (*o przedstawieniu*) bez przerw II *adv* bezpośrednio; bez zatrzymywania się

nonsuch ['nʌn,sʌtʃ] *s* 1. unikat; człowiek niezrównany <niedościgniony>; szczyt doskonałości 2. *bot* lucerna

nonsuit ['nɔn'sju:t] I *s prawn* odrzucenie <oddalenie> powództwa II *vt* odrzuc-ić/ać <oddal-ić/ać> (powództwo)

non-union ['nɔn'ju:niən] *adj* nie należąc-y/a do związku zawodowego; nie zrzeszon-y/a

non-unionist ['nɔn'ju:niənist] *s* pracowni-k/ca nie należąc-y/a do związku zawodowego <nie zrzeszon-y/a>

noodle[1] ['nu:dl] *s* głuptas; prostaczek

noodle[2] ['nu:dl] *s* makaron; kluski

nook [nuk] *s* kąt, kącik; zakątek

noon [nu:n] *s* południe; **at the height of ~** w samo południe; *przen* szczyt (potęgi itd.)

noonday ['nu:n,dei], **noontide** ['nu:n,taid] I *s* południe II *attr* południowy

noose [nu:s] I *s* 1. pętla; pętlica; lasso 2. *przen* sidła; matnia 3. *przen* stryczek 4. *przen* węzeł małżeński II *vt* 1. z/łapać w pętlę <w sidła, w sieci>; usidl-ić/ać 2. u/wiązać <za/wiązać> na pętlę; z/robić pętlę (**a cord** na sznurze); **to ~ a cord round sb's neck** założyć komuś pętlę na szyję

nopal ['noupəl] *s bot* kaktus amerykański (uprawiany dla hodowli koszenili)

nopalry ['noupəlri] *s* plantacja kaktusów (dla hodowli koszenili)

nope [noup] *adv am sl* (stanowczo) nie

nor[1] [nɔ:] *conj* 1. też nie; **neither ... ~** ani ... ani; ni ... ni ...; **~ ... either** też <także> nie; **neither arms ~ provisions** ani broni, ani żywności; **~ I either** ja też nie; **I don't know him — ~ do I** ja go nie znam — ja też nie 2. *po zdaniu przeczącym*: (bo) i nie; bo też nie; **I haven't read it, ~ do I want to** nie czytałem tego i nie chcę czytać; **I said I had not seen it ~ had I** mówiłem, że tego nie widziałem, bo i nie widziałem; **you don't seem to know — ~ do I** zdaje się, że nie wiesz — bo ja też nie wiem 3. *na początku zdania*: i <ponadto> nie ...; **~ must we forget —** i <ponadto> nie wolno nam zapomnieć ...

nor[2] [nɔ:] *dial szkoc* = **than**

nor'[3] [nɔ:] = **north**

Nordic ['nɔ:dik] *adj* nordyczny, nordycki

Norfolk ['nɔ:fək] *spr* **~ capon** wędzony śledź; **~ dumpling** <**turkey**> mieszkaniec hrabstwa Norfolk; *sl* **~ Howard** pluskwa; **~ jacket** marynarka sportowa z paskiem; *zoo* **~ plover** kulon (ptak brodzący)

noria ['nɔ:riə] *s techn* noria, podnośnik kubełkowy ciągły

norm [nɔ:m] *s* norma; wzorzec; standard

normal ['nɔ:məl] I *adj* 1. normalny; prawidłowy; **~ school** seminarium pedagogiczne <nauczycielskie> 2. *chem* jednonormalny; nie zasocjowany; obojętny 3. *geom* prostopadły II *s* 1. *mat fiz* normalna 2. *geom* prostopadła 3. *med* normalna temperatura 4. stan <wartość, wielkość> normaln-y/a; **to be back to ~** powr-ócić/acać do normy

normalcy ['nɔ:məlsi], **normality** [nɔ:'mæliti] *s* normalność

normalization [,nɔ:məlai'zeiʃən] *s* normalizacja; z/normalizowanie

normalize ['nɔ:mə,laiz] *vt* z/normalizować; u/normować

Norman ['nɔ:mən] I *s* 1. Normand-czyk/ka 2. *hist* Norman II *adj* 1. normandzki 2. *hist* normański; **~ French** francuszczyzna Normanów <normańska>, której szczątki zachowały się w mowie prawniczej; **~ style** architektura anglo-normańska; styl anglo-normański; **the ~ Conquest** podbój normański

Norse [nɔ:s] I *adj* 1. norweski 2. nordyczny, nordycki II *s* 1. język norweski 2. grupa języków skandynawskich; **Old ~** język staronordyczny <staronordycki>

Norseman ['nɔ:smən] *s* (*pl* **Norsemen** ['nɔ:smən]) 1. Norweg 2. wiking

north [nɔ:θ] I *adv* 1. na północ; ku północy; w kierunku północnym 2. na północy II *s* 1. północ; **on <to> the ~** na północy; (*o wietrze*) **to veer to the ~** zmieni-ć/ać kierunek na północny 2. północ <północna część> Anglii i Wysp Brytyjskich (od zatoki Humber na północ) III *adj* północny; **~ light** zorza północna; **North American** Amerykan-in/ka; mieszkan-iec/ka Stanów Zjednoczonych; **North Briton** Szkot; **North Country** północna część Anglii (od zatoki Humber do granicy szkockiej)

north-bound ['nɔ:θ,baund] *adj* (*o statku*) płynący na północ; (*o podróżnym, pociągu itd*) jadący na północ

north-country ['nɔ:θ'kʌntri] *adj* (*o akcencie itd*) północnych okolic Anglii; północny

north-countryman ['nɔ:θ'kʌntrimən] *s* (*pl* **north-countrymen** ['nɔ:θ'kʌntrimən]) człowiek z północy (Anglii)

north-east [nɔ:θ'i:st] I *adj* północno-wschodni II *adv* 1. na północny wschód; ku północnemu wschodowi III *s* północny wschód

north-easter ['nɔ:θ'i:stə] *s* wiatr północno-wschodni

north-easterly ['nɔ:θ'i:stəli] I *adj* północno-wschodni II *adv* na północny wschód; ku północnemu wschodowi

north-eastern ['nɔ:θ'i:stən] *adj* północno-wschodni

north-eastward ['nɔ:θ'i:stwəd] I *adj* północno-wschodni II *adv* ku północnemu wschodowi; na północny wschód

norther ['nɔ:ðə] *s am* silny północny wiatr w Teksasie <na Florydzie, w Zatoce Meksykańskiej>

northerly ['nɔ:ðəli] I *adj* północny II *adv* na północ; ku północy

northern ['nɔ:ðən] *adj* północny

northerner ['nɔ:ðənə] *s* mieszkan-iec/ka północy (Anglii, Stanów Zjednoczonych itd.)

northernmost ['nɔ:ðən,moust] *adj* najdalej wysunięty na północ <na północy położony>

northing ['nɔ:ðiŋ] *s mar* posuwanie <odchylenie> się w kierunku północnym; odchylenie <odchyłka> w kierunku północy

Northland ['nɔ:θlənd] *s poet* okręgi północne (Anglii); *pl* **~s** kraje północy

Northman [ˈnɔːθmən] *s* (*pl* **Northmen** [ˈnɔːθmən]) mieszkaniec północnej Europy; wiking

Northumbrian [nɔːˈθʌmbriən] *s* 1. mieszkan-iec/ka północy Anglii 2. (angielski) dialekt północy

northward [ˈnɔːθwəd] [I] *adj* (*o kierunku*) północny [II] *adv* = **northwards** [III] *s w zwrocie*: **to the ~** na północ; ku północy

northwardly [ˈnɔːθwədli] [I] *adj* północny [II] *adv* ku północy

northwards [ˈnɔːθwədz] *adv* na północ; ku północy

north-west [ˈnɔːθˈwest] [I] *adj* północno-zachodni; *hist geogr* **~ passage** przejście północno-zachodnie (z Atlantyku na Pacyfik) [II] *adv* na północny zachód; ku północnemu zachodowi [III] *s* północny zachód

north-wester [ˈnɔːθˈwestə] *s* wiatr północno-zachodni

north-westerly [ˈnɔːθˈwestəli] [I] *adj* północno--zachodni [II] *adv* ku północnemu zachodowi

north-western [ˈnɔːθˈwestən] *adj* północno-zachodni

north-westward [ˈnɔːθˈwestwəd] [I] *adj* północno--zachodni [II] *adv* (*także* **~s**) ku północnemu zachodowi; na północny zachód [III] *s* północny zachód

Norwegian [nɔːˈwiːdʒən] [I] *adj* norweski [II] *s* 1. Norwe-g/żka 2. język norweski

nor'-wester [ˈnɔːˈwestə] *s* 1. wiatr północno-zachodni 2. duża szklanka whisky <napoju alkoholowego> 3. marynarska czapka nieprzemakalna

nose [nouz] [I] *s* 1. *anat* nos; **a long ~** a) długi nos b) kwaśna mina; **~ cap** osłona piasty (śmigła); kapturek (zapalnika); **to lead by the ~** wodzić za nos; **to pay through the ~** przepłac-ić/ać; **under sb's ~** przed czyimś nosem; **from under sb's ~** komuś sprzed nosa 2. węch; **to have a ~ for sth** mieć nos(a) do czegoś 3. bukiet (wina); aromat (herbaty itd.) 4. dziób statku <łodzi, samolotu> 5. *geol* występ 6. *techn* szpic; ostrze; nosek; wylot (rury itp.) 7. *geogr* cypel [II] *vt* 1. po/czuć zapach (**sth** czegoś); *dosł i przen* wy/węszyć; *pot* wyniuchać; (*o zwierzęciu*) z/wietrzyć 2. ocierać się nosem (**sb** o kogoś); trzeć się nos-em/ami (**sb** z kimś) (sposób powitania u Eskimosów itd.) 3. *w zwrocie*: (*o statku*) **to ~ her way** posuwać się naprzód [III] *vi* 1. wąchać (**at sth** coś) 2. węszyć (**after** <**for**> **sth** za czymś) 3. (*o statku*) szukać drogi; torować sobie drogę; posuwać się naprzód
  ~ down *vi lotn* pikować
  ~ in *vi pot* wkręc-ić/ać się do towarzystwa
  ~ out *vt* wywęsz-yć/ać
  ~ up *vi lotn* wzn-ieść/osić się pionowo w górę
  zob **nosing**

nose-ape [ˈnouzˌeip] *s zoo* małpa długonosa

nose-bag [ˈnouzˌbæg] *s* 1. worek na obrok, obroczniak 2. *przen* jedzenie (na drogę, na wycieczkę)

nose-band [ˈnouzˌbænd] *s* (*w uprzęży*) nachrapnik

nose-bleed [ˈnouzˌbliːd] *s* krwawienie z nosa

nose-cone [ˈnouzˌkoun] *s* stożek ochronny rakiety; głowica pocisku rakietowego

nose-dive [ˈnouzˌdaiv] [I] *s lotn* pikowanie; nurkowanie [II] *vi* pikować; da-ć/wać nurka

nosegay [ˈnouzˌgei] *s* bukiet

nose-key [ˈnouzˌkiː] *s techn* przeciwklin; klin noskowy

nose-piece [ˈnouzˌpiːs] *s* 1. = **nose-band** 2. *techn* dysza 3. (*w mikroskopie*) oprawa obiektywu

nose-pipe [ˈnouzˌpaip] *s* dysza; rurka z dziobkiem

noser [ˈnouzə] *s* wiatr w twarz; **dead ~** silny wiatr w twarz

nose-rag [ˈnouzˌræg] *s sl* chustka do nosa

nose-ring [ˈnouzˌriŋ] *s* 1. kółko przeciągnięte przez nozdrza (buhaja itd.) 2. pierścień przewleczony przez nos (ozdoba)

nose-warmer [ˈnouzˌwɔːmə] *s sl* krótka fajka

nosey [ˈnouzi] = **nosy**

nosing [ˈnouziŋ] [I] *zob* **nose** *v* [II] *s bud* nosek (schodka)

nosology [nɔˈsɔlədʒi] *s* naukowa klasyfikacja chorób

↑**nostalgia** [nɔsˈtældʒiə] *s* nostalgia, tęsknota za krajem <za ojczyzną>

↑**nostalgic** [nɔsˈtældʒik] *adj* nostalgiczny

nostril [ˈnɔstril] *s* nozdrze

nostrum [ˈnɔstrəm] *s* 1. zachwalane lekarstwo 2. *pog* lekarstwo uniwersalne <na wszystko>, panaceum

nosy [ˈnouzi] *adj* 1. (*o człowieku*) z wielkim nosem 2. wrażliwy na przykre zapachy 3. *sl* wścibski; **Nosy Parker** człowiek wścibski 4. cuchnący; (*o zbożu, sianie*) stęchły 5. (*o herbacie*) aromatyczny

not [nɔt] *adv* 1. nie; **it is ~ impossible** to nie jest niemożliwe; **~ a** ___ ani (nawet)...; ani jeden; **~ a murmur** ani nawet szmeru; ani jeden szmer; **~ a penny** ani (jednego) grosza; **~ a word** ani słowa; **~ a little** niemało; **~ at all** <**a bit**> wcale nie; ani trochę; bynajmniej; **~ but** <**that**> ___ nie żeby ...; nie znaczy to, że ...; **~ so** bynajmniej; skądże?; **~ that he could** <**I can**> **remember** o ile on sobie przypominał <ja sobie przypominam>, to nie; **~ uncommon** nierzadki; **~ without effort** nie bez wysiłku 2. *w zdaniu uzupełniającym po zdaniu przeczącym*: **~ I** <**he, she etc.**> kto jak kto, ale nie ja <on, ona itd.>; w każdym razie nie ja <on, ona itd.>; w żadnym razie! 3. *w odpowiedziach z czasownikami* **fear, think, hope, expect, suppose, believe** *i kilkoma innymi*: **I fear** <**think, hope etc.**> **~** obawiam się <myślę, sądzę, przypuszczam, mam nadzieję>, że nie 4. *w zdaniach wtrąconych*: **~ that** ___ nie (dlatego) żebym <żebyś itd.> ...; choć co prawda nie...; **if this should happen, ~ that I expect it to** ___ gdyby się tak stało, choć co prawda ja się tego nie spodziewam...

notability [ˌnoutəˈbiliti] *s* 1. (*o człowieku*) znakomitość; sława 2. znaczenie; rozgłos, sława

notable [ˈnoutəbl] [I] *adj* 1. znakomity; sławny; wybitny; godny uwagi 2. *chem* dostrzegalny 3. [ˈnɔtəbl] gospodarny [II] *s* dostojnik

notably [ˈnoutəbli] *adv* 1. znakomicie; wybitnie 2. szczególnie; w szczególności 3. znacznie; w znacznej mierze; w znacznym stopniu

notarial [nouˈtɛəriəl] *adj* notarialny; rejentalny

notary [ˈnoutəri] *s* (*także* **~ public**) notariusz; rejent

notation [nouˈteiʃən] *s* 1. notacja (chemiczna, muzyczna itd.), oznacz-enie/anie znakami umownymi <symbolami> 2. znaki umowne, symbole

notch [nɔtʃ] [I] *s* 1. nacięcie; wycięcie; karb; rowek; żłobek; szczerba; wrąb 2. kreska; znak

3. ząb <koła zębatego); ząbek (klucza) 4. *am* stopień na skali 5. *am* przełęcz [II] *vt* 1. naci-ąć/nać; za/karbować; rowkować 2. z/robić znak/i <nacięci-e/a, wr-ąb/ęby> (**sth** na czymś) 3. wy/szczerbić *zob* **notching**

notching ['nɔtʃiŋ] [I] *zob* **notch** *v* [II] *s* łączenie na wręby

†**note** [nout] [I] *s* 1. nuta; *przen* ton (zniecierpliwienia itd.); nuta (wojenna itd.); **to change one's ~** inaczej zaśpiewać; **to strike the right ~** uderzyć we właściwą strunę 2. znak; znamię; oznaka; piętno; *druk* znak (zapytania itd.) 3. notatka, adnotacja; uwaga; przypisek; zapisek; **to take ~ of sth** a) zanotować sobie coś b) zapamiętać (sobie); **to take ~s** notować, zapis-ać/ywać 4. list, liścik; bilecik; parę słów; **drop me a ~** napisz mi parę słów 5. *handl* weksel; faktura; rachunek; recepis 6. *dypl* nota 7. banknot 8. rozgłos; sława; reputacja; **a person of ~** człowiek znakomity <sławny, znany, głośny, wybitny> 9. uwaga; zapamiętanie; **worthy of ~** godny uwagi <zapamiętania> [II] *vt* 1. za/notować (sobie); (*także* **~ down**) zapis-ać/ywać 2. zauważ-yć/ać; wziąć/brać pod uwagę 3. zaopat-rzyć/rywać (książkę itd.) w adnotacje <w komentarze> *zob* **noted**

note-book ['nout,buk] *s* notatnik; notes, notesik

note-case ['nout,keis] *s* portfel

noted ['noutid] [I] *zob* **note** *v* [II] *adj* znakomity; głośny; wybitny; znany

note-pad ['nout,pæd] *s* blok; notes

note-paper ['nout,peipə] *s* papier listowy

noter ['noutə] *s* 1. komentator 2. kronikarz

note-shaver ['nout,ʃeivə] *s am sl* lichwiarz

noteworthiness ['nout,wə:ðinis] *s* ważność; znaczenie

noteworthy ['nout,wə:ði] *adj* godny uwagi; osobliwy; wybitny

nothing ['nʌθiŋ] [I] *s* 1. nic; *pot* **no bread, no cheese, no ~** ani chleba, ani sera, ani w ogóle nic; **~ but** <**except**> **—** nic tylko (sam) ... (piasek, dym itd.); wyłącznie ...; nic oprócz ...; *sl* **~ doing** nic z tego; a figa!; **~ is** <**could be**> **easier** nie ma nic łatwiejszego <prostszego>; **~ venture ~ have** kto nie ryzykuje, ten nic nie ma <*pot* w kozie nie siedzi>; **there is ~ for it but to —** nic nie pozostaje, jak tylko ...; **there's ~ in it** a) nie ma w tym nic b) nie ma w tym nic prawdy c) to jest bez znaczenia <mało ważne> d) to nie jest trudne; to jest bardzo łatwe; **there's ~ like —** nie ma to, jak ...; **there's ~ to be done** nie ma na to żadnej rady; nic się nie da (tu) zrobić; **that's ~ to you** a) to cię nic nie obchodzi; to nie twoja sprawa <rzecz> b) dla ciebie to jest nic (ale...); **I know ~ about it** nic o tym nie wiem; **to be ~** być niczym; **he is ~ to his brother** on jest niczym w porównaniu z bratem; **once he was everything, now he is ~** kiedyś był wszystkim, teraz jest niczym; **to have ~ to do with —** nie mieć nic wspólnego z ...; **it has ~ to do with me** to nie moja rzecz; ja z tym nie mam nic wspólnego; **to live on ~** żyć z powietrza; **to make ~ of sb, sth** mieć kogoś, coś za nic; **he can make ~ of it** on nic z tego nie rozumie; on nie może się w tym rozeznać; **to say ~ of —** nie mówiąc już o ...; pomijając ...; abstrahując od ...; a co dopiero ...; **for ~** a) za nic; za darmo; bezpłatnie b) na nic; niepotrzebnie; **it was not for ~ that —** nie na darmo ... (walczyliśmy itd.) 2. *w połączeniu z następującą formą na* **-ing**: **to make ~ of doing sth** nie zawahać się <bez namysłu> zrobić coś 3. *z przymiotnikiem lub równoznacznym zwrotem przyimkowym*: **~ important** <**great, precious, interesting, uncommon**> nic ważnego <wielkiego, cennego, ciekawego, niezwykłego>; **~ of interest** <**of importance, of value**> nic ciekawego <ważnego, wartościowego>; **~ great is easy** to co jest wielkie, nie bywa łatwe; **~ much** nic poważnego <istotnego> 4. *przed bezokolicznikiem i końcowym przyimkiem*: **it's ~ to be proud of** nie ma powodu do dumy; **it's ~ to laugh at** nie ma się z czego śmiać <powodu do śmiechu>; **it's ~ to worry about** nie ma się czym martwić; **we had ~ to talk about** nie mieliśmy o czym mówić 5. (*o człowieku*) zero 6. drobiazg; drobnostka; **it's ~ to** nic; to (jest) drobiazg <drobnostka>; **to whisper soft ~s** szeptać czułe słówka [II] *adv* 1. nic <bynajmniej, wcale> nie ...; pod żadnym względem; w żaden sposób; **it will help us ~** to nam nic <bynajmniej, wcale> nie pomoże; **to be ~ the better** <**worse**> **for something** nic nie zyskać <nie stracić> na czymś; **~ less than —** co najmniej ...; skromnie licząc; po prostu ...; **~ like** <**as**> **so —** , **~ near so —** ani trochę taki ... (dobry, ładny itd.) 2. *wykrzyknikowo*: gdzie tam!; bzdury!; **it's pure gold — gold ~!** to jest szczere złoto — gdzie <jakie> tam złoto!

nothingness ['nʌθiŋnis] *s* nicość

notice ['noutis] [I] *s* 1. zawiadomienie; wiadomość; ostrzeżenie; *handl* awizo; zaawizowanie; **to do sth without ~** z/robić coś nie uprzedzając <bez uprzedzenia, nieoczekiwanie, nagle, z nagła>; **to give sb ~** zawiad-omić/amiać <ostrze-c/gać, uprzedz-ić/ać> kogoś (**of sth** o czymś); **I must have ~** muszę być uprzedzony; trzeba mnie uprzedzić; **until further ~** aż do odwołania; **without a moment's ~** z miejsca 2. termin (dany komuś na zrobienie czegoś); **at short ~** w krótkim terminie; **at ten minutes'** <**one day's etc.**> **~** w terminie 10-minutowym <jednodniowym itd.> 3. ogłoszenie; obwieszczenie 4. wypowiedzenie (posady, dzierżawy, umowy itd.); **to give** <**serve**> **sb ~** wypowiedzieć komuś(posadę, dzierżawę itd.); **to give a week's** <**two weeks' etc.**> **~** da-ć/wać tygodniowe <dwutygodniowe itd.> wypowiedzenie; wypowiedzieć na tydzień <dwa tygodnie itd.> naprzód <z góry> 5. uwaga; spostrzeżenie; świadomość (czegoś); **take ~ that —** zauważ, że ...; **to bring sth to sb's ~** zwrócić komuś <skierować czyjąś> uwagę na coś; **to come into** <**to attract**> **~** zwrócić na siebie uwagę; nabrać rozgłosu; **to take ~ of sth** a) zwrócić uwagę na coś b) uświadomić sobie <zauważyć, spostrzec> coś 6. notatka dziennikarska; sprawozdanie; recenzja; nekrolog [II] *vt* 1. zauważ-yć/ać; zwr-ócić/acać uwagę (**sth** na coś); spostrze-c/gać 2. wypowi-edzieć/adać posadę <umowę, dzierżawę> (**sb** komuś); da-ć/wać wypowiedzenie (**sb** komuś) 3. z/robić uwagę na temat (**sth** czegoś)

noticeable ['noutisəbl] *adj* 1. godny uwagi; zasługujący na uwagę 2. widoczny; dostrzegalny

notice-board ['noutis,bɔ:d] *s* 1. tablica ogłoszeń 2. wywieszka; tablica z napisem (o lokalu do wynajęcia, objeździe, zakazie itd.)

notifiable ['nouti,faiəbl] *adj* (*o chorobie*) podlegający obowiązkowi zgłoszenia

notification [,noutifi'keiʃən] *s* 1. zawiadomienie <obwieszczenie, ogłoszenie> (**of sth** o czymś) 2. zgłoszenie; meldunek

notify ['nouti,fai] *vt* (**notified** ['nouti,faid], **notified; notifying** ['nouti,faiiŋ]) zawiad-omić/amiać <powiad-omić/amiać> (**sb of sth** kogoś o czymś); obwie-ścić/szczać; ogł-osić/aszać; zgł-osić/aszać; za/meldować (**sb, sth of sth** kogoś, coś, o czymś)

notion ['nouʃən] *s* 1. pojęcie; wyobrażenie; **I haven't the slightest ~** nie mam najmniejszego <zielonego> pojęcia 2. wrażenie; **to have a ~ that** ... wyobrażać <ubzdurać> sobie, że ...; **I have a ~ that** ... mam wrażenie <coś mi się wydaje>, że ... 3. myśl; mniemanie; zapatrywanie 4. zamiar; **to have no ~ of doing sth** nie mieć najmniejszego zamiaru czegoś zrobić 5. kaprys; fantazja; **as the ~ takes me** jak mi przyjdzie fantazja 6. *pl* **~s** *am* galanteria; pomysłowe drobne przedmioty 7. *pl* **~s** tradycyjne słownictwo używane w Winchester College

notional ['nouʃnl] *adj* 1. *filoz* spekulatywny 2. pojęciowy; myślowy; wyobrażeniowy 3. (*o człowieku, usposobieniu*) chimeryczny; kapryśny; dziwaczny

notochord ['noutə,kɔ:d] *s anat* struna grzbietowa

notoriety ['noutə'raiəti] *s* 1. rozgłos 2. znana postać; znakomitość

notorious [nou'tɔ:riəs] *adj* 1. głośny; znany; jawny; powszechnie wiadomy 2. notoryczny

notoriousness [nou'tɔ:riəsnis] *s* 1. rozgłos 2. notoryczność

no-trump ['nou,trʌmp] *adj karc* bezatutowy

no-trumper ['nou-trʌmpə] *s karc* gra w bez atu

notwithstanding [,nɔtwiθ'stændiŋ] [I] *adv* jednak, jednakże; niemniej (jednak); mimo wszystko; nie zważając na nic <na to>; † jednakowoż [II] *praep* pomimo (czegoś); nie zważając (na coś); **this ~** mimo to; pomimo tego <to>

nougat ['nu:gɑ:] *s* nugat

nought [nɔ:t] = **naught**

noun [naun] *s gram* rzeczownik

nounal ['naunəl] *adj* rzeczownikowy

nourish ['nʌriʃ] *vt* 1. wy/żywić; wy/karmić; odżywi-ć/ać; da-ć/wać pożywienie (**sb, sth** komuś, czemuś); utrzym-ać/ywać 2. żywić <wy/pieścić> (uczucie, nadzieję itd.) *zob* **nourishing**

nourishing ['nʌriʃiŋ] [I] *zob* **nourish** [II] *adj* pożywny

nourishment ['nʌriʃmənt] *s* 1. pokarm; pożywienie; strawa 2. żywienie; karmienie

nous [naus] *s* 1. rozum 2. *pot* zdrowy rozsądek

novation [nou'veiʃən] *s prawn* nowacja

novel[1] ['nɔvəl] *s* powieść; **~ writer** = **novelist**

novel[2] ['nɔvəl] *adj* 1. nowy; nowatorski 2. oryginalny; osobliwy

novelette [,nɔvə'let] *s* opowiadanie; nowela

novelist ['nɔvəlist] *s* powieściopisa-rz/rka

novelize ['nɔvə,laiz] *vt* przer-obić/abiać na powieść (poemat itd.)

novelty ['nɔvəlti] *s* 1. nowość; innowacja; nowatorstwo 2. oryginalność

November [nou'vembə] [I] *s* listopad [II] *attr* listopadowy

novena [nou'vi:nə] *s kośc* nowenna

novercal [nou'və:kəl] *adj* macoszy

novice ['nɔvis] *s* nowicjusz/ka

noviciate, novitiate [nou'viʃiit] *s* 1. nowicjat 2. = **novice**

novocaine ['nouvou,kein] *s farm* nowokaina

now [nau] [I] *adv* 1. teraz; obecnie; **~ that** = **~** *conj*; *am* **right ~** w tej chwili; już 2. *w odniesieniu do przeszłości*: a) następnie b) już; **just <but, even> ~** dopiero co; przed chwilą 3. czas; **(every) ~ and again <~ and then>** co jakiś <pewien> czas; od czasu do czasu; **~ one thing ~ <then> another** to jedno, to drugie <to co innego> 4. *przy objaśnianiu, uspokajaniu, wyrzutach, pogróżce, zachęcie itd*: otóż, przecież; **no nonsense ~!** no, bez kawałów!; **~, ~, stop crying** no, przestań/cie płakać!; **~ then!** a) no, no! b) nuże! 5. *przed pytaniem*: właściwie; **~ what have you got?** co pan/i właściwie (tu) ma? [II] *s* chwila obecna; **before ~** już; przedtem; **between ~ and then** w międzyczasie; **by ~** do tego czasu; już; **ere ~** już; wcześniej; **from ~ on** odtąd (na przyszłość); w przyszłości; **from ~ till** ... odtąd <od chwili obecnej, od dzisiaj> do ...; **till <until, up to> ~** dotychczas, dotąd [III] *conj* teraz gdy; skoro (już); (*po namyśle*) **~ I come to think of it** właściwie ...; w gruncie rzeczy ...; **~ you mention it** teraz gdy <skoro (już)> o tym mówisz

nowaday ['nauə,dei] *adj* dzisiejszy; obecny

nowadays ['nauə,deiz] *adv* teraz; dzisiaj; obecnie; w dzisiejszych czasach

noway ['nou,wei], **noways** ['nou,weiz] = **nowise**

Nowel [nou'el] *interj* okrzyk radości w kolędach

nowhere ['nou,weə] *adv* nigdzie; **~ near** ... daleko ... (do <od> czegoś); ani w przybliżeniu <ani trochę> ...; **out of ~** znikąd; (*w konkursie, biegu, na wyścigach*) **to be ~** nie zająć żadnego miejsca

nowise ['nou,waiz] *adv* w żaden sposób; żadną miarą; bynajmniej

noxious ['nɔkʃəs] *adj* szkodliwy; niezdrowy

noxiousness ['nɔkʃəsnis] *s* szkodliwość

noyau ['nwaiou] *s* nalewka na pestkach

nozzle ['nɔzl] *s* 1. *techn* dysza; wylot rury <węża> 2. dziób (dzbanka, imbryka itp.)

nth [enθ] *adj* *n*-ty; **for the ~ time** po raz nie wiem który

nu [nju:] *s gr litera* ni

nuance ['nju:ɑ̃:s] *s* odcień; niuans

nub [nʌb] *s* 1. kawałek <bryłka> (węgla itd.) 2. *am pot* sedno (sprawy)

nubbin ['nʌbin] *s am* 1. kawałek (czegoś) 2. niekształtna kolba kukurydzy; niekształtny owoc

nubble ['nʌbl] *s* mały kawałek <bryłka> (węgla)

nubbly ['nʌbli] *adj* 1. (*o węglu*) drobny 2. guzowaty

Nubian ['nju:bjən] [I] *adj* nubijski [II] *s* Nubij-czyk/ka

nubile ['nju:bail] *adj* (*o kobiecie*) na wydaniu; w wieku dojrzałym <nadającym się do zamążpójścia>; (*o wieku*) dojrzały; nadający się do zamążpójścia

nubility [nju'biliti] *s* wiek dojrzały <nadający się do zamążpójścia>; dojrzałość

nucellus [nju'seləs] *s bot* ośrodek zalążkowy

↑**nuclear** ['nju:kliə] *adj* 1. *biol fiz* jądrowy 2. *fiz* nuklearny; ~ **fuel** paliwo jądrowe; ~ **chemistry** <**physics, energy**> chemia <fizyka, energia> jądrowa; ~ **tests** <**forces**> próby <siły> nuklearne 3. (*o łodzi podwodnej itd*) o napędzie atomowym; ~ **energy plant** siłownia o napędzie atomowym

nucleate ['nju:kli,eit] I *vt biol fiz* ułożyć/układać (coś) w jądra; *biol* u/tworzyć zarodki (**sth** z czegoś) II *vi biol fiz* ułożyć/układać się w jądra; *biol* u/tworzyć zarodki

nucleole ['nju:kli,oul] *s biol* jąderko

nucleus ['nju:kliəs] *s* (*pl* **nuclei** ['nju:kli,ai], ~**es**) 1. *biol fiz* jądro 2. zawiązek; *przen* zaczątek 3. *chem* rdzeń

nude [nju:d] I *adj* 1. nagi; goły; obnażony 2. *handl* (*o pończochach*) koloru cielistego 3. *prawn* (*o umowie*) nieformalny; jednostronny II *s* 1. (*także* **a drawing** <**painting, study**> **from the** ~) akt (malarski itp.) 2. nagie ciało; **to draw** <**paint**> **from the** ~ rysować <malować> akt/y

nudge [nʌdʒ] I *s* trącenie łokciem II *vt* trąc-ić/ać łokciem

nudism ['nju:dizəm] *s* nudyzm

nudist ['nju:dist] *s* nudyst-a/ka

nudity ['nju:diti] *s* 1. nagość 2. naga postać, akt

'nuff [nʌf] *pot* = **enough;** ~ **said** wystarczy powiedzieć

nugatory ['nju:gətəri] *adj* 1. błahy; nic nie znaczący 2. *prawn* (*o akcie, umowie itp*) nieważny 3. (*o wysiłku itp*) bezskuteczny

nuggar ['nʌgə] *s* rodzaj statku na Nilu

nugget ['nʌgit] *s* bryłka (rodzimego złota, srebra), samorodek

↑**nuisance** ['nju:sns] *s* 1. rzecz przykra <nieprzyjemna, dokuczliwa, nieznośna>; człowiek przykry <nieznośny>; *przen* plaga; niedogodność; przykrość; (*o człowieku*) **a perfect** ~ skończony nudziarz; **it's** <**that's**> **a** ~ to jest nieznośne <nieprzyjemne, przykre>; **to be a** ~ a) zawadzać b) naprzykrzać się c) dokuczać; dawać się we znaki d) psuć (powietrze, widok itd.); **to make a** ~ **of oneself** dokuczać; być nieznośnym; **what a** ~! a niechże to...!; psiakość! 2. *prawn* naruszenie porządku publicznego; (*w napisie*) **commit no** ~ nie zanieczyszczać; nie załatwiać się; zachować czystość

null [nʌl] *adj prawn* nieważny; niebyły; ~ **and void** nieważny, unieważniony; **to render** ~ unieważni-ć/ać

nullah ['nʌlə] *s* (*w Indiach*) wąwóz; wyschłe koryto rzeki

nullification [,nʌlifi'keiʃən] *s* unieważnienie, anulowanie

nullify ['nʌli,fai] *vt* (**nullified** ['nʌli,faid], **nullified; nullifying** ['nʌli,faiiŋ]) unieważni-ć/ać, anulować

nullipara [nʌ'lipərə] *s* kobieta, która nie rodziła

nullity ['nʌliti] *s* 1. *prawn* nieważność; unieważnienie 2. nicość 3. (*o człowieku*) zero

numb [nʌm] I *adj* zdrętwiały; odrętwiały; ścierpły; skostniały; (*o kończynie*) bez czucia II *vt* uczynić drętwym; *przen* s/paraliżować

↑**number** ['nʌmbə] I *s* 1. liczba; **any** ~ **of** __ dowolna ilość ...; **in** ~ a) w liczbie (*x* osób itd.) b) liczebnie c) licznie; **times without** ~ nieskończoną ilość razy; **to the** ~ **of** __ w liczbie... (*x* osób itd); **without** ~ bez liku 2. (pewna) liczba <szereg> (osób, rzeczy, wypadków itd.); **a (large)** ~ (bardzo) dużo, sporo, niemało; **a small** ~ niewiele, niewielu; **such a** ~ **of** __ tyle, tylu...; **to be added to the** ~ **of** __ powiększyć liczbę <dojść do liczby>... (jakichś ludzi, rzeczy itd.); **to be of the** ~ **of** __ należeć do... (grupy, towarzystwa itd.) 3. *pl* ~**s** mas-a/y; (wielk-a/ie) liczb-a/y; (duża) liczebność <ilość>; **to win by (the force of)** ~**s** zwycięż-yć/ać masą <ilością, liczebnością> 4. numer; cyfra; **to take the** ~ **of sb, sth** zapis-ać/ywać numer czyjś, czegoś; **to write the** ~ **on sth** ponumerować coś; ~ **one** ja (on itd.) sam; **to take care of** ~ **one** dbać o siebie; **his** ~ **went up, he lost the** ~ **of his mess** przeniósł się na drugi świat 5. numer (czasopisma, domu, programu itd.); **a story issued in** ~**s** opowiadanie ukazujące się w odcinkach; **at** ~ **10** pod numerem 10 6. zeszyt <† fascykuł> (pracy wydawanej partiami) 7. *gram* liczba 8. *pl* ~**s** *muz* takty; *lit poet* wiersze II *vt* 1. po/liczyć; **my days are** ~**ed** dni moje są policzone 2. zalicz-yć/ać (**among** <**in**> __ do ...); wlicz-yć/ać 3. liczyć (sobie) <mieć> (pewną ilość lat — o człowieku; określoną ilość mieszkańców — o mieście; określoną ilość dzieł — o bibliotece itd.); wynosić (*x* osób itd.); **they** ~ **five etc.** jest ich pięciu itd. 4. po/numerować III *vi wojsk* ~! odlicz! *zob* **numbering**

numbering ['nʌmbəriŋ] I *zob* **number** *v* II *s* 1. liczenie 2. numeracja

numbering-machine ['nʌmbəriŋ-mə'ʃi:n], **numbering-stamp** ['nʌmbəriŋ'stæmp] *s* numerator

numberless ['nʌmbəlis] *adj* niezliczony, bez liku

numbfish ['nʌm,fiʃ] *s zoo* drętwa (ryba)

numbness ['nʌmnis] *s* zdrętwienie, odrętwiałość

numdah ['nʌmdə] = **numnah**

numerable ['nju:mərəbl] *adj* możliwy do zliczenia

numeral ['nju:mərəl] I *adj* liczbowy; cyfrowy II *s* 1. *gram* liczebnik 2. cyfra

numerary ['nju:mərəri] *adj* liczbowy

numeration [,nju:mə'reiʃən] *s* 1. liczenie 2. numeracja

numerator ['nju:mə,reitə] *s mat* licznik (ułamka)

↑**numerical** [nju'merikəl] *adj* liczbowy; cyfrowy

numerous ['nju:mərəs] *adj* 1. liczny 2. (*o wierszu itd*) rytmiczny

numerousness ['nju:mərəsnis] *s* obfitość

Numidian [nju:'midiən] I *adj* numidyjski II *s* Numidyj-czyk/ka

numismatic [,nju:miz'mætik] *adj* numizmatyczny

numismatics [,nju:miz'mætiks] *s* numizmatyka

numismatist [nju'mizmətist] *s* numizmatyk

numskull ['nʌm,skʌl] *s* głupiec; osioł; bałwan; dureń; tępa głowa

nun [nʌn] *s* 1. zakonnica, mniszka; *tekst* ~**s' veiling** rodzaj muślinu 2. *zoo* nazwa kilku gatunków ptaków (sikora modra itd.) 3. *zoo* ozdobna odmiana gołębia domowego 4. *zoo* nazwa kilku gatunków ciem (mniszka itd.)

nun-buoy ['nʌn,bɔi] *s mar* pława <boja> stożkowa

nunciature ['nʌnʃiətʃə] *s* nuncjatura

nuncio ['nʌnʃi,ou] *s* nuncjusz

nuncupate ['nʌnkju,peit] *vt* ustnie wyra-zić/żać (ostatnią wolę)
nunnery ['nʌnəri] *s* klasztor (żeński)
nuphar ['nju:fɑ:] *s bot* grążel żółty, bączywie
nuptial ['nʌpʃəl] [I] *adj* ślubny; godowy; weselny; małżeński [II] *s* (*zw pl*) ślub; gody; zaślubiny; wesele
nurse[1] [nə:s] [I] *s* 1. bona (do dzieci) 2. niańka; mamka: *przen* (*o kraju itd*) kolebka (wolności itd.); **at ~** u mamki; **to put a child out to ~** wziąć/brać <naj-ąć/mować> mamkę do dziecka 3. pielęgniarka; (*w szpitalu, klinice*) siostra; pielęgniarz 4. pszczoła karmicielka; mrówka pracownica 5. *bot* drzewo osłaniające siewki w szkółce [II] *vt* 1. karmić piersią, da-ć/wać pierś (**a child** dziecku); **to be ~d** chować <wychowywać> się (**in luxury etc.** w zbytku itd.) 2. niańczyć (dziecko) 3. pielęgnować (chorego) 4. pielęgnować <ot-oczyć/aczać opieką> (naukę, sztukę itd.) 5. hodować (rośliny) 6. tulić; ściskać; *przen* chuchać (**sth** na coś); nie opuszczać (**sth** czegoś — ciepłego kąta itp.) 7. zabiegać o względy (**the constituency etc.** wyborców itd.) 8. *bil* trzymać bile tuż obok siebie *zob* **nursery-cannons** 9. leczyć (katar itd.) 10. żywić (uczucie); wy/pieścić (nadzieję itd.); taić w sobie (złość itd.) 11. (*w wyścigu*) przyp-rzeć/ierać (konia) do ogrodzenia; tamować ruchy (**sb, sth** czyjeś — człowieka, konia) *zob* **nursing**
nurse[2] [nə:s] *s zoo* odmiana rekina
nurse-child ['nə:s,tʃaild] *s* (*pl* **nurse-children** ['nə:s,tʃildrən]) wychowan-ek/ka; przybrane dziecko
nurs(e)ling ['nə:sliŋ] *s* osesek; *przen* wychowan-ek/ka
nurse-maid ['nə:s,meid] *s* niańka
nursery ['nə:səri] *s* 1. pokój dziecinny; **~ rhyme** wierszyk dziecinny; **~ school** przedszkole; **~ tale** opowiadanie dla małych dzieci 2. żłobek; ochronka; *przen* rozsadnik; szkoła; ognisko; ośrodek wychowawczy 3. szkółka (drzew) 4. wylęgarnia (ryb itd.)
nursery-garden ['nə:səri,gɑ:dən] *s* szkółka (drzew itp.)
nursery-maid ['nə:səri,meid] = **nurse-maid**
nursery-man ['nə:srimən] *s* (*pl* **nursery-men** ['nə:srimən]) właściciel szkółki (drzew); człowiek prowadzący szkółkę (drzew); szkółkarz
nursing ['nə:siŋ] [I] *zob* **nurse** *v* [II] *adj* 1. karmiący 2. przybrany (ojciec itd.) 3. pielęgniarski [III] *s* 1. karmienie 2. *ogr* szkółkarstwo 3. pielęgnacja; **~ home** a) dom zdrowia; zakład dla rekonwalescentów b) prywatna klinika <lecznica> 4. pielęgniarstwo 5. pieszczenie <tulenie> (dziecka)
nursling ['nə:sliŋ] = **nurseling**
nurture ['nə:tʃə] [I] *s* 1. wychowanie; szkolenie; kształcenie 2. żywność; pożywienie [II] *vt* 1. wy/karmić; wy/żywić 2. wychow-ać/ywać; wy/szkolić; wy/kształcić
†**nut** [nʌt] *s* 1. orzech laskowy; *przen* **a hard ~ to crack** twardy orzech do zgryzienia; **~ meat** miąższ orzech-a/ów; *sl* **can't ... for ~s** nie potrafię <nie potrafi itd.> (czegoś zrobić) za skarby świata; jestem <jest itd.> skończonym tumanem (jeżeli chodzi o zrobienie czegoś); *sl* **to be (dead) ~s on sth** a) wariować za czymś b) mieć dryg do czegoś 2. *sl* głowa; pała; łeb; **to be off one's ~** mieć bzika 3. † goguś; strojniś 4. *techn* nakrętka 5. (*u smyczka*) śruba; (*u skrzypiec*) szpic 6. (*o sortymencie węgla*) orzech 7. *am* dziwak 8. *kulin* herbatnik *zob* **nutting**
nutation [nju:'teiʃən] *s* 1. *med* (chorobliwe) rytmiczne poruszanie głową 2. *astr bot* nutacja
nut-bearing ['nʌt,bɛəriŋ] *adj* rodzący orzechy
nut-brown ['nʌt,braun] [I] *adj* (*o kolorze*) orzechowy; brązowy [II] *s* kolor orzechowy <brązowy>
nut-butter ['nʌt,bʌtə] *s* masło orzechowe
nut-cracker ['nʌt,krækə] *s* 1. (*także* **~s, a pair of ~s**) dziadek do orzechów 2. *zoo* orzechówka (ptak)
nut-gall ['nʌt,gɔ:l] *s* galas, galasówka
nuthatch ['nʌt,hætʃ] *s zoo* bargiel kowalik (ptak)
nutmeg ['nʌt,meg] *s* gałka muszkatołowa
nutmeg-liver ['nʌtmeg,livə] *s med* wątroba muszkatołowa (stan chorobliwy)
nut-oil ['nʌt,ɔil] *s* olej orzechowy; **~ cake** makuch
nutria ['nju:triə] *s* 1. *zoo* nutria 2. nutrie (futro)
nutrient ['nju:triənt] [I] *adj* pożywny; odżywczy [II] *s* odżywka, środek odżywczy
nutriment ['nju:trimənt] *s* środek odżywczy
nutrition [nju'triʃən] *s* odżywi-enie/anie
nutritious [nju'triʃəs] *adj* odżywczy; pożywny
nutritive ['nju:tritiv] [I] *adj* pożywny [II] *s* środek odżywczy
nutshell ['nʌt,ʃel] *s* łupinka od orzecha; **(the whole thing) in a ~** (cała sprawa) w paru słowach
nuttiness ['nʌtinis] *s* 1. smak orzechów 2. *pot* szyk
nutting ['nʌtiŋ] *s* zbieranie <rwanie> orzechów; **to go ~** pójść/iść na orzechy
nut-tree ['nʌt,tri:] *s* 1. drzewo rodzące orzechy 2. leszczyna
nutty ['nʌti] *adj* 1. obfitujący w orzechy 2. o smaku orzechów 3. (*o opowiadaniu itd*) pikantny 4. *sl* zakochany (**on sb, sth** w kimś, czymś); zwariowany (**on sth** na punkcie czegoś) 5. *am sl* pomylony; zwariowany
nut-weevil ['nʌt,wi:vl] *s zoo* orzechowiec (owad)
nux vomica ['nʌks'vɔmikə] *s farm* nasienie kulczywy (drzewa dającego strychninę)
nuzzle ['nʌzl] [I] *vt* wsadz-ić/ać <wsu-nąć/wać> nos (**into sth** do czegoś, w coś) [II] *vi* 1. ryć 2. węszyć 3. s/chować twarz (**to sb** w czyimś ramieniu itd.)
nyctalopia [,niktə'loupiə] *s med* kurza ślepota
nylg(h)au ['nilgɔ:] = **nilgai**
nylon ['nailən] [I] *s* nylon; *pl* **~s** pończochy nylonowe, nylony [II] *attr* nylonowy
nymph [nimf] *s* 1. *mitol* nimfa 2. *zoo* poczwarka
nymphomania [,nimfə'meinjə] *s med* nimfomania
nystagmus [nis'tægməs] *s med* oczopląs

Jan Stanisławski
Małgorzata Szercha

Suplement

A-N

A

↑ **A_1, a_2** I *s* 3. **A** *am szk* najwyższy stopień oceny III *adj* ... **~ one = A 1** *zob* **A**
↑ **a** 7. *przy liczebnikach*: **hundred, thousand, million = one; a hundred** sto
abaca [ˌɑ:bɑ:'kɑ:] *s* abaka, konopie z manili
abalone [æbə'ləuni] *s* ślimak rodzaju *Haliotis*
Abalyn ['æbəlin] *s* (*nazwa zastrzeżona*) płynna żywica syntetyczna stosowana jako zmiękczacz do lakierów nitrocelulozowych
aberrant ['æberənt] *adj* 1. zabłąkany 2. *biol* anormalny; odbiegający od normy
abient ['eibiənt] *adj psych* repulsywny; unikający
abiogenes|is [ˌeibaiəu'dʒenisis] *s* (*pl* **~es** [eiˌbaiəu'dʒenisi:z]) *biol* abiogeneza; samorództwo
abiogenetic [ˌeibiəudʒi'netik] *adj biol* abiogenny; samorodny
abiotic [eibai'ɔtik] *adj biol* abiotyczny; nieożywiony
abirritant [æb'iritənt] I *adj* uśmierzający III *s* środek uśmierzający
abjectly ['æbdʒektli] *adv* nikczemnie; podle; w nikczemny ⟨podły⟩ sposób
ablactate [æb'lækteit] *vt* odstawi-ć/ać (niemowlę) od piersi
↑ **abnormal** *adj* ... *med* **~ psychology** psychopatologia
abominably [ə'bɔminəbli] *adv* obrzydliwie; wstrętnie; ohydnie; w obrzydliwy ⟨ohydny⟩ sposób
abort [ə'bɔ:t] *vi am sl lotn* nie wykonać zadania bojowego
↑ **abortive** *adj* ... *med* poronny
aboulia [ə'bu:liə] *s med psych* abulia
aboulic [ə'bu:lik] *adj psych* abuliczny
↑ **about** I *praep* 3. ... **I'll tell you all ~ it** objaśnię ci ⟨wam⟩ wszystko; wszystko ci ⟨wam⟩ dokładnie powiem
about-face [ə'bautfeis] I *s* 1. półobrót 2. *przen* zmiana poglądów III *vi* 1. wykon-ać/ywać półobrót 2. *przen* zmienić swoje stanowisko na krańcowo odmienne
about-ship [ə'bautʃip] *vi mar* obr-ócić/acać statek
↑ **abrogate** *vt* 2. przeciwdziałać (infekcji)
abruptly [ə'brʌptli] *adv* 1. nagle 2. stromo

↑ **absentee** III *attr* **~ interview** wywiad domowy (u absentującego się pracownika)
absently ['æbsəntli] *adv* w roztargnieniu; z roztargnieniem
↑ **absolute** I *adj* 6. *fiz mat* bezwzględny; **~ acceleration** przyspieszenie bezwzględne; **~ altitude** wysokość bezwzględna; **~ number** liczba bezwzględna; *lotn* **~ ceiling** pułap teoretyczny; *nukl* **~ fission yield** bezwzględna wydajność rozszczepiania
absolutionism [ˌæbsə'lu:ʃənizəm] *s* absolucjonizm
absolutization [ˌæbsəlu:tai'zeiʃən] *s* absolutyzowanie
absolutize ['æbsəlu:taiz] *vt* absolutyzować
↑ **absorbing** III *adj* ... *nukl* **~ material** absorbent; substancja pochłaniająca; **~ medium** środowisko pochłaniające
↑ **absorption** I *s* 5. *nukl* wychwyt; pochłonięcie III *attr* absorpcyjny; **~ coefficient** ⟨**curve, edge**⟩ współczynnik ⟨krzywa, krawędź⟩ pochłaniania; **~ cross-section** przekrój czynny na pochłanianie; **~ control** sterowanie przez pochłanianie neutronów
absorption-emission [əb'sɔ:pʃən-e'miʃən] *attr techn* **~ pyrometer** pirometr do pomiarów temperatur gazów w rakietach
absorptivity [ˌæbsɔ:p'tiviti] *s chem* zdolność absorpcyjna; chłonność
↑ **abstract** III *s* 3. abstrakcjonistyczne dzieło sztuki III *adj* 1. ... abstrakcjonistyczny
↑ **abstraction** *s* 5. ... abstrakcjonistyczne dzieło sztuki
abstractionism [æb'strækʃənizəm] *s plast* abstrakcjonizm
abstractionist [æb'strækʃənist] *s plast* abstrakcjonista
abstractive [æb'stræktiv] *adj* 1. abstrahujący 2. wyabstrahowany
abstractively [æb'stræktivli] *adv* przez abstrahowanie; drogą abstrakcji
abstractly ['æbstræktli] *adv* 1. abstrakcyjnie 2. oderwanie; w oderwaniu
abulia [ə'bu:liə] *s* = **aboulia**
abulic [ə'bu:lik] *adj* = **aboulic**
↑ **abundance** *s.* 3. *nukl* częstość występowania (izotopu); zawartość (izotopu)
abusively [ə'bju:sivli] *adv* 1. niewłaściwie;

the word is often used ~ wyraz ten często bywa użyty niewłaściwie 2. obelżywie
↑ **abyssal** *adj* 2. ... ~ **zone** strefa głębinowa
acanthoid [ə'kænθɔid], **acanthous** [ə'kænθəs] *adj bot* kolczasty
acaudate [ə'kɔ:dit], **acaudal** [ə'kɔ:dəl] *adj zool* bezogonowy
↑ **accelerate** *vt* ... *nukl* ~**d particle** cząstka przyśpieszona
↑ **acceleration** *s* ... ~ **of gravity** przyśpieszenie ziemskie ⟨siły ciężkości⟩
accelerative [ək'selərətiv] *adj* przyśpieszający
↑ **accelerator** *s* 4. *nukl* akcelerator, przyśpieszacz cząstek
accelerometer [ək,selə'rɔmitə] *s techn* przyśpieszeniomierz
accentor [æk'sentə] *s zool* **hedge** ~ (*Prunella modularis*) płochacz pokrzywnica
↑ **acceptor** *s* 2. *nukl* akceptor
↑ **access** Ⅲ *attr* ~ **road** droga dojazdowa ⟨dojazd⟩ (do autostrady)
↑ **accession** *s* 7. angażowanie ⟨przyjmowanie⟩ (do pracy)
accessorize [æk'sesəraiz] *vt kraw* uzupełni-ć/ać (strój) dodatkami
↑ **accessory** Ⅲ *s* 3. *pl* **accessories** *kraw* dodatki (do stroju)
↑ **accident** Ⅲ *attr* ~ **frequency rate** wskaźnik wypadkowości
accident-prone ['æksidənt-prəun] *adj* szczególnie narażony na uleganie nieszczęśliwym wypadkom (skutkiem kalectwa itd.)
accident-severity ['æksidəntsə'veriti] *attr* ~ **rate** ustalanie doniosłości wypadków w pracy obliczane według ilości czasu straconego wskutek wypadku
↑ **acclaim** Ⅲ *s* oklaski; brawa
acclimate [ə'klaimit, 'æklə,met] *vt am* = = **acclimatize**
accommodative [ə'kɔmədeitiv] *adj* udogadniający
accouchement [ə'ku:ʃmã:ŋ] *s* połóg
accoucheur [,æku:'ʃə:] *s* położnik; akuszer
accoucheuse [,æku:'ʃə:z] *s* położna; akuszerka
accouplement [ə'ku:plmənt] *s bud* zastrzał
acculturation [ə'kʌltʃəreiʃən] *s* przystosowanie się kulturowe
accusatorial [ə,kju:zə'tɔ:riəl] *adj prawn* oskarżycielski
accusatory [ə,kju:'zætəri] *adj* oskarżycielski; oskarżający
accusingly [ə'kju:ziŋli] *adv* oskarżająco; oskarżycielsko
↑ **ace** Ⅰ *s* 3. *wojsk* as lotnictwa Ⅲ *adj* znakomity; pierwszorzędny
acerbate ['æsəbeit] *vt* rozdrażni-ć/ać; rozgorycz-yć/ać; rozjątrz-yć/ać
acerose ['æsərəus], **acerous** ['æsərəs] *adj* iglasty
acervate ['æsəveit] *adj bot* kępiasty; rosnący kępami ⟨w kępach⟩
acetal ['æsitəl] *s chem* acetal
acetaldehyde ['æsitəldi,haid] *s chem* aldehyd octowy
acetylcholine [ə'si:til'kəuli:n] *s biochem* acetylocholina
Ac-globulin [æk'glɔbjulin] *s biochem* Ac-globulina
achene [ei'ki:n] *s bot* niełupka
achlamydeous [æklə'midiəs] *adj bot* bezokwiatowy
↑ **acid** *adj* 2. *przen* (*o zachowaniu*) cierpki; zgryźliwy; ~ **face** kwaśna mina
acidize ['æsidaiz] *vt chem* zakwaszać
acidly ['æsidli] *adv* 1. kwaśno 2. *przen* cierpko; zgryźliwie
acidoid ['æsidɔid] *s roln* acydoid
acidophilic [,æsidə'filik], **acidophilous** [,æsi'dɔfiləs] *adj* kwasolubny
acidosis [,æsi'dəusis] *s med* kwasica
acid-proof ['æsidpru:f], **acid-resistant** ['æsidri'zistənt] *adj* kwasoodporny
↑ **acorn** Ⅲ *attr radio* ~ **tube** lampa „żołędziowa", lampa ultrakrótkofalowa
acotyledon [æ,kɔti'li:dən] *s bot* roślina bezliścieniowa
acotyledonous [æ,kɔti'li:dənəs] *adj bot* bezliścieniowy
acoustician [æku:'stiʃən] *s* akustyk
acquisitively [ə'kwizitivli] *adv* zachłannie; z zachłannością
acre-foot ['eikəfut] *s roln* (*w nawadnianiu*) ilość wody potrzebna do pokrycia 1 akra na głębokość 1 stopy
acre-inch ['eikər,intʃ] *s roln* (*w nawadnianiu*) ilość wody potrzebna do pokrycia 1 akra na głębokość 1 cala
acriflavine [ækri'fleivi:n] *s chem* trypaflawina
acrilan [ə'krilən] *s chem* akrylan
acrolith [,ækrə'liθ] *s* akrolit
acronym ['ækrəunim] *s* akronim
across-the-board [ə'krɔsðə'bɔ:d] *adj* powszechny; ogólny; wszechobejmujący
acrotism ['ækrətizəm] *s med* brak tętna; słabe tętno
acrylic [ə'krilik] *adj chem* akrylowy; ~ **acid** kwas akrylowy; ~ **fibre** włókno akrylowe; ~ **resin** żywica akrylowa
acrylonitrile ['ækrilə,naitril] *s chem* akrylonitryl
↑ **act** Ⅰ *vi* 7. (*o ciele opiniodawczym*) powziąć decyzję; zadecydować; postanowić Ⅲ *s* 1. ... ~ **of war** agresja
actidone ['æktidəun] *s biochem* aktydion
actin ['æktin] *s biochem* aktyna
actinia [æk'tiniə] *s* (*pl* ~**e** [æk'tinii:]) *zool* (*Actinia*) ukwiał; anemon morski; promienica
actinic [æk'tinik] *adj* aktyniczny
actinides ['æktini:ds] *spl chem* aktynowce
actinium [æk'tiniəm] *s chem* aktyn
actinogram [æk'tinəgræm] *s chem* aktynogram
actinometer [ækti'nɔmitə] *s* aktynometr
actinometry [ækti'nɔmitri] *s* aktynometria

actinomycetin [ˌæktinəuˈmaisiti:n] *s chem* aktynomycetyna
actinomycin [æktinəuˈmaisin] *s biochem* aktynomycyna
actinon [ˈæktinɔn] *s chem* aktynon
actino-uranium [ˌæktinəu-juˈreinjəm] *s chem* aktynouran
↑ **action** *s* 8. decyzja; **to submit for ~** przedłożyć celem powzięcia decyzji; **to take ~** interweniować
↑ **activate** [I] *vt* 3. ... wzbudzać; pobudzać; **~d** aktywowany; **~d water** woda aktywowana 5. uaktywni-ć/ać [II] *vi* uaktywni-ć/ać się; sta-ć/wać się aktywnym
activation [æktiˈveiʃən] *fiz nukl* [I] *s* aktywacja; wzbudzanie; pobudzanie [III] *attr* aktywacyjny; **~ curve** ⟨**energy**⟩ krzywa ⟨energia⟩ aktywacji; **~ cross-section** przekrój czynny na aktywację
activist [ˈæktivist] *s* 1. aktywista 2. przodownik pracy
actomyosin [ˈæktəuˈmaiəsin] *s biochem* aktomiozyna
↑ **acute** *adj* 7. *nukl* udarowy; **~ exposure** napromienienie udarowe; *med* **~ radiation syndrome** ostry syndrom choroby popromiennej
acutely [əˈkju:tli] *adv* 1. ostro 2. intensywnie 3. wnikliwie
acyclic [eiˈsaiklik, eiˈsiklik] *adj* acykliczny, niecykliczny
↑ **Adam** *spr* ... *pot* **~'s ale** woda; *bot* **~'s needle** amerykański gatunek juki
Adam-and-Eve [ˈædəməndˈi:v] *s bot* storczyk północnoamerykański *Aplectrum hyemale*
Adamite [ˈædəmait] *s* 1. potomek Adama, istota ludzka 2. nudysta 3. adamita
adamsite [ˈædəmzait] *s chem* dwufenylochloroarsyna
adaptive [əˈdæptiv] *adj* łatwo się przystosowujący; o elastycznym usposobieniu; *zool* **~ colouring of a cameleon** barwa ochronna kameleona
adaptiveness [əˈdæptivnis] *s* łatwość przystosowania się; elastyczność usposobienia
↑ **added** [III] *adj* ... *muz* **~ line** linia dodana
↑ **adder** *s* ... *bot* **~'s mouth** storczyk północnoamerykański z gatunku *Malaxis* lub *Pogonia*
↑ **adding** [III] *attr* ... **~ unit** urządzenie sumujące
additive [ˈæditiv] *adj* addytywny, przyłączeniowy
additivity [ædiˈtiviti] *s* addytywność
addivity [æˈdiviti] *s nukl med* addywność; **~ of irradiation** ⟨**exposure effect**⟩ addywność skutków napromienienia
adducent [əˈdju:sənt, *am* əˈdu:sənt], **adducting** [əˈdʌktiŋ] *adj anat (o mięśniu)* przywodzący
adenine [ˈædinain, ˈædini:n] *s chem* adenina
adenoid [ˈædinɔid], **adenoidal** [ˌædiˈnɔidl] *adj* adenoidalny; **~(al) growths = adenoids**
adenosine [æˈdenəsi:n] *s chem* adenozyna
adermin [əˈdə:min] *s chem* adermina; witamina B_6
↑ **adhesive** [ədˈhi:siv] *adj* ... **~ plaster** przylepiec
ad hoc [ædˈhɔk] *adv* ad hoc; doraźnie; w danym celu
adiabatic [ædiəˈbætik] *adj fiz* adiabatyczny; **~ compression** sprężanie adiabatyczne; **~ law** prawo adiabatyczne; **~ invariant** niezmiennik adiabatyczny
adiabatically [ædiəˈbætikəli] *adv fiz* adiabatycznie
adiaphorous [ædiˈæfərəs] *adj farm (o leku)* obojętny; neutralny
adiathermous [ædiəˈθə:məs] *adj fiz* nieprzepuszczający ciepła
adient [ˈeidjənt] *adj psych* propulsywny; dążący
↑ **adjoin** [I] *vt* ... *nukl* **~t function** funkcja sprzężona
adjustable [əˈdʒʌstəbl] *adj* nastawialny; nastawny; nastawczy; dający się regulować; *pot* do regulowania
↑ **adjustment** *s* ... *ekon* **wage ~** regulacja płac
↑ **adjutant** *s* 1. ... *am* **Adjutant General** Szef Sztabu Generalnego; **Adjutant General's Department** Sztab Generalny
admeasure [ædˈmeʒə] *vt* przydziel-ić/ać
admeasurement [ædˈmeʒəmənt] *s* przydzielanie; przydział
adminicle [ædˈminikl] *s* 1. pomoc 2. pomocnik 3. *prawn* dowód dodatkowy
admissibility [ədˌmisəˈbiliti] *s* dopuszczalność
↑ **adobe** [I] *s* 3. glina namulona; **~ flat** namulisko [III] *attr zool* **~ bug** (*Argas persicus)* obrzeżek perski
adrenochrome [ædˈrenəuˌkrəum] *s biochem* adrenochrom
adsorb [ædˈsɔ:b] *vt* adsorbować
↑ **adsorbate** *s* ... substancja adsorbowana; adsorptyw
adsorbent [ædˈsɔ:bənt] *s chem* adsorbent; substancja adsorbująca
adsorber [ædˈsɔ:bə] *s* adsorber; aparat adsorpcyjny
adsorption [ædˈsɔ:pʃən] *s* adsorpcja; adsorbowanie
adsuki [ædˈsuki] *attr bot* **~ bean** fasola *Phaseolus angularis* uprawiana w Azji i Stanach Zjednoczonych
adularia [ædʒuˈlεəriə] *s miner* adular, kamień księżycowy
adulterous [əˈdʌltərəs] *adj* cudzołożny
adulterously [əˈdʌltərəsli] *adv* cudzołożnie
advection [ædˈvekʃən] *s meteor* adwekcja
advective [ædˈvektiv] *adj meteor* adwekcyjny
↑ **advent** [ˈædvənt] *s* 1. ... **Second Advent** powtórne przyjście Chrystusa
Adventist [ædˈventist] *s rel* adwentysta

† **adventitious** *adj* 4. *bot* przybyszowy; ~ **plants** poplon

† **adversary** *s* 2. **the Adversary** Szatan

advertant [əd'və:tənt] *adj* uważający; uważny

adynamia [ədai'neimiə] *s med* adynamia; utrata siły

adzuki [æd'suki] *s* = **adsuki**

aecidium [i:'sidiəm], **aecium** ['i:siəm] *s bot* ecydium

aedes [ei'i:di:z] *s zool* moskit przenoszący żółtą febrę i dengę

aedile ['i:dail] *s* (*w starożytnym Rzymie*) edyl

† **Aeolian**[1] *adj* ... *mitol muz* ~ **harp** harfa eolska

aeolian[2] [i:'əuljən] *adj geol* eoliczny; nawiany przez wiatr; *roln* ~ **soil** gleba naniesiona przez wiatr ⟨pochodzenia **eolicznego**⟩

aeration [,eiə'reiʃən] *s* napowietrzanie; nawietrzanie

aerator ['eiəreitə] *s* 1. napowietrzacz; aparat do wysycania gazem 2. otwór napowietrzający

aerification [,εərifi'keiʃən] *s* napowietrzanie

aerify ['εərifai] *vt* napowietrz-yć/ać

aerobee ['εərəbi:] *s wojsk* rodzaj rakiety dalekosiężnej

aerobic [εə'rəubik] *adj* 1. tlenowcowy 2. tlenowy

aerodyne ['εərəudain] *s lotn* aerodyna

aeroembolism [,εərəu'embəlizəm] *s med* aeroembolizm; choroba dekompresyjna

aerogel [eiərəu'dʒel] *s chem* aerogel

aerogenerator [,εərəu'dʒenəreitə] *s techn* prądnica napędzana silnikiem wiatrowym

aerographer [εə'rɔgrəfə] *s am* oficer meteorolog

aerography [εə'rɔgrəfi] *s* 1. opisywanie atmosfery 2. meteorologia

aerology [,εə'rɔlədʒi] *s* aerologia

aeromarine [εərəumə'ri:n] *adj* dotyczący aeronawigacji nad morzem

aeromechanics [εərəumi'kæniks] *s* aeromechanika

aerometer [εə'rəumitə] *s* aerometr

aeronaut ['εərənɔ:t] *s* aeronauta

aeronautic(al) [,εərə'nɔ:tik(əl)] *adj* aeronautyczny

aeroneurosis [,εərəunju:'rəusis] *s med* nerwica lotników

aeroneurotic [,εərəunju:'rɔtik] *s adj* (człowiek) cierpiacy na nerwicę lotników

aero-otitis media [εərəuɔ'taitis'mi:diə] *s med* zapalenie ucha środkowego występujace u lotników, osób pracujących w kesonach i nurków głębinowych

aerophagy [εə'rəufəgi] *s med* aerofagia, połykanie powietrza

aerophyte ['εərəufait] *s bot* epifit

aeroplane ['εərəplein] *s* samolot; † aeroplan

aeroplankton [εərə'plæŋktən] *s biol* plankton powietrzny, aeroplankton

aeropulse ['εərəpʌls] *s lotn* silnik odrzutowy pulsacyjny

aerosinusitis ['εərəu,sinə'saitis] *s med* (*u lotników*) zapalenie zatok

† **aerosol** [III] *attr* ~ **bomb** opakowanie aerozolowe

aerosporin [εə'rɔspərin] *s biol* aerosporyna, polimyksyna A

aerostatic [,εərəu'stætik] *adj* aerostatyczny

aerostatics [,εərəu'stætiks] *s* aerostatyka

aerostation [,εərəu'steiʃən] *s* 1. aerostatyka 2. lotnictwo balonowe, baloniarstwo

aerotherapeutics [,εərəu,θerə'pju:tiks] *s med* aeroterapia

aesthetician [i:sθe'tiʃən, *am* esθe'tiʃən] *s* estetyk

aestheticism [i:s'θetisizəm] *s* estetyzm

aestivate ['estiveit] *vi* przetrwać okres letni w estywacji

afebrile [ei'fi:bril, ei'febril] *adj med* bezgorączkowy

affective [ə'fektiv] *adj psych* afektywny; emocjonalny; uczuciowy

affirmatively [ə'fə:mətivli] *adv* twierdząco; potwierdzająco

affrontingly [ə'frʌntiŋli] *adv* obraźliwie; w sposób obrażający

aflutter [ə'flʌtə] *adv* z bijącym sercem

afore-mentioned [ə'fɔ:,menʃənd] *adj* uprzednio wymieniony

afoul [ə'faul] [I] *adj* poplątany; zagmatwany [III] *adv w zwrocie*: **to run** ~ **of** ... wejść w kolizję z ...

Africanist ['æfrikənist] *s* afrykanista

afterburner ['ɑ:ftə,bə:nə] *s lotn* dopalacz

afterburning ['ɑ:ftə,bə:niŋ] *s lotn* dopalanie (w silniku rakietowym)

after-heat ['ɑ:ftə,hi:t] *s fiz* ciepło powyłączeniowe

after-tack ['ɑ:ftə,tæk] *s techn* kleistość pozostała ⟨resztkowa⟩

aga ['ɑ:gə] *s* (*w Turcji*) aga

agar ['eigɑ:], **agar-agar** ['eigər'eigɑ:] *s* agar, agar-agar

agaricaceous [ə,gæri'keiʃəs] *adj bot* bedłkowaty

† **age** [IV] *attr nukl* ~ **equation** równanie wieku; *chem metal* ~ **hardening** utwardzanie dyspersyjne; starzenie (się)

age-diffusion [eidʒ-di'fju:ʒən] *attr nukl* ~ **equation** równanie dyfuzji w zależności od wieku

age-group ['eidʒ,gru:p] *s wojsk* rocznik

† **agent** *s* 4. ... *chem* **wetting** ~ czynnik zwilżający; zwilżacz

aggradation [,ægrə'deiʃən] *s geol* agradacja; namulisko

aggrade [ə'greid] *vt geol* agradować, namulać

aggregate ['ægrigit] *s roln* agregat; zlepek

aggress [ə'gres] *vi* 1. wszcząć kroki wojenne 2. wszcząć kłótnię

agitprop ['ædʒitprɔp] *adj* agitacyjnopropagandowy

agleam [ə'gli:m] *adj* błyszczący; świecący; iskrzący się
aglimmer [ə'glimə] *adj* migocący
aglitter [ə'glitə] *adj* błyszczący; lśniący; świecący; połyskujący
agouti, agouty [ə'gu:ti] *s zool* (*Dasyprocta*) aguti
agranulocytosis [ə,grænju,ləusi'təusis] *s med* agranulocytoza
agraphia [ei'græfiə] *s med* agrafia
agreeably [ə'griəbli] *adv* 1. mile; przyjemnie; sympatycznie 2. zgodnie (**to sth** z czymś)
agriculturist [,ægri'kʌltʃərist], *am* **agriculturalist** [,ægri'kʌltʃərəlist] *s* 1. rolnik 2. agronom
agrobiology [,ægrəubai'ɔlədʒi] *s* agrobiologia
↑ **ahead** *adv* III *am* **to be** ~ zarobić; **I am $10** ~ zarobiłem 10 dolarów
ahem [m'mm] *interj* 1. (*chcąc zwrócić na siebie czyjąś uwagę*) proszę pana ⟨pani, państwa⟩! 2. (*wyrażając powątpiewanie*) hm!
↑ **aid** I *s* 1. ... **hearing** ~ aparat słuchowy
↑ **air**[1] I *s* ... *meteor* **upper** ~ górne warstwy powietrza III *attr* ... ~ **age** epoka lotnictwa ⟨aeronawigacji⟩; ~ **alert** a) alarm lotniczy b) pogotowie lotnicze; ~ **ambulance** samolot sanitarny; ~ **brake** hamulec aerodynamiczny; ~ **bridge** most powietrzny; ~ **brush** = **airbrush** ↑; ~ **cock** kurek odpowietrzający; ~ **express** ekspres lotniczy (przesyłek pocztowych); ~ **ferry** prom powietrzny; ~ **jeep** jednoosobowy śmigłowiec bliskiego zasięgu; ~ **lane** trasa lotnicza; ~ **liner** samolot pasażerski; ~ **post** poczta lotnicza; ~ **ship** statek powietrzny; sterowiec; ~ **space** a) pęcherzyk powietrzny u roślin b) komora powietrzna w jajku c) = ~ **sac**; *wojsk lotn* ~ **support** wsparcie lotnicze
↑ **airborne** *adj* ... *lotn* będący ⟨znajdujący się⟩ w powietrzu; ~ **troops** wojska powietrzno-desantowe; *nukl* ~ **particle** cząsteczka zawieszona w powietrzu; ~ **radioactivity** promieniotwórczość cząstek zawieszonych w powietrzu
airbrush ['εəbrʌʃ] *s* natryskiwacz; pistolet natryskowy
air-condition ['εə-kən,diʃən] *vt* 1. zainstalow-ać/ywać urządzenia klimatyzacyjne (**a building** w budynku) 2. klimatyzować (powietrze)
air-conditioned ['εə-kən,diʃənd] *adj* klimatyzowany
air-conditioner ['εə-kən,diʃənə] *s* klimatyzator; komora klimatyzacyjna
aircraftman ['εə-krɑ:ftmən] *s* (*pl* **aircraftmen** ['εə-krɑ:ftmən]) *lotn* podoficer, członek naziemnej obsługi samolotu
aircraftwoman ['εə-krɑ:ft,wumən] *s* (*pl* **aircraftwomen** ['εə-krɑ:ft,wimin]) *wojsk* kobieta-żołnierz służby pomocniczej RAF; **leading** ~ kobieta-żołnierz służby pomocniczej RAF w szarży kaprala
aircrew ['εəkru:] *s* załoga samolotu
aircrewman ['εə-kru:mən] *s* (*pl* **aircrewmen** ['εə-kru:mən]) *lotn wojsk* członek załogi samolotu
airdrome ['εədrəum] *s am* lotnisko
air-drop ['εədrɔp] *s* 1. zrzut 2. zrzut ulotek na teren nieprzyjaciela
air-dry ['εədrai] *vt* wy/suszyć na powietrzu
air-flew ['εəflu:] *attr aut* ~ **body** karoseria o liniach opływowych ⟨aerodynamicznych⟩
airfluent [εə'fluənt] *s* szkodliwe substancje lotne pochodzenia fabrycznego
airfoil ['εəfɔil] *s lotn* płat nośny
airframe ['εəfreim] *s lotn* płatowiec
airfreight ['εəfreit] *s lotn* 1. powietrzny transport towarów 2. opłata za lotniczy transport towarów
airfreighter [εə'freitə] *s lotn* samolot transportowy
airglow ['εəgləu] *s* poświata
airgraph ['εəgrɑ:f] *s* list mikrofilmowany przesłany pocztą lotniczą
air-ground ['εəgraund] *attr wojsk* ~ **communication** łączność powietrze-ziemia; ~ **liaison code** szyfr łączności powietrze-ziemia; ~ **operations** operacja powietrze-ziemia
airhead ['εəhed] *s wojsk* przyczółek lotniczy
airletter ['εə,letə] *s* list lotniczy
↑ **air-mail** III *vt* posłać pocztą lotniczą
airpark ['εəpɑ:k] *s* małe lotnisko dla prywatnych samolotów
airproof ['εəpru:f] I *adj* szczelny II *vt* uszczelni-ć/ąć
↑ **air-raid** I *attr* 2. ... ~ **warden** członek cywilnej obrony przeciwlotniczej; ~ **warning** sygnał alarmu lotniczego II *s* nalot
↑ **air-route** *s* 2. szlak lotniczy
air-sea ['εəsi:] *attr wojsk* ~ **rescue** powietrzno-morskie ratownictwo ofiar katastrof morskich
airsick ['εə-sik] *adj* cierpiący na chorobę powietrzną; **I was** ~ chorowałem (w czasie lotu)
air-slaking [εə'sleikiŋ] *s* gaszenie wapna pod działaniem wilgoci powietrza
air-speed ['εə-spi:d] *s lotn* prędkość lotu; ~ **indicator** prędkościomierz, szybkościomierz
airstrip ['εə-strip] *s* 1. prowizoryczny pas startowy 2. przenośny pas startowy (z blachy)
air-switch ['εə-switʃ] *s elektr* wyłącznik powietrzny
airtillery [εə'tiləri] *s wojsk* atak przeprowadzony przy pomocy zdalnie sterowanych pocisków z wyrzutni naziemnych
air-to-air ['εə-tə,εə] *attr wojsk* ~ **missile** pocisk rakietowy klasy „powietrze-powietrze"

air-to-ground [ˈεə-təˌgraund] *attr wojsk* ~ **missile** pocisk rakietowy klasy „powietrze-ziemia"
air-to-underwater [ˈεə-təˌʌndəwɔ:tə] *attr wojsk* ~ **missile** pocisk rakietowy klasy „powietrze-głębina wodna"
air-valve [ˈεəvælv] *s techn* zawór powietrzny
airway [ˈεəwei] *s* 1. trasa lotnicza 2. *górn* chodnik wentylacyjny 3. *radio* kanał
airways [ˈεəweiz] *attr lotn* ~ **station** lotnisko operacyjne
airworthy [ˈεəwə:ði] *adj* (*o samolocie*) sprawny
aisle-sitter [ˈailsitə] *s* krytyk teatralny
ala [ˈeilə] *s* (*pl* **alae** [ˈeili:]) *bot* skrzydełko
alabamine [ˌæləˈbæmi:n] *s chem* astat
alameda [æləˈmeidə] *s am* cienista aleja
a la mode [æləˈməud] *adj* 1. modny 2. *kulin* (*o deserze*) podany z porcją lodów ‖ ~ **beef** sztufada
alanine [ˈæləni:n] *s chem* alanina
albedo [ælˈbi:dəu] *s astr* albedo
Albigenses [ˌælbiˈdʒensi:z] *spl hist* albigensi
Albigensian [ˌælbiˈdʒensiən] *s hist* albigens
albite [ˈælbait] *s miner* albit
albumenize [ælˈbju:minaiz] *vt* pokry-ć/wać białkiem ⟨roztworem białkowym⟩; ~**d iron** albuminian żelaza
alcalde [ælˈkældi] *s* (*w Hiszpanii i na południu USA*) alkad
alchemize [ˈælkimaiz] *vt* przemieni-ć/ać alchemicznie
alclad [ˈælklæd] *s* blacha duraluminiowa pokryta aluminium
alcoholicity [ælkɔhɔˈlisiti] *s* zawartość ⟨moc, procent⟩ alkoholu
alcoholometer [ˌælkɔhɔˈlɔmitə] *s* alkoholometr, alkoholomierz
aldol [ˈældɔl] *s chem* aldol
alee [əˈli:] *adv adj mar* ku ⟨po⟩ stronie zawietrznej
alegar [ˈæligə, ˈeiligə] *s* ocet piwny
↑ **alert** III *s* 2. alarm przeciwlotniczy 3. pogotowie bojowe
alertly [əˈlə:tli] *adv* 1. raźnie; żwawo 2. czujnie
alexia [əˈlexiə] *s psych* aleksja
alexin [əˈleksin] *s biol* aleksyna
alexipharmic [əˌleksiˈfɑ:mik] *s* odtrutka
algerine [ˈældʒerin] *s mar* typ poławiacza min
alible [ˈælibl] † *adj* pożywny
alienage [ˈeiljənidʒ] *s* cudzoziemskość
alienee [ˌeiljəˈni:] *s prawn* zapisobierca
alienor [ˌeiljəˈnɔ:] *s prawn* zapisodawca
aliform [ˈælifɔ:m] *adj* skrzydłowaty
alignment-type [əˈlainmənt,taip] *attr fiz* kolineacyjny; ~ **nomogram** nomogram kolineacyjny
↑ **alimentary** *adj* 1. ... ~ **paste** fabryczny makaron (fasowany przez wojsko)
alimentative [æliˈmentətiv] *adj* pożywny
aliped [ˈæliped] *adj zool* skrzydłonogi
aliphatic [æliˈfætik] *adj chem* alifatyczny; ~ **compounds** związki alifatyczne
aliquot [ˈælikwɔt] *s mat* podwielokrotność
alkalescent [ˌælkəˈlesnt] *adj chem* słabozasadowy, słaboalkaliczny
alkali [ˈælkəlai] *s chem* zasada; ługowiec; *pl* ~**(e)s** alkalia; ~ **disease** chroniczne zatrucie selenem; ~ **metal** metal alkaliczny
alkali-halide [ˈælkəlai-həˈlaid] *s chem* halogenek metalu alkalicznego
alkalimeter [ˌælkəˈlimitə] *s* alkalimetr
alkalimetry [ˌælkəˈlimitri] *s* alkalimetria
alkalinity [ˌælkəˈliniti] *s chem* zasadowość, alkaliczność
alkalization [ˌælkəlaiˈzeiʃən] *s chem* alkalizacja, alkalizowanie
alkalosis [ˌælkəˈləusis] *s med* alkaloza; zasadowica
alkanes [ˈælkeinz] *spl chem* alkany
alkanet [ælkəˈnet] *s* 1. *bot* (*Alcanna tinctoria*) alkanna 2. *chem* korzeń czerwony
alkenes [ˈælki:nz] *spl chem* alkeny, olefiny
alkyds [ˈælkidz] *spl* (*także* **alkyd resins**) żywice alkidowe
alkyl [ˈælkil] *s chem* alkil
alkylation [ˌælkiˈleiʃən] *s chem* alkilowanie, alkilacja
alkylenes [ˈælkili:nz] *spl chem* alkeny, olefiny
↑ **all** I *adj* 1. ... ~ **clear** odwołanie alarmu lotniczego
all-American [ɔ:ləˈmerikən] *adj* 1. wszechamerykański 2. wyłącznie amerykański
allanite [ˈælənait] *s miner* allanit
allegedly [əˈledʒidli] *adv* rzekomo
allele [ˈæləl] *s fiz* allel
allelism [ˈæləlizəm] *s fiz nukl* allelizm
allelomorph [əˈleləmɔ:f] *biol* allelomorf
allergen [ˈæləˌdʒen] *s* alergen
allergenic [æləˈdʒenik] *adj* wywołujący alergię; uczuleniowy
all-fired [ˈɔ:lfaiəd] *adj am pot* piekielny; szatański
all-heal [ˈɔ:lhi:l] *s bot* (*Valeriana officinalis*) waleriana
↑ **alligator** *s* 2. *wojsk* pancerny pojazd-amfibia
alliterate [əˈlitəreit] *vi* posługiwać się aliteracją
allium [ˈæliəm] *s bot* (*Allium*) roślina warzywna z rodziny liliowatych (czosnek, cebula, por, szczypior)
allobar [ˈæləbɑ:] *s fiz* allobar
allogamy [əˈlɔgəmi] *s bot* allogamia; obcopylność
allomerism [əˈlɔmərizəm] *s* izotypia
allometry [əˈlɔmitri] *s biol* allometria
allomorph [ˈæləmɔ:f] *s jęz* allomorf
allomorphism [ˌæləˈmɔ:fizəm] *s* 1. *miner* polimorfizm 2. *jęz* allomorfizm
allophane [ˈæləfein] *s miner* alofan
allophone [ˈæləfəun] *s jęz* alofon

all-or-none [ˈɔ:l-ɔ:ˌnʌn] *attr fiz nukl* ~ **basis** zasada „wszystko lub nic"
allosome [ˈæləsəm] *s biol* allosom
all-outer [ɔ:lˈautə] *s* ekstremista
allover [ɔ:lˈəuvə] *adj* 1. (*o tkaninie*) w deseń powtarzający się na całej tkaninie 2. (*o wzorze*) powtarzający się na całej tkaninie
allowed [əˈlaud] I *zob* **allow** *vt* III *adj* dozwolony
alloying [əˈlɔiiŋ] I *zob* **alloy** *v* III *adj* stopowy; ~ **element** składnik stopu
allseed [ˈɔ:lsi:d] *s bot* 1. (*Chenopodium polyspermum*) komosa wielonasienna 2. (*Polygonium aviculare*) rdest ptasi
allyl [ˈælil] *s chem* (*także* ~ **resin**) allil
almandine [ˈælməndi:n] *s miner* almandyn
almond-eyed [ˈɑ:mənd,aid] *adj* o migdałowych oczach
alnico [ˈælnikəu] *s metal* alniko, alnico
alogism [ˈælədʒizəm] *s jęz* alogizm
↑ **alp** III *vi* uprawiać wspinaczkę wysokogórską
alpestrine [ælˈpestrin] *adj* alpejski; wysokogórski
↑ **alpha** III *attr nukl* ~ **counter** licznik cząstek alfa; ~ **particle** cząstka alfa; ~ **proton reaction** reakcja alfa proton; ~ **uranium** uran alfa; *fizj* ~ **rhythm** ⟨**wave**⟩ rytm ⟨fala⟩ alfa
alpha-particle [ˈælfəˈpɑ:tikl] *attr nukl* ~ **disintegration** rozpad cząstek alfa; ~ **model of nucleus** model helionowy jądra
alphosis [ælˈfəusis] *s med* białactwo
alpinism [ˈælpinizəm] *s* alpinizm, alpinistyka; wspinaczka wysokogórska
alsike [ˈælsaik, ɔ:lsaik] *s bot* (*Trifolium hybridum*) koniczyna szwedzka
altar-rail [ˈɔ:ltə-reil] *s* balustrada przed ołtarzem; *pot* kratki
alternant [ɔ:lˈtə:nənt] *s jęz* alternant
↑ **alternate** III *adj* ... *mat* ~ **angles** kąty naprzemianległe
↑ **alternating** III *adj* ... *nukl* ~ **electromagnetic field** pole elektromagnetyczne przemienne
↑ **alternation** *s* 3. zmienność
althorn [ˈæltho:n] *s muz* sakshorn tenorowy
alto-cumulus [ˌæltəuˈkju:mjuləs] *s meteor* altocumulus, chmura średnia kłębiasta; *pot* baranki
alto-stratus [ˌæltəuˈstreitəs] *s meteor* altostratus, chmura średnia warstwowa
↑ **alum** III *attr* ałunowy; ~ **shale** ałun; łupek ałunowy
aluminous [əˈlju:minəs] *adj am* glinowy
aluminum [əˈlu:minəm] *s am* = **aluminium**
alum-root [ˈæləmru:t] *s bot* roślina skalnicowata z rodzaju *Heuchera*
alvine [ˈælvain] *adj* borsuczy
alyssum [ˈælisəm] *s bot* roślina z gatunku *Alyssum*
amadou [ˈæmədu:] *s* huba
amah [ˈæmɑ:] *s* (*w Indiach*) niańka; mamka; służąca
amaryllidaceous [ˌæmərili'deiʃəs] *adj bot* amarylkowaty
amazonite [ˈæməzənait] *s miner* amazonit, kamień amazonowy
ambagious [æmˈbeidʒəs] † *adj* (*o wypowiedzi*) ogródkowy
ambari, ambary [æmˈbɑ:ri] *s* konopie indyjskie
ambassador-at-large [æmˈbæsədərət,lɑ:dʒ] *s dypl* ambasador do specjalnych poruczeń
amberoid [ˈæmbərɔid] *s miner* ambroid
ambient [ˈæmbiənt] *adj* dookolny
ambipolar [ˈæmbi,pəulə] *adj* dwubiegunowy
ambivert [ˈæmbivə:t] *s psych* ambiwertyk
amblyopia [ˌæmbliˈəupiə] *s med* ambliopia, niedowidzenie, upośledzenie wzroku
amboceptor [ˌæmbəuˈseptə] *s med* dwuchwytnik
ambrosial [æmˈbrəuzjəl] *adj* ambrozyjski
ambulant [ˈæmbjulənt] *adj* 1. wędrowny 2. (*o pacjencie*) leczący się ambulatoryjnie; ambulatoryjny
amebiasis [ˌæmiˈbaiəsis] *s* = **amoebiasis** ↑
↑ **amelioration** *s* 2. *roln* melioracja
amendatory [əˈmendətəri] *adj* poprawczy; korekcyjny
↑ **amendment** *s* 3. usprawnienie 4. *roln* ~ **of soil** zabiegi polepszające jakość gleby; melioracja
↑ **amenity** *s* ... 5. zaleta; plus
amentaceous [æmənˈteiʃəs] *adj bot* kotkowy
americium [ˌæməˈrisiəm] *s chem* ameryk
↑ **American** *adj* ... ~ **cheese** cheddar; (*w hotelach*) ~ **plan** system amerykański polegający na tym, że goście wynajmują pokój wraz z wyżywieniem; ~ **Legion** Legion Amerykański (weteranów wojen światowych)
Amerind [ˈæmərind] *s* Indianin amerykański
amethystine [ˌæmiˈθistain] *adj* ametystowy
Amharic [æmˈhærik] *s* język amharyjski (urzędowy w Etiopii)
amidic [əˈmidik] *adj chem* amidowy
amidines [æmidiˈni:z] *spl chem* amidyny
amidol [ˈæmidɔl] *s chem* amidol
amino [ˈæminəu] *attr chem* ~ **acid** aminokwas
aminobenzoic [ˌæminəubenˈzɔik] *adj chem* ~ **acid** kwas aminobenzoesowy
aminoplastics [əˌmi:nəˈplɑ:stiks] *spl chem* aminoplasty
Aminopterin [ˌæmiˈnɔptərin] *chem farm* aminopteryna
aminopyrine [əˌmainəuˈpaiərin] *s chem* amidopiryna
amitosis [æmiˈtəusis] *s biol* amitoza
ammine [ˈæmin, əˈmi:n] *s chem* amminozwiązek, amoniakat

ammonification [ə,mɔnifi keiʃən] *s chem* amonifikacja
ammonite [ˈæmənait] *s paleont* amonit
↑ **ammonium** Ⅲ *attr* ... ~ **chloride** ⟨**hydroxide, nitrate**⟩ chlorek ⟨wodorotlenek, azotan⟩ amonowy
amoebiasis [,æmiˈbaiəsis] *s med* amebiaza
amoebic [əˈmi:bik] *adj* pełzakowy, amebowy
amoeboid [əˈmi:bɔid] *adj* ameboidalny
ampelopsis [,æmpiˈlɔpsis] *s bot* (*Ampelopsis*) dzikie wino
amphetamine [æmˈfetəmi:n] *s farm* amfetamina
amphibolous [æmˈfibələs] *adj* dwuznaczny
amphiboly [æmˈfibəli] *s* = **amphibology**
amphimictic [æmfiˈmiktik] *adj biol* rozmnażający się płciowo
amphimixis [æmfiˈmiksis] *s biol* amfimiksja
amphisbaena [,æmfisˈbi:nə] *s zool* (*Amphisbaena*) obrączkowiec
amphitheatric(al) [,æmfiθiˈætrik(əl)] *adj* amfiteatralny
amphitheatrically [,æmfiθiˈætrikəli] *adv* amfiteatralnie
amphoteric [æmfəˈterik] *adj chem* amfoteryczny
amphtrack [ˈæmftræk], **amtrack** [ˈæmtræk] *s* = **alligator** 2.↑
amplidyne [ˈæmplidain] *s elektr techn* amplidyna
amplificatory [ˈæmplifikeitəri] *adj* 1. rozszerzający; powiększający 2. *elektr* wzmacniający
↑ **amplifier** Ⅲ *attr* wzmacniający; ~ **circuit** układ wzmacniający; ~ **noise** szumy wzmacniacza
↑ **amplitude** Ⅲ *attr* (*w elektronice*) ~ **modulation** modulacja amplitudy
amply [ˈæmpli] *adv* 1. obszernie 2. obficie; hojnie; suto; dostatnio; wystarczająco
ampullaceous [,æmpjuˈleiʃəs] *adj bot* pęcherzowaty
amputator [,æmpjuˈteitə] *s* wykonawca amputacji
amygdala [əˈmigdələ] *s bot anat* migdał
amygdalaceous [ə,migdəˈleiʃəs] *adj* migdałowaty
amygdalin [əˈmigdəlin] *s chem* amigdalina
amygdaloid [əˈmigdəlɔid] *s miner* migdałowiec
amyl [ˈæmil] *s chem* amyl; ~ **alcohol** alkohol amylowy
amylase [ˈæmileis] *s biochem* amylaza; diastaza
amylic [əˈmilik] *adj chem* amylowy
amylopectin [,æmiləˈpektin] *s biochem* amylopektyna
amylum [ˈæmiləm] *s* skrobia; krochmal
anabaptist [,ænəˈbæptist] *s* anabaptysta
anabatic [ænəˈbætik] *adj* anabatyczny
anabiosis [,ænəbaiˈəusis] *s biol* anabioza
anachronistic(al) [,ænəkrəˈnistik(əl)], **anachronous** [əˈnækrənəs] *adj* anachroniczny
anaglyph [ˈænəglif] *s rzeźb fiz* anaglif
anagrammatic(al) [,ænəgrəˈmætik(əl)] *adj* anagramowy
anagrammatically [,ænəgrəˈmætikəli] *adv* anagramowo, w sposób anagramowy
anal [ˈeinəl] *adj* odbytowy, analny; ~ **fin** płetwa odbytowa
analgesia [,ænælˈdʒi:zjə] *s med* analgezja, niewrażliwość na ból
analogically [,ænəˈlɔdʒikəli] *adv* analogicznie; podobnie; przez analogię
analogue [ˈænəlɔg] Ⅰ *s* analog; odpowiednik Ⅲ *attr* ~ **computer** maszyna analogowa
↑ **analogy** *s* ... **to argue by** ~ rozumować przez analogię
analphabet [əˈnælfəbit] *s* analfabeta
analphabetism [ənælfəˈbitizəm] *s* analfabetyzm
analyser [ˈænəlaizə] *s* analizator (człowiek oraz przyrząd)
analyst [ˈænəlist] *s* 1. analityk; analizator 2. psychoanalityk
analytic [,ænəˈlitik] *adj* analityczny; ~ **geometry** geometria analityczna; ~ **languages** języki analityczne
↑ **analytical** *adj* ... ~ **balance** waga analityczna; ~ **table** tablica analityczna
analytics [,ænəˈlitiks] *s log* analityka
analyze(r) [ˈænəlaiz(ə)] *vt s am* = **analyse(r)**
anamnestic [ænəˈmnestik] *adj* anamnestyczny; *biol* ~ **reaction** reakcja anamnestyczna
ananthous [əˈnænθəs] *adj bot* bezkwiatowy
anapest [ˈænə,pest] *s am* = **anapaest**
anaphase [ˈænə,feiz] *s biol* anafaza
anaphilaxis [,ænəfiˈlæksis] *s med* anafilaksja; uczulenie
anaphora [əˈnæfərə] *s* anafora
anaphoric(al) [ænəˈfɔrik(əl)] *adj* anaforyczny
anaplasia [ænəˈpleisiə] *s biol* anaplazja
anaplastic [ænəˈplæstik] *adj med* plastyczny; ~ **surgery** chirurgia plastyczna, plastyka
anaplasty [əˈnæpləsti] *s* = **anaplastic surgery** *zob* **anaplastic** ↑
anasarca [ænəˈsɑ:kə] *s med* obrzęk, puchlina wodna
anastatic [ænəˈstætik] *adj druk* anastatyczny
Anatidae [əˈnætidi:] *spl zool* kaczkowate
anatoxin [ænəˈtɔksin] *s biochem* anatoksyna
anciently [ˈeinʃəntli] *adv* dawno temu; dawniej; w starożytności
and/or [ænd/ɔ:] *conj* oraz; lub; **history** ~ **science** historia oraz ⟨lub⟩ nauki przyrodnicze (do wyboru)
andradite [ˈændrədait] *s miner* andradyt
androgen [ˈændrədʒin] *s biochem* androgen

androgenesis [ˈændrəˌdʒenisis] *s biol* androgeneza
anecdotic [ˌænekˈdɔtik] *adj* anegdotyczny
anechoic [ˌæniˈkəuik] *adj* bezechowy; nie dający pogłosu ⟨podźwięku⟩
anegdotist [əˈnekdətist] *s* anegdociarz
anemogamy [æniˈmɔgəmi] *s bot* anemogamia; wiatropylność
anemograph [əˈneməgrɑ:f] *s* anemograf
↑ **aneroid** ▯ *attr* ~ **barometer** = **aneroid** *s*
aneurin [ˈænjuərin] *s chem* aneuryna; tiamina; witamina B_1
anfractuous [ænˈfræktjuəs] *adj* kręty; wijący się
angary [ˈæŋgəri] *s prawn* angaria
Angevin [ˈændʒivin] *adj hist* andegaweński
↑ **angina** *s* ... ~ **pectoris** dusznica bolesna
angiocardiography [ˌændʒiəukɑ:diˈɔgrəfi] *s med* angiokardiografia
angiography [ˌændʒiˈɔgrəfi] *s med* angiografia
angioma [ˌændʒiˈəumə] *s med* naczyniak
angiosperm [ˈændʒiɔˌspə:m] *s bot* roślina okrytozalążkowa
angiosporous [ændʒiˈɔspərəs] *adj bot* okrytonasienny
↑ **angle**[1] ▯ *s* 1. ... ~ **of attack** kąt natarcia; ~ **of incidence** a) *fiz* kąt padania (promieni) b) *wojsk* kąt uderzenia (pocisku); *fiz* ~ **of refraction** kąt załamania (promieni) 2. ... *przen* kąt widzenia; **what's the ~?** o co naprawdę chodzi?; *sl* co jest grane? ▯ *vt* ustawić ⟨naświetlić⟩ odpowiednio (**a matter** sprawę) ▯ *attr* kątowy; *nukl* ~ **straggling** rozproszenie kątowe ⟨przypadkowe⟩
angledozer [ˈæŋglˌdəuzə] *s techn* spycharka skośna
Anglice [ˈæŋglisi:] *adv* po angielsku; jak mówią Anglicy
Anglo-American [ˈæŋgləu-əˌmerikən] ▯ *adj* angloamerykański ▯ *s* Anglo-Amerykanin
Anglomania [ˈæŋgləuˈmeinjə] *s* anglomania
Anglo-Norman [ˈæŋgləuˈnɔ:mən] *adj* anglonormandzki
Anglophobia [ˌæŋgləuˈfəubiə] *s* anglofobia
↑ **angora** ▯ *attr* (*o kocie itd.*) angorski
angstrom [ˈæŋstrəm] *s fiz* (*także* ~ **unit**) angstrem
anguine [ˈæŋgwin] † *adj* 1. *zool* wężowy 2. *przen* kręty; wężowaty
↑ **angular** *adj* 4. *nukl* kątowy; ~ **momentum** moment pędu
angulate [ˈæŋgjuleit] *adj* kanciasty; ~ **leaf** liść wrębny
anhydrobiosis [ˈænhaidrəubaiˈəusis] *s biol* anhydrobioza
anhydrous [ænˈhaidrəs] *adj chem* bezwodny
anile [ˈinail, ˈænail] *adj* starobabski
↑ **aniline** ▯ *adj* anilinowy; ~ **hydrochloride** chlorowodorek aniliny
anilism [ˈænilizəm] *s med* zatrucie aniliną
↑ **animal** ▯ *adj* ... ~ **husbandry** hodowla zwierząt; ~ **life** ⟨**kingdom**⟩ świat zwierząt; ~ **spirits** animusz; werwa; żywość; ożywienie; siły żywotne; *nukl* ~ **tunnel** kanał do badania zwierząt
animalier [ˌæniˈmeliə] *s plast* animalista
↑ **animation** [ˌæniˈmeiʃən] *s* 3. *film* animacja; animowanie 4. produkcja filmów animowanych
animator, animater [ˈænimeitə] *s* animator
animism [ˈænimizəm] *s rel psych* animizm
animus [ˈænimas] *s* 1. animozja; wrogość 2. zamiar 3. pobudka; bodziec
anion [æˈnaiən] *s fiz* anion
anisette [æniˈzet] *s* anyżówka
anisogamy [ænaiˈsɔgəmi] *s biol* anizogamia
anisotropic [əˈnaisəˈtrɔpik] *adj* anizotropowy
anisotropy [ænaiˈsɔtrəpi] *s fiz* anizotropia
ankle-bone [ˈæŋklˌbəun] *s anat* astragal, kość nadpiętowa ⟨pęcinowa⟩
↑ **anklet** *s* 2. krótka skarpetka
ankylose *zob* **anchylose**
ankylosis *zob* **anchylosis**
annerodite [əˈnerədait] *s miner* anerodyt
↑ **annihilation** ▯ *attr* anihilacyjny; *nukl* ~ **photon** foton anihilacyjny
annulate [ˈænjuleit] *adj* obrączkowaty
annunciator [ənʌnsiˈeitə] *s* 1. sygnalizator 2. *techn* wskaźnik przyzewowy; numerator dzwonkowy
anodic [æˈnɔdik] *adj fiz* anodowy
anodize [ˈænədaiz] *vt techn* anodyzować; utleniać anodowo
anolyte [ˈænəlait] *s elektr* anolit, ciecz anodowa
anomalistic [əˌnɔməˈlistik] *adj astr* anomalny, nieprawidłowy
↑ **anomaly** *s* 2. *astr* anomalia
anopheles [əˈnɔfili:z] *s zool* komar widliszek
anorak [ˈænəræk] *s* 1. futrzany skafander (noszony w krajach podbiegunowych) 2. ocieplana wiatrówka z kapturem
anosmia [æˈnɔsmiə] *s med* anosmia, brak powonienia
anox(a)emia [ænɔkˈsi:miə] *s med* anoksemia, niedobór tlenu we krwi
anoxia [əˈnɔksiə] *s med* anoksja, niedobór tlenu w tkankach
↑ **ant** ▯ *attr zool* ~ **lion** (*Myrmeleon*) mrówkolew
an't [ɑ:nt] = **am not; are not**
anta [ˈæntə] *s* (*pl* ~**s, antae** [ˈænti:]) *arch* anta
Antabus [ˈæntəˌbju:s] *s farm* antabus
antae *zob* **anta**
antebellum [æntiˈbeləm] *adj am* 1. sprzed wojny domowej 2. sprzed wojny; przedwojenny
antecede [ˌæntiˈsi:d] *vt* poprzedz-ić/ać
antefix [ˈæntifiks] *s arch* antefiks

antependium [ænti'pendiəm] *s kośc* antependium
anteriorly [æn'tiəriəli] *adv* uprzednio; poprzednio; wcześniej
anthocyanins [ænθə'saiəninz] *spl chem biol* antocyjany
anthologist [æn'θɔlədʒist] *s* antologista
Anthozoa [ænθə'zəuə] *spl zool* koralowce
anthracene ['ænθrəsi:n] *s chem* antracen
anthraquinone [ænθrəkwi'nəun] *s chem* antrachinon
anthropocentric [,ænθrəpəu'sentrik] *adj* antropocentryczny
anthropogenesis ['ænθrəpəu'dʒenisis] *s* antropogeneza
anthropogeography [,ænθrəpəudʒi'ɔgrəfi] *s* antropogeografia
anthropoid ['ænθrəupɔid] *zool* I *s* antropoid II *adj* antropoidalny
anthropologist [,ænθrə'pɔlədʒist] *s* antropolog
anthropomorphic [,ænθrəpə'mɔ:fik] *adj* antropomorficzny
anthropomorphism [,ænθrəpəu'mɔ:fizəm] *s* antropomorfizm
anthroposophics [,ænθrəpəu'sɔfiks] *s* antropozofia
antiaerial [ænti'ɛəriəl] *adj* przeciwlotniczy
antibiotic ['æntibai'ɔtik] I *adj* antybiotyczny II *s* antybiotyk
† **antic** II *vi* (**~ked** ['æntikt], **~king** ['æntikiŋ]) błaznować; wyprawi-ć/ać błazeństwa
anticancer [ænti'kænsə] *adj med* przeciwrakowy
anticatalyst [ænti'kætəlist] *s chem* antykatalizator, katalizator ujemny; inhibitor
anticathode [,ænti'kæθəud] *s fiz* antykatoda
antichlor ['ænti,klɔ:] *s chem* antychlor
anticipant [æn'tisipənt] *adj* = **anticipative**
anticlericalism ['ænti'klerikəlizəm] *s* antyklerykalizm
anticlinal [ænti'klainəl] *adj geol* antyklinalny; siodłowy
anticline ['ænti,klain] *s geol* antyklina; siodło
anticoincidence ['ænti-kəu'insidəns] *s fiz* antykoincydencja
anti-corrosive [ænti-kə'rəusiv] *adj* przeciwkorozyjny
anti-crease ['æntikri:s] *attr tekst* **~ process** proces zapobiegający gnieceniu się tkanin
anti-damping ['ænti,dæmpiŋ] *s fiz* przeciwtłumienie
antiemetic [,ænti-e'metik] *s adj* (środek) przeciwdziałający wymiotom ⟨przeciwwymiotny⟩
antifascist [ænti'fæʃist] I *adj* antyfaszystowski II *s* antyfaszysta
antifebrin [ænti'fi:brin] *s farm* antyfebryna
antifreeze ['æntifri:z] *s* substancja trudno zamarzająca ⟨zapobiegająca zamarzaniu⟩
antifriction [,ænti'frikʃən] *adj chem* przeciwcierny
antigen ['æntidʒen] *s biochem* antygen
antihistamine [,ænti'histəmin] *s biochem* antyhistamina
antihormone [,ænti'hɔ:məun] *s biochem* antyhormon
anti-icer [,ænti'aisə] *s* urządzenie zapobiegające oblodzeniu
antiknock [,ænti'nɔk] *s aut* (*także* **~ agent**) antydetonator; środek przeciwstukowy
antilogarithm [,ænti'lɔgəriθəm] *s mat* antylogarytm
antimalarial [,æntimə'lɛəriəl] *adj farm* przeciwmalaryczny
antimeson [ænti'mesn] *s fiz* antymezon
antimetabolite [,ænti'metəbəlait] *s biochem* antymetabolit
antimilitarism [,ænti'militərizəm] *s* antymilitaryzm
antimilitaristic [,æntimilitə'ristik] *adj* antymilitarystyczny
antimonous [,ænti'məunəs] *adj chem* antymonawy
antimonyl ['æntimɔnil] *s chem* antymonyl
antineutrino [,æntinjuə'tri:nəu] *s nukl* antyneutrino
antineutron [,ænti'nju:trən] *s nukl* antyneutron
antinovel [,ænti'nɔvəl] *s* antypowieść
antinucleon [,ænti'nju:kliən] *s nukl* antynukleon
antioxidant [,ænti'ɔksidənt] *s chem* przeciwutleniacz, antyutleniacz
antiparallel [,ænti'pærələl] *adj* przeciwrównoległy
antiparticle [,ænti'pɑ:tikl] *s nukl* przeciwcząstka
antipersonnel [,æntipə:sə'nel] *adj wojsk* (*o broni*) przeznaczony do niszczenia materiału ludzkiego
antiphonary [,æn'tifənəri] *s kośc* antyfonarz
antiphrasis [æn'tifrəsis] *s ret* antyfraza
antipodal [æn'tipədl] *adj* antypodowy
antipope ['æntipəup] *s* antypapież
antiproton [,ænti'prəutən] *s fiz* antyproton
antipyretic ['æntipai'retik] *adj farm* przeciwgorączkowy
antirachitic [,æntirə'kitik] *adj farm* przeciwkrzywiczy
antirheumatic [,æntiru:'mætik] *adj farm* przeciwgośćcowy; przeciwreumatyczny
antiscorbutic ['ænti-skɔ:'bju:tik] *adj farm* przeciwszkorbutowy; **~ vitamin** witamina C
anti-Semitism [,ænti'semitizəm] *s* antysemityzm
antislavery [,ænti'sleivəri] *s* zwalczanie niewolnictwa
antisocial ['ænti'səuʃəl] *adj* antyspołeczny; aspołeczny
antispark ['æntispɑ:k] *adj* przeciwiskrowy

antistreptolysin [ˌæntistreptəˈlisin] *s biol* antystreptolizyna
antistrophe [ænˈtistrəfi] *s ret* antystrofa
anti-tracking [æntiˈtrækiŋ] *adj* bezśladowy; ~ **varnish** lakier bezśladowy
antitrade [ˈæntiˈtreid] ◻ *s* antypasat ◫ *adj* antypasatowy
antitumour [æntiˈtjumə] *adj med* przeciwrakowy
antitype [ˈæntitaip] *s* przeciwieństwo
antiunion [ˌæntiˈju:niən] *adj am* przeciwny związkom zawodowym
antivenin [ˌæntiˈvenin] *s farm* surowica przeciw jadowi żmii
antiviral [ˈæntiˈvairəl] *adj farm* przeciwwirusowy
antivitamin [ˌæntiˈvaitəmin] *s biochem* antywitamina
antlered [ˈæntləd] *adj* (*o jeleniu*) rogaty
antonomasia [ˌæntənəˈmeiziə] *s* antonomazja
anuria [əˈnjuəriə] *s med* anuria; bezmocz
aoristic [eiəˈristik] *adj gram* aorystyczny
apartheid [əˈpa:theit] *s* apartheid
apatetic [æpəˈtetik] *adj zool* upodabniający się barwą ⟨kształtem⟩ do otoczenia
apathetically [ˌæpəˈθetikəli] *adv* apatycznie
aperçu [ˌæpəˈsju:] *s* 1. rzut oka 2. przegląd; zarys
aperiodic [əˌpiəriˈɔdik] *adj fiz* aperiodyczny; nieokresowy
apetalous [æˈpetələs] *adj bot* bezpłatkowy
aphaeresis [əˈfiərisis] *s jęz* afareza
aphelion [əˈfi:ljən] *s astr* aphelium
apheresis [əˈfiərisis] *s* = **aphaeresis** ↑
aphicide [ˈæfisaid] *s* środek przeciwko mszycom
aphonic [æˈfɔnik] *adj* afoniczny; bezdźwięczny
aphoristic [ˌæfəˈristik] *adj* aforystyczny
apishly [ˈeipiʃli] *adv* jak małpa; małpio
aplacental [eipləˈsentəl] *adj zool* bezłożyskowy
aplasia [əˈpleisiə] *s biol* aplazja
apocrypha [əˈpɔkrifə] *spl* apokryfy
apodictic [æpəˈdiktik] *adj log* apodyktyczny
apogamy [əˈpɔgəmi] *s bot* apogamia
apologia [æpəˈləudʒiə] *s* apologia; obrona
apologist [əˈpɔlədʒist] *s* apologeta
apomorphine [æpəˈmɔ:fi:n] *s farm* apomorfina
aponeurosis [æpənjuəˈrəusis] *s anat* aponeuroza
aport [əˈpɔ:t] *adv mar* na bakborcie ⟨bakburcie⟩; ku bakbortowi ⟨bakburcie⟩
↑ **apostle** *s* 1. ... *rel* **Apostles' Creed** Skład Apostolski; Credo
apostolate [əˈpɔstəul(e)it] *s* apostolstwo; apostolat
↑ **apostolic** *adj* ... *kośc* **Apostolic See** Stolica Apostolska
apostrophize [əˈpɔstrəfaiz] *vt* apostrofować
↑ **apothecary** *s* ... **apothecaries' measure** ⟨**weight**⟩ miara ⟨waga⟩ aptekarska
apothem [ˈæpəθəm] *s geom* apotema
apotheosize [əˈpɔθiəusaiz] *vt* apoteozować; wywyższać; wynosić
appallingly [əˈpɔ:liŋli] *adv* zatrważająco; w zatrważający sposób
appel [əˈpel] *s szerm* tupnięcie nogą (sygnał do ataku)
↑ **appendix** *s* 3. *techn* apendyks (do napełniania balonu gazem)
apperceive [ˌæpəˈsi:v] *vt psych* apercypować
apperceptive [æpəˈseptiv] *adj psych* apercepcyjny
appetitive [əˈpetitiv] *adj* wzbudzający apetyt ⟨pożądanie⟩
appetizingly [ˈæpitaiziŋli] *adv* apetycznie
appoggiatura [əˌpɔdʒəˈtuərə] *s muz* appoggiatura, przednutka długa
appointee [əpɔinˈti:] *s* 1. nominat 2. *prawn* przyszły dziedzic
appose [əˈpəuz] *vt* przy-łożyć/kładać; przystawi-ć/ać
appositive [əˈpɔzitiv] *jęz* ◻ *s* przydawka rzeczowna ⟨przymiotna⟩ ◫ *adj* przydawkowy
approbate [ˈæprəbeit] *vt am* za/aprobować; u/sankcjonować
approbative [ˌæprəˈbeitiv], **approbatory** [ˌæprəˈbeitəri] *adj* aprobujący; sankcjonujący
↑ **apron** *s* 5. *lotn* płyta lotniskowa
↑ **apse** *s* 2. (*pl* **apsides** [æpˈsaidi:z]) *astr* apsyda
apsidal [ˈæpsidl] *adj* 1. *arch* apsydalny, apsydowy 2. *astr* apsydalny
apsis [ˈæpsis] *s* (*pl* **apsides** [æpˈsaidi:z]) *astr* apsyda
apteryx [ˈæptəriks] *s zool* kiwi
↑ **aptitude** *s* ... ~ **test** test sprawnościowy; próba sprawności
aqua[1] [ˈækwə] ◻ *s* kolor morski ◫ *adj* koloru morskiego
aqua[2] [ˈækwə] *s* = **aquamarine**
aquabelle [ˌækwəˈbel] *s* piękność w kostiumie kąpielowym
aquacade [ˈækwəkeid] *s* popisy akrobatyczno-baletowe w wodzie
aqua-ped [ˈækwəped] *s wojsk* rower podwodny dla płetwonurków
aquaplane [ˈækwəplein] *s* narta wodna
aquiculture [ˌækwiˈkʌltʃə] *s* 1. hodowla ryb w zamkniętych stawach 2. *roln* kultura ⟨uprawa⟩ wodna roślin
aquifer [ˈækwifə] *s geol* warstwa wodonośna
Arabist [ˈærəbist] *s* arabista
Arabistics [ærəˈbistiks] *s* arabistyka
Araceae [əˈreisii:] *spl bot* obrazkowate
araceous [əˈreiʃəs] *adj bot* obrazkowaty
arachnoid [əˈræknɔid] ◻ *adj* pajęczynowaty ◫ *s anat* pajęczynówka
arachnology [ˌærækˈnɔlədʒi] *s zool* arachnologia
aragonite [əˈrægənait] *s miner* aragonit
Araliaceae [əˌreiliˈeisii:] *spl bot* araliowate

araliaceous [əˌreiliˈeiʃəs] *adj bot* araliowaty

Aramaic [ˌærəˈmeiik] *adj* aramejski

araneid(an) [ærəˈniid(ən)] *zool* Ⅰ *adj* pająkowaty Ⅱ *s* pająk

↑ **arc** Ⅱ *attr* łukowy; *elektr* ~ **discharge** wyładowanie łukowe; ~ **current** prąd wyładowania łukowego

Arcadian [ɑ:ˈkeidjən] *adj* arkadyjski; sielankowy

arc-brazing [ˈɑ:kˌbreiziŋ] *s techn* łukowe lutowanie twarde

Archaean [ɑ:ˈkiən] *geol* Ⅰ *adj* archaiczny Ⅱ *s* era archeozoiczna

archaeopteryx [ˌɑ:kiˈɔptəriks] *s paleont* archeopteryks

archaize [ˈɑ:keiaiz] *vt vi* archaizować

archdeaconry [ɑ:tʃˈdi:kənri] *s kośc* archidiakonat; archidiakonia

archdiocese [ˈɑ:tʃˈdaiəsis] *s kośc* archidiecezja

archducal [ˈɑ:tʃˈdju:kəl] *adj* arcyksiążęcy

archduchy [ˈɑ:tʃˈdʌtʃi] *s* arcyksięstwo

arched [ɑ:tʃt] Ⅰ *zob* **arch**[1] *vt* Ⅱ *adj* sklepiony

Archegoniatae [ɑ:kiˌgəuniˈeiti:] *spl bot* rodniowce

archidiaconal [ˌɑ:kidaiˈækənl] *adj* archidiakonalny

archie [ˈɑ:tʃi] *s wojsk sl* 1. działo przeciwlotnicze 2. wybuch pocisku przeciwlotniczego

archil [ˈɑ:kil, ˈɑ:tʃil] *s* 1. *bot* (*Rocella tinctoria*) orselka 2. *chem* orseina, orselia

archimandrite [ˌɑ:kiˈmændrait] *s kośc* archimandryta

arching [ˈɑ:tʃiŋ] Ⅰ *zob* **arch**[1] *vt* Ⅱ *s* 1. sklepianie 2. sklepienie

archival [ɑ:ˈkaivəl] *adj* archiwalny

archivolt [ˈɑ:kivəult] *s arch* archiwolta

arc-light [ˈɑ:klait] *s* 1. światło łukowe 2. = **arc-lamp**

arcograph [ˈɑ:kəgrɑ:f] *s* przyrząd do rysowania łuków

↑ **arctic** Ⅰ *adj* ... podbiegunowy; polarny; **Arctic Circle** koło polarne; ~ **seal** futro z królików imitujące selskiny Ⅱ *spl* ~**s** ... ciepłe botki

ardor [ˈɑrdə] *s am* = **ardour**

arduously [ˈɑ:djuəsli] *adv* 1. stromo 2. żmudnie; mozolnie

are[2] [ɑ:] *s* ar

↑ **area** *s* 7. *szk* dyscyplina kulturalna

areal [ˈɛəriəl] *adj* powierzchniowy; *fiz* ~ **density** gęstość powierzchniowa; ~ **element** element powierzchni; ~ **velocity** prędkość sektorowa

areaway [ˈɛəriəwei] *s* 1. = **area** 5., 6. 2. *am* pasaż; przejście

↑ **arena** Ⅱ *attr teatr* ~ **stage** scena arenowa (otoczona amfiteatralnie miejscami dla publiczności); ~ **theatre** ⟨*am* **theater**⟩ teatr ze sceną arenową

areole [ˈæri:ˌəul] *s* = **areola**

arethusa [ˌæriˈθju:zə] *s bot* północnoamerykański gatunek orchidei

argentite [ˈɑ:dʒəntait] *s miner* argentyt, błyszcz srebra

arginine [ˈɑ:dʒinain] *s chem* arginina

argol [ˈɑ:gɔl] *s* techniczny wodorowinian potasowy, winny kamień

argot [ˈɑ:gəu] *s* żargon

Arian [ˈɛəriən] Ⅰ *adj* ariański Ⅱ *s* Arianin

ariel [ˈɛəriəl] *s zool* (*Gazella arabica*) ariel

↑ **arithmetic** Ⅱ *adj* ~ **mean** średnia arytmetyczna; ~ **progression** postęp arytmetyczny

arithmetically [ˌæriθˈmetikəli] *adv* arytmetycznie

arithmetician [əˌriθməˈtiʃən] *s* arytmetyk

↑ **arm**[2] Ⅰ *s* ... **small** ~**s** broń małokalibrowa; **by force of** ~**s** siłą zbrojną

armiger [ˈɑ:midʒə] *s* 1. szlachcic herbowy 2. giermek

armillary [ˈɑ:miləri, ɑ:ˈmiləri] *adj* pierścieniowy; pierścieniasty; *astr* ~ **sphere** sfera ⟨kula⟩ armilarna

armoire [ˈɑ:mwɑ:] *s* ozdobna szafa

armor [ˈɑrmə] *s am* = **armour**

armored [ˈɑrməd] *adj am* = **armoured**

armorer [ˈɑrmərə] *s am lotn* członek służby naziemnej obsługujący uzbrojenie samolotu

↑ **armoured** *adj powinno być*: opancerzony; *wojsk* pancerny; (*o rycerzu*) w zbroi

↑ **army** *s* ... ~ **of occupation** wojska okupacyjne; *zool* ~ **worm** (*Sciara militaris*) pleniówka, pleń

aroid [ˈærɔid] *adj* = **araceous** ↑

↑ **aromatic** *adj* ... *chem* ~ **compound** związek aromatyczny

aromatization [əˈrəumətaiˈzeiʃən] *s chem* aromatyzacja

arpeggio [ɑ:ˈpedʒiəu] *s muz* arpedżio

arquebus [ˈɑ:kwibəs] *s* = **harquebus**

arrayal [əˈreiəl] *s* ustawienie; *wojsk* uszykowanie

arrester [əˈrestə] *s techn* 1. urządzenie zatrzymujące; zatrzymywacz; chwytacz 2. odpylacz elektrostatyczny; **lightning** ~ odgromnik; ochronnik przepięciowy; **spark** ~ chwytacz iskier; *kolej* odiskrownik, iskrochron

arrogation [ˌærəuˈgeiʃən] *s* roszczenie

↑ **arrow** Ⅱ *vi* lecieć jak strzała

arrow-worm [ˈærəuˌwə:m] *s zool* strzałka

arrowy [ˈærəui] *adj* strzałkowaty

arroyo [əˈrɔiəu] *s* 1. potok 2. łożysko potoku

arse-crawler [ˈɑ:sˌkrɔ:lə] *s wulg* wazeliniarz

arsenide [ˈɑ:sinaid] *s chem* arsenek

arsenious [ɑ:ˈsi:njəs], **arsenous** [ˈɑ:sinəs] *adj chem* arsenawy

arsenite [ˈɑ:sinait] *s chem* arsenin

arsphenamine [ɑ:sˈfenəmi:n] *s farm* arsfenamina

artel [ˈɑ:tel] *s* artel

artemisia [ɑ:tiˈmiziə] *s bot* (*Artemisia*) bylica

arteriosclerosis [ɑ:ˈtiəriəu-skliəˈrəusis] *s med* arterioskleroza
arteriosclerotic [ɑ:ˈtiəriəu-skləˈrɔtik] *adj med* arteriosklerotyczny
artfully [ˈɑ:tfuli] *adv* 1. zręcznie 2. chytrze 3. pomysłowo; dowcipnie
arthrosis [ɑ:ˈθrəusis] *s med* artroza
articular [ɑ:ˈtikjulə] *adj anat* stawowy
articulatory [ɑ:ˈtikjulətəri] *adj* artykulacyjny
artifact [ˈɑ:tifækt] *s biol* artefakt
↑ **artificial** *adj* 1. ... *zootechn* ~ **insemination** inseminacja; unasiennianie; sztuczne zapładnianie
artiodactyl [ɑ:tiəuˈdæktil] *s zool* parzystokopytny
aryl [ˈɑ:ril] *s chem* aryl
asbestosis [æsbesˈtəusis] *s med* pylica azbestowa
ascites [əˈsaiti:z] *s med* puchlina brzuszna, wodobrzusze
asclepiadaceous [əˌskli:pjəˈdeiʃəs] *adj bot* trojeściowaty
ascomycete [əskəuˈmaisi:t] *s bot* workowiec
asdic [ˈæzdik] *s mar wojsk* hydrolokator, sonar
asepsis [æˈsepsis, eiˈsepsis, əˈsepsis] *s med* aseptyka
↑ **ash²** III *attr sl wojsk* ~ **can** bomba głębinowa
Asian [ˈeiʃən, ˈeiʃjən] I *adj* azjatycki; *med* ~ **influenza** ⟨**flu**⟩ grypa azjatycka II *s* Azjat-a/ka
aspartic [əsˈpɑ:tik] *adj chem* (*o kwasie*) asparaginowy; aminobursztynowy
↑ **aspect** III *attr* ~ **ratio** a) *lotn* wydłużenie (płata) b) *tv* stosunek szerokości do wysokości obrazu
aspergillin [æspəˈdʒilin] *s chem* aspergilina
aspergillus [əsˈpə:dʒiləs] *s bot* kropidlak
aspersorium [æspəˈsɔ:riəm] *s kośc* 1. kropielnica 2. kropidło
aspiratory [æsˈpaiərətəri] *adj* aspiracyjny
ass² [æs] *s am wulg* dupa
assafoetida [ˌæsəˈfetidə] *s* = **asafoetida**
↑ **assault** III *attr wojsk* desantowy; ~ **craft** pojazd desantowy; łódź desantowa; ~ **shipping** sprzęt desantowy; pojazdy desantowe; ~ **waves** pierwsze linie desantowe
assentation [ˌæsənˈteiʃən] *s* służalcze ⟨nieszczere⟩ potakiwanie
assentor [əˈsentə] *s polit* członek partii popierający nominację kandydata na posła
assertively [əˈsə:tivli] *adv* stanowczo; kategorycznie; zdecydowanie; z pewnością siebie
assiduate [əˈsidjuit] *s* entuzjastyczny zwolennik
associated [əˈsəuʃieitid] I *zob* **associate** *vt* II *adj* stowarzyszony; *fiz* ~ **wave** fala stowarzyszona
↑ **association** I *s* 2. ... **Association of Socialist Youth** Związek Młodzieży Socjalistycznej; **Association of Socialist Rural Youth** Związek Socjalistycznej Młodzieży Wiejskiej 5. *bot* asocjacja; zespół roślin
assorted [əˈsɔ:tid] I *zob* **assort** *vt* II *adj* 1. mieszany 2. dobrany
assumed [əˈsju:md] I *zob* **assume** *vt* II *adj* 1. przypuszczalny; domniemany 2. udawany; fałszywy 3. przybrany 4. przyjęty za rzecz zrozumiałą ⟨bezsporną⟩
assured [əˈʃuəd] I *zob* **assure** *vt* II *adj* 1. zapewniony 2. pewny siebie III *s* ubezpieczony
assurer [əˈʃuərə] *s* ubezpieczający
Assyriology [əˌsiriˈɔlədʒi] *s* asyriologia
astatine [ˈæstəti:n] *s chem* astat
asthmatically [æsˈmætikəli] *adv med* astmatycznie
astigmatic [ˌæstigˈmætik] *adj fiz med* astygmatyczny
astonishingly [əsˈtɔniʃiŋli] *adv* zadziwiająco; w zadziwiający sposób
astoundingly [əsˈtaundiŋli] *adv* zdumiewająco; w zdumiewający sposób
astriction [əsˈtrikʃən] *s* zmusz-enie/anie; zniew-olenie/alanie
astringency [əsˈtrindʒənsi] *s* 1. *med* działanie ściągające ⟨wstrzymujące⟩ (leku) 2. surowość (nakazu)
↑ **astringent** I *adj* 2. (*o nakazie*) surowy
astringently [əsˈtrindʒəntli] *adv* 1. *med* ściągająco; wstrzymująco 2. surowo
astrobiology [ˌæstrəbaiˈɔlədʒi] *s* astrobiologia
astrocyte [ˈæstrəsait] *s biol* astrocyt; komórka gwiaździsta
astrodome [ˈæstrədəum] *s lotn* kopułka astronawigacyjna; astrokopuła
astrogation [æstrəˈgeiʃən] *s lotn* nawigacja w przestrzeni kosmicznej
astronaut [ˈæstrənɔ:t] *s* astronauta
astronautics [ˌæstrəˈnɔ:tiks] *s* astronautyka
astrophotography [ˈæstrəfəˈtɔgrəfi] *s* astrofotografia
astrophysicist [ˈæstrəuˈfizisist] *s* astrofizyk
astrophysics [ˈæstrəuˈfiziks] *s* astrofizyka
astucious [əˈstju:ʃəs] *adj* = **astute**
astutely [əsˈtju:tli] *adv* 1. bystro; przenikliwie 2. chytrze
asyllabic [eisiˈlæbik] *adj prozod* asylabiczny
asymptotic [ˌæsimpˈtɔtik] *adj* asymptotyczny
asynapsis [eisiˈnæpsis] *s biol* asynapsis, brak koniugacji
asynchronism [eiˈsiŋkrənizəm] *s* asynchronia, asynchronizm
asynchronous [eiˈsiŋkrənəs] *adj* asynchroniczny
asyndetic [æsinˈdetik] *adj ret* asyndetyczny
Atabrin, Atebrin [ˈætəbrin] *s farm* atebryna, lek przeciwmalaryczny

ataractic [ætəˈræktik] *adj farm* ataraktyczny, uspokajający
athletically [æθˈletikəli] *adv* atletycznie
athodyd [ˈæθədid] *s lotn* silnik strumieniowy
↑ **atom** III *attr pot* ~ **smasher** cyklotron
↑ **atomic** *adj* ... ~ **age** ⟨**warfare**⟩ era ⟨wojna⟩ atomowa; ~ **energy** energia atomowa ⟨nuklearna⟩; ~ **mass unit** jednostka masy atomowej; ~ **number** liczba atomowa; ~ **radiation** promieniowanie jądrowe ⟨jonizujące⟩; ~ **ratio** ułamek atomowy; ~ **species** nuklid; ~ **structure** budowa atomu; ~ **weight** masa atomowa; ~ **weight unit** jednostka masy atomowej
atomicism [əˈtɔmisizəm] *s* atomizm; atomistyka
atomicity [ætəˈmisiti] *s* 1. wartościowość 2. stan atomowy 3. liczba atomów w cząsteczce pierwiastka
atomics [əˈtɔmiks] *s* fizyka atomowa
atomist [əˈtɔmist] *s* atomista
atomistic [ætəuˈmistik] *adj* atomistyczny
atomizer [ˈætəumaizə] *s* rozpylacz
atonality [eitəuˈnæliti] *s med muz* atonalność
atremble [əˈtrembl] I *adj* drżący III *adv* drżąc
atrium [ˈɑ:triəm, ˈeitriəm] *s arch* atrium
atropism [ˈætrəpizəm] *s med* zatrucie atropiną
attachable [əˈtætʃəbl] *adj* do przyczepiania; oddzielny, osobny
attenuant [əˈtenjuənt] *s adj* (środek) rozpuszczający ⟨rozcieńczający⟩
↑ **attenuate** I *vt* 4. z/łagodzić
attenuation [əˌtenjuˈeiʃən] I *s* 1. osłabienie 2. rozpuszcz-enie/anie; rozcieńcz-enie/anie 3. rozrzedz-enie/anie 4. z/łagodzenie III *attr fiz* ~ **factor** ⟨**distance**⟩ współczynnik ⟨długość⟩ osłabienia
Atticism, atticism [ˈætisizəm] *s* attycyzm
↑ **attitude** *s* 4. *lotn* pozycja (samolotu)
↑ **attractive** *adj* 1. ... *fiz* ~ **energy** ⟨**force**⟩ energia ⟨siła⟩ przyciągania
attractivity [ætrəkˈtiviti] *s* siła przyciągania
attrited [əˈtraitid] *adj* wytarty; przetarty; starty
audio-frequency [ɔ:diəuˈfri:kwənsi] *s fiz* częstotliwość akustyczna
audiogenic [ɔ:diəuˈdʒenik] *adj fizj* audiogeniczny
audiology [ɔ:diˈɔlədʒi] *s med* audiologia
audiometer [ˌɔ:diˈɔmitə] *s med* audiometr
audiometric [ˌɔ:diəuˈmetrik] *adj med* audiometryczny
audiorange [ˈɔ:diəuˌreindʒ] *s* zakres słyszalności (ucha ludzkiego)
audiphone [ˈɔ:difəun] *s med* audyfon
auerlite [ˈɔ:əlait] *s miner* auerlit
au fait [ˌəuˈfei] *adj* obeznany (**with sth** z czymś); **to put sb ~ with sth** zapoznać kogoś z czymś
↑ **auger** *s* ~ **in** *vi sl lotn* rozpieprzyć się, rozbić się
augite [ˈɔ:dʒait] *s miner* augit
↑ **augment** III *s* [ˈɔ:gmənt] *jęz* augment
augmentation [ˌɔ:gmenˈteiʃən] *s muz* augmentacja
augmentative [ɔ:gˈmentətiv] *adj jęz* augmentatywny
au gratin [ˌəuˈgrætɛ̃ŋ] *adj kulin* au gratin, zapiekany
Augsburg [ˈɔ:gzbə:g] *spr rel* ~ **Confession** wyznanie augsburskie
Augustan[1] [ɔ:ˈgʌstən] I *adj* augustowski III *s* Augustianin
Augustan[2] [ɔ:ˈgʌstən] *spr rel* ~ **Confession = Augsburg Confession** *zob* **Augsburg** ↑
au jus [əuˈʒy] *adj kulin* (*o mięsie*) podany we własnym sosie
au pair [əuˈpɛə] *s adj* (osoba) pracująca za utrzymanie i mieszkanie
aurora [ɔ:ˈrɔ:rə] *s* jutrzenka; ~ **borealis** ⟨**australis**⟩ zorza polarna północna ⟨południowa⟩
aurum [ˈɔ:rəm] *s chem* złoto
auscultate [ˈɔ:skəlteit] *vt med* osłuch-ać/iwać; opuk-ać/iwać; auskultować
auscultative [ɔ:ˈskʌltətiv], **auscultatory** [ɔ:sˈkʌltətəri] *adj med* osłuchowy
auscultator [ˈɔ:skəlteitə] *s* auskultator
auspicate [ˈɔ:spikeit] I *vt* pomyślnie za/inicjować III *vi* (dobrze) wróżyć; być (dobrą) wróżbą
Austin [ˈɔstin] *s* (*także* ~ **friar**) Augustianin
autacoid [ˈɔ:təkɔid] *s fizj* hormon
autecology [ɔ:tiˈkɔlədʒi] *s* autekologia
↑ **author** III *vi* być autorem
authoritarian [ˌɔ:θɔriˈtɛəriən] *s* zwolennik absolutnego posłuszeństwa wobec władzy
authorized [ˈɔ:θəraizd] I *zob* **authorize** *vt* III *adj* 1. autoryzowany 2. dozwolony; usankcjonowany 3. upoważniony
autism [ˈɔ:tizəm] *s psych* autyzm
autistic [ɔ:ˈtistik] *adj psych* autystyczny
auto[2] [ˈɔ:təu] *attr* ~ **pilot** pilot automatyczny
autobahn [ˈɔ:təuˌbɑ:n] *s* niemiecka autostrada
autocatalytic [ˈɔ:təuˌkætəˈlitik] *adj* autokatalityczny
autocycle [ˈɔ:təˌsaikl] *s* motorower
autogamy [ɔ:ˈtɔgəmi] *s* 1. *zool* samozapłodnienie 2. *bot* samopylność
autogenesis [ˌɔ:təuˈdʒenisis] *s biol* autogeneza, samorodność
autogenic [ˌɔtəˈdʒenik], **autogenous** [ɔˈtɔdʒənəs] *adj* 1. *biol* samorodny 2. *med* autogeniczny; ~ **vaccine** autoszczepionka 3. *techn* (*o cięciu*) autogeniczny; (*o spawaniu*) autogenowy
autogiro, autogyro [ˌɔ:təuˈdʒaiərəu] *s lotn* autożyro
↑ **automatic** I *adj* ... samoczynny; ... ~ **changer** automatyczny zmieniacz płyt;

~ **control** sterowanie samoczynne; regulacja samoczynna; ~ **controller** autoregulator; przyrząd do sterowania samoczynnego; ~ **pilot** pilot automatyczny; ~ **pistol** ⟨**rifle**⟩ pistolet ⟨karabin⟩ samoczynny; ~ **tracking radar** automat naprowadzający na ślad
automotive [ˌɔ:təuˈməutiv] *adj* samochodowy; automobilowy; o własnym napędzie; ~ **engineer** inżynier automatyk; ~ **engineering** technika samochodowa
autonomic [ˌɔ:təuˈnɔmik] *adj* 1. † *polit* autonomiczny 2. *fizj* (*o układzie nerwowym*) autonomiczny 3. *bot* samorodny
auto-phasing [ˈɔ:təuˌfeiziŋ] *s fiz* autofazowanie; samoczynne ustawianie fazy
autoradiograph [ˌɔ:təuˈreidiəugrɑ:f] *s* autoradiogram
autoscaler [ˌɔ:təuˈskeilə] *s fiz* przelicznik automatyczny
autosled [ɔ:təuˈsled] *s* sanie motorowe
autosomal [ˌɔ:təuˈsəuməl] *adj biol* wewnątrzustrojowy; ~ **dominant** ⟨**recessive**⟩ cecha dominująca ⟨recesywna⟩ wewnątrzustrojowa
autosuggestion [ˈɔ:təusəˈdʒestʃən] *s* autosugestia
autotrophic [ˌɔ:təuˈtrɔfik] *adj biol* autotroficzny, samożywny
autotrophy [ɔ:ˈtɔtrəfi] *s biol* autotrofizm, samożywność
autotruck [ˈɔ:təuˌtrʌk] *s* samochód ciężarowy; *pot* ciężarówka
autoxidation [ɔ:ˌtɔksiˈdeiʃən] *s* samoutlenianie, utlenianie samorzutne
↑ **autumn** [III] *attr bot* ~ **crocus** (*Colchicum autumnale*) zimowit jesienny
autunite [ˈɔ:tjunait] *s miner* autunit, otynit
auxanometer [ˌɔ:ksəˈnɔmitə] *s bot* auksanometr
auxin [ˈɔ:ksin] *s biochem* auksyna
avant-garde [ˈævɑ̃:ŋˈgɑ:d] *s* awangarda
ave [ˈɑ:vi] [I] *interj* cześć! [III] *s* zdrowaśka
avenaceous [æviˈneiʃəs] *adj* owsiany
avenin [əˈvinin] *s biochem* awenina
aventurine [əˈventʃərin] *s miner* awanturyn
Avertin [əˈvə:tin] *s farm* narkolan
Aves [ˈeivi:z] *spl zool* ptaki
avgas [ˈævˈgæs] *s* benzyna samolotowa
avian [ˈeiviən] *adj zool* ptasi; ptaków
aviate [ˈeivieit] *vi lotn* latać; uprawiać lotnictwo
↑ **aviation** [III] *attr* ~ **medicine** medycyna lotnicza
↑ **aviator** *s* ... ~**'s ear** = **aero-otitis media** *zob* **aero-otitis** ↑
aviculture [ˈeivikʌltʃə] *s* ptasznictwo; hodowla ptaków
avifauna [ˌeiviˈfɔ:nə] *s* zespół ptaków danego obszaru
avitaminosis [eiˌvaitæmiˈnəusis] *s med* awitaminoza
avoidism [əˈvɔidizəm] *s* uchylanie się przed trudnością, której nie jest się w stanie pokonać
A-weapon [ˈeiwepən] *s wojsk* broń atomowa
aweather [əˈweðə] *adv adj mar* ku ⟨po⟩ stronie nawietrznej
ax [æks] *s am* = **axe**
axenic [əˈzenik, əˈzi:nik] *adj* sterylny; wolny od pasożytów
↑ **axial** *adj* ... *fiz* ~ **motion** ruch w kierunku osi; ~ **region** strefa przyosiowa
axially [ˈæksiəli] *adv* osiowo; według osi
axiological [æksiəˈlɔdʒikl] *adj* aksjologiczny
axiology [æksiˈɔlədʒi] *s filoz* aksjologia
axolotl [ˌæksəˈlɔtl] *s zool* aksolotl
axon [ˈæksən] *s anat fizj* akson, wypustka osiowa komórki nerwowej
axonometric [ækˈsɔnəˈmetrik] *adj mat* aksonometryczny
axonometry [æksəˈnɔmitri] *s mat* aksonometria
axseed [ˈækssi:d] *s bot* (*Cornilla varia*) cieciorеczka
azan [ˈɑ:ˈzɑ:n] *s* wołanie muezina do modlitwy
azeotrope [ˈæziətrəup] *s chem* azeotrop
azeotropic [ˌæziəˈtrɔpik] *adj chem* azeotropowy
azimuthal [ˈæziməθəl] *adj fiz* azymutalny
azine [əˈzi:n] *s chem* azyna
azobacter [ˈæzəubæktə] *s biol* azobakter
azonal [eiˈzɔnl] *adj* niestrefowy; pozastrefowy
azotic [əˈzɔtik] *adj* azotowy
azotize [ˈæzətaiz] *vt* azotować
Aztec [ˈæztek] *s* 1. Aztek 2. język aztecki
azurite [ˈæʒurait] *s miner* azuryt
azymous [ˈæziməs] *adj* przaśny

B

↑ **B, b** *s* 3. **B** *am szk* (*drugi stopień oceny*) dobry
baba [ˈbɑ:bə] *s kulin* ciastko drożdżowe z rumem
babbling [ˈbæbliŋ] [I] *zob* **babble** *v* [III] *s* paplanina [III] *adj* 1. (*o człowieku*) gadatliwy 2. (*o strumyku*) szemrzący
↑ **babe** *s* 1. ... **that's not for ~s** to nie dla młodych panienek 2. *am sl* kociak
baboonery [bəˈbu:nəri] *s* małpie figle
baboonish [bəˈbu:niʃ] *adj* małpi
↑ **baby** [I] *s* 3. *am sl* kociak [III] *attr* ... ~ **jeep** mały dżip
baby-sit [ˈbeibiˌsit] *vi* opiekować się dzieć-

kiem w czasie nieobecności jego rodziców

baby-snatching [ˈbeibiˌsnætʃiŋ] *s* kidnaperstwo

Bacchante [bəˈkænti] *s* bachantka; menada

Bacchic [ˈbækik] *adj* bachiczny

bacciform [ˈbæksifɔ:m] *adj* kształtu jagody

bachelor's-button [ˈbætʃələzˌbʌtn] *s bot* (*Centaurea*) chaber

bacillin [bəˈsilin] *s biochem* bacyllina

bacitracin [bæsiˈtreisin] *s biochem* bacytracyna

↑ **back** [IV] *attr jęz* ~ **formation** derywacja wsteczna

back-cross [ˈbækˌkrɔs] *zootechn* [I] *vt* krzyżować wstecz [II] *s* krzyżówka wsteczna (mieszańca z jednym z przodków)

back-date [ˈbækdeit] *vt* antydatować, antedatować

back-diffusion [ˌbækdiˈfju:ʒən] *s fiz* dyfuzja zwrotna

back-drop [ˈbækdrɔp] *s teatr* tylna kurtyna

backfall [ˈbækˌfɔ:l] *s sport* upadek (zapaśnika) na plecy

backfield [ˈbækˌfi:ld] *s sport* (*w piłce nożnej*) obrona

↑ **back-fire** [II] *vi przen* (*o intrydze, planach*) spalić na panewce

↑ **back-lash** *s* 3. reakcja

↑ **back-log** *s* 1. *am* duże polano w głębi kominka dla podtrzymywania ognia 2. ... *przen* zaległe ⟨nie wykonane⟩ zamówienia

backroom [ˈbækrum] *attr sl* ~ **boys** naukowcy pracujący dla armii

back-scattered [ˈbækˈskætəd] *adj nukl* ~ **radiation** promieniowanie rozproszone wstecznie

back-to-back [ˈbæktəˌbæk] *attr nukl* podwójny; ~ **fission pulse counter** licznik impulsowy rozszczepień podwójny; ~ **ionization chamber** komora jonizacyjna podwójna

backwardly [ˈbækwədli] *adv* wstecz, ku tyłowi, w tył

bacterial [bækˈtiəriəl] *adj* bakteryjny; ~ **warfare** wojna bakteriologiczna

bactericidal [bæktiəriˈsaidl] *adj* bakteriobójczy

bacteriological [bækˌtiəriəˈlɔdʒikəl] *adj* bakteriologiczny; ~ **warfare** = **bacterial warfare** *zob* **bacterial** ↑

bacteriologically [bækˌtiəriəˈlɔdʒikəli] *adv* bakteriologicznie

bacteriolysin [bæktiəriəˈlaisin] *s biol* bakteriolizyna

bacteriolysis [ˈbækˌtiəriˈɔlisis] *s biol* bakterioliza

bacteriolytic [bækˌtiəriəˈlitik] *adj biol* bakteriolityczny

bacteriophage [bækˈtiəriəfeidʒ] *s biol* bakteriofag

bacteriosis [bæktiəriˈɔsis] *s biol roln* bakterioza

bacteriostasis [bæktiəriəˈsteisis] *s biochem* bakteriostaza

bacteriostat [bæktiəriəˈstæt] *s biochem* środek bakteriostatyczny

bacteriostatic [bæktiəriəˈstætik] *adj biochem* bakteriostatyczny

bacteriostatically [bæktiəriəˈstætikəli] *adv biochem* bakteriostatycznie

bacteriotherapy [bæktiəriəˈθerəpi] *s* bakterioterapia

bacterization [bæktiəraiˈzeiʃən] *s* bakteryzacja

bacterize [bæktəˈraiz] *vt* bakteryzować

bacteroid [ˈbæktərɔid] *s biol* bakteroid

bactrian [ˈbæktriən] *adj zool* ~ **camel** (*Camelus bactrianus*) baktrian, wielbłąd dwugarbny

baculiform [bəˈkju:lifɔ:m] *adj* pałeczkowaty

baculine [ˈbækjulain] *adj* rózgowy; ~ **punishment** rózgi; chłosta

↑ **bad** [I] *adj* 1. ... *przen* ~ **blood** zła krew; wrogość

badlands [ˈbædlændz] *spl* tereny nieurodzajne ⟨dotknięte silną erozją⟩

baff [bæf] [I] *s* (*w golfie*) wybicie piłki wysoko w powietrze [II] *vt* wybić (piłkę) wysoko w powietrze

↑ **baffle** [II] *s* 2. przewężenie; przesłona; diafragma [III] *attr* ~ **plate** przegroda odcinająca

bafflegab [ˈbæflgæb] *s sl* mowa trawa; mętniactwo; lanie wody

↑ **bag** [I] *s* 1. ... (*w boksie*) **striking** ~ worek

bagel [ˈbeigəl] *s* bajgiel

bagging [ˈbægiŋ] *s tekst* płótno workowe

baguette [bæˈget] *s* 1. *arch* szczegół architektoniczny w formie wałka 2. *jub* kamień w kształcie podłużnego czworoboku

bagworm [ˈbægwə:m] *s zool* larwa koszówki; ~ **moths** (*Psychidae*) koszówki

bailable [ˈbeiləbl] *adj prawn* (*o podejrzanym*) mogący pozostać na wolności za kaucją; ~ **offence** przewinienie, którego sprawca może pozostawać na wolności za kaucją

bail-out [ˈbeil-aut] *attr wojsk* ~ **ration** żelazna racja żywnościowa skoczka spadochronowego

bailsman [ˈbeilzmən] *s* (*pl* **bailsmen** [ˈbeilzmən]) *prawn* poręczyciel

bain-marie [ˈbɛ̃məˈri:] *s* bemar (w ladzie bufetowej)

↑ **bait** [I] *s* 3. trutka (na szczury i inne szkodniki)

baka [ˈbɑ:kə] *s wojsk* (*także* ~ **bomb**) japońska bomba rakietowa pilotowana przez lotnika-samobójcę

↑ **baking** [III] *attr* ~ **dish** ⟨**pan**⟩ forma do pieczenia ciast; *kulin* ~ **soda** soda oczyszczana

balalaika [ˌbælə'laikə] *s muz* bałałajka, bałabajka

balance-board ['bæləns, bɔ:d] *sport* równoważnia

balata ['bælətə] *s techn* balata

balbriggan [bæl'brigən] *s tekst* dziana tkanina bawełniana używana do wyrobu bielizny

↑ **bald** *adj* || *bot* ~ **cypress** (*Taxodium distichum*) cypryśnik; *zool* ~ **eagle** (*Haliaectus leucocephalus*) łomignat białogłowy

baldhead ['bɔ:ldhed] *s roln* choroba roślin (szczególnie fasoli)

balding ['bɔ:ldiŋ] *s* łysienie

Balearian [bæli'ɛəriən], **Balearic** [ˌbæli'ærik] *adj geogr* balearski; ~ **Islands** Baleary

balking ['bɔ:kiŋ], **balky** ['bɔ:ki] *adj* (*o koniu*) narowisty

↑**ball**[1] [I] *s* 1. ... **to play** ~ a) za/grać w piłkę b) *am* współpracować; współdziałać 6. ... ~**s to you!** mam cię w dupie!; **oh,** ~**s!** kurwa mać! [IV] *attr techn* ~ **cock** ⟨**valve**⟩ kurek ⟨zawór⟩ kulkowy

↑ **ballast** [III] *attr* wyrównawczy; ~ **tank** zbiornik wyrównawczy

ballista [bə'listə] *s* (*pl* ~**e** [bə'listi:]) *hist* balista

ballistocardiography [ˌbælistɔkɑ:di'ɔgrəfi] *s med* balistokardiografia

ballonet [ˌbælə'net] *s* balonet (w balonie)

↑ **balloon** [III] *attr* || *bot* ~ **vine** (*Cardiospermum Halicacabum*) tropikalna winorośl

↑ **ballot** [I] *s* ... **to hold a** ~ przeprowadzić tajne głosowanie

balmily ['bɑ:mili] *adv* balsamicznie; kojąco

balminess ['bɑ:minis] *s* balsamiczność

balneal ['bælniəl] *adj* balneologiczny

balneotherapy [ˌbælniə'θerəpi] *s med* balneoterapia

baloney[2] [bə'ləuni] *s* = **bologna**

balsa ['bɔ:lsə, 'bælsə] *s* 1. *bot* (*Ochroma lagopus*) bolsa 2. lekka tratwa używana w południowej Ameryce

↑ **balsam** [III] *attr bot* ~ **poplar** (*Populus tacamahaca* ⟨*balsamifera*⟩) odmiana topoli; ~ **fir** (*Abies balsamea*) jodła północnoamerykańska

balsamiferous [bɔ:lsə'mifərəs, bælsə'mifərəs] *adj* wydzielający balsam

Balto-Slavic ['bɔ:ltəu'slɑ:vik] *adj jęz* bałto-słowiański

↑ **bamboo** [III] *attr* bambusowy; *polit* ~ **curtain** określenie przedziału między państwami kapitalistycznymi a Chinami komunistycznymi

↑ **banana** [III] *attr* ~ **republics** państwa Ameryki Środkowej *zool* ~ **eater** (*Musophaga*) bananojad; szyszak; *chem* ~ **oil** octan (izo)amylu

banc [bæŋk] *s prawn ława* sędziowska; (*o sądzie*) **in** ~ w pełnym składzie

↑ **band**[1] [III] *attr* pasmowy; *fiz* ~ **spectrum** widmo pasmowe; ~ **width** szerokość pasma

↑ **band**[2] [III] *attr am* ~ **wagon** pojazd z muzyką jadący na czele pochodu; *przen* **to climb aboard the** ~ oddać głos ⟨okazać poparcie⟩ kandydatowi mającemu wszelkie szanse wygranej

bandeau ['bændəu] *s* 1. opaska na głowę 2. biustonosz

↑ **banderol(e)** *s* 2. proporczyk 3. banderola, wstęga z napisem

banditry ['bænditri] *s* 1. bandytyzm 2. bandyci

bandore ['bændɔ:, bæn'dɔ:] *s* bandura

band-pas ['bændpɑ:s] *attr* ~ **filter** filtr pasmowy

Bang [bæŋ] *spr wet* ~**'s disease** choroba Banga; bruceloza

bangalore ['bæŋgəlɔ:] *attr wojsk* ~ **torpedo** pocisk do niszczenia zapór z drutu kolczastego i do wysadzania min

↑ **bangle** [III] *attr* ~ **ear** obwisłe ucho

↑ **bank**[1] [I] *s* 6. ... ławica (chmur) [IV] *attr zool* ~ **swallow** (*Riparia riparia*) jaskółka grzebółka

↑ **bank**[2] [I] *s* 5. *med* bank (krwi itd.)

↑ **bank**[3] *s* 4. rząd (klawiszy maszyny do pisania itd.)

↑ **banner** [III] *attr* ... ~ **cry** hasło; slogan; *wojsk* hasło do zbiórki

bannerol ['bænərəul] *s* = **banderole**

bannister ['bænistə] *s* = **banister**

↑ **bantam** [I] *s* 4. = **jeep**

Bantu ['bæn'tu:] *s* 1. *etn* Bantu 2. (*język*) bantu

banzai ['bænzeii] *attr wojsk* ~ **attack** rozpaczliwy ⟨samobójczy⟩ atak

↑ **bar**[1] [I] *s* 1. ... ~ **pin** ozdobna agrafa ⟨szpilka⟩ 15. *handl* stoisko; **hat** ⟨**slipper etc.**⟩ ~ stoisko z kapeluszami ⟨z pantoflami itd.⟩

barbaralalia [ˌbɑ:bərə'lɛəliə] *s* cudzoziemski akcent lub wymowa

↑ **barbarian** [III] *adj* barbarzyński

barbarize ['bɑ:bəraiz] *vt vi* barbaryzować (się)

barbarously ['bɑ:bərəsli] *adv* barbarzyńsko

barbarousness ['bɑ:bərəsnis] *s* barbarzyńskość

Barbary ['bɑ:bəri] *spr zool* ~ **ape** (*Macaca sylvana*) makak bezogonowy

barbellate ['bɑ:bəleit, bɑ:'belit] *adj* szczeciniasty

barbette [bɑ:'bet] *s fort* ława (pod działo)

barbital ['bɑ:bitəl] *s chem* kwas dwuetylobarbiturowy; *farm* barbital; ~ **sodium** barbital rozpuszczalny

barbiturate [bɑ:'bitjur(e)it] *s chem* barbituran

barbituric [ˌbɑ:bi'tjuərik] *adj chem* barbiturowy

↑ **bare** [I] *adj* 3. *nukl fiz* ~ **nucleus** jądro nagie; atom pozbawiony elektronów; ~

core ⟨**reactor, cylinder**⟩ rdzeń ⟨reaktor, walec⟩ bez reflektora

bargeboard [ˈbɑːdʒbɔːd] *s bud* (ozdobna) deska szczytowa (u dachu)

barilla [bəˈrilə] *s bot* (*Salsola*) solanka

barite [ˈbærait] *s miner* baryt; szpat ciężki

↑ **bark**[1] [III] *attr* ~ **peeler** korowacz; ~ **cutter** korowarka; *zool* ~ **beetle** kornik (chrząszcz z rodziny *Scolytidae*); *tekst* ~ **crepe** kora

barkentine [ˈbɑːkənˌtiːn] *s mar* barkentyna

↑ **barker** *s* 3. naganiacz przed sklepem ⟨szwajcar przed kinem⟩ nawołujący publiczność do wejścia

barkery [ˈbɑːkəri] *s* (*w garbarni*) skład kory

barking[1] [ˈbɑːkiŋ] [I] *zob* **bark**[1] *vt* [III] *s* korowanie

barking[2] [ˈbɑːkiŋ] [I] *zob* **bark**[2] *vi* [III] *s* szczekanie

barky [ˈbɑːki] *adj* 1. korowaty 2. pokryty korą

↑ **barn**[1] [III] *attr teatr* ~ **door** przesłona reflektora; *zool* ~ **swallow** (*Hirundo rustica*) jaskółka dymówka

barn[2] [bɑːn] *s fiz nukl* barn (jednostka miary powierzchni)

barodynamics [ˌbærəudaiˈnæmiks] *s techn* barodynamika

baroscope [ˈbærəskəup] *s* baroskop

↑ **barrage** [III] *vt wojsk* odgrodzić zaporą

↑ **barred** [III] *adj* 2. ... *zool* ~ **owl** (*Strix varia*) amerykańska sowa

↑ **barrel** [III] *attr* ~ **chair** głęboki fotel z wysokim oparciem; *lotn* ~ **roll** beczka

↑ **barrier** [III] *attr* zaporowy; przegradzający; ~ **reef** rafa koralowa; *nukl* ~ **height** wysokość bariery ⟨progu⟩; ~ **layer** warstwa zaporowa ⟨przegradzająca⟩; ~ **penetration** przenikanie przez barierę; przepuszczalność bariery

↑ **baryta** *s powinno być*: *chem* 1. tlenek baru 2. *w zwrotach*: **carbonate etc. of** ~ węglan itd. baru

↑ **basal** *adj* ... *biol* ~ **metabolism** metabolizm podstawowy; podstawowa przemiana materii

basaltic [bəˈsɔːltik] *adj* bazaltowy

↑ **base**[1] [III] *attr lotn* ~ **airfield** lotnisko-baza

baseboard [ˈbeisbɔːd] *s bud* listwa przypodłogowa; cokół przypodłogowy

base-burner [ˈbeisˌbəːnə] *s* piec automatycznie zasilany paliwem

basely [ˈbeisli] *adv* podle; nikczemnie; niegodziwie

baseman [ˈbeismən] *s* (*pl* **basemen** [ˈbeismən]) jeden z graczy drużyny baseballowej

bashing [ˈbæʃiŋ] [I] *zob* **bash** *vt* [III] *s* bicie; lanie; **to get a** ~ oberwać

↑ **basic** *adj* 2. ... *hut* ~ **slag** żużel zasadowy

Basidiomycetes [bəˈsidiəuˌmaiˈsiːtiːz] *spl bot* podstawczaki

basilic [bəˈsilik] *adj* bazylikowy

↑ **basket** [III] *attr* ~ **case** człowiek, któremu amputowano obie ręce i nogi

basking [ˈbɑːskiŋ] [I] *zob* **bask** *vi* [III] *adj zool* ~ **shark** wielki rekin *Cetorhinus maximus*

basoid [ˈbæsɔid] *s roln* bazoid

basophil [ˈbæsəufil] *s biol* bazofil

basophilia [ˌbæsəuˈfiliə] *s med* bazofilia

↑ **bass**[1] [III] *adj* ... ~ **clef** klucz basowy

bassetite [ˈbæsətait] *s miner* basetyt

↑ **bastard** [I] *s* 2. *obelż* świnia; ~! świnio jedna!

bastardly [ˈbɑːstədli, ˈbæstədli] *adj* bękarci

basting [ˈbeistiŋ] [I] *zob* **baste**[1] *vt* [III] *s* fastrygowanie; fastryga

Bat [bæt] *s wojsk* pocisk szybujący zdalnie sterowany

batch [bætʃ] *adj fiz* periodyczny; okresowy; ~ **distillation** ⟨**extraction**⟩ destylacja ⟨ekstrakcja⟩ periodyczna

bateau [ˈbætəu] *s* płaskodenna łódź

batfowl [ˈbætfaul] *vi* łowić ptaki siecią w nocy oślepiając je światłem

↑ **bathing** [III] *attr* ... ~ **trunks** kąpielówki

bathymeter [bəˈθimitə] *s* batymetr, batometr

bathymetric [bæθiˈmetrik] *adj* batymetryczny

bathymetry [bəˈθimitri] *s* batymetria

bathyplankton [bæθiˈplæŋktən] *s* plankton głębinowy

bathyscaphe [ˈbæθiskɑːf] *s* batyskaf

bathysphere [ˈbæθisfiə] *s* batysfera

bathythermograph [bæθiˈθəːməgrɑːf] *s* przyrząd rejestrujący temperaturę wód głębinowych

↑ **battery** [I] *s* 3. (*zw* **storage** ~) akumulator 4. zestaw testów psychotechnicznych [III] *attr* bateryjny; ~ **charger** zespół ⟨urządzenie⟩ do ładowania akumulatorów; *radio* ~ **receiver** odbiornik bateryjny

batting[2] [ˈbætiŋ] [I] *zob* **bat**[2] *vi* [III] *s sport* posługiwanie się palantem

↑ **battle** [I] *s* ... ~ **royal** a) *wojsk* bitwa generalna b) *przen* bójka; bijatyka [III] *attr* ... ~ **fatigue** wyczerpanie długotrwałym przebywaniem w akcji; *lotn* ~ **plane** samolot bojowy; *mar sl* ~ **wag(g)on** okręt wojenny

↑ **bay**[3] *s* 4. *lotn* przegroda kadłubowa; **bomb** ~ komora bombowa

↑ **beach** [III] *attr zool* ~ **flea** obunóg morski rodzaju *Orchestia*; ~ **wag(g)on** = **station wag(g)on** *zob* **station** ↑

beachhead [ˈbiːtʃhed] *s wojsk* przyczółek desantowy

beadhouse [ˈbiːdhaus] *s* przytułek (którego użytkownicy mieli obowiązek modlenia się za fundatorów)

beading [ˈbiːdiŋ] *s* 1. koraliki, paciorki 2. *arch* perełki

beadsman [ˈbi:dzmən] *s* (*pl* **beadsmen** [ˈbi:dzmən]) mieszkaniec przytułku zobowiązany do modlenia się za fundatorów
beadwork [ˈbi:dwə:k] *s* ornament paciorkowy ⟨perełkowy⟩
↑ **beam** Ⅰ *s* 9. *fiz* wiązka promieni równoległych; *nukl* **electrone ~** wiązka elektronów; **radar ~** wiązka radarowa; **landing ~** wiązka radarowa kierująca samolotem podczas lądowania
beam-rider [ˈbi:mˌraidə] *s wojsk* pocisk kierowany wiązką radiową
beam-scales [ˈbi:mˌskeilz] *s* waga belkowa ⟨dźwigniowa⟩
bean-fed [ˈbi:nfed] *adj* 1. (*o koniu itd.*) dobrze odżywiony 2. *am* zwariowany; stuknięty
beanie [ˈbi:ni] *s* 1. czapka uczniowska ⟨studencka⟩ bez daszka 2. mały kapelusz damski bez ronda
bearbine [ˈbɛəbain], **bearbind** [ˈbɛəbaind] *s bot* (*Convolvulus arvensis*) powój (polny)
↑ **beat** Ⅳ *adj pot* wykończony; wypompowany
↑ **beatific** *adj* 2. błogi; rozanielony
beatifically [ˌbi:əˈtifikəli] *adv* błogo
beat-up [ˈbi:tʌp] *adj* (*o ubraniu, samochodzie itp.*) zniszczony
↑ **beautician** *s* 2. człowiek, dokonujący zabiegów kosmetycznych; (*kobieta*) kosmetyczka
bebop [ˈbi:bɔp] *s muz* bebop (styl jazzu)
bebeerine [biˈbiəri:n] *s farm* bebiryna
becquerelite [ˈbekərəlait] *s miner* bekerelit
↑ **bed** Ⅰ *s* 5. ... **catalyst ~** kolumna katalizatora
↑ **bedevil** *vt* 4. zepsuć; pomieszać; pogmatwać; zabałaganić
bedevilment [biˈdevlmənt] *s* 1. dokucz-enie/anie 2. opętanie; urzeczenie 3. zepsucie; pomieszanie; pogmatwanie; zabałaganienie; potworny bałagan
bedfast [ˈbedfæst] *adj am* przykuty (chorobą) do łóżka; obłożnie chory
↑ **bed-pan** *s* ... *sl wojsk* **~ commando** łapiduch
bed-settee [ˌbedseˈti:] *s* wersalka
bed-sitting [ˈbedˌsitiŋ] *attr* **~ room** pokój dzienny służący także jako sypialnia
↑ **bee** Ⅲ *attr* pszczeli; **~ glue** kit pszczeli; **~ plant** roślina dostarczająca nektaru pszczołom; *zool* **~ martin** (*Tyrannus tyrannus*) tyran królewski (*ptak*)
↑ **beech** Ⅲ *attr* bukowy; **~ nut** orzeszek bukowy; **~ nuts** bukiew, buczyna
↑ **beef** Ⅰ *s* 4. *sl* sadło (u otyłego człowieka) 5. *pl* **~s** *sl* wyrzekanie, jojczenie Ⅲ *vi sl* jojczeć
~ up *vi* obr-osnąć/astać sadłem
↑ **bee-hive** *s* 2. *wojsk* ładunek wybuchowy przeciwpancerny
beep [bi:p] *s* 1. brzęczyk ostrzegający, że rozmowa telefoniczna jest nagrywana 2. = **baby jeep** *zob* **baby** ↑
beeper [ˈbi:pə] *s lotn* 1. człowiek zdalnie sterujący bezzałogowym samolotem 2. samolot bezzałogowy
↑ **beer** *s* ... *przen* **~ and skittles** używanie; rozkosz; zabawa; uroda życia
↑ **beetle**[1] Ⅲ *attr wojsk* **~ boat** płaskodenna łódź desantowa; **~ tank** mały czołg sterowany falami radiowymi
befitting [biˈfitiŋ] Ⅰ *zob* **befit** *vi* Ⅲ *adj* stosowny; właściwy
↑ **beggar** Ⅰ *s* 1. ... *bot* **~('s) lice** rzep; czep; dziad; **~('s) ticks** (*Bidens*) uczep
Beguine [ˈbegi:n] *s rel* beginka
beguine [ˈbegi:n] *s* (*taniec*) begina
behavior [biˈheivjə] *s am* = **behaviour**
behaviorism [biˈheivjərˌizəm] *s am* = **behaviourism**
behoove [biˈhu:v] *vt* = **behove**
↑ **belay** *vt* 1. ... ob-kładać/łożyć (linę na kołku); knagować
belaying [biˈleiiŋ] Ⅰ *zob* **belay** *vt* Ⅲ *adj mar* **~ pin** kołek (na którym obkłada się liny); knaga
belemnite [ˈbeləmnait] *s paleont* belemnit
↑ **bell**[1] Ⅰ *s* 1. ... **~ metal** brąz dzwonowy
bell-bird [ˈbelbə:d] *s* ptak wydający głos podobny do dzwonu, np. miękkodziób soplowy (*Chasmorhynchus niveus*)
bellflower [ˈbelflauə] *s bot* dzwonek
belligerence [biˈlidʒərəns] *s* 1. wojowniczość; usposobienie wojownicze 2. prowadzenie wojny
belligerency [biˈlidʒərənsi] *s polit wojsk* stan wojny
bell-mouthed [ˈbelˌmauðd] *adj* (*rura itp.*) z lejowatym otworem
bellwort [ˈbelwə:t] *s bot* roślina dzwonkowata; dzwonek
↑ **belly** Ⅲ *attr lotn* **~ tank** zapasowy zbiornik z paliwem przyczepiony do podwozia samolotu
belly-landing [ˈbeliˌlændiŋ] *s lotn* lądowanie bez podwozia
beluga [bəˈlu:gə] *s zool* (*Delphinapterus leucas*) białuga
benadryl [ˈbenədril] *s farm* benadryl
↑ **bench** Ⅲ *attr geod* **~ mark** reper; znak wysokościowy
beneficially [ˌbeniˈfiʃəli] *adv* korzystnie; z korzyścią; dobroczynnie; zbawiennie
benne, benni [ˈbeni] *s bot* (*Sesamum*) sezam; **~ oil** olej sezamowy
benthoscope [ˈbenθəskəup] *s* bentoskop (przyrząd do podwodnych obserwacji głębinowych)
benzaldehyde [benˈzældihaid] *s chem* benzaldehyd, aldehyd benzoesowy
Benzedrine [ˈbenzədri:n] *s farm* amfetamina; benzedryna
benzidine [ˈbenzidi:n] *s chem* benzydyna
benzoate [ˈbenzəueit] *s chem* benzoesan
benzoic [benˈzəuik] *adj* (*o kwasie*) benzoesowy

benzophenone [benzəufi'nəun] *s chem* benzofenon, keton fenylowy
benzoyl ['benzɔil] *s chem* benzoil
berberidaceous [,bə:bəri'deiʃəs] *adj bot* berberysowaty
berberine ['bə:bəri:n] *s chem* berberyna
berceuse [bɛə'sə:z] *s muz* kołysanka
berg [bə:g] *s* = **iceberg**
Bergsonism ['bə:gsənizəm] *s filoz* bergsonizm
Berkeleianism [bə:k'li:ənizəm] *s filoz* berkeleizm
berkelium ['bə:kliəm] *s chem* berkel
berlin [bə'lin] *s* berlinka (zamknięty powóz)
↑ **berm** *s* 2. *am aut* pobocze (drogi)
bersaglieri [,bɛəsɑ:lj'ɛəri] *s* bersalier
beryllate [bə'riljət] *s chem* berylan
beryllia [bə'riljə] *s chem* tlenek berylu
beryllium [bə'riljəm] *s chem* beryl
beseechingly [bi'si:tʃiŋli] *adv* błagalnie
bestially ['bestjəli] *adv* bestialsko
bestraddle [bi'strædl] *vt* = **bestride**
beta Ⅲ *attr* beta; B; ~ **cellulose** celuloza beta; ~ **eucain** eukaina B; ~**-iso-rubber** izokauczuk beta; ~ **particle** cząstka beta; ~ **rhythm** rytm beta; ~ **wave** fala beta; *nukl* ~ **decay electron** elektron z rozpadu beta; ~ **gauge** miernik kalibrowany beta; ~ **ray** promienie ⟨promieniowanie⟩ beta; ~ **spectrum** widmo promieniowania beta; ~ **thickness gauge** miernik grubości z emiterem beta
betafite ['bi:təfait] *s chem* betafit
betaine ['bi:tein] *s chem* betaina
beta-particle ['bi:tə,pɑ:tikl] *attr nukl* ~ **disintegration** rozpad beta
beta-ray ['bi:tərei] *attr nukl* ~ **emission** emisja promieniowania beta: ~ **spectrometer** spektrometr promieniowania beta
betatron ['bi:tətrɔn] *s fiz* betatron
Bethe [bi:θ] *spr nukl* ~ **cycle** cykl Bethego
betrayer [bi'treiə] *s* zdrajca
betulaceous [betʃu'leiʃəs] *adj bot* brzozowaty
bevatron ['bevətrɔn] *s fiz* bewatron
bezoar ['bi:zɔ:] *s med* bezoar
bhang [bæŋ] *s* 1. *bot* konopie indyjskie 2. narkotyk otrzymywany z konopi indyjskich
bheesty ['bi:sti] *s* (*w Indiach*) roznosiciel wody
biangular [bai'æŋgjulə] *adj* dwukątny
biannual [bai'ænjuəl] *adj* odbywający się ⟨pojawiający się⟩ dwa razy w roku
biauricular [baiɔ:'rikjulə] *adj* dwuuszny
bibcock ['bibkɔk] *s* kurek czerpalny
bibliofilm ['bibliəfilm] *s* mikrofilm używany do reprodukcji stron książek
bibliomania [,bibliəu'meinjə] *s* bibliomania
bibliotherapy [,bibliəu'θerəpi] *s med* biblioterapia
Biblist ['biblist] *s* biblista
bicentennial [,bai-sen'tenjəl] Ⅰ *adj* dwustuletni Ⅲ *s* dwusetlecie
bicipital [bai'sipitəl] *adj anat* (*o mięśniu*) dwugłowy
bicorn ['baikɔ:n] *adj zool* dwurożny, dwurogowy
↑ **bid** Ⅲ *s* 6. wezwanie (do czegoś) 7. *sport* walka (o zwycięstwo itd.) 8. usiłowanie osiągnięcia (czegoś); **to make a ~ for sth** porwać się na coś; usiłować zdobyć coś — pierwszeństwo itd.
bidarka [bai'dɑ:kə] *s* kajak eskimoski z foczych skór
biddy ['bidi] *s* kurczątko
bidimensional [,baidi'menʃənəl] *adj* dwuwymiarowy
bifacial [bai'feiʃiəl] *adj mitol* o dwóch twarzach
bifid ['baifid] *adj* (*o liściu itd.*) dwudzielny
↑ **big** Ⅰ *adj* 1. ... *bot* ~ **tree** (*Sequoiadendron giganteum*) sekwoja, mamutowiec; *przen* ~ **head** zarozumialstwo; pyszałkowatość; *pot* woda sodowa 6. ... *sl wojsk* ~ **wheel** szyszka
bigarreau [,bigə'rəu] *s* = **bigaroon**
big-hearted [big'hɑ:tid] *adj* hojny; szczodry
big-name ['big'neim] *s* (*o człowieku*) sława
↑ **bigot** *s* 3. *wojsk* (*nazwa szyfrowa*) ściśle tajna informacja
bihourly [bai'auəli] *adj* dwugodzinny; zdarzający się ⟨pojawiający się⟩ co dwie godziny
bilander ['bilændə, 'bailændə] *s mar* mały dwumasztowy statek handlowy
bilgy ['bildʒi] *adj* śmierdzący jak woda zenzowa
bilharziosis [bilhɑ:si'əusis] *s med* bilharcjoza, schistosomatoza
bilinear [bai'liniə] *adj mat* bilinearny, dwuliniowy
bilinguilism [bai'liŋgwəlizəm] *s* dwujęzyczność
biliously ['biliəsli] *adj* 1. zrzędnie 2. popędliwie
bilirubin [bili'ru:bin] *s biol* bilirubina
billboard ['bilbɔ:d] *s mar* poduszka kotwiczna
↑ **billet²** *s* 3. *nukl* wlewek; kęs; kształtka
billfish ['bilfiʃ] *s zool* ryba o wydłużonym pysku, np. niszczuka (*Lepidosteus platostomus*)
billhead ['bilhed] *s* 1. formularz ⟨arkusz⟩ fakturowy 2. nagłówek firmowy
billing ['biliŋ] *s* miejsce, jakie nazwisko aktora zajmuje na afiszu; **a star gets top ~** nazwisko gwiazdy umieszcza się na czele spisu aktorów
billon ['bilən] *s* srebrny stop monetowy
bilocular [bai'lɔkjulə] *adj* dwukomorowy; dwukomórkowy
bimensal [bai'mensəl], **bimestrial** [bai'mestriəl] *adj* dwumiesięczny

bimester [bai'mestə] *s* okres dwumiesięczny, dwa miesiące
bimetallic [baimi'tælik] *adj* bimetaliczny
binal ['bainəl] *adj* podwójny; dwojaki
↑ **binary** *adj* ... *chem* ~ **compound** związek dwupierwiastkowy; *mat* ~ **number system** dwójkowy system liczenia; ~ **unit** jednostka dwójkowa; *nukl* ~ **reaction** reakcja dwucząstkowa; zderzenie dwóch ciał; ~ **scaler** przelicznik dwójkowy
↑ **binding** [III] *adj* 3. *nukl* ~ **effect** efekt wiązania; ~ **energy (of nucleus)** energia wiązania jądra
Binet-Simon [bi,nei-si:'mɔ̃] *spr attr psych* ~ **test** test Bineta-Simona
bingo ['biŋgəu] *s* gra podobna do lotto
binocle ['binɔkl] *s* = **binocular(s)**
binocular[2] [bi'nɔkjulə] *adj* dwuoczny; obuoczny
binucleate [bai'nju:kliit] *adj nukl* dwujądrowy
biocatalyst [,baiəu'kætəlist] *s biochem* biokatalizator
biocenosis [baiəusi:'nəusis] *s biol* biocenoza, żywostan
bioclimatology [baiəuklimə'tɔlədʒi] *s biol med* bioklimatologia
biodynamics [baiəudai'næmiks] *s* biodynamika
bioecology [baiəui:'kɔlədʒi] *s biol* bioekologia
bioelectrical [baiəui'lektrikəl] *adj* bioelektryczny
bioelectricity [baiəuelek'trisiti] *s biol* zjawiska bioelektryczne
biogenesis ['baiəu'dʒenisis] *s* biogeneza
biogenetic [,baiəudʒə'netik] *adj* biogenetyczny
biogeochemistry [baiəudʒiəu'kemistri] *s* biogeochemia
biogeography [baiəudʒi'ɔgrəfi] *s* biogeografia
↑ **biological** *adj* ... ~ **control** biologiczna walka (ze szkodnikami); ~ **engineering** bioinżynieria; ~ **half-life** biologiczny okres połówkowy; półokres biologiczny; ~ **shield** osłona biologiczna; ~ **value** wartość biologiczna
bioluminescence [baiəulumi'nesəns] *s* bioluminescencja
biolysis [bai'ɔlisis] *s* bioliza
biomechanics [baiəumi'kæniks] *s* biomechanika
biometeorology [baiəumetiə'rɔlədʒi] *s biol med* biometeorologia
biometric(al) [baiəu'metrik(əl)] *adj* biometryczny
biometrics [baiəu'metriks] *s* biometria, biometryka
bionomics [baiəu'nɔmiks] *s* bionomia
biophysics [baiəu'fiziks] *s* biofizyka
biopsy ['baiɔpsi] *s med* biopsja
biopsychology [baiəusai'kɔlədʒi] *s* biopsychologia
biosophy [bai'ɔsəfi] *s filoz* biozofia
biosphere ['baiəsfiə] *s biol* biosfera
biostatics [baiəu'stætiks] *s* biostatyka
biosynthesis [baiəu'sinθəsis] *s biol* biosynteza
biotic(al) [bai'ɔtik(əl)] *adj biol* biotyczny
biotin ['baiətin] *s biochem* biotyna
biotite ['baiətait] *s miner* biotyt
biotope ['baiətəup] *s biol* biotop
biotype ['baiətaip] *s biol* biotyp
biovular [bai'ɔvjulə] *adj biol* (*o bliźniętach*) dwujajowy
bipetalous [bai'petələs] *adj bot* dwupłatkowy
↑ **bird** [I] *s* 3. pocisk zdalnie sterowany 4. rodzaj sztucznego satelity Ziemi 5. *sl* odgłos wyrażający dezaprobatę [III] *vi* obserwować ptaki w ich naturalnym środowisku
bird-dogging ['bə:ddɔgiŋ] *s sl* narzucanie się komuś
bird-watcher ['bə:dwɔtʃə] *s* człowiek obserwujący życie ptaków w ich naturalnym środowisku
biro ['baiərəu] *s* długopis
bisectrix [bai'sektriks] *s mat* dwusieczna; **acute** ⟨**obtuse**⟩ ~ dwusieczna kąta ostrego ⟨rozwartego⟩
bismuthic [biz'mju:θik] *adj chem* bizmutowy
bismuthinite [biz'mju:θinait] *s miner* bizmutyn(it)
bismuthous ['bizmuθəs] *adj chem* bizmutawy
bister ['bistə] *s am* = **bistre**
bistro ['bi:strəu] *s* bistro, bar
bisulphide [bai'sʌlfaid] *s chem* dwusiarczek
bit [bit] *s fiz* jednostka dwójkowej teorii informacji
↑ **bitch** *s* 2. *sl* skarga, zażalenie
↑ **bitter** [I] *adj* 1. ... *chem* ~ **principle** goryczka
bitter-root ['bitə,ru:t] *s bot* (*Lewisia rediviva*) roślina północnoamerykańska z rodziny portulakowatych (godło stanu Montana)
bitterweed ['bitəwi:d] *s* roślina zawierająca goryczkę
↑ **bituminous** *adj* ... ~ **paint** farba bitumiczna
bi-yearly [bai'jə:li] *adj* 1. dwuletni; dwuroczny 2. zdarzający się ⟨pojawiający się⟩ dwa razy w roku
bizonal [bai'zəunəl] *adj* dwustrefowy
↑ **black** [I] *adj* 1. ... *nukl* ~ **box** wnęka czarna; ~ **control rod** pręt sterowniczy czarny; ~ **oxide of uranium** czarny tlenek uranu; *przen* ~ **market** czarny rynek; czarna giełda; ~ **marketeer** czarnogiełdziarz; waluciarz; czarnorynkowiec; **to go** ~ = ~ **out** 3., 4. ↑ 4. ... *am* ~ **belt** dzielnica murzyńska 5. ... **to beat sb** ~ **and blue** zbić kogoś na kwaśne jabłko 7. *wojsk* (*o wiadomości*) nieurzędowy; nieoficjalny

~ **out** *vi* 3. stracić przytomność 4. *radio* zagłusz-yć/ać
black-body [ˈblæk,bɔdi] *attr nukl* ~ **radiation ⟨temperature⟩** promieniowanie ⟨temperatura⟩ ciała czarnego
black-boy [ˈblækbɔi] *s bot* (*Xanthorrhoea*) australijskie drzewo z rodziny liliowatych
blackcock [ˈblækkɔk] *s zool* (*Lyrurus tetrix*) cietrzew (kogut)
blackening [ˈblækəniŋ] I *zob* **blacken** *v* III *s* zaczernienie
blacketeer [blækətiə] *s* czarnogiełdziarz; waluciarz; czarnorynkowiec
blackface [ˈblækfeis] *s* 1. aktor ucharakteryzowany na Murzyna 2. *druk* tłusty druk
blackfellow [ˈblækfeləu] *s* tubylec australijski
blackhearted [ˈblækhɑ:tid] *adj* podły
blackheartedness [ˈblækhɑ:tidnis] *s* podłość
black-market [ˈblæk-mɑ:kit] I *adj* czarnorynkowy ⟨*pot* lewy⟩ (interes itp.) III *vi* sprzeda-ć/wać na czarnym rynku
↑ **blackness** *s* 3. nieprzenikalność; nieprzezroczystość
blackpoll [ˈblækpəul] *s zool* gajówka amerykańska *Dendroica striata*
blackweed [ˈblæk,wi:d] *s* = **ragweed**
↑ **bladder** III *attr zool med* ~ **worm** bąblowiec
bladdernut [ˈblædənʌt] *s bot* 1. owoc kłokoczki 2. (*Staphylea*) kłokoczka
↑ **blade** III *vt* usuwać (ziemię, żwir) spychaczem
blamable [ˈbleiməbl] *adj* naganny
↑ **blank** I *adj* 1. ... *druk* wakat
↑ **blanket** I *s* 5. *nukl* płaszcz rozmnażający III *attr* ... *nukl* ~ **assembly** zestaw rozmnażający; zestaw płaszcza; ~ **subassembly** element płaszcza
↑ **blast** I *s* 6. [blæst] *am sl* **to give sb a** ~ zadzwonić do kogoś IV *attr nukl* ~ **pressure** ciśnienie podmuchu; ~ **shield** osłona przed falą podmuchu
~ **off** *vi sl* zwiewać; wiać; uciekać
blastard [ˈblɑ:stəd] *s sl wojsk* latająca bomba
blastment [ˈblɑ:stmənt] *s* zniszczenie; zniweczenie; zrujnowanie; ruina
blastocoele [ˈblæstəsi:l] *s zool* blastocoel
blastomere [ˈblæstəu,miə] *s biol* blastomer
blastopore [ˈblæstəu,pɔ:] *s biol* blastopor
blastula [ˈblæstulə] *s biol* blastula
↑ **blazer** *s* 5. *kulin* podgrzewacz naczyń stołowych
bleakly [ˈbli:kli] *adv* 1. niegościnnie 2. ponuro 3. zimno; lodowato 4. niewesoło; smutno 5. (*uśmiechać się itd.*) blado
bleater [ˈbli:tə] *s sl wojsk* bezustannie narzekający jeniec wojenny
blennioid [ˈbleniɔid] *adj zool* ślizgowaty
blepharitis [blefəˈraitis] *s med* zapalenie skóry powiek
blighted [ˈblaitid] I *zob* **blight** *vt* III *adj*
~ **area** podupadła dzielnica mieszkaniowa zagrożona ruiną
↑ **blind** I *adj* 1. ... *anat* ~ **spot** ślepa plamka; *lotn* ~ **flying** ślepy pilotaż
blinker [ˈbliŋkə] *s* migające światło sygnalizacyjne
blip [blip] *s* świetlny punkt na ekranie radarowym (wskazujący położenie samolotu, łodzi podwodnej itd.)
↑ **blister** I *s* 5. *lotn* kopułka astronawigacyjna; astrokopuła 6. *mar* osłona przeciwtorpedowa wbudowana w burtę okrętu 7. *wojsk* pomieszczenie dla anteny radarowej III *attr* ... *zool* ~ **beetles** (*Meloidae*) pryszczawkowate
↑ **block** I *s* 8. ... *techn* ~ **and tackle** wciągnik wielokrążkowy 9. ... *kolej* ~ **signal** semafor odstępowy
blockage [ˈblɔkidʒ] *s* zablokowanie; zatarasowanie; zator
blockbuster [ˈblɔkbʌstə] *s pot wojsk* bomba burząca o dużej sile wybuchu
blocky [ˈblɔki] *adj* zwalisty
blomstrandite [blɔmˈstrændait] *s miner* blomstrandyt
↑ **blood** III *attr* ~ **bank** bank krwi; ~ **count** liczba krwinek; ~ **red count** liczba krwinek czerwonych; ~ **total white count** liczba krwinek białych; ~ **plasma** plazma krwi; ~ **group ⟨type⟩** grupa krwi; ~ **pressure** ciśnienie krwi; ~ **serum** surowica krwi; ~ **test** analiza krwi; ~ **vessel** naczynie krwionośne; *kulin* ~ **pudding ⟨sausage⟩** krwawa kiszka
↑ **bloodpoisoning** *s* ... posocznica
bloodroot [ˈblʌdru:t] *s bot* 1. północnoamerykańska roślina makowata *Sanguinaria canadensis* 2. (*Potentilla tormentilla*) odmiana pięciornika
↑ **bloody** I *adj* 3. ... ~ **well** psiakrew; cholera; **I'll** ~ **well punch his jaw** ja mu, psiakrew, mordę rozwalę; **you can** ~ **well go and get hanged** idź, do cholery ⟨do diabła⟩
↑ **bloom** I *s* 4. *chem* wykwit
↑ **blow**[3]
~ **back** *vt vi sl* dobrowolnie zwrócić (skradzione rzeczy)
~ **up** I *vt* 4. *fot* powiększ-yć/ać; z/robić powiększenie (**a photograph** zdjęcia)
IV *attr sl lotn* ~ **job** odrzutowiec
blowback [ˈbləubæk] *s sl* dobrowolny zwrot skradzionych rzeczy
blowgun [ˈbləugʌn] *s* rurka do wydmuchiwania (zatrutych pocisków przez dzikich, grochu itd. przez chłopców)
blowmobile [ˈbləuməbi:l] *s* używane podczas wypraw polarnych sanie wyposażone w śmigło samolotowe
↑ **blown** III *adj* 1. nadmuchany; rozdęty 2. zadyszany 3. wyczerpany; *pot* zmachany 4. popstrzony (przez muchy itd.) 5. (*o wyrobach szklanych*) dmuchany 6. (*o kwiecie*) rozwinięty; przekwitły 7. (*o zwierzętach*) cierpiący na wzdęcie 8. spu-

chnięty 9. (*o piasku itd.*) nawiany 10. (*o żywności*) zepsuty
↑ **blow-off** *attr* ... *nukl* ~ **tank** zbiornik przeciwwybuchowy
blowtorch [ˈbləutɔ:tʃ] *s sl lotn* strumień płomienia za samolotem odrzutowym
↑ **blow-up** *s* 3. *fot* powiększenie 4. *tv* zbliżenie
blubbery [ˈblʌbəri] *adj* tłusty
↑ **blue** Ⅰ *adj 1.* ... ~ **blood** błękitna krew; ~ **book** a) *am* wykaz wybitnych osobistości b) *am uniw* wykaz egzaminacyjny c) błękitna księga; wydawnictwo parlamentu brytyjskiego; ~ **cheese** amerykańska odmiana rokforu; ~ **ribbon** odznaka noszona przez osoby posiadające order podwiązki lub członków organizacji abstynenckich; ~ **streak** błyskawica; pojazd pędzący z błyskawiczną szybkością; *bot* ~ **flag** (*Iris*) kosaciec; *zool* ~ **fox** (*Alopex lagopus*) lis polarny; *farm* ~ **mass** ⟨**pill**⟩ pigułka z preparatu rtęciowego; *mar* ~ **Peter** flaga „Błękitny Piotruś"; *wet* ~ **comb** choroba drobiu; *przen* ~ **devils** chandra; ~ **jeans** dżinsy Ⅲ *s* 4. *pl* ~**s** ... f) *muz* blues
↑ **bluecoat** Ⅲ *s am* 1. policjant 2. † żołnierz
blue-collar [ˈblu:ˈkɔlə] *attr* ~ **worker** robotnik fabryczny
↑ **blueprint** *s* 3. konspekt; plan działania
blue-sky [ˈblu:skai] *attr* ~ **bargaining** niemożliwe do uwzględnienia żądania robotników
blueweed [ˈblu:wi:d] *s bot* (*Echium vulgare*) żmijowiec
bluewood [ˈblu:wud] *s bot* szakłakowaty krzew amerykański *Condalia obovata*
blunger [ˈblʌndʒə] *s* pojemnik do mechanicznego mieszania gliny z wodą
B'nai B'rith [ˈbneiˈbriθ] *s* konfraternia żydowska
↑ **board** Ⅳ *attr* deskowy; ~ **foot** stopa kubiczna ⟨sześcienna⟩ (drewna); ~ **measure** miara drewna w stopach kubicznych; ~ **rule** kubikator
boarfish [ˈbɔ:fiʃ] *s zool* ryba ryjowata
boarhound [ˈbɔ:haund] *s zool techn* dog
boarish [ˈbɔ:riʃ] *adj* 1. świński 2. zachowujący się po świńsku
boatage [ˈbəutidʒ] *s* 1. przejazd ⟨transport⟩ łodzią ⟨łodziami⟩ 2. opłata za przewóz łodzią
boating [ˈbəutiŋ] Ⅰ *zob* **boat** *v* Ⅲ *s* wiosłowanie; przejażdżka łodzią
bob[5] [bɔb] *attr* ~ **skate** łyżwa o podwójnych płozach
↑ **bobbin** Ⅲ *attr* ~ **lace** koronka klockowa
bobbing [ˈbɔbiŋ] *s* nieregularny odbiór fali radarowej
bobby[2] [ˈbɔbi] *attr* ~ **pin** wsuwka do włosów; ~ **socks** ⟨**sox**⟩ krótkie skarpetki dziewczęce
bobby-soxer, bobby-sockser [ˈbɔbisɔksə] *s* podlotek, nastolatka
bobwhite [ˈbɔbwait] *s zool* (*Colinus virginianus*) północnoamerykańska odmiana przepiórki
boconize [ˈbɔkənaiz] *vt* preparować materiały wełniane dla zabezpieczenia ich przed molami
bodenbenderite [ˌbɔdənˈbendərait] *s miner* bodenbenderyt
↑ **body** Ⅲ *attr* cielesny; (dotyczący) ciała; somatyczny; ustrojowy; ~ **cell** komórka somatyczna; ~ **colour** kolor cielisty; ~ **fluid** płyn ustrojowy; ~ **heat** ciepłota ciała; ~ **linen** bielizna
~ **in** *vt* wy/polituorować
~ **out** Ⅰ *vt* wypełni-ć/ać Ⅲ *vi* wypełnieć
~ **up** *vt* dać końcową warstwę politury
body-centred [ˈbɔdiˌsentəd] *adj fiz* przestrzennie centrowany; ~ **cubic lattice** sieć sześcienna przestrzennie centrowana
boffins [ˈbɔfinz] *s sl* = **backroom boys** *zob* **backroom** ↑
bogie [ˈbəugi] *s wojsk* niezidentyfikowany samolot
Bohr [bɔ:r] *spr attr fiz* ~ **magneton** magneton Bohra; ~ **radius** promień orbity Bohra
↑ **boiling** Ⅲ *attr* ... *nukl* ~ **bed** warstwa wrząca ⟨wrzenia⟩; ~ **homogenous reactor** reaktor wrzący jednorodny; ~ **(water) reactor** reaktor z wodą wrzącą
bolar [ˈbəulə] *adj* gliniasty
bolection [bəuˈlekʃən] *s arch* profil o licu wystającym
boletus [bəˈli:təs] *s bot* grzyb z rodzaju *Boletus*
bolivar [ˈbɔlivɑ:] *s* boliwar (jednostka monetarna w Wenezueli)
bolo [ˈbəuləu] *s* duży nóż filipiński
bolograph [ˈbəuləgrɑ:f] *s* bolograf; zapis bolometru
boloney [bəˈləuni] *s* = **baloney**
↑ **bomb** Ⅰ *s* 2. rozpylacz Ⅲ *attr* ... ~ **cemetery** cmentarzysko rozbrojonych niewypałów; ~ **cluster** pakiet bomb; ~ **core** rdzeń bomby; ~ **disposal** rozbrajanie bomb; ~ **sight** celownik bombardierski; *lotn* ~ **hatch** drzwi bombowe; ~ **rack** zaczep bombowy; ~ **run** trasa lotu bombowca; *sl wojsk* ~ **alley** strefa szczególnie narażona
bomb-aimer [ˈbɔmˌeimə] *s lotn* bombardier
↑ **bombardier** Ⅲ *attr zool* ~ **beetle** (*Brachynus*) bombardier
bombe [bɔ̃:mb] *s kulin* bomba
bombycid [ˈbɔmbisid] *s zool* jedwabnik i inne ćmy z rodzaju *Bombycidae*
Bonapartist [ˈbəunəpɑ:tist] Ⅰ *adj* bonapartystyczny Ⅲ *s* bonapartysta
↑ **bond**[1] Ⅰ *s* 7. spoiwo 8. *chem* wiązanie; **atomic** ~**s** wiązania atomowe 9. *techn* złącze Ⅲ *vt* 3. *techn* spajać
bonding [ˈbɔndiŋ] Ⅰ *zob* **bond**[1] *vt* Ⅲ *s techn* spajanie; łączenie
↑ **bone** Ⅳ *attr* kostny; ~ **cell** komórka

kostna; ~ **glue** ⟨**marrow**⟩ klej ⟨szpik⟩ kostny
boner [ˈbəunə] *s* głupstwo; głupi błąd; *pot* byk
bone-seeker [ˈbəunˌsi:kə] *attr fizj* osteotropowy
boneset [ˈbəunset] *s bot* 1. (*Eupatorium*) sadziec 2. (*Symphytum*) żywokost
bon mot [bɔ̃ˈməu] *s* (*pl* **bons mots** [bɔ̃ˈməuz]) bon mot
bon ton [bɔ̃ˈtɔ̃] *s* (*pl* **bons tons** [bɔ̃ˈtɔ̃z]) 1. piękne maniery 2. wytworne towarzystwo
boob [bu:b] *s* = **booby**
↑ **booby** III *attr* ~ **hatch** a) *mar* pokrywa luku; zrębnia b) *sl* dom wariatów c) *sl* mamer; ciupa; więzienie
↑ **book** IV *attr* 1. książkowy; ~ **review** recenzja książki 2. księgarski; ~ **industry** przemysł wydawniczy
bookateria [bukəˈtiəriə] *s* księgarnia samoobsługowa
bookbindery [ˈbukbaindəri] *s* introligatornia
booklouse [ˈbuklaus] *s zool* (*Troctes divinatoria*) psotnik
↑ **bookman** *s* 2. *pot* księgarz 3. *pot* wydawca
bookmobile [ˈbukməbi:l] *s* bibliobus
bookrack [ˈbukræk] *s* 1. pulpit 2. półka na książki; regał
boondocks [ˈbu:ndɔks] *s am sl* dzika bagnista okolica; dzicz
boondoggle [ˈbu:ndɔgl] *s* 1. plecionka skórzana 2. użyteczny przedmiot ręcznie wykonany 3. *sl* bezużyteczna praca
↑ **boost** III *attr techn* ~ **pressure** ciśnienie ładowania
↑ **booster** I *s* 4. *wojsk* pobudzacz dodatkowy; wkrętka pobudzająca (pocisku rakietowego) III *attr med* ~ **shot** dawka przypominająca
↑ **boot**¹ *s* 4. *lotn* wąż gumowy do odladzania 5. *wojsk* rekrut w marynarce wojennej
bora [ˈbɔrə] *s meteor* bora
boraginaceous [bəˌrædʒiˈneiʃəs] *adj bot* szorstkolistny
boral [ˈbɔrəl] I *s chem* boral III *attr chem* boralowy; *techn* ~ **liner** pokrycie boralowe; wykładzina boralowa
Bordeaux [bɔ:ˈdəu] *spr attr roln* ~ **mixture** ciecz bordoska
borrowing [ˈbɔrəuiŋ] I *zob* **borrow** *vt* III *s jęz* zapożyczenie
borsch [bɔ:ʃ], **borscht** [bɔ:ʃt], **bortsh** [bɔ:tʃ] *s kulin* barszcz
↑ **boss**² IV *vi pot* szarogęsić się
bossiness [ˈbɔsinis] *s pot* rządzenie się; szarogęsienie się
Boston [ˈbɔstən] *spr attr zootechn* ~ **terrier** terier bostoński (krzyżówka buldoga z bulterierem)
Botany Bay [ˈbɔtəniˌbei] *spr* 1. kolonia karna w Australii 2. odległa kolonia karna
botchy [ˈbɔtʃi] *adj* spartaczony
↑ **bother** III *vi* ... **don't ~ to ...** nie warto ...
botryoidal [bɔtriˈɔidl] *adj* groniasty
↑ **bottle-neck** *s* 3. wąskie ⟨wilcze⟩ gardło (na szosie lub ulicy) 4. przeszkoda (w działaniu)
bottling [ˈbɔtliŋ] I *zob* **bottle**¹ *vt* III *s* butelkowanie
↑ **bottom** I *s* 1. ... (*przy wznoszeniu toastu*) **~s up!** do dna! 9. *pl* **~s** *fiz chem* pozostałość podestylacyjna; osad III *attr* ... **~s** tereny zalewowe; *techn* ~ **plate** płyta fundamentowa
botulin [ˈbɔtjulin] *s* jad kiełbasiany
boule [bu:l] *s* rubin syntetyczny
↑ **bounce**¹ I *vi* 3. *sl* (*o czeku*) nie mieć pokrycia
↑ **bouncer** *s* 5. *sl* czek bez pokrycia
↑ **bound**⁴ I ... *jęz* ~ **form** cząstka słowotwórcza || ~ **to rain soon** na pewno zaraz będzie padało III *adj* 1. (*o książce*) oprawiony 2. *chem fiz* związany; *nukl* ~ **water** woda związana
↑ **boundary** III *attr* ... *lotn* ~ **layer** warstwa przyścienna ⟨graniczna⟩; *nukl* ~ **conditions** warunki brzegowe
boutonniere [ˌbu:təˈnjɛə] *s* kwiatek w butonierce
bovid [ˈbəuvid] *s zool* zwierzę pustorogie
↑ **bow**³ I *s* 1. ... ~ **pen** pióro kreślarskie do cyrkla 3. ... ~ **tie** motylek (krawat)
Bowen [ˈbəuən] *spr med* **~'s disease** choroba Bowena
bowfin [ˈbəufin] *s zool* (*Amia calva*) mękławka
↑ **bowling** III *attr powinno być:* ~ **alley** kręgielnia
bowman² [ˈbəumən] *s wiośl* szlakowy
↑ **boxer** *s* 5. *zootechn* bokser
↑ **box-office** *s* 2. wpływy kasowe (z przedstawienia)
boxthorn [ˈbɔksθɔ:n] *s bot* (*Lycium*) kolcowój
boysenberry [ˈbɔizenberi] *s bot* krzyżówka kilku gatunków *Rubus*; duża jeżyna o smaku maliny
bra [brɑ:] *s* = **brassière**
bracero [brəˈseərəu] *s* meksykański robotnik sezonowy pracujący w Stanach Zjednoczonych
brachylogy [brəˈkilədʒi] *s* brachylogia; zwięzłość; brewilokwencja
brachyuran [brækiˈu:rən] *s zool* krótkoodwłokowy skorupiak
↑ **bracket** I *s* 7. *ekon* grupa uposażeniowa
bragite [ˈbrægait] *s miner* bragit
brahma [ˈbrɑ:mə] *s zootechn* azjatycka rasa dużych kur
braiding [ˈbreidiŋ] I *zob* **braid** *vt* III *s* galony; szamerunek, szamerowanie
↑ **brain** III *attr* 2. ~ **trust** trust mózgów; ~ **washing** pranie mózgów; *fizj* ~ **waves**

a) fale mózgowe b) elektroencefalogram; *sl lotn* ~ **bucket** hełm ochronny lotnika na wypadek rozbicia samolotu
↑ **brake**[4] IV *attr* hamulcowy; ~ **drum** bęben hamulcowy; ~ **lining** okładzina szczęk hamulca; ~ **shoe** pedał hamulca
brakeage [ˈbreikidʒ] *s* 1. *zbior* hamulce 2. hamowanie
↑ **branch** I *s* 4. dyscyplina (sportu)
branchiate [ˈbræŋkiit] *adj zool* skrzelodyszny
branching [ˈbræntʃiŋ] I *zob* **branch** *vi* II *s* rozgałęzienie; odgałęzienie III *attr nukl* ~ **ratio** stosunek rozgałęzień
brannerite [ˈbrænərait] *s miner* braneryt
branny [ˈbræni] *adj* otrębiasty
brasilin [ˈbræzilin] *s* = **brazilin** ↑
braslip [ˈbrɑ:slip] *s* sztuka bielizny damskiej, złożona z biustonosza, pasa elastycznego i majtek w jednej całości
↑ **brass** I *s* 6. *sl wojsk* wyżsi oficerowie 7. *sl* grube ryby; szyszki III *attr ... muz* ~ **winds** instrumenty dęte blaszane; *pot* blacha
brassicaceous [bræsiˈkeiʃəs] *adj bot* krzyżowy
brat[2] [bræt] *vi* = **baby-sit** ↑
brattle [ˈbrætl] *s szkoc* stukot; klekot
braunite [ˈbrɔ:nait] *s miner* braunit
↑ **bray**[2] *vt* 2. *druk* roz-cierać/etrzeć farbę
brayer [ˈbreiə] *s druk* wałek ręczny do rozcierania farby
brazilin [ˈbræzilin] *s chem* brazylina
breadbasket [ˈbredˌbɑ:skit] *s* 1. *sl* kałdun, brzuch 2. *przen* żyzna okolica; spichlerz (kraju itd.); okręg rolniczy
breadroot [ˈbredru:t] *s* jadalny korzeń rośliny północnoamerykańskiej *Psoralea esculenta*
↑ **break**[2]
~ **down** I *vt* 5. *chem* rozkładać (związek chemiczny)
breakbone [ˈbreikbəun] *attr med* ~ **fever** denga
↑ **break-down** *s* 7. *chem* rozkład (związku chemicznego)
↑ **breakfast** IV *attr* ~ **food** kasza ⟨owsianka⟩ spożywana na śniadanie
breaking [ˈbreikiŋ] I *zob* **break**[2] *vt* II *s jęz* dyftongizacja
↑ **break-through** *s* 3. przełom; wyłom 4. *wojsk* przełamanie frontu
↑ **breeches** *spl ... mar* ~ **buoy** boja ratunkowa
↑ **breeder** III *attr nukl* ~ **blanket** płaszcz rozmnażający; ~ **cycle** ⟨**gain**⟩ cykl ⟨uzysk⟩ rozmnażania; ~ **habits** typ krzyżowania ⟨reprodukcji⟩; ~ **pile** ⟨**reactor**⟩ reaktor rozmnażający; ~ **ratio** współczynnik rozmnażania
↑ **breeding** III *s* 5. *nukl* rozmnażanie; ~ **of atomic fuel** rozmnażanie paliwa jądrowego
breezeway [ˈbri:zwei] *s* kryty pasaż (między budynkami)
bremsstrahlung [ˈbremsʃtrɑ:luŋ] *nukl* I *s* promieniowanie hamowania II *attr* ~ **loss** strata energii na promieniowanie hamowania; ~ **spectrum** widmo promieniowania hamowania
brennschluss [ˈbrenʃlus] *s* wypalanie się paliwa w silniku rakietowym
brevium [ˈbri:viəm] *s nukl* uran X_2; brevium
↑ **brick** III *attr* ~ **red** ceglasty
brickkiln [ˈbrikkiln] *s* piec do wypalania cegły
↑ **bridge**[1] I *s* 8. *radio tv* sygnał nadawany między dwoma programami III *attr* mostowy; mostkowy; *fiz* ~ **circuit** układ mostkowy
bridging [ˈbridʒiŋ] I *zob* **bridge**[1] *vt* II *s bud* stężenie poprzeczne
↑ **brief**[1] I *s* 5. *pl* ~**s** a) (*damskie*) figi b) (*męskie*) krótkie kalesony III *attr* ~ **bag** ⟨**case**⟩ teczka; aktówka
briefless [ˈbri:flis] *adj* (*o adwokacie*) nie mający ⟨bez⟩ klientów; bez pracy
brigandine [ˈbrigəndi:n] *s* zbroja łuskowa
Brinell [ˈbrinl] *spr attr metalurg* Brinella; ~ **hardness** twardość według Brinella; ~ **machine** twardościomierz Brinella
bringing-up [ˈbriŋiŋˈʌp] *s* wychowanie
brisance [briˈzæns] *s* siła krusząca; kruszność
bristletail [ˈbrislˌteil] *s zool* szczecionóg (owad z rzędu *Thysanura*)
↑ **broad** I *adj* 1. ... *sport* **(standing, running)** ~ **jump** skok w dal (z miejsca, z rozbiegu)
broadbill [ˈbrɔ:dbil] *s zool* 1. ptak z rodziny *Eurylaenidae* 2. (*Xiphias gladius*) miecznik
broadleaf [ˈbrɔ:dli:f] *attr* szerokolistny (tytoń cygarowy)
brocatel(le) [ˈbrɔkətel] *s tekst* brokatel(a)
broccoli [ˈbrɔkəli] *s bot* brokuł
brochette [brəuˈʃet] *s* rożen(ek); **en** ~ z rożna
broggerite [ˈbrɔgərait] *s miner* bregeryt; broeggeryt
broiler [ˈbrɔilə] *s* 1. ruszt 2. *kulin* broiler
bromeliaceous [brəuˌmi:liˈeiʃəs] *adj bot* ananasowaty
bromism [ˈbrəumizəm] *s med* zatrucie bromem
bronchobuster [ˈbrɔŋkəuˌbʌstə] *s* ujeżdżacz dzikich koni
bronchopneumonia [ˈbrɔŋkəunjuˈməunjə] *s med* odoskrzelowe zapalenie płuc
bronchoscope [ˈbrɔŋkəskəup] *s med* bronchoskop
broncobuster [ˈbrɔŋkəuˌbʌstə] *s* = **bronchobuster** ↑
brontosaurus [ˌbrɔntəˈsɔ:rəs] *s paleont* brontozaur
↑ **bronze** III *attr* 1. ... *am wojsk* **Bronze Star Medal** odznaczenie za bohaterstwo
↑ **brood** I *s* 7. *pszcz* czerw

↑ **brook**[2] *s* ... *zool* ~ **trout** (*Salmo trutta fario*) pstrąg potokowy

↑ **brown** [I] *adj* 1. ... *zool* ~ **bear** (*Ursus arctos*) niedźwiedź brunatny; *chem* ~ **oxide** tlenek uranu; ~ **uranium dioxide** brunat; dwutlenek uranu 4. ... ~ **bread** ciemny chleb z niepytlowanej mąki; graham

brownout [braunˈaut] *s lotn* częściowa utrata przytomności (przy locie nurkowym)

brown-tail [ˈbraunteil] *attr zool* ~ **moth** (*Euproctis Chrysorrhoea*) kuprówka rudnica

brucine [ˈbru:si:n] *s farm chem* brucyna

bruiser [ˈbru:zə] *s pot* osiłek

brunch [brʌntʃ] *s* posiłek łączący śniadanie i lunch (zwykle jadany około południa); ~ **coat** podomka; krótki szlafrok

brunet [bru:ˈnet] *s* brunet

brush-off [brʌʃˈɔf] *s* 1. bezceremonialna odprawa 2. odmowa; **to give sb the** ~ a) odprawić kogoś bez ceremonii b) odmówić komuś

bryophyta [ˌbraiəˈfaitə] *spl bot* mszaki

bubal [ˈbju:bəl] *s zool* antylopa z rodzaju *Bubalis*

↑ **bubble** [I] *s* 1. ... pęcherzyk [III] *attr* pęcherzykowy; *sl* ~ **bomb** latająca bomba V_1; *sl lotn* ~ **canopy** astrokopuła; *nukl* ~ **cap** dzwon półki kolumny destylacyjnej; ~ **chamber** komora pęcherzykowa; ~ **plate** półka dzwonowa; ~ **tube** bełkotka

bubbling [ˈbʌbliŋ] [I] *zob* **bubble** *vi* [II] *s* bańkowanie, wydzielanie się pęcherzyków

↑ **buck**[1] [I] *s* 1. ... *pot* ~ **fever** nerwowe podniecenie początkującego myśliwego na widok zbliżającej się zwierzyny; ~ **shop** pokątny oszukańczy dom bankowy

buckaroo [bʌkəˈru:] *s am* 1. kowboj 2. = **bronchobuster** ↑

buckboard [ˈbʌkbɔ:d] *s* pojazd czterokołowy ze sprężynującą deską zamiast resorów

buckeen [bʌˈki:n] *s* (*w Irlandii*) młody człowiek ze zubożałej szlachty małpujący tryb życia sfer bogatych

↑ **bucket**[1] [III] *attr* ~ **seat** składane siedzenie w samolocie ⟨samochodzie⟩; strapontén

buckling [ˈbʌkliŋ] [I] *zob* **buckle** *v* [II] *s fiz* laplasjan; parametr krzywizny [III] *attr fiz* ~ **factor** współczynnik laplasjanu; ~ **load** obciążenie wywołujące wyboczenie; ~ **measurements** pomiary laplasjanu; ~ **vector** wektor laplasjanu

bucko [ˈbʌkəu] *s* tyran

buckra [ˈbʌkrə] *s* (*w mowie Murzynów*) biały (człowiek)

↑ **buckshee** [I] *s* 2. dokładka; repeta

bud[2] [bʌd] *s am* brat; *w wołaczu*: ~! bracie!

↑ **buffer** [III] *attr* buforowy; tłumiący; ~ **tank** zbiornik tłumiący ⟨buforowy⟩

↑ **bug** [I] *s* 3. *sl* infekcja wirusowa [III] *vi sl wojsk* **to** ~ **out** zwiewać z zagrożonego miejsca; spieprzać

bugger [ˈbʌgə] [I] *s* 1. *wulg* pedał; ciota; homoseksualista 2. *pej żart* nicpoń, łajdak [II] *vi* 1. *wulg* buzerować; uprawiać homoseksualizm 2. *sl* wykończyć się; przemęczyć się

buggery [ˈbʌgəri] *s wulg* buzerowanie; homoseksualizm

bugleweed [ˈbju:glwi:d] *s bot* roślina z rodzaju *Lycopus*

↑ **build**

~ **up** *vt* 7. rozreklamować (młodego artystę itd.) 8. tworzyć (nową armię) 9. *radio* wzmacniać (sygnały itd.)

↑ **build-up** *s* 1. ... nagromadzenie, wzrost 4. rozreklamowanie (młodego artysty itd.) 5. kontyngent (siły zbrojnej)

built-in [ˈbiltˈin] *adj* wbudowany; *nukl* ~ **reactivity** reaktywność wbudowana ⟨własna⟩

↑ **bulk** [IV] *attr* całkowity; *fiz* makroskopowy; ~ **cross-section** przekrój czynny całkowity; ~ **shielding facility** reaktor basenowy; ~ **test** badanie makroskopowe

↑ **bull**[1] [III] *attr* ~ **horn** tuba (do porozumiewania się głosem na odległość); *am* ~ **pen** a) † zagrodzone miejsce dla byka b) miejsce odosobnienia (dla ludzi podejrzanych itd.) c) hotel robotniczy

bullate [ˈbuleit, ˈbulit] *adj* bąblasty

↑ **bulldoze** *vt* 2. niwelować (teren) buldożerem

bullneck [ˈbulnek] *attr sl wojsk* ~ **engineers** żołnierze kopiący rowy

Bumper [ˈbʌmpə] *s lotn* pocisk zdalnie sterowany niosący rakietę do pomiarów meteorologicznych

buna [ˈb(j)u:nə] *s* buna, kauczuk syntetyczny

bunchberry [ˈbʌntʃberi] *s bot* (*Cornus canadensis*) kanadyjska odmiana derenia

bunching [ˈbʌntʃiŋ] [I] *zob* **bunch** *v* [II] *s nukl* grupowanie; ~ **of electrons** ⟨**ions**⟩ grupowanie elektronów ⟨jonów⟩

bunchy [ˈbʌntʃi] *adj* 1. kępiasty; kępkowaty 2. groniasty

bungee [ˈbʌnˌgi:] *s lotn* (*w bombowcu*) hydrauliczny mechanizm do otwierania drzwi bombowych

bunghole [ˈbʌŋhəul] *s* otwór szpuntowy

buntline [ˈbʌntlain] *s mar* lina do wciągania żagla (dla zwijania)

buoyage [ˈbɔiidʒ] *s* 1. oznakowanie bojami ⟨pławami⟩ 2. *zbior* boje

buprestid [bju:ˈprestid] *s zool* bogatka

buran [bu:ˈrɑ:n] *s* buran (burza śniegowa na Syberii)

↑ **burden** [I] *s* 1. ... *prawn* ~ **of proof** obowiązek przedłożenia sądowi niezbitych dowodów (czyjejś winy)

burglarious [bə:ˈglɛəriəs] *adj* związany z

włamaniem; ~ **attempt** usiłowanie ⟨próba⟩ włamania

↑ **burn**[2]
~ **up** III *vi* 3. *pot* wściec się

burn-out [ˈbə:nˌaut] *nukl* I *s* wypalanie III *attr* ~ **cycle** cykl wypalania

burn-up [ˈbə:nʌp] *nukl* I *s* wypalenie III *attr* ~ **factor** współczynnik wypalenia

↑ **burst** III *s* 8. *nukl* wybuch; rozerwanie; błysk; impuls; ~ **of neutrons** impuls neutronowy; grupa neutronów

burstone [ˈbə:stəun] *s miner* piaskowiec ostroziarnisty

burweed [ˈbə:wi:d] *s bot* roślina rodząca owoce podobne do rzepu

↑ **bush**[1] III *attr* ~ **pilot** pilot handlowej linii lotniczej latający nad terytoriami niezamieszkałymi

busheller [ˈbuʃlə], **bushelman** [ˈbuʃəlmən] *s am* łatacz garderoby

bushhammer [ˈbuʃhæmə] *s* siekacz (młot kamieniarski)

Bushido [ˈbuʃidəu] *s* busido (kodeks honorowy samurajów)

bushmaster [ˈbuʃma:stə] *s zool* wąż jadowity *Lachesis mutus*

bushwhacker [ˈbuʃwækə] *s* gerylas

↑ **bushy** *adj ... ogr* ~ **stunt** wirusowa choroba pomidorów

↑ **bust**[1] *s* 1. ... ~ **forms** sztuczny biust (z gąbki nylonowej)

buta [ˈbju:tə] *attr* ~ **gas** gaz płynny

Butacide [ˈbju:təsid] *s* (*nazwa zastrzeżona*) syntetyczna żywica do klejenia szkła

butadiene [ˌbju:təˈdi:n] *s chem* butadien

butanediol [ˈbju:tənədiəl] *s chem* butanodiol

butene [ˈbju:ti:n] *s chem* buten, butylen

↑ **butt**[3] IV *attr* ~ **shaft** strzała bez ostrza; *stol* ~ **joint** połączenie stykowe; *techn* ~ **weld** spoina czołowa

↑ **butter** III *attr* ~ **fat** tłuszcz zawarty w maśle

↑ **butterfly** I *s ... przen* **to have butterflies in one's stomach** mieć tremę III *attr wojsk* ~ **bomb** bomba, która spadając otwiera skrzydła działające jak spadochron

butterweed [ˈbʌtəwi:d] *s* dzika roślina o żółtych kwiatach lub liściach, np. *Lactuca canadensis*

↑ **button**
~ **on** *vi sl mar* dołączyć do konwoju
~ **up** I *vi sl* zamknąć gębę na kłódkę; nabrać wody w usta ⟨do ust⟩ III *vt* 1. dopiąć; sfinalizować 2. *wojsk* przygotować do akcji bojowej
IV *attr bot* ~ **bush** krzew północnoamerykański *Cephalanthus occidentalis; sl wojsk* ~ **chopper** pralnia

↑ **butyl** III *attr* (*o alkoholu itd.*) butylowy; ~ **rubber** kauczuk butyl

butyrate [ˈbju:tireit] *s chem* maślan

butyric [bju:ˈtirik] *adj chem* (*o kwasie itd.*) masłowy

↑ **buy** I *vt* 4. *am pot* przyjąć ⟨zgodzić się na⟩ (czyjś punkt widzenia)

↑ **buzz** I *vt* 5. *lotn* prze/lecieć niebezpiecznie nisko lub blisko (innego samolotu itd.) IV *attr sl wojsk* ~ **bomb** rakieta V1

buzzwig [ˈbʌzwig] *s* ważna osobistość; gruba ryba

byrnie [ˈbə:ni] *s* kolczuga

Byronic [baiˈrɔnik] *adj* bajronowski

byssus [ˈbisəs] *s* 1. *zool* bisior (małżów) 2. *tekst* bissus

by-work [ˈbaiwə:k] *s* zajęcie uboczne ⟨rozrywkowe⟩

C

C, c *s* 5. **C** *am szk* (*trzeci stopień oceny*) dostateczny 6. *am sl* stówa, sto dolarów 7. *muz* **top C** górne C ‖ *wojsk* **C ration** żelazna racja żywnościowa

cabalese [ˈkeibəli:z] *s* język telegraficzny

caballero [kæbəˈljεərəu] *s* (*pl* ~**s**) 1. *hiszp* pan 2. *am* jeździec 3. *am* kawaler; wielbiciel

cabana [kəˈba:njə] *s am* 1. chatka 2. kabina (do rozbierania się) na plaży 3. kosz plażowy ⟨do plażowania⟩

↑ **cabbage**[1] III *attr* (*o głąbie itd.*), kapuściany; *bot* ~ **palm** ⟨**palmetto, tree**⟩ nazwa kilku drzew palmowych o liściach zakończonych pączkami, które się jada jak kapustę; ~ **white** = ~ **butterfly;** ~ **worm** gąsienica bielinka kapustnika

↑ **cabbage**[2] III *s* przywłaszczenie sobie (*zw* przez krawca resztek powierzonego mu materiału) II *vt* (*o krawcu*) przywłaszcz-yć/ać sobie (resztki powierzonego sobie materiału)

cabette [kəˈbet] *s* kobieta taksówkarz

↑ **cabin** III *attr* kabinowy; ~ **class** klasa kabinowa (na statku pasażerskim)

cabinet-work [ˈkæbinitˌwə:k] *s* stolarstwo artystyczne ⟨meblowe⟩

cable-laid [ˈkeiblˌleid] *adj techn* ~ **rope** lina o splocie kablowym

cabob [kəˈbɔb] *s* 1. (*w Indiach*) pieczeń 2. *kulin* kawałki mięsa przypiekane na rożnie

↑ **cabotage** *s* 2. *lotn* prawo przewożenia pasażerów w granicach danego kraju

↑ **cache** I *s* 3. *zool* zimowisko grupy owadów

cachucha [kəˈtʃu:tʃə] *s chor* kaczucza

cacogenics [ˌkækəuˈdʒeniks] *s* nauka o czynnikach powodujących zwyrodnienie

cacomistle [kækəuˈmisl], **cacomixle** [kæk-

əuˈmiksl] *s zool* (*Bassariscus astutus*) ssak kalifornijski pokrewny szopowi
cacophonous [kæˈkɔfənəs] *adj* kakofoniczny, niemile brzmiący
cactaceous [kækˈteiʃəs] *adj bot* kaktusowaty
cacuminal [kæˈkju:minl] *adj fonet* przedniopodniebienny
cadaver [kəˈdeivə] *s* zwłoki
cade² [keid] Ⅰ *s bot* (*Juniperus oxycedrus*) odmiana jałowca Ⅲ *attr* ~ **oil** (*także* **oil of** ~) olejek z drewna *Juniperus oxycedrus*
cadelle [kəˈdel] *s zool* larwa chrząszcza czarnuchowatego *Tenebrionides mauritanicus*
cadent [ˈkeidənt] *adj muz* opadający rytmicznie
cadenza [kəˈdenzə] *s muz* kadencja
cadgy [ˈkædʒi] *adj* pogodny, wesoły
Caesalpiniaceae [ˌsi:zəlpiniˈeisi:] *spl bot* (rośliny) brezyliowate
caesalpiniaceous [ˌsi:zəlˈpinieiʃəs] *adj bot* brezyliowaty
↑ **café** *s* ... ~ **society** ludzie przebywający w kawiarniach i lokalach nocnych w poszukiwaniu wpływowych znajomości
cagey, cagy [ˈkeidʒi] *adj pot* ostrożny
cagily [ˈkeidʒili] *adv pot* ostrożnie; z wielką ostrożnością
cagy *zob* **cagey**
caïque [kaiˈi:k] *s* kaik (wódka turecka)
↑ **cake** Ⅰ *s* 2. ... *przen* ~**s and ale** przyjemności życia Ⅲ *vi* 2. ... z/brylić się
caking [ˈkeikiŋ] Ⅰ *zob* **cake** *vi* Ⅲ *s techn* zbrylanie/zbrylenie się
↑ **calamitous** *adj* ... katastrofalny; tragiczny
calamitously [kəˈlæmitəsli] *adv* fatalnie; katastrofalnie; tragicznie; zgubnie
calandria [kəˈlɑ:ndriə] *s techn* komora rurowa
calaverite [ˌkæləˈveərait] *s miner* kalaweryt
calcification [ˌkælsifiˈkeiʃən] *s chem* z/wapnienie
calciothorite [ˌkælsiəuˈθɔrait] *s miner* kalcjotoryt
↑ **calcium** Ⅲ *attr* ... ~ **carbide** ⟨**chloride, hydrate, oxide**⟩ węglik ⟨chlorek, wodorotlenek, tlenek⟩ wapniowy
calculable [ˈkælkjuləbl] *adj* 1. wymierny 2. obliczalny
↑ **calculated** Ⅲ *adj* 3. *fiz* teoretyczny; ~ **curve** krzywa teoretyczna
↑ **calculous** *adj* 1. ... kamicowy
caldron [ˈkɔ:ldrən] *s* kocioł
calefactory [ˌkæliˈfæktəri] *adj* ogrzewczy; cieplny
↑ **calendar** Ⅲ *attr* ... ~ **day** doba
calescent [kəˈlesnt] *adj* ocieplający się; rozgrzewający się
↑ **calf¹** Ⅲ *attr* ~ **love** cielęca miłość
calibrated [kæliˈbreitid] Ⅰ *zob* **calibrate** *vt* Ⅲ *adj* wzorcowy; *chem* ~ **absorber** absorbent wzorcowy
calibration [kæliˈbreiʃən] Ⅰ *s* kalibracja; skalowanie Ⅲ *attr* kalibracyjny; ~ **number** liczba kalibracyjna
caliche [kəˈli:tʃe] *s geol* rodzima saletra chilijska
↑ **calico** Ⅲ *adj* *1.* perkalowy; ~ **ball** ⟨**dance**⟩ prywatka bez pretensji 2. (*o koniu itd.*) pstrokaty
californium [ˌkæliˈfɔ:niəm] *s chem* kaliforn
calisthenics [ˌkælisˈθeniks] *s* = **callisthenics**
↑ **call** Ⅳ *attr* ... ~ **board** tablica ogłoszeń (dla pracowników, w teatrze, na kolei itd.); ~ **box** kabina telefoniczna; ~ **girl** prostytutka, którą można wezwać telefonicznie; ~ **pay** wynagrodzenie wypłacane robotnikowi według umowy zbiorowej, gdy zgłasza się do pracy we właściwym czasie, a pracy chwilowo dla niego nie ma; ~ **loan** pożyczka zwrotna na żądanie; ~ **rate** procent pobierany od pożyczki zwrotnej na żądanie; (*w bibliotekarstwie*) ~ **number** sygnatura; ~ **slip** zamówienie na książkę
call-back [ˈkɔ:lˌbæk] *attr* ~ **pay** wynagrodzenie za pracę nadliczbową ⟨za nadgodziny⟩
call-in [ˈkɔl-in] *attr* ~ **pay** = **call pay** *zob* **call** ↑
↑ **calling** Ⅰ *s* 3. wołanie kotki podczas rui 4. ruja Ⅲ *attr* ~ **hours** godziny przyjęć; *am* ~ **card** bilet wizytowy, wizytówka
calliope [kəˈlaiəpi] *s am* organy parowe
↑ **calorific** *adj* ... ~ **value** wartość opałowa
calumniously [kəˈlʌmniəsli] *adv* oszczerczo; potwarczo
calutron [kəˈlu:trən] *s fiz* kalutron
cam² [kæm] *attr mar* ~ **ship** statek handlowy używany jako lotniskowiec
↑ **cambric** Ⅲ *attr* ... ~ **tea** bawarka (napój)
camelback [ˈkæməlˌbæk] *s techn* guma z regenerowanego materiału używana do bieżnikowania opon
camerlengo [kæməˈliŋgəu] *s* kamerling; szambelan papieski
camouflet [ˌkɑ:muˈflei] *s* (*także* ~ **chamber**) *wojsk* komora minowa
camoufleur [ˈkæmuflə:] *s wojsk* specjalista od kamuflażu
↑ **camp¹** Ⅳ *attr* ~ **meeting** kilkudniowe zebranie religijne pod gołym niebem lub namiotem
camp² [kæmp] *adj* 1. afektowany 2. wylewny; uczuciowy 3. *sl* homoseksualny
campanology [ˌkæmpəˈnɔlədʒi] *s* 1. nauka o odlewaniu dzwonów 2. sztuka grania na dzwonach
campanulaceous [kəmˌpænjuˈleiʃəs] *adj bot* dzwonkowaty
campcraft [ˈkæmpkrɑ:ft] *s* obozownictwo
campfire [ˈkæmpfaiə] *s* ognisko obozowe; ~ **girl** dziewczyna zrzeszona w amerykańskiej organizacji młodzieżowej

camphene [kæm'fi:n] *s chem* kamfen
camphol ['kæmfɔl] *s chem* borneol
campholic [kæm'fɔlik] *adj chem* kamfolowy
campo ['kæmpəu] *s* równina (w południowej Ameryce)
campship ['kæmpʃip] *s* skierowanie dziecka na bezpłatny pobyt na kolonii letniej
camshaft ['kæmʃa:ft] *s techn* wał rozrządczy ⟨krzywkowy⟩
↑ **can^1** [I] *s* 5. *sl mar* niszczyciel 6. *techn* koszulka; puszka [III] *vt* 4. *sl radio* nagrywać (muzykę, audycję)
Canada ['kænədə] *attr* kanadyjski; ~ **French** francuszczyzna kanadyjska; *zool* ~ **goose** (*Branta canadensis*) dzika gęś kanadyjska; ~ **jay** (*Perisoreus canadensis*) sójka kanadyjska
canaille [kə'neil, kə'nai] *s pej* motłoch, hołota, hałastra
↑ **canal** [III] *attr* ~ **boat** berlinka; *fiz* ~ **rays** promienie kanalikowe ⟨dodatnie⟩
canapé ['kænəpei, 'kænəpi] *s kulin* kanapka
cancellate ['kænsəleit] *adj anat* gąbczasty
candela [kæn'di:lə] *s fiz* kandela
↑ **candid** *adj* 1. ... ~ **camera** miniaturowy aparat fotograficzny do wykonywania zdjęć z ukrycia; ~ **photograph** fotografia zrobiona z ukrycia
candidly ['kændidli] *adv* 1. szczerze; otwarcie 2. bezstronnie
candlefish ['kændlfiʃ] *s zool* (*Thaleichthys pacificus*) ryba pokrewna stynce
candle-foot ['kændl,fut] *s* = **foot-candle**
candlenut ['kændlnʌt] *s* 1. *bot* (*Aleurites moluccana*) drzewo rosnące na wyspach Pacyfiku 2. ziarno tego drzewa, z którego tłoczy się olej i wyrabia świece
candlewood ['kændlwud] *s* łuczywo
candor ['kændə] *s am* = **candour**
canella [kə'nelə] *s* cynamonowata kora drzewa Indii Zachodnich *Canella winterana*; ~ **oil** olejek z tej kory
canfield ['kænfi:ld] *s* rodzaj pasjansa niekiedy połączony z hazardem
cannabinol [kə'næbinɔl] *s farm* kannabinol
↑ **canned** [II] *adj* 1. ... *sl* ~ **music** ... muzyka z płyt lub z taśmy 3. *techn* szczelnie zamknięty; ~ **rotor pump** pompa wirnikowa szczelna
cannibalize ['kænibəlaiz] *vt* wymontować z maszyny część potrzebną do naprawy innej maszyny
↑ **canning** [II] *s* 3. *techn* koszulkowanie; puszkowanie
↑ **cannon** [III] *attr* armatni; *przen* ~ **fodder** mięso armatnie
cannonry ['kænənri] *s* 1. ogień armatni 2. artyleria
cannular ['kænjulə] *adj* rurkowaty
↑ **canon^1** [III] *attr* kanoniczny; ~ **law** prawo kanoniczne
↑ **canon^2** *s* ... ~ **regular** kanonik regularny
canoness ['kænənis] *s rel* kanoniczka
↑ **canonical** *adj* ... ~ **hours** godziny kanoniczne; *mat* ~ **equation** równanie kanoniczne; ~ **transformation** przekształcenie kanoniczne
canonist ['kænənist] *s* kanonista, znawca prawa kanonicznego
canonship ['kænənʃip] *s* kanonia
↑ **canopy** *s* 3. *lotn* osłona kabiny (samolotu) 4. *lotn* czasza spadochronu
↑ **cant^1** [IV] *attr leśn* ~ **hook** kantak, capina
cantankerously [kæn'tæŋkərəsli] *adv* kłótliwie; swarliwie
↑ **cantilever** [III] *attr aut* ~ **undercarriage** podwozie wolnonośne
cantina [kæn'ti:nə] *s am* bar (niekiedy połączony ze sklepem spożywczym, czasem z muzyką)
cantus ['kæntəs] *s* śpiew (kościelny)
canvas-back ['kænvəsbæk] *s zool* (*Nyroca valisineria*) dzika kaczka północnoamerykańska
↑ **cap** [I] *s* 6. *aut* bieżnik [II] *vt* 5. *aut* bieżnikować (oponę) 6. *pszcz* **to** ~ **cells** zasklepiać miód [IV] *attr techn* ~ **screw** śruba z łbem do klucza
capably ['keipəbli] *adv* zdolnie
capaciously [kə'peiʃəsli] *adv* obszernie; przestronnie
capacitron [kə'pæsitrɔn] *s techn* elektronowe urządzenie do wyjaławiania surowych artykułów spożywczych
↑ **capital^2** [I] *adj* 6. kapitałowy; ~ **expenditure** inwestycja; ~ **goods** środki produkcji; dobra inwestycyjne; ~ **levy** danina majątkowa; ~ **stock** kapitał akcyjny
capitally ['kæpitli] *adv* kapitalnie; znakomicie; świetnie
Capitoline [kə'pitəulain] *adj* kapitoliński
capitulary [kə'pitjuləri] *adj* 1. *rel* kapitularny 2. *bot* główkowaty
capitulum [kə'pitjuləm] *s* 1. *anat* główka (kości) 2. *bot* kwiatogłówka
capping [I] *zob* **cap** *v* [II] *spl* ~**s** *pszcz* zasklep
capriciously [kə'priʃəsli] *adj* kapryśnie
caprifoliaceous [kæprifəuli'eiʃəs] *adj bot* przewiertniowaty
capsaicin [kæp'seiisin] *s chem* kapsaicyna
↑ **capsule** ['kæpsju:l] [I] *s* 3. streszczenie; wyciąg 4. kabina pojazdu kosmicznego; kapsuła [II] *vt* stre-ścić/szczać [III] *adj* streszczony
captiously ['kæpʃəsli] *adv* podchwytliwie; zdradliwie; podstępnie
↑ **captive** [II] *adj* 1. ... *radio* ~ **audience** radiosłuchacze nie mający wyboru programu
↑ **capture** [I] *s* 3. *nukl* wychwyt [III] *attr nukl* ~ **cross-section** przekrój czynny na wychwyt; ~ **gamma radiation** pro-

mieniowanie gamma wychwytu; ~ **reaction** reakcja wychwytu
capuche [kə'pu:ʃ] *s* kaptur
capuched [kə'pu:ʃt] *adj* w kapturze; zakapturzony
↑ **car** Ⅲ *attr* samochodowy; ~ **body** karoseria; ~ **pool** pula samochodowa (oszczędnościowy system wspólnego korzystania z samochodów)
caramelize ['kærəməlaiz] *vt* 1. *kulin* karmelizować 2. *sl handl* dobić (targu); ubić (interes)
carbamic [ka:'bæmik] *adj chem* (*o kwasie*) karbaminowy
carbazole ['ka:bəzəul] *s chem* karbazol
carbinol ['ka:binəl] *s chem* karbinol; alkohol metylowy
carbocyclic [ka:bəu'saiklik] *adj chem* ~ **compound** związek zawierający grupę karbonylową
carbomycin [ka:bəu'maisin] *s biochem* karbomycyna
↑ **carbon** Ⅲ *attr chem* ~ **dioxide snow** suchy lód; ~ **monoxide** tlenek węgla; *nukl* ~ **cycle** cykl węglowy; ~ **pile** reaktor grafitowy; **record** ~ **paper** kalka rejestrująca (wykresowa)
carbonatation [ka:bənə'teiʃən], **carbonation** [ka:bə'neiʃən] *s chem* wysycanie dwutlenkiem węgla; karbonizacja
carbon-isotope ['ka:bən'izətəup] *attr nukl* ~ **ratio** zawartość względna izotopów węgla
carbon-nitrogen ['ka:bən'naitrədʒən] *attr nukl* ~ **cycle** cykl węglowo-azotowy; cykl Bethego
carbonyl ['ka:bənil] *s chem* karbonyl; grupa karbonylowa
carboxyl ['ka:bəksil] *s chem* karboksyl; grupa karboksylowa
carburan ['ka:bjurən] *s chem* karburan
carburation [ka:bjuə'reiʃən], **carburetion** [ka:bjuə'reʃən] *s chem* karburyzacja; nawęglanie
carbylamine [ka:bilə'mi:n] *s chem* karbylamina
carcinogen [ka:'sinədʒin] *s med* substancja rakotwórcza
carcinogenesis [ˌka:sinə'dʒenəsis] *s med* powstawanie raka; karcinogeneza
carcinogenic [ka:sinə'dʒenik] *adj med* rakotwórczy
card-carrying ['ka:dˌkæriiŋ] *adj* partyjny
cardholder [ka:d'həuldə] *s* posiadacz legitymacji partyjnej
↑ **cardiac** Ⅰ *adj ... sport* ~ **knock** cios w żołądek
cardialgia [ka:di'ældʒiə] *s med* 1. zgaga 2. ból serca
cardioid ['ka:diɔid] *s mat* kardioida
↑ **caretaker** Ⅲ *adj* (*o rządzie*) tymczasowy
carhop ['ka:hɔp] *s am* kelner przydrożnego zakładu gastronomicznego obsługujący klientów siedzących w samochodach
carinate ['kærineit] *adj bot* łódeczkowaty
cariole ['kæriəul] *s* kariolka
carling ['ka:liŋ] *s mar* wręga
carman ['ka:mən] *s* (*pl* **carmen** ['ka:mən]) tramwajarz
carnallite ['ka:nəlait] *s miner* karnalit
carnally ['ka:nəli] *adv* cieleśnie; zmysłowo
carnassial [ka:'næsiəl] *s* (*także* ~ **tooth**) siekacz (u mięsożernych)
carnelian [kə'ni:ljən] *s miner* krwawnik
carnotite ['ka:nətait] *s miner* karnotyt
carotenoids, carotinoids [kə'rɔtinɔidz] *spl biochem* karotenoidy
carpellate ['ka:pəleit] *adj bot* słupkowy
↑ **carpet** Ⅲ *attr zool* ~ **beetle** ⟨**bug**⟩ (*Anthrenus scrophulariae*) mrzyk (chrząszcz niszczący dywany itp.); *wojsk* ~ **bombing** bombardowanie dywanowe
↑ **carpet-bagger** *s* 2. *am* kanciarz; oszust; awanturnik; niebieski ptak; przybłęda
carpology [ka:'pɔlədʒi] *s bot* karpologia
carpophagous [ka:'pɔfəgəs] *adj* żywiący się owocami
carport ['ka:ˌpɔ:t] *s* rodzaj garażu zbudowanego z dwóch ścian i dachu; wiata
carrel ['kærəl] *s am* oddzielne pomieszczenie w czytelni dla indywidualnej lektury
↑ **carrier** Ⅰ *s* 8. *nukl* nośnik
carrier-free ['kæriə-fri:] *adj nukl* ~ **isotope** izotop beznośnikowy
carriole ['kæriəul] *s* = **cariole**
carronade [kærə'neid] *s* krótkie działo okrętowe ładowane przez lufę
carrousel [kæru'zel] *s* 1. *hist* karuzel 2. *am* karuzela
carry-all ['kæri-ɔ:l] *s* 1. pojazd z ławkami umieszczonymi wzdłuż karoserii, do przewożenia ludzi 2. samoładowny pojazd do transportu ziemi, tłucznia itd.
carry-over ['kæriˌəuvə] *s księgow* suma ⟨pozycja⟩ z przeniesienia
carsick ['ka:sik] *adj* cierpiący na nudności w czasie jazdy samochodem
↑ **cart** Ⅳ *attr* ~ **road** polna droga
carte[1] [ka:t] *s szerm* kwarta
carte[2] [ka:t] *s* jadłospis; **à la** ~ danie ⟨posiłek⟩ z karty ⟨à la carte⟩ ‖ ~ **blanche** nieograniczone pełnomocnictwo; pełna swoboda działania; ~ **de visite** a) bilet wizytowy b) *fot* zdjęcie wizytowe
cartelize ['ka:təlaiz] *vi ekon* stosować kartelizację
↑ **cartilage** Ⅲ *attr* ~ **bone** kość rozwijająca się z chrząstki
cartogram ['ka:təgræm] *s* kartogram
↑ **cartridge** Ⅰ *s* 3. *aut* zapalnik rozruchowy w postaci ładunku Ⅲ *attr wojsk* ~ **clip** magazynek
cartulary ['ka:tjuləri] *s* rejestr (przywilejów, nadań itd.)
caryophyllaceous [kæriəufi'leiʃəs] *adj bot* goździkowaty
↑ **cascade** Ⅲ *attr* (*o systemie itd.*) kaskadowy; *techn* ~ **generator** generator ka-

skadowy; ~ **hyperon** hiperon kaskadowy; *nukl* ~ **particle** cząstka kaskady; ~ **shower** ulewa kaskadowa

↑ **case**[1] Ⅲ *attr* ~ **history** a) życiorys b) *med* historia choroby; ~ **system** system poglądowy (nauczania)

case[3] [keis] *vt sl* z/badać; obejrzeć; obserwować; mieć pod obserwacją

caseate [ˈkeisieit] *vi* serowacieć

caseation [keisiˈeiʃən] *s* serowacenie

↑ **cash**[1] Ⅲ *attr* (*o płatności itd.*) gotówkowy

cash-and-carry [ˈkæʃəndˈkæri] *attr* ~ **system** sprzedaż za gotówkę, bez dostawy do domu

cassiterite [kəˈsitərait] *s miner* kasyteryt

↑ **cast** Ⅰ *vt* 12. ... **to** ~ **horoscopes** układać ⟨stawiać⟩ horoskopy Ⅲ *attr* ~ **steel** staliwo; stal zlewna

↑ **caster** *s* ‖ ~ **of horoscopes** człowiek zajmujący się stawianiem horoskopów

↑ **cast-off** Ⅲ *adj* zarzucony; porzucony; ~ **clothing** stara odzież

↑ **castor-oil** Ⅲ *attr bot* ~ **plant** (*Ricinus communis*) rącznik; rycynus

↑ **casual** Ⅰ *adj* 6. (*o ubiorze*) codzienny; sportowy

casually [ˈkæʒuəli] *adv* 1. przypadkowo; dorywczo 2. niedbale; od niechcenia; (*odezwać się w odpowiedzi*) zdawkowo; wymijająco

↑ **cat** Ⅲ *attr* ~ **nap** drzemka; *am bot* ~ **nip** kocimięta; *sl* ~ **skinner** traktorzysta

catabolism [kəˈtæbəlizəm] *s fizj* katabolizm

catacaustic [kætəˈkɔ:stik] *adj* ~ **surface** katakaustyka

cataclysmic [kætəˈklizmik] *adj* kataklizmowy

catalase [ˈkætəlais] *s biochem* katalaza

catalin [ˈkætəlin] *s* katalin (żywica syntetyczna)

catalyst [ˈkætəlist], **catalyzer** [ˈkætəlaizə] *s chem* katalizator

↑ **catalytic** *adj* ... ~ **recombiner** urządzenie do resyntezy katalitycznej

catamount [ˈkætəmaunt] *s* 1. = **catamountain** 1. 2. *am* kuguar 3. *am* ryś

↑ **catamountain** *s* 2. lampart 3. pantera

cataphoresis [kætəfəˈri:sis] *s fiz* kataforeza

catastasis [kəˈtæstəsis] *s* (*w literaturoznawstwie*) katastaza

↑ **catastrophe** Ⅲ *attr* ~ **insurance** ubezpieczenie od następstw nieszczęśliwych wypadków

catastrophism [kəˈtæstrəfizəm] *s geol* katastrofizm

catatonia [kætəˈtəuniə] *s med* katatonia

↑ **catch** Ⅳ *attr* ~ **basin** studzienka ściekowa; zbiornik osadowy; osadnik; ~ **phrase** slogan

catch-all [ˈkætʃɔ:l] *s* rupieciarnia; pojemnik na rupiecie

catch-up [ˈkætʃʌp] *s kulin* keczup (sos)

catechesis [kætiˈki:sis] *s* katecheza

catechin [ˈkætitʃin, ˈkætikin] *s chem* katechina

catechol [ˈkætitʃɔl, ˈkætikɔl] *s chem* pirokatechina

cater-cornered [ˈkeitəˌkɔ:nəd] Ⅰ *adj* diagonalny; przekątniowy Ⅲ *adv* diagonalnie; po przekątnej

catering [ˈkeitəriŋ] Ⅰ *zob* **cater** *vi* Ⅲ *adj* ~ **industry** przemysł restauracyjny

catfacing [ˈkætfeisiŋ] *s ogr* zniekształcenie brzoskwiń spowodowane przez owady

catharsis [kəˈθɑ:sis] *s* 1. (*w literaturze*) katharsis 2. *med* przeczyszczenie

cathedra [kəˈθi:drə, *am* ˈkæθədrə] *s* 1. *kośc* tron biskupi 2. *uniw* katedra

↑ **cathedral** Ⅲ *adj* 2. (*o wypowiedzi*) autorytatywny; apodyktyczny

cathepsin [kəˈθepsin] *s biochem* katepsyna

catheterize [ˈkæθətəraiz] *vt med* cewnikować; dokonywać kateteryzacji ⟨cewnikowania⟩

cathexis [kəˈθeksis] *s psych* ześrodkowanie pragnienia (na czymś, kimś)

↑ **cathode** Ⅲ *attr* ... *elektr* ~ **follower** wtórnik katodowy; ~ **rays** promienie katodowe

catholicon [kəˈθɔlikən] *s* panaceum; środek ⟨lek⟩ uniwersalny

cattail [ˈkætteil] *s bot* 1. (*Typha latifolia*) pałka szerokolistna, rogoża 2. = **catkin**

cattalo [ˈkætəˌləu] *s zootechn* rasa bydła powstała ze skrzyżowania bydła domowego z bawołem

cattily [ˈkætili], **cattishly** [ˈkætiʃli] *adv* 1. złośliwie; fałszywie 2. skrycie

cattiness [ˈkætinis], **cattishness** [ˈkætiʃnis] *s* 1. złośliwość; fałszywość; fałszywe usposobienie 2. skrytość

caulis [ˈkɔ:lis] *s bot* łodyga

causey [ˈkɔ:zi] *s* = **causeway**

cavalla [kəˈvælə], **cavally** [kəˈvæli] *s zool* nazwa kilku ryb makrelowatych rodzaju *Caranx*

cave-in [ˈkeivˌin] *s* zawalenie się; zapadnięcie się

cavetto [kəˈvetəu] *s arch* żłobek (w gzymsie)

cavitation [kæviˈteiʃən] *s techn* kawitacja

↑ **cavity** Ⅲ *attr nukl* wnękowy; ~ **ionization chamber** komora jonizacyjna wnękowa

cedilla [siˈdilə] *s* haczyk pod literą c nadający głosce c brzmienie s

↑ **ceiling** Ⅰ *s* 3. *meteor* pułap chmur

ceilometer [si:ˈlɔmitə] *s meteor* przyrząd do pomiarów wysokości pułapu chmur

↑ **celestial** Ⅰ *adj* 2. *astr* dotyczący sklepienia niebieskiego; ~ **body** ciało niebieskie; ~ **globe** kula niebios; ~ **sphere** sklepienie niebieskie

celestine [ˈselistain], **celestite** [ˈselistait] *s miner* celestyn

↑ **cell** [II] *attr* komórkowy; celularny; ~ **membrane** błona komórkowa; ~ **theory** teoria celularna
↑ **cellular** *adj* ... ~ **genetics** cytogenetyka komórkowa
↑ **cellulose** [III] *attr* celulozowy; ~ **acetate** octan celulozy; ~ **nitrate** nitroceluloza
cementite [si'mentait] *s chem* cementyt
cementum [si'mentəm] *s anat* cement (zęba)
cenogenesis ['si:nəu,dʒenisis] *s* = **coenogenesis**
cenospecies ['si:nəu,spi:ʃi:z] *s* = **coenospecies**
↑ **centigrade** *adj* ... ~ **heat** ⟨**thermal**⟩ **unit** funtkaloria
centigramme ['sentigræm] *s* centygram
centilitre ['senti,li:tə] *s* centylitr
↑ **central** [I] *adj* 1. ... *fiz* ~ **field** pole sił centralne; ~ **gap** szczelina centralna
centralite ['sentrəlait] *s chem* domieszka do paliwa rakietowego
centrality [sen'træliti] *s* centralne położenie
↑ **centre** [I] *s* 1. ... *fiz* ~ **of mass** ⟨**of inertia**⟩ środek masy ⟨bezwładności⟩
centre-board ['sentəbɔ:d] *s żegl* miecz (w łodzi)
centrifuge ['sentrifju:dʒ] [I] *s* wirówka, centryfuga [II] *attr* ~ **method** metoda odwirowywania
centrobaric [sentrəu'bærik] *adj* barycentryczny
centroid ['sentrɔid] *s* środek ciężkości
centrosome ['sentrəsəum] *s* centrosom
centrosphere ['sentrə,sfiə] *s* 1. *biol* sfera promienista (komórki) 2. *geol* centrosfera, barysfera; jądro Ziemi
centrum ['sentrəm] *s* 1. = **centre** 2. *zool* trzon kręgu
centuplicate [sen'tju:plikeit] [I] *vt* powiększ-yć/ać stokrotnie; ustokrotni-ć/ać [II] *adj* stokrotny [III] *s* stokrotność
↑ **century** [II] *attr bot* ~ **plant** (*Agava americana*) meksykańska agawa
cephalometer [sefə'lɔmitə] *s* cefalometr
cephalothorax [sefələu'θɔ:ræks] *s zool* głowotułów
ceraceous [si'reiʃəs] *adj* woskowaty
ceramal [sə'ræməl] *s* = **cermet** ↑
ceramet ['serəmet] *s chem* cermet
cerargyrite [se'rɑ:dʒirait] *s miner* keragiryt
ceratin ['serətin] *s zool biol* keratyna
ceratoid ['serətɔid] *adj* rogowy; rogowaty
↑ **cerebral** *adj* ‖ *fonet* ~ **consonant** spółgłoska cerebralna
cerebric ['serəbrik] *adj* mózgowy
cerebrology [seri'brɔlədʒi] *s med* cerebrologia; neuropsychiatria
cerebrotonic [,seribrəu'tɔnik] *s psych* cerebrotonik
ceresin ['serisin] *s chem* cerezyna; ~ **wax** ozokeryt
cereus ['siəriəs] *s bot* kaktus pałka rodzaju *Cereus*; otąg
ceria ['siəriə] *s chem* tlenek cerowy
ceric ['siərik] *adj chem* cerowy
cermet ['sə:met] *s metalurg* spiek ceramiczny
ceroplastic ['siərəu'plæstik] *adj* ceroplastyczny
cerotic [siə'rætik] *adj chem* (*o kwasie*) cerotynowy
cerotype ['siərəutaip] *s druk* cerografia
cerous ['siərəs] *adj chem* cerawy
certification [,sə:tifi'keiʃən] *s* 1. poświadczenie 2. zaświadczenie; świadectwo 3. oświadczenie
certified ['sə:tifaid] [I] *zob* **certify** *v* [II] *adj* 1. poświadczony 2. (*o mleku itd.*) gwarantowany 3. (*o człowieku*) umysłowo chory
cerussite ['siərusait] *s* = **cerusite**
cervicitis [sə:vi'saitis] *s med* zapalenie szyjki macicy
cervix ['sə:viks] *s anat* 1. szyja 2. szyjka macicy
Cesarean [,si:zə'riən] *adj* = **Caesarean**
cesium ['si:zjəm] *s* = **caesium**
cessionary ['seʃənəri] *s* cesjonariusz
Cestoda [ses'təudə] *spl zool* tasiemce
cestode ['sestəud] *s zool* tasiemiec
cestus¹ ['sestəs] *s* damski pas(ek)
cestus² ['sestəs] *s* skórzany ochraniacz ręki (u rzymskich pięściarzy)
cetane ['si:tein] *s chem* cetan; (*w paliwach*) ~ **number** ⟨**rating**⟩ liczba cetanowa
cevitamic [sivai'tæmik] *attr* ~ **acid** witamina C
chabouk, chabuk [tʃə'bu:k] *s* bat (na konia oraz do wymierzania chłosty)
chacma ['tʃækmə] *s zool* (*Papio comatus*) pawian czakma
chaeta ['ki:tə] *s zool* szczecinka szczecionoga
chaetopod ['ki:təpɔd] *s zool* szczecionóg
↑ **chain** [III] *attr* łańcuchowy; *nukl* rozszczepieniowy; ~ **decay** łańcuch rozpadów; ~ **reacting state** stan występowania reakcji łańcuchowej, stan krytyczny; ~ **reaction** reakcja łańcuchowa; ~ **reactor** reaktor rozszczepieniowy
chain-reacting ['tʃein-ri,æktiŋ] *attr nukl* krytyczny; ~ **pile** reaktor krytyczny
chainwork ['tʃeinwə:k] *s dziew* 1. ścieg łańcuszkowy 2. ornament wykonany ściegiem łańcuszkowym
↑ **chair** [I] *s* 6. ... *am* ~ **car** wagon salonowy
chaise longue [,ʃeiz'lɔŋg] *s* szezlong
chalcanthite [kæl'kænθait] *s chem* chalkantyt
chalcocite ['kælkəsait] *s miner* chalkocyt
chalcolite ['kælkəlait] *s miner* chalkolit
↑ **chalet** *s* 3. szałas (górski)
↑ **chalk** [II] *attr* ... ~ **talk** odczyt ilustrowany rycinami
↑ **challenge** [II] *s* 9. (*w immunologii*) próba odporności
chandelle [ʃæn'del] *s lotn* świeca

↑ **channel** [I] *s* 10. *elektr* kanał [III] *attr techn nukl* ~ **area** przekrój kanału; ~ **spectrum** widmo kanałów reakcji jądrowej; ~ **spin** spin kanału reakcji jądrowej
channeling [ˈtʃænəliŋ] [I] *zob* **channel** *vt* [III] *attr* kanałowy; *nukl* ~ **effect** efekt kanałowy; straty kanałowe
chantey [ˈtʃɑ:nti] *s* = **chanty**
chaparajos, chaperajos [tʃæpəˈrɑ:hɔs] *spl* skórzane spodnie (kowboja)
chaparral [tʃæpəˈrɑ:l] *s* gęste zarośla (w południowych stanach USA)
chaps [tʃæps] *spl* = **chaparajos** ↑
↑ **character** [III] *attr* ‖ ~ **assassination** pozbawienie (kogoś) czci przez publiczne szkalowanie ⟨oczernianie⟩
characteristically [ˌkæriktəˈristikəli] *adv* charakterystycznie; znamiennie; w sposób dla kogoś typowy; ~ **he did not say a word** a on, po swojemu, nie powiedział słowa; a on, jak to on, nie powiedział słowa
charactery [ˈkærəktəri] *s* znaki; symbole; litery
↑ **charcoal** [III] *attr* ~ **burner** węglarz
↑ **charge** [III] *s* 8. *hutn* wsad [IV] *attr techn* załadowczy; ładunkowy; ~ **chute** zsyp ładowniczy; *nukl* ~ **density** ⟨**equality, displacement**⟩ gęstość ⟨równość, przesunięcie⟩ ładunku; ~ **independence** niezależność od ładunku; ~ **invariance** niezmienność ⟨niezmienniczość⟩ ładunkowa; ~ **separation (in plasma)** rozdział ładunków; ~ **space** przestrzeń ładunkowa
chargeable [ˈtʃɑ:dʒəbl] *adj* 1. kwalifikujący się do oskarżenia; zaskarżalny 2. odpowiedzialny 3. (*o wydatkach itd.*) nadający się do zaliczenia w dług rachunku; taki, którym można obciążyć rachunek
charged [tʃɑ:dʒd] [I] *zob* **charge** *v* [II] *adj nukl* naładowany; ~ **carrier** nośnik ładunku
charging [ˈtʃɑ:dʒiŋ] *attr techn* załadowczy; ~ **face** strona załadowcza
charily [ˈtʃɛərili] *adv* 1. ostrożnie; rozważnie 2. oszczędnie
charisma [kəˈrismə] *s* (*pl* ~**ta** [kəˈrismətə]) urok osobisty; magnetyczne oddziaływanie wodza ⟨męża stanu⟩ na otoczenie
chark [tʃɑ:k] [I] *s* węgiel drzewny [II] *vt* wypalać (drewno) na węgiel drzewny
chark(h)a [ˈtʃɑ:kə] *s* (*w Indiach*) kołowrotek wiejskiej roboty
charley [ˈtʃɑ:li] *attr am pot* ~ **horse** zesztywnienie ręki ⟨nogi⟩ spowodowane sforsowaniem
↑ **charlotte** *s* 2. placek owocowy z kremem; ~ **russe** tort biszkoptowy z bitą śmietaną
charpoy [ˈtʃɑ:pɔi] *s* łóżko indyjskie zbudowane z ramy obitej przeplecionymi taśmami
charqui [ˈtʃɑ:ki] *s kulin* mięso suszone na słońcu
charr [tʃɑ:] *s* = **char**[3]
chartulary [ˈkɑ:tjuləri] *s* = **cartulary** ↑
chaser[2] [ˈtʃeisə] *s techn* nóż grzebieniowy do gwintu
chassepot [ʃæsˈpəu] *s* odtylcówka (staroświecka strzelba)
chatoyant [ʃætwɔˈjã] *adj* (*o jedwabiu, klejnocie*) mieniący się kolorami
↑ **chattel** [III] *attr* ~ **mortgage** dług hipoteczny na ruchomościach
chatterer [ˈtʃætərə] *s* 1. gaduła 2. *zool* bławatnik, ptak z rodziny *Cotingidae*
chaulmoogra [tʃɔ:lˈmu:grə] *attr* ~ **oil** olej chaulmoogra
chaz(z)an [ˈχɑ:zɑ:n] *s* kantor (w synagodze)
↑ **cheap** [III] *adj* 6. (*o walucie*) zdeprecjonowany
↑ **check**[1] [IV] *attr* ... ~ **list** spis kontrolny; lista kontrolna; *techn* ~ **valve** zawór zwrotny
checked [tʃekt] *adj* kratkowany; w kratkę
checkerberry [ˈtʃekəˌberi] *s farm* olejek starzęślowy
checkoff [ˈtʃekˌɔf] *s* potrącenie z wypłaty: a) opłat za świadczenia b) składek związkowych
cheerfully [ˈtʃiəfuli] *adv* wesoło; ochoczo; pogodnie; z pogodą ducha; z otuchą
cheeseburger [ˈtʃi:zˌbə:gə] *s am* bułka z parówką i topionym serem
cheesecake [ˈtʃi:zkeik] *s am sl* fotografia ponętnej kobiety (w czasopiśmie itd.)
↑ **cheesy**[1] *adj* 2. *am sl* kiepski; marny; do chrzanu
↑ **chef** [I] *s* ... szef kuchni [II] *vi* zarządzać kuchnią
chelate [ˈki:leit] *adj chem* chelatowy; ~ **compound** związek chelatowy
↑ **chemical** [I] *adj* ... ~ **engineering** chemia przemysłowa
chemically [ˈkemikəli] *adv* chemicznie
chemicide [ˈkemisaid] *s* środek owadobójczy
chemicultivation [ˌkemikʌltiˈveiʃən] *s roln* zwalczanie szkodników i chwastów przy pomocy środków chemicznych
Chemigum [ˈkemigʌm] *s* (*nazwa zastrzeżona*) guma syntetyczna o dużej odporności
chemiluminescence [ˌkemiˌlumiˈnesəns] *s* chemiluminescencja
chemism [ˈkemizəm] *s* chemizm
chemisorption [ˌkemiˈsɔ:pʃən] *s* chemisorpcja
chemosurgery [ˌkeməuˈsə:dʒəri] *s med* usunięcie tkanki po jej utrwaleniu in situ środkami chemicznymi
chemosynthesis [ˌkeməuˈsinθəsis] *s* chemosynteza
chemotactic [ˌkəməuˈtæktik] *adj* chemotaktyczny
chemotaxis [ˌkeməuˈtæksis] *s* chemotaksja

chemotherapeutic [ˌkeməuˌθerəˈpju:tik] *adj* chemoterapeutyczny
chemotherapeutics [ˌkeməuˌθerəˈpju:tiks], **chemotherapy** [ˈkeməuˈθerəpi] *s* chemoterapia
chemotherapist [ˌkeməuˈθerəpist] *s* chemoterapeuta
chemotropism [ˌkeməuˈtrɔpizəm] *s* chemotropizm
chemurgy [ˈkemə:dʒi] *s* dział chemii stosowanej zajmujący się technologią przerobu surowców rolnych
chenopodiaceous [ˌki:nəˌpəudiˈeiʃəs] *adj bot* komosowaty
chequer [ˈtʃekə] *s* = **checker**
chequerboard [ˈtʃekəbɔ:d] *s* = **checkerboard**
cheralite [ˈkerəlait] *s miner* minerał radioaktywny
chernozem [ˈtʃə:nəzem] *s roln* czarnoziem
Cherokee [ˌtʃerəˈki:] [I] *s* 1. *etn* Irokez 2. język Irokezów [II] *attr bot* ~ **rose** (*Rosa laevigata*) biała róża o gładkim pniu
↑ **cherry** [III] *adj* ... ~ **stone** a) pestka czereśni lub wiśni b) *zool* (*Venus mercenaria*) drobny mięczak jadalny
chessboard [ˈtʃesbɔ:d] *s* szachownica
↑ **chestnut** [II] *adj* ... *roln* ~ **soil** gleba kasztanowa
chevrotain [ˈʃevrətein] *s zool* (*Tragulus*) kanczil
chi [ki:] *s* grecka litera X
chiasm [ˈkaiæzəm] *s anat* chiazma
chiasma [kaiˈæzmə] *s* (*pl* ~**ta** [kaiˈæzmətə], ~**s**) *biol* chiazma; ~ **frequency** częstość chiazm
Chicago [ʃiˈka:gəu] *spr* ~ **piano** = **pom-pom**; *sl wojsk* ~ **atomizer** karabin automatyczny z II wojny światowej
chi-chi [ˈʃi:ʃi:] *adj* wyszukany; supermodny
chickaree [ˈtʃikəri:] *s zool* (*Sciurus hudsonius*) amerykańska ruda wiewiórka
↑ **chicken**[1] [II] *attr med* ~ **breast** kurza klatka piersiowa; *am* ~ **feed** a) pokarm dla kurcząt b) drobne pieniądze c) marna zapłata; *zool* ~ **hawk** (*Buteo borealis*) odmiana myszołowa [III] *vt* **to** ~ **out** stchórzyć w ostatniej chwili
chicken[2] [ˈtʃikin] *adj sl wojsk* nieznośny; (*o zarządzeniu itp.*) służbiście przestrzegany
↑ **chief** [II] *s* 2. ... *wojsk* **Chief of Staff** szef sztabu
↑ **child** [II] *attr* ~ **labour** zatrudnianie nieletnich
↑ **childbed** [II] *attr* połogowy; ~ **fever** gorączka połogowa
childing [ˈtʃaildiŋ] *adj* 1. brzemienna 2. *przen* rodny; urodzajny
chili *zob* **chilli**
chiliasm [ˈkiliæzəm] *s rel* chiliazm
chil(l)i [ˈtʃili] *s bot* (*Capsicum frutescens*) czerwony pieprz; *kulin* ~ **sauce** ostry sos pomidorowy z czerwonym pieprzem
↑ **chimney** [II] *attr zool* ~ **swallow** a) (*Hirundo rustica*) jaskółka dymówka b) *am* (*Chaetura pelagica*) amerykańska odmiana jerzyka
↑ **Chinese** [II] *adj sl wojsk* ~ **landing** lądowanie samolotu z jednym skrzydłem uszkodzonym; *chem* ~ **white** biel cynkowa; tlenek cynku
chinquapin [ˈtʃiŋkəpin] *s bot* 1. (*Castanea pumila*) kasztan karłowaty 2. jadalny owoc kasztana karłowatego 3. (*Castanopsis chrysophylla*) drzewo pokrewne kasztanowi karłowatemu
chipping [ˈtʃipiŋ] *adj* ~ **sparrow** = **chippy**
chippy [ˈtʃipi] *s zool* (*Spizella passerina*) amerykański wróbel
chiton [ˈkaitɔn] *s* 1. (*szata grecka*) chiton 2. *zool* mięczak rodzaju *Placophora*
chivalric [ˈʃivəlrik] *adj* = **chivalrous**
chlamys [ˈklæmis] *s* (*pl* **chlamydes** [ˈklæmidi:z] (*w starożytnej Grecji*) chlamida
chloramine [klɔrəˈmi:n] *s chem* chloramina
chlorenchyma [klɔˈrenkimə] *s bot* chlorenchyma; tkanka asymilacyjna
↑ **chlorine** [II] *attr* ... *chem* ~ **dioxide** dwutlenek chloru
chlorite [ˈklɔ:rait] *s chem* chloryn; **sodium** ~ chloryn sodowy
chlorites [ˈklɔ:raits] *spl miner* chloryty
chloroformize [ˈklɔrəfɔ:maiz] *vt* chloroformować
chloromycetin [ˌklɔ:rəumaiˈsi:tin] *s chem* chloromycetyna
chloropicrin [ˈklɔrəuˌpikrin] *s chem* chloropikryna
chloroplast [ˈklɔ:rəupla:st] *s chem* chloroplast
chloroprene [ˈklɔ:rəupri:n] *s chem* chloropren
↑ **chock** [II] *s* ... *aut lotn* podstawka pod koło
chock-full [ˈtʃɔkˈful] *adj* nabity; szczelnie zapchany; zapełniony; pełny po brzegi; (*o hotelu itp.*) przepełniony
chogie [ˈtʃəugi] *s sl wojsk* wzgórze
choicely [ˈtʃɔisli] *adv* ślicznie; gustownie
↑ **choiceness** *s* 2. staranny wybór 3. wybredność
↑ **choir** [III] *attr* chóralny; chórowy; *arch* ~ **loft** chór (część kościoła)
chokebore [ˈtʃəukbɔ:] *s* (*u strzelby*) przewód lufy zwężający się ku wylotowi
cholesterol [kəˈlestərəl] *s biochem* cholesterol
cholic [ˈkɔlik] *adj chem* (*o kwasie*) cholowy
choline [ˈkəulin] *s chem* cholina
cholinesterase [kɔliˈnestəreis] *s biochem* cholinesteraza
cholla [ˈtʃəuliə, ˈtʃɔliə] *s bot* (*Opuntia fulgida* ⟨*cholla*⟩) opuncja
chondriosomes [ˈkɔndriəsəumz] *spl biol* chondriosomy
↑ **choosey** *adj* ... wybredny

chophouse[2] [ˈtʃɔphaus] *s* (*w Chinach*) cło (urząd)
chopper[3] [ˈtʃɔpə] *s nukl* selektor mechaniczny (neutronów)
↑ **chopping** [III] *adj pot* okazały; tęgi; na schwał
↑ **choral** *adj* ... ~ **speaking** deklamacja chóralna
choreograph [ˈkɔriəˈgrɑːf] *vt* opracować (utwór) choreograficznie
choriamb [ˈkɔːriæmb] *s prozod* choriamb
choric [ˈkɔːrik] *adj* chórowy
↑ **chosen** [I] ... ~ **instrument** popierane przez rząd transportowe linie lotnicze
chow mein [tʃəuˈmein] *s* kluski duszone z mięsem, grzybami i jarzyną
christiania [ˌkristiˈɑːnjə] *s* (*także* ~ **turn**) *sport* kristiania
Christianization [ˌkristjənaiˈzeiʃən] *s* chrystianizacja; nawrócenie na wiarę chrześcijańską; chrzest (narodu); przyjęcie chrztu (przez naród)
Christ's-thorn [ˈkraistsˌθɔːn] *s bot* nazwa kilku roślin ciernistych, szczególnie *Paliurus Spina-Christi* i *Zizyphus jujuba*
Christy [ˈkristi] *attr* ~ **minstrels** grupa śpiewaków ucharakteryzowanych na Murzynów, śpiewających pieśni murzyńskie
chroma [ˈkrəumə] *s* chromat
↑ **chromatic** *adj* || *biol* ~ **reduction** redukcja chromatyny
chromaticity [ˌkrəuməˈtisiti] *s* chromat
chromatid [ˈkrəumətid] *biol* [I] *s* chromatyda [III] *attr* ~ **break** podział chromatydy
chromatographic [krəuˌmætəuˈgræfik] *adj* chromatograficzny
chromatography [ˌkrəuməˈtɔgrəfi] *s* chromatografia
chromatolysis [ˌkrəuməˈtɔlisis] *s* chromatoliza
chromatophore [ˌkrəumətəˈfɔː] *s* chromatofor
chromogen [ˌkrəuməˈdʒen] *s chem biochem* chromatogen
chromonema [krəuməˈniːmə] *s biol* chromonem
chromophore [krəuməˈfɔː] *s chem* chromofor
chromophotograph [krəuməuˈfəutəgrɑːf] *s* fotografia barwna (odbitka)
chromophotography [ˌkrəuməufəˈtɔgrəfi] *s* fotografia barwna (robienie zdjęć barwnych)
chromoplasm [ˌkrəuməuˈplæzəm] *s biol* chromatyna
chromoplast [ˌkrəuməˈplɑːst] *s biol* chromoplast
↑ **chromosome** [III] *attr* chromosomowy; ~ **aberration** ⟨**exchange, map**⟩ aberracja ⟨wymiana, mapa⟩ chromosomowa; ~ **deletion** usunięcie chromosomów; ~ **rejoining** łączenie się chromosomów
chromyl [ˈkrəumil] *s chem* chromyl

chronically [ˈkrɔnikəli] *adv* 1. chronicznie 2. długotrwale; przewlekle
chronogram [ˈkrɔnəugræm] *s* chronogram
chronograph [ˈkrɔnəugrɑːf] *s* chronograf
chronometrical [ˌkrɔnəuˈmetrikəl] *adj* chronometryczny
chronometrically [ˌkrɔnəˈmetrikəli] *adv* chronometrycznie
chronoscope [ˈkrɔnəskəup] *s* chronoskop
chronotron [ˈkrɔnətrɔn] *s* chronotron
chryselephantine [ˌkriseliˈfæntain] *adj* chryzelefantynowy
chrysotile [ˈkrisətil] *s miner* chryzotyl
chuck[5] [tʃʌk] *s techn* uchwyt (tokarski itd.)
chuck-a-luck [ˈtʃʌkəˌlʌk], **chuck-luck** [ˈtʃʌkˌlʌk] *s am* gra w kości ze zgadywaniem wyników
chuff [tʃʌf] *s* 1. gbur; prostak 2. sknera
chunky [ˈtʃʌŋki] *adj* krępy
churning [ˈtʃəːniŋ] [I] *zob* **churn** *v* [III] *s* 1. ubijanie masła 2. ilość masła uzyskana z jednorazowego ubijania
↑ **chute**[2] *s* 3. = **parachute**
cichlid [ˈsiklid] *s zool* ryba z rodziny *Cichlidae*
cichoriaceous [ˌsikəriˈeiʃəs] *adj bot* cykoriowaty
cicisbeo [ˌtʃitʃizˈbeiəu] *s* wielbiciel mężatki; gach
Ciliata [ˌsiliˈeitə] *spl zool* wymoczki orzęsione
ciliate [ˈsiliit] *zool* [I] *s* wymoczek orzęsiony [III] *adj* orzęsiony
cimex [ˈsaimeks] *s zool* (*Cimex*) pluskwa domowa
cinchonine [siŋkəˈniːn] *s chem* cynchonina
cinchophen [ˈsiŋkəfən] *s farm chem* cynchofen; atofen
cinecamera [ˈsiniˌkæmərə] *s* kamera filmowa
cinemaddict [siniˈmædikt], **cinemagoer** [ˈsiniməˌgəuə] *s* kinoman
cinematization [ˌsinimətaiˈzeiʃən] *s film* ekranizacja (powieści itd.); adaptacja filmowa
cinematize [ˈsinimətaiz] *vt film* ekranizować (nowelę, powieść itd.)
cinematone [ˈsinimətəun] *s techn* przyrząd do badania struktury skał
cinemogul [ˌsiniməuˈgʌl] *s* potentat przemysłu filmowego
cineole [ˈsiniəul] *s chem* cyneol, eukaliptol
cinerama [ˌsinəˈrɑːmə] *s* cinerama
cinerarium [ˌsinəˈrɛəriəm] *s* miejsce składania urn z prochami zwłok po kremacji
cion [ˈsaiən] *s am* = **scion**
cipolin [ˈsipəlin] *s miner* cipolino
circling [ˈsəːkliŋ] [I] *zob* **circle** *v* [III] *attr wet* ~ **disease** kołowacizna
circuit [I] *s* 4. ... ~ **court** sąd objazdowy
circular [I] *adj* 1. ... ~ **measure of angles** miara kołowa kątów

↑ **circulating** [III] *adj* || *nukl* ~ **reactor** reaktor z paliwem krążącym
↑ **circulation** [III] *attr* cyrkulacyjny; *nukl* ~ **loop** pętla cyrkulacyjna
circumfluous [sə:ˈkʌmfluəs] *adj* 1. opływający 2. otoczony wodą
circumpolar [ˈsə:kəmˈpəulə] *adj* okołobiegunowy
circumsolar [ˈsə:kəmˈsəulə] *adj* okołosłoneczny
circumspective [ˌsə:kəmˈspektiv] *adj* przezorny; ostrożny
circumspectly [ˈsə:kəmspektli] *adv* przezornie; ostrożnie
circumstantiality [ˈsə:kəmˌstænʃiˈæliti] *s* szczegółowość; drobiazgowość
circumstantiate [ˌsə:kəmˈstænʃieit] *vt* podać szczegółowo ⟨drobiazgowo⟩
circumvolve [ˈsə:kəmˌvɔlv] [I] *vt* ot-oczyć/-aczać [II] *vi* obr-ócić/acać się; wirować
cisco [ˈsiskəu] *s am zool* nazwa kilku gatunków ryb z rodzaju *Leucichthys*
cissoid [ˈsisɔid] *s geom* cysoida
cistaceous [sisˈteiʃəs] *adj bot* posłonkowaty
citified [ˈsitifaid] *adj* zmieszczaniały
citizenry [ˈsitizənri] *s* ogół obywateli; *zbior* obywatele
citole [siˈtəul] *s* = **cithern**
citral [ˈsitrəl] *s chem* cytral
citreous [ˈsitriəs] *adj* cytrynowożółty
citrin [ˈsitrin] *s biochem* witamina P
citrinin [ˈsitrinin] *s chem* cytrynina
citronella [ˈsitrəˌnelə] *attr* ~ **oil** olejek cytronelowy
citronellal [ˌsitrəˈneləl] *s chem* cytronellal, rodinal
↑ **city** [III] *attr* 3. miejski; ~ **editor** a) (*w Anglii*) redaktor działu ekonomicznego i handlowego b) *am* redaktor działu miejskiego; *am* ~ **hall** ratusz; siedziba zarządu miasta; ~ **planning** urbanistyka
city-state [ˈsitiˌsteit] *s* wolne miasto
↑ **civil** *adj* 2. ... ~ **marriage** ślub cywilny
cladding [ˈklædiŋ] *s* 1. koszulka; powłoka 2. koszulkowanie; powlekanie
clamor [ˈklæmə] *s am* = **clamour**
clampers [ˈklæmpəz] *spl sport* raki (do chodzenia po lodzie)
clam-shell [ˈklæmʃel] *s* 1. *zool* skorupa mięczaka 2. *techn* chwytak dwuszczękowy
clangor [ˈklæŋgə] *s am* = **clangour**
clanks [klæŋks] *spl sl* wysiadka nerwowa; **he's got the** ~ on wysiadł
↑ **classic** [III] *adj* 2. (*o stroju, kroju*) klasyczny
classicist [ˈklæsisist] *s* klasycysta
classicize [ˈklæsisaiz] *vt vi* klasycyzować
classified [ˈklæsifaid] [I] *zob* **classify** *vt* [III] *adj* (urzędowo) tajny
clastic [ˈklæstik] *adj geol* klastyczny; *bot* rozdzielny; (*o modelu itp.*) dający się rozbierać na części
clavacin [ˈklævəsin] *s biochem* klawacyna; klawiformina
clave [kleiv] *s* rodzaj kastanietów do akompaniowania rumbie
clavier[1] [ˈklæviə] *s* klawiatura
clavier[2] [kləˈviə] *s* instrument klawiaturowy
↑ **clay** [III] *attr* gliniasty; ~ **marl** ⟨**loam**⟩ margiel ⟨ił⟩ gliniasty; ~ **pan** podłoże gliniaste; *sport* ~ **pigeon** rzutek
claybank [ˈkleibæŋk] *s* kolor brązowożółty
clay-stone [ˈkleistəun] *s miner* iłołupek
↑ **clean** [I] *adj* 9. *nukl* (*o reaktorze*) nie zatruty; czysty
clean-to-handle [ˈkli:ntəˈhændl] *adj techn* nie brudzący (przy używaniu)
↑ **clear** *vt* 14. zaświadczyć, że ktoś jest godzien zaufania w sprawach najściślej tajnych
↑ **clearance** *s* 10. zaświadczenie, że ktoś jest godzien zaufania w sprawach najściślej tajnych
clear-eyed [ˈkliəraid] *adj* 1. jasnooki 2. bystry; roztropny
↑ **clearing** [I] ... ~ **field** pole usuwające jony
cleavable [ˈkli:vəbl] *adj* łupliwy
clem [klem] *s* legendarna postać zostawiająca swój podpis w każdym miejscu swego pobytu
cleveite [ˈkli:vait] *s miner* kleweit
↑ **cliff** [III] *attr zool* ~ **swallow** (*Petrochelidon albifrons*) amerykańska jaskółka skalna; *sl radio* ~ **hanger** serial radiowy trzymający w stałym napięciu
climatological [ˌklaimətəˈlɔdʒikl] *adj* klimatologiczny
climatology [ˌklaiməˈtɔlədʒi] *s* klimatologia
↑ **climax** [I] *s* 3. *biol* klimaks [III] *attr biol* klimaksowy
↑ **climb** [IV] *attr lotn* ~ **indicator** wskaźnik wznoszenia
↑ **clinch** [III] *s* 3. *sport* zwarcie; **fighting in** ~ walka w zwarciu
clinicar [ˈklinika:] *s* ambulans służby zdrowia objeżdżający okolice pozbawione stałej opieki lekarskiej
clinician [kliˈniʃən] *s* klinicysta
clinodromic [ˌklainəuˈdrɔmik] *adj* (*o pocisku*) zmierzający do ruchomego celu pod kątem
clinoscopic [klainəˈskɔpik] *adj* (*o pocisku*) poruszający się równolegle do ruchomego celu
cloak-and-dagger [ˈkləuk-əndˌdægə] *adj* (*o powieści itd.*) płaszcza i szpady
clobber [ˈklɔbə] *vt sl wojsk* 1. zrąbać (miasto itd. z powietrza) 2. skatować (kogoś) 3. sprać ⟨rozpieprzyć, rozbić w puch⟩ (nieprzyjaciela)
clodpole, clodpoll [ˈklɔdpəul] *s* bęcwał; głupiec
↑ **cloistered** *adj* 2. pustelniczy
clone [kləun] *s biol* klon
closecross [ˈkləusˌkrɔs] *s biol* krzyżowanie osobników blisko spokrewnionych

closed-circuit [kləuzd'sə:kit] *adj tv* (*o przedstawieniu itd.*) zamknięty
close-lipped ['kləuslipt] *adj* małomówny
closely-spaced ['kləusli,speist] *adj nukl* gęsto upakowany
close-mouthed ['kləusmauθt] *adj* milkliwy
close-packed ['kləus,pækt] *adj nukl* gęsto upakowany
clostridium [klɔs'tridiəm] *s* bakteria z rodzaju *Clostridium*; klostridium
clothes-pin ['kləuzpin] *s* klamerka do wieszania bielizny
↑ **clothing** III *attr* ~ **industry** przemysł odzieżowy
cloture ['kləutʃə] *s am* zamknięcie debaty parlamentarnej
↑ **cloud** III *attr fiz* ~ **chamber** komora mgłowa (Wilsona)
cloudland ['klaudlænd] *s* kraina marzeń
↑ **cloven-footed, cloven-hoofed** *adj* 2. *przen* diabelski
clover-leaf ['kləuvə,li:f] *s* skrzyżowanie (dróg) dwupoziomowe ⟨bezkolizyjne⟩
↑ **club** III *attr* ~ **sandwich przekąska** złożona z grzanek przekładanych wędliną, sałatą itd.; *kolej* ~ **car** wagon klubowy; *kulin* ~ **steak** befsztyk z polędwicy
club-hand ['klʌb,hænd] *s* zniekształcona ręka
club-haul ['klʌb,hɔ:l] *vt mar* robić zwrot na kotwicy
clubmobile [,klʌbmə'bi:l] *s am wojsk* samochód świetlica
clucking ['klʌkiŋ] I *zob* **cluck** *vi* III *adj* ~ **hen** licznik Geigera zaopatrzony w głośnik
clupeoid ['klu:piɔid] *adj zool* śledziowaty
↑ **cluster** I *s* 7. *nukl* grupa; wiązka 8. *nukl* błysk
↑ **clutch**[1] III *s* 5. *sport* sytuacja podbramkowa
↑ **clutter** I *s* 4. (*w radarze*) zakłócenie obrazu (wywołane hałasem, zagłuszaniem lub stałym echem)
↑ **coach** IV *attr* ~ **dog** dalmatyńczyk (pies)
coactive [kəu'æktiv] *adj* przymusowy; wymuszający
coagulability [kəu,ægjulə'biliti] *s* koagulacyjność
coagulable [kəu'ægjuləbl] *adj* ulegający koagulacji
coagulum [kəu'ægjuləm] *s fizj* koagulat; skrzep
↑ **coal** IV *attr* (*o gazie itd.*) węglowy; (*o kopalni itd.*) węgla; ~ **measures** warstwy węglowe; ~ **car** węglarka
coaler ['kəulə] *s* węglowiec
↑ **coal-pit** *s* 2. *am* węglarnia (do wypalania węgla drzewnego)
↑ **coarse** *adj* 3. ... gruboziarnisty; *nukl* ~ **aggregate** wypełniacz gruboziarnisty
↑ **coat** III *attr* ~ **dress** suknia zapinana z przodu
cobaltic [kəu'bɔ:ltik] *adj chem* kobaltowy
cobaltite [kəu'bɔ:ltait] *s miner* kobaltyn
cobaltous [kəu'bɔ:ltəs] *adj chem* kobaltawy
cocainism [kɔ'keinizəm] *s* kokainizm
cocarboxylase [kəuka:'bɔksileis] *s biochem* kokarboksylaza
cocarcinogenesis [kɔka:,sinəu'dʒenisis] *s med* współrakowacenie
coccid ['kɔksid] *s zool* czerwiec
coccus ['kɔkəs] *s* 1. *farm* koszenila 2. *biol* ziarenkowiec 3. *bot* owocolistek
cockily ['kɔkili] *adv* zarozumiale
cockish ['kɔkiʃ] *adj* zarozumiały; zadzierzysty; pewny siebie
cockishly ['kɔkiʃli] *adv* zarozumiale; zadzierzyście; z pewnością siebie
cocklebur ['kɔklbə:] *s bot* (*Arctium lappa*) łopian
cockyol(l)y [kɔki'ɔli] *attr* ~ **bird** ptaszyna
↑ **cocoon** *s* 2. *wojsk* pokrowiec ochronny na sprzęt wojskowy
↑ **code** I *s* 2. ... **weather** ~ klucz meteorologiczny
↑ **codling**[2] III *attr zool* ~ **moth** (*Carpocapsa pomonella*) owocówka jabłkówka
Coelenterata [si,lentə'reitə] *spl zool* jamochłony
coenesthesia [,si:nes'θi:ziə] *s psych* cenestezja
coenogenesis [,si:nəu'dʒenisis] *s biol* cenogeneza
coenospecies [,si:nəu'spi:ʃi:z] *s biol* cenospecies (jednostka taksonomiczna)
coenzyme [kɔ'enzaim] *s biol* koenzym; koferment
coetaneous [kəui:'teiniəs] *adj* = **coeval**
↑ **coffee** III *attr* (*o barze itd.*) kawowy; *am* ~ **shop** bar kawowy (przy hotelu)
↑ **coffin** III *attr* trumienny; *zool* ~ **bone** kość kopytowa (u konia, kopytnych); ~ **joint** staw kopytny
↑ **cog**[1] III *attr* zębaty; ~ **railway** kolej zębata
cognation [kɔg'neiʃən] *s* pokrewieństwo
cogon [kəu'gəun] *s bot* (*Imperata cylindrica*) trawa tropikalna (używana do budowy strzech)
↑ **cohesive** *adj* ... *fiz* ~ **force** siła spójności ⟨kohezji⟩
↑ **coincidence** III *attr* koincydencyjny; *nukl* ~ **circuit** ⟨**counter, impulse** układ ⟨licznik, impuls⟩ koincydencyjny
coincidental [kəu,insi'dentl] *adj* przypadkowy
coinsurance [,kəuin'ʃuərəns] *s* koasekuracja
↑ **coke**[1] III *attr* koksowniczy; ~ **industry** koksownictwo
coke[2] [kəuk] *s* = **Coca-Cola**
coking ['kəukiŋ] I *zob* **coke** *vt* III *s* koksowanie III *adj* (*o węglu*) koksujący
colchicine ['kɔlkisi:n] *s farm* kolchicyna
↑ **cold** I *adj* ... ~ **wave** trwała ondulacja na zimno; ~ **war** zimna wojna; *techn* ~ **pressing** prasowanie na zimno; tłoczenie; ~ **rubber** guma syntetyczna pro-

dukowana w niskiej temperaturze; ~ **work** obróbka zimna; praca na zimno; *nukl* ~ **area** obszar nieaktywny ⟨zimny⟩; ~ **electron** ⟨**neutron**⟩ elektron ⟨neutron⟩ zimny; ~ **laboratory** laboratorium zimne; ~ **trap** łapacz; garnek kondensacyjny; wymrażarka

cold-storage [ˈkəuldˈstɔridʒ] *attr przen* ~ **training** sucha zaprawa (fachowców)

colemanite [ˈkəulmənait] *s miner* kolemanit

coleopterous [kɔliˈɔptərəs] *adj zool* tęgopokrywy

coleoptile [kəuliˈɔptil] *s bot* koleoptyl

coleorhiza [kəuliəˈraizə] *s bot* koleoryza

coleslaw [ˈkəulslɔ:] *s am kulin* surówka z kapusty

colewort [ˈkəulwə:t] *s bot* kapusta liściasta

colicweed [ˈkɔlikwi:d] *s bot* kokorycz

collage [kəˈlɑ:ʒ] *s plast* kolaż, collage

collagen [ˈkɔlədʒən] *s biochem* kolagen

↑ **collapse** [I] *s* 5. *wet* zapaść

collectanea [ˌkɔlekˈtɑ:njə] *s* antologia

collecting [kəˈlektiŋ] [I] *zob* **collect²** *v* [III] *adj* zbiorczy; *elektr* ~ **electrode** elektroda zbiorcza

↑ **collective** [I] *adj* 1. ... ~ **agreement** umowa zbiorowa; ~ **security** bezpieczeństwo zbiorowe; *nukl* ~ **effect** efekt zbiorczy; ~ **nuclear model** kolektywny model jądra

collenchyma [kəˈlenkimə] *s bot* kolenchyma

collimator [ˈkɔlimeitə] *s fiz* kolimator

collinear [kɔˈliniə] *adj* kolinearny; współkierunkowy; współlinijny

↑ **collision** [III] *attr* zderzeniowy; *nukl* ~ **cross-section** przekrój czynny na zderzenie; ~ **density** ⟨**rate**⟩ gęstość ⟨częstość⟩ zderzeń

collisional [kəˈliʒənəl] *adj* zderzeniowy; *nukl* ~ **diffusion** dyfuzja wywołana zderzeniami; ~ **energy transfer** przekazywanie energii w zderzeniu

collusive [kəˈlu:siv] *adj* ukartowany

collusively [kəˈlu:sivli] *adv* w zmowie

cologne [kəˈləun] *s* (*także* **Cologne water**) woda kolońska

↑ **colonel** *s* ... **Colonel Blimp** zagorzały nacjonalista; szowinista

colonic [kəˈlɔnik] *adj anat* okrężnicowy

color [ˈkʌlə] *s am* = **colour**; ~ **guard** poczet sztandarowy; ~ **line** przedział rasowy

colorcast [ˈkʌləkɑ:st] *tv* [I] *s* emisja programu w kolorze [III] *vt* emitować ⟨nadawać⟩ (program telewizyjny) w kolorze

colossally [kəˈlɔsəli] *adv* kolosalnie; na olbrzymią skalę

↑ **colour** [I] *s* 2. ... **artists'** ~**s** farby malarskie [IV] *attr wojsk* ~ **party** poczet sztandarowy

colourist [ˈkʌlərist] *s plast* kolorysta

colter [ˈkəultə] *s am* = **coulter**

columbite [kəˈlʌmbait] *s miner* kolumbit

↑ **column** [III] *attr* kolumnowy; *mat* ~ **vector** wektor kolumnowy

columnar [kəˈlʌmnə] *adj* kolumnowy; *nukl* ~ **ionization** jonizacja kolumnowa

columniation [kəˌlʌmniˈeiʃən] *s arch* filarowanie

↑ **combat** [IV] *attr* ... *wojsk* ~ **car** lekki bojowy pojazd pancerny; ~ **fatigue** = **battle fatigue** *zob* **battle** ↑; *am wojsk* ~ **infantryman's badge** odznaka odbytej w piechocie służby frontowej podczas II wojny światowej

combatively [ˈkɔmbətivli] *adv* wojowniczo

combe [ku:m] *s* = **coomb**

↑ **combustion** [III] *attr* spalinowy; ~ **chamber** komora spalania; ~ **tube** płomieniówka

combustor [kəmˈbʌstə] *s am* komora spalania (w silnikach turbospalinowych)

↑ **comet** [III] *attr* ~ **finder** ⟨**seeker**⟩ teleskop używany do poszukiwania komet

↑ **comic** [I] *adj* ... ~ **strip** komiks

comically [ˈkɔmikəli] *adv* komicznie; zabawnie; śmiesznie

↑ **command** [III] *attr wojsk* ~ **post** stanowisko dowodzenia

commandery [kəˈmɑ:ndəri] *s* 1. komandorstwo (orderu) 2. komandoria 3. *am* komenda

↑ **commanding** [III] *adj am wojsk* ~ **officer** dowódca; oficer dowodzący

commandoman [kəˈmɑ:ndəumən] *s* (*pl* **commandomen** [kəˈmɑ:ndəumən]) *wojsk* komandos

commeasurable [kəˈmeʒərəbl] *adj* = **commensurate**

commensurately [kəˈmenʃəritli] *adv* współmiernie; proporcjonalnie (**with** ⟨**to**⟩ do)

↑ **commercial** [III] *s am radio* program reklamowy

commie [ˈkɔmi] *s pot* (*także* **Commie**) komunista

↑ **common** [I] *adj* 1. ... *am* ~ **school** szkoła podstawowa

communiqué [kəˈmjunikei] *s* komunikat

↑ **communist** [III] *attr* komunistyczny; **Communist Party of Great Britain** Komunistyczna Partia Wielkiej Brytanii; **Communist Party of the Soviet Union** Komunistyczna Partia Związku Radzieckiego; **Communist Party of the United States** Komunistyczna Partia Stanów Zjednoczonych

communize [ˈkɔmjunaiz] *vt* 1. uspołeczni-ć/ać (własność) 2. s/komunizować

commutative [ˈkɔmjuteitiv] *adj* komutujący

↑ **commuter** *s* 2. = **commutation passenger** *zob* **commutation**

↑ **compact²** *s* 2. brykiet

compactly [kəmˈpæktli] *adv* gęsto; zwarcie; spoiście

↑ **companion¹** [IV] *attr bot* ~ **cell** komórka towarzysząca; *roln* ~ **crop** wsiewka

↑ **comparative** [I] *adj* 2. ... ~ **lifetime** porównywalny czas życia

comparator [kəm'pærətə] *s* komparator; **interference** ~ komparator interferencyjny; interferometr; **position** ~ mechanizm ustalenia kursu ruchomego celu

compartmentalize [kəmpɑ:t'mentəlaiz] *vt* po/szufladkować

↑ **compatibility** *s* ... *chem techn* mieszalność

↑ **compatible** *adj* 2. *biol* zdolny do współżycia 3. *tv* (*o telewizorze*) przystosowany do odbierania obrazu kolorowego i czarno-białego

↑ **compensation** [III] *attr* kompensacyjny; wyrównawczy; ~ **apparatus** urządzenie kompensacyjne; ~ **chamber** komora wyrównawcza; *bot* ~ **point** punkt równowagi (między fotosyntezą i oddychaniem rośliny)

competing [kəm'pi:tiŋ] [I] *zob* **compete** *vi* [III] *attr* konkurencyjny; ~ **processes** procesy konkurencyjne

↑ **competition** *s* 2. ... *sport* **outside** ~ poza konkursem

complexing [kəm'pleksiŋ] *adj psych* kompleksotwórczy

↑ **composition** [III] *attr nukl* ~ **term** term izotopowy

↑ **compound**[1] [III] *adj* 1. ... ~ **B** = **corticosterone** ↑; ~ **E** = **cortisone** ↑; ~ **F** = **hydrocortisone** ↑

compreg ['kɔmpreg] *s* kompreg (drewno ulepszone prasowane)

↑ **comprehensive** *adj* 5. zrozumiały 6. obejmujący (**of sth** coś)

comprehensively [,kɔmpri'hensivli] *adv* 1. zrozumiale 2. w szerokim zakresie; rozlegle; obszernie 3. wyczerpująco; wszechstronnie 4. ogólnie

compressed [kəm'prest] [I] *zob* **compress**[2] *vt* [III] *adj* 1. ściśnięty; spłaszczony 2. zgęszczony ‖ ~ **air** sprężone powietrze; ~ **soil** gleba zbita

compressibility [kɔmprəsə'biliti] [I] *s* ściśliwość [III] *attr* ~ **factor** współczynnik ściśliwości

compressor [kəm'presə] *s techn* sprężarka, kompresor

comptometer [kɔmp'tɔmitə] *s* maszyna do liczenia w zakresie czterech działań

compton ['kɔmptən] *adj nukl* komptonowski

↑ **compulsory** *adj* ... ~ **employment** zajęcie ⟨zatrudnienie⟩ z nakazu pracy; *pot* nakaz pracy

compurgator ['kɔmpə:geitə] *s* człowiek świadczący o czyjejś niewinności lub prawdomówności

↑ **computer** *s* 2. komputer

conative ['kəunətiv] *adj psych filoz* wolicjonalny, wolitywny, woluntarny

conatus [kəu'neitəs] *s* wysiłek; dążenie

conceitedly [kən'si:tidli] *adv* zarozumiale

conceitedness [kən'si:tidnis] *s* zarozumiałość

concenter [kən'sentə] *s am* = **concentre**

concentrated ['kɔnsəntreitid] [I] *zob* **concentrate** *v* [III] *adj nukl* wzbogacony; ~ **nuclear fuel** paliwo jądrowe wzbogacone

↑ **concentration** [I] *s* 5. *nukl* stężanie; wzbogacanie; zatężanie [III] *attr nukl* ~ **process** proces wzbogacania; ~ **table** stół do wzbogacania

concentrically [kɔn'sentrikəli] *adv* koncentrycznie; współśrodkowo

conceptus [kən'septəs] *s* płód

concertmaster ['kɔnsət'mɑ:stə] *s* koncertmistrz

concessionary [kən'seʃ,nəri] [I] *adj* koncesyjny [III] *s* koncesjonariusz/ka

concisely [kən'saisli] *adv* zwięźle; treściwie

conclusively [kən'klu:sivli] *adv* rozstrzygająco; decydująco; stanowczo; ostatecznie

concomitantly [kən'kɔmitəntli] *adv* towarzysząc (komuś, czemuś); w towarzystwie (kogoś, czegoś); równocześnie (z kimś, czymś)

concordantly [kən'kɔ:dəntli] *adv* zgodnie; harmonijnie

concretionary [kɔn'kriʃənəri] *adj* konkrecyjny

concretize ['kɔŋkritaiz] *vt* s/konkretyzować

↑ **concurrent** [I] *adj* 1. ... współbieżny

condensable [kən'densəbl] *adj* ściśliwy

condensate [kɔn'denseit] *s* kondensat; skropliny

↑ **condensation** [III] *attr* kondensacyjny; ~ **trail** smuga kondensacyjna (widoczna za samolotem na tle nieba); *nukl* ~ **tower** wieża kondensacyjna

conditioner [kən'diʃənə] *s roln* kondycjoner

conductance [kən'dʌktəns] *s elektr* przewodność

conducting [kən'dʌktiŋ] [I] *zob* **conduct**[2] *v* [III] *adj* przewodzący

↑ **conductivity** *s* 2. *elektr* przewodność właściwa

↑ **conduplicate** *adj* 2. *bot* pofałdowany

confect [kɔn'fekt] *vt kulin* smażyć (owoce) w cukrze; kandyzować

confederative [kən'fedərətiv] *adj* konfederacyjny

confidentially [,kɔnfi'denʃəli] *adv* poufnie; w tajemnicy; w zaufaniu

confiscable [kən'fiskəbl] *adj* podlegający konfiskacie

confiscatory [kən'fiskətəri] *adj* konfiskacyjny

confocal [kən'fəukəl] *adj* współogniskowy

conformist [kən'fɔ:mist] *s* konformista

↑ **congenial** *adj* 1. ... mający te same upodobania ⟨zamiłowania⟩; ~ **companion** bratnia dusza 3. ... ~ **task** zajęcie odpowiadające czyimś uzdolnieniom ⟨zamiłowaniom⟩

congenially [kən'dʒi:niəli] *adv* 1. pokrewnie; stosownie ⟨odpowiednio⟩ do czyichś zamiłowań ⟨uzdolnień⟩ 2. sympatycznie

congenitally [kən'dʒenitəli] *adv* od urodzenia

conglutination [kənglu:ti'neiʃən] *s* 1. zlepianie (się) 2. zlepek

congratulant [kən'grætjulənt] *s* gratulant; gratulujący; składający gratulacje

↑ **conic** [III] *attr* ~ **projection** kartograficzny rzut stożkowy

conidia [kə'nidiə] *spl bot* konidia; zarodniki konidialne; konidiospory

conidiophore [kə'nidiəfɔ:] *s bot* konidiofor

conidium [kəu'nidiəm] *s bot* konidium

conium ['kəuniəm] *s bot* (*Conium maculatum*) szczwół plamisty; pietrasznik

↑ **conjectural** *adj* 2. oparty na domysłach ⟨przypuszczeniach⟩

conjecturally [kən'dʒektʃərəli] *adv* 1. przypuszczalnie 2. opierając się na domysłach (przypuszczeniach)

conjugally ['kɔndʒugəli] *adv* w związku małżeńskim

↑ **conk**² *vi* (*także* ~ **out**)...

conquistador [kɔn'kwistədɔ:] *s* konkwistador

conscienceless ['kɔnʃənslis] *adj* pozbawiony skrupułów; bez sumienia

consciously ['kɔnʃəsli] *adv* przytomnie; świadomie

↑ **conservation** *s* 1. ... *fiz* ~ **of energy** zachowanie energii

↑ **conservative** [I] *adj* 1. ... **Conservative and Unionist Party** Partia Konserwatywna (w Wielkiej Brytanii)

considerately [kən'sidəritli] *adv* delikatnie; taktownie; okazując (komuś) względy

consist² ['kɔnsist] *s* skład (pociągu itd.)

constellate ['kɔnstəleit] [I] *vt* skupi-ć/ać; z/gromadzić [III] *vi* skupi-ć/ać ⟨z/gromadzić⟩ się

constitutionalist [,kɔnsti'tju:ʃnəlist] *s* konstytucjonalista

constitutionality [,kɔnsti,tjuʃə'næliti] *s* 1. konstytucyjność 2. zgodność z konstytucją

↑ **construction** *s* 6. *plast* obraz abstrakcyjny, rzeźba abstrakcyjna

constructionist [kən'strʌkʃənist] *s* interpretator

constructively [kən'strʌktivli] *adv* 1. strukturalnie; konstrukcyjnie 2. konstruktywnie; twórczo 3. drogą wnioskowania; indukcyjnie

constructivism [kən'strʌktivizəm] *s plast* konstruktywizm

↑ **contact** [IV] *attr* stykowy; *fiz* ~ **corrosion** korozja stykowa; *med* ~ **radiation therapy** ⟨**radiography**⟩ radioterapia ⟨radiografia⟩ stykowa; *lotn* ~ **flight** lot według naziemnych punktów obserwacyjnych; *fot* ~ **print** odbitka kontaktowa ⟨stykowa⟩

contactor [kən'tæktə] *s elektr* stycznik

containment [kən'teinmənt] *s fiz* ograniczanie

contaminant [kən'tæminənt] *s nukl* substancja skażająca

↑ **contamination** [III] *attr* ~ **meter** licznik Geigera zaopatrzony w przyrząd pomiarowy i głośnik

contaminative [kən'tæminətiv] *adj* 1. zanieczyszczający; skażający 2. zakażający

contaminator [kəntæmi'neitə] *s* 1. czynnik zanieczyszczający 2. czynnik zakażający

contemptuously [kən'temptjuəsli] *adv* pogardliwie; z pogardą

contender [kən'tendə] *s* współzawodniczący; współubiegający się; współzawodnik; rywal

contentiously [kən'tenʃəsli] *adv* kłótliwie; swarliwie

↑ **contestant** *s* 2. *sport* wyczynowiec

contiguously [kən'tigjuəsli] *adv* w bliskim ⟨bezpośrednim⟩ sąsiedztwie

↑ **continental** [I] *adj* ... ~ **divide** kontynentalny dział wód; ~ **shelf** szelf kontynentalny

continually [kən'tinjuəli] *adv* bezustannie; bez ustanku; ciągle; ustawicznie; stale

continuative [kən'tinjuətiv] *adj* kontynuujący; będący dalszym ciągiem; ~ **education** doszkalanie

↑ **continuous** *adj* ... *radio* ~ **waves** fale ciągłe

continuously [kən'tinjuəsli] *adv* ciągle; nieprzerwanie; stale

↑ **contour** [III] *attr* konturowy; ~ **feathers** pióra konturowe; *roln* ~ **cultivation** uprawa konturowa

contraclockwise ['kɔntrə,klɔkwaiz] *adv* = **counterclockwise**

↑ **contracted** [III] *adj* 2. (*o rysach twarzy*) ściągnięty; stężały 3. (*o tekście*) skrócony

contradictorily [,kɔntrə'diktərili] *adv* 1. sprzecznie 2. zaprzeczająco

contrail [kən'treil] = **condensation trail** *zob* **condensation** ↑

contra-injection [,kɔntrəin'dʒekʃən] *s lotn* wytrysk paliwa w kierunku przeciwnym do strumienia powietrza

contraprop ['kɔntrəprɔp] *s lotn* śmigła przeciwbieżne

contrarily ['kɔntrərili] *adv* 1. przeciwnie; sprzecznie; odwrotnie 2. przekornie

↑ **contrast** [IV] *attr med* ~ **medium** kontrast; *techn mal* ~ **ratio** kontrastowość

contravallation [kɔntrəvə'leiʃən] *s wojsk* kontrawalacja

↑ **control** [I] *s* 13. *techn* rozrząd [III] *attr* 1. ... ~ **desk** pulpit sterowniczy; ~ **drive mechanism** mechanizm napędu sterowania; ~ **pannel** tablica sterownicza; ~ **point** wartość zadania wielkości kontrolowanej; ~ **valve** zawór regulacyjny; ~ **variable** parametr sterowania ‖ ~ **rod** a) *lotn* drążek sterowy b) *wojsk* regulator odrzutu c) *nukl* pręt sterowniczy; *lotn* ~ **tower** wieża kontrolna; *wojsk* ~

vessel okręt dowództwa podczas akcji lądowo-morskiej

controllability [kən,trəulə'biliti] *s* sterowność

controllable [kən'trəuləbl] *adj* kontrolowalny; *fiz* ~ **reaction** reakcja kontrolowalna

controlled [kən'trəuld] I *zob* **control** III *vt adj* sterowany; ~ **rocket** rakieta sterowana

controversially [,kɔntrə'və:ʃəli] *adv* kontrowersyjnie

contumaciously [,kɔntju'meiʃəsli] *adv* opornie; nieposłusznie; krnąbrnie

contumeliously [,kɔntju'mi:ljəsli] *adv* 1. obelżywie 2. arogancko; impertynencko

↑ **conventional** *adj* 1. ... ~ **weapon** broń konwencjonalna

↑ **convergent** *adj* ... *nukl* ~ **reactor** reaktor o mocy malejącej

↑ **conversion** I *s* 1. ... ~ **of heat into power** przemiana ciepła w energię mechaniczną III *attr nukl* ~ **electron** elektron konwersji; ~ **gain** przyrost konwersji; ~ **factor** współczynnik przeliczeniowy

convertibility [kən,və:tə'biliti] *s ekon* wolna wymiana walutowa

convertiplane [kən'və:tiplein] *s lotn* wirolot; zmiennopłat; samolot przekształcalny

↑ **conveyor** III *attr techn* ~ **belt** taśma przenośnika ⟨montażowa⟩

convolvulaceous [kən,vɔlvju:'leiʃəs] *adj bot* powojowaty

cookbook ['kukbuk] *s am* = **cookery-book**

cookout ['kukaut] *s* wycieczka z przyrządzaniem posiłku na wolnym powietrzu

cooky[2] ['kuki] *s* = **cookie**

↑ **cool** I *adj* 1. ... ~ **jazz** = **bebop** ↑; *nukl* ~ **waste** odpady chłodne; odpady o małej aktywności

↑ **cooling** III *adj* ... *techn* ~ **coil** wężownica chłodząca; ~ **tower** wieża chłodnicza; *nukl* ~ **time** czas studzenia ⟨deaktywacji⟩

coolly ['ku:lli] *adv* 1. chłodno 2. (*działać*) chłodząco; orzeźwiająco 3. (*ubierać się*) lekko; przewiewnie 4. spokojnie; z opanowaniem; flegmatycznie 5. ozięble; chłodno 6. *pot* bezczelnie; z tupetem

↑ **coon** *s* 1. ... *am przen* ~**'s age** szalenie długi czas; (cała) wieczność; ruski miesiąc

cooncan ['ku:nkæn] *s* gra w karty na dwie osoby

coontie ['ku:nti] *s* 1. *bot* (*Zamia integrifolia*) maranta kalifornijska 2. mąka ararutowa

co-operatively [kəu'ɔpərətivli] *adv* 1. spółdzielczo 2. chętnie; z gotowością do współpracy

coopery ['ku:pəri] *s* 1. bednarstwo; bednarka 2. wyroby bednarskie 3. warsztat bednarski

↑ **co-ordinate** III *adj* 1. ... *mat* ~ **system** układ współrzędnych

↑ **co-ordination** III *attr* ~ **allowance** odszkodowanie wypłacane pracownikowi przez szereg miesięcy po zwolnieniu z pracy

copelessness ['kəuplisnis] *s* nieporadność życiowa

copestone ['kəupstəun] *s bud* kamień gzymsowy

copiously ['kəupjəsli] *adv* 1. obficie; suto 2. płodnie

coplanar [kəu'pleinə] *adj mat* koplanarny; współpłaszczyznowy

copolimer [kəu'pɔlimə] *s chem* kopolimer; polimer mieszany

coprecipitate [,kəupri'sipiteit] *vt chem* strącać wspólnie

coprecipitation [,kəupri,sipi'teiʃən] *s chem* współstrącanie

copter ['kɔptə] *s pot* = **helicopter**

↑ **copy** I *s* 4. ... **advance** ~ 'egzemplarz okazowy III *attr dzien* ~ **desk** stół redakcyjny

copyreader ['kɔpi,ri:də] *s* redaktor prowadzący

coraciiform [kə'ræsiifɔ:m] *adj zool* kraskowaty

coracite ['kɔrəsait] *s miner* koracyt

corbiesteps ['kɔ:bisteps] *spl bud* zakończenie schodkowe ściany szczytowej

cordially ['kɔ:diəli] *adv* serdecznie

cordierite ['kɔ:djərait] *s miner* kordieryt; szafir wodny

↑ **core** I *s* 8. *nukl* rdzeń (reaktora); strefa aktywna III *attr nukl* ~ **assembly** ⟨**material, tank**⟩ zestaw ⟨materiał, zbiornik⟩ rdzenia

corer ['kɔ:rə] *s* przyrząd do wydrążania jabłek

Coriolis [kɔri'əulis] *spr attr fiz* ~ **force** siła Coriolisa ⟨odśrodkowa złożona⟩

corked [kɔ:kt] *adj* 1. zakorkowany 2. poczerniony spalonym korkiem 3. (*o winie*) zepsute wskutek wadliwego korkowania

↑ **corn**[1] I *s* 2. krupy (rodzaj śniegu) III *attr* 1. zbożowy 2. *am* kukurydzany; ~ **sugar** glikoza; *bot* ~ **cockle** (*Agrostemma githago*) kąkol polny; *am* ~ **poppy** ⟨**rose**⟩ (*Papaver rhoeas*) mak polny; *zool* ~ **earworm** (*Heliothis*) słonecznica orężówka; *am* ~ **harvester** żniwiarka do kukurydzy; ~ **meal** mąka kukurydzana; ~ **picker** maszyna do zbioru kolb kukurydzy; ~ **whisky** whisky pędzona z kukurydzy

corn[4] [kɔ:n] *s* banał; frazes; komunał

cornaceous [kɔ:'neiʃəs] *adj bot* dereniowaty

↑ **corny** *adj* 3. (*o dowcipach*) płaski; banalny; stary; *pot* z brodą 4. (*o muzyce*) sentymentalny; ckliwy

↑ **corona** *s* 4. ... korona

↑ **corporal**[2] *s* 1. ... *lotn* plutonowy 2. *wojsk*

pocisk balistyczny o zasięgu 100 mil, rozwijający szybkość ponaddźwiękową
↑ **corporate** *adj* 2. = **corporative** ↑
corporative [ˈkɔ:pərətiv] *adj* 1. zbiorowy 2. *polit* korporacjonistyczny
corporeally [kɔ:ˈpɔriəli] *adv* 1. cieleśnie; materialnie 2. namacalnie
corporeity [kɔ:pəˈri:iti] *s* cielesność
↑ **corps** *s* 1. ... **air force signals** ~ oddziały łączności lotnictwa
corpsman [ˈkɔ:zmən] *s* (*pl* **corpsmen** [ˈkɔ:zmən]) *am wojsk* sanitariusz
correctitude [kəˈrektitju:d] *s* poprawność zachowania się
corrective [kəˈrektiv] *adj* korektywny; korekcyjny
↑ **corridor** *s* 2. *lotn* korytarz powietrzny
↑ **corrosion** [III] *attr* korozyjny; przeciwkorozyjny; korozji; ~ **inhibitor** środek przeciwkorozyjny; inhibitor korozji
↑ **corrosive** *adj* ... korodujący
corrugated [ˈkɔrugeitid] [I] *zob* **corrugate** *v* [III] *adj* ~ **iron** blacha stalowa falista; ~ **paper** ⟨**board**⟩ krepina; papier falisty
corticosterone [kɔ:tiˈkɔstərəun] *s biochem* kortykosteron
corticotropin [kɔ:tikɔtrəˈpi:n] *s biochem* kortykotropina
cortins [ˈkɔ:tinz] *spl biochem* kortyny
cortisone [ˈkɔ:tizəun] *s biochem* kortyzon
corydalis [kəˈridəlis] *s bot* (*Corydalis*) kokorycz
corymbose [kəˈrimbəus] *adj bot* baldaszkowaty
cosily [ˈkəuzili] *adv* wygodnie; przytulnie
↑ **cosmic** *adj* ... *chem* ~ **abundance** częstość występowania pierwiastka w kosmosie; ~ **radiation** promieniowanie kosmiczne; *fiz* ~ **stopwatch** stoper kosmiczny
cosmism [ˈkɔzmizəm] *s* filozofia ewolucji kosmicznej
cosmodrome [ˈkɔzmədrəum] *s* kosmodrom
cosmoline [ˈkɔzməlain] [I] *s* smar do konserwacji broni [III] *vt* na/smarować (broń)
cosmopolitan [ˌkɔzməˈpɔlitən] *s polit* zwolennik zasady kosmopolityzmu
cosmotron [ˈkɔzmətrɔn] *s* kosmotron
↑ **cost** [II] *s* ... ~ **of living** koszty utrzymania; ~ **of living allowance** ⟨**bonus**⟩ premia wypłacana pracownikom w związku z podwyżką cen; ~ **of living escalator** regulacja płac w zależności od kosztów utrzymania [IV] *attr* ~ **accounting** kosztorysowanie; ~ **accountant** kosztorysiarz
costa [ˈkɔstə] *s bot* żeberko
cost-plus [ˈkɔstplʌs] *s* koszty produkcji wraz z marżą zarobkową
cotta [ˈkɔtə] *s kośc* komża
↑ **cottage** [III] *attr* ~ **cheese** twaróg; ~ **industry** chałupnictwo
cottrel [ˈkɔtrəl] *s* = **arrester** ↑
Coulomb [ˈku:ləm] *attr* kulombowski; ~ **oblateness** spłaszczenie kulombowskie; ~ **repulsion** odpychanie kulombowskie
↑ **count²** [I] *vt* 4. *nukl* zliczać
~ **down** *vi* odlicz-yć/ać start (rakiety)
[II] *s* 4. *nukl* impuls; ~ **per minute** liczba impulsów na minutę
↑ **counter-current** [III] *attr* przeciwprądowy
counterdemonstration [ˌkauntəˌdemənˈstreiʃən] *s* kontrdemonstracja
countermeasure [ˌkauntəˈmeʒə], **countermove** [ˈkauntəmu:v] *s* środek zapobiegający ⟨odwetowy⟩
↑ **counterpart** *s* ‖ **the French Minister of Foreign Affairs and his German** ~ francuski minister spraw zagranicznych i jego odpowiednik niemiecki ⟨jego niemiecki kolega⟩
counterpropaganda [kauntəˌprɔpəˈgændə] *s* kontrpropaganda
countertendency [ˌkauntəˈtendənsi] *s* tendencja przeciwna
counterthrust [ˈkauntəˌθrʌst] *s* odparcie (uderzenia); odparowanie (ciosu)
countertype [ˈkauntətaip] *s* przeciwieństwo; typ przeciwny
↑ **country** [III] *attr* 4. *nukl* rodzimy; ~ **rock** skała rodzima
↑ **county** [III] *attr* ... *am* ~ **agent** agronom okręgowy; ~ **seat** administracja okręgu
↑ **coupled** [III] *adj* ... *nukl* ~ **effect** efekt sprzężenia ⟨sprzęgania⟩
↑ **coupling** [II] *s* 5. ... sprzężenie; *nukl* ~ **in the large** sprzężenie zupełne [III] *attr* sprzęgający; ~ **condenser** kondensator sprzęgający; ~ **constant** stała sprzężenia
↑ **court** [I] *s* 8. *am* teren motelu; motel
courteously [ˈkə:tiəsli] *adv* grzecznie; uprzejmie
↑ **courtesy** [III] *attr* ... ~ **title** tytuł grzecznościowy
courtroom [ˈkɔ:tru:m] *s* sala sądowa
cousinly [ˈkʌznli] *adj* kuzynowski
covalence [kəuˈveiləns] *s chem* kowalentność
covariance [kəuˈvɛəriəns] *s mat* kowariancja; kowariantność; współzmienność
↑ **cover** [III] *attr* (*w restauracji*) ~ **charge** opłata od nakrycia; ~ **glass** szkiełko nakrywkowe; *roln* ~ **crops** rośliny okrywające
coverage [ˈkʌvəridʒ] *s* 1. okoliczności objęte polisą ubezpieczeniową 2. *fin* pokrycie (finansowe) 3. *dzien* sprawozdania prasowe 4. *radio* zasięg stacji nadawczej
cover-all [ˈkʌvərɔ:l] *s* chałat
↑ **covered** [III] *adj* ~ **wagon** a) *am* wóz kryty brezentem (do podróży pionierskich) b) zamknięty wagon towarowy
covetously [ˈkʌvitəsli] *adv* chciwie; pożądliwie; żądnie; zawistnie
↑ **cow¹** [III] *attr am* ~ **killer** osa z rodziny *Mutillidae*

cowbind [ˈkaubaind] *s bot* (*Bryonia alba*) przestęp
cowled [kauld] *adj* 1. zakapturzony 2. kapturowaty
coydog [ˈkɔidɔg] *s* krzyżówka kojota z dzikim psem
coyly [ˈkɔili] *adv* skromnie; nieśmiało; bojaźliwie
crab[4] [kræb] *vt lotn* sterować (samolotem) przy bocznym wietrze
↑ **crack**
~ **down** *vi* ... srogo ukarać (**on sb** kogoś)
crackbrain [ˈkrækbrein] *s* wariat; pomyleniec
cracking [ˈkrækiŋ] *s techn chem* kraking, krakowanie
crackle-china [ˈkrækl,tʃainə], **crackle-ware** [ˈkrækl,wεə] *s* ceramika ze zdobniczym kreskowaniem zwanym „craquelé"
crackpot [ˈkrækpɔt] *sl* [I] *s* fioł; hyź [III] *adj* stuknięty
crackup [ˈkrækʌp] *s sl* 1. rozwalenie ⟨roztrzaskanie⟩ się samolotu 2. załamanie się nerwowe; wysiadka
cradlesong [ˈkreidlsɔŋ] *s* kołysanka
craftily [ˈkrɑ:ftili] *adv* przebiegle; chytrze
cragsman [ˈkrægzmən] *s* (*pl* **cragsmen** [ˈkrægzmən]) *sport* wspinacz
craniate [ˈkreiniit] *adj anat* czaszkowy
craniometer [,kreiniˈɔmitə] *s* kraniometr
crankily [ˈkræŋkili] *adv* 1. chorowicie 2. kapryśnie; nieznośnie 3. bzikowato 4. niepewnie; chwiejnie
crap [kræp] *s am* (*w grze w kości*) najniższy wynik rzutu
↑ **crash**[1] [IV] *attr* ~ **boat** motorówka używana do akcji ratunkowej po wypadkach lotniczych; ~ **job** ekstra pilne zadanie; ~ **raid** skoncentrowany atak lotniczy
cravenette [,kreivəˈnet] *s tekst techn* impregnowanie wodoodporne
cravenly [ˈkreivənli] *adv* tchórzliwie; nikczemnie; podle
crazily [ˈkreizili] *adv* wariacko; zwariowanie; po wariacku
↑ **crazy** *adj* 2. ... ~ **quilt** kołdra zszywana z różnokolorowych kawałków materiału
creakily [ˈkri:kili] *adv* 1. skrzypiąc 2. ze zgrzytem
↑ **cream** [III] *attr am* ~ **ice** = **ice-cream**
↑ **creamy** *adj* 2. kremowy
crease-resistant [ˈkri:z-riˈzistənt] *adj* niemnący się
↑ **creature** [III] *attr* ~ **comforts** uciechy życia
credibly [ˈkredibli] *adv* wiarogodnie, wiarygodnie
↑ **credit** [I] *s* 4. podanie ⟨wskazanie⟩ źródła publikowanej wiadomości lub ilustracji
creditably [ˈkreditəbli] *adv* zaszczytnie; chlubnie
creditor [ˈkreditə] *s* wierzyciel
credulously [ˈkredjuləsli] *adv* łatwowiernie; naiwnie
↑ **creep** [II] *s* 6. *nukl* płynięcie
creepers [ˈkri:pəz] *s sport* foki (do podchodzenia na nartach)
creepie-peepie [ˈkri:piˈpi:pi] *s techn* przenośna stacja nadawcza radiowo-telewizyjna nadająca sygnały w promieniu 1 mili
cremationist [kriˈmeiʃənist] *s* zwolennik palenia zwłok
↑ **crematory** [III] *adj* krematoryjny
↑ **crest** [I] *s* 8. *meteor* klin (**of high pressure** wysokiego ciśnienia)
cresting [ˈkrestiŋ] [I] *zob* **crest** *v* [III] *s bud* ozdobne wykończenie kalenicy ⟨dachu⟩
↑ **crew** [III] *attr* ~ **cut** ⟨**haircut**⟩ strzyżenie nulką
crew-cut [ˈkru:kʌt] *adj* ostrzyżony nulką ⟨do gołej skóry⟩
cribwork [ˈkribwə:k] *s* kaszyca; klatka z bali
criminalistics [,kriminəˈlistiks] *s* kryminalistyka
criminally [ˈkriminəli] *adv* zbrodniczo; przestępczo; kryminalnie; występnie
criminosis [ˈkriminəusis] *s* antyspołeczna postawa
↑ **crimp**[2] [III] *s* 5. falistość (włókien tekstylnych)
crimplene [ˈkrimpli:n] *s tekst* kremplina
crinum [ˈkrainəm] *s bot* (*Crinum*) krinum
crispate [ˈkrispeit] *adj* kędzierzawy; wijący się
crispation [krisˈpeiʃən] *s* kędzierzawość
crisply [ˈkrispli] *adv* 1. krucho; chrupiąco 2. kędzierzawo 3. dosadnie; lapidarnie 4. szorstko 5. orzeźwiająco
crit [krit] *s fiz* masa krytyczna; kryt
↑ **critical** *adj* ... *lotn* ~ **altitude** wysokość znamionowa; *fiz* ~ **pressure** ciśnienie krytyczne; ~ **temperature** temperatura przemiany; *nukl* ~ **mass** masa krytyczna
criticality [,kritiˈkæliti] *fiz* [I] *s* krytyczność; stan krytyczny [III] *attr* ~ **factor** współczynnik krytyczności
↑ **crocodile**[1] [III] *attr zool* ~ **bird** (*Pluvianus aegypticus*) żwirowiec nilowy
crocodile[2] [krɔkədail] *s wojsk* 1. miotacz ognia 2. pancerny pojazd desantowy
crocodilian [krɔkəˈdiliən] *adj* krokodylowy; krokodyli
Cro-Magnon [krəu-maˈnjɔ̃] *adj antr* kromanioński
crookneck [ˈkruknek] *s bot* (*Cucurbita pepo*) dynia
↑ **crop** [IV] *attr roln* ~ **residue** resztki roślin uprawnych; resztki pożniwne
↑ **cross**[1] [V] *attr* ~ **wind** wiatr poprzeczny; *telef radio* ~ **talk** przesłuch; *nukl* ~ ~ **linking** sieciowanie; ~ **section** przekrój czynny; ~ **section for nuclear fission** przekrój czynny na rozszczepienie

jądra; ~ **section of a nuclear reaction** przekrój czynny na reakcję jądrową; ~ **term** term mieszany
cross-bedding [krɔsˈbediŋ] *s geol* uwarstwienie poprzeczne
cross-check [ˈkrɔstʃek] *vt* 1. wielokrotnie s/kontrolować 2. sprawdzić krzyżowo
crossfooter [ˈkrɔsfutə] *s* mechanizm sumujący ⟨wykazujący saldo na arkuszu księgowym⟩
↑ **crossing** [III] *s* ‖ *biol* ~ **over** krzyżowanie chromosomowe; crossing over
crossline [ˈkrɔslain] *adj biol* krzyżowy
↑ **cross-over** [I] *s* 3. = **crossing over** *zob* **crossing** ↑
↑ **cross-roads** *s* ... *przen* **from every** ~ ze wszystkich stron
crosstie [ˈkrɔstai] *s am kolej* próg kolejowy; podkład
cross-town [ˈkrɔstaun] *adj am* (*o autobusie, tramwaju*) przecinający miasto
crosstrees [ˈkrɔstri:s] *spl mar* saling; poprzeczki jarzma
croupy [ˈkru:pi] *adj med* krupowy
↑ **crudely** [ˈkru:dli] *adv* 1. surowo; niedojrzale 2. szorstko; niedelikatnie 3. brutalnie
cruising [ˈkru:ziŋ] [I] *zob* **cruise** *vi* [III] *adj* podróżny; ~ **power** a) *aut* moc podróżna b) *lotn* moc przelotowa
↑ **crum(b)** [I] *s* 4. *roln* gruzełek; agregat (gleby)
↑ **crummy** *adj* 3. *am sl* nędzny
cruor [ˈkru:ɔ:] *s* zakrzepła krew
crus [krʌs] *s* (*pl* **crura** [ˈkru:rə]) *anat zool* goleń
crustily [ˈkrʌstili] *adv* 1. zrzędnie; tetrycznie 2. źle; nieprzystępnie
cryptoclimate [ˌkriptəuklaimit] *s* klimat wnętrza (budynku)
cryptocrystalline [ˌkriptəuˈkristəlain] *adj miner* kryptokrystaliczny
cryptogenic [ˌkriptəuˈdʒenik] *adj* nie ustalonego pochodzenia
↑ **cub** [I] *s* 3. *lotn wojsk* lekki samolot pomocniczy o małej mocy silnika
cuculiform [kju:ˈkju:lifɔ:m] *adj zool* kukułkowaty
↑ **cucumber** [III] *attr bot* ~ **tree** (*Magnolia acuminata*) magnolia amerykańska
cucumiform [kju:ˈkju:mifɔ:m] *adj* ogórkowaty
cucurbitaceous [kjukə:biˈteiʃəs] *adj bot* dyniowaty
↑ **cuddle** [I] *vt* 2. *radio* nadawać na długości fali bardzo zbliżonej do długości fali innej stacji nadawczej
cuddle-bunny [ˈkʌdlˌbʌni] *s sl* młodociana przestępczyni
cuesta [ˈkwestə] *s am* grzbiet górski z jednym stokiem stromym, a drugim łagodnym
cuffo [ˈkʌfəu] *adv sl* za frajer
culch [kʌltʃ] *s* 1. miejsce składania ikry przez ostrygi 2. ikra ostrygi
culex [ˈkju:leks], **culicid** [kju:ˈlisid] *s* komar
cull² [kʌl] *s am* głupiec
↑ **culottes** *spl* ... spódnica-spodnie
cultch [kʌltʃ] *s* = **culch** ↑
↑ **culture** [III] *attr* 1. kulturowy 2. (*o czynniku, zespole itd.*) uprawowy; ~ **medium** pożywka do hodowli (bakterii)
culturing [ˈkʌltʃəriŋ] *s* hodowanie
cultus [ˈkʌltəs] *s* kult; praktyki kultowe
culver [ˈkʌlvə] *s am zool* 1. gołąb, gołębica 2. (*Columba livia*) gołąb skalny
cumbrance [ˈkʌmbrəns] *s* = **cumber** *s*
cummerbund [ˈkʌməbʌnd] *s* szarfa
↑ **cumulative** *adj* ... (*o czynniku itd.*) kumulatywny; ~ **poison** trucizna kumulatywna; *nukl* ~ **dose** dawka sumaryczna
cunctation [kʌŋkˈteiʃən] *s* odwlekanie; zwlekanie; kunktatorstwo, † kunktacja
↑ **cuneiform** *adj* ... ~ **writing** pismo klinowe
cunial [ˈkju:niəl] *adj* klinowy
cunt [kʌnt] *s wulg* cipa; dupa
↑ **cup** [I] *s* 1. ... *przen* **sb's** ~ **of tea** to, co ktoś lubi; **the film was not my** ~ **of tea** nie przepadam za takimi filmami; **her type is not my** ~ **of tea** ona nie jest w moim guście ⟨typie⟩ 2. ... *sport* **challenge** ~ puchar przechodni 7. (*w biustonoszu*) miseczka
↑ **cupped** [III] *adj* ... (*o dłoni*) stulona w kształt miseczki (np. przy uchu); **he sat with his chin** ~ **in his hand** siedział z brodą ujętą w dłoń
cupping [ˈkʌpiŋ] *s* stawianie baniek
cuprite [ˈkju:prait] *s miner* kupryt
cuproautunite [ˌkju:prəuˈɔ:tjunait] *s miner* kuproautunit
cupronickel [ˈkju:prəuˌnikəl] *s* stop miedziowoniklowy
cuprosklodovskite [ˌkju:prəuˈsklɔdəvskait] *s miner* kuproskłodowskit
cuprouranite [ˌkju:prəuˈju:rənait] *s miner* kuprouranit
cuprum [ˈkju:prəm] *s chem* miedź
cup-type [ˈkʌptaip] *attr techn* ~ **centrifuge** wirówka z probówkami
curarize [ˈkju:rəraiz] *vt med* za/stosować kurarę (**sb** komuś) (przy zabiegu chirurgicznym)
↑ **curd** [IV] *attr* ~ **cheese** twaróg
curettage [kju:ˈretidʒ] *s med* wy/łyżeczkowanie
↑ **curette** [III] *vt med* wy/łyżeczkować
↑ **curie** [III] *attr* **Curie** Curie; ~ **point** ⟨**temperature**⟩ punkt Curie; temperatura przemiany magnetycznej
↑ **curious** *adj* 3. ... wnikliwy
curiously [ˈkju:riəsli] *adv* 1. ciekawie; z ciekawością; z zaciekawieniem 2. dziwnie; niezwykle 3. wnikliwie
curite [ˈkju:rait] *s miner* kiuryt
↑ **curl** [III] *s* 5. *nukl* wir; rotacja
↑ **currish** *adj* 3. podły; drański

currishly [ˈkʌriʃli] *adv* 1. jak pies; podle; drańsko 2. zgryźliwie; opryskliwie

↑ **curse** [III] *s* 4. *wulg* **the** ~ miesiączka

cursorily [ˈkə:sərili] *adv* pobieżnie; powierzchownie

↑ **curtail** [III] *attr bud* ~ **step** pierwszy dolny stopień schodowy z zaokrąglonym przednóżkiem

curtly [ˈkə:tli] *adv* 1. szortko; z szorstkością 2. zwięźle 3. sucho; krótko; lakonicznie

curvaceous [kə:ˈveiʃəs] *adj* (*o kobiecie*) mająca zaokrąglone kształty; (*o figurze*) okrągły

↑ **curve** [†] *s* 5. *pl* ~**s** okrągłości (w figurze kobiecej)

curvesome [ˈkə:vsəm] *adj* = **curvaceous** ↑

↑ **cushat** *powinno być*: *s zool* (*Columba palumbus*) gołąb grzywacz

cuspidate [ˈkʌspideit] *adj* spiczasty; zaostrzony

cussed [ˈkʌsid] *adj pot* 1. diabelski 2. przewrotny

cussedly [ˈkʌsidli] *adv pot* 1. diabelsko 2. przewrotnie

↑ **custom** *s* 4. ... ~**s union** unia celna

↑ **custom-built, custom-made** *adj* 1. ... (zrobiony ⟨wykonany⟩) na obstalunek 2. *pot* kosztowny

↑ **cut**¹ *vt* 24. nagr-ać/ywać (mowę, muzykę) na płycie ⟨na taśmie⟩
~ **back** [I] *vt* 2. obniż-yć/ać ilościowo ⟨liczebnie⟩ 3. powt-órzyć/arzać wyświetlony uprzednio fragment filmu [III] *s* 13. *chem* frakcja (destylacji itd.)

cut-and-cover [ˈkʌt-əndˈkʌvə] *attr wojsk* ~ **shelter** schron ziemny

↑ **cutaneous** *adj* 1. ... ~ **epithelioma** nabłoniak skórny

↑ **cutaway**¹ [III] *adj* (*o części mechanizmu*) wycięty dla umożliwienia obserwacji wewnętrznego działania mechanizmu

↑ **cut-back** *s* 2. spadek (ilości zamówień itd.) 3. redukcja (**in staff, personnel** personelu)

cutdown [ˈkʌtdaun] *s sl* członek dziecięcej bandy przestępczej

cut-down [ˈkʌtdaun] *s med* nacięcie naczynia krwionośnego

cutin [ˈkju:tin] *s bot* kutyna

cut-in [ˈkʌtin] *s* wstawka (w tekście, w filmie)

↑ **cut-off** [III] *attr* odcinający; *fiz* ~ **distance** odległość ekranowania; ~ **input** moc odcinająca progowa; ~ **level gauge** wskaźnik mocy odcinającej; ~ **voltage** napięcie odcinające

cuttage [ˈkʌtidʒ] *s roln* sadzonkowanie

cut-up [ˈkʌtʌp] *s sl* zgrywus; wygłup

cut-work [ˈkʌtwə:k] *s* robota ażurowa

cyanamide [saiˈænəmid] *s chem* cyjanamid

cyanine [ˈsaiəni:n] *s chem* cyjanina

cyano-cobalamin [saiˌænəuˈkəubələmin] *s farm* cyjanokobalamina; witamina B_{12}

cyanuric [saiəˈnju:rik] *adj chem* cyjanurowy

cybernetic [saibəˈnetik] *adj* cybernetyczny

cyclograph [ˈsaikləgrɑ:f] *s techn* przyrząd elektronowy do badania twardości metali

cyclohexane [saikləuˈheksein] *s chem* cykloheksan, sześciowodorobenzen

cycloidal [saiˈklɔidəl] *adj geom* cykloidalny

cyclonal [saikˈləunəl] *adj* cykloniczny

↑ **cyclone** [III] *attr* ~ **cellar** schron przeciw tornado itp.

cyclonite [ˈsaiklənait] *s chem* cyklonit, heksogen

cyclop(a)edic [saikləuˈpi:dik] *adj* encyklopedyczny

cyclopentane [ˌsaikləuˈpentein] *s chem* cyklopentan

cyclopropane [ˌsaikləuˈprəupein] *s chem* cyklopropen

cyclostomatous [ˌsaikləstəˈmeitəs] *adj zool* smoczkousty

cyclothymia [saikləˈθaimiə] *s med* cyklotymia

↑ **cyclotron** [III] *attr* cyklotronowy; ~ **beam** wiązka z cyklotronu; ~ **equation** równanie cyklotronu; ~ **radius** promień cyklotronowy

↑ **cylinder** [III] *attr techn* ~ **head** głowica cylindra

↑ **cylindrical** *adj* ... *nukl* ~ **field** pole walcowe ⟨osiowe⟩; ~ **geometry** geometria walcowa ⟨osiowa⟩; ~ **shell source** źródło neutronów cylindryczne

cymene [saiˈmi:n] *s chem* cymen

cymose [ˈsaiməus] *adj bot* wierzchotkowaty

cynically [ˈsinikəli] *adv* cynicznie

cyperaceous [saipəˈreiʃəs] *adj bot* turzycowaty

↑ **cypress** [III] *attr* cyprysowy

cyprinid [siˈprinid] *adj zool* karpiowaty

cyprinoid [ˈsiprinɔid] *adj* karpiowaty

cyrogenics [ˌsaiərəuˈdʒeniks] *s* cyrogenika

cyrtolite [ˈsə:təlait] *s miner* cyrtolit

cytochemistry [ˌsaitəˈkemistri] *s* cytochemia

cytogeneticist [ˌsaitəudʒiˈnetisist] *s* cytogenetyk

cytogenetics [ˌsaitəudʒiˈnetiks] *s* cytogenetyka

cytokinesis [ˌsaitəukiˈni:sis] *s biol* cytokineza

cytopathologist [ˌsaitəupəˈθɔlədʒist] *s* cytopatolog

cytopathology [ˌsaitəupəˈθɔlədʒi] *s* cytopatologia

cytoplasmatic [ˌsaitəuplæzˈmætik] *adj biol* cytoplazmatyczny; ~ **inheritance** dziedziczność cytoplazmatyczna

D

↑ **D, d** [I] *s* 4. **D** *am szk* (*najniższy pozytywny stopień oceny*) dostateczny minus
dacron [ˈdækrən] *s tekst* dacron; terylen
dactylic [dækˈtilik] *adj prozod* daktyliczny
dactylology [dæktiˈlɔlədʒi] *s* porozumiewanie się na migi
daddy *zob* **dad**
Daedalean, Daedalian [diˈdeiljən] *adj* Dedalowy
Daedalus [ˈdi:dələs, *am* ˈdedələs] *spr mitol* Dedal
daglock [ˈdæglɔk] *s* kołtun (w runie owczym)
dagwood [ˈdægwud] *s am kulin* kanapka z bułki przełożonej resztkami jedzenia
daintily [ˈdeintili] *adv* 1. delikatnie; zgrabnie; filigranowo 2. gustownie; wykwintnie 3. wybrednie 4. smakowicie; znakomicie
↑ **dainty** [I] *adj* 4. smakowity; znakomity
daiquiri [ˈdaikəri] *s* mrożony napój alkoholowy z rumu, soku cytrynowego i cukru
↑ **dairy** [III] *attr* ~ **cattle** bydło mleczne
dairying [ˈdɛəriiŋ] *s* prowadzenie gospodarstwa mlecznego
↑ **daisy** [III] *adj am sl* świetny; fajny || *am* ~ **ham** baleron
daisy-cutter [ˈdeiziˌkʌtə] *s pot sport* piłka rzucona tak, że się toczy po ziemi
Dakin [ˈdeikin] *spr farm* **~'s solution** roztwór Dakina (do przemywania ran)
dalles [dælz] *spl am* 1. strome ściany kanionu 2. progi skalne na rzece
damagingly [ˈdæmədʒiŋli] *adv* 1. szkodliwie; ze szkodą (czyjąś, czegoś) 2. przynosząc ujmę (komuś); uwłaczająco
damnatory [ˈdæmnətəri] *adj* potępiający
damnification [ˌdæmnifiˈkeiʃən] *s* szkoda
damnify [ˈdæmnifai] *vt* przyn-ieść/osić szkodę (**sb** komuś)
damningly [ˈdæmiŋli] *adv* z potępieniem; potępiająco
Damoclean [dæməˈkliən] *adj mitol* Damoklesowy
Damocles [ˈdæməkli:z] *spr mitol* Damokles
↑ **damsel** [III] *attr zool* ~ **fly** ważka (rodzaju *Odonata*)
Danaidean [dæneiˈidjən, dæneiiˈdi:ən] *adj* danaidowy
Danaides [dæˈneiidi:z] *spl mitol* Danaidy
↑ **dandy** [III] *adj* || *techn* ~ **roll** eguter
dangerously [ˈdeindʒərəsli] *adv* niebezpiecznie
Daniels [ˈdeinjəlz] *spr attr* ~ **pile** reaktor jądrowy do wytwarzania energii elektrycznej
dapperly [ˈdæpəli] *adv* 1. elegancko; wytwornie 2. fertycznie; zwinnie
Daraprim [ˈdærəprim] *spr farm* silny lek przeciwmalaryczny
daredevil(t)ry [dɛəˈdevl(t)ri] *s* śmiałkostwo; ryzykanctwo; szaleńcza odwaga; brawura
daringly [ˈdɛəriŋli] *adv* śmiało; odważnie
darkly [ˈdɑ:kli] *adv* 1. ciemno; mrocznie 2. ponuro; posępnie 3. tajemniczo 4. niejasno; niezrozumiale
darning [ˈdɑ:niŋ] [I] *zob* **darn** *vt* [III] *s* 1. cerowanie 2. cera
dartle [ˈdɑ:tl] *vt vi* = **dart** *vt vi*
datal [ˈdeitl] *adj górn* (*o robotniku*) dniówkowy
datary [ˈdeitəri] *s kośc* datariusz
daubery [ˈdɔ:bəri, ˈdɔ:bri] *s* 1. = **daub** 3. 2. fuszerka
↑ **day** [III] *attr zool* ~ **owl** (*Surnia ulula*) sowa jarzębata; *am kolej* ~ **coach** wagon osobowy
daymark [ˈdeimɑ:k] *s lotn mar* znak nawigacyjny widzialny w dzień
dazzlingly [ˈdæzliŋli] *adv* oślepiająco
deaconry [ˈdi:kənri] *s* 1. diakonat 2. ogół diakonów; *zbior* diakoni
deactivate [di:ˈæktiveit] *vt* 1. *wojsk* z/demobilizować ⟨rozpu-ścić/szczać⟩ (oddział) 2. rozwiązać (zespół, klasę itd.)
↑ **dead** [I] *adj* 2. ... (*o ustawie, zarządzeniu*) ~ **letter** martwa litera; ~ **load** a) ciężar własny b) obciążenie nieruchome; ~ **march** marsz pogrzebowy; ~ **time** a) czas martwy b) czas zwłoki (jałowy); *mar* ~ **reckoning** obliczenie (przebytej drogi); *sl radio* ~ **air** głucha cisza (w głośniku, słuchawkach; *meteor* ~ **interval** martwy punkt
↑ **dead-end** [III] *attr* ~ **kid** ulicznik, materiał na chuligana
deadening [ˈdedniŋ] [I] *zob* **deaden** *v* [II] *s* izolacja dźwiękowa
↑ **dead-heat** *s*. ... równość punktów
dead-pan [ˈdedpæn] *sl* [I] *s* 1. nieruchoma ⟨drewniana⟩ twarz (komika itd.) 2. twarz bez wyrazu [II] *adj* (*o twarzy*) nieruchomy; bez wyrazu; drewniany
dealfish [ˈdi:lfiʃ] *s* morska ryba denna
↑ **death** [III] *attr* ... ~ **sand** pył radioaktywny, który można rozsiać na terytorium nieprzyjaciela
debrief [di:ˈbri:f] *vt* przesłuchać (podwładnego) w sprawie wykonania powierzonego mu zadania
↑ **debt** *s* ... ~ **of honour** dług honorowy
decal [diˈkæl] *s* = **decalcomania**
decalescence [di:kəˈlesns] *s metalurg* dekalescencja
decalitre, *am* **decaliter** [ˈdekəli:tə] *s* dekalitr, 10 litrów
decametre, *am* **decameter** [ˈdekəmi:tə] *s* dekametr, 10 metrów

decane [de'kein] *s chem* dekan

decarbonate [di:'ka:bəneit] *vt chem* pozbawi-ć/ać (związek itd.) dwutlenku węgla

decarboxylation [di:ka:,bɔksi'leiʃən] *s chem* dekarboksylacja

decastere ['dekəstiə] *s* dekaster, 10 m^3

decasualization [di'kæʒuəlai,zeiʃən] *s* usuwanie z pracy robotników niewykwalifikowanych

decasyllable [dekə'siləbl] *s prozod* wyraz ⟨wiersz⟩ dziesięciozgłoskowy; dziesięciozgłoskowiec

↑ **decay** [I] *vi* 6. *fiz* rozpa-ść/dać się [II] *s* 7. *fiz* rozpad promieniotwórczy; ~ **time** czas życia (dla neutronu itp.); czas rozpadu (ciała promieniotwórczego)

↑ **decedent** [III] *attr prawn* ~ **estate** masa spadkowa

deceivingly [di'si:viŋli] *adv* 1. oszukańczo; kłamliwie; fałszywie 2. zwodniczo; złudnie

deceleration [,di:seli'reiʃən] *s* zmniejszenie szybkości

Decembrist [di'sembrist] *s* Dekabrysta

decemvirate [di'semvirit] *s* decemwirat

decennially [di'senjəli] *adv* co dziesięć lat

decenter [di'sentə] *vt am* = **decentre**

↑ **decently** *adv* 3. skromnie; obyczajnie

↑ **deception** [III] *attr wojsk* ~ **corps** jednostki wyspecjalizowane w stosowaniu kamuflażu

decidability [,disaidə'biliti] *s* rozstrzygalność

deciduous [di'sidjuəs] *adj bot* liściasty

deciliter ['desi,li:tə] *s am* = **decilitre**

decillion [di'siljən] *s* 1. (*w Anglii*) jednostka z 60 zerami 2. *am* jednostka z 33 zerami

decimalization [,desiməlai'zeiʃən] *s* przeliczenie na system dziesiętny

decimalize ['desiməlaiz] *vt* przeliczyć na system dziesiętny

decimeter ['desi,mi:tə] *s am* = **decimetre**

decipherment [di'saifəmənt] *s* 1. odcyfrowanie 2. rozszyfrowanie 3. rozwiązanie (zagadki)

decisively [di'saisivli] *adv* decydująco; rozstrzygająco; stanowczo; w sposób decydujący ⟨rozstrzygający, stanowczy⟩.

deckle-edged ['dekl,edʒd] *adj* o brzegach nie obciętych maszynowo

declarative [di'klærətiv], **declaratory** [di'klærətəri] *adj* deklaracyjny, deklaratywny

declass [di'kla:s] *vt* z/deklasować

declassify [di'klæsifai] *vt wojsk* zwolnić z tajemnicy wojskowej

declinatory [di'klainətəri] *adj* 1. odmowny 2. obniżający się; opadający 3. *astr* deklinacyjny

decocoon [di:kə'ku:n] *vt* zdjąć pokrowiec (ze sprzętu wojskowego)

decolletage [,dekəl'ta:ʒ] *s* dekolt

decomposition [,di:kɔmpə'ziʃən] *s* rozkład

↑ **decontaminate** *vt* 2. pozbawić (okolicę) skażenia radioaktywnego

decontamination [di:kən,tæmi'neiʃən] *s* odkażenie; dezynfekcja

decoratively ['dekərətivli] *adv* dekoracyjnie; ozdobnie

decorativeness ['dekərətivnis] *s* dekoracyjność; ozdobność

decoreographer [dekəri'ɔgrəfə] *s* scenograf

decorously ['dekərəsli] *adv* stosownie; przyzwoicie

decorousness ['dekərəsnis] *s* stosowność

decortication [di,kɔ:ti'keiʃən] *s* okorowanie; łuszczenie

dedust [di'dʌst] *vt* odpyl-ić/ać

↑ **dee** *s* 3. *fiz nukl* duant

deejay ['di:,dʒei] *s radio* prezenter

de-emphasis [di:'emfəsis] *s elektr* korekcja wtórna

deep-dish ['di:pdiʃ] *adj kulin* zapiekany w kamionce

deep-dyed ['di:pdaid] *adj* (*o łajdaku itd.*) skończony

deep-freeze ['di:pfri:z] [I] *s* zamrażalnik [II] *vt* zamr-ozić/ażać

deep-fry ['di:pfrai] *vt* smażyć w tłuszczu w głębokim rondlu

↑ **deer** [III] *attr zool* ~ **fly** giez (owad z rodzaju *Chrysops*)

defeasible [di'fi:zibl] *adj* ulegający unieważnieniu ⟨zakończeniu⟩

defect^2 [di'fekt] *vi* 1. zdradz-ić/ać (kraj, partię) 2. zbie-c/gać ⟨ucie-c/kać⟩ (za granicę)

↑ **defection** *s* 2. ... zbiegostwo

defectively [di'fektivli] *adv* wadliwie

↑ **defence** [III] *attr psych* ~ ⟨*am* **defense**⟩ **mechanism** mechanizm obronny; reakcja obronna

defensible [di'fensibl] *adj* (będący) do obronienia; dający się wytłumaczyć ⟨usprawiedliwić⟩

defensively [di'fensivli] *adv* obronnie; defensywnie

defer(r)able [di'fə:rəbl] *adj* odraczalny

↑ **deficiency** [III] *attr* ~ **disease** choroba z niedoboru

↑ **definition** *s* 3. *sl radio* dobry ⟨czysty⟩ odbiór

definitude [di'finitju:d] *s* ścisłość; dokładność; precyzja

deflagrating ['defləgreitiŋ] [I] *zob* **deflagrate** *v* [III] *adj chem* ~ **spoon** łyżka do spalań

deflective [di'flektiv] *adj* odchyleniowy

defluxion [di'flʌkʃən] *s med* obfite wydzielanie (śluzu itd.)

deformable [di'fɔ:məbl] *adj* ulegający deformacji ⟨zniekształceniu⟩

defrayal [di'freiəl], **defrayment** [di'freimənt] *s* pokrycie ⟨opłacenie⟩ (kosztów)

defreeze [di'fri:z] *vt* odmrażać; rozmrażać

defrost [di'frɔst] *vt* 1. odmr-ozić/ażać; rozmr-ozić/ażać 2. upłynni-ć/ać (kapitały)

deftly ['deftli] *adv* zręcznie; zgrabnie; zwinnie

↑ **degeneration** *s* 2. sprzężenie zwrotne ujemne

degenerative [di'dʒenərətiv] *adj* degeneracyjny, degeneratywny
degraded [di'greidid] *adj* spodlony; zhańbiony; zwyrodniały; znikczemniały; *psych* zdegradowany
degradedly [di'greididli] *adv* w upodleniu; w zwyrodnieniu; w znikczemnieniu; wyrodnie; w degradacji
degradingly [di'greidiŋli] *adv* upodlająco; poniżająco; *psych* degradująco
↑ **degree** *s* 1. ... *fiz chem* ~ **of freedom** stopień swobody (układu)
degressive [di'gresiv] *adj* (dotyczący, należący do) degresji podatkowej
degum [di:'gʌm] *vt* 1. odserycynować, odgumować (jedwab) 2. odśluzować
dehumidification [di:,hjumidifi'keiʃən] *s* odwilgocenie
dehydration [dihai'dreiʃən] *s* liofilizacja, odwadnianie produktów uprzednio zamrożonych
dehydrogenation [di,haidrədʒi'neiʃən] *s chem* odwodornienie; dehydrogenacja
deice [di:'ais] *vt* 1. usuwać oblodzenie; odladzać 2. za/stosować substancje przeciwoblodzeniowe
deictic ['daiktik] *adj gram* deiktyczny
dejectedly [di'dʒektidli] *adv* 1. w przygnębieniu; w strapieniu; w zniechęceniu; z przygnębieniem; ze zniechęceniem 2. przygnębiająco; zniechęcająco
delayed [di'leid] ⎕I *zob* **delay** *v* ⎕III *adj fiz nukl* ~ **neutron** neutron opóźniony
delectably [di'lektəbli] *adv* rozkosznie; zachwycająco
↑ **deletion** *s* 2. *biol* brak ⟨niedobór⟩ (witamin itd.)
deliberately [di'libərətli] *adv* 1. rozmyślnie; umyślnie; z premedytacją; z wyrachowaniem 2. bez pośpiechu
deliberatively [di'libərətivli] *adv* 1. dyskusyjnie; drogą obrad 2. opiniodawczo
delicately ['delikitli] *adv* 1. delikatnie; subtelnie; z taktem 2. czule 3. wrażliwie 4. skromnie; niewinnie
↑ **delicious** *adj* 3. pyszny; smaczny; smakowity
deliciously [di'liʃəsli] *adv* 1. zachwycająco; ślicznie 2. wybornie; wyśmienicie; znakomicie 3. pysznie; smacznie; smakowicie
delightfully [di'laitfuli] *adv* zachwycająco; czarownie; czarująco
delightsomely [di'laitsəmli] *adv* zachwycająco; czarownie
deliquescence [deli'kwesəns] *s* rozpływanie się; rozpuszczanie się (np. kryształów); topnienie
deliration [deli'reiʃən] *s* szał; delirium
delist [di'list] *vt* skreślić z listy
delocalization [di:,ləukəlai'zeiʃən] *s* przemieszczenie
delocalize [di:'ləukəlaiz] *vt* przemie-ścić/-szczać
↑ **delta** *s* 2. ... *lotn* ~ **wing** skrzydło trójkątne ⟨delta⟩
deltaic [del'teiik] *adj* 1. deltowy 2. deltowaty
deltiology [delti'ɔlədʒi] *s* zbieranie ⟨kolekcjonowanie⟩ widokówek
delusively [di'lju:sivli] *adv* zwodniczo; złudnie; iluzorycznie; oszukańczo; bałamutnie
de luxe [də'luks] *adj* luksusowy
demagoguery [demə'gɔgəri], **demagoguism** ['deməgɔgizəm] *s am* demagogizm; demagogizowanie
demeanor [di'mi:nə] *s am* = **demeanour**
demerol ['deməroɔl] *s farm* (*także* **Demerol hydrochloride**) chlorowodorek Demerola
demilitarization [di,militərai'zeiʃən] *s* demilitaryzacja; z/demilitaryzowanie
demimondaine [,demimɔn'dein] *s* dama z półświatka
demimonde [demi'mɔnd] *s* półświatek
demitasse ['demitæs] *s* mała filiżanka czarnej kawy; *pot* pół czarnej; mała czarna
demivolt ['demivəult] *s* (*w jeździe konnej*) półwolta
↑ **democratic** *adj* ... **Democratic Party** a) (*w Polsce*) Stronnictwo Demokratyczne b) (*w USA*) Partia Demokratyczna
demodulation [di:mɔdju:'leiʃən] *s radio* demodulacja
demodulator [di'mɔdjuleitə] *s radio* demodulator
↑ **demolition** *s* 1. ... ~ **party** oddział do oczyszczania terenu
demonolater [di:mə'nɔlətə] *s* czciciel diabła ⟨demonów⟩
demonolatry [di:mə'nɔlətri] *s* kult diabła ⟨demonów⟩
demonstrant [di'mɔnstrənt] *s* = **demonstrator**
demonstratively [di'mɔnstrətivli] *adv* 1. dowodowo 2. wylewnie; ekspansywnie 3. demonstracyjnie
Demosthenic [deməs'θenik] *adj* demostenesowski
demoth [di'mɔθ], **demothball** [di'mɔθbɔ:l] *vt wojsk* zdjąć pokrowce (z samolotów i sprzętu wojskowego w przygotowaniu do akcji)
demotics [di'mɔtiks] *s* socjologia
demount [di'maunt] *vt* z/demontować
denaturant [di'nætʃurənt] *s fiz nukl* substancja denaturująca
↑ **dendrite** *s* 2. *anat* dendryt
dendrochronology [dendrəukrə'nɔlədʒi] *s* dendrochronologia
denicotinize [di:'nikətinaiz] *vt* denikotynizować
denominationalism [di,nɔmi'neiʃənəlizəm] *s* sekciarstwo
denotatively [di'nəutətivli] *adv* przez oznaczenie
densely ['densli] *adv* 1. gęsto 2. zwarcie 3. spoiście; szczelnie 4. tępo, z tępotą
densitometer [densi'tɔmitə] *s fot* densytometr
↑ **density** *s* 2. ... *techn* **packing** ~ ciężar nasypowy

denticulate [den'tikjulit] *adj bot* ząbkowany
denticulation [den,tikju'leiʃən] *s bot* ząbkowanie (liścia itd.)
dentiform ['dentifɔ:m] *adj* zębaty, kształtu zęba
dentilabial [denti'leibiəl] *adj fonet* wargowozębowy
dentiphone ['dentifəun] *s* dentyfon; przyrząd ułatwiający słyszenie
deoxygenate [di'ɔksidʒəneit], **deoxygenize** [di'ɔksidʒənaiz] *vt* = **deoxidize**
↑ **depart** *vi* 3. ... *pot* **to ~ from a discipline** odchylić ⟨wychylić⟩ się
departmentally [,di:pa:t'mentəli] *adv* według działów ⟨wydziałów⟩
depicture [di'piktʃə] *vt* przedstawi-ć/ać; z/obrazować; odmalować
depolish [di'pɔliʃ] *vt* pozbawi-ć/ać połysku
depolymerize [di'pɔlimərаiz] *vt* depolimeryzować
depone [di'pəun] *vt* = **depose** 2.
deprecatingly [depri'keitiŋli], **deprecatively** [depri'keitivli], **deprecatorily** [deprikə'tɔ:rili] *adv* z dezaprobatą
↑ **depressed** III *adj* ... ‖ **~ classes** pariasi
depressingly [di'presiŋli] *adv* przygnębiająco; deprymująco
depressive [di'presiv] *adj* = **depressing**
depressively [di'presivli] *adv* = **depressingly** ↑
depsides ['depsidz] *spl chem* depsydy
depurative [di'pjuərətiv] *adj* czyszczący; oczyszczający
depurge [di'pə:dʒ] *vt polit* z/rehabilitować
de regle [də'regl] *adj praed* zwyczajny; stosowny
de rigueur [dəri'gə:] *adj praed* wymagany zwyczajem; obowiązkowy
derisible [di'rizəbl] *adj* śmieszny
derivational [deri'veiʃənl] *adj* 1. pochodny 2. *gram* derywacyjny
derived [di'raivd] *adj fiz* **~ unit** jednostka pochodna
dermatogen [də'mætədʒen, 'də:mətəudʒen] *s bot* dermatogen
dermatoid [də:mə'tɔid] *adj* dermatoidowy
dermatomycosis [,də:mətəumai'kəusis] *s med* grzybica skóry
dermatosis [də:mə'təusis] *s med* dermatoza
dermis ['də:mis] *s* = **derm(a)**
derry(down) ['deri(daun)] *s* przyśpiew w pieśniach ludowych
Descartes [de'ka:ts] *spr attr filoz mat* kartezjański
descender [di'sendə] *s druk* część litery (g, p itd.) sięgająca poniżej linii
desegregate [di:'segrigeit] *vt* desegregować; znieść/znosić dyskryminację rasową
desegregation [di:,segri'geiʃən] *s* desegregacja; zniesienie dyskryminacji rasowej
desiccated ['desikeitid] *adj kulin* odwodniony; **~ milk** mleko w proszku
desiderative [di'zidərətiv] *adj* (*o czasowniku*) wyrażający życzenie ⟨pragnienie⟩
desolately ['desəlitli] *adv* 1. samotnie; odludnie; w opuszczeniu 2. z troską; z zatroskaniem
desoxycorticosteron [desɔksi,kɔ:ti'kɔstərəun] *s biochem* dezoksykortykosteron
desoxyribonucleic [desɔksi,raibəunju'kli:ik] *adj biochem* (*o kwasie*) dezoksyrybonukleinowy
↑ **desperado** *s* 2. straceniec
desperately ['despəritli] *adv* 1. rozpaczliwie; beznadziejnie; desperacko 2. (*walczyć itd.*) zaciekle ‖ **~ wounded** śmiertelnie ranny; **~ in love** zakochany bez pamięci; **to be ~ afraid of sth** panicznie bać się czegoś
despicably ['despikəbli, dis'pikəbli] *adv* podle; nikczemnie
↑ **despondently, despondingly** *adv* ... ze zniechęceniem; z rozpaczą w sercu
despotically [dis'pɔtikəli] *adv* despotycznie
despumate ['despjumeit] I *vt* szumować II *vi* wydzielać pianę ⟨szumowiny⟩; pienić się
desquamation [,deskwə'meiʃən] *s med* łuszczenie się; złuszczanie się
desterilize [di:'sterilaiz] *vt* uproduktywni-ć/ać (towar leżący bezproduktywnie); uaktywniać (rezerwy finansowe, produkcyjne); *pot* upłynniać (remanenty)
destroyable [dis'trɔiəbl] *adj* zniszczalny
↑ **destructible** *adj* ... zniszczalny
↑ **destructive** I *adj* ... ‖ *chem* **~ distillation** destylacja rozkładowa
destructively [dis'trʌktivli] *adv* niszczycielsko; niszcząco; destrukcyjnie; zgubnie
desultorily ['desəltərili] *adv* bezładnie; niesystematycznie; chaotycznie; bez związku
desynapsis [disi'næpsis] *s biol* desynapsis
↑ **detail** III *attr* **~ drawing** rysunek poszczególnej części ⟨detalu⟩ (budynku, maszyny itd.)
↑ **detection** III *attr fiz nukl* **~ gate** bramka detekcyjna
detergency [di'tə:dʒənsi] *s* detergencja; piorące ⟨czyszczące⟩ właściwości (środka chemicznego itd.)
↑ **detergent** III *s* 1. ... detergent
determinately [di'tə:minətli], **determinatively** [di'tə:minətivli] *adv* 1. w określony sposób 2. ostatecznie; rozstrzygająco; decydująco; w sposób rozstrzygający ⟨decydujący⟩
detestably [di'testəbli] *adv* wstrętnie; obrzydliwie; obmierźle
detractively [di'træktivli] *adv* 1. umniejszająco; uszczuplająco 2. uwłaczająco
↑ **detrimental** III *s* niepożądany kandydat do małżeństwa
detrimentally [,detri'mentəli] *adv* szkod-

liwie; krzywdząco; z uszczerbkiem (**to sb, sth** dla kogoś, czegoś)

detrital [di'traitl] *adj* 1. *geol* detrytyczny 2. szczątkowy

↑ **detritus** *s* 2. szczątek; *zbior* szczątki; resztki

de trop [də'trəu] *adj praed fr* niepożądany; zbędny; **to be ~** zawadzać; przeszkadzać

↑ **deuce**[1] [III] *vt* wyrównać (wynik gry)

deuteride ['dju:təraid] *s chem* deuterek

↑ **deuterium** [III] *attr chem* **~ oxide** tlenek deuteru; ciężka woda

deuterogamy [dju:tə'rɔgəmi] *s* drugie małżeństwo

devastatingly [devəs'teitiŋli] *adv* 1. niszczycielsko 2. *przen sl* obezwładniająco; **~ funny** przekomiczny; (taki, że) boki zrywać

developmentally [di,veləp'mentəli] *adv* 1. rozwojowo 2. ewolucyjnie

deviationism [di:vi'eiʃənizəm] *s polit* odchylenie od linii partyjnej

deviationist [di:vi'eiʃənist] *s polit* odchyleniec

↑ **devil** [I] *s* 1. ... **~'s tattoo** bębnienie palcami (po stole itp.)

devilishly ['devliʃli] *adv* diabelsko; diablo; diabelnie; szatańsko

devilkin ['devlkin] *s* (pół)diablę

devilwood ['devlwud] *s bot* (*Osmanthus americanus*) oliwkowate drzewo amerykańskie

deviously ['di:vjəsli] *adv* 1. odlegle 2. okrężnie; okrężną drogą; okrężnymi drogami 3. przebiegle; nieszczerze

devitrify [di:'vitrifai] *vt techn* odszklić

devocalize [di:'vəukəlaiz] *vt fonet* ubezdźwięczni-ć/ać (głoskę)

devotedly [di'vəutidli] *adv* z poświęceniem; z oddaniem

devotedness [di'vəutidnis] *s* poświęcenie; oddanie

↑ **dew** [IV] *attr* **~ drop** pojnik dla drobiu trzymanego w klatkach

↑ **dew-claw** *s* 2. *zool* szczątkowy palec

dextral ['dekstrəl] *adj* 1. prawoskrętny 2. prawy 3. (*o wróżbie itd.*) pomyślny; szczęśliwy

dextrally ['dekstrəli] *adv* 1. prawoskrętnie 2. w ⟨na⟩ prawo 3. (*wróżyć itd.*) pomyślnie; szczęśliwie

dextran ['dekstrən] *s chem* dekstran; poliglukan

dextrorotation [,dekstrəurəu'teiʃən] *s* prawoskrętność

dextrorotatory [,dekstrəu'rəutətəri], **dextrorse** ['dekstrɔ:s] *adj* prawoskrętny

dezincification [di:,zinkifi'keiʃən] *s chem* odcynkowanie

dharma ['da:mə] *s* (*w Indiach*) cnota; (*w buddyzmie*) prawo

dhoti ['dəuti] *s* (*w Indiach*) przepaska na biodra

diachronic [daiə'krɔnik] *adj* diachroniczny

diachylon [di'ækilɔn] *s farm* diachyl

diaconal [dai'ækənəl] *adj* diakoński

diaconate [dai'ækənit] *s* diakonat; diakonia

diactinic [daiæk'tinik] *adj fot* przepuszczający promienie aktyniczne

diagnosticate [daiəg'nɔstikeit] *vt* = **diagnose**

diakinesis [daiəki'ni:sis] *s biol* diakineza

↑ **dial** [III] *attr telef* **~ tone** sygnał zgłoszenia się centrali

dialectic [,daiə'lektik] [I] *adj* dialektyczny [III] *s* = **dialectics**

dialize ['daiəlaiz] *vt fiz chem* dializować

dialogize [dai'ælədʒaiz] *vi* dialogować

diamantiferous [daiəmən'tifərəs] *adj* diamentonośny

diamine [dai'mi:n] *s chem* dwuamina

↑ **diamond** [III] *attr* 1. ... **~ stylus** diamentowa wkładka do ramienia adaptera

diamond-back ['daiəmənd,bæk] *s zool* 1. (*Crotalus adamanteus*) grzechotnik 2. (*Malaclemys*) żółw jadalny

Diana [dai'ænə] *spr mitol* Diana

diandrous [dai'ændrəs] *adj bot* dwupręcikowy

dianoetic [daiənəu'etik] *adj* rozumowy

dianthus [dai'ænθəs] *s bot* (*Dianthus*) goździk

diaphaneity [daiəfə'ni:iti] *s* przeświecalność

diaphanous [dai'æfənəs] *adj* przeświecalny

diaphanously [dai'æfənəsli] *adv* przeświecająco

diapositive [daiə'pɔzitiv] *s* diapozytyw; przezrocze barwne

diastrophism [daiə'strɔfizəm] *s geol* diastrofizm

diathermancy [daiə'θə:mənsi] *s* zdolność przepuszczania promieni cieplnych

diathermanous [daiə'θə:mənəs], **diathermic** [daiə'θə:mik] *adj* diatermiczny

diatomaceous [daiətə'meiʃəs] *adj* **~ earth** ziemia okrzemkowa

diazine [daiə'zi:n] *s chem* dwuazyna

diazotization [daiæzətai'zeiʃən] *s chem* dwuazowanie

dibranchiate [dai'bræŋkiit] *adj zool* dwuskrzelny

dicaryon [dai'kæriən] *s biol* dikarion

dichogamy [dai'kɔgəmi] *s bot* przedprątność, przedsłupność

dichroism [dai'krəuizəm] *s miner* dychroizm

dichromate [dai'krəumeit] *s chem* dwuchromian

dick[3] [dik] *s am* 1. *sl* szpicel; tajniak 2. *pot* facet

dickcissel [dik'sisl] *s zool* (*Spiza americana*) trznadel amerykański

↑ **dickey** *s* 6. przodzik

dicoumarin [dai'ku:mərin] *s farm* dwukumarol

didymous ['didiməs] *adj bot* podwójny; parzysty; bliźniaczy

diecious [dai'i:ʃəs] *adj* = **dioecious**

↑ **dielectric** ☐ *adj* ... ~ **heating** nagrzewanie pojemnościowe; *elektr* ~ **strength** wytrzymałość na przebicie
dielectrically [daii'lektrikəli] *adv* dielektrycznie
dienes [dai'i:ni:z] *spl chem* węglowodory dienowe
dieresis [dai'ə:risiz] *s* = **diaeresis**
Diesel ['di:zəl] *spr attr* ~ **cycle** obieg Diesla
dieselization [di:zlai'zeiʃən] *s kolej* dieselizacja
diestock ['daistɔk] *s techn* oprawka do narzynek; gwintownica
↑ **diet²** Ⅳ *attr* dietetyczny; ~ **kitchen** kuchnia dietetyczna
↑ **differential** ☐ *adj* 2. ... (*w automatyce*) ~ **analyser** analizator równań różniczkowych; *med* ~ **white (blood) count** wzór leukocytowy
differentiating [ˌdifə'renʃieitiŋ] ☐ *zob* **differentiate** *v* Ⅲ *adj mat* ~ **circuit** układ różniczkujący
diffidently ['difidəntli] *adv* 1. niedowierzająco 2. bez zaufania do siebie 3. nieśmiało
↑ **diffraction** Ⅲ *attr fiz* dyfrakcyjny; ~ **grating** siatka dyfrakcyjna; ~ **instrument** dyfraktometr; ~ **pattern** obraz dyfrakcyjny, dyfraktogram
diffractive [di'fræktiv] *adj fiz* dyfrakcyjny
diffusate [di'fju:zit] *s nukl* gaz przedyfundowany
diffused [di'fju:zd] *adj* 1. rozprzestrzeniony; rozpowszechniony 2. (*o świetle*) rozproszony
diffusedly [di'fju:zidly] *adv* powszechnie; wszędzie
diffusely [di'fju:zli] *adv* 1. rozwlekle 2. w wielkim rozproszeniu
↑ **diffuser** *s* 2. *nukl* dyfuzor; rozpraszacz
diffusibility [diˌfju:zi'biliti] *s chem* zdolność dyfuzyjna ⟨do dyfuzji⟩; przenikliwość
↑ **diffusible** *adj* 2. nadający się do rozprzestrzenienia 3. ulegający dyfuzji
diffusively [di'fju:zivli] *adv* 1. dyfuzyjnie 2. rozwlekle
diffusivity [ˌdifju:'ziviti] *s fiz* dyfuzyjność
↑ **dig** Ⅲ *vi* 7. *sl* kapować
↑ **digital** ☐ *adj* 3. cyfrowy; ~ **computer** maszyna licząca cyfrowa; przelicznik cyfrowy
digitoxin [didʒi'tɔksin] *s farm* digitoksyna
diglottic [dai'glɔtik] *adj* dwujęzyczny
dignifiedly ['dignifaiədli] *adv* godnie; z godnością; dostojnie
digressive [dai'gresiv] *adj* dygresyjny
digressively [dai'gresivli] *adv* dygresyjnie
dikaryon [dai'kæriən] *s biol* dikarion
dikaryophase [dai'kæriəufeiz] *s biol* faza dikariotyczna
diketone [dai'ki:təun] *s chem* dwuketon
dilatometer [dilə'tɔmitə] *s fiz* dilatometr
dilatorily ['dilətərili] *adv* 1. powolnie; opieszale 2. ociągając się; z ociąganiem
diligently ['dilidʒəntli] *adv* pilnie; pracowicie
↑ **dim**
~ **out** *vi* 2. doznać zamroczenia w czasie lotu nurkowego
dimensionless [di'menʃənlis] *adj* bezwymiarowy; *nukl* ~ **variable** zmienna bezwymiarowa; ~ **fissionability parameter** bezwymiarowy parametr rozszczepialności
dime-store ['daimˌstɔ:] *s am* sklep z towarami groszowymi
dimeter ['dimitə] *s prozod* dymetr
dimidiate [di'midieit] *vt* przepoł-owić/awiać
diminutively [di'minjutivli] *adv* 1. zdrobniale 2. drobno
dimly ['dimli] *adv* 1. nikle; blado 2. ciemno 3. matowo 4. niejasno; mętnie 5. niewyraźnie
↑ **dim-out** *s* 2. zamroczenie, któremu ulega lotnik w czasie lotu nurkowego
dim-wit ['dimwit] *s sl* tuman; jołop
dingily ['dindʒili] *adv* 1. obskurnie; obdrapanie; obszarpanie 2. nieświeżo 3. mętnie
dinitrobenzene [daiˌnaitrəuben'zi:n] *s chem* dwunitrobenzen
↑ **dinky** *adj* 2. *am* mały; drobny
dioeciousness [dai'i:ʃəsnis] *s bot* dioecja; dwupienność
dioestrum [dai'i:strəm] *s zool* okres międzyrujowy
Diogenes [dai'ɔdʒəni:z] *spr* Diogenes
Diomedes [dai'ɔmi:di:z] *spr* Diomedes
Dionysia [daiə'niziə] *spr* Dionizja
Dionysiac [daiə'niziæk] *adj* dionizyjski
diopside [dai'ɔpsaid] *s miner* diopsyd
dioxane ['daiɔksein] *s chem* dioksan
diphenyl [dai'fi:nil] *s chem* dwufenyl
diphenylamine [dai'fenələmi:n] *s chem* dwufenylamina
diphosgene [dai'fɔzdʒi:n] *s chem* dwufosgen
diploid ['diplɔid] ☐ *s biol* diploid Ⅲ *adj* 1. podwójny 2. *biol* diploidalny
Diplopoda [di'plɔpədə] *spl zool* dwuparce
dipole ['daipəul] *fiz* ☐ *s* dipol Ⅲ *attr* dipolowy (moment itd.)
dipsacaceous [dipsə'keiʃəs] *adj bot* szczeciowaty
↑ **direction** Ⅲ *attr* kierunkowy; *lotn* ~ **indicator** wskaźnik kursu
↑ **directional** *adj* ... ~ **counter** kierunkowy licznik Geigera; *lotn* ~ **gyro** żyroskopowy wskaźnik kursu
↑ **direction-finder** *s radio* ... radionamiernik
direction-finding [di'rekʃən'faindiŋ] *s radio* radionamierzanie
direly ['daiəli] *adv* strasznie; okropnie; okrutnie
dirndl ['də:ndl] *s* sukienka tyrolska; strój tyrolski

dirtily [ˈdə:tili] *adv* 1. brudno 2. sprośnie; plugawie; nieprzyzwoicie 3. wstrętnie; ohydnie; *pot* paskudnie 4. podle; nikczemnie; haniebnie; *pot* paskudnie
disaccharides [daiˈsækəraidz] *spl chem* dwusacharydy; dwucukry
disadvantageously [ˌdisædvɑ:nˈteidʒəsli] *adv* niekorzystnie; szkodliwie; na niekorzyść
disagreeably [disəˈgri:əbli] *adv* nieprzyjemnie; przykro; w przykry sposób; niemile, niemiło
disappointingly [disəˈpɔintiŋli] *adv* 1. zawodnie 2. przykro; boleśnie 3. niezadowalająco; kiepsko; słabo; nieefektywnie
disapprobatively [disˈæprəubeitivli] *adv* z dezaprobatą
disarmingly [disˈɑ:miŋli] *adv* rozbrajająco
disassembly [disəˈsembli] *s* zdemontowanie; rozbiórka; demontaż
↑ **disaster** ▥ *attr* ratunkowy; ~ **unit** ekipa ratunkowa
disastrously [diˈzɑ:strəsli] *adv* katastrofalnie; fatalnie; zgubnie
↑ **disc** ▥ *attr radio* ~ **jockey** prezenter
discernibly [diˈsə:nibli] *adv* 1. dostrzegalnie 2. dosłyszalnie
discerningly [diˈsə:niŋli] *adv* wnikliwie; krytycznie; ze znawstwem
discoid(al) [disˈkɔid(əl)] *adj* tarczowaty; krążkowaty
discolor [disˈkʌlə] *vt vi am* = **discolour** *vt vi*
discommend [diskəˈmend] *vt* 1. z/ganić 2. odstraszyć
↑ **discompose** *vt* 2. wprawić w zakłopotanie; zmieszać
discomposed [diskəmˈpəuzd] *adj* zakłopotany; zmieszany
discomposedly [diskəmˈpəuzidli] *adv* w zakłopotaniu; z zakłopotaniem; ze zmieszaniem
disconcerted [ˌdiskənˈsə:tid] *adj* zmieszany; speszony; zakłopotany; zbity z tropu
disconcertedly [ˌdiskənˈsə:tidli] *adv* z zakłopotaniem; w zakłopotaniu
discontentedly [diskənˈtentidli] *adv* z niezadowoleniem
discontentedness [ˌdiskənˈtentidnis] *s* niezadowolenie
↑ **discontinuity** *s* 1. ... nieciągłość
discontinuously [ˌdiskənˈtinjuəsli] *adv* przerywanie; z przerwami; urywkowo
discophile [diskəˈfail] *s* kolekcjoner ⟨znawca, badacz⟩ płyt gramofonowych
↑ **discordant** *adj* 3. dysonansowy
discordantly [disˈkɔ:dəntli] *adv* 1. dysonansowo 2. niezgodnie; nieharmonijnie
↑ **discount** ▥ *adj* ... ~ **rate** stopa dyskontowa; ~ **house** firma sprzedająca towary przecenione
discouragingly [disˈkʌridʒiŋli] *adv* zniechęcająco
discourteously [disˈkə:tiəsli] *adv* niegrzecznie; nieuprzejmie

discreditably [disˈkreditəbli] *adv* podle; niegodnie; hańbiąco
discreetly [disˈkri:tli] *adv* 1. roztropnie; ostrożnie 2. dyskretnie; z rezerwą
discrepantly [disˈkrepəntli] *adv* niezgodnie; rozbieżnie; sprzecznie
discretely [disˈkri:tli] *adv* 1. oderwanie; w oderwaniu; w odosobnieniu; oddzielnie 2. *filoz* abstrakcyjnie
discretional [disˈkreʃənl] *adj* = **discretionary**
discretionally [disˈkreʃənəli] *adv* dowolnie; dyskrecjonalnie; według uznania
discriminately [disˈkriminitli], **discriminatingly** [diskrimiˈneitiŋli] *adv* roztropnie; wnikliwie
discriminator [disˈkrimineitə] *s radio* dyskryminator
discursively [disˈkə:sivli] *adv* 1. urywkowo; przeskakując z tematu na temat 2. *log* dyskursywnie
disdainfully [disˈdeinfuli] *adv* pogardliwie; z pogardą; lekceważąco; z lekceważeniem
disgracefully [disˈgreisfuli] *adv* haniebnie; sromotnie; niecnie
disgustingly [disˈgʌstiŋli] *adv* 1. obrzydliwie; odrażająco; wstrętnie 2. w obrzydliwy sposób
dishonestly [disˈɔnistli] *adv* nieuczciwie; w nieuczciwy sposób; oszukańczo
dishonor [disˈɔnə] *s am* = **dishonour**
dishonourably [disˈɔnərəbli] *adv* haniebnie; niecnie; nikczemnie; podle
dishpan [ˈdiʃpæn] *s* szaflik; cebrzyk do mycia naczyń
dishrag [ˈdiʃræg] *s* = **dishclout**
dishtowel [ˈdiʃtauəl] *s* ścierka do wycierania naczyń
dishwasher [ˈdiʃwɔʃə] *s* maszyna do zmywania naczyń
disincentive [disinˈsentiv] *s* czynnik zniechęcający; okoliczność zniechęcająca
disinflation [disinˈfleiʃən] *s ekon* poinflacyjny powrót do normalnych stosunków ekonomicznych
disingenuously [disinˈdʒenjuəsli] *adv* obłudnie; nieszczerze; fałszywie
disinhibition [disinhiˈbiʃən] *s psych* odhamowanie
disintegrator [disˈintigreitə] *s (w powieściach fantastycznonaukowych)* miotacz antymaterii
disinterestedly [disˈintristidli] *adv* 1. bezinteresownie 2. bezstronnie; obiektywnie 3. bez zainteresowania; obojętnie
disjointedly [disˈdʒɔintidli] *adv* bez związku; chaotycznie
disjunct [disˈdʒʌŋkt] *adj* rozdzielony; rozłączony
disjunctively [disˈdʒʌŋktivli] *adv* rozłącznie
↑ **disk** ▥ *attr radio* ~ **jockey** prezenter
↑ **disloyal** *adj* ... nielojalny
disloyally [disˈlɔjəli] *adv* niewiernie; nielojalnie; wiarołomnie; zdradziecko

† **disloyalty** *s* ... nielojalność
dismally [ˈdizməli] *adv* smętnie; posępnie; ponuro; melancholijnie; z melancholią
disobediently [disəˈbi:djəntli] *adv* nieposłusznie; opornie
disobligingly [disəˈblaidʒiŋli] *adv* nieusłużnie; (czyniąc) na przekór
disparagingly [disˈpærədʒiŋli] *adv* 1. lekceważąco; z lekceważeniem 2. uwłaczająco; obraźliwie
disparately [ˈdispəritli] *adv* 1. odmiennie; różnie; inaczej 2. niewspółmiernie
dispassionately [disˈpæʃənitli] *adv* 1. obojętnie; z obojętnością 2. beznamiętnie; trzeźwo; obiektywnie
† **dispatch** III *s* 6. ... **mentioned in the ~es** wymieniony z pochwałą w rozkazie dziennym
† **dispersal** *s* 2. *wojsk* dekoncentracja obiektów wojskowych i przemysłowych (w celu zmniejszenia strat w razie bombardowania)
dispersed [disˈpə:sid] *adj* **~ airport** lotnisko, którego urządzenia są rozrzucone na dużej przestrzeni celem zmniejszenia strat w razie bombardowania
dispersibility [ˌdispəsiˈbiliti] *s* zdolność do dyspersji
dispiriting [diˈspiritiŋ] I *zob* **dispirit** *vt* III *adj* zniechęcający; przygnębiający
dispiritingly [diˈspiritiŋli] *adv* zniechęcająco; przygnębiająco
† **displacement** III *attr nukl* **~ law** reguła przesunięć
displeasingly [disˈpli:ziŋli] *adv* nieprzyjemnie; w przykry sposób
† **disposable** *adj* ... **~ income** część płacy, którą pracownik dostaje na rękę (po potrąceniu podatków, składek itd.)
disproportionately [ˌdisprəˈpɔ:ʃənitli] *adv* niewspółmiernie; nieproporcjonalnie
disproportionation [disprəˌprɔ:ʃəˈneiʃən] *s chem* dysproporcjonowanie
disputably [disˈpju:təbli] *adv* spornie
disputaceously [dispju:ˈteiʃəsli] *adv* kłótliwie; swarliwie
disquietly [disˈkwaiətli] *adv* niespokojnie; z niepokojem
disreputably [disˈrepjutəbli] *adv* 1. haniebnie; sromotnie; niecnie 2. podejrzanie 3. niegodziwie; podle
disrespectfully [disrisˈpektfuli] *adv* bez (należnego) uszanowania; lekceważąco
dissatisfiedly [disˌsætisˈfaiədli] *adv* niezadowalająco; w sposób niezadowalający
disseisin, disseizin [disˈsi:zin] *s* bezprawne zajęcie ⟨pozbawienie⟩ majątku
dissemblingly [diˈsembliŋli] *adv* obłudnie; fałszywie
dissimilarly [diˈsimiləli] *adv* odmiennie; inaczej; niepodobnie
dissipatedly [disiˈpeitidli] *adv* hulaszczo; rozpustnie
dissipative [ˈdisipətiv] *adj nukl* **~ mechanics** mechanika układów niezachowawczych
dissocial [diˈsəuʃəl] *adj* nietowarzyski
dissolutely [ˈdisəlju:tli] *adv* rozpustnie; hulaszczo
dissolving [diˈzɔlviŋ] I *zob* **dissolve** *v* III *adj* 1. rozkładający; roztapiający; rozpuszczający 2. rozwiązujący 3. unieważniający
dissolvingly [diˈzɔlviŋli] *adv* 1. rozkładająco; roztapiająco; rozpuszczająco 2. rozwiązująco 3. unieważniająco
dissuasively [diˈsweisivli] *adv* odradzająco; zniechęcająco; odradzając
distantly [ˈdistəntli] *adv* odlegle; w oddali
distastefully [disˈteistfuli] *adv* przykro; w przykry sposób; wstrętnie; niesmaczne
† **distemper**[1] *s* 2. *powinno być*: *wet* nosówka; (*u koni*) zołzy
distichous [ˈdistikəs] *adj bot* dwurzędowy; dwuszeregowy
distinctly [disˈtiŋktli] *adv* 1. odmiennie; inaczej (**from sth** od czegoś, niż coś) 2. wyraźnie; jasno; dobitnie 3. oddzielnie
distingué [distɛ̃ˈgei] *adj* dystyngowany
distinguishably [disˈtiŋgwiʃəbli] *adv* dostrzegalnie; zauważalnie
distressfully [disˈtresfuli], **distressingly** [disˈtresiŋli] *adv* 1. niepokojąco 2. rozpaczliwie
† **distributive** *adj* ... *mat* **~ law** prawo rozdzielności
distributively [disˈtribjutivli] *adv* rozdzielczo
distrustfully [disˈtrʌstfuli] *adv* nieufnie; podejrzliwie
disturbed [disˈtə:bd] I *zob* **disturb** *vt* III *adj* 1. naruszony 2. zaniepokojony
disulphate [daiˈsʌlfeit] *s chem* dwusiarczan
† **dive** III *attr wojsk lotn* **~ bomber** samolot do bombardowania z lotu nurkowego; nurkowiec
dive-bombing [ˈdaivˌbɔmiŋ] *s* bombardowanie z lotu nurkowego
divergently [daiˈvə:dʒəntli] *adv* 1. rozbieżnie 2. rozpraszająco
diversely [daiˈvə:sli] *adv* 1. rozmaicie 2. odmiennie; inaczej
diversionary [diˈvə:ʃənəri] *adj* dywersyjny
diverting [daiˈvə:tiŋ] I *zob* **divert** *vt* III *adj* rozrywkowy; zajmujący; zabawny
† **division** III *attr mat* **~ sign** znak dzielenia
divisive [diˈvaisiv] *adj* dzielący; rozdzielający; siejący niezgodę
divulgate [diˈvʌlgeit] *vt* = **divulge**
Doberman [ˈdəubəmən] *attr* **~ pincher** doberman
docilely [ˈdəusailli] *adv* ulegle; posłusznie; potulnie; (*o zwierzęciu*) łagodnie
† **dockage** [ˈdɔkidʒ] *s* 1. obcięcie; potrącenie (z płacy itd.) 2. *roln* zanieczyszczenie zboża
dockwalloper [dɔkˈwɔləpə] *s sl* dorywczy robotnik w porcie ⟨w doku⟩

doddering [ˈdɔdəriŋ] [I] *zob* **dodder**[2] *vi* [III] *adj* = **doddery**

↑ **dodo** *s* 2. *sl lotn* początkujący lotnik

doesn't [ˈdʌznt] = **does not**

↑ **dog** [III] *attr sl wojsk* ~ **tag** = **identity disk** *zob* **identity**

dogface [ˈdɔgfeis] *s am* piechur; szeregowiec

↑ **dog-fight** *s* ... pojedynek powietrzny

doghouse [ˈdɔghaus] *s* psia buda; *przen* **in the** ~ w niełasce

do-gooder [du:ˈgudə] *s pot* człowiek chcący reformować świat

dogtrot [ˈdɔgtrɔt] *s* drobny kłus; kłusik

dolefully [ˈdəulfuli] *adv* smutno; żałośnie; płaczliwie

↑ **dollar** [III] *attr* dolarowy; ~ **gap** niedobór walutowy

dollar-a-year [ˈdɔlə-ə-jɛə] *attr* ~ **man** człowiek pracujący w instytucji rządowej za symbolicznym wynagrodzeniem (1 dolara rocznie)

dolly [ˈdɔli] *s kino tv* dolka

dolorously [ˈdɔlərəsli] *adv poet* smętnie; żałośnie; boleściwie

doltishly [ˈdəultiʃli] *adv* głupkowato

↑ **dominance** *s* 3. *biol* dominowanie

↑ **dominant** *s* 3. *biol* dominant

Don Quixote [dɔnˈkwiksət, dɔnˈkwiksəut] *spr* Donkiszot; *przen* donkiszot

↑ **door** [III] *attr bud* ~ **jamb** stojak ościeżnicy drzwiowej

dopey [ˈdəupi] *adj* = **dopy**

Doppler [ˈdɔplə] *spr attr fiz* ~ **effect** zjawisko Dopplera

dorm [dɔ:m] *s pot* = **dormitory**

dormered [ˈdɔ:məd] *adj* (*o dachu*) z oknami mansardowymi

↑ **dose** [III] *attr nukl* ~ **rate** moc dawki

dose-rate [ˈdəusˌreit] *attr nukl* ~ **meter** przenośny licznik Geigera

dosimeter [dɔˈsimitə] *s nukl* dawkomierz; dozymetr

dosimetry [dɔˈsimitri] *s nukl* dozymetria

↑ **double** [I] *adj* 1. ... *kino* ~ **feature** seans kinowy złożony z dwóch pełnometrażowych filmów; *chem* ~ **salt** sól podwójna; *sport* (*w narciarstwie*) ~ **stem** pług; *wojsk* ~ **time** przyśpieszony krok; *roln* ~ **tree** orczyca parokonna

double-clad [ˈdʌblˌklæd] *attr techn* ~ **vessel** naczynie o podwójnej wykładzinie

double-park [ˈdʌblpa:k] *vi* zaparkować samochód obok innego samochodu utrudniając w ten sposób przejazd

double-weight [ˈdʌblweit] *attr* ~ **hydrogen** = **deuterium**

doublure [du:ˈbluə] *s introl* ozdobna wewnętrzna strona okładki

doubtfully [ˈdautfuli] *adv* z powątpiewaniem; powątpiewająco

doubting [ˈdautiŋ] [I] *zob* **doubt** *v* [III] *adj* ~ **Thomas** niewierny Tomasz

Douglas [ˈdʌgləs] *spr attr bot* ~ **fir** ⟨**pine**⟩, ~ **spruce** (*Pseudotsuga taxifolia*) amerykańska jodła ⟨sosna⟩, amerykański świerk

dourine [duˈri:n] *s wet* zaraza stadnicza (koni)

dourly [ˈduəli] *adv* 1. srogo; surowo 2. uparcie

dowdily [ˈdaudili] *adv* 1. bez gustu 2. niestarannie 3. zaniedbanie; w zaniedbaniu

dowitcher [ˈdəuitʃə] *s zool* długodzioba słonka amerykańska *Limnodromus griseus*

dowmetal [ˈdəumetl] *s metalurg* elektron (stop o podstawie magnezowej)

↑ **down**[3] [I] *adv* 2. ... ~ **under** na antypodach (w Australii itd.); **the men from** ~ **under** ludzie z antypodów [III] *adj* || ~ **time** czas przestoju (fabryki, maszyny)

down-bow [ˈdaunbəu] *s muz* ruch smyczkiem w dół

downheartedly [daunˈha:tidli] *adv* z przygnębieniem; w przygnębieniu

downrightly [ˈdaunraitli] *adv* 1. = **downright** *adv* 2. uczciwie; szczerze

downslide [ˈdaunslaid] *s* (*także* ~ **motion**) *meteor* ześlizg

downspout [ˈdaunspaut] *s bud* rura spustowa

downstage [ˈdaunsteidʒ] *adv teatr* na przedzie sceny; ku przodowi sceny

↑ **downstairs** *adv* 4. *sl lotn* nisko; **to go** ~ tracić wysokość; schodzić

downtrend [ˈdauntrend] *s* tendencja zniżkowa

downturn [ˈdauntə:n] *s ekon* spadek koniunktury

↑ **downward** *adj* 4. *meteor* zstępujący

dozily [ˈdəuzili] *adv* ospale

dozy [ˈdəuzi] *adj* śpiący; ospały

draftee [dra:fˈti:] *s am* poborowy; rekrut

drafty [ˈdra:fti] *adj* = **draughty**

dragline [ˈdræglain] *s* koparka zgarniakowa

drag-link [ˈdrægliŋk] *s techn* korba bierna w mechanizmie dwukorbowym

drastically [ˈdræstikəli] *adv* 1. drastycznie 2. po drakońsku

Dravidian [drəˈvidiən], **Dravidic** [drəˈvidik] *adj jęz* drawidyjski

↑ **draw** [IV] *attr* ~ **string** sznurek ⟨tasiemka⟩ do zamykania woreczka

drawbore [ˈdrɔ:bɔ:] *s stol* otwór do zakołkowania połączenia na czop

↑ **drawing** [III] *attr* ... ~ **card** kasowy aktor ⟨punkt programu itp.⟩; ~ **pin** pinezka; pluskiewka

drawtube [ˈdrɔ:tju:b] *s* 1. *techn* tuleja wysuwana 2. tubus (mikroskopu itd.)

dreadfully [ˈdredfuli] *adv* strasznie; w straszliwy sposób; okropnie; przeraźliwie

↑ **dredge**[1] [I] *s* 1. ... koparka zgarniakowa

dreamily [ˈdri:mili] *adv* 1. sennie 2. marzycielsko 3. niewyraźnie; mglisto

drearily [ˈdriərili] *adv* posępnie; ponuro

drepanocytaemia [ˌdrepænɔsiˈti:miə] *s med* drepanocytoza

↑ **dress** [IV] *attr* ... ~ **shield** potnik

↑ **dressing** [III] *attr* ~ **jacket** ⟨*am* **sack**⟩ podomka; *wojsk* ~ **station** punkt opatrunkowy

dressing-down [ˈdresiŋˌdaun] *s* zbesztanie; **to give sb a** ~ zbesztać kogoś

↑ **drift** [IV] *attr lotn* ~ **meter** aparat do mierzenia zboczenia samolotu z kursu

↑ **drill**[1] [IV] *attr* ~ **press** wiertarka pionowa

drillmaster [ˈdrilmɑ:stə] *s* instruktor musztry

↑ **drip** [I] *vi* ... **to** ~ **dry** obcie-c/kać do sucha [IV] *attr* ~ **coffee** kawa z maszynki ⟨zaparzona w maszynce⟩

drip-coffee [ˈdripkɔfi] *attr* ~ **maker** maszynka do parzenia kawy

↑ **driving** [III] *adj* 1. ... ~ **wheel** koło napędzające

drolly [ˈdrəulli] *adv* zabawnie; śmiesznie; komicznie

↑ **drone** [I] *s* 4. *lotn* samolot bezzałogowy zdalnie kierowany

↑ **drop** [I] *s* 10. = **air-drop** [IV] *attr teatr* ~ **curtain** kurtyna opuszczana; *techn* ~ **forge** kuźnia matrycowa; ~ **forging** kucie matrycowe; ~ **hammer** młot spadowy; (*u stołu*) ~ **leaf** płyta na zawiasach ⟨opuszczana⟩; *wojsk* ~ **zone** = **dropping zone** *zob* **dropping** ↑

↑ **dropping** [III] *attr wojsk* ~ **zone** ⟨**ground**⟩ miejsce lądowania wojsk spadochronowych

drop-sonde [ˈdrɔpsɔnd] *s* radiosonda zrzucona na spadochronie

drosophila [drɔˈsɔfilə] *s zool* (*Drosophila*) mucha octowa ⟨fermentacyjna⟩; drozofila

droughty [ˈdrauti] *adj* (*o pogodzie*) suchy

drowsily [ˈdrauzili] *adv* sennie; ospale

drugfast [ˈdrʌgfɑ:st] *adj med* niepodatny na działanie leków; lekooporny

drugfastness [ˈdrʌgfɑ:stnis] *s med* lekooporność

drunkometer [drʌŋˈkɔmitə] *s* balonik (do stwierdzenia obecności alkoholu w wydychanym powietrzu)

drupaceous [dru:ˈpeiʃəs] *adj bot* pestkowy

↑ **dry** [I] *adj* 1. ... ~ **ice** suchy lód; ~ **law** prohibicja; *elektr* ~ **cell** ogniwo suche; *roln* ~ **farming** gospodarowanie w suchym klimacie; ~ **kiln** piec suszarniczy; *nukl* ~ **lattice** siatka sucha

dryway [ˈdraiwei] *attr nukl* ~ **process** proces suchy

↑ **dual** *adj* 1. ... *nukl* ~ **lattice** siatka podwójna

dualistic [djuəˈlistik] *adj* dualistyczny; dwoisty

dual-purpose [ˈdjuəlˌpə:pəs] *adj* o podwójnym przeznaczeniu; na dwojaki użytek; dwuczynnościowy; *roln* ~ **cattle** bydło o użytkowości dwukierunkowej ⟨mleczno-mięsnej⟩

↑ **dub**[4] *vt* 2. nagrać ponownie ze starego nagrania

dub[5] [dʌb] *s am wojsk* amfibia (pojazd mechaniczny)

dubiously [ˈdju:biəsli] *adv* 1. wątpliwie; niepewnie; problematycznie 2. z powątpiewaniem

dubitatively [ˈdju:bitətivli] *adv* z powątpiewaniem

↑ **duck**[1] [III] *attr* ~ **call** wabik na dzikie kaczki

↑ **duck**[3] [III] *s* 2. ... (*w boksie*) **deep** ~ unik poniżej pasa

duck[4] [dʌk] *s am sl wojsk* 1. ciężarówka amfibia 2. rekrut

duck-bill [ˈdʌkbil] *s* 1. *górn* kaczy dziób (ładowarka) 2. *wojsk* doczepka do gąsienic czołgu ułatwiająca posuwanie się w grząskim terenie

↑ **dude**[2] [III] *attr. am* ~ **ranch** rancho przyjmujące wczasowiczów

duff[4] [dʌf] *s am roln* ściółka leśna

↑ **duffel** [III] *attr wojsk* ~ **bag** worek na rzeczy osobiste

dully [ˈdʌlli] *adv* 1. nudno; nieciekawie 2. głucho 3. tępo

dumbly [ˈdʌmli] *adv* 1. niemo; bez słów 2. bezgłośnie

Dumbo [ˈdʌmbəu] *s mar* latająca łódź używana do akcji ratunkowych

↑ **dummy** [III] *adj* ... *nukl* ~ **fuel** makieta paliwa; ~ **diffuser** dyfuzor ⟨rozpraszacz⟩ sztuczny

dumontite [dju:ˈmɔntait] *s miner* dumontyt

dumortierite [djuˈmɔ:tiərait] *s miner* dumortieryt

↑ **dump**[2] [IV] *attr nukl* wyładowczy; ~ **tank** a) schron wyładowczy b) zbiornik wyładowczy; *techn* ~ **valve** zawór spustowy

dumpily [ˈdʌmpili] *adv* przysadkowato; pękato

dune-bug [ˈdju:nˌbʌg] *s techn* samochód łazik do jazdy na pustyni

duniewassal [ˈdu:niwɔsl] *s szkoc* 1. szlachcic szkocki 2. młodszy syn wysokiego rodu

dunk [dʌŋk] *vt am* maczać (pieczywo) w zupie ⟨w kawie, w mleku⟩

↑ **dunnage** *s* 2. bagaż; rzeczy osobiste (marynarza)

dunnite [ˈdʌnait] *s chem* pikrynian amonowy (materiał wybuchowy)

↑ **dunt** *s* 2. uderzenie 3. rana od uderzenia

duostroller [djuəuˈstrəulə] *s* wózek dziecięcy dla bliźniąt

↑ **duple** *adj* ... ~ **time** takt na dwie czwarte

↑ **duplex** *adj* 1. ... ~ **apartment** mieszkanie dwupoziomowe w domu wielorodzinnym; *am* ~ **house** dom dwurodzinny; bliźniak

durably [ˈdju:rəbli] *adv* trwale; mocno; stale

↑ **duration** *s* ... *nukl* ~ **of irradiation** okres napromienienia

durative [ˈdju:rətiv] *adj gram* (*o aspekcie czasownika*) niedokonany; trwający
durum [ˈdju:rəm] *attr bot* ~ **wheat** (*Triticum durum*) pszenica twarda
duskily [ˈdʌskili] *adv* 1. mrocznie; ciemno 2. śniado
↑ **dusky** *adj* || *zool* (*Dendragapus obscurus*) ~ **grouse** kurowaty ptak amerykański
↑ **dust** IV *attr* pyłowy; ~ **collection** a) odpylanie b) gromadzenie pyłu; ~ **extractor** odpylacz; ~ **devil** wirujący tuman kurzu; ~ **jacket** obwoluta
dustily [ˈdʌstili] *adv* w tumanach ⟨w kłębach⟩ kurzu
↑ **Dutch**[1] I *adj* ... ~ **door** drzwi podzielone poziomo, tak że górna część może być otwarta, kiedy dolna jest zamknięta
Dutchman's-breeches [ˈdʌtʃmənzˈbritʃəz] *s bot* amerykańskie ziele *Dicentra cucullaria*
Dutchman's-pipe [ˈdʌtʃmənz͵paip] *s bot* kokornakowate pnącze *Aristolochia Sipho*
duteously [ˈdju:tiəsli] *adv* 1. posłusznie 2. z szacunkiem
dutifully [ˈdju:tifuli] *adv* 1. obowiązkowo; sumiennie 2. z szacunkiem
duumvirate [djuˈʌmvirit] *s* duumwirat
dwarfed [dwɔ:ft] *adj* skarłowaciały
dwarfishly [ˈdwɔ:fiʃli] *adv* karłowato
dynamically [daiˈnæmikəli] *adv* dynamicznie
dynamiter [ˈdainəmaitə] *s* dynamitard
dynamotor [ˈdainəməutə] *s elektr* przetwornica o dwóch uzwojeniach umieszczonych w tym samym tworniku
dynastically [daiˈnæstikəli] *adv* dynastycznie
dynatron [ˈdainətrɔn] *s elektr* dynatron
dysgenic [disˈdʒenik] *adj* genetycznie niepożądany ⟨niekorzystny⟩
dyskeratosis [ˈdiskərətəusis] *s med* dyskeratoza
dyslexia [disˈleksiə] *s med* dysleksja
dysmetria [disˈmetriə] *s med* zaburzenie możności prawidłowego ocenienia odległości
dysphemia [disˈfi:miə] *s med* zaburzenie mowy; jąkanie
dysphoria [disˈfɔ:riə] *s med* dysforia
dysplasia [disˈpleiziə] *s med* wadliwy rozwój tkanek
dysplastic [disˈplæstik] *adj* dysplastyczny
dysprosium [disˈprəuziəm] *s chem* dysproz

E

↑ **eager** *adj* 2. ... *przen* ~ **beaver** nadgorliwiec
eagerly [ˈi:gəli] *adv* 1. z entuzjazmem; chętnie; ochoczo; gorliwie 2. skwapliwie 3. pochopnie 4. chciwie 5. (*pragnąć czegoś*) żywo; gorąco
↑ **eagle** III *attr* ... *am sl wojsk* ~ **day** dzień wypłaty żołdu
earliness [ˈə:linis] *s* 1. wczesna pora 2. wczesność (dojrzewania itd.)
ear-minded [ˈiəmaindid] *adj psych* (*o typie*) słuchowy; ~ **person** słuchowiec
earmuff [ˈiəmʌf] *s am* nausznik
earnestly [ˈə:nistli] *adv* 1. poważnie; szczerze; na serio; z przekonaniem 2. (*pracować*) sumiennie, gorliwie; (*modlić się*) żarliwie
earthiness [ˈə:θinis], **earthliness** [ˈə:θlinis] *s* ziemskość; doczesność
earthling [ˈə:θliŋ] *s* istota ziemska; śmiertelnik
earthward(s) [ˈə:θwəd(z)] *adv* ku ziemi
eastwardly [ˈi:stwədli] *adj* wschodni (kierunek, wiatr)
eatery [ˈi:təri] *s pot* jadłodajnia
E-boat [ˈi:bəut] *s* niemiecka łódź torpedowa; ~ **alley** obszar na kanale La Manche, na którym niemieckie łodzie torpedowe często atakowały konwoje alianckie
ecad [ˈi:kəd] *s biol* roślina przystosowana do siedliska
eccentrically [ikˈsentrikəli] *adv* 1. *techn* ekscentrycznie; mimośrodowo; odśrodkowo 2. ekscentrycznie; dziwacznie; cudacznie
ecclesiastically [i͵kli:ziˈæstikəli] *adv* 1. duchownie 2. po duchownemu; kościelnie
ecesis [iˈsi:sis] *s am biol* osiedlenie się gatunku i przystosowanie się do nowego środowiska
↑ **echelon** I *s wojsk* 2. stopień ⟨szczebel⟩ dowództwa; **the higher** ~**s** wyższe szczeble dowództwa 3. eszelon (formacja wojsk, samolotów) III *vt* eszelonować
echinate [ˈekineit] *adj* szczeciniasty; pokryty szczeciną
echinococcus [i͵kainəˈkɔkəs] *s med* echinokok
echinodermata [i͵kainəˈdə:mətə] *spl zool* szkarłupnie
echinoid [ˈekinɔid] *s* jeżowiec
↑ **echo** I *s* 3. (*w radarze*) sylwet(k)a
echoic [ˈekəuik] *adj* echowy
echolation [ekəuˈleiʃən] *s fiz* echolokacja
ecize [ˈi:saiz] *vi biol* (*o gatunku*) osiedlić się i przystosować się do nowego środowiska
eclampsia [ekˈlæmpsiə] *s med* eklampsja, rzucawka
eclogite [ˈeklədʒait] *s miner* eklogit
econometric [ikɔnəˈmetrik] *adj* ekonometryczny

econometrician [ikɔnəˌmetˈriʃən] *s* ekonometryk

econometrics [ikɔnəˈmetriks] *s* ekonometria

economically [ˌi:kəˈnɔmikəli] *adv* 1. ekonomicznie; gospodarczo 2. oszczędnie; gospodarnie

↑ **economizer** *s* 3. *aut* ekonomizer; oszczędzacz (paliwa w gaźniku) 4. *nukl* podgrzewacz

ecophene [ˈi:kəfi:n] *s* = **ecad**

ecospecies [ˈi:kəspi:ʃiz] *s* *biol* ecospecies

ecotone [ˈi:kətəun] *s* granica między dwoma zespołami roślin

ecotype [ˈikətaip] *s* *biol* ekotyp

ectoparasite [ektəuˈpærəsait] *s* pasożyt zewnętrzny, ektopasożyt

edaphic [iˈdæfik] *adj* *biol* 1. miejscowy, lokalny 2. glebowy; edaficzny

edaphon [ˈedəfɔn] *s* *biol* edafon; flora i fauna glebowa

↑ **eddy** [III] *attr* ... *nukl* ~ **current** prąd wirowy

edema [i:ˈdi:mə] *s* *med* obrzęk, edema

edematous [i:ˈdemətəs] *adj* obrzękowy; *med* ~ **laryngitis** zapalenie i obrzęk krtani

↑ **editor** *s* 1. ... redaktor merytoryczny

↑ **effective** [I] *adj* 8. *nukl* (*o ładunku, zasięgu, akcie rozproszenia*) efektywny; (*o półokresie, tensorze masy*) rzeczywisty; skuteczny; ~ **conductivity** przewodność skuteczna; ~ **value** wartość skuteczna

effectively [iˈfektivli] *adv* 1. skutecznie; z dobrym skutkiem 2. wydajnie 3. efektywnie; rzeczywiście; faktycznie 4. efektownie

effector [iˈfektə] *s* *fizj* efektor

effectually [iˈfektjuəli] *adv* 1. skutecznie 2. obowiązująco

effeminateness [iˈfeminitnis] *s* zniewieściałość

effendi [eˈfendi] *s* efendi

efficaciously [ˌefiˈkeiʃəsli] *adv* skutecznie; z pożądanym skutkiem

efficiently [iˈfiʃəntli] *adv* 1. skutecznie 2. wprawnie; biegle; kompetentnie 3. wydajnie 4. efektywnie

↑ **effluent** [III] *s* 2. *nukl* odciek

effortlessly [ˌefətlisli] *adv* bez wysiłku; nie wysilając się; łatwo; lekko; z łatwością

effulgently [eˈfʌldʒəntli] *adv* promiennie; promieniejąc; jasno

effusively [iˈfju:sivli] *adv* 1. wylewnie 2. ekspansywnie

egalitarian [iˌgæliˈtɛəriən] [I] *adj* egalitarny [III] *s* zwolennik egalitaryzmu

egalitarianism [iˌgæliˈtɛəriənizəm] *s* egalitaryzm

Egeria [iˈdʒiəriə] *spr* *mitol* Egeria

egestion [i:ˈdʒeʃtʃən] *s* wydalanie, wydalenie

↑ **egg**[1] *s* 2. ... *arch* ~ **and anchor** ⟨**dart**⟩ wole oczy (ornament)

eggbeater [ˈegbi:tə] *s* *am sl* śmigłowiec

egg-head [ˈeghed] *s* *am sl* inteligent

↑ **egg-shell** [III] *attr* ~ **china** najcieńsza porcelana

egoistically [ˌegəuˈistikəli] *adv* egoistycznie; samolubnie

egomania [egəuˈmeiniə] *s* chorobliwy egotyzm

egregiously [iˈgri:dʒəsli] *adv* jawnie; skandalicznie

eidetic [aiˈdetik] *adj* *psych* eidetyczny; ~ **imagery** eidetyzm

eigen [ˈaigən] *adj* *nukl* własny; ~ **function** funkcja własna; ~ **value** wartość własna

↑ **eight** [III] *s* ... **figure of** ~ **turn** ósemka (figura akrobacji lotniczej)

ejaculatory [iˈdʒækjulətəri] *adj* 1. wykrzyknikowy 2. *fizj* wytryskowy

ejected [iˈdʒektid] *adj* *nukl* ~ **particle** cząstka emitowana

ejective [iˈdʒektiv] *adj* *fonet* ejektywny

elaborately [iˈlæbəritli] *adv* pracowicie; starannie; gruntownie; drobiazgowo

élan [eiˈlɑ̃:ŋ] *s* zapał; werwa

elasmobranch [iˈlæsməbræŋk] *adj* *zool* chrząstkoszkieletowy, chrząstnoszkieletowy

↑ **elastic** [I] *adj* 5. *nukl* sprężysty; ~ **collision** ⟨**scattering**⟩ zderzenie ⟨rozproszenie⟩ sprężyste

elastin [iˈlæstin] *s* *biochem* elastyna

elastomers [iˈlæstəməz] *spl* *chem* elastomery

elatedly [iˈleitidli] *adv* 1. w podnieceniu; z podnieceniem 2. dumnie

elaterid [iˈlætərid] *s* *zool* sprężyk

elaterite [iˈlætərait] *s* *miner* elateryt

↑ **eldest** *adj* ‖ *karc* ~ **hand** grający, który siedzi po lewej stronie rozdającego

Eleatic [eliˈætik] *filoz* [I] *adj* elejski [III] *s* Eleata

Eleaticism [eliˈætisizəm] *s* *filoz* eleatyzm

electively [iˈlektivli] *adv* obieralnie; elekcyjnie

electrapane [iˈlektrəpein] *s* *techn* szyba z elektrycznym urządzeniem odladzającym

↑ **electric** *adj* ... ~ **chair** krzesło elektryczne; ~ **blanket** koc elektryczny; ~ **field** pole elektryczne ⟨elektrostatyczne⟩; *muz* ~ **organ** organy elektryczne

electrocorticogram [iˌlektrəuˈkɔ:tikəgræm] *s* = **electroencephalogram** ↑

electrodeposition [iˌlektrəuˌdipɔˈziʃən] *s* osadzanie elektrolityczne

electroencephalogram [iˌlektrəuenˈsefələgræm] *s* zapis elektroencefalograficzny; elektroencefalogram

electroencephalograph [iˌlektrəuenˈsefələgrɑ:f] *s* *med* elektroencefalograf

electrograph [iˈlektrəugrɑ:f] *s* *techn* elektrograf

↑ **electron** [III] *attr* ... ~ **beam** wiązka elektronowa; ~ **capture** wychwyt elektronu; ~ **emitter** emiter elektronów; ~ **gun** działo elektronowe; wyrzutnia elektronów; ~ **impact** udar elektronowy; ~

multiplier tube powielacz elektronowy; krotnik elektronów; ~ **spin** spin elektronu; ~ **tube** lampa elektronowa

electronegative [iˌlektrəuˈnegətiv] *attr* ~ **gas** gaz elektroujemny

electron-neutrino [iˈlektrən-njuˈtri:nəu] *attr nukl* ~ **field** pole układu elektron-neutrino

electron-nuclear [iˈlektrənˈnju:kliə] *attr nukl* ~ **shower** ulewa elektronów i jąder

electron-positron [iˈlektrənˈpɔzitrən] *attr nukl* ~ **field** pole układu negaton-pozyton

electron-volt [iˈlektrənvɔlt] *s elektr* elektronowolt

electrophoresis [iˌlektrəufəˈri:sis] *s chem elektr* elektroforeza

electro-shock [iˌlektrəuˈʃɔk] *s med* wstrząs elektryczny

elegantly [ˈeligəntli] *adv* elegancko; wytwornie; wykwintnie; szykownie; *pot* pierwszorzędnie

elementally [eliˈmentəli] *adv* żywiołowo

elementarily [eliˈmentərili] *adv* elementarnie; podstawowo; zasadniczo; z zasady

elementariness [eliˈmentərinis] *s* elementarność

↑ **elementary** *adj* 1. ... *fiz* ~ **particle** cząstka elementarna

↑ **elevation** *s* 7. podskok (baletnicy)

elevon [ˈelivən] *s lotn* elewon; lotka-ster wysokości

elfishly [ˈelfiʃli] *adv* 1. czarodziejsko 2. psotnie

elliptically [iˈliptikəli] *adv* eliptycznie; na kształt elipsy

↑ **elm** II *attr zool* ~ **leaf beetle** (*Galerucella xanthomelena*) chrząszcz z rodziny stonek (groźny szkodnik w Stanach Zjednoczonych)

eluate [ˈeljuit] *s nukl* eluat

eluent [ˈeljuənt] *s nukl* eluent; roztwór wymywający

elusively [iˈlu:sivli] *adv* 1. nieuchwytnie 2. wymijająco; wykrętnie

elusorily [iˈlu:sərili] *adv* zwodniczo; złudnie

elution [iˈlu:ʃən] *attr nukl* ~ **cycle** cykl wymywania

↑ **elutriate** *vt* 2. odmywać; odmulać

↑ **elutriation** *s* 2. odmywanie; odmulanie

embarrassingly [imˈbærəsiŋli] *adv* krępująco; żenująco

emblazonment [imˈbleizənmənt] *s* 1. zdobienie herbami 2. zdobiące herby

emblematically [embliˈmætikəli] *adv* emblematycznie; symbolicznie

embrittlement [imˈbritlmənt] *s nukl* kruchość; nabywanie kruchości

↑ **embryo** II *adj* ... ~ **cell** komórka embrionalna; ~ **sack** woreczek zalążkowy

emcee [ˈemsi:] *s radio* konferansjer

↑ **emergency** II *attr nukl* ~ **shut-down system** system wyłączenia zagrożeniowego

emergent [iˈmə:dʒənt] *adj* wyłaniający się

emerging [iˈmə:dʒiŋ] *adj nukl* ~ **particle** cząstka emitowana ⟨powstająca⟩

emersed [iˈmə:st] *adj* wyłoniony; wyłaniający się

emesis [ˈeməsis] *s med* wymioty

emetine [ˈeməti:n] *s farm* emetyna

emissive [iˈmisiv] *adj* emisyjny; ~ **power** zdolność promieniowania

emissivity [imiˈsiviti] *s fiz* emisyjność; zdolność emisyjna

emotionally [iˈməuʃənəli] *adv* emocjonalnie; uczuciowo

emotively [iˈməutivli] *adv* wzruszeniowo; emocjonalnie

empennage [imˈpenidʒ] *s lotn* usterzenie ogonowe

empirical [emˈpirikəl] *adj* = **empiric**; *chem* ~ **formula** wzór empiryczny ⟨doświadczalny⟩

empiriocriticism [emˌpiriəuˈkritisizəm] *s filoz* empiriokrytycyzm

emptily [ˈemtili] *adv* 1. pusto; próżno 2. gołosłownie 3. bezsensownie

emulously [ˈemjuləsli] *adv* 1. ambitnie 2. prześcigając się wzajemnie

↑ **emunctory** *adj* 2. wydzielniczy

enalite [ˈenəlait] *s nukl* enalit

en bloc [ãˈblɔk] *adv fr* hurtem; w całości

en brochette [ã-brəuˈʃet] *adj praed fr kulin* z rożna

encephalon [enˈsefələn] *s anat* mózg

encouragingly [enˈkʌridʒiŋli] *adv* zachęcająco

enculturation [enˌkʌltʃuəˈreiʃən] *s* przystosowanie się do nowych warunków kulturowych

↑ **end** IV *attr* (*w przedstawieniach „Christy Minstrels"*) ~ **men** aktorzy na obu końcach szeregu, popisujący się błazeństwami

endearingly [inˈdiəriŋli] *adv* przymilnie; pieszczotliwie

endlessly [ˈendlisli] *adv* bez końca; ciągle; wiecznie; bezustannie; stale

endodermis [endəuˈdə:mis] *s bot* endoderma; śródskórnia

endomitosis [endəumaiˈtəusis] *s biol* endomitoza

endomorph [ˈendəmɔ:f] *s fizj* typ endomorficzny

endomorphism [endəuˈmɔ:fizəm] *s miner* endomorfizm

endomorphy [endəuˈmɔ:fi] *s fizj* endomorfizm

endoparasite [endəuˈpærəsait] *s* endopasożyt

endophyte [ˈendəufait] *s bot* endofit

endosteum [enˈdɔstiəm] *s anat* okostna wewnętrzna

endothelium [endəuˈθi:liəm] *s anat* śródbłonek

endothermic [endəuˈθə:mik] *adj* endotermiczny

endotoxins [endəuˈtɔksinz] *spl* endotoksyny

enduringly [in'dju:riŋli] *adv* 1. trwale; stale 2. cierpliwie
energetically [enə'dʒetikəli] *adv* 1. energicznie 2. *techn* energetycznie
engagingly [in'geidʒiŋli] *adv* zachęcająco; ujmująco; mile
↑ **English** ⓘ *adj* ... *am bot* ~ **daisy** (*Bellis perennis*) stokrotka pospolita; ~ **walnut** (*Juglans regia*) orzech włoski; *muz* ~ **horn** rożek angielski
engrossing [en'grəusiŋ] ⓘ *zob* **engross** *vt* ⓘⓘⓘ *adj* absorbujący
engrossingly [en'grəusiŋli] *adv* absorbująco
eniac ['eniæk] *s techn* integrator elektronowy
enigmatically [enig'mætikəli] *adv* enigmatycznie; zagadkowo
enjoyably [in'dʒɔiəbli] *adv* przyjemnie; mile
ennoblement [i'nəublmənt] *s* nobilitacja; nobilitowanie
enol ['i:nɔl] *s chem* enol
enormously [i'nɔ:məsli] *adv* ogromnie; kolosalnie
enriched [in'ritʃt] *adj nukl* ~ **uranium** uran wzbogacony
enspherement [en'sfiəmənt] *s wojsk* okrążenie nieprzyjaciela siłami lądowymi i powietrznymi
enstatite ['enstætait] *s miner* enstatyt
entelechy [en'teləki] *s filoz* entelechia
entellus [en'teləs] *s zool* (*Semnopithecus entellus*) święta małpa Indii
enterocrinin [ˌentərəu'krainin] *s biochem* enterokrynina
enterogastrone [ˌentərəu'gæstrəun] *s biochem* enterogastron
enteron ['entərɔn] *s anat* przewód pokarmowy
enterotox(a)emia [ˌentərəutɔ'ksi:miə] *s wet* toksemia pochodzenia jelitowego
enterprisingly [entə'praiziŋli] *adv* przedsiębiorczo; z inicjatywą
entertainingly [entə'teiniŋli] *adv* 1. zajmująco 2. zabawnie
enthalpy ['enθəlpi] *s fiz* entalpia; zawartość cieplna
enthusiastically [enθu:zi'æstikəli] *adv* entuzjastycznie; z entuzjazmem
enticingly [in'taisiŋli] *adv* nęcąco; ponętnie; powabnie
entomologize [entə'mɔlədʒaiz] *vi* 1. zajmować się entomologią ⟨owadoznawstwem⟩ 2. zbierać owady
entrainment [in'treinmənt] *s nukl* porywanie; współunoszenie; ~ **filter** filtr cząstek porywanych; ~ **separator** łapacz ⟨pułapka⟩ kropel
entrancing [in'trɑ:nsiŋ] *adj* zachwycający; porywający
entrancingly [in'trɑ:nsiŋli] *adv* zachwycająco; porywająco
entreatingly [in'tri:tiŋli] *adv* błagalnie
entryway ['entriwei] *s bud* wjazd; wejście
↑ **envelope** *s* 4. *nukl* płaszcz (reaktora)
enviously ['enviəsli] *adv* zazdrośnie; zawistnie; z zazdrością; z zawiścią
↑ **environment** *s* ... **human** ~ środowisko człowieka
↑ **environmental** *adj* ... *nukl* ~ **background** tło otoczenia; ~ **contamination** skażenie otoczenia
envision [in'viʒən] *vt* wyobra-zić/żać sobie
enzymatic [enzai'mætik] *adj biochem* enzymatyczny
enzymology [enzai'mɔlədʒi] *s biochem* enzymologia
eolith ['i:əliθ] *s archeol* eolit
eosine ['i:əsi:n] *s chem* eozyna
Eozoic [i:ə'zəuik] *s* eozoik; era eozoiczna
epeirogenic [epairə'dʒenik] *adj* epejrogeniczny; lądotwórczy
ephedrine [e'fedrin, 'efədri:n] *s chem* efedryna
epiblast ['epiblɑ:st] *s biol* epiblast
epicadmium [epi'kædmiəm] *adj* epikadmowy
epically ['epikəli] *adv* epicznie
epicalyx [epi'keiliks] *s bot* nibykielich; przykieliszek
epicardium [epi'kɑ:diəm] *s anat* nasierdzie
epicenter ['episentə] *s am* = **epicentre**
epicotyl [epi'kɔtil] *s bot* kolanko podliścieniowe
Epictetus [ipik'ti:təs] *spr* Epiktet
Epicurus [epi'kju:ərəs] *spr* Epikur
epicyclic [epi'saiklik] *adj* epicykliczny; obiegowy; *techn* ~ **gear (train)** przekładnia obiegowa
epididymis [epi'didimis] *s anat* najądrze
epidote ['epidəut] *s miner* epidot
epigastrium [epi'gæstriəm] *s anat* nadbrzusze
epigeal [epi'dʒiəl] *adj bot* kiełkujący na powierzchni ziemi; *zool* żyjący tuż przy ziemi
epigenesis [epi'dʒenəsis] *s biol geol* epigeneza
epigeous [epi'dʒiəs] *adj bot* kiełkujący na powierzchni ziemi
epilation [epi'leiʃən] *s med* epilacja
epinasty ['epinəsti] *s bot* epinastia
epinephrine [epi'nefri:n] *s biochem* adrenalina; epinefryna
epiphenomenon [epifi'nɔminɔn] *s* epifenomen
epiphysis [i'pifisis] *s anat* 1. nasada (kości itd.) 2. szyszynka
epiphytology [epifi'tɔlədʒi] *s bot* epifitologia; nauka o chorobach roślin
epiphytotic [epifi'tɔtik] *adj bot* epifityczny
epirogenic [epairə'dʒenik] *adj* = **epeirogenic** ↑
↑ **episcopacy** *s* 2. rządy episkopalne
epistasis [e'pistəsis] *s biol* epistaza
epistolary [i'pistələri] *adj* epistolarny; listowny; listowy
epitasis [i'pitəsis] *s* epitaza

epithelial [epiˈθi:liəl] *adj* nabłonkowy
epithelioma [ˌepiθiliˈəumə] *s med* nabłoniak
epithermal [epiˈθə:məl] *adj* epitermiczny
epizoic [ˈepizəuik] *adj zool* pasożytujący na zewnątrz ciała
equatorially [ekwəˈtɔ:riəli] *adv* tropikalnie; równikowo
equilaterally [i:kwiˈlætərəli] *adv* równobocznie
equilibrant [ekwiˈlaibrənt] *s techn* ~ **of forces** siła równoważąca
↑ **equilibrium** III *attr* równowagowy; *nukl* ~ **water** wilgoć równowagowa
equitably [ˈekwitəbli] *adv* sprawiedliwie; słusznie; po sprawiedliwości
equivocally [iˈkwivəkəli] *adv* 1. dwuznacznie 2. wymijająco
eradicant [iˈrædikənt] *s roln* środek tępiący radykalnie szkodniki
erectility [irekˈtiliti] *s* wyprężenie; wyprostowanie
erective [iˈrektiv] *adj* wyprostowujący; wyprężający
erectly [iˈrektli] *adv* prosto; sztywno; pionowo; (*chodzić itd.*) z podniesioną głową
erelong [ˈɛələŋ] *adv* niebawem
erf [ə:f] *s fiz mat* erf
ergometrine [ə:gəuˈmi:tri:n], **ergonovine** [ə:gəuˈnəuvi:n] *s chem* ergometryna, ergonowina
erigeron [iˈridʒərən] *s bot* (*Erigeron*) przymiotno
erinaceous [eriˈneiʃəs] *adj zool* należący do gatunku jeża
eringo [iˈriŋgəu] *s bot* (*Eryngium*) mikołajek
ermined [ˈə:mind] *adj* 1. (*o człowieku*) w gronostajach 2. (*o stroju*) gronostajowy
↑ **erratic** *adj* 5. *nukl* błędny; ~ **behaviour** zachowanie się błędne
errhine [ˈerain] *adj farm* (*o lekarstwie*) do wziewania przez nos
↑ **erring** III *adj* 2. błądzący 3. grzeszny
erroneously [iˈrəuniəsli] *adv* błędnie; mylnie; fałszywie
↑ **error** III *attr fiz mat* ~ **function** funkcja błędów; erf
eruct [iˈrʌkt] *vi* = **eructate**
erythrene [eˈriθri:n] *s chem* erytren
erythrite [iˈriθrait], **erythritol** [iˈriθritɔl] *s chem* erytryt, butanotetraol
erythrocyte [iˈriθrəusait] *s biol* erytrocyt; krwinka czerwona
erythromycin [eˈriθrəuˌmaisi:n] *s farm* erytromycyna
erythropoiesis [eˌriθrəupɔiˈi:sis] *s fizj* tworzenie się krwinek czerwonych w szpiku
escadrille [eskəˈdril] *s* 1. *lotn* eskadra 2. *mar* flotylla
escalation [eskəˈleiʃən] *s* eskalacja; wzmaganie nasilenia (działań wojennych itd.)
↑ **escape** III *s* 6. *psych* ucieczka, uciekanie
escape-wheel [isˈkeipwi:l] *s zeg* koło wychwytowe
escarpment [esˈkɑ:pmənt] *s* stroma pochyłość; stok; skarpa
↑ **escort** III *attr* ... *wojsk* ~ **carrier** mały lotniskowiec konwojujący; ~ **fighter** myśliwiec konwojujący
Eskimo III *adj* ... ~ **dog** pies eskimoski
espadrille [espəˈdril] *s* plażowy sandał płócienny na sznurkowej podeszwie
↑ **essential** I *adj* || *chem* ~ **oil** olejek eteryczny
essentiality [iˌsenʃiˈæliti] *s* istotność; niezbędność
establisher [isˈtæbliʃə] *s* założyciel
↑ **establishment** *s* 8. **Establishment** ustrój społeczno-polityczny
esterase [ˈestəreis] *s biochem* esteraza
esterification [ˌestərifiˈkeiʃən] *s chem* estryfikacja
esterify [isˈterifai] *vt chem* estryfikować
esthesia [esˈθi:ziə], **esthesis** [esˈθi:sis] *s* wrażliwość; zdolność czucia
estivate [ˈestiveit] *vi zool* spędzać okres letni w odrętwieniu
estivation [estiˈveiʃən] *s zool* estywacja; odrętwienie w okresie letnim
Estonian [esˈtəuniən] I *adj* estoński III *s* Estończyk, Estonka
estradiol [estrəˈdaiɔl] *s biochem* estradiol
estriol [ˈestriəul] *s biochem* estriol
estrogen [ˈestrədʒen] *s biochem* estrogen; środek rujotwórczy
estrogenic [estrəˈdʒenik] *adj biochem* rujotwórczy; estrogenny
estrone [ˈestrəun] *s biochem* estron; folikulina
estrus [ˈestrəs] *s biol* ruja; ~ **cycle** cykl miesiączkowy
etatism [ˈetætizəm] *s polit* etatyzm
↑ **etching** III *s* 3. *techn* korozja
eternally [iˈtə:nəli] *adv* 1. wiecznie; wiekuiście 2. bezustannie; wciąż
ethanol [ˈeθənɔl] *s chem* etanol, alkohol etylowy
ethanolamine [eθəˈnɔləmi:n] *s chem farm* etanolamina
ethereally [iˈθiəriəli] *adv* eterycznie
etherify [ˈi:θərifai] *vt* poddać eteryfikacji
↑ **etherize** *vt* 2. poddać działaniu eteru; eterować
ethically [ˈeθikəli] *adv* etycznie
ethnobiology [eθnəubaiˈɔlədʒi] *s* etnobiologia
ethnocentric [eθnəuˈsentrik] *adj* etnocentryczny
ethnocentrism [eθnəuˈsentrizəm] *s* etnocentryzm
ethnogeny [eθˈnɔdʒini] *s* etnogenia
ethnography [eθˈnɔgrəfi] *s* etnografia
ethos [ˈi:θəs] *s* etos
↑ **ethyl** III *attr* etylowy; ~ **alcohol** alkohol etylowy; etanol; ~ **cellulose** etyloceluloza
ethylate [ˈeθəleit] *chem* I *vt* etylizować III *s* etanolan

ethylene [ˈeθəli:n] *chem* [I] *s* etylen, eten [III] *attr* etylenowy; ~ **glycol** glikol etylenowy; ~ **oxide** tlenek etylenu
etymologize [etiˈmɔlədʒaiz] *vi vt* etymologizować
eucaine [ˈjukein] *s chem* eukaina
eucalyptol(e) [jukəˈliptɔl] *s chem* eukaliptol, cyneol
euchromatic [jukrəˈmætik] *adj* euchromatyczny
euchromatin [ju:ˈkrɔmətin] *s biol* euchromatyna
euclase [ˈju:kleis] *s miner* euklaz
eudemonic [ju:diˈmɔnik] *adj* eudajmonistyczny, eudemonistyczny
eudemonics [ju:diˈmɔniks] *s* eudajmonologia, eudemonologia
eugenicist [ju:ˈdʒenisist] *s* eugenik
eugenol [ˈju:dʒinɔl] *s chem* eugenol
Eumenides [ju:ˈmenidi:z] *spr pl mitol* Eumenidy, Erynie
eupatorium [ju:pəˈtɔ:riəm] *s bot* 1. (*Eupatorium*) sadziec 2. roślina sadźcowa
eupatrid [ju:ˈpætrid] *s hist* eupatryda
eupepsia [ju:ˈpepsiə] *s* dobre trawienie
euphemistically [ju:fiˈmistikəli] *adv* eufemistycznie
euphoniously [ju:ˈfəuniəsli] *adv* eufonicznie
euphorbiaceous [jufɔ:biˈeiʃəs] *adj bot* wilczomleczowaty
euphroe [ˈju:frəu] *s mar* łata z otworami na linki wieloramiennika
Euridice [juəˈridisi:] *spr mitol* Eurydyka
Euripides [juəˈripidi:z] *spr* Eurypides
↑ **European** [I] *adj* ... *am* ~ **Plan** sposób prowadzenia hotelu, według którego opłata dzienna pokrywa tylko koszt mieszkania i obsługi (w odróżnieniu od sposobu zwanego **American Plan**, w którym uwzględnione są także posiłki)
Europeanism [juərəˈpiənizəm] *s* europeizm
europium [juəˈrəupiəm] *s chem* europ
eutectic [ju:ˈtektik] [I] *s* eutektyk [III] *adj* eutektyczny
eutectoid [ju:ˈtektɔid] *s* eutektoid
euthenics [ju:ˈθeniks] *s* udoskonalanie rasy przez poprawę otoczenia i warunków bytu
euxenite [ˈju:ksinait] *s miner* euksenit
evading [iˈveidiŋ] [I] *zob* **evade** *vt* [III] *adj* wymijający
evadingly [iˈveidiŋli] *adv* wymijająco
evaginate [iˈvædʒineit] *vt* wynicować; wywrócić wnętrze na zewnątrz
evagination [iˌvædʒiˈneiʃən] *s* wynicowanie; wywrócenie wnętrza na zewnątrz
evangelically [i:vænˈdʒelikəli] *adv* ewangelicznie
evaporable [iˈvæpərəbl] *adj* ulegający parowaniu
evasively [iˈveisivli] *adv* wymijająco; wykrętnie
even-even [ˈi:vnˌi:vn] *attr nukl* ~ **nucleus** jądro parzysto-parzyste
evenly [ˈi:vənli] *adv* 1. równo; gładko 2. równomiernie; jednostajnie 3. sprawiedliwie
even-odd [ˈi:vnˌɔd] *attr nukl* ~ **nucleus** jądro parzysto-nieparzyste
everlastingly [evəˈlɑ:stiŋli] *adv* 1. wiecznie; wiekuiście 2. nieustannie; stale; ciągle; wciąż 3. trwale 4. nieśmiertelnie
evidently [ˈevidəntli] *adv* widocznie; najwyraźniej
evincive [iˈvinsiv] *adj* dowodzący (czegoś); **to be** ~ **of sth** dowodzić czegoś
evitable [ˈevitəbl] *adj* (możliwy) do uniknięcia
evolutionally [i:vəˈlu:ʃənəli] *adv* ewolucyjnie
evolutionist [i:vəˈlu:ʃənist] *s* ewolucjonista
evolutionistic [i:vəlu:ʃəˈnistik] *adj* ewolucjonistyczny
evonymus [iˈvɔniməs] *s bot* (*Evonymus*) trzmielina
↑ **exactly** *adv* 1. ściśle; dokładnie; właściwie 2. punktualnie 3. (*mówiąc o dyscyplinie, przepisach itd.*) surowo 4. (*potwierdzająco*) właśnie
exaltedly [igˈzæ:ltidli] *adv* 1. podniośle 2. egzaltowanie
exasperatingly [igˌzɑ:spəˈreitiŋli] *adv* irytująco; denerwująco; nieznośnie
excaudate [iksˈkɔ:deit] *adj* bezogonowy; pozbawiony ogona
exceedingly [ikˈsi:diŋli] *adv* niezmiernie; nadzwyczajnie; w najwyższym stopniu
excellently [ˈeksələntli] *adv* doskonale; znakomicie; świetnie
exceptionably [ikˈsepʃənəbli] *adv* nieuprzejmie; niemiło; nagannie
exceptionally [ikˈsepʃənəli] *adv* wyjątkowo
↑ **excess** [III] *attr* ... *nukl* ~ **delayed reactivity** nadmiar reaktywności od neutronów opóźnionych; ~ **prompt reactivity** nadmiar reaktywności od neutronów natychmiastowych
↑ **excessive** *adj* 3. nadmiarowy; *nukl* ~ **neutron flux** nadmiarowy strumień neutronów
↑ **exchange** [IV] *attr* ‖ *nukl* ~ **collision** zderzenie z wymianą energii; ~ **reaction** reakcja wymiany
excitably [ikˈsaitəbli] *adv* pobudliwie
↑ **excitation** [III] *attr nukl* ~ **curve** ⟨**energy, function, potential**⟩ krzywa ⟨energia, funkcja, potencjał⟩ wzbudzenia
↑ **excited** *adj* 2. *nukl* wzbudzony (atom, jądro); ~ **level** ⟨**state**⟩ poziom ⟨stan⟩ wzbudzenia
exciter [ikˈsaitə] *s elektr* wzbudnica
↑ **exciting** [III] *adj* 2. *med* podniecający 3. *elektr* wzbudzający
excitingly [ikˈsaitiŋli] *adv* 1. emocjonująco; pasjonująco 2. podniecająco; ekscytująco
exclosure [eksˈkləuʒə] *s* obszar odgrodzony

↑ **exclusion** III *attr nukl* ~ **area** obszar wzbroniony; ~ **principle** reguła wyboru; reguła wyłączenia
exclusionism [iks'klu:ʒənizəm] *s* ekskluzywizm
exclusively [iks'klu:sivli] *adv* 1. wyłącznie 2. ekskluzywnie
↑ **excoriate** *vt* 2. ... nie zostawić (**sb** na kimś) suchej nitki
↑ **excrete** *vt* 2. wydalać
excretion [eks'kri:ʃən] *s* 1. wydzielanie 2. wydalanie
excrutiatingly [ikskru:ʃi'eitiŋli] *adv* rozdzierająco; (*boleć itd.*) straszliwie; potwornie; **it was** ~ **funny** wyło się ze śmiechu
↑ **excursion** I *s* 3. *nukl* skok mocy reaktora
excursively [iks'kə:sivli] *adv* dygresyjnie
excusably [iks'kju:zəbli] *adv* wybaczalnie
execrably ['eksikrəbli] *adv* wstrętnie; ohydnie
↑ **executive** I *adj* 2. ... **Executive Mansion** a) rezydencja Prezydenta Stanów Zjednoczonych b) rezydencja gubernatora
exegetic [eksi'dʒetik] *adj* interpretujący; egzegetyczny
exemplarily [ig'zemplərili] *adv* 1. wzorowo 2. przykładnie; (*ukarać*) dla (odstraszającego) przykładu; pokazowo
↑ **exhaust** III *s* 1. ... **car** ~ spaliny III *attr* ... ~ **fan** wentylator wyciągowy
exhaustingly [ig'zɔ:stiŋli] *adv* wyczerpująco; męcząco
exhaustively [ig'zɔ:stivli] *adv* wyczerpująco; gruntownie; wszechstronnie
exhibitionism [eksi'biʃənizəm] *s* ekshibicjonizm
exhibitive [ig'zibitiv] *adj* wykazujący (**of sth** coś)
exhibitory [ig'zibitəri] *adj* pokazowy; wystawowy
exhilaratingly [ig,zilə'reitiŋli] *adv* radośnie; rozweselająco
exhilarative [ig'zilərətiv] *adj* radosny
exhilaratively [ig'zilərətivli] *adv* radośnie
exigently ['eksidʒəntli] *adv* 1. nagląco 2. krytycznie 3. wymagająco
existential [egzis'tenʃəl], **existentialist** [egzis'tenʃəlist] *adj filoz* egzystencjalny
existentially [egzis'tenʃəli] *adv* egzystencjalnie
↑ **exit** III *attr* wyjściowy; *nukl* ~ **dose** dawka wyjściowa
exocentric [egzəu'sentrik] *adj jęz* egzocentryczny; ~ **construction** złożenie egzocentryczne
exocrine ['eksəkrain] *adj fizj* (*o gruczole*) wydzielania zewnętrznego
exoderm ['eksədə:m] *s bot* egzoderma
exoergic ['eksəuə:dʒik] *adj chem* egzotermiczny
exorbitantly [ig'zɔ:bitəntli] *adv* nadmiernie; przesadnie; z wygórowanymi żądaniami
exoskeleton [eksəu'skelitən] *s anat* szkielet skórny
exosphere [eksəu'sfiə] *s* egzosfera
expanded [iks'pændid] I *zob* **expand** *v* III *adj* 1. rozszerzony; rozpostarty; powiększony 2. *gram* rozwinięty; peryfrastyczny ‖ *techn* ~ **metal** siatka jednolita
↑ **expansion** III *attr* ... ~ **ratio** stopień rozszerzenia
expansionism [iks'pænʃənizəm] *s* ekspansjonizm
expectantly [iks'pektəntli] *adv* w oczekiwaniu; z oczekiwaniem
expediently [iks'pi:diəntli] *adv* 1. stosownie; celowo; praktycznie 2. korzystnie; dogodnie 3. oportunistycznie
expeditiously [ekspi'diʃəsli] *adv* szybko; pospiesznie
expellee [ekspi'li:] *s* 1. banita; wygnaniec 2. człowiek wysiedlony z powrotem do swego kraju rodzinnego
expendable [iks'pendəbl[*adj wojsk* 1. (*o żołnierzu*) przeznaczony na stracenie 2. (*o materiale wojskowym*) do strącenia
↑ **expense** III *attr* reprezentacyjny; ~**(s) account** fundusz reprezentacyjny ⟨na reprezentację⟩
expensively [iks'pensivli] *adv* kosztownie; drogo
experientially [ikspiri'enʃəli] *adv* doświadczalnie; na podstawie doświadczenia
experimentally [eks,peri'mentəli] *adv* doświadczalnie; eksperymentalnie
expertly [iks'pə:tli] *adv* biegle; mistrzowsko; po mistrzowsku; ze znawstwem
explanatorily [iks'plænətərili] *adv* wyjaśniająco
expletively [eks'pli:tivli] *adv* uzupełniająco; dopełniająco
explicitly [iks'plisitli] *adv* 1. jasno; wyraźnie; dosadnie; formalnie; kategorycznie; bez niedomówień 2. (*mówić o czymś*) otwarcie; szczerze
exploded [iks'pləudid] I *zob* **explode** *v* III *attr* ~ **view** widok zespołu rozebranego (pokazujący wzajemne położenie części)
↑ **explosive** I *adj* ... *nukl* ~ **fission reaction** reakcja rozszczepienia wybuchowa
explosively [iks'pləusivli] *adv* wybuchowo; z wybuchem
exponential [ekspəu'nenʃəl] *adj* wykładniczy; *nukl* ~ **decay** rozpad wykładniczy; ~ **pile experiment** doświadczenie reaktorowe wykładnicze
exposed [iks'pəuzd] I *zob* **expose** *vt* III *adj* 1. wystawiony; odkryty; odsłonięty 2. narażony; pozbawiony schronienia; bez opieki
↑ **exposure** I *s* 10. *nukl* napromienienie; ekspozycja III *attr nukl* ~ **dose** dawka promieniowania; ~ **period** czas napromienienia ⟨ekspozycji⟩; *fot* ~ **meter** światłomierz; ~ **test** próba na światłoczułość
expressively [iks'presivli] *adv* wyraziście

expressway [ˈekspreswei] *s am* autostrada (dla bardzo szybkiej komunikacji)
exquisitely [ˈekskwizitli] *adv* 1. znakomicie; wybornie; wyśmienicie 2. ślicznie 3. rozkosznie 4. (*odczuwać itd.*) żywo 5. subtelnie
extemporaneously [ikstempəˈreiniəsli] *adv* 1. improwizując 2. na poczekaniu; od ręki
↑ **extended** III *adj* 2. *nukl* rozciągły; ~ **ion source** rozciągłe źródło jonów
extender [iksˈtendə] *s chem* wypełniacz; obciążnik (do farb)
↑ **extension** III *attr uniw* ~ **courses** a) kursy popularyzujące b) studia zaoczne
extensively [iksˈtensivli] *adv* 1. obszernie; rozlegle 2. ekstensywnie
↑ **extensiveness** *s* 1. ... obszerność 2. ekstensywność 3. rozlewność
extenuatingly [ikstenjuˈeitiŋli] *adv* łagodząco
exteriorly [eksˈtiəriəli] *adv* zewnętrznie
exterminative [eksˈtə:minətiv] *adj* eksterminacyjny
externalism [eksˈtə:nəlizəm] *s* zewnętrzność; powierzchowność
externally [eksˈtə:nəli] *adv* zewnętrznie
exterritorially [eks,teriˈtɔ:riəli] *adv* eksterytorialnie
extortionately [eksˈtɔ:ʃənitli] *adv* zdzierczo
extracellular [ekstrəˈseljulə] *adj* pozakomórkowy
extractant [eksˈtræktənt] *s chem* ekstrahent; roztwór ekstrahujący
↑ **extraction** I *s* 4. *chem* ługowanie III *attr* ekstrakcyjny
↑ **extractive** *adj ... chem* ~ **distillation** destylacja ekstrakcyjna
extraneously [eksˈtreiniəsli] *adv* 1. obco; zewnętrznie; z zewnątrz 2. ubocznie
extranuclear [ekstrəˈnju:kliə] *adj nukl* pozajądrowy
extraordinarily [iksˈtrɔ:dinərili] *adv* nadzwyczajnie; niezwykle; zdumiewająco; *pot* fantastycznie
extrapolate [ˈekstræpəleit, iksˈtræpəleit] *vt* ekstrapolować
↑ **extrapolation** III *attr* ekstrapolacyjny; ~ **chamber** komora ekstrapolacyjna
extrasensory [ekstrəˈsensəri] *adj* pozazmysłowy; ~ **perception** postrzeganie pozazmysłowe
extra-spin [ˈekstrəspin] *attr nukl* ~ **magnetic moment** moment magnetyczny spinu wyższego rzędu
extratemporal [ekstrəˈtempərəl] *adj* ~ **perception** jasnowidztwo
↑ **extravagant** *adj* 3. ... horrendalny 4. ekstrawagancki
extravagantly [iksˈtrævəgəntli] *adv* 1. ekstrawagancko 2. nadmiernie; przesadnie 3. rozrzutnie; marnotrawnie; lekkomyślnie 4. horrendalnie
extravascular [ekstrəˈvæskjulə] *adj anat* pozanaczyniowy
extravert [ekstrəˈvə:t] *s psych* ekstrawertyk
extremism [iksˈtri:mizəm] *s* ekstremizm
extrusion [eksˈtru:ʒən] *s chem* wytłaczanie; wyciskanie
exuberantly [igˈzju:bərəntli] *adv* 1. bujnie; obficie; bogato 2. wylewnie
exudate [ˈegzjudeit] *s* egzudat
exultantly [igˈzʌltəntli] *adv* 1. unosząc się radością 2. triumfująco; z triumfem
eyespot [ˈaispɔt] *s zool* plamka oczna
eyestring [ˈaistriŋ] *s anat* mięsień oczny
eyewink [ˈaiwiŋk] *s* 1. mrugnięcie oka ⟨okiem⟩ 2. rzut oka

F

fabaceous [fəˈbeiʃəs] *adj bot* strączkowy
fabulously [ˈfæbjuləsli] *adv* 1. legendarnie 2. bajecznie; fantastycznie; niewiarygodnie
face-saving [ˈfeis-seiviŋ] *adj* ratujący pozory; **a** ~ **manoeuvre** manewr dla zachowania twarzy
facetiously [fəˈsi:ʃəsli] *adv* żartobliwie
facilely [ˈfæsilli] *adv* 1. łatwo; lekko; z łatwością 2. zgodnie; ustępliwie
↑ **facility** *s* 4. obiekt; urządzenie; **sports** ⟨**industry**⟩ **facilities** obiekty ⟨urządzenia⟩ sportowe ⟨przemysłowe⟩
fact-finding [ˈfækt,faindiŋ] *adj* ustalający faktyczny stan spraw; dociekający faktycznego stanu spraw; ~ **committee** komisja dla ustalenia faktycznego stanu spraw
factional [ˈfækʃənl] *adj* frakcyjny
factiously [ˈfækʃəsli] *adv* wichrzycielsko; warcholsko; po warcholsku
factitiously [fækˈtiʃəsli] *adv* sztucznie; nienaturalnie
factitively [ˈfæktitivli] *adv gram* faktytywnie
factually [ˈfæktjuəli] *adv* faktycznie
facture [ˈfæktʃə] *s* faktura; struktura
facultatively [ˈfækəltətivli] *adv* fakultatywnie; dowolnie
fadeometer [,feidiˈɔmitə] *s* fadeometr
fagaceous [fəˈgeiʃəs] *adj bot* bukowaty
fahlband [ˈfalband] *s górn* fahlband
fail-safe [ˈfeilseif] *adj techn* samoochronny
faint-heartedly [feintˈhɑ:tidli] *adv* bojaźliwie; tchórzliwie
fairground [ˈfɛəgraund] *s* teren zabaw ludowych; wesołe miasteczko

fairing [ˈfɛəriŋ] *s lotn* oprofilowanie; owiewek
fairish [ˈfɛəriʃ] *adj* nie najgorszy; znośny
fair-minded [ˈfɛəmaindid] *adj* sprawiedliwy; bezstronny
fair-trade [ˈfɛətreid] *vt am* ustalić dolną granicę ceny sprzedażnej artykułu zaopatrzonego w markę fabryczną
fairy² [ˈfɛəri] *s sl* pedał
Falange [ˈfɑ:ˈlaŋg] *s* Falanga (hiszpańskie ugrupowanie polityczne)
Falangist [fɑ:ˈlaŋgist] *s* falangista (członek hiszpańskiej Falangi)
falbala [ˈfɑ:lbələ] *s* falbanka
falciparum [fælˈsipərəm] *s* pasożyt malaryczny *Plasmodium falciparum*
↑ **fall** [III] *attr am bot* ~ **dandelion** (*Leontodon autumnalis*) brodawnik jesienny; jesiennik; *am sl* ~ **guy** frajer
fallaciously [fəˈleiʃəsli] *adv* 1. błędnie; mylnie 2. złudnie; zawodnie
fal-lal(l)ery [fælˈlæləri] *s* fatałaszki
fallfish [ˈfɔ:lfiʃ] *s zool* karpiowata ryba amerykańska *Leucosomus corporalis*
fallibly [ˈfælibli] *adv* omylnie
↑ **false** [I] *adj* 1. ... *mar* ~ **keel** falszkil; *prawn* ~ **imprisonment** bezprawne uwięzienie; *przen* ~ **step** fałszywy krok; **to sail under** ~ **colours** stwarzać pozory; udawać 3. ... ~ **pretences** pozory 5. ... *anat* ~ **ribs** wolne żebra
falsies [ˈfɔ:lsi:z] *spl* sztuczny biust
falsity [ˈfɔ:lsiti] *s* 1. fałszywość 2. błędność 3. zdrada 4. fałsz; obłuda
faltboat [ˈfɔ:ltbəut] *s sport* składak
↑ **family** [III] *attr* rodzinny; ~ **circle** kółko rodzinne; ~ **name** nazwisko; *przen* ~ **skeleton** tajemnica rodzinna
famished [ˈfæmiʃt] *adj* zgłodniały
famously [ˈfeiməsli] *adv* 1. sławnie 2. *pot* świetnie; kapitalnie
↑ **fan²** [III] *attr* ... wachlarzowy; *lotn* ~ **marker** radiolatarnia kierunkowa (przy lotnisku); *arch* ~ **tracery** ozdobne żebro sklepienia wachlarzowego; ~ **vault** sklepienie wachlarzowe; ~ **window** okno półkoliste
fanatically [fəˈnætikəli] *adv* fanatycznie; z fanatyzmem
fancifully [ˈfænsifuli] *adv* 1. kapryśnie 2. dziwacznie
fancy-man [ˈfænsimæn] *s wulg* 1. gach; kochanek 2. alfons; sutener
fancywork [ˈfænsiwə:k] *s* wyszywanie
fangle [ˈfæŋgl] *s* wymysł
fanning [ˈfæniŋ] [I] *zob* **fan²** *vt* [III] *attr roln* ~ **mill** wialnia
fanny [ˈfæni] *s wulg* pica, picza; cipa
fantastically [fænˈtæstikəli] *adv* 1. dziwacznie; ekscentrycznie 2. fantastycznie
fanwort [ˈfænwə:t] *s bot* odmiana lilii wodnej *Cabomba caroliniana*
faradic [fəˈrædik] *adj elektr* faradyczny
faradization [ˌfærədaiˈzeiʃən] *s elektr* faradyzacja
faradize [ˈfærədaiz] *s elektr* faradyzować
farcically [ˈfɑ:sikəli] *adv* groteskowo; śmiesznie
farkleberry [ˈfɑ:klˌberi] *s bot* (*Vaccinium arboreum*) borówka południowych stanów USA
↑ **farm** [I] *s* 5. *sport* drużyna rezerwowa ⟨sparringowa⟩
↑ **farmer** *s* 1. ... ~**s' co-operative** spółdzielnia rolnicza
farmerette [fɑ:məˈret] *s* robotnica rolna
fasciate [ˈfæʃieit] *adj* 1. związany; zabandażowany 2. = **fasciated** 1.
fasciation [fæʃiˈeiʃən] *s* zawiązanie; zabandażowanie
fascicular [fəˈsikjulə] *adj* 1. zebrany w wiązki 2. = **fasciculated**
fascicule [ˈfæsikju:l] *s* = **fascicle**
fascinatingly [fæsiˈneitiŋli] *adv* 1. fascynująco 2. czarująco; zachwycająco
↑ **fashion** [III] *attr* ~ **plate** a) plansza z żurnalu mód b) *przen pot* modnisia; elegant
fashionably [ˈfæʃənəbli] *adv* modnie; elegancko; wytwornie
fashioned [ˈfæʃənd] *adj* ukształtowany; fasonowany; modelowany
↑ **fast²** [I] *adj* 11. *nukl* prędki; ~ **breeder** ⟨**neutron etc.**⟩ reaktor rozmnażający ⟨neutron itd.⟩ prędki; ~ **neutron region** zakres neutronów prędkich; ~ **fission effect** efekt rozszczepiania neutronami prędkimi
fastidiously [fæsˈtidiəsli] *adv* wybrednie; wymyślnie; grymaśnie; z wymaganiami
fastigiate [fæsˈtidʒiit] *adj bot* zwężający się ku górze; stożkowaty
↑ **fastness** *s* 7. *chem* odporność (**to sth** na coś); **water** ~ odporność na działanie wody
↑ **fat** [I] *adj* 1. ... *am sl* ~ **cat** bogacz, od którego partia polityczna spodziewa się poważnych dotacji na kampanię wyborczą
fatally [ˈfeitəli] *adv* 1. fatalnie; zgubnie; śmiertelnie 2. nieuchronnie; wyrokiem losu
fatefully [ˈfeitfuli] *adv* 1. decydująco; rozstrzygająco 2. fatalnie; śmiertelnie; zgubnie 3. nieuchronnie
fat-free [ˈfætfri:] *adj* beztłuszczowy
fatless [ˈfætlis] *adj* chudy; beztłuszczowy
fat-soluble [fætˈsɔljubl] *adj* rozpuszczalny w tłuszczach
fatuitous [fæˈtjuitəs] *adj* niemądry
faultily [ˈfɔ:ltili] *adv* wadliwie; nieprawidłowo; błednie; nieściśle
faultlessly [ˈfɔ:ltlisli] *adv* bezbłędnie; nienagannie; doskonale
faveolate [fəˈvi:əlit] *adj* 1. przegródkowy 2. dziobaty
favism [ˈfeivizəm] *s med* anemia hemolityczna wywołana uczuleniem na nasiona lub pyłek fasoli
favonian [feˈvəuniən] *adj* 1. (dotyczący) wiosennego wiatru zachodniego 2. *przen* łagodny; pomyślny; sprzyjający

favor [ˈfeivə] *s am* = **favour**
favorable [ˈfeivərəbl] *adj am* = **favourable**
favorite [ˈfeivərit] *adj am* = **favourite**
fax [fæks] *s* = **facsimile**
fayalite [ˈfeiəlait] *s miner* fajalit
fearfully [ˈfiəfuli] *adv* 1. strasznie; straszliwie; przeraźliwie 2. bojaźliwie; ze strachem
fearlessly [ˈfiəlisli] *adv* nieustraszenie; bez strachu
fearsomely [ˈfiəsəmli] *adv* 1. przerażająco 2. ze strachem; z duszą na ramieniu
feasibly [ˈfi:zibli] *adv* 1. w sposób możliwy do wykonania 2. prawdopodobnie
† **feather** II *vt* 6. *lotn* przestawić śmigło w chorągiewkę
featherbedding [ˈfeðəbediŋ] *s przen* 1. faworyzowanie (pewnej grupy społecznej) 2. zmuszanie pracodawcy przez Związki Zawodowe a) do płacenia za nie wykonaną pracę b) do zatrudniania nadmiernej liczby pracowników
feathercut [ˈfeðəkʌt] *s* fryzura damska z włosów krótko przyciętych jednakowo na całej głowie i zakręconych w loczki
febrific [fiˈbrifik] *adj* wywołujący gorączkę
fecklessly [ˈfeklisli] *adv* 1. niedołężnie 2. nieudolnie
fecula [ˈfekjulə] *spl* osad skrobiowy
† **federation** *s* ... **Federation of Socialist Associations of Polish Youth** Federacja Socjalistycznych Związków Młodzieży Polskiej
feebly [ˈfi:bli] *adv* 1. słabo 2. kiepsko
† **feed¹** III *s* 6. *nukl* materiał wyjściowy
† **feeder** I *s* 10. *lotn* (*także* ~ **line**) boczna linia lotnicza
feedwater [ˈfi:dwɔ:tə] *s techn* woda zasilająca
feigned [ˈfeind] *adj* udawany; symulowany; pozorowany; na niby
feigningly [ˈfeiniŋli] *adv* pozorując; symulując; na niby
feldspathic [feldˈspæθik], **feldspathous** [feldˈspæθəs] *adj miner* skaleniowy
felinely [ˈfi:lainli] *adv* kocio; po kociemu; jak kot
† **fellow²** *attr przen* ~ **traveller** sympatyk partii politycznej
feloniously [fiˈləuniəsli] *adv* przestępczo; zbrodniczo
felting [ˈfeltiŋ] I *zob* **felt¹** *vt* II *s* filcowanie; folowanie
femme fatale [fam fəˈtɑ:l] *s fr* kobieta fatalna; uwodzicielka
fencer [ˈfensə] *s* szermierz
† **fenestration** *s* 2. *med* fenestracja; przebicie otworu (w kości)
feracity [fiˈræsiti] *s* żyzność
fergusonite [fəˈgʌsənait] *s miner* fergusonit
ferity [ˈferiti] *s* 1. dziki stan 2. dzikość
Fermi [ˈfə:mi] *spr attr nukl* ~ **age** wiek Fermiego
fermion [ˈfə:miɔn] *s nukl* fermion; cząstka Fermiego
ferret [ˈferit] *s wojsk* pojazd lądowy ⟨morski, powietrzny⟩ przystosowany do wykrywania i ustalania lokalizacji promieniowania elektromagnetycznego
ferrocyanide [ferəuˈsaiənaid] *s chem* żelazocyjanek
† **ferry** IV *attr wojsk* **Ferry(ing) Command** dowództwo lotniczej służby transportowej
† **fertile** *adj* 1. ... *nukl* ~ **element** element ⟨pierwiastek⟩ rodny
fervor [ˈfə:və] *s am* = **fervour**
festively [ˈfestivli] *adv* 1. uroczyście; świątecznie 2. wesoło
festoonery [fesˈtu:nəri] *s* dekoracje festonowe
fetal [ˈfi:tl] *adj am* płodowy; zarodkowy
fetterbush [ˈfetəbuʃ] *s bot* krzew amerykański *Neopieris nitida*
† **fetus** *powinno być*: [ˈfi:təs] *s am* = **foetus**
feuilleton [fəjəˈtɔ̃] *s* 1. felieton 2. dział literacko-rozrywkowy gazety
feverishly [ˈfi:vəriʃli] *adv* gorączkowo
feverroot [ˈfi:vəru:t] *s bot* przewiertniowate ziele amerykańskie *Triosteum perfoliatum*
feverweed [ˈfi:vəwi:d] *s bot* (*Eryngium*) mikołajek
fiber [ˈfaibə] *s am* = **fibre**
fiberboard, *am* **fibreboard** [ˈfaibəbɔ:d] *s* płyta pilśniowa
fiberglas [ˈfaibəglɑ:s] *s am* włókno szklane; wata szklana
fibriform [ˈfaibrifɔ:m] *adj* włóknisty
fibrilliform [faiˈbrilifɔ:m] *adj* włókienkowy
fibroin [ˈfaibrəuin] *s biochem* fibroina
fibrosis [faiˈbrəusis] *s med* zwłóknienie
fictitiously [fikˈtiʃəsli] *adv* fikcyjnie
† **field** III *attr* 1. ... ~ **capacity (of soil)** pojemność polowa gleby (względem wody); *bot* ~ **bean** (*Vicia fava*) bób 2. *sport* terenowy; ~ **games** sporty ⟨gry⟩ na otwartym powietrzu; ~ **events** lekka atletyka na otwartym powietrzu 3. (*o pracach geologa, mierniczego itd.*) wykonywane w terenie 4. *nukl* pola; ~ **gradient** ⟨**quantum**⟩ gradient ⟨kwant⟩ pola; ~ **emission** emisja autoelektronowa; ~ **of force** pole sił III *vt* 2. *wojsk* przysposobić żołnierza do zadań bojowych
fiendish [ˈfi:ndiʃ] *adj* diabelski; szatański
fiendishly [ˈfi:ndiʃli] *adv* diabelsko; szatańsko
fiercely [ˈfiəsli] *adv* 1. dziko 2. zawzięcie 3. gwałtownie; srogo 4. *am sl* paskudnie; szpetnie
fierily [ˈfaiərili] *adv* 1. ogniście; płomiennie 2. zapalczywie; popędliwie; porywczo
† **fifth** I *adj* ... *polit* ~ **column** piąta kolumna; ~ **columnist** agent piątej kolumny; *aut* ~ **wheel** piąte koło (przyrząd do

pomiaru prędkości i przyspieszeń); *przen* ~ **freedom** prawo swobodnego przelotu nad terytorium obcego państwa

figeater [ˈfigˌi:tə] *s zool* amerykański owad blaszkorogi *Cotinus nitida*

↑ **fighting** [III] *attr* ... ~ **chance** szanse zwycięstwa w walce; ~ **cock** a) kogut do walki na arenie b) *przen* zawadiaka; zabijaka; *mar wojsk* ~ **top platform** szybkostrzelna broń na maszcie okrętu wojennego

figurate [ˈfigjurit] *adj muz* figuracyjny

figuratively [ˈfigjurətivli] *adv* 1. symbolicznie 2. metaforycznie; przenośnie

↑ **figure** [I] *s* ‖ *nukl* ~ **of merit** współczynnik dobroci [IV] *attr* figurowy; ~ **skating** jazda figurowa na lodzie; łyżwiarstwo figurowe

filariasis [filəˈraiəsis] *s med* filariaza

↑ **file**[2] [III] *vt* 3. *am* zapisać (kogoś) jako kandydata w wyborach

filet mignon [filei miˈŋɔ̃] *s fr kulin* rodzaj befsztyka z polędwicy wołowej

filigreed [ˈfiligri:d] *adj* ozdobiony filigranem

↑ **film** [I] *s* 7. folia [III] *attr* ... ~ **cooling** sposób chłodzenia silników rakietowych; ~ **craze** kinomania; ~ **industry** przemysł filmowy; ~ **strip** film oświatowy; *nukl* ~ **badge** błona kontrolna; *roln* ~ **water** woda błonkowata

filmily [ˈfilmili] *adv* 1. na podobieństwo błony 2. przejrzyście

filose [ˈfailəus] *adj* niciowaty

↑ **filter** [IV] *attr* filtracyjny; *nukl* ~ **cake** placek filtracyjny; osad na filtrze; ~ **medium** materiał filtracyjny

filter-tip [ˈfiltətip] *s* papieros z filtrem

filthily [ˈfilθili] *adv* 1. brudno; plugawo; ohydnie 2. sprośnie

↑ **fin** [III] *attr mar* ~ **keel** stępka płetwowa

finagle [fiˈneigl] *vt pot* 1. oszuk-ać/iwać 2. wyłudzić (coś) podstępem

finalism [ˈfainəlizəm] *s filoz* finalizm

↑ **finalist** *s* 2. *filoz* finalista

finalize [ˈfainəlaiz] *vt* s/finalizować

finally [ˈfainəli] *adv* ostatecznie; w końcu

financially [fiˈnænʃəli, faiˈnænʃəli] *adv* finansowo; pod względem finansowym

finely [ˈfainli] *adv* 1. subtelnie; delikatnie 2. pięknie 3. wspaniale; *pot* świetnie 4. drobno; miałko 5. pochlebnie 6. wytwornie 7. precyzyjnie 8. jaskrawo; barwnie

↑ **fineness** *s* 6. ... ~ **of grinding** stopień rozdrobnienia

finically [ˈfinikəli] *adv* 1. drobiazgowo 2. wymuskanie 3. *przen* przesadnie

fining [ˈfainiŋ] [I] *zob* **fine**[1] *v* [III] *s* oczyszczanie; rafinowanie

↑ **finish** [III] *s* 3. ... **automobile** ~ lakier zewnętrzny samochodowy

↑ **finished** [III] *adj* 2. w każdym calu; prawdziwy (artysta, poeta itd.)

fink [fiŋk] *s am sl* 1. łamistrajk 2. *przen* wtyczka (do organizacji itd.)

↑ **fire** [IV] *attr zool* ~ **beetle** południowoamerykański chrząszcz świecący *Pyrophorus*; ~ **drill** ćwiczenia przeciwpożarowe; *am* ~ **sale** wyprzedaż towarów uszkodzonych w pożarze

firebird [ˈfaiəbə:d] *s* nazwa kilku ptaków o ognistym kolorze upierzenia

fireboard [ˈfaiəbɔ:d] *s* zasłona kominka (rodzaj parawanu)

fireboat [ˈfaiəbəut] *s* statek pożarniczy

firebreak [ˈfaiəbreik] *s am* pas zaoranej ziemi przeciwdziałający rozprzestrzenianiu się pożaru

firebug [ˈfaiəbʌg] *s am pot* podpalacz

firecracker [ˈfaiəkrækə] *s* = **cracker** 3.

firecure [ˈfaiəkju:] *vt* suszyć (tytoń) w dymie otwartego ognia (dla nadania specyficznego posmaku)

↑ **first** [I] *adj* 1. ... ~ **water diamond** brylant najczystszej wody; *wojsk* ~ **lieutenant** porucznik; *am* ~ **papers** wstępne dokumenty potrzebne w procesie naturalizowania się cudzoziemca; *am wojsk* ~ **sergeant** sierżant szef

first-order [ˈfə:stˌɔ:də] *adj praed* pierwszego stopnia; *mat* ~ **equation** równanie pierwszego stopnia; ~ **theory (treatment)** teoria przybliżeń pierwszego rzędu

↑ **fish**[1] [I] *s* 4. (*także* **tin** ~) *sl mar* torpeda

fishworm [ˈfiʃwə:m] *s* glista; dżdżownica

↑ **fissile** *adj* ... *nukl* rozszczepialny; rozszczepieniowy

fissionability [ˌfiʃənəˈbiliti] *s nukl* rozszczepialność

fitfully [ˈfitfuli] *adv* kapryśnie; nierówno; napadowo

fitly [ˈfitli] *adv* 1. należycie; stosownie; odpowiednio; godnie 2. we właściwym czasie; w samą porę 3. trafnie

fitted [ˈfitid] [I] *zob* **fit**[3] *v* [III] *adj* (*o szafie, schowku itd.*) wbudowany; w ścianie

↑ **fitting** [III] *s* 6. *pl* ~**s** ... osprzęt; uzbrojenie

five-percenter [ˌfaivpəˈsentə] *s* człowiek pośredniczący w zdobywaniu dostaw dla państwa za pięcioprocentową prowizją

↑ **fix**[1] *s* 3. ... punkt ustalony

fixer[2] [ˈfiksə] *s fot* utrwalacz; **acid ⟨plain⟩** ~ utrwalacz kwaśny ⟨obojętny⟩

flabbily [ˈflæbili] *adv* 1. obwisło 2. słabo; ślamazarnie

flaccidly [ˈflæksidli] *adv* 1. flakowato; obwisło; sflaczale; miękko 2. słabo

Flagellata [ˌflædʒəˈleitə] *spl zool* wiciowce

flagellate [ˈflædʒəleit], **flagellated** [flædʒəˈleitid] *adj* 1. *zool* wiciowy; (*o bakterii*) urzęsiony 2. *bot* rozłogowy

flagelliform [fləˈdʒelifɔ:m] *adj zool* wiciowaty

↑ **flagellum** *s* 2. (*u bakterii*) rzęska 3. (*u pierwotniaków*) witka

flagitiously [flæ'dʒiʃəsli] *adv* zbrodniczo; ohydnie

flagrantly ['fleigrəntli] *adv* 1. ohydnie; sromotnie; skandalicznie 2. jawnie; notorycznie

flag-station ['flægsteiʃən] *s kolej* stacja, na której pociąg zatrzymuje się tylko w razie wystawienia umownej chorągiewki

flaking ['fleikiŋ] [I] *zob* **flake**[1] *v* [II] *s techn* płatkowanie

flakship ['flækʃip] *s am* okręt wyposażony w działa przeciwlotnicze

flaksuit [flæk'sju:t] *s am* kombinezon zabezpieczający przed odłamkami pocisków przeciwlotniczych

↑ **flamboyant** adj *3.* (*o kolorach*) jaskrawy; krzykliwy 4. (*o reklamie itd.*) krzykliwy 5. (*o stylu*) kwiecisty; ozdobny

↑ **flame** [III] *attr wojsk* ~ **projector** ⟨**thrower**⟩ miotacz płomieni ⟨ognia⟩; *lotn* ~ **trap** tłumik płomieni

flame-coloured ['fleim,kʌləd] *adj* ognisty; płomienny

flameless ['fleimlis] *adj* bezpłomienny

flame-out [fleim'aut] *s lotn* zgaśnięcie silnika odrzutowego podczas lotu lub przy starcie

flame-proof ['fleimpru:f] *adj* płomienioodporny; *nukl* ~ **monitor** monitor ognioszczelny

flamingly ['fleimiŋli] *adv* 1. ogniście 2. jaskrawo 3. gwałtownie; namiętnie

flammability [flæmə'biliti] *s* zapalność

flammable ['flæməbl] *adj* zapalny

↑ **flange** [III] *attr* kołnierzowy; ~ **joint** połączenie kołnierzowe

↑ **flannel** [III] *attr kulin* ~ **cake** rodzaj naleśnika

↑ **flap** [I] *s* 9. *lotn* klapa 10. *sl* zamieszanie; rwetes

↑ **flapjack** *s* 3. *techn* wciągnik klap

↑ **flare** [III] *s* 7. *fot* odbicie międzysoczewkowe

flareback ['flɛəbæk] *s* 1. buchnięcie płomienia (z pieca, działa itd.) 2. *przen* wybuch (protestu, gniewu itd.) 3. *przen* nawrót (choroby, mrozu itd.)

flaringly ['flɛəriŋli] *adv* jaskrawo; krzykliwie

↑ **flash**[2] [IV] *attr fot* ~ **bulb** żarówka do flesza

flashed [flæʃt] [I] *zob* **flash**[2] *vt* [III] *attr nukl* ~ **heater** podgrzewacz błyskawiczny

↑ **flat**[1] [III] *attr* ~ **paint** farba do malowania wnętrz

flathat ['flæthæt] *vi lotn* brawurowo latać niskim, niebezpiecznym lotem

flattop ['flættɔp] *s am sl mar* lotniskowiec

flatteringly ['flætəriŋli] *adv* schlebiając; przypochlebnie; w pochlebnych słowach

flatulently ['flætju:ləntli] *adv* pompatycznie

flauntingly ['flɔ:ntiŋli] *adv* dumnie; pysznie; ostentacyjnie

flavoprotein ['fleivəu,prəuti:in] *s biochem* flawoproteina

flavor ['fleivə] *s am* = **flavour**

fleche [fleiʃ, fleʃ] *s arch* strzelista wieża; iglica

fleckless ['fleklis] *adj* bez skazy

↑ **fleet**[1] [III] *attr mar* **Fleet Admiral** admirał dowodzący flotą (najwyższa ranga oficerska w marynarce wojennej); ~ **train** tabor z materiałami naprawczymi i paliwem towarzyszący konwojowi

fleetingly ['fli:tiŋli] *adv* przelotnie; krótkotrwale

fletch [fletʃ] *vt* upierzyć (strzałę)

flexibly ['fleksibli] *adv* 1. giętko; elastycznie 2. ustępliwie

flexography [fli'ksɔgrəfi] *s techn* badanie odporności na wielokrotne zginanie

flexuously ['fleksjuəsli] *adv* wijąc się; kręto; faliście

↑ **flight**[1] [III] *attr* przelotowy; ~ **computer** kalkulator lotu; ~ **engineer** mechanik pokładowy; ~ **path** tor przelotu; ~ **strip** pas wzdłuż gościńca do lądowania awaryjnego

flightily ['flaitili] *adv* 1. kapryśnie 2. narwanie; bzikowato

↑ **flighty** *adj* 2. zbzikowany; narwany

flimsily ['flimzili] *adv* 1. słabo; krucho; licho; marnie 2. błaho; bezpodstawnie

↑ **flint** [III] *attr am bot* ~ **corn** odmiana kukurydzy *Zea mays indurata*

flintily ['flintili] *adv* bezlitośnie

↑ **flinty** *adj* 2. *przen* twardy jak kamień; nielitościwy, bezlitosny

flip-flop ['flip,flɔp] *attr* ~ **circuit** a) *techn* oscylator jednostkowy b) *nukl* układ przeskokowy; przerzutnik

flippantly ['flipəntli] *adv* nonszalancko; lekceważąco; bezceremonialnie

flirtatiously [flə'teiʃəsli] *adv* flirciarsko; kokieteryjnie

flittingly ['flitiŋli] *adv* przelotnie; przemijająco

↑ **float** [IV] *attr techn* pływakowy; ~ **valve** zawór pływakowy

↑ **floatation** *s* 4. *hut* flotacja (kopalin)

↑ **floating** [III] *adj* ... zmienny; *am polit* (*w wyborach*) ~ **votes** głosy niepewne ⟨niezdecydowane⟩

floatplane ['fləutplein] *s mar* hydroplan

floaty ['fləuti] *adj* posiadający wypór (hydrostatyczny); unoszący się na powierzchni płynu

↑ **floccose** *adj* 2. *chem* kłaczkowaty; zbijający się w kłaczki

flocculant ['flɔkjulənt] *s chem* flokulant; czynnik flokulacji

flocculate ['flɔkjuleit] *chem* [I] *vi* zbijać się w kłaczki [II] *vt* wytrącać w formie kłaczkowatego osadu; koagulować

flocculation [flɔkju'leiʃən] *s chem* flokulacja; *med* ~ **test** odczyn kłaczkowania

floccule ['flɔkju:l] *s* kłaczek

↑ **flocculent** *adj* 2. *chem* kłaczkowaty

flomaster ['flɔma:stə] *s* flamaster, pisak

↑ **flood** IV *attr* ~ **land** ⟨**plain**⟩ zalewisko
flooding [ˈflʌdiŋ] I *zob* **flood** *vi* III *attr nukl* ~ **point** punkt zachłystywania się
↑ **floodlight** III *attr* ~ **projector** reflektor
↑ **floor** III *attr* podłogowy; *am* ~ **leader** przywódca partyjny; ~ **show** produkcje artystyczne (w sali kawiarnianej itd.)
floorage [ˈflɔ:ridʒ] *s* metraż podłogi
↑ **flooring** III *s* ... wykładzina podłogowa
floozy [ˈflu:zi] *s am sl* puszczalska; wydra; lafirynda
floppily [ˈflɔpili] *adv* 1. wiotko 2. ślamazarnie
↑ **floral** *adj* 1. ... *bot* ~ **envelope** okwiat; okwietnia
florally [ˈflɔrəli] *adv* 1. kwieciście 2. (*o zdabiać itd.*) kwiatami
floriated [ˈflɔrieitid] *adj* ukwiecony; ozdobiony kwiatami; kwiecisty
floridly [ˈflɔridli] *adv* kwieciście; ozdobnie; z nadmiarem ozdób
floriferous [flɔˈrifərəs] *adj* kwitnący
floristic [flɔˈristik] *adj* florystyczny
floss² [flɔs] *s hut* żużel pudlarski
↑ **flow** III *attr* ~ **chart** ⟨**sheet**⟩ karta technologiczna; schemat technologiczny; schemat obiegu; *techn mal* ~ **promoters** środki ułatwiające płynięcie
↑ **flower** III *attr* ... *bot* ~ **head** główka (kwiatostanu)
flowerage [ˈflauəridʒ] *s zbior* 1. kwiaty 2. ozdoby kwiatowe
flower-girl [ˈflauə,gə:l] *s* kwiaciarka
flowering [ˈflauəriŋ] *adj* kwitnący; kwiatonośny
flowerless [ˈflauəlis] *adj bot* bezkwiatowy; skrytopłciowy
flowmeter [ˈfləumi:tə] *s techn* przepływomierz
flub [flʌb] *vt pot* spartaczyć; zawalić (sprawę); sknocić
flubdub [ˈflʌbdʌb], **flubdubbery** [flʌbˈdʌbəri] *s sl* głupie gadanie
↑ **flue²** III *attr* kominowy; ~ **dust** pył kominowy; ~ **gas** gazy kominowe
fluently [ˈfluəntli] *adv* płynnie; biegle; potoczyście
fluffily [ˈflʌfili] *adv* puszyście
↑ **fluid** I *adj* ... ciekły; ~ **drive** napęd hydrauliczny; ~ **ounce** uncja objętości (płynu)
fluidize [ˈfluidaiz] *vt* fluidyzować
fluidized [ˈfluidaizd] I *zob* **fluidize** *vt* ↑ III *attr nukl* ~ **reactor** reaktor z paliwem fluidalnym
fluorescein [fluəˈresiin] *s chem* fluoresceina
↑ **fluorescent** *adj* ... ~ **lamp** lampa fluorescencyjna; *pot* świetlówka; ~ **screen** ekran fluoryzujący
fluoridate [fluˈɔrideit], **fluoridize** [fluˈɔridaiz] *vt chem* poddawać działaniu fluorku; traktować fluorkiem
fluorimeter [fluɔˈrimitə] *s techn* fluorymetr
fluoro-carbon [fluˈɔrəu,ka:bən] *s chem* fluorek węgla
fluoroscope [fluˈɔrəskəup] *s* fluoroskop
↑ **flutter** III *s* 8. *lotn* flatter; drganie samowzbudne skrzydła
↑ **flux** IV *attr* strumieniowy; przepływowy; *fiz* ~ **density** gęstość strumienia
↑ **fly²** IV *attr* ~ **ash** popiół lotny
flyable [ˈflaiəbl] *adj* (*o pogodzie*) sprzyjający nawigacji lotniczej
↑ **foam** III *attr* ... ~ **rubber** guma porowata ⟨piankowa⟩
foamingly [ˈfəumiŋli] *adv* pieniście; pieniąc się
↑ **focal** *adj* ... ~ **plane** płaszczyzna ogniskowa; ~ **spot** ognisko
foetal [ˈfi:tl] *adj* płodowy; zarodkowy
foetation [fi:ˈteiʃən] *s fizj* ciąża
↑ **fog²** IV *attr* mgłowy; przeciwmgielny; *lotn* ~ **landing** lądowanie we mgle
foggily [ˈfɔgili] *adv* mglisto, mgliście
↑ **foil¹** III *attr* foliowy; ~ **counter** ⟨**detector**⟩ licznik ⟨detektor⟩ foliowy
foilsman [ˈfɔilzmən] *s sport* florecista
↑ **fold²** III *vi* 2. ulec likwidacji; (*o przedsiębiorstwie, instytucji*) zostać zamkniętym ⟨zwiniętym⟩ 3. zbankrutować
foldboat [ˈfəuldbəut] *s sport* składak
↑ **folding** III *adj* ... ~ **doors** drzwi składane wieloskrzydłowe
foliacin [ˈfɔliəsin] *s biochem* kwas foliowy
folic [ˈfɔlik] *adj chem* foliowy; *biochem* ~ **acid** kwas foliowy
folksy [ˈfəuksi] *adj am* towarzyski; przyjacielski
folkways [ˈfəukweiz] *spl* środowiskowy sposób postępowania i bytowania
folliculin [fɔˈlikjulin] *s biochem* folikulina
↑ **following** IV *praep* po (czymś)
↑ **food** III *attr* ... ~ **chain** ⟨**cycle**⟩ łańcuch ⟨cykl⟩ pokarmowy; ~ **industry** przemysł spożywczy; ~ **preservation** konserwacja środków żywności
↑ **fool¹** I *s* 1. ... ~**'s paradise** szczęście ⟨zadowolenie⟩ oparte na złudzeniach IV *attr myśl* ~ **hen** niepłochliwa ⟨ufna⟩ kuropatwa (łatwa do ustrzelenia)
fool-hardily [fu:lˈha:dili] *adv* nieroztropnie; szaleńczo; z narażeniem życia
foolishly [ˈfu:liʃli] *adv* głupio; niemądrze; nierozsądnie
↑ **foot** I *s* 9. *mat* spodek (prostopadłej)
foot-and-mouth [ˈfutənd,mauθ] *attr wet* ~ **disease** pryszczyca; choroba pyska i racic
footle [ˈfu:tl] *vi lotn* (*także am* ~ **around**) krążyć nad celem
foppishly [ˈfɔpiʃli] *adv* wymuskanie
foraminifer [fɔrəˈminifə] *s zool* otwornica
forb [fɔ:b] *s bot* ziele o postaci półkrzewu (lawenda, rozmaryn itd.)
forbearingly [fɔ:ˈbɛəriŋli] *adv* 1. powstrzymując się 2. wyrozumiale

forbiddingly [fɔ:ˈbidiŋli] *adv* 1. ponuro; posępnie; odpychająco 2. groźnie

↑ **force** [II] *vt* 7. *pot fot* przewołać (zdjęcie) [IV] *attr* siłowy; ~ **constant** stała siłowa; ~ **vector** wektor siły

forcefully [ˈfɔ:sfuli] *adv* 1. silnie; mocno 2. skutecznie 3. gwałtownie

force majeure [ˈfɔ:sməʒə:] *s fr* siła wyższa

↑ **forcible** *adj* 4. skuteczny

forcibly [ˈfɔ:sibli] *adv* 1. siłą; przemocą 2. skutecznie 3. przekonywająco

↑ **fore** [I] *adj* 2. ... ~ **sheet horse** prowadnica bom-masztu foka ⟨szotu bomu foka⟩

↑ **foreign** *adj* 2. ... ~ **exchange** waluta, waluty

foreignism [ˈfɔrinizəm] *s* 1. obca naleciałość; cudzoziemskie wyrażenie 2. obcy zwyczaj; cudzoziemszczyzna

forelimb [ˈfɔ:lim] *s* przednia noga (zwierzęcia)

foreside [ˈfɔ:said] *s* 1. przód 2. góra (przedmiotu) 3. *am* wybrzeże

↑ **forest** [III] *attr* ... *am* ~ **reserve** rezerwat leśny

forestation [fɔrisˈteiʃən] *s* zalesienie

forestaysail [ˈfɔ:steisəl] *s mar* fok-sztaksel; sztag-żagiel fokmasztu, forsztaksel

forgivingly [fə:ˈgiviŋli] *adv* pobłażliwie; wyrozumiale; wybaczająco

↑ **form** [IV] *attr* ~ **letter** drukowany ⟨powielany⟩ list rozsyłany do wielu odbiorców; okólnik

formally [ˈfɔ:məli] *adv* 1. formalnie; oficjalnie 2. urzędowo; przepisowo 3. wyraźnie; kategorycznie 4. pozornie; dla pozoru 5. uroczyście; ceremonialnie; sztywno 6. formalistycznie 7. *plast* konwencjonalnie

formica [ˈfɔ:mikə] *s* formica (tworzywo sztuczne)

formidably [ˈfɔ:midəbli] *adv* 1. strasznie; groźnie 2. ogromnie; potężnie

formlessly [ˈfɔ:mlisli] *adv* bezkształtnie

formula [ˈfɔ:mjulə] *s* mieszanka mleczna dla niemowląt

formul(ar)ize [ˈfɔ:mjul(ər)aiz] *vt* = **formulate**

formyl [ˈfɔ:mil] *s chem* formyl

forsterite [ˈfɔ:stərait] *s miner* forsteryt

↑ **fortify** *vt* 5. wzbogac-ić/ać (żywność, chleb)

fortuitism [ˈfɔ:tjuitizəm] *s filoz* doktryna przypadkowości w przyrodzie

forwardly [ˈfɔ:wədli] *adv* śmiało; z tupetem

fossiliferous [fɔsiˈlifərəs] *adj* zawierający skamieniałiny

foully [ˈfaulli] *adv* 1. smrodliwie; śmierdząco 2. wstrętnie; obrzydliwie 3. plugawie; ordynarnie 4. sprośnie 5. podle; haniebnie; nikczemnie; w paskudny sposób

foul-minded [ˈfaulˈmaindid] *adj* z zapaskudzoną wyobraźnią

fouls [faulz] *s wet* zanokcica

↑ **foundation** *s* 5. *kosmet* podkład 6. (*także* ~ **garment**) pas elastyczny z podwiązkami

↑ **four** [I] *adj* ... *polit* ~ **freedoms** podstawowe wolności obywatelskie: wolność słowa i wyznania oraz wolność od nędzy i strachu

fourgon [ˈfuəgɔn] *s* 1. furgon; kryty wóz konny 2. *kolej* wagon bagażowy

fourth-class [ˈfɔ:θklɑ:s] *attr am* ~ **matter** towarowe przesyłki pocztowe

fouter, foutre [ˈfu:tə] *s pog w wyrażeniu:* **a** ~ **for that** mam to w nosie; gwiżdżę na to

fovea [ˈfəuvi] *s* dołek; wgłębienie

↑ **fowl** [III] *attr* drobiowy; drobiu; kurzy; kur; *wet* ~ **cholera** cholera ptaków; ~ **leucaemia** białaczka kur; ~ **pest** ⟨**plague**⟩ pomór ptaków; ~ **pox** ospa ptaków

↑ **fox** [IV] *attr zool* ~ **squirrel** wiewiórka północnoamerykańska odznaczająca się dużymi rozmiarami

foxhole [ˈfɔkshəul] *s wojsk* okop jedno- lub dwuosobowy

foxily [ˈfɔksili] *adv* jak lis; po lisiemu

↑ **fractional** *adj* 3. (*o pieniądzach, monecie*) zdawkowy || *nukl* ~ **change** zmiana względna; ~ **yield** wydajność cząstkowa

fragilely [ˈfrædʒailli] *adv* krucho; łamliwie

fragmentarily [frægmənˈtεərili] *adv* fragmentarycznie; urywkowo

fragmented [ˈfrægməntid] *adj* roztrzaskany

fragrantly [ˈfreigrəntli] *adv* aromatycznie; wonnie; pachnąco

frailly [ˈfreilli] *adv* 1. krucho; łamliwie 2. słabo; wątło 3. lekkomyślnie

↑ **frame** [III] *s* 8. *fiz* układ; ~ **of reference** układ odniesienia

↑ **framework** *s* 4. *ogr* (*także* **frame-working**) przeszczepianie (cienkich gałęzi) 5. szkielet (drzewa)

francium [ˈfrænsiəm] *s chem* frans

Francophile [ˈfræŋkɔfail] *s* frankofil

Francophobe [ˈfræŋkɔfəub] *s* frankofob

frank[3] [fræŋk], **frankfurt** [ˈfræŋkfət] *s pot* = **frankfurter**

franklinite [ˈfræŋklinait] *s miner* franklinit

franticly [ˈfræntikli] *adv* zapamiętale; frenetycznie; szaleńczo

frat [fræt] *s am pot* = **fraternity**

fraternally [frəˈtə:nəli] *adv* bratersko; po bratersku

fratority [frəˈtɔ:riti] *s am* stowarzyszenie przyjmujące członków obojga płci

fraudulently [ˈfrɔ:djuləntli] *adv* oszukańczo

freakishly [ˈfri:kiʃli] *adv* 1. kapryśnie 2. dziwacznie

↑ **free** [I] *adj* 1. ... ~ **will** wolna wola; *polit* ~ **city** wolne miasto; *handl* ~ **en-**

terprise inicjatywa prywatna; ~ **port** port wolnocłowy; ~ **zone** strefa wolnocłowa; *wojsk* ~ **missile** ⟨**rocket**⟩ pocisk ⟨rakieta⟩ bez urządzeń sterowniczych; *przen* ~ **liver** hulaka 5. ... *am* ~ **lunch** bezpłatna zakąska (zachęcająca do zamawiania napojów alkoholowych w zakładach gastronomicznych) 9. ... ~ **energy** a) *fiz* potencjał termodynamiczny b) *nukl* energia swobodna
free-air [ˈfri:-ɛə] *attr nukl* ~ **ionization chamber** komora jonizacyjna powietrzna
freeway [ˈfri:wei] *s* bezkolizyjna autostrada omijająca miasta
↑ **freeze** III *vt* 3. *ekon* zamr-ozić/ażać (płace, kapitały)
freeze-drying [ˈfri:zˌdraiiŋ] *s* liofilizacja
↑ **freezer** *s* 2. wagon chłodnia
↑ **French** *adj* ... ~ **door** drzwi wejściowe oszklone; ~ **dressing** przyrządzanie sałaty z oliwą, octem i pieprzem; ~ **telephone** telefon, w którym mikrofon i słuchawka są połączone w rączce
frenetic [friˈnetik] *adj* frenetyczny; szalony
frenetically [friˈnetikəli] *adv* frenetycznie
freon [ˈfri:ɔn] *s chem* freon (chłodziwo)
frequently [ˈfri:kwəntli] *adv* często; częstokroć; wielokrotnie
fretfully [ˈfretfuli] *adv* 1. niespokojnie; nerwowo 2. drażliwie 3. ze wzburzeniem
Freudian [ˈfrɔidiən] I *adj* freudowski II *s* freudysta
Freudianism [ˈfrɔidiənizəm] *s* freudyzm
freyalite [ˈfreiəlait] *s miner* frejalit
frictionally [ˈfrikʃənəli] *adv* przez tarcie
frighteningly [ˈfraitniŋli] *adv* zastraszająco
frightfully [ˈfraitfuli] *adv* strasznie; straszliwie; przerażająco
frigidly [ˈfridʒidli] *adv dosł i przen* lodowato; chłodno; *przen* ozięble
↑ **fringe** IV *attr* obwodowy; obwódkowy; peryferyjny; kresowy; ~ **benefits** świadczenia pracownicze (deputaty, płatne urlopy itp.)
friskily [ˈfriskili] *adv* z ożywieniem; swawolnie
frivolously [ˈfrivələsli] *adv* 1. frywolnie; lekkomyślnie; płocho 2. powierzchownie 3. błaho; marnie
frolicsomely [ˈfrɔliksəmli] *adv* figlarnie; swawolnie
fromenty [ˈfrəumənti] *s* = **frumenty** ↑
↑ **front** I *s* 8. figurant 9. grupa działająca nielegalnie pod płaszczykiem legalności
↑ **frost** I *s* 1. ... **early** ~ poranny przymrozek
frostfish [ˈfrɔstfiʃ] *s zool* (*Microgadus tomcod*) ryba pojawiająca się na północno-wschodnim wybrzeżu Ameryki Północnej z nastaniem mrozów
frostily [ˈfrɔstili] *adv* mroźno
frowzily [ˈfrauzili] *adv* 1. duszno; stęchło 2. niechlujnie
frugally [ˈfru:gəli] *adv* 1. oszczędnie 2. skromnie
↑ **fruit** III *attr* ... *zool* ~ **fly** mucha octowa ⟨fermentacyjna⟩
fruitfully [ˈfru:tfuli] *adv* 1. żyźnie; płodnie 2. owocnie; bogato
fruitlessly [ˈfru:tlisli] *adv* bezowocnie
frumenty [ˈfru:mənti] *s kulin* potrawa z pszenicy ugotowanej na mleku
frumpishly [ˈfrʌmpiʃli] *adv* (*ubrać się*) bez gustu
fuddy-duddy [ˈfʌdidʌdi] *s pot* ramol
↑ **fuel** IV *attr* opałowy; paliwowy; ~ **oil** olej opałowy; *nukl* ~ **assembly** ⟨**cycle**⟩ zestaw ⟨cykl⟩ paliwowy
fugitively [ˈfju:dʒitivli] *adv* przelotnie; krótkotrwale; nietrwale
fulgurant [ˈfʌlgiərənt] *adj* 1. błyskający 2. = **fulgurating** ↑
fulgurating [ˈfʌlgiəreitiŋ] I *zob* **fulgurate** *vi* II *adj* (*o bólu*) przeszywający; ostry
↑ **full**[1] I *adj* 6. ... *sport* ~ **gainer** salto w tył z pozycji przodem
full-grown [ˈfulˌgrəun] *adj* dorosły
full-rigged [ˈfulrigd] *adj mar* (*o żaglowcu*) z rejami na wszystkich masztach
full-scale [ˈfulˌskeil] *attr* ~ **system** a) skala przemysłowa b) wielkość naturalna
fulmination [fʌlmiˈneiʃən] *s* 1. wybuch; eksplozja 2. *przen* piorunowanie (**against sth, sb** na coś, kogoś)
fumaric [fjuˈmærik] *adj chem* fumarowy
fumbling [ˈfʌmbliŋ] I *zob* **fumble** *v* II *adj* partacki; niezdarny III *s* partaczenie; niezdarność
fumblingly [ˈfʌmbliŋli] *adv* po partacku; niezdarnie
fumed [fju:md] I *zob* **fume** *vt* II *adj* przyczerniony
functionalism [ˈfʌŋkʃənəlizəm] *s* funkcjonalizm
functionally [ˈfʌŋkʃənəli] *adv* czynnościowo; funkcjonalnie
fundamentally [fʌndəˈmentəli] *adv* zasadniczo; istotnie; fundamentalnie; podstawowo
funerary [ˈfju:nərəri] *adj* pogrzebowy; ~ **urn** popielnica
fungicide [ˈfʌŋisaid] *s* środek grzybobójczy
fungiform [ˈfʌndʒifɔ:m] *adj* grzybiasty
funginert [ˈfʌndʒinə:t] *adj* grzyboodporny
fungitoxic [fʌndʒiˈtɔksik] *adj biochem* grzybobójczy
fungous [ˈfʌŋgəs] *adj* 1. grzybowy 2. *przen* powstający ⟨rosnący⟩ jak grzyby po deszczu
funk [fʌŋk] *vt wulg* pierdolić; rżnąć; pieprzyć
funky [ˈfʌŋki] *adj wulg* pierdolony; pieprzony
funnies [ˈfʌniz] *spl am pot* komiksy
↑ **fur** III *attr* ... *zool* ~ **seal** (*Callorhinus alascanus*) odmiana foki posiadającej cenne futro pod zewnętrzną sierścią

furan [fju'ræn] *s chem* furan
furcula ['fə:kjulə] *spl zool* (*u ptaków*) widełki (obojczykowe)
furiously ['fju:riəsli] *adv* 1. wściekle; z wściekłością 2. zawzięcie 3. gwałtownie
↑ **furnace** [III] *attr* piecowy; *hut* ~ **fluxing** stapianie piecowe
furred [fə:d] [I] *zob* **fur** *vt* [III] *adj* 1. (*o człowieku*) w futrze; w futrach 2. (*o części garderoby*) przybrany futrem 3. *med* (*o języku*) obłożony
↑ **fusion** [I] *s* 3. *nukl* fuzja; ~ **of light nuclei** synteza termonuklearna [III] *attr* fuzji; *fiz* termonuklearny; ~ **power** ⟨**reaction**⟩ energia ⟨reakcja⟩ fuzji; *nukl* ~ **reactor** reaktor termonuklearny
fuss-budget ['fʌs,bʌdʒit] *s pot* męczydusza; zrzęda
fustily ['fʌstili] *adv* 1. stęchło 2. staromodnie; obskurancko; zaściankowo
futilely [fju'tailli] *adv* 1. daremnie; próżno; bezskutecznie; bezowocnie 2. słabo 3. płytko; powierzchownie
futureless ['fju:tʃəlis] *adj* (*o człowieku, sprawie*) bez przyszłości
fuzzily ['fʌzili] *adv* 1. kędzierzawo 2. (*namalowany itd.*) zamazanie; niewyraźnie
fyke [faik] *s am* workowata sieć na ryby

G

↑ **G, g** [I] *s* 3. *wojsk* **G-1** dział personalny Sztabu Generalnego; **G-2** dział informacyjny Sztabu Generalnego; **G-3** dział operacyjno-ćwiczebny Sztabu Generalnego; **G-4** dział zaopatrzeniowo-ewakuacyjny Sztabu Generalnego
gadolinite ['gædɔlinait] *s miner* gadolinit
gadolinium [gædɔ'liniəm] *s chem* gadolin
gaff-topsail [gæf'tɔpseil, *mar* gæf'tɔpsl] *s mar* topsel
↑ **gag** [II] *s* 4. ... wstawka; gag
gagman ['gægmən] *s* 1. autor gagów 2. komik 3. *radio* konferansjer; komik radiowy
gagroot ['gægru:t] *s bot* odmiana lobelii *Lobelia inflata*
gahnite ['gɑ:nait] *s miner* ganit, automolit, szpinel
gaillardia [gə'lɑ:diə] *s bot* (*Gaillardia*) galardia
↑ **gain** [IV] *attr techn* ~ **checker** regulator wzmocnienia
gainfully ['geinfuli] *adv* 1. korzystnie; z zyskiem 2. zachłannie
gal [gæl] *s fiz* gal
galactopoietic [gæ,læktɔpɔi'etik] *adj* mlekotwórczy
galangal [gə'læŋgl] [I] *s bot* kłącze galangi (rośliny *Alpinia officinarum*) [III] *attr* galangowy; ~ **oil** olejek galangowy
galax ['geilæks] *s bot* zawsze zielone ziele amerykańskie *Galax aphylla*
Galilean [gæli'liən] *adj* galilejski
gallinule ['gælinju:l] *s zool* (*Gallinula chloropus*) kokoszka wodna
gallium ['gæliəm] *s chem* gal
gallows ['gæləuz] *spl mar* (*także* ~ **bitts**) rostry
galvanoscope ['gælvənɔskəup, gæl'vænəskəup] *s* galwanoskop
galvanotropism [,gælvə'nɔtrəpizəm] *s fot* galwanotropizm
gambadoes [gæm'beidəuz] *spl* obszerne getry przytwierdzone do siodła zamiast strzemion
↑ **game**[1] [III] *attr* łowiecki; łowny; ~ **bird** ⟨**fowl**⟩ ptak łowny; ~ **laws** przepisy łowieckie; ~ **warden** gajowy ‖ ~ **room** sala gier stołowych
gametangium [gæmi'tændʒiəm] *s bot* zarodnia
gametogenesis [gæmitəu'dʒenəsis] *s biol* gametogeneza
gametophyte ['gæmi:təfait] *s biol* gametofit
↑ **gamma** [III] *attr* gamma; *bot* ~ **grass** amerykańska trawa pastewna *Tripsacum dactyloides; biochem* ~ **globulin** gamma-globulina; *nukl* ~ **radiation** promieniowanie gamma; ~ **rays** promienie gamma; ~ **radiography** gammagrafia; ~ **yield** wydajność promieniowania gamma
gamogenesis [gæmə'dʒenəsis] *s biol* rozmnażanie płciowe
gamopetalous [gæmə'petələs] *adj bot* zrosłopłatkowy
gamotropism [gæmə'trɔpizəm] *s biol* wzajemne przyciąganie gamet
gandy ['gændi] *attr sl* ~ **dancer** a) kolejowy robotnik torowy b) robotnik sezonowy
↑ **gang** [II] *attr roln* ~ **cultivator** kultywator wielorzędowy; ~ **plough** ⟨*am* **plow**⟩ pług wieloskibowy
gangland ['gæŋlənd] *s am* dzielnica gangsterska (wielkiego miasta)
gangling ['gæŋgliŋ] *adj* (*o człowieku*) wysoki i niezdarny
gantlet ['gæntlit] *s am* = **gauntlet**[1,2]
gantrisin ['gæntrisin] *s farm* gantrysyna
gapa ['gæpə] *s wojsk* sterowany pocisk rakietowy przeciwlotniczy
gar [gɑ:] *s zool* belona (ryba)
gargoylism ['gɑ:gɔilizəm] *s med* wrodzone wady budowy i umysłu
garishly ['gæriʃli] *adv* 1. (*ubierać się itd.*) jaskrawo; krzykliwie 2. jasno; oślepiająco
garlicky ['gɑ:liki] *adj* czosnkowaty, czosnkowy
garnierite ['gɑ:niərait] *s miner* garnieryt

↑ **garrison** III *attr* ... ~ **state** państwo rządzone militarnie
garrulously [ˈgæriələsli] *adv* rozmownie; gadatliwie
↑ **garter** III *attr zool* ~ **snake** nieszkodliwy wąż amerykański z rodzaju *Thamnophis*
↑ **gas** IV *attr* gazowy; ~ **black** sadza gazowa; ~ **chamber** komora gazowa; ~ **constant** stała gazowa; ~ **evolution** wydzielanie gazu; ~ **kinetic degrees of freedom** stopnie swobody gazu
gas-a-teria [gæsəˈti:əriə] *s am* samoobsługowa stacja benzynowa
↑ **gaseous** *adj* ... ~ **conduction** przewodnictwo w gazach; ~ **discharge** wyładowanie w gazie; ~ **mixture** mieszanina gazów; ~ **phase** faza gazowa
↑ **gasoline** III *attr* ~ **bomb** butelka z benzyną używana jako bomba zapalająca
gassing [ˈgæsiŋ] I *zob* **gas** *vt* III *s* gazowanie
gastrin [ˈgæstrin] *s biochem* gastryna, histamina
gastrology [gæsˈtrɔlədʒi] *s med* gastrologia
gastropod [ˈgæstrəpɔd] *s adj* = **gasteropod**
Gastropoda [gæsˈtrɔpədə] *spl zool* brzuchonogi
gastroscope [ˈgæstrəskəup] *s med* gastroskop
gastrula [ˈgæstrulə] *s biol* gastrula
gastrulation [gæstruˈleiʃən] *s biol* gastrulacja
gaudily [ˈgɔ:dili] *adv* 1. jaskrawo; krzykliwie 2. barwnie 3. wystawnie; paradnie; zbytkownie 4. górnolotnie
↑ **gauge** I *s* 4. ... wzorzec
gaultheria [gɔ:lˈθiəriə] *s bot* wrzosowaty krzew amerykański *Gaultheria procumbens; chem farm* ~ **oil** olejek wintergrinowy
gauntly [ˈgɔ:ntli] *adv* ponuro; posępnie
gavage [gəˈvɑ:ʒ] *s zootechn* forsowne karmienie (drobiu)
gawkily [ˈgɔ:kili] *adv* niezdarnie; gamoniowato
gaywings [ˈgeiwiŋz] *s bot* (*Polygala paucifolia*) odmiana krzyżownicy
geanticline [dʒiˈæntiklain] *s geol* ge(o)antyklina
↑ **gear** III *vt* 3. postawić (oddział) w stanie całkowitej gotowości do akcji 4. przygotować; przysposobić według planu
~ **up** *vt* 3. przyspieszyć
Geiger [ˈgaigə] *spr attr* ~ **counter** licznik Geigera
geikielite [ˈgaikiəlait] *s miner* geikielit, gaikielit
gelatinoid [dʒəˈlætinɔid] *adj* żelatynowaty
gelsemium [dʒəlˈsi:miəm] *s* 1. *bot* amerykański krzew *Gelsemium sempervirens* 2. *farm* kłącza i korzenie tego krzewu
gemmule [ˈdʒemju:l] *s biol bot* pączuszek; oczko
↑ **gene** III *attr* genowy; ~ **change** modyfikacja genów; ~ **marker** gen; znacznik; ~ **pool** garnitur genowy
genera *zob* **genus**
↑ **general** I *adj* 1. ... **General Assembly** Zgromadzenie Ogólne (ONZ)
↑ **generation** III *attr biol* ~ **time** czas życia pokolenia
↑ **generative** *adj* 5. *nukl* generatywny ‖ *biol* ~ **nucleus** jądro generatywne
generously [ˈdʒenərəsli] *adv* 1. hojnie; szczodrze; szczodrobliwie 2. wspaniałomyślnie; wielkodusznie 3. suto; obficie; bogato
↑ **genetic** *adj* ... ~ **drift** wędrówka genów; ~ **material** substancja genowa
geneticist [dʒiˈnetisist] *s* genetyk
genetotrophic [ˌdʒenitəˈtrɔfik] *adj biochem* genetotroficzny
↑ **Geneva** *adj* 2. kalwiński; ~ **bands** paseczki przy kołnierzu noszone przez kler kalwiński; ~ **gown** sutanna kalwińska
Genevan [dʒiˈni:vən] *adj* = **Geneva** *adj* 2. ↑
genially [ˈdʒi:niəli] *adv* 1. wesoło; jowialnie; towarzysko 2. dobrotliwie 3. rozweselająco; ożywczo; wzmacniająco 4. łagodnie; przyjemnie
genic [ˈdʒi:nik] *adj biol* genowy; ~ **balance** równowaga genowa
genie [ˈdʒi:ni] *s mitol* dżin
genipap [ˈdʒenipæp] *s* 1. *bot* marzanowate drzewo Ameryki tropikalnej *Genipa(p) americana* 2. jadalny owoc tego drzewa
Genoese [ˈdʒenəui:z] I *adj* genueński III *s* Genue-ńczyk/nka
genome [ˈdʒenəum] *s biol* genom
genonema [dʒiˈnɔnimə] *s* chromonema
genospecies [ˈdʒenəˌspi:ʃiz] *s biol* genospecies
genotype [ˈdʒenətaip] *s biol* genotyp
genovariation [dʒenəuˌveəriˈeiʃən] *s biol* zmienność genowa
genteelly [dʒenˈti:lli] *adv* 1. *iron* w dobrym tonie; dystyngowanie; elegancko; wytwornie 2. pretensjonalnie; afektowanie; z afektacją
genthianaceous [dʒenθiəˈneiʃəs] *adj bot* goryczkowaty
genuinely [ˈdʒenjuinli] *adv* 1. prawdziwie; autentycznie 2. szczerze; naturalnie
geochemistry [dʒiəuˈkemistri] *s* geochemia
geode [ˈdʒi:əud] *s geol* geoda
geodimeter [dʒiəuˈdimitə] *s lotn* przyrząd stosowany przy bombardowaniu powietrznym do mierzenia odległości między obserwatorem a celem
geogen [dʒiəuˈdʒen] *s* czynnik środowiskowy predysponujący do zapadania na daną chorobę
geomagnetic [ˌdʒi:əumægˈnetik] *adj* geomagnetyczny
geomagnetics [ˌdʒi:əumægˈnetiks] *s* geomagnetyzm
↑ **geometric** *adj* ... ~ **buckling** laplasjan

geometryczny; *mat* ~ **mean** średnia geometryczna
geometrize [dʒiˈɔmitraiz] *vt vi* geometryzować
geomorphology [dʒiəumɔːˈfɔlədʒi] *s* geomorfologia
geophagy [dʒiˈɔfədʒi] *s med* geofagia
geophyte [ˈdʒiːɔfait] *s bot* geofit
geopolitical [ˌdʒiəupəˈlitikəl] *adj* geopolityczny
geopolitician [ˌdʒiəupɔliˈtiʃən], **geopolitist** [dʒiəuˈpɔlitist] *s* geopolityk
geopolitics [dʒiəuˈpɔlitiks] *s* geopolityka
geoponic [dʒiːəuˈpɔnik] *adj* rolniczy
geoponics [dʒiːəuˈpɔniks] *s* rolnictwo
george[1] [dʒɔːdʒ] *adj sl* w dechę; klawy
George[2] [dʒɔːdʒ] *spr sl lotn* automatyczny układ sterowania
geostrophic [ˌdʒiəuˈstrɔfik] *adj meteor* geostroficzny
geosynclinal [ˌdʒiːəusiŋˈklainəl] *adj* geosynklinalny
geosyncline [dʒiːəuˈsiŋklain] *s* geosynklina
geotaxis [dʒiːəuˈtæksis] *s biol* geotaktyzm
geotechnology [ˌdʒiːəutekˈnɔlədʒi] *s* geotechnologia
geotectonic [ˌdʒiəutekˈtɔnik] *adj* geotektoniczny
geotectonics [ˌdʒiːəutekˈtɔniks] *s* geotektonika
geothermal [dʒiːəuˈθəːməl] *adj* geotermiczny
geotropic [dʒiːəuˈtrɔpik] *adj* geotropiczny
geraniaceous [dʒiˌreiniˈeiʃəs] *adj* **bot** bodziszkowaty
geriatricist [dʒeriˈætrisist], **geriatrician** [dʒeriəˈtriʃən] *s* geriatra
↑ **germ** Ⅲ *attr* zarodkowy; ~ **cell** komórka jajowa ⟨zarodka⟩; ~ **plasm** plazma rozrodcza; ~ **warfare** wojna bakteriologiczna
germinative [ˈdʒəːminətiv] *adj* kiełkujący; dotyczący kiełkowania; ~ **energy** energia kiełkowania
gerontology [dʒerɔnˈtɔlədʒi] *s* gerontologia
ghettoize [ˈgetəuaiz] *vt* zamknąć (ludzi) w getcie
↑ **ghost** Ⅰ *s* 5. *tv* duch; podwójny obraz Ⅲ *attr* widmowy; ~ **town** miasto widmo, wymarłe miasto; ~ **writer** murzyn, podnajęty pisarz
ghostlike [ˈgəustlaik] *adj* upiorny; widmowy
↑ **giant** Ⅲ *adj* ... ~ **powder** amerykański rodzaj dynamitu
giantism [ˈdʒaiəntizəm] *s med* gigantyzm
gibbsite [ˈgibzait] *s miner* gibsyt
giddily [ˈgidili] *adv* 1. zawrotnie 2. roztrzepanie; w roztrzepaniu; lekkomyślnie; trzpiotowato
gigantean [dʒaigænˈtiːən], **gigantesque** [dʒaigənˈtesk] *adj* = **gigantic**
gigantism [ˈdʒaigæntizəm] *s med* gigantyzm
gigantomachia [ˌdʒaigæntəuˈmeikiə] *s mitol* gigantomachia
gigantomania [ˌdʒaigæntəuˈmeiniə] *s* gigantomania
giggly [ˈgigli] *adj* chichoczący
gigue [ʒiːg] *s* = **jig** *s*
Gila [ˈhiːlə] *attr zool* ~ **monster** jadowita jaszczurka *Heloderma suspectum*
gilbert [ˈgilbət] *s elektr* gilbert (jednostka siły magnetomotorycznej)
↑ **gill**[1] Ⅲ *attr* ~ **net** sieć skrzelowa
gilpinite [ˈgilpinait] *s miner* gilpinit
gilsonite [ˈgilsənait] *s miner* gilsonit
gimmick [ˈgimik] *s am sl* 1. sztuczka magiczna; trik 2. wihajster
gimmickery [ˈgimikəri] *s* nagromadzenie urządzeń mających ułatwić pracę, a wprowadzających zamęt
↑ **gin**[3] Ⅲ *attr sl* ~ **mill** knajpa
↑ **ginger** Ⅳ *attr* ~ **snap** kruche ciastko zaprawione imbirem
gingivitis [dʒindʒiˈvaitis] *s med* zapalenie dziąseł
girlishly [ˈgəːliʃli] *adv* dziewczęco; po dziewczęcemu
↑ **give-away** Ⅲ *attr* ... *radio tv* ~ **show** ⟨**programme**⟩ program z udziałem publiczności, połączony z przyznawaniem nagród
↑ **glacial** *adj* 3. ... *farm* ~ **acetic acid** kwas octowy lodowaty
glacialist [ˈgleiʃiəlist] *s* glacjolog
gladiate [ˈglædiit] *adj bot* mieczykowaty
gladsomely [ˈglædsəmli] *adv* radośnie; szczęśliwie
glamorize [ˈglæməraiz] Ⅰ *vi* otoczyć (kogoś, coś, siebie) czarem ⟨blaskiem, splendorem⟩ Ⅲ *vt* dać (aktorce) rolę uwydatniającą czar ⟨urok osobisty⟩
glamorously [ˈglæmərəsli] *adv* czarownie; czarująco; fascynująco; wspaniale; olśniewająco
glancing [ˈglænsiŋ] Ⅰ *zob* **glance**[2] *v* Ⅲ *attr fiz* ~ **angle** kąt odbicia; kąt Bragga
↑ **glandular** *adj* 1. ... *med* ~ **fever** gorączka gruczołowa
glaringly [ˈglɛəriŋli] *adv* 1. oślepiająco; jaskrawo; rażąco 2. (*spojrzeć itd.*) wściekle; z wściekłością; groźnie
glary [ˈglɛəri] *adj am* gładki i śliski jak lód
↑ **glass** Ⅲ *attr* ‖ *zool* ~ **snake** (*Ophiosaurus ventralis*) padalec (mający bardzo łamliwy ogon) Ⅲ *vt* 3. za/konserwować (owoce itd.) w słojach
glassfish [ˈglɑːsfiʃ] *s zool* ryba z rodzaju *Ambassis*, u której widoczne są wnętrzności i szkielet przez powłoki
glassily [ˈglɑːsili] *adv* szkliście
glassine [ˈglɑːsiːn] *s* przezroczysty papier z miazgi siarczynowej
glauconite [ˈglɔːkənait] *s miner* glaukonit
↑ **glaucous** *adj* 1. ... *zool* ~ **gull** (*Larus hyperboreus*) mewa arktyczna
glede [gliːd] *s zool* (*Milvus milvus*) kania czerwona

gleep [gli:p] *s nukl* rodzaj doświadczalnego reaktora grafitowego

↑ **glibly** *adv* 2. gładko; płynnie; potoczyście

↑ **gilder** *s* 2. kanapa-huśtawka

glioma [glai'əumə] *s med* glejak

glistening ['glisəniŋ] I *zob* **glisten** *vi* II *adj* błyszczący; połyskujący; iskrzący się

glisteningly ['glisəniŋli] *adv* błyszcząc; połyskując; iskrząc się

glittering ['glitəriŋ] I *zob* **glitter** *vi* II *adj* lśniący; błyszczący; połyskujący

glitteringly ['glitəriŋli] *adv* lśniąco; błyszcząco; połyskująco

globally ['gləubəli] *adv* 1. globalnie; ogólnie; w sumie 2. w skali ogólnoświatowej; na ogólnoświatową skalę

globigerina [gləubi'dʒerinə] *s zool* (*Globigerina*) otwornica morska; ~ **ooze** muł globigerynowy

glockenspiel ['glɔkənspi:l] *s* 1. *muz* dzwony; (*w orkiestrze dętej*) dzwonki 2. *zeg* kurant

glomeration [glɔmə'reiʃən] *s* skupienie

glomerule ['glɔmiru:l] *s anat bot* kłębek

glonoin ['glɔnəuin], **glonoine** [glɔnəu'i:n] *s farm* nitrogliceryna

gloomily ['glu:mili] *adv* 1. ciemno; mrocznie 2. ponuro; posępnie; smutno

gloriously ['glɔ:riəsli] *adv* 1. sławnie; chlubnie; świetnie; znakomicie 2. wspaniale; przepięknie

glossily ['glɔsili] *adv* 1. połyskująco; połyskliwie; z połyskiem; lśniąco 2. gładko; słodko; nieszczerze

glost [glɔst] *s* 1. glazura ceramiczna; polewa 2. glazurowane ⟨polewane⟩ wyroby ceramiczne

glottal ['glɔtəl], **glottic** ['glɔtik] *adj anat* głośniowy

glove-box ['glʌvbɔks] *s techn nukl* komora rękawicowa

glowingly ['gləuiŋli] *adv* 1. jarząc się; żarząc się 2. iskrząco; iskrząc się 3. promiennie; promieniejąc 4. jaskrawo 5. żarliwie

glucoprotein [ˌglu:kəu'prəuti:in] *s biochem* glikoproteina

glucoside ['glu:kəsaid] *s chem* glikozyd

glumaceous [glu:'meiʃəs] *adj bot* plewowaty

glumly ['glʌmli] *adv* ponuro; posępnie; pochmurnie

glutamic [glu:'tæmik] *adj* (*o kwasie*) glutaminowy

glutamine ['glu:təmi:n] *s chem* glutamina

glutathione ['glu:təθaiəun] *s biochem* glutation

gluteal [glu'ti:əl] *adj anat* pośladkowy

glutelins ['glu:təlinz] *spl techn* gluteliny

↑ **gluten** II *attr* glutenowy; ~ **bread** chleb glutenowy

glutenous ['glu:tinəs] *adj* glutenowy

gluttonize ['glʌtənaiz] *vi* jeść żarłocznie; obżerać się

gluttonously ['glʌtənəsli] *adv* żarłocznie; jak żarłok

glyceric [gli'serik] *adj chem* (*o kwasie*) glicerynowy

glyceride ['glisəraid] *s chem* gliceryd

glycerol ['glisərɔl] *s chem* gliceryna

glyceryl ['glisəril] *s* gliceryl; ~ **trinitrate** trójazotan gliceryny

glycogenic [glaikə'dʒenik] *adj* glikogenowy

glycogenolysis [ˌglaikɔdʒe'nɔlisis] *s biochem* glikogenoliza

glycolic [glai'kɔlik] *adj chem* (*o kwasie*) glikolowy

glycoprotein [ˌglaikəu'prəutii:n] *s biochem* glikoproteina

glycosuria [ˌglaikɔ'sjuəriə] *s med* cukromocz

glyoxaline [glai'ɔksəli:n] *s chem* glioksalina, imidazol

glyph [glif] *s arch* glif

glyptography [glip'tɔgrəfi] *s* gliptografia

gnatcatcher ['nætkætʃə] *s zool* amerykański ptak śpiewający z rodzaju *Polioptila*

gnathic ['næθik] *adj anat* szczękowy

gnawing ['nɔ:iŋ] I *zob* **gnaw** *v* II *s* udręka; zgryzota; **the ~s of hunger** męki głodowe III *adj* dręczący

gnawingly ['nɔ:iŋli] *adv* dręcząco

gnomonic [nəu'mɔnik] *adj* gnomoniczny; ~ **projection** rzut gnomoniczny

gnosis ['nəusis] *s* gnoza; wiedza

↑ **go** IV *attr* ~ **fog** urządzenie do rozpraszania mgły (na lotniskach itd.)

↑ **goat** II *attr zool* ~ **antelope** = **goral** ↑

gobbledygook [ˌgɔbldi'guk] *s pot* bełkot urzędowy; żargon komunikatów i rozporządzeń oficjalnych; *sl* mowa-trawa

gobbler ['gɔblə] *s* indor

goethite ['gəuθait] *s miner* getyt

goggle-eyed ['gɔglˌaid] *adj* o wyłupiastych oczach; z wyłupiastymi oczami

goglit ['gɔglit] *s* (*w Indiach*) naczynie do studzenia wody

goiter ['gɔitə] *s am* = **goitre**

goitrogen ['gɔitrədʒen] *s* substancja wolotwórcza

goitrogenic [gɔitrə'dʒenik] *adj* wolotwórczy; powodujący wole

↑ **gold** II *adj* 1. ... ~ **brick** ... b) *pot* człowiek uchylający się od odpowiedzialności ⟨od pracy⟩; bumelant III *attr* złoty; złota; ~ **fever** gorączka złota; ~ **standard** standard złota; ~ **seed** ziarno złote zawierające rad; *dent* ~ **filling** złota plomba; *fot* ~ **toning** tonowanie w kąpieli soli złota

goldbrick ['gəuldbrik] *vt sl* 1. nabierać; kantować; nabijać w butelkę 2. bumelować; obijać się

gold-duster ['gəuldˌdʌstə] *s am sl* narkoman

↑ **golden** *adj* 1. ... ~ **age** złoty wiek; ~ **calf** złoty cielec; *bot* ~ **aster** amerykański kwiat z rodzaju *Chrysopsis*; ~ **rod** (*Solidago*) nawłoć; ~ **wattle** australijska akacja *Acacia pycnantha*: *zool* ~

eagle (*Aquila chrysaetos*) orzeł przedni; ~ **pheasant** (*Chrysolophus pictus*) bażant złocisty; ~ **plover** (*Pluvialis apricaria*) siewka dżdżownik; *przen* ~ **goose** kura znosząca złote jaja

gold-nibbed [ˈgəuld,nibd] *adj* (*o piórze*) ze złotą stalówką

gold-rimmed [ˈgəuld,rimd] *adj* (*o okularach*) w złotej oprawie

goldstone [ˈgəuldstəun] *s miner* awanturyn

↑ **gone** III *adj* 7. *sl* kapitalny; szałowy; nie z tej ziemi

gonidia [gɔˈnidiə] *spl bot* gonidia

goniometry [gəniˈɔmitri] *s mat* goniometria

gonocyte [ˈgɔnəsait] *s biol* gonocyt

goo [gu:] *s am sl* coś kleistego

goober [ˈgu:bə] *s am* orzech ziemny

good-heartedly [gudˈhɑ:tidli] *adv* życzliwie; z dobrego serca

good-humouredly, *am* **good-humoredly** [gudˈhju:məridli] *adv* dobrodusznie

good-naturedly [gudˈneitʃəridli] *adv* dobrodusznie; życzliwie

good-neighbourliness [gudˈneibəlinis] *s* stosunki dobrosąsiedzkie

good-temperedly [gudˈtempəridli] *adv* łagodnie; spokojnie

gooey [ˈgu:i] *adj am sl* lepki

↑ **goof** III *attr sl* ~ **ball** narkoman (zwłaszcza zażywający marihuanę) III *vi sl* **to** ~ **off** obijać się; leniuchować

googol [ˈgu:gɔl] *s* cyfra i sto zer

gook [gu:k] *s sl* 1. lepkie paskudztwo 2. bzdury 3. Koreańczyk

goon [gu:n] *s am sl* 1. najemny zbir (w sporach ze Związkami Zawodowymi) 2. półgłówek

goop² [gu:p] *s am sl* 1. cham 2. Pyrogel, substancja zapalająca

goral [ˈgɔ:rəl] *s zool* (*Naemorhedus*) zwierzę pośrednie między kozą a antylopą

gorcock [ˈgɔ:kɔk] *s zool* (*Lagopus scoticus*) pardwa szkocka (samiec)

gorgeously [ˈgɔ:dʒəsli] *adv* wspaniale; cudownie; przepięknie; pysznie; okazale; wystawnie

gorhen [ˈgɔ:hen] *s zool* (*Lagopus scoticus*) pardwa szkocka (samica)

gorily [ˈgɔ:rili] *adv* we krwi; krwawo

gospeler [ˈgɔspələ] *s am* = **gospeller**

gosport [ˈgɔspɔ:t] † *s* (*także* ~ **tube**) *lotn* awiofon

gossipmonger [ˈgɔsipmʌŋgə] *s* plotkarz, plotkarka

Gothicism [ˈgɔθisizəm] *s* gotycyzm

goujon [ˈgu:dʒɔn] *s zool* sumowata ryba amerykańska *Opladelus olivaris*

goutily [ˈgautili] *adv* podagrycznie; artretycznie

governmentally [gʌvənˈmentəli] *adv* rządowo

governorship [ˈgʌvənəʃip] *s* gubernatorstwo

↑ **grab** IV *attr mar* ~ **line** lina chwytakowa (łodzi); ~ **rope** poręcz z liny, falrep; (*w autobusie, tramwaju itd.*) ~ **rail** uchwyt za siedzeniem

graben [ˈgrɑ:bən] *s geol* rów tektoniczny

gracefully [ˈgreisfuli] *adv* 1. wdzięcznie; z gracją 2. łaskawie

gracelessly [ˈgreislisli] *adv* bez wdzięku

graciously [ˈgreiʃəsli] *adv* 1. łaskawie; miłościwie 2. miłosiernie

grackle [ˈgrækl] *s zool* nazwa kilku ptaków a) z rodzaju szpaków b) z rodzaju kosów

↑ **grade** III *attr* ~ **labelling** oznakowanie jakości towaru

↑ **gradient** III *attr* (*o wietrze*) gradientowy

grading [ˈgreidiŋ] I *zob* **grade** *vt* III *s* sortowanie; klasyfikacja

graftage [ˈgrɑ:ftidʒ] *s* szczepienie (roślin)

graham [ˈgreiəm] *attr* (*o chlebie, mące*) Grahama

↑ **grain** I *s* 1. ... ~**s of paradise** nasiona *Amomum melegueta* (stosowane w weterynarii i jako przyprawa do potraw); ~**s of paradise oil** olejek z nasion *Amomum melegueta* 4. ... ~ **of wood** krystaliczność włókna drzewnego III *attr* ... (*o suszarni, siewniku, wadze itd.*) zboża; ~ **alcohol** alkohol etylowy, etanol; *zool* ~ **weevil** (*Calandra granaria*) wołek zbożowy

↑ **gram¹** III *attr nukl* ~ **element specific activity** aktywność właściwa na gram pierwiastka; *chem fiz* ~ **ion** gramojon

Gram² [græm] *spr biol* ~**'s method** barwienie metodą Grama

gramicidin [græˈmisidin, græmiˈsaidin] *s chem farm* gramicydyna

Graminaceae [græmiˈneisii:] *spl bot* trawy; rośliny trawiaste

grammatically [grəˈmætikəli] *adv* 1. gramatycznie 2. *przen* poprawnie

gramme-equivalent [,græm-əˈkwivələnt] *s chem* gramorównoważnik, wal

gramme-force [ˈgræmˈfɔ:s] *s* gram siły, gram-siła, pond

gramme-molecule [græmˈmɔləkju:l] *s chem* mol, gramocząsteczka

gram-negative [ˈgræmˈnegətiv] *adj biol* Gram-ujemny

gram-positive [ˈgræmˈpɔzitiv] *adj biol* Gram-dodatni

granadilla [grænəˈdilə] *s* 1. jadalne owoce pewnych gatunków passiflory 2. *bot* passiflora 3. drewno kilku drzew południowoamerykańskich: *Dalbergia retusa, Brya ebenus, Caesalpinia granadillo*

↑ **grand** I *adj* 1. ... **Grand Duchess** Wielka Księżna; **Grand Duchy** Wielkie Księstwo; ~ **tour** objazd kontynentu europejskiego dla uzupełnienia wykształcenia

grandiloquently [grænˈdiləkwentli] *adv* pompatycznie; napuszenie; górnolotnie

grandiosely [grændiˈəusli] *adv* 1. wspania-

le; imponująco; majestatycznie 2. pretensjonalnie
grand mal [ˈgrã:ˈmal] *s* napad padaczki wielki
grandstand [ˈgrændstænd] *s* główna trybuna (na wyścigach)
↑ **grant-in-aid** *s* 2. subwencja rządowa 3. stypendium jednorazowe
granularly [ˈgrænjuləli] *adv* ziarniście
↑ **granule** *s* 2. *roln* granula; gruzełek
granulite [ˈgrænjulait] *s miner* granulit
granulose [ˈgrænjuləus] *s fizj* granuloza
graphically [ˈgræfikəli] *adv* 1. graficznie 2. obrazowo; malowniczo
↑ **graphite** III *attr* grafitowy; ~ **reactor** reaktor grafitowy
graphite-treated [ˈgræfaitˌtri:tid] *adj* grafitowany
graphitization [græfitaiˈzeiʃən] *s* grafityzacja
graphitize [ˈgræfitaiz] *vi* grafitować
graphomania [græfəuˈmeiniə] *s* grafomania
graphomaniac [græfəuˈmeiniæk] *s* grafoman
grappling [ˈgræpliŋ] I *zob* **grapple** *v* III *s* uchwyt
graspingly [ˈgra:spiŋli] *adv* zachłannie; chciwie; zaborczo
↑ **grass** III *attr* do trawy; ~ **cutter** ⟨**mower**⟩ kosiarka do trawy; ~ **hook** sierp; ~ **roots** = **grassroots** ↑
↑ **grasshopper** *s* 2. *wojsk lotn* lekki nie uzbrojony samolot wywiadowczo-łącznikowy
grassroots [ˈgra:sru:ts] *spl* 1. podstawy; **to attack a problem by the** ~ wziąć się do zagadnienia od samych podstaw 2. okręg rolniczy kraju; ludność pracująca na roli 3. górna warstwa gleby
gratefully [ˈgreitfuli] *adv* wdzięcznie; z wdzięcznością
gratifyingly [grætiˈfaiiŋli] *adv* przyjemnie; mile; zachęcająco
gratingly [ˈgreitiŋli] *adv* ze zgrzytem; zgrzytliwie
gratuitously [grəˈtjuitəsli] *adv* 1. bezpłatnie; dobrowolnie 2. (*ubliżyć itd.*) bez powodu
gratulate [ˈgrætjuleit] *vt* = **congratulate**
graupel [ˈgrəupl] *s* drobny grad; krupy
gravely [ˈgreivli] *adj* 1. poważnie; uroczyście; z poważną miną 2. ważko; doniośle 3. groźnie; niepokojąco
↑ **graveyard** III *attr* ~ **shift** nocna zmiana (w fabryce itp.)
gravimetrically [græviˈmetrikəli] *adv* grawimetrycznie
↑ **gravitational** *adj* ... ~ **drift** odchylenie grawitacyjne; ~ **field** pole grawitacyjne
gravitationally [græviˈteiʃənəli] *adv* grawitacyjnie
gravitative [ˈgrævitətiv] *adj* grawitujący
↑ **gravity** III *attr* grawitacyjny; *geol* ~ **fault** uskok grawitacyjny ⟨tensjonalny⟩; ~ **separation** rozdzielanie grawitacyjne
gravure [grəˈvjuə] *s* fotograwiura; rotograwiura
gray[2] [grei] *adj am* pośredni; znajdujący się na pograniczu; ~ **market** półlegalny nie kontrolowany handel
greasewood [ˈgri:swud] *s bot* komosowaty krzew *Sarcobatus vermiculatus*
greasily [ˈgri:sili] *adv* tłusto
greedily [ˈgri:dili] *adv* 1. chciwie; zachłannie; żądnie 2. łapczywie 3. łakomie; żarłocznie
↑ **greedy** *s* 3. ... łakomy
↑ **green** I *adj* 1. ... *chem* ~ **salt** czterofluorek uranu
greensand [ˈgri:nsænd] *s miner* piaskowiec glaukonitowy
greenshank [ˈgri:nʃæŋk] *s zool* (*Glottis nebularia*) brodziec kwokacz
green-winged [ˈgri:nwiŋgd] *attr zool* ~ **teal** amerykańska kaczka *Anas carolinense*
gregariously [griˈgεəriəsli] *adv* 1. stadnie; gromadnie 2. towarzysko
greige [greiʒ] *adj* (*o płótnie*) surowy
greisen [ˈgraizən] *s miner* grejzon
gremlin [ˈgremlin] *s sl lotn* złośliwy chochlik samolotowy
grenz [grents] *attr nukl* ~ **rays** promienie graniczne
gribble [ˈgribl] *s zool* (*Limnoria lignorum*) morski równonóg
↑ **grid** III *attr nukl* siatki; ~ **current** ⟨**spacer**⟩ prąd ⟨rozpórka⟩ siatki
grievingly [ˈgri:viŋli] *adv* ze smutkiem; w strapieniu
grievously [ˈgri:vəsli] *adv* 1. boleśnie 2. (*zbłądzić itd.*) ciężko; poważnie 3. (*zostać rannym*) ciężko 4. smutno
grifter [ˈgriftə] *s am sl* straganiarz jarmarczny; kramarz
gri-gri [ˈgri:gri:] *s* amulet afrykański
grimily [ˈgraimili] *adv* brudno; niechlujnie
grimly [ˈgrimli] *adv* 1. srogo; groźnie 2. zawzięcie; nieubłaganie; nieugięcie 3. ponuro
grindelia [grinˈdi:liə] *s farm* ziele grindelii
grinder[2] [ˈgraində] *s* duża kanapka z dwóch pajd chleba przełożonych wędliną, serem, pomidorami, sałatą itd.
↑ **grinding** III *s* 4. *nukl* rozdrabnianie
grindingly [ˈgraindiŋli] *adv* zgrzytliwie; ze zgrzytem
gripe[2] [graip] *am sl* I *vt* wkurzać; złościć II *vi* truć; zrzędzić; labiedzić III *s* 1. irytacja; szewska pasja 2. trucie; zrzędzenie; labiedzenie
gripper [ˈgripə] *s techn nukl* chwytak
grison [ˈgraizən, ˈgrizən] *s zool* (*Grison vittata*) grizon
grittily [ˈgritili] *adv* 1. piaszczyście 2. (*postępować*) z charakterem
grizzle[3] [ˈgrizl] *vi* po/siwieć
groggery [ˈgrogəri] *s am sl* knajpa
groggily [ˈgrogili] *adv* słaniając się; zataczając się; chwiejąc się na nogach; na chwiejnych nogach

grogram [ˈgrɔgrəm] † *s tekst* gruba tkanina z jedwabiu i wełny

↑ **groom** Ⅰ *s* 3. ... *kulin* **~'s cake** przekładaniec weselny

↑ **gross**[1] Ⅰ *adj* 12. makroskopowy; widoczny gołym okiem

grossly [ˈgrəusli] *adv* ordynarnie; grubiańsko; wulgarnie

grotesquely [grəuˈteskli] *adv* groteskowo

grouchily [ˈgrautʃili] *adv am sl* zrzędnie

grouchy [ˈgrautʃi] *adj am sl* zrzędny

↑ **ground**[1] ... *powinno być*: **~ glass** szlifowane szkło; kryształ

↑ **ground**[2] Ⅲ *attr* 1. ... **~ water** woda gruntowa; **~ water table** powierzchnia wód gruntowych; *nukl* **~ disposal** usuwanie do ziemi 2. *wojsk lotn* ... **~ alert** gotowość do odlotu; **~ control** sterowanie samolotem przy pomocy urządzeń naziemnych; **~ controlled** sterowany z ziemi; **~ crew** naziemna obsługa samolotu; **~ speed** prędkość względem ziemi 3. *nukl* podstawowy; **~ state** stan podstawowy; **~ state disintegration energy** energia rozpadu jądra w stanie podstawowym ‖ *zool* **~ hog** świstak amerykański *Marmota monax*

groundmass [ˈgraundmæs] *s metalurg* ciasto skalne

↑ **group** Ⅲ *attr* 1. grupowy; *nukl* **~ diffusion theory** teoria dyfuzji grupowa 2. zbiorowy; **~ insurance** ubezpieczenie zbiorowe

↑ **growing** Ⅲ *attr* ... wegetacyjny; **~ season** okres wegetacyjny ⟨wegetacji⟩

↑ **growth** Ⅲ *attr* wzrostowy; *nukl* **~ curve** krzywa wzrostu ⟨narastania⟩

grubbily [ˈgrʌbili] *adv* 1. robaczywie 2. brudno; niechlujnie

gruffly [ˈgrʌfli] *adv* 1. burkliwie; gburowato 2. grubym głosem

grumbling [ˈgrʌmbliŋ] Ⅰ *zob* **grumble** *v* Ⅲ *adj* 1. mruczący 2. narzekający; zrzędny

grumblingly [ˈgrʌmbliŋli] *adv* 1. mrucząc 2. narzekając; z narzekaniem; zrzędnie

grumpily [ˈgrʌmpili] *adv* zrzędnie; gderliwie

grunion [ˈgru:niən] *s zool* kalifornijska ryba jadalna *Leuresthes tenuis*

g-suit [ˈdʒi:ˌsu:t] *s lotn* kombinezon przeciwprzyspieszeniowy

guacharo [ˈgwɔ:tʃɑ:rəu] *s zool* (*Steatornis caripensis*) tłuszczak (lelek)

guaco [ˈgwɑ:kəu] *s bot* nazwa dwóch pnączy tropikalnych, których liście używane są jako odtrutki na jad wężów

guaiacol [ˈgwaiəkɔl] *s chem* gwajakol

guan [gwɑ:n] *s zool* ptak z podrodziny *Penelopinae*

↑ **guarantee** Ⅰ *s* 3. karta gwarancyjna

↑ **guard** Ⅴ *attr* 1. *wojsk* wartowniczy; **~ duty** służba wartownicza 2. *nukl* ochronny; **~ ring** pierścień ochronny

↑ **guardsman** *s* 2. stróż 3. *am* członek Gwardii Narodowej (wojsko rezerwowe)

guayule [ˈgwɑ:ju:li] *s* 1. *bot* (*Parthenium argentatum*) guayula 2. kauczuk z tego drzewa

guenon [gəˈnɔn] *s zool* (*Cercopithecus*) długonosa małpa amerykańska

↑ **guidance** *s* 4. *lotn wojsk* kierowanie; prowadzenie; **command ~** naprowadzanie za pomocą sygnałów sterujących; **booming ~** samonaprowadzanie; **midcourse ~** zdalne kierowanie pocisku na torze; **preset ~** kierowanie programowe ⟨nastawne⟩ pocisku; **stellar ~** samokierowanie pocisku na podstawie nawigacji astronomicznej; **terminal ~** zdalne kierowanie pocisku u celu

↑ **guide** Ⅲ *attr* prowadzący; *nukl* **~ field** pole prowadzące

guideboard [ˈgaidbɔ:d] *s* tablica na drogowskazie

guided [ˈgaidid] Ⅰ *zob* **guide** *vt* Ⅲ *attr wojsk lotn* **~ missile** kierowany pocisk rakietowy

guide-rope [ˈgaidrəup] *s* (*u balonu*) lina wleczona

guilefully [ˈgailfuli] *adv* chytrze; podstępnie; przebiegle

guilelessly [ˈgaillisli] *adv* szczerze; otwarcie

guilloche [giˈləuʃ] *s* giloszowanie

guiltily [ˈgiltili] *adv* 1. niewłaściwie; karygodnie 2. z poczuciem winy; z nieczystym sumieniem; z miną winowajcy

guiltlessly [ˈgiltlisli] *adv* niewinnie

↑ **guinea-pig** *s* 3. *przen* królik doświadczalny

guitarfish [giˈtɑ:fiʃ] *s zool* płaszczka z rodziny *Rhinobatidae*

gulfweed [ˈgʌlfwi:d] *s bot* wodorost morski *Sargassum bacciferum*

gullibly [ˈgʌlibli] *adv* łatwowiernie; naiwnie

↑ **gum**[2] Ⅲ *vt* 3. *am sl lotn* dodać (**the engine** silnikowi) gazu

gumdrop [ˈgʌmdrɔp] *s am* cukierek z gumy arabskiej i żelatyny; *pot* ciągutka

gummite [ˈgʌmait] *s chem* gumit

gummosis [gəˈməusis] *s bot* gumoza

↑ **gun** Ⅳ *attr lotn wojsk* **~ camera** aparat fotograficzny zsynchronizowany z bronią pokładową, rejestrujący poszczególne strzały i ich wyniki

gunsel [ˈgʌnsl] *s sl* 1. naiwniaczek; głuptas 2. utrzymanek pederasty 3. rewolwerowiec

gushy [ˈgʌʃi] *adj* 1. tryskający 2. *przen* wylewny

gustily [ˈgʌstili] *adv* 1. wietrznie 2. *przen* porywiście; gwałtownie

gutta [ˈgʌtə] *s* (*pl* **~e** [ˈgʌti:]) 1. kropla 2. *pl* **~e** *arch* krople, łezki

↑ **gymkhana** *s* 2. pokaz ćwiczeń gimnastycznych

gymnosperm [ˈdʒimnəspə:m] *s bot* roślina nagozalążkowa

gynoeceum, gynoecium [dʒaiˈni:siəm] *s bot*

słupkowie; owocolistki ⟨słupki⟩ w kwiecie
↑ **gypsy** Ⅲ *attr zool* ~ **moth** (*Limantria dispar*) brudnica nieparka
gyrfalcon [ˈdʒəːfɔːlkən] *s zool* sokół islandzki; białozór
gyromagnetic [ˌdʒaiərəuməˈgnetik] *adj* giromagnetyczny
gyroplane [ˈdʒairəplein] † *s lotn* autożyro; wiatrakowiec
gyrostabilizer [dʒairəuˈsteibilaizə] *s* stabilizator żyroskopowy

H

habile [ˈhæbil] *adj* zręczny
↑ **habitat** Ⅲ *attr* ~ **form** = **ecad** ↑
habitually [həˈbitjuəli] *adv* zwykle; zwyczajnie; normalnie; powszednio; zwyczajowo; z przyzwyczajenia
↑ **hack**[1] Ⅳ *attr* ~ **hammer** ciosak; młot kamieniarski
hackamore [ˈhækəmɔː] *s* postronek używany przy tresurze koni
haematin [ˈhemətin, ˈhiːmətin] *s biochem* hematyna
haematology [hiːməˈtɔlədʒi] *s fizj* hematologia
haematoxylin [hiːməˈtɔksilin] *s biochem* hematoksylina
haematuria [hiːməˈtjuːriə] *s med* krwiomocz
haemin [ˈhiːmin] *s biochem* hemina
haemiplegia [hemiˈpliːdʒiə] *s med* porażenie połowicze
haemonchosis [hiːmɔnˈkəusis] *s wet* hemonchoza
Haganah [hægəˈnɑː] *s hist* milicja palestyńska
hagdon [ˈhægdɔn] *s zool* (*Puffinus*) burzyk
hagfish [ˈhægfiʃ] *s zool* (*Myxine glutinosa*) śluźnica
Haggadah [hæˈgɑːdə] *s* legendowa część Talmudu
haggishly [ˈhægiʃli] *adv* jędzowato
↑ **hair** Ⅲ *attr* ~ **seal** foka nie mająca spodniego futra pod sierścią (w odróżnieniu od **fur seal**)
hairstreak [ˈheəstriːk] *s zool* modraczek (motyl)
hajj [hædʒ] *s* hadż (pielgrzymka do Mekki)
hajji [ˈhædʒi] *s* hadżi (muzułmanin, który odbył pielgrzymkę do Mekki)
hakim [hɑːˈkiːm] *s* (*u muzułmanów*) 1. uczony 2. lekarz 3. gubernator 4. sędzia
↑ **half-boot** *s* ... kamasz
half-hose [ˈhɑːfhəuz] *s* skarpetka
half-integral [ˈhɑːfˈintəgrəl] *attr nukl* ~ **spin** spin połówkowy
half-life [ˈhɑːfˌlaif] *s nukl* okres połowicznego zaniku; półokres
half-note [ˈhɑːfˌnəut] *s muz* półnuta
half-track [ˈhɑːfˌtræk] *s wojsk* pojazd pancerny z gąsienicami z tyłu i kołami z przodu
hallucinosis [həˌluːsiˈnəusis] *s med* halucynoza
↑ **halogen** Ⅲ *attr nukl* ~ **counter** licznik chlorowcowy; *aut* ~ **lights** światła halogenowe; *pot* halogeny
halogenation [ˌhælədʒiˈneiʃən] *s chem* chlorowcowanie, halogenowanie
halophyte [ˈhæləfait] *s bot* halofit
halophytic [hæləˈfaitik] *adj* halofitowy
↑ **halter** Ⅲ *attr* ~ **dress** suknia z trójkątnym stanikiem trzymającym się na opasce wokół szyi
ham[2] [hæm] *s* koncesjonowany krótkofalowiec
hamamelidaceous [hæməˌmeliˈdeiʃəs] *adj bot* oczarowaty
Hamite [ˈhæmait] *s* Hamita
↑ **hammer** Ⅳ *attr* młotkowy; *techn* ~ **finish** efekt młotkowy
hamulus [ˈhæmjuləs] *s anat bot zool* haczyk
hand-car [ˈhændˌkɑː] *s kolej* ręcznie poruszana drezyna
handie-talkie [ˈhændiˌtɔːki] *s* przenośny radioaparat nadawczo-odbiorczy
handily [ˈhændili] *adv* 1. zgrabnie; zręcznie 2. poręcznie; dogodnie; praktycznie
handiness [ˈhændinis] *s* 1. zgrabność; zręczność 2. poręczność; dogodność; praktyczność
handler [ˈhændlə] *s sport* 1. trener ⟨sekundant⟩ boksera 2. trener psa ⟨koguta⟩ do walki na arenie
↑ **hand-out** *powinno być: s am sl* 1. ulotka 2. wiadomość prasowa 3. komunikat dla prasy 4. jałmużna
hand-pick [ˈhændpik] *vt* 1. ręcznie zrywać (owoce) 2. starannie wybierać
handset [ˈhændsət] *s telef* słuchawka z mikrofonem
handsomely [ˈhændsəmli] *adv* 1. przystojnie; ładnie; **to treat sb** ~ ładnie postąpić z kimś ⟨względem kogoś⟩ 2. hojnie; szczodrze
handspring [ˈhændspriŋ] *s gimn* przewrotka z oparciem na rękach
hand-to-hand [ˈhænd-təˌhænd] *adj* (*o walce*) wręcz
hand-to-mouth [ˈhænd-təˌmauθ] *adj* niezapobiegliwy; nieprzezorny; ~ **existence** niepewna egzystencja; życie z dnia na dzień
hangbird [ˈhæŋbəːd] *s zool* ptak budujący gniazda wiszące (*Icterus galbula itd.*)
hangfire [ˈhæŋfaiə] *s lotn* opóźniony zapłon

↑ **hang-out** *s* 3. *sl* lokal ⟨miejsce⟩, gdzie ktoś stale przesiaduje
haphazardly [hæpˈhæzədli] *adv* przypadkowo; dorywczo; na los szczęścia; na chybił trafił
haplessly [ˈhæplisli] *adv* nieszczęśliwie; niefortunnie
haploid [ˈhæplɔid] *s biol* haploid
haploidy [hæpˈlɔidi] *s biol* haploidalność
haplophase [ˈhæpləfeiz] *s biol* haplofaza
haplosis [hæpˈləusis] *s biol* redukcja liczby chromosomów do połowy
harassment [ˈhærəsmənt] *s* niepokojenie; dokuczanie; nękanie; trapienie
harbor [ˈhɑːbə] *s am* = **harbour**
↑ **hard** Ⓘ *adj* 1. ... *bot* ~ **maple** amerykański klon *Acer saccharum*; *nukl* ~ **component (of radiation)** składowa twarda; ~ **radiation** promieniowanie twarde; *ekon* ~ **zloty** złoty dewizowy
hardback [ˈhɑːdbæk] *s bot* amerykański krzew różowaty *Spirea tomentosa*
hard-headedly [hɑːdˈhedidli] *adv* trzeźwo; praktycznie; nie bawiąc się w sentymenty
hardstand [ˈhɑːdstænd] *s lotn* naprędce zbudowana płyta do parkowania samolotu
↑ **hardware** Ⓘ *attr* ~ **cloth** siatka druciana
harken [ˈhɑːkən] *vi poet* po/słuchać
↑ **harlequin** *s* ... *zootechn* ~ **dog** arlekin; *zool* ~ **duck** (*Histrionicus histrionicus*) kaczka wzorzysta
harmfully [ˈhɑːmfuli] *adv* szkodliwie
harmlessly [ˈhɑːmlisli] *adv* nieszkodliwie
↑ **harmonic** *adj* ... *aut* ~ **balancer** tłumik drgań skrętnych; *muz* ~ **tone** ton harmoniczny
harmonics [hɑːˈmɔniks] *s muz* harmonia; harmonika (barokowa, romantyczna itd.)
harmoniously [hɑːˈməuniəsli] *adv* harmonijnie
harmonist [ˈhɑːmənist] *s* harmonista
↑ **harness** Ⓘ *s* 3. (*w silniku spalinowym*) zespół przewodów spalinowych
↑ **harpy** Ⓘ *attr zool* ~ **eagle** (*Thrasaetus harpyia*) harpia
harquebusier [hɑːˌkwebəˈsiə] *s hist* arkebuzer
harshly [ˈhɑːʃli] *adv* 1. szorstko; chropowato 2. niemile ⟨rażąco⟩ (dla ucha, oka, dotyku) 3. (*smakować*) cierpko 4. (*brzmieć*) zgrzytliwie 5. (*zachowywać się itd.*) szorstko; kostycznie; cierpko; opryskliwie 6. (*karać itd.*) surowo
hartebeest [ˈhɑːtibiːst] *s zool* nazwa kilku odmian antylopy południowoafrykańskiej
↑ **hartshorn** Ⓘ *attr bot* ~ **plantain** (*Plantago coronopus*) odmiana babki
hart's-tongue [ˈhɑːtsˌtʌŋ] *s bot* (*Phyllitis scolopendrium*) jeleni język (paproć)
↑ **hash** Ⓘ *attr sl wojsk* ~ **mark** naszywka na rękawie munduru oznaczająca ilość lat nieprzerwanej służby wojskowej
hashburner [ˈhæʃˌbəːnə] *s sl wojsk* kuchta
hassel, hassle [ˈhæsl] *s sl* rozróbka; awantura
hastily [ˈheistili] *adv* 1. pośpiesznie; w pośpiechu 2. nierozważnie; pochopnie 3. porywczo; popędliwie
↑ **hasty** *adj* 1. ... *kulin* ~ **pudding** kleik
↑ **hat** Ⓘ *attr* ~ **tree** wieszak
hatchetman [ˈhætʃətmən] *s* (*pl* **hatchetmen** [ˈhætʃətmən]) bojowy publicysta ⟨zwolennik polityczny⟩
hatchettolite [ˈhætʃətəlait] *s miner* haczetolit
haustellum [hɔːsˈteləm] *s zool* ryjek (przystosowany do ssania)
haustorium [hɔːsˈtɔːriəm] *s bot* ssawka (u roślin pasożytujących)
Hawaiian [həˈwaiən] *adj* hawajski
↑ **hawk**[1] Ⓘ *attr zool* ~ **owl** (*Surnia ulula*) sowa jarzębata
↑ **hawser** Ⓘ *attr* ~ **bend** węzeł wiążący końce dwóch lin
haylift [ˈheilift] *s* most powietrzny dla zrzutów paszy zwierzętom odciętym przez zaspy
hayrack [ˈheiræk] *s* drabinka na siano (w stajni)
↑ **haywire** Ⓘ *attr roln* ~ **disease** nie zbadana choroba ziemniaków
hazardously [ˈhæzədəsli] *adv* ryzykownie; z narażeniem; hazardowo; niebezpiecznie
hazily [ˈheizili] *adv* mgliście; niejasno
headcheese [ˈhedtʃiːz] *s am kulin* 1. głowizna 2. salceson
header [ˈhedə] *s nukl* komora zbiorcza ⟨rozdzielcza⟩
head-hunting [ˈhedˌhʌntiŋ] *s* łowienie głów (przez dzikie plemiona)
headily [ˈhedili] *adv* gwałtownie; raptownie; popędliwie
↑ **heading** Ⓘ *s* 2. *mar lotn* kurs
headless [ˈhedlis] *adj* 1. z odciętą głową 2. (*o grupie*) bez przewodnika 3. (*o człowieku*) bez głowy; głupi; roztrzepany
headsails [ˈhedseilz] *spl mar* kliwry; forsztaksle; żagle dziobowe
headset [ˈhedset] *s radio* telesłuchawki
headwall [ˈhedwɔːl] *s* ściana skalna
headwaters [ˈhedˌwɔtəz] *spl* górne dopływy (rzeki)
headwork [ˈhedwəːk] *s* praca umysłowa
↑ **health** Ⓘ *attr* ... *nukl* ~ **hazards** niebezpieczeństwo dla zdrowia; ~ **physics** fizyka ochrony zdrowia
healthfully [ˈhelθfuli] *adv* zdrowo; odżywczo; zdrowotnie
healthily [ˈhelθili] *adv* zdrowo
↑ **hearing** Ⓘ *attr* ~ **aid** aparat słuchowy
heart-free [ˈhɑːtfriː] *adj* nie zakochany
heartlessly [ˈhɑːtlisli] *adv* nieczule; bez serca

heart-point [ˈhɑ:t,pɔint] *attr* (*w boksie*) ~ **stroke** cios w serce
heart-shaped [ˈhɑ:tʃeipt] *adj* w kształcie serca; sercowaty
heart-sore [ˈhɑ:tsɔ:] *adj* zasmucony
heart-stricken [ˈhɑ:tstrikən] *adj* przygnębiony; przybity; z ciężkim sercem
↑ **heat** ☐ *s* 2. ... *nukl* ~ **of radioactivity** ciepło rozpadu promieniotwórczego ☐ *attr* ... ~ **exchanger** wymiennik ciepła; ~ **pump** pompa ciepła; *nukl* ~ **sink** ⟨**transfer**⟩ upust ⟨przenoszenie⟩ ciepła; ~ **treatment** obróbka cieplna
↑ **heath** ☐ *attr* wrzosowiskowy; *bot* ~ **aster** roślina pastewna *Aster ericoides*; ~ **grass** (*Sieglingia decumbens*) izgrzyca przyziemna
heathberry [ˈhi:ðberi] *s bot* jagoda wrzosowiskowa: bażyna, borówka czarna i inne
heathbird [ˈhi:ðbə:d] *s zool* głuszec
heathenize [ˈheðənaiz] ☐ *vt* spoganić ☐ *vi* spoganieć
↑ **heath-hen** *s zool powinno być:* samica głuszca
heating [ˈhi:tiŋ] ☐ *zob* **heat** *vt* ☐ *s* ogrzewanie; grzanie ☐ *attr* cieplny; grzejny; *nukl* ~ **cycle** cykl cieplny; ~ **field** pole nagrzewania; ~ **tube** rura grzejna
heatronic [hi:ˈtrɔnik] *adj techn* dielektrycznie ogrzewany
heaven-born [ˈhevnbɔ:n] *adj* 1. z nieba zesłany; opatrznościowy 2. boski
heavier-than-air [ˈheviə-ðən,ɛə] *adj* cięższy od powietrza
↑ **heavy**[1] ☐ *adj* 17. *chem* ciężki; ~ **earth** tlenek baru; ~ **hydrogen** ciężki wodór, deuter; *miner* ~ **spar** szpat ciężki; baryt; *nukl* ~ **water** ciężka woda
heavy-water [ˈhevi,wɔ:tə] *attr nukl* ~ **pile** ⟨**reactor**⟩ reaktor z ciężką wodą
hebephrenia [hi:biˈfri:niə] *s med* hebefrenia
hebetic [hiˈbetik] *adj fizj* dotyczący okresu dojrzewania
hectogram [ˈhektəgræm] *s* hektogram, sto gramów
hectolitre, *am* **hectoliter** [ˈhektəli:tə] *s* hektolitr, sto litrów
↑ **hedge** ☐ *attr* 2. żywopłotowy; *bot* ~ **garlic** (*Sisymbrium officinale*) stulisz lekarski; ~ **hyssop** (*Gratiola officinalis*) konitrut lekarski
↑ **hedgehog** *s* 3. *wojsk* przeszkoda przeciwdesantowa zakładana na brzegu morskim
hedgehop [ˈhedʒhɔp] *s lotn* lecieć tuż przy ziemi
↑ **heebie-jeebies** *spl sl* 1. ... niepokój; nerwy 2. delirium tremens; białe myszki
heel[3] [hi:l] *s sl* kanalia; ostatni łajdak
heel-and-toe [ˈhi:l-ənd,təu] *adj* pośpieszny krok
heel-post [ˈhi:l,pəust] *s* słup podtrzymujący (belkę, bramę)

Hegelianism [hiˈgeiliənizəm] *s filoz* heglizm, hegelianizm
↑ **height** ☐ *s* 1. ... *nukl* ~ **of transfer unit** wysokość jednostki przenoszenia ☐ *attr nukl* ~ **dependence** zależność od wysokości
heinously [ˈheinəsli] *adv* ohydnie; w ohydny sposób; haniebnie; okropnie
heldentenor [heldənteˈnɔ:] *s* tenor bohaterski
heliacal [hiˈlaiəkəl] *adj astr* heliakalny
helibus [ˈhelibʌs] *s* taksówka powietrzna
helicline [ˈheliklain] *s* rampa podnosząca się spiralnie
helicodromic [helikɔˈdrɔmik] *adj* (*o pocisku, rakiecie*) lecący po torze spiralnym
helicoid [ˈhelikɔid] ☐ *adj* spiralny ☐ *s geom* helikoida; powierzchnia śrubowa
heliocentric [hi:liɔˈsentrik] *adj astr* heliocentryczny
heliostat [ˈhi:liɔstæt] *s* heliostat
heliotropic [hi:liɔˈtrɔpik] *adj biol* heliotropowy
heliotropism [hi:liɔˈtrɔpizəm] *s biol* heliotropizm
Heliozoa [hi:liɔˈzəua] *spl zool* słonecznice (pierwotniaki)
heliplane [ˈheliplein] *s lotn* wirolot, samolot przekształcalny
heliport [ˈhelipɔ:t] *s* lądowisko dla śmigłowców
helipot [ˈhelipɔt] *s* potencjometr spiralny
↑ **helium** ☐ *attr chem* helu; ~ **atom** ⟨**nucleus**⟩ atom ⟨jądro atomu⟩ helu; *techn* ~ **cooling** chłodzenie helem
hellbender [ˈhelbendə] *s zool* (*Cryptobranchus alleghanensis*) salamandra wodna
Hellenism [ˈhelinizəm] *s* hellenizm
Hellenist [ˈhelinist] *s* hellenista
heller [ˈhelə] *s* halerz
hellishly [ˈheliʃli] *adv* piekielnie; diabelsko
helminthology [helminˈθɔlədʒi] *s zool* helmintologia
helotry [ˈhelətri] *s* 1. helotyzm; niewolnictwo 2. *zbior* heloci
helpfully [ˈhelpfuli] *adv* pomocnie; użytecznie
helplessly [ˈhelplisli] *adv* bezradnie
helvite [ˈhelvait] *s miner* helwin
hemicellulose [hemiˈseljuləus] *s chem* hemiceluloza
Hemichordata [hemikɔ:ˈdeitə] *spl zool* półstrunowce
hemidemisemiquaver [,hemidemiˈsemikweivə] *s muz* sześćdziesiąta czwarta
hemihydrate [hemiˈhaidreit] *s chem* gips półwodny
hemimorphite [hemiˈmɔ:fait] *s miner* hemimorfit, kalamin
hemin [ˈhi:min] *s* = **haemin** ↑
hemiplegia [hemiˈpli:dʒiə] *s* = **haemiplegia** ↑
Hemiptera [heˈmiptərə] *spl zool* półpokrywe

hemispherically [hemi'sferikəli] *adj* półkulisto, półkoliście
↑ **hemp** III *attr bot* ~ **agrimony** = **boneset** ↑
↑ **hen** III *attr* drobiowy; ~ **flea** pchła drobiowa
henbane ['henbein] *s bot* (*Hyoscyamus niger*) lulek czarny
henequen, henequin ['henikin] *s* włókna agawy Jukatanu używane do wyrobu lin
henotheism [henə'θi:izəm] *s rel* henoteizm
hep [hep] *adj am sl w zwrocie*: **to be ~ to sth** znać się na czymś
heparin ['hepərin] *s biol* heparyna
hepcat ['hepkæt] *s sl* kapitalny jazzman swingowy
heptahedron [heptə'hi:drɔn] *s* siedmiobok
heptangular [hep'tæŋgjulə] *adj* siedmiokątny
Heracles ['herəkli:z] *spr mitol* Herakles
↑ **herb** III *attr* ... *bot* ~ **bennet** (*Geum urbanum*) kuklik pospolity, benedykt
Hercules ['hə:kjuli:z] *spr mitol* Herkules; ~' **club** a) *mitol* maczuga Herkulesa b) *bot* rutowate drzewo o leczniczej korze i jagodach (*Zanthoxylum Clava-Herculis*) c) *bot* (*Aralia spinosa*) araliowaty krzew o leczniczej korze i korzeniach
↑ **herd**[2] I *s* ... *bot* ~'**s grass** trawa pastewna
hereditarily [hi'reditərili] *adv* dziedzicznie; w spadku
heretically [hi'retikəli] *adv* heretycko; kacersko
heritably ['heritəbli] *adv* dziedzicznie
herl [hə:l] *s* chorągiewka (pióra)
hermaphroditism [hə:məfrə'ditizəm] *s* hermafrodytyzm; obojnactwo; obupłciowość
hermeneutics [hə:mi'nju:tiks] *s* hermeneutyka
Hermes ['hə:mi:z] *spr mitol* Hermes
hermetically [hə:'metikəli] *adv* hermetycznie; szczelnie
↑ **hermit** III *attr zool* ~ **thrush** amerykański drozd *Turdus aonalaschkae*
hermitic [hə:'mitik] *adj* pustelniczy
hermitically [hə:'mitikəli] *adv* pustelniczo
herniorrhaphy [ˌhə:ni'ɔrəfi] *s med* operowanie przepukliny
↑ **heronry** *s* 2. czapliniec
hershey ['hə:ʃi] *attr am sl wojsk* ~ **bar** naszywka oznaczająca 6 miesięcy służby zamorskiej
hesitantly ['hezitəntli] *adv* niezdecydowanie; niepewnie; z wahaniem; wahająco
Hesperides [hes'peridi:z] *spr mitol* Hesperydy
hesperidin [hes'peridin] *s chem* hesperydyna
heteroauxin [hetərɔ'ɔ:ksin] *s chem* heteroauksyna
heterochromatin [hetərɔ'krəumətin] *s biochem* heterochromatyna
heterochromous [hetə'rɔkrəməs] *adj* różnobarwny
heteroecious [hetərəu'i:ʃəs] *adj biol* heterotroficzny, cudzożywny
heterogamete ['hetərəugə'mi:t] *s biol* heterogameta
heterogamous [hetə'rəugəməs] *adj bot* mający dwa typy kwiatów
heterogamy [hetə'rɔgəmi] *s bot* heterogamia
↑ **heterogeneity** *s* ... heterogenia, innorodność
↑ **heterogeneous** *adj* ... niejednorodny; *nukl* ~ **lattice** siatka niejednorodna; ~ **radiation** promieniowanie niejednorodne; ~ **reactor** reaktor niejednorodny
heterogeneously [hetərɔ'dʒi:niəsli] *adv* różnorodnie; heterogenicznie; niejednorodnie; niejednolicie
heterogony [hetə'rɔgəni] *adj biol* heterogonia
heteromorphic [ˌhetərəu'mɔ:fik] *adj biol* heteromorficzny
heteromorphism [ˌhetərəu'mɔ:fizəm] *s biol* heteromorfizm
heteronomy [hetə'rɔnəmi] *s* heteronomia
heterophylly [hetə'rɔfili] *s bot* różnolistność
heteroplasty [hetə'rɔpləsti] *s med* heteroplastyka
heterosexual [hetərɔ'seksjuəl] *adj biol* różnopłciowy
heterosis [hetə'rəusis] *s* heterosis
heterosporous [hetə'rɔspərəs] *adj bot* różnozarodnikowy
heterospory [hetə'rɔspəri] *s bot* różnozarodnikowość
heterostylous [hetərə'stailəs] *adj bot* różnosłupkowy
heterotaxis [hetərɔ'tæksis] *s* heterotaksja, nienormalny układ (organów, części)
heterotrophic [ˌhetərəu'trɔfik] *adj* heterotroficzny, cudzożywny
heterotypic [hetərɔ'tipik] *adj* heterotypowy
heterozygosity [ˌhetərəuzai'gɔsiti] *s biol* heterozygotyczność
heterozygote [ˌhetərəu'zaigəut] *s biol* heterozygota
heterozygous [ˌhetərəu'zaigəs] *adj biol* heterozygotyczny
hetman ['hetmən] *s* hetman
heuristic [hju:'ristik] *adj* heurystyczny
hex [heks] *vt am pot* zaczarować
hexachlorocyclohexane [heksəˌklɔrəuˌsaikləu'heksein] *s chem* sześciochlorocykloheksan
hexamethylenetetramine [heksəˌmeθili:n-'tetrəmi:n] *s chem* sześciometylenoczteroamina
hexangular [hek'sæŋgjulə] *adj* sześciokątny
hexapod ['heksəpɔd] *s zool* sześcionóg
hexogen ['heksədʒin] *s chem* heksogen
hexokinase [heksə'kaineis] *s biochem* heksokinaza
hexose ['heksəus] *s chem* heksoza

hexyl [ˈheksil] *s chem* heksyl
hibernacle [ˈhaibənækl] *s zool* legowisko zimowe
hibiscus [haiˈbiskəs] *s bot* roślina ślazowata (ziele, krzew, drzewo); *zool* ~ **mealybug** (*Phenacoccus hirsutus Green*) polifag (szkodnik bawełny)
hickwall [ˈhikwɔ:l] *s zool* dzięcioł
hideously [ˈhidiəsli] *adv* ohydnie; obrzydliwie; szkaradnie; odrażająco
↑ **hiding**[1] II *s* ... *techn* krycie III *attr* kryjący; ~ **power** zdolność krycia
hierarch [haiˈrɑ:k] *s rel* hierarcha
hierarchism [haiəˈrɑ:kizəm] *s* hierarchiczność
hieratically [haiəˈrætikəli] *adv* hieratycznie
hierocracy [haiəˈrɔkrəsi] *s* hierokracja
hi-fi [ˈhaifai] *adj* (*o odbiorniku, adapterze*) wiernie odtwarzający nagranie
↑ **high**[2] I *adj* 1. ... ~ **fidelity** = **hi-fi** ↑ 12. ... *nukl fiz* ~ **vacuum** wysoka próżnia; *elektr* ~ **voltage** wysokie napięcie III *s* 4. rekord; szczyt
high-altitude [haiˈæltitju:d] *adj* wysokościowy; ~ **bombing** bombardowanie z wysokości ponad 5000 m; *lotn* ~ **Test Chamber** komora hamowni do badań wysokościowych
high-energy [haiˈenə:dʒi] *adj nukl* o wielkiej energii
higher I *zob* **high** *adj adv* III *adj* wyższy; ~ **education** wyższe wykształcenie; ~ **mathematics** wyższa matematyka; ~ **explosive** materiał wybuchowy kruszący; *nukl* ~ **isotope** izotop cięższy
high-flux [ˈhaiflʌks] *attr nukl* ~ **reactor** reaktor wielkostrumieniowy
↑ **high-frequency** *adj* ... ~ **oscillator** generator wielkiej częstotliwości
↑ **high-grade** *adj* ... *nukl* ~ **uranium ore** bogata ruda uranowa
highjack [ˈhaidʒæk] *vt* = **hijack** ↑
high-level [ˈhaiˌlevl] *adj nukl* (*o promieniowaniu*) o wielkiej energii; ~ **waste** odpady o wielkiej aktywności
↑ **highlight** III *vt* 1. uwydatni-ć/ać; wydobyć na jaw; ściągnąć uwagę (**sth** na coś) 2. wy/lansować
high-octane [ˈhaiˈɔktein] *adj* wysokooktanowy
high-power [ˈhaiˈpauə] *attr nukl* ~ **reactor** reaktor o wielkiej mocy
↑ **high-pressure** I *adj* ... *nukl* ~ **unit** zestaw wysokociśnieniowy III *vt przen* prze/forsować; przeprzeć (projekt itd.)
high-priced [ˈhaipraist] *adj* kosztowny; drogi
high-proof [ˈhaipru:f] *adj* (*o alkoholu*) wysokiej próby
high-radiation [ˈhaiˌreidiˈeiʃən] *attr nukl* ~ **flux** silny strumień promieniowania
↑ **high-speed** *adj* ... *nukl* ~ **electron** ⟨**ion, neutron**⟩ elektron ⟨jon, neutron⟩ prędki; ~ **particle** cząsteczka prędka
high-tail [haiˈteil] *vi pot* zwiewać; zmiatać
high-temperature [haiˈtempritʃə] *adj nukl* wysokotemperaturowy
high-tension [ˈhaiˈtenʃən], **high-voltage** [ˈhaiˈvɔltidʒ] *adj* wysokiego napięcia; ~ **technique** technika wysokich napięć
high-test [ˈhaiˌtest] *adj* wysokiej próby
high-voltage *zob* **high-tension**
hijack [ˈhaidʒæk] *vt* uprowadz-ić/ać (samolot)
hijacker [ˈhaidʒækə] *s* porywacz samolotu
hilariously [haiˈlɛəriəsli] *adv* wesoło
hillculture [ˈhilkʌltʃə] *s* uprawa roli w terenach górzystych
hilum [ˈhailəm] *s bot* 1. ślad na nasieniu (od przyczepienia) 2. centrum warstwowania ziarna skrobiowego 3. otwór ziarna pyłku 4. punkt przyczepienia
hindbrain [ˈhaindbrein] *s anat* móżdżek
Hindooism [ˈhindu:izəm] *s rel* hinduizm
Hindoostani [hindu:ˈstɑ:ni] *adj* hindustański
hindquarter [ˈhaindkwɔ:tə] *s* tylna ćwiartka (wołu, barana itd.)
↑ **hip**[1] III *vt* trącić (przeciwnika) biodrem
hipped [hipt] I *zob* **hip**[3] *vt* III *adj sl* 1. zbzikowany (**on sth** na punkcie czegoś); **to be ~ on sth** mieć bzika na punkcie czegoś 2. zdeprymowany
Hippocrates [hiˈpɔkrəti:z] *spr* Hipokrates
hippogriph, hippogryph [ˈhipəgrif] *s* hipogryf
hipshot [ˈhipʃɔt] *adj* 1. mający nogę zwichniętą w stawie biodrowym 2. kulawy
hirundine [hiˈrʌndain] *adj* jaskółczy
hissing [ˈhisiŋ] I *zob* **hiss** *v* III *s* syk; syczenie; ~ **sound** a) syk b) *fonet* głoska sycząca
histaminase [ˈhistəmineis, hisˈtæmineis] *s biochem* histaminaza
histamine [ˈhistəmi:n] *s biochem* histamina
histidine [ˈhistidi:n] *s biochem* histydyna
histogenesis [ˌhistəuˈdʒenisis] *s biol* histogeneza
histogram [ˈhistəgræm] *s* histogram
histolysis [hisˈtɔlisis] *s biol* histoliza
histones [ˈhistəni:z] *spl biochem* histony
historiate [hisˈtɔ:rieit] *vt* podbudowywać historycznie
Hittite [ˈhitait] I *s* Hetyta III *adj* hetycki
hjelmite [ˈhiəlmait] *s miner* hielmit
hoarsely [ˈhɔ:sli] *adv* 1. chrapliwie 2. ochryple
hoatzin [həuˈætsin] *s zool* (*Opisthocomus hoatzin*) kośnik czubaty
hobblebush [ˈhɔblbuʃ] *s bot* (*Viburnum alnifolium*) odmiana kaliny
↑ **hog** IV *attr wet* ~ **cholera** pomór świń
hog-caller [ˈhɔgˌkɔ:lə] *s sl* głośnik przenośny
↑ **holdback** III *attr* (*o czynniku*) hamujący; *nukl* ~ **carrier** nośnik hamujący
↑ **hold-up** I *s* 3. *nukl* zasób; zawartość

(**of fuel** paliwa) III *attr nukl* ~ **time** czas przebywania (w urządzeniu)
hollow-slug [ˈhɔləu,slʌg] *attr nukl* ~ **lattice** siatka o bloczkach wydrążonych
hollowware [ˈhɔləuwεə] *s* półmiski i filiżanki
holocaine [ˈhɔləkein] *s chem farm* holokaina
holocene [ˈhɔləsi:n] *adj geol* holoceński
holograph [ˈhɔləgra:f], **holographic** [hɔləˈgræfik] *adj* holograficzny
holohedral [hɔləuˈhi:drəl] *adj* holoedryczny
Holothurioidea [,hɔləθu:riˈɔidiə] *spl zool* strzykwy
↑ **home** III *adj* 2. ... ~ **team** drużyna gospodarzy 7. (dotyczący) gospodarstwa domowego; ~ **economics** sztuka prowadzenia gospodarstwa domowego
homemaking [ˈhəum,meikiŋ] *s* stwarzanie atmosfery domowej ⟨nastroju rodzinnego⟩
hom(e)opolar [,həum(i)əuˈpəulə] *adj chem* hom(e)opolarny; jednobiegunowy
homeostasis [,həumiəuˈsteisis] *s fizj* homeostaza
Homer [ˈhəumə] *spr* Homer
homey [ˈhəumi] *adj pot* swojski
homiletic [hɔmiˈletik] *adj rel* homiletyczny
homiletics [hɔmiˈletiks] *s rel* homiletyka
↑ **homing** III *s wojsk* kierowanie ⟨naprowadzanie⟩ (pocisku) na cel; samokierowanie (pocisku) na cel; ~ **guidance** samokierowanie (pocisku); ~ **torpedo** torpeda samokierująca
homochromatic [həuməkrəˈmætik], **homochromous** [həuˈmɔkrəməs] *adj* jednobarwny; monochromatyczny; jednolity w kolorze
homogametic [hɔməugəˈmetik] *adj biol* homogametyczny
homogamy [həuˈmɔgəmi] *s biol bot* homogamia
homogenate [ˈhɔmɔdʒineit] *s* homogen
homogenize [həuˈmɔdʒinaiz] *vt* homogenizować
homogenous [həuˈmɔdʒinəs] *adj* jednorodny; jednolity
homogony [həuˈmɔgəni] *s* jednolitość
homologues [ˈhəuməlɔgz] *spl* homologi
homomorphism [həuməuˈmɔ:fizəm] *s* homomorfizm
homonymous [həuˈmɔniməs] *adj* homonimiczny
homonymy [həuˈmɔnimi] *s* homonimia
homophone [ˈhəuməfəun] *s fonet* homofon
Homoptera [həuˈmɔptərə] *spl zool* pluskwiaki równoskrzydłe
homothallic [həuməˈθælik] *adj bot* homotaliczny, jednogrzybniowy
homozygosis [,həuməuzaiˈgəusis] *s biol* homozygotyczność
homozygote [,həuməuˈzaigəut] *s biol* homozygota
homozygous [,həuməuˈzaigəs] *adj biol* homozygotyczny
honestly [ˈɔnistli] *adv* 1. uczciwie; rzetelnie 2. szczerze; naprawdę; z ręką na sercu 3. porządnie; przyzwoicie 4. legalnie 5. prawdziwie; nie fałszywie 6. godziwie; słusznie
↑ **honey** III *attr* miodowy; miododajny; ~ **bread** miodownik; piernik; ~ **harvest** miodobranie; ~ **yield** wydajność miodowa; ~ **plant** roślina nektarodajna ⟨miododajna⟩
honky-tonk [hɔŋkiˈtɔŋk] *s am* spelunka; obskurna knajpa
honor [ˈɔnə] *s am* = **honour**
honorable [ˈɔnərəbl] *adj am* = **honourable**
↑ **hood**[1] I *s* 4. *techn* kołpak; wyciąg
hood[2] [hud] *s am sl* chuligan; gangster
hook-and-ladder [ˈhuk-ənd,lædə] *attr* ~ **truck** wóz strażacki
↑ **hooked** III *adj* 4. *sl* opanowany przez narkomanię
↑ **hook-up** *s* 2. *pot* spiknięcie się; skumanie się
↑ **hoop**[1] III *attr zool* ~ **snake**, niejadowity wąż *Abastor erythrogrammus*
hoopla [ˈhu:pla:] *s sl* rwetes
hoopoe [ˈhu:pu:] *s zool* ptak dudkowaty
↑ **hop**[1] IV *attr bot* ~ **clover** (*Trifolium campestre procumbens*) koniczyna różnoogonkowa
hop[3] [hɔp] *vt* (*także* ~ **up**) *sl* podniecić narkotykiem
↑ **hope**[1] III *attr* ~ **chest** skrzynia, w której dziewczyna gromadzi rzeczy mające stanowić jej wyprawę
hopelessly [ˈhəuplisli] *adv* beznadziejnie
↑ **hopper**[1] I *s* 7. zasobnik III *attr kolej* ~ **car** wagon samozsypny
↑ **horizon** *s* 3. (*także* **soil** ~) *roln* poziom
↑ **horizontal** *adj* ... ~ **union** związek zawodowy ugrupowany według zawodów (a nie według kategorii przemysłowych)
horizontally [hɔriˈzɔntəli] *adv* poziomo; horyzontalnie
hormonize [ˈhɔ:mənaiz] *vt roln* hormonizować
↑ **horned** III *adj* ... *zool* ~ **toad** jaszczurka *Phrynosoma*
hornswoggle [ˈhɔ:nswɔgl] *vt sl* wy/kantować
horntail [ˈhɔ:nteil] *s zool* trzpiennik (błonkówka z grupy *Siricidae*)
horribly [ˈhɔribli] *adv* 1. strasznie; straszliwie; okropnie 2. ohydnie
horridly [ˈhɔridli] *adv* strasznie; wstrętnie; nieznośnie
↑ **horse** IV *attr* konny; koński; ~ **harness** uprząż końska; ~ **rake** grabie konne ‖ *geogr* ~ **latitudes** pasy ciszy na Atlantyku
horsecar [ˈhɔ:ska:] *s* tramwaj konny
↑ **horseman** *s* ... jeździec
↑ **horseshoe** I *s* 2. *pl* ~**s** zabawa w rzucanie podkowami tak, żeby zahaczyły się o kołki tkwiące w ziemi III *vt* pod-

ku-ć/wać Ⅳ *attr zool* ~ **crab** (*Limulus*) skrzypłocz; ostrogon (wielorak)

↑ **horsetail** *s* 3. (*uczesanie*) koński ogon

horseweed [ˈhɔ:swi:d] *s bot* 1. (*Erigeron canadensis*) przymiotno kanadyjskie 2. sałata z rodzaju *Lactuca canadensis*

hortatively [ˈhɔ:tətivli] *adv* napominająco; zachęcająco

hospitably [ˈhɔspitəbli] *adv* gościnnie

↑ **hospital** Ⅱ *attr* ... ~ **corpsman** sanitariusz

hospitalization [hɔspitəlaiˈzeiʃən] *s* 1. hospitalizacja; umieszczenie w szpitalu 2. ubezpieczenie na wypadek koniecznego leczenia szpitalnego

hospitalize [ˈhɔspitəlaiz] *vt* umie-ścić/szczać w szpitalu; skierować do szpitala; hospitalizować

↑ **host²** Ⅱ *attr geol* ~ **rock** skała pierwotna; złoże

hostilely [ˈhɔstailli] *adv* wrogo; z wrogością

↑ **hot** Ⅰ *adj* 1. ... ~ **cross bun** ciastko drożdżowe (znaczone krzyżykiem i sprzedawane gorące w Wielki Piątek); ~ **dog** gorąca parówka podana w rozciętej bułce; ~ **war** gorąca wojna 6. ... (*o człowieku*) tropiony przez policję 9. *sl* lewy; zdobyty na lewo; z lewej ręki 10. radioaktywny 11. *elektr* (*o przewodzie*) pod prądem ‖ ~ **rod** a) stary samochód przerobiony na wyścigowy b) *przen* rozhukany młodzieniec; ~ **seat** a) *sl* krzesło elektryczne b) *lotn* fotel wyrzucany ⟨katapultowany⟩ Ⅲ *vt sl* **to** ~ **up** dodać gazu (**a motor** maszynie)

hotbox [ˈhɔtbɔks] *s* przegrzane łożysko osi

hotheadedly [hɔtˈhedidli] *adv* zapalczywie; porywczo; popędliwie

↑ **hour** s 4. *radio* audycja; *tv* program

↑ **house** Ⅱ *attr* ... ~ **organ** firmowe pismo reklamowe; ~ **party** grupa osób przebywających w gościnie u kogoś (przeważnie na wsi)

housebroken [ˈhausbrəukən] *adj* (*o psie*) przyuczony do przebywania w domu

housecoat [ˈhauskəut] *s* podomka; szlafrok

housedress [ˈhausdres] *s* strój domowy

↑ **household** Ⅱ *attr szk* ~ **arts** nauka organizacji życia domowego

housemother [ˈhausmʌðə] *s* opiekunka grupy

↑ **housing¹** Ⅲ *attr* ~ **project** osiedle mieszkaniowe

houstonia [hu:ˈstəuniə] *s bot* marzanowate ziele północnoamerykańskie z rodzaju *Houstonia*

↑ **hover** Ⅱ *attr lotn* ~ **scout** mały helikopter odrzutowy

hovercraft [ˈhɔvəkrɑ:ft] *s* poduszkowiec

howgozit [hauˈgəuzit] *attr lotn* ~ **curve** wykres lotu maszyny z uwzględnieniem przebytej drogi, zużycia paliwa, czasu lotu itd.

hubba hubba [hʌbəˈhʌbə] *interj* brawo!

huckaback [ˈhʌkəbæk] *s* ręcznikowe płótno lniano-bawełniane

↑ **huckster** Ⅰ *s* 4. *am sl* spec od reklamy

Hudson [ˈhʌdsən] *spr attr* ~ **(Bay) seal** futro z królików imitujące foki

huff-duff [hʌfˈdʌf] *s radio* przyrząd umożliwiający zlokalizowanie nadawcy fal ultrakrótkich

↑ **huffish** *adj* 3. zawadiacki; arogancki

huffishly [ˈhʌfiʃli], **huffily** [ˈhʌfili] *adv* 1. drażliwie 2. zawadiacko 3. arogancko; opryskliwie

hugely [ˈhju:dʒli] *adv* ogromnie; potężnie

hug-me-tight [ˈhʌgmitait] *s am* obcisły sweter

↑ **human** Ⅰ *adj* ... *wojsk* ~ **barracudas** [bærəˈku:dəz] oddział specjalny do burzenia przeszkód podwodnych; ~ **torpedo** żywa torpeda

humanely [hju:ˈmeinli] *adv* humanitarnie; po ludzku

humanics [hju:ˈmæniks] *s* humanistyka

humanize [ˈhju:mənaiz] Ⅰ *vt* uczłowiecz-yć/ać; uszlachetni-ć/ać Ⅱ *vi* u/cywilizować się

humic [ˈhju:mik] *adj geol* humusowy; *chem* ~ **acid** kwas humusowy

humidistat [hju:ˈmidistæt] *s* humidostat; higrostat

humidly [ˈhju:midli] *adv* wilgotno; mokro

humiliatingly [hjumiliˈeitiŋli] *adv* upokarzająco

humor [ˈhju:mə] *s am* = **humour**

humorously [ˈhju:mərəsli] *adv* humorystycznie; zabawnie; śmiesznie; komicznie

↑ **hump** Ⅰ *s* 3. wybrzuszenie; wzniesienie 4. *sl lotn* góry 5. (*w przedsięwzięciu, chorobie*) kryzys; przesilenie; okres przełomowy

humpy [ˈhʌmpi] *adj* wyboisty

hunky² [ˈhʌŋki] *s am sl* niewykwalifikowany robotnik (zwłaszcza Węgier)

↑ **hunting** Ⅲ *attr* ... ~ **case** koperta (zegarka); ~ **knife** nóż myśliwski; ~ **watch** zegarek kopertowy

hurtfully [ˈhə:tfuli] *adv* 1. boleśnie 2. szkodliwie; ze szkodą (czyjąś)

huskily [ˈhʌskili] *adv* 1. *am* krzepko; silnie 2. łuskowato 3. (*o głosie — brzmieć*) ochryple; matowo

husking [ˈhʌskiŋ] Ⅰ *zob* **husk¹** *vt* Ⅱ *attr am* ~ **bee** zebranie towarzyskie z okazji łuskania kukurydzy

hyaluronic [haiəljuˈrɔnik] *adj biochem* (*o kwasie*) hyaluronowy

hyaluronidase [haiəljuˈrɔnideis] *s biochem* hyaluronidaza

hydantoin [haiˈdæntəuin] *s chem* hydantoina; glikolilomocznik

hydrabomb [ˈhaidrəbɔm] *s wojsk* torpeda zrzucana z samolotu, napędzana pod wodą silnikiem rakietowym

hydrazine [ˈhaidrəzi:n] *s chem* hydrazyna

hydrazoic [ˌhaidrəˈzəuik] *adj chem* (*o kwasie*) azotowodorowy
hydric [ˈhaidrik] *adj chem* wodorowy
hydrobromic [ˌhaidrəuˈbrɔmik] *adj chem* (*o kwasie*) bromowodorowy
hydrochloric [ˌhaidrəuˈklɔrik] *adj chem* (*o kwasie*) chlorowodorowy
hydrochoric [ˌhaidrəuˈkɔrik] *adj bot* rozsiewany za pośrednictwem wody
hydrocortisone [haidrəuˈkɔ:tisəun] *s biochem* hydrokortyzon
hydrofluorination [ˌhaidrəfluɔriˈneiʃən] *s* fluorowodorowanie
hydrofoil [ˈhaidrəˈfɔil] *s lotn* płat wodny
hydromagnetic [ˌhaidrəumægˈnetik] *adj* hydromagnetyczny
hydromatic [haidrəˈmætik] *attr aut* ~ **drive** przekładnia hydrauliczna składająca się ze sprzęgła hydraulicznego i automatycznej skrzyni biegów
hydromechanics [ˌhaidrəumiˈkæniks] *s* hydromechanika, mechanika cieczy
hydrometallurgy [ˌhaidrəˈmetələ:dʒi] *s* hydrometalurgia, metalurgia mokra
hydrophyte [ˈhaidrəfait] *s bot* hydrofit; roślina wodna
hydroponics [ˌhaidrəˈpɔniks] *s roln* hydroponika; uprawa roślin w kulturach wodnych
hydrosol [ˈhaidrəsɔl] *s fiz chem* hydrozol
hydrosulphide [ˌhaidrəuˈsʌlfaid] *s chem* wodorosiarczek
hydrosulphite [ˌhaidrəuˈsʌlfait] *s chem* podsiarczyn
hydrotherapeutics [ˌhaidrəuθerəˈpju:tiks] *s* hydroterapia, wodolecznictwo
hydrotropism [ˌhadrəuˈtrɔpizəm] *s* hydrotropizm
hydrovane [ˈhaidrəˌvein] *s* = **hydrofoil** ↑
hydroxyl [haiˈdrɔksyl] *s chem* grupa wodorotlenowa; hydroksyl
hydroxylamine [haiˈdrɔksiləˌmi:n] *s chem* hydroksyloamina
hygienist [haiˈdʒi:nist] *s* higienista
hygrograph [ˈhaigrəgrɑ:f] *s* higrograf
hygrometry [haiˈgrɔmitri] *s* higrometria
hylozoism [hailəˈzəuizəm] *s filoz* hylozoizm
Hymen [ˈhaimen] *spr mitol* Hymen
hymenopterous [haimeˈnɔptərəs] *adj zool* błonkoskrzydły
hymnology [himˈnɔlədʒi] *s* hymnologia
hyoscine [ˈhaiəsi:n] *s chem* hioscyna; skopolamina; atrocyna
hyoscyamine [haiəˈsaiəmi:n] *s chem* hioscyjamina
hyperaemia [haipəˈri:miə] *s med* hiperemia, przekrwienie
hyperaesthesia [haipəresˈθi:ziə] *s psych* hiperestezja, nadczułość
hyperbolize [haiˈpə:bəlaiz] *vi* hiperbolizować
hypercritically [haipəˈkritikəli] *adv* hiperkrytycznie
hyperfine [ˈhaipəfain] *adj* nadsubtelny; *nukl* ~ **structure** struktura nadsubtelna
hyperkinesia [haipəkiˈni:ziə] *s med* hiperkinezja
hyperplasia [haipəˈpleiziə] *s med bot* rozrost; wybujanie
hyperploidy [haipəˈplɔidi] *s biol* hiperploidalność
hypersensitiveness [haipəˈsensitivnis] *s med* nadwrażliwość; przeczulica; alergia
hypersonic [haipəˈsɔnik] *adj* (*o samolotach i rakietach*) przewyższający pięciokrotnie szybkość dźwięku
hypersthene [ˈhaipəsθi:n] *s miner* hypersten
hypertensive [haipəˈtensiv] *med* I *adj* nadciśnieniowy II *s* nadciśnieniowiec
hypertonic [haipəˈtɔnik] *adj* hipertoniczny
hypo² [ˈhaipəu] *s sl* strzykawka
hypochlorous [haipɔˈklɔ:rəs] *adj chem* podchlorawy
hypocotyl [haipəˈkɔtil] *s bot* hipokotyl, kolanko podliścieniowe
hypocycloid [haipəˈsaiklɔid] *s mat* hipocykloida
hypoderm [haipəˈdə:m] *s bot* podskórna warstwa komórek
hypoderma [haipəˈdə:mə] *s bot* podskórnia
hypodermis [haipəˈdə:mis] *s* 1. *zool* tkanka podskórna 2. *bot* hipoderma
hypogastrium [haipəˈgæstriəm] *s anat* podbrzusze
hypogeal [haipəˈdʒi:əl] *adj* podziemny
hypogenous [haiˈpɔdʒinəs] *adj bot* rosnący na spodniej powierzchni
hypogeous [haipəˈdʒi:əs] *adj bot* rosnący ⟨dojrzewający⟩ pod ziemią
hypoglossal [haipəˈglɔsəl] *adj* podjęzykowy
hyponasty [ˈhaipənæsti] *s bot* hiponastia
hyponitrite [haipəˈnaitrait] *s chem* podazotyn
hypophosphite [haipəˈfɔsfait] *s chem* podfosforyn
hypostasis [haiˈpɔstəsis] *s filoz* hipostaza
hyposulphite [haipəˈsʌlfait] *s chem* podsiarczyn
hypothesize [haiˈpɔθisaiz] *vi* 1. stawiać ⟨wysuwać⟩ hipotezę 2. zakładać (że ...)
hypotonic [haipɔˈtɔnik] *adj* hipotoniczny
hypsometry [hipˈsɔmitri] *s geogr* hipsometria
hyrax [ˈhairæks] *s zool* (*Hyrax*) góralek

I

Icarus [ˈaikərəs] *spr mitol* Ikar
↑ **ice** III *attr* ... ~ **age** epoka lodowa; ~ **field** pole lodowe; ~ **needles** igiełki śnieżne; ~ **pack** pak lodowy
iced [aist] I *zob* **ice** *vt* III *adj* 1. oblodziały, oblodzony 2. studzony lodem; mrożony 3. *kulin* lukrowany
ice-skating [ˈais-skeitiŋ] *s* łyżwiarstwo
↑ **ichneumon** III *attr zool* ~ **fly** gąsienicznik
ichthyic [ikˈθiik] *adj* rybi
ichthyosis [ˈikθiəusis] *s med* rybia łuska
ickie, icky [ˈiki] *adj sl* ckliwy; rzewny
iconology [aikəˈnɔlədʒi] *s* ikonologia
iconoscope [aiˈkɔnəskəup] *s tv* ikonoskop
↑ **ideal** I *adj* 2. *fiz* (*o współczynniku itd.*) teoretyczny
idealistically [aidiəˈlistikəli] *adv* idealistycznie
ideally [aiˈdi:əli] *adv* idealnie
ideate [aiˈdi:eit] *vt psych* wyobra-zić/żać sobie
ideation [aidiˈeiʃən] *s psych* ideacja; tworzenie wyobrażeń; gra wyobraźni
identically [aiˈdentikəli] *adv* identycznie; w identyczny sposób; tak samo
ideologize [aidiˈɔlədʒaiz] *vt* wszczepi-ć/ać ideologię (**sb** komuś)
idioblast [ˈidiəbla:st] *s bot* idioblast
idiographic [idiəˈgræfik] *adj psych* idiograficzny
idiomorphic [idiəˈmɔ:fik] *adj miner* idiomorficzny
idiosyncratic [idiɔsiŋˈkrætik] *adj med* idiosynkratyczny
idiotism [ˈidiətizəm] *s* idiotyzm
↑ **idler** *s* 2. ... zębate koło pośredniczące 3. *kolej* próżny wagon
idocrase [ˈaidəkreis] *s miner* wezuwian, idokraz
idolatrously [aiˈdɔlətrəsli] *adv* bałwochwalczo
idoneous [aiˈdəuniəs] *adj* stosowny
idyllically [aiˈdilikəli] *adv* idyllicznie; sielankowo
iffy [ˈifi] *adj* niepewny; wątpliwy
↑ **igniter** *s* ... zapłonnik
↑ **ignition** III *attr* zapłonowy; *nukl* ~ **temperature** temperatura zapłonu
ignitron [igˈnaitrɔn] *s fiz* ignitron
ignobly [igˈnəubli] *adv* niecnie; haniebnie; niegodziwie; podle
ignominiously [ignəˈminiəsli] *adv* haniebnie; sromotnie; bezecnie
ignorantly [ˈignərəntli] *adv* 1. nieświadomie 2. ignorancko
ikebana [ˌikəˈba:nə] *s* ikebana; kompozycja kwiatowa
ileitis [iliˈaitis] *s med* zapalenie krętnicy
ileus [ˈiliəs] *s med* niedrożność jelita cienkiego
ilium [ˈiliəm] *s anat* biodro
illegalize [iˈli:gəlaiz] *vt* delegalizować; czynić ⟨uznać⟩ nielegalnym; zakaz-ać/ywać
illegally [iˈli:gəli] *adv* nielegalnie; bezprawnie; samowolnie
illegibly [iˈledʒibli] *adv* nieczytelnie
illegitimately [iliˈdʒitimətli] *adv* 1. nieprawnie; bezprawnie 2. nieślubnie
ill-favouredly [ilˈfeivəridli] *adv* brzydko; nieurodziwie
ill-founded [ilˈfaundid] *adj* bezpodstawny; nieumotywowany
ill-humouredly [ilˈhju:məridli] *adv* z rozdrażnieniem; w rozdrażnieniu
illiberally [iˈlibərəli] *adv* 1. małostkowo; małodusznie 2. skąpo; skąpiąc 3. (*zapatrywać się, ujmować itd.*) ciasno 4. niekulturalnie; grubiańsko; wulgarnie
illicitly [iˈlisitli] *adv* bezprawnie; nielegalnie; nielegalną drogą
illimitably [iˈlimitəbli] *adv* nieograniczenie; bezgranicznie
illiterately [iˈlitərətli] *adv* niepiśmiennie
ill-manneredly [ilˈmænəridli] *adv* grubiańsko; po prostacku; niekulturalnie
ill-naturedly [ilˈneitʃəridli] *adv* złośliwie
illogical [ˈilɔdʒikəl] *adj* nielogiczny
illogically [iˈlɔdʒikəli] *adv* nielogicznie
ill-temperedly [ilˈtempəridli] *adv* z rozdrażnieniem; w rozdrażnieniu; ze zniecierpliwieniem
illuminati [iˈlu:minətai] *spl* ludzie oświeceni ⟨światli⟩
illuminatingly [iˌlu:miˈneitiŋli] *adv* 1. pouczająco; kształcąco 2. wyjaśniająco
illuminism [iˈlu:minizəm] *s* iluminizm
illusionism [iˈlu:ʒənizəm] *s filoz* iluzjonizm
illusively [iˈlju:sivli], **illusorily** [iˈlju:zərili] *adv* złudnie; zwodniczo; iluzorycznie
illustratively [iˈlʌstrətivli] *adv* ilustracyjnie
illustriously [iˈlʌstriəsli] *adv* sławnie; znakomicie; słynnie
illuvial [iˈlu:viəl] *adj* iluwialny
illuviation [ilu:viˈeiʃən] *s* iluwium
Illyrian [iˈliəriən] *adj* iliryjski
↑ **image** III *attr nukl* (*o reaktorze, źródle*) wirtualny
imaginably [iˈmædʒinəbli] *adv* wyobrażalnie
imaginarily [ˈimædʒinərili] *adv* w wyobraźni; rzekomo
↑ **imaginative** *adj* 2. (*o opowiadaniu itd.*) zmyślony
imaginatively [iˈmædʒinətivli] *adv* imaginacyjnie; w wyobraźni
↑ **imago** *s* 2. *psych* imago
imam [iˈma:m] *s rel* imam, iman
imamate [iˈma:meit] *s* 1. stanowisko imama 2. okręg rządzony przez imama

imbalance [im'bæləns] *s* brak równowagi; naruszenie równowagi
imbecilely ['imbisailli] *adv* imbecylnie; głupio
imbricate ['imbrikeit], **imbricated** ['imbrikeitid] *adj* ułożony w zakład; dachówkowaty
imbrication [imbri'keiʃən] *s* ułożenie w zakład ⟨dachówkowate⟩
imidazole [imi'dæzəul, imidə'zəul] *s chem* imidazol, glioksalina
imide ['imaid, 'imid] *s chem* 1. imid, karboimid 2. imidek
imitable ['imitəbl] *adj* możliwy do naśladowania
imitatively ['imitətivli] *adv* naśladowniczo
immaculately [i'mækjulitli] *adv* niepokalanie; nieskazitelnie
immanently ['imənentli] *adv* immanentnie
immaterialism [imə'tiəriəlizəm] *s filoz* immaterializm
immaterially [imə'tiəriəli] *adv* 1. bezcieleśnie 2. nieistotnie; bez znaczenia; błaho
immaturely [imə'tjuəli] *adv* niedojrzale
immeasurably [i'meʒərəbli] *adv* niezmiernie; bezgranicznie
Immelmann ['iməlmən] *spr attr lotn* ~ **turn** immelman
immemorially [imi'mɔ:riəli] *adv* odwiecznie; od niepamiętnych czasów
immensurable [i'menʃərəbl] *adj* = **immeasurable**
immersed [i'mə:st] *adj* 1. zanurzony 2. podwodny; rosnący całkowicie pod wodą
↑ **immersion** III *attr* ~ **heater** grzałka
immersionism [i'mə:ʃənizəm] *s rel* chrzest przez całkowite zanurzenie
imminently ['iminəntli] *adv* blisko
immiscibly [i'misibli] *adv* nie dając się zmieszać
immitigably [i'mitigəbli] *adv* nie dając się złagodzić
immoderately [i'mɔdərətli] *adv* nieumiarkowanie; bez umiaru; niepohamowanie; nadmiernie
immodestly [i'mɔdistli] *adv* nieskromnie; nieprzyzwoicie; bezwstydnie
immorally [i'mɔrəli] *adv* niemoralnie; nieetycznie; rozpustnie
immortally [i'mɔ:təli] *adv* nieśmiertelnie
immovably [i'mu:vəbli] *adv* 1. nieruchomo 2. niewzruszenie 3. niezachwianie 4. (*przymocować itd.*) na stałe
immunifacient [i'mju:ni'feiʃənt] *adj* uodparniający
immunochemistry [imjunɔ'kemistri] *s* immunochemia
immunogen [i'mju:nɔdʒen] *s* antygen
immunogenetics [im,mju:nədʒi'netiks] *s* immunogenetyka
immunology [imju'nɔlədʒi] *s* immunologia
immunoreaction [imjunəuri'ækʃən] *s med* reakcja immunologiczna
immutably [i'mju:təbli] *adv* niezmiennie; stale

↑ **impact** III *s* 4. *nukl* uderzenie; zderzenie; impuls IV *attr nukl* zderzeniowy; ~ **fluorescence** ⟨**ionization**⟩ fluorescencja ⟨jonizacja⟩ zderzeniowa; ~ **strength** udarność
impacted [im'pæktid] I *zob* **impact** *vt* III *adj* wciśnięty; *dent* ~ **tooth** ząb wklinowany
impaction [im'pækʃən] *s* 1. wciśnięcie 2. *dent* ząb wklinowany
impalpably [im'pælpəbli] *adv* niewyczuwalnie; nienamacalnie
impanel [im'pænl] *vt* 1. wciągnąć (kogoś) do składu sędziów przysięgłych 2. sporządzić listę sędziów przysięgłych 3. sporządzić spis
imparadise [im'pærədaiz] *vt* stworzyć raj (**sb** komuś); uszczęśliwić
impartially [im'pa:ʃiəli] *adv* bezstronnie
impassibly [im'pæsibli] *adv* niewzruszenie; nieczule
impassionedly [im'pæʃənidli] *adv* namiętnie; w uniesieniu; z uniesieniem
impassively [im'pæsivli] *adv* niewzruszenie; beznamiętnie
impasto [im'pæstəu, 'impa:stəu] *s mal* impast
impatiently [im'peiʃəntli] *adv* 1. niecierpliwie; z niecierpliwością 2. ze zniecierpliwieniem
impeachable [im'pi:tʃəbl] *adj* 1. (*o człowieku*) podlegający oskarżeniu 2. (*o czynności*) zaskarżalny
impeccably [im'pekəbli] *adv* 1. bezgrzesznie 2. nieskazitelnie; bez zarzutu
impecuniously [impi'kju:niəsli] *adv* ubogo; bez pieniędzy; bez grosza; bez środków do życia; w nędzy
impeding [im'pi:diŋ] I *zob* **impede** *vt* III *adj* opóźniający; krępujący; hamujący; wstrzymujący; utrudniający
impedingly [im'pi:diŋli] *adv* opóźniająco; krępująco; hamująco; wstrzymująco; utrudniająco
impenitently [im'penitəntli] *adv* nie żałując (za grzechy itd.); bez skruchy
imperatively [im'perətivli] *adv* 1. rozkazująco; nakazująco 2. nagląco; koniecznie; niezbędnie
imperceptibly [impə'septibli] *adv* niedostrzegalnie; niewidocznie; nieuchwytnie
imperceptive [impə'septiv] *adj* niespostrzegawczy
imperceptively [impə'septivli] *adv* niespostrzegawczo
imperfectly [im'pə:fiktli] *adv* 1. niedoskonale; wadliwie 2. niezupełnie; niecałkiem
imperialistically [impiəriə'listikəli] *adv* imperialistycznie
imperially [im'piəriəli] *adv* 1. cesarsko 2. majestatycznie 3. władczo; rozkazująco
imperiously [im'piəriəsli] *adv* 1. władczo; nakazująco; imperatywnie 2. nagląco
imperishably [im'periʃəbli] *adv* 1. niezniszczalnie 2. wieczyście; trwale

impermeably [im'pə:miəbli] *adv* nieprzemakalnie
impersonally [im'pə:sənəli] *adv* bezosobowo; nieosobowo
impertinently [im'pə:tinəntli] *adv* 1. impertynencko; bezczelnie; zuchwale 2. bez związku z (omawianym) tematem; nie na temat
imperturbably [impə'tə:bəbli] *adv* niewzruszenie; spokojnie; z zupełnym spokojem
imperviously [im'pə:viəsli] *adv* 1. nieprzenikliwie 2. nieprzepuszczalnie 3. nieczule (**to sth** na coś)
impetuously [im'petjuəsli] *adv* 1. zapalczywie; porywczo; popędliwie; impulsywnie; gwałtownie 2. (*o potoku* — *płynąć itd.*) bystro; rwąco 3. (*o wietrze* — *wiać*) porywiście
impiously ['impiəsli] *adv* 1. bezbożnie 2. świętokradczo
impishly ['impiʃli] *adv* psotnie; figlarnie; szelmowsko
implacably [im'pleikəbli] *adv* nieubłaganie; nieprzejednanie; nieugięcie
↑ **implant** III *s med* 1. wszczep 2. rurka z ciałem radioaktywnym do wszczepienia
implicatively [im'plikətivli] *adv* przez implikację
imploringly [im'plɔ:riŋli] *adv* błagalnie
implosion [im'pləuʒən] *s* implozja
impolitely [impə'laitli] *adv* niegrzecznie; nieuprzejmie
impoliticly [im'pɔlitikli] *adv* niezręcznie; niepolitycznie; nieroztropnie; niewcześnie
↑ **imponderable** *adj* 2. nieobliczalny
imponderably [im'pɔndərəbli] *adv* 1. *fiz* nieważko 2. nieobliczalnie 3. nieuchwytnie
↑ **importance** III *attr nukl* ~ **function** funkcja cenności
↑ **importantly** *adv* 3. ważnie; doniośle
importunately [im'pɔ:tjunətli] *adv* 1. natrętnie; natarczywie; dokuczliwie 2. nagląco
imposingly [im'pəuziŋli] *adv* imponująco; wspaniale; okazale
impossibly [im'pɔsibli] *adv* 1. niemożliwie 2. niewykonalnie 3. nieprawdopodobnie
impotently ['impətəntli] *adv* 1. bezsilnie 2. *med* cierpiąc na niemoc płciową ⟨impotencję⟩ 3. nieudolnie
↑ **impoverished** *adj* 2. *nukl* zubożony
impracticably [im'præktikəbli] *adv* 1. niepraktycznie 2. niewykonalnie; nie do przeprowadzenia 3. nie do przebycia 4. krnąbrnie; niesfornie
impreg ['impreg] *s* impreg; drzewo impregnowane
imprescriptibly [impres'kriptibli] *adv* 1. nienaruszalnie 2. niewzruszalnie
impressively [im'presivli] *adv* 1. wstrząsająco 2. imponująco 3. frapująco
improbably [im'prɔbəbli] *adv* nieprawdopodobnie
improperly [im'prɔpəli] *adv* 1. niewłaściwie; niestosownie; nieodpowiednio 2. (*opowiadać dowcip itd.*) nieprzyzwoicie
↑ **improvement** III *attr ekon* ~ **factor** bodziec ekonomiczny
improvidently [im'prɔvidəntli] *adv* niezapobiegliwie; niegospodarnie; rozrzutnie
improving [im'pru:viŋ] I *zob* **improve** *v* III *adj* korzystny; udoskonalający; usprawniający; ulepszający
improvingly [im'pru:viŋli] *adv* korzystnie; udoskonalająco; usprawniająco; ulepszająco
imprudently [im'pru:dəntli] *adv* nieostrożnie; nieroztropnie; nieoględnie; niebacznie
impulsively [im'pʌlsivli] *adv* impulsywnie; popędliwie
impurely [im'pju:əli] *adv* 1. nieczysto 2. zmysłowo
↑ **impurity** III *attr nukl* obcy; ~ **atom** ⟨**element**⟩ atom ⟨pierwiastek⟩ obcy
inaccessibly [inək'sesibli] *adv* niedostępnie
inaccurately [in'ækjuritli] *adv* nieściśle; niedokładnie; mylnie
inactively [in'æktivli] *adv* 1. nieczynnie; bezczynnie; biernie; inertnie 2. *chem* obojętnie
inadequately [in'ædikwitli] *adv* nieodpowiednio; niedostatecznie; nienależycie; niewspółmiernie
inadmissibly [inəd'misibli] *adv* niedopuszczalnie; (w sposób) nie do przyjęcia
inadvertently [inəd'və:təntli] *adv* 1. nieuważnie; niedbale 2. nieumyślnie; mimowolnie; mimo woli
inadvisable [inəd'vaizəbl] *adj* niewskazany; niepożądany
inadvisably [inəd'vaizəbli] *adv* w sposób niewskazany ⟨niepożądany⟩
inalienability [in,eiljənə'biliti] *s prawn* nieprzenoszalność
inalienable [in'eiljənəbl] *adj prawn* (*o własności itd.*) nieprzenoszalny
inalienably [in'eiljənəbli] *adv prawn* na zasadzie nieprzenoszalności
inalterably [in'ɔ:ltərəbli] *adv* niezmiennie
in-and-in ['in-ənd'in] *roln* I *adj* (*o chowie*) wsobny III *adv* wsobnie
inanely [i'neinli] *adv* 1. próżno; pusto 2. głupio; bezmyślnie; idiotycznie
↑ **inanimate** *adj* 2. *powinno być*: nieożywiony
inanimately [in'ænimitli] *adv* 1. bezdusznie; martwo; bez życia 2. nie będąc istotą żywą
inappositely [in'æpəsitli] *adv* nieodpowiednio; niestosownie
inappreciably [inə'pri:ʃiəbli] *adv* nieuchwytnie; nieznacznie; znikomo
inapproachably [inə'prəutʃəbli] *adv* niedostępnie
inappropriately [inə'prəupriitli] *adv* nieodpowiednio; niestosownie; niewłaściwie
inaptly [in'æptli] *adv* 1. niezdatnie 2. niezdolnie; nieudolnie 3. niestosownie

inarticulately [inɑ:ˈtikjulitli] *adv* 1. nieartykułowanie 2. niewyraźnie 3. niemo
inartistically [inɑ:ˈtistikəli] *adv* nieartystycznie
inattentively [inəˈtentivli] *adv* nieuważnie
inaudibly [inˈɔ:dibli] *adv* nie(do)słyszalnie
inauspiciously [ˌinɔ:sˈpiʃəsli] *adv* 1. niepomyślnie 2. złowróżbnie
↑ **inbred** *adj* 3. *biol* wsobny; ~ **line** linia wsobna 4. *nukl* endogamiczny
inbreed [ˈinbri:d] *vt zootechn* inbredować
↑ **inbreeding** *s* 2. *biol* chów w pokrewieństwie ⟨wsobny⟩ 3. *nukl* endogamia
incalculably [inˈkælkjuləbli] *adv* nieobliczalnie
↑ **incandescent** *adj* 3. żarowy; ~ **mantle** koszulka żarowa
incapably [inˈkeipəbli] *adv* niezdolnie
incapacious [inkəˈpeiʃəs] *adj* 1. nieobszerny; mało przestrzenny; niepojemny 2. (*o umyśle*) ograniczony
incautiously [inˈkɔ:ʃəsli] *adv* nieostrożnie; niebacznie
↑ **incense**[1] ☐ *s* 2. *przen* aromat; balsamiczny zapach
↑ **incentive** *adj* ... *ekon* ~ **pay** bodziec ekonomiczny
incentively [inˈsentivli] *adv* pobudzająco; zachęcająco
inceptively [inˈseptivli] *adv* na początek; początkowo; zapoczątkowując
incestuously [inˈsestjuəsli] *adv* kazirodczo
inchoately [inˈkəuitli] *adv* zapoczątkowując; wstępnie
↑ **incident**[2] *adj* 1. ... *nukl* ~ **beam** wiązka padająca; ~ **particle** cząstka padająca
incipiently [inˈsipjəntli] *adv* początkowo; w stadium początkowym
incised [ˈinsaizd] ☐ *zob* **incise** *vt* ☐☐ *adj* wcięty; ~ **wound** rana cięta
incisively [inˈsaisivli] *adv* cięto; zjadliwie; ostro
inciting [inˈsaitiŋ] ☐ *zob* **incite** *vt* ☐☐ *adj* 1. podburzający; podżegający 2. zachęcający
incitingly [inˈsaitiŋli] *adv* 1. podburzająco; podżegająco 2. zachęcająco
inclemently [ˈinklemәntli] *adv* 1. surowo; ostro 2. *meteor* niepogodnie
inclusively [inˈklu:sivli] *adv* łącznie
↑ **incoercible** *adj* 2. (*o człowieku*) nie ulegający przymusowi 3. *fiz* (*o gazie*) nie skraplający się
incoherently [inkəuˈhiərəntli] *adv* bez związku; chaotycznie; bezładnie
incombustibly [inkəmˈbʌstibli] *adv* niepalnie; ogniotrwale
incommensurably [inkəˈmenʃərəbli] *adv* niewspółmiernie
incommensurately [inkəˈmenʃəritli] *adv* nieproporcjonalnie
incommodiously [inkəˈməudiəsli] *adv* niewygodnie; nieporęcznie; kłopotliwie; nieodpowiednio; (*mieszkać itd.*) ciasno
incommodity [inkəˈmɔditi] *s* niewygoda
incommunicably [inkəˈmju:nikəbli] *adv* 1. niewypowiedzianie 2. bez możności skomunikowania się 3. małomównie
↑ **incommunicative** *adj* ... niekomunikatywny
incommunicatively [inkəˈmju:nikətivli] *adv* niekomunikatywnie
incommutably [inkəˈmju:təbli] *adv* 1. nie ulegając ⟨nie podlegając⟩ zamianie 2. niezmiennie
incomparably [inˈkɔmpərəbli] *adv* 1. niezrównanie 2. nie do porównania
incompatibly [inkəmˈpætibli] *adv* niezgodnie; sprzecznie; nie dając się pogodzić; nie do pogodzenia
incompetently [inˈkɔmpitəntli] *adv* 1. niekompetentnie; niewłaściwie 2. niezdolnie; nieudolnie 3. bez uprawnień
incompletely [inkəmˈpli:tli] *adv* 1. niezupełnie; niecałkowicie 2. niedoskonale; wadliwie; z brakami
incomprehensibly [inkɔmpriˈhensibli] *adv* niezrozumiale; (w sposób) nie do pojęcia
inconceivably [inkənˈsi:vəbli] *adv* 1. w sposób niepojęty ⟨niezrozumiały⟩; niezrozumiale 2. nieprawdopodobnie
inconclusively [inkənˈklu:sivli] *adv* 1. nieprzekonywająco 2. w sposób niedecydujący; nie rozstrzygając
↑ **incongruent** *adj* 2. niezgodny (**with sth** z czymś) 3. bezsensowny; absurdalny
incongruently [inˈkɔŋgruəntli], **incongruously** [inˈkɔŋgruəsli] *adv* 1. nieodpowiednio; niestosownie 2. niezgodnie (**with sth** z czymś) 3. bezsensownie; absurdalnie
inconsecutively [inkənˈsekjutivli] *adv* 1. z przerwami; przerywanie 2. nie w kolejności
inconsequentially [inkɔnsiˈkwenʃəli] *adv* 1. bez znaczenia; nic nie ⟨niewiele⟩ znacząc; błaho 2. nielogicznie; bez związku (z tematem); w oderwaniu (od tematu)
inconsequently [inˈkɔnsikwәntli] *adv* 1. nielogicznie 2. bez związku (z tematem); w oderwaniu (od tematu)
inconsiderably [inkənˈsidərəbli] *adv* nieznacznie; w drobnej mierze; w niewielkim stopniu
inconsiderately [inkənˈsidərətli] *adv* 1. bezmyślnie; nierozważnie 2. nieuprzejmie; bez należytego szacunku
inconsistently [inkənˈsistəntli] *adv* 1. niezgodnie ⟨sprzecznie⟩ (z czymś) 2. niekonsekwentnie; nielogicznie 3. zmiennie 4. bez związku (z czymś)
inconsolably [inkənˈsəuləbli] *adv* nie znajdując żadnej pociechy; nie dając się pocieszyć
inconsonantly [inˈkɔnsənəntli] *adv* niezgodnie
inconspicuously [inkənˈspikjuəsli] *adv* niepozornie; nie rzucając się w oczy; nie zwracając na siebie uwagi; skromnie
inconstantly [inˈkɔnstəntli] *adv* zmiennie; niestale; nieregularnie

incontestably [inkən'testəbli] *adv* niezaprzeczalnie; bezspornie; niewątpliwie
↑ **incontinently** *adv* 2. niepowściągliwie
incontrollable [inkən'trəuləbl] *adj* nie do opanowania; niepohamowany
incontrollably [inkən'trəuləbli] *adv* nie do opanowania; niepohamowanie
incontrovertibly [inkɔntrə'və:tibli] *adv* niezaprzeczalnie; bezspornie; nie do obalenia
inconveniently [inkən'vi:niəntli] *adv* niewygodnie; niedogodnie; kłopotliwie; uciążliwie
inconvertibly [inkən'və:tibli] *adv* niewymiennie; niezamiennie
inconvincibly [inkən'vinsibli] *adv* nie dając się przekonać; opierając się perswazjom
inconvincing [inkən'vinsiŋ] *adj* nieprzekonujący, nieprzekonywający
inconvincingly [inkən'vinsiŋli] *adv* nieprzekonująco, nieprzekonywająco
incoordinate [inkəu'ɔ:dinit] *adj* nieskoordynowany
incorrectly [inkə'rektli] *adv* 1. niepoprawnie; nieprawidłowo; błędnie; mylnie; wadliwie; niedokładnie 2. (*postępować itd.*) niestosownie
incorrigibly [in'kɔridʒibli] *adv* niepoprawnie
incorruptibly [inkə'rʌptibli] *adv* niesprzedajnie; nieprzekupnie
incrassate [in'kræseit] *vt* zagę-ścić/szczać
↑ **increasingly** *adv* ... wzrastająco
incredibly [in'kredibli] *adv* niewiarygodnie; nieprawdopodobnie
incredulously [in'kredjuləsli] *adv* niedowierzająco
incremental [inkri'mentəl] *adj* narastający; narosły; *nukl* ~ **impulse** impuls narastający; przyrost impulsu
increscent [in'kresənt] *adj* (*o księżycu*) przybywający; **the moon was** ~ księżyca przybywało
incretion [in'kri:ʃən] *s fizj* wydzielanie wewnętrzne
incretory [in'kri:təri] *adj fizj* wewnątrzwydzielniczy; wydzielania wewnętrznego
incrossbred [in'krɔsbred] *s biol* krzyżówka dwóch linii wsobnych
↑ **incubation** I *s* 2. *med* inkubacja III *attr* inkubacyjny; ~ **period** okres inkubacyjny
incurably [in'kju:rəbli] *adv* nieuleczalnie
incuriously [in'kjuəriəsli] *adv* bez zaciekawienia; obojętnie
indecently [in'di:səntli] *adv* nieprzyzwoicie; † nieprzystojnie
indecisively [indi'saisivli] *adv* 1. nierozstrzygająco 2. (*postępować itd.*) niezdecydowanie
indeclinably [indi'klainəbli] *adv gram* nieodmiennie
indecorously [in'dekərəsli] *adv* niestosownie; wbrew nakazom dobrego tonu ⟨wychowania⟩
indefatigably [indi'fætigəbli] *adv* niestrudzenie; niezmordowanie
indefeasibly [indi'fi:zibli] *adv* nieodwołalnie; niewzruszenie
indefective [indi'fektiv] *adj* 1. niezawodny 2. bez zarzutu
indefectively [indi'fektivli] *adv* 1. niezawodnie 2. bez zarzutu
indefensibly [indi'fensibli] *adv* 1. *wojsk* nieobronnie 2. w sposób nie dający się usprawiedliwić
indefinably [indi'fainəbli] *adv* w sposób nieokreślony; nieokreślenie
indelibly [in'delibli] *adv* niezatarcie; nie dając się zmazać ⟨wymazać⟩
indelicately [in'delikitli] *adv* 1. niedelikatnie; nietaktownie 2. niestosownie; nieskromnie
indemonstrably [in'demənstrəbli] *adv* nie dając się udowodnić
indene [in'di:n] *s chem* inden
independently [indi'pendəntli] *adv* 1. niezależnie; niezawiśle; niepodlegle; autonomicznie 2. oddzielnie; osobno
indescribably [indis'kraibəbli] *adv* nieopisanie
indestructibly [indis'trʌktibli] *adv* niezniszczalnie; niespożycie
indeterminably [indi'tə:minəbli] *adv* 1. nieokreślenie; w sposób nieokreślony 2. w sposób nie rozstrzygnięty
indeterminately [indi'tə:minətli] *adv* nieokreślenie; niewyraźnie
Indianism ['indiənizəm], **Indigenismo** [indidʒə'nizməu] *s* polityka rehabilitowania Indian na kontynencie amerykańskim
Indianization [indiənai'zeiʃən] *s* (*w Indiach*) zastępowanie brytyjskiego personelu urzędniczego przez Hindusów
Indic ['indik] *adj* indyjski
indicant ['indikənt] I *adj* wskazujący II *s* wskaźnik
indicatively [in'dikətivli] *adv* wskazująco
↑ **indicator** I *s* 6. *fiz* wskaźnik III *attr* wskaźnikowy; *nukl* ~ **element** ⟨**gene**⟩ pierwiastek ⟨gen⟩ wskaźnikowy
indicia [in'diʃiə] *spl* nadruki listowe zastępujące znaczki pocztowe
indifferently [in'difərəntli] *adv* 1. obojętnie 2. miernie; marnie 3. *chem* obojętnie 4. nieznacznie 5. neutralnie
Indigenismo *zob* **Indianism** ↑
indigenously [in'didʒinəsli] *adv* tubylczo; miejscowo; krajowo
indigently ['indidʒəntli] *adv* biednie; ubogo
indigestibly [indai'dʒestibli] *adv* niestrawnie
indignantly [in'dignəntli] *adv* z oburzeniem
↑ **indigo** III *attr zool* ~ **bunting** łuszczak północnoamerykański *Passerina cyanea*
indigoid ['indigɔid] *s* indygoid
indirectly [indi'rektli, indai'rektli] *adv* 1.

pośrednio 2. okrężnie; okrężną drogą 3. nieuczciwie
indiscernibly [indi'sə:nibli] *adv* 1. nie do odróżnienia 2. niedostrzegalnie; znikomo
indiscreetly [indis'kri:tli] *adv* 1. niedyskretnie 2. nierozważnie; nieroztropnie
indiscriminately [indis'kriminitli] *adv* 1. niewybrednie 2. bezładnie 3. bez wyboru; bez różnicy; na oślep 4. masowo; zbiorowo
indispensably [indis'pensəbli] *adv* 1. niezbędnie; nieodzownie; koniecznie 2. *prawn* obowiązująco
indisputably [indis'pju:təbli] *adv* bezspornie; niezaprzeczalnie; nie podlegając dyskusji
indissolubly [indi'sɔljubli] *adv* 1. nierozerwalnie; trwale 2. nierozpuszczalnie
indistinctly [indis'tiŋktli] *adv* niewyraźnie; niejasno; mętnie
indistinguishably [indis'tiŋguiʃəbli] *adv* 1. wykluczając możność ⟨nie do⟩ odróżnienia 2. nieuchwytnie (dla oka, ucha)
indivertibly [indi'və:tibli] *adv* nieodwracalnie; niezmiennie
indivisibly [indi'vizibli] *adv* niepodzielnie
↑ **indoctrinate** *vt* ... indoktrynować
indolently ['indələntli] *adv* 1. leniwie; opieszale 2. *med* bezboleśnie
indomitably [in'dɔmitəbli] *adv* 1. nie dając się poskromić 2. nieugięcie
indubitably [in'dju:bitəbli] *adv* niewątpliwie; bez wątpienia
induced [in'dju:st] Ⅱ *zob* **induce** *vt* Ⅲ *adj* *fiz* indukowany; wzbudzony; *nukl* ~ **nuclear reaction** ⟨**radioactivity**⟩ reakcja jądrowa ⟨promieniotwórczość⟩ wzbudzona
inductee [indʌk'ti:] *s am wojsk* rekrut
↑ **induction** Ⅲ *attr* indukcyjny; *fiz* ~ **effect** zjawisko ⟨wpływ⟩ indukcji; ~ **heating** nagrzewanie indukcyjne
inductively [in'dʌktivli] *adv log elektr techn* indukcyjnie
indulgently [in'dʌldʒəntli] *adv* pobłażliwie; z pobłażaniem
↑ **industrial** *adj* ... ~ **art** wzornictwo przemysłowe; ~ **heating** grzejnictwo przemysłowe; *nukl* ~ **reactor** reaktor przemysłowy
industrially [in'dʌstriəli] *adv* przemysłowo
industriously [in'dʌstriəsli] *adv* pilnie; pracowicie
ineffably [in'efəbli] *adv* niewymownie; niewypowiedzianie
ineffaceably [ini'feisəbli] *adv* niezatarcie
ineffectively [ini'fektivli] *adv* 1. bezskutecznie; daremnie 2. nieefektownie; nie wywierając żadnego ⟨bez⟩ wrażenia 3. (*postępować itd.*) nieudolnie; niedołężnie
ineffectually [ini'fektjuəli] *adv* 1. bezskutecznie; daremnie; bezowocnie 2. (*starać się itd.*) słabo; nieudolnie
inefficaciously [inefi'keiʃəsli] *adv* nieskutecznie; nieefektownie; nie wywołując pożądanego skutku
inefficiently [ini'fiʃəntli] *adv* 1. nieudolnie; niedołężnie 2. nieskutecznie; nieefektywnie; niesprawnie; niewydolnie
inelegantly [in'eligəntli] *adv* nieelegancko; niewytwornie; bez szyku
ineloquent [in'eləkwənt] *adj* nie mający daru wymowy; nieelokwentny
ineloquently [in'eləkwəntli] *adv* nieelokwentnie
ineluctably [ini'lʌktəbli] *adv* nieuchronnie
ineptly [in'eptli] *adv* 1. niestosownie; nie na miejscu 2. niedorzecznie; głupio
inequilaterally [in,i:kwi'lætərəli] *adv* nierównobocznie
inequitably [in'ekwitəbli] *adv* niesprawiedliwie; niesłusznie
ineradicably [ini'rædikəbli] *adv* nie dając się wykorzenić
inertial [in'ə:ʃəl] *adj fiz* inercyjny; bezwładny; ~ **effect** ⟨**force**⟩ efekt ⟨siła⟩ bezwładności; ~ **mass** masa bezwładna; ~ **system** układ inercyjny
inertly [in'ə:tli] *adv* 1. bezwładnie; inercyjnie 2. *chem* nieczynnie; obojętnie 3. (*działać itd.*) opieszale; apatycznie
inestimably [in'estiməbli] *adv* bezcennie
inevitably [in'evitəbli] *adv* nieuchronnie; niechybnie
inexactly [ini'gzæktli] *adv* niedokładnie; nieściśle
inexcusably [iniks'kju:zəbli] *adv* niewybaczalnie
inexhaustibly [inig'zɔ:stibli] *adv* 1. niewyczerpanie; nieprzebranie 2. (*pracować itd.*) niestrudzenie
inexorably [in'eksərəbli] *adv* nieubłaganie; nieugięcie
inexpediently [iniks'pi:djəntli] *adv* 1. niecelowo 2. w sposób niepożądany
inexpensively [iniks'pensivli] *adv* niedrogo; tanio; niekosztownie
inexpertly [iniks'pə:tli] *adv* niewprawnie; niezręcznie
inexpiably [in'ekspiəbli] *adv* bez możności odpokutowania
inexplicably [in'eksplikəbli] *adv* niewytłumaczalnie
inexplicitly [iniks'plisitli] *adv* niewyraźnie; niejasno
inexpressibly [iniks'presibli] *adv* niewypowiedzianie; niewymownie; nieopisanie
inexpressively [iniks'presivli] *adv* (*patrzeć, grać itd.*) bez wyrazu
inexpugnably [iniks'pʌgnəbli] *adv* 1. (*obwarowany itd.*) w sposób uniemożliwiający zdobycie 2. nie dając się pokonać ⟨zwyciężyć⟩
inextinguishably [iniks'tiŋguiʃəbli] *adv* w sposób uniemożliwiający zgaszenie; nie dając się ugasić
infallibly [in'fælibli] *adv* 1. nieomylnie 2. niezawodnie
infamously ['infəməsli] *adv* 1. niesławnie

2. ohydnie; niecnie; sromotnie; haniebnie; nikczemnie; podle
infanticipate [infæn'tisipeit] *vi am sl* chodzić z brzuchem; spodziewać się dziecka
infatuated [in'fætjueitid] I *zob* **infatuate** *vt* III *adj* zakochany do szaleństwa ⟨bez pamięci⟩; zaślepiony (**with sb** w kimś)
infatuatedly [infætju'eitidli] *adv* bez pamięci; do szaleństwa
infectiously [in'fekʃəsli] *adv med* zakaźnie; infekcyjnie; zaraźliwie
infelicitously [infi'lisitəsli] *adv* niefortunnie; niezręcznie
inferentially [infə'renʃəli] *adv* 1. dedukcyjnie 2. *log* indukcyjnie
inferiorly [in'fiəriəli] *adv* 1. (po)niżej 2. gorzej; słabiej; podrzędnie
infernally [in'fə:nəli] *adv* piekielnie; diabelsko
infestant [in'festənt] *s* szkodnik
infinitively [in'finitivli] *adv gram* bezokolicznikowo
infirmly [in'fə:mli] *adv* słabo; niedołężnie
inflaming [in'fleimiŋ] I *zob* **inflame** *v* III *adj przen* (*o przemówieniu*) zagrzewający
inflamingly [in'fleimiŋli] *adv przen* (*przemawiać itd.*) zagrzewająco
inflammably [in'flæməbli] *adv* łatwopalnie
inflammatorily [in'flæmətərili] *adv* 1. zapalnie 2. *przen* podżegająco
inflexibly [in'fleksibli] *adv* 1. nieelastycznie; sztywno 2. nieugięcie
↑ **influence** III *attr am* ~ **peddler** pośrednik w zdobywaniu zamówień na dostawy państwowe i w przeprowadzaniu spraw urzędowych
influentially [influ'enʃəli] *adv* wpływowo
informally [in'fɔ:məli] *adv* 1. nieformalnie; nieprzepisowo 2. nieoficjalnie; prywatnie; towarzysko 3. bez ceremonii
informing [in'fɔ:miŋ] I *zob* **inform** *v* III *adj* 1. informacyjny 2. donosicielski
informingly [in'fɔ:miŋli] *adv* 1. informacyjnie 2. donosicielsko
infract [in'frækt] *vt prawn* naruszyć ⟨pogwałcić⟩ (przepis, ustawę)
infrangibly [in'frændʒibli] *adv* 1. niełamliwie 2. nienaruszalnie
↑ **infra-red** *adj* ... ~ **detector** wykrywacz promieniowania podczerwonego
↑ **infra-structure** *s*. ... infrastruktura
infrequently [in'fri:kwəntli] *adv* nieczęsto; rzadko; z rzadka
ingeniously [in'dʒi:niəsli] *adv* pomysłowo
ingenuously [in'dʒenjuəsli] *adv* szczerze; prostolinijnie; naiwnie; niewinnie
ingloriously [in'glɔ:riəsli] *adv* sromotnie; niesławnie
ingratiatingly [in'greiʃieitiŋli] *adv* przymilnie; ujmująco
ingroup ['ingru:p] *s* ekskluzywne towarzystwo
ingrown ['ingrəun] *adj* wrośnięty
inharmoniously [inha:'məuniəsli] *adv* nieharmonijnie
↑ **inherent** *adj* 2. *fiz* własny; wewnętrzny; ~ **control** samosterowanie; ~ **filtration** ⟨**stability**⟩ filtracja ⟨stabilność⟩ własna
inherently [in'hiərəntli] *adv* nieodłącznie; właściwie (**in sb, sth** dla kogoś, czegoś)
inhibitor [in'hibitə] *s fiz* inhibitor; czynnik hamujący
inhomogeneous [in,həməu'dʒi:niəs] *adj* niejednorodny
inhomogeneously [in,həməu'dʒi:niəsli] *adv* niejednorodnie
inhospitably [in'hɔspitəbli] *adv* niegościnnie
inhour ['inauə] *s nukl* odwrotność godziny
inhumanely [,inhju'meinli] *adv* niehumanitarnie
inhumanly [in'hju:mənli] *adv* nieludzko
inimically [i'nimikəli] *adv* 1. nieprzyjaźnie; wrogo 2. szkodliwie (dla zdrowia itd.)
inimitably [in'imitəbli] *adv* niezrównanie; w sposób nie do naśladowania
iniquitously [i'nikwitəsli] *adv* 1. niesprawiedliwie 2. niegodziwie; nikczemnie; niecnie 3. grzesznie
↑ **initial** I *adj* ... *nukl* ~ **particle** cząstka pierwotna
initially [i'niʃəli] *adv* początkowo; wstępnie; na wstępie
initiatively [i'niʃiətivli] *adv* przedwstępnie; początkowo
initiatorily [iniʃiə'tɔ:rili] *adv* 1. przedwstępnie; początkowo 2. w celu wprowadzenia ⟨wtajemniczenia⟩; wprowadzająco; jako wprowadzenie
injected [in'dʒektid] I *zob* **inject** *vt* III *adj* wtryskiwany
↑ **injection** III *attr* ... *nukl* ~ **energy** energia wtrysku; *techn* ~ **pressure** ciśnienie wtrysku
injudiciously [indʒu'diʃəsli] *adv* nierozsądnie; nieroztropnie; nieoględnie; niefortunnie
injuriously [in'dʒu:riəsli] *adv* 1. szkodliwie 2. krzywdząco; z (czyjąś) krzywdą ⟨ujmą⟩ 3. obraźliwie
↑ **ink** I *s* 2. ... **ball-pen** ~ tusz do długopisów; **copper-plate** ~ farba miedziorytnicza; **legal** ~ farba do druku papierów wartościowych; **news** ~ farba drukarska gazetowa; **poster** ~ farba plakatowa
↑ **inlet** III *attr* ... *nukl* ~ **face** strona załadowcza; ~ **filter** filtr wejściowy; ~ **manifold** przewód doprowadzający
in-migrant [in'maigrənt] *s* przybysz; imigrant
innocently ['inəsəntli] *adv* 1. niewinnie; bezgrzesznie 2. dziewiczo; czysto; w czystości 3. prostodusznie; naiwnie 4. nieszkodliwie 5. legalnie
innocuously [i'nɔkjuəsli], **innoxiously** [i'nɔkʃəsli] *adv* nieszkodliwie; niewinnie
innumerably [i'nju:mərəbli] *adv* niezliczenie; bez liku; w ogromnych ilościach; masami

inoculant [i'nɔkjulənt], **inoculum** [in'ɔkjuləm] *s* szczepionka
inoffensively [inə'fensivli] *adv* nieszkodliwie
inopportunely [inɔpə'tju:nli] *adv* niewcześnie; nie w porę; w nieodpowiedniej chwili
inordinately [i'nɔ:dinitli] *adv* 1. nadmiernie; przesadnie; nieumiarkowanie; bez umiaru 2. niesystematycznie; bezładnie
inorganically [inɔ:'gænikəli] *adv* nieorganicznie
inositol [inəu'sitəul] *s chem* inozyt
in-pile ['in,pail] *attr nukl* ~ **test** badanie wewnątrz reaktora
in-plant ['in,plænt] *attr* ~ **training** szkolenie w ramach godzin pracy
in-process ['in-prə'ses] *attr nukl* ~ **material** produkt pośredni
inquisitively [in'kwizitivli] *adv* ciekawie; z ciekawością; wścibsko
inquisitorially [in,kwizi'tɔ:riəli] *adv* 1. śledczo; badawczo 2. inkwizytorsko
insalubriously [insə'lu:briəsli] *adv* niezdrowo; niezdrowotnie
insanely [in'seinli] *adv* obłąkańczo; szaleńczo
insatiably [in'seiʃəbli], **insatiately** [in'seiʃiətli] *adv* nienasycenie
inscrutably [in'skru:təbli] *adv* w sposób nieodgadniony; tajemniczo
insectarium [insek'teəriəm] *s* insektarium
insecurely [insi'kjuəli] *adv* niepewnie; bez (należytego) zabezpieczenia
↑ **insensate** *adj* 3. nieożywiony
insensately [in'sensitli] *adv* 1. bezdusznie; w sposób nieczuły 2. bezsensownie; szaleńczo 3. bez życia; bez czucia
↑ **insensibly** *adv* 2. nieprzytomnie
inseparably [in'sepərəbli] *adv* nieodłącznie; nierozłącznie; nierozdzielnie; nieodstępnie
in-service ['in,sə:vis] *adj* (*o szkoleniu itd.*) odbywający się w ramach służby wojskowej
↑ **inside** Ⅰ *s* 7. (*o pracowniku*) wtyczka; szpicel
insignificantly [insig'nifikəntli] *adv* nieznacznie; znikomo; bez znaczenia
insincerely [insin'siəli] *adv* nieszczerze
insinuatingly [in,sinju'eitiŋli] *adv* 1. przymilnie; ujmująco 2. znacząco; dając do zrozumienia ⟨do myślenia⟩
insipidly [in'sipidli] *adv* 1. bez smaku 2. ckliwie; nudno; mdło 3. (*uśmiechać się itd.*) głupio 4. (*opisywać coś itd.*) bezbarwnie
insistently [in'sistəntli] *adv* 1. uporczywie; natarczywie 2. nagląco
insofar, in so far ['insəu,fa:] *adv* o tyle, że; o tyle, o ile
insolently ['insələntli] *adv* 1. bezczelnie; zuchwale 2. wyniośle; butnie
insolubly [in'sɔljubli] *adv* 1. nierozpuszczalnie 2. nierozwiązalnie; w sposób niemożliwy do rozwiązania
inspectroscope [in'spektrəskəup] *s* przyrząd rentgenowski do badania zawartości przesyłek lub bagażu
inspirational [inspi'reiʃənl] *adj* natchnieniowy
inspirationally [inspi'reiʃənəli] *adv* pod wpływem natchnienia
inspiringly [in'spaiəriŋli] *adv* 1. budząc natchnienie 2. ożywczo; dodając otuchy
inspiriting [in'spiritiŋ] Ⅰ *zob* **inspirit** *vt* Ⅲ *adj* ożywiający; ożywczy; podnoszący na duchu
inspiritingly [in'spiritiŋli] *adv* ożywiająco; ożywczo; podnosząc na duchu
↑ **instability** *s* ... niestabilność
installment [in'stɔ:lmənt] *s am* = **instalment**
↑ **instantaneous** *adj* 3. ... *nukl* ~ **assembly (of A-bomb)** zestaw chwilowy (bomby atomowej); ~ **neutron of fission** neutron rozszczepieniowy natychmiastowy
instantaneously [instən'teiniəsli] *adv* 1. momentalnie 2. chwilowo
instigatory [insti'geitəri] *adj* podburzający; podżegający; prowokujący
instinctively [in'stiŋktivli] *adv* instynktownie
institutionalism [insti'tju:ʃənəlizəm] *s* instytucjonalizm
institutionalize [insti'tju:ʃənəlaiz] *vt* instytucjonalizować
institutionally [insti'tju:ʃənəli] *adv* zakładowo; instytucyjnie
instructively [in'strʌktivli] *adv* pouczająco; kształcąco
↑ **instrument** Ⅲ *attr* ~ **flying** ⟨**landing**⟩ lot ⟨lądowanie⟩ bez widoczności; *nukl* ~ **bridge** mostek pomiarowy; ~ **range** zakres przyrządów (w pracy reaktora); zakres pomiarowy przyrządu
instrumentalism [instru'mentəlizəm] *s filoz* instrumentalizm
↑ **instrumentation** *s* 4. oprzyrządowanie
insubordinately [insə'bɔ:dinitli] *adv* nieposłusznie; niekarnie; buntowniczo; krnąbrnie
insufferably [in'sʌfərəbli] *adv* nieznośnie; (w sposób) nie do zniesienia
insufficiently [insə'fiʃəntli] *adv* niedostatecznie; niewystarczająco; nieodpowiednio
insularly ['insjuləli] *adv* wyspiarsko
↑ **insulation** Ⅲ *attr elektr* ~ **break-down** przebicie izolacji
insultingly [in'sʌltiŋli] *adv* obraźliwie
insuperably [in'sju:pərəbli] *adv* w sposób nie do pokonania ⟨przezwyciężenia⟩
insupportably [insə'pɔ:təbli] *adv* nieznośnie; (w sposób) nie do wytrzymania
insuppressibly [insə'presibli] *adv* nieopanowanie; w sposób nie do opanowania
insurant [in'ʃuərənt] *s* ubezpieczający się
insurmountably [insə'mauntəbli] *adv* (w sposób) nie do przezwyciężenia
intangibly [in'tændʒibli] *adv* 1. niedoty-

kalnie; nienaruszalnie 2. nieuchwytnie; niepojęcie
↑ **integral** [I] *adj* 1. ... ~ **number** ⟨**quantity**⟩ liczba ⟨wielkość⟩ całkowita
integrally [ˈintigrəli] *adv* 1. integralnie; całkowicie; w całości 2. *mat* całkowo
integrated [intiˈgreitid] [I] *zob* **integrate** *vt* [II] *adj mat* scałkowany; *nukl* ~ **neutron flux** scałkowany strumień neutronów
integrating [intiˈgreitiŋ] [I] *zob* **integrate** *vt* [II] *adj* całkujący; *fiz* ~ **unit** urządzenie całkujące
↑ **integrator** *s* ... *techn* integrator
intellectively [intiˈlektivli] *adv* rozumowo; myślowo
intellectualism [intiˈlektjuəlizəm] *s filoz* intelektualizm
intellectualize [intiˈlektjuəlaiz] [I] *vt* intelektualizować [II] *vi* intelektualizować się
intellectually [intiˈlektjuəli] *adv* intelektualnie; umysłowo; rozumowo; myślowo
↑ **intelligence** [II] *attr* 2. umysłowy; *psych* ~ **quotient** współczynnik inteligencji
intelligibly [inˈtelidʒibli] *adv* zrozumiale
intemperately [inˈtempəritli] *adv* 1. nieumiarkowanie; niepohamowanie; bez umiaru 2. nadużywając alkoholu
intensitometer [intensiˈtɔmitə] *s techn* miernik natężenia
↑ **intensive** *adj* 1. ... *med* ~ **care unit** oddział intensywnej terapii
intensively [inˈtensivli] *adv* intensywnie; silnie; mocno
intentionally [inˈtenʃənəli] *adv* umyślnie; celowo; rozmyślnie
interatomic [intərəˈtɔmik] *adj fiz* międzyatomowy; ~ **force** siła międzyatomowa
interbreed [ˈintəbri:d] *vt biol* krzyżować (różne odmiany zwierząt, roślin)
intercellular [intəˈseljulə] *adj* międzykomórkowy
↑ **intercept** [II] *s* 2. *radio* przechwycona wiadomość radiowa
interchangeably [intəˈtʃeindʒəbli] *adv* zamiennie; wymiennie
interdenominational [intədi,nɔmiˈneiʃənl] *adj* międzywyznaniowy
interdental [intəˈdentl] *adj* międzyzębny
interface [ˈintəfeis] [I] *s nukl* powierzchnia oddzielająca; odstęp płaszczyzn sieciowych [II] *attr* graniczny; *nukl* ~ **region** obszar graniczny
intergeneric [intədʒiˈnerik] *adj biol* międzyrodzajowy
interiorly [inˈtiəriəli] *adv* 1. wewnętrznie 2. najskryciej
interjectional [intəˈdʒekʃənl] *adj* wykrzyknikowy
interjectionally [intəˈdʒekʃənli] *adv* wykrzyknikowo
interlanguage [intəˈlæŋgwidʒ] *s* język międzynarodowy
↑ **interlock** [II] *s nukl* ryglowanie; blokada
intermediacy [intəˈmi:diəsi] *s* pośrednictwo
↑ **intermediate** [I] *adj* 1. ... *nukl* ~ **neutron** neutron o energii pośredniej; neutron pośredni; ~ **product** produkt pośredni; ~ **reactor** reaktor na neutronach pośrednich
intermediately [,intəˈmi:djətli] *adv* pośrednio
intermittently [,intəˈmitəntli] *adv* przerywanie; z przerwami
intermolecular [intəməˈlekjulə] *adj* międzycząsteczkowy
internally [inˈtə:nəli] *adv* wewnętrznie
internationally [intəˈnæʃənəli] *adv* międzynarodowo
internode [ˈintənəud] *s bot* międzywęźle
interparticle [intəˈpɑ:tikl] *adj nukl* międzycząstkowy; ~ **collision frequency** częstość zderzeń między cząstkami
↑ **interphone** *s* ... interfon
interpolymer [intəˈpɔlimə] *s* kopolimer
↑ **interpretation** *s* ... odczytywanie (**of aerial photos** zdjęć lotniczych)
interpretational [intə,priˈteiʃənl] *adj* interpretacyjny
interpretatively [inˈtə:pritətivli] *adv* objaśniająco
interrogatingly [interəˈgeitiŋli], **interrogatively** [intəˈrɔgətivli] *adv* pytająco
interscholastic [intəskɔˈlæstik] *adj* międzyszkolny
↑ **interstitial** *adj* 3. *nukl* międzywęzłowy; ~ **atom** atom międzywęzłowy
intertropical [intəˈtrɔpikəl] *adj* międzyzwrotnikowy
intervale [intəˈveil] *s am* 1. dolina rzeczna 2. dolina górska
interventionist [intəˈvenʃənist] *s* interwenient, interwent
inter-war [ˈintə,wɔ:] *adj* międzywojenny
intestinally [inˈtestinəli] *adv* jelitowo
intimately [ˈintimitli] *adv* 1. intymnie 2. zażyle; serdecznie; blisko (z sobą)
intolerably [inˈtɔlərəbli] *adv* nieznośnie; nie do zniesienia
intolerantly [inˈtɔlərəntli] *adv* nietolerancyjnie
intoxicatingly [intɔksiˈkeitiŋli] *adv* upadająco
intra-atomic [intrə-əˈtɔmik] *adj* wewnątrzatomowy
intracell [intrəˈsel] *adj* wewnątrzkomórkowy; *nukl* ~ **flux distribution** rozkład strumienia w komórce siatki
intractably [inˈtræktəbli] *adv* krnąbrnie; niesfornie
intransigently [inˈtrænsidʒəntli] *adv* bezkompromisowo; nieprzejednanie
intrastate [,intrəˈsteit] *adj* międzystanowy
intratelluric [intrətiˈlju:rik] *adj geol* głębinowy; wgłębny
intravenously [intrəˈvi:nəsli] *adv* dożylnie
intrazonal [intrəˈzəunəl] *adj roln* śródstrefowy
intrepidly [inˈtrepidli] *adv* nieustraszenie
intricately [ˈintrikitli] *adv* zawile; w sposób pogmatwany
intrig(u)ant [ˈintrigənt] *s* intrygant/ka
↑ **intrinsic** *adj* 3. *nukl* wewnętrzny; włas-

ny; ~ **energy** energia własna ⟨wewnętrzna⟩
intrinsically [in'trinsikəli] *adv* 1. istotnie; właściwie 2. wewnętrznie
introgressive [intrə'gresiv] *adj biol* introgresywny; ~ **hybridization** krzyżowanie introgresywne
introjection [intrə'dʒekʃən] *s psych* introjekcja
introrse ['intrɔ:s] *adj bot* wewnątrzzwrotny
introspectively [intrəu'spektivli] *adv* introspektywnie
intrusively [in'tru:sivli] *adv* natrętnie
intuitionally [intju:'iʃənəli], **intuitively** [in'tju:itivli] *adv* intuicyjnie
intuitivism [in'tjuitivizəm] *s* intuitywizm
intussusception [intəsə'sepʃən] *s fizj* wchłonięcie (z pokarmem) i przetworzenie w część składową tkanek
inunction [in'ʌŋkʃən] *s* wcieranie
invaluably [in'væljuəbli] *adv* bezcennie; w sposób nieoceniony
invariably [in'veəriəbli] *adv* niezmiennie
invariance [in'veəriəns] *s nukl* niezmienność; inwariantność
invariant [in'veəriənt] *s mat* inwariant; niezmiennik
↑ **invective** III *adj* obelżywy
invectively [in'vektivli] *adv* obelżywie
inventively [in'ventivli] *adv* wynalazczo; pomysłowo; odkrywczo
↑ **inverse** I *adj* 1. ... *nukl* ~ **diffusion length** odwrotność długości dyfuzji 2. *fiz* zwrotny; ~ **voltage** napięcie zwrotne
inversely [in'və:sli] *adv* odwrotnie
↑ **inversion** III *attr* inwersyjny; *biol* ~ **chromosome** chromosom inwersyjny
inverted [in'və:tid] I *zob* **invert** *vt* III *adj* = **invert** *adj*
inverter [in'və:tə] *s elektr* przekształtnik
inveterately [in'vetərətli] *adv* uporczywie; nałogowo; niepoprawnie
inviable [in'vaiəbl] *adj* niezdolny do życia
invidiously [in'vidiəsli] *adv* 1. nienawistnie 2. (*odezwać się itd.*) obraźliwie
invigoratively [in'vigərətivli] *adv* orzeźwiająco; wzmacniająco
invincibly [in'vinsibli] *adv* w sposób nie do pokonania
inviolably [in'vaiələbli] *adv* nienaruszalnie
invisibly [in'vizibli] *adv* niewidzialnie; niewidocznie
invitingly [in'vaitiŋli] *adv* 1. zapraszająco 2. nęcąco; ponętnie; pociągająco; kusząco; apetycznie
involuntarily [in'vɔləntərili] *adv* mimowolnie; bezwiednie; odruchowo; niechcący
invulnerably [in'vʌlnərəbli] *adv* nie podlegając zranieniu
↑ **iodine** III *attr* jodowy; ~ **value** liczba jodowa
iodol ['aiədəul] *s farm* jodol
iodometry [aiə'dɔmitri] *s chem* jodometria
iodous [ai'əudəs] *adj chem* jodowy
↑ **ion** III *attr* jonowy; ~ **exchange** wymiana jonowa; ~ **exchanger** jonit; wymieniacz ⟨wymiennik⟩ jonowy
ioncruiser [aiən'kru:zə] *s* rakietowy pojazd kosmiczny przeznaczony do poruszania się w górnej jonosferze
ionium [ai'əuniəm] *s chem* jonon
ionization [aiənai'zeiʃən] *chem* I *s* jonizacja III *attr* jonizacyjny; ~ **chamber** komora jonizacyjna; ~ **path** tor jonu; droga jonizacji
ionized ['aiənaizd] *adj chem* zjonizowany; ~ **atom** atom zjonizowany
ionizing [aiə'naiziŋ] *adj chem* jonizujący; ~ **event** zderzenie jonizujące; akt jonizacji
ionone ['aiənəun] *s chem* jonon
iontophoresis [ai,ɔntəufɔ'ri:sis] *s fiz chem med* jontoforeza
ipecac ['ipikæk] *s* = **ipecacuanha**
ipomoea [ipɔ'mi:ə] *s farm* korzeń rośliny *Ipomea*; ~ **resin** żywica z korzeni rośliny *Ipomea*
irascibly [i'ræsibli] *adv* gniewliwie; wybuchowo; porywczo; drażliwie
irately ['aireitli] *adv* ze złością; w złości
irefully ['aiəfuli] *adv poet* 1. ze złością; w złości 2. gniewliwie
iridaceous [iri'deiʃəs] *adj bot* kosaćcowaty
iridescently [iri'desəntli] *adv* opalizując
irksomely ['ə:ksəmli] *adv* nieprzyjemnie; przykro; w przykry sposób
ironically [ai'rɔnikəli] *adv* ironicznie; z ironią
irradiated [ireidi'eitid] I *zob* **irradiate** *vt* III *adj nukl* napromieniony
irreclaimably [iri'kleiməbli] *adv* 1. bezpowrotnie (stracony) 2. (*pożyczyć*) bezzwrotnie
irreconcilably [,irikən'sailəbli] *adv* nieprzejednanie
irrecoverably [iri'kʌvərəbli] *adv* bezpowrotnie (stracony)
irrecusably [iri'kju:zəbli] *adv* nie ulegając obaleniu
irredeemably [iri'di:məbli] *adv* bezpowrotnie
irreducibly [iri'dju:sibli] *adv* wykluczając możność zredukowania; bez możności zredukowania
irrefragably [i'refrəgəbli] *adv* niezbicie; niezaprzeczalnie
irrefrangibly [iri'frændʒibli] *adv* nienaruszalnie
irrefutably [i'refjutəbli] *adv* niezbicie; nieodparcie
irregularly [i'regjuləli] *adv* 1. nieregularnie; nieprawidłowo; nierówno(miernie) 2. niemoralnie; rozwiąźle 3. nielegalnie 4. niezgodnie z przepisami; wbrew przepisom
irrelatively [i'relətivli] *adv* 1. bez związku (**to sth** z czymś) 2. oderwanie; w oderwaniu (**to sth** od czegoś)
irrelevantly [i'relivəntli] *adv* 1. niewcześ-

nie; niestosownie; ni w pięć, ni w dziewięć 2. (*wypowiedzieć się itd.*) w oderwaniu od tematu; nie na temat
irreligiously [iri'lidʒəsli] *adv* bezbożnie
irremediably [iri'mi:diəbli] *adv* niepowetowanie
irremissibly [iri'misibli] *adv* niewybaczalnie
irremovably [iri'mu:vəbli] *adv* nieusuwalnie
irreparably [i'repərəbli] *adv* wykluczając możność naprawienia; niepowetowanie
irrepressibly [iri'presibli] *adv* niepowstrzymanie; niepohamowanie
irreproachably [iri'prəutʃəbli] *adv* nienagannie; bez zarzutu
irresistibly [iri'zistibli] *adv* nieprzeparcie; nieodparcie
irresolutely [i'rezəlju:tli] *adv* niezdecydowanie; chwiejnie
irrespectively [iris'pektivli] *adv* = **irrespective** *adv*
irresponsibly [iris'pɔnsibli] *adv* 1. nieodpowiedzialnie 2. lekkomyślnie; nierozważnie
irretrievably [iri'tri:vəbli] *adv* bezpowrotnie (stracony); niepowetowanie; w sposób nie do naprawienia
irreverently [i'revərəntli] *adv* bez należytego szacunku; lekceważąco; uchybiająco
↑ **irreversible** 3. *chem fiz* nieodwracalny
irreversibly [iri'və:sibli], **irrevocably** [i'revəkəbli] *adv* 1. nieodwołalnie 2. nieodwracalnie
↑ **irrevocable** *adj* 2. nieodwracalny
irritably ['iritəbli] *adv* gniewliwie; drażliwie; popędliwie
irritating [iri'teitiŋ] I *zob* **irritate²** *vt* II *adj* irytujący; drażniący
irritatingly [iri'teitiŋli] *adv* irytująco; w irytujący sposób; drażniąco
isalobars [ai'sæləba:z] *spl meteor* izalobary
isarithm ['aisə,riðəm] *s meteor* izarytma
ischium ['iskiəm] *s anat* kość kulszowa
isentropic [aisən'trɔpik] *s meteor* izentropa
ishikawaite ['iʃikəwait] *s miner* iszikawait
isochor ['aisəkɔ:] *s fiz* izochora
isochromat [aisəu'krəumæt] *s fiz* izochromata
isochrone ['aisəkrəun] *s meteor* izochrona
isocytic [aisəu'sitik] *adj biol* złożony z jednakowych komórek
isoelectric [,aisəu-i'lektrik] *attr elektr* ~ **point** punkt izoelektryczny
isogamete ['aisəugəmi:t] *s biol* izogameta
isogenetic [,aisəudʒi'netik] *adj biol* izogenetyczny
isogenous [ai'sɔdʒinəs] *adj biol* izogeniczny
isohyet [,aisəu'haiət] *s meteor* izohieta
↑ **isolating** III *attr* ... *biol* ~ **mechanism** mechanizm izolacji
isosteric [aisə'sterik] *s meteor* izostera
isotonic [,aisə'tɔnik] *adj chem* (*o roztworze*) izotoniczny
↑ **isotope** III *attr* izotopowy; ~ **shift** przesunięcie izotopowe; ~ **group** ⟨**separation**⟩ plejada ⟨rozdzielanie⟩ izotopów
isotopic [aisəu'tɔpik] *adj* izotopowy; ~ **abundance** częstość występowania izotopu; zawartość izotopu
isotopy [ai'sɔtəpi] *s chem* izotopia
isotron ['aisətrɔn] *s nukl* (*także* ~ **separator**) izotron
Israeli [iz'reili] I *s* Izrael-czyk/ka II *adj* izraelski
istle ['istli] *s* włókno różnych drzew tropikalnych używane do wyrobu worków, dywanów itp.
itacolumite [aitə'kɔljumait] *s miner* piaskowiec plastyczny, itakolumit
↑ **itch** III *attr zool* ~ **mite** (*Sarcoptes scabiei*) świerzbowiec ludzki
iterated ['itəreitid] I *zob* **iterate** *vt* II *adj nukl* iterowany
↑ **iteration** *s* ... *nukl* ~ **method** metoda iteracji
ithyphallic [iθi'fælik] *adj* 1. *rel* falliczny 2. sprośny
↑ **ivory** III *attr* ... *zool* ~ **gull** (*Pagophila eburnea*) biała mewa arktyczna; *bot* ~ **nut** nasienie palmy północnoamerykańskiej *Phytelephas macrocarpa*
Ivrit ['ivrit] *s jęz* współczesny język hebrajski
↑ **ivy** III *attr bot* ~ **vine** pnącze amerykańskie *Ampelopsis cordata*
ixia ['iksiə] *s bot* kosaćcowata roślina południowoafrykańska *Ixia*

J

jaafu ['dʒa:fu], **jacfu** ['dʒækfu] *adj sl wojsk* zabałaganiony
↑ **jack¹** I *s* 1. ... **Jack tar** marynarz; **Jack the Ripper** Kuba Rozpruwacz IV *attr* ~ **light** latarka; ~ **rabbit** duży królik amerykański
↑ **jacket** I *s* 9. *nukl* koszulka
jackstone ['dʒækstəun] *s* kulka do gier chłopięcych
jackstraw ['dʒækstrɔ:] *s* 1. kukła 2. człowieczyna 3. (*gra*) bierki 4. bierka
jade² [dʒeid] *s miner* 1. jadeit, żadeit 2. nefryt
jade-green ['dʒeidgri:n] *adj* koloru nefrytu
jaeger ['jeigə] *s* 1. *zool* (*Stercorarius parasiticus*) wydrzyk pasożytny 2. *wojsk* strzelec

jalapin ['dʒæləpin] *s* jalapina (żywica)
jam[4] [dʒæm] [I] *vi* improwizować (w muzyce jazzowej) [III] *attr* ~ **session** jam session (koncert improwizowanej muzyki jazzowej)
jampack ['dʒæmpæk] *vt* stłoczyć; zatłoczyć; upchać
janfu ['dʒænfu] *adj sl wojsk* zabałaganiony
Japanazi [dʒæpə'nɑ:zi] *adj* japońsko-nazistowski
↑ **Japanese** [I] *adj* ... *zool* ~ **beetle** (*Popillia japonica*) popilia japońska; *bot* ~ **persimmon** (*Diospyros Kaki*) hurma japońska; ~ **ivy** (*Parthenocissus tricuspidata*) dzikie wino japońskie
japonica [dʒə'pɔnikə] *s bot* 1. (*Camellia japonica*) kamelia 2. (*Chaenomeles lagenaria*) pigwa japońska
jarosite ['dʒærəsait] *s miner* jarozyt, jarosyt
Java ['dʒɑ:və] *spr attr zool* ~ **sparrow** (*Munia oryzivora*) ryżojad
Javelin ['dʒævlin] *s lotn* brytyjski myśliwiec odrzutowy ze skrzydłem delta, kierowany radarem
Javelle [ʒə'vel] *spr attr chem* ~ **water** woda Javelle
Jayhawker ['dʒeihɔ:kə] *s am sl* rabujący maruder z czasów wojny domowej
jaypee ['dʒeipi:] *s* odrzutowiec
↑ **jazz** [III] *attr* ... ~ **band** orkiestra jazzowa
jealously ['dʒeləsli] *adv* zazdrośnie; z zazdrością
↑ **jeep** [I] *s* 2. mały samolot zwiadowczy 3. *wojsk* poborowy [III] *vi* jechać dżipem
jeepmobile [ˌdʒi:pməu'bi:l] *s wojsk* ruchoma biblioteka wojskowa
Jehova [dʒi'həuvə] *spr rel* Jehowa, Jahwe; ~**'s Witnesses** świadkowie Jehowy
jell [dʒel] *vi* galaretowacieć
jellify ['dʒelifai] [I] *vt* doprowadzić do stanu galaretowatego [III] *vi* galaretowacieć
↑ **jerk**[1] [I] *s* 3. *am* (*także* **soda** ~) człowiek obsługujący syfon z wodą sodową 4. oferma 5. *pl* ~**s** (*także* **physical** ~**s**) ćwiczenia gimnastyczne
~ **off** *vi* (*także vr* ~ **oneself off**) *wulg* rżnąć ⟨trzepać⟩ kapucyna
jerker ['dʒə:kə] *s* = **jerk** *s* 3. ↑
↑ **jet**[2] [III] *attr* ... ~ **propulsion** napęd odrzutowy; ~ **diffuser** dyfuzor strumieniowy; ~ **pump** inżektor
jet-propulsion ['dʒetprə'pʌlʃən] *attr lotn* ~ **motor** silnik odrzutowy przelotowy
↑ **jetty**[1] *adj* 2. gagatowy
Jew-baiting ['dʒu:ˌbeitiŋ] *s* nagonka na Żydów
jewelweed ['dʒu:əlwi:d] *s bot* (*Impatiens*) amerykańska odmiana niecierpka
jewfish ['dʒu:fiʃ] *s zool* nazwa kilku wielkich ryb morskich z rodziny *Serranidae*
Jew's-pitch, Jews'-pitch [dʒu:z'pitʃ] *s* 1. asfalt 2. malta
↑ **jig** [I] *s* 2. *techn* ... płuczka osadowa [IV] *attr* wstrząsowy; *techn* ~ **table** osadzarka wstrząsowa
↑ **jigger**[1] *s* 8. kieliszek używany jako miarka przy sporządzaniu koktailów
jinni ['dʒi:ni] *s mitol* dżin
jittery ['dʒitəri] *adj sl* 1. stremowany 2. zdenerwowany; roztrzęsiony
jive [dʒaiv] [I] *s* 1. *sl* puste gadanie; mowa-trawa 2. *sl* żargon (zwłaszcza narkomanów) 3. muzyka hot-jazz 4. taniec w stylu hot-jazz [III] *vi* 1. *sl* gadać bzdury 2. z zapałem tańczyć w stylu hot-jazz [III] *vt* 1. *sl* naciągać (ludzi) 2. *sl* kpić (**sb** z kogoś) 3. *muz* grać w stylu hot-jazz
↑ **job**[1] [I] *s* 6. *pot* okaz (czegokolwiek) 7. *pot* facetka
jobholder ['dʒɔbhəuldə] *s* 1. stały pracownik 2. *am* urzędnik państwowy
Job's-tears ['dʒəubzˌtiəz] *spl* 1. nasiona trawy azjatyckiej *Coix Lachryma-Jobi* (używane jako korale) 2. *bot* trawa *Coix Lachryma-Jobi*
jock [dʒɔk] *s* (*także* ~ **strap**) suspensorium (dla sportowców i atletów)
jocundly ['dʒɔkʌndli] *adv* wesoło; pogodnie
joe-pye ['dʒəupai] *attr bot* ~ **weed** nazwa dwóch amerykańskich traw sadźcowych: *Eupatorium purpureum* i *Eupatorium maculatum*
johannite ['dʒɔənait] *s miner* johanit
↑ **John** *spr* ... *am pot* ~ **Hancock** ['hæŋkɔk] podpis (od nazwiska posła, który figuruje jako pierwszy na Deklaracji Niepodległości Stanów Zjednoczonych)
johnny-cake ['dʒɔnikeik] *s* chleb kukurydziany
↑ **jointer** *s* 3. *roln* przedpłużek
joint-ill ['dʒɔint'il] *s wet* kulawka źrebiąt
jointly ['dʒɔintli] *adv* wspólnie
jointweed ['dʒɔintwi:d] *s* amerykańska trawa *Polygonella articulata*
jointworm ['dʒɔintwə:m] *s* larwa niektórych owadów z rodziny *Eurytomidae* (szkodnik zbożowy)
↑ **joking** [IV] *attr* (*u plemion pierwotnych*) ~ **relationship** zwyczaj pozwalający na daleko idącą swobodę z ludźmi, z którymi się jest w pewnym stosunku pokrewieństwa
↑ **joule** [III] *attr* **Joule heating** nagrzewanie ciepłem Joule'a; **Joule loss** strata z ciepła Joule'a
journalistic [ˌdʒə:nə'listik] *adj* dziennikarski
journalistically [ˌdʒə:nə'listikəli] *adv* po dziennikarsku
jovially ['dʒəuvjəli] *adv* jowialnie
joyfully ['dʒɔifuli] *adv* 1. radośnie; z radością 2. szczęśliwie
joylessly ['dʒɔilisli] *adv* smutno; ze smutkiem
joyously ['dʒɔiəsli] *adv* = **joyfully**

jubilantly [ˈdʒu:bilәntli] *adv* triumfująco; unosząc się radością; w radosnym uniesieniu
judder [ˈdʒʌdә] *s lotn* trzęsienie (samolotu na dużej wysokości)
Judean [dʒu:ˈdi:әn] *adj* judejski
↑ **judicial** *adj* 2. ... bezstronny
judicially [dʒu:ˈdiʃәli] *adv* 1. sądownie; prawnie 2. po sędziowsku 3. bezstronnie; sprawiedliwie 4. rozsądnie
judiciously [dʒu:ˈdiʃәsli] *adv* rozsądnie; rozumnie
judo [ˈdʒu:dәu] *s sport* dżudo
jugged [dʒʌgd] *adj* (*o potrawie*) duszony; ~ **hare** potrawka z zająca
juglandaceous [dʒu:glænˈdeiʃәs] *adj bot* orzechowaty
juicily [ˈdʒu:sili] *adv* 1. soczyście 2. (*opowiadać itd.*) barwnie
juke [dʒu:k] *attr am* ~ **joint** spelunka
↑ **jump** IV *attr* (*o utworze muzycznym, melodii itd.*) skoczny || *wojsk* ~ **area** obszar desantowy za linią frontu; *karc* ~ **bid** licytacja forsująca; *pot* forsing
↑ **jumping-off** *attr* ... ~ **place** b) *am* tam, gdzie diabeł mówi dobranoc; koniec świata
↑ **jungle** III *attr zool* ~ **hen** (*Gallus*) kura bankiwa
↑ **junior** I *adj* ... *am* ~ **college** uczelnia obejmująca zakres pierwszego lub pierwszych dwóch lat studiów uniwersyteckich; **Junior League** liga kobiet poświęcających się pracy społecznej
↑ **juridical** *adj* ... ~ **days** dnie sesji sądowych
juridically [dʒuˈridikәli] *adv* jurydycznie; prawniczo; prawnie; sądownie
juristically [dʒuˈristikәli] *adv* prawnie
jury-rigged [ˈdʒuәri͵rigd] *adj mar* (*o statku*) tymczasowo otaklowany
justifiably [dʒʌstiˈfaiәbli] *adv* w sposób dający się usprawiedliwić ⟨uzasadnić⟩; słusznie; zrozumiale
justly [ˈdʒʌstli] *adv* 1. sprawiedliwie; rzetelnie 2. zasłużenie; słusznie

K

↑ **K, k** III *attr chem* **K acid** kwas K; *wojsk* **K ration** wysokokaloryczna racja żywnościowa żołnierza
kabob [kәˈbɔb] *s* 1. mięso z ostrą przyprawą przypiekane na szpikulcu 2. (*w Indiach*) pieczeń
↑ **Kaffir** *s* 3. *bot* ziarno sorga *Sorghum vulgare*
kaka [ˈkɑ:kә] *s zool* (*Nestor meridionalis*) papuga Kaka
kaleidoscopically [kә͵laidәˈskɔpikәli] *adv* kalejdoskopowo; jak w kalejdoskopie
kaliph [ˈkeilif] *s* kalif
kalsomine [ˈkælsәmain] *s* farba klejowa
kamala [kәˈmeilә, ˈkæmilә] *s farm* kamala
kamikaze [kɑ:miˈkɑ:zi] *s* japoński pilot samobójca
kamseen [ˈkæmsi:n] *s* = **khamsin**
↑ **kangaroo** III *attr zool* ~ **rat** gryzoń skaczący z rodziny *Heteromyidae* z rodzaju *Dipodomys*
Kantianism [ˈkæntiәnizәm], **Kantism** [ˈkæntizәm] *s* filozofia Kantowska
kaput [kәˈpu:t] *adj praed sl* kaput; **the machine is** ~ maszyna wysiadła ⟨nawaliła⟩
karakul [ˈkærәkәl] *s* 1. karakuł 2. *pl* ~**s** karakuły; futro karakułowe
karma [ˈkɑ:mә] *s rel filoz* karma
karyokinesis [͵kæriәukiˈni:sis] *s biol* kariokineza
karyokinetic [͵kæriәukiˈnetik] *adj biol* kariokinetyczny
karyologic(al) [kæriәuˈlɔdʒik(әl)] *s biol* kariologiczny
karyology [kæriˈɔlәdʒi] *s biol* kariologia
karyolymph [ˈkæriәu͵limf] *s biol* kariolimfa
karyomitosis [͵kæriәumaiˈtәusis] *s biol* kariomitoza
karyoplasm [ˈkæriәu͵plæzәm] *s biol* karioplazma
karyotin [kæriˈәutin] *s biol* kariotyna
kasolite [ˈkæsәlait] *s miner* kazolit
katabatic [kætәˈbætik] *adj* katabatyczny
katafront [ˈkætә͵frɔnt] *s meteor* powierzchnia ześlizgu
kathode [ˈkæθәud] *s fiz* katoda
kation [ˈkætaiәn] *s fiz* kation, jon dodatni
katydid [ˈkeitidid] *s zool* amerykański konik polny z rodziny *Tettigoniidae*
katyusha [kәˈtju:ʃә] *s wojsk* katiusza
keenly [ˈki:nli] *adv* 1. (*ciąć itd.*) ostro 2. (*mówiąc o zimnie, wietrze*) przejmująco; przenikliwie 3. (*brzmieć itd.*) ostro; przeszywająco; przeraźliwie 4. (*mówiąc o powietrzu*) orzeźwiająco; rześko 5. (*boleć itd.*) ostro; kłująco; dotkliwie; przeszywająco 6. (*cieszyć itd.*) żywo; wielce 7. (*żałować itd.*) głęboko; serdecznie 8. (*krytykować itd.*) ostro; uszczypliwie; zjadliwie 9. (*pragnąć itd.*) gorąco 10. (*interesować się*) żywo; głęboko; prawdziwie 11. (*oddawać się czemuś*) gorliwie; namiętnie; z zapałem 12. (*patrzeć itd.*) bystro; przenikliwie 13. (*słyszeć itd.*) wrażliwie; czule 14. (*pojmować itd.*) bystro 15. (*wypowiadać się*) cięto; ostro 16. (*świecić itd.*) ostro; silnie 17. (*jeść itd.*) z apetytem; smacznie 18. (*wal-

czyć itd.) zawzięcie; zaciekle 19. (*cenić itd.*) nisko
k-electron [keii'lektrɔn] *attr nukl* ~ **capture** wychwyt elektronu K
keloid ['ki:lɔid] *s med* keloid, bliznowiec
kendir, kendyr ['kendiə] *s* łyko rośliny toinowatej *Apocynum venetum* używanej do wyrobu lin itp.
↑ **kernel** *s* 3. *mat* jądro (całkowe); funkcja wpływu
kernite ['kə:nait] *s miner* kernit
ketene ['ki:ti:n] *s chem* keten, karbometylen
keto ['ki:təu] *attr chem* ~ **form** odmiana ketonowa
keto-enol ['ki:təu'i:nɔl] *attr chem* ketonowo-enolowy; ~ **equilibrium** równowaga ketonowo-enolowa; ~ **tautomerism** izomeria ketonowo-enolowa
ketose ['ki:təus] *s chem* ketoza
ketosis [ki'təusis] *s med* acetonemia
kewpie ['kju:pai] *s* laleczka
key[1] [I] *s* 10. *techn* przełącznik [III] *attr* ... podstawowy; *bot* ~ **fruit** skrzydlak; *nukl* ~ **substance** substancja podstawowa
khamsin ['kæmsin] *s meteor* samum
kibbutz [ki'bu:ts] *s* (*w Izraelu*) kibuc
kibei [ki:'bei] *s* osobnik pochodzenia japońskiego urodzony w Stanach Zjednoczonych i wychowany w Japonii
kibitz(er) ['kibits(ə)] *s pot* 1. kibic (przy kartach) 2. nieproszony doradca
↑ **kick**[1]
~ **back** *vi* ... 2. ostro za/reagować 3. odpłacić (się) za wyświadczoną przysługę itd.
kick[3] [kik] *s sl* fioł; bzik
kickback ['kikbæk] *s* 1. ostra reakcja 2. przywłaszczanie sobie przez majstra części zarobku podwładnych
kidvid ['kidvid] *s am sl tv* program dla dzieci
↑ **kier** *s* ... *techn* (*także* ~ **boiler**) kocioł warzelny
kieselguhr ['ki:zlguə] *s miner* ziemia okrzemkowa
killdeer ['kildiə] *s zool* (*Charadrius vociferus*) siewka amerykańska
↑ **killer** [III] *attr mar* ~ **submarine** pościgowa łódź podwodna
killifish ['kilifiʃ] *s zool* nazwa kilku rybek z rodzaju *Fundulus*
kilocalorie [,kilə'kæləri] *s fiz* kilokaloria
kilowatt-hour ['kiləwɔt,auə] *s fiz* kilowatogodzina
kin(a)esthesia [kines'θi:ziə] *s med* kinestezja
kind-heartedly [kaind'hɑ:tidli] *adv* dobrotliwie; życzliwie
kinescope ['kiniskəup] *s tv* kineskop
kinesthesia *zob* **kinaesthesia** ↑
↑ **kinetic** *adj* 2. (*o człowieku*) pełen energii; rzutki
king-size ['kiŋsaiz] *adj* 1. (*o opakowaniu towaru*) większy (niż normalny) 2. *sl* cholerny
↑ **kink** [I] *s* 4. *nukl* wygięcie; zgięcie; kolano [IV] *attr nukl* ~ **instability** niestabilność zgięciowa
↑ **kit**[1] [I] *s* 6. *dzien* konspekt; scenariusz (imprezy itd.)
↑ **kitchen** [III] *attr* ... ~ **unit** zestaw urządzeń kuchennych; *am pot* ~ **cabinet** nieoficjalni doradcy prezydenta Stanów Zjednoczonych ⟨gubernatora⟩
kittenishly ['kitniʃli] *adv* zalotnie; figlarnie; swawolnie
klendusity [klen'dju:siti] *s bot* odporność
klipspringer ['klipspriŋə] *s zool* (*Oreotragus oreotragus*) mała antylopa afrykańska
klister ['klistə] *s* klister (smar do nart)
klystron ['klaistrɔn] *s fiz* klistron
knee-sprung ['ni:sprʌŋ] *adj* (*o nogach konia*) zerwane
knurled [nə:ld], **knurly** ['nə:li] *adj* 1. *techn* moletowany 2. guzowaty

L

labdanum ['læbdənəm], **ladanum** ['lædənəm] [I] *s* żywica ladanum; gumożywica z różnych gatunków krzewu *Cistus* [III] *attr* ~ **oil** olejek z gumożywicy krzewu *Cistus ladaniferus*
↑ **label** *s* 4. (*w słowniku*) kwalifikator
labelled ['leibəld] *adj nukl* (*o związku itd.*) znaczony
labia *zob* **labium**
labile ['leibil] *adj* labilny; nietrwały
labiovelar [,leibiəu'vi:lə] *adj fonet* labiowelarny
labor ['leibə] *s am* = **labour; Labor Day** święto pracy ⟨mas pracujących⟩ (pierwszy poniedziałek września)
↑ **laboratory** [lə'bɔrətəri, *am* 'læbərətɔ:ri] [III] *attr* laboratoryjny; ~ **apparatus** przyrząd laboratoryjny; ~ **work** praca laboratoryjna
labored ['leibəd] *s am* = **laboured**
laborer ['leibərə] *s am* = **labourer**
laboriously [lə'bɔ:riəsli] *adv* 1. pracowicie 2. żmudnie; mozolnie
↑ **labour** [III] *attr* 2. ... **Labour Party** Partia Pracy (w Wielkiej Brytanii)
labradorite ['læbrədɔrait] *s miner* labrador
labret ['leibret] *s* (*u plemion pierwotnych*) muszla ⟨kość itd.⟩ przyczepiona do wargi jako ozdoba

↑ **lac**[1] ◻ *attr zool* ~ **insect** pluskwiak wydzielający szelak
laccolith [ˈlækəliθ] *s miner* lakolit
lace-making [leisˈmeikiŋ] *s* koronkarstwo
lachrymose [ˈlækriməus] *adj* 1. zapłakany 2. płaczliwy 3. łzawy
lacily [ˈleisili] *adv* koronkowo
lactam [ˈlæktæm] *s biochem* laktam
lactase [ˈlækteis] *s chem* laktaza
lacteous [ˈlæktiəs] *adj* mlecznobiały
lactoflavin [ˌlæktəuˈfleivin] *s biochem* laktoflawina, ryboflawina, witamina B_2
ladanum *zob* **labdanum** ↑
Ladino [lɑ:ˈdi:nəu] *attr bot* ~ **clover** (*Trifolium repens*) odmiana koniczyny białej
↑ **lady** *s* 3. ... *bot* **~'s slipper** (*Cypripedium*) obuwik
ladyfinger [ˈleidifiŋgə] *s* biszkopcik
lam[2] [læm] *sl* ◻ *s* zwianie, zwiewanie ◻ *vi* zwiewać
Lamarckism [ləˈmɑ:kizəm] *s biol* lamarkizm
lambertite [ˈlæmbətait] *s miner* lambertyt
↑ **lame** ◻ *adj* 1. ... *przen* ~ **duck** ofiara losu
lamellirostral [ləmeliˈrɔstrəl] *adj zool* blaszkodzioby
lamely [ˈleimli] *adv* kulawo
lamentably [ˈlæməntəbli] *adv* opłakanie; żałośnie
↑ **laminar** *adj* ... laminarny; ~ **flow** a) przepływ uwarstwiony b) *nukl* przepływ spokojny; przepływ laminarny
laminated [ˈlæmineitid] ◻ *zob* **laminate** *v* ◻ *adj* warstwowy; ~ **plastic** laminat; tworzywo sztuczne warstwowane; ~ **wood** drewno warstwowe
laminitis [læmiˈnaitis] *s wet* ochwat
laminography [læmiˈnɔgrəfi] *s med* rentgenografia warstwowa
lamplighter [ˈlæmpˌlaitə] *s lotn* samolot używany do oświetlania terenu podczas działań nocnych
lanac [ˈlænək] *s lotn* urządzenie radarowe ułatwiające lądowanie samolotu
lanate [ˈleineit] *adj* wełnisty
↑ **landing** ◻ *attr* desantowy; *wojsk* ~ **craft** statek przeznaczony do działań desantowych; ~ **ramp** pochylnia wyładowcza (statku desantowego)
landless [ˈlændlis] *adj* bezrolny
langlauf [ˈlɑ:ŋgləuf] *s sport* narciarski bieg terenowy
languidly [ˈlæŋguidli] *adv* 1. omdlewająco; ospale; ociężale; (*mówić itd.*) powoli 2. (*patrzeć*) tęsknie
languishing [ˈlæŋguiʃiŋ] ◻ *zob* **languish** *vi* ◻ *adj* omdlewający
languishingly [ˈlæŋguiʃiŋli] *adv* omdlewająco
languorously [ˈlæŋgərəsli] *adv* 1. ociężale; powoli 2. tęsknie
lanital [ˈlænitəl] *s* (*sztuczne włókno*) lanital
lankily [ˈlæŋkili] *adv* chudo; mizernie
lantana [lænˈteinə] *s bot* roślina werbenowata z rodzaju *Lantana*
lanthanide [ˈlænθənaid] *s chem* lantanowiec
lanthanite [ˈlænθənait] *s miner* lantanit
↑ **lap**[1] ◻ *attr* nakładany; *bud* zakładkowy; ~ **joint** połączenie zakładkowe; ~ **dovetail** połączenie na wczepy || ~ **robe** koc ⟨okrycie⟩ na kolana (w powozie)
laparocele [læpərɔˈsi:l] *s med* przepuklina brzuszna
laparotomy [læpəˈrɔtəmi] *s med* otwarcie jamy brzusznej
lapidification [ˌlæpidifiˈkeiʃən] *s* s/kamienienie
↑ **lapidify** ◻ *vi* s/kamienieć
lapilli [ləˈpili] *spl geol* lapilli
Laplace [ləˈplɑ:s] *spr attr nukl* ~ **transform** przekształcenie Laplace'a
laplacian [ləˈpleisjən] *adj* Laplace'a; *mat* ~ **operator** operator Laplace'a; laplasjan
lardon [ˈlɑ:dɔn], **lardoon** [lɑ:ˈdu:n] *s* pas słoniny do szpikowania
↑ **large** ◻ *adj* ... *anat* ~ **bowel** ⟨**intestine**⟩ jelito grube; *fiz* ~ **calorie** duża kaloria; *ogr* ~ **fruits** owoce ziarnkowe i pestkowe; *roln* ~ **grains** zboże o wysokiej łodydze (kukurydza, sorgo)
large-scale [ˈlɑ:dʒˌskeil] *adj* (*o mapie*) w dużej skali; (*o projekcie itd.*) na dużą ⟨wielką⟩ skalę; *ekon* w skali przemysłowej; na skalę przemysłową
larine [ˈlærin] *adj zool* mewi
larvicide [ˈlɑ:visaid] *s* środek larwobójczy
lasciviously [ləˈsiviəsli] *adv* lubieżnie; zmysłowo; pożądliwie
lash[2] [læʃ] *s techn* luz; **back** ~ luz międzyzębny (w przekładni zębatej); **valve** ~ luz zaworowy (w silniku spalinowym)
lastingly [ˈlɑ:stiŋli] *adv* trwale; stale
latchstring [ˈlætʃstriŋ] *s* sznurek do otwierania (wiejskiego) zamka dźwigienkowego
latescent [ləˈtesənt] *adj* zanikający
laticiferous [lætiˈsifərəs] *adj bot* mleczny; wydzielający mleko
latitudinal [lætiˈtju:dinəl] *adj geogr* szerokościowy; szerokości geograficznej
↑ **lattice** ◻ *s* 3. *nukl* sieć (krystaliczna); siatka (rdzenia reaktora) ◻ *attr nukl* sieciowy; siatkowy; ~ **arrangement** ⟨**cell**⟩ struktura ⟨komórka⟩ sieci ⟨siatki⟩; ~ **parameter** stała sieciowa; ~ **reactor** reaktor o rdzeniu siatkowym
laudably [ˈlɔ:dəbli] *adv* 1. chwalebnie 2. *med* zdrowo; normalnie
laughably [ˈlɑ:fəbli] *adv* zabawnie; śmiesznie
laughingly [ˈlɑ:fiŋli] *adv* śmiejąc się; ze śmiechem; **to say sth** ~ powiedzieć coś żartem
launcher [ˈlɔ:ntʃə] *s wojsk* wyrzutnia (ra-

kiet itd.); **zero length ~** wyrzutnia bezszynowa
laundrywoman ['lɔ:ndri,wumən] *s* (*pl* **laundrywomen** ['lɔ:ndri,wimin]) praczka
lauraceous [lɔ:'reiʃəs] *adj bot* wawrzynowaty
lavishly ['læviʃli] *adv* 1. hojnie; rozrzutnie 2. suto; bogato; obficie
lawfully ['lɔ:fuli] *adv* 1. legalnie; prawnie; prawowicie 2. sprawiedliwie; słusznie 3. ślubnie (urodzony)
lawlessly ['lɔ:lisli] *adv* 1. bezprawnie; anarchicznie 2. samowolnie 3. rozwiąźle; rozpustnie
Law-merchant [lɔ:'mə:tʃənt] *s* prawo handlowe
laxation [læk'seiʃən] *s* 1. *med* rozwolnienie 2. rozluźnienie 3. *farm* środek rozwalniający ⟨przeczyszczający⟩
↑ **layer** [IV] *attr* warstwowy; **~ structure** struktura warstwowa
layerage ['leiəridʒ] *s ogr* rozmnażanie roślin metodą odkładów
layering ['leiəriŋ] [I] *zob* **layer** *v* [III] *s* = **layerage** ↑
↑ **lay-out** *s* 4. *druk* makieta
laywoman ['leiwumən] *s* (*pl* **laywomen** ['leiwimin]) kobieta świecka
lazili ['leizili] *adv* leniwie; próżniaczo
↑ **lazy** *adj* ... *wojsk* **~ dog** mała torpeda zrzucana w wielkich ilościach z samolotu; *techn* **~ tongs** złożony mechanizm równoległowodowy
↑ **leach** [I] *vt* 2. *roln* wypłukiwać; wymywać
↑ **lead¹** [III] *attr* ... *chem* ołowiawy; **~ rubber** guma ołowiowa; *chem* **~ arsenate** arsenian ołowiu; **~ monoxide ⟨sulphate, sulphide⟩** tlenek ⟨siarczan, siarczek⟩ ołowiawy; *nukl* **~ equivalent** równoważnik ołowiu
leadsman ['ledzmən] *s* (*pl* **leadsmen** ['ledzmən]) *mar* marynarz sondujący sondą ręczną
leady ['ledi] *adj* ołowiany; jak ołów
↑ **leaf** [I] *s* 1. ... *lotn* **"falling ~"** padanie liściem 9. warstwa tłuszczu otaczająca nerki wieprza; **~ fat** sadło [III] *attr* 1. liści; **~ fall** opadanie liści 2. płytkowy; **~ spring** sprężyna wielopłytkowa; resor
leafing ['li:fiŋ] *s techn* płatkowanie
↑ **leak** [I] *s* 4. *nukl* ucieczka; upływ [III] *attr nukl* **~ detector ⟨testing⟩** detektor ⟨badanie⟩ nieszczelności
↑ **leakage** [III] *attr elektr* (*o prądzie*) upływowy; *nukl* **~ detector** detektor ucieczki; **~ radiation** promieniowanie upływowe
leakproof ['li:kpru:f] *adj* szczelny; wykluczający przeciekanie ⟨ucieczkę gazu⟩
leatheroid ['leðərɔid] *s* sztuczna skóra
lecherously ['letʃərəsli] *adv* lubieżnie; rozpustnie
↑ **legal** *adj* 1. ... **~ separation** separacja
legalism ['li:gəlizəm] *s* legalizm
legally ['li:gəli] *adv* 1. prawnie 2. prawniczo 3. ustawowo 4. legalnie
legislatively ['ledʒislətivli] *adv* ustawodawczo; prawodawczo
legitimately [li'dʒitimitli] *adv* 1. ślubnie; prawowicie 2. słusznie
lemma² ['lemə] *s bot* plewka dolna
↑ **length** [I] *s* 2. ... *nukl* **~ of exposure** czas napromienienia [III] *attr nukl* **~ method** metoda długości
leniently ['li:njəntli] *adv* wyrozumiale; łagodnie
lenticel ['lentisel] *s bot* przetchlinka
leopardine ['lepədi:n] *s* futro z królików imitujące futro lamparcie
leotard ['li:ɔta:d] *s* trykot bez rękawów
lepidopterous [lepi'dɔptərəs] *adj zool* łuskoskrzydły
lepidosiren [,lepidɔ'sairən] *s zool* (*Lepidosiren paradoxa*) prapłaziec
↑ **let-down** *s* 2. osłabienie
↑ **lethal** *adj* 1. ... **~ factor** współczynnik śmiertelności
lethargically [le'θa:dʒikəli] *adv* 1. letargicznie 2. ospale
letoff [let'ɔf] *s* 1. *pot* upust (radości itd.) 2. *techn* spust; zwalniacz
leucine ['lju:sin] *s biochem* leucyna
leucite ['lju:sait] *s miner* leucyt
leucocytosis [lju:kəusi'təusis] *s med* leukocytoza
leucopenia [,lju:kɔ'pi:njə] *s med* leukopenia
leucoplast ['lju:kɔpla:st] *s bot* leukoplast
↑ **level** [III] *adj* 4. *sl* na poziomie; szczery; uczciwy [V] *vi* mówić prawdę
Levitical [li'vitikl] *adj* lewicki; lewitów
levogyrate ['li:və'dʒaiərit], **levogyrous** ['livə'dʒaiərəs] *adj* = **laevogyrate, laevogyrous**
levorotatory ['li:vərəu'teitəri] *adj* = **laevorotatory**
lewdly ['lu:dli] *adv* 1. lubieżnie; zmysłowo; pożądliwie 2. sprośnie
libeler ['laibələ] *s am* = **libeller**
libellously, *am* **libelously** ['laibələsli] *adv* oszczerczo
libelous ['laibləs] *adj am* = **libellous**
liberally ['libərəli] *adv* 1. liberalnie 2. tolerancyjnie 3. hojnie; szczodrze 4. obficie 5. korzystnie
↑ **liberation** *s* 3. *polit* wyzwolenie; oswobodzenie
liberee [libə'ri:] *s* oswobodzony jeniec wojenny
libertinism ['libətinizəm] *s* 1. libertynizm 2. rozpusta; rozwiązłość
↑ **liberty** [III] *attr* **~ ship** amerykański statek towarowy produkowany masowo podczas II wojny światowej
libidinously [li'bidinəsli] *adv* lubieżnie; zmysłowo
libriform ['librifɔ:m] *adj bot* łykowaty
lice² [lais] *s wojsk sl* okręt desantowy do transportu piechoty

licentiously [lai'senʃəsli] *adv* rozwiąźle; rozpasanie; wyuzdanie; rozpustnie
lichenology [laiki'nɔlədʒi] *s bot* lichenologia
licitly ['lisitli] *adv* legalnie
↑ **lick** Ⅲ *s* 5. *muz* wstawka improwizowana
licking ['likiŋ] Ⅰ *zob* **lick** *vt* Ⅲ *s* 1. liźnięcie; po/lizanie 2. *pot* lanie; cięgi
↑ **lid** *s* 4. *sl wojsk* radiooperator
↑ **lie** Ⅳ *attr* ~ **detector** wykrywacz nieprawdomówności
lientery [lai'entəri] *s med* biegunka wykazująca dużą zawartość niestrawionych części pokarmu
↑ **life** Ⅲ *attr* 6. życiowy; ~ **cycle** ⟨**history**⟩ cykl życiowy; cykl rozwoju; ~ **expectancy** a) przeciętna długość życia b) *nukl* przewidywany czas życia; ~ **sketch** życiorys; ~ **span** trwanie życia (zwierzęcia, rośliny); żywot
lifeline ['laiflain] *s wojsk* linia komunikacyjna o kluczowym znaczeniu
↑ **lifetime** *s* ... *nukl* ~ **of excited state** czas trwania stanu wzbudzenia
↑ **light**[1] Ⅲ *attr* ... *fiz* ~ **quantum** kwant światła; foton
↑ **light**[3] Ⅰ *adj* 1. ... *nukl* ~ **water** woda zwykła ⟨lekka⟩
lighter-than-air ['laitə-ðən'εə] *adj* lżejszy od powietrza
light-face ['lait,feis] *s druk* pismo jasne
light-faced ['lait,feist] *attr* ~ **type** = **light-face** ↑
light-headedly [lait'hedidli] *adv* 1. lekkomyślnie 2. w roztargnieniu
light-heartedly [lait'hɑ:tidli] *adv* niefrasobliwie; beztrosko
light-heavyweight ['lait,heviweit] *sport* Ⅰ *adj* wagi półciężkiej Ⅲ *s* waga półciężka
light-horseman ['lait,hɔ:smən] *s* (*pl* **light-horsemen** ['lait,hɔ:smən]) *wojsk* żołnierz lekkiej kawalerii
lightless ['laitlis] *adj* 1. nieoświetlony 2. nie świecący
light-mindedly [lait'maindidli] *adv* 1. lekkomyślnie 2. w roztargnieniu; z roztargnieniem
lightsomely ['laitsəmli] *adv* 1. lekko 2. zwinnie 3. niefrasobliwie 4. wesoło 5. swawolnie; lekkomyślnie; płocho
light-struck ['lait,strʌk] *adj fot* prześwietlony
lightwood ['laitwud] *s* 1. drewno na podpałkę 2. żywiczne drewno sosnowe
Lima ['limə] *spr attr* ~ **bean** odmiana fasoli
limacine ['liməsain, 'laiməsain] *adj* ślimaczy
limberly ['limbəli] *adv* giętko; gibko; zwinnie
limbus ['limbəs] *s* brzeg; obrzeżenie
lime-burning ['laim,bə:niŋ] *s* wypalanie wapna
liminal ['liminl] *adj psych* graniczny; odnoszący się do progu świadomości
limitative ['limitətiv] *adj* ograniczający; rozstrzygający
limiting ['limitiŋ] Ⅰ *zob* **limit** *vt* Ⅲ *adj gram* (*o przymiotniku*) ograniczający
limnology [lim'nɔlədʒi] *s geogr* limnologia
limonene ['liməni:n] *s chem* limonen
limpidli ['limpidli] *adv* przeźroczyście; klarownie; czysto; kryształowo
limpkin ['limpkin] *s zool* (*Aramus vociferans*) bekaśnica
limply ['limpli] *adj* miękko; słabo; wiotko
limulus ['limjuləs] *s zool* (*Limulus*) skrzypłocz
linac ['lainək] *s nukl* akcelerator liniowy
linaloöl [liənə'ləuəul] *s chem* linalol
Lindbergh ['lindbə:g] *spr attr* ~ **jacket** wiatrówka (kurtka)
↑ **line**[1] Ⅰ *s* 22. ... *biol* linia; szczep ‖ *nukl* ~ **of force** linia pola Ⅲ *attr* liniowy; ~ **element** element liniowy; ~ **spectrum** widmo liniowe; *zootechn* ~ **breeding** chów w linii
↑ **linear** *adj* 2. ... ~ **accelerator** = **linac** ↑
linearization [,liniərai'zeiʃən] *s nukl* linearyzacja
linearize ['liniəraiz] *vt nukl* linearyzować; ~**d equation** równanie linearyzowane; ~**d treatment** metoda linearyzacji
↑ **linen** Ⅲ *adj* 4. (*o papierze*) płótnowany
lineolate ['liniəleit] *adj zool bot* kreskowany; liniowany
linin ['linin] *s biol* linina
↑ **link**[1] Ⅳ *attr* łękowy; kulisowy; ~ **motion** mechanizm łękowy ⟨kulisowy⟩; stawidło; *lotn* ~ **trainer** symulator lotu; linktrener
linked ['liŋkt] Ⅰ *zob* **link**[1] *vt* Ⅲ *adj biol* sprzężony
linkwork ['liŋkwə:k] *s techn* mechanizm złożony z dźwigni i łączników
linoleic [linə'li:ik] *adj chem* (*o kwasie*) linolowy
linoxyn [lain'ɔksin] *s chem techn* pokost
linter ['lintə] *s* 1. linter (maszyna) 2. *pl* ~**s** włókna bawełny
lipase ['laipeis, 'lipeis] *s biochem* lipaza
lipectomy [li'pektəmi] *s med* wycięcie tkanki tłuszczowej ⟨tłuszczaka⟩
lipids ['lipidz] *spl biochem* lipidy, tłuszczowce
lip-microphone [lip'maikrəfəun] *s* mikrofon kierunkowy
lipoids ['lipɔidz] *spl biochem* lipoidy
lipolysis [li'pɔlisis] *s chem* lipoliza
lipoproteins [lipəu'prɔtii:nz] *spl biochem* lipoproteiny
lipotropic [lipəu'trɔpik] *adj biochem* lipotropowy
↑ **liquid** Ⅰ *adj* 1. ... ~ **air** ciekłe ⟨skroplone⟩ powietrze; ~ **glass** szkło wodne; ~ **cooling** chłodzenie cieczą; ~ **waste** odpady ciekłe
liriodendron [,liriəu'dendrɔn] *s am bot* odmiana tulipanowca
listerellosis [,listəri'ləusis] *s wet* listereloza

listlessly [ˈlistlisli] *adv* apatycznie; biernie; obojętnie

↑ **lithium** Ⅲ *attr* ... ~ **deuteride** deuterek litu

lithoid [ˈliθɔid] *adj* kamienny; kamienisty

lithology [liˈθɔlədʒi] *s* litologia; skałoznawstwo

lithomarge [ˈliθəmɑːdʒ] *s miner* litomarga

litho-offset [ˈliθɔ-ɔfsət] *s druk* fotooffset

lithophyte [ˈliθəfait] *s bot* roślina skalna

lithopone [ˈliθəpəun] *s chem techn* litopon

lithosphere [ˈliθəsfiə] *s geogr geol* litosfera

lithotrity [liˈθɔtriti] *s med* kruszenie kamieni pęcherzowych

litigiously [liˈtidʒəsli] *adv* drogą sądową; na drodze sądowej; sądownie

litmocidin [litˈmɔsidin] *s biochem* litmocydyna

liturgically [liˈtəːdʒikəli] *adv* liturgicznie

↑ **live**[1] *adj* 9. ... ~ **load** obciążenie ruchome 12. *tv* (*o programie*) nadawany na żywo ‖ *bot* ~ **oak** zimozielony dąb północnoamerykański *Quercus virginiana*

livelily [ˈlaivlili] *adv* 1. żywo; z życiem 2. rześko; wesoło 3. jaskrawo; wesoło

↑ **liver**[1] Ⅲ *attr* ... *farm* ~ **extract** wyciąg z wątroby

liverwurst [ˈlivəvust] *s kulin* wątrobianka

↑ **lizard** Ⅲ *attr* jaszczurczy; *zool* ~ **fish** ryba z jaszczurowatą głową z rodziny *Synodontidae*

↑ **load** Ⅰ *s* 2. ... *nukl* ~ **of mutant alleles** obciążenie alleli mutacyjnych Ⅲ *vi* 1. narkotyzować się 2. znajdować się pod działaniem narkotyku Ⅳ *attr* obciążeniowy; obciążenia; *mar* ~ **displacement** wyporność; *nukl* ~ **face** strona załadowcza; ~ **factor** współczynnik obciążenia

↑ **loafer** *s* 2. niesznurowany mokasyn

loathsomely [ˈləuðsəmli] *adv* wstrętnie; ohydnie; obrzydliwie; obmierźle

lobbyism [ˈlɔbiizəm] *s am* rozmowy ⟨zabiegi⟩ kuluarowe

lobed [ləubd] *adj zool* mający płaty; podzielony na płaty; *bot* (*o liściu*) wrębny

lobotomy [lɔˈbɔtəmi] *s med* nacięcie płata (mózgu)

↑ **lobster** Ⅲ *attr am kulin* ~ **thermidor** potrawa z homara i przypraw

lobsterburger [ˈlɔbstəˌbəːgə] *s* bułka z parówką i homarem

↑ **location** *s* 7. *kino* miejsce poza studiem, gdzie nakręca się film

lochia [ˈləukiə] *spl med* odchody połogowe

↑ **locker** *s* 2. przedział w komorze chłodniczej; ~ **plant** komora chłodnicza

lock-on [ˈlɔkɔn] *s nukl* wychwyt

locomotor [ˈləukəˌməutə] *adj* lokomotoryczny; ruchowy; *med* ~ **ataxia** wiąd rdzenia

locoweed [ˈləukəuwiːd] *s bot* ogólna nazwa kilku roślin trujących z rodzajów: *Astragalus* i *Oxytropis*

locule [ˈlɔkjuːl] *s* = **loculus** ↑

↑ **loculus** *s bot* ... komora zarodni ⟨pylnika⟩

↑ **locust** Ⅲ *attr wojsk* ~ **tank** czołg siedmiotonowy przewożony przez szybowiec

loftily [ˈlɔftili] *adv* 1. wysoko 2. wyniośle; dumnie; hardo 3. wzniośle; podniośle

↑ **log**[1] Ⅲ *attr nukl* ~ **counting ratemeter** logarytmiczny miernik natężenia

logarithmically [lɔgəˈriθmikəli] *adv* logarytmicznie

loge [ləuʒ] *s teatr* loża

logger [ˈlɔgə] *s* 1. drwal 2. wóz do transportu dłużyc

↑ **logging** Ⅲ *s* 1. ... zrywka (dłużyc)

↑ **logical** *adj* ... *filoz* ~ **empiricism** ⟨**positivism**⟩ empiryzm ⟨pozytywizm⟩ logiczny

logically [ˈlɔdʒikəli] *adv* logicznie

logicism [ˈlɔdʒisizəm] *s* logicyzm

logion [ˈlɔdʒiən] *s* powiedzenie; maksyma

loitering [ˈlɔitəriŋ] Ⅰ *zob* **loiter** *vi* Ⅲ *adj* wałęsający się

loiteringly [ˈlɔitəriŋli] *adv* wałęsając się

loment [ˈləumənt], **lomentum** [ləuˈmentəm] *s bot* strąk zwężony pomiędzy nasionami

lonelily [ˈləunlili], **lonesomely** [ˈləunsəmli] *adv* samotnie

↑ **long**[1] Ⅰ *adj* 1. ... (*u Maorysów i Polinezyjczyków*) ~ **pig** mięso ludzkie (jadane przez ludożerców)

longeron [ˈlɔndʒərɔn] *s lotn* podłużnica; dźwigar

long-hair [ˈlɔŋˌhɛə] *s przen* 1. artysta 2. muzyk

long-haired [ˈlɔŋˌhɛəd] *adj przen* 1. (*o naukowcu, artyście*) pogrążony w abstrakcyjnych dociekaniach, a oderwany od życia praktycznego 2. (*o melomanie*) uznający wyłącznie muzykę poważną

long-horn [ˈlɔŋˌhɔːn] *attr* długorogi

long-horned [ˈlɔŋˌhɔːnd] *attr zool* ~ **beetles** (*Cerambycidae*) kózkowate

longisection [lɔndʒiˈsekʃən] *s* przekrój wzdłużny ⟨podłużny⟩

longitudinal [lɔndʒiˈtjuːdinəl] *attr* ~ **section** = **longisection** ↑

↑ **long-lived** *adj* 2. *nukl* (*o promieniowaniu itd.*) długożyciowy

long-playing [ˈlɔŋˌpleiiŋ] *adj* długogrający; wolnoobrotowy

↑ **long-range** *adj* ... ~ **programme** plan perspektywiczny

longshore [ˈlɔŋʃɔː] *adj* przybrzeżny

loo[2] [luː] *s* ustęp; klozet

↑ **looker** *s* 2. ... *sl* kociak; szałowa babka 3. *sl tv* telewidz

loon [luːn] *s wojsk* rodzaj pocisku zdalnie kierowanego

loquaciously [lɔˈkweiʃəsli] *adv* gadatliwie; wielomównie

loran [ˈlauran] *s lotn mar* loran, system radionawigacyjny dalekiego zasięgu
↑ **lorgnette** *s* 2. lornetka teatralna
lorgnon [lɔːˈnjɔ̃] *s fr* 1. binokle 2. lornetka teatralna 3. lornion
↑ **lorry** *s* 4. platforma konna
losingly [ˈluːsiŋli] *adv* ze stratą
↑ **loss** III *attr* przynoszący stratę; *handl* ~ **leader** artykuł sprzedawany dla reklamy ze stratą
loud-mouthed [ˈlaudˌmauθt] *adj* głośny; mówiący donośnym ⟨tubalnym⟩ głosem
loup [luː] *s fr* czarna maseczka
louping-ill [ˈluːpiŋ-il] *s wet* (*u owiec*) choroba skokowa
lousily [ˈlauzili] *adv* wstrętnie; ohydnie
loutishly [ˈlautiʃli] *adv* prostacko; gburowato; nieokrzesanie; jak gbur
↑ **louver, louvre** III *attr* **louver** ⟨**louvre**⟩ **boards** żaluzjowe deski nastawne
lovingly [ˈlʌviŋli] *adv* miłośnie; z miłością
↑ **low**[2] I *adj* 16. (*o materiale wybuchowym*) miotający III *s* 4. najniższy poziom osiągnięć
low-energy [ˈlauˈiːnədʒi] *attr nukl* (*o neutronie, cząstce*) o małej energii
lowering [ˈlauəriŋ] I *zob* **lower**[2] *v* III *adj* 1. (*o chmurach*) ciężki; ciemny; grożący burzą 2. (*o twarzy człowieka*) chmurny; ponury
low-flux [ˈlauflʌks] *attr nukl* (*o reaktorze*) o małym strumieniu neutronów
↑ **low-grade** III *attr* niskogatunkowy; ~ **ore** ruda uboga
low-level [ˈlaulevl] *attr nukl* o małej aktywności; ~ **scintillation counter** licznik scyntylacyjny do małych aktywności
lox [lɔks], **loxygen** [ˈlɔksidʒən] *s lotn* ciekły tlen
loyally [ˈlɔjəli] *adv* lojalnie; wiernie
lucidly [ˈluːsidli] *adv* 1. świecąco; błyszcząco 2. jasno 3. przezroczyście 4. czysto; klarownie
lucite [ˈluːsait] *s* pleksiglas; lucyt
lucklessly [ˈlʌklisli] *adv* niefortunnie; fatalnie
ludicrously [ˈluːdikrəsli] *adv* śmiesznie; absurdalnie; nonsensownie; niedorzecznie
Lufber(r)y [ˈlʌfbəri] *spr attr lotn* ~ **circle** manewr obronny stosowany podczas walk powietrznych
lugubriously [luːˈgjuːbriəsli] *adv* ponuro; żałobnie
lugworm [ˈlʌgwəːm] *s zool* (*Arenicola marina*) robak piaskowy
lukewarmly [ˈluːkwɔːmli] *adv* 1. letnio; ciepławo 2. *przen* obojętnie; ozięble
lumberingly [ˈlʌmbəriŋli] *adv* ciężko; niezdarnie
lumen [ˈluːmən] *s* 1. *fiz* lumen 2. *bot* międzyściankowa przestrzeń w komórce
luminal [ˈluːminəl] *s farm* luminal
luminescent [luːmiˈnesənt] *adj* luminescencyjny
lummox [ˈlʌməks] *s am pot* tuman
↑ **lump**[1] I *s* 7. *nukl* ~ **(of uranium)** bloczek; klocek
lumpishly [ˈlʌmpiʃli] *adv* 1. ciężko; niezdarnie 2. tumanowato; głupio
luna [ˈluːnə] *attr zool* ~ **moth** duża ćma amerykańska *Tropaea luna*
luncheonette [lʌntʃəˈnet], **lunchroom** [ˈlʌntʃruːm] *s* pokój do śniadań ⟨śniadaniowy⟩
lunkhead [ˈlʌŋkhed] *s am pot* tuman; cymbał
lunulate [ˈluːnjuleit] *adj* półksiężycowaty
lupulin [ˈljuːpjulin] *s farm* lupulina
luridly [ˈljuəridli] *adv* 1. (*mówiąc o cerze, o świetle*) blado 2. (*mówiąc o zajściu*) ponuro; tragicznie; niesamowicie; upiornie 3. (*o opowiadaniu — brzmieć*) sensacyjnie
lusciously [ˈlʌʃəsli] *adv* 1. soczyście 2. ckliwie 3. (*opowiadać itd.*) kwieciście
lushly [ˈlʌʃli] *adv* soczyście; bujnie
luster [ˈlʌstə] *s am* = **lustre**
lustfully [ˈlʌstfuli] *adv* lubieżnie; pożądliwie; zmysłowo
lustily [ˈlʌstili] *adv* silnie; mocno; krzepko; z wigorem
lustrously [ˈlʌstrəsli] *adv* błyszcząco; połyskująco; lśniąco
lutist [ˈluːtist] *s* lutnista
luxuriantly [lʌgˈʒuːriəntli] *adv* bujnie; płodnie; bogato; (*pisać itd.*) kwieciście
luxuriously [lʌgˈʒuːriəsli] *adv* 1. luksusowo; zbytkownie 2. zmysłowo
↑ **lyceum** *s* 3. *am* naukowe towarzystwo dyskusyjne
↑ **lymph** I *s* 1. ... chłonka 2. *powinno być*: *med* surowica do szczepienia ospy; krowianka III *attr* limfatyczny; chłonny; *anat* ~ **gland** gruczoł limfatyczny; ~ **node** węzeł chłonny; *anat biol* ~ **cell** limfocyt
lymphocyte [ˈlimfəsait] *s anat biol* limfocyt
lymphocytosis [ˌlimfəusaiˈtəusis] *s med* limfocytoza
lymphoid [ˈlimfɔid] *adj biol* limfoidalny
lymphopenia [limfəˈpiːniə] *s med* limfopenia
lyophilization [ˌlaiəufilaiˈzeiʃən] *s* liofilizacja
lyophilize [laiˈɔfilaiz] *vt* liofilizować
lyrate [ˈlaireit] *adj bot* (*o liściu*) lirowaty
lyrically [ˈlirikəli] *adv* lirycznie
lyrist [ˈlairist] *s* 1. *muz* lirnik 2. liryk
lysergic [laiˈsəːdʒik] *attr chem* ~ **acid** kwas lizergowy
lysine [ˈlaisin] *s biochem* lizyna
lysis [ˈlaisis] *s* 1. *biochem* liza; rozpuszczanie; rozpad 2. *med* lizys
lytic [ˈlitik] *adj chem* lityczny
lytta [ˈlitə] (*pl* ~**s**, ~**e** [ˈlitiː]) *s* chrząstka pod językiem (u psa i innych zwierząt mięsożernych)

M

macaronically [mækə'rɔnikəli] *adv* makaronizując
maccaboy ['mækəbɔi] *s* makuba (tabaka zwykle zaprawiona olejkiem różanym)
Mach [mæk] *spr attr* (*w aerodynamice*) ~ **number** liczba Macha
machometer [mə'kɔmitə] *s lotn* machometr
macintosh ['mækintɔʃ] *s* = **mackintosh**
↑ **mackinaw** [III] *attr* **Mackinaw boat** płaskodenna łódź poruszana wiosłami lub żaglami, używana na Wielkich Jeziorach północnoamerykańskich; *zool* **Mackinaw trout** (*Cristivomer namaycush*) wielki pstrąg jezior północnoamerykańskich
mackintoshite ['mækintəʃait] *s miner* makintoszyt
macroclimate [mækrɔ'klaimit] *s* makroklimat
macrocyte ['mækrəsait] *s med* makrocyt
macrocytic [mækrə'saitik] *adj* wielkokomórkowy
macroeconomics [,mækrəuikə'nɔmiks] *s* makroekonomia
macroevolution [,mækrɔevə'lju:ʃən] *s biol* makroewolucja
macrogamete [mækrəgə'mi:t] *s biol* makrogameta
macrograph ['mækrəgra:f] *s techn* makrografia
macrophysics [mækrə'fiziks] *s fiz* makrofizyka
macrospore ['mækrəspɔ:] *s bot* makrospora
macruran [mə'kru:rən] *s zool* długoodwłokowiec
macrurous [mə'kru:rəs] *adj zool* długoogonowy
↑ **mad** *adj* 6. *w zwrocie*: ~ **money** pieniądze, jakie ma przy sobie dziewczyna udająca się na randkę, umożliwiające jej powrót do domu w razie niestosownego zachowania się partnera
maddeningly ['mædəniŋli] *adv* 1. szaleńczo; w sposób doprowadzający do szału 2. wściekle
madding ['mædiŋ] *adj* 1. doprowadzający do szału 2. hałaśliwy; zgiełkliwy
made-up [meid'ʌp] *adj* zmyślony
madroña [mə'drəunjə], **madroño** [mə'drəunjəu] *s bot* (*Arbutus Menziesii*) wrzosowate drzewo północnoamerykańskie
mafia ['ma:fiə] *s* mafia
magazinist [mægə'zi:nist] *s* współpracownik periodyku
Magdalenian [mægdə'li:njən] *adj archeol* (*o okresie*) magdaleński
magistral ['mædʒistrəl] *adj farm* (*o leku*) przepisany
magmatic [mæg'mætik] *adj* magmatyczny
↑ **magnetic** *adj* 1. ... ~ **mine** mina magnetyczna; ~ **field** pole magnetyczne; ~ **field coil** cewka elektromagnesu ⟨indukcyjna⟩; ~ **recorder** magnetofon
magnetically [mæg'netikəli] *adv* magnetycznie
magnetochemistry [mæ'gnetəu'kemistri] *s chem* magnetochemia
magnetohydrodynamic [mæ'gnetəu,haidrəudai'næmik] *adj* magnetohydrodynamiczny
magnetomotive [mæg'netəu'məutiv] *adj fiz* magnetomotoryczny
magneton ['mægnitɔn] *s fiz* magneton
magnetostatic [mæ'gnetəu'stætik] *adj fiz* magnetostatyczny
magnetron ['mægnitrɔn] *s fiz* magnetron
magnificently [mæg'nifisəntli] *adv* wspaniale; świetnie
magnoliaceous [mægnəuli'eiʃəs] *adj bot* magnoliowaty
maigre ['meigə] *adj* (*o jedzeniu*) postny
mailbox ['meilbɔks] *s* skrzynka pocztowa
mailing ['meiliŋ] [I] *zob* **mail** *vt* [III] *adj* ~ **machine** maszyna do adresowania i ofrankowywania listów
maillot ['ma:jəu] *s fr* trykot
mailman ['meilmən] *s* listonosz
maitlandite ['meitləndait] *s miner* majtlandyt
↑ **make**[2] *s* 5. *karc* tasowanie (kart)
↑ **make-up** [III] *attr nukl* ~ **water** woda uzupełniająca
malarkey [mə'la:ki] *s sl* bzdury; brednie; zawracanie gitary
malassimilation [mælə,simi'leiʃən] *s med* wadliwe przyswajanie (pokarmów)
Malayan [mə'leiən] [I] *s* język malajski [III] *adj* malajski
malefaction [mæli'fækʃən] *s* czyn karygodny; zły uczynek
maleic [mə'li:ik] *adj chem* (*o kwasie*) maleinowy
malevolently [mə'levələntli] *adv* wrogo; z niechęcią
maliciously [mə'liʃəsli], **malignly** [mə'lainli] *adv* złośliwie
malignantly [mə'lignəntli] *adv* złośliwie; zjadliwie; jadowicie
malleolus [mə'li:ələs] *s anat* kostka
malocclusion [mælɔ'klu:ʒən] *s dent* nieprawidłowy zgryz
malodorant [mæl'əudərənt] *adj* = **malodorous**
malodorously [mæl'əudərəsli] *adv* smrodliwie
malonic [mə'lɔnik] *adj chem* (*o kwasie*) malonowy
Malpighian [mæl'pigiən] *adj anat* Malpighiego

malposition [mælpə'ziʃən] *s* nieprawidłowe ułożenie
maltase [mɔ:l'teis] *s biochem* maltaza
malted ['mɔ:ltid] [I] *zob* **malt** *vt* [III] *adj* ~ **milk** mleko w proszku z dodatkiem słodu i kaszki
malty ['mɔ:lti] *adj* słodowy
mambo ['mæmbəu] *s chor* mambo
mammalogy [mæ'mɔlədʒi] *s zool* mammalogia
mammonism ['mæmənizəm] *s* kult pieniądza
managerially [mænə'dʒiəriəli] *adv* jak ⟨jako⟩ kierownik
mandatory ['mændətəri] [I] *adj* 1. mandatowy; ~ **nation** kraj mandatowy 2. obowiązujący [III] *s* mandatariusz
mandibulate [mæn'dibjuleit] *adj* (*o owadzie*) mający ⟨zaopatrzony w⟩ żuchwy
↑ **mandrake** *s* 2. *am* = **May apple** *zob* **May** ↑
maneuver [mə'nu:və] *s vi vt am* = **manoeuvre**
manganite ['mæŋgənait] *s miner* manganit
mangily ['mændʒili] *adv* parszywie
Manhattan [mæn'hætn] *spr attr* ~ **Project** oznaczenie szyfrowe tajnego projektu produkcji bomby atomowej podczas II wojny światowej
manic-depressive [ˌmænikdi'presiv], **manio-depressive** [ˌmæniəudi'presiv] *adj psych* maniakalno-depresyjny
↑ **manifold** [I] *adj* ... ~ **process** powielanie
mannishly ['mæniʃli] *adv* męsko; po męsku
mannitol ['mænitɔl] *s chem* mannit
mannose ['mænəus] *s chem* mannoza
↑ **manor** [III] *attr* ~ **house** dwór (rezydencja)
manslaying ['mænsleiiŋ] *s* zabójstwo
manta ['mæntə] *s* 1. płaszcz (hiszpański) 2. derka 3. (*także* ~ **ray**) *zool* (*Manta birostris*) manta; płaszczka
mantelet ['mæntlit] *s* 1. krótki płaszcz 2. *wojsk* przenośna osłona pancerna ⟨kuloodporna⟩
mantic ['mæntik] *adj* wróżbiarski
mantlet ['mæntlit] *s* = **mantelet** 2. ↑
manzanita [mænzə'ni:tə] *s bot* kalifornijski krzew z rodzaju *Arctostaphylos*
maoism [mə'əuizəm] *s polit* maoizm
↑ **map** [III] *vt* 2. za/planować szczegółowo
maquillage ['mækijɑ:ʒ] *s fr* 1. *teatr* charakteryzacja 2. makijaż
maquisard [mæki'zɑ:] *s fr* francuski partyzant
maraca [mə'rækə] *s muz* marakas
marasca [mə'ræskə] *s* mała dzika czereśnia
↑ **maraschino** [III] *attr kulin* ~ **cherries** kandyzowane dzikie czereśnie z likierem maraschino
Marathonian [mærə'θəuniən] *adj* maratoński
marbling ['mɑ:bliŋ] [I] *zob* **marble** *vt* [III] *s* marmurkowanie
marbly ['mɑ:bli] *adj* marmurowy; zimny ⟨twardy⟩ jak marmur; kamienny
marcher ['mɑ:tʃə] *s* 1. maszerujący 2. kresowiec
↑ **marginal** *adj* 3. *roln* mało opłacalny; ~ **land** grunt mało wydajny ⟨mało opłacalny do uprawy⟩
marginate ['mɑ:dʒineit] *adj* obrzeżony
margination [mɑ:dʒi'neiʃən] *s* obrzeżenie
marijuana [mɑ:rə'huɑ:nə] *s* marihuana
↑ **marine** [I] *adj* ... *am* **Marine Corps** piechota morska
mariola [mæri'əulə] *s bot* (*Parthenum incanium*) krzew gumodajny pokrewny gayuli
markdown ['mɑ:kdaun] *s handl* obniżanie ceny
↑ **marker** *s* 6. wskaźnik
↑ **market** [III] *attr* ... ~ **order** zlecenie kupna ⟨sprzedaży⟩ po aktualnej cenie rynkowej
marl[2] [mɑ:l] *vt mar* obwiązywać linę przechwytami
↑ **marline** *powinno być*: ['mɑ:lin] *s mar* marlinka, dwunitka
marline-spike ['mɑ:linspaik] *s mar* rożek szkutniczy, marszpikiel
↑ **marmalade** [III] *attr* ~ **box** jadalny owoc drzewa południowoamerykańskiego *Genipa americana*; *bot* ~ **tree** (*Achras zapota*) drzewo Ameryki tropikalnej; ~ **plum** ⟨**fruit**⟩ owoc tego drzewa
↑ **maroon**[2] [I] *s* 1. ... czerwień brunatna [III] *adj* ... brunatnoczerwony
marquisette [mɑ:ki'zet] *s fr tekst* markizeta
↑ **marriage** [III] *attr* ... ~ **portion** posag
marron [mæ'rɔ̃n] *s fr* kasztan jadalny; ~**s glacés** [glɑ:'seiz] kandyzowane kasztany
↑ **marrow**[3] [III] *attr am* ~ **squash** odmiana dyni
↑ **marsh** [III] *attr* ... *zool* ~ **harrier** (*Circus aeruginosus*) błotniak stawowy; ~ **hawk** błotniak amerykański *Circus cyaneus hudsonius*
marsupium [mɑ:'supiəm] *s zool* torba (torbacza)
Martin[2] ['mɑ:tin] *spr attr am wojsk* ~ **Viking** nazwa pocisku zdalnie sterowanego
marvellously ['mɑ:vələsli] *adv* cudownie; w cudowny sposób
marvel-of-Peru ['mɑ:vəl-əvpə'ru:] *s bot* (*Mirabilis jalapa*) dziwaczek
masculinize ['mæskjulinaiz] *vt* maskulinizować
maskalonge ['mæskələndʒ] *s* = **muskellunge** ↑
↑ **mason**[1] [III] *attr* 1. murarski; *zool* ~ **bee** pszczoła murarka 2. kamieniarski 3. masoński
Mason[2] ['meisn] *spr attr* ~ **jar** patentowany słój do konserw
masonite ['meisənait] *s* nazwa typu płyty izolacyjnej

↑ **mass²** III *attr* 1. ... ~ **observation** badanie opinii publicznej 2. *nukl* masowy; masy; ~ **defect** defekt ⟨niedobór⟩ masy; ~ **formula** wzór na masę; ~ **range** zakres mas; ~ **colouring** barwienie w masie
massasauga [mæsə'sɔ:gə] *s zool* amerykański grzechotnik *Sistrurus miliarius*
mass-energy ['mæs,enədʒi] *attr fiz* masy i energii; ~ **equivalence** ⟨**total**⟩ równowartość ⟨suma⟩ masy i energii
massively ['mæsivli] *adv* masywnie; solidnie
mastectomy [mæs'tektəmi] *s med* usunięcie piersi
↑ **master** III *attr* ... ~ **builder** budowniczy; architekt; ~ **hand** specjalista; ~ **workman** przodownik; brygadzista; *am wojsk* ~ **sergeant** (sierżant) szef; *druk* ~ **copy** matryca; *hutn* ~ **batch** wsad główny
↑ **masterful** *adj* 2. mistrzowski
masterfully ['mɑ:stəfuli] *adv* 1. władczo; arbitralnie; rozkazująco 2. mistrzowsko; po mistrzowsku
mastermind ['mɑ:stəmaind] *vt* kierować (**sth** czymś) z ukrycia
masticatory [mæsti'keitəri] I *adj* służący do żucia III *s* środek do żucia
masturbate ['mæstəbeit] *vi* uprawiać masturbację
masurium [mə'su:riəm] *s chem* technet
Matador ['mætədɔ:] *s lotn* bezzałogowy samolot rakietowy
matching ['mætʃiŋ] I *zob* **match²** *v* III *adj* harmonizujący; dobrze dobrany; ~ **point** punkt zrównania
matchlessly ['mætʃlisli] *adv* niezrównanie; w niezrównany sposób
↑ **material** III *attr* materiałowy; ~ **efficiency** wyzyskanie materiału; ~ **inventory** zasób materiału
↑ **matériel** *s* 2. *wojsk* materiał wojenny
maternally [mə'tə:nəli] *adv* macierzyńsko; po matczynemu
↑ **mathematical** *adj* ... ~ **expectation** nadzieja matematyczna; ~ **logic** logika matematyczna
matitutinally [mæti'tju:tinəli] *adv* wcześnie; wczesną ⟨ranną⟩ porą
↑ **matrimony** III *attr bot* ~ **vine** roślina z rodzaju *Lycium*
↑ **matrix** III *attr* macierzysty; *nukl* ~ **element** element macierzy
matted¹ ['mætid] I *zob* **mat¹** *vt* III *adj* 1. gęsty; zbity; (*o włosach*) skołtuniony 2. pokryty matami
matted² ['mætid] I *zob* **mat²** *vt* III *adj* (*o szkle, farbie*) zmatowany
mavourneen [mə'vɔ:ni:n] *s* najdroższa; ~! kochanie!
mawkishly ['mɔ:kiʃli] *adv* ckliwie; sentymentalnie; rzewnie
↑ **maxim** *s* ... **weather** ~ ludowa przepowiednia pogody
maximal ['mæksiməl] *adj* maksymalny; najwyższy; największy
maximally ['mæksiməli] *adv* maksymalnie; najwyżej; najwięcej; najbardziej
maximite ['mæksimait] *s wojsk* nazwa potężnego środka wybuchowego
maxwell¹ ['mækswel] *s elektr* makswel
Maxwell² ['mækswel] *spr attr nukl* ~ **distribution** rozkład Maxwella
↑ **May²** III *attr* ... *bot* ~ **apple** (*Podophyllum peltatum*) roślina północnoamerykańska o jadalnych owocach, której kłęby dają podofilinę
Mayan ['mɑ:jən] I *adj* Majów III *s* język Majów
mayday² ['meidei] *s mar lotn sygnał radiowy*: SOS
maypop [mei'pɔp] *s* 1. *bot* (*Passiflora incarnata*) passiflora ⟨męczennica⟩ rosnąca w południowych stanach USA 2. owoc tej rośliny
Maytime ['meitaim], **Maytide** ['meitaid] *s* miesiąc maj
may-tree ['meitri:] *s bot* głóg
Mazdaism ['mæzdeiizəm] *s rel* mazdeizm
mazzard ['mæzəd] *s bot* (*Prunus avium*) czereśnia
M-day ['emdei] *s wojsk* dzień ogłoszenia mobilizacji
↑ **meadow** III *attr* ... *bot* ~ **rue** (*Thalictrum*) rutewka
meager ['mi:gə] *adj am* = **meagre**
meagrely, *am* **meagerly** ['mi:gəli] *adv* 1. chudo; szczupło 2. (*jeść itd.*) skromnie; skąpo; postnie; jałowo 3. (*opisywać coś itd.*) skromnie; ubogo
meaningful ['mi:niŋful] *adj* znaczący
meaninglessly ['mi:niŋlisli] *adv* bez znaczenia; bez sensu; bezsensownie
meanly ['mi:nli] *adv* 1. nędznie; ubogo 2. skromnie 3. poślednio; marnie; kiepsko; licho 4. (*postępować itd.*) podle; nikczemnie; po świńsku 5. skąpo 6. małostkowo 7. małodusznie; przyziemnie
measurably ['meʒərəbli] *adv* wymiernie
measurelessly ['meʒəlisli] *adv* niezmiernie; bezgranicznie; bez miary
↑ **meat** I *s* 4. *nukl* część aktywna płyty paliwowej warstwowej
↑ **mechanical** *adj* 1. ... *lotn* ~ **pilot** pilot automatyczny
mechanistic [mekə'nistik] *adj* mechanistyczny
mechanize ['mekənaiz] *vt wojsk* z/mechanizować; zaopatrzyć w czołgi i wozy pancerne
mechanotherapy [,mekənəu'θerəpi] *s med* mechanoterapia
↑ **medal** *s* ... *am* **Medal for Merit** odznaczenie dawane osobom cywilnym za wybitne zasługi; *wojsk* **Medal of Honor** odznaczenie za odwagę w polu
medalist ['medəlist] *s am* = **medallist**
meddlesomely ['medlsəmli] *adv* wścibsko
mediacy ['mi:diəsi] *s* pośrednictwo; wstawiennictwo
mediaevalism [medi'i:vəlizəm] *s* średniowieczyzna

↑ **median** [I] *adj* 4. *med* średni; ~ **lethal dose** średnia dawka letalna
mediatization [ˌmi:diɔtaiˈzeiʃən] *s hist* mediatyzacja
medic [ˈmedik] *s pot* 1. medyk; student medycyny 2. lekarz
medication [mediˈkeiʃən] *s* leczenie przez stosowanie lekarstw
medievalism [mediˈi:vəlizəm] *s* = **mediaevalism** ↑
meditatively [ˈmeditətivli] *adv* medytacyjnie; kontemplacyjnie; w zadumie; w rozmyślaniach
medjitite [ˈmedʒitait] *s miner* medżytyt
meekly [ˈmi:kli] *adv* łagodnie; potulnie
meetly [ˈmi:tli] *adv* stosownie; odpowiednio; właściwie
megacephalic [megəsiˈfælik] *adj anat* wielkogłowy
megacycle [ˈmegəsaikl] *s fiz* megacykl
megagamete [ˌmegəgəˈmi:t] *s* = **macrogamete**
megagametophyte [ˌmegəgəˈmi:təfait] *s biol* woreczek zalążkowy
megalocephalic [ˌmegələusiˈfælik] *adj* = **megacephalic**
megalosaur [ˈmegələsɔ:] *s paleont* megalozaurus
meganthropus [megænˈθrɔpəs] *s paleont* megantrop
megapod [ˈmegəpɔd], **megapode** [ˈmegəpəud] *s zool* nogal
megasporangium [ˌmegəspɔˈrændʒiəm] *s bot* makrosporangium
megathere [ˈmegəθiə] *s paleont* megater, megaterium
megaton [ˈmegətɔn] *s* megatona
megawatt [ˈmegəwɔt] *s fiz elektr* megawat
megawatt-year [ˈmegəwɔtˌjə:] *s fiz* megawatorok
melamine [ˈmeləmi:n] *s chem* melamina
melancholiac [ˌmelənˈkɔliæk] [I] *adj* melancholijny [III] *s* melancholi-k/czka
melancholically [ˌmelənˈkɔlikəli] *adv* melancholijnie
melanin [ˈmelənin] *s biol* melanina
melanism [ˈmelənizəm] *s biol* melanizm
melanite [ˈmelənait] *s miner* melanit
melanoblast [ˈmelənɔblɑ:st] *s biol* melanoblast
melanoma [meləˈnəumə] *s med* czerniak
melaphyre [ˈmeləfiə] *s miner* melafir
Melba [ˈmelbə] *spr attr* ~ **toast** cienka kromka opiekanej bułki
melifluent [miˈlifluənt] *adj* = **melifluous**
mellowly [ˈmeləuli] *adv* 1. soczyście 2. (*pachnieć itd.*) łagodnie; przyjemnie 3. (*o kolorach — czerwienić się itd.*) soczyście; spokojnie 4. (*o głosie — brzmieć*) miękko; aksamitnie 5. (*zachowywać się*) jowialnie; dobrodusznie
melodics [miˈlɔdiks] *s muz* melodyka
meloid [ˈmelɔid] *s zool* maik (chrząszcz maikowaty)
melting-furnace [ˈmeltiŋˌfə:nis] *s techn nukl* piec wytopowy; piec do topienia
menad [ˈmi:næd] *s am* = **maenad**
mendacity [menˈdæsiti] *s* 1. kłamliwość; zakłamanie 2. kłamstwo; fałsz
Mendel [ˈmendl] *spr* Mendel; *biol* ~'s **law** prawo Mendla
mendelevium [mendiˈli:viəm] *s chem* mendelew
Mendelism [ˈmendilizəm] *s* mendelizm
mendelivian [mendiˈli:viən] *adj* mendlowski; ~ **populations** populacje mendlowskie
mendoza [menˈdəuzə] *attr* ~ **beaver** futro królicze imitujące bobry
menopausal [mi:nəˈpɔ:zəl] *adj* klimakteryczny
menorrhagia [menəˈreidʒiə] *s med* nadmierne krwawienie miesiączkowe
menstruate [ˈmenstrueit] *vi* miesiączkować
mensurative [ˈmenʃərətiv] *adj* pomiarowy
↑ **mental**[1] [I] *adj* 1. ... ~ **age** wiek rozwoju umysłowego; ~ **deficiency** niedorozwój umysłowy; ~ **healing** leczenie chorób psychicznych; ~ **health** zdrowie psychiczne; ~ **hygiene** higiena psychiczna 2. ... ~ **patient** (pacjent) chory umysłowo
menthaceous [menˈθeiʃəs] *adj bot* miętowy
menthene [ˈmenθi:n] *s chem* menten
menticide [ˈmentisaid] *s* z/niszczenie władz umysłowych
↑ **mercantile** *adj* 1. ... ~ **agency** handlowa agencja informacyjna; *ekon* ~ **system** merkantylizm
mercaptan [məˈkæptən] *s chem* tioalkohol, merkaptan
↑ **merchandise** [III] *vt vi* 1. handlować (**sth** czymś) 2. dbać o zbyt (**goods** towarów)
mercifully [ˈmə:sifuli] *adv* miłosiernie; litościwie
mercilessly [ˈmə:silisli] *adv* bezlitośnie; niemiłosiernie
mercurous [ˈmə:kjurəs] *adj chem* rtęciawy; ~ **chloride** chlorek rtęciawy; kalomel
↑ **mercury** [III] *attr chem* rtęciowy; ~ **chloride** chlorek rtęciowy; sublimat; ~ **fulminate** piorunian rtęciowy
mercury-vapour [ˈmə:kjuriˈveipə] *attr* ~ **lamp** lampa rtęciowa
↑ **mercy** [III] *attr* litościwy; ~ **killing** ⟨**slaying**⟩ skracanie mąk; usypianie ⟨uśpienie⟩ (zwierzęcia)
meretriciously [merəˈtriʃəsli] *adv* 1. krzykliwie; w krzykliwych barwach; z nadmiarem ozdób 2. sztucznie; pretensjonalnie 3. bezwstydnie; wszetecznie
meristem [ˈmeristem] *s bot* merystem, tkanka twórcza
meritoriously [meriˈtɔ:riəsli] *adv* 1. zasłużenie 2. chwalebnie
merle [mə:l] *s zool* (*Turdus merula*) kos
merozoite [meərəˈzəuait] *s zool* merozoit
mescal [mesˈkɔ:l] [I] *s* 1. *bot* odmiana agawy 2. alkohol wydestylowany z soku

tej rośliny [III] *attr* ~ **buttons** narośle tej rośliny używane przez Indian jako środek podniecający
mesencephalon [mesən'sefələn] *s anat* śródmózgowie
mesenchyma [mi'seŋkimə] *s anat* mezenchyma
† **mesh** [IV] *attr* siatkowy; *nukl* sitowy; ~ **method** metoda sitowa
mesitylene [mi'sitili:n] *s chem* mezytelen
mesogaster [mesəu'gæstə], **mesogastrium** [mesɔ'gæstriəm] *s anat* krezka żołądka
mesomerism [me'sɔmərizəm] *s fiz* mezomeria
mesomorphy [mesə'mɔ:fi] *s biol* mezomorfia
meson ['mi:sən, 'mesɔn] *fiz* [I] *s* mezon [III] *attr* mezonowy; ~ **emission** emisja mezonów; ~ **transformation** przemiana mezonowa
mesonephros [mesə'ni:frɔs] *s anat* pranercze
mesonic [mi'sɔnik] *adj nukl* mezonowy; ~ **atom** atom mezonowy
mesophyll ['mesəfil] *s bot* miękisz liściowy
mesophyte [mesə'fait] *s bot* mezofit
mesothelium [mesə'θiliəm] *s anat* warstwa płaskich komórek nabłonkowych wyścielająca jamy organizmu
mesothorium [mesə'θɔ:riəm] *s chem* mezotor
mesotron ['mesətrɔn] *s fiz* mezon
mesquite [mes'ki:t] *s bot* krzew mimozowaty *Prosopis glandulosa*
† **mess** [IV] *attr* ~ **kit** a) *wojsk* menażka z pokrywką i sztućcami b) turystyczny komplet kuchenny
messtin [mes'tin] *s* menażka
metabolic [metə'bɔlik] *adj* metaboliczny
metabolite [metə'bɔlait] *s biol chem* metabolit
metabolize [metə'bɔlaiz] *vt* podda-ć/wać przemianie materii
metachromatic [metəkrəu'mætik] *adj* barwiący się odmiennie
metagalaxy [metə'gæləksi] *s astr* metagalaktyka
metallotherapy [mi,tæləu'θerəpi] *s* leczenie z zastosowaniem metali
metameric [metə'merik] *adj zool* metameryczny
metamerism [mi'tæmərizəm] *s zool* metameria
metamictization [metə,mikti'zeiʃən] *s nukl* metamiktyzacja
metamorphous [,metə'mɔ:fəs] *adj* metamorficzny
metaphase ['metəfeiz] *s biol* metafaza
metaphosphoric [metəfɔs'fɔrik] *adj chem* (*o kwasie*) metafosforowy
metaplasm [metə'plæzəm] *s biol* metaplazma
metasomatism [metə'səumətizəm] *s geol* metasomatoza
metastable [metə'steibl] *adj* metatrwały; metastabilny
metastasis [mi'tæstəsis] *s med* 1. metastaza 2. przerzut
metastasize [mi'tæstəsaiz] *vi med* dawać przerzuty
metaxenia [metə'zi:niə] *s bot* metaksenia
metazoon [metə'zəuɔn] *s* tkankowiec
metempirics [metəm'piriks] *s filoz* metempiryka
metencephalon [meten'sefələn] *s anat* tyłomózgowie
methacrylate [meθ'ækrileit] *s chem* metakrylen
methacrylic [meθə'krilik] *adj chem* (*o kwasie*) metakrylowy
meth(a)emoglobin [met,hi:mɔ'gləubin] *s biochem* methemoglobina
methanol ['meθənɔl] *s chem* metanol, alkohol metylowy
methenamine [me'θi:nəmi:n] *s farm* urotropina; sześciometylenoczteroamina
methionine [me'θaiəni:n] *s biochem* metionina
† **methyl** [III] *attr* (*o alkoholu*) metylowy; ~ **acetate** octan metylu
methylal [meθi'læl] *s chem* metylal
methylamine [,meθilə'mi:n] *s chem* metyloamina
methylate ['meθileit] *chem* [I] *s* metanolan, metylan [III] *vt* metylować
methylation [meθi'leiʃən] *s chem* metylowanie
methyldichloroarsine [me,θildi,klɔrɔ'ɑ:sin] *s chem* metylodwuchloroarsyna
methylene ['meθili:n] *s chem* metylen; ~ **blue** błękit metylenowy
methylnaphthalene [,meθil'næfθəli:n] *s chem* metylonaftalen
meticulously [mi'tikjuləsli] *adv* drobiazgowo; skrupulatnie
metol ['mi:tɔl] *s fot* metol
metralgia [mi'trældʒiə] *s med* ból macicy
metrazol ['metrəzɔl] *s farm* metrazol, kardiazol
metritis [mi'traitis] *s med* zapalenie macicy
metrorrhagia [,metrə'reidʒiə] *s med* krwotok maciczny
mev. [mev] *s fiz* megaelektronowolt
mho [məu] *s elektr* siemens
† **mica** [III] *attr* mikowy; ~ **paper** papier mikowy
micarta [mi'kɑ:tə] *s chem* micarta
micelle [mi'sel] *s fiz chem* micela
michurinism [mi'tʃu:rinizəm] *s* miczurinizm
microcard [maikrə'kɑ:d] *s druk* mikrokarta
microchemistry [,maikrəu'kemistri] *s* mikrochemia
microclimate [maikrə'klaimit] *s* mikroklimat
microclimatology [,maikrəklimə'tɔlədʒi] *s* mikroklimatologia

microcline [ˈmaikrəklain] *s miner* mikroklin
microcosmic [ˌmaikrəˈkɔzmik] *adj* mikrokosmiczny
microcrystalline [ˌmaikrəˈkristəlain] *adj* mikrokrystaliczny
microcurie [ˌmaikrəˈkjuəri] *s fiz* mikrocurie
microcyte [ˈmaikrəsait] *s fizj* mikrocyt
microelement [ˌmaikrəˈelimənt] *s biochem* mikroelement; substancja śladowa
microevolution [maikrəˌevəˈlju:ʃən] *s* mikroewolucja
microgamete [ˌmaikrəugəˈmi:t] *s biol* mikrogameta
microgroove [ˌmaikrəˈgru:v] I *s* drobny rowek (na płycie gramofonowej) II *attr* drobnorowkowy
microhardness [ˌmaikrəˈhɑ:dnis] *s nukl* mikrotwardość
micromanipulator [ˌmaikrəmənipjuˈleitə] *s nukl* mikromanipulator
micronutrient [ˌmaikrəˈnju:triənt] *s biochem* mikroelement
micropyle [ˈmaikrəˌpail] *s zool* okienko
micropyrometer [ˌmaikrəpaiˈrɔmitə] *s* mikropirometr
microsecond [ˌmaikrəˈsekənd] *s* mikrosekunda
microseismic [ˌmaikrəˈsaizmik] *adj* mikrosejsmiczny
microswitch [ˌmaikrəˈswitʃ] *s techn* łącznik miniaturowy
microwave [ˌmaikrəˈweiv] *s elektr* mikrofala
midbrain [ˈmidbrein] *s anat* śródmózgowie
↑ **middle** I *adj* ... *anat* ~ **ear** ucho środkowe; *log* ~ **term** termin średni
middy [ˈmidi] *s* (*także* ~ **blouse**) bluza ⟨bluzka⟩ marynarska
↑ **midge** I *s* 2. ... *zool* **gall** ~**s** przyszczarkowate (*Cecidomyidae, Itonididae*)
mid-year [ˈmidjə:] I *s uniw* 1. semestr 2. półroczna sesja egzaminacyjna II *adj* semestralny
↑ **mighty** *adj* 1. ... *wojsk lotn* **Mighty Mouse** kierowany pocisk rakietowy typu powietrze–powietrze
↑ **milk** II *attr* ... *med* ~ **leg** zapalenie żyły udowej; *bot* ~ **vetch** (*Astragalus Glycyphyllos*) traganek szerokolistny; *am* ~ **sickness** choroba spowodowana piciem mleka od krów, których pasza zawiera domieszkę trujących traw
milking [ˈmilkiŋ] I *zob* **milk** *v* II *s* dojenie; ~ **machine** dojarka mechaniczna
↑ **milky** *adj* 1. ... *astr* **Milky Way** Droga Mleczna
↑ **mill**[1] I *s* 7. ... **edge-runner** ~ gniotownik
millibar [ˈmilibɑ:] *s meteor* milibar
millicurie [miliˈkjuəri:] *s* milicurie
millimass [ˈmilimæs] *attr chem fiz* ~ **unit** tysięczna część jednostki masy atomowej
millimicron [ˌmiliˈmaikrɔn] *s* milimikron, nanometr
milli-roentgen [miliˈrentgən] *s* milirentgen
mimetite [ˈmaimitait] *s miner* mimetyt
mimosaceous [miməˈseiʃəs] *adj bot* mimozowaty
minaciously [miˈneiʃəsli], **minatorily** [ˈminətɔrili] *adv* groźnie; z pogróżkami
↑ **mind** I *s* 4. ... *przen* ~**'s eye** wyobraźnia II *attr* ~ **reading** czytanie cudzych myśli
mindfully [ˈmaindfuli] *adv* uważnie; troskliwie
mindlessly [ˈmaindlisli] *adv* 1. bezrozumnie 2. niedbale
↑ **mineral** II *adj* 1. ... ~ **jelly** wazelina; ~ **oil** olej mineralny; ropa naftowa; olej skalny; ~ **pitch** asfalt; ~ **tar** smoła ziemna; ~ **wax** wosk ziemny; ~ **wool** wełna skalna; *nukl* ~ **concentrate** koncentrat rudy
minicam [ˈminikæm], **minicamera** [miniˈkæmərə] *s* miniaturowy aparat fotograficzny
ministerially [ˌminisˈtiəriəli] *adv* 1. ministerialnie 2. duszpastersko; jak duchowny ⟨pastor⟩
ministrant [ˈministrənt] I *adj* 1. zaspokajający (**to sb's needs etc.** czyjeś potrzeby itd.) 2. *kośc* pełniący obowiązki duszpasterskie 3. *kośc* celebrujący II *s kośc* 1. duszpasterz 2. celebrans
minnow [ˈminəu] *s sl mar* torpeda
Minol [ˈmainɔl] *s wojsk* potężny środek wybuchowy
minuend [ˈminjuend] *s mat* odjemna
minutely [maiˈnju:tli] *adv* 1. drobno; znikomo; mikroskopijnie; filigranowo 2. drobiazgowo; szczegółowo
miraculously [miˈrækjuləsli] *adv* cudownie; w cudowny sposób
↑ **mirror** III *attr* zwierciadlany; *nukl* ~ **nuclides** nuklidy zwierciadlane
mirthfully [ˈmə:θfuli] *adv* wesoło; radośnie
mirthless [ˈmə:θlis] *adj* bezradosny; smutny; ponury
mirthlessly [ˈmə:θlisli] *adv* bezradośnie; smutno; ponuro
misanthropic [misənˈθrɔpik] *adj* mizantropijny
misanthropically [ˌmisənˈθrɔpikəli] *adv* mizantropijnie
miscellaneously [misiˈleinjəsli] *adv* różnie; rozmaicie; różnorodnie
mischievously [ˈmistʃivəsli] *adv* 1. szkodliwie 2. złośliwie 3. psotnie; figlarnie
misdemeanor [ˈmisdiˈmi:nə] *s am* = **misdemeanour**
miserably [ˈmizərəbli] *adv* 1. marnie; nędznie; po dziadowsku 2. nieszczęśliwie; nieszczęśnie
misestimate [misˈestimeit] *vt* źle obliczyć; pomylić się w obliczeniach
misguidedly [misˈgaididli] *adv* nieopatrznie; nierozważnie; niefortunnie

misinterpretation [ˌmisintəːpriˈteiʃən] *s* 1. złe ⟨mylne⟩ zrozumienie 2. złe ⟨mylne, fałszywe⟩ tłumaczenie; nieścisła interpretacja
misreport [ˌmisriˈpɔːt] *vt* mylnie ⟨błędnie⟩ donieść (**sth** o czymś)
↑ **mission** I *s* 4. *wojsk* zadanie (bojowe itd.)
misstep [misˈstep] *s dosł i przen* fałszywy krok
mistflower [ˈmistflauə] *s bot* sadźcowa roślina północnoamerykańska *Eupatorium coelestinum*
mistily [ˈmistili] *adv* mgliście
mistrustfully [misˈtrʌstfuli] *adv* nieufnie; niedowierzająco
misusage [misˈjuːzidʒ] *s* 1. niewłaściwe użycie ⟨zastosowanie⟩ (wyrazu) 2. = **misuse**
miter [ˈmaitə] *s vt am* = **mitre**
miticide [ˈmaitisaid] *s farm* środek do niszczenia roztoczy
↑ **mixed** III *adj* 1. ... *mat* ~ **number** ułamek mieszany
mixoploid [miksɔˈplɔid] *s biol* miksopoliploid
moa [məu] *s zool* (*Dinornis*) moa
↑ **mobile** *adj* 1. ... *nukl* ~ **reactor** reaktor przewoźny
mobocracy [mɔˈbɔkrəsi] *s* władza ⟨rządy⟩ motłochu
mobster [ˈmɔbstə] *s* gangster
↑ **moccasin** III *attr bot* ~ **flower** obuwik pospolity (storczyk)
↑ **mock** IV *adj* ... *bot* ~ **orange** (*Philadelphus coronarius*) jaśminowiec wonny
↑ **model** III *attr* ... ~ **builder** modelarz
modeler [ˈmɔdlə] *s am* = **modeller**
modelling, *am* **modeling** [ˈmɔdliŋ] I *zob* **model** *vt* III *s* modelowanie; modelarstwo
moderated [mɔdəˈreitid] I *zob* **moderate** *vt* III *adj nukl* ~ **reactor** reaktor z moderatorem
↑ **moderating** III *adj* ... *nukl* ~ **ratio** współczynnik spowalniania
↑ **moderator** *s* 4. *nukl* moderator; spowalniacz
modestly [ˈmɔdistli] *adv* skromnie
modifier [ˈmɔdifaiə] *s* modyfikator
modiolus [məuˈdaiələs] *s anat* oś ślimaka
modulator [ˌmɔdjuˈleitə] *s fiz* modulator
Mohs [məuz] *spr attr miner* ~ **scale** skala twardości według Mohsa
↑ **moisture** III *attr* ~ **capacity** pojemność wodna; wodochłonność; ~ **content** zawartość wilgoci; wilgotność; ~ **equivalent** zawartość procentowa wilgoci w glebie
mol *zob* **mol(e)** ↑
molal [ˈməuləl] *adj chem* molarny
molality [mɔˈlæliti] *s chem* molarność
molarity [mɔˈlæriti] *s chem* stężenie molowe
mold[1,2,3] [məuld] *am* = **mould**[1,2,3]
moldavite [ˈməuldəvait] *s miner* mołdawit
molder[1,2] [ˈməuldə] *am* = **moulder**[1,2]
molding[1,2] [ˈməuldiŋ] *am* = **moulding**[1,2]
moldy[1,2] [ˈməuldi] *am* = **mouldy**[1,2]
mol(e) [məul] *s chem* mol; gramocząsteczka, gramodrobina
moll [mɔl] *s sl* 1. cizia; kochanka złodzieja ⟨włóczęgi, gangstera⟩ 2. kurwa; prostytutka
mollescent [məˈlesnt] *adj* zmiękczający
molluscoid [mɔˈlʌskɔid] *adj zool* mięczakowaty
mollusk [ˈmɔləsk] *s am* = **mollusc**
molt [mɔlt] *vi s am* = **moult**
molybdate [məˈlibdeit] *s chem* molibdenian
molybdenite [mɔˈlibdinait] *s miner* molibdenit
molybdenous [mɔˈlibdinəs] *adj chem* molibdenowy
molybdic [məˈlibdik] *adj* (*o kwasie*) molibdenowy
monadism [ˈmɔnədizəm] *s filoz* monadyzm, monadologia
monadnock [məˈnædnɔk] *s geol* monadnok, góra świadek, ostaniec
monanthous [məˈnænθəs] *adj bot* jednokwiatowy
monarchally [mɔˈnɑːkəli], **monarchically** [mɔˈnɑːkikəli] *adv* monarchicznie; monarszo
monarchism [ˈmɔnəkizəm] *s* monarchizm
monarda [mɔˈnɑːdə] *s bot* amerykańskie ziele z rodzaju *Monarda*
monastically [mɔˈnæstikəli] *adv* klasztornie; zakonnie
monasticism [mɔˈnæstisizəm] *s* życie klasztorne ⟨zakonne⟩
monatomic [mɔnəˈtɔmik] *adj chem* jednoatomowy
monazite [ˈmɔnəzait] I *s miner* monacyt III *attr* (*o piasku*) monacytowy
Monel [məuˈnel] *spr attr* ~ **metal** monel, stop Monela; metal jednorodny
monetarily [ˈmɔnitərili] *adv* pieniężnie
moneywise [ˈmʌniwaiz] *adv pot* finansowo; kieszeniowo
moni(c)ker [ˈmɔnikə] *s* 1. znak rozpoznawczy, który włóczędzy zostawiają w miejscach swego pobytu 2. *sl* przezwisko
monilliform [məuˈnilifɔːm] *adj bot zool* paciorkowaty
↑ **monitor** III *attr* kontrolny; *nukl* ~ **ionization chamber** komora jonizacyjna kontrolna
monitoring [ˈmɔnitəriŋ] I *zob* **monitor** *vt* III *adj* (*o przyrządzie*) kontrolny
monitron [ˈmɔnitrɔn] *s nukl* monitron
monkhood [ˈmʌŋkhud] *s* 1. stan mnisi 2. *zbior* mnisi; zakonnicy
monocarp [ˈməunəkɑːp] *s bot* roślina owocująca raz w życiu ⟨monokarpiczna⟩
monochasium [mɔnəuˈkeizjəm] *s bot* rozgałęzienie jednodzielne; wierzchołek jednodzielny
monochord [ˈmɔnəkɔːd] *s muz* monochord
monochroic [mɔnəˈkrəuik] *adj* jednobarwny

↑ **monochromatic** *adj* 2. jednobarwny
monoclinous [mɔnə'klainəs] *adj bot* obupłciowy
monocracy [mɔ'nɔkrəsi] *s* jedynowładztwo; autokracja
monoculture [mɔnə'kʌltʃə] *s roln* monokultura
monodactylous [mɔnə'dæktiləs] *adj zool* jednopalczasty
↑ **monogenesis** *s* 2. *biol* rozmnażanie bezpłciowe
monogeny [mɔ'nɔdʒeni] *s* = **monogenesis** 2. ↑
monohydric [mɔnə'haidrik] *adj chem* jednowodorotlenowy
monology [mɔ'nɔlədʒi] *s* monologowanie
monomolecular [ˌmɔnəmə'lekjulə] *adj* monomolekularny; jednocząsteczkowy
monophil(l)ament [mɔnə'filəmənt] *s* włókno pojedyncze ⟨elementarne⟩
monoplegia [mɔnə'pli:dʒiə] *s med* monoplegia; porażenie jednej kończyny
monopodium [mɔnə'pəudiəm] *s bot* łodyga główna
monopropellant [ˌmɔnəuprə'pelənt] *s* materiał pędny jednoskładnikowy (do rakiet)
monosaccharide [mɔnə'sækəraid] *s chem* monosacharyd
monoscope ['mɔnəskəup] *s tv* monoskop
monostich ['mɔnəstik] *s prozod* monostych
monostrichous [mə'nɔstrikəs] *adj* (*o bakterii*) jednowiciowy
monotonously [mə'nɔtənəsli] *adv* monotonnie; jednostajnie
monotypic [mɔnə'tipik] *adj* 1. *biol* monotypowy 2. *bot* jednogatunkowy, jednorodzajowy
mons [mɔns] *s* (*pl* **montes** [mɔn'ti:z]) *anat* wzgórek
monsonite ['mɔnzənait] *s miner* monzonit
monstruously ['mɔnstruəsli] *adv* 1. potwornie; monstrualnie 2. ohydnie
montmorillonite [mɔntmɔ'rilənait] *s miner* montmorylonit
monumentally [ˌmɔnju'mentəli] *adv* monumentalnie; pomnikowo
moo[2] [mu:] *s sl* forsa
mooch [mu:tʃ] *sl* Ⅰ *vi* 1. czaić się 2. kręcić się (dokoła czegoś) Ⅱ *vt* 1. zwędzić; świsnąć 2. wycyganić (coś od kogoś)
↑ **mood**[2] Ⅲ *attr* ~ **swing** zmiana nastroju ⟨usposobienia⟩
moodily ['mu:dili] *adv* markotnie
moonwort ['mu:nwə:t] *s bot* (*Botrychium Lunaria*) podejźrzon
moorwort ['muəwə:t] *s bot* (*Andromeda polifolia*) modrzewnica zwyczajna
mopboard ['mɔpbɔ:d] *s bud* listwa przypodłogowa
mor [mɔ:] *s* gleba leśna o górnej warstwie kwaśnej próchnicy słabo rozłożonej
moraceous [mɔ'reiʃəs] *adj bot* morwowaty
moralism ['mɔrəlizəm] *s* moralizowanie
morally ['mɔrəli] *adv* 1. moralnie 2. duchowo

↑ **morbid** *adj* 5. okropny; ponury; makabryczny
morbidly ['mɔ:bidli] *adv* 1. chorobliwie 2. okropnie; makabrycznie
morbilli [mɔ:'bilai] *s med* odra
mordantly ['mɔ:dəntli] *adv* zjadliwie
morganatically [mɔ:gə'nætikəli] *adv* morganatycznie
morganite ['mɔ:gənait] *s miner* morganit
moribundly ['mɔribʌndli] *adv* na łożu śmierci; umierając; konając
morion ['mɔriɔn] *s miner* morion
↑ **morning** Ⅲ *attr* ... ~ **sickness** ranne wymioty i nudności (ciążowe)
morph [mɔ:f] *s jęz* postać morfemu
morphogenesis [mɔ:fəu'dʒenisis] *s biol* morfogeneza
morro ['mɔrəu] *s* zaokrąglony wzgórek
morula ['mɔrjulə] *s biol* morula
mosesite ['məusizait] *s miner* mosesyt
↑ **Moslem** Ⅲ *adj* ... *polit* ~ **brotherhood** bractwo muzułmańskie
↑ **mosquito** Ⅰ *s* 2. *wojsk* typ bombowca brytyjskiego Ⅲ *attr wojsk mar* ~ **boat** mała nieopancerzona łódź uzbrojona w torpedy i lekką artylerię; *sl mar* ~ **fleet** flotylla małych okrętów
↑ **mother**[1] Ⅲ *attr* ... ~ **superior** matka przełożona; ~ **tongue** język rodzimy ⟨macierzysty⟩
↑ **motion** Ⅲ *attr med* ~ **sickness** nudności doznawane w czasie jazdy ⟨lotu, podróży morskiej⟩
↑ **motional** *adj* 2. *nukl* kinetyczny
motionlessly ['məuʃənlisli] *adv* nieruchomo; bez ruchu
↑ **motor** Ⅲ *adj* 2. ... ~ **mimicry** = **empathy** Ⅴ *attr* silnikowy; ~ **van** samochód furgon; *am* ~ **court** motel; *mar* ~ **ship** motorowiec
motorcycle [ˌməutə'saikl] *s* motocykl
motordrome ['məutəˌdrəum] *s* tor wyścigowy dla samochodów i motocykli
motorway ['məutəwei] *s* autostrada; ~ **exit** zjazd z autostrady; ~ **approach** wjazd na autostradę
mott(e) [mɔt] *s am* lasek na prerii
moulage [mu'lɑ:ʒ] *s fr* 1. odlewanie (w gipsie) 2. odlew
moulin [mu:'lɛ̃] *s fr geol* młyn lodowcowy
↑ **mountain** Ⅲ *attr* ... *med* ~ **sickness** choroba górska; *bot* ~ **cranberry** (*Vaccinium vitis-idaea*) borówka brusznica; ~ **laurel** (*Kalmia latifolia*) wawrzyn amerykański; *zool* ~ **cat** a) kuguar b) ryś amerykański; ~ **goat** (*Oreamnus montanus*) kozica amerykańska; ~ **lion** kuguar; ~ **sheep** (*Ovis montana*) kanadyjska owca
mournfully ['mɔ:nfuli] *adv* żałobnie; ponuro
↑ **mourning** Ⅲ *attr* ... *zool* ~ **cloak** motyl *Nymphalis antiopa*; ~ **dove** północnoamerykański gołąb *Zenaidura macroura*
↑ **mouse** Ⅰ *s* 4. mały bezzałogowy satelita Ziemi

mouth-breeder [ˈmauθˌbri:də] *s zool* ryba akwariowa nosząca ikrę i młode w pyszczku
mouton [ˈmu:tɔn] *s* (*także* ~ **lamb**) skóra jagnięca imitująca futro bobra lub foki
mrad-units [ˈemræd'junits] *spl fiz* miliradý
mr-units [ˈemɑ:ˈjunits] *spl fiz* milirentgeny
mucic [ˈmju:sik] *adj chem* (*o kwasie*) śluzowy
muckluck, mucluc, mukluk [ˈmʌklʌk] *s* obuwie z foczych skór noszone przez Eskimosów
mucoid [ˈmju:kɔid] *adj* śluzowaty
mucronate [ˈmju:krəunit, ˈmju:krəuneit] *adj bot* szydlasto zakończony
↑ **mud** Ⅲ *attr* błotny; *zool* ~ **hen** nazwa kilku rodzajów ptactwa błotnego; ~ **puppy** nazwa kilku gatunków salamander północnoamerykańskich; ~ **turtle** żółw błotny Ⅳ *vt* za/mącić (wodę) ~ **off** *vt* (*w wiertnictwie*) za/iłować
mudcap [ˈmʌdkæp] *vt* z/detonować (ładunek materiału wybuchowego)
mug⁴ [mʌg] *vt sl* napa-ść/dać
mugger² [ˈmʌgə] *s sl* bandzior; bandyta
muggles [ˈmʌglz] *spl sl* papierosy z marihuany
mujik [mu:ˈʒik] *s* mużyk (chłop w carskiej Rosji)
mukluk *zob* **muckluck**
↑ **mule¹** Ⅲ *attr zool* ~ **deer** (*Odocoileus hemionus*) wielkouchy jeleń północnoamerykański; *pot* ~ **skinner** poganiacz mułów
mulishly [ˈmju:liʃli] *adv* uparcie
mull [mʌl] *s* gleba leśna o górnej warstwie próchnicy silnie rozłożonej
mullite [ˈmʌlait] *s miner* mullit
multicoil [ˈmʌltikɔil] *adj elektr* wielozwojowy
multicolored [ˌmʌltiˈkʌləd] *adj am* = **multicoloured**
multicylinder(ed) [ˌmʌltiˈsilində(d)] *adj techn* wielotłokowy
multifilament [ˌmʌltiˈfiləmənt] *s włók* przędza wielowłókienkowa
multigraph [ˈmʌltigrɑ:f] *s* maszyna do składania i drukowania
multi-group [ˈmʌltiˌgru:p] *adj* (*o obliczeniu, równaniu itd.*) wielogrupowy
multilingual [ˌmʌltiˈliŋguəl] *adj* (*o słowniku*) wielojęzyczny
multiplet [ˈmʌltiplit] *s* multiplet
multipole [ˈmʌltipəul] *adj* (*o promieniowaniu*) multipolowy
multi-range [ˈmʌltiˌreindʒ] *adj* (*o wzmacniaczu*) wielozakresowy
multitudinous [ˌmʌltiˈtju:dinəs] *adj* 1. liczny; tłumny 2. wieloraki; wielorako złożony
multitudinously [ˌmʌltiˈtju:dinəsli] *adv* licznie; tłumnie
multivalent [ˌmʌltiˈveilənt] Ⅰ *s biol* multiwalent Ⅱ *adj chem* wielowartościowy
mundanely [mʌnˈdeinli] *adv* ziemsko; doczesnie
Munich [ˈmju:nik] *spr*, **Munichism** [ˈmju:nikizəm] *s* haniebna ugodowość; ugłaskiwanie napastnika
municipally [ˌmju:ˈnisipəli] *adv* samorządowo; municypalnie
munificently [mjuˈnifisəntli] *adv* szczodrze; szczodrobliwie; hojnie
muon [ˈmjuɔn] *s nukl* mion
murderously [ˈmə:dərəsli] *adv* 1. morderczo 2. krwiożerczo 3. śmiercionośnie
murine [ˈmju:rain] *adj* mysi; szczurzy
murkily [ˈmə:kili] *adv* mrocznie; ciemno
murumuru [muruˈmuru:] *s* 1. *bot* palma brazylijska *Astrocaryum murumuru* 2. wosk tego drzewa stosowany w produkcji mydła
muscid [ˈmʌsid] *adj* muszy
muscone [ˈmʌskəun] *s chem* muskon
↑ **muscular** *adj* 1. ... *med* ~ **dystrophy** zanik mięśni
muscularly [ˈmʌskjuləli] *adv* mięśniowo
mushily [ˈmʌʃili] *adv* papkowato; gąbczasto
musically [ˈmju:zikəli] *adv* muzycznie; muzykalnie
musicology [ˌmju:ziˈkɔlədʒi] *s* muzykologia
musing [ˈmju:ziŋ] Ⅰ *zob* **muse** *vi* Ⅱ *adj* zamyślony; pogrążony w myślach ⟨w zadumie⟩ Ⅲ *s* zamyślenie; zaduma
musingly [ˈmju:ziŋli] *adv* w zamyśleniu; w zadumie
muskellunge [ˈmʌskilʌndʒ] *s zool* (*Esox masquinongy*) północnoamerykańska ryba z rodziny szczupakowatych
↑ **must¹** Ⅲ *attr* konieczny; niezbędny; **a** ~ **book** książka, którą należy przeczytać Ⅳ *s* rzecz obowiązkowa; konieczność; **that is a** ~ to konieczność
mustee [mʌsˈti:] *s* mieszaniec; potomek białego z kwarteronem
musteline [ˈmʌstəlain] *adj zool* z rodzaju kun
mustily [ˈmʌstili] *adv* stęchło
mutably [ˈmju:təbli] *adv* zmiennie
mutagenic [ˌmju:təˈdʒenik] *adj biochem* mutageniczny
mutarotation [ˌmju:tərəuˈteiʃən] *s chem* mutarotacja
mutate [ˈmju:teit] Ⅰ *vt* zmieniać Ⅱ *vi biol* mutować; podlegać mutacji
mutinously [ˈmju:tinəsli] *adv* buntowniczo
mutually [ˈmju:tʃuəli] *adv* wzajemnie; obopólnie; obustronnie
myasthenia [maiəsˈθi:niə] *s med* słabość ⟨osłabienie⟩ mięśni
mycetozoa [maiˈsi:təzəuə] *spl bot* śluzowce
mycoid [ˈmaikɔid] *adj* grzybowaty
mylonite [ˈmailənait] *s miner* milonit
myrmecophyte [ˈmə:mikəfait] *s bot* roślina zapylana przez mrówki

mysteriously [mis'tiəriəsli] *adv* tajemniczo; w tajemniczy sposób
mystically ['mistikəli] *adv* mistycznie
mythically ['miθikəli] *adv* mitycznie
mythologically [miθə'lɔdʒikəli] *adv* mitologicznie
Myxobacteria [,miksəubæk'tiəriə] *spl biol* miksobakterie

N

nacrite ['neikrait] *s miner* nakryt
nae [nei] *adj szkoc* = **no** *adj*
nagana [nə'gɑ:nə] *s wet* nagana
naggingly ['nægiŋli] *adv* dokuczliwie; nieznośnie; nękająco
↑ **nail** Ⅲ *attr* ~ **file** pilnik do paznokci; *techn* ~ **set** dobijak do gwoździ
↑ **name** Ⅲ *adj* nazwowy; imienny
nam(e)able ['neiməbl] *adj* możliwy do wymienienia; dający się wymienić
namelessly ['neimlisli] *adv* bezimiennie; anonimowo
nane [nein] *pron adj adv szkoc* = **none**
naphthene ['næfθi:n, 'næpθi:n] *s chem* nafteny
napper ['næpə] *s techn* draparka
nappy[3] ['næpi] *s* miseczka
narcoanalysis [nɑ:kəuə'nælisis], **narcosynthesis** [nɑ:kəu'sinθəsis] *s med* metoda leczenia chorób psychicznych z zastosowaniem narkotyków
narial ['nɛəriəl] *adj* nozdrzowy
↑ **narrow** Ⅰ *adj* ‖ *nukl* ~ **shower** ulewa skupiona
narrow-gauge ['nærəu,geidʒ] *adj kolej* wąskotorowy
nasally ['neizəli] *adv* nosowo
↑ **nascent** Ⅲ *attr* ~ **state** stan powstawania
nasion ['neizjən] *s anat* punkt środkowy szwu czołowego
nasitis [nei'zaitis] *s med* zapalenie nosa
nasopharynx [neizəu'færiŋks] *s anat* jama nosowogardłowa
nastily ['nɑ:stili] *adv* 1. przykro; nieprzyjemnie; niemile; obmierźle; wstrętnie; paskudnie 2. (*zranić się itd.*) niebezpiecznie; groźnie; poważnie; ciężko 3. (*uderzyć*) silnie; mocno 4. złośliwie; dokuczliwie; obrzydliwie 5. brudno 6. nieprzyzwoicie; nieprzystojnie; plugawo; sprośnie
natrium ['neitriəm] *s chem* sód
natrolite ['nætrəlait] *s miner* natrolit
nattily ['nætili] *adv* 1. starannie; czysto; schludnie; wymuskanie 2. zgrabnie; zręcznie
↑ **natural** Ⅰ *adj* 9. (*o gazie*) ziemny
↑ **naturally** *adv* 1. ... *nukl* ~ **occurring radionuclide** radionuklid naturalny; ~ **radioactive nucleus** jądro promieniotwórcze naturalne
naughtily ['nɔ:tili] *adv* 1. niegrzecznie; nieposłusznie 2. nieprzyzwoicie
naumachia [nɔ:'meikiə], **naumachy** ['nɔ:məki] *s staroż* naumachia
nauplius ['nɔ:pliəs] *s zool* nauplius
nauseously ['nɔ:ziəsli] *adv* obrzydliwie
nautically ['nɔ:tikəli] *adv* morsko; żeglarsko
navigable ['nævigəbl] *adj* spławny; żeglowny
↑ **navy** Ⅲ *attr* morski; ~ **yard** baza morska
Neanderthal [ni'ændətɑ:l] *adj* neandertalski; ~ **man** Neandertalczyk
neanthropic [ni:æn'θrɔpik] *adj* odnoszący się do człowieka współczesnego (homo sapiens)
near-breeder [niə'bri:də] *s nukl* reaktor prawie rozmnażający
neatly ['ni:tli] *adv* 1. (*o spirytusie itd. — wydestylowany*) bez domieszki; czysto 2. (*ubierać się itd.*) gustownie; przyjemnie; wdzięcznie; w dobrym guście; schludnie; czysto; porządnie; (*pisać itd.*) starannie 3. (*wyrażać się, pisać*) wykwintnie; (*sformułować itd.*) trafnie; dosadnie 4. (*wykonać coś*) zgrabnie; starannie; (*uformować itd.*) kształtnie 5. (*pracować itd.*) porządnie; systematycznie
↑ **nebular** *adj* ... ~ **hypothesis** teoria mgławicowa
nebulize ['nebjulaiz] *vt* rozpyl-ić/ać
nebulosity [nebju'lɔsiti] *s* mglistość; zamglenie
necrophilism [ne'krɔfilizəm] *s* nekrofilia
necrophobia [nekrɔ'fəubiə] *s* 1. nekrofobia; lęk przed zwłokami 2. lęk przed śmiercią
nectareous [nek'tɛəriəs] *adj* nektarowy
necton ['nektɔn] *s zool* nekton
nectonic [nek'tɔnik] *adj zool* nektoniczny
needfully ['ni:dfuli] *adv* potrzebnie; koniecznie; niezbędnie
↑ **needle** Ⅲ *vt* 6. *przen* wzm-óc/agać zainteresowanie Ⅳ *attr* iglicowy; ~ **valve** zawór iglicowy
needlessly ['ni:dlisli] *adv* niepotrzebnie; zbytecznie; zbędnie
needn't ['ni:dnt] = **need not**
negatively ['negətivli] *adv* 1. przecząco; negatywnie 2. odmownie 3. ujemnie
negativistic [,negəti'vistik] *adj* negatywistyczny
negatron ['negətrɔn] *s fiz* negatron
neglectfully [ni'glektfuli] *adv* niedbale; niestarannie; nieuważnie; opieszale
negligently ['neglidʒəntli] *adv* 1. niedbale; opieszale 2. nonszalancko; lekceważąco 3. w zaniedbaniu

negligibly [ˈneglidʒibli] *adv* bez znaczenia; nieistotnie
neighbor [ˈneibə] *s vt vi am* = **neighbour**
neighbored [ˈneibəd] *adj am* = **neighboured**
neighborhood [ˈneibəhud] *s am* = **neighbourhood**
neighboring [ˈneibəriŋ] *adj am* = **neighbouring**
neighborly [ˈneibəli] *adj am* = **neighbourly**
↑ **neither** [..., *am* ˈni:ðə]
nemathelminthes [neməˈθelminθi:z] *spl zool* obleńce
nemo [ˈneməu, ˈni:məu] *s radio tv* program powstający poza studiem
neoarsphenamine [niəuˈɑ:sfenəmi:n] *s farm* neoarsfenamina
neoclassic(al) [niəuˈklæsik(l)] *adj* neoklasyczny
neoclassicism [niəuˈklæsisizəm] *s* neoklasycyzm
Neo-Darwinism [niəuˈdɑ:winizəm] *s* neodarwinizm
neodymium [niəuˈdimiəm] *s chem* neodym
neohexane [niəuˈheksein] *s chem* 2,2-dwumetylobutan
neoimpressionism [ˌniəuimˈpreʃənizəm] *s* neoimpresjonizm
Neo-Lamarckism [ˌniəuləˈmɑ:kizəm] *s* neolamarkizm
neolith [ˈniɔliθ] *s* neolit
neomycin [niɔuˈmaisin] *s chem* neomycyna
neoplasty [ˈni:ɔplæsti] *s med* plastyka utraconych części ciała
Neoplatonism [niəuˈpleitənizəm] *s filoz* neoplatonizm
neoprene [ˈni:əupri:n] *s chem* neopren
neosalvarsan [niəuˈsælvəsæn] *s* neosalwarsan
Neo-Scholasticism [ˌniəuskəˈlæstisizəm] *s filoz* neoscholastyka
neoytherbium [niəuiˈθə:biəm] *s chem* iterb
neper [ˈneipə] *s fiz* neper
nepheline [ˈnefəlin] *s* nefelin
nephelinite [ˈnefəlinait] *s miner* nefelinit
nephelometer [ˌnefiˈlɔmitə] *s biol* nefelometr
nephoscope [ˈnefəskəup] *s meteor* nefoskop
nephrectomy [niˈfrektəmi] *s med* wycięcie nerki
nephric [ˈnefrik] *adj* nerkowy; nerek
nephrotomy [niˈfrɔtəmi] *s med* nacięcie nerki
neptunium [nepˈtju:niəm] *s chem* neptun
nerol [niˈrɔl] *s chem* nerol
neroli [niˈrɔli] *attr chem* ~ **oil** olejek z kwiatów gorzkiej pomarańczy
↑ **nerve** III *attr* ... *anat* ~ **centre** a) ośrodek nerwowy b) *przen* punkt newralgiczny; *anat* ~ **fibre** włókno nerwowe; ~ **impulse** bodziec nerwowy; *wojsk* ~ **gas** nazwa kilku gazów toksycznych produkowanych podczas II wojny światowej
↑ **nervous** *adj* 1. ... *psych* ~ **breakdown** załamanie psychiczne ⟨nerwowe⟩
nervously [ˈnə:vəsli] *adv* 1. nerwowo 2. niespokojnie; ze zdenerwowaniem
↑ **net²** I *adj* 2. *nukl* użyteczny; ~ **current** ⟨**energy gain**⟩ prąd ⟨przyrost energii⟩ użyteczny; ~ **power balance** bilans energetyczny ostateczny; ~ **transport** przepustowość względna
neuration [nju:ˈreiʃən] *s* 1. *bot* unerwienie (liścia) 2. *zool* użyłkowanie (skrzydła owada)
neurectomy [nju:ˈrektəmi] *s med* wycięcie nerwu
neurilemma [njuəriˈlemə] *s anat* osłonka nerwowa
neuroblast [ˈnjuərəblɑ:st] *s biol* neuroblast
neuroglia [nju:ˈrɔgliə] *s anat* zrąb, struktura podtrzymująca tkanki nerwowej
neuropathology [ˌnju:rəupəˈθɔlədʒi] *s med* neuropatologia
neuropsychiatry [ˌnju:rəusaiˈkaiətri] *s med* neuropsychiatria
neurotomy [nju:ˈrɔtəmi] *s med* przecięcie nerwu
neutralism [ˈnju:trəlizəm] *s* neutralizm, neutralność
neutrino [nju:ˈtri:nəu] *s fiz* neutryno
↑ **neutron** III *attr* neutronowy; ~ **absorber** pochłaniacz ⟨absorbent⟩ neutronów; ~ **age** wiek neutronów; ~ **beam** wiązka neutronów; ~ **bombardment** bombardowanie neutronami; ~ **burst** impuls neutronowy; ~ **shutter** zasłona przed neutronami; ~ **thermopile** stos termoelektryczny neutronowy
Newcastle [ˈnju:kɑ:sl] *spr attr wet* ~ **disease** pomór rzekomy ptaków
newel [ˈnjuəl] *s bud* słupek poręczy schodów
newish [ˈnjuiʃ] *adj* niedawno wprowadzony ⟨nastały, powstały⟩; nowy; niedawny
newscast [ˈnju:zkɑ:st, *am* ˈnju:zkæst] *s* dziennik radiowy
news-letter [ˈnju:zˌletə] *s* nieoficjalne lub poufne sprawozdanie wraz z analizą podanych wiadomości
newsworthy [ˈnju:zwə:ði] *adj* zasługujący na wzmiankę w prasie
newton [ˈnju:tən] *s fiz* niuton, newton
↑ **next** I *adj* 1. ... *prawn* ~ **friend** krewny ⟨znajomy⟩ zastępujący w sądzie nieletniego lub niezdolnego do stawiennictwa
niacin [ˈnaiəsin] *s farm* niacyna
niccolite [ˈnikəlait] *s miner* nikielit
Nicene [naiˈsi:n] *adj* nicejski
↑ **nicety** *powinno być*: [ˈnaisiti]
↑ **nickel** III *attr* ... ~ **plate** niklowanie; ~ **silver** alpaka
nickelic [niˈkelik] *adj* niklowy
nickelodeon [ˌnikəlˈəudiən] *s am* lokal rozrywkowy, do którego wstęp kosztuje 5 centów
nicolayite [ˈnikəleiait] *s* = **thorogummite** ↑

nicotinamide [nikəˈtinəmaid] *s chem* amid niacyny
nicotinic [nikəˈtinik] *adj* (*o kwasie*) nikotynowy
↑ **night** III *attr* ... ~ **latch** zatrzask typu Yale; ~ **robe** = **nightgown**; ~ **school** szkoła wieczorowa; ~ **soil** fekalia wybierane w nocy do użycia jako nawóz; *zool* ~ **heron** (*Nycticorax nycticorax*) ślepowron; *am* ~ **letter** list telegraficzny nadawany po zniżonej taryfie
nightcap [naitˈkæp] *s sport* ostatnia konkurencja dnia
nightrider [ˈnaitraidə] *s* członek konnej bandy dokonującej aktów terroru w nocy
Nike [ˈnaiki:] *s wojsk lotn* nazwa jednego z rodzajów pocisków sterowanych
nilotic [naiˈlɔtik] *adj* nilowy
nimbly [ˈnimli] *adv* 1. zwinnie; lekko; sprężyście 2. prędko; szybko; rączo; żwawo
Nip [nip] *sl* I *adj* japoński II *s* Japończyk
nisei [ˈni:sei] *s* Japończyk urodzony w Stanach Zjednoczonych z rodziców urodzonych w Japonii
Nissen [ˈnisən] *spr attr* ~ **hut** prefabrykowany barak specjalnie izolowany do przebywania w okolicach polarnych
nisus [ˈnaisəs] *s* 1. wysiłek; dążność 2. pęd (do czegoś); popęd
niton [ˈnaitən] *s chem* radon; niton
nitrobenzene [ˌnaitrəuˈbenzi:n] *s chem* nitrobenzen
nitrocellulose [ˌnaitrəuˈseljuləus] *s chem* nitroceluloza
nitrofuran [ˌnaitrəuˈfjuərən] *s chem* nitrofuran
↑ **nitrogen** III *attr chem* ~ **fixation** wiązanie azotu; ~ **group** azotowce
nitrogenize [ˈnaitrɔdʒinaiz] *vt chem* azotować
nitroparaffins [ˌnaitrəuˈpærəfinz] *spl chem* nitroparafiny
nitrosamine [ˈnaitrəsəmi:n] *s chem* nitrozoamina
nitrosyl [ˈnaitrəusil] *s chem* nitrozyl
nivenite [ˈnivənait] *s miner* niwenit
Noachian [nəuˈeikiən] *adj bibl* Noego
Nobelist [ˈnəubəlist] *s* laureat nagrody Nobla
nobly [ˈnəubli] *adv* 1. szlachetnie; zacnie; wzniośle; wielkodusznie; szczytnie 2. (*urodzić się itd.*) szlachetnie; w rodzinie szlacheckiej
Noctuidae [nɔkˈtjuidi:] *spl zool* (*Noctuidae*) sówki
noel [nəuˈel] *s fr* 1. kolęda 2. **Noel** Boże Narodzenie; Gwiazdka
noesis [nəuˈi:sis] *s filoz* noetyka
↑ **noise** III *attr nukl* ~ **ratio** stosunek sygnału do szumów
noiselessly [ˈnɔizlisli] *adv* 1. cicho; bezgłośnie; bezszelestnie; bezszmerowo 2. *radio* (*słuchać stacji itd.*) bez zakłóceń
noma [ˈnəumə] *s med* zgorzel policzków; rak wodny
nomarch [ˈnɔmɑ:k] *s* nomarcha
nomarchy [ˈnɔmɑ:ki] *s* nomarchia
nome [nəum] *s* (*w starożytnym Egipcie*) nom
↑ **nominal** *adj* ‖ *nukl* ~ **rated output** moc znamionowa
nominally [ˈnɔminəli] *adv* 1. nominalnie 2. symbolicznie
nomology [nəuˈmɔlədʒi] *s prawn* nomologia
nomothetic [nəuməˈθetik] *adj prawn* nomotetyczny
non-adiabatic [nɔnˌædiəˈbætik] *adj fiz* nieadiabatyczny
nonallergenic [nɔnæləˈdʒenik] *adj med* nieuczulający; nie wywołujący alergii ⟨uczulenia⟩
non-availability [nɔnəˌveiləˈbiliti] *s* niemożność otrzymania ⟨uzyskania⟩; brak
non-boiling [nɔnˈbɔiliŋ] *adj nukl* (*o reaktorze*) niewrzący
non-breeding [nɔnˈbri:diŋ] *adj nukl* (*o materiale*) nierozmnażający
non-browning [nɔnˈbrauniŋ] *adj techn* (*o szkle*) nieciemniejący
non-capture [nɔnˈkæptʃə] *attr nukl* ~ **collision** zderzenie bezwychwytowe
non-capturing [nɔnˈkæptʃəriŋ] *adj* ~ **reflector** reflektor niepochłaniający
non-collegiate [nɔn-kəˈli:dʒiit] *adj* 1. (*o studencie*) nie należący do żadnego z kolegiów uniwersyteckich 2. (*o studiach*) będący poniżej poziomu kolegium uniwersyteckiego 3. (*o uczelni*) nie składający się z kolegiów
non-conformance [ˌnɔnkənˈfɔ:məns] *s* niestosowanie się (**with sth** do czegoś)
non-corrosive [nɔn-kəˈrəusiv] *adj techn* niekorodujący
non-darkening [nɔnˈdɑ:kniŋ] *adj techn* nieciemniejący
non-equilibrium [nɔnˌekwiˈlibriəm] *attr nukl* ~ **state** stan niezachowania równowagi
nonetheless [nʌnðəˈles] *adv* niemniej jednak; tym niemniej
non-existence [nɔnigˈzistəns] *s* nieistnienie
non-fission [nɔnˈfiʃən] *attr nukl* (*o pochłanianiu, wychwycie itd.*) bez rozszczepienia
non-fraternization [nɔnˌfrætənaiˈzeiʃən] *s wojsk* zakaz bratania się (z Niemcami po II wojnie światowej)
non-fulfilment, *am* **non-fulfillment** [nɔnfulˈfilmənt] *s* niespełnienie (**sth** czegoś); niezastosowanie się (**sth** do czegoś);
nonillion [nɔˈniljən] *s* (*w Anglii i Niemczech*) 10^{54}; (*w Stanach Zjednoczonych i Francji*) 10^{30}
non-inductive [nɔninˈdʌktiv] *adj fiz* nieindukcyjny
non-ionizing [nɔnˌaiəˈnaiziŋ] *adj nukl* niejonizujący

non-isotopic [nɔn,aisə'tɔpik] *adj nukl* nieizotopowy
non-linear [nɔn'liniə] *adj* nieliniowy
non-linearity [nɔn,lini'æriti] *s* nieliniowość
non-magic [nɔn'mædʒik] *adj nukl* (*o jądrze*) niemagiczny
nonmoral [nɔn'mɔrəl] *adj* amoralny
nonnitrogenous [,nɔnnai'trɔdʒinəs] *adj* bezazotowy
nonobjective [,nɔnəb'dʒektiv] *adj plast* bezprzedmiotowy; abstrakcyjny
nonparous [nɔn'pærəs] *adj* nierodząca
nonparticipating [nɔnpɑ:'tisipeitiŋ] *adj* nieuczestniczący
nonpartisan [nɔn'pɑ:tizæn] *adj* bezpartyjny; niezaangażowany
nonpro ['nɔnprəu] *s adj sl* (sportowiec) niezawodowy
nonproductive [nɔnprə'dʌktiv] *adj* 1. nie związany z produkcją; nieprodukcyjny; nieproduktywny; nieprodukujący 2. *nukl* ~ **capture** wychwyt bez rozszczepienia
nonprofit [nɔn'prɔfit] *adj* nie obliczony na zysk
nonrepresentational [nɔn,reprizen'teiʃənl] *adj plast* bezprzedmiotowy; abstrakcyjny
non-representative [nɔn,repri'zentətiv] *adj nukl* niereprezentatywny; niecharakterystyczny
non-stationary [nɔn'steiʃənəri] *adj nukl* nieustalony; ~ **operation** praca nieustalona
non-syllabic [nɔnsi'læbik] *adj* niezgłoskotwórczy
non-turbulent [nɔn'tə:bjulənt] *adj nukl* nieburzliwy; ~ **plasma** plazma nieburzliwa
non-U ['nɔn'ju:] *pot* [I] *s* niższe sfery (społeczne) [II] *adj* (pochodzący itd.) z niższych sfer (społecznych)
nonvoter [nɔn'vəutə] *s* niegłosujący
nooning ['nu:niŋ] *s* przerwa południowa
nor'-easter [nɔ:rθ'i:stə] *s* = **northeaster**
normally ['nɔ:məli] *adj* normalnie
normocyte ['nɔ:məsait] *s anat* krwinka czerwona prawidłowa
normotensive [nɔ:məu'tensiv] *adj med* (*o ciśnieniu krwi*) o prawidłowym napięciu
no-show ['nəuʃəu] *s* niezgłoszenie się (pasażera, który ma zakupioną rezerwację itd.)
nosography [nɔ'sɔgrəfi] *s* opisanie chorób
† **nostalgia** *s* ... tęsknota
† **nostalgic** *adj* 2. tęskny; **to feel** ~ tęsknić
nostalgically [nɔs'tældʒikəli] *adv* 1. nostalgicznie 2. tęsknie
nostology [nɔs'tɔlədʒi] *s med* geriatria
nostomania [nɔstə'meiniə] *s* chorobliwa tęsknota
† **note** [I] *s* 5. (*także* ~ **of hand**)...
noteless ['nəutlis] *adj* 1. nie odznaczający się niczym 2. niemuzykalny
noticeably ['nəutisəbli] *adv* 1. widocznie; dostrzegalnie 2. w sposób godny uwagi
notionally ['nəuʃənəli] *adv* 1. pojęciowo; myślowo; wyobrażeniowo 2. (*postępować itd.*) chimerycznie; kapryśnie; dziwacznie
notoriously [nəu'tɔ:riəsli] *adv* 1. jawnie 2. notorycznie
notornis [nəu'tɔ:nis] *s zool* nowozelandzki ptak nielatający z rodziny *Notornis*
noumenon ['nu:minɔn] *s filoz* noumen, numen
nourishingly ['nʌriʃiŋli] *adv* pożywnie
novolescence [nɔvə'lesəns] *s* nowość (czegoś)
noxiously ['nɔkʃəsli] *adv* szkodliwie; zgubnie; niezdrowo
nubilous ['nju:biləs] *adj* 1. pochmurny; mglisty 2. niejasny
† **nuclear** *adj* 1. ... *nukl* ~ **moment** ⟨**radius**⟩ moment ⟨promień⟩ jądra
nucleation [nju:kli'eiʃən] *s* 1. zawiązywanie ziarna 2. tworzenie jąder 3. wywoływanie sztucznego deszczu 4. *fiz* powstawanie zarodków krystalizacji
nucleic [nju'kliik] *adj biochem* (*o kwasie*) nukleinowy
nucleogenesis [,nju:kləu'dʒenisis] *s nukl* nukleogeneza
nucleolar [nju:'kli:ələ] *adj biol* jąderkowaty
nucleolus ['nju:kliələs] *s biol* jąderko
nucleon ['nju:kliɔn] *s fiz* nukleon
nucleonics [,nju:kli'ɔniks] *s fiz* nukleonika
nucleoplasm [,nju:kliəu'plæzəm] *s biol* plazma jądrowa
nucleoprotein [,nju:kliəu'prəutiin] *s biochem* nukleoproteina
nuclide ['nju:klaid, 'nju:klid] *s fiz* nuklid
nudibranch(iate) [,njudi'bræŋk(iit)] *adj zool* nagoskrzelny
nudicaul ['nju:dikɔ:l], **nudicaulous** [nju'dikɔləs] *adj bot* bezlistny
nudiflorous [nju:'diflɔrəs] *adj bot* mający nagie kwiaty (pozbawione włosków)
† **nuisance** [III] *attr am* ~ **tax** drobny podatek zwykle opłacany przez konsumenta (np. od artykułów toaletowych, patentowanych lekarstw itd.)
nullipore ['nʌlipɔ:] *s bot* nullipora, wapienny glon morski
† **number** [I] *s* 4. ... *sl* ~ **3** kokaina; ~ **8** heroina; ~ **13** morfina 9. *handl* artykuł [IV] *attr* liczbowy; *nukl* ~ **density (of plasma)** liczba cząstek w jednostce objętości; *am* ~**s pool** loteria liczbowa
numbly ['nʌmli] *adv* bez czucia; drętwo
numerate ['nju:məreit] *vt* 1. po/liczyć 2. wylicz-yć/ać 3. prze/czytać (wyrażenie matematyczne)
† **numerical** *adj* ... ~ **constant** stała liczbowa
numerically [nju'merikəli] *adv* liczebnie; liczbowo
numerously ['nju:mərəsli] *adv* licznie; w wielkiej liczbie
nummulite ['nʌmjulait] *s paleont* numulit

↑ **nut** III *attr* orzechowy; *am bot* ~ **pine** sosna rodząca jadalne orzechy (*Pinus monophylla, edulis* itd.)
nutgrass [ˈnʌtgrɑ:s] *s bot* (*Cyperus rotundus*) amerykańska odmiana turzycy
nutpick [ˈnʌtpik] *s* sztuciec do wydobywania jądra orzecha ze skorupy
nutriciously [nju:ˈtriʃəsli], **nutritively** [ˈnju:tritivli] *adv* pożywnie, odżywczo
nutwood [ˈnʌtwud] *s* orzech (drewno)
nyctaginaceous [niktədʒiˈneiʃəs] *s bot* nocnicowaty
nyctitropism [niktiˈtrɔpizəm] *s bot* nyktitropizm, nocny układ liści
Nymphaea [nimˈfi:ə] *spl bot* grzybienie, lilie wodne
nymphaeaceous [ˌnimfiˈeiʃəs] *adj bot* grzybieniowaty